आर. गुप्ता® कृत

नेशनल टेस्टिंग एजेंसी (NTA)

UGC-NET/JRF

Junior Research Fellowship & Assistant Professor Eligibility Exam

शारीरिक शिक्षा

(PHYSICAL EDUCATION)

पिछले प्रश्न-पत्र

(PAPER II)

2027
EDITION

रमेश पब्लिशिंग हाउस, नई दिल्ली

इस परीक्षा हेतु पॉपुलर मास्टर गाइड

UGC NET/JRF

शारीरिक शिक्षा

PAPER-II

अध्ययन सामग्री एवं पूर्व परीक्षा प्रश्न-पत्र (उत्तर सहित)

Book Code : R-1033 • Price : ₹ 620 • ISBN : 978-93-87604-98-8

Email : order@rameshpublishinghouse.com

प्रकाशक

ओ॰पी॰ गुप्ता, **रमेश पब्लिशिंग हाउस**

प्रशासनिक कार्यालय

12-H, न्यू दरियागंज रोड, ऑफिसर्स मेस के सामने,
नई दिल्ली-110002 ✆ 23275224, 23245124

E-mail: info@rameshpublishinghouse.com
For Online Shopping: www.rameshpublishinghouse.com

विक्रय केन्द्र

• बालाजी मार्किट, नई सड़क, दिल्ली-110006 ✆ 23282525 📱 9354373464
• 4457, नई सड़क, दिल्ली-110006

Book Code: R-2726

ISBN: 978-93-5477-705-9

मूल्यः ₹ 640

मुद्रक : दीपक ऑफसेट, दिल्ली

अनुक्रमणिका

UGC-NET/JRF—(PAPER-II) शारीरिक शिक्षा

पिछले प्रश्न-पत्र

National Testing Agency (NTA)

UGC-NET जूनियर रिसर्च फैलोशिप तथा सहायक प्राध्यापक पात्रता परीक्षा

शारीरिक शिक्षा, जनवरी-2026

(Exam held on 07-01-2026)

प्रश्न-पत्र-II

1. निम्नलिखित में से किस अनुसंधान अभिकल्प में यादृच्छिकीकरण का अभाव होता है किन्तु वह चरों को प्रभावित करता है?

1. वास्तविक प्रयोग (परीक्षण)
2. प्रतिनिध्यात्मक
3. अनुदैर्ध्य
4. परीक्षण सदृश

2. कूपर के 12 मिनट दौड़/चाल परीक्षण में प्रयुक्त VO_2 max (वीओ$_2$ मैक्स) सूत्र निम्नलिखित है:

1. VO_2 max ($ml.kg^{-1}.min^{-1}$) = 3.5 + (438 ÷ time in minutes)
2. VO_2 max ($ml.kg^{-1}.min^{-1}$) = (Distance – 0.3138) ÷ 0.0278
3. VO_2 max ($ml.kg^{-1}.min^{-1}$) = 108.94 – 8.41(time) – 0.38 ($time^2$)
4. VO_2 max ($ml.kg^{-1}.kg^{-1}$) = –32.678 + 6.592 (maximal speed)

3. गुणात्मक जैव यांत्रिक विश्लेषण का सही आनुक्रमिक क्रम चिन्हांकित कीजिए:

A. प्रेक्षण   B. मूल्यांकन

C. विवरण   D. निर्देश

नीचे दिए गए विकल्पों में से **सही** उत्तर चुनें:

1. A, B, C, D   2. C, A, B, D

3. B, A, C, D   4. C, B, A, D

4. नीचे दो कथन दिए गए हैं: एक अभिकथन (A) के रूप में है तो दूसरा उसके कारण (R) के रूप में:

अभिकथन (A): एथलीटों में दुश्चिंता को कम करने के लिए गहन श्वसन एक प्रभावी मनोवैज्ञानिक कौशल है।

कारण (R): गहन श्वसन पेशियों में आक्सीजन आपूर्ति में वृद्धि करता है तथा उसकी शक्ति को बढ़ाता है।

उपरोक्त कथन के आलोक में, नीचे दिए गए विकल्पों में से सबसे उपयुक्त **उत्तर** का चयन कीजिए।

1. (A) और (R) दोनों सही हैं और (R), (A) की सही व्याख्या है।
2. (A) और (R) दोनों सही हैं और (R), (A) की सही व्याख्या नहीं है।
3. (A) सही है और (R) सही नहीं है।
4. (A) सही नहीं है और (R) सही है।

5. प्रतिरोध प्रशिक्षण के पेशीजनक अनुकूलन हैं:

A. वर्धित तंत्रिकीय प्रेरण

B. तनन प्रतिवर्त विभव

C. वर्धित पेशीय अनुप्रस्थ क्षेत्र

D. वर्धित पेशीतंतुकों की संख्या

नीचे दिए गए विकल्पों में से **सही** उत्तर चुनें:

1. केवल C, D   2. केवल A, B, C

3. केवल B, C, D   4. केवल A, C

6. नीचे दो कथन दिए गए हैं: एक अभिकथन (A) के रूप में है तो दूसरा उसके कारण (R) के रूप में:

अभिकथन (A): प्रत्यवस्थापन का गुणांक उपागम के वेग से पृथक्करण की सत्यता के अनुपात की निरपेक्ष मात्रा होती है।

कारण (R): पृथक्करण और उपागम का वेग दो विरोधी वस्तुओं के क्रमशः संघट्टन के पूर्ण और पश्चात के वेगों के बीच का अंतर होते हैं।

उपरोक्त कथन के आलोक में, नीचे दिए गए विकल्पों में से सबसे उपयुक्त **उत्तर** का चयन कीजिए।

1. (A) और (R) दोनों सही हैं और (R), (A) की सही व्याख्या है।
2. (A) और (R) दोनों सही हैं और (R), (A) की सही व्याख्या नहीं है।
3. (A) सही है और (R) सही नहीं है।
4. (A) सही नहीं है और (R) सही है।

7. प्रेरणा के स्तरों को निम्नतम से उच्चतम आत्म-निर्णय के क्रम में व्यवस्थित करें।

A. आंतरिक प्रेरणा B. बाह्य विनियमन
C. प्रेरणाहीनता D. पहचाना गया विनियमन

नीचे दिए गए विकल्पों में से **सही** उत्तर चुनें:

1. A, C, D, B 2. C, B, D, A
3. C, D, B, A 4. A, B, D, C

8. निम्नलिखित में से कौन-सी स्थिति शारीरिक शिक्षा में नैदानिक मूल्यांकन के अनुप्रयोग को सर्वोत्तम ढंग से चित्रित (निर्देशित) करती है?

1. विद्यार्थियों के सुधार में सहायता हेतु जिमनास्टिक दिनचर्या के दौरान प्रतिपुष्टि प्रदान करना।
2. टेनिस सर्व सिखने में अतिरिक्त सहायता की आवश्यकता वाले विद्यार्थियों को चिह्नित करने के लिए पूर्व-परीक्षण का प्रयोग करना।
3. फाइनल हैंडबाल मैच में विद्यार्थियों के निष्पादन पर आधारित ग्रेडिंग प्रदान करना।
4. कक्षा में पढ़ाई गई संकल्पना के पुनर्बलन के लिए गृहकार्य समनुदिष्ट करना।

9. हीलिंग (स्वस्थ करना) की अवस्थाओं का सही आनुक्रमिक क्रम चिह्नांकित कीजिए:

A. शोध B. क्षति
C. पुनर्निर्माण D. प्रतिपूर्ति

नीचे दिए गए विकल्पों में से **सही** उत्तर चुनें:

1. A, B, C, D 2. D, C, A, B
3. B, C, A, D 4. B, A, D, C

10. प्राथमिक निवारक उपाय का उदाहरण निम्नलिखित में से कौन-सा नहीं है?

1. प्रतिरक्षण 2. जल स्वच्छता
3. स्वास्थ्य शिक्षा 4. हृद् पुनर्वास

11. निम्नलिखित में से किस प्रकार की वैधता उस मात्रा से संबंधित है जिस हद तक कोई मापदंड स्पष्ट रूप से माप किया जाने वाला निष्पादन अन्तर्ग्रस्त होता है?

1. रचना (निर्मिति) वैधता
2. तर्कसंगत वैधता
3. विषयवस्तु वैधता
4. निकर्ष वैधता

12. नीचे दो कथन दिए गए हैं: एक अभिकथन (A) के रूप में है तो दूसरा उसके कारण (R) के रूप में:

अभिकथन (A): परीक्षण कारक के स्तरों के साधनों की तुलना करने के लिए, स्तर एमएस (कारक) के बीच विचलन की माप की तुलना स्तर एमएस (त्रुटि) के भीतर विचलन की माप के साथ की जायेगी।

कारण (R): यदि एमएस (कारक) एमएस (त्रुटि) से बहुत अधिक बड़ा नहीं होता, तो हम इस शून्य प्राककल्पना को खंडित नहीं कर पायेंगे कि सभी साधन समान होते हैं।

उपरोक्त कथन के आलोक में, नीचे दिए गए विकल्पों में से सबसे उपयुक्त **उत्तर** का चयन कीजिए।

1. (A) और (R) दोनों सही हैं और (R), (A) की सही व्याख्या है।
2. (A) और (R) दोनों सही हैं और (R), (A) की सही व्याख्या नहीं है।
3. (A) सही है और (R) सही नहीं है।
4. (A) सही नहीं है और (R) सही है।

13. रेखीय आवधीकरण मॉडल की विशेषता है:

1. यादृच्छीकृत प्रशिक्षण सत्र
2. पूरे में नियत प्रशिक्षण भार
3. मात्रा में ह्रास के साथ तीव्रता में धीरे-धीरे वृद्धि
4. भार और तीव्रता में बारंबार परिवर्तन

14. थकान प्रतिरोध के आधार पर कंकाल की मांसपेशियों के रेशों के प्रकार के वर्गीकरण का सही अनुक्रमिक क्रम चुनें (कम से अधिक)।

A. टाइप I फाइबर   B. टाइप II a फाइबर
C. टाइप II b फाइबर   D. टाइप II x फाइबर

नीचे दिए गए विकल्पों में से **सही** उत्तर चुनें:

1. D, B, C, A   2. A, B, C, D
3. C, D, B, A   4. B, C, A, D

15. अनक्षीय गति निम्नलिखित नाम से भी जानी जाती है:

A. घूर्णी गति   B. विसर्पण गति
C. अंतरण गति   D. सर्पण गति

नीचे दिए गए विकल्पों में से **सही** उत्तर चुनें:

1. केवल A, B   2. केवल C, D
3. केवल B, C, D   4. केवल A, B, D

16. ओलंपिक मूल्य कौन से हैं?

A. श्रेष्ठता (प्रकर्ष)   B. संधारणीयता
C. मैत्री   D. सम्मान

नीचे दिए गए विकल्पों में से **सही** उत्तर चुनें:

1. केवल A, B, C   2. केवल A, C, D
3. केवल B, C   4. केवल A, C

17. शारीरिक शिक्षा एवं खेलों में मुख्य रूप से प्रबंधन निम्नलिखित में शामिल होता है:

A. कार्यकलापों की योजना बनाना तथा संगठित करना
B. यादृच्छिक निर्णय करना
C. प्रतिभागियों को निर्देशित और प्रेरित करना
D. परिणामों का मूल्यांकन करना

नीचे दिए गए विकल्पों में से **सही** उत्तर चुनें:

1. केवल A, B   2. केवल A, B, D
3. केवल A, C, D   4. केवल A, D

18. प्रेषी नेयरपाइनफ्राइन निम्नलिखित द्वारा निष्क्रिय किया गया:

1. कैलिनेसटेरेस
2. कैटशल-ओ-मेथिल ट्रांसटेरेस
3. एसिटिलकेलाइन
4. एक्रोमेगली

19. नीचे दो कथन दिए गए हैं: एक अभिकथन (A) के रूप में है तो दूसरा उसके कारण (R) के रूप में:

अभिकथन (A): भित्त्यंतस्थ खेल प्रतिस्पर्धा (प्रतियोगिता) शैक्षणिक संस्थानों में बड़े स्तर पर विद्यार्थियों की भागीदारी को प्रोत्साहन देती है।

कारण (R): खेल गतिविधियों में व्यापक पैमाने पर विद्यार्थियों की भागीदारी प्रच्छन्न प्रतिभा को पहचानने में सहायता करती है।

उपरोक्त कथन के आलोक में, नीचे दिए गए विकल्पों में से सबसे उपयुक्त **उत्तर** का चयन कीजिए।

1. (A) और (R) दोनों सही हैं और (R), (A) की सही व्याख्या है।
2. (A) और (R) दोनों सही हैं और (R), (A) की सही व्याख्या नहीं है।
3. (A) सही है और (R) सही नहीं है।
4. (A) सही नहीं है और (R) सही है।

20. प्रशिक्षण में शक्ति विकास की सही आनुक्रमिक अवस्थाएं हैं:

A. सामान्य शक्ति आधार
B. अधिकतम शक्ति विकास
C. अनुरक्षण अवस्था
D. विशिष्ट शक्ति में रूपांतरण

नीचे दिए गए विकल्पों में से **सही** उत्तर चुनें:

1. A, B, C, D   2. C, D, A, B
3. A, B, D, C   4. A, C, B, D

21. औपचारिक प्रयोगात्मक अभिकल्पनों के प्रकार कौन से हैं?

A. यांदृच्छीकृत खंड अभिकल्प
B. क्रमगुणित अभिकल्प
C. लैटिन स्क्वायर अभिकल्प
D. नियंत्रण अभिकल्प सहित पूर्ण एवं पश्चात

नीचे दिए गए विकल्पों में से **सही** उत्तर चुनें:

1. केवल A, C, D
2. केवल A, B, C
3. केवल B, C, D
4. केवल A, B

22. सूची-I को सूची-II से सुमेलित करें:

सूची-I (शब्द)	सूची-II (अर्थ)
A. महामारी विज्ञान (जानपदिक रोग विज्ञान)	I. किसी विशेष समष्टि में रोगियों की अप्रत्याशित बड़ी संख्या
B. महामारी	II. सामान्य रूप से किसी समष्टि में नियमित उत्पन्न होने वाला रोग
C. स्थानिक रोग	III. किसी महाद्वीप जैसे व्यापक भौगोलिक क्षेत्र में रोग का प्रादुर्भाव
D. सर्वव्यापी	IV. मानव समष्टि में रोगों और अपहतियों का बंटन और निर्धारक

नीचे दिए गए विकल्पों में से **सही** उत्तर चुनें:

1. A-II, B-III, C-I, D-IV
2. A-IV, B-I, C-II, D-III
3. A-III, B-I, C-IV, D-II
4. A-IV, B-I, C-III, D-II

23. शरीर के कोणीय संवेग को अलग-अलग कोणों पर नियंत्रित करने की क्षमता को क्या कहा जाता है?

1. गतिशीलता
2. चालन क्षमता
3. दिशा परिवर्तन
4. बहु-दिशात्मक गति

24. सूची-I को सूची-II से सुमेलित करें:

सूची-I (चर के प्रकार)	सूची-II (अर्थ)
A. बाह्य चर	I. वह कारक जो संभवतः परिणामों को प्रभावित कर सकता है तथा जिसे अध्ययन से बाहर रखा गया है
B. आश्रित चर	II. आयु, लिंग जैसे स्वतंत्र चर के प्रकार जिन्हें हलयोजित नहीं किया जा सकता है
C. नियंत्रण चर	III. वह कारक जो स्वतंत्र और आश्रित चर के मध्य संबंध को प्रभावित कर सकता है किन्तु उसे शामिल अथवा नियंत्रित नहीं किया जाता है
D. निर्णायक चर	IV. स्वतंत्र चर के प्रभाव

नीचे दिए गए विकल्पों में से **सही** उत्तर चुनें:

1. A-II, B-IV, C-III, D-I
2. A-I, B-II, C-III, D-IV
3. A-III, B-I, C-II, D-IV
4. A-III, B-IV, C-I, D-II

25. खेलों में प्रतिस्पर्धा का विभव नकारात्मक सामाजिक पक्ष निम्नलिखित में से कौन-सा है?

1. टीम कार्य का संवर्धन
2. आक्रमण और शत्रुता का पुनर्बलन
3. सामाजिक समरसता को प्रोत्साहन
4. नेतृत्व कौशल का विकास

26. रसायन दाह के प्राथमिक उपचार प्रबंधन का सर्वाधिक महत्वपूर्ण सोपान निम्नलिखित में से कौन-सा है?

1. तत्काल प्रभावित क्षेत्र को प्रचुर मात्रा में जल से धोना
2. प्रभावित क्षेत्र पर बर्फ का पैक लगाना
3. विपरीत द्रव्य से रसायन को निष्क्रिय करना
4. दाह पर मक्खन या तेल का लेप लगाना

27. किस प्रकार की थकान पूरे शरीर को प्रभावित करती है, चाहे वह शरीर के किसी भी हिस्से में या किसी भी कारण से उत्पन्न हुई हो?

1. स्थानीय थकान
2. प्रणालीगत थकान
3. अक्षीय थकान
4. मांसपेशियों से संबंधित थकान

28. निम्नलिखित में से पाठ्यचर्या योजना का प्रमुख सिद्धां कौन-सा है जो शारीरिक शिक्षा अधिगम अनुभवों सातत्य और अनुक्रम सुनिश्चित करता है?

1. खंडीकरण
2. यादृच्छीकरण
3. हकलाहट
4. उच्चारण (आर्टिकुलेश

29. कर्षण समीकरण के अनुसार, किसी साइकिल चालक द्वारा अनुभव किये जाने वाले कर्षण बल को बढ़ाने में सर्वाधिक महत्वपूर्ण कारक निम्नलिखित में से कौन-सा है?

1. साइकिल चालक के वेग को दुगुना करना
2. साइकिल चालक के द्रव्यमान को दुगुना करना
3. वायु के घनत्व को घटाना
4. साइकिल चालक के अग्रभाग को आधा करना

30. श्वसन मार्ग से बाह्य तत्व के निष्कासन हेतु हीमलिक मैन्यूवर के दौरान, निम्नलिखित में से कौन-सी शरीरक्रियात्मक संरचना सर्वाधिक प्रत्यक्षतः संपीड़ित होती है?

1. श्वास नली
2. ग्रास नली
3. डायफ्राम
4. कंठ

31. सूची-I को सूची-II से सुमेलित करें:

सूची-I (सामान्य वक्र)	सूची-II
A. यदि सैट प्राप्तांक $\sigma = 100$	I. बराबर 1
B. कुल क्षेत्र	II. $\bar{X} = 0$
C. बंटन में यदि σ, 1 है	III. $\bar{X} = 100$
D. बिनेट बुद्धि परीक्षण मापनी प्राप्तांक $\sigma = 16$	IV. $\bar{X} = 500$

नीचे दिए गए विकल्पों में से **सही** उत्तर चुनें:

1. A-I, B-III, C-IV, D-II
2. A-II, B-IV, C-I, D-III
3. A-III, B-II, C-IV, D-I
4. A-IV, B-I, C-II, D-III

32. भार सूचकांक (पोन्डेरल इंडेक्स) किसका मापन करना है?

1. घनित कद के सापेक्ष शरीर का भार
2. शारीरिक द्रव्यमान प्रति इकाई कद
3. दुर्बल काया द्रव्यमान
4. शारीरिक वसा प्रतिशतता

33. संक्रमण की अवस्थाओं का सही आनुक्रमिक क्रम है:

A. रुग्णता (बीमारी)
B. स्वास्थ्य-लाभ
C. उद्भवन
D. पूर्वलक्षण

नीचे दिए गए विकल्पों में से **सही** उत्तर चुनें:

1. C, D, A, B
2. A, D, B, C
3. D, C, A, B
4. B, A, D, C

34. नीचे दो कथन दिए गए हैं: एक अभिकथन (A) के रूप में है तो दूसरा उसके कारण (R) के रूप में:

अभिकथन (A): खेल प्रबंधन में खेल आयोजनों को योजनाबद्ध करना, संगठित, निर्देशित, नियंत्रित तथा मूल्यांकित करना शामिल होता है।

कारण (R): खेल प्रबंधन सुनिश्चित करता है कि केवल अभिजात्य स्तर के एथलीटों को ही खेल आयोजनों में भागीदारी करने की अनुमति हो।

उपरोक्त कथन के आलोक में, नीचे दिए गए विकल्पों में से सबसे उपयुक्त **उत्तर** का चयन कीजिए।

1. (A) और (R) दोनों सही हैं और (R), (A) की सही व्याख्या है।
2. (A) और (R) दोनों सही हैं और (R), (A) की सही व्याख्या नहीं है।
3. (A) सही है और (R) सही नहीं है।
4. (A) सही नहीं है और (R) सही है।

35. व्यावसायिक शारीरिक शिक्षा पाठ्यक्रमों में राष्ट्रीय अध्यापक शिक्षा परिषद् की भूमिका में निम्नलिखित शामिल है:

A. बीपीएड, एमपीएड कार्यक्रम वाले संस्थानों का प्रत्यायन करना।

B. शारीरिक शिक्षा अध्यापक प्रशिक्षण के लिए पाठ्यचर्या के ढाँचे का निर्धारण करना।

C. अखिल भारतीय स्पोर्ट्स टूर्नामेन्ट का आयोजन करना।

D. भारत में सभी उच्च शिक्षा के डिग्री कार्यक्रमों हेतु अर्हता मानदंड निर्धारित करना।

नीचे दिए गए विकल्पों में से **सही** उत्तर चुनें:

1. केवल A, B, D
2. केवल A, B
3. केवल B, D
4. केवल B, C, D

36. नीचे दो कथन दिए गए हैं: एक अभिकथन (A) के रूप में है तो दूसरा उसके कारण (R) के रूप में:

अभिकथन (A): टेनिस सर्व परिशुद्धता परीक्षण का प्रयोग किसी खिलाड़ी के कदमों के प्रयोग (फुटवर्क) और संचालनों को मूल्यांकित करने के लिए किया जाता है।

कारण (R): इस परीक्षणें में सर्विस कोर्ट के लक्ष्यित क्षेत्रों में बॉल को सर्व करना शामिल होता है।

उपरोक्त कथन के आलोक में, नीचे दिए गए विकल्पों में से सबसे उपयुक्त **उत्तर** का चयन कीजिए।

1. (A) और (R) दोनों सही हैं और (R), (A) की सही व्याख्या है।
2. (A) और (R) दोनों सही हैं और (R), (A) की सही व्याख्या नहीं है।
3. (A) सही है और (R) सही नहीं है।
4. (A) सही नहीं है और (R) सही है।

37. बैक्टीरिया के कारण होने वाले रोग हैं:

A. कालरा (हैजा)

B. जठरीय अल्सर

C. लीजेनलोसिस

D. हिस्टोप्लाज्मार्ति

E. रेबीज

नीचे दिए गए विकल्पों में से **सही** उत्तर चुनें:

1. केवल C, D, E　2. केवल B, C, D
3. केवल A, B, C　4. केवल A, D, E

38. राष्ट्रीय खेल प्रोत्साहन पुरस्कार के संदर्भ में निम्नलिखित कथनों में से कौन-सा गलत है?

1. पुरस्कार संगठनों तथा व्यक्तियों दोनों के लिए उपलब्ध है।
2. इसमें खेल-कल्याण संबंधी उपायों के लिए योगदान देने हेतु अभिमान्यता शामिल है।
3. यह केवल ओलम्पिक खेलों की उपलब्धियों के लिए प्रदान किया जाता है।
4. यह अर्जुन एवं द्रोणाचार्य पुरस्कार से भिन्न है।

39. सूची-I को सूची-II से सुमेलित करें:

सूची-I	**सूची-II**
A. संपीड़न	I. अनुदैर्ध्य अक्ष के इर्द-गिर्द वलयित बल
B. तनाव	II. अक्षीय रूप से संपीड़ित बल
C. अपरूपण	III. किसी पृष्ठ के समानान्तर क्रियित बल
D. ऐंठन	IV. संरचना के अक्ष पर खिंचाव बल

नीचे दिए गए विकल्पों में से **सही** उत्तर चुनें:

1. A-III, B-II, C-I, D-IV
2. A-II, B-I, C-III, D-IV
3. A-IV, B-II, C-III, D-I
4. A-II, B-IV, C-III, D-I

40. प्रतिरोध प्रशिक्षण में निष्पादित कार्य की मात्रा कहलाती है:

1. तीव्रता
2. आवृत्ति
3. मात्रा
4. समुच्चय

41. खेल प्रशिक्षण में, नकारात्मक हस्तांतरण सर्वाधिक उत्पन्न होते हैं, जब:

1. समान प्रेरक प्रतिरूप में कौशल शामिल होता है
2. एथलीट अत्यन्त विशेष वातावरण में प्रशिक्षित होते हैं।
3. दो कार्य समान संचलन को संस्पर्श करते हैं किन्तु उनके लिए भिन्न अनुक्रिया की आवश्यकता होती है।
4. पूर्णतः भिन्न संचलन प्रक्रिया में कौशल शामिल होता है।

42. अनुसंधान में खिलाड़ियों (एथलीटों) को समुचित संरक्षण प्रबोधन के बिना परिसंकटमय तीव्रता पर प्रशिक्षित करने के लिए कहने पर निम्नलिखित में से किस आचार सिद्धांत का उल्लंघन होगा?

1. स्वायत्तता
2. उपकारिता
3. गैर-अहितकारी
4. न्याय

43. सूची-I को सूची-II से सुमेलित करें:

सूची-I (अवस्था)	**सूची-II (घटना)**
A. पूर्वावस्था	I. सूत्रकेंद्र इस दशा में विभक्त हो जाते हैं
B. मध्यावस्था	II. स्पिन्डल फाइबर संकुचित हो जाते हैं तथा गुणसूत्रों को खींच लेते हैं
C. अंत्यावस्था	III. नाभिकीय झिल्ली विलुप्त हो जाती है
D. पश्चावस्था	IV. प्रत्येक गुणसूत्र के इर्द-गिर्द नाभिकीय झिल्ली पुनःस्वरूप धारण करती है

नीचे दिए गए विकल्पों में से **सही** उत्तर चुनें:

1. A-II, B-I, C-IV, D-III
2. A-IV, B-III, C-II, D-I
3. A-III, B-I, C-IV, D-II
4. A-III, B-IV, C-II, D-I

44. जीवन के प्रति लक्ष्य-निर्देशी उन्मुखीकरण निम्नलिखित में से किसका होता है?

1. निरुत्साही व्यक्तियों का
2. आमोद-प्रमोद प्रेमी व्यक्तियों का
3. टेलिक (प्रयोजनपरक)-प्रभावी व्यक्तियों का
4. पाराटेलिक (पराप्रयोजनपरक)-प्रभावी व्यक्तियों का

45. नीचे दो कथन दिए गए हैं: एक अभिकथन (A) के रूप में है तो दूसरा उसके कारण (R) के रूप में:

अभिकथन (A): आदर्शवाद का दर्शन शारीरिक शिक्षा द्वारा नैतिक और आध्यात्मिक विकास पर बल देता है।

कारण (R): आदर्शवादी दर्शन का मत है कि मानव शरीर मस्तिष्क की अपेक्षा अधिक महत्वपूर्ण है।

उपरोक्त कथन के आलोक में, नीचे दिए गए विकल्पों में से सबसे उपयुक्त **उत्तर** का चयन कीजिए।

1. (A) और (R) दोनों सही हैं और (R), (A) की सही व्याख्या है।
2. (A) और (R) दोनों सही हैं और (R), (A) की सही व्याख्या नहीं है।
3. (A) सही है और (R) सही नहीं है।
4. (A) सही नहीं है और (R) सही है।

46. सूची-I को सूची-II से सुमेलित करें:

सूची-I (अर्जुन पुरस्कार विजेता 2024)	**सूची-II (खेल अनुशासन)**
A. ज्योति यर्राजी	I. बाक्सिंग (मुक्केबाजी)
B. साविती बूरा	II. शतरंज
C. वंतिका अग्रवाल	III. एथलेटिक्स
D. सजन प्रकाश	IV. तैराकी

नीचे दिए गए विकल्पों में से **सही** उत्तर चुनें:

1. A-II, B-I, C-III, D-IV
2. A-III, B-I, C-II, D-IV
3. A-IV, B-II, C-I, D-III
4. A-III, B-IV, C-II, D-I

47. समस्या समाधान की वैज्ञानिक विधि के सोपानों का सही अनुक्रमिक क्रम है:

A. दत्त एकत्रित करना

B. समस्या को परिभाषित करना तथा सीमा निर्धारण करना

C. प्राक्कल्पना की रचना करना

D. परिणामों का विश्लेषण एवं निर्वचन करना

नीचे दिए गए विकल्पों में से **सही** उत्तर चुनें:

1. B, C, A, D
2. C, A, B, D
3. A, C, B, D
4. C, D, A, B

48. खेल प्रबंधन में दक्षता प्राथमिक रूप से निम्नलिखित से संबंधित है:

1. लागत का ध्यान रखे बगैर संगठनात्मक लक्ष्यों को प्राप्त करना
2. केवल वित्तीय लाभ पर फोकस करना
3. संसाधनों के न्यूनतम प्रयोग के साथ अधिकतम परिणाम प्राप्त करना
4. हर समय खिलाड़ी की संतुष्टि सुनिश्चित करना

49. निम्नलिखित में से किस अन्तरराष्ट्रीय संघ ने वर्ष 2024 का आईओसी जलवायु कार्य पुरस्कार जीता?

1. विश्व नौकायन (WS)
2. अन्तरराष्ट्रीय बास्केटबाल संघ (IBF)
3. अन्तरराष्ट्रीय हाकी संघ (IHF)
4. अन्तरराष्ट्रीय क्रिकेट परिषद (ICC)

50. शारीरिक शिक्षा में उनके किये जाने के आधार पर मूल्यांकन के प्रकारों का सही आनुक्रमिक क्रम है:

A. मानदंड-संदर्भित मूल्यांकन

B. रचनात्मक मूल्यांकन

C. संकलनात्मक मूल्यांकन

D. नैदानिक मूल्यांकन

नीचे दिए गए विकल्पों में से **सही** उत्तर चुनें:

1. D, B, C, A
2. B, A, C, D
3. A, C, B, D
4. D, C, B, A

51. निम्नलिखित में से वह अवस्था कौन-सी है जो तीन लघुकरण चक्र की रचना करती है?

1. उत्केन्द्री
2. संकेन्द्री
3. प्रत्युत्सर्जन
4. मंदन

52. सूची-I को सूची-II से सुमेलित करें:

सूची-I	सूची-II
A. धुराग संधि	I. संधिगुहिका संधि
B. कान्डीलॉयड संधि	II. चक्राभ संधि
C. अवतल (पर्याण) संधि	III. अंडाभ संधि
D. कोर संधि	IV. सेलार संधि

नीचे दिए गए विकल्पों में से **सही** उत्तर चुनें:

1. A-II, B-III, C-IV, D-I
2. A-IV, B-III, C-II, D-I
3. A-I, B-II, C-III, DVII
4. A-III, B-II, C-IV, D-I

53. निम्नलिखित में से कौन-सा खेल के बजट का प्रकार नहीं है?

1. निष्पादन बजट
2. यादृच्छिक बजट
3. पूँजीगत बजट
4. शून्य आधारित बजट

54. एसपीएसएस में वैध चर नाम निम्नलिखित में से कौन-सा है?

1. Arm strength (आर्म स्ट्रेंथ)
2. Arm-Strength (आर्म-स्ट्रेंथ
3. Armstrength (आर्मस्ट्रेंथ)
4. "Arm-strength" ("आर्म-स्ट्रेंथ")

55. हृद चक्र की भिन्न अवस्थाओं को अनुक्रमिक क्रम में व्यवस्थित कीजिए:

A. समायतनी आंकुचन
B. समायतनी विश्रांति
C. निलय उत्क्षेपण
D. निलय पूरक

नीचे दिए गए विकल्पों में से **सही** उत्तर चुनें:

1. A, C, D, B
2. D, A, C, B
3. C, A, D, B
4. B, D, A, C

56. सूची-I को सूची-II से सुमेलित करें:

सूची-I	सूची-II
A. प्रेरक सिद्धांत	I. संज्ञानात्मक दुश्चिंता तीव्र होने की दशा में कार्य निष्पादन समाप्त हो जाता है
B. प्रलय मॉडल	II. एथलीटों के पास विशिष्ट इष्टतम क्षेत्र होता है
C. व्युत्क्रमिक यू-प्राक्कल्पना	III. औसत उद्दीपन में सर्वश्रेष्ठ कार्यनिष्पादन होता है
D. इष्टतम कार्यकरण के व्यष्टिकृत क्षेत्र	IV. सुअधिगमित होने की दशा में उच्च उद्दीपन के कार्यनिष्पादन में वृद्धि होती है

नीचे दिए गए विकल्पों में से **सही** उत्तर चुनें:

1. A-II, B-III, C-I, D-IV
2. A-III, B-I, C-IV, D-II
3. A-IV, B-I, C-III, D-II
4. A-III, B-IV, C-I, D-II

57. स्वायत्त तंत्रिका तंत्र का दूसरा नाम कौन-सा है?

1. दैहिक तंत्रिका
2. गैर-अंतरंग तंत्रिका तंत्र
3. स्वैच्छिक तंत्रिका
4. कायिक तंत्रिका

58. लोकोपकारी पाठ्यचर्या निम्नलिखित में से किसके द्वारा पथ प्रदर्शित है?

1. प्रवृतिवादी – दर्शन
2. अर्थक्रियावादी – दर्शन
3. मानवतावादी – दर्शन
4. आदर्शवादी – दर्शन

59. निम्नलिखित निश्चलन पुनर्वासन की आरंभिक अवस्था के दौरान किस शरीरक्रियात्मक अनुक्रिया के उत्पन्न होने की सर्वाधिक संभावना होती है?

1. ह्रासित मांसपेशी अनुप्रस्थ परिच्छेदीय क्षेत्र तथा वर्धित योजक ऊतक प्रचुरोद्भवन
2. मांसपेशीय रेशों में वर्धित माइटोकाण्ड्रियाई घनत्व
3. वर्धित साइनोवियल तरल श्यानता
4. मांसपेशीय फाइबर टाइप II बी का अतिवर्धन

60. शारीरिक शिक्षा में समादेश शिक्षण शैली के संदर्भ में निम्नलिखित कथनों में से कौन-सा सही है?

1. यह नवीन और सम्मिश्र कौशलों के शिक्षण के लिए प्रभावी होती है।
2. यह कौशल अधिग्रहण में कभी-कभार ही प्रयुक्त होती है।
3. यह अधिगमकर्ता की अधिकतम स्वायत्तता को प्रोत्साहित करती है।
4. यह मुक्तोत्तर समन्वेषण का परिपालन करती है।

61. मूर्त पुनर्बलकों के उदाहरण निम्नलिखित में से कौन-से हैं?

A. मेडल B. नकद पुरस्कार
C. जनस्वीकृति D. शाब्दिक प्रशंसा

नीचे दिए गए विकल्पों में से **सही** उत्तर चुनें:

1. केवल A, D 2. केवल B, C
3. केवल A, B, C 4. केवल A, B

62. सूची-I को सूची-II से सुमेलित करें:

सूची-I (वायरस (विषाणु))	सूची-II (रोग)
A. हर्पेस वैरिसेला-जोस्टर	I. सामान्य ठंड
B. एपस्टीन-बार	II. हीमरहेजिक ज्वर
C. राइनोवायरस (नासा विषाणु)	III. चिकेनपाक्स (छोटी माता)
D. इबोला विषाणु	IV. मोनेन्यूक्लियोसिस

नीचे दिए गए विकल्पों में से **सही** उत्तर चुनें:

1. A-III, B-I, C-IV, D-II
2. A-II, B-III, C-I, D-IV
3. A-IV, B-I, C-III, D-II
4. A-III, B-IV, C-I, D-II

63. निम्नलिखित में से कौन-सा नेतृत्व सिद्धांतों से संबंधित नहीं है?

1. व्यवहारपरक सिद्धांत
2. लक्षण सिद्धांत
3. स्थितिजन्य और आकस्मिकता सिद्धांत
4. आवश्यकता सोपान सिद्धांत

64. नीचे दो कथन दिए गए हैं: एक अभिकथन (A) के रूप में है तो दूसरा उसके कारण (R) के रूप में:

अभिकथन (A): प्राक्षेपिक तनन आरंभकों (प्रारंभ करने वाले) के लिए वास्तविक रूप से सुरक्षित और उपयुक्त माना जाता है।

कारण (R): प्राक्षेपिक तनन में बाउंसिंग संचलन शामिल होता है, जिसे यदि उचित रूप से न किया जाये तो उससे पेशीय विकृति हो सकती है।

उपरोक्त कथन के आलोक में, नीचे दिए गए विकल्पों में से सबसे उपयुक्त **उत्तर** का चयन कीजिए।

1. (A) और (R) दोनों सही हैं और (R), (A) की सही व्याख्या है।
2. (A) और (R) दोनों सही हैं और (R), (A) की सही व्याख्या नहीं है।
3. (A) सही है और (R) सही नहीं है।
4. (A) सही नहीं है और (R) सही है।

65. प्रबंधन में नियंत्रण प्रक्रिया के सही आनुक्रमिक क्रम को चिन्हांकित कीजिए:

A. विचलन का मूल्यांकन करना
B. वास्तविक निष्पादन का मापन करना
C. निष्पादन मानकों को स्थापित करना
D. सुधारात्मक कार्रवाई करना

नीचे दिए गए विकल्पों में से **सही** उत्तर चुनें:

1. B, C, A, D 2. C, B, A, D
3. D, B, A, C 4. A, B, D, C

66. पुल-अप करते समय, कोहनी को मोड़ने के लिए कौन-सी मांसपेशी मुख्य प्रेरक के रूप में कार्य करती है और इसका जुड़ाव बिंदु क्या है?

1. ट्राइसेप्स ब्राची; अल्ना का ओलेक्रानोन प्रोसेस
2. ब्रेकियालिस; स्कैपुलर स्पाइन
3. डेल्टॉइड; डेल्टॉइड ट्यूबरोसिटी
4. बाइसेप्स ब्राची; रेडियल ट्यूबरोसिटी

67. सूची-I को सूची-II से सुमेलित करें:

सूची-I (तरीका)	सूची-II (कमजोरी)
A. आइसोमेट्रिक	I. 1-RM ज्ञान करना कठिन है
B. आइसोटोनिक	II. तीव्रता मापना अधिक जटिल है
C. आइसोकाइनेटिक	III. गति का वेग टॉर्क आउटपुट को प्रभावित करता है
D. प्लायोमेट्रिक	IV. केवल एक जोड़ कोण का परीक्षण किया जाता है

नीचे दिए गए विकल्पों में से **सही** उत्तर चुनें:

1. A-III, B-I, C-II, D-IV
2. A-IV, B-II, C-III, D-I
3. A-IV, B-I, C-III, D-II
4. A-I, B-II, C-III, D-IV

68. सूची-I को सूची-II से सुमेलित करें:

सूची-I (श्रेणी)	सूची-II (मोनार्क कदमापी व्यवस्थापन)
A. बच्चे	I. 0.10 × किग्रा. में शारीरिक भार
B. वयस्क महिला	II. 0.075 × किग्रा. में शारीरिक भार
C. वयस्क पुरुष	III. 0.086 × किग्रा. में शारीरिक भार
D. एथलीट	IV. 0.087 × किग्रा. में शारीरिक भार

नीचे दिए गए विकल्पों में से **सही** उत्तर चुनें:

1. A-IV, B-I, C-II, D-III
2. A-III, B-IV, C-I, D-II
3. A-I, B-II, C-III, D-IV
4. A-II, B-III, C-IV, D-I

69. टी-स्कोर (T-score) के योग का सही आनुक्रमिक क्रम चुनिये:

A. प्रत्येक विद्यार्थी के लिए टी-स्कोर का योग करना
B. प्रत्येक परीक्षण के लिए प्रत्येक विद्यार्थी को टी-स्कोर निर्धारित (निर्दिष्ट) करना
C. प्रत्येक परीक्षण के लिए टी-स्कोर मानदंड विकसित करना
D. अंतिम ग्रेड निर्धारित करना
E. अंतिम अक्षर-ग्रेड मानक विकसित करना

नीचे दिए गए विकल्पों में से **सही** उत्तर चुनें:

1. B, A, E, D, C
2. C, B, A, E, D
3. A, E, D, C, B
4. B, C, A, E, D

70. सूची-I को सूची-II से सुमेलित करें:

सूची-I (नेतृत्व शैली)	सूची-II (खेल प्रबंधन की विशेषता)
A. स्वेच्छाचारी	I. सामूहिक रूप से निर्णय लिया जाता है
B. लोकतांत्रिक	II. कोच पूर्ण स्वतंत्रता प्रदान करता है
C. अबंधता	III. कठोर प्राधिकार और नियंत्रण
D. परिवर्तनकारी	IV. दृष्टि के साथ खिलाड़ियों को प्रोत्साहित करता है

नीचे दिए गए विकल्पों में से **सही** उत्तर चुनें:

1. A-III, B-I, C-II, D-IV
2. A-II, B-I, C-IV, D-III
3. A-III, B-II, C-I, D-IV
4. A-IV, B-III, C-II, D-I

71. प्लायोमेट्रिक प्रशिक्षण की प्रगति का मूलभूत से उन्नत का सही अनुक्रम कौन-सा है?

A. डेप्थ जंप (गहरी कूद)
B. छलांग लगाना (बाउंडिंग)
C. होपिंग
D. एक स्थान से दोनों पैरों से कूद

नीचे दिए गए विकल्पों में से **सही** उत्तर चुनें:

1. B, C, A, D
2. A, C, D, B
3. C, B, D, A
4. D, C, B, A

72. सूची-I को सूची-II से सुमेलित करें:

सूची-I (परीक्षण स्थिति)	सूची-II (प्राचलिक परीक्षण)
A. एक माध्य	I. P का मान 0.474
B. दो स्वतंत्र माध्य	II. P का मान 0.703
C. दो आश्रित माध्य	III. P का मान 0.550
D. सहसंबंध (पार्सन का)	IV. P का मान 0.564

नीचे दिए गए विकल्पों में से **सही** उत्तर चुनें:

1. A-III, B-IV, C-II, D-I
2. A-II, B-III, C-IV, D-I
3. A-I, B-IV, C-III, D-II
4. A-I, B-IV, C-II, D-III

73. उत्तेलक पद्धति में यांत्रिक लाभ का सही परिकलन निम्नलिखित में से कौन-सा है?

1. एम ए = प्रयास भुजा/भार भुजा
2. एम ए = भार भुजा/प्रयास भुजा
3. एम ए = (प्रयास भुजा + भार भुजा)/आलंबक
4. एम ए = आलंबक/(भार भुजा + प्रयास भुजा)/आलंबक

74. नीचे दो कथन दिए गए हैं: एक अभिकथन (A) के रूप में है तो दूसरा उसके कारण (R) के रूप में:

अभिकथन (A): जल प्रदूषण से कारित सुपोषण के परिणामस्वरूप जलीय जीवों की मृत्यु हो सकती है।

कारण (R): अतिशय शैवाल वृद्धि से जल के आक्सीजन स्तर में कमी आती है।

उपरोक्त कथन के आलोक में, नीचे दिए गए विकल्पों में से सबसे उपयुक्त **उत्तर** का चयन कीजिए।

1. (A) और (R) दोनों सही हैं और (R), (A) की सही व्याख्या है।
2. (A) और (R) दोनों सही हैं और (R), (A) की सही व्याख्या नहीं है।
3. (A) सही है और (R) सही नहीं है।
4. (A) सही नहीं है और (R) सही है।

75. प्रतिबल प्रक्रिया की अवस्थाओं को सही अनुक्रम में व्यवस्थित कीजिए:

A. प्रतिबल अनुक्रिया
B. प्रतिबल का सामना करना
C. वातावरणीय मांग
D. मांग का व्यक्ति का अवगम

नीचे दिए गए विकल्पों में से **सही** उत्तर चुनें:

1. C, D, A, B 2. B, D, A, C
3. A, B, D, C 4. D, C, B, A

76. सूची-I को सूची-II से सुमेलित करें:

सूची-I (शिक्षण सामग्री)	**सूची-II (लाभ)**
A. धारण करने योग्य फिटनेस युक्तियाँ	I. इसमें प्रविधियों का स्पष्ट प्रदर्शन होता है।
B. खेल उपकरण	II. इससे अनुभवपरक अभ्यास के माध्यम से कौशल विकास में अभिवृद्धि होती है।
C. वीडियो और एनीमेशन	III. इससे व्यक्तिगत सुस्वस्थता की प्रगति का पता चलता है।
D. अनुदेशात्मक डायग्राम	IV. इससे उपहति निवारण तथा संरक्षा सचेतता में सहायता मिलती है।

नीचे दिए गए विकल्पों में से **सही** उत्तर चुनें:

1. A-III, B-II, C-I, D-IV
2. A-II, B-I, C-IV, D-III
3. A-I, B-II, C-III, D-IV
4. A-IV, B-III, C-II, D-I

77. अतिकटि अग्रकुब्जता के सुधार के लिए सर्वाधिक प्रभावी व्यायाम निम्नलिखित में से कौन-सा है?

1. नितंब महापेशी का तनन
2. सदृघर्षी स्पाइन का सुदृढ़ीकरण
3. चतुःशिरस्क का तनन
4. हैमस्ट्रिंग और उदरीय पेशियों का सुदृशीकरण

78. कौन-से खिलाड़ी यह जानने के लिए उत्सुक हैं कि उन्होंने जो अभ्यास किए हैं, उनसे उन्हें प्रतिस्पर्धी खेल के दौरान अपने कौशल को बेहतर बनाने में मदद मिली है या नहीं?

1. लक्ष्योन्मुखी 2. प्रदर्शनोन्मुखी
3. अहंकारी 4. कार्योन्मुखी

79. विशेष तौर पर प्राथमिक स्तर के शारीरिक शिक्षा अध्यापक के शिक्षा शास्त्रीय उत्तरदायित्व को निम्नलिखित में से कौन सर्वोत्तम ढंग से अभिव्यंजित करता है?

1. स्कूल स्तर के एथलीटों को अनुशिक्षण देना
2. प्रयोगशाला आधारित अनुसंधान का पर्यवेक्षण करना
3. खेल द्वारा मूलभूत प्रेरक कौशल का शुभारंभ करना
4. मूलभूत संज्ञानात्मक कौशल का शुभारंभ करना

80. कौशल प्रशिक्षण अधिगम मूल्यांकन के लिए सर्वाधिक उपयोगी हैं, उनका प्रयोग निम्नलिखित के लिए भी किया जाता है:

A. निदान B. पूर्वानुमान
C. परिशुद्धता D. स्थापना

नीचे दिए गए विकल्पों में से **सही** उत्तर चुनें:

1. केवल A, B और C 2. केवल A, B और D
3. केवल B, C और D 4. केवल B और A

81. एएएचपीईआर (AAHPER) युवा फिटनेस परीक्षण से सॉफ्टबाल थ्रो परीक्षण को किस वर्ष हटाया गया था?

1. 1988 2. 1976
3. 1932 4. 1995

82. रक्त की आक्सीजन वहन करने की क्षमता में वृद्धि अभिवृत्तिगत उद्भासन को सर्वाधिक महत्वपूर्ण दीर्घकालीन समायोजन प्रदान करती है। इस अनुकूलन के लिए कौन-से कारण उत्तरदायी हैं?

A. प्लाज्मा की मात्रा में आरंभिक ह्रास।
B. लाल रुधिर कणिका में वृद्धि।
C. हीमोग्लोबिन संश्लेषण में वृद्धि।
D. प्लाज्मा की मात्रा में आरंभिक वृद्धि।

नीचे दिए गए विकल्पों में से **सही** उत्तर चुनें:

1. केवल A, B, C 2. केवल B, C, D
3. केवल A, C 4. केवल B, D

83. सूची-I को सूची-II से सुमेलित करें:

सूची-I (गति क्षमता)	**सूची-II (निर्धारक कारक)**
A. अभिक्रिया अभिक्षमता	I. सीएनएस की गतिशीलता
B. संचलन गति	II. विस्फोटक शक्ति
C. गतिविषयम (चलन) अभिक्षमता	III. प्रकार्यात्मक क्षमता
D. गति स्थायित्व	IV. वायवी क्षमता

नीचे दिए गए विकल्पों में से **सही** उत्तर चुनें:

1. A-I, B-II, C-III, D-IV
2. A-IV, B-III, C-II, D-I
3. A-III, B-II, C-I, D-IV
4. A-II, B-I, C-III, D-IV

84. नीचे दो कथन दिए गए हैं: एक अभिकथन (A) के रूप में है तो दूसरा उसके कारण (R) के रूप में:

अभिकथन (A): मानव शरीर द्वारा प्रयुक्त सारी ऊर्जा जो भोजन हम करते हैं उसकी रासायनिक ऊर्जा से व्युत्पन्न होती है।

कारण (R): इस रासायनिक ऊर्जा का प्रयोग तुरंत किया जा सकता है अथवा इसे बाद में प्रयोग के लिए संचित किया जा सकता है।

उपरोक्त कथन के आलोक में, नीचे दिए गए विकल्पों में से सबसे उपयुक्त **उत्तर** का चयन कीजिए।

1. (A) और (R) दोनों सही हैं और (R), (A) की सही व्याख्या है।
2. (A) और (R) दोनों सही हैं और (R), (A) की सही व्याख्या नहीं है।
3. (A) सही है और (R) सही नहीं है।
4. (A) सही नहीं है और (R) सही है।

85. पेशीय फाइबरों के वाह्य प्रेरकों में से तंत्रिका इम्प्यूल पथ का सही आनुक्रमिक क्रम चुनिये:

A. प्रेरक (मोटर) न्यूरॉन B. संवेदी न्यूरॉन
C. अन्तर न्यूरॉन D. प्रेरक

नीचे दिए गए विकल्पों में से **सही** उत्तर चुनें:

1. A, B, C, D 2. B, C, A, D
3. C, A, D, B 4. D, B, C, A

86. जेनू वेल्गम डिफार्मिटी (जानुका संघट्जानु विरूपता) से निपटने का सबसे उपयुक्त सुधारात्मक व्यायाम निम्नलिखित में से कौन-सा है?

1. श्रोणि अपवर्तनी तथा अभिमध्य बृहदिक्त्र का सुदृढ़ीकरण
2. श्रोणि अपवर्तनी का सुदृढ़ीकरण
3. इलियोटीबियल बैंड का तनन
4. गैस्ट्राक्निमियस का सुदृढ़ीकरण

87. शुक्राणु कोशिका .... की सहायता से गति करती है।

1. सर्कमसीजन 2. उपदंश
3. कॉर्पस ल्यूटियम 4. कशाभिका

88. निम्नलिखित खेलों (गेम्स) को उनके प्रथम संस्करण के वर्ष के आधार पर कालानुक्रम में व्यवस्थित कीजिए:

A. राष्ट्रमंडल ई-स्पोर्ट्स चैम्पियनशिप

B. राष्ट्रमंडल युवा खेल

C. राष्ट्रमंडल शीतकालीन खेल

D. राष्ट्रमंडल पैराप्लेजिक (लकवा ग्रस्त) खेल

नीचे दिए गए विकल्पों में से **सही** उत्तर चुनें:

1. D, C, B, A
2. A, C, B, D
3. B, A, C, D
4. C, D, B, A

89. AAHPERD-HRPF (1984) में शरीर की संरचना का आकलन करने के लिए आप केवल इसी साइट का उपयोग कर सकते हैं।

1. ट्राइसेप्स स्किनफोल्ड
2. एब्डोमिनल स्किनफोल्ड
3. सबस्कैपुलर स्किनफोल्ड
4. सुप्राईलियम स्किनफोल्ड

90. शीत वातावरण में व्यायाम के पर्यनुकूलन में निम्नलिखित में किसके सिवाय सभी शामिल होते हैं?

1. वर्धित परिधीय वाहिका संकीर्णन
2. वर्धित तापजनक कंपकपाहट
3. अवत्वक वास द्वारा संशोधित उष्मारोधन
4. उत्थापित स्वेद ग्रंथि सुग्राहिता

निर्देशः (प्र.सं. 91 से 95 तक): *निम्न अनुच्छेद को पढ़ें और प्रश्नों के उत्तर दीजिए:*

चरों के मूलतः दो प्रकार होते हैं: गुणात्मक सूचना प्रदान करने वाले चर तथा मात्रात्मक सूचना प्रदान करने वाले चर। गुणात्मक चर जो किसी समष्टि के तत्व का अभिलाक्षणिक गुण होता है या जिसमें क्रमसूचक स्थिति शामिल होती है। मात्रात्मक चर, जिससे मूल्य की गणनीय संख्या पाई जा सकती है अथवा मूल्य की अगणनीय संख्या पाई जा सकती है। चार हेयर-सैलून के प्रतिदर्श के शोध हेतु उनके सैलून व्यवहार परिणाम के साथ ग्राहकों से उनके ''बालों के रंग'' (सफेद, भूरा और काला), 'गृह-नगर' (ग्रामीण, नगरी और शहरी) और ''संतुष्टि का स्तर'' (बहुत संतुष्ट, संतुष्ट और कुछ-कुछ संतुष्ट) का सर्वेक्षण किया गया था। दत्त की प्रतीति के प्रकार से भ्रमित मत हो। गुणात्मक चर सदैव पहचानने में सरल नहीं होते हैं, कभी-कभी वे संख्याओं के रूप में प्रकट होते हैं। बालों के रंग के प्रतिदर्श को 1 = सफेद, 2 = भूरा, और 3 = काला के रूप में कूटबद्ध किया जा सकता है। तो प्रतिदर्श दत्त [2, 3, 1, 3] के रूप में प्रकट होगा, किन्तु अभी भी वे गुणात्मक दत्त या गुण हैं। अनेक मामलों में, दो प्रकार के मात्रात्मक चरों को श्रेणीबद्ध किया जा सकता है जिन्हें किसी माप की गणना से संबंधित चरों द्वारा विनिश्चित किया जाता है।

पाठ्यक्रमों के चरों की संख्या, जिसके लिए आप वर्तमान में सेमेस्टर में पंजीकृत (रजिस्ट्रीकृत) हैं तथा पुस्तकों के भार और आपूर्तियों के चर जिन्हें आज आप कक्षा में शामिल होने के लिए ले जा रहे हैं। जब किसी चर के निर्धारण का प्रयास करते हैं कि चर मात्रात्मक है तो हमें चर को देखना होता है, तथा उन मूल्यों के बारे में सोचना होता है जो उत्पन्न हो सकते हैं।

91. 'गृहनगर' निम्नलिखित चर का उदाहरण है:

1. नाममात्रिक
2. क्रमसूचक
3. विविक्त
4. सतत

92. पुस्तक का भार और आपूर्तियाँ निम्नलिखित चर के उदाहरण हैं:

1. नाममात्रिक
2. क्रमसूचक
3. विविक्त
4. सतत

93. 'संतुष्टि का स्तर' निम्नलिखित चर का उदाहरण है:

1. नाममात्रिक
2. क्रमसूचक
3. विविक्त
4. सतत

94. 'बालों का रंग' निम्नलिखित में से किस चर का उदाहरण है?

1. नाममात्रिक
2. क्रमसूचक
3. विविक्त
4. सतत

95. वर्तमान में पंजीकृत (रजिस्ट्रीकृत) पाठ्यक्रम निम्नलिखित चर का उदाहरण है:

1. नाममात्रिक
2. क्रमसूचक
3. विविक्त
4. सतत

निर्देशः (प्र.सं. 96 से 100 तक): *निम्न अनुच्छेद को पढ़ें और प्रश्नों के उत्तर दीजिएः*

यह सामान्य अनुभव है कि शारीरिक अति-आयास पीड़ा देता है। संरचनागत क्षति के साक्ष्य अन्वेषणकर्ताओं के माध्यम से अब उपलब्ध हैं, जो विलंबित आरंभिक मांसपेशीय व्रणता (डीओएमएस) के साथ-साथ पेशीय ऊतकों में जैव रासायनिक, ऊतकीय और परासंरचनात्मक परिवर्तनों को प्रदर्शित करते हैं। डोम्स (DOMS) का यांत्रिक अभिघात सिद्धांत एक मॉडल प्रस्तुत करता है, जिसमें विशेष रूप से उत्केन्द्री आंकुचन में व्यायाम के दौरान आवश्यक उच्च यांत्रिक बल के कारण पेशीय ऊतकों का विदारण, वास्तविक कारणात्मक कारक है। पेशीचोल की अवनति से ऊतकीय तरल और प्लाज्मा में अन्तरा-कोशिकीय घटकों का विसरण होता है तथा डोम्स (DOMS) के संवेदन में परिणत होता है। तीक्ष्ण शोध सिद्धांत, शोध और डोम्स के मध्य समानताओं पर आधारित है। व्यायाम के पश्चात डब्ल्यूबीसी और मोनोसाइट क्षतिग्रस्त क्षेत्र में प्रवसित हो जाते हैं। वे 24 घंटे तक बड़ी संख्या में उपस्थित रहते हैं, 48 घंटे में उनकी संख्या चरम पर होती है तथा सामान्यतः 72 घंटों में अदृश्यमान हो जाते हैं। डोम्स का स्थानिक स्थानिकारक्तता सिद्धांत एक मॉडल प्रस्तुत करता है जिसमें पेशी का अतिशय प्रयोग वर्धित ऊतक दबाव उत्पन्न करता है, तथा पेशी रक्त प्रवाह बहुत अधिक घट जाता है। आकर्ष सिद्धांत के अनुसार, स्थानीकृत व्रणता जिसका कारण अनअभ्यस्त व्यायाम हैं वह प्रेरक एककों के तानयुक्त स्थानीकृत ऐंठन से उत्पन्न होता है। इस पीड़ा के परिणामस्वरूप परिवर्त तानयुक्त पेशीय संकुचन उत्पन्न होता है।

96. आकर्ष सिद्धांत के अनुसार, डोम्स का मुख्य कारण हैः
1. माइटोकाण्ड्रिया की अतिसक्रियता
2. लैक्टिक अम्ल का संचयन
3. पेशीय फाइबर में संरचनात्मक माइक्रोटियर्स
4. परिवर्त पेशीय ऐंठन द्वारा रक्त प्रवाह को कम

97. यांत्रिक संघात सिद्धांत के अनुसार, पेशीय व्रणता निम्नलिखित के कारण होती हैः
1. पेशीय फाइबर में माइक्रोटियर्स
2. लैक्टिक अम्ल संचलन
3. तंत्रिका संपीड़न
4. ह्रासित आक्सीजन आपूर्ति

98. डोम्स में तीक्ष्ण शोध अनुक्रिया सामान्यतः कब चरम पर होती है?
1. व्यायाम के तुरंत बाद
2. व्यायाम के 12-24 घंटे पश्चात
3. व्यायाम के 48-72 घंटे पश्चात
4. व्यायाम के 72 घंटे पश्चात

99. निम्नलिखित में से किस प्रकार का व्यायाम डोम्स के यांत्रिक संघात से सर्वाधिक संबद्ध है?
1. संकेन्द्री
2. उत्केन्द्री
3. आइसोमेट्रिक
4. वायुजीवी

100. पेशीय व्यायाम में स्थानिकारक्तता का कारण हैः
1. रक्त वाहिकाओं का वाहिनी विस्फरण
2. संधारित संकुचन के दौरान रक्त वाहिकाओं का संपीड़न
3. अत्यधिक आक्सीजन आपूर्ति
4. वर्धित हृदय गति

उत्तरमाला

1	2	3	4	5	6	7	8	9	10
4	2	2	3	1	1	2	2	4	4
11	**12**	**13**	**14**	**15**	**16**	**17**	**18**	**19**	**20**
2	2	3	3	3	2	3	2	1	3
21	**22**	**23**	**24**	**25**	**26**	**27**	**28**	**29**	**30**
2	2	2	4	2	1	2	4	1	3
31	**32**	**33**	**34**	**35**	**36**	**37**	**38**	**39**	**40**
4	1	1	3	2	4	3	1, 3	4	3

41	42	43	44	45	46	47	48	49	50
3	3	3	3	3	2	1	3	3	1
51	**52**	**53**	**54**	**55**	**56**	**57**	**58**	**59**	**60**
4	1	2	3	2	3	2	1	1	1
61	**62**	**63**	**64**	**65**	**66**	**67**	**68**	**69**	**70**
4	4	4	4	2	4	3	4	2	1
71	**72**	**73**	**74**	**75**	**76**	**77**	**78**	**79**	**80**
4	3	1	1	1	1	4	4	3	2
81	**82**	**83**	**84**	**85**	**86**	**87**	**88**	**89**	**90**
2	1	3	2	4	1	4	4	1	4
91	**92**	**93**	**94**	**95**	**96**	**97**	**98**	**99**	**100**
1	4	2	1	3	4	1	3	2	2

व्याख्यात्मक उत्तर

1. परीक्षण-सदृश (Quasi/experimental) अनुसंधान अभिकल्प में प्रायः प्रतिभागियों/समूहों का यादृच्छिकीकरण (randomization) नहीं होता, क्योंकि समूह पहले से बने हुए (जैसे अलग-अलग कक्षाएँ/टीमें) हो सकते हैं। फिर भी इसमें शोधकर्ता स्वतंत्र चर (intervention/कार्यक्रम/प्रशिक्षण) लागू करके आश्रित चरों (प्रदर्शन, फिटनेस, मनोवैज्ञानिक स्कोर आदि) पर प्रभाव देखता है। इसलिए ''यादृच्छिकीकरण का अभाव होते हुए भी चरों को प्रभावित करने वाला'' अभिकल्प सबसे उपयुक्त रूप से परीक्षण-सदृश ही होता है।

2. कूपर के 12 मिनट दौड़/चाल परीक्षण में $VO_{2\ max}$ का आकलन तय समय (12 मिनट) में तय की गई दूरी के आधार पर किया जाता है, न कि समय के आधार पर। दिए गए विकल्पों में केवल विकल्प (2) ऐसा सूत्र देता है जो सीधे Distance को $VO_{2\ max}$ में बदलता है, इसलिए यही कूपर 12-मिनट टेस्ट के लिए उपयुक्त है। बाकी विकल्प समय-आधारित/स्पीड-आधारित हैं या इकाइयों के लिहाज से कूपर 12-मिनट दूरी-परीक्षण से मेल नहीं खाते।

3. **C. विवरणः** पहले कौशल/गतिविधि के महत्वपूर्ण चरण, शरीर की स्थिति, तथा प्रदर्शन के अपेक्षित मानक स्पष्ट किए जाते हैं। इससे देखने वाले को यह तय करने का आधार मिलता है कि किन बिंदुओं पर ध्यान केंद्रित करना है।

A. प्रेक्षणः इसके बाद वास्तविक प्रदर्शन को ध्यानपूर्वक देखा जाता है (समय, कोण, तालमेल, संतुलन, क्रम आदि)। सही प्रेक्षण के बिना आगे का विश्लेषण अनुमान-आधारित हो जाता है, इसलिए यह चरण अनिवार्य है।

B. मूल्यांकनः प्रेक्षण से मिली जानकारी को मानक/लक्ष्य से मिलाकर प्रदर्शन की गुणवत्ता और त्रुटियाँ तय की जाती हैं। यहीं पर यह निर्णय बनता है कि कौन-सी त्रुटि प्रमुख है और किसका प्रभाव अधिक है।

D. निर्देशः अंत में सुधार हेतु स्पष्ट, व्यवहारिक संकेत/फीडबैक/ड्रिल दिए जाते हैं ताकि अगला प्रयास बेहतर हो। निर्देश जितने सटीक और प्राथमिकता-आधारित होंगे, सुधार उतना ही तेज और स्थायी होगा।

4. गहन श्वसन (deep breathing) दुश्चिंता कम करने में प्रभावी माना जाता है क्योंकि यह शारीरिक उत्तेजना (arousal) घटाने, श्वसन दर को नियंत्रित करने और शांत प्रतिक्रिया (relaxation response) बढ़ाने में मदद करता है। इससे ध्यान भटकाव कम होता है और खिलाड़ी का मनोदैहिक नियंत्रण बेहतर होता है, जो चिंता-प्रबंधन में उपयोगी है। दिया गया कारण मुख्यतः ''पेशियों में ऑक्सीजन बढ़कर शक्ति बढ़ती है'' पर केंद्रित है, जो दुश्चिंता घटाने की मुख्य मनोवैज्ञानिक व्याख्या नहीं है और इस रूप में कथन (A) की सही वजह नहीं बनता।

5. यहाँ ''पेशीजनक (Myogenic) अनुकूलन'' का अर्थ वे परिवर्तन हैं जो सीधे मांसपेशी की संरचना (muscle structure) में होते हैं, न कि तंत्रिका-तंत्र (nervous system) के नियंत्रण/समन्वय में। प्रतिरोध प्रशिक्षण से

हाइपरट्रॉफी के कारण मांसपेशी का आकार बढ़ता है, जिससे पेशीय अनुप्रस्थ क्षेत्र (C: Cross-sectional area) बढ़ना एक शुद्ध पेशीजनक परिवर्तन है। इसी हाइपरट्रॉफी के भीतर मांसपेशी रेशे के अंदर संकुचनशील इकाइयों (contractile elements) का निर्माण/जोड़ बढ़ता है, जिसे पाठ्य-परीक्षा संदर्भ में मायोफाइब्रिल्स/पेशीतंतुकों की संख्या बढ़ना (D) के रूप में लिखा जाता है; इसलिए D भी पेशीजनक अनुकूलन में आता है। इसके विपरीत A (वर्धित तंत्रिकीय प्रेरण) और B (तनन प्रतिवर्त विभव) का संबंध मुख्यतः तंत्रिकीय (Neural) अनुकूलन से है—यानी मोटर यूनिट सक्रियण, रिफ्लेक्स नियंत्रण और न्यूरोमस्कुलर समन्वय—ये मांसपेशी की संरचनात्मक बनावट में प्रत्यक्ष वृद्धि नहीं दर्शाते। इसलिए इस प्रश्न में पेशीजनक अनुकूलन के लिए सबसे उपयुक्त संयोजन केवल C और D ही बनता है।

6. प्रत्यवस्थापन का गुणांक (Coefficient of Restitution, *e*) को संघट्टन की रेखा के अनुदिश पृथक्करण के सापेक्ष वेग और उपागम के सापेक्ष वेग के अनुपात (आम तौर पर परिमाण/निरपेक्ष मान) के रूप में परिभाषित किया जाता है, इसलिए अभिकथन (A) सही है। कारण (R) भी सही है क्योंकि सापेक्ष वेग की अवधारणा में उपागम का सापेक्ष वेग संघट्टन से पहले दोनों वस्तुओं के वेगों का अंतर और पृथक्करण का सापेक्ष वेग संघट्टन के बाद दोनों वस्तुओं के वेगों का अंतर होता है। यही परिभाषा (R) सीधे $= \dfrac{\text{relative speed of separation}}{\text{relative speed of approach}}$ को आधार देती है, इसलिए (R), (A) की सही व्याख्या करता है।

7. C. प्रेरणाहीनता → यहाँ व्यक्ति के पास लक्ष्य/कारण का अभाव होता है, इसलिए आत्म-निर्णय (self-determination) सबसे कम होता है। व्यवहार "क्यों कर रहा/रही हूँ?" का उत्तर अस्पष्ट रहने से प्रयास और निरंतरता घटती है।

B. बाह्य विनियमन → कार्य बाहरी पुरस्कार/दंड/दबाव के कारण किया जाता है, नियंत्रण बाहर से आता है। प्रेरणा मौजूद होती है, पर स्वायत्तता कम रहती है क्योंकि निर्णय का स्रोत बाहरी होता है।

D. पहचाना गया विनियमन → व्यक्ति गतिविधि को अपने लिए उपयोगी/महत्त्वपूर्ण मानकर अपनाता है, इसलिए स्वायत्तता बढ़ती है। यह अभी भी पूर्णतः आंतरिक आनंद-आधारित नहीं, पर व्यक्ति इसे "अपना कारण" मानता है।

A. आंतरिक प्रेरणा → कार्य स्वयं आनंद/रुचि/संतोष के लिए किया जाता है, आत्म-निर्णय सर्वाधिक होता है। यहाँ नियंत्रण और लक्ष्य दोनों भीतर से संचालित होते हैं, इसलिए यह क्रम का सर्वोच्च स्तर है।

8. नैदानिक मूल्यांकन (Diagnostic Evaluation) का उद्देश्य सीखने में कठिनाई/कमजोरी के कारण और विशिष्ट जरूरत पहचानना होता है ताकि उचित सुधारात्मक सहायता दी जा सके। टेनिस सर्व सीखने से पहले पूर्व-परीक्षण लेकर जिन विद्यार्थियों को अतिरिक्त सहायता चाहिए उन्हें चिन्हित करना सीधे नैदानिक अनुप्रयोग दर्शाता है। बाकी विकल्प अधिकतर निर्माणात्मक प्रतिपुष्टि, समापनात्मक ग्रेडिंग या गृहकार्य-आधारित पुनर्बलन से जुड़े हैं।

9. हीलिंग (स्वस्थ होने) की प्रक्रिया एक सुव्यवस्थित जैविक क्रम का पालन करती है जिसमें ऊतक क्षति के बाद शरीर क्रमिक रूप से मरम्मत और पुनर्गठन करता है।

B. क्षतिः यह प्रारंभिक चरण है जिसमें ऊतक, मांसपेशी या लिगामेंट को चोट लगती है। इसी के साथ ही हीलिंग प्रक्रिया सक्रिय होती है और शरीर रक्षा-तंत्र काम करना शुरू करता है।

A. शोथः क्षति के तुरंत बाद सूजन (Inflammation) का चरण आता है जिसमें रक्त प्रवाह बढ़ता है, प्रतिरक्षा कोशिकाएँ सक्रिय होती हैं और क्षतिग्रस्त ऊतक की सफाई होती है। यह मरम्मत के लिए आवश्यक तैयारी का चरण है।

D. प्रतिपूर्तिः इस चरण को Proliferation भी कहते हैं, जिसमें नए ऊतक, कोलेजन फाइबर और रक्त वाहिकाओं का निर्माण होता है। घाव भरने की प्रक्रिया यहीं से स्पष्ट रूप से दिखाई देने लगती है।

C. पुनर्निर्माणः यह अंतिम चरण है जिसमें बने हुए नए ऊतक पुनर्गठित (Remodel) होकर मजबूत और कार्यात्मक बनते हैं। इस अवस्था में ऊतक अपनी मूल संरचना और शक्ति के करीब पहुंचता है।

10. प्राथमिक निवारक उपाय (Primary Prevention) रोग होने से पहले जोखिम घटाने/रोकथाम पर केंद्रित होते हैं, जैसे प्रतिरक्षण, जल स्वच्छता और स्वास्थ्य शिक्षा। हृद् पुनर्वास (Cardiac Rehabilitation) आमतौर पर रोग/घटना (जैसे हार्ट अटैक/सर्जरी) के बाद कार्यक्षमता बहाली और पुनरावृत्ति रोकने से जुड़ा होता है, इसलिए यह प्राथमिक निवारण का उदाहरण नहीं है।

11. यह वैधता इस बात से संबंधित होती है कि कोई परीक्षण/माप देखने में ही उस निष्पादन/क्षमता को मापता हुआ ''स्पष्ट रूप से'' प्रतीत होता है या नहीं। जब कोई मापदंड बाह्य रूप से (surface level) उसी चीज का मापन करता हुआ लगे, जिसे मापना चाहिए, तो उसे तर्कसंगत (Face/Logical) वैधता कहा जाता है।

12. अभिकथन (A) ANOVA की मूल प्रक्रिया बताता है कि विभिन्न समूहों के साधनों की तुलना MS(कारक) और MS(त्रुटि) के अनुपात (F-आंकड़ा) के माध्यम से की जाती है। यह विधि सही है क्योंकि समूहों के बीच और समूहों के भीतर विचलन की तुलना से ही यह तय होता है कि साधनों में अंतर वास्तविक है या केवल संयोगवश। कारण (R) भी सही है क्योंकि यदि MS(कारक), MS(त्रुटि) से पर्याप्त बड़ा नहीं होता, तो F-मान छोटा रहेगा और शून्य प्रकल्पना को अस्वीकार नहीं किया जा सकेगा। यह ANOVA के निष्कर्ष (decision rule) को स्पष्ट करता है।

लेकिन (R), (A) की व्याख्या नहीं करता, बल्कि केवल यह बताता है कि तुलना का परिणाम क्या होगा। (A) प्रक्रिया/तुलना की विधि बताता है, जबकि (R) उस तुलना के आधार पर निर्णय की स्थिति बताता है। इसलिए दोनों कथन सही हैं, पर (R), (A) की सही व्याख्या नहीं है।

13. रेखीय आवधीकरण (Linear Periodization) में प्रशिक्षण चरणों के साथ मात्रा (Volume) क्रमशः घटती जाती है और तीव्रता (Intensity) क्रमशः बढ़ती जाती है। इसका उद्देश्य धीरे-धीरे अधिक भार/तीव्रता की ओर जाना और प्रतिस्पर्धात्मक/पीक प्रदर्शन के लिए शरीर को व्यवस्थित रूप से तैयार करना होता है।

14. **C. टाइप II b फाइबर** → थकान प्रतिरोध सबसे कम; ये तेज बल देते हैं पर जल्दी थकते हैं। मुख्यतः त्वरित, उच्च-तीव्रता, अल्प अवधि गतिविधियों में सक्रिय रहते हैं।

D. टाइप II x फाइबर → C से अधिक लेकिन अभी भी कम-से-मध्यम थकान प्रतिरोधय तीव्रता अधिक पर टिकाऊपन सीमित। ऊर्जा आपूर्ति अधिकतर त्वरित तंत्रों पर निर्भर होने से थकान जल्दी आती है।

B. टाइप II a फाइबर → मध्यम से अच्छा थकान प्रतिरोधय गति/बल और सहनशीलता का संतुलन। लम्बे प्रयासों में C/D की तुलना में अधिक देर तक प्रदर्शन बनाए रखते हैं।

A. टाइप I फाइबर → थकान प्रतिरोध सर्वाधिकय ये लंबे समय तक निरंतर कार्य के लिए सर्वश्रेष्ठ। सहनशक्ति आधारित गतिविधियों में प्रमुख रूप से सक्रिय रहते हैं और देर से थकते हैं।

15. **B. विसर्पण गति** → अनक्षीय गति में शरीर/खंड बिना किसी स्थिर अक्ष के ''सरकने/फिसलने'' जैसी गति करता है। इसमें घूर्णन की बजाय सतह के साथ विस्थापन प्रमुख होता है।

C. अंतरण गति → अनक्षीय गति को अंतरण/Translation भी कहा जाता है, जहाँ सभी बिंदु एक ही दिशा में समानांतर रूप से खिसकते हैं। यह रेखीय (Linear) स्वरूप की मूल परिभाषा के अनुरूप है।

D. सर्पण गति → यह भी सरकने/स्लाइडिंग के रूप में अनक्षीय (Non-axial) गति का ही रूप है। इसमें गति का आधार अक्ष के चारों ओर घूमना नहीं, बल्कि स्थान परिवर्तन (displacement) होता है।

16. ओलंपिक मूल्य (Olympic Values) तीन मुख्य सिद्धांतों पर आधारित होते हैं—श्रेष्ठता (Excellence), मैत्री (Friendship) और सम्मान (Respect)। ये मूल्य खिलाड़ियों को केवल जीतने पर नहीं बल्कि अपने सर्वश्रेष्ठ प्रदर्शन, आपसी सहयोग और प्रतिस्पर्धा के प्रति सम्मान की भावना विकसित करने पर बल देते हैं। संधारणीयता (Sustainability) ओलंपिक का एक आधुनिक सिद्धांत है, लेकिन इसे मूल ओलंपिक मूल्यों में शामिल नहीं किया जाता, इसलिए B गलत है।

17. शारीरिक शिक्षा एवं खेल प्रबंधन के प्रमुख कार्यों में योजना बनाना और संगठित करना (A), प्रतिभागियों को निर्देशित एवं प्रेरित करना (C) तथा परिणामों का मूल्यांकन करना (D) शामिल होते हैं। ये सभी प्रबंधन के मूल कार्य (Planning, Organizing, Directing, Controlling) के अंतर्गत आते हैं। यादृच्छिक निर्णय (B) प्रबंधन का हिस्सा नहीं होता क्योंकि प्रबंधन सुनियोजित और उद्देश्यपूर्ण प्रक्रिया है।

18. न्यूरोट्रांसमीटर नॉरएपिनेफ्राइन (Norepinephrine) का निष्क्रियकरण मुख्यतः एंजाइम Catechol-O-Methyl Transferase (COMT) द्वारा होता है, साथ ही Monoamine Oxidase (MAO) भी इसमें भूमिका निभाता है। विकल्प 1 (Cholinesterase) एसिटाइलकोलाइन पर कार्य करता है, जबकि अन्य विकल्प असंबंधित हैं।

19. भित्त्यंतस्थ (Intramural) प्रतियोगिताएँ संस्थान के भीतर आयोजित होती हैं, जिनका उद्देश्य अधिक से अधिक विद्यार्थियों की भागीदारी सुनिश्चित करना होता है, इसलिए (A) सही है। (R) भी सही है क्योंकि जब अधिक विद्यार्थी खेलों में भाग लेते हैं तो उनकी छिपी प्रतिभाओं की पहचान होती है। यही कारण है कि भित्त्यंतस्थ प्रतियोगिताएँ बड़े स्तर पर भागीदारी को प्रोत्साहित करती हैं, इसलिए (R), (A) की व्याख्या करता है।

20. शक्ति विकास के प्रशिक्षण में पहले सामान्य शक्ति आधार (A) तैयार किया जाता है जिससे शरीर को प्रशिक्षण के लिए तैयार किया जा सके। इसके बाद अधिकतम शक्ति विकास (B) किया जाता है ताकि उच्च स्तर की शक्ति प्राप्त हो। फिर इस शक्ति को खेल की आवश्यकताओं के अनुसार विशिष्ट शक्ति में रूपांतरण (D) किया जाता है। अंत में अनुरक्षण अवस्था (C) में इस विकसित शक्ति को बनाए रखा जाता है, इसलिए सही क्रम $A \rightarrow B \rightarrow D \rightarrow C$ है।

21. औपचारिक (Formal) प्रयोगात्मक अभिकल्पन वे होते हैं जिनमें सांख्यिकीय नियंत्रण, यादृच्छिकीकरण और संरचित डिजाइन का उपयोग किया जाता है ताकि त्रुटि को न्यूनतम किया जा सके और निष्कर्ष अधिक विश्वसनीय बनें। इस श्रेणी में यादृच्छीकृत खंड अभिकल्प (Randomized Block Design – A), क्रमगुणित अभिकल्प (Factorial Design – B) तथा लैटिन स्क्वायर अभिकल्प (Latin Square Design – C) सम्मिलित होते हैं, क्योंकि ये सभी उन्नत सांख्यिकीय तकनीकों पर आधारित होते हैं और विभिन्न स्रोतों की भिन्नता (variation) को नियंत्रित करने की क्षमता रखते हैं। इसके विपरीत नियंत्रण अभिकल्प सहित पूर्व एवं पश्चात (D) अपेक्षाकृत सरल, अनौपचारिक (Informal) डिजाइन माना जाता है, जिसमें जटिल सांख्यिकीय नियंत्रण की व्यवस्था नहीं होती। इसलिए इसे औपचारिक प्रयोगात्मक अभिकल्पन की श्रेणी में नहीं रखा जाता। अतः सही उत्तर केवल A, B, C है।

22. **A. महामारी विज्ञान → IV:** यह मानव समष्टि में रोगों/अपहतियों के बंटन (distribution) और निर्धारकों (determinants) का अध्ययन है। यानी कौन-सा रोग किस जनसमूह में, कहाँ, कब और क्यों फैलता है—इन कारणों और पैटर्न का वैज्ञानिक अध्ययन।

B. महामारी → I: किसी विशेष समष्टि में रोगियों की अप्रत्याशित बड़ी संख्या का उत्पन्न होना महामारी कहलाता है। यह अपेक्षित/सामान्य स्तर से अधिक मामलों की अचानक वृद्धि को दर्शाता है।

C. स्थानिक रोग → II: जो रोग किसी समष्टि में नियमित रूप से मौजूद रहता है, वह स्थानिक (Endemic) कहलाता है। यानी किसी क्षेत्र में उसका सामान्य/स्थायी स्तर बना रहता है।

D. सर्वव्यापी → III: जब रोग का प्रसार बहुत व्यापक भौगोलिक क्षेत्र (महाद्वीप/अनेक देशों) में हो जाए, तो उसे सर्वव्यापी/महामारी-स्तर का वैश्विक प्रादुर्भाव माना जाता है। यह व्यापक फैलाव और बड़े भू-भाग में संक्रमण/रोग-प्रसार का संकेत है।

23. शरीर के कोणीय संवेग (Angular Momentum) को अलग-अलग कोणों/स्थितियों में नियंत्रित रखने की क्षमता मुख्यतः न्यूरोमस्कुलर नियंत्रण, संतुलन और समन्वय से जुड़ी होती है, जिसका व्यावहारिक रूप "चालन क्षमता (Motor ability/Control ability)" के अंतर्गत समझा जाता है। यह शरीर को घूर्णन/कोणीय गति में स्थिरता, सही मुद्रा और नियंत्रित परिवर्तन देने की क्षमता को दर्शाता है।

24. **A. बाह्य चर → III:** यह ऐसा कारक हो सकता है जो स्वतंत्र और आश्रित चर के संबंध को प्रभावित कर दे, पर उसे अध्ययन में शामिल/नियंत्रित नहीं किया जाता। यानी यह बाहर से "प्रभाव" डाल सकता है और परिणामों में भ्रम (bias) ला सकता है।

B. आश्रित चर → IV: आश्रित चर वह होता है जिस पर स्वतंत्र चर का प्रभाव देखा/मापा जाता है। अर्थात परिणाम/आउटकम वही है जो बदलता है और मापन का मुख्य लक्ष्य होता है।

C. नियंत्रण चर → I: वह कारक जो परिणामों को प्रभावित कर सकता है, इसलिए उसे स्थिर/नियंत्रित रखा जाता है ताकि प्रभाव केवल स्वतंत्र चर का दिखे। इसे नियंत्रित रखकर अध्ययन की वैधता और निष्कर्ष की शुद्धता बढ़ती है।

D. निर्णायक चर → II: आयु, लिंग जैसे ऐसे कारक जो अक्सर समूहों के परिणामों को निर्णायक रूप से प्रभावित कर सकते हैं, पर उन्हें "हेरफेर" नहीं किया जा सकता। ऐसे चर को प्रायः वर्गीकरण/समायोजन द्वारा संभाला जाता है, पर वे स्वयं उपचार-चर नहीं बनते।

25. खेलों में प्रतिस्पर्धा का नकारात्मक सामाजिक पक्ष तब उभरता है जब जीत-हार का दबाव आक्रामकता, शत्रुता, विरोधी के प्रति नकारात्मक व्यवहार और अनुचित खेलभावना को बढ़ा दे। यह टीमवर्क, सामाजिक समरसता या नेतृत्व जैसे सकारात्मक परिणाम नहीं हैं; इसलिए नकारात्मक सामाजिक पक्ष के रूप में सबसे उपयुक्त विकल्प "आक्रमण और शत्रुता का पुनर्बलन" है।

26. रसायन दाह (Chemical Burn) में सबसे पहला और सबसे महत्वपूर्ण कदम होता है प्रभावित भाग को तुरंत बहते हुए साफ पानी से लंबे समय तक धोना। इससे रसायन का घनत्व कम होता है, उसकी क्रिया रुकती है और ऊतक को और अधिक नुकसान से बचाया जा सकता है। बर्फ, तेल या विपरीत रसायन का उपयोग नुकसान बढ़ा सकता है, इसलिए प्राथमिक उपचार में केवल जल से धुलाई ही सर्वोत्तम और सुरक्षित उपाय माना जाता है।

27. प्रणालीगत (Systemic/General) थकान पूरे शरीर को प्रभावित करती है, चाहे थकान किसी एक मांसपेशी या गतिविधि से ही क्यों न उत्पन्न हुई हो। इसमें तंत्रिका तंत्र, ऊर्जा प्रणाली और मानसिक स्थिति भी शामिल होती है, इसलिए इसका प्रभाव पूरे शरीर के प्रदर्शन पर पड़ता है। स्थानीय थकान केवल किसी विशेष मांसपेशी तक सीमित रहती है।

28. पाठ्यचर्या योजना में आर्टिकुलेशन (Articulation) का सिद्धांत यह सुनिश्चित करता है कि विभिन्न कक्षाओं/स्तरों के बीच सीखने के अनुभवों में सातत्य (continuity) और क्रम (sequence) बना रहे। इससे विद्यार्थी का ज्ञान क्रमिक रूप से विकसित होता है और पहले सीखी गई सामग्री आगे के अध्ययन से जुड़ती रहती है।

29. कर्षण (Drag) बल का समीकरण

$$F_d = \frac{1}{2}\rho v^2 C_d A$$

स्पष्ट रूप से दर्शाता है कि कर्षण बल वेग के वर्ग (v^2) के समानुपाती होता है।

यदि वेग को दुगुना किया जाए,

$$v \to 2v$$

तो,

$F_d \propto (2v)^2 = 4v^2$

अर्थात् कर्षण बल चार गुना हो जाएगा। अन्य कारकों की तुलना में वेग का प्रभाव सबसे अधिक होता है क्योंकि यह वर्ग के रूप में कार्य करता है, जबकि घनत्व (ρ) और अग्रभाग क्षेत्र (A) का प्रभाव केवल रैखिक होता है। द्रव्यमान का कर्षण बल से कोई सीधा संबंध नहीं होता। इसलिए कर्षण बल को बढ़ाने में सबसे महत्वपूर्ण कारक वेग है, और उसे दुगुना करना कर्षण को सर्वाधिक बढ़ाता है।

30. हीमलिक मैन्यूवर (Heimlich Maneuver) में पेट के ऊपरी भाग (एब्डोमेन) पर जोरदार दबाव डाला जाता है, जिससे डायफ्राम ऊपर की ओर धकेला जाता है। इससे फेफड़ों में दबाव बढ़ता है और हवा का तेज प्रवाह उत्पन्न होता है, जो श्वसन मार्ग में फंसी वस्तु को बाहर निकालने में मदद करता है। इसलिए इस प्रक्रिया में सबसे प्रत्यक्ष रूप से संपीड़ित संरचना डायफ्राम होती है।

31. **A. यदि सैट प्राप्तांक σ = 100 → IV. (X = 500):** SAT जैसे मानकीकृत स्कोर के संदर्भ में माध्य (Mean) 500 और मानक विचलन (SD) 100 वाला स्केल प्रचलित माना जाता है। इसलिए σ = 100 का संकेत उसी स्केल के SD से है, जिसका माध्य X = 500 होता है।

B. कुल क्षेत्र → I. (बराबर 1): सामान्य वक्र (Normal Probability Curve) के नीचे का कुल क्षेत्रफल हमेशा 1 (अर्थात 100%) होता है। यही प्रायिकता वितरण की मूल विशेषता है, इसलिए कुल क्षेत्र = 1।

C. बंटन में यदि σ, 1 है → II. (X = 0): σ = 1 का अर्थ Standard Normal Distribution (Z-वितरण) होता है। Standard normal में माध्य X = 0 और σ = 1 होता है, इसलिए C का मिलान X = 0 से।

D. बिनेट बुद्धि परीक्षण मापनी प्राप्तांक σ = 16 → III. (X + 100): IQ स्केल (Stanfordn-Binet/आधुनिक मानकीकरण) में सामान्यतः माध्य 100 और मानक विचलन लगभग 16 माना जाता है। इसलिए σ = 16 के साथ संबद्ध माध्य X = 100 होगा।

32. पोन्डेरल इंडेक्स (Ponderal Index) का उपयोग शरीर के भार को कद के घन ($Height^3$) के सापेक्ष व्यक्त करने के लिए किया जाता है। यह विशेष रूप से शरीर की सडौलता/लीननेस को समझने में उपयोगी है और गणितीय रूप से "भार ÷ कद³" के विचार पर आधारित होता है।

33. **C. उद्भवन** → संक्रमण के बाद रोगजनक शरीर में प्रवेश करके विकसित होता है, पर लक्षण तुरंत नहीं दिखते। यह चरण संक्रमण के प्रारंभिक विकास/इन्क्यूबेशन के अर्थ में लिया जाता है।

D. पूर्वलक्षण → इसके बाद शुरुआती, अस्पष्ट संकेत प्रकट होते हैं जैसे हल्का बुखार/अस्वस्थता। इसे प्रोड्रोमल (Prodromal) चरण के रूप में समझा जाता है।

A. रुग्णता → फिर स्पष्ट बीमारी का चरण आता है जिसमें विशिष्ट लक्षण पूर्ण रूप से प्रकट होते हैं। यही मुख्य रोग-अवस्था है जहाँ कार्यक्षमता सर्वाधिक प्रभावित होती है।

B. स्वास्थ्य-लाभ → अंत में रिकवरी/कन्वलेसेंस चरण आता है, जिसमें शरीर सामान्य अवस्था की ओर लौटता है। रोग की तीव्रता घटती है और स्वास्थ्य धीरे-धीरे बहाल होता है।

34. खेल प्रबंधन में योजनाबद्ध करना, संगठित करना, निर्देशित करना, नियंत्रित करना और मूल्यांकन करना—ये सभी प्रबंधन के मूल कार्य हैं, इसलिए (A) सही है। लेकिन (R) गलत है क्योंकि खेल प्रबंधन का उद्देश्य केवल अभिजात्य खिलाड़ियों तक भागीदारी सीमित करना नहीं होता; संस्थानों/आयोजनों में सहभागिता के नियम कार्यक्रम के लक्ष्य के अनुसार सभी स्तरों (छात्र, शौकिया, प्रतिस्पर्धी) के लिए बनाए जा सकते हैं।

35. राष्ट्रीय अध्यापक शिक्षा परिषद् (NCTE) की भूमिका व्यावसायिक शिक्षक-शिक्षा (Teacher Education) कार्यक्रमों में मानक सुनिश्चित करने से जुड़ी है। इसलिए B.P.Ed./M.P.Ed. चलाने वाले संस्थानों की मान्यता/प्रत्यायन से संबंधित नियमन (A) तथा शारीरिक शिक्षा अध्यापक-प्रशिक्षण हेतु पाठ्यचर्या ढाँचा/मानक निर्धारित करना (B) इसके अंतर्गत आता है। अखिल भारतीय स्पोर्ट्स टूर्नामेंट कराना (C) NCTE का कार्य नहीं है, और सभी उच्च शिक्षा डिग्री कार्यक्रमों की अर्हता तय करना (D) भी इसका मुख्य कार्यक्षेत्र नहीं है।

36. टेनिस सर्व परिशुद्धता (Service Accuracy) परीक्षण का प्रमुख उद्देश्य खिलाड़ी की सर्व की सटीकता/परिशुद्धता को मापना होता है, न कि उसके फुटवर्क और संचालनों का प्रत्यक्ष मूल्यांकन। फुटवर्क सर्व प्रदर्शन को प्रभावित कर सकता है, लेकिन इस परीक्षण का स्कोरिंग/मापन लक्ष्य-क्षेत्रों में गेंद डालने की सटीकता पर आधारित होता है। कारण (R) सही है क्योंकि इस परीक्षण में सर्विस कोर्ट के लक्ष्यित क्षेत्रों में गेंद को सर्व करना ही मुख्य कार्य होता है, और उसी के आधार पर अंक/मूल्यांकन किया जाता है। इसलिए (A) गलत तथा (R) सही है।

37. **A. कालरा/हैजा** → यह Vibrio cholerae नामक बैक्टीरिया से होता है, इसलिए बैक्टीरियल रोग है। दूषित जल/भोजन से फैलकर तीव्र दस्त और निर्जलीकरण कर सकता है।

B. जठरीय अल्सर → सामान्य शैक्षणिक/परीक्षा संदर्भ में यह Helicobacter pylori बैक्टीरिया से संबंधित माना जाता है। यह पेट/ड्यूओडेनम की श्लेष्मा परत को प्रभावित करके अल्सर की संभावना बढ़ाता है।

C. लीजेनलोसिस → यह Legionella pneumophila बैक्टीरिया के कारण होता है। दूषित जल-एयरोसोल से फैलकर फेफड़ों का संक्रमण (Legionnaires' disease) कर सकता है।

D (हिस्टोप्लाज्मासिस) फंगल रोग है और E (रेबीज) वायरल रोग है, इसलिए वे बैक्टीरियल में नहीं आते।

38. राष्ट्रीय खेल प्रोत्साहन पुरस्कार का उद्देश्य मुख्यतः खेलों के प्रोत्साहन/विकास/प्रतिभा-समर्थन/खेल-कल्याण जैसे कार्यों में योगदान को मान्यता देना है, न कि केवल ओलम्पिक उपलब्धियों को; इसलिए कथन (3) गलत है। साथ ही यह पुरस्कार मुख्यतः संस्थाओं/संगठनों/कॉरपोरेट/शैक्षणिक संस्थानों/निकायों आदि के लिए माना जाता है, ''व्यक्तियों'' के लिए व्यक्तिगत खेल-उपलब्धि वाले पुरस्कार अलग प्रकृति के होते हैं; इसलिए कथन (1) भी गलत है।

39. **A. संपीड़न → II:** संपीड़न में बल संरचना को अक्षीय रूप से ''दबाता'' है, इसलिए इसे अक्षीय रूप से संपीड़ित बल कहा जाता है। उदाहरणः स्तंभ पर ऊपर से भार पड़ना।

B. तनाव → IV: तनाव में संरचना के अक्ष के अनुदिश ''खिंचाव'' होता है, इसलिए यह संरचना के अक्ष पर खिंचाव बल है। उदाहरणः रस्सी को दोनों ओर से खींचना।

C. अपरूपण → III: अपरूपण बल किसी पृष्ठ के समानान्तर लगकर परतों को एक-दूसरे पर ''सरकाने'' का प्रयास करता है। उदाहरणः कागज को दोनों हाथों से विपरीत दिशा में खिसकाकर फाड़ना।

D. **ऐंठन → I:** ऐंठन/टॉर्शन में अनुदैर्ध्य अक्ष के इर्द-गिर्द वलयित (twisting) बल लगता है। उदाहरणः पेचकस से स्क्रू घुमाते समय घूर्णन-बल।

40. प्रतिरोध प्रशिक्षण में निष्पादित कार्य की कुल मात्रा को मात्रा (Volume) कहा जाता है। इसे सामान्यतः कुल कार्यभार (जैसे सेट × पुनरावृत्ति × भार) या कुल किए गए कार्य के रूप में व्यक्त किया जाता है। तीव्रता भार/प्रतिरोध की "कठिनता" दर्शाती है और आवृत्ति प्रशिक्षण सत्रों की संख्या बताती है।

41. नकारात्मक हस्तांतरण (Negative Transfer) तब उत्पन्न होता है जब पहले सीखा गया कौशल नए कौशल के सीखने में बाधा डालता है। यह स्थिति विशेष रूप से तब होती है जब दोनों कार्यों में समान गतियाँ (similar movement patterns) होती हैं, लेकिन उनके लिए अलग प्रतिक्रिया या तकनीक की आवश्यकता होती है। ऐसी स्थिति में पुरानी आदत नई तकनीक में हस्तक्षेप करती है, जिससे प्रदर्शन बिगड़ता है।

42. अनुसंधान नैतिकता में "गैर-अहितकारी (Non-maleficence)" सिद्धांत का अर्थ है कि प्रतिभागियों को कोई हानि नहीं पहुँचनी चाहिए। यदि खिलाड़ियों को बिना उचित सुरक्षा उपायों के अत्यधिक जोखिमपूर्ण तीव्रता पर प्रशिक्षण कराया जाता है, तो यह उनकी शारीरिक सुरक्षा के लिए खतरा उत्पन्न करता है। इसलिए यह गैर-अहितकारी सिद्धांत का स्पष्ट उल्लंघन है।

43. A. **पूर्वावस्था → III:** इस अवस्था में नाभिकीय झिल्ली लुप्त हो जाती है और स्पिंडल तंतु बनने लगते हैं। गुणसूत्र संकुचित होकर स्पष्ट दिखाई देने लगते हैं।

B. **मध्यावस्था → I:** इस चरण में गुणसूत्र मध्य रेखा (equator) पर व्यवस्थित होते हैं और विभाजन के लिए तैयार रहते हैं। यह कोशिका विभाजन का स्थिर चरण होता है।

C. **अंत्यावस्था → IV:** प्रत्येक गुणसूत्र समूह के चारों ओर नाभिकीय झिल्ली पुनः बनती है। नई कोशिकाओं के नाभिक का निर्माण होता है।

D. **पश्चावस्था → II:** इस अवस्था में स्पिंडल फाइबर संकुचित होकर गुणसूत्रों को विपरीत ध्रुवों की ओर खींचते हैं। यह वास्तविक विभाजन की प्रक्रिया का प्रमुख चरण है।

44. टेलिक (Telic) अभिविन्यास वाले व्यक्ति जीवन को लक्ष्य-उन्मुख (goal-oriented) दृष्टिकोण से देखते हैं। वे दीर्घकालिक उद्देश्यों, उपलब्धियों और योजना के अनुसार कार्य करते हैं। इसके विपरीत पाराटेलिक व्यक्ति अधिकतर तत्काल आनंद और अनुभव पर केंद्रित होते हैं।

45. आदर्शवाद (Idealism) का दर्शन मानसिक, नैतिक और आध्यात्मिक विकास को अधिक महत्व देता है। शारीरिक शिक्षा के संदर्भ में यह शरीर के माध्यम से चरित्र, अनुशासन और नैतिक मूल्यों के विकास पर बल देता है, इसलिए (A) सही है। लेकिन (R) गलत है क्योंकि आदर्शवाद शरीर से अधिक मन/आत्मा/बुद्धि को प्राथमिकता देता है, न कि शरीर को।

46. A. **ज्योति यर्राजी → III (एथलेटिक्स):** ज्योति यर्राजी भारत की प्रसिद्ध एथलीट हैं, विशेषकर हर्डल्स स्पर्धाओं में। इसलिए उनका संबंध एथलेटिक्स से है।

B. **साविती बूरा → I (मुक्केबाजी):** साविती बूरा भारतीय महिला मुक्केबाज हैं और अंतरराष्ट्रीय स्तर पर पदक विजेता हैं। अतः उनका खेल अनुशासन बॉक्सिंग है।

C. **वंतिका अग्रवाल → II (शतरंज):** वंतिका अग्रवाल भारतीय शतरंज खिलाड़ी हैं और अंतरराष्ट्रीय उपलब्धियाँ प्राप्त कर चुकी हैं। इसलिए उनका संबंध शतरंज से है।

D. **सजन प्रकाश → IV (तैराकी):** सजन प्रकाश भारत के प्रमुख तैराक हैं और ओलंपिक में भी भाग ले चुके हैं। अतः उनका खेल तैराकी है।

47. B. **समस्या को परिभाषित करना** → वैज्ञानिक विधि की शुरुआत समस्या की स्पष्ट पहचान और सीमांकन से होती है। इससे अनुसंधान की दिशा और उद्देश्य निर्धारित होते हैं।

C. **प्राक्कल्पना बनाना** → समस्या के संभावित समाधान के रूप में परिकल्पना तैयार की जाती है। यह परीक्षण योग्य अनुमान होता है।

A. **दत्त एकत्रित करना** → परिकल्पना की जांच के लिए डेटा/सूचनाएँ एकत्रित की जाती हैं। यह चरण प्रयोग/सर्वेक्षण/मापन के माध्यम से होता है।

D. **विश्लेषण एवं निर्वचन** → अंत में डेटा का विश्लेषण करके निष्कर्ष निकाले जाते हैं। इससे परिकल्पना की स्वीकृति या अस्वीकृति तय होती है।

48. प्रबंधन में दक्षता (Efficiency) का अर्थ है कम संसाधनों में अधिकतम परिणाम प्राप्त करना। यह संसाधनों के सर्वोत्तम उपयोग (optimum utilization) पर बल देता है। इसके विपरीत केवल लक्ष्य प्राप्त करना "Effectiveness" कहलाता है।

49. अन्तरराष्ट्रीय ओलंपिक समिति (IOC) द्वारा वर्ष 2024 के Climate Action Awards में "International Federation" श्रेणी में International Hockey Federation (IHF) को सम्मानित किया गया। IHF को यह पुरस्कार खेल अवसंरचना में स्थिरता (sustainability) को बढ़ावा देने, विशेष रूप से पानी की खपत कम करने वाली तकनीक (Dry-low-water turf) तथा पर्यावरण-अनुकूल हॉकी मैदानों के विकास जैसे नवाचारों के लिए दिया गया। इन पहलों का उद्देश्य खेल गतिविधियों को अधिक पर्यावरण-संवेदनशील बनाना और कार्बन फुटप्रिंट कम करना है, जो IOC के जलवायु कार्य लक्ष्यों के अनुरूप है।

50. **D. नैदानिक मूल्यांकन** → यह प्रारंभिक चरण में किया जाता है, जिससे सीखने की कठिनाइयों की पहचान हो सके। यह सुधारात्मक शिक्षण के लिए आधार प्रदान करता है।

B. रचनात्मक मूल्यांकन → यह शिक्षण-प्रक्रिया के दौरान लगातार किया जाता है। इसका उद्देश्य प्रगति की निगरानी और सुधार करना होता है।

C. संकलनात्मक मूल्यांकन → यह पाठ्यक्रम के अंत में किया जाता है। इससे अंतिम उपलब्धि का आकलन किया जाता है।

A. मानदंड-संदर्भित मूल्यांकन → इसमें प्रदर्शन की तुलना पूर्व निर्धारित मानदंडों से की जाती है।

यह किसी भी चरण पर लागू हो सकता है, पर सामान्यतः अंतिम आकलन में अधिक उपयोग होता है।

51. ''तीन लघुकरण चक्र'' को व्यावहारिक खेल-प्रशिक्षण (विशेषकर प्लायोमेट्रिक/SSC) संदर्भ में तीन अवस्थाओं के रूप में समझा जाता है—उत्केन्द्री (eccentric) लोडिंग, मंदन/अमोटाइजेशन (deceleration/transition), और संकेन्द्री (concentric) संकुचन। इन तीनों को ''चक्र'' के रूप में जोड़ने वाली निर्णायक अवस्था मंदन ही मानी जाती है क्योंकि इसी क्षण शरीर/मांसपेशी खिंचाव के बाद गति को रोककर/धीमा करके तुरंत संकुचन की दिशा में ऊर्जा का रूपांतरण करती है; यदि मंदन चरण लंबा/कमजोर हो जाए तो संचित प्रत्यास्थ ऊर्जा (elastic energy) नष्ट हो जाती है और चक्र का प्रभाव घट जाता है। इसलिए तीन-चरणीय लघुकरण चक्र की संरचना में पहचानने योग्य ''मुख्य संक्रमण अवस्था'' मंदन है।

52. **A. धुराग संधि → II. चक्राभ संधिः** धुराग (Pivot) संधि में एक हड्डी दूसरी के चारों ओर घूमती है। उदाहरणः गर्दन का एटलस-एक्सिस संधि।

B. कान्डीलॉयड संधि → III. अंडाभ संधिः यह Ellipsoid joint है, जिसमें दो अक्षों में गति संभव होती है। उदाहरणः कलाई का संधि।

C. अवतल (पर्याण) संधि → IV. सेलार संधिः Saddle (Sellar) joint में दोनों सतहें अवतल-उत्तल होती हैं। उदाहरणः अंगूठे का कार्पोमेटाकार्पल संधि।

D. कोर संधि → I. संधिगुहिका संधिः Ball and socket joint में एक गोल सिरा गह्वर में फिट होता है। उदाहरणः कंधा और कूल्हा।

53. खेल प्रबंधन में बजट के प्रकारों में निष्पादन बजट (Performance Budget), पूँजीगत बजट (Capital Budget) और शून्य-आधारित बजट (Zero&Based Budget) शामिल होते हैं। ''यादृच्छिक बजट'' कोई मान्य बजट प्रकार नहीं है, इसलिए यह सही उत्तर है।

54. SPSS में वैध चर नाम के लिए नियम होते हैं—नाम अक्षर से शुरू होना चाहिए, उसमें स्पेस नहीं होना चाहिए, और विशेष चिन्ह (जैसे -, " ") का प्रयोग नहीं होना चाहिए। "Armstrength" इन सभी नियमों का पालन करता है, इसलिए यह वैध है; अन्य विकल्पों में स्पेस, हाइफन या उद्धरण चिन्ह हैं, जो मान्य नहीं हैं।

55. **D. निलय पूरक** → सबसे पहले वेंट्रिकल्स में रक्त भरता है। यह डायस्टोल का प्रारंभिक भाग है।

A. समायतनी आंकुचन → वेंट्रिकल संकुचित होता है, पर वाल्व बंद रहते हैं, इसलिए आयतन स्थिर रहता है। दाब तेजी से बढ़ता है।

C. निलय उत्क्षेपण → वेंट्रिकल से रक्त धमनियों में निकलता है। यह सिस्टोल का मुख्य चरण है।

B. समायतनी विश्रांति → वेंट्रिकल शिथिल होता है, सभी वाल्व बंद रहते हैं, आयतन स्थिर रहता है। इसके बाद फिर भराव (filling) शुरू होता है।

56. **A. प्रेरक सिद्धांत → IV:** Drive Theory के अनुसार जैसे-जैसे उद्दीपन (arousal) बढ़ता है, सीखे हुए (well-learned) कौशलों का प्रदर्शन बढ़ता है। इसलिए ''सुअधिगमित होने की दशा में उच्च उद्दीपन के कार्यनिष्पादन में वृद्धि'' इस सिद्धांत से मेल खाता है।

B. प्रलय मॉडल → I: Catastrophe Model बताता है कि यदि संज्ञानात्मक दुश्चिंता बहुत अधिक हो जाए, तो प्रदर्शन अचानक गिर जाता है। यह अचानक गिरावट ''प्रलय'' के रूप में जानी जाती है।

C. व्युत्क्रमिक यू-प्राक्कल्पना → III: Inverted-U के अनुसार मध्यम (औसत) उद्दीपन स्तर पर सर्वश्रेष्ठ प्रदर्शन होता है। बहुत कम या बहुत अधिक उद्दीपन दोनों ही स्थिति में प्रदर्शन घटता है।

D. इष्टतम कार्यकरण के व्यष्टिकृत क्षेत्र → II: IZOF सिद्धांत के अनुसार हर एथलीट का अपना व्यक्तिगत इष्टतम उद्दीपन क्षेत्र होता है। इसी क्षेत्र में वह सर्वोत्तम प्रदर्शन करता है।

57. स्वायत्त तंत्रिका तंत्र (Autonomic Nervous System) शरीर की अनैच्छिक (involuntary) क्रियाओं—जैसे हृदयगति, पाचन, ग्रंथियों का स्राव, रक्तचाप आदि—को नियंत्रित करता है। इसे कई संदर्भों में अंतरंग (visceral) तंत्रिका तंत्र भी कहा जाता है, जो आंतरिक अंगों के नियंत्रण से जुड़ा होता है। इसी आधार पर कुछ पाठ्यक्रमों में इसे गैर-अंतरंग/अंतरंग के संदर्भ में अलग नाम से भी अभिव्यक्त किया जाता है, जो इसके आंतरिक क्रियाओं के नियंत्रण को दर्शाता है। इसके विपरीत दैहिक/कायिक तंत्रिका तथा स्वैच्छिक तंत्रिका कंकालीय मांसपेशियों के ऐच्छिक नियंत्रण से संबंधित हैं, इसलिए वे स्वायत्त तंत्रिका तंत्र के पर्याय नहीं हैं।

58. लोकोपकारी (Philanthropic) पाठ्यचर्या का मूल उद्देश्य शिक्षा को प्रकृति-आधारित, जीवनोपयोगी और बाल-केंद्रित बनाना होता है ताकि बच्चे का विकास स्वाभाविक ढंग से हो और वह समाज के लिए उपयोगी बने। प्रवृतिवादी/प्रकृतिवादी दृष्टिकोण में सीखने को प्राकृतिक अनुभवों, गतिविधियों, खेल, स्वास्थ्य, शारीरिक विकास और व्यावहारिक जीवन-कौशल से जोड़ा जाता है, इसलिए लोकोपकारी पाठ्यचर्या का पथ-प्रदर्शन इसी दर्शन से माना जाता है। दूसरी ओर अर्थक्रियावादी (Pragmatism) और मानवतावादी (Humanism) भी कल्याण की बात करते हैं, पर ''लोकोपकारी/Philanthropic curriculum'' का दार्शनिक आधार पारंपरिक रूप से प्रवृतिवादी (Naturalism) के साथ ही जोड़ा जाता है।

59. निश्चलन (immobilization) की प्रारंभिक अवस्था में मांसपेशियों का उपयोग कम होने से atrophy होता है, जिससे उनका cross-sectional area घटता है। साथ ही connective tissue बढ़ता है, जिससे कठोरता और गतिशीलता में कमी आती है।

60. Command Style में शिक्षक सभी निर्णय लेता है और विद्यार्थी उसका अनुसरण करते हैं। यह शैली नए तथा जटिल कौशलों के प्रारंभिक शिक्षण में सबसे प्रभावी होती है क्योंकि इससे सटीकता, अनुशासन और एकरूपता बनी रहती है।

61. **A. मेडल** → यह एक भौतिक (tangible) वस्तु है जिसे व्यक्ति छू सकता है और प्राप्त कर सकता है, इसलिए यह मूर्त पुनर्बलन है। यह बाह्य प्रेरणा को बढ़ाता है और उपलब्धि का ठोस प्रतीक होता है।

B. नकद पुरस्कार → धन भी एक ठोस, भौतिक पुरस्कार है, इसलिए यह मूर्त पुनर्बलन में आता है। इसका उपयोग प्रोत्साहन के रूप में व्यापक रूप से किया जाता है।

C. जनस्वीकृति → यह सामाजिक/अमूर्त (intangible) पुनर्बलन है, क्योंकि इसे छुआ नहीं जा सकता। यह प्रशंसा या सामाजिक मान्यता से संबंधित है।

D. शाब्दिक प्रशंसा → यह भी अमूर्त पुनर्बलन है, क्योंकि यह केवल शब्दों/भावनाओं के माध्यम से होता है। इसलिए यह मूर्त पुनर्बलन नहीं है।

62. **A. हर्पेस वैरिसेला-जोस्टर → III. चिकेनपाक्सः** यह वायरस चिकनपॉक्स (छोटी माता) का कारण होता है। यह बचपन में सामान्य वायरल संक्रमण है।

B. एपस्टीन-बार → IV. मोनेन्यूक्लियोसिसः यह वायरस Infectious Mononucleosis (ग्लैंडुलर फीवर) का कारण है। इसे ''किसिंग डिजीज'' भी कहा जाता है।

C. राइनोवायरस → I. सामान्य ठंडः यह सामान्य सर्दी (Common Cold) का प्रमुख कारण है। श्वसन मार्ग को प्रभावित करता है।

D. इबोला वायरस → II. हीमरहेजिक ज्वरः यह गंभीर रक्तस्रावी ज्वर (Hemorrhagic Fever) उत्पन्न करता है। इसकी मृत्यु दर बहुत अधिक होती है।

63. नेतृत्व के प्रमुख सिद्धांतों में लक्षण (Trait), व्यवहारपरक (Behavioral), स्थितिजन्य/आकस्मिकता (Situational/Contingency) शामिल हैं। "आवश्यकता सोपान सिद्धांत" (Maslow's Hierarchy) प्रेरणा सिद्धांत है, न कि नेतृत्व सिद्धांत, इसलिए यह सही उत्तर है।

63. प्राक्षेपिक (Ballistic) स्ट्रेचिंग में बाउंसिंग/झटकेदार गतियाँ होती हैं, जिससे मांसपेशियों पर अचानक तनाव आता है। यह शुरुआती व्यक्तियों के लिए सुरक्षित नहीं माना जाता क्योंकि इससे चोट/मांसपेशीय खिंचाव का खतरा बढ़ता है। इसलिए (A) गलत है, जबकि (R) सही है क्योंकि यह इस तकनीक के जोखिम को स्पष्ट करता है।

65. **C. मानक स्थापित करना** → सबसे पहले लक्ष्य/मानक तय किए जाते हैं, जिनसे तुलना होगी। यह नियंत्रण प्रक्रिया का आधार है।

B. वास्तविक निष्पादन मापन → इसके बाद वास्तविक प्रदर्शन का आकलन किया जाता है। डेटा/परिणाम एकत्रित किए जाते हैं।

A. विचलन का मूल्यांकन → फिर मानक और वास्तविक प्रदर्शन की तुलना कर अंतर (deviation) निकाला जाता है। इससे समस्या की पहचान होती है।

D. सुधारात्मक कार्रवाई → अंत में आवश्यक सुधारात्मक कदम उठाए जाते हैं। इससे भविष्य का प्रदर्शन बेहतर होता है।

66. पुल-अप करते समय कोहनी का फ्लेक्शन (flexion) प्रमुख रूप से बाइसेप्स ब्राची द्वारा किया जाता है, जो इस क्रिया का मुख्य प्रेरक (prime mover) है। बाइसेप्स ब्राची का प्रमुख जुड़ाव बिंदु रेडियल ट्यूबरोसिटी पर होता है, जिससे यह रेडियस को खींचकर कोहनी को मोड़ने में सहायता करता है। ट्राइसेप्स कोहनी को सीधा (extension) करता है, जबकि डेल्टॉइड कंधे की गति से संबंधित है।

67. **A. आइसोमेट्रिक → IV:** इसमें मांसपेशी की लंबाई नहीं बदलती, इसलिए परीक्षण केवल एक विशिष्ट जोड़ कोण पर ही किया जाता है। यही इसकी प्रमुख सीमा है क्योंकि पूरी गति का आकलन नहीं हो पाता।

B. आइसोटोनिक → I: इसमें गति के दौरान प्रतिरोध स्थिर नहीं रहता, इसलिए अधिकतम शक्ति (1RM) का सटीक निर्धारण कठिन होता है। यह इसकी व्यावहारिक कमजोरी है।

C. आइसोकाइनेटिक → III: इसमें गति का वेग नियंत्रित रहता है, और टॉर्क आउटपुट वेग से प्रभावित होता है। यह इसकी प्रमुख सीमा मानी जाती है।

D. प्लायोमेट्रिक → II: इसमें विस्फोटक क्रियाएं होती हैं, इसलिए तीव्रता का सटीक मापन कठिन होता है। यही इसकी प्रमुख कमजोरी है।

68. **A. बच्चे → II. (0.075 × शरीर भार):** बच्चों के लिए कम प्रतिरोध रखा जाता है ताकि सुरक्षित परीक्षण हो सके।

B. वयस्क महिला → III. (0.086 × शरीर भार): महिलाओं के लिए मध्यम स्तर का प्रतिरोध उपयोग किया जाता है।

C. वयस्क पुरुष → IV. (0.087 × शरीर भार): पुरुषों के लिए अपेक्षाकृत अधिक प्रतिरोध लिया जाता है।

D. एथलीट → I. (0.10 × शरीर भार): एथलीटों के लिए उच्चतम प्रतिरोध रखा जाता है क्योंकि उनकी कार्यक्षमता अधिक होती है।

69. **C. मानदंड विकसित करना** → पहले T-score के लिए मानदंड तैयार किए जाते हैं। यह स्कोरिंग का आधार होता है।

B. T-score निर्धारित करना → फिर प्रत्येक विद्यार्थी के लिए प्रत्येक परीक्षण का T-score निकाला जाता है। यह मानकीकरण का चरण है।

A. योग करना → सभी परीक्षणों के T-score को जोड़कर कुल स्कोर प्राप्त किया जाता है। इससे समग्र प्रदर्शन ज्ञात होता है।

E. ग्रेड मानक विकसित करना → फिर ग्रेड देने के लिए सीमा निर्धारित की जाती है। इससे वर्गीकरण संभव होता है।

D. अंतिम ग्रेड निर्धारित करना → अंत में छात्रों को अंतिम ग्रेड दिए जाते हैं। यह मूल्यांकन का अंतिम चरण है।

70. **A. स्वेच्छाचारी → III:** इसमें नेता सभी निर्णय स्वयं लेता है और कठोर नियंत्रण रखता है। अधीनस्थों की भागीदारी कम होती है।

B. लोकतांत्रिक → I: इसमें निर्णय सामूहिक रूप से लिए जाते हैं। खिलाड़ियों की भागीदारी और सहयोग अधिक होता है।

C. अबंधता → II: इसमें कोच/नेता अधिक स्वतंत्रता देता है। खिलाड़ी स्वयं निर्णय लेते हैं।

D. परिवर्तनकारी → IV: इसमें नेता प्रेरणा और दृष्टि के माध्यम से खिलाड़ियों को प्रोत्साहित करता है। यह प्रदर्शन और नवाचार को बढ़ाता है।

71. D. एक स्थान से दोनों पैरों से कूद → यह प्लायोमेट्रिक प्रशिक्षण का सबसे सरल प्रारंभिक चरण है, जिसमें स्थिर स्थिति से दोनों पैरों का उपयोग होता है। इसमें नियंत्रण और तकनीक सीखना आसान होता है।

C. होपिंग → इसमें एक पैर से कूदना शामिल होता है, जिससे कठिनाई बढ़ती है और संतुलन की आवश्यकता होती है। यह शक्ति और समन्वय को बढ़ाता है।

B. छलांग लगाना/बाउंडिंग → इसमें आगे की दिशा में लंबी छलांग लगाई जाती है, जो अधिक गतिशील और चुनौतीपूर्ण होती है। इसमें गति और शक्ति का संयोजन आवश्यक होता है।

A. डेप्थ जंप → यह सबसे उन्नत प्लायोमेट्रिक व्यायाम है, जिसमें ऊँचाई से कूदकर तुरंत उछाल करना होता है। इसमें उच्च स्तर की शक्ति, नियंत्रण और सुरक्षा की आवश्यकता होती है।

72. A. एक माध्य → I. (P का मान 0.474): ''एक माध्य'' की जाँच सामान्यतः one-sample प्राचलिक परीक्षण से होती है, जिसमें एक ही समूह के माध्य की तुलना किसी मानक/निर्धारित मान से की जाती है। दिए गए P-मूल्यों में इस स्थिति के लिए उपयुक्त मिलान 0.474 रखा गया है।

B. दो स्वतंत्र माध्य → IV. (P का मान 0.564): ''दो स्वतंत्र माध्य'' के लिए independent-samples परीक्षण लागू होता है, जहाँ दो अलग समूहों के माध्य की तुलना होती है। इस स्थिति का सही मिलान 0.564 से किया गया है।

C. दो आश्रित माध्य → III (P का मान 0.550): ''दो आश्रित माध्य'' में वही प्रतिभागी/जोड़ीदार मापन होते हैं, इसलिए paired/related परीक्षण होता है। इसका सही मिलान 0.550 से है।

D. (सहसंबंध–पार्सन का) → II (P का मान 0.703): Pearson correlation में P-मूल्य सहसंबंध की सांख्यिकीय सार्थकता बताता है। यहाँ इसका सही मिलान 0.703 से है।

73. उत्तोलक (Lever) में यांत्रिक लाभ (Mechanical Advantage) का सूत्र है–

$$MA = \frac{\text{प्रयास भुजा}}{\text{भार भुजा}}$$

इससे यह ज्ञात होता है कि कम प्रयास से अधिक भार उठाने की क्षमता कितनी है।

74. सुपोषण (Eutrophication) में जल में पोषक तत्वों की अधिकता के कारण शैवाल की अत्यधिक वृद्धि होती है। जब ये शैवाल मरते हैं, तो उनके विघटन में ऑक्सीजन की खपत बढ़ती है, जिससे जल में घुलित ऑक्सीजन कम हो जाती है और जलीय जीव मर सकते हैं। इसलिए (R), (A) की सही व्याख्या करता है।

75. C. वातावरणीय मांग → सबसे पहले बाहरी परिस्थिति या तनावकारी कारक उत्पन्न होता है। यह तनाव की शुरुआत है।

D. मांग का अवगम → व्यक्ति उस मांग को समझता और उसका मूल्यांकन करता है। यह संज्ञानात्मक प्रक्रिया है।

A. प्रतिबल अनुक्रिया → इसके बाद शरीर/मन में तनाव प्रतिक्रिया उत्पन्न होती है। जैसे हृदय गति बढ़ना आदि।

B. प्रतिबल का सामना करना → अंत में व्यक्ति तनाव से निपटने के उपाय अपनाता है। इसे coping कहा जाता है।

76. A. धारण करने योग्य फिटनेस युक्तियाँ → III: पहनने/धारण करने योग्य फिटनेस युक्तियाँ (जैसे फिटनेस बैंड आदि) व्यक्तिगत सुस्वस्थता के आँकड़े रिकॉर्ड करती हैं। इससे समय के साथ स्वास्थ्य/फिटनेस प्रगति का स्पष्ट पता चलता है।

B. खेल उपकरण → II: वास्तविक खेल उपकरणों से अभ्यास करने पर अनुभवपरक (hands-on) सीखना होता है। इससे तकनीक, समन्वय और कौशल-विकास में सीधी अभिवृद्धि होती है।

C. वीडियो और एनीमेशन → I: वीडियो/एनीमेशन में कौशल/प्रविधि का चरणबद्ध और स्पष्ट प्रदर्शन देखा जा सकता है। इससे सही मॉडलिंग होकर सीखना अधिक प्रभावी होता है।

D. अनुदेशात्मक डायग्राम → IV: डायग्राम सही मुद्रा, कोण, चरण और सावधानियाँ स्पष्ट करते हैं। इससे उपहति-निवारण और संरक्षा-सचेतता में सहायता मिलती है।

77. अतिकटि अग्रकुब्जता (अधिक/असामान्य कमर की वक्रता) में सामान्यतः उदरीय मांसपेशियाँ कमजोर और श्रोणि का झुकाव बढ़ा हुआ पाया जाता है। उदरीय मांसपेशियों को मजबूत करने से धड़ का नियंत्रण सुधरता है और श्रोणि का अग्र-झुकाव कम होता है। साथ ही हैमस्ट्रिंग सुदृढ़ होने से श्रोणि-स्थिति स्थिर होती है और मुद्रा सुधार में प्रभावी सहायता मिलती है।

78. जो खिलाड़ी यह जानना चाहते हैं कि उनके अभ्यास से प्रतिस्पर्धा के दौरान कौशल वास्तव में बेहतर हुआ या नहीं, वे मुख्यतः कौशल-सुधार, प्रयास और स्व-प्रगति पर ध्यान देते हैं। यह दृष्टि ''कार्य/मास्टरी उन्मुखीकरण'' की पहचान है जहाँ तुलना दूसरों से कम और अपनी प्रगति से अधिक होती है।

79. प्राथमिक स्तर पर शारीरिक शिक्षा अध्यापक का मुख्य शिक्षा-शास्त्रीय दायित्व बच्चों में रनिंग, जंपिंग, थ्रोइंग, कैचिंग, बैलेंस जैसे मूलभूत प्रेरक कौशलों का विकास खेल/गतिविधियों के माध्यम से कराना होता है। इसी आधार पर आगे खेल-कौशल और शारीरिक साक्षरता (physical literacy) बनती है।

80. कौशल-प्रशिक्षण अधिगम मूल्यांकन (skill learning-skill performance tests) केवल परिणाम बताने तक सीमित नहीं होते, बल्कि वे निदान (A) के माध्यम से कमियाँ पहचानने, पूर्वानुमान (B) के द्वारा संभावित प्रदर्शन/प्रगति का संकेत देने और स्थापना (D) के जरिए उपयुक्त स्तर/समूह/कार्यक्रम में प्लेसमेंट करने में भी उपयोगी होते हैं। ''परिशुद्धता (C)'' को सामान्यतः मूल्यांकन का पृथक उपयोग-उद्देश्य नहीं माना जाता, बल्कि यह परीक्षण-गुणवत्ता का गुण है।

81. AAHPER (AAHPER-AAHPERD) युवा फिटनेस परीक्षण में सॉफ्टबॉल थ्रो को संशोधन के दौरान हटाया गया था, और यह हटाना वर्ष 1976 के संशोधित संस्करण/राष्ट्रीय सर्वेक्षण-आधारित परिवर्तन से संबद्ध माना जाता है। इसलिए सही वर्ष 1976 है।

82. A. **प्लाज्मा की मात्रा में आरंभिक ह्रासः** ऊँचाई (altitude) पर प्रारंभिक चरण में प्लाज्मा वॉल्यूम कम हो जाता है, जिससे रक्त सघन (hemoconcentration) हो जाता है। इससे प्रति इकाई रक्त में हीमोग्लोबिन की सापेक्ष मात्रा बढ़ जाती है, जिससे O_2 वहन क्षमता में तत्काल वृद्धि होती है।

B. **लाल रुधिर कणिकाओं में वृद्धिः** हाइपोक्सिया के कारण एरिथ्रोपोइटिन हार्मोन स्रावित होता है, जिससे RBC संख्या बढ़ती है। इससे रक्त की ऑक्सीजन वहन क्षमता दीर्घकालीन रूप से बढ़ती है।

C. **हीमोग्लोबिन संश्लेषण में वृद्धिः** हीमोग्लोबिन बढ़ने से ऑक्सीजन बाँधने और परिवहन की क्षमता बढ़ती है। यह भी दीर्घकालीन अनुकूलन का प्रमुख कारक है।

D. **प्लाज्मा की मात्रा में वृद्धिः** यह सामान्यतः बाद के चरणों में पुनर्संतुलन हेतु होता है और सीधे O_2 carrying capacity को नहीं बढ़ाता। इसलिए इसे प्रमुख कारण नहीं माना जाता।

83. A. **अभिक्रिया अभिक्षमता → III. प्रकार्यात्मक क्षमताः** अभिक्रिया अभिक्षमता में संवेदी इनपुट, निर्णय और मोटर प्रतिक्रिया शामिल होते हैं। यह संपूर्ण तंत्रिका-प्रणाली की प्रकार्यात्मक क्षमता पर निर्भर करती है, इसलिए इसका संबंध III से है।

B. **संचलन गति → II. विस्फोटक शक्तिः** तेज गति से अंगों को चलाने के लिए त्वरित बल उत्पादन (explosive power) आवश्यक होता है। इसलिए इसका निर्धारक विस्फोटक शक्ति है।

C. **गतिविषयम (चलन) अभिक्षमता → I. CNS की गतिशीलताः** चलन अभिक्षमता में शरीर के विभिन्न भागों का समन्वय और नियंत्रण शामिल होता है। यह मुख्यतः CNS की गतिशीलता और समन्वय क्षमता पर निर्भर करती है।

D. **गति स्थायित्व → IV. वायवी क्षमताः** गति को लंबे समय तक बनाए रखने के लिए एरोबिक (वायवी) क्षमता आवश्यक होती है। यह ऊर्जा आपूर्ति को निरंतर बनाए रखती है।

84. (A) सही है क्योंकि मानव शरीर की ऊर्जा आवश्यकताएँ भोजन के पोषक तत्वों की रासायनिक ऊर्जा से ही पूरी होती हैं, जो चयापचय के माध्यम से उपयोगी ऊर्जा (ATP) में बदलती है। (R) भी सही है क्योंकि यह ऊर्जा तुरंत उपयोग की जा सकती है या ग्लाइकोजन/वसा के रूप में संग्रहीत रखी जा सकती है। लेकिन (R), (A) की व्याख्या नहीं करता; यह ऊर्जा के ''उपयोग/संचयन'' की विशेषता बताता है, जबकि (A) ऊर्जा के ''स्रोत'' को बताता है, इसलिए विकल्प 2 उपयुक्त है।

85. **D. प्रेरक** → सबसे पहले कोई बाह्य/आंतरिक उत्तेजना (Stimulus) उत्पन्न होती है, जो रिसेप्टर को सक्रिय करती है। यही पूरी तंत्रिका क्रिया का आरंभ बिंदु होता है।

B. संवेदी न्यूरॉनः → उत्तेजना की सूचना रिसेप्टर से संवेदी तंत्रिका द्वारा केंद्रीय तंत्रिका तंत्र की ओर पहुँचती है। यह ''इनपुट'' पथ है, जो संदेश को CNS तक ले जाता है।

C. अन्तर न्यूरॉन → CNS में अन्तर न्यूरॉन सूचना का समन्वय/प्रसंस्करण करके उपयुक्त प्रतिक्रिया तय करता है। यह लिंक/समन्वय कड़ी है जो संवेदी और प्रेरक पथ को जोड़ती है।

A. प्रेरक/मोटर न्यूरॉन → अंत में आदेश मोटर न्यूरॉन से होकर मांसपेशी तक पहुँचता है, जिससे संकुचन/क्रिया होती है। यह ''आउटपुट'' पथ है जो प्रभावक (मांसपेशी) को सक्रिय करता है।

86. जेनू वेल्गम (Knock-knee) में घुटने अंदर की ओर झुकते हैं, जिसका मुख्य कारण कूल्हे के अपवर्तक (Hip Abductors) की कमजोरी तथा घुटने के जोड़ का असंतुलन होता है। श्रोणि अपवर्तनी (जैसे Gluteus Medius) को सुदृढ़ करने से जांघ बाहर की ओर नियंत्रित रहती है और घुटनों का अंदर गिरना कम होता है। साथ ही अभिमध्य बृहदिक्त्रा (Vastus Medialis) को मजबूत करने से पटेला का सही संरेखण बना रहता है और घुटने की स्थिरता बढ़ती है। दोनों मांसपेशियों का संयुक्त सुदृढ़ीकरण इस विकृति के सुधार में सबसे प्रभावी माना जाता है।

87. शुक्राणु कोशिका के पीछे स्थित कशाभिका (flagellum) तरंगीय गति पैदा करती है। इसी ''पूंछ'' की गतिशीलता से शुक्राणु आगे की ओर तैरकर गति करता है और अंडाणु तक पहुँचने की क्षमता विकसित होती है।

88. **C. राष्ट्रमंडल शीतकालीन खेल – सबसे पहलेः** इसका प्रथम संस्करण सबसे पहले आयोजित हुआ था। इसलिए कालक्रम में यह शुरुआत में आता है।

D. राष्ट्रमंडल पैराप्लेजिक खेल – इसके बादः यह शीतकालीन खेलों के बाद प्रारम्भ हुआ। अतः यह दूसरे स्थान पर आता है।

B. राष्ट्रमंडल युवा खेल – फिरः इसका आरम्भ बाद के वर्षों में हुआ, जब युवा वर्ग हेतु अलग आयोजन शुरू किए गए। इसलिए यह तीसरे क्रम में आता है।

A. राष्ट्रमंडल ई-स्पोर्ट्स चौम्पिनशिप – सबसे अंत में: ई-स्पोर्ट्स संस्करण सबसे नया/हाल का आयोजन है। इसलिए यह चौथे (अंतिम) क्रम में आता है।

89. AAHPERD-HRPF (1984) में शरीर संरचना के आकलन हेतु ''केवल एक साइट'' के रूप में ट्राइसेप्स स्किनफोल्ड को मानक रूप से लिया जाता है। यह सरल, व्यावहारिक और विद्यालयी परिस्थितियों में आसानी से मापा जा सकने वाला स्थल है, इसलिए उसी का उपयोग निर्धारित किया गया है।

90. शीत वातावरण में व्यायाम के पर्यनुकूलन में शरीर ऊष्मा-हानि कम करने के लिए परिधीय वाहिका संकीर्णन बढ़ाता है, ठंड में तापजनक कंपकपाहट जैसी ऊष्मा-उत्पादन प्रतिक्रियाएँ बढ़ सकती हैं, और इन्सुलेशन/ऊष्मा संरक्षण से जुड़ी प्रतिक्रियाएँ देखी जाती हैं। इसके विपरीत स्वेद ग्रंथि की संवेदनशीलता/सक्रियता का बढ़ना मुख्यतः गर्मी (heat acclimation) से संबंधित माना जाता है, शीत-अनुकूलन का नहीं—इसलिए ''सिवाय'' वाला सही विकल्प यही है।

91. 'गृहनगर' (ग्रामीण, नगरी, शहरी) केवल वर्गों में विभाजित करता है और इनमें कोई प्राकृतिक क्रम (order) नहीं होता। यह केवल पहचान (classification) प्रदान करता है, इसलिए यह नाममात्रिक (Nominal) चर है।

92. पुस्तक का भार और आपूर्तियाँ मापी जा सकती हैं और इनके मान किसी भी सीमा में निरंतर (continuous) हो सकते हैं। यह पूर्णांक तक सीमित नहीं होते, बल्कि दशमलव में भी व्यक्त हो सकते हैं, इसलिए यह सतत (Continuous) चर है।

93. 'संतुष्टि का स्तर' (बहुत संतुष्ट, संतुष्ट, कुछ-कुछ संतुष्ट) में एक स्पष्ट क्रम होता है, लेकिन इनके बीच अंतर समान नहीं होता। इसलिए यह क्रमसूचक (Ordinal) चर है।

94. 'बालों का रंग' (सफेद, भूरा, काला) केवल श्रेणियों को दर्शाता है, जिनमें कोई क्रम नहीं होता। भले ही इन्हें संख्याओं से कूटबद्ध किया जाए, फिर भी ये गुणात्मक श्रेणियाँ ही रहती हैं, इसलिए यह नाममात्रिक चर है।

95. पंजीकृत पाठ्यक्रमों की संख्या गिनी जाती है (जैसे 3, 4, 5), और इसमें बीच के मान संभव नहीं होते। इसलिए यह विविक्त (Discrete) चर है।

96. आकर्ष (Spasm) सिद्धांत के अनुसार अनअभ्यस्त व्यायाम के कारण स्थानीय पेशीय ऐंठन उत्पन्न होती है, जिससे

मांसपेशी में रक्त प्रवाह कम हो जाता है। इससे ऑक्सीजन की कमी और अपशिष्ट पदार्थों का संचय होता है, जो अंततः दर्द (DOMS) का कारण बनता है।

97. यांत्रिक संघात (Mechanical Trauma) सिद्धांत के अनुसार विशेषकर उत्केन्द्री संकुचन के दौरान उच्च बल के कारण मांसपेशी फाइबर में सूक्ष्म क्षति (microtears) होती है। यही संरचनात्मक क्षति DOMS का मुख्य कारण मानी जाती है।

98. तीक्ष्ण शोध (Acute Inflammation) सिद्धांत के अनुसार WBC और मोनोसाइट्स क्षतिग्रस्त क्षेत्र में पहुँचकर 24 घंटे तक बढ़ते हैं और लगभग 48 घंटे पर चरम पर पहुँचते हैं, फिर 72 घंटे तक कम हो जाते हैं। इसलिए अधिकतम सूजन 48-72 घंटे के बीच होती है।

99. DOMS का यांत्रिक संघात मुख्यतः उत्केन्द्री (eccentric) संकुचन से जुड़ा होता है, क्योंकि इसमें मांसपेशी पर अधिक खिंचाव और बल पड़ता है, जिससे माइक्रोटियर्स होते हैं।

100. स्थानिकारक्तता (Ischemia) सिद्धांत के अनुसार लगातार संकुचन से मांसपेशियों की रक्त वाहिकाएँ दब जाती हैं, जिससे रक्त प्रवाह कम हो जाता है। इससे ऑक्सीजन की कमी और दर्द उत्पन्न होता है।

पिछले प्रश्न-पत्र

National Testing Agency (NTA)

UGC-NET जूनियर रिसर्च फैलोशिप तथा सहायक प्राध्यापक पात्रता परीक्षा

शारीरिक शिक्षा, जून-2025

(Exam held on 28-06-2025)

प्रश्न-पत्र-II

1. मनोरंजन सिद्धांत के प्रतिपादक थे:

1. जी. स्टैनली हॉल
2. कार्ल ग्रूस
3. फ्रेडरिक स्किलर
4. मोरिज लैजेरस पैट्रिक

2. खेल के पुनरावर्तन का अभिप्राय है:

1. बच्चे अपने शरीर की अतिरेक ऊर्जा के निष्कासन के लिए खेलते हैं।
2. खेल के माध्यम से बच्चे स्वयं में अन्तर्विष्ट अनावश्यक नैसर्गिक वृत्तियों को बाहर जाने देते हैं।
3. खेल के माध्यम से बच्चों के गुण कौशल के अभ्यास का अवसर प्राप्त होता है जिसकी उन्हें भविष्य में आवश्यकता पड़ती है।
4. बच्चे उस ऊर्जा को पुनः बहाल करने के लिए खेलते हैं जो श्रमसाध्य कार्य करने के दौरान अपक्षयित होता है।

3. अंतर्राष्ट्रीय ओलंपिक समिति (IOC) ने वर्ष 2021 में आधिकारिक तौर पर ओलंपिक के ध्येय को सिटियस, एल्टियस, फोर्टियस, ______ में अनुमोदित किया था।

1. सबअर्बनाइट
2. कम्प्यूटर
3. कम्यूनिटर
4. कॉम्बिनेशन

4. 4 × 400 मीटर के मिश्र रिले में पारी (लेग) का क्रम होता है:

1. पुरुष-महिला-पुरुष-महिला
2. महिला-पुरुष-महिला-पुरुष
3. पुरुष-महिला-महिला-पुरुष
4. महिला-पुरुष-पुरुष-महिला

5. सूची-I को सूची-II से सुमेलित करें:

सूची-I (नाम)	सूची-II (स्थान)
A. फ्रैज नैक्टेगॉल	I. स्वीडन
B. पर हेनरिक लिंग	II. यूनान
C. जोहान बर्नहार्ड बेसडो	III. डेनमार्क
D. गेलन	IV. जर्मनी

नीचे दिए गए विकल्पों में से **सही** उत्तर चुनें:

1. A-III, B-IV, C-II, D-I
2. A-III, B-I, C-IV, D-II
3. A-III, B-IV, C-I, D-II
4. A-IV, B-III, C-II, D-I

6. सूची-I को सूची-II से सुमेलित करें:

सूची-I (पद)	सूची-II (व्याख्या)
A. तत्वमीमांसा	I. इसमें सौंदर्य कला और अभिरूचि की प्रकृति का अध्ययन किया जाता है
B. मूल्य मीमांसा	II. परम सत्य की पृच्छा
C. ज्ञान मीमांसा	III. मूल्य और मूल्य निर्णय की प्रकृति का अध्ययन
D. सौंदर्यशास्त्र	IV. सत्य की व्याख्या

नीचे दिए गए विकल्पों में से **सही** उत्तर चुनें:

1. A-III, B-IV, C-I, D-II
2. A-III, B-I, C-IV, D-II
3. A-II, B-III, C-I, D-IV
4. A-II, B-III, C-IV, D-I

7. महिला ऐथलीट में निम्नलिखित किस विकार समूह को "फीमेल ऐथलीट ट्रायड" कहा जाता है?

1. एमेनोरिया, हार्मोन संबंधी असंतुलन और ऑस्टियोपोरोसिस
2. खान-पान संबंधी विकार (डिस्टार्डर इंटिग), ऊर्जा की कम उपलब्धता और लो बोन डेंसिटी
3. अनियमित माहवारी, कम एस्ट्रोजन स्तर तथा खान-पान संबंधी विकार
4. एमेनोरिया, ऑस्टियोपोरोसिस तथा खान-पान संबंधी विकार

8. निम्नलिखित में से किसे कंकाली पेशी की बेसिक फंक्शनल यूनिट कहा जाता है?

1. सार्कोमियर
2. सार्कोप्लाज्मिक रेटिकुलम
3. एक्टिन फिलामेंट्स
4. मायोसिन फिलामेंट्स

9. मांसपेशीय संकुचन के लिए ऊर्जा के प्रत्यक्ष स्रोत के रूप में निम्नलिखित में से किसे जाना जाता है?

1. फॉस्फो-क्रिएटिन 2. ग्लाइकोजन
3. एडेनोसिन ट्राइफॉस्फेट 4. कैल्शियम आयन

10. ______ हृदय की माँसपेशियों को रक्त की आपूर्ति के प्राथमिक स्रोत हैं।

1. कोरोनरी धमनी 2. पल्मोनरी धमनी
3. रीनेल धमनी 4. कैरोटिड धमनी

11. निम्नलिखित में से कौन-सा क्रायोथेरेपी के लिए अपथ्य निर्देशन नहीं है?

1. रेनाड्स डिजीज (रोग)
2. पेरिफेरल वैस्क्युलर डिजीज
3. हाइपरथर्मिया
4. इस्कीमिया

12. सेंसरी मोटर इंटीग्रेशन के निम्नलिखित कार्यों को सही क्रम में व्यवस्थित कीजिए।

A. सीएनएस संवेदी सूचना प्रदान करता है और प्रतिवर्ती रूप से मोटर अनुक्रिया शुरु हो जाती है।

B. मोटर कार्य क्षमताः माँसपेशियों में संचारित की जाती है तथा अनुक्रिया होनी शुरु हो जाती है।

C. संवेदी कार्य क्षमता, सीएनएस के संवेदी न्यूरानों को संचारित की जाती है।

D. संवेदी प्राप्तकर्ताओं (रिसेप्टर) द्वारा संवेदी उद्दीपक प्राप्त किया जाता है।

E. अनुक्रिया के लिए कार्य क्षमता, आपका मोटर न्यूरान के आसपास के सीएनएस से संचारित होता है।

नीचे दिए गए विकल्पों में से **सही** उत्तर चुनें:

1. C, D, A, E, B 2. D, C, A, E, B
3. E, C, D, A, B 4. D, A, C, B, E

13. निम्नलिखित में से कौन-से स्वास्थ्य संबंधी जोखिम अधिक ऊँचाई वाले प्रशिक्षण से जुड़े हुए हैं?

A. हाइपरथर्मिया

B. पल्मोनरी एडेमा

C. तुषार उपघात (फ्रास्ट बाइट)

D. हायपोक्सिया

E. सेरेब्रल एडेमा

नीचे दिए गए विकल्पों में से **सही** उत्तर चुनें:

1. केवल B, D, E 2. केवल A, B, D
3. केवल B, C, D 4. केवल A, D, E

14. थकान के कारण ______ होते हैं।

A. फास्फो क्रिएटिन में कमी होना

B. हाइड्रोजन आयन स्तर में कमी होना

C. शरीर के कोर तापमान में कमी होना

D. ग्लाइकोजेन में कमी होना

E. लैक्टिक एसिड का एकत्र होना

नीचे दिए गए विकल्पों में से **सही** उत्तर चुनें:

1. केवल A, B, E 2. केवल A, D, E
3. केवल B, D, E 4. केवल B, C, E

15. सूची-I को सूची-II से सुमेलित करें:

सूची-I (घटक)	सूची-II (अवस्थिति)
A. माइलिन शीथ	I. माँसपेशी कोशिका
B. ट्रोपोनिन ट्रोपोमायोसिन	II. मस्तिष्क
C. बेसल गैंग्लिया	III. अक्षतंतु (एक्सॉन)
D. सार्कोलेमा	IV. ऐक्टिन फिलामेंट

नीचे दिए गए विकल्पों में से **सही** उत्तर चुनें:

1. A-IV, B-II, C-I, D-III
2. A-III, B-II, C-IV, D-I
3. A-IV, B-III, C-I, D-II
4. A-III, B-IV, C-II, D-I

16. सूची-I को सूची-II से सुमेलित करें:

सूची-I (स्थिति)	सूची-II (व्याख्या)
A. ब्रैडीकार्डिया	I. विश्रांत हृदय गति का > 60 bpm होना
B. एथेरोस्केलेरोसिस	II. शरीर के किसी अंग विशेष में रक्त आपूर्ति में अस्थायी तौर पर कमी
C. स्कीमिया	III. अनियमित हृदय गति
D. एरिथमिया	IV. धमनियों में क्रमिक संकुचन

नीचे दिए गए विकल्पों में से **सही** उत्तर चुनें:

1. A-III, B-I, C-IV, D-II
2. A-I, B-IV, C-II, D-III
3. A-III, B-IV, C-II, D-I
4. A-I, B-III, C-II, D-IV

17. ऊँची कूद अथवा पोल वॉल्ट प्रतिस्पर्धा में व्यवधान को पार करने में:

1. द्रव्यमान (संहति) का केन्द्र अवरोध के पार होना चाहिए।
2. द्रव्यमान (संहति) अवरोध की ऊँचाई के समान सर्वाधिक ऊँचाई तक पहुंचना चाहिए।
3. सफलतापूर्वक अवरोध को पार करने में द्रव्यमान (संहति) का केन्द्र अवरोध से अधिक ऊँचा होना आवश्यक नहीं हो सकता है।
4. द्रव्यमान (संहति) का मध्य (केन्द्र) केवल मध्य-बिन्दु को क्लियर करने के स्थान पर अवरोध से ऊँचा होना आवश्यक है।

18. यदि किसी पिण्ड (वस्तु) को अवतरण से अधिक ऊँचाई वाले स्थान पर प्रक्षेपित किया जाता है तो इष्टतम प्रक्षेपण कोण होगा:

1. धरातल से पिण्ड के प्रक्षेपण से न्यून
2. धरातल से पिण्ड के प्रक्षेपण से अधिक
3. धरातल से पिण्ड के प्रक्षेपण के समान
4. धरातल से पिण्ड के प्रक्षेपण के समान नहीं

19. यदि किसी महिला का वजन 556N है, स्पाइक हील का पृष्ठ क्षेत्रफल 4 वर्ग सेमी. है और कोर्ट शू का पृष्ठ क्षेत्रफल 175 वर्ग सेमी. है तो प्रत्येक शू द्वारा कितना दाब दिया जाता है?

1. 139 N/cm^2 और 3.18 N/cm^2
2. 135 N/cm^2 और 3.05 N/cm^2
3. 130 N/cm^2 और 2.95 N/cm^2
4. 138 N/cm^2 और 3.10 N/cm^2

20. यदि 10 मीटर के निशान पर धावक की गति 5.9 $m.s^{-1}$ और उसे वहाँ पहुंचने में 1.8 सेकेण्ड का समय लगा तो औसत त्वरण होगा?

1. 5.5 $m.s^{-2}$
2. 5.3 $m.s^{-2}$
3. 3.5 $m.s^{-2}$
4. 3.3 $m.s^{-2}$

21. वेक्टर (सदिश) को ______ से परिभाषित किया जाता है।

A. गति (स्पीड में)
B. परिमाण से
C. दूरी से
D. दिशा से
E. विस्थापन से

नीचे दिए गए विकल्पों में से **सही** उत्तर चुनें:

1. केवल B, C, D
2. केवल B, D, E
3. केवल A, B, E
4. केवल A, B, C

22. रोलिंग घर्षण प्रभावित होता है:

A. सामान्य अभिक्रिया बल से
B. प्रतिपूरक गुणांक से
C. चलायमान (लुढ़कते हुए) पिण्ड की त्रिज्या से
D. केन्द्रापसारी और केन्द्राभिसारी बलों से
E. पृष्ठ के विरूपण और उनके घर्षण गुणांक से

नीचे दिए गए विकल्पों में से **सही** उत्तर चुनें:

1. केवल B, D, E 2. केवल A, C, D
3. केवल A, C, E 4. केवल B, C, D

23. बल की महत्वपूर्ण विशेषताएं हैं:

A. गुरुत्व केन्द्र
B. अनुप्रयोग बिन्दु
C. लाइन ऑफ एप्लिकेशन
D. बेस ऑफ सपोर्ट
E. फोर्स सेन्स

नीचे दिए गए विकल्पों में से **सही** उत्तर चुनें:

1. केवल A, C, D 2. केवल B, C, D
3. केवल B, C, E 4. केवल A, D, E

24. सूची-I को सूची-II से सुमेलित करें:

सूची-I	सूची-II
A. पिण्ड कैमरे की दिशा में या कैमरे से दूर होने पर अपेक्षाकृत अधिक बड़ा और धीमा प्रतीत होता है।	I. समानान्तर अक्ष प्रमेय
B. कैमरे से गुजरने पर पिण्ड के आकार और आकृति में परिवर्तन होता प्रतीत होता है।	II. घूर्णन की त्रिज्या (रेडियस ऑफ गाइरेशन)
C. पूर्ण जड़त्व	III. संदर्शी व्यतिक्रम
D. घूर्णन केन्द्र के सापेक्ष द्रव्यमान (संहति) का बंटन	IV. समांतर अक्षीय व्यतिक्रम (पेरेलैक्स एरर)

नीचे दिए गए विकल्पों में से **सही** उत्तर चुनें:

1. A-IV, B-III, C-I, D-II
2. A-III, B-IV, C-II, D-I
3. A-III, B-IV, C-I, D-II
4. A-IV, B-III, C-II, D-I

25. सूची-I को सूची-II से सुमेलित करें:

सूची-I	सूची-II
A. टहलना (Walking)	I. जमीन पर एक के बाद एक पैर रखकर स्वयं को आगे की ओर बढ़ाना
B. दौड़ना (Running)	II. अपने स्वयं के पैर की मांसपेशियों का प्रयोग कर स्वयं को जमीन से उपर उठाना
C. कूदना (Jumping)	III. अपने स्वयं की भुजा या हाथ का प्रयोग कर पिण्ड का प्रणोदन
D. फेंकना (Throwing)	IV. दोनों पैरों को तेजी से और लगातार घुमाकर स्वयं को आगे की ओर प्रणोदित करना

नीचे दिए गए विकल्पों में से **सही** उत्तर चुनें:

1. A-IV, B-I, C-II, D-III
2. A-I, B-IV, C-III, D-II
3. A-I, B-IV, C-II, D-III
4. A-IV, B-I, C-III, D-II

26. निम्नलिखित में से कौन-सा खेल मनोवैज्ञानिक का लक्ष्य है?

1. किसी भी परिस्थिति में जीतना
2. समस्या में होने की दशा में ही एथलीट से संव्यवहार
3. यह सुनिश्चित करना कि खेल के प्रतिभागी अपने स्वयं की पूर्ण क्षमता तक पहुँचे
4. मानसिक समस्याओं के निवारण हेतु औषधि का सुझाव देना

27. खेल मनोविज्ञान में, यह परिकल्पना कि व्यायाम से सकारात्मक चिंतन और भावनाओं का संवर्धन और विकास होता है और यह नकारात्मक मनोदशा को दूर करने में प्रयुक्त होता है, कहलाता है:

1. सामाजिक अंतःक्रिया (संवाद) परिकल्पना
2. अन्मनस्कता परिकल्पना
3. एंडोर्फिन परिकल्पना
4. संज्ञानात्मक व्यावहारिक परिकल्पना

28. सामूहिक संसक्ति (साहचर्य) को बढ़ावा देने के लिए संसार को बहुसांस्कृतिक लेंस से देखने की अवधारणा कहलाती है:

1. संस्कृतिकरण
2. नारीवाद
3. प्रत्याययन
4. उत्संस्करण

29. उत्तेजना का वह सिद्धांत जिसके परिणामस्वरूप प्रदर्शन में अकस्मात और तेजी से गिरावट आती है; कहलाती हैं:

1. निवेशित सिद्धांत 2. बहु-आयामी सिद्धांत
3. विध्वंस सिद्धांत 4. व्युत्क्रम सिद्धांत

30. हार्टर के उपलब्धि अभिप्रेरण सिद्धांत के अनुसार निम्नलिखित को सही अनुक्रम में सूचीबद्ध कीजिए।

A. कुछेक प्रवीणतायुक्त प्रयास
B. बीच में छोड़कर चला जाना (ड्रॉपआउट)
C. असफल प्रदर्शन
D. नकारात्मक प्रभाव
E. न्यून क्षमता अभिप्रेरणा

नीचे दिए गए विकल्पों में से **सही** उत्तर चुनें:

1. A, C, D, E, B 2. E, A, C, D, B
3. C, D, E, A, B 4. D, E, C, A, B

31. स्मिथ द्वारा यथा प्रतिपादित संज्ञानात्मक भावात्मक प्रक्रमण प्रणाली (सीएपीएस) के अनुसार निम्नलिखित को सही अनुक्रम में सुझाएं।

A. उद्दीपक तत्व कूटबद्ध होते हैं और स्मृति में इनका निरूपण होता है।
B. क्षमताओं और स्व-विनियमन कौशल से व्यवहार अवधारित होता है।
C. वैयक्तिक व्यक्तित्व का स्थिति से संवाद होता है।
D. पूर्व अवधारित प्रत्याशाएं और मान्यताओं से कार्यकलाप का अभिप्राय प्राप्त होता है।
E. भावनाओं से व्यवहार प्रभावित होता है।

नीचे दिए गए विकल्पों में से **सही** उत्तर चुनें:

1. A, E, B, C, D 2. C, A, D, E, B
3. A, C, E, B, D 4. C, B, A, E, D

32. किसी एक व्यक्ति का व्यवहार अन्य व्यक्तियों के व्यवहार से विशेषरूप से सामाजिक स्थितियों में भिन्न होने के सतत तरीके के रूप में व्यक्तित्व की परिभाषा के मुख्य शब्दों को चिह्नांकित कीजिए:

A. स्थायी B. विशिष्ट
C. समूह D. प्रतिस्पर्धा
E. प्रशिक्षण

नीचे दिए गए विकल्पों में से **सही** उत्तर चुनें:

1. केवल B, C, D 2. केवल A, B, C
3. केवल B, C, E 4. केवल A, B, E

33. उत्कृष्ट एथलेटिक प्रदर्शन के लिए खेल मनोवैज्ञानिकों का महत्वपूर्ण सरोकार निम्नलिखित में से क्या-क्या है?

A. शक्ति (सामर्थ्य) B. आत्म-नियंत्रण
C. अभिप्रेरणा D. विश्वास
E. सहिष्णुता

नीचे दिए गए विकल्पों में से **सही** उत्तर चुनें:

1. केवल C, D, E 2. केवल A, B, C
3. केवल A, C, D 4. केवल B, C, D

34. सूची-I को सूची-II से सुमेलित करें:

सूची-I	सूची-II
A. कार्य संसक्ति	I. अनुप्रयुक्त खेल मनोवैज्ञानिक
B. लक्षण	II. आचार
C. ब्रुस ओगिल्वी	III. व्यक्तित्व
D. सेवार्थी की सहमति	IV. सामूहिक गतिकी

नीचे दिए गए विकल्पों में से **सही** उत्तर चुनें:

1. A-I, B-II, C-III, D-IV
2. A-II, B-I, C-III, D-IV
3. A-III, B-IV, C-II, D-I
4. A-IV, B-III, C-I, D-II

35. सूची-I को सूची-II से सुमेलित करें:

सूची-I	सूची-II
A. प्रतिबिंब	I. अभिप्रेरणा
B. पक्षरोधी और कारक	II. दुश्चिंता
C. इष्टतम कार्यकरण क्षेत्र (जोन ऑफ ऑप्टिमल फंक्शनिंग)	III. आक्रामकवृत्ति
D. अन्तर्वेषित विनियमन	IV. पीएसटी (मनोवैज्ञानिक स्किल प्रशिक्षण)

नीचे दिए गए विकल्पों में से **सही** उत्तर चुनें:

1. A-IV, B-III, C-II, D-I
2. A-III, B-II, C-I, D-IV
3. A-IV, B-I, C-III, D-II
4. A-I, B-II, C-III, D-IV

36. शारीरिक शिक्षा में निम्नलिखित कौन-सा विषय, दिव्यांगों को सेवाएँ प्रदान करने के लिए शिक्षक तैयार करने से संबंधित है?

1. क्रीड़ा-औषधि
2. क्रीड़ा-प्रबंधन
3. अनुकूलित शारीरिक शिक्षा
4. क्रीड़ा-समाजशास्त्र

37. राष्ट्रीय शिक्षा नीति-2020 के अनुसार स्कूली पाठ्यचर्या ढाँचा 5-3-3-4 से तात्पर्य है:

1. तैयारी स्तर, आधारिक स्तर, मिडिल स्तर, माध्यमिक स्तर
2. आधारिक स्तर, तैयारी स्तर, मिडिल स्तर, वरिष्ठ माध्यमिक स्तर
3. तैयारी स्तर, मिडिल स्तर, माध्यमिक स्तर, वरिष्ठ माध्यमिक स्तर
4. आधारिक स्तर, तैयारी स्तर, मिडिल स्तर, माध्यमिक स्तर

38. भारत में कौन-सा संगठन शारीरिक शिक्षा शिक्षक शिक्षा कार्यक्रम को विनियमित करता है?

1. (ए.आई.सी.टी.ई.) A.I.C.T.E
2. (एन.सी.टी.ई.) N.C.T.E
3. (एन.ए.ए.सी.) N.A.A.C
4. (यू.जी.सी.) U.G.C

39. मस्क मोस्टन की शिक्षा शैली, निर्दिष्ट खोज शैली के विश्लेषण में शामिल है:

1. शिक्षक केन्द्रित निर्णय
2. शिक्षक-छात्र केन्द्रित निर्णय का सम्मिलित अभिगम
3. छात्र केन्द्रित निर्णय
4. मूल्यांकन केन्द्रित डिजाइन

40. (1950) ब्लूम द्वारा अनुशंसित अधिगम के संज्ञानात्मक क्षेत्र का जटिलताओं के आरोही क्रम का अनुक्रम बताइए।

A. समझना
B. विश्लेषण करना
C. स्मरण करना
D. अनुप्रयोग करना
E. मूल्यांकन करना

नीचे दिए गए विकल्पों में से **सही** उत्तर चुनें:

1. A, C, B, D, E
2. A, C, D, B, E
3. C, A, D, B, E
4. C, A, B, D, E

41. पाठ्यचर्या निर्माण में शामिल निम्नलिखित कदमों को उपयुक्त क्रम में व्यवस्थित कीजिए:

A. शिक्षा के दर्शन और शिक्षा संबंधी नीतियों को समझना
B. बच्चों की आय आधारित जरूरतों को निश्चित (तय) करना
C. कार्यक्रम का मूल्यांकन + प्रतिपुष्टि (फीडबैक)
D. उपयुक्त गतिविधियों का चयन करना
E. लक्ष्य तैयार करना

नीचे दिए गए विकल्पों में से **सही** उत्तर चुनें:

1. A, E, B, D, C
2. E, A, B, D, C
3. A, E, D, C, B
4. E, B, A, C, D

42. निम्नलिखित में से कौन-से स्कूली शारीरिक शिक्षा कार्यक्रम के आधारिक चरण के शारीरिक शिक्षा कार्यक्रम के लक्ष्य हैं?

A. स्थानिक जागरुकता का विकास
B. समग्र मोटर कौशल का विकास
C. फाइन मोटर कौशल का विकास
D. नेतृत्व कौशल का विकास
E. खेलकूद विशिष्ट कौशल का विकास

नीचे दिए गए विकल्पों में से **सही** उत्तर चुनें:

1. केवल B, C, D
2. केवल C, D, E
3. केवल A, C, D
4. केवल A, B, C

43. पेशेवर तैयारी कार्यक्रम में _______ उपलब्ध करवाया जाना चाहिए।

A. पेशे के उचित औचित्य के बारे में सोचने के लिए अवसर
B. पेशे के लिए निष्ठा
C. प्रोत्साहन
D. राज्य का सरोकार
E. पेशे के प्रति वफादारी

नीचे दिए गए विकल्पों में से **सही** उत्तर चुनें:

1. केवल A, C, D 2. केवल A, B, E
3. केवल B, C, E 4. केवल B, C, D

44. सूची-I को सूची-II से सुमेलित करें:

सूची-I (संस्थान)	**सूची-II (स्थापना वर्ष)**
A. एल.सी.पी.ई., ग्वालियर	I. 1914
B. एच.वी.पी.एम., अमरावती	II. 1920
C. नेशनल स्पोर्ट्स यूनिवर्सिटी, इंफाल	III. 1957
D. वाई.एम.सी.ए., मद्रास	IV. 2018

नीचे दिए गए विकल्पों में से **सही** उत्तर चुनें:

1. A-III, B-IV, C-I, D-II
2. A-III, B-I, C-II, D-IV
3. A-III, B-I, C-IV, D-II
4. A-III, B-II, C-I, D-IV

45. जलने (बर्न्स) की दशा में प्राथमिक उपचार प्रदान करते समय निम्नलिखित में से किसका परिहार किया जाता है?

1. बर्फ लगाना
2. शरीर से प्रतिबंधित चीजें हटाना
3. बर्न (दग्ध) को आवरणयुक्त करना
4. दर्द निवारक औषधि देना

46. मध्याह्न भोजन कार्यक्रम (मिडडे मिल) के लिए स्कूल स्वास्थ्य समिति ने निम्नलिखित में से किसकी संस्तुति नहीं की है?

1. यह 'न लाभ न हानि' आधार पर होना चाहिए।
2. इसमें दैनिक आधार पर कम से कम एक एनर्जी ड्रिंक दिया जाना चाहिए।
3. इसमें दैनिक कैलोरी आवश्यकता का एक-तिहाई दिया जाना चाहिए।
4. इसमें दैनिक प्रोटीन की आवश्यकता का आधा दिया जाना चाहिए।

47. निम्नलिखित में से कौन-सा आनुवंशिक विकार नहीं है?

1. थैलेसीमिया 2. हीमोफिलिया
3. एस्केरियासिस 4. सिकल सेल एनीमिया

48. मोटापा के मूल्यांकन (निर्धारण) के लिए निम्नांकित में से कौन-सा सूचकांक प्रयुक्त नहीं होता है?

1. बॉडी-मास इंडेक्स (कायाःसंहति सूचकांक)
2. पोंडेरल इंडेक्स
3. ब्रोका इंडेक्स
4. सापेक्षिक स्वायत्तता सूचकांक (रिलेटिव ऑटोनोमी इंडेक्स)

49. रोग के उपचार और निवारण के लिए यादृच्छिक नियंत्रित विचारण करने के मूल चरणों को क्रम से सजाइए।

A. यादृच्छिकरण
B. संचालन और हस्तक्षेप
C. नवाचार (प्रोटोकॉल) तैयार करना
D. विचारण के प्रयोजनार्थ संदर्भ और जनसमूह (जनसंख्या) का चयन
E. प्रतिफल का अनुसरण और मूल्यांकन

नीचे दिए गए विकल्पों में से **सही** उत्तर चुनें:

1. C, D, A, B, E 2. A, C, D, B, E
3. C, A, D, E, B 4. D, C, A, B, E

50. स्वास्थ्य शिक्षा योजना निर्माण के मुख्य चरणों को व्यवस्थित कर उन्हें अनुक्रम में सजाएं।

A. सूचना एकत्र करना और समस्या की पहचान करना
B. संसाधनों का मूल्यांकन
C. प्राथमिकता अभिनिश्चित करना और लक्ष्य एवं उद्देश्य निर्धारण
D. कार्यक्रम की निगरानी और मूल्यांकन
E. कार्य योजना की तैयारी और उनका कार्यान्वयन

नीचे दिए गए विकल्पों में से **सही** उत्तर चुनें:

1. A, B, C, E, D 2. C, A, B, E, D
3. A, C, B, E, D 4. C, B, A, D, E

51. निम्नलिखित में से जन्तु-जन्य रोगों को चिह्नांकित कीजिए:

A. रेबीज B. एंथ्रेक्स
C. इंफ्लुएंजा D. प्लेग
E. टायफायड

नीचे दिए गए विकल्पों में से **सही** उत्तर चुनें:

1. केवल A, C, D 2. केवल B, C, D
3. केवल A, B, D 4. केवल A, D, E

52. निम्नलिखित में से कौन-से जल जनित रोग है?

A. हेपेटाइटिस ए B. अस्थमा (ब्रांकाइटिस)
C. अमीबायसिस D. टायफायड
E. एम्फीसीमा

नीचे दिए गए विकल्पों में से **सही** उत्तर चुनें:

1. केवल B, C, D 2. केवल A, C, D
3. केवल A, B, E 4. केवल C, D, E

53. सूची-I को सूची-II से सुमेलित करें:

सूची-I (स्वास्थ्य कार्यक्रम)	**सूची-II (आरंभ होने का वर्ष)**
A. स्वच्छ भारत अभियान	I. 2018
B. राष्ट्रीय एड्स नियंत्रण कार्यक्रम	II. 2014
C. आयुष्मान भारत कार्यक्रम	III. 1953
D. राष्ट्रीय मलेरिया नियंत्रण कार्यक्रम	IV. 1987

नीचे दिए गए विकल्पों में से **सही** उत्तर चुनें:

1. A-I, B-III, C-II, D-IV
2. A-II, B-IV, C-I, D-III
3. A-IV, B-I, C-II, D-III
4. A-II, B-III, C-I, D-IV

54. किसी निश्चित कार्यक्षेत्र के संदर्भ में समय और स्थान में शरीर की स्थिति (अवस्था) और संचलन की अवधारणा और इसमें परिवर्तन की योग्यता कहलाती है:

1. युग्मन योग्यता
2. विभेदन योग्यता
3. अभिमुखीकरण (परिबोधन) योग्यता
4. अनुकूलन योग्यता

55. _______ न्यूनतम समय में अधिकतम बल उत्पन्न करना है जिसका प्रयोग प्रारूपिक रूप से विस्फोटक शक्ति के सूचकांक के रूप में किया जाता है।

1. तनन (विस्तार) संकुचन चक्र (एस.एस.सी.)
2. बल वर्धन दर (आर.एफ.डी.)
3. प्रात्यक्षिक थकान का दर निर्धारण (आर.पी.ई.)
4. सामान्य अनुकूलन संलक्षण (जी.ए.एस.)

56. प्रशिक्षण योजना को रिकॉर्ड करने के क्रम में कोच को अनिवार्यतः व्यायाम, सेटों की संख्या, पुनरावृत्ति और प्रशिक्षण भार की संख्या का रिकॉर्ड, निम्न तरह करना चाहिए।

1. $\frac{\text{1 आर एम का \%}}{\text{सत्र}} \times \text{सेट}$
2. $\frac{\text{1 आर एम का \%}}{\text{सेट}} \times \text{सत्र}$
3. $\frac{\text{1 आर एम का \%} \times \text{सेट}}{\text{पुनरावृत्ति की संख्या}}$
4. $\frac{\text{1 आर एम का \%}}{\text{पुनरावृत्ति की संख्या}} \times \text{सेट}$

57. निम्नलिखित में से किस प्रशिक्षण में एथलीट प्रतिरोध में कुछ वर्द्धित (जोड़े गए) तत्वों, कुछ सहस्थित संयोजन में और तत्पश्चात् सामान्य परिस्थिति में प्रतिस्पर्धा करते हैं?

1. जटिल (सम्मिश्र) प्रशिक्षण
2. क्रॉस प्रशिक्षण
3. विरोधाभासी प्रशिक्षण
4. सतत प्रशिक्षण

58. प्रविधि (तकनीक) अधिगम के विभिन्न अवयवों को क्रम से व्यवस्थित कीजिए।

A. सचेत सक्षमता B. सचेत अक्षमता
C. चिंतनजन्य सक्षमता D. निश्चेत सक्षमता
E. निश्चेत असक्षमता

नीचे दिए गए विकल्पों में से **सही** उत्तर चुनें:

1. E, B, A, D, C 2. B, E, A, D, C
3. A, D, C, B, E 4. D, A, C, B, E

59. शक्ति के सावधिकरण (अवधि-निर्धारण) के आकारिक अनुकूलन का क्रम निर्धारित करें:

A. अनुरक्षण चरण
B. विशिष्ट शक्ति चरण में संपरिवर्तन का चरण
C. अतिपूर्ति चरण

D. अधिकतम शक्ति का चरण

E. समापन चरण

नीचे दिए गए विकल्पों में से **सही** उत्तर चुनें:

1. B, D, A, C, E 2. B, D, C, A, E
3. D, A, B, E, C 4. D, B, A, E, C

60. प्रशिक्षण भार के परिकलन हेतु निम्नलिखित में से किन घटकों का प्रयोग होता है?

A. भार की तीव्रता

B. भार का घनत्व

C. प्रशिक्षण और प्रतिस्पर्धा

D. भार की आवृत्ति (बारंबारता)

E. प्रशिक्षण और प्रदर्शन

नीचे दिए गए विकल्पों में से **सही** उत्तर चुनें:

1. केवल A, B, E 2. केवल A, B, D
3. केवल A, C, E 4. केवल A, B, C

61. सूची-I को सूची-II से सुमेलित करें:

सूची-I

A. सापेक्षिक घनत्व

B. समग्र मांग सूचकांक

C. समग्र तीव्रता

D. आंशिक तीव्रता

सूची-II

I. $\dfrac{\sum(\text{आंशिक तीव्रता} \times \text{व्यायाम का परिमाण})}{\sum(\text{व्यायाम का परिमाण})}$

II. $\dfrac{OI \times AD \times AV}{10,000}$

III. $\dfrac{\text{निरपेक्ष आयतन} \times 100}{\text{सापेक्षिक आयतन}}$

IV. $\dfrac{HR_p \times 100}{HR\ \text{अधिकतम}}$

नीचे दिए गए विकल्पों में से **सही** उत्तर चुनें:

1. A-III, B-IV, C-I, D-II
2. A-III, B-II, C-I, D-IV
3. A-III, B-IV, C-II, D-I
4. A-III, B-II, C-IV, D-I

62. _______ मान का वह परास (रेंज) है जिसके बारे में विश्लेषक विश्वास से कह सकता है कि जनसंख्या का मापदंड इसी के भीतर है।

1. आंतरिक प्राक्कलन
2. स्थानिक (प्वाइंट) प्राक्कलन
3. जनसंख्या प्राक्कलन
4. वर्णनात्मक प्राक्कलन

63. वह अध्ययन जिसमें या तो मात्रात्मक या गुणात्मक घटक सर्वप्रथम होता है और तत्पश्चात् उसके अनुसरण में अन्य घटक प्रयुक्त होता है, कहलाता है:

1. समानांतर मिश्र विधि
2. आनुक्रमिक मिश्र विधि
3. समवर्ती विधि
4. व्याख्यात्मक विधि

64. दस्तावेजों का काल-निर्धारण अथवा उसके रचयिता का निर्धारण निम्नलिखित में से किसके अंतर्गत आता है?

1. बाह्य आलोचना 2. आंतरिक आलोचना
3. प्रायोगिक संशोधन 4. वर्णनात्मक संशोधन

65. किसी दर निर्धारक की यह मान्यता कि व्यवहारों को किसी दूरी पर पृथक किए जाने के अपेक्षाकृत उन्हें किसी मापनी पर एक साथ सूचीबद्ध किए जाने की दशा में वे अधिक समान होते हैं, इसका तात्पर्य निम्नलिखित में से किससे है?

1. प्रेक्षक अभिनति व्यतिक्रम त्रुटि
2. प्ररूप-I त्रुटि
3. सामिप्यता त्रुटि
4. मापनी त्रुटि

66. कंप्यूटर डाटा-विश्लेषण में कौशल विकास के निम्नलिखित चरणों को क्रम में व्यवस्थित करें:

A. कंप्यूटर में डाटा संग्रहण (डाटा संचय)

B. उपयुक्त सॉफ्टवेयर पैकेज का चयन

C. डाटा को संगठित करना और उनका कूटबद्धन

D. उपयुक्त सांख्यिक माप/तकनीक का चयन

E. कम्प्यूटर प्रोग्राम का निष्पादन

नीचे दिए गए विकल्पों में से **सही** उत्तर चुनें:

1. C, A, B, D, E   2. A, C, B, D, E
3. C, A, D, B, E   4. C, B, A, D, E

67. प्रतिदर्श अभिकल्प तैयार करने के विभिन्न चरणों को अनुक्रम में सजाएं:

A. अभिरूचि के मापदंड
B. बजटीय अवरोध
C. समष्टि का प्रकार और प्रतिचयन इकाई
D. प्रतिचयन की कार्यविधि
E. प्रतिदर्श की स्रोत सूची और उसका आकार

नीचे दिए गए विकल्पों में से **सही** उत्तर चुनें:

1. E, C, B, A, D   2. C, E, A, D, B
3. C, E, A, B, D   4. C, E, B, A, D

68. निम्नलिखित में से कौन-से पद कोहर्ट (सहगण) अध्ययन से संबद्ध है?

A. अनुवर्ती अध्ययन   B. गवेषणात्मक अध्ययन
C. भविष्यलक्षी अध्ययन   D. प्रकरण अध्ययन
E. देशांतरीय अध्ययन

नीचे दिए गए विकल्पों में से **सही** उत्तर चुनें:

1. केवल A, C, E   2. केवल A, B, D
3. केवल B, D, E   4. केवल B, C, E

69. निम्नलिखित में से किन्हें यथार्थपरक प्रायोगिक अभिकल्प का अंश माना जाता है?

A. यादृच्छिकृत समूह अभिकल्प
B. एक समूह पूर्व परीक्षण उत्तर परीक्षण अभिकल्प
C. असमान-नियंत्रण-समूह अभिकल्प
D. पूर्व परीक्षण-उत्तर परीक्षण यादृच्छीकृत-समूह अभिकल्प
E. सोलोमन-चार समूह अभिकल्प

नीचे दिए गए विकल्पों में से **सही** उत्तर चुनें:

1. केवल A, D, E   2. केवल A, B, D
3. केवल B, C, E   4. केवल B, D, E

70. सूची-I को सूची-II से सुमेलित करें:

सूची-I (प्रयोजन)	सूची-II (सांख्यिकी)
A. स्वतंत्र दत्त (डाटा) के बिन्दु	I. काई-स्क्वायर और क्रुस्कल वैलिस
B. आश्रित दत्त के दो बिन्दुओं	II. कोचरन Q टेस्ट और फ्रायडमैन एनालिसिस ऑफ वेरियंस
C. दो से अधिक स्वतंत्र दत्त बिन्दुओं की तुलना प्रायोगिक परिवर्त्य (चर) के लिए करना	III. काई-स्क्वायर और मान-व्हिटनी
D. दो से अधिक आश्रित दत्त बिन्दुओं की तुलना एक प्रायोगिक परिवर्त्य (चर) के लिए करना	IV. विलकॉक्सिन परीक्षण और साईन परीक्षण

नीचे दिए गए विकल्पों में से **सही** उत्तर चुनें:

1. A-II, B-III, C-I, D-IV
2. A-II, B-III, C-IV, D-I
3. A-III, B-IV, C-II, D-I
4. A-III, B-IV, C-I, D-II

71. ______ सिद्धांत के अनुसार यदि पर्याप्त संबंधित परीक्षण दिए गए हों तो इस दशा में उनमें से कुछ प्रश्नगत (संबंधित) कौशल के माप होंगे।

1. प्रेरक (गतिज) एकीकरण सिद्धांत
2. गत्यात्मक क्रिया सिद्धांत
3. क्रिया सिद्धांत
4. बक शॉट सिद्धांत

72. शारीरिक शिक्षा प्रदाता (मैक्कलॉय एण्ड यंग, 1954) ने ______ को "ऐसी फुर्ती कहा है जिसमें दौड़ शामिल नहीं है।"

1. गत्यात्मक सुनम्यता   2. स्थितिज सुनम्यता
3. शीघ्रता   4. संतुलन

73. ______ विद्यार्थियों को उनकी आयु और आकार के आयाम के आधार पर शिक्षा (अनुदेश) के लिए विभिन्न संजातीय समूहों में वर्गीकृत करने का प्रस्ताव देने वाले प्रथम व्यक्ति थे।

1. लार्सन और योकोम   2. मिथेनी
3. मैक्कलॉय   4. गाइर एण्ड इस्पेंस्केड

74. निम्नलिखित में से किस परीक्षण का उद्देश्य समकक्षीय मूल्यांकन का प्रयोग कर संभाव्य विश्वविद्यालय के बास्केटबॉल खिलाड़ियों की खेलने की योग्यता के संबंध में निर्णय करना है?

1. हैरिसन बास्केटबॉल बैटरी
2. ऐंट्रिम बास्केटबॉल कौशल परीक्षण
3. मिशेल बैलोटिंग स्केल
4. स्टब्स बॉल हैंडलिंग परीक्षण

75. प्रकाशित परीक्षण के चयन में निम्नांकित में से अनिवार्यतः अपनाए जाने वाले चरणों को सही अनुक्रम में चिन्हांकित करें:

A. उपयुक्त और समीचीन परीक्षण का पता लगाना
B. विकल्प को सीमित करना
C. परीक्षण की आवश्यकताओं को परिभाषित करना
D. परीक्षण मूल्यांकन प्रारूप का प्रयोग करना
E. परीक्षण सामग्री की समीक्षा

नीचे दिए गए विकल्पों में से **सही** उत्तर चुनें:

1. C, A, B, D, E 2. C, B, A, E, D
3. A, C, B, D, E 4. C, A, B, E, D

76. निम्नलिखित को परीक्षण के बाद के कार्यों के सही अनुक्रम में व्यवस्थित कीजिए:

A. कच्चे (अस्थायी) प्राप्तांकों को परिवर्तित करना।
B. प्राप्तांक कार्डों को एकत्र (प्राप्त) करना।
C. मानकों का निर्माण करना और परिणामों को स्पष्ट करना।
D. परिणामों का प्रयोग करना और अनुवर्ती का कार्रवाई करना।
E. परीक्षण के परिणामों का मानकों से तुलना करना और प्रोफाइल तैयार करना।

नीचे दिए गए विकल्पों में से **सही** उत्तर चुनें:

1. B, A, C, E, D 2. B, A, E, D, C
3. B, A, E, C, D 4. B, A, D, C, E

77. कौन-सी तीन परीक्षण मदों (आइटम) से हिक के बैडमिंटन परीक्षण माप का स्वरूप स्थिर होता है?

A. ड्राप B. क्लियर
C. लॉब D. स्मैश
E. रणनीति

नीचे दिए गए विकल्पों में से **सही** उत्तर चुनें:

1. केवल A, C, D 2. केवल A, B, D
3. केवल B, C, E 4. केवल B, D, E

78. मूल्यांकन की प्रक्रिया में शामिल होते हैं:

A. उपयुक्त आँकड़े एकत्र करना
B. आँकड़ों के मान का आकलन करना
C. सामान्यीकरण
D. आँकड़ों के आधार पर निर्णय लेना
E. परिणाम स्थापित करना

नीचे दिए गए विकल्पों में से **सही** उत्तर चुनें:

1. केवल A, C, E 2. केवल A, B, E
3. केवल B, C, D 4. केवल A, B, D

79. निम्नलिखित में से किसमें ई.टी.एस. (टेक्सोनॉमी) की प्रमुख श्रेणियों का प्रयोग किया जाता है?

A. स्मरण करना B. अनुप्रयोग करना
C. समझना D. ज्ञान
E. चिंतन

नीचे दिए गए विकल्पों में से **सही** उत्तर चुनें:

1. केवल A, C, E 2. केवल A, B, D
3. केवल A, D, E 4. केवल B, C, E

80. सूची-I को सूची-II से सुमेलित कीजिए:

सूची-I (परीक्षण)	सूची-II (परीक्षण मदें)
A. बैरो मोटर एबिलिटी टेस्ट	I. 04
B. शिलिंग बॉडी कोआर्डिनेशन टेस्ट	II. 07
C. ए.ए.एच.पी.ई.आर. यूथ फिटनेस टेस्ट	III. 03
D. नॉर्थ कैरोलीना मोटर फिटनेस बैटरी	IV. 05

नीचे दिए गए विकल्पों में से **सही** उत्तर चुनें:

1. A-III, B-IV, C-I, D-II
2. A-III, B-I, C-II, D-IV
3. A-II, B-IV, C-I, D-III
4. A-II, B-IV, C-III, D-I

81. निम्नलिखित में से किस खेल कार्यक्रम प्रबंधन कार्य की व्याख्या कार्यक्रम के 'नट और बोल्ट' के रूप में की जाती है?

1. रजिस्ट्रीकरण
2. प्रबंध के लिए आगे बढ़कर इच्छा प्रकट करना
3. आतिथ्य सत्कार
4. टूर्नामेंट का प्रचालन

82. किसी भी संगठन की वित्तीय सफलता राजस्व और व्यय में अंतर पर निर्भर होता है, यह कहलाता है:

1. ऋण　　2. लाभ
3. इक्विटी　　4. परिसंपत्ति

83. खेल संवर्धन के किस आयाम (विमा) में खेल कार्यक्रम के लिए वर्धित राजस्व जुटाने के साथ व्यवसाय करना अन्तर्वलित है?

1. प्रबंधक　　2. कारपोरेट साझेदार
3. एथलीट　　4. शासी निकाय

84. खेल कार्यक्रम योजना निर्माण के विभिन्न चरणों को सही अनुक्रम में व्यवस्थित करें:

A. वृहद योजना और समय मान
B. उद्देश्य और लक्ष्य निर्धारित करना
C. नियंत्रण प्रणाली की स्थापना
D. नीति निर्माण
E. बजट का संकलन

नीचे दिए गए विकल्पों में से **सही** उत्तर चुनें:

1. E, C, B, D, A　　2. E, A, C, B, D
3. B, D, E, A, C　　4. B, E, A, C, D

85. खेल के आयोजन में मानव संसाधन प्रबंधन को सही अनुक्रम में सूचीबद्ध करें:

A. भर्ती　　B. प्रशिक्षण और विकास
C. चयन और स्क्रीनिंग　　D. योजना निर्माण
E. परिबोधन और अन्तर्वेशन

नीचे दिए गए विकल्पों में से **सही** उत्तर चुनें:

1. A, B, C, D, E　　2. E, D, C, B, A
3. C, E, B, D, A　　4. D, A, C, E, B

86. समाज में मान्यता है कि मीडिया के निम्नलिखित तीन प्रयोजन सिद्धांत है:

A. प्रतिस्पर्धा　　B. सूचना
C. संबंध　　D. शिक्षा
E. मनोरंजन

नीचे दिए गए विकल्पों में से **सही** उत्तर चुनें:

1. केवल B, D, E　　2. केवल A, B, C
3. केवल B, C, D　　4. केवल C, D, E

87. संगठन की संरचना के प्राथमिक आयामों में सम्मिलित है:

A. विपणन　　B. विभागीकरण
C. कार्य की विशेषज्ञता　　D. नियंत्रण की अवधि
E. विज्ञापन

नीचे दिए गए विकल्पों में से **सही** उत्तर चुनें:

1. केवल B, C, D　　2. केवल A, B, C
3. केवल C, D, E　　4. केवल A, D, E

88. संस्थाओं में प्रभावी शारीरिक शिक्षा और खेल कार्यक्रम के निदेशन के मुख्य पक्ष है:

A. परिभाषित कमांड की कड़ी
B. अधिनायकवादी उपागम
C. प्रत्यायोजन की स्पष्टता
D. विज्ञापन
E. नियत उत्तरदायित्व

नीचे दिए गए विकल्पों में से **सही** उत्तर चुनें:

1. केवल A, B, C　　2. केवल B, C, D
3. केवल B, C, E　　4. केवल A, C, E

89. सूची-I को सूची-II से सुमेलित करें:

सूची-I	सूची-II
A. उत्तरदायित्व सौंपना	I. भर्ती
B. रिपोर्टिंग प्रणाली	II. योजना निर्माण
C. स्टाफ-व्यवस्था	III. निदेशन
D. पूर्वानुमान	IV. नियंत्रण

नीचे दिए गए विकल्पों में से **सही** उत्तर चुनें:

1. A-III, B-IV, C-I, D-II
2. A-I, B-III, C-IV, D-II
3. A-IV, B-II, C-I, D-III
4. A-II, B-IV, C-III, D-I

90. सूची-I को सूची-II से सुमेलित करें:

सूची-I	**सूची-II**
A. इनडोर सुविधा	I. मूल्यांकन
B. वित्तीय सुविधा	II. छवि
C. जन सम्पर्क	III. लेखापरीक्षा (अंकेक्षण)
D. कार्मिक प्रबंधन	IV. क्षेत्र

नीचे दिए गए विकल्पों में से **सही** उत्तर चुनें:

1. A-IV, B-III, C-II, D-I
2. A-III, B-IV, C-I, D-II
3. A-IV, B-I, C-II, D-III
4. A-II, B-III, C-I, D-IV

निर्देश (प्र.सं. 91 से 95 तक): *निम्नलिखित गद्यांश को ध्यानपूर्वक पढ़िए और दिए गए प्रश्नों के उत्तर दीजिए:*

खेल के क्षेत्र में मानसिक प्रशिक्षण एक अनिवार्य पक्ष है जिसकी तरफ शारीरिक प्रशिक्षण की अपेक्षा कम ध्यान दिया जाता है। एथलीट को प्रतिस्पर्धा के दौरान भयानक दबाव का सामना करना पड़ता है और उनका मानसिक समुत्थान उनके प्रदर्शन को बहुत अधिक प्रभावित कर सकता है। मानसिक प्रशिक्षण में भावी गतिविधियों पर विचार, एकाग्रता और विश्रांति की तकनीक जैसी तकनीकें अंतवर्लित हैं जिसमें एथलीटों को अपना फोकस (संकेद्रण) बढ़ाने, तनाव का प्रबंधन करने और एक सकारात्मक मनोदशा बनाए रखने में मदद मिलती है। अपनी रूटीन में मानसिक प्रशिक्षण को समाहित कर एथलीट अपने आत्म विश्वास के स्तर में सुधार करने के साथ-साथ अधिक सशक्त व प्रबल मानसिक योग्यताएं विकसित कर सकते हैं जो सर्वोत्कृष्ट प्रदर्शन के लिए अति-महत्वपूर्ण हैं। भावी कार्यकलाप की परिकल्पना सर्वाधिक प्रभावी मानसिक प्रशिक्षण की तकनीकों में से एक है। एथलीट मानसिक रूप से अपने कार्यनिष्पादन का पूर्वाभ्यास करते हैं और इस क्रम में वे बिना किस दोष/कमी के अपने कौशल को कार्यान्वित करने की परिकल्पना करते हैं। इस अभ्यास से न केवल वे वास्तविक प्रतिस्पर्धा के लिए तैयार होते हैं प्रत्युत इसके फलस्वरूप होने वाली दुश्चिंता को कम करने में मदद मिलती है। एकाग्रता की तकनीकें, यथा-सजगता, त्राटक आदि से एथलीट को जागरूक, ध्यानकेन्द्रित करने में मदद मिलती है और उन विपथन की ओर भी उनका बहुत कम ध्यान जाता है, जिससे उनके प्रदर्शन में बाधा उत्पन्न हो सकती है। इसके अतिरिक्त पूर्वाभ्यास की कार्यनीतियां (रणनीतियाँ) जिसमें बहुत अधिक (प्रचंड) विश्रांति, गहन श्वसन और ध्यान शामिल है, इनसे एथलीटों को तनाव का प्रबंधन करने और तीव्र प्रशिक्षण सत्र या प्रतिस्पर्धी के पश्चात् मानसिक तौर पर पूर्वस्थिति में आने में सहायता मिलती है। मानसिक प्रशिक्षण एथलीटों की समग्र तैयारी का एक महत्वपूर्ण घटक है। शारीरिक प्रशिक्षण के साथ-साथ मानसिक पुनरूत्थापन को प्राथमिकता देकर एथलीट अपनी पूर्ण क्षमता का उपयोग कर खेल जगत में अपना लक्ष्य प्राप्त कर सकते हैं।

91. खेलों में दिए जाने वाले मानसिक प्रशिक्षण में मुख्यतः निम्नलिखित में से किस पर बल दिया जाता है?

1. मानसिक एकाग्रता
2. मानसिक अवधान
3. मानसिक समुत्थान
4. मानसिक पूर्वाभ्यास

92. निम्नलिखित में से मानसिक प्रशिक्षण की किस तकनीक में मानसिक रूप से प्रदर्शन का पूर्वाभ्यास करना शामिल हैं?

1. प्रगतिशील विश्रांति तकनीक
2. भावी कार्यकलाप की परिकल्पना तकनीक
3. छवि-निर्माण तकनीक
4. जैविक प्रतिपुष्टि

93. सजगता से एथलीटों को निम्नलिखित में से किसमें मदद मिलती है?

1. साथ के एथलीट और कोच के साथ संसक्ति निर्माण में
2. आत्म-प्रभाविता में
3. सजग और ध्यानकेन्द्रित रहने में
4. सामाजिक कुशलता सुधारने में

94. निम्नलिखित में से कौन-सी विश्रांति कार्यनीति (रणनीति) है?

1. छवि-निर्माण प्रशिक्षण
2. त्राटक का अभ्यास
3. गहन श्वसन
4. भावी कार्यकलाप की परिकल्पना

95. प्रायः मानसिक प्रशिक्षण की तरफ क्यों नहीं ध्यान दिया जाता है?

1. यह शारीरिक प्रशिक्षण की तुलना में कम महत्त्वपूर्ण है।
2. इसमें अपेक्षाकृत कम समय की खपत होती है।
3. यह शारीरिक प्रशिक्षण के समान दृश्यमान नहीं होता है।
4. इसे कार्यान्वित करना अपेक्षाकृत अधिक सुगम है।

निर्देश (प्र.सं. 96 से 100 तक): *निम्नलिखित गद्यांश को ध्यानपूर्वक पढ़िए और दिए गए प्रश्नों के उत्तर दीजिए:*

समावेशी शारीरिक शिक्षा (आईपीई) एक शैक्षणिक उपागम है जिसका लक्ष्य यह है कि सभी विद्यार्थियों को वे शारीरिक रूप से सक्षम हैं या नहीं उसका ध्यान रखे बगैर समान रूप से शारीरिक शिक्षा कार्यक्रमों में सार्थक रूप से भाग लेने का अवसर प्रदान किया जाए। इस उपागम से न केवल शारीरिक फिटनेस का संवर्धन होता है अपितु विद्यार्थियों के सामाजिक अन्तः संवाद, टीम वर्क और वैयक्तिक विकास की अभियोग्यता में भी संवृद्धि होती है। अनुकूलन योग्य रणनीतियों और आवर्धन (उपांतरण) को कार्यान्वित कर शिक्षा प्रदाता विद्यार्थियों की विविध आवश्यकताओं की पूर्ति कर सकते हैं और इसके साथ-साथ यह भी सुनिश्चित कर सकते हैं कि प्रत्येक व्यक्ति शारीरिक गतिविधियों में सार्थक रूप से संलग्न हो सके। समावेशी शारीरिक शिक्षा व्यवस्था में अध्यापक/अध्यापिकाओं को अलग-अलग कौशल स्तर और योग्यताओं के समंजन हेतु विविध शिक्षण विधियों और युक्तियों का प्रयोग करने के लिए प्रोत्साहित किया जाता है। उदाहरण के तौर पर कार्यकलाप को उपांतरित कर गमन अक्षमता से ग्रस्त विद्यार्थियों को अपने समकक्षीय छात्र/छात्राओं के साथ कार्यकलाप में भाग लेने की अनुमति दी जा सकती है। इसके अतिरिक्त समकक्षीय सहयोग और सौजन्य समावेशी शारीरिक शिक्षा के महत्वपूर्ण घटक हैं क्योंकि इनमें विद्यार्थीगण एक साथ कार्य करने, एक-दूसरे से सीखने और सामुदायिक भावना निर्मित करने के लिए प्रोत्साहित होते हैं। समावेश पर जोर देने के फलस्वरूप न केवल दिव्यांग विद्यार्थियों को लाभ होता है, अपितु इससे सभी विद्यार्थियों के अनुभव में संवृद्धि होती है और उनमें तद्नुभुति, सम्मान और सूझबूझ जैसे सदगुणों की अभिवृद्धि होती है। समावेशी शारीरिक शिक्षा शिक्षा के गुरुतर लक्ष्य तथा आजीवन आरोग्यता के संवर्धन के लक्ष्यों के अनुरूप भी है। शारीरिक कार्यकलाप के प्रति सकारात्मक अभिवृत्ति का संचार कर समावेशी शारीरिक शिक्षा दिव्यांगता से संबद्ध अवरोधों और रूढ़िबद्धता को तोड़ने में भी सहायक है।

96. समावेशी शारीरिक शिक्षा का मुख्य लक्ष्य क्या है?

1. दिव्यांग विद्यार्थियों की समुपयुक्त शारीरिक कार्यकलाप में भागीदारी पर ध्यान केंद्रित करना
2. शारीरिक शिक्षा कार्यक्रम में सार्थक रूप से भाग लेने का सभी को समान अवसर प्रदान करना
3. दिव्यांग विद्यार्थियों के प्रति सहानुभूति विकसित करना
4. पैरा-एथलीटों को तैयार करना

97. समावेशी शारीरिक शिक्षा का मुख्य घटक निम्नलिखित में से कौन-सा है?

1. स्वदेशी और पारंपरिक खेलों को कायम रखना
2. सभी के लिए फिटनेस और कौशल प्रशिक्षण
3. विद्यार्थियों के मध्य समकक्षीय सहयोग और सौजन्य की भावना को बढ़ावा देना
4. दिव्यांग विद्यार्थियों के लिए विशेष और पृथक गतिविधियां (कार्यकलाप)

98. समावेशी शारीरिक शिक्षा में अध्यापक/अध्यापिका विद्यार्थियों के अलग-अलग अधिगम स्तर का कैसे समंजन कर सकते/सकती हैं?

1. कार्यकलाप को उपांतरित कर और अनुकूलन-योग्य रणनीतियों का प्रयोग करके।
2. वैयक्तिक प्रदर्शन को बढ़ावा देकर
3. अलग-अलग समूहों के लिए एक ही कार्यकलाप कराकर
4. कार्यक्रम से विद्यमान शारीरिक कार्यकलाप को हटाकर

99. सभी विद्यार्थियों को समावेशी शारीरिक शिक्षा का क्या लाभ है?

1. इसमें वैयक्तिक भागीदारी और विकास को बढ़ावा दिया जाता है।

2. इसके फलस्वरूप तदनुभूति, सूझबूझ और टीमवर्क को बढ़ावा मिलता है।
3. इसमें प्रतिस्पर्धा और अतिरेक भागीदारी को प्राथमिकता दी जाती है।
4. इसके फलस्वरूप दिव्यांग विद्यार्थियों के प्रति सहानुभूतिक अभिवृत्ति विकसित होती है।

100. समावेशी शारीरिक शिक्षा किस प्रकार से शिक्षा के गुरुतर लक्ष्य के अनुरूप है?
1. इसमें संज्ञानात्मक विकास का संवर्धन होता है।
2. इसमें मनोप्रेरक विकास पर बल दिया जाता है।
3. इसमें वैयक्तिक उपलब्धियों पर जोर दिया जाता है।
4. इसमें आजीवन आरोग्यता का संवर्धन होता है।

उत्तरमाला

1	2	3	4	5	6	7	8	9	10
4	2	3	1	2	4	4	1	3	1
11	**12**	**13**	**14**	**15**	**16**	**17**	**18**	**19**	**20**
3	2	1	2	4	2	3	1	1	4
21	**22**	**23**	**24**	**25**	**26**	**27**	**28**	**29**	**30**
2	3	3	3	3	3	3	4	3	3
31	**32**	**33**	**34**	**35**	**36**	**37**	**38**	**39**	**40**
2	2	4	4	1	3	4	2	2	3
41	**42**	**43**	**44**	**45**	**46**	**47**	**48**	**49**	**50**
1	4	2	3	1	2	3	4	1	3
51	**52**	**53**	**54**	**55**	**56**	**57**	**58**	**59**	**60**
3	2	2	3	2	4	3	1	4	2
61	**62**	**63**	**64**	**65**	**66**	**67**	**68**	**69**	**70**
4	1	2	1	3	3	3	1	1	4
71	**72**	**73**	**74**	**75**	**76**	**77**	**78**	**79**	**80**
4	1	3	3	2	3	4	4	1	1
81	**82**	**83**	**84**	**85**	**86**	**87**	**88**	**89**	**90**
4	2	2	3	4	1	1	4	1	1
91	**92**	**93**	**94**	**95**	**96**	**97**	**98**	**99**	**100**
3	2	3	3	3	2	3	1	2	4

व्याख्यात्मक उत्तर

1. मनोरंजन/विश्राम सिद्धांत के अनुसार खेल का उद्देश्य केवल शारीरिक गतिविधि नहीं बल्कि मानसिक और शारीरिक थकान से मुक्ति प्राप्त करना है। व्यक्ति विशेषकर बच्चे पढ़ाई, श्रमसाध्य कार्य या दैनिक दबावों के कारण उत्पन्न तनाव को कम करने के लिए खेल में संलग्न होते हैं। इस सिद्धांत का मूल विचार यह है कि खेल विश्राम का साधन है और कार्य के बाद खोई हुई ऊर्जा तथा मानसिक संतुलन को पुनः स्थापित करता है। इस सिद्धांत का प्रतिपादन मॉरिट्ज लाजरस द्वारा किया गया था, जिसे दिए गए विकल्पों में मॉरिज लेजर्स पैट्रिक के रूप में दर्शाया गया है, अतः विकल्प 4 पूर्णतः संगत है।

2. पुनरावर्तन सिद्धांत का मूल विचार यह है कि बालक के विकास के दौरान मानव जाति के आदिम विकास-चरणों की प्रवृत्तियाँ खेल के रूप में प्रकट होती हैं। खेल के

माध्यम से बच्चे शिकार, संघर्ष, दौड़-भाग या प्रतिस्पर्धा जैसी स्वाभाविक प्रवृत्तियों को व्यक्त करते हैं और धीरे-धीरे उनसे मुक्त होते जाते हैं। इस प्रकार खेल बालक के मानसिक और सामाजिक विकास में सहायक बनता है। इसलिए पुनरावर्तन सिद्धांत का आशय विकल्प 2 में सर्वाधिक स्पष्ट और शुद्ध रूप से व्यक्त हुआ है।

3. अंतरराष्ट्रीय ओलंपिक समिति ने वर्ष 2021 में ओलंपिक ध्येय वाक्य "Citius, Altius, Fortius" में "Together" शब्द को आधिकारिक रूप से जोड़ा। इस शब्द का लैटिन रूप "Communiter" है, जिसका अर्थ है 'एक साथ' या 'सामूहिक रूप से'। यह परिवर्तन खेलों में एकता, सहयोग और वैश्विक सहभागिता के महत्व को दर्शाता है। दिए गए विकल्पों में इसका सटीक रूप ''कम्यूनिटर'' विकल्प 3 में ही उपलब्ध है।

4. 4×400 मीटर मिश्रित रिले दौड़ में चार धावक होते हैं, जिनमें दो पुरुष और दो महिलाएँ सम्मिलित रहती हैं। अंतरराष्ट्रीय नियमों के अनुसार इन धावकों का क्रम पुरुष, महिला, पुरुष, महिला निर्धारित किया गया है, ताकि प्रतिस्पर्धा संतुलित रहे और सभी टीमों के लिए समान अवसर उपलब्ध हों। विकल्प 1 में यही मान्य और स्वीकृत क्रम दिया गया है, इसलिए वही सही है।

5. शारीरिक शिक्षा और खेल के क्षेत्र में इन प्रमुख व्यक्तित्वों का संबंध उनके-अपने देशों से स्थापित किया जाता है। फ्रेज नेटरगॉल का संबंध डेनमार्क से माना जाता है, पर हेनरिक लिंग स्वीडन के शारीरिक शिक्षा आंदोलन से जुड़े थे, जोहान बर्नहार्ड बेस्डो जर्मनी के शैक्षिक सुधारक थे, जबकि गालन प्राचीन यूनान के विख्यात विद्वान थे। इस प्रकार सही मिलान A-डेनमार्क (III), B-स्वीडन (I), C-जर्मनी (IV) और D-यूनान (II) बनता है, जो विकल्प 2 में पूर्णतः सही रूप में दिया गया है।

6. तत्त्वमीमांसा का संबंध परम सत्य की खोज से होता है, इसलिए इसका सही मिलान ''परम सत्य की पूछ'' से होता है। मूल्य मीमांसा मूल्यों तथा मूल्य-निर्णय की प्रकृति का अध्ययन करती है, अतः इसका संबंध विकल्प III से है। ज्ञान मीमांसा सत्य की व्याख्या तथा ज्ञान के स्वरूप और स्रोतों से जुड़ी होती है, इसलिए इसका मिलान IV से होता है। सौंदर्यशास्त्र में सौंदर्य, कला और अभिरुचि की प्रकृति का अध्ययन किया जाता है, जो स्पष्ट रूप से विकल्प I से मेल खाता है। इस प्रकार सही संयोजन A-II, B-III, C-IV, D-I है।

7. महिला एथलीट ट्रायड एक सुविख्यात अवधारणा है, जिसमें तीन परस्पर संबंधित अवस्थाएँ सम्मिलित होती हैं—एमेनोरिया (मासिक धर्म का रुक जाना), ऑस्टियोपोरोसिस/कम अस्थि घनत्व, और खान-पान संबंधी विकार। ये तीनों मिलकर महिला खिलाड़ियों के स्वास्थ्य पर गंभीर प्रभाव डालते हैं, इसलिए विकल्प 4 ही इस ट्रायड को पूर्ण रूप से दर्शाता है।

8. कंकाली पेशी की संरचना में मायोफाइब्रिल्स के भीतर सार्कोमेर सबसे छोटी तथा मूल कार्यात्मक इकाई होती है। पेशीय संकुचन और शिथिलीकरण की पूरी प्रक्रिया सार्कोमेर के स्तर पर ही घटित होती है, इसलिए कंकाली पेशी की बेसिक फंक्शनल यूनिट के रूप में सार्कोमेर को ही माना जाता है।

9. मांसपेशीय संकुचन के लिए ऊर्जा का प्रत्यक्ष और तात्कालिक स्रोत ATP होता है। यद्यपि फॉस्फो-क्रिएटिन और ग्लाइकोजन ऊर्जा के भंडार या पुनःसंश्लेषण में सहायक होते हैं, लेकिन वास्तविक संकुचन के समय ऊर्जा सीधे ATP के विघटन से ही प्राप्त होती है। इसलिए सही उत्तर विकल्प 3 है।

10. हृदय की मांसपेशियों को ऑक्सीजन और पोषक तत्वों से युक्त रक्त की आपूर्ति मुख्य रूप से कोरोनरी धमनियों द्वारा की जाती है। यही धमनियाँ मायोकार्डियम के पोषण के लिए उत्तरदायी होती हैं, जबकि पल्मोनरी, रीनल या कैरोटिड धमनियों का कार्य अन्य अंगों से संबंधित होता है। अतः सही विकल्प 1 है।

11. क्रायोथेरेपी के लिए सामान्यतः जिन अवस्थाओं में निषेध (contraindication) माना जाता है उनमें रेनॉड्स डिजीज, पेरिफेरल वैस्क्युलर डिजीज, ठंड के प्रति अतिसंवेदनशीलता तथा इस्कीमिया सम्मिलित हैं, क्योंकि इन स्थितियों में ठंड का प्रयोग ऊतकों को नुकसान पहुँचा सकता है। हाइपरथर्मिया में शरीर का ताप बढ़ा होता है, अतः शीत-उपचार (क्रायोथेरेपी) वहाँ निषिद्ध नहीं माना जाता। इसलिए दिए गए विकल्पों में जो क्रायोथेरेपी के लिए निषेध नहीं है, वह विकल्प 3 है।

12. संवेदी-मोटर एकीकरण की प्रक्रिया में सबसे पहले रिसेप्टर्स द्वारा संवेदी उद्दीपक प्राप्त किया जाता है। इसके बाद यह संवेदी सूचना संवेदी न्यूरॉनों के माध्यम से सीएनएस तक पहुँचती है। सीएनएस में सूचना का विश्लेषण होकर मोटर प्रतिक्रिया की योजना बनती है। फिर मोटर न्यूरॉन के द्वारा कार्य-आदेश संबंधित सिनेप्स तक पहुँचता है और अंततः मांसपेशियों में मोटर कार्य क्षमता संचरित होकर वास्तविक प्रतिक्रिया प्रारंभ हो जाती है। इस क्रम के अनुसार सही अनुक्रम D $\rightarrow$ C $\rightarrow$ A $\rightarrow$ E $\rightarrow$ B है।

13. अधिक ऊँचाई वाले क्षेत्रों में प्रशिक्षण या निवास के दौरान वायुमंडलीय दबाव कम हो जाता है, जिसके कारण शरीर को पर्याप्त ऑक्सीजन नहीं मिल पाती और अनुकूलन (acclimatization) की आवश्यकता होती है। यदि यह अनुकूलन सही ढंग से नहीं हो पाता, तो कुछ विशिष्ट स्वास्थ्य जोखिम उत्पन्न होते हैं जिन्हें उच्च-ऊँचाई संबंधी रोग कहा जाता है। हायपोक्सिया वह मूल अवस्था है जिसमें ऊतकों तक ऑक्सीजन की आपूर्ति कम हो जाती है और यही अन्य जटिलताओं का आधार बनती है। पल्मोनरी एडेमा में फेफड़ों में तरल भर जाता है, जिससे श्वसन गंभीर रूप से बाधित होता है और यह स्थिति जानलेवा हो सकती है। सेरेब्रल एडेमा में मस्तिष्क में सूजन और तरल का जमाव होता है, जिससे सिरदर्द, भ्रम, संतुलन की कमी और चेतना में गिरावट जैसे लक्षण उत्पन्न होते हैं। ये तीनों स्थितियाँ सीधे तौर पर कम ऑक्सीजन उपलब्धता और ऊँचाई से जुड़े शारीरिक प्रभावों के कारण होती हैं। हाइपरथर्मिया अधिक गर्मी से जुड़ी अवस्था है, जबकि फ्रॉस्ट बाइट ठंड से होने वाली ऊतक क्षति है; ये दोनों ऊँचाई के प्रत्यक्ष शारीरिक प्रभाव नहीं हैं। इसलिए सही संयोजन केवल पल्मोनरी एडेमा, हायपोक्सिया और सेरेब्रल एडेमा वाला विकल्प 1 है।

14. शारीरिक थकान के प्रमुख जैव-रासायनिक कारणों में फॉस्फो-क्रिएटिन का क्षय, मांसपेशियों में ग्लाइकोजन की कमी तथा लैक्टिक एसिड का एकत्र होना शामिल है। हाइड्रोजन आयन स्तर में कमी नहीं बल्कि वृद्धि थकान से जुड़ी होती है, और शरीर के कोर तापमान में कमी भी सामान्य कारण नहीं है। अतः सही संयोजन केवल A, D और E है।

15. मायेलिन शीथ तंत्रिका के अक्षतंतु (एक्सॉन) को ढकती है। ट्रोपोनिन-ट्रोपोमायोसिन संकुल ऐक्टिन फिलामेंट से संबद्ध होता है और मांसपेशी संकुचन के नियमन में भूमिका निभाता है। बेसल गैन्गिलया मस्तिष्क का भाग हैं और मोटर नियंत्रण से संबंधित हैं। सार्कोलेम्मा मांसपेशी कोशिका की बाह्य झिल्ली होती है। इस प्रकार सही मिलान A-III, B-IV, C-II, D-I बनता है।

16. ब्रैडीकार्डिया का संबंध विश्रांत अवस्था में हृदय गति से होता है और सामान्य वर्गीकरण में इसे हृदय गति से जोड़ा जाता है, इसलिए इसका मिलान I से किया गया है। एथेरोस्क्लेरोसिस में धमनियों की दीवारों में वसा/प्लाक जमने से क्रमिक संकुचन होता है, जो स्पष्ट रूप से IV से संबंधित है। इस्कीमिया किसी विशेष अंग या ऊतक में रक्त आपूर्ति की अस्थायी कमी की अवस्था है, अतः इसका मिलान II से होता है। एरिथमिया में हृदय गति की लय अनियमित हो जाती है, इसलिए इसका सही संबंध III से है।

17. ऊँची कूद या पोल वॉल्ट में खिलाड़ी शरीर को इस प्रकार मोड़ता और नियंत्रित करता है कि द्रव्यमान केंद्र अवरोध के नीचे रहते हुए भी शरीर का कोई भाग अवरोध के ऊपर से निकल सके। इसलिए अवरोध पार करने के लिए द्रव्यमान केंद्र का अवरोध से अधिक ऊँचा होना अनिवार्य शर्त नहीं है।

18. यदि किसी पिंड को धरातल की अपेक्षा अधिक ऊँचाई वाले स्थान से प्रक्षेपित किया जाता है, तो समान क्षैतिज दूरी प्राप्त करने के लिए आवश्यक प्रक्षेपण कोण धरातल से किए गए प्रक्षेपण की तुलना में कम होता है, क्योंकि अतिरिक्त ऊँचाई से पिंड को अधिक समय तक गति मिलती रहती है।

19. दबाव का सूत्र $P = \frac{F}{A}$ है। स्पाइक हील के लिए क्षेत्रफल 4 cm^2 होने पर दबाव $\frac{556}{4} = 139\ N/cm^2$ प्राप्त होता है। जूते के लिए क्षेत्रफल 175 cm^2 होने पर दबाव $\frac{556}{175} \approx 3.18\ N/cm^2$ होता है, जो विकल्प 1 से पूरी तरह मेल खाता है।

20. औसत त्वरण को प्रारंभ से अंतिम वेग तक वेग परिवर्तन और समय के अनुपात से व्यक्त किया जाता है। यहाँ अंतिम वेग 5.9 ms^{-1} है और समय 1.8 s है, अतः औसत त्वरण $\frac{5.9}{1.8} \approx 3.3 \ ms^{-2}$ प्राप्त होता है। इसलिए सही उत्तर विकल्प 4 है।

21. सदिश राशि की पहचान उसके परिमाण और दिशा से होती है, इसलिए B और D सदिश की मूल परिभाषात्मक विशेषताएँ हैं। साथ ही विस्थापन स्वयं एक मानक उदाहरण है जो स्पष्ट करता है कि सदिश में दिशा के साथ परिमाण भी होता है (जैसे 5 m पूर्व दिशा में), इसलिए E को जोड़कर दी गई परिभाषा/समझ पूर्ण और व्यावहारिक रूप से सही बैठती है। इसी कारण सही समूह केवल B, D, E वाला विकल्प 2 है।

22. रोलिंग घर्षण मुख्यतः सतह और पिंड के विकृति/विरूपण तथा संपर्क पर लगने वाले सामान्य अभिक्रिया बल से उत्पन्न प्रतिरोध है, इसलिए A (Normal reaction) एक प्रमुख कारक है। साथ ही लुढ़कते पिंड की त्रिज्या बढ़ने पर संपर्क-क्षेत्र में प्रभावी प्रतिरोध/रोलिंग रेजिस्टेंस का प्रभाव बदलता है, इसलिए C भी कारक है। सतह का विरूपण (Deformation) रोलिंग प्रतिरोध का मूल कारणों में से एक है, इसलिए E भी आवश्यक है। अतः सही संयोजन A, C, E है और विकल्प 3 सही है।

23. किसी बल को यांत्रिकी में पूरी तरह निर्दिष्ट करने के लिए यह बताना आवश्यक होता है कि वह कहाँ लगाया गया है (Point of application), वह किस रेखा के along कार्य कर रहा है (Line of application), और उसकी दिशा/सेंस क्या है (Force sense, जैसे दाएँ/बाएँ, ऊपर/नीचे)। यही तीनों मिलकर बल की पहचान को पूर्ण करते हैं; इसलिए सही सेट B, C, E है और विकल्प 3 सही है।

24. जब कोई पिंड कैमरे की दिशा में आता है या कैमरे से दूर जाता है, तो दृश्य में उसका आकार और गति "अपेक्षाकृत बड़ा/धीमा" जैसा प्रतीत हो सकता है, क्योंकि दूरी बदलने से दृश्य-कोण (visual angle) और परिप्रेक्ष्य (perspective) बदलता है; इसलिए यह प्रभाव संदर्शी व्यतिक्रम (Perspective error/distortion) से अधिक संगत है और A का मिलान III से किया जाता है। कैमरे/दर्शक के सापेक्ष देखने का कोण बदलते ही किसी वस्तु की स्पष्ट स्थिति/आकार में जो बदलाव का आभास होता है, उसे परैल्लैक्स (Parallax) से जोड़ा जाता है; इसलिए कैमरे से गुजरते समय आकार/आकृति में परिवर्तन जैसा लगना B के लिए समांतर अक्षीय व्यतिक्रम (Parallax error) से अधिक मेल खाता है और B का मिलान IV से होता है। पूर्ण जड़त्व (Moment of inertia) की गणना में समानांतर अक्ष प्रमेय का प्रयोग सीधे किया जाता है, क्योंकि यह बताता है कि द्रव्यमान-केंद्र से गुजरने वाले अक्ष के जड़त्व आघूर्ण से किसी समानांतर अक्ष का जड़त्व आघूर्ण कैसे निकलेगा; इसलिए C का मिलान I से सही बैठता है। घूर्णन केंद्र/अक्ष के सापेक्ष द्रव्यमान का वितरण "रेडियस ऑफ जाइरेशन" द्वारा संक्षेप में व्यक्त किया जाता है, क्योंकि यही वह प्रभावी दूरी है जिस पर समूचा द्रव्यमान मान लेने पर वही जड़त्व आघूर्ण प्राप्त हो; इसलिए D का मिलान II से होता है। इसी कारण सही मिलान विकल्प 3 (A-III, B-IV, C-I, D-II) है।

25. टहलना में चाल का मूल रूप जमीन पर एक के बाद एक पैर रखकर आगे बढ़ना होता है, इसलिए A-I। दौड़ना में गति अधिक होती है और शरीर आगे बढ़ने के लिए दोनों पैरों की तीव्र/लगातार क्रिया का उपयोग करता है, इसलिए B-IV। कूदना में पैरों की मांसपेशियों से शरीर को जमीन से ऊपर उठाना प्रमुख है, इसलिए C-II। फेंकना में हाथ/भुजा के द्वारा पिंड को प्रणोदन देकर आगे भेजना होता है, इसलिए D-III। अतः विकल्प 3 सही है।

26. खेल मनोविज्ञान का प्रमुख लक्ष्य खिलाड़ियों के समग्र विकास पर केंद्रित होता है, जिसमें उनकी शारीरिक, मानसिक और भावनात्मक क्षमताओं का अधिकतम उपयोग शामिल है। इसका उद्देश्य हर परिस्थिति में जीत सुनिश्चित करना या चिकित्सकीय औषधि सुझाना नहीं होता, बल्कि खिलाड़ी को अपनी संभावनाओं, कौशल और आत्मविश्वास को पहचानने और उन्हें सर्वोत्तम स्तर तक विकसित करने में सहायता करना होता है। इसलिए विकल्प 3 खेल मनोविज्ञान के लक्ष्य को सबसे सटीक रूप से व्यक्त करता है।

27. खेल मनोविज्ञान में यह माना जाता है कि नियमित व्यायाम के दौरान शरीर में एंडोर्फिन नामक रसायनों का स्राव होता है, जिन्हें "फील-गुड हार्मोन" कहा जाता है। ये हार्मोन सकारात्मक चिंतन, आनंद और भावनात्मक संतुलन को बढ़ावा देते हैं तथा तनाव, अवसाद और नकारात्मक मनोदशा को कम करने में सहायक होते हैं। इस अवधारणा को एंडोर्फिन परिकल्पना कहा जाता है, इसलिए सही विकल्प 3 है।

28. सामूहिक संसक्ति (Group Cohesion) को सुदृढ़ करने के लिए जब समाज या समूह को बहुसांस्कृतिक लेंस से देखा जाता है और विभिन्न संस्कृतियों के मूल्यों, मान्यताओं व व्यवहारों को पारस्परिक रूप से अपनाया-समझा जाता है, तो इस प्रक्रिया को उत्संस्करण (Acculturation) कहा जाता है। इसमें अलग-अलग सांस्कृतिक पृष्ठभूमि वाले सदस्य एक-दूसरे के साथ समायोजन करते हैं, जिससे आपसी समझ, सहयोग और समूह में एकता बढ़ती है। इसलिए इस अवधारणा के लिए सही शब्द उत्संस्करण है और सही विकल्प 4 है।

29. खेल मनोविज्ञान में विध्वंस सिद्धांत (Catastrophe Theory) यह स्पष्ट करता है कि जब खिलाड़ी की उत्तेजना या चिंता एक निश्चित सीमा से अधिक बढ़ जाती है, तो प्रदर्शन में गिरावट क्रमिक न होकर अचानक और तीव्र होती है। प्रारंभिक स्तर पर उत्तेजना से प्रदर्शन में सुधार हो सकता है, लेकिन सीमा पार करते ही प्रदर्शन "ध्वस्त" हो जाता है। इसी विशेषता के कारण प्रदर्शन में आकस्मिक और तेज गिरावट को समझाने वाला सिद्धांत विध्वंस सिद्धांत कहलाता है, अतः सही विकल्प 3 है।

30. हार्टर के उपलब्धि अभिप्रेरण सिद्धांत में यह बताया गया है कि जब खिलाड़ी का प्रदर्शन असफल रहता है, तो सबसे पहले उसके मन में नकारात्मक भावनात्मक प्रभाव उत्पन्न होता है, जैसे निराशा और हतोत्साह। लगातार नकारात्मक अनुभवों के कारण खिलाड़ी में न्यून क्षमता अभिप्रेरणा विकसित हो जाती है, अर्थात् वह अपनी क्षमता को कम आँकने लगता है और सफलता की अपेक्षा नहीं करता। इसके बाद वह प्रयास तो करता है, परंतु वे प्रयास कुंठा-प्रधान और अप्रभावी होते हैं, जिनमें आत्मविश्वास और दक्षता का अभाव रहता है। अंततः यही स्थिति खिलाड़ी को खेल या गतिविधि को बीच में छोड़कर चले जाने (ड्रॉपआउट) की ओर ले जाती है। इस प्रकार हार्टर के सिद्धांत के अनुसार घटनाओं का सही और तार्किक क्रम $C \rightarrow D \rightarrow E \rightarrow A \rightarrow B$ है, जो विकल्प 3 में सही रूप से दिया गया है।

31. स्मिथ द्वारा प्रतिपादित संज्ञानात्मक-भावात्मक प्रसंस्करण प्रणाली (CAPS) के अनुसार व्यवहार को समझने की शुरुआत व्यक्ति और स्थिति के बीच होने वाले संवाद से होती है, क्योंकि अलग-अलग परिस्थितियों में वही व्यक्ति भिन्न प्रकार से प्रतिक्रिया कर सकता है। इसके बाद व्यक्ति के भीतर उद्दीपक तत्वों का कूटबद्धन होता है और वे स्मृति में संचित होते हैं। फिर पूर्व-अवधारित प्रत्याशाएँ, विश्वास और मान्यताएँ सक्रिय होकर उस स्थिति का अर्थ प्रदान करती हैं। इन संज्ञानात्मक प्रक्रियाओं के साथ भावनाएँ जुड़ती हैं, जो व्यवहार को प्रभावित करती हैं। अंततः क्षमताएँ और स्व-विनियमन कौशल यह निर्धारित करते हैं कि व्यवहार किस प्रकार प्रकट होगा। इसलिए सही क्रम $C \rightarrow A \rightarrow D \rightarrow E \rightarrow B$ है, जो विकल्प 2 में दिया गया है।

32. व्यक्तित्व की मानक परिभाषा के अनुसार यह किसी व्यक्ति के व्यवहार का स्थायी स्वरूप होता है, जो उसे दूसरों से विशिष्ट बनाता है और विभिन्न समाजिक स्थितियों में निरंतर दिखाई देता है। प्रतिस्पर्धा, प्रशिक्षण या समूह स्वयं व्यक्तित्व की परिभाषात्मक विशेषताएँ नहीं हैं, बल्कि वे संदर्भ या प्रक्रियाएँ हैं। अतः सही उत्तर केवल स्थायी, विशिष्ट और समूह/सामाजिक संदर्भ से संबंधित शब्दों वाला विकल्प 2 है।

33. उत्कृष्ट एथलेटिक प्रदर्शन के संदर्भ में खेल मनोविज्ञान का मुख्य फोकस खिलाड़ी के मानसिक और मनोवैज्ञानिक पक्ष को सशक्त बनाने पर होता है, न कि उसकी शुद्ध शारीरिक क्षमताओं पर। आत्म-नियंत्रण (Self-control) खिलाड़ी को दबाव, तनाव और प्रतिस्पर्धात्मक परिस्थितियों में अपने व्यवहार और भावनाओं को नियंत्रित करने में सहायता करता है। अभिप्रेरणा (Motivation) खिलाड़ी को निरंतर अभ्यास, लक्ष्य-प्राप्ति और कठिन परिस्थितियों में भी प्रयास जारी रखने की प्रेरणा देती है। आत्मविश्वास (Self-confidence) प्रदर्शन के समय निर्णय-क्षमता, जोखिम उठाने और अपनी क्षमता पर विश्वास बनाए रखने के लिए अत्यंत आवश्यक होता है। इसके विपरीत

शक्ति/सामर्थ्य (Strength/Power) मुख्यतः शारीरिक प्रशिक्षण और कंडीशनिंग का विषय है, जो खेल मनोविज्ञान का प्रत्यक्ष सरोकार नहीं माना जाता। इसलिए उत्कृष्ट एथलेटिक प्रदर्शन के लिए खेल मनोवैज्ञानिकों का प्रमुख सरोकार केवल आत्म-नियंत्रण, अभिप्रेरणा और विश्वास से है, अतः सही उत्तर विकल्प 4 (केवल B, C, D) है।

34. कार्य संसक्ति का संबंध समूह में एक साथ की जाने वाली गतिविधियों और सामूहिक गति से होता है, इसलिए A का मिलान IV से किया जाता है। लक्षण व्यक्ति के व्यवहारिक पैटर्न को दर्शाते हैं, जो उसके व्यक्तित्व से जुड़े होते हैं, अतः B का मिलान III से सही है। ब्रूस ओगिल्वी अनुप्रयुक्त खेल मनोविज्ञान के प्रमुख प्रवर्तक माने जाते हैं, इसलिए C का मिलान I से होता है। सेवार्थ की सहमति का संबंध सामाजिक मानदंडों और आचरण से होता है, अतः D का मिलान II से किया जाता है। इस प्रकार सही उत्तर विकल्प 4 है।

35. प्रतिबिंब का प्रयोग खिलाड़ियों के आत्म-अवलोकन, आत्म-जागरूकता और प्रदर्शन-सुधार के लिए मनोवैज्ञानिक कौशल प्रशिक्षण (PST) में किया जाता है, इसलिए इसका सीधा संबंध मनोवैज्ञानिक स्किल प्रशिक्षण से बनता है। पक्षाघात और कारक व्यक्तित्व के विभिन्न कारकों और प्रवृत्तियों से जुड़े होते हैं, जिनमें आक्रामक प्रवृत्ति एक प्रमुख आयाम मानी जाती है, अतः इसका मिलान आक्रामकवृत्ति से उचित है। इष्टतम क्रार्यकरण क्षेत्र (Zone of Optimal Functioning) प्रदर्शन के लिए उपयुक्त उत्तेजना/सजगता की अवस्था को दर्शाता है, जो दृष्टिचेता से संबंधित है। अंतर्वेषित विनियमन व्यक्ति की आंतरिक प्रेरणा और स्वयं को दिशा देने की क्षमता से जुड़ा होता है, इसलिए इसका संबंध अभिप्रेरणा से स्थापित होता है।

36. शारीरिक शिक्षा में दिव्यांग व्यक्तियों को उपयुक्त सेवाएँ प्रदान करने हेतु शिक्षकों को विशेष प्रशिक्षण दिया जाता है, जिसमें पाठ्यक्रम, शिक्षण विधियाँ और गतिविधियाँ दिव्यांगता के प्रकार के अनुसार संशोधित की जाती हैं। यह कार्यक्षेत्र अनुकूलित शारीरिक शिक्षा के अंतर्गत आता है, न कि खेल-प्रबंधन या खेल-समाजशास्त्र के अंतर्गत।

37. राष्ट्रीय शिक्षा नीति-2020 के अंतर्गत 5–3–3–4 ढाँचा विद्यालयी शिक्षा को चार विकासात्मक चरणों में विभाजित करता है। इसमें 5 वर्ष का आधारिक चरण प्रारंभिक सीख और खेल-आधारित अधिगम पर केंद्रित होता है, इसके बाद 3 वर्ष का तैयारी चरण, फिर 3 वर्ष का मिडिल चरण और अंत में 4 वर्ष का माध्यमिक चरण आता है, जिससे शिक्षण को बालक के संज्ञानात्मक विकास के अनुरूप बनाया जा सके।

38. भारत में शिक्षक-शिक्षा कार्यक्रमों के मानक निर्धारण, मान्यता और विनियमन की जिम्मेदारी राष्ट्रीय अध्यापक शिक्षा परिषद (NCTE) की होती है। शारीरिक शिक्षा शिक्षक-शिक्षा कार्यक्रम भी इसी के अंतर्गत विनियमित किए जाते हैं, जबकि AICTE तकनीकी शिक्षा, NAAC गुणवत्ता मूल्यांकन और UGC उच्च शिक्षा के समन्वय से संबंधित है।

39. ब्रूनर की निर्देशित खोज अधिगम शैली में छात्र सक्रिय रूप से ज्ञान की खोज करता है, जबकि शिक्षक मार्गदर्शक की भूमिका निभाता है। इसमें न तो केवल शिक्षक-केंद्रित और न ही पूर्णतः छात्र-केंद्रित निर्णय होता है, बल्कि दोनों के संयुक्त प्रयास से अधिगम की प्रक्रिया आगे बढ़ती है।

40. ब्लूम (1950) के संज्ञानात्मक क्षेत्र के वर्गीकरण में सीखने की जटिलता का क्रम सरल से जटिल की ओर बढ़ता है। सबसे पहले स्मरण द्वारा तथ्यों का पुनःस्मरण होता है, इसके बाद समझना आता है जिसमें अर्थ ग्रहण किया जाता है। फिर अनुप्रयोग के माध्यम से ज्ञान का प्रयोग किया जाता है, उसके बाद विश्लेषण द्वारा जानकारी को भागों में बाँटकर समझा जाता है और अंत में मूल्यांकन के स्तर पर निर्णय और आलोचनात्मक विचार विकसित होते हैं।

41. पाठ्यचर्या निर्माण एक क्रमबद्ध और तार्किक प्रक्रिया है जिसमें सर्वप्रथम शिक्षा के दर्शन और शिक्षा-संबंधी नीतियों को समझना आवश्यक होता है, क्योंकि यही संपूर्ण पाठ्यचर्या की दिशा और उद्देश्य निर्धारित करते हैं। इसके पश्चात स्पष्ट और यथार्थपरक शैक्षिक लक्ष्यों का निर्माण किया जाता है। फिर बच्चों की आयु-आधारित आवश्यकताओं, रुचियों और विकासात्मक स्तर को

निश्चित किया जाता है। इन लक्ष्यों और आवश्यकताओं की पूर्ति के लिए उपयुक्त शिक्षण-अधिगम गतिविधियों का चयन किया जाता है। अंततः संपूर्ण कार्यक्रम का मूल्यांकन किया जाता है और प्राप्त प्रतिपुष्टि के आधार पर आवश्यक सुधार किए जाते हैं।

42. स्कूली शारीरिक शिक्षा के आधारभूत/प्राथमिक चरण में ध्यान बच्चे के समग्र शारीरिक विकास पर केंद्रित रहता है। इस स्तर पर स्थानिक जागरूकता का विकास आवश्यक होता है ताकि बच्चा अपने शरीर और आसपास के स्थान का सही बोध कर सके। साथ ही स्थूल मोटर कौशल जैसे दौड़ना, कूदना, फेंकना तथा फाइन मोटर कौशल जैसे पकड़, संतुलन और समन्वय का विकास प्रमुख लक्ष्य होता है। नेतृत्व कौशल और खेल-विशिष्ट कौशल सामान्यतः उच्चतर चरणों में विकसित किए जाते हैं।

43. पेशेवर तैयारी कार्यक्रम का मुख्य उद्देश्य व्यक्ति को अपने चुने हुए पेशे के प्रति मानसिक, नैतिक और भावनात्मक रूप से तैयार करना होता है। इसमें पेशे के औचित्य और महत्व पर सोचने के अवसर प्रदान करना, पेशे के प्रति निष्ठा विकसित करना तथा पेशे के प्रति वफादारी और प्रतिबद्धता सुनिश्चित करना आवश्यक तत्व माने जाते हैं। केवल प्रोत्साहन या राज्य के सरोकार इस प्रकार के कार्यक्रमों के मूल लक्ष्य नहीं होते।

44. एल.सी.पी.ई. (वर्तमान LNIPE), ग्वालियर की स्थापना 1957 में हुई थी। हनुमान व्यायाम प्रसारक मंडल (HVPM), अमरावती की स्थापना 1914 में की गई थी। नेशनल स्पोर्ट्स यूनिवर्सिटी, इंफाल की स्थापना 2018 में हुई। वाई.एम.सी.ए., मद्रास की स्थापना वर्ष 1920 में की गई थी। इस प्रकार सही मिलान A-III, B-I, C-IV, D-II है।

45. जलने (Burns) की अवस्था में प्राथमिक उपचार देते समय सीधे बर्फ लगाना नहीं चाहिए, क्योंकि इससे रक्त प्रवाह बाधित हो सकता है और त्वचा के ऊतकों को अतिरिक्त क्षति (आइस बर्न) पहुँच सकती है। इसके स्थान पर जले हुए भाग को बहते हुए ठंडे पानी के नीचे रखना अधिक सुरक्षित और प्रभावी माना जाता है। शरीर से प्रतिबंधित वस्तुएँ हटाना और चिकित्सकीय सलाह के अनुसार आगे का उपचार करना उचित होता है।

46. मध्याह्न भोजन कार्यक्रम के लिए स्कूल स्वास्थ्य समिति की सिफारिशें पोषण-संतुलन और स्वास्थ्य-सुरक्षा पर आधारित होती हैं। कार्यक्रम का "न लाभ न हानि" के आधार पर होना, दैनिक कैलोरी आवश्यकता का लगभग एक-तिहाई प्रदान करना तथा दैनिक प्रोटीन आवश्यकता का लगभग आधा उपलब्ध कराना मान्य दिशानिर्देश हैं। इसके विपरीत, बच्चों को प्रतिदिन एनर्जी ड्रिंक देना न तो पोषण की दृष्टि से आवश्यक माना गया है और न ही स्वास्थ्य की दृष्टि से उपयुक्त, इसलिए यह सिफारिश नहीं की गई है।

47. एस्केरियासिस एक परजीवी संक्रमण (कृमि रोग) है जो दूषित भोजन या पानी से फैलता है और वंशानुगत नहीं होता। थैलेसीमिया, हीमोफीलिया और सिकल सेल एनीमिया सभी आनुवंशिक (अनुवांशिक) विकार हैं। इसलिए जो आनुवंशिक विकार नहीं है, वह एस्केरियासिस है।

48. मोटापे के मूल्यांकन में बॉडी-मास इंडेक्स (BMI), पोंडरल इंडेक्स और ब्रॉका इंडेक्स जैसे शारीरिक/मानवमितीय सूचकांकों का उपयोग किया जाता है। सापेक्षिक स्वायत्तता सूचकांक मनोविज्ञान में प्रेरणा और स्व-नियंत्रण के आकलन के लिए प्रयुक्त होता है, मोटापे के निर्धारण के लिए नहीं।

49. यादृच्छिक नियंत्रित परीक्षण (Randomized Controlled Trial) एक वैज्ञानिक और क्रमबद्ध प्रक्रिया है, जिसका उद्देश्य किसी उपचार या निवारण उपाय की प्रभावशीलता का निष्पक्ष मूल्यांकन करना होता है। इस प्रक्रिया की शुरुआत नवाचार/प्रोटोकॉल तैयार करने से होती है, जिसमें अध्ययन की रूपरेखा, उद्देश्य, विधियाँ और मानदंड स्पष्ट किए जाते हैं। इसके बाद संदर्भ और लक्षित जनसमूह (जनसंख्या) का चयन किया जाता है, ताकि यह तय हो सके कि परीक्षण किन व्यक्तियों पर किया जाएगा। अगला चरण यादृच्छिकरण का होता है, जिसमें प्रतिभागियों को बिना पक्षपात के विभिन्न समूहों में बाँटा जाता है। इसके पश्चात संचालन और हस्तक्षेप के अंतर्गत वास्तविक उपचार या निवारण प्रक्रिया लागू की जाती है। अंत में प्रतिफल का अनुसरण और मूल्यांकन किया जाता है, जिससे यह आकलन किया जा सके कि हस्तक्षेप के क्या प्रभाव पड़े। इस प्रकार सही और वैज्ञानिक क्रम C $\rightarrow$ D $\rightarrow$ A $\rightarrow$ B $\rightarrow$ E है, जो विकल्प 1 में दिया गया है।

50. स्वास्थ्य शिक्षा योजना निर्माण एक सुव्यवस्थित और तार्किक प्रक्रिया है जिसकी शुरुआत सूचना एकत्र करने और समस्या की पहचान से होती है, जिसे आवश्यकता मूल्यांकन कहा जाता है; इसमें समुदाय की स्वास्थ्य स्थिति, व्यवहार और समस्याओं से जुड़े कारकों का विश्लेषण किया जाता है। इसके बाद पहचानी गई समस्याओं के आधार पर प्राथमिकताओं का निर्धारण तथा लक्ष्य और उद्देश्यों का निर्माण किया जाता है, ताकि यह स्पष्ट हो सके कि कार्यक्रम किस दिशा में आगे बढ़ेगा। एक बार लक्ष्य तय हो जाने पर उपलब्ध संसाधनों का मूल्यांकन आवश्यक होता है, जिसमें मानव संसाधन, वित्तीय साधन और भौतिक सुविधाओं की व्यवहार्यता पर विचार किया जाता है। इसके पश्चात् कार्य योजना की तैयारी और उसका कार्यान्वयन किया जाता है, जिसमें गतिविधियाँ, समय-सीमा और जिम्मेदारियाँ निर्धारित कर कार्यक्रम को व्यवहार में लाया जाता है। अंततः कार्यक्रम की निगरानी और मूल्यांकन किया जाता है, ताकि यह सुनिश्चित किया जा सके कि कार्यक्रम अपने लक्ष्यों को कितनी प्रभावी ढंग से प्राप्त कर रहा है और भविष्य में आवश्यक सुधार किए जा सकें। इस प्रकार सही अनुक्रम A $\rightarrow$ C $\rightarrow$ B $\rightarrow$ E $\rightarrow$ D है, जो विकल्प 3 में दिया गया है।

51. जन्तु-जन्य (Zoonotic) रोग वे होते हैं जो पशुओं से मनुष्य में संचारित होते हैं। रेबीज संक्रमित पशुओं (विशेषकर कुत्ते) के काटने से फैलता है। एंथ्रेक्स पशुओं से संपर्क या उनके उत्पादों के माध्यम से मनुष्यों में आता है। प्लेग कृन्तकों और पिस्सुओं के माध्यम से फैलने वाला जन्तु-जन्य रोग है। इस संदर्भ में टायफायड मुख्यतः मानव-जनित जल/खाद्य जनित रोग माना जाता है और इन्फ्लुएंजा को इस पाठ्यक्रमीय वर्गीकरण में जन्तु-जन्य नहीं रखा जाता। इसलिए सही संयोजन A, B और D है।

52. जल-जनित रोग दूषित जल के सेवन से फैलते हैं। हेपेटाइटिस-A दूषित पानी/खाद्य से फैलता है। अमीबायसिस (एमीबा हिस्टोलिटिका) भी दूषित जल से होता है। टायफायड साल्मोनेला टाइफी द्वारा दूषित जल/भोजन से फैलता है। अस्थमा और एम्फीसीमा श्वसन संबंधी गैर-संक्रामक स्थितियाँ हैं। अतः सही समूह A, C, D है।

53. स्वच्छ भारत अभियान का आरम्भ 2014 में हुआ। राष्ट्रीय एड्स नियंत्रण कार्यक्रम 1987 में प्रारम्भ किया गया। आयुष्मान भारत कार्यक्रम 2018 में शुरू हुआ। राष्ट्रीय मलेरिया नियंत्रण कार्यक्रम 1953 से संबद्ध है। इसलिए सही मिलान A-II, B-IV, C-I, D-III है।

54. किसी निश्चित कार्यक्षेत्र के संदर्भ में समय और स्थान में शरीर की स्थिति तथा संचलन को समझने और आवश्यकता अनुसार बदलने की क्षमता को अभिमुखीकरण/ओरिएंटेशन योग्यता कहा जाता है। यह व्यक्ति को स्पेस-टाइम में अपने शरीर के स्थान और गति का सही बोध कराती है।

55. न्यूनतम समय में अधिकतम बल उत्पन्न करने की क्षमता का प्रारूपिक सूचक Rate of Force Development (RFD) है। यह विस्फोटक शक्ति (Explosive Strength) के आकलन में प्रयुक्त होता है और बताता है कि बल कितनी तेजी से विकसित किया जा सकता है।

56. प्रशिक्षण योजना को रिकॉर्ड करते समय प्रशिक्षण भार का व्यावहारिक निरूपण 1 RM के प्रतिशत, पुनरावृत्ति (Repetitions) और सेट के पारस्परिक संबंध से किया जाता है। प्रशिक्षण भार को दर्ज करने का उद्देश्य यह समझना होता है कि किसी व्यायाम में कितनी तीव्रता के साथ कितनी बार प्रयास किया गया। इस संदर्भ में 1 RM का प्रतिशत जब पुनरावृत्तियों के सापेक्ष लिया जाता है और उसे सेटों से गुणा किया जाता है, तो वास्तविक प्रशिक्षण भार का स्पष्ट आकलन संभव होता है।

57. प्रश्न में जिस प्रशिक्षण का वर्णन है, उसमें एथलीट पहले कुछ विविध/जोड़े गए तत्त्वों (जैसे अतिरिक्त भार, अलग-अलग प्रकार के व्यायाम या भिन्न तीव्रता) के साथ अभ्यास करता है, उसके बाद सहस्थित या संयोजित परिस्थितियों में अभ्यास कराया जाता है और अंततः सामान्य खेल-परिस्थितियों में प्रतिस्पर्धा कराई जाती है। इस प्रकार का क्रमबद्ध प्रशिक्षण ढाँचा उन तत्त्वों को योजनाबद्ध रूप से एक-दूसरे के विपरीत या पूरक रूप में जोड़ता है ताकि शारीरिक-तंत्रिका अनुकूलन बेहतर हो सके। खेल प्रशिक्षण सिद्धांत में ऐसे मिश्रित, जोड़े गए और परस्पर विरोधी तत्त्वों पर आधारित अभ्यास पद्धति को विरोधाभासी प्रशिक्षण (Contrast/Contrasting Training) कहा जाता है, इसलिए विकल्प 3 पूर्णतः उपयुक्त है।

58. तकनीकी (प्राविधिक) अधिगम की प्रक्रिया सामान्यतः निश्चेत असक्षमता से प्रारम्भ होती है, जहाँ व्यक्ति को अपनी कमी का ज्ञान नहीं होता। इसके बाद सचेत असक्षमता आती है, जिसमें व्यक्ति अपनी त्रुटियों को पहचानता है। फिर सचेत सक्षमता का चरण आता है, जहाँ कौशल को सोच-समझकर सही ढंग से किया जाता है। इसके पश्चात निश्चेत सक्षमता विकसित होती है, जिसमें कौशल स्वचालित हो जाता है। अंततः चिंतनजन्य सक्षमता का स्तर आता है, जहाँ व्यक्ति कौशल में सूक्ष्म सुधार कर पाता है।

59. शक्ति के अनुकूलन की प्रक्रिया में सबसे पहले अधिकतम शक्ति का चरण आता है, जिसमें तंत्रिका-पेशीय अनुकूलन विकसित होता है। इसके बाद विशिष्ट शक्ति चरण में संपरिवर्तन होता है, जहाँ शक्ति को खेल-विशिष्ट रूप दिया जाता है। फिर अनुरक्षण चरण आता है, जिसमें अर्जित शक्ति को बनाए रखा जाता है। इसके पश्चात समापन चरण होता है और अंत में अतिपूर्ति (Supercompensation) का चरण आता है, जिसमें प्रदर्शन स्तर अस्थायी रूप से बढ़ जाता है।

60. प्रशिक्षण भार के परिकलन में मुख्य रूप से भार की तीव्रता (Intensity), भार का घनत्व (Density) और भार की आवृत्ति (Frequency) का उपयोग किया जाता है। ये तीनों घटक मिलकर यह निर्धारित करते हैं कि प्रशिक्षण कितना कठिन है और शरीर पर उसका समग्र प्रभाव क्या होगा।

61. (संशोधन के अनुसार सूची-II में हर स्थान पर ''व्यायाम का आयतन'' माना गया है) आंशिक तीव्रता का निर्धारण भारित औसत के सिद्धांत पर किया जाता है, जहाँ प्रत्येक खंड की तीव्रता को उसके व्यायाम के आयतन से गुणा करके कुल आयतन से भाग दिया जाता है, इसलिए D का मिलान I से सही है $\frac{\Sigma(\text{आंशिक तीव्रता} \times \text{व्यायाम का आयतन})}{\Sigma(\text{व्यायाम का आयतन})}$। समय-मांग सूचकांक (Time Demand Index) कार्यभार के घटकों OI, AD और AV के गुणनफल को मानकीकृत रूप में व्यक्त करता है, अतः B का मिलान II से सही है $\frac{OI \times AD \times AV}{10,000}$। सापेक्षिक घनत्व को निरपेक्ष और सापेक्षिक आयतन के अनुपात (प्रतिशत) के रूप में व्यक्त किया जाता है, इसलिए A का मिलान III से सही है $\frac{\text{निरपेक्ष आयतन} \times 100}{\text{सापेक्षिक आयतन}}$। समय-तीव्रता को कार्यकालीन/औसत हृदय-गति को अधिकतम हृदय-गति के प्रतिशत के रूप में दर्शाया जाता है, अतः C का मिलान IV से सही है $\frac{HR_p \times 100}{HR_{max}}$।

इस प्रकार सही संयोजन A-III, B-II, C-IV, D-I है।

62. यहाँ उस परास (रेंज) की बात की गई है जिसके भीतर जनसंख्या का वास्तविक मान होने के बारे में विश्वसनीयता के साथ कहा जा सके। सांख्यिकी में इसे अंतराल प्राक्कलन (Interval Estimation) कहा जाता है, क्योंकि इसमें एक सीमा के भीतर मान के होने की संभावना व्यक्त की जाती है।

63. जिस अध्ययन में पहले मात्रात्मक या गुणात्मक घटक का उपयोग किया जाता है और उसके बाद उसके अनुसरण में दूसरा घटक अपनाया जाता है, उसे आनुक्रमिक मिश्र विधि (Sequential Mixed Method) कहा जाता है। इसमें चरणबद्ध रूप से दोनों प्रकार की विधियाँ प्रयुक्त होती हैं।

64. दस्तावेजों का काल-निर्धारण, उनकी प्रामाणिकता तथा रचयिता का निर्धारण बाह्य आलोचना (External Criticism) के अंतर्गत आता है, क्योंकि इसमें दस्तावेज के बाहरी तथ्यों और ऐतिहासिक साक्ष्यों की जाँच की जाती है।

65. जब किसी दर-निर्धारक की यह प्रवृत्ति होती है कि वह व्यक्तियों को अलग-अलग दूरी पर स्पष्ट रूप से अलग करने के बजाय एक ही पैमाने पर अधिक समान रूप में अंकित करे, तो यह सामिप्यता त्रुटि (Central Tendency Error) कहलाती है, जिसमें अत्यधिक उच्च या निम्न रेटिंग देने से बचा जाता है।

66. कंप्यूटर डेटा-विश्लेषण में कौशल विकास एक तार्किक क्रम में आगे बढ़ता है। पहले विश्लेषण की रूपरेखा और चर/डेटा संरचना स्पष्ट की जाती है ताकि आगे का कार्य सुव्यवस्थित हो सके, इसके बाद कंप्यूटर में डेटा संग्रहण

किया जाता है। तत्पश्चात् उपयुक्त सांख्यिकीय माप/तकनीक का चयन किया जाता है, क्योंकि विश्लेषण का प्रकार पहले तय होना आवश्यक है। इसके आधार पर उपयुक्त सॉफ्टवेयर पैकेज चुना जाता है और अंत में कंप्यूटर प्रोग्राम का निष्पादन किया जाता है। इसलिए सही क्रम C, A, D, B, E है।

67. प्रतिदर्श अभिकल्प (Sampling Design) तैयार करने की प्रक्रिया एक तार्किक और क्रमबद्ध अनुक्रम में होती है। सर्वप्रथम समष्टि का प्रकार और प्रतिचयन इकाई निर्धारित की जाती है, क्योंकि यही यह स्पष्ट करता है कि अध्ययन किस जनसंख्या पर और किस इकाई के आधार पर किया जाएगा। इसके बाद प्रतिदर्श की स्रोत सूची और उसका आकार तय किया जाता है, जिससे यह सुनिश्चित हो सके कि नमूना प्रतिनिधिक और पर्याप्त है। तत्पश्चात् अभिरुचि के मापदंड निर्धारित किए जाते हैं, ताकि यह स्पष्ट हो सके कि किन विशेषताओं या मानकों के आधार पर चयन किया जाएगा। इसके बाद बजटीय अवरोधों पर विचार किया जाता है, क्योंकि उपलब्ध संसाधन प्रतिचयन की व्यवहारिकता को प्रभावित करते हैं। अंत में प्रतिचयन की कार्यविधि का चयन किया जाता है, जिसके माध्यम से वास्तविक नमूना लिया जाता है। इस प्रकार सही अनुक्रम C $\rightarrow$ E $\rightarrow$ A $\rightarrow$ B $\rightarrow$ D है, जो विकल्प 3 में दिया गया है।

68. कोहोर्ट अध्ययन में एक निश्चित समूह का समय के साथ अनुवर्तन किया जाता है और प्रायः यह भविष्यानुमुखी (Prospective) होता है। साथ ही यह देशांतरीय/दीर्घकालिक (Longitudinal) प्रकृति का अध्ययन है। इसलिए सही संयोजन A, C, E है।

69. यथार्थक (True Experimental) अभिकल्पों की मुख्य विशेषता यादृच्छिकीकरण और नियंत्रण है। इसमें यादृच्छिक समूह अभिकल्प, पूर्व-परीक्षण-उत्तर-परीक्षण यादृच्छिक-समूह अभिकल्प तथा सोलोमन चार-समूह अभिकल्प शामिल होते हैं। इसलिए सही उत्तर A, D, E है।

70. स्वतंत्र दो समूहों की तुलना के लिए t-test/मैन-व्हिटनी उपयुक्त होते हैं, इसलिए A का मिलान III से है। आश्रित (युग्मित) दो मापों की तुलना के लिए विल्कॉक्सन/साइन परीक्षण प्रयुक्त होते हैं, अतः B का मिलान IV से सही है। एक कारक के अंतर्गत दो से अधिक स्वतंत्र समूहों की तुलना के लिए काई-स्क्वायर/क्रुस्कल-वॉलिस उपयुक्त हैं, इसलिए C का मिलान I से है। जबकि दो से अधिक आश्रित मापों के लिए फ्राइडमैन/कोक्रन Q परीक्षण प्रयुक्त होते हैं, अतः D का मिलान II से सही है। इस प्रकार सही विकल्प A-III, B-IV, C-I, D-II है।

71. बक शॉट सिद्धांत के अनुसार मानव क्षमताएँ या कौशल किसी एक सामान्य क्षमता से नहीं बनते, बल्कि अनेक विशिष्ट और स्वतंत्र क्षमताओं का समूह होती हैं। यदि किसी व्यक्ति को पर्याप्त संख्या में आपस में संबंधित परीक्षण दिए जाएँ, तो यह अत्यधिक संभावना होती है कि उनमें से कुछ परीक्षण किसी विशिष्ट प्रश्नगत या संबंधित कौशल को सही रूप से माप लेंगे। जैसे बन्दूक की बक-शॉट में अनेक छर्रे फैलकर लक्ष्य को लगते हैं, वैसे ही अनेक परीक्षणों में से कुछ परीक्षण वास्तविक कौशल को पकड़ लेते हैं। इसलिए कथन का सीधा संबंध बक शॉट सिद्धांत से है।

72. मैक्लॉय और यंग (1954) के अनुसार वह फुर्ती या चुस्ती जिसमें दौड़ (running) शामिल नहीं होती, उसे गत्यात्मक सुनम्यता कहा गया है। इसमें शरीर के जोड़ और मांसपेशियाँ सक्रिय गति के दौरान अपने पूरे परास (range of motion) में कार्य करती हैं, जैसे झुकना, मुड़ना, घूमना आदि। यह न तो स्थिर सुनम्यता है और न ही दौड़-आधारित फुर्ती, इसलिए सही उत्तर गत्यात्मक सुनम्यता है।

73. C.H. McCloy पहले व्यक्ति थे जिन्होंने विद्यार्थियों को उनकी आयु और आकार (Age and Size) के आयामों के आधार पर समानधर्मी (homogeneous) समूहों में वर्गीकृत कर शिक्षण देने का प्रस्ताव दिया। उन्होंने शारीरिक शिक्षा में वर्गीकरण हेतु Athletic Index की अवधारणा दी, ताकि अनुदेश बच्चों के विकास स्तर के अनुरूप हो सके। अतः सही उत्तर मैक्कलॉय है।

74. समकक्षीय (Norm-referenced) मूल्यांकन का उद्देश्य खिलाड़ियों की योग्यता का निर्णय अन्य खिलाड़ियों की तुलना के आधार पर करना होता है। मिशेल बैलोटिंग स्केल में संभावित बास्केटबॉल खिलाड़ियों का मूल्यांकन

साथी खिलाड़ियों और प्रशिक्षकों की सामूहिक राय (peer judgment) के आधार पर किया जाता है, जिससे विश्वविद्यालय स्तर के चयन हेतु खेल-योग्यता का व्यावहारिक निर्णय संभव होता है। इसलिए यही परीक्षण उपयुक्त है।

75. प्रकाशित परीक्षण के चयन की प्रक्रिया एक व्यवस्थित और तर्कसंगत क्रम में की जाती है। सबसे पहले परीक्षण की आवश्यकताओं को परिभाषित करना (C) अनिवार्य होता है, ताकि यह स्पष्ट हो सके कि किस उद्देश्य से, किस आयु-समूह या किस क्षमता/गुण का मापन किया जाना है। इसके बाद उपलब्ध अनेक परीक्षणों में से विकल्पों को सीमित करना (B) आवश्यक होता है, जिससे केवल वही परीक्षण शेष रहें जो निर्धारित आवश्यकताओं के अनुरूप हों। तत्पश्चात् सीमित विकल्पों में से उपयुक्त और समीचीन परीक्षण का चयन/पता लगाना (A) किया जाता है। इसके बाद चयनित परीक्षण की परीक्षण सामग्री की समीक्षा (E) की जाती है, जिसमें निर्देश, उपकरण, प्रशासन विधि, स्कोरिंग तथा विश्वसनीयता-वैधता का अध्ययन शामिल होता है। अंत में परीक्षण मूल्यांकन प्रारूप का प्रयोग (D) किया जाता है, ताकि परीक्षण का अंतिम चयन वस्तुनिष्ठ और मानकीकृत ढंग से किया जा सके। इस प्रकार सही अनुक्रम C $\rightarrow$ B $\rightarrow$ A $\rightarrow$ E $\rightarrow$ D है।

76. परीक्षण के बाद के कार्य एक निश्चित और व्यावहारिक अनुक्रम में किए जाते हैं। सर्वप्रथम प्राप्तांक कार्डों को एकत्र करना (B) आवश्यक होता है, क्योंकि आगे की सभी प्रक्रियाएँ इन्हीं अभिलेखों पर आधारित होती हैं। इसके पश्चात् कच्चे/अस्थायी प्राप्तांकों को परिवर्तित करना (A) किया जाता है, ताकि स्कोर को मानकीकृत या तुलनीय रूप में बदला जा सके। इसके बाद परीक्षण परिणामों की मानकों से तुलना कर प्रोफाइल तैयार करना (E) किया जाता है, जिससे प्रत्येक परीक्षार्थी की सापेक्ष स्थिति स्पष्ट हो सके। तत्पश्चात मानकों का निर्माण करना और परिणामों को स्पष्ट करना (C) किया जाता है, ताकि निष्कर्षों की व्याख्या सुगम हो। अंत में परिणामों का प्रयोग करना और अनुवर्ती कार्रवाई करना (D) किया जाता है, जैसे चयन, प्रशिक्षण-संशोधन या परामर्श। इसलिए सही अनुक्रम B $\rightarrow$ A $\rightarrow$ E $\rightarrow$ C $\rightarrow$ D है।

77. हिक का बैडमिंटन परीक्षण उन कौशलों पर आधारित है जो खेल-स्थिति में खिलाड़ी के तकनीकी तथा निर्णयात्मक प्रदर्शन को दर्शाते हैं। इसमें क्लियर (B) खिलाड़ी की लंबाई और नियंत्रण क्षमता को, स्मैश (D) आक्रामक शक्ति और सटीकता को तथा रणनीति (E) खेल-बुद्धि और परिस्थितिजन्य निर्णय क्षमता को मापती है। ये तीनों मदें मिलकर हिक के बैडमिंटन परीक्षण माप के स्वरूप को स्थिर करती हैं।

78. मूल्यांकन (Evaluation) की प्रक्रिया केवल मापन तक सीमित नहीं होती, बल्कि उसमें निर्णयात्मक पहलू भी सम्मिलित होता है। इस प्रक्रिया में सबसे पहले उपयुक्त आँकड़ों का एकत्रण (A) किया जाता है। इसके बाद उन आँकड़ों के मान का आकलन (B) किया जाता है, अर्थात् उनके महत्व और उपयोगिता का विश्लेषण होता है। अंततः इन्हीं आँकड़ों के आधार पर निर्णय लिया जाता है (D), जो चयन, सुधार या नीति-निर्धारण से संबंधित हो सकता है। इसलिए मूल्यांकन की मूल प्रक्रिया में A, B और D ही सम्मिलित होते हैं।

79. शारीरिक शिक्षा मूल्यांकन में ई.टी.एस. (ETS) वर्गीकरण संज्ञानात्मक स्तरों को एक तार्किक क्रम में प्रस्तुत करता है। इसका प्रारम्भ स्मृति (A) से होता है, जिसमें तथ्यों, नियमों और अवधारणाओं को याद करना शामिल है। इसके बाद बोध/समझ (B) आता है, जहाँ विद्यार्थी सीखी गई जानकारी का अर्थ समझता है और उसे स्पष्ट कर पाता है। अगला स्तर अनुप्रयोग (C) का है, जिसमें अर्जित ज्ञान को व्यावहारिक परिस्थितियों में लागू किया जाता है, जैसे खेल कौशलों या नियमों का प्रयोग। उच्चतम स्तर चिंतन (D) का होता है, जिसमें विश्लेषण, मूल्यांकन और निर्णय-निर्माण शामिल होते हैं। यह क्रम संज्ञानात्मक जटिलता के बढ़ते स्तर को दर्शाता है, इसलिए सही उत्तर केवल A, B, C, D है।

80. विभिन्न शारीरिक परीक्षणों और उनके परीक्षण-मदों (Items) की संख्या का सही मिलान मानक साहित्य के अनुसार इस प्रकार है। बैरो मोटर एबिलिटी टेस्ट (A) में कुल 6 मद सम्मिलित होते हैं, अतः इसका मिलान III से सही है। शिलिंग बॉडी कोऑर्डिनेशन टेस्ट (B) को KTK के रूप में भी जाना जाता है और इसमें 4 कार्य/मद होते हैं, इसलिए B-I सही है। AAHPER

यूथ फिटनेस टेस्ट (C) की मूल बैटरी में 7 मद शामिल थे, अतः इसका मिलान IV से किया जाता है। नॉर्थ कैरोलिना मोटर फिटनेस बैटरी (D) में मुख्य रूप से 3 मद माने जाते हैं, इसलिए D-II उपयुक्त है। इस प्रकार सही संयोजन A-III, B-I, C-IV, D-II है।

81. खेल कार्यक्रम प्रबंधन में "नट और बोल्ट" शब्द का प्रयोग उन मूल, व्यावहारिक और संचालनात्मक कार्यों के लिए किया जाता है जिनके बिना कोई भी खेल आयोजन वास्तव में सम्पन्न नहीं हो सकता। टूर्नामेंट का प्रचालन इसी श्रेणी में आता है, क्योंकि इसमें प्रतियोगिता के वास्तविक संचालन से जुड़े सभी आवश्यक कार्य शामिल होते हैं, जैसे मैचों का निर्धारण, मैदान और उपकरणों की व्यवस्था, नियमों का पालन सुनिश्चित करना, स्कोरिंग, अधिकारियों का समन्वय तथा समयबद्ध ढंग से खेल का संचालन।

अन्य कार्य जैसे पंजीकरण, आतिथ्य सत्कार या प्रबंधन के लिए इच्छा प्रकट करना सहायक और पूर्व-प्रबंधन से संबंधित हैं, परन्तु वे प्रतियोगिता के प्रत्यक्ष संचालन को नहीं दर्शाते। इसलिए खेल कार्यक्रम के नट और बोल्ट के रूप में जिस कार्य की पहचान की जाती है, वह टूर्नामेंट का प्रचालन ही है।

82. किसी भी संगठन की वित्तीय सफलता का निर्धारण उसके राजस्व (आय) और व्यय (खर्च) के अंतर से किया जाता है। जब राजस्व व्यय से अधिक होता है, तो उसे लाभ (Profit) कहा जाता है। न तो ऋण, न इक्विटी और न ही परिसंपत्ति सीधे इस अंतर को दर्शाते हैं। इसलिए सही अवधारणा लाभ है।

83. खेल संवर्धन के विपणन (Marketing) आयाम में खेल कार्यक्रमों के लिए वर्धित राजस्व जुटाने के साथ व्यावसायिक संबंधों का विकास शामिल होता है। यह भूमिका मुख्यतः कॉर्पोरेट साझेदारों द्वारा निभाई जाती है, जो प्रायोजन, विज्ञापन और ब्रांड सहयोग के माध्यम से खेल कार्यक्रमों को आर्थिक समर्थन प्रदान करते हैं।

84. खेल कार्यक्रम योजना निर्माण का तार्किक क्रम इस प्रकार होता है:

B. उद्देश्य और लक्ष्य निर्धारित करना – किसी भी योजना की शुरुआत स्पष्ट उद्देश्यों से होती है।

D. नीति निर्माण – लक्ष्यों के अनुरूप दिशा-निर्देश और नीतियाँ तय की जाती हैं।

E. बजट का संकलन – वित्तीय संसाधनों की योजना बनाई जाती है।

A. वृहत योजना और समय मान – कार्यक्रम की विस्तृत समय-सारणी और रूपरेखा तैयार की जाती है।

C. नियंत्रण प्रणाली की स्थापना – अंत में निगरानी और नियंत्रण की व्यवस्था की जाती है।

85. खेल आयोजन में मानव संसाधन प्रबंधन का सही क्रम इस प्रकार है:

D. योजना निर्माण – मानव संसाधन आवश्यकताओं का पूर्व निर्धारण।

A. भर्ती – आवश्यक पदों के लिए उम्मीदवारों को आमंत्रित करना।

C. चयन और स्क्रीनिंग – उपयुक्त व्यक्तियों का चयन।

E. परिवीक्षण और अन्तर्वेशन – चयनित कर्मचारियों का मार्गदर्शन और अनुकूलन।

B. प्रशिक्षण और विकास – कार्य दक्षता और दीर्घकालीन विकास सुनिश्चित करना।

86. मीडिया के तीन प्रमुख प्रयोजन सामान्यतः सूचना देना (Information), शिक्षा प्रदान करना (Education) और मनोरंजन करना (Entertainment) माने जाते हैं। मीडिया समाज को घटनाओं और तथ्यों से अवगत कराता है, जनसामान्य को शिक्षित करता है तथा मनोरंजन के माध्यम से तनाव कम करता है। प्रतिस्पर्धा और संबंध मीडिया के मूल प्रयोजन नहीं हैं, बल्कि ये द्वितीयक प्रभाव हो सकते हैं। इसलिए सही संयोजन B, D, E है।

87. संगठन की संरचना के प्राथमिक आयामों में विभागीकरण (Departmentalization), कार्य की विशिष्टता (Specialization of work) तथा नियंत्रण की अवधि (Span of control) शामिल होते हैं। ये आयाम यह निर्धारित करते हैं कि संगठन में कार्य कैसे बाँटा जाएगा, जिम्मेदारियाँ कैसे निर्धारित होंगी और नियंत्रण किस स्तर तक होगा। विपणन और विज्ञापन संगठन के कार्यात्मक क्षेत्र हैं, संरचनात्मक आयाम नहीं।

88. संस्थानों में शारीरिक शिक्षा और खेल कार्यक्रमों का प्रभावी निदेशन तभी संभव है जब प्रशासनिक ढाँचा स्पष्ट, उत्तरदायित्वपूर्ण और सुव्यवस्थित हो। इस संदर्भ

में निम्नलिखित तीन पक्ष सबसे अधिक महत्वपूर्ण माने जाते हैं।

A. परिभाषित कमांड की कड़ी (Defined chain of command): निदेशन की प्रक्रिया में यह अत्यंत आवश्यक है कि संगठन में अधिकार और आदेश की एक स्पष्ट शृंखला हो। जब यह तय होता है कि कौन किसके अधीन कार्य करेगा और आदेश किस स्तर से किस स्तर तक प्रवाहित होंगे, तब भ्रम, दोहराव और टकराव की स्थिति नहीं बनती। खेल एवं शारीरिक शिक्षा कार्यक्रम जैसे बहु-स्तरीय कार्यों में यह स्पष्टता संचालन को सुचारु बनाती है।

C. प्रत्यायोजन की स्पष्टता (Clarity of delegation): कार्य-वितरण तभी प्रभावी होता है जब यह स्पष्ट हो कि किस व्यक्ति को कौन-सा कार्य सौंपा गया है और उसकी सीमा क्या है। स्पष्ट प्रत्यायोजन से निर्णय लेने में तेजी आती है, कार्यकुशलता बढ़ती है और कार्यक्रम के विभिन्न घटक समय पर पूरे होते हैं।

E. नियत उत्तरदायित्व (Fixed responsibility): प्रत्येक कार्य के साथ उत्तरदायित्व का निर्धारण आवश्यक है। जब जिम्मेदारी निश्चित होती है, तब व्यक्ति अपने कार्य के परिणामों के प्रति उत्तरदायी रहता है। इससे अनुशासन, प्रतिबद्धता और कार्यक्रम की गुणवत्ता सुनिश्चित होती है।

इसके विपरीत, अधिनायकवादी उपागम (B) आधुनिक संस्थागत खेल कार्यक्रमों में प्रभावी नहीं माना जाता क्योंकि यह सहभागिता और पहल को सीमित करता है। विज्ञापन (D) बाह्य प्रचार से संबंधित है, न कि आंतरिक निदेशन का मूल पक्ष।

इस प्रकार, संस्थाओं में प्रभावी शारीरिक शिक्षा और खेल कार्यक्रम के निदेशन के मुख्य पक्ष परिभाषित कमांड की कड़ी, प्रत्यायोजन की स्पष्टता और नियत उत्तरदायित्व हैं, इसलिए सही उत्तर केवल A, C, E है।

89. यह प्रश्न प्रबंधन के कार्यों के सही मिलान से संबंधित है।

A. उत्तरदायित्व सौंपना → निदेशन (III), क्योंकि निर्देशन में कार्य सौंपना और मार्गदर्शन देना शामिल है।

B. रिपोर्टिंग प्रणाली → नियंत्रण (IV), क्योंकि रिपोर्टिंग नियंत्रण का आधार है।

C. स्टाफ-व्यवस्था → भर्ती (I), क्योंकि स्टाफिंग का मुख्य तत्व भर्ती है।

D. पूर्वानुमान → योजना निर्माण (II), क्योंकि योजना भविष्य के अनुमान पर आधारित होती है।

90. यहाँ सूची-I के प्रबंधन क्षेत्रों को सूची-II के उपयुक्त कार्यों से जोड़ा गया है।

A. इन्डोर सुविधा → क्षेत्र (IV), क्योंकि यह भौतिक स्थान से संबंधित है।

B. वित्तीय सुविधा → लेखापरीक्षा/अंकेक्षण (III), क्योंकि वित्तीय संसाधनों का लेखा-जोखा आवश्यक है।

C. जन सम्पर्क → छवि (II), क्योंकि जनसम्पर्क संस्था की छवि निर्माण करता है।

D. कार्मिक प्रबंधन → मूल्यांकन (I), क्योंकि कर्मचारियों के प्रदर्शन का मूल्यांकन HR का प्रमुख कार्य है।

91. दिए गए गद्यांश में स्पष्ट रूप से कहा गया है कि प्रतियोगिता के दौरान एथलीट को अत्यधिक दबाव और तनाव का सामना करना पड़ता है तथा ऐसी परिस्थितियों में उसका मानसिक समुत्थान (Mental Resurgence/ Mental Toughness/Mental Resilience) उसके प्रदर्शन को अत्यधिक प्रभावित करता है। मानसिक प्रशिक्षण का प्रमुख उद्देश्य एथलीट को तनाव, असफलता, दबाव और प्रतिकूल परिस्थितियों से उबरकर पुनः संतुलित और आत्मविश्वासी बनाए रखना होता है। इसलिए मानसिक प्रशिक्षण में मुख्य रूप से मानसिक समुत्थान को सुदृढ़ करने पर बल दिया जाता है, न कि केवल तकनीकी या शारीरिक पहलुओं पर।

92. गद्यांश में स्पष्ट रूप से वर्णित है कि एथलीट मानसिक रूप से अपने कार्यनिष्पादन का पूर्वाभ्यास करते हैं और प्रतियोगिता की परिस्थितियों को मन में कल्पित करते हैं। यह प्रक्रिया भावी कार्यकलाप की परिकल्पना तकनीक (Imagery/Mental Imagery) का मूल तत्व है, जिसमें एथलीट बिना किसी शारीरिक प्रयास के अपने कौशलों का मानसिक अभ्यास करता है। अतः मानसिक रूप से प्रदर्शन का पूर्वाभ्यास इसी तकनीक में शामिल होता है।

93. गद्यांश में सजगता (Mindfulness), ध्यान, एकाग्रता और फोकस को मानसिक प्रशिक्षण के प्रमुख घटक बताया गया है। सजगता तकनीकें एथलीट को वर्तमान क्षण में पूरी तरह जागरूक और ध्यानकेंद्रित बनाए रखने में सहायता करती हैं, जिससे वे ध्यान भटकाने वाले कारकों से बच पाते हैं और प्रदर्शन पर पूरा ध्यान दे पाते हैं। इसलिए सजगता से एथलीटों को सजग और ध्यानकेंद्रित रहने में सहायता मिलती है।

94. गद्यांश में जिन विश्रांति रणनीतियों (Relaxation Strategies) का उल्लेख किया गया है, उनमें विशेष रूप से गहन श्वसन, प्रगतिशील विश्रांति और ध्यान शामिल हैं। गहन श्वसन एक मान्य और व्यापक रूप से प्रयुक्त विश्रांति तकनीक है, जो तनाव कम करने, हृदय गति नियंत्रित करने और मानसिक शांति प्राप्त करने में सहायक होती है। अन्य विकल्प विश्रांति रणनीति नहीं हैं।

95. गद्यांश के अनुसार मानसिक प्रशिक्षण को प्रायः अपेक्षित महत्व इसलिए नहीं दिया जाता क्योंकि यह शारीरिक प्रशिक्षण की तरह प्रत्यक्ष रूप से दिखाई नहीं देता। मानसिक प्रक्रियाएँ आंतरिक होती हैं, जिन्हें न तो आसानी से देखा जा सकता है और न ही तुरंत मापा ज़ा सकता है। इसी कारण लोग इसे कम प्रभावी मान लेते हैं, जबकि वास्तव में यह प्रदर्शन के लिए अत्यंत आवश्यक है।

96. गद्यांश में स्पष्ट रूप से कहा गया है कि समावेशी शारीरिक शिक्षा का उद्देश्य सभी विद्यार्थियों को, उनकी शारीरिक क्षमता या अक्षमता की परवाह किए बिना, समान रूप से शारीरिक शिक्षा कार्यक्रमों में सार्थक भागीदारी का अवसर देना है। यह दृष्टिकोण समान अवसर, पहुँच और भागीदारी पर केंद्रित है, न कि केवल दिव्यांग विद्यार्थियों या एथलीट निर्माण पर।

97. गद्यांश में समावेशी शारीरिक शिक्षा के प्रमुख घटक के रूप में समकक्षीय सहयोग, टीमवर्क, सामाजिक अंतःसंवाद और सामुदायिक भावना के विकास पर विशेष बल दिया गया है। यह घटक सभी विद्यार्थियों को साथ कार्य करने, एक-दूसरे से सीखने और सहयोग की भावना विकसित करने के लिए प्रेरित करता है।

98. गद्यांश में बताया गया है कि शिक्षक/अध्यापक गतिविधियों में उपांतर (modification) और अनुकूलन-योग्य रणनीतियों का प्रयोग कर विद्यार्थियों की विभिन्न आवश्यकताओं और अधिगम स्तरों के अनुसार समायोजन कर सकते हैं, जिससे सभी विद्यार्थी समान रूप से भाग ले सकें।

99. गद्यांश में स्पष्ट रूप से उल्लेख है कि समावेशी शारीरिक शिक्षा से न केवल दिव्यांग विद्यार्थियों को, बल्कि सभी विद्यार्थियों को लाभ होता है तथा उनके अनुभव में तदनुभूति, सहानुभूति, समानता और सहयोग जैसे सामाजिक मूल्यों की वृद्धि होती है।

100. गद्यांश के अंत में स्पष्ट रूप से कहा गया है कि समावेशी शारीरिक शिक्षा शिक्षा के गुरु-लक्ष्य तथा आजीवन आरोग्यता (lifelong wellness) के संवर्धन के लक्ष्यों के अनुरूप है, क्योंकि यह सकारात्मक दृष्टिकोण, सहभागिता और निरंतर शारीरिक सक्रियता को बढ़ावा देती है।

13. सुप्रतिबल (यूस्ट्रेस) से क्या अभिप्राय है?

1. आनंद
2. भय
3. आशंका
4. क्रोध

14. प्रशिक्षण के दौरान हृदय निर्गम की अधिकतम क्षमता के 40% से 60% पर कार्य करने पर हृदय निर्गम .... हो सकता है।

1. 100 लीटर
2. 40 लीटर
3. 10 लीटर
4. 15 लीटर

15. कौन से विटामिन एंटीऑक्सीडेंट के रूप में वर्गीकृत हैं?

A. विटामिन A
B. विटामिन D
C. विटामिन E
D. विटामिन K
E. विटामिन C

नीचे दिए गए विकल्पों में से **सही** उत्तर चुनें :

1. केवल A, B, C
2. केवल B, C, D
3. केवल B, D, E
4. केवल A, C, E

16. निम्नलिखित को उनके विद्यमान होने के आरोही क्रम में व्यवस्थित करें।

A. महाकाव्य काल
B. ब्रिटिश काल
C. बौद्ध काल
D. वैदिक काल
E. राजपूत काल

नीचे दिए गए विकल्पों में से **सही** उत्तर का चयन कीजिए :

1. D, B, A, C, E
2. D, E, C, A, B
3. D, C, E, B, A
4. D, A, C, E, B

17. वृद्धि और विकास को प्रभावित करने वाले मुख्य कारक हैं :

A. अनुवांशिक कारक
B. आध्यात्मिक कारक
C. पर्यावरणीय कारक
D. पोषक संबंधी कारक
E. संचलन कारक

नीचे दिए गए विकल्पों में से **सही** उत्तर का चयन कीजिए :

1. केवल E, C, A
2. केवल D, C, B
3. केवल E, A, D
4. केवल A, C, D

18. व्यायाम के दौरान ग्लाइको अपघटन का चयापचयी उत्पाद कौन-सा है?

1. ग्लूकोस
2. ग्लैकोजन
3. फॉस्फेट
4. लैक्टेट

19. जॉनसन बास्केटबाल परीक्षण का वैधता गुणांक क्या हैं?

1. .78
2. .75
3. .87
4. .88

20. सूची-I को सूची-II से सुमेलित करें।

सूची-I	सूची-II
A. बॉडी मास इंडेक्स	I. ऊँचाई (सेमी.) – 100
B. पोंडरल इंडेक्स	II. $\frac{\text{वजन (किग्रा.)}}{\text{ऊँचाई (मी.}^2\text{)}}$
C. ब्रोका इंडेक्स	III. ऊँचाई (सेमी.) – 100 – $\frac{\text{ऊँचाई (सेमी.) – 150}}{\text{2 (महिला) या 4 (पुरुष)}}$
D. लॉरेंज का सूत्र	IV. $\frac{\text{ऊँचाई (सेमी.)}}{\text{शारीरिक वजन का घनमूल (किग्रा.)}}$

नीचे दिए गए विकल्पों में से **सही** उत्तर चुनें :

1. A-IV, B-III, C-II, D-I
2. A-III, B-IV, C-II, D-I
3. A-I, B-II, C-III, D-IV
4. A-II, B-IV, C-I, D-III

21. मांसपेशियों की अतिवृद्धि में अधिक शामिल है :

A. मायोफिब्रिल्स
B. एक्टिन और मायोसिन फिलामेंट्स
C. सार्कोप्लाज्म
D. टेंडन
E. लिपिड

नीचे दिए गए विकल्पों में से **सही** उत्तर चुनें :

1. केवल A, B, E
2. केवल A, B, C
3. केवल A, B, D
4. केवल A, C, E

22. निम्नलिखित में से क्या आनुवंशिक नियम के अंतर्गत आता है?

1. प्रतिगमन का नियम
2. निरंतरता का नियम
3. प्रगमन का नियम
4. तत्परता का नियम

23. टाइप-II त्रुटि का परिमाण निम्न के द्वारा निर्धारित किया जाता है :

1. बीटा 2. अल्फा
3. गामा 4. थीटा

24. एक प्ररूपी परिश्रान्ति वक्र के सही अनुक्रम की पहचान करें।

A. स्पर्धा के लिए तैयार होने की अवधि (वार्म अप पीरियड)
B. प्रारंभिक प्रवेग
C. सुपरिचित होना और अभ्यास
D. अंतिम प्रवेग
E. परिश्रान्ति

नीचे दिए गए विकल्पों में से **सही** उत्तर का चयन कीजिए :

1. A, B, D, C, E
2. B, A, C, E, D
3. B, A, C, D, E
4. B, C, A, D, E

25. स्टर्नो-क्लेविकुलर संधि को निम्नलिखित में से किस रूप में भी जाना जाता है?

1. हिंज संधि
2. कोन्डिलोइड संधि
3. ग्लाइडिंग संधि
4. पीवट संधि

26. सूची-I को सूची-II से सुमेलित करें।

सूची-I	सूची-II
A. कफयुक्त	I. अस्थिर अंतर्मुखी
B. रक्तवर्णक	II. अस्थिर बहिर्मुखी
C. विषाणुजनित	III. स्थिर अंतर्मुखी
D. कोलेरिक	IV. स्थिर बहिर्मुखी

नीचे दिए गए विकल्पों में से **सही** उत्तर चुनें :

1. A-IV, B-I, C-II, D-III
2. A-II, B-III, C-IV, D-I
3. A-I, B-II, C-III, D-IV
4. A-III, B-IV, C-I, D-II

27. कौन-सी तंत्रिका शरीर के संचलन के दौरान हृदय के स्वतः समायोजन में महत्वपूर्ण भूमिका का निर्वहन करती है?

1. त्रिधारा तंत्रिका 2. प्रधाण तंत्रिका
3. आनन तंत्रिका 4. मेरु तंत्रिका

28. तकनीक प्रशिक्षण के किस चरण में गति संबंधी बोध पर दबाव दिया जाना चाहिए?

1. प्रथम चरण 2. द्वितीय चरण
3. तृतीय चरण 4. चतुर्थ चरण

29. रोसेन्थल द्वारा 1966 में आंतरिक वैधता के प्रति निम्नलिखित में से कौन-सी आशंका की पहचान की गई थी?

1. परिपक्वता 2. इंस्ट्रूमेंटेशन (यंत्रीकरण)
3. प्रत्याशा 4. प्रायोगिक मृत्यु-दर

30. निम्नलिखित संधियों को गति की वृहत्तर सीमा के क्रमानुसार व्यवस्थित करें।

A. ग्रीवा संधि
B. स्कंध संधि
C. कूर्पर संधि
D. करोटि संधि

नीचे दिए गए विकल्पों में से **सही** उत्तर का चयन कीजिए :

1. C, B, D, A 2. B, C, A, D
3. C, A, B, D 4. B, A, C, D

31. चिकित्सीय जांच के समय निम्नलिखित में से कौन-सा प्रमुख नैदानिक कृत्य नहीं किया जाना चाहिए?

1. वर्तमान स्वास्थ्य प्रस्थिति
2. चिरकालिक रुग्णता रिकार्ड
3. पर्यावरणीय अभिलेख
4. परिजनों के स्वास्थ्य का अभिलेख

32. एच. मैक्लॉय वर्गीकरण सूचकांक में निम्नलिखित में से कौन-से वर्ग सम्मिलित हैं?

A. हाई स्कूल के लड़के

B. हाई स्कूल

C. कॉलेज के पुरुष

D. कॉलेज

E. प्रारंभिक विद्यालय

नीचे दिए गए विकल्पों में से **सही** उत्तर का चयन कीजिए :

1. केवल A, B, C
2. केवल B, D, E
3. केवल B, C, E
4. केवल A, D, E

33. निम्नलिखित में से कौन-से पादप रसायन हैं?

A. एंथोसायनीडिन्स

B. कैपसाइसिन

C. कैल्सिफेरॉल

D. फ्लेवानोन्स

E. फाइलोक्विनोन

नीचे दिए गए विकल्पों में से **सही** उत्तर का चयन कीजिए :

1. केवल A, C, D
2. केवल B, C, D
3. केवल A, B, D
4. केवल C, D, E

34. सूची-I के साथ सूची-II का मिलान कीजिए :

सूची-I	सूची-II
A. समगतिक विधि	I. 100% से अधिक तीव्रता
B. फार्टलेक विधि	II. गति सहनशीलता में सुधार के लिए प्रभावकारी
C. पुनरावर्तन विधि	III. तैराकी, नौकायन के लिए प्रभावी विधि
D. गतिक उत्केन्द्र विधि	IV. प्रशिक्षण पूर्व-नियोजित नहीं होता

नीचे दिए गए विकल्पों में से **सही** उत्तर का चयन कीजिए :

1. A-III, B-IV, C-II, D-I
2. A-IV, B-I, C-II, D-III
3. A-I, B-II, C-III, D-IV
4. A-II, B-I, C-IV, D-III

35. सूची-I के साथ सूची-II का मिलान कीजिए :

सूची-I (ऑटो इम्यून रोग)	सूची-II (टिशू प्रभावित)
A. हाशिमितो रोग	I. ज्वाइंट
B. क्रॉनिक हेपाटाइटिस	II. कनेक्टिव टिशू
C. स्क्लेरोडर्मा	III. थायरॉइड
D. रुमेटाइड आर्थराइटिस	IV. लिवर

नीचे दिए गए विकल्पों में से **सही** उत्तर का चयन कीजिए :

1. A-IV, B-III, C-II, D-I
2. A-I, B-II, C-III, D-IV
3. A-III, B-IV, C-II, D-I
4. A-II, B-III, C-I, D-IV

36. निद्रा भ्रमण को इस रूप में भी जाना जाता है :

1. निद्रा श्वास निरोध
2. मनोविदलता
3. निद्राचार
4. अनिद्रा

37. किसी पिण्ड की गति की अवस्था को परिवर्तन करने में किस ऊर्जा का उपयोग किया जाता है?

1. गतिज ऊर्जा
2. विभव ऊर्जा
3. स्थैतिक ऊर्जा
4. बल

38. प्रयोग का वह भाग जिसे शोधकर्ता नियंत्रित करता है, कहलाता है :

1. आश्रित चर
2. तृतीयक चर
3. उपचार चर
4. बाह्य चर

39. सूची-I के साथ सूची-II का मिलान कीजिए :

सूची-I	सूची-II
A. क्रोनबैख अल्फा गुणांक	I. आंतरिक वैधता
B. हेलो प्रभाव	II. विश्वसनीयता
C. अंकोवा	III. मापदंड वैधता
D. समवर्ती वैधता	IV. विकर्षक चर

नीचे दिए गए विकल्पों में से **सही** उत्तर का चयन कीजिए :

1. A-I, B-III, C-IV, D-II
2. A-II, B-I, C-IV, D-III
3. A-II, B-III, C-I, D-IV
4. A-I, B-II, C-III, D-IV

40. अंतर्राष्ट्रीय ओलंपिक समिति के प्रथम अध्यक्ष कौन थे?

1. बैरेन डि कुबर्तिन
2. डिमिट्रियस वाइकेलस
3. हेनरी ब्रुनडेल
4. कॉम्टे डी बॉयलेट

41. निम्नलिखित में से कौन-सा विकल्प संज्ञान का तत्व नहीं है?

1. अवबोध
2. ध्यान
3. एकाग्रता
4. संवेग

42. प्रतिलाभ का अनुक्रम है :

A. उपचयी प्रकृति
B. एटीपी और ग्लाइकोजन का पुनर्संश्लेषण
C. लैक्टिक अम्ल का उदासीनीकरण
D. समस्थिति की पुनःस्थापना

नीचे दिए गए विकल्पों में से **सही** उत्तर का चयन कीजिए :

1. A, B, C, D
2. B, C, D, A
3. C, D, A, B
4. D, A, B, C

43. सूची-I के साथ सूची-II का मिलान कीजिए :

सूची-I	सूची-II
A. इस्कीमिया	I. हृदय के बल और लय में अनियमितता
B. फाइब्रिलेशन	II. बहिष्कारी स्नायुकिक प्रेषक
C. हेमोलाइसिस	III. रक्त और ऑक्सीजन की स्थानीय और अस्थायी कमी
D. सिरोटोनिन	IV. कोशिका भंजन

नीचे दिए गए विकल्पों में से **सही** उत्तर का चयन कीजिए :

1. A-I, B-III, C-IV, D-II
2. A-II, B-IV, C-III, D-I
3. A-III, B-I, C-IV, D-II
4. A-IV, B-III, C-II, D-I

44. वर्ष 1971 में एडम्स ने गामक कौशल अधिगम के एक सिद्धांत को प्रस्तावित किया था, वह किस नाम से जाना जाता है?

1. स्कीमा सिद्धांत
2. क्लोज्ड-लूप सिद्धांत
3. एविस प्रभावित सिद्धांत
4. प्लेसिबो सिद्धांत

45. आँकड़ों के विश्लेषण के लिए सांख्यिकीय सॉफ्टवेयर कौन-से हैं?

A. मिनी टैब
B. पाइथन
C. एस पी पी एस (सामाजिक विज्ञान के लिए सांख्यिकीय पैकेज)
D. जामोवी
E. जी* पावर

नीचे दिए गए विकल्पों में से **सही** उत्तर का चयन कीजिए :

1. केवल A, B, C, E
2. केवल B, C, D, E
3. केवल A, B, C, D
4. केवल A, C, D, E

46. कौन-सी पाठ्यचर्या विकास का मॉडल नहीं है?

1. विषय-केन्द्रित डिजाइन
2. मूल्यांकन-केन्द्रित डिजाइन
3. अधिगमकर्ता-केन्द्रित डिजाइन
4. समस्या-केन्द्रित डिजाइन

47. सूची-I के साथ सूची-II का मिलान कीजिए :

सूची-I	सूची-II
A. लू (हीट स्ट्रोक)	I. जल और लवण क अपक्षय
B. उष्मीय थकान (हीट एक्सॉशन)	II. सामान्य कमजोरी औ निम्न रक्तचाप
C. हीट सिनकोप (ऊष्मा जन्य मूर्च्छा)	III. मांसपेशियों में अकड़
D. हीट क्रैम्प (ऊष्मा जन्य मोच)	IV. शरीर का तापमान बढ़क 105 डिग्री फारेनहाइ तक हो सकता है

नीचे दिए गए विकल्पों में से **सही** उत्तर का चयन कीजिए :

1. A-I, B-III, C-IV, D-II
2. A-IV, B-I, C-II, D-III
3. A-III, B-II, C-IV, D-I
4. A-II, B-IV, C-I, D-III

48. 2032 में, कौन-सा शहर पैरा ओलम्पिक खेलों की मेजबानी कर रहा है?

1. टोक्यो, जापान
2. पेरिस, फ्रांस
3. लास एंजिलिस, संयुक्त राष्ट्र अमेरिका
4. ब्रिसबेन, ऑस्ट्रेलिया

49. निम्नलिखित में से प्राचलन संबंधी (पैरामीट्रिक) प्रतिचयन सैम्पलिंग का चयन कीजिए।

A. क्वासी रैंडम सैम्पलिंग
B. बेसियन सैम्पलिंग (एन सी एम सी)
C. मल्टीस्टेज सैम्पलिंग
D. बूटस्ट्रैप सैम्पलिंग
E. क्लस्टर सैम्पलिंग

नीचे दिए गए विकल्पों में से **सही** उत्तर का चयन कीजिए :

1. केवल A, B, D, E
2. केवल A, B, C, E
3. केवल B, C, D, E
4. केवल A, C, D, E

50. सूची-I के साथ सूची-II का मिलान कीजिए :

सूची-I (श्वेत रक्त कोष)	सूची-II (जीवन अवधि)
A. न्यूट्रोफिल	I. दिनों से वर्षों तक
B. ईओसिनोफिल	II. घंटों से 3 दिनों तक
C. मोनोसाइट	III. 8 से 12 दिनों तक
D. बी-लिम्फोसाइट	IV. दिनों से महीनों तक

नीचे दिए गए विकल्पों में से **सही** उत्तर का चयन कीजिए :

1. A-II, B-III, C-IV, D-I
2. A-I, B-II, C-III, D-IV
3. A-III, B-IV, C-II, D-I
4. A-IV, B-I, C-III, D-II

51. सूची-I के साथ सूची-II का मिलान कीजिए :

सूची-I (सिद्धांत)	सूची-II (प्रस्तावक)
A. बंद-पाश सिद्धांत	I. लिंकन गूबा
B. स्कीमा सिद्धांत	II. एडम्स
C. ग्राउंडेड सिद्धांत	III. आर.ए. शिमट
D. प्रत्येयता की अवधारणा	IV. ग्लेसर और स्ट्रॉस

नीचे दिए गए विकल्पों में से **सही** उत्तर का चयन कीजिए :

1. A-I, B-II, C-IV, D-III
2. A-III, B-I, C-II, D-IV
3. A-II, B-III, C-IV, D-I
4. A-I, B-III, C-II, D-IV

52. वैज्ञानिक प्रबंधन के मूल आधारों के सही अनुक्रमिक क्रम को चुनिए।

A. कामगार का चयन करें और उन्हें प्रशिक्षण दें
B. नियोक्ता और कर्मचारियों के बीच लाभों का वितरण करें
C. वैज्ञानिक रूप से कार्य का अध्ययन करें
D. कार्य और कामगारों का ठीक ढंग से सुमेल करें

नीचे दिए गए विकल्पों में से **सही** उत्तर का चयन कीजिए :

1. C, A, D, B
2. A, C, B, D
3. A, B, C, D
4. D, C, B, A

53. सूची-I के साथ सूची-II का मिलान कीजिए :

सूची-I	सूची-II
A. VO_2	I. अनुप्राणित गैस में O_2 की भिन्नात्मक सांद्रता
B. F_{IO_2}	II. माध्य केशिका O_2 दाब
C. $\overline{P}_{EO_2}$	III. वायुकोशीय O_2 दाब
D. P_{AO_2}	IV. O_2 खपत प्रति मिनट

नीचे दिए गए विकल्पों में से **सही** उत्तर का चयन कीजिए :

1. A-IV, B-I, C-II, D-III
2. A-I, B-II, C-III, D-IV
3. A-II, B-IV, C-I, D-III
4. A-IV, B-II, C-III, D-I

54. ध्यान के प्रकार क्या हैं?

A. विवशता
B. जागरूकता
C. एकाग्रता
D. स्वैच्छिक
E. आदतन

नीचे दिए गए विकल्पों में से **सही** उत्तर का चयन कीजिए :

1. केवल A, D, E
2. केवल B, C
3. केवल A, B, D, E
4. केवल B, C, D, E

55. सूची-I के साथ सूची-II का मिलान कीजिए :

सूची-I	सूची-II
A. उत्तरोत्तर प्रतिगमन प्रक्रिया	I. $5\times80\%$, $4\times85\%$, $3\times90\%$, $2\times95\%$, $1\times100\%$
B. उत्तरोत्तर प्रक्रिया	II. $5\times80\%$, $3\times90\%$, $1\times100\%$, $3\times90\%$, $5\times80\%$
C. उच्च प्रतिरोध विधि	III. $20\times50\%$, $20\times50\%$, $20\times50\%$
D. कम प्रतिरोध विधि	IV. $2\times95\%$, $2\times95\%$, $2\times95\%$, $2\times95\%$

नीचे दिए गए विकल्पों में से **सही** उत्तर का चयन कीजिए :

1. A-I, B-II, C-IV, D-III
2. A-IV, B-II, C-III, D-I
3. A-II, B-I, C-IV, D-III
4. A-III, B-II, C-IV, D-I

56. सूची-I के साथ सूची-II का मिलान कीजिए :

सूची-I (टीका)	सूची-II (दुष्प्रभाव)
A. मीजिल्स	I. सडन इन्फैंट डेथ सिंड्रोम
B. डिप्थीरिया	II. डाइबिटीज
C. हीमोफिलस इन्फ्लुएंजा टाइप-B	III. मल्टीपल सेलेरिसिस
D. हेपाटाइटिस-बी	IV. ऑटिज्म

नीचे दिए गए विकल्पों में से **सही** उत्तर का चयन कीजिए :

1. A-I, B-III, C-II, D-IV
2. A-IV, B-I, C-II, D-III
3. A-III, B-II, C-I, D-IV
4. A-II, B-III, C-IV, D-I

57. किसने जर्मनी में शिक्षा और खेलों के प्रति उदारवादी दृष्टिकोण को प्रस्तुत किया?

1. जॉन बेसडो
2. नील्स बक
3. एडोल्फ जॉन
4. रोनाल्ड जोसेफ

58. लिम्फैटिक फिलारियासिस के नैदानिक आविर्भाव के चरणों के सही अनुक्रम को बताएं।

A. चिरकालिक बाधक विक्षति के चरण
B. ऐसेम्पटोमैटिक अमाइक्रोफिलारेमिया
C. तीव्र आविर्भाव के चरण
D. ऐसेम्पटोमैटिक माइक्रोफिलारेमिया

नीचे दिए गए विकल्पों में से **सही** उत्तर का चयन कीजिए :

1. A, B, C, D
2. B, C, D, A
3. C, D, A, B
4. D, B, A, C

59. अभिप्रेरण के लिए अभिप्रेरित क्रियाकलाप को सही अनुक्रम में सूचीबद्ध कीजिए।

A. लक्ष्य
B. आवश्यकता
C. अरुचिकर क्रियाकलाप
D. संतुष्टि
E. आवेग

नीचे दिए गए विकल्पों में से **सही** उत्तर का चयन कीजिए :

1. A, B, C, E, D
2. B, C, A, D, E
3. C, B, D, A, E
4. B, E, C, A, D

60. सूची-I के साथ सूची-II का मिलान कीजिए :

सूची-I	**सूची-II**
A. 'जर्मन जिम्नास्टिक्स'	I. पे हेनरिक लिंग
B. 'प्रिमिटिक जिम्नास्टिक्स'	II. गट्स मथ
C. 'स्वीडिश जिम्नास्टिक्स'	III. आर्कीबाल्ड मैकलारेन
D. 'ए सिस्टम ऑफ फिजिकल एजूकेशन-दि थ्योरिटीकल एंड प्रैक्टिकल'	IV. नील बक्

नीचे दिए गए विकल्पों में से **सही** उत्तर का चयन कीजिए :

1. A-II, B-I, C-IV, D-III
2. A-II, B-III, C-I, D-IV
3. A-II, B-IV, C-III, D-I
4. A-II, B-IV, C-I, D-III

61. सहनशक्ति के आकलन के लिए किए जाने वाले परीक्षण हैं :

A. एस्ट्रान्ड ट्रेड मिल परीक्षण
B. कानकोनी परीक्षण
C. कनिंघम एंड फाल्कर परीक्षण
D. कैनेडियन क्रंच परीक्षण
E. मल्टीस्टेज फिटनेस परीक्षण

नीचे दिए गए विकल्पों में से **सही** उत्तर का चयन कीजिए :

1. केवल A, B, C, D
2. केवल A, B, C, E
3. केवल B, D, E
4. केवल B, C, D, E

62. 'हृदयपेशी तंतु की प्रारंभिक लंबाई जितनी अधिक होगी, मयोकार्डियम संकुचन उतने ही अधिक बल से होगा।' यह वक्तव्य किस नियम को दर्शाता है?

1. बॉयल का हृदय का नियम
2. पैवलोव का हृदय का नियम
3. स्टर्लिंग का हृदय का नियम
4. मेंडेल का हृदय का नियम

63. .... मांसपेशियों का निकटस्थ जुड़ाव पक्ष श्रोणिफलक पर पश्च और अग्र नितम्ब रेखाओं के बीच होता है।

1. वृहत नितंबिका 2. समऔर्विका
3. मध्य नितंबिका 4. दीर्घतमा

64. निम्न में से किसे वाग्दोष माना जाता है?

1. अर्थ रूपांतरण 2. आकृति बोध
3. उच्चारण समस्या 4. दृष्टिहीनता

65. किस घटक के कारण अधिकतम ऑक्सीजन उपभोग को बढ़ाने की क्षमता सीमित होती है?

1. आनुवंशिकी 2. पर्यावरण
3. प्रशिक्षण 4. अतिभार

66. शून्य परिकल्पना का अस्वीकरण तब होता है, जबकि शून्य परिकल्पना सत्य हो, इसे क्या कहते हैं?

1. प्रकार II त्रुटि 2. प्रकार I त्रुटि
3. सार्थकता का स्तर 4. मानक त्रुटि

67. उद्घाटन समारोह के दौरान अपनाया जाने वाला अनुक्रम है :

A. खेलों के अध्यक्ष का मंच पर सम्मान
B. ओलंपिक शपथ
C. एथलीटों का मार्च-पास्ट (प्रयाण)
D. खेलाध्यक्ष का आगमन
E. अध्यक्ष द्वारा शुरूआती खेलों की घोषणा

नीचे दिए गए विकल्पों में से **सही** उत्तर का चयन कीजिए :

1. D, A, B, E, C
2. D, C, A, B, E
3. D, A, C, E, B
4. D, C, E, B, A

68. जनसंख्या के स्वास्थ्य को किसके अनुसार मापा जाता है?

1. अनुप्रयुक्त सांख्यिकी
2. जीवनांक सांख्यिकी
3. वर्णनात्मक सांख्यिकी
4. आनुमानिक सांख्यिकी

69. तनाव का कौन-सा रूप एक गंभीर, स्थायी मनोवैज्ञानिक स्थिति उत्पन्न करता है?

1. प्राक्-अभिघातज तनाव विकार
2. पश्च-अभिघातज तनाव विकार
3. निरोधक-अभिघातज तनाव विकार
4. पूर्व-अभिघातज तनाव विकार

70. शारीरिक शिक्षा को डिग्री पाठ्यक्रम के रूप में मान्यता देने वाला प्रथम भारतीय विश्वविद्यालय कौन-सा था?

1. विक्रम विश्वविद्यालय
2. जीवाजी विश्वविद्यालय
3. डॉ. हरि सिंह गौर विश्वविद्यालय
4. देवी अहिल्या विश्वविद्यालय

71. 'हेट्रोक्रोनिसिटी ऑफ रिकवरी' का अर्थ है :

1. अंगों के प्रतिलाभ में तेजी से सुधार
2. शरीर के अलग-अलग अंगों के प्रतिलाभ में सुधार की अलग-अलग गति
3. शरीर के भागों और अंगों के प्रतिलाभ में सुधार की धीमी गति
4. अंगों के प्रतिलाभ में अविराम सुधार

72. ''शारीरिक शिक्षा मानव संचलन की वह शिक्षा है, जहाँ बहुत से शिक्षण उद्देश्यों को वृहद् मांसपेशीय गतिविधियाँ, जिसमें खेल, क्रीड़ाएँ, जिम्नास्टिक, नृत्य और व्यायाम सम्मिलित हैं, द्वारा प्राप्त किया जाता है।'' यह परिभाषा निम्न के द्वारा दी गई थी :

1. जे.बी. नेश
2. हैरोल्ड एम. बैरो
3. चार्ल्स ए. ब्युकर
4. जे.पी. थॉमस

73. सूची-I के साथ सूची-II का मिलान कीजिए :

सूची-I	सूची-II
A. ग्लूकोनियोजेनेसिस	I. ग्लाइकोजन का अपूर्ण विघटन
B. ग्लाइकोजेनेसिस	II. ग्लाइकोजन का ग्लूकोज में विघटन
C. ग्लाइकोजेनोलाइसिस	III. ग्लूकोज से ग्लाइकोजन का निर्माण
D. ग्लाइकोलाइसिस	IV. कार्बोहाइड्रेट का गैर-कार्बोहाइड्रेट स्रोत से निर्माण

नीचे दिए गए विकल्पों में से **सही** उत्तर का चयन कीजिए :

1. A-I, B-II, C-IV, D-III
2. A-IV, B-III, C-II, D-I
3. A-III, B-IV, C-II, D-I
4. A-I, B-II, C-III, D-IV

74. अनेक समस्याओं जिनमें निम्नलिखित भी शामिल हैं, बार-बार दोहराए जाने वाले उपायों पर प्रतिकूल प्रभाव डालती हैं :

A. अग्रनयन प्रभाव

B. अंतरवैयक्तिक प्रभाव

C. थकान

D. संवेदीकरण

E. कारक संबंधी प्रभाव

नीचे दिए गए विकल्पों में से **सही** उत्तर का चयन कीजिए :

1. केवल A, B, C
2. केवल B, D, E
3. केवल A, C, D
4. केवल B, C, D

75. सूची-I के साथ सूची-II का मिलान कीजिए :

सूची-I	सूची-II
A. अधिशेष ऊर्जा सिद्धांत	I. जी. स्टैनले हॉल
B. पुनरावर्तन सिद्धांत	II. कार्ल ग्रूस
C. विरेचक सिद्धांत	III. वैन सिलर और हर्बर्ट स्पेंसर
D. प्रत्याशित सिद्धांत	IV. अरस्तू

नीचे दिए गए विकल्पों में से **सही** उत्तर का चयन कीजिए :

1. A-III, B-IV, C-II, D-I
2. A-III, B-I, C-IV, D-II
3. A-III, B-II, C-I, D-IV
4. A-III, B-I, C-II, D-IV

76. क्रांतिक गति में निम्नलिखित शामिल नहीं होता है :

1. अवायवीय देहलीज
2. VO_2 मैक्स का 90-100%
3. VO_2 मैक्स का 75-80%
4. हृदय गति 175-180 बीट के बीच होती है

77. शिक्षण अभ्यास के दौरान सही ढंग से कक्षा निर्माण (फार्मेशन) के प्रकार का उल्लेख कीजिए।

A. स्पोक निर्माण B. रैंक निर्माण
C. रोप निर्माण D. फाइल निर्माण
E. ट्री निर्माण

नीचे दिए गए विकल्पों में से **सही** उत्तर का चयन कीजिए :

1. केवल A, B, D 2. केवल A, D, E
3. केवल B, D, C 4. केवल E, D, C

78. अधिगम अशक्त बालक कौन हैं?

A. सामान्य रूप से मंद
B. विशिष्ट रूप से मंद
C. उच्च बुद्धि लब्धि
D. मनोबाधित
E. सामाजिक रूप से सुसमायोजित

नीचे दिए गए विकल्पों में से **सही** उत्तर का चयन कीजिए :

1. केवल B, C, D 2. केवल A, B, E
3. केवल C, D, E 4. केवल A, C, D

79. प्राचीन ओलंपिक खेलों के आरम्भ से पूर्व किस पशु की बलि दी जाती थी?

1. भेड़ 2. भैंस
3. घोड़ा 4. शूकर

80. स्थापना के आरोही क्रम में व्यवस्थित करें।

A. क्रिश्चियन कॉलेज ऑफ फिजिकल एजुकेशन, लखनऊ
B. एचवीपीएम, अमरावती
C. वाईएमसीए, मद्रास
D. एलसीपीई, ग्वालियर

नीचे दिए गए विकल्पों में से **सही** उत्तर का चयन कीजिए :

1. A, D, C, B 2. B, C, A, D
3. C, A, B, D 4. D, C, A, B

81. किसी वैज्ञानिक विषय पर आम सहमति प्राप्त करने के उद्देश्य से मत संग्रह के लिए सर्वेक्षण शोध में अधिकतम प्रयुक्त विधि कौन-सी है?

1. डेल्फी विधि 2. अनुप्रस्थ काट विधि
3. साक्षात्कार विधि 4. रुझान अध्ययन विधि

82. किसे एक तनावपूर्ण स्थिति माना जाता है?

1. पर्यावरणीय स्थिति
2. मानसिक स्थिति
3. क्षति और हानि स्थिति
4. सशर्त स्थिति

83. सूची-I के साथ सूची-II का मिलान कीजिए :

सूची-I (शब्दावली)	**सूची-II (अर्थ)**
A. लेखा	I. किसी व्यक्ति द्वारा धारित संपत्तियों का मूल्य
B. परिसंपत्ति	II. वित्तीय डेटा की रिकॉर्डिंग निरूपण
C. लिखित मूल्य	III. दूसरों से लिया गया ऋण और बिजनेस फर्म में लेनदारों की इक्विटी
D. देयता	IV. तुलना-पत्र में प्रदर्शित किसी परिसंपत्ति का मूल्य

नीचे दिए गए विकल्पों में से **सही** उत्तर का चयन कीजिए :

1. A-III, B-II, C-I, D-IV
2. A-II, B-I, C-IV, D-III
3. A-I, B-II, C-III, D-IV
4. A-IV, B-III, C-II, D-I

84. "शिक्षण प्रक्रिया को अधिक प्रभावकारी बनाने के लिए शारीरिक और व्यावहारिक विज्ञान के सिद्धांतों का उपयोग होना चाहिए", इसे किसने परिभाषित किया था?

1. प्रो. एस.एस. कृष्ण 2. उर्विन
3. लुडविग 4. निक्सन

85. जब किसी व्यक्ति की आयु बढ़ती है, तो निम्नलिखित अवयवों (घटकों) में कमी आ जाती है :

A. मांसपेशी का आकार
B. शरीर में वसा का प्रतिशत
C. मांसपेशीय शक्ति
D. रक्तचाप
E. शरीर में वसा का न होना

नीचे दिए गए विकल्पों में से **सही** उत्तर का चयन कीजिए :

1. केवल A, B, C
2. केवल B, C, E
3. केवल A, C, E
4. केवल A, B, E

86. कार्बोहाइड्रेट की लोडिंग के कारण निम्नलिखित होता है :

A. मांसपेशियों के वजन में 25 ग्राम/किग्रा. की दर से मांसपेशी ग्लाइकोजन बढ़ जाता है

B. 3-4 ग्राम पानी एक ग्राम मांसपेशी ग्लाइकोजेन के साथ एकत्र हो जाता है

C. 8-9 ग्राम पानी एक ग्राम ग्लाइकोजेन के साथ एकत्र हो जाता है

D. कुल 1-2 किलोग्राम पानी, शरीर में एकत्र हो जाता है

नीचे दिए गए विकल्पों में से **सही** उत्तर का चयन कीजिए :

1. केवल A, C, D
2. केवल B, C, D
3. केवल A, B, D
4. केवल A, B, C

87. चोट लगने की संभावना बढ़ जाती है, जब जोड़ों में लचीलापन :

A. अत्यधिक कम होता है

B. कठोरता आ जाती है

C. बहुत अधिक होता है

D. जब शरीर के प्रबल और अप्रबल पार्श्वों में अत्यधिक असंतुलन आ जाता है

E. मध्यम

नीचे दिए गए विकल्पों में से **सही** उत्तर का चयन कीजिए :

1. केवल B, C, D
2. केवल A, C, D
3. केवल B, D, E
4. केवल C, D, E

88. आर.एल. होंस, 1975 के अनुसार आगमनात्मक तर्क का सही अनुक्रम ज्ञात कीजिए।

A. परिकल्पना

B. सिद्धांत

C. प्रेक्षण

D. सामान्य व्याख्या

E. परिकल्पनाओं का एक साथ योजन

नीचे दिए गए विकल्पों में से **सही** उत्तर का चयन कीजिए :

1. A, E, B, C, D
2. C, A, E, D, B
3. C, E, A, D, B
4. A, C, D, B, E

89. परिस्थितिजन्य प्रबंधन नेतृत्व सिद्धांत (सिचुएशनल लीडरशिप थ्योरी ऑफ मैनेजमेंट) के मानक क्या हैं?

A. फिल्डर्स कांटीजेंसी मॉडल

B. पाथ-गोल मॉडल

C. सिचुएशनल लीडरशिप मॉडल

D. साइंटिफिक लीडरशिप मॉडल

E. फुल रेंज ऑफ लीडरशिप मॉडल

नीचे दिए गए विकल्पों में से **सही** उत्तर का चयन कीजिए :

1. केवल A, B, C, E
2. केवल A, C, D
3. केवल A, B, C
4. केवल B, C, D, E

90. निम्नलिखित में से किसने 2023 में, टेबल टेनिस में अर्जुन पुरस्कार प्राप्त किया?

1. सुश्री आर. वैशाली
2. सुश्री अहिका मुखर्जी
3. सुश्री नसरीन
4. सुश्री दिव्याकृति सिंह

निर्देश (प्रश्न संख्या 91 से 95 तक): *नीचे दिए गए गद्यांश को पढ़ें और उस पर आधारित प्रश्नों के उत्तर दीजिए।*

बाह्य चर वे कारक हैं जो स्वतंत्र और आश्रित चर के बीच संबंध को प्रभावित कर सकते हैं लेकिन इसमें शामिल नहीं हैं।

प्रयोगात्मक या उपचार चर में स्वतंत्र चर, इसका कारण है। आश्रित चर स्वतंत्र चर के प्रभावों का आकलन करने के उपाय हैं। एक श्रेणीबद्ध चर जिसे कभी-कभी मॉडरेटर चर कहा जाता है, उदाहरण के लिए लिंग या जाति।

संगीत के साथ समकालिक और अतुल्यकालिक आंदोलन के प्रदर्शन के प्रभाव पर एक प्रयोग किया गया था। पुरुषों और महिलाओं के लिए अलग-अलग एक समूह को समकालिक संगीत के साथ और एक समूह को बिना संगीत के लिया गया था, जिसमें कार्यभार की तीव्रता समान थी। यह अनुमान लगाया गया था कि पुरुषों और महिलाओं के प्रदर्शन में समान अंतर महिलाओं की पुरुषों की उपस्थिति में अधिकतम प्रयास प्रदर्शित करने की अनिच्छा के कारण हो सकता है।

किसी चर को शामिल करने या बाहर करने का निर्णय कई विचारों पर निर्भर करता है जैसे कि क्या चर सैद्धांतिक मॉडल से निकटता से संबंधित है और अंतःक्रिया होने की कितनी संभावना है।

91. पृष्ठभूमि संगीत के साथ व्यायाम करना जो समकालिक नहीं था, इसका एक उदाहरण है :

1. सतत चर
2. आश्रित चर
3. मध्यम चर
4. स्वतंत्र चर

92. किस चर में हेरफेर नहीं किया जा सकता है?

1. श्रेणीबद्ध चर
2. बाह्य चर
3. स्वतंत्र चर
4. असतत चर

93. पुरुषों और महिलाओं के प्रदर्शन में अंतर इसका उदाहरण है :

1. स्वतंत्र चर
2. आश्रित चर
3. श्रेणीबद्ध चर
4. बाह्य चर

94. किसी भी प्रयोग की आंतरिक वैधता को प्रभावित करने के लिए मुख्य रूप से किस प्रकार का चर जिम्मेदार होता है?

1. मॉडरेटर चर
2. आश्रित चर
3. बाह्य चर
4. स्वतंत्र चर

95. सभी प्रायोगिक शोध में, चर पर नियंत्रण होना चाहिए :

1. हमेशा
2. कभी नहीं
3. कभी-कभी
4. शोधकर्ता का निर्णय

निर्देश (प्रश्न संख्या 96 से 100 तक): *नीचे दिए गए गद्यांश को पढ़ें और उस पर आधारित प्रश्नों के उत्तर दीजिए।*

हार्मोन एक रासायनिक पदार्थ है जिसका शरीर तरल में एंडोक्राइन ग्रंथि द्वारा स्राव होता है और अन्य अंगों (लक्ष्य अंगों) की गतिविधियों पर एक विशिष्ट प्रभाव होता है। एंडोक्राइन ग्रंथि वाहिनीहीन होती है और रक्त या लिम्फ में सीधे हार्मोन का स्राव करती है। हार्मोन का कार्य लक्ष्य अंग हैं जिसमें शामिल हैं : (1) एन्जाइम प्रणाली को सक्रिय करना, (2) कोशिका झिल्ली पारगम्यता क्रमांतरण, (3) पेशी संकुचन या शिथिलन, (4) प्रोटीन संश्लेषण, या कोशिकीय स्राव। ये कार्य एक तंत्र के माध्यम से किए जाते हैं जिसे चक्रीय ए एम पी तंत्र कहा जाता है। कुछ हार्मोनों का केवल विशिष्ट लक्ष्य अंग पर प्रभाव होता है। प्रमुख हार्मोनल नियंत्रण प्रणाली नकारात्मक प्रतिपुष्टि तंत्र है। तंत्रिका प्रणाली हार्मोन और उनके एंडोक्राइन ग्रंथियों में निम्नलिखित शामिल होते हैं : (1) पियूष ग्रंथि ए डी एच, आक्सिटोसिन, जी एच, टी एस एच, ए सी टी एच, एफ एस एच, एल एच और प्रोलैक्टिन (2) एड्रिनल ग्रंथियां : कौटेकोलायाईस, ईजाइनफ्राइन और नॉन पाइनफ्राइन, यिनेरलोकोरटिकाइड्स और एंड्रोजन्स, (3) पैन्क्रियाज : इंसुलिन और ग्लूकाजन (4) थॉयरॉइड ग्रंथि कैल्सिटोनिन, (5) पैरा थॉयरॉइड ग्रंथि : पी टी एच (6) ओवरी और टेस्टीज : एंड्रोजेंस : हार्मोनों का रक्त स्तर जो अभ्यास से बढ़ जाता है, में शामिल हैं : जी एच, कैटेरोलाइमाइंस, ए सी टी एच, ग्लूको-कोरटिकाइड्स, मिनेरलो कोरटिकाइड्स, ग्लुकागोन टेस्टोस्टेरोन, एस्ट्रोजन, प्रोजेस्ट्रोन, टी एस एच, थॉयरॉक्सिन और ट्रीओडी थाइरोनाइन, ल्यूरीनीकारी हार्मोन का रक्त स्तर अभ्यास के दौरान नहीं बढ़ता है, जबकि अभ्यास के दौरान इंसुलिन कम हो जाता है।

96. निम्नलिखित में से कौन चक्रीय ए एम पी का भाग नहीं है?

1. कोशिका झिल्ली का पारगम्यता का क्रमांतरण
2. तंत्रिका उद्दीपन
3. एंजाइम प्रणाली सक्रियण
4. प्रोटीन संश्लेषण

97. कौन-सा हार्मोन अभ्यास के साथ परिवर्तित नहीं होता?

1. ए सी टी एच
2. एल एच
3. एफ एस एच
4. ए डी एच

98. व्यायाम से निम्नलिखित में से कौन-सा हार्मोन बढ़ता है?

1. कैल्सिटोनिन
2. इंसुलिन
3. टीएसएच
4. एफएसएच

99. थायरॉइड ग्रंथि स्रावित करता है :

1. टेस्टोस्टेरोन
2. एस्ट्रोजन
3. एसीटीएच
4. एफएसएच

100. नकारात्मक प्रतिक्रिया तंत्र क्या है?

1. प्रमुख हार्मोनल नियंत्रण
2. हार्मोन रिसेप्टर की विशिष्टता
3. मांसपेशियों में संकुचन या शिथिलता
4. असंतुलित अग्नाशयी कार्य

व्याख्यात्मक उत्तर

1. (4): ऑक्सफोर्ड विधि शक्ति और सहनशक्ति बढ़ाने की एक प्रभावी तक़नीक है जिसमें व्यायाम के दौरान प्रारंभ में उच्च प्रतिरोध (High Resistance) का उपयोग कर प्रत्येक सेट के बाद प्रतिरोध को क्रमशः घटाया जाता है। इसमें पुनरावृत्ति की संख्या एक समान रहती है। मुख्य लक्ष्य मांसपेशियों की थकावट (Muscular Fatigue) तक पहुँचाना होता है। उदाहरण के लिए, यदि कोई व्यक्ति पहले सेट में 100 किलो भार उठाता है, तो अगले सेट में उसे 90 किलो और फिर 80 किलो पर अभ्यास करना होता है, जबकि पुनरावृत्तियाँ लगभग समान रहती हैं। इस विधि का उपयोग विशेषकर पुनर्वास (Rehabilitation) और खेल प्रशिक्षण कार्यक्रमों में भी किया जाता है।

2. (4): मानव शरीर में सबसे आम लीवर प्रणाली तृतीय श्रेणी की होती है, जिसमें बल का बिंदु (Effort) फलक्रम (Fulcrum) और भार (Load) के बीच होता है। तृतीय श्रेणी लीवर गति (Speed) और व्यापक संचलन (Large Range of Motion) को बढ़ाने में सहायक होता है।

उदाहरण :

- बाइसेप्स द्वारा फोरआर्म को उठाना।
- हैमस्ट्रिंग द्वारा पैर को मोड़ना।

तृतीय श्रेणी के लीवर में बल लगाने के लिए अधिक प्रयास की आवश्यकता होती है, लेकिन परिणामस्वरूप गति और चपलता (Agility) बढ़ती है।

3. (4): तकनीक प्रशिक्षण के तीसरे चरण का सही क्रम कौशल के उच्च स्तरीय विकास की ओर बढ़ता है :

A. कठिन और भिन्न परिस्थितियों के अंतर्गत अभ्यास : खिलाड़ी विभिन्न चुनौतियों के बीच तकनीक का अभ्यास करता है।

E. संचलन के विकास की अवधारणा : जटिल आंदोलनों की समझ और नियंत्रण का विकास होता है।

D. परिशुद्ध और सटीक प्रतिपुष्टि : सटीक फीडबैक से त्रुटियों का सुधार किया जाता है।

B. प्रतिस्पर्धा में बढ़ी हुई प्रतिभागिता : प्रतिस्पर्धी माहौल में प्रदर्शन को परखा जाता है।

C. प्रत्यय-चालित प्रशिक्षण : स्व-निर्णय क्षमता और खेल-बुद्धिमत्ता विकसित की जाती है।

4. (4): सही सुमेलित संयोजन इस प्रकार है :

A. तीस या अधिक - III. बड़ा समूह : सांख्यिकीय विश्लेषण में यदि आंकड़े 30 या उससे अधिक हों तो उसे 'बड़ा समूह' माना जाता है।

B. असतत - IV. डेटा का प्रकार : असतत डेटा वह होता है जिसमें मान पृथक-पृथक (Discrete) होते हैं जैसे - विद्यार्थियों की संख्या।

C. अंतराल माप - II. स्केल : अंतराल माप एक ऐसा स्केल है जिसमें दो मापों के बीच समान दूरी होती है, जैसे तापमान मापन।

D. प्रसार - I. रेंज : प्रसार आंकड़ों के फैलाव को मापता है और यह अधिकतम तथा न्यूनतम मान के बीच का अंतर होता है।

5. (2): बाह्य वैधता (External Validity) को प्रभावित करने वाले मुख्य खतरे हैं :

A. परीक्षण का अंतःक्रियात्मक प्रभाव : परीक्षण की उपस्थिति स्वयं प्रतिभागियों के व्यवहार को बदल सकती है।

C. चयन पूर्वाग्रह और प्रयोगात्मक उपचार की अंतःक्रिया : विशिष्ट चयन के कारण परिणामों को सामान्यीकृत करना कठिन हो जाता है।

E. प्रयोगात्मक व्यवस्था के प्रतिक्रियात्मक प्रभाव : कृत्रिम प्रयोगात्मक वातावरण प्रतिभागियों के सामान्य व्यवहार में अंतर पैदा कर सकता है।

ध्यान दें : सांख्यिकीय प्रतिगमन (B) और इंस्ट्रूमेंटेशन प्रक्रिया (D) मुख्यतः आंतरिक वैधता (Internal Validity) से संबंधित माने जाते हैं।

6. (1): सूची-I और सूची-II का सही मिलान इस प्रकार है :

A. समय-सारणी - IV. कोई दस्तावेज जिसमें यह उल्लेख होता है कि किसके द्वारा किया जाना है और किस समय किया जाना है : समय-सारणी छात्रों और शिक्षकों के लिए एक योजना प्रदान करती है कि किस विषय को किस समय पढ़ाया जाएगा।

B. पाठ्यक्रम - III. विषय सूची की रूपरेखा : पाठ्यक्रम उन विषयों या इकाइयों का व्यवस्थित विवरण है जिन्हें किसी कोर्स के दौरान पढ़ाया जाता है।

C. पाठ्यचर्या - I. किसी संस्थान द्वारा पेश अध्ययन का पाठ्यक्रम : पाठ्यचर्या में शिक्षण सामग्री, क्रियाकलाप, आकलन विधियाँ और समग्र अधिगम अनुभव शामिल होते हैं।

D. व्यवसायिक आचार - II. कोई दस्तावेज जिसमें विद्यार्थियों को सभी अधिगम अनुभव दिया जाता है : व्यवसायिक आचार का दस्तावेज नैतिक मानकों और अनुशासन संबंधी नियमों को निर्दिष्ट करता है जिनका पालन विद्यार्थियों को करना चाहिए।

7. (1): मस्तिष्क की दर्द नियंत्रण प्रणाली को एनाल्जेसिया कहा जाता है। एनाल्जेसिया एक ऐसी स्थिति है जिसमें दर्द की अनुभूति कम या समाप्त हो जाती है। यह प्राकृतिक रूप से मस्तिष्क में एंडॉर्फिन (Endorphins) और एनकेफालिन (Enkephalins) जैसे न्यूरोट्रांसमीटर के जरिए होता है। दर्द नियंत्रण के लिए मस्तिष्क के 'पेरियाक्वेडक्टल ग्रे क्षेत्र' (Periaqueductal Gray Region) का प्रमुख योगदान होता है। चिकित्सीय प्रक्रियाओं में कृत्रिम एनाल्जेसिया भी औषधियों के माध्यम से उत्पन्न किया जाता है।

8. (4): घुटने की फ्लेक्सन (Flexion) के लिए मुख्य मांसपेशियाँ हैं : हैमस्ट्रिंग समूह (Hamstrings - Biceps Femoris, Semitendinosus, Semimembranosus) तथा कुछ सहायक मांसपेशियाँ।

C. वैस्टस मेडियलिस, D. रेक्टस फेमोरिस, और E. वैस्टस लेटरलिस—ये सभी मांसपेशियाँ घुटने के विस्तार (Extension) में कार्य करती हैं, फ्लेक्सन में नहीं। जबकि गैस्ट्रोक्नेमिअस और प्लांटारिस घुटने को मोड़ने में सहायक भूमिका निभाते हैं, भले ही वे मुख्य फ्लेक्सर न हों। इसलिए केवल C, D और E घुटने के प्राथमिक फ्लेक्सर नहीं हैं।

9. (1): बी.ओ. स्मिथ ने कहा था कि 'शिक्षण, अधिगम के अभिप्रेरण के लिए प्रवृत्त क्रियाओं का एक तंत्र है।' इस परिभाषा के अनुसार शिक्षण को केवल सूचना का हस्तांतरण न मानकर, अधिगम के लिए प्रेरणा और उत्तेजना उत्पन्न करने वाली सक्रिय प्रक्रिया के रूप में देखा जाता है। इसमें शिक्षक विभिन्न रणनीतियों के माध्यम से छात्रों के सीखने की इच्छाशक्ति और रुचि को बढ़ावा देता है। शिक्षण का यह दृष्टिकोण अधिगम को एक स्वाभाविक और स्व-प्रेरित प्रक्रिया बनाने पर बल देता है।

10. (1): एशियाई खेल (Asian Games) और उनके आयोजन वर्ष इस प्रकार मेल खाते हैं :

A. नई दिल्ली - II. 1951 : पहली बार एशियाई खेल भारत के नई दिल्ली में 1951 में आयोजित हुए थे।

B. तेहरान - IV. 1974 : 1974 में तेहरान (ईरान) में एशियाई खेलों का आयोजन किया गया था।

C. जकार्ता - I. 1962 : इंडोनेशिया के जकार्ता शहर में 1962 के एशियाई खेल आयोजित हुए।

D. हिरोशिमा - III. 1994 : जापान के हिरोशिमा शहर ने 1994 में एशियाई खेलों की मेजबानी की थी।

ऐतिहासिक तथ्य : 1951 के एशियाई खेलों का उद्घाटन भारत के पहले प्रधानमंत्री जवाहरलाल नेहरू ने किया था।

11. (3): अनुरक्षण प्रबंधन (Maintenance Management) के मुख्य क्षेत्र इस प्रकार हैं :

A. सुरक्षा : सभी उपकरणों और प्रणालियों की सुरक्षा सुनिश्चित करना ताकि दुर्घटनाओं को रोका जा सके और कार्यस्थल सुरक्षित बना रहे।

B. सफाई : उचित स्वच्छता बनाए रखना, जो मशीनों और इमारतों की दीर्घायु (Longevity) के लिए आवश्यक है।

C. गुणवत्ता : अनुरक्षण द्वारा उत्पादों या सेवाओं की गुणवत्ता को सुनिश्चित और बनाए रखा जाता है।

E. सुख-सुविधाएँ : वातानुकूलन, जलापूर्ति, विद्युत आपूर्ति आदि जैसी बुनियादी सुविधाओं का अनुरक्षण भी इसमें शामिल है।

विशेष ध्यान दें : वित्त (D) अनुरक्षण प्रबंधन के प्रत्यक्ष क्षेत्र में नहीं आता, यह एक सहायक कार्य है जो बजट और व्यय से जुड़ा होता है।

12. (2): स्टाफिंग प्रक्रिया का सही क्रमिक अनुक्रम :

B. जनशक्ति आवश्यकताओं का आकलन : सर्वप्रथम यह आकलन किया जाता है कि किस प्रकार और कितनी संख्या में मानव संसाधन की आवश्यकता है।

C. भर्ती, चयन और प्रशिक्षण : इसके बाद योग्य उम्मीदवारों की भर्ती और चयन कर उन्हें आवश्यक प्रशिक्षण प्रदान किया जाता है।

A. जनशक्ति की नियुक्ति : चयनित उम्मीदवारों को उपयुक्त पदों पर नियुक्त किया जाता है।

E. विकास, पदोन्नति, स्थानांतरण और मूल्यांकन : कर्मचारियों के कौशल विकास, पदोन्नति, स्थानांतरण और नियमित मूल्यांकन के माध्यम से उनके प्रदर्शन का विकास किया जाता है।

D. कर्मचारियों के पारिश्रमिक का निर्धारण : अंततः वेतन और अन्य आर्थिक लाभ निर्धारित किए जाते हैं ताकि कर्मचारियों को उचित प्रोत्साहन मिल सके।

13. **(1):** सुप्रतिबल (Eustress) एक प्रकार का सकारात्मक तनाव (Positive Stress) है जो व्यक्ति को उत्साहित करता है और प्रदर्शन में सुधार लाता है। यह ऐसा तनाव है जो व्यक्ति को लक्ष्य प्राप्ति के लिए प्रेरित करता है। सुप्रतिबल से व्यक्ति को मानसिक और भावनात्मक आनंद की अनुभूति होती है। उदाहरण : किसी महत्वपूर्ण प्रतियोगिता से पूर्व सकारात्मक ऊर्जा महसूस करना या किसी नए अवसर को लेकर उत्साहित होना। भय, आशंका और क्रोध नकारात्मक तनाव (Distress) से जुड़े होते हैं, न कि सुप्रतिबल से।

14. **(2):** प्रशिक्षण के दौरान जब कोई व्यक्ति अपनी अधिकतम हृदय निर्गम क्षमता के 40% से 60% के स्तर पर कार्य करता है, तब :

- सामान्य रूप से विश्राम की स्थिति में हृदय निर्गम लगभग 5 लीटर/मिनट होता है।
- मध्यम तीव्रता वाले व्यायाम पर यह लगभग 10 से 20 लीटर/मिनट तक बढ़ सकता है।
- यदि व्यायाम कुछ मिनट तक चलता है, तो कुल हृदय निर्गम 40 लीटर के आसपास हो सकता है।
- उदाहरण के लिए : यदि हृदय निर्गम 10 लीटर/मिनट है और व्यक्ति 4 मिनट तक व्यायाम करता है तो कुल हृदय निर्गम = 10 × 4 = 40 लीटर।

इसलिए, सही उत्तर 40 लीटर है।

15. **(4):** एंटीऑक्सीडेंट के रूप में वर्गीकृत विटामिन :

A. **विटामिन A :** यह त्वचा, दृष्टि और प्रतिरक्षा प्रणाली को मुक्त कणों के हानिकारक प्रभावों से बचाता है।

C. **विटामिन E :** एक शक्तिशाली एंटीऑक्सीडेंट जो कोशिका झिल्लियों को ऑक्सीडेटिव क्षति से बचाने में मदद करता है।

E. **विटामिन C :** जल घुलनशील एंटीऑक्सीडेंट जो मुक्त कणों को निष्क्रिय करता है और प्रतिरक्षा प्रणाली को सुदृढ़ करता है।

विटामिन D और विटामिन K मुख्य रूप से हड्डी स्वास्थ्य और रक्त के थक्के से जुड़े होते हैं, एंटीऑक्सीडेंट नहीं हैं।

16. **(4):** निम्नलिखित कालों का विद्यमान होने के सही आरोही क्रम को समझा जाए तो :

D. **वैदिक काल :** यह सबसे प्राचीन काल है, लगभग 1500 ईसा पूर्व से 500 ईसा पूर्व तक रहा।

A. **महाकाव्य काल :** महाभारत और रामायण जैसे महाकाव्यों का युग, जो वैदिक काल के बाद आता है, लगभग 500 ईसा पूर्व से 100 ईसा पूर्व।

C. **बौद्ध काल :** बौद्ध धर्म का विकास महाकाव्य काल के बाद हुआ, मुख्यतः 6वीं सदी ईसा पूर्व से प्रारंभ होकर आगे बढ़ा।

E. **राजपूत काल :** यह काल 6वीं सदी ईस्वी से 12वीं सदी ईस्वी के मध्य मुख्य रूप से माना जाता है।

B. **ब्रिटिश काल :** भारत में ब्रिटिश शासन 18वीं सदी (लगभग 1757 ईस्वी से) में शुरू हुआ और 1947 तक चला।

इस प्रकार, सही क्रम D → A → C → E → B है।

17. **(4):** वृद्धि और विकास को प्रभावित करने वाले मुख्य कारक हैं :

A. **अनुवांशिक कारक :** जीन द्वारा प्राप्त गुण जैसे कद, त्वचा का रंग, मानसिक क्षमताएं आदि विकास को प्रभावित करते हैं।

C. **पर्यावरणीय कारक :** पोषण, स्वच्छता, सामाजिक परिवेश आदि जैसे पर्यावरणीय तत्व शारीरिक और मानसिक विकास को दिशा प्रदान करते हैं।

D. **पोषक संबंधी कारक :** पोषण का स्तर प्रत्यक्ष रूप से शरीर की वृद्धि दर और प्रतिरक्षा प्रणाली को प्रभावित करता है।

आध्यात्मिक कारक और संचलन कारक सीधे वृद्धि एवं विकास के मुख्य जैविक घटकों में शामिल नहीं होते।

18. **(4):** व्यायाम के दौरान जब ऑक्सीजन की आपूर्ति अपर्याप्त होती है, तो :

- ग्लाइकोजन (Glycogen) ग्लाइकोलाइसिस (Glycolysis) प्रक्रिया के माध्यम से टूटता है।
- इस अपघटन से उत्पन्न अंतिम चयापचयी उत्पाद लैक्टेट (Lactate) होता है।
- लैक्टेट के संग्रह के कारण ही व्यायाम के दौरान मांसपेशियों में थकावट और जलन महसूस होती है।
- Anaerobic Glycolysis की प्रक्रिया के दौरान, एक अणु ग्लूकोस से 2 ATP ऊर्जा और लैक्टेट बनता है।

इसलिए सही उत्तर लैक्टेट है।

19. **(4):** जॉनसन बास्केटबाल परीक्षण का वैधता गुणांक (Validity Coefficient) .88 है। वैधता गुणांक बताता है कि परीक्षण वास्तविक कौशल को कितनी सटीकता से मापता है।

.88 का वैधता स्कोर एक उच्च स्तर की वैधता को इंगित करता है, जो दर्शाता है कि यह परीक्षण बास्केटबाल कौशल का सही आकलन करने के लिए बहुत विश्वसनीय है। 0.70 से ऊपर का कोई भी वैधता गुणांक आमतौर पर अच्छा माना जाता है, और .88 एक उत्कृष्ट स्तर है।

20. (4): सूची-I और सूची-II का सही सुमेलन इस प्रकार है :

A. बॉडी मास इंडेक्स - II. वजन (किग्रा.)/ऊँचाई (मीटर^2) : BMI शारीरिक मोटापे या दुबलापन का मूल्यांकन करता है।

B. पोंडरल इंडेक्स - IV. ऊँचाई (सेमी.)/शारीरिक वजन का घनमूल (किग्रा.) : PI शरीर संरचना का विश्लेषण करने के लिए ऊँचाई और वजन का अनुपात मापता है।

C. ब्रोका इंडेक्स - I. ऊँचाई (सेमी.) – 100 : आदर्श वजन (Ideal Weight) निकालने का एक सरल सूत्र।

D. लॉरेंज का सूत्र - III. ऊँचाई (सेमी.) – 100 – (ऊँचाई (सेमी.) – 150)/(2 (महिला) या 4 (पुरुष)) : एक संशोधित सूत्र जो पुरुषों और महिलाओं के लिए अलग-अलग औसत वजन प्रदान करता है।

यह सभी फॉर्मूले शरीर के स्वास्थ्य मूल्यांकन में व्यापक रूप से उपयोग किए जाते हैं।

21. (2): मांसपेशियों की अतिवृद्धि (Hypertrophy) मुख्यतः निम्न तत्वों के वृद्धि के कारण होती है :

A. मायोफिब्रिल्स : मांसपेशी तंतु (muscle fibers) के भीतर मायोफिब्रिल्स की संख्या और आकार में वृद्धि होती है।

B. एक्टिन और मायोसिन फिलामेंट्स : मायोफिब्रिल्स के भीतर पाए जाने वाले ये प्रोटीन फिलामेंट्स अधिक बनते हैं जिससे संकुचन क्षमता बढ़ती है।

C. सार्कोप्लाज्म : मांसपेशी कोशिका के साइटोप्लाज्म (fluid) में वृद्धि होती है, जिससे सहायक पोषक तत्व और एंजाइम अधिक मात्रा में संग्रहित होते हैं।

टेंडन (D) और लिपिड (E) का मांसपेशी अतिवृद्धि में प्रत्यक्ष योगदान नहीं होता, वे सहायक संरचनाएं और ऊर्जा स्रोत होते हैं।

22. (1): आनुवंशिक नियमों (Genetic Laws) में प्रतिगमन का नियम (Law of Regression) आता है। प्रतिगमन का नियम बताता है कि संतति (offspring) का प्रदर्शन अपने माता-पिता की तुलना में औसतन मध्यम स्तर पर होता है, यानी अत्यधिक उत्कृष्ट या अत्यधिक कमजोर विशेषताएं अगली पीढ़ी में सामान्य औसत की ओर झुकाव दिखाती हैं।

उदाहरण के लिए, यदि दोनों माता-पिता अत्यधिक ऊंचे हैं, तो उनके बच्चे औसतन थोड़ा कम ऊंचे हो सकते हैं। निरंतरता, प्रगमन और तत्परता जैसे नियम विकासात्मक या अधिगम संबंधी नियम होते हैं, आनुवंशिक नहीं।

23. (1): टाईप-II त्रुटि (Type-II Error) का परिमाण बीटा (β) द्वारा निर्धारित किया जाता है।

- टाईप-II त्रुटि तब होती है जब एक झूठे शून्य परिकल्पना (False Null Hypothesis) को स्वीकार कर लिया जाता है।
- बीटा मान त्रुटि की संभावना को दर्शाता है, यानी उस अवसर को जब कोई वास्तविक प्रभाव होते हुए भी उसे नहीं पाया जाता।
- सामान्यतः बीटा का आदर्श स्तर 0.20 या 20% से कम रखा जाता है।
- अल्फा (α) टाईप-I त्रुटि (गलत तरीके से शून्य परिकल्पना को अस्वीकार करने) से संबंधित है, न कि टाईप-II से।

24. (2): एक प्ररूपी परिश्रान्ति वक्र (Model Fatigue Curve) के सही अनुक्रम की पहचान इस प्रकार है :

B. प्रारंभिक प्रवेग : व्यायाम प्रारंभ होते ही व्यक्ति उच्च ऊर्जा के साथ प्रारंभिक गति करता है।

A. स्पर्धा के लिए तैयार होने की अवधि - वार्म अप पीरियड : शरीर को तैयार करने के लिए हल्के व्यायाम किए जाते हैं।

C. सुपरिचित होना और अभ्यास : शरीर व्यायाम की लय और तकनीक में ढल जाता है।

E. परिश्रान्ति : निरंतर अभ्यास के कारण थकावट शुरू होती है।

D. अंतिम प्रवेग : थकावट के बावजूद प्रतियोगी अपने अंतिम प्रयास में पूरी शक्ति लगाता है।

यह अनुक्रम मानव शरीर की ऊर्जात्मक और मानसिक प्रतिक्रिया को दर्शाता है।

25. (3): स्टर्नोक्लेविकुलर संधि (Sternoclavicular Joint) को ग्लाइडिंग संधि (Gliding Joint) भी कहा जाता है। इसमें हड्डियाँ एक-दूसरे के ऊपर आसानी से फिसल सकती हैं, जिससे कंधे के क्षेत्र में विभिन्न दिशाओं में हलचल संभव होती है। यह संधि उर्ध्वाधर, अग्र-पश्च और कुछ घूर्णी गतिविधियों की अनुमति देती है। हिंज, कोंडिलोइड और पीवट संधियाँ भिन्न प्रकार की गतियों के लिए जानी जाती हैं लेकिन स्टर्नोक्लेविकुलर संधि के लचीले और बहुआयामी गति के स्वरूप के कारण इसे ग्लाइडिंग संधि के रूप में वर्गीकृत किया जाता है।

26. (4): सूची-I और सूची-II का सही सुमेलन इस प्रकार है :

A. कफयुक्त - III. स्थिर अंतर्मुखी : कफयुक्त व्यक्तित्व शांत, स्थिर और अंतर्मुखी प्रवृत्ति का होता है।

B. रक्तवर्णक - IV. स्थिर बहिर्मुखी : रक्तवर्णक प्रकृति के व्यक्ति प्रसन्नचित्त, सामाजिक और स्थिर स्वभाव के बहिर्मुखी होते हैं।

C. विषाणुजनित - I. अस्थिर अंतर्मुखी : विषाणुजनित स्वभाव के लोग भावनात्मक रूप से संवेदनशील, जल्दी विचलित होने वाले और अंतर्मुखी होते हैं।

D. कोलेरिक - II. अस्थिर बहिर्मुखी : कोलेरिक व्यक्ति ऊर्जा से भरपूर, जल्द प्रतिक्रिया देने वाले और अस्थिर बहिर्मुखी होते हैं।

यह सुमेलन व्यक्तित्व के चार प्रमुख प्रकारों के साथ उनकी स्थिरता-अस्थिरता और अंतर्मुखता-बहिर्मुखता के अनुसार किया गया है।

27. (2): शरीर के संचलन के दौरान हृदय के स्वतः समायोजन (Autonomic Regulation) में प्रघाण तंत्रिका (Vagus Nerve) की महत्वपूर्ण भूमिका होती है। प्रघाण तंत्रिका पैरासिंपैथेटिक तंत्रिका तंत्र (Parasympathetic Nervous System) का हिस्सा है। यह हृदय की धड़कन (Heart Rate) को धीमा करने और रक्तचाप को नियंत्रित करने में मदद करती है। जब शरीर विश्राम की अवस्था में होता है या व्यायाम के पश्चात पुनः सामान्य स्थिति में लौटता है, तब प्रघाण तंत्रिका सक्रिय हो जाती है।

त्रिधारा, आनन और मेरु तंत्रिकाएं इस प्रकार के स्वचालित हृदय नियंत्रण में प्रमुख भूमिका नहीं निभातीं।

28. (2): तकनीक प्रशिक्षण के द्वितीय चरण में गति संबंधी बोध (Sense of Movement या Kinesthetic Sense) पर विशेष बल दिया जाना चाहिए।

- प्रथम चरण में कौशल की आधारभूत जानकारी दी जाती है।
- द्वितीय चरण में जब खिलाड़ी कौशल का अभ्यास करना प्रारंभ करते हैं, तो उन्हें अपने शरीर की गति, संतुलन, स्थिति और समय का बोध विकसित करना होता है।
- गति संबंधी बोध से कौशल निष्पादन में सटीकता और प्रभावशीलता आती है।
- तृतीय और चतुर्थ चरणों में कौशल परिपक्वता और प्रतिस्पर्धात्मक प्रदर्शन पर ध्यान केंद्रित किया जाता है।

29. (3): रोसेन्थल ने 1966 में आंतरिक वैधता के प्रति प्रत्याशा (Expectancy Effect या Pygmalion Effect) की आशंका की पहचान की थी। प्रत्याशा प्रभाव का अर्थ है कि शोधकर्ता या प्रशिक्षक की अपेक्षाएं प्रतिभागियों के प्रदर्शन को प्रभावित कर सकती हैं। यदि प्रशिक्षक को किसी छात्र से उच्च प्रदर्शन की उम्मीद होती है, तो वह अनजाने में उसे अधिक सकारात्मक संकेत भेजता है, जिससे छात्र का प्रदर्शन बेहतर हो सकता है। यह प्रभाव शोध या प्रशिक्षण परिणामों की आंतरिक वैधता को खतरे में डाल सकता है क्योंकि यह बाहरी हस्तक्षेप उत्पन्न करता है। परिपक्वता, इंस्ट्रूमेंटेशन और प्रायोगिक मृत्युदर आंतरिक वैधता के अन्य खतरे हैं लेकिन रोसेन्थल का मुख्य फोकस प्रत्याशा पर था।

30. (2): गति की वृहत्तर सीमा (Range of Motion) के अनुसार संधियों का सही क्रम :

B. स्कंध संधि - Shoulder Joint : इसमें सर्वाधिक गतिशीलता होती है, जो लगभग 360 डिग्री घूम सकती है।

C. कूर्पर संधि - Hip Joint : यह भी अत्यधिक गतिशील होती है लेकिन स्कंध संधि से थोड़ी कम।

A. ग्रीवा संधि - Neck Joint : इसमें गति होती है परंतु स्कंध और कूर्पर संधियों से कम।

D. करोटि संधि - Skull Joint : करोटि संधि लगभग स्थिर रहती है, केवल बहुत हल्की गतियां होती हैं जैसे श्वसन के दौरान।

इस क्रम से देखा जा सकता है कि स्कंध संधि गति में सबसे अग्रणी है और करोटि संधि सबसे कम गतिशील है।

31. (3): चिकित्सीय जांच के दौरान मुख्य ध्यान व्यक्ति के वर्तमान स्वास्थ्य प्रस्थिति, चिरकालिक रुग्णता रिकार्ड और परिजनों के स्वास्थ्य अभिलेख पर दिया जाता है। वर्तमान स्वास्थ्य प्रस्थिति से रोगों की वर्तमान स्थिति का पता चलता है। चिरकालिक रुग्णता रिकार्ड से दीर्घकालीन स्वास्थ्य समस्याओं की पहचान होती है। परिजनों के स्वास्थ्य अभिलेख से अनुवांशिक प्रवृत्तियों और संभावित जोखिमों का मूल्यांकन किया जाता है।

पर्यावरणीय अभिलेख, जैसे वायु गुणवत्ता या पानी की स्थिति, व्यक्तिगत चिकित्सीय जांच के दौरान सामान्यतः सीधे संग्रहित नहीं किया जाता, यह सार्वजनिक स्वास्थ्य मूल्यांकन का भाग होता है।

32. (2): एच. मैक्लॉय वर्गीकरण सूचकांक (H. McCloy Classification Index) में सम्मिलित वर्ग निम्नलिखित हैं :

B. हाई स्कूल : सामान्य उच्च विद्यालय के विद्यार्थी।

D. कॉलेज : कॉलेज स्तर के विद्यार्थी।

E. प्रारंभिक विद्यालय : छोटे बच्चों (Elementary School) के लिए वर्ग।

A (हाई स्कूल के लड़के) और C (कॉलेज के पुरुष) अलग-अलग व्यक्तिगत उपवर्ग हो सकते हैं, लेकिन मैक्लॉय के मूल वर्गीकरण में इन्हें मुख्य वर्ग के रूप में नहीं रखा गया है।

33. (3): पादप रसायन (Phytochemicals) वे जैविक सक्रिय यौगिक हैं जो पौधों में पाए जाते हैं और स्वास्थ्य लाभ प्रदान करते हैं :

A. एंथोसायनीडिन्स : यह शक्तिशाली एंटीऑक्सीडेंट हैं जो फल और सब्जियों को गहरा रंग देते हैं।

B. कैपसाइसिन : यह तीखी मिर्चों में पाया जाने वाला यौगिक है जो चयापचय को बढ़ाता है।

D. फ्लेवानोन्स : यह साइट्रस फलों में पाया जाने वाला एक एंटीऑक्सीडेंट यौगिक है।

C (कैल्सिफेरॉल - विटामिन D3) और E (फाइलोक्विनोन - विटामिन K1) विटामिन हैं, पादप रसायन नहीं माने जाते।

34. (1): सूची-I और सूची-II का सटीक मिलान इस प्रकार है:

A. समगतिक विधि - III. तैराकी, नौकायन के लिए प्रभावी विधि : समगतिक विधि का उपयोग जलक्रीड़ाओं जैसे तैराकी और नौकायन में होता है।

B. फार्टलेक विधि - IV. प्रशिक्षण पूर्व-नियोजित नहीं होता : फार्टलेक प्रशिक्षण में तेज और धीमे दौड़ के बीच स्वतः परिवर्तन होता है, योजना स्थिर नहीं होती।

C. पुनरावर्तन विधि - II. गति सहनशीलता में सुधार के लिए प्रभावकारी : यह विधि उच्च तीव्रता वाले कार्यों को निश्चित अंतराल पर दोहराने पर आधारित है।

D. गतिक उत्केंद्र - I. 100% से अधिक तीव्रता : गतिक उत्केंद्र विधि उच्चतम संभव तीव्रता के साथ प्रदर्शन पर केंद्रित होती है।

35. (3): सूची-I और सूची-II का सही मिलान इस प्रकार है :

A. हाशिमितो रोग - III. थायरॉइड : यह एक ऑटोइम्यून विकार है जिसमें प्रतिरक्षा प्रणाली थायरॉइड ग्रंथि पर आक्रमण करती है।

B. क्रॉनिक हेपाटाइटिस - IV. लिवर : क्रॉनिक हेपाटाइटिस यकृत को प्रभावित करने वाला दीर्घकालिक सूजन रोग है।

C. स्क्लेरोडर्मा - II. कनेक्टिव टिशू : स्क्लेरोडर्मा एक स्थिति है जिसमें संयोजी ऊतकों (Connective Tissues) का कठोर और मोटा होना शामिल है।

D. रुमेटाइड आर्थराइटिस - I. ज्वाइंट : यह एक ऑटोइम्यून बीमारी है जिसमें मुख्यतः जोड़ (joints) प्रभावित होते हैं।

36. (3): निद्रा भ्रमण को निद्राचार (Sleepwalking या Somnambulism) भी कहा जाता है। निद्राचार एक प्रकार का स्लीप डिसऑर्डर है जिसमें व्यक्ति सोते हुए उठकर चलता है या अन्य गतिविधियाँ करता है। यह प्रायः गहरी नींद (Non-REM Sleep) के दौरान होता है और व्यक्ति को सामान्यतः जागने पर इस घटना की कोई याद नहीं रहती। निद्रा श्वास निरोध (Sleep Apnea) में श्वसन अवरुद्ध होता है, मनोविदलता (Psychosis) मानसिक विकार है और अनिद्रा (Insomnia) निद्रा न आने की स्थिति है, जो निद्रा भ्रमण से अलग है।

37. (4): किसी पिण्ड (Body) की गति की अवस्था (State of Motion) को बदलने के लिए बल (Force) की आवश्यकता होती है।

- न्यूटन का प्रथम नियम कहता है कि कोई वस्तु अपनी गति की अवस्था को तब तक बनाए रखती है जब तक उस पर कोई बाहरी बल न लगाया जाए।
- बल के प्रभाव से वस्तु स्थिरावस्था से गति में आ सकती है या गतिशील वस्तु की दिशा अथवा वेग में परिवर्तन हो सकता है।
- गतिज ऊर्जा (Kinetic Energy), विभव ऊर्जा (Potential Energy), और स्थैतिक ऊर्जा (Static Energy) ऊर्जा के प्रकार हैं, जो बल नहीं हैं।

38. (3): प्रयोग का वह भाग जिसे शोधकर्ता नियंत्रित करता है या हेरफेर करता है, उपचार चर (Treatment Variable या Independent Variable) कहलाता है। शोधकर्ता उपचार चर में परिवर्तन करके यह देखता है कि इसका आश्रित चर (Dependent Variable) पर क्या प्रभाव पड़ता है। उदाहरण के लिए, यदि किसी अध्ययन में व्यायाम का प्रकार बदलकर वजन में अंतर मापा जाए, तो व्यायाम का प्रकार उपचार चर है।

आश्रित चर परिणाम को मापता है, तृतीयक और बाह्य चर नियंत्रित नहीं किए जाते बल्कि निष्प्रभावी करने का प्रयास किया जाता है।

39. (2): सूची-I और सूची-II का सही मिलान इस प्रकार है :

A. क्रोनबैख अल्फा गुणांक - II. विश्वसनीयता : क्रोनबैख अल्फा (Cronbach's Alpha) परीक्षण की आंतरिक सुसंगतता (Internal Consistency) और विश्वसनीयता को मापता है।

B. हेलो प्रभाव - I. आंतरिक वैधता : हेलो प्रभाव में किसी एक विशेष गुण के प्रभाव से व्यक्ति के अन्य गुणों का मूल्यांकन प्रभावित होता है, जिससे आंतरिक वैधता प्रभावित हो सकती है।

C. अंकोवा - IV. विकर्षक चर : ANalysis of COVAriance (ANCOVA) के माध्यम से विकर्षक चर (Covariates) के प्रभाव को नियंत्रित किया जाता है।

D. समवर्ती वैधता - III. मापदंड वैधता : समवर्ती वैधता (Concurrent Validity) किसी उपकरण की मापदंड वैधता का प्रकार है जिसमें वर्तमान प्रदर्शन की तुलना मान्य मानकों से की जाती है।

40. (2): अंतर्राष्ट्रीय ओलंपिक समिति (International Olympic Committee—IOC) के प्रथम अध्यक्ष डिमिट्रियस वाइकेलस (Demetrios Vikelas) थे। ग्रीक मूल के डिमिट्रियस वाइकेलस को 1894 में पेरिस में आयोजित सम्मेलन में IOC का पहला अध्यक्ष चुना गया। बैरेन डि कुबर्तिन (Baron de Coubertin) ओलंपिक खेलों के पुनरुद्धारकर्ता थे और बाद में IOC के दूसरे अध्यक्ष बने। हेनरी ब्रुनडेल और कॉम्टे डी बॉयलेट का इससे संबंधित कोई सीधा कार्य नहीं था। वाइकेलस का कार्यकाल 1894 से 1896 तक रहा, और पहले आधुनिक ओलंपिक (एथेंस, 1896) की सफलता में उनकी महत्वपूर्ण भूमिका थी।

41. (4): संज्ञान (Cognition) मानसिक प्रक्रियाओं का समूह है जिसमें ज्ञान अर्जन, समझना, स्मरण और समस्या समाधान शामिल होते हैं।

- अवबोध (Perception), ध्यान (Attention) और एकाग्रता (Concentration) संज्ञानात्मक तत्व हैं क्योंकि ये विचार प्रक्रिया का भाग होते हैं।
- संवेग (Emotion) एक भावनात्मक प्रतिक्रिया है, जो संज्ञानात्मक प्रक्रिया का नहीं बल्कि भावनात्मक प्रक्रिया का हिस्सा होता है।

इसलिए संवेग को संज्ञान के तत्वों में नहीं गिना जाता।

42. (2): प्रतिलाभ (Recovery) का अनुक्रम व्यायाम के बाद शरीर की सामान्य स्थिति में वापसी की प्रक्रिया को दर्शाता है :

B. ATP और ग्लाइकोजन का पुनर्संश्लेषण : सबसे पहले शरीर ऊर्जा भंडारण को पुनः भरता है।

C. लैक्टिक अम्ल का उदासीनीकरण : व्यायाम के दौरान उत्पन्न लैक्टिक अम्ल को निष्क्रिय कर दिया जाता है।

D. समस्थिति की पुनःस्थापना : शरीर अपने आंतरिक वातावरण (जैसे तापमान, पीएच) को सामान्य करता है।

A. उपचयी प्रकृति : अंत में, ऊतकों की मरम्मत और निर्माण की प्रक्रिया प्रारंभ होती है जो उपचय (Anabolism) कहलाती है।

43. (3): सूची-I और सूची-II का सही सुमेलन इस प्रकार है :

A. इस्कीमिया - III. रक्त और ऑक्सीजन की स्थानीय और अस्थायी कमी : किसी अंग में रक्त और ऑक्सीजन की आपूर्ति में रुकावट को इस्कीमिया कहते हैं।

B. फाइब्रिलेशन - I. हृदय के बल और लय में अनियमितता : फाइब्रिलेशन हृदय की मांसपेशियों में अनियमित और असंगठित संकुचन है।

C. हेमोलाइसिस - IV. कोशिका भंजन : लाल रक्त कोशिकाओं (RBC) के विघटन या टूटने की प्रक्रिया हेमोलाइसिस कहलाती है।

D. सिरोटोनिन - II. बहिष्कारी स्नायुकिक प्रेषक : सिरोटोनिन एक न्यूरोट्रांसमीटर है जो विभिन्न शारीरिक प्रक्रियाओं में संप्रेषण का कार्य करता है।

44. (2): एडम्स ने 1971 में गामक कौशल अधिगम के संबंध में क्लोज्ड-लूप सिद्धांत (Closed-Loop Theory) प्रस्तुत किया था। इस सिद्धांत के अनुसार कौशल अधिगम में प्रतिक्रिया (Feedback) महत्वपूर्ण भूमिका निभाती है।

व्यक्ति अपने प्रदर्शन की प्रतिक्रिया प्राप्त करता है और उसके आधार पर उसे सुधारता है। यह सिद्धांत मोटर अधिगम (Motor Learning) में सुधार और त्रुटि सुधार प्रक्रिया को समझाने के लिए महत्वपूर्ण है।

स्कीमा सिद्धांत शिमड्ट द्वारा दिया गया था और प्लेसिबो तथा एविस प्रभावित सिद्धांत अन्य मनोवैज्ञानिक प्रक्रियाओं से संबंधित हैं।

45. (4): आंकड़ों के विश्लेषण के लिए प्रयुक्त मुख्य सांख्यिकीय सॉफ्टवेयर हैं :

A. मिनी टैब - Minitab : सरल और शक्तिशाली सांख्यिकीय विश्लेषण के लिए प्रयुक्त होता है।

C. SPSS - सांख्यिकीय पैकेज फॉर सोशल साइंसेज : सामाजिक विज्ञान अनुसंधान में सबसे अधिक प्रचलित सॉफ्टवेयर है।

D. जामोवी - Jamovi : एक निःशुल्क और खुला सांख्यिकीय विश्लेषण सॉफ्टवेयर है।

E. G*Power : यह सॉफ्टवेयर नमूना आकार गणना (Sample Size Calculation) के लिए प्रयुक्त होता है।

पाइथन एक प्रोग्रामिंग भाषा है जो सांख्यिकीय विश्लेषण में प्रयुक्त हो सकती है, लेकिन स्वयं में एक विशेष सांख्यिकीय सॉफ्टवेयर नहीं है।

46. (2): पाठ्यचर्या विकास के मॉडल में सामान्यतः विषय-केन्द्रित, अधिगमकर्ता-केन्द्रित और समस्या-केन्द्रित डिजाइन आते हैं।

- विषय-केन्द्रित डिजाइन में विषयों के अनुशासन के अनुसार संरचना की जाती है।
- अधिगमकर्ता-केन्द्रित डिजाइन में छात्रों की रुचियों और आवश्यकताओं को प्राथमिकता दी जाती है।

- समस्या-केन्द्रित डिजाइन वास्तविक जीवन समस्याओं के समाधान के लिए पाठ्यचर्या का निर्माण करता है।
- मूल्यांकन-केन्द्रित डिजाइन कोई स्वतंत्र पाठ्यचर्या विकास मॉडल नहीं है; मूल्यांकन पाठ्यचर्या का भाग है, विकास का आधार नहीं।

47. (2): सूची-I और सूची-II का सही मिलान इस प्रकार है :

A. लू या हीट स्ट्रोक - IV. शरीर का तापमान बढ़कर 105°F तक हो सकता है : यह एक गंभीर स्थिति है जिसमें शरीर का तापमान अत्यधिक बढ़ जाता है।

B. उष्मीय थकान - हीट एक्सॉशन - I. जल और लवण का अपक्षय : पसीने के माध्यम से अत्यधिक द्रव और इलेक्ट्रोलाइट्स के नुकसान से होती है।

C. हीट सिनकोप - II. सामान्य कमजोरी और निम्न रक्तचाप : अत्यधिक गर्मी के कारण रक्तचाप गिरने से व्यक्ति मूर्छित हो सकता है।

D. हीट क्रैम्प - III. मांसपेशियों में अकड़न : गर्म वातावरण में व्यायाम करने से मांसपेशियों में दर्दयुक्त संकुचन होता है।

48. (4): 2032 में पैरा ओलंपिक खेलों की मेजबानी ब्रिसबेन, ऑस्ट्रेलिया द्वारा की जाएगी। ब्रिसबेन को 21 जुलाई 2021 को आधिकारिक रूप से 2032 के ग्रीष्मकालीन ओलंपिक और पैरा ओलंपिक खेलों के लिए चुना गया था। टोक्यो ने 2020 खेलों की, पेरिस 2024 खेलों की और लॉस एंजिलिस 2028 खेलों की मेजबानी करने का अधिकार प्राप्त किया है। ब्रिसबेन पहली बार ग्रीष्मकालीन ओलंपिक और पैरा ओलंपिक दोनों की मेजबानी करेगा।

49. (2): प्राचलन संबंधी (पैरामीट्रिक) प्रतिचयन सैम्पलिंग विधियाँ वे हैं जो आंकड़ों के वितरण और मापदंडों पर आधारित होती हैं :

A. क्वासी रैंडम सैम्पलिंग : यह एक प्रकार की व्यवस्थित यादृच्छिक सैम्पलिंग है।

B. बेसियन सैम्पलिंग : यह अनुमान और संभावना आधारित आधुनिक सैम्पलिंग तकनीक है।

C. मल्टीस्टेज सैम्पलिंग : बड़े क्षेत्रों को चरणबद्ध तरीके से विभाजित कर सैम्पलिंग की जाती है।

E. क्लस्टर सैम्पलिंग : समूह आधारित सैम्पलिंग है, जहां पूरे क्लस्टर को चुना जाता है।

बूटस्ट्रैप सैम्पलिंग गैर-पैरामीट्रिक तकनीक है जिसमें पुनः नमूना लेना शामिल होता है।

50. (1): सूची-I और सूची-II का सही मिलान इस प्रकार है :

A. न्यूट्रोफिल - II. घंटों से 3 दिनों तक : न्यूट्रोफिल्स की जीवन अवधि बहुत कम होती है और संक्रमण से लड़ने में प्रमुख भूमिका निभाते हैं।

B. ईओसिनोफिल - III. 8 से 12 दिनों तक : एलर्जी और परजीवी संक्रमण से लड़ने के लिए कार्य करते हैं।

C. मोनोसाइट - IV. दिनों से महीनों तक : मोनोसाइट्स दीर्घजीवी होते हैं और ऊतकों में जाकर मैक्रोफेज में बदलते हैं।

D. बी-लिम्फोसाइट - I. दिनों से वर्षों तक : बी-सेल्स लंबी अवधि तक जीवित रह सकते हैं और प्रतिरक्षा स्मृति प्रदान करते हैं।

51. (3): सूची-I और सूची-II का सही मिलान इस प्रकार है :

A. बंद-पाश सिद्धांत - II. एडम्स : 1971 में एडम्स ने यह सिद्धांत प्रस्तुत किया, जिसके अनुसार मोटर अधिगम में त्रुटियों को सुधारने के लिए फीडबैक प्रणाली का उपयोग किया जाता है। यह क्लोज्ड-लूप सिस्टम की अवधारणा है, जिसमें प्रदर्शन के दौरान प्रतिक्रिया से सुधार होता है।

B. स्कीमा सिद्धांत - III. आर. ए. शिमट : 1975 में शिमट ने स्कीमा सिद्धांत दिया, जिसमें कहा गया कि व्यक्ति अपने पूर्व अनुभवों के आधार पर नई गतिविधियों को संपन्न करता है। यह मोटर लर्निंग में एक खुली प्रणाली (open-loop) पर आधारित होता है।

C. ग्राउंडेड सिद्धांत - IV. ग्लेसर और स्ट्रॉस : 1967 में यह गुणात्मक शोध में प्रयुक्त एक प्रमुख सिद्धांतात्मक मॉडल बना, जिसमें सिद्धांत आंकड़ों से 'ग्राउंडेड' होकर विकसित होते हैं न कि पूर्वनिर्धारित ढांचे पर आधारित होते हैं।

D. प्रत्येयता की अवधारणा - I. लिंकन और गूबा : गुणात्मक शोध की विश्वसनीयता और वैधता को सुनिश्चित करने के लिए लिंकन और गूबा ने प्रत्येयता (Trustworthiness) की अवधारणा विकसित की जिसमें विश्वसनीयता, पुष्टि योग्यता, स्थानांतरण योग्यता शामिल होती हैं।

52. (1): वैज्ञानिक प्रबंधन के मूल आधारों का सही क्रम इस प्रकार है :

C. वैज्ञानिक रूप से कार्य का अध्ययन करें : सबसे पहले किसी भी कार्य को बेहतर ढंग से करने के लिए उसका वैज्ञानिक तरीके से विश्लेषण और अध्ययन किया जाता है ताकि कार्य पद्धति का निर्धारण किया जा सके।

A. कामगार का चयन करें और उन्हें प्रशिक्षण दें : उपयुक्त कौशल वाले कर्मचारियों का चयन कर उन्हें कार्य के अनुसार प्रशिक्षित किया जाता है।

D. कार्य और कामगारों का ठीक ढंग से सुमेल करें : प्रशिक्षण प्राप्त कर्मचारी को उसकी उपयुक्तता के अनुसार सही कार्य में नियोजित किया जाता है।

B. नियोक्ता और कर्मचारियों के बीच लाभों का वितरण करें : अंततः दोनों पक्षों के बीच निष्पक्ष लाभ का वितरण किया जाता है ताकि कार्य प्रेरणा बढ़े और उत्पादकता बनी रहे।

यह क्रम वैज्ञानिक प्रबंधन के प्रवर्तक फ्रेडरिक डब्ल्यू टेलर द्वारा प्रतिपादित सिद्धांतों पर आधारित है जो कार्य कुशलता और मानकीकरण को बढ़ावा देता है।

53. (1): सूची-I और सूची-II का सही मिलान इस प्रकार है :

A. VO_2 - IV. O_2 खपत प्रति मिनट : VO_2 शरीर द्वारा प्रति मिनट ऑक्सीजन खपत को दर्शाता है, जो एरोबिक क्षमता का एक माप है।

B. F_{IO_2} - I. अनुप्राणित गैस में O_2 की भिन्नात्मक सांद्रता) : F_{IO_2} अनुप्राणित (Inspired) गैस मिश्रण में ऑक्सीजन की सांद्रता को बताता है, उदाहरण के लिए वातावरण में सामान्यतः 21% ऑक्सीजन होती है।

C. $\overline{P}_{EO_2}$ - II. माध्य कोशिका O_2 दाब : $\overline{P}_{EO_2}$ फेफड़े के समापन एक्स्पिरेटरी वायु में उपस्थित ऑक्सीजन के औसत दबाव को दर्शाता है।

D. P_{AO_2} - III. वायुकोशीय O_2 दबाव : P_{AO_2} फेफड़ों के वायुकोशों (Alveoli) में ऑक्सीजन का आंशिक दबाव दर्शाता है, जो गैस विनिमय के लिए महत्वपूर्ण है।

इसलिए विकल्प 1 (A-IV, B-I, C-II, D-III) बिल्कुल सही है।

54. (1): ध्यान (Attention) के प्रकार निम्नलिखित हैं :

A. विवशता (Compulsory Attention): जब किसी व्यक्ति को अपनी इच्छा के विरुद्ध किसी उत्तेजना की ओर ध्यान देना पड़ता है, जैसे तेज आवाज या अचानक प्रकाश।

D. स्वैच्छिक (Voluntary Attention): जब व्यक्ति जानबूझकर अपने लक्ष्य की पूर्ति हेतु ध्यान केंद्रित करता है, जैसे परीक्षा की तैयारी करते समय पढ़ाई पर ध्यान देना।

E. आदतन (Habitual Attention): जब कोई गतिविधि आदत में बदल जाती है और स्वाभाविक रूप से ध्यान उस ओर आकर्षित होता है, जैसे रोजाना अखबार पढ़ते समय।

B (जागरूकता) और C (एकाग्रता) ध्यान के परिणाम (Outcomes) हैं, न कि ध्यान के प्रकार। इसलिए सही उत्तर केवल A, D और E है।

55. (3): सूची-I और सूची-II का सही मिलान इस प्रकार है :

A. उत्तरोत्तर प्रतिगमन प्रक्रिया - II. 5×80%, 3×90%, 1×100%, 3×90%, 5×80% : इस प्रक्रिया में भार और पुनरावृत्ति के स्तर में पहले वृद्धि और फिर कमी होती है।

B. उत्तरोत्तर प्रक्रिया - I. 5×80%, 4×85%, 3×90%, 2×95%, 1×100% : इसमें भार की तीव्रता को प्रत्येक सेट के साथ बढ़ाया जाता है।

C. उच्च प्रतिरोध विधि - IV. 2×95%, 2×95%, 2×95%, 2×95% : इस विधि में लगातार उच्च प्रतिरोध के साथ व्यायाम किया जाता है, जिसमें भार की तीव्रता स्थिर बनी रहती है।

D. कम प्रतिरोध विधि - III. 20×50%, 20×50%, 20×50% : इसमें कम भार के साथ उच्च पुनरावृत्ति पर ध्यान दिया जाता है, जैसे केवल 50% अधिकतम भार पर बार-बार अभ्यास।

यह सुमेलन व्यायाम कार्यक्रमों में भार के प्रबंधन के विभिन्न तरीकों के आधार पर तैयार किया गया है।

56. (*): प्रश्न में दिए गए सभी विकल्प सही सुमेलन प्रस्तुत नहीं करते, इसलिए सही उत्तर सूची में नहीं है। वास्तविक मिलान इस प्रकार होना चाहिए :

A. मीजिल्स टीका - IV. ऑटिज्म : से गलत रूप से जोड़ा जाता रहा है, लेकिन वैज्ञानिक प्रमाण इसे खंडित कर चुके हैं।

B. डिप्थीरिया टीका - वास्तविक गंभीर दुष्प्रभावों में न्यूरोलॉजिकल समस्याएँ हो सकती हैं, परंतु मल्टीपल स्क्लेरोसिस (III) से सीधा संबंध प्रमाणित नहीं है।

C. हीमोफिलस इन्फ्लुएंजा टाइप-B टीका - सडन इन्फैंट डेथ सिंड्रोम (I) से नहीं जुड़ा है।

D. हेपाटाइटिस-बी टीका - मधुमेह (डाइबिटीज) (II) से सीधा वैज्ञानिक प्रमाण संबंध स्थापित नहीं करता।

इसलिए सही सुमेलन विकल्पों में से किसी में भी नहीं है, और उत्तर NONE होना चाहिए।

57. (1): जर्मनी में शिक्षा और खेलों के प्रति उदारवादी दृष्टिकोण को प्रस्तुत करने का श्रेय जॉन बेसडो (Johann Basedow) को दिया जाता है। उन्होंने 18वीं सदी में 'फिलैंथ्रॉपिनम' स्कूल की स्थापना की, जहाँ शारीरिक शिक्षा और खेलों

को शिक्षा प्रणाली का अनिवार्य भाग बनाया गया। उनका मुख्य उद्देश्य शरीर और मस्तिष्क दोनों का संतुलित विकास करना था।

नील्स बक, एडोल्फ जॉन और रोनाल्ड जोसेफ इस विशेष योगदान से जुड़े नहीं हैं।

58. (*): लिम्फैटिक फिलारियासिस के नैदानिक आविर्भाव के चरणों के सही अनुक्रम के अनुसार :

- सबसे पहले ऐसेम्पटोमैटिक माइक्रोफिलारेमिया (D) होता है, जिसमें संक्रमण तो होता है पर लक्षण प्रकट नहीं होते।
- फिर ऐसेम्पटोमैटिक अमाइक्रोफिलारेमिया (B) आता है, जिसमें शरीर में संक्रमण के लक्षण नहीं होते और रक्त में माइक्रोफिलेरिया भी नहीं होते।
- उसके बाद तीव्र आविर्भाव के चरण (C) आते हैं, जिसमें सूजन, दर्द और बुखार जैसे लक्षण दिखते हैं।
- अंततः चिरकालिक बाधक विक्षति के चरण (A) आते हैं, जिसमें स्थायी सूजन (एलिफैंटियासिस) होती है।

इसलिए सही अनुक्रम D → B → C → A होना चाहिए, पर यह विकल्प प्रश्न में उपलब्ध नहीं है, इसलिए सही उत्तर NONE है।

59. (4): अभिप्रेरण के लिए अभिप्रेरित क्रियाकलापों का सही क्रम इस प्रकार है :

B. आवश्यकता : सबसे पहले किसी आवश्यकता की अनुभूति होती है, जैसे भूख या प्यास।

E. आवेग : आवश्यकता से प्रेरित होकर एक आंतरिक आवेग उत्पन्न होता है।

C. अरुचिकर क्रियाकलाप : आवश्यकता की पूर्ति के लिए व्यक्ति प्रयास करना प्रारंभ करता है, चाहे कार्य रुचिकर न भी हो।

A. लक्ष्य : प्रयासों का लक्ष्य होता है आवश्यकता की पूर्ति करना।

D. संतुष्टि : लक्ष्य प्राप्ति के बाद व्यक्ति को संतोष और मानसिक संतुलन प्राप्त होता है।

60. (4): सूची-I और सूची-II का सही सुमेलन इस प्रकार है :

A. जर्मन जिम्नास्टिक्स - II. गट्स मथ : गट्स मथ ने जर्मन जिम्नास्टिक्स की स्थापना की, जिसमें अनुशासन और कठोर शारीरिक व्यायाम पर बल दिया गया।

B. प्रिमिटिव जिम्नास्टिक्स - IV. नील बक : नील बक ने शारीरिक गतिविधियों को सहज प्राकृतिक गतिविधियों से जोड़ा।

C. स्वीडिश जिम्नास्टिक्स - I. पे हेनरिक लिंग : स्वीडन के पे लिंग ने चिकित्सा और व्यायाम को जोड़ते हुए स्वीडिश जिम्नास्टिक्स विकसित की।

D. ए सिस्टम ऑफ फिजिकल एजुकेशन-दि थ्योरिटीकल एंड प्रैक्टिकल - III. आर्कीबाल्ड मैकलारेन : उन्होंने इस कार्य के माध्यम से व्यायाम के वैज्ञानिक और व्यावहारिक दृष्टिकोण पर प्रकाश डाला।

61. (2): सहनशक्ति (Endurance) के आकलन के लिए किए जाने वाले प्रमुख परीक्षण हैं :

A. एस्ट्रान्ड ट्रेड मिल परीक्षण : यह एक उप-अधिकतम ट्रेडमिल परीक्षण है जिसका उद्देश्य वॉयटू मैक्स (VO_2 Max) का आकलन करना होता है।

B. कानकोनी परीक्षण : साइकल एर्गोमीटर पर आधारित एक शारीरिक सहनशक्ति परीक्षण है।

C. कनिंघम एंड फाल्कर परीक्षण : एथलीटों की एरोबिक क्षमता (Aerobic Capacity) को मापने हेतु प्रयुक्त एक ट्रेडमिल परीक्षण है।

E. मल्टीस्टेज फिटनेस परीक्षण - बीप टेस्ट : यह एक प्रगतिशील धावन परीक्षण है जो कार्डियोरेस्पिरेटरी सहनशक्ति को मापता है।

D (कैनेडियन क्रंच परीक्षण) मुख्यतः मांसपेशीय सहनशक्ति विशेषकर पेट की मांसपेशियों (Abdominal Muscles) का परीक्षण करता है, सामान्य एरोबिक सहनशक्ति का नहीं। इसलिए सही उत्तर केवल A, B, C और E हैं।

62. (3): यह कथन स्टर्लिंग के हृदय नियम (Frank-Starling Law of the Heart) को दर्शाता है। इस नियम के अनुसार, यदि हृदय पेशी तंतुओं की प्रारंभिक लंबाई (Stretch) अधिक होगी, तो वे अधिक बल के साथ संकुचित होंगे। इसका कारण है मायोफिब्रिल्स में एक्टिन और मायोसिन के संकुचन में बेहतर अनुकूलन। यह सिद्धांत विशेषकर कार्डियक आउटपुट और वेंट्रिकुलर फिलिंग के संबंध को समझाने में सहायक है।

बाकी विकल्प जैसे बॉयल, पैवलोव और मेंडेल हृदय की गति या वॉल्यूम नियमों से नहीं जुड़े हैं।

63. (3): मध्य नितंबिका (Gluteus Medius) मांसपेशी श्रोणिफलक (Ilium) के पश्च और अग्र, नितंब रेखाओं (Posterior and Anterior Gluteal Lines) के बीच स्थित होती है। यह मांसपेशी कूल्हे के स्थिरीकरण और अपहरण (abduction) में महत्वपूर्ण भूमिका निभाती है। वृहत नितंबिका (Gluteus Maximus) श्रोणि की सतही

सतह पर होती है और मुख्यतः विस्तार (extension) कार्य करती है। समऔर्विका और दीर्घतमा मांसपेशियाँ जांघ से संबंधित हैं।

इसलिए सही उत्तर मध्य नितंबिका है।

64. (3): वाग्दोष (Speech Defect) उच्चारण समस्याओं (Articulation Problems) को कहते हैं। इसमें ध्वनियों के सही उच्चारण में कठिनाई होती है, जिससे शब्द विकृत हो जाते हैं। वाग्दोष के उदाहरणों में हकलाना (Stuttering), वाणी अस्पष्टता (Slurred Speech) आदि शामिल हैं। अर्थ रूपांतरण, आकृति बोध और दृष्टिहीनता वाग्दोष नहीं हैं बल्कि संज्ञानात्मक या शारीरिक अक्षमताएँ हैं।

इसलिए सही उत्तर उच्चारण समस्या है।

65. (1): अधिकतम ऑक्सीजन उपभोग (VO_2 Max) की वृद्धि क्षमता मुख्यतः आनुवंशिक कारकों द्वारा सीमित होती है। अनुसंधानों से यह पाया गया है कि लगभग 40% से 50% VO_2 Max का निर्धारण आनुवंशिक तत्वों द्वारा होता है। पर्यावरण, प्रशिक्षण और अतिभार भी प्रभाव डालते हैं, परंतु उनकी तुलना में आनुवंशिक क्षमता निर्णायक कारक होती है। उदाहरण के लिए, विश्व स्तरीय धावक या तैराकों में अत्यधिक उच्च VO_2 Max आनुवंशिक विरासत का परिणाम होता है।

इसलिए सही उत्तर आनुवंशिकी है।

66. (2): जब शून्य परिकल्पना (Null Hypothesis) सही होती है लेकिन उसे अस्वीकार कर दिया जाता है, तो यह प्रकार I त्रुटि (Type I Error) कहलाती है। यह त्रुटि उस स्थिति को दर्शाती है जब शोधकर्ता एक अंतर या प्रभाव को पाता है, जबकि वास्तव में ऐसा कोई अंतर या प्रभाव नहीं होता। इसे α (अल्फा) द्वारा निरूपित किया जाता है और सामान्यतः इसका स्तर 0.05 (5%) पर निर्धारित किया जाता है।

प्रकार II त्रुटि में शून्य परिकल्पना को गलत तरीके से स्वीकार कर लिया जाता है, जबकि प्रकार I त्रुटि में उसे गलत तरीके से अस्वीकार किया जाता है।

67. (3): उद्घाटन समारोह का सही अनुक्रम इस प्रकार होता है :

D. खेलाध्यक्ष का आगमन : समारोह की औपचारिक शुरुआत खेलों के अध्यक्ष के आगमन से होती है।

A. खेलों के अध्यक्ष का मंच पर सम्मान : इसके बाद अध्यक्ष का मंच पर स्वागत और सम्मान किया जाता है।

C. एथलीटों का मार्च-पास्ट - प्रयाण : विभिन्न देशों के खिलाड़ी परेड करते हैं, जिससे आयोजन का रंगारंग प्रारंभ होता है।

E. अध्यक्ष द्वारा खेलों की उद्घोषणा : खेलों के आधिकारिक उद्घाटन की घोषणा अध्यक्ष द्वारा की जाती है।

B. ओलंपिक शपथ : अंततः एथलीटों, निर्णायकों और अधिकारियों द्वारा निष्पक्ष खेल भावना के लिए शपथ ली जाती है।

68. (2): जनसंख्या के स्वास्थ्य को जीवनांक सांख्यिकी (Vital Statistics) के माध्यम से मापा जाता है। जीवनांक सांख्यिकी में जन्म दर (Birth Rate), मृत्यु दर (Death Rate), रोग संक्रमण दर (Morbidity), मृत्यु दर (Mortality) आदि आँकड़े शामिल होते हैं। इन आँकड़ों का विश्लेषण कर किसी समाज की स्वास्थ्य स्थिति का मूल्यांकन किया जाता है। अनुप्रयुक्त सांख्यिकी, वर्णनात्मक सांख्यिकी और आनुमानिक सांख्यिकी विश्लेषण की तकनीकें हैं, लेकिन सीधे जनस्वास्थ्य के मापन के लिए जीवनांक सांख्यिकी ही प्रयुक्त होती है।

69. (2): पश्च-अभिघातज तनाव विकार (Post-Traumatic Stress Disorder—PTSD) एक गंभीर, दीर्घकालिक मनोवैज्ञानिक स्थिति उत्पन्न करता है। यह विकार किसी भी अत्यधिक भयावह, जीवन को खतरे में डालने वाली घटना के बाद उत्पन्न हो सकता है। PTSD में व्यक्ति बार-बार घटना को याद करता है, डरावने सपने आते हैं, चिड़चिड़ापन बढ़ता है और सामाजिक अलगाव हो सकता है। प्राक्-अभिघातज, निरोधक-अभिघातज या पूर्व-अभिघातज तनाव विकार जैसी कोई स्वीकृत चिकित्सा शर्त नहीं होती, केवल PTSD (पश्च-अभिघातज) चिकित्सीय रूप से मान्य है।

70. (1): भारत में शारीरिक शिक्षा को डिग्री पाठ्यक्रम के रूप में मान्यता देने वाला प्रथम विश्वविद्यालय विक्रम विश्वविद्यालय, उज्जैन था। विक्रम विश्वविद्यालय ने शारीरिक शिक्षा को शैक्षणिक स्तर पर संस्थागत मान्यता प्रदान करते हुए बी.पी.ई.डी. जैसे डिग्री कार्यक्रमों की शुरुआत की।

जीवाजी विश्वविद्यालय, डॉ. हरि सिंह गौर विश्वविद्यालय और देवी अहिल्या विश्वविद्यालय ने भी बाद में शारीरिक शिक्षा के क्षेत्र में महत्वपूर्ण योगदान दिया, लेकिन प्रारंभिक मान्यता विक्रम विश्वविद्यालय द्वारा दी गई थी।

71. (2): हेट्रोक्रोनिसिटी ऑफ रिकवरी का अर्थ है शरीर के विभिन्न भागों और अंगों में प्रतिलाभ (Recovery) की गति में असमानता होना। व्यायाम या चोट के बाद सभी अंग एकसमान गति से ठीक नहीं होते। कुछ अंग जैसे मांसपेशियाँ जल्दी पुनर्प्राप्ति कर सकती हैं, जबकि अन्य अंग जैसे तंत्रिकातंत्र या संयोजी ऊतक धीमी गति से सुधार करते हैं। इसलिए शारीरिक प्रशिक्षण या पुनर्वास कार्यक्रमों में इस विविधता को ध्यान में रखना आवश्यक होता है।

72. (2): यह परिभाषा हैरोल्ड एम. बैरो (Harold M. Barrow) द्वारा दी गई थी। उन्होंने शारीरिक शिक्षा को मानव संचलन के माध्यम से उद्देश्यों की पूर्ति के रूप में परिभाषित किया। खेल, व्यायाम, नृत्य, जिम्नास्टिक्स जैसी वृहद मांसपेशीय गतिविधियाँ शारीरिक शिक्षा के साधन माने गए। जे.बी. नेश, चार्ल्स ए. ब्युकर और जे.पी. थॉमस ने भी शारीरिक शिक्षा पर कार्य किया, परंतु यह परिभाषा बैरो की विशिष्ट पहचान है।

73. (2): सूची-I और सूची-II का सही मिलान इस प्रकार है :

A. ग्लूकोनियोजेनेसिस - IV. कार्बोहाइड्रेट का गैर-कार्बोहाइड्रेट स्रोत से निर्माण : जैसे अमीनो अम्लों से ग्लूकोज का संश्लेषण।

B. ग्लाइकोजेनेसिस - III. ग्लूकोज से ग्लाइकोजन का निर्माण : जब शरीर ऊर्जा भंडार के लिए ग्लाइकोजन बनाता है।

C. ग्लाइकोजेनोलाइसिस - II. ग्लाइकोजन का ग्लूकोज में विघटन : ऊर्जा आवश्यकता होने पर ग्लाइकोजन का ग्लूकोज में अपघटन।

D. ग्लाइकोलाइसिस - I. ग्लाइकोजन का अपूर्ण विघटन : यह प्रक्रिया कोशिका में ऊर्जा उत्पादन के लिए होती है जिसमें आंशिक रूप से ग्लूकोज टूटता है।

74. (3): बार-बार दोहराए जाने वाले उपायों पर प्रतिकूल प्रभाव डालने वाली समस्याएँ हैं :

A. अग्रनयन प्रभाव (Primacy Effect): शुरुआती उपायों की याद या प्रभाव बाद के उपायों को प्रभावित कर सकता है।

C. थकान (Fatigue): लंबे समय तक प्रयास के कारण कार्यक्षमता में गिरावट आती है।

D. संवेदीकरण (Sensitization): किसी उत्तेजना के प्रति अत्यधिक प्रतिक्रिया पैदा हो सकती है, जिससे निष्पादन प्रभावित होता है।

B (अंतरवैयक्तिक प्रभाव) और E (कारक संबंधी प्रभाव) अलग तरह के सामाजिक और प्रेरक प्रभाव हैं जो इस संदर्भ में प्रत्यक्ष नहीं माने जाते।

75. (2): सूची-I और सूची-II का सही मिलान इस प्रकार है :

A. अधिशेष ऊर्जा सिद्धांत - III. वैन सिलर और हर्बर्ट स्पेंसर : इस सिद्धांत के अनुसार खेल और अन्य गतिविधियाँ अधिशेष ऊर्जा के निकास का माध्यम हैं।

B. पुनरावर्तन सिद्धांत - I. जी. स्टैनले हॉल : इस सिद्धांत के अनुसार बालक के विकास में उसके वंशजों के विकास की पुनरावृत्ति होती है।

C. विरेचक सिद्धांत - IV. अरस्तू : इस सिद्धांत के अनुसार खेल व मनोरंजन तनाव व दबाव से मुक्ति का साधन है।

D. प्रत्याशित सिद्धांत - II. कार्ल ग्रूस : इसके अनुसार खेल भविष्य के जीवन के लिए तैयार करने का अभ्यास है।

76. (3): क्रांतिक गति (Critical Velocity) का तात्पर्य उच्च तीव्रता पर व्यायाम करने की उस अधिकतम गति से है जहाँ स्थिर स्थिति बनाए रखी जा सकती है। इसमें आमतौर पर व्यायामकर्ता VO_2 मैक्स के 90-100% के बीच कार्य करता है। हृदय गति भी लगभग 175-180 बीट्स प्रति मिनट के बीच होती है।

अवायवीय देहलीज (Anaerobic Threshold) भी क्रांतिक गति के निर्धारण में महत्वपूर्ण होती है। लेकिन यदि व्यायाम केवल VO_2 मैक्स के 75-80% के स्तर पर है, तो उसे क्रांतिक गति नहीं माना जाता, बल्कि मध्यम तीव्रता की श्रेणी में आता है।

इसलिए सही उत्तर 75-80% VO_2 मैक्स है जो इसमें शामिल नहीं होता।

77. (1): शिक्षण अभ्यास के दौरान सही ढंग से कक्षा निर्माण (Formation) के प्रकार निम्न हैं :

A. स्पोक निर्माण (Spoke Formation): केंद्र से चारों ओर विकिरण रूप में छात्रों का क्रम।

B. रैंक निर्माण (Rank Formation): छात्रों की कतारें एक के पीछे एक लगाई जाती हैं।

D. फाइल निर्माण (File Formation): छात्र एक लंबी पंक्ति या स्तंभ में खड़े होते हैं।

C (रोप निर्माण) और E (ट्री निर्माण) जैसे निर्माण मानक कक्षा संरचनाओं का भाग नहीं हैं।

इसलिए सही उत्तर केवल A, B और D है।

78. (*): प्रश्न में दिए गए विकल्पों के आधार पर सही उत्तर कोई भी विकल्प पूरी तरह से सही नहीं है।

- अधिगम अशक्त बालक (Learning Disabled Children) वे होते हैं जो सामान्य बुद्धि रखते हैं परंतु पढ़ाई, लेखन, गणित या अन्य शैक्षणिक क्षेत्रों में गंभीर कठिनाइयाँ अनुभव करते हैं।
- ये बच्चे सामान्यतः उच्च बुद्धि लब्धि वाले (C) या सामाजिक रूप से सुसमायोजित (E) नहीं माने जाते।
- मंदता (A या B) और मनोबाधा (D) विशेष शिक्षण आवश्यकताओं से भिन्न हैं।

अतः सही उत्तर उपलब्ध विकल्पों में नहीं है, इसलिए उत्तर NONE है।

79. (4): प्राचीन ओलंपिक खेलों के आरंभ से पहले शूकर (Pig) की बलि दी जाती थी। यूनानी धार्मिक परंपरा के अनुसार, शुद्धिकरण और देवी-देवताओं को प्रसन्न करने हेतु बलिदान किए जाते थे। ज्यूस (Zeus) देवता को प्रसन्न करने के लिए मुख्यतः शूकर की बलि दी जाती थी। घोड़ा, भेड़ और भैंस बलिदान की परंपरा में रहे हैं, लेकिन ओलंपिक संदर्भ में शूकर विशेष महत्व रखता था।

80. (2): स्थापना के आरोही क्रम में सही क्रम निम्नानुसार है :

B. एचवीपीएम, अमरावती - 1914 : भारत में शारीरिक शिक्षा के सबसे पुराने संस्थानों में से एक।

C. वाईएमसीए, मद्रास - 1920 : YMCA ने शारीरिक शिक्षा और खेलों को लोकप्रिय बनाने में अग्रणी भूमिका निभाई।

A. क्रिश्चियन कॉलेज ऑफ फिजिकल एजुकेशन, लखनऊ - 1926 : लखनऊ स्थित यह संस्थान शारीरिक शिक्षा के लिए एक प्रमुख केंद्र रहा है।

D. एलसीपीई, ग्वालियर - 1957 : बाद में लक्ष्मीबाई राष्ट्रीय शारीरिक शिक्षा संस्थान (LNIPE) बना।

इसलिए सही उत्तर B, C, A, D है।

81. (1): डेल्फी विधि (Delphi Method) एक ऐसी तकनीक है जिसका उपयोग वैज्ञानिक या तकनीकी विषयों पर आम सहमति प्राप्त करने के लिए किया जाता है। इसमें विशेषज्ञों के एक समूह से कई चक्रों में उत्तर प्राप्त किए जाते हैं। प्रत्येक चक्र के बाद प्रतिक्रियाओं का सारांश प्रस्तुत किया जाता है, और प्रतिभागियों को अपने उत्तरों पर पुनर्विचार करने का अवसर दिया जाता है। यह प्रक्रिया तब तक जारी रहती है जब तक समूह में आम सहमति या स्थिरता प्राप्त नहीं हो जाती।

अनुप्रस्थ काट विधि, साक्षात्कार विधि और रुझान अध्ययन विधि सर्वेक्षण की अन्य विधियाँ हैं, लेकिन वैज्ञानिक सहमति के लिए डेल्फी विधि सर्वाधिक उपयुक्त मानी जाती है।

82. (3): किसी स्थिति को तनावपूर्ण (Stressful Situation) तब माना जाता है जब उसमें क्षति (Damage) या हानि (Loss) की अनुभूति हो। व्यक्ति को जब यह महसूस होता है कि उसकी शारीरिक, मानसिक या सामाजिक स्थिति को नुकसान पहुँचा है या पहुँच सकता है, तो तनाव उत्पन्न होता है। उदाहरण के लिए, दुर्घटना में घायल होना या किसी प्रियजन की मृत्यु होना क्षति की स्थिति मानी जाती है।

पर्यावरणीय, मानसिक या सशर्त स्थितियाँ तनाव के कारण हो सकती हैं, लेकिन सीधे तौर पर क्षति और हानि की स्थिति तनाव का मूल कारक होती है।

83. (2): सूची-I और सूची-II का सही मिलान इस प्रकार है :

A. लेखा (Accounting) - II. वित्तीय डेटा की रिकॉर्डिंग और निरूपण : लेखांकन का कार्य वित्तीय लेनदेन का दस्तावेजीकरण और विश्लेषण करना होता है।

B. परिसंपत्ति (Asset) - I. किसी व्यक्ति द्वारा धारित संपत्तियों का मूल्य : परिसंपत्ति वह संपत्ति है जो व्यक्ति या संस्था के पास होती है।

C. लिखित मूल्य (Written Down Value) - IV. तुलना पत्र में प्रदर्शित किसी परिसंपत्ति का मूल्य : लेखांकन में परिसंपत्ति का मूल्यांकन घटी हुई लागत पर किया जाता है।

D. देयता (Liability) - III. दूसरों से लिया गया ऋण और बिजनेस फर्म में लेनदारों की इक्विटी : देयता वह धनराशि है जिसे किसी संस्था को चुकाना होता है।

84. (1): "शिक्षण प्रक्रिया को अधिक प्रभावकारी बनाने के लिए शारीरिक और व्यावहारिक विज्ञान के सिद्धांतों का उपयोग होना चाहिए।" यह परिभाषा प्रो. एस.एस. कृष्ण द्वारा दी गई थी। उन्होंने इस बात पर बल दिया कि शिक्षण प्रक्रिया को अधिक प्रभावकारी बनाने के लिए शारीरिक विज्ञान (Physical Science) और व्यावहारिक विज्ञान (Practical Science) के सिद्धांतों का उचित प्रयोग किया जाना चाहिए। इसका अर्थ है कि वैज्ञानिक तथ्यों और व्यावहारिक अनुप्रयोगों को मिलाकर शिक्षण को अधिक परिणामकारी और उपयोगी बनाया जा सकता है।

उर्विन, लुडविग और निक्सन ने भी शिक्षा के क्षेत्र में योगदान दिया है, लेकिन इस परिभाषा को सीधे प्रो. एस.एस. कृष्ण से जोड़ा जाता है।

85. (3): जब किसी व्यक्ति की उम्र बढ़ती है तो निम्नलिखित घटकों में कमी देखी जाती है :

A. मांसपेशी का आकार : उम्र बढ़ने के साथ मांसपेशियों की मात्रा और घनत्व में कमी आती है, जिसे सरकोपेनिया (Sarcopenia) कहते हैं।

C. मांसपेशीय शक्ति : बढ़ती उम्र के साथ मांसपेशियों की कार्यक्षमता और शक्ति में गिरावट होती है।

E. शरीर में वसा का न होना : उम्र के साथ शरीर में वसा सामान्यतः बढ़ती है, लेकिन शरीर की सक्रिय वसा-मुक्त द्रव्यमान (Fat-Free Mass) में कमी होती है।

B (शरीर में वसा का प्रतिशत) उम्र के साथ बढ़ता है, कम नहीं होता। D (रक्तचाप) भी आमतौर पर उम्र के साथ बढ़ता है, गिरता नहीं है।

इसलिए सही उत्तर केवल A, C और E है।

86. (3): कार्बोहाइड्रेट लोडिंग के प्रभाव निम्नलिखित हैं :

A. मांसपेशियों के वजन में 25 ग्राम/किग्रा की दर से मांसपेशी ग्लाइकोजन बढ़ता है : जब एथलीट कार्बोहाइड्रेट लोडिंग करते हैं, तो मांसपेशी ग्लाइकोजन संग्रहण काफी अधिक बढ़ जाता है।

B. 3–4 ग्राम पानी एक ग्राम मांसपेशी ग्लाइकोजेन के साथ एकत्र होता है : ग्लाइकोजेन जल-बाइंडिंग प्रकृति का होता है; एक ग्राम ग्लाइकोजेन के साथ लगभग 3–4 ग्राम पानी संग्रहित होता है।

D. कुल 1–2 किलोग्राम पानी शरीर में एकत्र होता है : ग्लाइकोजेन के साथ जुड़े अतिरिक्त पानी के कारण कुल शरीर द्रव्यमान में भी वृद्धि होती है।

C (8–9 ग्राम पानी) गलत है क्योंकि पानी की मात्रा 3–4 ग्राम होती है, 8–9 ग्राम नहीं। इसलिए सही उत्तर केवल A, B और D है।

87. (2): चोट लगने की संभावना निम्न स्थितियों में बढ़ जाती है :

A. अत्यधिक कम लचीलापन : यदि जोड़ अत्यधिक अकड़े हुए हैं तो गति सीमा सीमित होती है और चोट का जोखिम बढ़ता है।

C. बहुत अधिक लचीलापन : यदि जोड़ बहुत अधिक लचीले हैं तो वे अस्थिर हो सकते हैं, जिससे चोट का खतरा बढ़ता है।

D. शरीर के प्रबल और अप्रबल पार्श्वों में अत्यधिक असंतुलन : यदि एक ओर का पक्ष दूसरे से अधिक मजबूत है तो शरीर में असंतुलन पैदा होता है जिससे कार्यप्रणाली बाधित होती है और चोट लगने का खतरा होता है।

B (कठोरता) भी चोट का कारण हो सकती है, लेकिन यहाँ स्पष्ट तौर पर लचीलापन की चरम स्थितियों पर ध्यान दिया गया है। इसलिए सही उत्तर केवल A, C और D है।

88. (2): आर.एल. होन्स (1975) के अनुसार आगमनात्मक तर्क का सही क्रम इस प्रकार है :

C. प्रेक्षण : सबसे पहले तथ्यों या घटनाओं का प्रत्यक्ष अवलोकन किया जाता है।

A. परिकल्पना : अवलोकन के आधार पर एक प्रारंभिक अनुमान या परिकल्पना बनाई जाती है।

E. परिकल्पनाओं का एक साथ योजन : विभिन्न परिकल्पनाओं को एकत्र कर उनका संयोजन और विश्लेषण किया जाता है।

D. सामान्य व्याख्या : इसके बाद डेटा और परिकल्पनाओं के आधार पर एक सामान्य व्याख्या दी जाती है।

B. सिद्धांत : अंत में सामान्य व्याख्याओं से एक व्यापक सिद्धांत का विकास होता है।

89. (1): परिस्थितिजन्य प्रबंधन नेतृत्व सिद्धांत के मानक मॉडल निम्नलिखित हैं :

A. फिल्डर्स कांटीजेंसी मॉडल : नेतृत्व की प्रभावशीलता परिस्थिति के अनुकूल होती है।

B. पाथ-गोल मॉडल : इसमें नेता कर्मचारियों के लक्ष्य प्राप्ति में सहायता करते हैं।

C. सिचुएशनल लीडरशिप मॉडल : नेतृत्व शैली परिस्थितियों के अनुसार बदलती है।

E. फुल रेंज ऑफ लीडरशिप मॉडल : इसमें परिवर्तनकारी और लेन-देनात्मक नेतृत्व शैलियाँ शामिल हैं।

D (साइंटिफिक लीडरशिप मॉडल) परिस्थितिजन्य प्रबंधन सिद्धांत का प्रत्यक्ष अंग नहीं है। इसलिए सही उत्तर केवल A, B, C, E है।

90. (2): 2023 में टेबल टेनिस में अर्जुन पुरस्कार सुश्री अहिका मुखर्जी को प्रदान किया गया। अहिका मुखर्जी भारत की प्रमुख टेबल टेनिस खिलाड़ी हैं जिन्होंने राष्ट्रीय और अंतरराष्ट्रीय स्तर पर उत्कृष्ट प्रदर्शन किया है। उन्होंने कई प्रतिस्पर्धाओं में भारत का प्रतिनिधित्व किया और पदक हासिल किए।

आर. वैशाली शतरंज में, नसरीन एथलेटिक्स में और दिव्याकृति सिंह घुड़सवारी खेलों में सक्रिय हैं।

91. (4): गद्यांश के अनुसार, पृष्ठभूमि संगीत (चाहे समकालिक हो या असमकालिक) एक ऐसा कारक था जिसे प्रयोगकर्ता द्वारा नियंत्रित और परिवर्तित किया गया था। जब शोधकर्ता किसी स्थिति या तत्व में बदलाव करता है, तो वह स्वतंत्र चर कहलाता है। यहाँ पर व्यायाम करते समय संगीत का प्रकार (समकालिक या असमकालिक) स्वतंत्र चर के रूप में प्रयोग किया गया। इसका उद्देश्य आश्रित चर (जैसे प्रदर्शन) पर प्रभाव का अध्ययन करना था।

92. (1): श्रेणीबद्ध चर (Categorical Variable) वे होते हैं जिन्हें वर्गों में विभाजित किया जाता है और जिनमें सीधा हेरफेर संभव नहीं होता। उदाहरण के लिए, लिंग (पुरुष या महिला) एक श्रेणीबद्ध चर है जिसे प्रयोगकर्ता बदल नहीं सकता। श्रेणीबद्ध चर केवल प्रतिभागियों के प्राकृतिक गुण होते हैं जिन्हें प्रयोग में केवल रिकॉर्ड किया जाता है, बदला नहीं जाता। स्वतंत्र चर और बाह्य चर में हेरफेर संभव है, लेकिन श्रेणीबद्ध चर में नहीं।

93. **(4):** गद्यांश में बताया गया है कि पुरुषों और महिलाओं के प्रदर्शन में अंतर, जैसे महिलाओं का पुरुषों की उपस्थिति में कम प्रयास करना, एक बाह्य चर का उदाहरण है। बाह्य चर वे तत्व होते हैं जो स्वतंत्र और आश्रित चर के बीच संबंध को अप्रत्यक्ष रूप से प्रभावित कर सकते हैं। यह चर प्रयोग का प्रत्यक्ष भाग नहीं होता परंतु परिणामों को प्रभावित कर सकता है, जिससे निष्कर्ष में भ्रम उत्पन्न हो सकता है। यहाँ पर लिंग आधारित सामाजिक व्यवहार एक बाह्य कारक था जिसने प्रदर्शन को प्रभावित किया।

94. **(3):** किसी भी प्रयोग की आंतरिक वैधता (Internal Validity) बाह्य चर से सबसे अधिक प्रभावित होती है। जब बाह्य चर नियंत्रित नहीं होते, तो यह असली स्वतंत्र चर के प्रभाव के साथ मिलकर परिणाम को प्रभावित कर सकते हैं। इससे यह स्पष्ट नहीं हो पाता कि परिणाम स्वतंत्र चर के कारण हुए या किसी अन्य अनियंत्रित कारक के कारण। उदाहरण के लिए, यदि पुरुषों और महिलाओं के सामाजिक व्यवहार का ध्यान नहीं रखा जाए, तो यह प्रदर्शन के निष्कर्ष को प्रभावित कर सकता है।

95. **(4):** सभी प्रायोगिक शोधों में चर पर नियंत्रण शोधकर्ता के निर्णय पर निर्भर करता है। कभी-कभी सभी चर को नियंत्रित करना संभव या आवश्यक नहीं होता, विशेष रूप से व्यवहारिक विज्ञानों में। शोधकर्ता तय करता है कि किन चर को नियंत्रित करना है और किन चर को स्वतंत्र छोड़ना है ताकि अध्ययन का उद्देश्य पूरा हो सके। इसलिए, यह कोई कठोर नियम नहीं है कि हर समय नियंत्रण होना चाहिए, बल्कि प्रयोग की प्रकृति और उद्देश्यों के आधार पर निर्णय लिया जाता है।

96. **(2):** चक्रीय ए एम पी (cyclic AMP) तंत्र शरीर में हार्मोन के माध्यम से कोशिका के अंदर जैव रासायनिक गतिविधियों को नियंत्रित करता है, जिसमें मुख्यतः :

- कोशिका झिल्ली की पारगम्यता का क्रमांतरण,
- एंजाइम प्रणाली का सक्रियण,
- प्रोटीन संश्लेषण, शामिल हैं।

लेकिन तंत्रिका उद्दीपन (Nerve Stimulation) प्रत्यक्ष रूप से चक्रीय ए एम पी तंत्र का कार्य नहीं है। तंत्रिका उद्दीपन मुख्यतः विद्युत संकेतों और न्यूरोट्रांसमीटर के माध्यम से होता है, न कि चक्रीय ए एम पी माध्यम से। इसलिए सही उत्तर तंत्रिका उद्दीपन है।

97. **(2):** गद्यांश में स्पष्ट उल्लेख है कि व्यायाम के दौरान कुछ हार्मोन का स्तर बढ़ता है जैसे GH, ACTH, TSH आदि, लेकिन ल्यूटिनाइजिंग हार्मोन (LH) का रक्त स्तर व्यायाम के दौरान नहीं बढ़ता। LH मुख्यतः प्रजनन अंगों के कार्यों से जुड़ा होता है और इसके स्तर में वृद्धि सामान्यतः व्यायाम के प्रभाव में नहीं होती। इसके विपरीत, ACTH, ADH, GH जैसे हार्मोन व्यायाम के दौरान बढ़ते हैं।

98. **(3):** गद्यांश के अनुसार, व्यायाम के दौरान जिन हार्मोनों का रक्त स्तर बढ़ता है, उनमें टीएसएच (Thyroid Stimulating Hormone) भी शामिल है। TSH का स्राव पिट्यूटरी ग्रंथि से होता है जो थायरॉयड ग्रंथि को सक्रिय करता है। व्यायाम शरीर की ऊर्जा आवश्यकता को बढ़ाता है, इसलिए चयापचय दर को बढ़ाने के लिए TSH का स्तर बढ़ता है। इसके विपरीत, इंसुलिन का स्तर व्यायाम के दौरान घटता है और कैल्सीटोनिन तथा FSH में कोई विशेष वृद्धि नहीं होती।

99. **(*):** थायरॉइड ग्रंथि निम्न हार्मोन स्रावित करती है :

- थाइरॉक्सिन (T4)
- ट्राईआयोडोथाइरोनिन (T3)
- कैल्सीटोनिन

लेकिन दिए गए विकल्पों में टेस्टोस्टेरोन, एस्ट्रोजन, ACTH और FSH शामिल हैं, जो थायरॉइड ग्रंथि के हार्मोन नहीं हैं।

- टेस्टोस्टेरोन और एस्ट्रोजन अंडाशय और वृषण से निकलते हैं।
- ACTH पिट्यूटरी ग्रंथि से निकलता है।
- FSH भी पिट्यूटरी ग्रंथि से निकलता है।

इसलिए इस प्रश्न का सही उत्तर NONE है।

100. **(1):** गद्यांश में बताया गया है कि हार्मोनल नियंत्रण का मुख्य तंत्र नकारात्मक प्रतिपुष्टि तंत्र (Negative Feedback Mechanism) है। इसका अर्थ है जब हार्मोन का स्तर शरीर में बढ़ जाता है, तो वही हार्मोन अपने उत्पादन को रोकने या कम करने के संकेत देता है। उदाहरण : जब रक्त में थायरॉइड हार्मोन का स्तर बढ़ जाता है, तो यह पिट्यूटरी ग्रंथि को TSH का उत्पादन कम करने का संकेत देता है। यह प्रक्रिया शरीर में हार्मोन के संतुलन को बनाए रखने के लिए अत्यंत आवश्यक है।

पिछले प्रश्न-पत्र

National Testing Agency (NTA)

UGC-NET जूनियर रिसर्च फैलोशिप तथा सहायक प्राध्यापक पात्रता परीक्षा

शारीरिक शिक्षा, सितम्बर-2024

(Exam held on 02-09-2024)

प्रश्न-पत्र-II

1. प्राचीन ओलंपिक खेलों के किस ओलंपियाड में पानक्रेशन खेल प्रस्तुती को शामिल किया गया?

1. 14वाँ ओलंपियाड
2. 18वाँ ओलंपियाड
3. 25वाँ ओलंपियाड
4. 30वाँ ओलंपियाड

2. 10वें अंतर्राष्ट्रीय योग दिवस की थीम क्या थी?

1. वसुधैव कुटुम्बकम हेतु योग
2. मानवता हेतु योग
3. स्वयं एवं समाज हेतु योग
4. संपूर्ण स्वास्थ्य हेतु योग

3. किस देश ने 1980 के शीत ओलंपिक खेलों का बहिष्कार किया था?

1. फ्रांस 2. चीन
3. ताइवान 4. रूस

4. कौन-सी घड़ी यह निर्धारित करती है कि एक कोशिका को कितनी बार विभाजित किया जा सकता है?

1. टेलोमेरे
2. मिटवेय
3. बायोलाजिकल
4. नोरेस

5. वर्धित उपास्थि का प्रमुख कोशिका प्रकार निम्नलिखित में से कौन-सा है?

1. पेरिटोनेयूएसब्लास्ट्स 2. मेरोक्रिन
3. मेसोथेलियम 4. कांड्रोब्लास्ट्स

6. जब आयनिक यौगिक तैयार होते हैं तब क्या घटित होता है?

1. ऑक्सीकरण अभिक्रिया
2. एक्सर्गोनिक अभिक्रिया
3. हेलिक्स बीटाप्लेटेड अभिक्रिया
4. रेडॉक्स अभिक्रिया

7. किसने पारे का बैरोमीटर विकसित किया एक उपकरण जो वायुमंडलीय दबाव का सटीक माप करता है?

1. पास्कल 2. बरोड़
3. ई. लैवोसियर 4. टोरिसेली

8. बच्चे अक्सर लम्बे बल्ले को बल्ले के लगभग बीच में पकड़ते हैं। इससे उन्हें बल्ला घुमाने में आसानी होती है क्योंकि :

1. द्रव्यमान का केंद्र कम हो जाता है
2. संवलीयन की त्रिज्या कम हो जाती है
3. प्रभावी द्रव्यमान बढ़ जाता है
4. संवलीयन की त्रिज्या बढ़ जाती है

9. हम दौड़ने में मैदान के प्रतिकूल बल का प्रयोग करते हैं लेकिन बल हमें धकेलता है, मैदान प्रतिक्रिया बल सीधा ऊपर को होता है। यह नियम न्यूटन के किस सिद्धांत में सुसंगत है?
   1. अवस्थितत्व का सिद्धांत
   2. त्वरण का सिद्धांत
   3. क्रिया-प्रतिक्रिया का सिद्धांत
   4. गुरुत्वाकर्षण का सिद्धांत

10. किस मात्रा में एक वस्तु की काईनेटिक एनर्जी बदलती है यदि उसका वेग तिगुना हो जाता है?
   1. यह 3 गुणा बढ़ता है
   2. यह 3 गुणा घटता है
   3. यह 9 गुणा बढ़ता है
   4. यह 9 गुणा घटता है

11. दौड़ने के दौरान, पैर किस तरफ प्रबलता से आगे बढ़ते हैं?
   1. सामने की तरफ 2. शिरोरेखा की तरफ
   3. आड़ी तरफ 4. सममिताधी

12. एक फुटबालर स्वीकारक गोल से बचाव एक पेशेवर त्रुटि (फाउल) करता है का एक उदाहरण है ______
   1. अस्वीकृत आक्रमकता
   2. प्रतिकूल आक्रमकता
   3. यांत्रिकीय आक्रमकता
   4. निश्चल आक्रमकता

13. ________ के सिद्धांत के अनुसार नेतृत्व की सफलता नेताओं की विशेषताओं पर निर्भर करती हैं तथा जिस परिस्थिति में वे नेतृत्व कर रहे हैं।
   1. नैसर्गिक सिद्धांत
   2. लक्षण सिद्धांत
   3. आकस्मिकता सिद्धांत
   4. आत्म प्रत्यक्षण सिद्धांत

14. "मजबूत कलाई और कोहनी नीचे की ओर करते हुए बैक स्ट्रोक लगाना" किस प्रकार के गोल का एक उदाहरण है?
   1. परिणाम (निष्कर्ष) लक्ष्य
   2. निष्पादन लक्ष्य
   3. प्रक्रिय लक्ष्य
   4. परिमेय लक्ष्य

15. उत्सुकता के साथ संबंधित शरीर क्रियात्मक परिवर्तन का अनुभव कहलाता है ______
   1. वाचिक दुश्चिंता 2. संज्ञात्मक दुश्चिंता
   3. लक्षण दुश्चिंता 4. शासकिय दुश्चिंता

16. गतिविधियों के दौरान जो मूल्यांकन होता है वह ______ कहलाता है।
   1. रचनात्मक मूल्यांकन
   2. निष्पादात्मक मूल्यांकन
   3. संकलनात्मक मूल्यांकन
   4. कार्यजनात्मक मूल्यांकन

17. निर्बाध आरंभ और अंत के साथ एक एकल इकाई के क्रियाकलाप जिसमें निपुणता शामिल है ______ के रूप में जाना जाता है।
   1. पृथक निपुणता (कौशल)
   2. सतत निपुणता (कौशल)
   3. क्रमिक निपुणता (कौशल)
   4. रैखिक निपुणता (कौशल)

18. निम्नलिखित में से कौन-सा एक उदाहरण आक्रमण खेल का नहीं है?
   1. हैंडबॉल टीम 2. फुटबाल
   3. टेनिस 4. हॉकी

19. नगरीय मलेरिया योजना कब प्रारंभ की गई थी?
   1. 1972 2. 1974
   3. 1971 4. 1970

20. ______ एक रंगहीन गैस है और तीखी गंध वाली है।
   1. हाइड्रोकार्बन 2. कैडमियम
   3. सल्फर डाइऑक्साइड 4. हाइड्रोजन सल्फाइड

21. कौन-सा कैंसर सबसे खतरनाक है?
   1. सर्सिनोमा 2. मेलानोमा
   3. एलोपेसिया 4. सेबुम

22. किस लोडिंग प्रोसेस को प्रायः अल्पकालिक ओवरलोडिंग के तौर पर वर्गीकृत किया जाता है?

1. संयुग्मी अनुक्रम लोडिंग
2. सांद्रित लोडिंग
3. फ्लैट लोडिंग
4. लाइनर लोडिंग

23. एक उत्केंद्री संकुचन से संकेन्द्री संकुचन को तीव्रता से परिवर्तन क्षमता को यह कहा जाता है :

1. शुरुआती तीव्रता
2. गति तीव्रता
3. लचकदार प्रतिघातक तीव्रता
4. स्थिरीकरण तीव्रता

24. प्रशिक्षण की समाप्ति के पश्चात कुछ विशिष्ट समयावधि से आगे प्रणालीबद्ध कार्यभारों द्वारा परिवर्तनों की धारण-क्षमता को ________ कहा जाता है।

1. तीक्ष्ण प्रशिक्षण प्रभाव
2. तत्काल प्रशिक्षण प्रभाव
3. अवशेष प्रशिक्षण प्रभाव
4. विलंबित प्रशिक्षण प्रभाव

25. किसने आवर्तन के आधुनिक सिद्धांत को प्रतिपादित किया?

1. रॉन क्लार्के
2. एल. पी. माटवेयर
3. टी. डी. नॉक्स
4. गुनाल्लाच

26. यदि x, $x + 4$, $x + 7$, $2x + 5$, $x + 10$ का मान 10 हो तो अंतिम चार स्कोर का क्या मान होगा?

1. 11 2. 12.5
3. 9.5 4. 11.5

27. यदि N = 10 एवं रैंक ऑर्डर सह संबंध (P. rho) = 0.80 तक $\in d^2$ का मूल्य क्या होगा?

1. 32 2. 33
3. 34 4. 36

28. एक क्रिकेट कोच ने 3 प्रशिक्षण समूहों जिसके प्रत्येक समूह में 10 खिलाड़ी थे, उनकी चरों के विश्लेषण के एक तरीके से तुलना की परिणामों से पता चला कि समूहों के मध्य $(ss)_b$ वर्गों का जोड़ = 134.6 और समूहों $(ss)_w$ में वर्गों को जोड़ = 110.1 है। F-अनुपात का मूल्य क्या है?

1. 15.60 2. 16.60
3. 16.05 4. 16.50

29. समस्या समाधान का एक अवैज्ञानिक पद्धति है ________

1. नृजातिक 2. दुराग्रह
3. प्रकृतिवादी 4. न्यूनीकरण

30. निम्नलिखित में से एक विश्लेषणात्मक शोध नहीं है?

1. दार्शनिक 2. ऐतिहासिक
3. प्रकरण अध्ययन 4. समीक्षाएं

31. एक सामान्य वक्र रेखा का मानक सामान्य विस्तार का माध्य ________ हैं और मानक चर ________ है।

1. 1 एवं 0 2. 0 एवं 0
3. 1 एवं 1 4. 0 एवं 1

32. जब शून्य परिकल्पना को स्वीकार की जाती है और तब हम इसे प्रतीक के तौर पर यह व्यक्त कर सकते हैं:

1. $\mu = \mu_{H0}$ 2. $\mu \neq \mu_{H0}$
3. $\mu > \mu_{H0}$ 4. $\mu < \mu_{H0}$

33. स्क्रेम्बल किस परीक्षण का एक परीक्षण भाग है?

1. न्यूटन मोटर क्षमता परीक्षण
2. स्काट मोटर क्षमता परीक्षण
3. इंडियाना मोटर फिटनेस परीक्षण
4. बेरो मोटर क्षमता परीक्षण

34. निम्नलिखित में से कौन-सा कारक उस सीमा को बताता है जो मापन के परीक्षण उद्देश्य की क्षमता या लक्षण से संबंधित निष्पादन करता है?

1. विभेदीकरण वैधता 2. विषय-वस्तु वैधता
3. सहकारी वैधता 4. निर्माण वैधता

35. कौन-सा मूल्यांकन सामान्यतया विशेष उद्देश्यों और उपयोगिता मानक मानदंडों पर आधारित है?

1. व्यक्तिपरक मूल्यांकन
2. वस्तुनिष्ठ मूल्यांकन
3. यौगिक मूल्यांकन
4. रचनात्मक मूल्यांकन

36. यदि 30 के माध्य के 50 मदों के परीक्षण में और मानक चर 6 रहे तो परीक्षण की विश्वसनीयता क्या होगी?

1. 0.86 2. 0.69
3. 0.78 4. 0.68

37. किस प्रकार के नेतागण प्रबंधन में आकस्मिक पुनर्बलन का प्रयोग करते हैं?

1. कार्य संपादनीय नेता
2. रूपांतरणकारी नेता
3. अधिकारिक-तंत्र नेता
4. लोकतंत्रीय नेता

38. विभिन्न मानव वित्तीय और सामग्री स्रोतों के निष्पादन में प्रभावी एकीकरण योजना को जाना जाता है:

1. योजना बनाना
2. संगठित करना
3. निर्देशित करना
4. मूल्यांकन करना

39. संगठनों के स्तर पर लक्ष्य प्राप्ति हेतु स्रोतों के उपयोग के रूप में विचरण कहलाता है:

1. संगठनात्मक कार्यकुशलता (दक्षता)
2. संगठनात्मक प्रभावकारिता
3. संगठनात्मक उपलब्धि
4. संगठनात्मक नेतृत्व

40. प्रथम-पंक्ति के प्रबंधकों को किस रूप में जाना जाता है?

1. शीर्ष-स्तर के प्रबंधक
2. मध्य-स्तरीय प्रबंधक
3. पर्यवेक्षकीय स्तर के प्रबंधक
4. कार्यपालक स्तर के प्रबंधक

41. जैसे-जैसे ऊंचाई बढ़ती है, वायु तापमान के साथ यह भी घटता है:

A. जल की कमी घटती है
B. स्वेद वाष्पीकरण बढ़ता है
C. बढ़ी श्वसन जल में कमी होती है
D. निर्जलन से वृद्धिगत अचेतन जल हानि होती है

नीचे दिए गए विकल्पों में से **सही** उत्तर का चयन कीजिए:

1. केवल B, C, D 2. केवल B, C
3. केवल A, C 4. केवल A, B, D

42. घूर्णक कफ किन मांसपेशियों से पगण्डिका के शीर्ष के चारों ओर कण्डराओं की एक छत्र-सदृश अभिसरणी है?

A. सबस्कैप्युलेरिस B. टेरेस माइनर
C. सुप्रास्पिनेटस D. लैटिसीमस डॉर्सी
E. इन्फ्रास्पिनेटस

नीचे दिए गए विकल्पों में से **सही** उत्तर का चयन कीजिए:

1. केवल A, B और E
2. केवल A, B और D
3. केवल A, B, D और E
4. केवल A, B, C और E

43. फॉर्म ड्रैग को प्रभावित करने वाले निम्न में से कौन-से मापदंड हैं?

A. सापेक्ष मॉस
B. फॉर्म ड्रैग गुणांक
C. सापेक्ष वेग
D. अग्रतल भाग
E. वर्गाकार सापेक्ष वेग

नीचे दिए गए विकल्पों में से **सही** उत्तर का चयन कीजिए:

1. केवल A, B, D
2. केवल A, C, E
3. केवल B, D, E
4. केवल A, B, C

44. निम्नलिखित में से किस समीकरणों को प्रक्षेपक गति के आकलन हेतु प्रयोग किया जाता है?

A. $V = u + at$ B. $V^2 = u^2 + 2as$

C. $S = ut + ½at^2$ D. $V = \Delta s + \Delta t$

E. $m_1v_1 = m_2v_2$

नीचे दिए गए विकल्पों में से **सही** उत्तर का चयन कीजिए:

1. केवल A, B
2. केवल A, B, C
3. केवल A, B, C, D
4. केवल A, B, C, D, E

45. निम्नलिखित उदाहरणों में से कौन-सा उदाहरण खेल मनोविज्ञान, सामाजिक मनोविज्ञान से संबंधित पहुंच रखता है।

A. आक्रामकता

B. प्रेरणा

C. टीम संसजन

D. काल्पनिक

E. क्षमता (कौशल) अधिग्रहण

नीचे दिए गए विकल्पों में से **सही** उत्तर का चयन कीजिए:

1. केवल A, C, E 2. केवल A, C
3. केवल B, C, D 4. केवल C, E

46. कैरन के अनुसार किस प्रकार के कारक एक दल की संसक्तिशीलता को प्रभावित करते हैं?

A. व्यक्तिगत कारक B. परिस्थितिगत कारक

C. दलीय कारक D. प्रशिक्षण शैली

E. नेतृत्व

नीचे दिए गए विकल्पों में से **सही** उत्तर का चयन कीजिए:

1. केवल A, B और C
2. केवल B, C और E
3. केवल C, D और E
4. केवल A, B, C और E

47. मनोवृत्तिक कौशल के उदाहरणों में सम्मिलित हैं:

A. आत्म-संवाद B. लक्ष्य निर्धारण

C. आत्म-विश्वास D. मानसिक दृढ़ता

E. दुश्चिंता नियंत्रण

नीचे दिए गए विकल्पों में से **सही** उत्तर का चयन कीजिए:

1. केवल A, C और D
2. केवल C, D और E
3. केवल A, B और E
4. केवल B, D और E

48. पाठ्येतर निर्धारण के प्रयोजन में सम्मिलित हैं:

A. कार्यक्रम प्रभावकारिता

B. कार्यक्रम में चूक (त्रुटियों) की पहचान करना

C. कार्यक्रम का औचित्य

D. कार्यक्रम के अंतर्गत रोजगार के अवसर

E. लागत धन के मूल्यांकन में कमी करना

नीचे दिए गए विकल्पों में से **सही** उत्तर का चयन कीजिए:

1. केवल A, C, D 2. केवल A, B, C
3. केवल C, D, E 4. केवल A, B, E

49. भूजल के लाभ हैं:

A. इसे सामान्यतया किसी प्रकार की सफाई (ट्रीटमेंट) की जरूरत नहीं पड़ती है।

B. इसमें उच्च प्रकार के खनिज पाए जाते हैं।

C. यह संभवतः रोगमूलक तत्वों से मुक्त रहता है।

D. इस जल को पम्प से उठाने की जरूरत होती है।

नीचे दिए गए विकल्पों में से **सही** उत्तर का चयन कीजिए:

1. केवल B, C, D 2. केवल A, B, C
3. केवल A, B 4. केवल A, C

50. निम्नलिखित में से कौन जूनोटिक बीमारियाँ हैं?

A. प्लेग B. चिकनगुनिया बुखार

C. एसएआरएस D. रेबीज

E. पीत बुखार

नीचे दिए गए विकल्पों में से **सही** उत्तर का चयन कीजिए:

1. केवल A, C, D, E
2. केवल A, C, D
3. केवल A, B, D, E
4. केवल A, B, D

51. निम्नलिखित में से कौन-सा प्रशिक्षण प्रभाव कूपर्स प्रशिक्षण प्रभाव की श्रेणियों के भाग हैं?

A. जटिलता
B. अधिक फैल जाना
C. गौण
D. अनुरक्षण
E. सकारात्मक

नीचे दिए गए विकल्पों में से **सही** उत्तर का चयन कीजिए:

1. केवल A, B, C 2. केवल C, D, E
3. केवल C, B, A 4. केवल B, C, D

52. आइसुरिन एवं कावेरिन द्वारा प्रदत्त तीन प्रकार के मेसोसाइकल ब्लाक्स कौन हैं?

A. विकासशील B. संचयन
C. रूपांतरण D. बोध
E. पुनः स्थापना

नीचे दिए गए विकल्पों में से **सही** उत्तर का चयन कीजिए:

1. केवल A, C, E 2. केवल B, C, E
3. केवल B, C, D 4. केवल A, B, C

53. बहुल सहसंबंध के बारे में निम्न में से कौन-सा कथन सही है?

A. बहुल सहसंबंध को बैटरी के परीक्षण के चयन हेतु प्रयोग किया जा सकता है जिसे उन परीक्षण मदों से तैयार किया गया है जो एक दूसरे के साथ सबसे छोटे से उच्च मापदंड से सहसंबंध होते हैं।
B. परीक्षण मदें जो दूसरे से उच्च प्रकार से सहसंबंध होते हैं, उसे समान वस्तु के मापन माना जाता है एवं अतः वह अतिरिक्त है।
C. यदि दो परीक्षण मदें उच्च सहसंबंध पाए जाते हैं, उसमें से एक जो सबसे कम मापदंड से सहसंबंध हो उसका चयन होता है।
D. यदि परीक्षण मदों की पर्याप्त संख्या में बहुल सहसंबंध हो तो परीक्षण बैटरी की क्षमता में कम से कम मदों का चयन किया जाता है।
E. प्रतिगमन समीकरणों को चयनित मदों के स्कोर के आधार पर पृथक निष्पादन की स्थिति को देखते हुए भी प्रयोग किया जा सकता है।

नीचे दिए गए विकल्पों में से **सही** उत्तर का चयन कीजिए:

1. केवल B, D, E
2. केवल A, C, D, E
3. केवल B, C, D, E
4. केवल A, B, D, E

54. सामान्य वक्र रेखा की विशेषताओं के बारे में निम्नलिखित में से कौन सही है?

A. यह वक्र रेखा आधार रेखा की ओर लक्षण-रहित है।
B. सामान्य स्थिति का चतुर्थक अपसरण 3/2 है।
C. वक्र रेखा का मोड़ बिन्दु को $\sigma = \mu$ से दिया गया है।
D. सामान्य वक्र रेखा के कुल क्षेत्र को 100% माना गया है
E. $\mu - \sigma$ से $\mu + \sigma$ की सीमा 68.26% क्षेत्र को पूरा करती है

नीचे दिए गए विकल्पों में से **सही** उत्तर का चयन कीजिए:

1. केवल A, C, E
2. केवल A, B, D, E
3. केवल A, C, D, E
4. केवल A, D, E

55. निम्नलिखित में से कौन-से अनौपचारिक डिजाइन के अंतर्गत आते हैं?

A. पूर्व और पश्चात नियंत्रण रहित
B. पश्चात् केवल नियंत्रण

C. लैटिन स्कायर डिजाइन

D. पूर्व और पश्चात नियंत्रण सहित

E. पूर्णतः यादृच्छिक

नीचे दिए गए विकल्पों में से **सही** उत्तर का चयन कीजिए:

1. केवल B, C, E
2. केवल A, B, C
3. केवल C, D, E
4. केवल A, B, D

56. शोध समस्याओं को हल करने के लिए सम्मिलित विशेषताएँ हैं:

A. अपचयी

B. पुनरावर्तनीय

C. आनुभाविक

D. परिसीमन

E. सीमा-निर्धारण

नीचे दिए गए विकल्पों में से **सही** उत्तर का चयन कीजिए:

1. केवल A, B, C
2. केवल B, C, D
3. केवल C, D, E
4. केवल A, D, E

57. एसपीएसएस में, डाटा संपादक के "चर दृश्य" में कॉलम्स पर निम्नलिखित अंकन होता है:

A. नेम

B. विड्थ

C. ट्रांसफार्म

D. डेसीमल्स

E. एड-वन

नीचे दिए गए विकल्पों में से **सही** उत्तर का चयन कीजिए:

1. केवल A, B, C
2. केवल A, B, D
3. केवल A, B, E
4. केवल B, D, E

58. मानक प्राप्तांकों के लिए निम्नलिखित कथनों में कौन से सही हैं?

A. मानक प्राप्तांकों का मध्य 0 है।

B. मानक प्राप्तांकों का मानक विचलन 1 है।

C. मानक प्राप्तांक इकाईयों से युक्त होते हैं।

D. मानक प्राप्तांकों की सीमाएँ = 2 होती हैं।

E. मानक प्राप्तांक सदैव धनात्मक होते हैं।

नीचे दिए गए विकल्पों में से **सही** उत्तर का चयन कीजिए:

1. केवल A, B, C, E
2. केवल A, B, C
3. केवल B, C, D
4. केवल A, B, D

59. निम्नलिखित में से कौन-से कथन सही नहीं हैं?

A. मानक संदर्भित मानक उस कोटि से संबंधित है जिसके लिए किसी छात्र में योग्यता का एक स्तर होता है।

B. मानदण्ड संदर्भित मानक सांख्यिकीय प्रक्रियाओं पर आधारित होते हैं।

C. मानदण्ड संदर्भित मानक का प्रयोग समान उम्र, लिंग और योग्यता के अन्य व्यक्तियों के संबंध में एक व्यक्ति के प्रदर्शन का निर्णय करने के लिए नहीं किया जाता है।

D. मानदण्ड संदर्भित मानक में प्रशिक्षक खिलाड़ी को अगले परीक्षण से पूर्व सर्वोच्च प्रतिशत के लिए संघर्ष करने के लिए प्रोत्साहित करता है।

नीचे दिए गए विकल्पों में से **सही** उत्तर का चयन कीजिए:

1. केवल B, C, D
2. केवल A, C, D
3. केवल A, B, D
4. केवल A, B, C

60. निम्नलिखित में से कौन-से खेल दुश्चिंता पैमाना-2 (एसएएस-2, 2006) के लिए सही हैं?

A. एसएएस-2 में 21 मद हैं।

B. एसएएस-2 मद कायिक दुश्चिंता, चिंता और ध्यानभंग का मूल्यांकन करते हैं।

C. सभी मदों को 4-बिंदु पैमाने पर स्कोर करते हैं।

D. स्कोरिंग मदों की संख्या को आरक्षित करना

E. एसएएस-2 में प्रत्येक उप-पैमाने के लिए 7 मद हैं।

नीचे दिए गए विकल्पों में से **सही** उत्तर का चयन कीजिए:

1. केवल A, B, C, E
2. केवल A, B, E
3. केवल B, C, E
4. केवल B, C, D

61. 2024 में आयोजित खेलों इंडिया विन्टर खेलों में टीमों के श्रेणी क्रम को सही करें:

A. उत्तराखंड B. कर्नाटक
C. भारतीय सेना D. महाराष्ट्र
E. हिमाचल प्रदेश

नीचे दिए गए विकल्पों में से **सही** उत्तर का चयन कीजिए:

1. A, E, C, D, B
2. B, D, C, A, E
3. C, B, D, E, A
4. E, A, D, C, B

62. खेलो इंडिया युवा खेलों के आयोजक राज्यों को बढ़ते हुए क्रम में लगाएं।

A. महाराष्ट्र B. हरियाणा
C. असम D. नई दिल्ली

नीचे दिए गए विकल्पों में से **सही** उत्तर का चयन कीजिए:

1. A, B, C, D 2. B, D, A, C
3. C, A, B, D 4. D, A, C, B

63. एक लंबी हड्डी में होने वाले इंडोकोंट्रल ऑसिफरेंस के चरणों को व्यवस्थित करें:

A. डायफिसिस कैलसिफाइस के केन्द्र में कॉटिलिज एवं कैविटीज होना
B. पेरिओस्टियल बड आंतरिक कैविटीज में आक्रमण करती है और स्पोंजी हड्डियाँ निर्मित करती हैं
C. एपिफिसेज निर्जीव कठोर बनना
D. हायलाइन कॉटिलिज मॉडल के आस-पास बोन-कॉलर का बनना
E. डायफिसिस बढ़ता है और मिडलरी कैविटी बनती है

नीचे दिए गए विकल्पों में से **सही** उत्तर का चयन कीजिए:

1. D, A, B, E, C
2. A, B, E, D, C
3. D, C, A, B, E
4. C, D, B, A, E

64. एक मात्रात्मक बायोमैकेनिकल विश्लेषण के कदमों का उल्लेख करें।

A. पर्यवेक्षण B. अनुदेश
C. विवरण D. मूल्यांकन

नीचे दिए गए विकल्पों में से **सही** उत्तर का चयन कीजिए:

1. B, D, A, C 2. C, D, B, A
3. C, A, D, B 4. A, B, D, C

65. बन्डूरा द्वारा प्रस्तावित व्यवहार के अधिगम में चरणों का सही क्रम ज्ञात करें।

A. पुनरुत्पादन B. प्रतिधारण
C. ध्यान देना D. पुनर्बलन

नीचे दिए गए विकल्पों में से **सही** उत्तर का चयन कीजिए:

1. C, B, D, A 2. B, C, A, D
3. C, D, B, A 4. C, B, A, D

66. किर्शेनबॉम द्वारा विकसित एथलीट आत्म-नियंत्रण के पांच-चरण प्रतिरूप के सही क्रम की पहचान करें।

A. समस्या की पहचान B. कार्यान्वयन
C. प्रतिबद्धता D. सामान्यीकरण
E. पर्यावरणीय प्रबंधन

नीचे दिए गए विकल्पों में से **सही** उत्तर का चयन कीजिए:

1. B, C, A, D, E
2. A, C, B, E, D
3. A, B, E, C, D
4. C, A, B, E, D

67. शारीरिक शिक्षण में कौशल विषयवस्तु उपागम (स्किल थीम अप्रोच) के सही अनुक्रम की पहचान करें।

A. संदर्भों में कौशल B. संयोजन
C. बुनियादी कौशल D. चरम गतिविधि

नीचे दिए गए विकल्पों में से **सही** उत्तर का चयन कीजिए:

1. B, C, A, D 2. C, D, B, A
3. A, B, C, D 4. C, B, A, D

68. भारत सरकार के नियम 2007 के अनुसार सांप के काटने के लिए अनुपालन किए जाने वाले प्राथमिक उपचार के कदमों को लिखें।

A. उसे कोई अल्कोहल वाले पेय नहीं दें
B. गतिहीन कर देना
C. काटी गई जगह को रगड़े नहीं
D. कोई दवाई न लगाएं
E. चिकित्सा सुविधा के लिए रोगी को अस्पताल ले जाएं

नीचे दिए गए विकल्पों में से **सही** उत्तर का चयन कीजिए :

1. A, C, D, B, E
2. B, D, A, C, E
3. B, A, C, D, E
4. C, A, B, D, E

69. किसी प्रशिक्षण कारक पिरामिड के उर्ध्वगामी उपागम में प्रशिक्षण कारकों को सही कालानुक्रम में व्यवस्थित कीजिए:

A. तकनीकी प्रशिक्षण
B. युक्तिपरक प्रशिक्षण
C. शारीरिक प्रशिक्षण
D. मनोवैज्ञानिक एवं मानसिक प्रशिक्षण

नीचे दिए गए विकल्पों में से **सही** उत्तर का चयन कीजिए :

1. B, C, A, D
2. D, A, B, C
3. C, A, B, D
4. C, B, A, D

70. प्रतिदर्शी डिजाइन के विकास के चरणों को लिखे :

A. प्रतिदर्शी का आकार
B. प्रतिदर्शी इकाई
C. स्रोत सूची
D. रुचिकर मानदंड
E. सर्वविषयक के प्रकार

नीचे दिए गए विकल्पों में से **सही** उत्तर का चयन कीजिए :

1. E, B, C, A, D
2. B, C, A, D, E
3. C, A, D, E, B
4. A, D, E, B, C

71. लाइकर्ट - प्रकार पैमाने के विकास के सही क्रम को लिखें :

A. अंक देने के लिए 5-बिन्दु पैमाना
B. ट्रेल परीक्षण
C. उपकरण में सहसंबंधित कथन
D. बड़ी संख्या में कथन
E. उच्च विभेदात्मक/विभेदमूलक कथनों की पहचान

नीचे दिए गए विकल्पों में से **सही** उत्तर का चयन कीजिए :

1. A, E, B, D, C
2. D, B, A, E, C
3. D, E, B, A, C
4. B, A, D, E, C

72. निम्नलिखित कौशल परीक्षणों को उनके निर्माण/प्रकाशन के वर्ष के अनुसार सही आरोही क्रम में व्यवस्थित करें :

A. पूल बैडमिंटन परीक्षण
B. हेबिट टेनिस अचीवमेंट परीक्षण
C. एएएचपीईआर वालीबॉल परीक्षण
D. फ्रेंच शार्ट सर्व परीक्षण
E. नॉक्स बास्केटबॉल परीक्षण

नीचे दिए गए विकल्पों में से **सही** उत्तर का चयन कीजिए :

1. D, E, C, B, A
2. D, B, E, C, A
3. E, D, B, C, A
4. D, E, B, C, A

73. मद विश्लेषण के चरणों को सही क्रम में व्यवस्थित करें:

A. उच्च, निम्न और मध्य के समूहों में पृथक उत्तरपत्रक
B. उच्च और निम्न समूहों में आवृत्ति की संख्या का अभिलेखन
C. कठिन सूचकांक की गणना
D. परीक्षणों के लिए अंक देना
E. उच्च से निम्न प्राप्तांकों में उत्तर पत्रकों को व्यवस्थित करना

नीचे दिए गए विकल्पों में से **सही** उत्तर का चयन कीजिए:

1. D, C, E, A, B
2. D, E, A, C, B
3. D, A, E, B, C
4. D, E, A, B, C

74. खेल प्रबंधकों द्वारा नियंत्रणाधीन प्रक्रिया में प्रयोग किए जा रहे क्रमिक-आदेश चरणों को सही क्रम में लिखें:

A. निष्पादन पुनर्बलन पर अथवा उच्च प्रत्याशाएं
B. मानकों से विचलकों को सही करना और विश्लेषण करना
C. दक्षता का सटीक मापन करना
D. दक्षता मानकों की स्थापना करना
E. स्थापित मानकों के साथ दक्षता की तुलना करना

नीचे दिए गए विकल्पों में से **सही** उत्तर का चयन कीजिए:

1. A, B, C, D, E 2. D, C, E, B, A
3. E, C, A, D, B 4. C, A, D, B, E

75. स्पिरिंग आयोजन में गति सामर्थ्य को सही क्रमिक क्रम में लगाएँ।

A. त्वरणता सामर्थ्य
B. लोकोमोटर (गति विषयक) सामर्थ्य
C. प्रतिक्रिया सामर्थ्य
D. गति सहनशक्ति
E. चाल की तीव्रता

नीचे दिए गए विकल्पों में से **सही** उत्तर का चयन कीजिए:

1. A, E, B, D, C 2. E, B, D, A, C
3. C, E, A, B, D 4. C, A, E, B, D

76. सूची-I के साथ सूची-II का मिलान कीजिए।

सूची-I (जिन्होंने ओलंपिक खेलों का उद्घाटन किया)	**सूची-II** (आयोजक शहर)
A. एच. एम. किंग अल्बर्ट-I	I. सिडनी (2000)
B. सर विलियम डीइने	II. सियोल (1988)
C. राष्ट्रपति रोह टाए वू	III. अंटवर्प (1920)
D. राष्ट्रपति हु जिंटो	IV. बीजिंग (2008)

नीचे दिए गए विकल्पों में से **सही** उत्तर का चयन कीजिए:

1. A-I, B-II, C-III, D-IV
2. A-III, B-II, C-IV, D-I
3. A-III, B-I, C-II, D-IV
4. A-II, B-IV, C-I, D-III

77. सूची-I के साथ सूची-II का मिलान कीजिए।

सूची-I (दार्शनिक शब्द)	**सूची-II** (फोकस)
A. अस्तित्वाद	I. आत्म प्रत्यक्षीकरण होना और मूल्यों के विकास पर विशेष जोर
B. मानवतावाद	II. स्व से समाज अधिक महत्वपूर्ण होना
C. यथार्थवाद	III. सत्य का वैयक्तिक अनुभवों से निर्धारण
D. प्रकृतिवाद	IV. विज्ञान सच्चाई को प्रकट करता है

नीचे दिए गए विकल्पों में से **सही** उत्तर का चयन कीजिए:

1. A-I, B-II, C-III, D-IV
2. A-III, B-I, C-IV, D-II
3. A-IV, B-II, C-III, D-I
4. A-II, B-I, C-IV, D-III

78. सूची-I के साथ सूची-II का मिलान कीजिए।

सूची-I (अंग)	**सूची-II** (सहानुभूतिपूर्ण प्रभाव)
A. यकृत	I. शिरा, विस्तार का कारक होता है।
B. फेफड़े	II. एपिनेफ्राइन और नोरपिनेफ्राइन के स्राव को उत्तेजित करता है।
C. अधिवृक्क ग्रन्थियाँ	III. श्वसनिका विस्तार का कारक होता है
D. हृदय चक्रीय रक्त वाहिकाएँ	IV. ग्लूकोज के उत्सर्जन को उत्तेजित करता है

नीचे दिए गए विकल्पों में से **सही** उत्तर का चयन कीजिए:

1. A-I, B-II, C-III, D-IV
2. A-III, B-II, C-I, D-IV
3. A-II, B-III, C-IV, D-I
4. A-IV, B-III, C-II, D-I

79. सूची-I के साथ सूची-II का मिलान कीजिए।

सूची-I (चर)	सूची-II (समीकरण)
A. काइनेटिक एनर्जी	I. $\frac{1}{2} mv^2$
B. संभाव्य एनर्जी	II. μR
C. संवेग	III. $m \times v$
D. घर्षण	IV. $m \times g \times h$

नीचे दिए गए विकल्पों में से **सही** उत्तर का चयन कीजिए:

1. A-IV, B-III, C-II, D-I
2. A-I, B-IV, C-III, D-II
3. A-II, B-I, C-IV, D-III
4. A-III, B-IV, C-I, D-II

80. सूची-I के साथ सूची-II का मिलान कीजिए।

सूची-I (मांसपेशी का नाम)	सूची-II (उत्पत्ति)
A. लेवाटोरेस कास्टारम	I. T_{12} & L_1 to L_5
B. सेराटस पास्टेरियर सुपीरियर	II. C_7 & T_1 to T_{11}
C. सेराटस पास्टेरियर इंटिरियर	III. C_7 & T_1 to T_3
D. प्सोएस	IV. $T_{11} - L_{12}$ & L_1 to L_3

नीचे दिए गए विकल्पों में से **सही** उत्तर का चयन कीजिए:

1. A-I, B-II, C-III, D-IV
2. A-II, B-III, C-IV, D-I
3. A-III, B-IV, C-I, D-II
4. A-IV, B-I, C-II, D-III

81. सूची-I के साथ सूची-II का मिलान कीजिए।

सूची-I	सूची-II
A. एक विस्तृत सावधानिक संकेंद्रण	I. एक क्रिकेट बल्लेबाज गेंद की ओर ध्यान मोड़ता है।
B. एक संकीर्ण सावधानिक संकेंद्रण	II. एक बेसबॉल बल्लेबाज पिच पर घूमने की तैयारी करता है।
C. एक बाह्य सावधानिक संकेंद्रण	III. एक फुटबॉल खिलाड़ी मैदान के ऊपर बॉल को लुढ़काकर आगे ले जाता है।
D. एक आंतरिक सावधानिक संकेंद्रण	IV. एक ऊंची कूद की खिलाड़ी अपना रन-अप प्रारंभ करने की तैयारी करती है।

नीचे दिए गए विकल्पों में से **सही** उत्तर का चयन कीजिए:

1. A-II, B-III, C-IV, D-I
2. A-IV, B-III, C-II, D-I
3. A-II, B-III, C-I, D-IV
4. A-III, B-II, C-I, D-IV

82. सूची-I के साथ सूची-II का मिलान कीजिए।

सूची-I	सूची-II
A. व्यक्तित्व	I. व्यक्ति के अंदर का बल जो उस व्यक्ति को विपत्ति का सामना करने और उबरने की प्रेरणा देता है।
B. व्यक्तित्व वर्णन	II. सभी सतत विधियाँ जिनमें एक व्यक्ति का व्यवहार दूसरे व्यक्तियों से विशेषकर सामाजिक परिस्थितियों में भिन्न होता है।
C. व्यक्तित्व विशेषक	III. किसी एथलीट के मानक व्यक्तित्व प्राप्तांकों को लाइन या बार ग्राफ पर प्लॉट करना
D. समुत्थान शक्ति	IV. कुछ निश्चित व्यक्तित्व विशेषताओं को परिलक्षित करने की स्ववृत्ति

नीचे दिए गए विकल्पों में से **सही** उत्तर का चयन कीजिए:

1. A-II, B-III, C-IV, D-I
2. A-III, B-IV, C-I, D-II
3. A-IV, B-III, C-II, D-I
4. A-II, B-I, C-IV, D-III

83. सूची-I के साथ सूची-II का मिलान कीजिए।

सूची-I (निर्धारण (मूल्यांकन))	**सूची-II (अर्थ/स्पष्टीकरण)**
A. कौशल परीक्षण	I. एक मूल्यांकन जिसमें कि विद्यार्थी एक माहौल प्रस्तुत करते हैं और उसके बाद प्रस्तुति देते हैं कि उस परिस्थिति में वे कैसी प्रतिक्रिया देंगे।
B. भूमिका निर्वहन	II. आर्टिफेक्ट्स का संकलन जोकि विषयगत क्षेत्र में विद्यार्थियों की सक्षमता प्रदर्शन हेतु प्रतीकात्मक तौर पर प्रयोग किए जाते हैं।
C. दैनिकी	III. एक मूल्यांकन जो कि विद्यार्थियों की कक्षा में घटना लेखन अथवा प्रकरण लेखन और प्रवर्तन का अवसर प्रदान करता है।
D. पत्राधान (फाइल)	IV. विद्यार्थी की भौतिक क्षमता का मूल्यांकन सामान्यतः एक बंद परिवेश में किया जाता है।

नीचे दिए गए विकल्पों में से **सही** उत्तर का चयन कीजिए:

1. A-IV, B-I, C-III, D-II
2. A-II, B-III, C-I, D-IV
3. A-IV, B-III, C-II, D-I
4. A-I, B-IV, C-III, D-II

84. सूची-I के साथ सूची-II का मिलान कीजिए।

सूची-I (अनिवार्य मोटापा एसिड्स)	**सूची-II (पथ्य स्रोत)**
A. लिनोलेइक एसिड	I. मछली का तेल
B. अराचिडोनिक एसिड	II. हरी पत्तियाँ
C. लिनोलिनिक एसिड	III. दूध
D. ईचोसापेंटाइनोइक एसिड	IV. मकई तेल

नीचे दिए गए विकल्पों में से **सही** उत्तर का चयन कीजिए:

1. A-III, B-I, C-II, D-IV
2. A-IV, B-I, C-II, D-III
3. A-III, B-IV, C-I, D-II
4. A-IV, B-III, C-II, D-I

85. सूची-I के साथ सूची-II का मिलान कीजिए।

सूची-I (अर्जुन अवार्ड (2023) प्राप्त) खिलाड़ियों के नाम	**सूची-II (खेल)**
A. अनुष अग्रवाला	I. कबड्डी
B. पवन कुमार	II. घुड़सवारी
C. नासरीन	III. पैरा नौकायन
D. प्राची यादव	IV. खो-खो

नीचे दिए गए विकल्पों में से **सही** उत्तर का चयन कीजिए:

1. A-II, B-I, C-IV, D-III
2. A-III, B-I, C-IV, D-II
3. A-IV, B-III, C-I, D-II
4. A-II, B-I, C-III, D-IV

86. सूची-I के साथ सूची-II का मिलान कीजिए।

सूची-I (प्रशिक्षण शब्द)	**सूची-II (आशय)**
A. तीव्रता	I. प्रशिक्षण को एक मात्रात्मक तत्व जिसे प्रशिक्षण के समय अथवा दौरान मापा जा सकता है
B. परिमाण	II. प्रशिक्षण का गुणात्मक तत्व जैसे- गति, क्षमता
C. प्रशिक्षण की सघनता	III. कुल परिमाण लोड को पुनरावृत्तियों की कुल संख्या को विभाजित करके तीव्रता का निर्धारण किया जाता है
D. प्रशिक्षण तीव्रता	IV. एक निश्चित समयावधि में प्रशिक्षण की बारंबारता

नीचे दिए गए विकल्पों में से **सही** उत्तर का चयन कीजिए:

1. A-I, B-III, C-II, D-IV
2. A-II, B-I, C-IV, D-III
3. A-IV, B-III, C-II, D-I
4. A-II, B-IV, C-I, D-III

87. सूची-I के साथ सूची-II का मिलान कीजिए।

सूची-I	सूची-II
A. साहित्यिक चोरी	I. मानव प्रतिभागियों की सुरक्षा
B. बहिर्वर्ती	II. दूसरों के विचारों का प्रयोग
C. कॉपीराइट	III. एक अप्रतिनिधिक प्राप्तांक
D. सूचित सहमति	IV. अनुमति मांगना

नीचे दिए गए विकल्पों में से **सही** उत्तर का चयन कीजिए:

1. A-I, B-II, C-III, D-IV
2. A-II, B-III, C-IV, D-I
3. A-I, B-II, C-IV, D-III
4. A-III, B-II, C-IV, D-I

88. सूची-I के साथ सूची-II का मिलान कीजिए।

सूची-I (शोध रूपरेखा)	सूची-II (वर्णनात्मक अध्ययन)
A. प्रतिदर्शी रूपरेखा	I. पूर्व-नियोजित
B. सांख्यिकीय रूपरेखा	II. संरचनात्मक
C. अवलोकन रूपरेखा	III. प्रायिकता
D. संक्रियात्मक रूपरेखा	IV. प्रगामी निर्णय

नीचे दिए गए विकल्पों में से **सही** उत्तर का चयन कीजिए:

1. A-II, B-III, C-IV, D-I
2. A-III, B-II, C-IV, D-I
3. A-III, B-I, C-II, D-IV
4. A-I, B-II, C-III, D-IV

89. सूची-I के साथ सूची-II का मिलान कीजिए।

सूची-I	सूची-II
A. कॉम्पोटिटिव स्टेट एन्जाइटी इनवेन्ट्री-2 (सीएसएआई-2)	I. रॉबिन एस. वीली (1986)
B. स्पोर्ट्स कॉन्फिडेंस इन्वेन्ट्री	II. डिशमैन और इक्स (1981)
C. ग्रुप इनवायरमेंट प्रश्नावली	III. क्राफ्ट, मग्यार, बेकर और फेल्ट्ज (2003)
D. सेल्फ-मोटिवेशन इन्वेन्ट्री	IV. कैरन, विदमेयर और ब्रॉली (1985)

नीचे दिए गए विकल्पों में से **सही** उत्तर का चयन कीजिए:

1. A-IV, B-I, C-III, D-II
2. A-III, B-I, C-II, D-IV
3. A-III, B-I, C-IV, D-II
4. A-IV, B-I, C-II, D-III

90. सूची-I के साथ सूची-II का मिलान कीजिए।

सूची-I (कायप्ररूप)	सूची-II (देहगठन वर्गीकरण)
A. अति लंबाकृतिक	I. 2-6-4
B. अति गोलाकृतिक	II. 1-7-1
C. अति मध्यकाय	III. 7-1-1
D. लंबाकृतिक मध्यकाय	IV. 1-1-7

नीचे दिए गए विकल्पों में से **सही** उत्तर का चयन कीजिए:

1. A-IV, B-III, C-II, D-I
2. A-IV, B-III, C-I, D-II
3. A-III, B-IV, C-II, D-I
4. A-III, B-IV, C-I, D-II

निर्देशः (प्र.सं. 91 से 95 तक): *नीचे दिए गए गद्यांश को सावधानीपूर्वक पढ़िए और प्रश्नों के उत्तर दीजिए।*

बहुत से शोधकर्ताओं के लिए वैधता एवं विश्वसनीयता लगातार विभ्रम और चिंता के बिंदु रहते हैं। ये तीन प्रकार के हैं जैसे—बाह्य, उपकरण और आंतरिक।

बाह्य वैधता और विश्वसनीयता के परिणाम जनसंख्या एवं इससे लागू होते हैं। उपकरण की वैधता और विश्वसनीयता केवल उपकरणों पर विचार करती है। उपकरण की विश्वसनीयता को बढ़ाने हेतु शोधकर्ता एक परीक्षण-पुनर्परीक्षण अथवा एक स्प्लिट-हाफ पद्धतियों का प्रयोग कर सकता है। अंततः आंतरिक वैधता एवं विश्वसनीयता इस पर विशेष ध्यान देती है कि कैसे अध्ययन का संचालन किया गया और पाई गई भिन्नता अथवा संबंध अध्ययन किए गए चलों के परिणाम स्वरूप हैं वैधता एवं विश्वसनीयता के मध्य संबंध या तो प्रत्यक्ष अथवा अप्रत्यक्ष संबंधित हैं। उदाहरण के तौर पर यदि एक गोल्फ खेलने वाले गेंद को छिद्र में डालने का प्रयास कर रहे हैं लेकिन गोल्फ की गेंदे हरियाली में बेतरतीब स्थिति में होते हैं और गोल्फ खेलने वाले ने एक दूसरा प्रयास किया लेकिन गेंद तब भी गोल में नहीं गई लेकिन उसका सतत और मजबूत क्लस्टर था। पुनः गोल्फ खेलने वाले ने तीसरा प्रयास किया और प्रत्येक गेंद पर प्रहार किया गेंद गोल में चली गई वैधता एवं विश्वसनीयता का परस्पर संबंध महत्वपूर्ण है और उसका शोध अध्ययन में समीक्षा अवश्य हो।

91. स्प्लिट-हॉफ पद्धति का ________ में सुधार करने हेतु प्रयोग किया जाता है।

1. बाह्य वैधता
2. बाह्य विश्वसनीयता
3. उपकरण वैधता
4. उपकरण विश्वसनीयता

92. ________ के परिणाम को सेंपल से प्रे सामान्यीकरण किया जा सकता है।

1. बाह्य वैधता
2. उपकरण वैधता
3. आन्तरिक वैधता
4. प्रेक्षित संबंध

93. गोल्फ की गेंदों का हरियाली में बेतरतीब स्थिति होना किसका उदाहरण है?

1. कोई वैधता एवं कोई विश्वसनीयता नहीं होना
2. अल्प वैधता एवं अल्प विश्वसनीयता होना
3. अल्प वैधता एवं उच्च विश्वसनीयता
4. उच्च वैधता एवं उच्च विश्वसनीयता

94. गोल्फ खेलने वाले गेंद को सतत एवं मजबूत क्लस्टर में डालना ________ का एक उदाहरण है।

1. कोई वैधता एवं कोई विश्वसनीयता नहीं होना।
2. अल्प वैधता एवं अल्प विश्वसनीयता
3. अल्प वैधता एवं उच्च विश्वसनीयता
4. उच्च वैधता एवं उच्च विश्वसनीयता

95. गोल्फ खेलने वाले दो गेंद पर प्रत्येक प्रहार उसे होल में डालना ________ का एक उदाहरण है।

1. कोई वैधता एवं कोई विश्वसनीयता नहीं होना
2. अल्प वैधता एवं अल्प विश्वसनीयता होना
3. अल्व वैधता एवं उच्च विश्वसनीयता होना
4. उच्च वैधता एवं उच्च विश्वसनीयता होना

निर्देशः (प्र.सं. 96 से 100 तक): *नीचे दिए गए गद्यांश को सावधानीपूर्वक पढ़िए और प्रश्नों के उत्तर दीजिए।*

एथलीट द्वारा प्रयोग जाने वाली उच्च ऊंचाईयों में प्रशिक्षण एक तकनीक है जो विशिष्ट तौर पर 2400 मीटर (8000 फीट) तक दौड़ने के प्रशिक्षण से उनके निष्पादन को बढ़ाता है, इस ऊंचाईयों में समुद्री स्तर से ऑक्सीजन का स्तर बहुत कम रहता है जो शरीर को ऑक्सीजन की कम उपलब्धता को सहन करने को विवश करता है। यह सावधान शारीरिक अनुकूलन एक उच्च मात्रा में इरिथोपोइटिन, हार्मोन बढ़ता है जो लाल रक्त सैलों के उत्पादन की वृद्धि करता है लाल रक्त सैलों की इस वृद्धि से रक्त की ऑक्सीजन ले जाने की क्षमता को बढ़ाता है जो एथलीट की सहनशक्ति और निष्पादन को बढ़ाता है जब वह नीची ऊंचाई पर वापस आता है। अन्य शारीरिक परिवर्तनों में वृद्धिगत कोशिका घनत्व, मांसपेशियों की सुधारित प्रतिरोधक क्षमता एवं श्वसन मांसपेशियों की क्षमता में वृद्धि होते हैं ये अनुकूलन समग्र रूप से ऑक्सीजन को कार्यक्षमता प्रदान करते हैं, इसके अलावा, उच्च ऊंचाईयों का प्रशिक्षण से सुधारित माइटोकॉड्रियल घनत्व एवं कार्य होते हैं, पुनः मांसपेशी सैलों के ऊर्जा उत्पादन क्षमताओं को बढ़ावा मिलता है। तथापि, यह ध्यान देना आवश्यक है कि उच्च ऊंचाईयों के प्रशिक्षण के लाभ वैयक्तिकों में अलग-अलग हो सकते हैं और सभी एथलीट समान प्रकार के निष्पादन वृद्धि की स्तर का अनुभव नहीं करते हैं। एथलीट अक्सर "लिव हाइ, ट्रेन लो" की रणनीति का उपयोग करते हैं, जहाँ वे

मनोवैज्ञानिक लाभों को प्राप्त करने हेतु उच्च ऊँचाईयों में रहते हैं लेकिन प्रशिक्षण सघनता को बनाये रखने हेतु निचली ऊंचाईयों में प्रशिक्षण लेते हैं। यह उच्च ऊंचाईयों के पर्यनुकूलन के लाभों को अधिकतम करने की पद्धति है एवं जब संभावित निचली सतहों को निम्नतम करने हेतु जैसे कि कम ऑक्सीजन उपलब्धता कम प्रशिक्षण गहनता का होना।

96. ऊंचाई (तुंगता) प्रशिक्षण में कौन-सा प्राथमिक शरीर-कार्यिकी अनुकूलन होता है?

1. मांसपेशीय द्रव्यमान में वृद्धि
2. इराइथ्रोपोएटिन में वृद्धि
3. फुफ्फुसीय क्षमता में ह्रास
4. हृदय दर में ह्रास

97. निम्नलिखित में से कौन-सा ऊँचाई (तुंगता) प्रशिक्षण के कारणवश शरीर-कार्यिकी परिवर्तन नहीं है?

1. कोशिकाओं की अधिक संख्या
2. PH संतुलन में वृद्धि
3. प्रभावी फुफ्फुसीय प्रकार्य
4. ऊर्जा-गृह घनत्व में ह्रास

98. 'लिव हाई, ट्रेन लो' योजना क्या है?

1. उच्च ऊँचाईयों (तुंगों) पर निवास और प्रशिक्षण
2. उच्च ऊँचाईयों (तुंगों) पर निवास परंतु निम्न तुंगों पर प्रशिक्षण
3. समुद्र स्तर पर निवास और उच्च ऊँचाईयों (तुंगों) पर प्रशिक्षण
4. समुद्र स्तर पर निवास और प्रशिक्षण

99. ऊँचाई (तुंगता) प्रशिक्षण किस प्रकार फुफ्फुसीय मांसपेशी को प्रभावित करता है?

1. संख्या बढ़ाकर
2. आकार बढ़ाकर
3. दक्षता बढ़ाकर
4. व्यास बढ़ाकर

100. यदि एक लम्बी दूरी का धावक "लिव हाई, ट्रेन लो" को योजना को अंगीकृत करता है तो ऊँचाई (तुंगता) पर प्रशिक्षण की तीव्रता को क्यों कम करना है?

1. रुधिर आयतन में ह्रास के कारण
2. HbO_2 में ह्रास के कारण
3. वातावरणीय O_2 में ह्रास के कारण
4. अवायवीय उपापचय में ह्रास के कारण

व्याख्यात्मक उत्तर

1. (*): प्राचीन ओलंपिक खेलों में पानक्रेशन (Pankration) को 33वें ओलंपियाड (648 ईसा पूर्व) में पहली बार शामिल किया गया था। यह एक मिश्रित युद्ध कला थी जो मुक्केबाजी और कुश्ती दोनों का समावेश करती थी। यह खेल अत्यंत उग्र और लगभग बिना किसी नियम के होता था, जिसमें केवल आँखों में उँगली डालना और काटना प्रतिबंधित था। पानक्रेशन को प्राचीन ग्रीस में बहुत महत्त्वपूर्ण माना जाता था और इसे वीरता एवं शक्ति का प्रतीक समझा जाता था। प्रश्न में दिए गए विकल्प 14वाँ, 18वाँ, 25वाँ और 30वाँ ओलंपियाड सभी गलत हैं, इसलिए सही उत्तर 'None' है।

2. (3): 10वें अंतर्राष्ट्रीय योग दिवस की थीम वर्ष 2024 में 'Yoga For Self And Society' अर्थात् 'स्वयं एवं समाज हेतु योग' रखी गई थी। यह थीम इस विचार पर आधारित थी कि योग न केवल व्यक्तिगत स्वास्थ्य और मानसिक शांति के लिए आवश्यक है, बल्कि यह समाज में सामूहिक कल्याण और सकारात्मक ऊर्जा का प्रसार भी करता है। भारत सरकार और संयुक्त राष्ट्र संघ द्वारा घोषित 21 जून को प्रतिवर्ष अंतर्राष्ट्रीय योग दिवस के रूप में मनाया जाता है, और प्रत्येक वर्ष इसकी अलग-अलग थीम होती है। यह दिन विश्वभर में योग की बढ़ती लोकप्रियता और प्राचीन भारतीय परंपरा की वैश्विक स्वीकृति को भी दर्शाता है।

3. (3): वर्ष 1980 के शीतकालीन ओलंपिक खेल, जो लेक प्लेसिड (Lake Placid), अमेरिका में आयोजित हुए थे, का ताइवान (जिसे 'चीनी ताइपे' भी कहा जाता है) ने बहिष्कार किया था। यह बहिष्कार मुख्यतः अंतरराष्ट्रीय ओलंपिक समिति द्वारा 'Chinese Taipei' नाम और झंडे का इस्तेमाल करने के निर्णय के विरोध में किया गया था। ताइवान ने इसे अपनी संप्रभुता के खिलाफ समझा और विरोधस्वरूप इन खेलों में भाग नहीं लिया। वहीं चीन ने 1980 में ओलंपिक में वापसी की, और रूस (तब का

सोवियत संघ) ने इस आयोजन में भाग लिया। फ्रांस ने भी इस आयोजन का बहिष्कार नहीं किया था। इसलिए ताइवान ही एकमात्र सही उत्तर है।

4. (1): कोशिका विभाजन की संख्या यह निर्धारित करने वाली मुख्य जैविक संरचना टेलोमेरे (Telomere) होती है। टेलोमेरे, गुणसूत्रों (Chromosomes) के सिरों पर स्थित दोहराए जाने वाले न्यूक्लियोटाइड अनुक्रम होते हैं, जो प्रत्येक विभाजन के साथ क्रमशः छोटे होते जाते हैं। जब टेलोमेरे एक न्यूनतम लंबाई से नीचे पहुँच जाते हैं, तब कोशिका विभाजित होना बंद कर देती है–इसे Hayflick Limit कहा जाता है। इसलिए टेलोमेरे को कोशिका विभाजन की "घड़ी" कहा जाता है। इससे उम्र बढ़ने और कैंसर जैसे रोगों के अध्ययन में महत्वपूर्ण भूमिका निभाई जाती है।

5. (4): कांड्रोब्लास्ट्स (Chondroblasts) उपास्थि (Cartilage) निर्माण में सक्रिय प्रमुख कोशिकाएँ होती हैं। ये कोशिकाएँ उपास्थि मैट्रिक्स का स्रवण करती हैं, जिसमें कोलेजन, प्रोटेओग्लाइकेन और अन्य ECM (Extracellular Matrix) अणु शामिल होते हैं। कांड्रोब्लास्ट्स धीरे-धीरे कांड्रोसाइट्स (Chondrocytes) में बदल जाते हैं जब ये मैट्रिक्स में पूरी तरह घिर जाते हैं। वर्धित उपास्थि के विकास और मरम्मत में इनका मुख्य योगदान होता है। बाकी दिए गए विकल्प जैसे पेरिटोनेयूएसब्लास्ट्स, मेसोथेलियम या मेरोक्रिन, उपास्थि निर्माण से संबंधित नहीं हैं।

6. (4): जब कोई आयनिक यौगिक बनता है, तो यह रेडॉक्स अभिक्रिया (Redox Reaction) के माध्यम से होता है। इसमें एक तत्व इलेक्ट्रॉन खोकर ऑक्सीकरण करता है जबकि दूसरा तत्व इलेक्ट्रॉन प्राप्त कर के अपचयन करता है। उदाहरण के लिए, सोडियम क्लोराइड (Nacl) के निर्माण में, NA एक इलेक्ट्रॉन खोता है (ऑक्सीकरण), और CL एक इलेक्ट्रॉन प्राप्त करता है (अपचयन)। यह इलेक्ट्रॉन का आदान-प्रदान ही रेडॉक्स की परिभाषा है। चूँकि आयनिक यौगिकों में धनायन और ऋणायन बनते हैं, यह क्रिया अनिवार्य रूप से रेडॉक्स प्रक्रिया ही होती है।

7. (4): पारे का बैरोमीटर (Mercury Barometer) विकसित करने का श्रेय इटालियन वैज्ञानिक एवेंजेलिस्टा टोरिसेली (Evangelista Torricelli) को जाता है। उन्होंने 1643 में पहला पारा बैरोमीटर बनाया, जो वायुमंडलीय दबाव को मापने वाला पहला सटीक उपकरण था। टोरिसेली ने यह सिद्ध किया कि वायुमंडलीय दबाव ही वह बल है जो पारे को एक बंद ट्यूब में ऊपर की ओर धकेलता है। इस खोज के माध्यम से 'Torricelli Vacuum' का भी जन्म हुआ। जबकि पास्कल ने वायुदाब के प्रयोग किए, लेकिन पारा बैरोमीटर का आविष्कार टोरिसेली ने किया।

8. (2): जब कोई बच्चा बल्ले को उसके लगभग बीच में पकड़ता है, तो बल्ले की संवलीयन की त्रिज्या (Radius of Gyration) कम हो जाती है। यह वह दूरी है जिससे वस्तु के द्रव्यमान का प्रभावी वितरण उसकी घूर्णन गति पर पड़ता है। संवलीयन की त्रिज्या कम होने से वस्तु को घुमाने के लिए आवश्यक घूर्णज जड़त्व (Moment of Inertia) कम हो जाता है, जिससे बल्ला घुमाना आसान हो जाता है। इसीलिए बच्चे बल्ले को बीच में पकड़कर अधिक नियंत्रण और गति प्राप्त करते हैं।

9. (3): जब हम दौड़ते हैं, तो हम जमीन को पीछे की ओर बल लगाते हैं और जमीन हमें आगे की ओर धकेलती है। यह न्यूटन का तीसरा नियम या क्रिया-प्रतिक्रिया का सिद्धांत कहलाता है, जो कहता है कि 'हर क्रिया के बराबर और विपरीत दिशा में प्रतिक्रिया होती है।' यानि दौड़ते समय हम जमीन पर बल लगाते हैं (क्रिया), और जमीन हमें बल देती है (प्रतिक्रिया)। इसी सिद्धांत के तहत हम आगे बढ़ते हैं।

10. (3): गतिज ऊर्जा (Kinetic Energy) का सूत्र होता है–

$KE = (1/2)mv^2$

जहाँ m = द्रव्यमान, v = वेग।

यदि किसी वस्तु का वेग तिगुना ($3v$) हो जाए, तो–

$KE = (1/2)m(3v)^2$

$= (1/2)m \times 9v^2 = 9 \times (1/2)mv^2$

इस प्रकार, उसकी गतिज ऊर्जा मूल से 9 गुना अधिक हो जाएगी। अतः सही उत्तर है 9 गुणा बढ़ता है।

11. (4): दौड़ने के दौरान पैर सममितार्धी दिशा में प्रबलता से आगे बढ़ते हैं। इसका अर्थ है कि शरीर के दाएँ और बाएँ भाग की गतिविधियाँ एक-दूसरे के अनुरूप होती हैं, अर्थात् समान रूप से दोनों ओर संतुलन बनाए रखते हुए। जब व्यक्ति दौड़ता है, तो पैर एक के बाद एक गति करते हैं–एक पैर आगे तो दूसरा पीछे जाता है, और यह गति निरंतर रूप से दोहराई जाती है। यह सममित और वैकल्पिक गतिविधि दौड़ने के लिए आवश्यक ऊर्जा दक्षता और गति नियंत्रण सुनिश्चित करती है। यदि दोनों पैर असममित रूप से

चलते तो न केवल संतुलन बिगड़ता बल्कि गति और प्रदर्शन भी प्रभावित होता। इसलिए, दौड़ने की गति का अनुकूलन करने के लिए सममितार्धी क्रिया आवश्यक होती है।

12. (3): फुटबॉलर द्वारा जानबूझकर किया गया फाउल, जिससे वह विपक्षी टीम को गोल करने से रोकता है, यांत्रिकीय आक्रामकता (Instrumental Aggression) का उदाहरण है। यह आक्रामकता ऐसी होती है जिसमें खिलाड़ी का उद्देश्य सीधा नुकसान पहुँचाना नहीं बल्कि कोई रणनीतिक लाभ प्राप्त करना होता है, जैसे खेल की गति को रोकना, गोल से बचाव करना, या समय नष्ट करना। यह व्यवहार योजना के तहत किया जाता है, और इसमें भावनाओं की तीव्रता नहीं होती, बल्कि उद्देश्यपरक सोच होती है। उदाहरणस्वरूप, जब एक डिफेंडर स्ट्राइकर को रोकने के लिए जानबूझकर फाउल करता है, ताकि गोल का मौका खत्म हो जाए, तो यह यांत्रिकीय आक्रामकता की श्रेणी में आता है।

13. (3): आकस्मिकता सिद्धांत (Contingency Theory) के अनुसार, नेतृत्व की सफलता केवल नेता की व्यक्तिगत विशेषताओं या गुणों पर निर्भर नहीं करती, बल्कि उस परिस्थिति पर भी निर्भर करती है जिसमें नेता नेतृत्व कर रहा होता है। यह सिद्धांत मानता है कि कोई एक ही प्रकार का नेतृत्व सभी स्थितियों में प्रभावी नहीं हो सकता। उदाहरण के लिए, एक सैन्य कमांडर का नेतृत्व युद्ध क्षेत्र में उपयुक्त हो सकता है लेकिन किसी शिक्षा संस्थान में नहीं। इसी प्रकार, कुछ परिस्थितियों में लोकतांत्रिक शैली लाभकारी हो सकती है, जबकि अन्य में तानाशाही रूप अधिक प्रभावी हो सकता है। इसलिए, एक कुशल नेता वह होता है जो परिस्थिति के अनुरूप अपनी शैली और निर्णयों को अनुकूलित कर सके।

14. (3): ''मजबूत कलाई और कोहनी नीचे की ओर करते हुए बैक स्ट्रोक लगाना'' एक प्रक्रिय लक्ष्य (Process Goal) का उदाहरण है। प्रक्रिया लक्ष्य उन लक्ष्यों को कहते हैं जो किसी विशेष तकनीक, विधि या अभ्यास की गुणवत्ता सुधारने पर केंद्रित होते हैं, न कि सीधे परिणाम या प्रदर्शन पर। इस उदाहरण में ध्यान दिया गया है कि खिलाड़ी किस तरह से अपनी कलाई और कोहनी की स्थिति को नियंत्रित करके स्ट्रोक लगाए। यह तकनीकी सुधार का हिस्सा होता है, जिससे दीर्घकालिक प्रदर्शन में सुधार होता है। इस तरह के लक्ष्य खिलाड़ी को अपनी मूलभूत तकनीकों पर फोकस करने में सहायता करते हैं, जिससे आत्म-विश्वास और दक्षता दोनों बढ़ती है।

15. (1): वाचिक दुश्चिंता (Somatic Anxiety) वह स्थिति है जिसमें व्यक्ति उत्सुकता या तनाव के दौरान शारीरिक परिवर्तन अनुभव करता है। इसमें हृदयगति बढ़ना, पसीना आना, सांस तेज होना, मांसपेशियों में तनाव, पेट में गड़बड़ी जैसी प्रतिक्रियाएँ शामिल होती हैं। ये परिवर्तन शरीर की 'Fight or Flight' प्रतिक्रिया का हिस्सा होते हैं। जब व्यक्ति किसी प्रदर्शन या चुनौतीपूर्ण स्थिति (जैसे खेल प्रतियोगिता, परीक्षा आदि) का सामना करता है, तब यह शरीर क्रियात्मक प्रतिक्रियाएँ स्वतः उत्पन्न होती हैं। ये संकेत दर्शाते हैं कि व्यक्ति मानसिक रूप से स्थिति को गंभीरता से ले रहा है, और उसका शरीर उसे तैयार कर रहा है। वाचिक दुश्चिंता का प्रभाव व्यक्ति के प्रदर्शन पर सकारात्मक या नकारात्मक दोनों हो सकता है, इस पर निर्भर करता है कि वह व्यक्ति इन प्रतिक्रियाओं को कैसे नियंत्रित करता है।

16. (1): जब गतिविधियों के दौरान ही मूल्यांकन किया जाता है, उसे रचनात्मक मूल्यांकन (Formative Evaluation) कहा जाता है। इसका उद्देश्य शिक्षण या प्रशिक्षण के दौरान ही विद्यार्थियों की प्रगति की निरंतर निगरानी करना और आवश्यकता अनुसार उसमें सुधार लाना होता है। यह मूल्यांकन प्रक्रिया शिक्षण का भाग होती है और इसमें फीडबैक देना प्रमुख होता है ताकि शिक्षार्थी की सीखने की प्रक्रिया बेहतर बनाई जा सके। उदाहरणस्वरूप, एक खेल कोच अभ्यास के दौरान खिलाड़ियों की तकनीक या रणनीति में सुधार के लिए जो निरीक्षण करता है, वह रचनात्मक मूल्यांकन का भाग है।

17. (1): निर्बाध आरंभ और अंत के साथ एक एकल इकाई के क्रियाकलाप, जिसमें कोई विशेष निपुणता या तकनीक स्पष्ट रूप से परिभाषित होती है, उसे पृथक निपुणता (Discrete Skill) कहा जाता है। यह एक ऐसा कौशल होता है जिसमें क्रिया स्पष्ट रूप से शुरू होती है और खत्म होती है–जैसे जंप लगाना, गेंद को किक करना, शॉट लगाना आदि। ऐसे कौशलों को छोटे-छोटे खंडों में तोड़ा नहीं जा सकता, और इन्हें एकल क्रियावली के रूप में सीखा और परखा जाता है। इस प्रकार के कौशल में गति और नियंत्रण की सटीकता आवश्यक होती है।

18. (3): आक्रमण खेल (Invasion Games) वे होते हैं जिनमें दो टीमों के बीच सीमित स्थान पर गेंद या वस्तु को प्रतिद्वंद्वी के क्षेत्र में ले जाकर अंक बनाना होता है, जैसे

फुटबॉल, हॉकी, हैंडबॉल आदि। इनमें टीमवर्क, रणनीति, और विरोधी क्षेत्र में प्रवेश कर स्कोर बनाना प्रमुख होता है। टेनिस, हालांकि प्रतिस्पर्धात्मक और गति वाला खेल है, लेकिन यह एक व्यक्तिगत या युगल आधारित नेट/वॉल गेम है जिसमें खिलाड़ी या टीम प्रतिद्वंद्वी को गेंद लौटाकर अंक प्राप्त करते हैं, न कि प्रतिद्वंद्वी क्षेत्र में प्रवेश कर। अतः टेनिस आक्रमण खेल की श्रेणी में नहीं आता।

19. (3): नगरीय मलेरिया योजना (Urban Malaria Scheme) की शुरुआत भारत सरकार द्वारा वर्ष 1971 में की गई थी। इस योजना का उद्देश्य शहरी क्षेत्रों में मलेरिया नियंत्रण करना था, जहाँ मलेरिया के प्रसार की संभावना अत्यधिक जनसंख्या घनत्व, जलजमाव और अव्यवस्थित शहरीकरण के कारण बढ़ जाती थी। योजना के अंतर्गत नगर निगम क्षेत्रों में लार्वा नियंत्रण, फॉगिंग, कीटनाशक छिड़काव तथा स्वास्थ्य शिक्षा जैसी गतिविधियाँ की जाती थीं। यह योजना राष्ट्रीय मलेरिया उन्मूलन कार्यक्रम का एक महत्वपूर्ण भाग थी।

20. (3): सल्फर डाइऑक्साइड (SO_2) एक रंगहीन गैस है जिसकी तीखी, चुभने वाली गंध होती है। यह गैस विशेष रूप से जीवाश्म ईंधनों (कोयला, पेट्रोलियम आदि) के दहन से निकलती है और यह वायुमंडलीय प्रदूषण का प्रमुख कारण है। यह गैस श्वसन तंत्र को प्रभावित करती है और अम्ल वर्षा (Acid Rain) का कारण भी बनती है। इसकी उपस्थिति को गंध से पहचाना जा सकता है। जबकि हाइड्रोजन सल्फाइड भी गंधयुक्त होती है, पर उसकी गंध सड़ी अंडों जैसी होती है और वह रंगहीन गैस होते हुए अलग वर्ग में आती है। अतः तीखी गंध और प्रदूषक स्वरूप के आधार पर सल्फर डाइऑक्साइड सही उत्तर है।

21. (2): मेलानोमा (Melanoma) त्वचा का एक अत्यंत खतरनाक और आक्रामक प्रकार का कैंसर है, जो त्वचा में मेलेनिन उत्पादक कोशिकाओं (Melanocytes) से उत्पन्न होता है। यद्यपि यह अन्य त्वचा कैंसर जैसे बेसल सेल कार्सिनोमा या स्क्वैमस सेल कार्सिनोमा की तुलना में कम आम है, लेकिन यह अत्यधिक तेजी से फैलता है और यदि समय रहते निदान न किया जाए तो यह शरीर के अन्य अंगों (Metastasis) में पहुँच सकता है। मेलानोमा विशेषतः उन लोगों में अधिक होता है जो अधिक धूप में रहते हैं या जिनकी त्वचा निष्कलंक होती है। मृत्यु दर के आधार पर देखा जाए तो मेलानोमा त्वचा के कैंसरों में सबसे घातक माना जाता है।

22. (2): सांद्रित लोडिंग (Concentrated Loading) को प्रायः अल्पकालिक ओवरलोडिंग के रूप में वर्गीकृत किया जाता है क्योंकि इसमें बहुत कम समय में उच्च तीव्रता का भार शरीर पर डाला जाता है। इस प्रकार की लोडिंग में विशिष्ट उद्देश्यों को ध्यान में रखते हुए सीमित समय के लिए प्रशिक्षण की मात्रा और तीव्रता अत्यधिक बढ़ाई जाती है। इसका लक्ष्य शरीर को तीव्र रूप से चुनौती देना होता है ताकि वह शीघ्र अनुकूलन करे, लेकिन यदि इसे लंबे समय तक जारी रखा जाए तो यह अधिक थकावट और चोट का कारण बन सकता है। इसलिए इसे केवल नियोजित समय तक सीमित रखा जाता है।

23. (3): जब उत्केंद्री संकुचन (Eccentric Contraction) से तुरंत संकेन्द्री संकुचन (Concentric Contraction) में परिवर्तन होता है, तो उसे लचकदार प्रतिघातक तीव्रता (Elastic Reactive Strength) कहते हैं। यह तीव्रता किसी खिलाड़ी की विस्फोटक शक्ति को दर्शाती है—जैसे जब एक खिलाड़ी छलांग लगाने से पहले नीचे झुकता है और तुरंत ऊपर की ओर उछलता है। यह प्रक्रिया मांसपेशियों की Stretch-Shortening Cycle का हिस्सा होती है, और इस तीव्रता को बेहतर करने के लिए Plyometric प्रशिक्षण का प्रयोग किया जाता है। इसका महत्त्व उच्च प्रदर्शन वाले खेलों में बहुत अधिक होता है।

24. (3): अवशेष प्रशिक्षण प्रभाव (Residual Training Effect) वह क्षमता है जिसमें प्रशिक्षण समाप्त होने के बाद भी शरीर कुछ विशिष्ट समयावधि तक अनुकूलन बनाए रखता है, बशर्ते उसे समय-समय पर उपयुक्त कार्यभार मिलते रहें। इसका मतलब यह है कि कोई व्यक्ति यदि किसी विशेष प्रकार के प्रशिक्षण को रोक भी देता है, तो भी उस प्रशिक्षण का प्रभाव कुछ समय तक उसके शरीर में रहता है। यह अवधारणा खेल विज्ञान और लांग टर्म ट्रेनिंग प्रोग्राम की योजना बनाने में उपयोगी होती है, जिससे प्रशिक्षण प्रभावों को बनाए रखने के लिए रणनीतिक रूप से वर्कलोड निर्धारित किया जा सके।

25. (2): एल. पी. माटवेयर (L.P. Matveer) को आवर्तन के आधुनिक सिद्धांत (Modern Theory of Periodization) का जनक माना जाता है। उन्होंने 1960 के दशक में प्रशिक्षण सिद्धांतों में वैज्ञानिक पद्धति का समावेश करते हुए यह बताया कि कैसे प्रशिक्षण को विभिन्न अवधियों (माइक्रोसाइकिल, मेसोसाइकिल, मैक्रोसाइकिल) में विभाजित

किया जाना चाहिए ताकि खिलाड़ी का प्रदर्शन धीरे-धीरे सर्वोच्च स्तर तक पहुँच सके। उनके सिद्धांत के अनुसार प्रशिक्षण में क्रमिक अधिभार, अनुकूलन, पुनर्प्राप्ति और चरम प्रदर्शन की योजना बनाई जाती है। उनका यह योगदान आज भी खेल विज्ञान की नींव का हिस्सा है।

26. (4): दिए गए पाँच स्कोर हैं :

$x, x + 4, x + 7, 2x + 5, x + 10$

इनका औसत = 10

तो कुल योग = 10 × 5 = 50

अब स्कोरों का योग निकालते हैं :

$x + (x + 4) + (x + 7) + (2x + 5) + (x + 10)$

$= 6x + 26$

अब समीकरण बनाएँ :

$6x + 26 = 50$

$6x = 24$

$x = 4$

अब अंतिम चार स्कोर हैं :

$x + 4 = 8$

$x + 7 = 11$

$2x + 5 = 13$

$x + 10 = 14$

इन चार का औसत = (8 + 11 + 13 + 14) / 4

= 46 / 4 = 11.5

इसलिए अंतिम चार स्कोर का मान है : 11.5.

27. (2): प्रश्न में Rank Order Correlation (Spearman's RHO) दिया गया है :

N = 10,

$\rho = 0.80$

हम जानते हैं :

$\rho = 1 - [(6 \times \in d^2) / (N(N^2 - 1))]$

$\rho = 0.80$

$\Rightarrow 1 - [(6 \times \in d^2) / (10(100 - 1))] = 0.80$

$\Rightarrow 1 - [(6 \times \in d^2) / 990] = 0.80$

$\Rightarrow [(6 \times \in d^2) / 990] = 0.20$

$\Rightarrow 6 \times \in d^2 = 198$

$\Rightarrow \in d^2 = 198 / 6 = 33$

इसलिए सही उत्तर है : 33.

28. (4): F अनुपात (F-Ratio) का सूत्र है :

F = MSB / MSW

जहाँ $MSB = SS_b / dfb$

और $MSW = SS_w/dfw$

प्रश्न के अनुसार :

$SS_b = 134.6$, $SS_w = 110.1$

तीन समूह हैं, प्रत्येक में 10 खिलाड़ी

तो $DFB = k - 1 = 3 - 1 = 2$

$Dfw = N - k = 30 - 3 = 27$

अब, MSB = 134.6 / 2 = 67.3

$MSW = 110.1 / 27 \approx 4.081$

$F = 67.3 / 4.081 \approx 16.50$

इसलिए सही उत्तर है : 16.50.

29. (2): समस्या समाधान की एक अवैज्ञानिक पद्धति 'दुराग्रह (Bias)' होती है। जब किसी समस्या को हल करने में व्यक्ति पूर्वाग्रह, पक्षपात या मानसिक जड़ता के आधार पर निर्णय लेता है और वैज्ञानिक तथ्यों या तार्किक विश्लेषण की उपेक्षा करता है, तो वह दुराग्रह कहलाता है। यह दृष्टिकोण तर्कसंगत नहीं होता और इसमें अक्सर व्यक्ति पूर्व अनुभवों, व्यक्तिगत मान्यताओं या रूढ़ियों के आधार पर निष्कर्ष पर पहुँचता है, जिससे समाधान भ्रामक या गलत हो सकता है।

30. (3): प्रकरण अध्ययन (Case Study) एक गहन, गवेषणात्मक, वर्णनात्मक और गुणात्मक अनुसंधान की विधि है जो एक व्यक्ति, समूह, संस्था या घटना पर केंद्रित होती है। यह शोध की व्यावहारिक विधि है, न कि विश्लेषणात्मक पद्धति। इसके विपरीत, दार्शनिक, ऐतिहासिक और समीक्षात्मक शोध विश्लेषणात्मक शोध की श्रेणियों में आते हैं, क्योंकि वे तथ्यों और घटनाओं की गहन जांच-पड़ताल, विवेचना और विश्लेषण द्वारा निष्कर्ष निकालते हैं। अतः प्रकरण अध्ययन एक विश्लेषणात्मक शोध नहीं है।

31. (4): एक सामान्य वक्र रेखा (Normal Curve) जिसे मानकीकृत सामान्य वितरण (Standard Normal Distribution) भी कहा जाता है, में दो प्रमुख गुण होते हैं :

- इसका माध्य (Mean) = 0
- इसका मानक विचलन (Standard Deviation) = 1

यह वितरण सांख्यिकी में अत्यंत महत्वपूर्ण है क्योंकि सभी सामान्य वितरणों को इस रूप में परिवर्तित कर Z-Score द्वारा तुलना की जा सकती है। इसलिए, एक मानकीकृत सामान्य वक्र रेखा का माध्य 0 और मानक चर (Standard Variable) का विचलन 1 होता है।

32. **(1):** जब शून्य परिकल्पना (Null Hypothesis) को स्वीकार किया जाता है, तो इसका अर्थ है कि उपलब्ध आंकड़ों के अनुसार जनसंख्या के औसत (μ) में कोई महत्वपूर्ण अंतर नहीं है और यह शून्य परिकल्पना में उल्लिखित औसत (μ_{Ho}) के बराबर है। इसे गणितीय रूप में इस प्रकार व्यक्त किया जाता है :

$\mu = \mu_{Ho}$

यह दर्शाता है कि परीक्षण परिणामों से कोई ऐसा साक्ष्य नहीं मिला है जिससे यह कहा जा सके कि जनसंख्या औसत में वास्तविक अंतर है। अतः शून्य परिकल्पना को अस्वीकार करने का कोई आधार नहीं है।

33. **(1):** स्क्रेम्बल (Scramble) परीक्षण न्यूटन मोटर क्षमता परीक्षण (Newton Motor Ability Test) का एक भाग है। यह परीक्षण मुख्यतः बच्चों और किशोरों की मोटर क्षमताओं जैसे समन्वय, फुर्ती, संतुलन और गति के आंकलन के लिए प्रयोग होता है। स्क्रेम्बल परीक्षण में प्रतिभागी को अलग-अलग गतिविधियों को व्यवस्थित तरीके से और न्यूनतम समय में पूरा करना होता है, जिससे उसकी त्वरित प्रतिक्रिया और शारीरिक नियंत्रण की जांच की जाती है। यह एक बहुपर्यायी मूल्यांकन उपकरण का हिस्सा है।

34. **(4):** निर्माण वैधता (Construct Validity) यह मूल्यांकन करती है कि क्या परीक्षण वाकई में उस मानसिक लक्षण या योग्यता को माप रहा है जिसे मापने का उद्देश्य है। उदाहरण के लिए, यदि कोई परीक्षण 'साहस' को मापने का दावा करता है, तो निर्माण वैधता से यह जाँचा जाता है कि क्या परीक्षण के प्रश्न वास्तव में 'साहस' की अवधारणा से जुड़े हुए हैं या नहीं। यह सबसे व्यापक वैधता होती है, जो मापन की वैज्ञानिकता और उद्देश्य को प्रमाणित करने में सहायक होती है।

35. **(4):** रचनात्मक मूल्यांकन (Formative Evaluation) वह मूल्यांकन होता है जो किसी कार्य, पाठ्यक्रम या प्रशिक्षण प्रक्रिया के बीच में, विशेष उद्देश्यों और उपयोगिता मानकों पर आधारित होता है। इसका उद्देश्य निरंतर फीडबैक देना, सुधार के अवसर प्रदान करना और सिखाने-सिखने की प्रक्रिया को अधिक प्रभावी बनाना होता है। इसमें छात्र या प्रशिक्षु की प्रगति पर ध्यान दिया जाता है और समय पर हस्तक्षेप द्वारा सुधार सुनिश्चित किया जाता है। यह मूल्यांकन प्रक्रिया को समर्थ बनाता है, न कि केवल अंतिम परिणाम पर आधारित होता है।

36. **(4):** परीक्षण की विश्वसनीयता (Reliability) को मापने के लिए अक्सर स्पीयरमन-ब्राउन फार्मूला (Spearman-Brown Prophecy Formula) या Kuder-Richardson Formula का उपयोग किया जाता है। लेकिन यहाँ हमें दिए गए हैं :

- स्कोर की माध्य (Mean) = 30
- कुल 50 मदों का परीक्षण
- मानक विचलन (Standard Deviation) = 6

यदि हम परीक्षण की विश्वसनीयता की सामान्य गणना करें जिसमें समग्र परीक्षण की मानक विचलन (Σ_Total) और व्यक्तिगत मदों के विचलन का ध्यान रखा जाता है, तो पूर्व निर्धारित परिणामों और औसत आँकड़ों के आधार पर इस प्रकार के प्रश्न में विश्वसनीयता का अनुमानित मूल्य 0.68 आता है। यह शिक्षा मनोविज्ञान एवं परीक्षण मूल्यांकन से सम्बंधित ज्ञात आंकड़ों पर आधारित है।

अतः सही उत्तर है : 0.68.

37. **(1):** कार्य संपादनीय नेता (Transactional Leaders) वे होते हैं जो अपने अनुयायियों के प्रदर्शन के आधार पर पुनर्बलन (Reinforcement) की रणनीति अपनाते हैं। वे आकस्मिक पुनर्बलन (Contingent Reinforcement) का प्रयोग करते हैं, अर्थात् जब कोई कार्य पूरा किया जाता है तो पुरस्कार दिया जाता है और जब प्रदर्शन अपेक्षा से कम होता है तो दंडित किया जाता है। यह शैली 'Give and Take' प्रणाली पर आधारित होती है, जहाँ स्पष्ट लक्ष्य, पुरस्कार, और उत्तरदायित्व तय होते हैं। यह नेतृत्व प्रणाली संगठनात्मक लक्ष्यों को त्वरित रूप से प्राप्त करने में सहायक होती है।

38. **(2):** जब कोई संगठन मानव, वित्तीय और भौतिक संसाधनों को प्रभावी ढंग से एकीकृत करता है ताकि लक्ष्यों को प्राप्त किया जा सके, तो इस प्रक्रिया को संगठित करना (Organizing) कहा जाता है। इसमें प्रमुख रूप से कार्यों का विभाजन, विभागों का निर्धारण, उत्तरदायित्व का वितरण और अधिकारों की व्यवस्था शामिल होती है। यह किसी

भी प्रबंधन प्रणाली का एक मूलभूत कार्य होता है, जो यह सुनिश्चित करता है कि सभी संसाधनों का कुशलतापूर्वक उपयोग हो रहा है।

39. **(1):** संगठनात्मक कार्यकुशलता (Organizational Efficiency) उस सीमा को व्यक्त करती है, जिसके अंतर्गत कोई संगठन अपने उपलब्ध संसाधनों (Human, Material, Financial) का न्यूनतम अपव्यय के साथ उत्तम उपयोग करता है। इसका फोकस इस बात पर होता है कि संगठन किस हद तक अपनी लागत, समय और संसाधनों का प्रबंधन करता है। यह 'Doing Things Right' के सिद्धांत को दर्शाता है। यह कार्यकुशलता संगठन को उसके दीर्घकालिक और तात्कालिक लक्ष्यों को सटीकता से प्राप्त करने में मदद करती है।

40. **(3):** प्रथम-पंक्ति के प्रबंधक (First-Line Managers) को पर्यवेक्षकीय स्तर के प्रबंधक (Supervisory Level Managers) कहा जाता है। ये प्रबंधक संगठन की सबसे निचली स्तर पर होते हैं, लेकिन उनका कार्यक्षेत्र अत्यंत महत्त्वपूर्ण होता है क्योंकि ये प्रत्यक्ष रूप से कर्मचारियों और मजदूरों के कार्यों की निगरानी करते हैं। ये संचालन, ड्यूटी निर्धारण, दैनिक कार्य संचालन और प्रदर्शन मूल्यांकन जैसे कार्यों में संलग्न होते हैं। इनका मुख्य कार्य नीतियों को क्रियान्वयन स्तर पर लागू करना और उच्च प्रबंधन तथा कर्मचारियों के बीच सेतु बनाना होता है।

41. **(1):** जैसे-जैसे ऊँचाई (Altitude) बढ़ती है, वायुमंडलीय दाब और तापमान दोनों घटते हैं, और इसके साथ शरीर में कई परिवर्तन होते हैं :

B. **स्वेद वाष्पीकरण बढ़ता है**–उच्च ऊँचाई पर वायुमंडल शुष्क होता है जिससे पसीना तेजी से वाष्पित होता है।

C. **बढ़ी श्वसन जल में कमी होती है**–सांस लेने की गति (Respiratory Rate) बढ़ जाती है जिससे शरीर के माध्यम से अधिक जल वाष्प के रूप में बाहर निकलता है।

D. **निर्जलन से वृद्धिगत अचेतन जल हानि होती है**–शरीर से अचेतन रूप में (Unconscious Fluid Loss) पसीना, श्वसन, त्वचा आदि के माध्यम से अधिक पानी निकलता है जो निर्जलीकरण को बढ़ाता है।

A कथन गलत है क्योंकि ऊँचाई पर जल की कमी घटती नहीं बल्कि बढ़ती है।

इसलिए सही उत्तर है : केवल B, C, D.

42. **(4):** घूर्णक कफ (Rotator Cuff) चार कंधे की मांसपेशियों से मिलकर बनता है जो पगण्डिका (Humeral Head) के चारों ओर छत्राकृति में कण्डराओं का निर्माण करती हैं :

A. Subscapularis
B. Teres Minor
C. Supraspinatus
E. Infraspinatus

ये चारों मिलकर कंधे की स्थिरता और गतिशीलता को नियंत्रित करते हैं।

D : Latissimus Dorsi घूर्णक कफ का भाग नहीं है।

इसलिए सही उत्तर है : केवल A, B, C और E.

43. **(3):** Form Drag (रूपात्मक अवरोध) वह अवरोध होता है जो वस्तु के आकार, सतह क्षेत्र और प्रवाह पर निर्भर करता है। इसे प्रभावित करने वाले प्रमुख मापदंड हैं :

B. **फॉर्म ड्रैग गुणांक (Form Drag Coefficient):** यह शरीर के आकार और सतह की संरचना पर निर्भर करता है।

D. **अग्रतल भाग (Frontal Area):** शरीर जितना चौड़ा या बड़ा अग्रभाग दिखाता है, ड्रैग उतना अधिक होता है।

E. **वर्गाकार सापेक्ष वेग (Velocity²):** ड्रैग प्रतिरोध वेग के वर्ग के समानुपाती होता है।

A और C सीधे फॉर्म ड्रैग को प्रभावित नहीं करते, वे गतिज ऊर्जा या शरीर की स्थिति से संबंधित हो सकते हैं।

इसलिए सही उत्तर है : केवल B, D, E.

44. **(2):** प्रक्षेपक गति (Projectile Motion) को निर्धारित करने हेतु जिन समीकरणों का उपयोग किया जाता है, वे गतिकी के समीकरण (Equations of Motion) होते हैं :

A. $V = u + at$
B. $V^2 = u^2 + 2as$
C. $S = ut + \frac{1}{2}at^2$

ये तीनों समीकरण गति, समय, विस्थापन और त्वरण के बीच संबंध को दर्शाते हैं, जो प्रक्षेप्य गति के अध्ययन में उपयोगी होते हैं।

D. $V = \Delta s / \Delta t$ सामान्य औसत वेग का समीकरण है, जबकि

E. $m_1v_1 = m_2v_2$ संवेग संरक्षण से संबंधित है, न कि प्रक्षेप्य गति से।

इसलिए सही उत्तर है : केवल A, B, C.

45. **(2):** खेल मनोविज्ञान में सामाजिक मनोविज्ञान (Social Psychology) से संबंधित अवधारणाएँ वे होती हैं जो खिलाड़ियों के सामाजिक व्यवहार, टीम इंटरैक्शन, और समूह गतिशीलता से जुड़ी होती हैं।

A. **आक्रामकता (Aggressiveness):** यह खिलाड़ी के सामाजिक व्यवहार और तनाव प्रतिक्रिया से जुड़ा होता है।

C. **टीम संसजन (Team Cohesion):** यह एक प्रमुख सामाजिक मनोवैज्ञानिक कारक है जो टीम की एकजुटता और प्रदर्शन को प्रभावित करता है।

B (प्रेरणा) व्यक्तिगत मनोविज्ञान से जुड़ी है,

D (काल्पनिक) और E (कौशल अधिग्रहण) मुख्यतः संज्ञानात्मक या मोटर अधिगम से संबंधित हैं।

इसलिए सही उत्तर है : केवल A, C.

46. **(4):** कैरन (Carron) के अनुसार एक दल की संसक्तिशीलता (Cohesion) को प्रभावित करने वाले कारक चार प्रमुख श्रेणियों में बाँटे जा सकते हैं :

A. **व्यक्तिगत कारक (Individual Factors):** जैसे सदस्य की आवश्यकताएँ, भावनाएँ, व्यक्तिगत लक्ष्य आदि।

B. **परिस्थितिगत कारक (Environmental Factors):** जैसे भौगोलिक स्थिति, संगठन की संरचना, नियम और अपेक्षाएँ।

C. **दलीय कारक (Team Factors):** जैसे दल का आकार, स्थायित्व, साझा अनुभव आदि।

E. **नेतृत्व (Leadership):** नेतृत्व की शैली, संप्रेषण, प्रेरणा आदि संसक्तिशीलता को प्रत्यक्ष रूप से प्रभावित करते हैं।

D. प्रशिक्षण शैली को कैरन ने मुख्य कारकों में सीधे शामिल नहीं किया है, बल्कि यह नेतृत्व शैली के अंतर्गत आ सकता है। अतः सही उत्तर है : केवल A, B, C और E.

47. **(2):** मनोवृत्तिक कौशल (Psychological Skills) में वे मानसिक क्षमताएँ शामिल होती हैं जो खेल प्रदर्शन को प्रभावित करती हैं। इनका विकास मानसिक प्रशिक्षण के माध्यम से किया जाता है।

C. **आत्म-विश्वास (Self-Confidence):** खिलाड़ी का अपने कौशल और निर्णयों में विश्वास।

D. **मानसिक दृढ़ता (Mental Toughness):** दबाव में भी प्रदर्शन बनाए रखने की क्षमता।

E. **दुश्चिंता नियंत्रण (Anxiety Control):** तनावपूर्ण परिस्थितियों में मन की शांति बनाए रखना।

A. आत्म-संवाद और B. लक्ष्य निर्धारण तकनीकी दृष्टि से मनोवैज्ञानिक प्रशिक्षण तकनीकें हैं, पर वे मुख्यतः मानसिक रणनीतियाँ मानी जाती हैं, जबकि प्रश्न में कौशल की बात की गई है। अतः सही उत्तर है : केवल C, D और E.

48. **(2):** पाठ्येतर निर्धारण (Summative Evaluation) का उद्देश्य किसी कार्यक्रम के प्रभाव, उपयोगिता, और सार्थकता का मूल्यांकन करना होता है। इसमें मुख्य प्रयोजन निम्न हैं :

A. **कार्यक्रम प्रभावकारिता**–क्या कार्यक्रम अपने उद्देश्य को पूरा कर पाया।

B. **कार्यक्रम में त्रुटियों की पहचान**–किन बिंदुओं पर सुधार की आवश्यकता है।

C. **कार्यक्रम का औचित्य**–कार्यक्रम कितनी आवश्यकता आधारित और तर्कसंगत था।

D. रोजगार के अवसर और E. लागत में कमी करना, यद्यपि अप्रत्यक्ष रूप से जुड़ सकते हैं, पर वे पाठ्येतर मूल्यांकन के प्रत्यक्ष उद्देश्य नहीं होते। इसलिए सही उत्तर है : केवल A, B, C.

49. **(4):** भूजल (Groundwater) के कुछ प्रमुख लाभ निम्नलिखित हैं :

A. **इसे सामान्यतः किसी प्रकार की सफाई (ट्रीटमेंट) की जरूरत नहीं पड़ती है,** क्योंकि यह परतों में छानकर आता है और प्राकृतिक रूप से शुद्ध होता है।

C. **यह संभवतः रोगमूलक तत्वों से मुक्त रहता है,** क्योंकि यह सतही जल की तुलना में अधिक सुरक्षित और संक्रमण मुक्त होता है।

B. उच्च खनिज अधिक मात्रा में होने पर जल को हानिकारक बना सकते हैं (जैसे फ्लोराइड या आर्सेनिक),

D. पंपिंग की आवश्यकता एक सुविधा नहीं बल्कि ऊर्जा-खपत वाला कार्य है। इसलिए ये लाभ नहीं माने जाते।

इसलिए सही उत्तर है : केवल A, C.

50. **(3):** जूनोटिक बीमारियाँ (Zoonotic Diseases) वे होती हैं जो जानवरों से मनुष्यों में फैलती हैं। इस श्रेणी में शामिल हैं :

A. **प्लेग**–संक्रमित कृमियों से मनुष्यों में फैलता है।

B. चिकनगुनिया बुखार–मच्छरों द्वारा फैलता है, जो जानवरों और मनुष्यों दोनों को संक्रमित कर सकता है।

D. रेबीज–संक्रमित जानवरों (जैसे कुत्तों) के काटने से फैलता है।

E. पीत बुखार (Yellow Fever)–मच्छरों द्वारा फैलने वाला वायरल रोग है जो जूनोटिक श्रेणी में आता है।

C. SARS मुख्यतः मानव से मानव में संक्रमण द्वारा फैलता है, और इसका Zoonotic Origin (जैसे चमगादड़ों से उत्पत्ति) सिद्ध है लेकिन यह विकल्प में अपेक्षित स्वरूप में उपयुक्त नहीं है।

इसलिए सही उत्तर है : केवल A, B, D, E.

51. (4): कूपर्स प्रशिक्षण प्रभाव (Cooper's Training Effects) की श्रेणियाँ उन प्रभावों को दर्शाती हैं जो प्रशिक्षण के पश्चात व्यक्ति के प्रदर्शन और शरीर पर पड़ते हैं। इनमें प्रमुख हैं :

B. अधिक फैल जाना (Overextension)–यह तब होता है जब प्रशिक्षण की तीव्रता या मात्रा आवश्यकता से अधिक हो जाती है, जिससे प्रदर्शन में गिरावट या थकावट उत्पन्न होती है।

C. गौण (Residual)–यह वह प्रभाव है जो किसी विशेष प्रकार के प्रशिक्षण के समाप्त होने के बाद भी कुछ समय तक शरीर में बना रहता है।

D. अनुरक्षण (Maintenance)–यह उस स्थिति को दर्शाता है जिसमें प्रदर्शन को बनाए रखने के लिए न्यूनतम प्रशिक्षण कार्यभार अपनाया जाता है।

A (जटिलता) और E (सकारात्मक) कूपर्स की श्रेणियों में निर्दिष्ट रूप से नहीं आते।

इसलिए सही उत्तर है : केवल B, C, D.

52. (3): आइसुरिन (Issurin) एवं कावेरिन (Kaverin) द्वारा दिए गए तीन प्रकार के मेसोसाइकल ब्लॉक्स (Mesocycle Blocks) निम्न हैं :

B. संचयन (Accumulation)–इस चरण में शारीरिक क्षमता की बुनियाद तैयार की जाती है, और प्रशिक्षण भार अधिक होता है।

C. रूपांतरण (Transmutation)–यहाँ विशिष्ट खेल कौशल और प्रतियोगिता की माँगों के अनुरूप प्रशिक्षण को ढाला जाता है।

D. बोध (Realization)–यह चरण प्रतिस्पर्धा की तैयारी का अंतिम भाग होता है, जिसमें प्रशिक्षण की तीव्रता कम करके प्रदर्शन को शीर्ष स्तर पर लाया जाता है।

A (विकासशील) और E (पुनः स्थापना) इस मॉडल के निर्दिष्ट भाग नहीं हैं।

इसलिए सही उत्तर है : केवल B, C, D.

53. (1): बहुल सहसंबंध (Multiple Correlation) सांख्यिकीय विधि है जिसका उपयोग तब किया जाता है जब किसी एक मानदंड (Criterion) को कई पूर्वानुमान कारकों (Predictors) के आधार पर मापा जाता है।

B. यदि परीक्षण मदें एक-दूसरे से अत्यधिक सहसंबंध रखते हैं, तो उन्हें समान वस्तु के मापन के रूप में माना जाता है और वे अतिरिक्त (Redundant) हो सकते हैं।

D. परीक्षण बैटरी के निर्माण में यदि पर्याप्त संख्या में बहुल सहसंबंध होते हैं, तो उन मदों का चयन किया जाता है जो कम से कम संख्या में बैटरी की अधिकतम क्षमता प्रदान कर सकें।

E. प्रतिगमन समीकरण (Regression Equation) को चयनित मदों के स्कोर के आधार पर विश्लेषण में प्रयोग किया जाता है ताकि निष्पादन की भविष्यवाणी की जा सके।

A और C कथनों में तथ्यात्मक त्रुटियाँ हैं; इसलिए सही उत्तर है : केवल B, D, E.

54. (4): सामान्य वक्र रेखा (Normal Curve) के कुछ विशिष्ट गुण हैं :

A. यह वक्र रेखा आधार रेखा की ओर लक्षण रहित (Asymptotic) होती है, अर्थात् यह कभी भी क्षैतिज अक्ष को नहीं छूती।

D. वक्र रेखा के कुल क्षेत्र को 100% माना जाता है, जो पूर्ण संभावना (च्तवइंइपसपजल) को दर्शाता है।

E. $\mu - \sigma$ से $\mu + \sigma$ की सीमा 68.26% क्षेत्र को पूरा करती है, जो सामान्य वितरण का एक बुनियादी नियम है।

B. चतुर्थक अपसरण 3/2 नहीं होता,

C. मोड़ बिंदु $\sigma = \mu$ से नहीं दर्शाया जाता, बल्कि $\mu - \sigma$ पर होता है।

इसलिए सही उत्तर है : केवल A, D, E.

55. (4): अनौपचारिक डिजाइन (Quasi-Experimental Design) वे होते हैं जो पूर्णतः नियंत्रित नहीं होते लेकिन प्रयोगात्मक स्वरूप में प्रयुक्त होते हैं :

A. पूर्व और पश्चात नियंत्रण रहित (Pre And Post Without Control)–जिसमें प्रयोग से पहले और बाद में मापन किया जाता है पर नियंत्रण समूह नहीं होता।

B. पश्चात केवल नियंत्रण (Post-Test Only Control Group)–जिसमें केवल अंतिम परीक्षण किया जाता है।

D. पूर्व और पश्चात नियंत्रण सहित (Pre and Post with Control)–इसमें दोनों समूह होते हैं और परीक्षण पहले तथा बाद में किया जाता है, परन्तु पूर्ण यादृच्छिककरण नहीं होता।

C. लैटिन स्कायर डिजाइन और E. पूर्णतः यादृच्छिक डिजाइन औपचारिक डिजाइन में आते हैं।

इसलिए सही उत्तर है : केवल A, B, D.

56. (1): शोध समस्याओं को हल करने के लिए जिन विशेषताओं की आवश्यकता होती है, वे निम्नलिखित हैं :

A. अपचयी (Analytical)–शोध समस्या का समाधान विश्लेषणात्मक दृष्टिकोण से किया जाना चाहिए, जहाँ तथ्यों और डेटा का तार्किक विवेचन किया जाता है।

B. पुनरावर्तनीय (Replicable)–एक अच्छा शोध इस प्रकार होना चाहिए कि उसे अन्य शोधकर्ता भी दोहरा सकें और वही या समान परिणाम प्राप्त कर सकें।

C. आनुभाविक (Empirical)–शोध निष्कर्ष अनुभव और अवलोकन पर आधारित होने चाहिए, न कि केवल सिद्धांत पर।

D (परिसीमन) और E (सीमा-निर्धारण) शोध के भाग होते हैं, लेकिन वे समस्या को हल करने की विशेषताएँ नहीं बल्कि समस्या की सीमा तय करने के उपकरण हैं।

इसलिए सही उत्तर है : केवल A, B, C.

57. (2): SPSS के Data Editor में 'Variable View' में प्रत्येक कॉलम किसी विशेष चर (Variable) के गुण को दर्शाता है। इनमें प्रमुख रूप से ये शामिल होते हैं :

A. Name–चर का नाम।

B. Width–किसी वैरिएबल के लिए अधिकतम अक्षरों की संख्या (Character Width)।

D. Decimals–दशमलव अंकों की संख्या दर्शाता है।

C (Transform) एक मेनू कमांड है, न कि कॉलम का हिस्सा। E (Add-On) SPSS के बाहरी पैकेज से जुड़ा होता है।

इसलिए सही उत्तर है : केवल A, B, D.

58. (2): मानक प्राप्तांक (Standard Scores), जैसे Z-Score, सामान्य वितरण पर आधारित होते हैं और इनके बारे में सही कथन हैं :

A. इनका मध्य (Mean) = 0 होता है, क्योंकि Z-Score की गणना (X – Mean)/SD के आधार पर होती है।

B. मानक विचलन (Standard Deviation) = 1 होता है।

C. इनका मान बिना इकाइयों (Unit-Free) में होता है, लेकिन यह कथन सही नहीं है, क्योंकि Z-Score मूलतः इकाई-रहित होता है (Normalized Score)। फिर भी प्रश्न में C को सही मानते हुए उत्तर चयन किया गया है।

D. सीमाएँ ± 2 तक सीमित नहीं होतीं, Z-Scores ± 3 या उससे भी अधिक हो सकते हैं।

E. मानक प्राप्तांक हमेशा धनात्मक नहीं होते, ये ऋणात्मक भी हो सकते हैं।

इसलिए सही उत्तर है : केवल A, B, C.

59. (3): यहाँ उन कथनों को चिन्हित करना है जो सही नहीं हैं :

A. गलत–क्योंकि मानक संदर्भित मानक व्यक्तियों के बीच तुलना पर आधारित होते हैं, न कि केवल किसी कोटि पर।

B. गलत–मानदंड संदर्भित मानक पूर्व निर्धारित लक्ष्यों पर आधारित होते हैं, न कि सांख्यिकीय वितरण पर।

D. गलत–प्रशिक्षक मानदंड आधारित प्रशिक्षण में पूर्व निर्धारित लक्ष्य (जैसे 80% स्कोर) तक पहुँचने के लिए प्रेरित करता है, न कि सर्वोच्च प्रतिशत के लिए।

C. सही–क्योंकि मानदंड आधारित मूल्यांकन अन्य व्यक्तियों की तुलना नहीं करता।

इसलिए सही उत्तर है : केवल A, B, D.

60. (4): SAS-2 (Sport Anxiety Scale-2, 2006) खेल संबंधित चिंता का मूल्यांकन करने वाला एक मनोवैज्ञानिक उपकरण है। इसके बारे में सही कथन हैं :

B. यह पैमाना कायिक दुश्चिंता, चिंता, और ध्यानभंग का मूल्यांकन करता है, ये तीन उप-पैमाने इसमें प्रमुख हैं।

C. सभी मद 4-बिंदु पैमाने पर स्कोर होते हैं (जैसे–कभी नहीं, शायद ही कभी, कभी-कभी, अक्सर)।

D. स्कोरिंग मदों की संख्या को आरक्षित करना भी एक विधि है जिसमें उप-पैमाने हेतु चयनित मद सुरक्षित रखे जाते हैं।

A. गलत–SAS-2 में कुल 15 मद होते हैं, न कि 21।

E. गलत–प्रत्येक उप-पैमाने में 5-5 मद होते हैं, न कि 7।

इसलिए सही उत्तर है : केवल B, C, D.

61. (3): खेलो इंडिया विंटर गेम्स 2024 का आयोजन गुलमर्ग (जम्मू-कश्मीर) और लेह (लद्दाख) में हुआ था। यह आयोजन विंटर स्पोर्ट्स को बढ़ावा देने के लिए किया गया था और **इसमें पूरे भारत से** कई राज्यों एवं संगठनों की टीमें शामिल हुई थीं। पदक तालिका के आधार पर टीमों का श्रेणीक्रम निम्न प्रकार से रहा :

C. भारतीय सेना (Indian Army) : सर्वोच्च स्थान पर रही। सेना के खिलाड़ियों ने अधिकांश स्पर्धाओं में दबदबा बनाए रखा और सबसे अधिक स्वर्ण पदक हासिल किए।

B. कर्नाटक : विंटर स्पोर्ट्स में उभरते प्रदर्शन के कारण दूसरे स्थान पर रही।

D. महाराष्ट्र : संतुलित प्रदर्शन करते हुए तीसरे स्थान पर रही और कई स्पर्धाओं में पदक प्राप्त किए।

E. हिमाचल प्रदेश : हिम प्रदेश होने के कारण विशेष रूप से बर्फ आधारित खेलों में भागीदारी रही, जिससे इसे चौथा स्थान मिला।

A. उत्तराखंड : अपेक्षाकृत कम पदकों के साथ पाँचवें स्थान पर रहा।

यह क्रम आधिकारिक पदक तालिका और आयोजन से जुड़े विश्लेषणों पर आधारित है।

62. (4): खेलो इंडिया युवा खेलों भारत सरकार द्वारा शुरू किया गया एक प्रमुख खेल आयोजन है जो विभिन्न राज्यों में हर वर्ष आयोजित किया जाता है। इन आयोजनों के क्रम को समयानुसार इस प्रकार व्यवस्थित किया जाता है :

D. नई दिल्ली (2018) : पहला संस्करण आयोजित हुआ, यह खेलो इंडिया कार्यक्रम का उद्घाटन था।

A. महाराष्ट्र–पुणे (2019) : दूसरा संस्करण आयोजित किया गया, जिसमें महाराष्ट्र ने भी पदक तालिका में शीर्ष स्थान प्राप्त किया।

C. असम–गुवाहाटी (2020) : तीसरा संस्करण असम में आयोजित हुआ। यह पहला अवसर था जब पूर्वोत्तर भारत को आयोजन का मौका मिला।

B. हरियाणा–पंचकूला (2021 के लिए प्रस्तावित लेकिन कोविड के कारण 2022 में हुआ) : यह संस्करण अत्यधिक सफल रहा और हरियाणा ने पदक तालिका में पहला स्थान भी प्राप्त किया।

इसलिए आयोजन की बढ़ती क्रम में व्यवस्था है : D, A, C, B.

63. (1): लंबी हड्डियों के एंडोकॉन्ड्रल ऑसिफिकेशन (Endochondral Ossification) की प्रक्रिया में उपास्थि से हड्डी बनने की जटिल जैविक प्रक्रिया होती है। इसका सही क्रम इस प्रकार होता है :

D. बोन कॉलर का निर्माण (Bone Collar Formation): हायलाइन कॉटिलिज (Hyaline Cartilage) के चारों ओर सबसे पहले हड्डी का कॉलर बनता है।

A. कॉटिलिज केंद्र में कैविटीज का बनना : कॉलर बनने के बाद उपास्थि में क्षरण शुरू होता है और उसमें कैविटीज बनने लगती हैं।

B. पेरिओस्टियल बड का प्रवेश : रक्त वाहिकाएँ, कोशिकाएँ (Osteoblasts, Osteoclasts) और मेट्रिक्स पेरिओस्टियम से अंदर प्रवेश करते हैं और स्पोंजी हड्डी बनाते हैं।

E. मिडलरी कैविटी का बनना : डायफिसिस बढ़ता है और हड्डी के मध्य भाग में गुहा (Medullary Cavity) बनती है।

C. एपिफिसिज का कठोर बनना : अंत में एपिफिसिज (हड्डी के सिरे) भी हड्डी में परिवर्तित होते हैं।

यह चरण मानव भ्रूण विकास और बाल्यावस्था में हड्डी निर्माण की शारीरिक प्रक्रिया को दर्शाता है।

64. (3): मात्रात्मक बायोमैकेनिकल विश्लेषण (Quantitative Biomechanical Analysis) के चरणों का सही क्रम इस प्रकार है :

C. विवरण (Description): सर्वप्रथम प्रदर्शन के यांत्रिक घटकों का विवरण किया जाता है, जैसे तकनीक, कोण, बल आदि।

A. **पर्यवेक्षण (Observation):** उसके बाद व्यक्ति के प्रदर्शन का अवलोकन किया जाता है, ताकि उसे वर्णित मॉडल से तुलना की जा सके।

D. **मूल्यांकन (Evaluation):** पर्यवेक्षण के आधार पर प्रदर्शन की गुणवत्ता का मूल्यांकन किया जाता है—कमजोरियाँ और सुधार के अवसर पहचाने जाते हैं।

B. **अनुदेश (Instruction):** अंततः प्रदर्शन को बेहतर बनाने के लिए तकनीकी सुधार हेतु निर्देश दिए जाते हैं।

इस क्रम में विश्लेषण व्यवस्थित और वैज्ञानिक दृष्टिकोण से किया जाता है।

65. **(4):** बंडूरा (Albert Bandura) द्वारा प्रस्तावित व्यवहार अधिगम सिद्धांत (Observational Learning Theory) के अनुसार, किसी भी कार्य को सीखने के चार प्रमुख चरण होते हैं :

C. **ध्यान देना (Attention):** सीखने की प्रक्रिया का पहला चरण है, जिसमें व्यक्ति किसी मॉडल के व्यवहार पर ध्यान केंद्रित करता है।

B. **प्रतिधारण (Retention):** दूसरा चरण जिसमें देखा गया व्यवहार स्मृति में संचित किया जाता है।

A. **पुनरुत्पादन (Reproduction):** तीसरा चरण जिसमें व्यक्ति सीखे हुए व्यवहार को स्वयं दोहराता है।

D. **पुनर्बलन (Reinforcement):** अंतिम चरण जिसमें उस व्यवहार को पुरस्कार या परिणाम मिलते हैं जो सीखने की प्रेरणा को बनाए रखते हैं।

यह क्रम पर्यवेक्षणात्मक अधिगम के मनोवैज्ञानिक सिद्धांत का आधार है।

66. **(2):** किर्शेनबॉम (Kirschenbaum) द्वारा विकसित एथलीट आत्म-नियंत्रण के पाँच-चरणीय प्रतिरूप (Five-Stage Model of Self-Regulation) में खिलाड़ी स्वयं की आदतों, व्यवहारों एवं प्रशिक्षण योजनाओं को नियंत्रित करना सीखता है। इसका सही क्रम निम्न है :

A. **समस्या की पहचान (Problem Identification):** खिलाड़ी को यह समझना होता है कि उसके प्रदर्शन में कौन-सी समस्या या बाधा मौजूद है।

C. **प्रतिबद्धता (Commitment):** सुधार के लिए मानसिक रूप से तैयार होना एवं लक्ष्य के प्रति प्रतिबद्ध होना।

B. **कार्यान्वयन (Execution):** निर्धारित योजना को व्यवहार में लाना, तकनीकों का पालन करना।

E. **पर्यावरणीय प्रबंधन (Environmental Management):** सफलता के लिए अनुकूल वातावरण का निर्माण करना (जैसे—सामाजिक सहयोग, अभ्यास संसाधन)।

D. **सामान्यीकरण (Generalization):** सीखे हुए व्यवहार को विभिन्न परिस्थितियों में लागू करने की क्षमता विकसित करना।

यह मॉडल खिलाड़ियों में आत्म-प्रेरणा और आत्म-प्रबंधन को विकसित करता है।

67. **(4):** स्किल थीम अप्रोच (Skill Theme Approach) शारीरिक शिक्षण की एक प्रभावी शिक्षण पद्धति है, जो कौशल के क्रमिक विकास पर आधारित है। इसका सही अनुक्रम निम्न है :

C. **बुनियादी कौशल (Fundamental Skills):** चलने, दौड़ने, पकड़ने, फेंकने जैसे प्राथमिक मोटर कौशल सिखाए जाते हैं।

B. **संयोजन (Combination):** बुनियादी कौशलों को एक-दूसरे से जोड़ने का अभ्यास कराया जाता है, जैसे दौड़ते हुए गेंद फेंकना।

A. **संदर्भों में कौशल (Skill in Context):** कौशलों को खेल की वास्तविक परिस्थितियों में उपयोग करना सिखाया जाता है।

D. **चरम गतिविधि (Culminating Activity):** अंत में, सभी सीखे हुए कौशलों का समेकित उपयोग किसी वास्तविक या प्रतियोगी गतिविधि में कराया जाता है।

यह चरणबद्ध शिक्षण विधि विद्यार्थियों की व्यवस्थित एवं व्यावहारिक दक्षता को सुनिश्चित करती है।

68. **(2):** भारत सरकार के 2007 के दिशा-निर्देशों के अनुसार साँप के काटने की स्थिति में प्राथमिक उपचार के लिए जिन चरणों का पालन करना चाहिए, वे निम्नलिखित हैं :

B. **गतिहीन कर देना :** विष के प्रसार को रोकने के लिए रोगी को अधिक से अधिक स्थिर और शांत अवस्था में रखना चाहिए।

D. **कोई दवाई न लगाएं :** बिना चिकित्सकीय सलाह के कोई भी मरहम, आयोडीन, या औषधि लगाने से बचना चाहिए क्योंकि इससे प्रतिक्रिया हो सकती है।

A. **उसे कोई अल्कोहल वाले पेय नहीं दें :** शराब या किसी भी उत्तेजक पदार्थ से हृदय की गति तेज हो सकती है, जिससे विष तेजी से शरीर में फैल सकता है।

C. **काटी गई जगह को रगड़े नहीं :** घर्षण से त्वचा में और गहराई तक विष जाने का खतरा बढ़ता है।

E. **चिकित्सा सुविधा के लिए रोगी को अस्पताल ले जाएं :** जितनी शीघ्रता से संभव हो, रोगी को निकटतम स्वास्थ्य केंद्र या अस्पताल पहुँचाया जाना चाहिए ताकि विष का उपचार किया जा सके।

यह सभी चरण लाइफ-सेविंग प्राथमिक उपचार के अंतर्गत आते हैं और सही अनुपालन से रोगी की स्थिति को स्थिर किया जा सकता है।

69. (3): प्रशिक्षण पिरामिड के ऊर्ध्वगामी उपागम (Bottom to Top Approach) में प्रशिक्षण की नींव सबसे बुनियादी स्तर से शुरू होकर जटिल मानसिक स्तर तक जाती है :

C. **शारीरिक प्रशिक्षण (Physical Training):** सहनशक्ति, शक्ति, लचीलापन आदि का विकास—प्रदर्शन की आधारशिला।

A. **तकनीकी प्रशिक्षण (Technical Training):** खेल में प्रयुक्त कौशलों का सटीक अभ्यास।

B. **युक्तिपरक प्रशिक्षण (Tactical Training):** खेल की रणनीतियाँ, निर्णय लेने की क्षमता आदि का प्रशिक्षण।

D. **मनोवैज्ञानिक और मानसिक प्रशिक्षण (Psychological & Mental Training):** आत्म-विश्वास, ध्यान, मानसिक दृढ़ता का निर्माण।

यह क्रम खिलाड़ियों को क्रमिक रूप से सर्वांगीण दक्षता की ओर ले जाता है।

70. (1): प्रतिदर्शी डिजाइन (Sampling Design) के विकास के प्रमुख चरण निम्नलिखित हैं :

E. **सर्वविषयक के प्रकार (Type of Universe):** सबसे पहले यह तय किया जाता है कि समग्र जनसंख्या किस पर आधारित है—शारीरिक शिक्षक, छात्र, खिलाड़ी आदि।

B. **प्रतिदर्शी इकाई (Sampling Unit):** किस स्तर पर डेटा लिया जाएगा—व्यक्ति, समूह, संस्था आदि।

C. **स्रोत सूची (Source List):** संभावित प्रतिभागियों की सूची तैयार की जाती है—जिसे सैंपल फ्रेम कहा जाता है।

A. **प्रतिदर्शी का आकार (Sample Size):** कितने प्रतिभागियों को शामिल किया जाएगा यह निर्धारित किया जाता है।

D. **रुचिकर मानदंड (Selection Criteria):** चयन के लिए मापदंड तय किए जाते हैं—जैसे उम्र, योग्यता, अनुभव आदि।

यह क्रम एक वैज्ञानिक और प्रतिनिधिक सैंपलिंग प्रक्रिया को सुनिश्चित करता है।

71. (2): लाइकर्ट प्रकार पैमाना (Likert-Type Scale) के विकास में एक क्रमिक प्रक्रिया अपनाई जाती है, जिससे विश्वसनीय और वैध स्केल तैयार किया जा सके। इस प्रक्रिया का क्रम निम्नलिखित है :

D. **बड़ी संख्या में कथन (Large Item Pool):** सर्वप्रथम इच्छित मनोवैज्ञानिक गुण (जैसे दृष्टिकोण या राय) से संबंधित कई कथन तैयार किए जाते हैं।

B. **ट्रेल परीक्षण (Trial Testing):** इन कथनों को एक नमूना समूह पर आजमाया जाता है ताकि उनकी प्रारंभिक उपयुक्तता जाँची जा सके।

A. **5-बिंदु पैमाना (5-Point Scale):** प्रतिभागियों से उनके सहमत-असहमत के स्तर को मापने के लिए पाँच विकल्पों वाला पैमाना अपनाया जाता है।

E. **उच्च विभेदात्मक कथनों की पहचान (Discriminating Items):** ऐसे कथनों को चुना जाता है जो विभिन्न राय वाले समूहों को स्पष्ट रूप से विभेद कर सकें।

C. **सहसंबंधित कथनों का चयन (Item Inter-Correlation):** अंततः केवल उन कथनों को रखा जाता है जो एक-दूसरे से सहसंबंध में हों और पैमाने की आंतरिक संगति को सुनिश्चित करें।

72. (4): यह प्रश्न विभिन्न कौशल परीक्षणों के निर्माण वर्ष के अनुसार आरोही क्रम में व्यवस्थित करने को कहता है। उपलब्ध जानकारी के अनुसार क्रम इस प्रकार है :

D. **फ्रेंच शॉर्ट सर्व टेस्ट (French Short Serve Test, 1951)**—बैडमिंटन में सर्व तकनीक के मूल्यांकन हेतु विकसित।

E. **नॉक्स बास्केटबॉल टेस्ट (Knox Basketball Test, 1952)**—बास्केटबॉल खिलाड़ियों की कौशल दक्षता का मूल्यांकन करता है।

B. हेबिट टेनिस अचीवमेंट टेस्ट (Habbit Tennis Achievement Test, 1956)–टेनिस प्रदर्शन को आँकने हेतु।

C. Aahper वॉलीबॉल टेस्ट (1966)–American Alliance द्वारा विकसित मानक टेस्ट।

A. पूरा बैडमिंटन टेस्ट (Complete Badminton Test, 1971)–बैडमिंटन के संपूर्ण कौशलों की जाँच हेतु।

73. (4): मद विश्लेषण (Item Analysis) में यह देखा जाता है कि प्रश्न वस्तुएँ कितनी उपयुक्त हैं। प्रक्रिया का क्रम :

D. परीक्षणों के लिए अंक देना (Scoring the Responses): सबसे पहले सभी उत्तर पत्रकों को स्कोर किया जाता है।

E. उच्च से निम्न प्राप्तांकों में उत्तरपत्रकों को व्यवस्थित करना (Sorting): सभी स्कोर को ऊँचाई के अनुसार क्रमबद्ध किया जाता है।

A. उच्च, निम्न और मध्य समूहों में पृथक करना : सामान्यतः उच्चतम 27% और न्यूनतम 27% को चयनित कर तीन समूह बनाए जाते हैं।

B. उच्च और निम्न समूहों की आवृत्तियों का अभिलेखन : प्रत्येक प्रश्न के लिए कितने विद्यार्थियों ने सही उत्तर दिया, इसका लेखा-जोखा किया जाता है।

C. कठिनता सूचकांक की गणना (Difficulty Index): उत्तरों के आधार पर यह निकाला जाता है कि प्रश्न कितना कठिन या सरल था।

74. (2): खेल प्रबंधन की नियंत्राण प्रक्रिया में प्रदर्शन को सुनिश्चित करने हेतु निम्नलिखित क्रम अपनाया जाता है :

D. दक्षता मानकों की स्थापना : सबसे पहले यह तय किया जाता है कि अपेक्षित प्रदर्शन क्या है।

C. दक्षता का सटीक मापन : खिलाड़ियों के वास्तविक प्रदर्शन को सटीक रूप से मापा जाता है।

E. मानकों के साथ तुलना : मापी गई दक्षता की तुलना पूर्व निर्धारित मानकों से की जाती है।

B. विचलन का विश्लेषण : यदि मानकों से अंतर हो, तो कारणों का विश्लेषण और सुधार प्रक्रिया की पहचान की जाती है।

A. पुनर्बलन (Reinforcement): अच्छा प्रदर्शन करने वालों को उत्साहित किया जाता है, और कम प्रदर्शन करने वालों के लिए सुधार की योजना बनाई जाती है।

75. (3): स्प्रिंटिंग प्रदर्शन में गति से संबंधित क्षमताओं (Speed Abilities) का विकास एक क्रम में होता है :

C. प्रतिक्रिया सामर्थ्य (Reaction Ability): संकेत पर शीघ्र प्रतिक्रिया देना–प्रारंभ के समय सबसे महत्त्वपूर्ण।

E. चपलता की तीव्रता (Quickness/Agility): दिशा बदलने की तीव्र क्षमता।

A. त्वरणता सामर्थ्य (Acceleration Ability): प्रारंभिक गति को तेजी से विकसित करने की क्षमता।

B. लोकोमोटर सामर्थ्य (Locomotor Speed): निरंतर गति से दौड़ने की क्षमता।

D. गति सहनशक्ति (Speed Endurance): उच्च गति को अधिक समय तक बनाए रखने की क्षमता।

यह क्रम प्रदर्शन विश्लेषण और प्रशिक्षण संरचना के अनुसार सटीक माना जाता है।

76. (3): यह प्रश्न ओलंपिक खेलों के उद्घाटन करने वाले प्रमुखों और उनके संबंधित आयोजक शहरों से मेल कराने का है। सही मिलान इस प्रकार है :

A. H.M. King Albert I — III. अंटवर्प (1920): बेल्जियम के राजा अल्बर्ट-I ने 1920 के अंटवर्प ओलंपिक का उद्घाटन किया था।

B. सर विलियम डीइने – I. सिडनी (2000): ऑस्ट्रेलिया के गवर्नर जनरल सर विलियम डीइने ने 2000 सिडनी ओलंपिक का उद्घाटन किया।

C. राष्ट्रपति रोह टाए वू – II. सियोल (1988): दक्षिण कोरिया के राष्ट्रपति रोह टाए वू ने 1988 के सियोल ओलंपिक का उद्घाटन किया।

D. राष्ट्रपति हु जिंटो – IV. बीजिंग (2008): चीन के राष्ट्रपति Hu Jintao ने 2008 बीजिंग ओलंपिक का उद्घाटन किया।

77. (2): यह प्रश्न दार्शनिक विचारधाराओं को उनके सिद्धांतों/फोकस से मेल कराता है। सही जोड़ीकरण :

A. अस्तित्ववाद – III. सत्य का वैयक्तिक अनुभवों से निर्धारण : अस्तित्ववादी दर्शन में व्यक्ति की स्वतंत्रता, अनुभव और आत्मनिर्णय को सर्वोपरि माना जाता है।

B. मानवतावाद – I. आत्म-प्रत्यक्षीकरण और मूल्यों के विकास पर जोर : यह विचारधारा मानव की पूर्ण क्षमता के विकास और आत्म-साक्षात्कार को प्राथमिकता देती है।

C. **यथार्थवाद – IV. विज्ञान सच्चाई को प्रकट करता है :** यथार्थवादी दर्शन विज्ञान और ...तुनिष्ठता को सच्चाई की कसौटी मानता है ...व से समाज अधिक महत्वपूर्ण

D. **प्रकृतिवाद** ...ाद समाज और पर्यावरण को आत्म-से ... महत्त्वपूर्ण मानता है।

...यह प्रश्न अंगों के सहानुभूतिपूर्ण (Sympathetic) ...भावों से संबंधित है। सही मेल निम्न है :

A. **यकृत – IV. ग्लूकोज के उत्सर्जन वाहिकाओं को उत्तेजित करता है :** सहानुभूतिपूर्ण प्रणाली ग्लाइकोजनोलिसिस बढ़ाकर यकृत से ग्लूकोज रिलीज करवाती है।

B. **फेफड़े – III. श्वसनिका (Bronchioles) का विस्तार :** यह साँस लेने को आसान बनाता है।

C. **अधिवृक्क ग्रंथियाँ – II. एपिनेफ्रिन व नॉरएपिनेफ्रिन स्राव को उत्तेजित करती हैं :** यह शरीर की 'Fight or Flight' प्रतिक्रिया के लिए आवश्यक होता है।

D. **हृदय चक्रीय रक्त – I. शिराओं का विस्तार :** रक्तसंचार में वृद्धि हेतु।

79. **(2):** यह प्रश्न विभिन्न भौतिक राशियों को उनके समीकरणों से मिलाता है :

A. **काइनेटिक एनर्जी – I. $\frac{1}{2}mv^2$:** गतिज ऊर्जा = आधा × द्रव्यमान × वेग²

B. **संभाव्य ऊर्जा – IV. *mgh*:** गुरुत्वाकर्षण स्थितिज ऊर्जा = द्रव्यमान × गुरुत्व त्वरण × ऊँचाई

C. **संवेग – III. $m \times v$:** Impulse या Momentum = द्रव्यमान × वेग

D. **घर्षण – II. μR:** घर्षण बल = घर्षण गुणांक × अभिलंब बल

80. **(2):** यह प्रश्न मांसपेशियों और उनके उत्पत्ति स्थलों (Origin) के मिलान से संबंधित है :

A. **लेवाटोरेस कास्टारम – II. C_7 & T_1 to T_{11}:** यह रिब्स को उठाने में मदद करता है और Thoracic Spine के इस हिस्से से उत्पन्न होता है।

B. **सेराटस पोस्टेरियर सुपीरियर – III. C_7 & T_1 to T_3:** यह ऊपरी रिब्स को ऊपर खींचने वाली मांसपेशी है।

C. **सेराटस पोस्टेरियर इंटीरियर – IV. T_{11} – L_{12} & L_1 to L_3:** यह निचले रिब्स को नीचे खींचने में सहायक है।

D. **प्सोएस – I. T_{12} & L_1 to L_5:** यह Lumbar Spine से उत्पन्न होकर जांघ की हड्डी से जुड़ता है और कूल्हे की फ्लेक्सन में कार्य करता है।

81. **(4):** यह प्रश्न विभिन्न प्रकार के सावधानिक संकेंद्रण (Attentional Focus) को उनके उपयुक्त उदाहरणों से जोड़ने का है :

A. **एक विस्तृत सावधानिक संकेंद्रण – III. एक फुटबॉल खिलाड़ी मैदान के ऊपर बॉल को लुढ़काकर आगे ले जाता है :** इसमें खिलाड़ी पूरे मैदान और अपनी स्थिति को व्यापक रूप में देखता है।

B. **एक संकीर्ण सावधानिक संकेंद्रण – II. एक बेसबॉल बल्लेबाज पिच पर घूमने की तैयारी करता है :** यह एक सीमित, संकीर्ण लक्ष्य पर फोकस करता है।

C. **एक बाह्य सावधानिक संकेंद्रण – I. एक क्रिकेट बल्लेबाज गेंद की ओर ध्यान मोड़ता है :** बाहरी वस्तु यानी गेंद पर ध्यान केंद्रित करना बाह्य फोकस कहलात... है।

D. **एक आंतरिक सावधानिक संकेंद्रण – IV. एक ... कूद की खिलाड़ी अपना रन-अप प्रारंभ करने की ... करती है :** यह अपने शरीर के अंदर की गति... और तकनीकी अनुक्रम पर ध्यान देता है।

82. **(1):** यह प्रश्न व्यक्तित्व से संबंधित मनो... अवधारणाओं को उनके अर्थ से जोड़ता है :

A. **व्यक्तित्व – II. सतत विधियाँ जिनमें एक... व्यवहार दूसरों से सामाजिक परिस्थितियों... है :** यह व्यक्ति की स्थायी विशेषताओं...

B. **व्यक्तित्व वर्णन – III. किसी ए... व्यक्तित्व प्राप्तांकों को लाइन या ब... करना :** यह ग्राफिकल प्रोफाइलिंग...

C. **व्यक्तित्व विशेषक – IV. कु... विशेषताओं को परिलक्षित करने...** विशेषताएँ जैसे अंतर्मुखता, ब...

D. **समुत्थान शक्ति – I. विपत्ति... उबरने की प्रेरक शक्ति :** ... का द्योतक है।

83. (1): यह प्रश्न विभिन्न मूल्यांकन विधियों को उनके अर्थों से जोड़ता है :

A. कौशल परीक्षण – IV. विद्यार्थी की भौतिक क्षमता का मूल्यांकन एक बंद परिवेश में किया जाता है : जैसे दौड़, कूद, तैराकी आदि का परीक्षण।

B. भूमिका निर्वहन – I. एक मूल्यांकन जिसमें विद्यार्थी वास्तविक परिस्थिति का प्रदर्शन करते हैं : यह व्यावहारिक आकलन होता है।

C. दैनिकी – III. घटना लेखन अथवा प्रकरण लेखन का अवसर : इसमें छात्र अपनी गतिविधियाँ या सीखने के अनुभव का लेखा-जोखा लिखते हैं।

D. पत्राधान (फाइल) – II. आर्टिफेक्ट्स का संकलन जो विषयगत दक्षता का प्रतीक होते हैं : जैसे प्रोजेक्ट रिपोर्ट, चित्र, ग्राफ आदि।

(4): यह प्रश्न अनिवार्य वसीय अम्लों (Essential Fatty Acids) को उनके आहार स्रोतों से जोड़ता है :

लिनोलेइक एसिड – IV. मकई तेल (Corn Oil): यह ओमेगा-6 फैटी एसिड का स्रोत है।

...चिडोनिक एसिड – III. दूध (Milk): पशु स्रोतों ... जाता है।

... एसिड – II. हरी पत्तियाँ (Green Leafy ... : यह ओमेगा-3 फैटी एसिड का स्रोत

...सिड – I. मछली का तेल (Fish ... श्रृंखला वाला ओमेगा-3 फैटी

... ...र्ड विजेता खिलाड़ियों

... **...uestrian):** वे

... के लिए

... ...ीय

86. (2): यह प्रश्न प्रशिक्षण शब्दों (Training Terminologies) को उनके आशयों (Meanings) से जोड़ता है। सही मिलान निम्नलिखित है :

A. तीव्रता – II. प्रशिक्षण क्षमता : तीव्रता गुणवत्ता स... **तत्व जैसे गति,** अधिक कठिनाई से या कितनी तेजी ... कितनी जा रहा है।

B. परिमाण – I. एक मात्रात्मक तत्व जिसे प्रशिक्षण समय या दौरान मापा जा सकता है : जैसे दूरी, समय, दोहरावों की संख्या आदि।

C. प्रशिक्षण की सघनता – IV. एक निश्चित समयावधि में प्रशिक्षण की बारंबारता : किसी निर्धारित अवधि में कितनी बार प्रशिक्षण होता है।

D. प्रशिक्षण तीव्रता – III. कुल परिमाण लोड को पुनरावृत्तियों की कुल संख्या से विभाजित करके तीव्रता का निर्धारण किया जाता है : यह औसत कार्यभार को दर्शाता है।

87. (2): यह प्रश्न शोध और नैतिकता से जुड़े शब्दों को उनके उचित आशयों से जोड़ता है :

A. साहित्यिक चोरी – II. दूसरों के विचारों का प्रयोग (बिना श्रेय दिए) : यह शैक्षणिक और नैतिक अपराध माना जाता है।

B. बहिर्वर्ती – III. एक अप्रतिनिधिक प्राप्तांक : यह जनसंख्या के अनुरूप नहीं होता और निष्कर्ष को प्रभावित कर सकता है।

C. कॉपीराइट – IV. अनुमति माँगना : किसी भी कॉपीराइट संरक्षित सामग्री का उपयोग करने से पहले लेखकध्स्वामी से अनुमति लेना आवश्यक है।

D. सूचित सहमति – I. मानव प्रतिभागियों की सुरक्षा : प्रतिभागियों को स्पष्ट जानकारी देकर उनकी स्वीकृति प्राप्त करना अनिवार्य है।

88. (3): यह प्रश्न विभिन्न शोध रूपरेखाओं (Research Designs) को वर्णात्मक अध्ययन के अनुरूप उनके अर्थ से जोड़ता है :

A. प्रतिदर्शी रूपरेखा – III. प्रायिकता : इसमें सैंपल चयन का आधार संभाव्यता होता है।

B. सांख्यिकीय रूपरेखा – I. पूर्व-नियोजित : इसमें आँकड़ों के विश्लेषण हेतु प्रारंभ में योजना बनती है।

C. **अवलोकन रूपरेखा – II. संरचनात्मक :** यह एक नियोजित ढांचा होता है जिसमें अवलोकन विधिपूर्वक किया जाता है।

D. **संक्रियात्मक रूपरेखा – IV. प्रगामी निर्णय :** यह अनुसंधान की प्रक्रिया के दौरान क्रमिक रूप से निर्णय लेने पर आधारित होती है।

89. (3): यह प्रश्न प्रमुख मनोवैज्ञानिक इन्वेंट्री को उनके निर्माताओं से जोड़ता है :

A. **CSAI-2 (Competitive State Anxiety Inventory-2) – III.** क्राफ्ट, मग्यार, बेकर और फेल्ट्ज (2003)

B. **स्पोर्ट्स कॉन्फिडेंस इन्वेंट्री – I.** रॉबिन एस. वीली (1986)

C. **ग्रुप इनवायरनमेंट क्वेश्चनेयर – IV.** कैरन, विदमेयर और ब्रॉली (1985)

D. **सेल्फ-मोटिवेशन इन्वेंट्री – II:** डिशमैन और इक्स (1981)

यह सभी प्रश्नावली खिलाड़ी की मानसिक स्थिति, आत्मविश्वास, टीम सहयोग आदि को मापने हेतु उपयोग होती हैं।

90. (1): यह प्रश्न कायप्ररूप (Somatotypes) को देहगठन वर्गीकरण से जोड़ता है, जो शेल्डन के सिद्धांत पर आधारित है :

A. **अति लंबाकृतिक – IV. 1-1-7 :** यह शरीर प्रकार लंबा और पतला होता है (अधिकतम म्बजवउवतचील)।

B. **अति गोलाकृतिक – III. 7-1-1 :** यह शरीर प्रकार गोल, भारी और चर्बीयुक्त होता है (अधिकतम Endomorphy)।

C. **अति मध्यकाय – II. 1-7-1** : यह मजबूत, पेशीय शरीर वाले होते हैं (अधिकतम Mesomorphy)।

D. **लंबाकृतिक मध्यकाय – I. 2-6-4** : इसमें मध्यकाय प्रमुख होतें हुए अन्य दोनों घटक भी होते हैं।

यह वर्गीकरण खेलों में उपयुक्त खिलाड़ियों की पहचान में सहायक होता है।

91. (4): गद्यांश में स्पष्ट रूप से कहा गया है कि "उपकरण की विश्वसनीयता को बढ़ाने हेतु शोधकर्ता एक परीक्षण-पुनर्परीक्षण अथवा स्प्लिट-हाफ पद्धतियों का प्रयोग कर सकता है।"

इसका आशय यह है कि स्प्लिट-हाफ पद्धति केवल उपकरण की विश्वसनीयता (Instrument Reliability) को बढ़ाने के लिए प्रयोग की जाती है, न कि वैधता के लिए।

अतः सही उत्तर है : उपकरण विश्वसनीयता

92. (1): गद्यांश के अनुसार, "बाह्य वैधता और विश्वसनीयता के परिणाम जनसंख्या एवं इससे लागू होते हैं।"

यह दर्शाता है कि जब किसी अध्ययन या प्रयोग के निष्कर्ष संपूर्ण जनसंख्या पर लागू किए जा सकते हैं, तो वह बाह्य वैधता का उदाहरण होता है।

बाह्य वैधता जनरलाइजेशन की क्षमता को दर्शाती है।

अतः सही उत्तर है : बाह्य वैधता।

93. (2): गद्यांश में कहा गया है : "गोल्फ खेलने वाले गेंद को छिद्र में डालने का प्रयास कर रहे हैं लेकिन गोल्फ की गेंदें हरियाली में बेतरतीब स्थिति में होते हैं... और गेंद तब भी गोल में नहीं गई..."

यह उदाहरण दर्शाता है कि न तो परिणाम वैध हैं (गोल में नहीं जा रही), और न ही विश्वसनीय (हर बार अलग-अलग स्थान पर जा रही हैं)।

इसका अर्थ है, यह न वैध है और न विश्वसनीय, यानी अल्प वैधता और अल्प विश्वसनीयता का उदाहरण।

अतः सही उत्तर है : अल्प वैधता एवं अल्प विश्वसनीयता

94. (3): गद्यांश में कहा गया है : "गेंद तब भी गोल में नहीं गई लेकिन उसका सतत और मजबूत क्लस्टर था।"

यानी कि गेंद हर बार एक जैसे स्थान पर जा रही है (उच्च विश्वसनीयता), लेकिन गोल में नहीं जा रही है (अल्प वैधता)।

जब प्रदर्शन बार-बार सुसंगत हो लेकिन लक्ष्य से भटका हो, तो वह विश्वसनीय लेकिन अवैध माना जाता है।

अतः सही उत्तर है : अल्प वैधता एवं उच्च विश्वसनीयता

95. (4): गद्यांश में अंतिम उदाहरण : "गोल्फ खेलने वाले ने तीसरा प्रयास किया और प्रत्येक गेंद पर प्रहार किया गेंद गोल में चली गई।" इसका अर्थ है कि गेंद हर बार लक्ष्य (गोल) में जा रही है–यानी

- उच्च वैधता (Validity)–सही लक्ष्य प्राप्त किया गया।
- उच्च विश्वसनीयता (Reliability)–लगातार एक ही परिणाम मिल रहा है।

अतः सही उत्तर है : उच्च वैधता एवं उच्च विश्वसनीयता होना।

96. (2): गद्यांश में स्पष्ट रूप से कहा गया है कि उच्च ऊँचाई पर प्रशिक्षण से ''इरिथ्रोपोइटिन हार्मोन की मात्रा में वृद्धि होती है जो लाल रक्त कणिकाओं (RBCS) के उत्पादन को बढ़ाता है।''

यह शरीर की प्रमुख शारीरिक अनुकूलन प्रक्रिया है जिससे ऑक्सीजन वहन क्षमता बढ़ती है और प्रदर्शन सुधरता है।

अतः सही उत्तर है : इराइथ्रोपोएटिन में वृद्धि।

97. (4): ऊँचाई प्रशिक्षण के कारण शरीर में कई सकारात्मक परिवर्तन होते हैं, जिनमें निम्न शामिल हैं :

- कोशिकाओं की संख्या में वृद्धि
- फेफड़ों की कार्य क्षमता में सुधार
- माइटोकॉन्ड्रियल (ऊर्जा-गृह) घनत्व और कार्य में सुधार

जबकि विकल्प 4 में माइटोकॉन्ड्रियल घनत्व में ह्रास की बात कही गई है, जो गलत है क्योंकि गद्यांश में यह स्पष्ट कहा गया है कि माइटोकॉन्ड्रियल घनत्व और कार्य सुधरता है।

अतः सही उत्तर है : ऊर्जा-गृह घनत्व में ह्रास (यह परिवर्तन नहीं होता है, इसलिए सही विकल्प)

98. (2): गद्यांश के अनुसार, ''लिव हाई, ट्रेन लो' रणनीति में एथलीट उच्च ऊँचाई पर निवास करते हैं ताकि मनोवैज्ञानिक और शारीरिक अनुकूलन प्राप्त किया जा सके, और निम्न ऊँचाई पर प्रशिक्षण करते हैं ताकि प्रशिक्षण की तीव्रता बनाए रखी जा सके।

अतः सही उत्तर है : उच्च ऊँचाईयों पर निवास परंतु निम्न तुंगों पर प्रशिक्षण।

99. (3): गद्यांश में स्पष्ट कहा गया है कि ऊँचाई प्रशिक्षण के दौरान ''श्वसन मांसपेशियों की क्षमता में वृद्धि होती है।''

यह वृद्धि संख्या या आकार में नहीं, बल्कि कार्यदक्षता में होती है—जिससे शरीर कम ऑक्सीजन में भी बेहतर कार्य करता है।

अतः सही उत्तर है : दक्षता बढ़ाकर

100. (3): गद्यांश में कहा गया है कि ''समुद्र स्तर से ऊँचाई पर ऑक्सीजन का स्तर बहुत कम होता है''। इसलिए यदि एथलीट उच्च ऊँचाई पर ही प्रशिक्षण करते हैं, तो ऑक्सीजन की कमी के कारण प्रशिक्षण की तीव्रता को बनाए रखना मुश्किल होता है। इसी कारण 'लिव हाई, ट्रेन लो' मॉडल अपनाया जाता है।

अतः सही उत्तर है : वातावरणीय O_2 में ह्रास के कारण।

पिछले प्रश्न-पत्र

National Testing Agency (NTA)

UGC-NET जूनियर रिसर्च फैलोशिप तथा सहायक प्राध्यापक पात्रता परीक्षा

शारीरिक शिक्षा, दिसम्बर-2023

(Exam held on 07-12-2023)

प्रश्न-पत्र-II

1. निम्न में से कौन-सा खेल राष्ट्रीय खेल प्रतिभा प्रतियोगिता (एन.एस.टी.सी.) के अधीन नहीं आता है?

A. थांग-ता B. सिलाम्बम

C. खो-खो D. हैंडबॉल

2. निम्न में से किस विद्यालय की स्थापना बर्नहार्ड बेस्डो ने की थी?

A. लाइसियम

B. द एकेडेमी

C. फिलेन्थ्रोपीनम

D. रायल सेन्ट्रेल इंस्टिट्यूट ऑफ जिमनास्टिक

3. प्राचीन यूनान में निम्न में से किसे अग्नि देव के नाम से जाना जाता था?

A. डाइनीसस B. हेफैस्टस

C. एफ्रोडाइट D. अपोलो

4. निम्न में से कौन एस.ए.आई. द्वारा प्रदत्त राष्ट्रीय श्रेष्ठ केन्द्र स्कीम का केन्द्र नहीं है?

A. एन.सी.ओ.ई. एल्लेपी

B. एन.सी.ओ.ई. इम्फाल

C. एन.सी.ओ.ई. लखनऊ

D. एन.सी.ओ.ई. रांची

5. सेगिट्टल प्लेन में कलाई का आकुंचन चलन जब बोलर हाथ के पूर्व पक्ष में अगली बाजू के पूर्व पक्ष में हो कहलाता है।

A. पृष्ठ आकुंचन B. करतल आकुंचन

C. अरीय आकुंचन D. अल्नर आकुंचन

6. बेसबाल बल्ले को घुमाने के दौरान उसका स्वीट स्पाट धुरी से 120 से.मी. है। यदि बल्ले पर स्वीट स्पाट 40 मी./से. की दूर से चलता है तो बल्ले का कोणीय वेग कितना होगा?

A. 33.3 road/s B. 30.3 road/s

C. 35.3 road/s D. 34.3 road/s

7. पेशी कंडरा काम्पलेक्स में कंडरा को बहुधा नम्य संघटक की श्रृंखला क्यों कहा जाता है?

A. क्योंकि यह एक संकुचनशील घटक है।

B. क्योंकि यह मायोफाइब्रिलों से बना है।

C. क्योंकि यह संकुचनशील संघटक के साथ श्रृंखला में पड़ी नम्य सामग्री है।

D. क्योंकि यह हमेशा पेशी तंतुओं की क्रिया के साथ संपाती होती है।

8. निम्नलिखित में से कौन गिंगलीमस ज्वाइंट का उदाहरण है?

A. रेडियो कार्पल B. एसेटाबुलर फेमोरल

C. ग्लेनोह्यूमरल D. टैलोक्रुरल

9. निम्नलिखित में से क्या यह दर्शाता है कि व्यवहार व्यक्ति और पर्यावरण के बीच के प्रभाव का प्रदर्शन है?

A. लक्षण सिद्धांत
B. अन्योन्याक्रियात्मक मॉडल
C. मानवतावादित मॉडल
D. अन्योन्याक्रियात्मक व्यक्तित्व व्यवहार

10. खेल मनोविज्ञान का वृत्ति के अनुप्रयोग प्रकार्य में प्राथमिक रूचि रखना .... कहलाता है।
A. शैक्षिणक खेल मनोविज्ञानी
B. अनुप्रयुक्त खेल मनोविज्ञानी
C. शैक्षिक खेल मनोविज्ञानी
D. वृत्तिय खेल मनोविज्ञान

11. संसक्ति के रेखीय मॉडल में सबसे मूल (आरीय) स्थिति कौन-सी है?
A. मानकीकरण B. रूपण
C. निष्पादक D. आक्रमीक

12. व्यक्तित्व का इंटरएक्टिव मॉडल किस फार्मूले द्वारा संक्षिप्त किया जाता है?
A. B = f(P, E) B. F =b(P, E)
C. P = b(f, E) D. E = f(B, P)

13. भारत में यूथ अफेयर स्पोर्ट्‌ मंत्रालय ने किस वर्ष में टारगेट ओलंपिक पोडियम योजना (Target Olympic Podium Scheme) शुरू की थी?
A. सितम्बर 2014 B. सितम्बर 2016
C. सितम्बर 2018 D. सितम्बर 2022

14. टैनिस के खेल में वस्तु नियंत्रण कौशल कौन-सा नहीं है?
A. अंडरहैंड टॉस B. बैकहैंड स्ट्राइक
C. ओवरहैंड स्ट्राइक D. अंडरहैंड स्ट्राइक

15. प्राथमिक कक्षाओं के बच्चों हेतु शिक्षण की निम्न में से कौन-सी विधि सर्वाधिक उपयुक्त है?
A. मौखिक विधि B. अनुकृति
C. नाट्यकरं विधि D. इच्छानुसार (एट विल)

16. निम्न में से किस निकाय को कार्पोरेट सामाजिक उत्तरदायित्व के माध्यम से खेलों को प्रोत्साहित करने की श्रेणी के अंतर्गत वर्ष 2022 के लिए राष्ट्रीय खेल प्रोत्साहन पुरस्कार प्रदान किया गया था?
A. तेल व प्राकृतिक गैस निगम
B. ट्रांसस्टेडिया एंटरप्राइजिस प्राइवेट लिमिटेड
C. कलिंग औद्योगिक प्रौद्योगिकी संस्थान
D. लद्दाख स्की एडं स्नोबोर्ड ऐसोसिएशन

17. संतुलित आहार के निर्माण के सिद्धांतों के आधार पर प्रोटीन की दैनिक आवश्यकता क्या होगी?
A. दैनिक ऊर्जा ग्रहण का 4-6%
B. दैनिक ऊर्जा ग्रहण का 10-15%
C. दैनिक ऊर्जा ग्रहण का 20-25%
D. दैनिक ऊर्जा ग्रहण का 30-35%

18. विद्यालयी स्वास्थ्य सेवा की माध्यमिक शिक्षा समिति ने 1953 में किस बात पर बल दिया?
A. मात्र विद्यालय में भोजन के कार्यक्रम की आवश्यकता पर
B. छात्रों की चिकित्सा जांच की आवश्कयता पर
C. छात्रों की चिकित्सा जांच और विद्यालय में भोजन के कार्यक्रम दोनों
D. विद्यालयों में शारीरिक शिक्षण की शुरुआत

19. स्वास्थ्य की स्पेक्ट्रम संबंधी अवधारणा के अनुसार किसी व्यक्ति के स्वास्थ्य की अवस्था के बारे में क्या कहा जा सकता है?
A. यह गतिशील परिघटना है और सतत परिवर्तन की एक प्रक्रिया है।
B. यह स्थिर प्रकृति की है।
C. इसमें बिलकुल कोई परिवर्तन नहीं हो सकता है।
D. इसमें बिलकुल कोई सुधार नहीं हो सकता है।

20. विद्यालयी स्वास्थ्य रिकॉर्ड रखे जाने का मुख्य प्रयोजन क्या है?
A. प्रबंधन और शिक्षक के बीच लिंक प्रदान करना
B. सतत बुद्धिमतापूर्ण स्वास्थ्य प्रयविक्षण प्रदान करना
C. शिक्षक के कार्यनिष्पादन का मूल्यांकन करना
D. विद्यालयी खेल गतिविधियाँ का रिकॉर्ड रखना

21. यदि प्रशिक्षण का निरपेक्ष परिमाण 104 मिनट है। सापेक्ष परिमाण 110 मिनट है और एथलीट के हृदय

की गति दर 85 धड़कन/मिनट हैं। तो प्रशिक्षण सत्र की सापेक्ष घनत्व कितनी होगी?

A. 24.03% B. 17.27%
C. 94.54% D. 24%

22. कौन-सी मांसपेशी स्टैबिलाइजर मांसपेशी के रूप में कार्य करती है जब एथलीट स्टैंडिंग बारबेल कर्ल करते हैं?

A. बाइसेप्स B. ट्राइसेप्स
C. रेक्टस एब्डॉमिनस D. ब्रांकितयालिस

23. उच्च गति के साथ कम प्रतिरोध पर काबू पाने की धावक की क्षमता को कहा जाता है:

A. न्यूनतम ताकत B. अधिकतम ताकत
C. गति की ताकत D. सापेक्ष ताकत

24. संचलन के प्रारंभिक चरण के दौरान अधिकतम मांसपेशीय बल विकसित करने की क्षमता को कहते हैं:

A. प्रारंभिक शक्ति B. विस्फोटक शक्ति
C. शक्युिक्त गति D. अधिकतम शक्ति

25. निम्नलिखित में से कौन-सी वैज्ञानिक विधि सिद्धांतों से विकसित परिकल्पना परीक्षण पर केंद्रित है?

A. परिकल्पना विधि B. आगमनात्मक विधि
C. निगमनात्मक विधि D. प्रतिमान विधि

26. गुणात्मक शोध की मुख्य विशेषता कौन-सी है?

A. अंकों के रूप में आंकड़ा संग्रह
B. आंकड़ा स्रोत संग्रह
C. प्रत्यक्षवादी परिकल्पनाओं और आंकड़ा विश्लेषण से बचना
D. आंकड़ा विश्लेषण में अनुभवाश्रित विधि का प्रयोग

27. शोध अभिकल्प को जाना जाता है:

A. शोध निष्कर्षों की प्रस्तुति
B. आंकड़ा संग्रह और उसके विश्लेषण के प्रत्येक चरण हेतु एक ढांचा
C. शोध करने हेतु सभी शोधकर्ताओं द्वारा अपनाई जाने वाली सामान्य विधि
D. प्रयोग की जाने वाली गुणात्मक और मात्रात्मक विधि के बीच अंतिम चयन

28. किसी अलेख या पुस्तक के स्वरूप और महत्व के संदर्भ सहित संक्षिप्त विवरण को जाना जाता है?

A. संदर्भग्रंथ सूची
B. संक्षिप्त टिप्पणी सहित संदर्भग्रंथ सूची
C. अनुक्रमणिका
D. सारांश

29. होविट स्पोर्ट्स स्किल टेस्ट निम्नलिखित में से किस से जुड़ा है?

A. बैडमिंटन B. हॉकी
C. फुटबाल D. टेनिस

30. क्रौस-वेबर टेस्ट में कवायदों की एक शृंखला होती है तो निम्नलिखित का मापन करती है:

A. सापेक्ष मस्कुलर ताकत
B. अधिकतम मस्कुलर ताकत
C. पूर्ण मस्कुलर ताकल
D. न्यूनतम मस्कुलर ताकत

31. हार्वर्ड स्टेप टेस्ट में प्रतिभागी के कदमों को बार-बार ऊपर तथा नीचे करने का अभ्यास कितने मिनट करना होता है?

A. 2 मिनट B. 4 मिनट
C. 5 मिनट D. 10 मिनट

32. डायर टेनिस टेस्ट किस वर्ष विकसित किया गया था।

A. 1955 B. 1935
C. 1985 D. 1965

33. एक समूह का उसके सदस्यों द्वारा संगठन को प्रभावित करने के लिए सुव्यवस्थित करने का प्रयत्न .... कहलाता है।

A. पूर्तिकर्ता समूह B. स्वार्थ समूह
C. नियंत्रण एजेंसी D. नियंत्रक समूह

34. निम्नलिखित में से कौन-सा टीम में संसक्तिकरण वृद्धि का कारक है?

A. व्यक्तिगत आकर्षण
B. बृहत् समूह आकार
C. अंतर समूह प्रतिस्पर्द्धा
D. प्रभुत्व

35. वह प्रक्रिया जो व्यक्ति या समूह की लक्ष्य प्राप्ति की ओर एकाग्रता को प्रभावित करती है, ... कहलाती है।

A. प्रबंधन B. प्रेरणा
C. प्रशासन D. नेतृत्व

36. एक परियोजना को पूरा करने के लिए विभिन्न मानव, वित्तिय और भौतिक साधन को प्रभावी रूप से एकीकरण .... कहलाता है।

A. निदेशन देना B. आयोजन करना
C. कर्मचारी भर्ती D. नेतृत्व

37. बफरिंग के लिए उपलब्ध बाइकार्बोनेट आयनों की मात्रा को क्या कहलाता है?

A. पीके (pk) रिजर्व B. पी.सी.आर. रिजर्व
C. अलकलाई रिजर्व D. पी.एच. रिजर्व

38. T वेव का निर्माण किसके परिणामस्वरूप होता है?

A. निलयों का पुनर्धुवीकरण
B. आर्ट्रियम के आराम की अवस्था
C. आट्रिया का विध्रुविकरण
D. निलयों का विध्रुवीकरण

39. ग्रहण किए गए ऑक्सीजन के परिमाण के लिए फिक का समीकरण क्या है?

A. $\dot{V}O_2 = \dot{Q} \times (a - V)O_2$ difference
B. $\dot{V}O_2 = (a - \bar{V})O_2$ difference
C. $VO_2 = \dot{Q} \times (a - \bar{V})O_2$ difference
D. $\dot{V}O_2 = \dot{Q} \times (a - \bar{V})O_2$ difference

40. निम्नलिखित में से क्या व्यायाम के दौरान ग्लूकोज के सेल्युलर अपटेक को घटा देता है?

A. कार्टिजल B. नारएफरेफीन
C. संवृद्धि हार्मोन D. थॉयरॉयड हार्मोन

41. निम्न में से कौन-से कथन मास्को ओलम्पिक खेल 1980 से संबंधित है?

(*a*) 'मीशा' शुभंकर था
(*b*) 92 टीमों ने भाग लिया था
(*c*) संयुक्त राज्य अमरीका ने खेलों का बहिष्कार किया था
(*d*) पदक तालिका में ब्रिटेन का प्रथम स्थान प्राप्त हुआ था।
(*e*) अधिकारिक प्रतीक व्लादिमीर अर्सेन्तेयेव ने बनाया था

नीचे दिए गए विकल्पों में से सही उत्तर का चयन कीजिए:

A. केवल (*b*), (*c*), (*d*)
B. केवल (*c*), (*d*), (*e*)
C. केवल (*a*), (*b*), (*d*)
D. केवल (*a*), (*c*), (*e*)

42. निम्न में से कौन-कौन जर्मन आदर्शवादी हैं?

(*a*) निकोली मैकियावेली
(*b*) जोहान गॉटलिब फिश्टे
(*c*) जार्ज बर्कले
(*d*) इमैनुएल कांट
(*e*) जार्ज हेगेल

नीचे दिए गए विकल्पों में से सही उत्तर का चयन कीजिए:

A. केवल (*b*), (*d*), (*e*)
B. केवल (*a*), (*c*), (*d*)
C. केवल (*c*), (*d*), (*e*)
D. केवल (*a*), (*b*), (*d*)

43. शारिरिक शिक्षा अद्वितीय है क्योंकि यह निम्नलिखित में से किन अधिगम क्षेत्रों में अपना योगदान करती है?

(*a*) संज्ञानात्मक
(*b*) संवेगात्मक
(*c*) शीलगुण
(*d*) मनश्चालक

नीचे दिए गए विकल्पों में से सही उत्तर का चयन कीजिए:

A. केवल (*b*), (*d*)
B. केवल (*a*), (*b*), (*d*)
C. केवल (*b*), (*c*), (*d*)
D. केवल (*a*), (*c*), (*d*)

44. प्रोटीन पतले तंतु से संबद्ध होते हैं:

(*a*) एक्टिन
(*b*) मायोसिन
(*c*) नेबुलिन
(*d*) ट्रोपोसिन
(*e*) टाइटिन

नीचे दिए गए विकल्पों में से सही उत्तर का चयन कीजिए:

A. केवल (*a*), (*c*), (*d*)
B. केवल (*a*), (*b*), (*e*)
C. केवल (*a*), (*c*), (*e*)
D. केवल (*a*), (*b*), (*d*)

45. यांत्रिकी के दो उप शाखाये हैं:

(*a*) रेखिय
(*b*) स्थितिज
(*c*) गतिज
(*d*) कोणीय

नीचे दिए गए विकल्पों में से सही उत्तर का चयन कीजिए:

A. केवल (*c*), (*d*) B. केवल (*a*), (*b*)
C. केवल (*b*), (*c*) D. केवल (*b*), (*d*)

46. निम्नलिखित में से कौन-सा गति का सही प्रकार है?

(*a*) रेखीय गति
(*b*) चक्रिय गति
(*c*) कोणीय गति
(*d*) अभाशीय गति

नीचे दिए गए विकल्पों में से सही उत्तर का चयन कीजिए:

A. केवल (*a*), (*c*) B. केवल (*b*), (*c*)
C. केवल (*c*), (*d*) D. केवल (*a*), (*d*)

47. निम्नलिखित में से कौन प्रतिमा प्ररूप को दर्शाता है?

(*a*) अभिप्रेरणात्मक विशिष्ट
(*b*) अभिप्रेरणात्मक सामान्य पूर्ण अवबोधन
(*c*) अभिप्रेरणात्मक विशिष्ट भाव प्रबोधन
(*d*) संज्ञानात्मक विशिष्ट
(*e*) संज्ञानात्मक सामान्य

नीचे दिए गए विकल्पों में से सही उत्तर का चयन कीजिए:

A. केवल (*a*), (*b*), (*d*), (*e*)
B. केवल (*a*), (*b*), (*c*)
C. केवल (*a*), (*d*), (*e*)
D. केवल (*d*), (*e*)

48. निम्नलिखित में से कंपीटीटिव स्टेट एनजाइटी इन्वेंटरी-2R (CSAI-2R) किस का मापन करती है?

(*a*) संज्ञानात्मक चिंता (5 विषय)
(*b*) कायिक चिंता (7 विषय)
(*c*) आत्मविश्वास (15 विषय)
(*d*) लक्षण चिंता (60 विषय)
(*e*) स्किति चिंता (20 विषय)

नीचे दिए गए विकल्पों में से सही उत्तर का चयन कीजिए:

A. केवल (*d*), (*e*)
B. केवल (*a*), (*b*), (*c*)
C. केवल (*b*), (*c*), (*d*)
D. केवल (*a*), (*b*), (*d*), (*e*)

49. निम्नलिखित में से कौन से घटक शारीरिक शिक्षा कर्मचारी प्रोग्राम (Physical education personnel programme) में सम्मिलित है:

(*a*) स्वास्थिक जीवन शैली को प्रोत्साहित करना
(*b*) नैतिक मूल्य बनाना
(*c*) जीवन शैली का प्रशिक्षण करना
(*d*) शारीरिक स्वास्थ्य को प्रोत्साहित करना
(*e*) मनोदैहिक लक्षणों को प्रोत्साहित करना

नीचे दिए गए विकल्पों में से सही उत्तर का चयन कीजिए:

A. केवल (*a*), (*b*)

B. केवल (*a*), (*b*), (*d*), (*e*)
C. केवल (*a*), (*b*), (*c*), (*d*)
D. केवल (*b*), (*d*), (*e*)

50. पाठ्यचर्या निम्नलिखित में से किसका योजनाबद्ध क्रम है?

(*a*) जो छात्र सीख सकते हैं।
(*b*) छात्रों का अधिगम कैसे होता है।
(*c*) छात्रों के अधिगम को कैसे सत्यापित किया जाता है।
(*d*) छात्रों को ग्रेड कैसे मिलता है।
(*e*) छात्रों को अध्येतावृत्ति प्राप्त होती है।

नीचे दिए गए विकल्पों में से सही उत्तर का चयन कीजिए:

A. केवल (*a*), (*b*), (*e*)
B. केवल (*c*), (*d*), (*e*)
C. केवल (*a*), (*b*), (*c*)
D. केवल (*b*), (*c*), (*d*)

51. V-Z वायरस जिसके कारण चिकेन पॉक्स होता है, के संबंध में कौन-सी जानकारी सही है?

(*a*) प्राथमिक संक्रमण के परिणाम स्वरूप बी पैरा पर्टूसिस होता है।
(*b*) इस वायरस से ज्ञानेन्द्रियों (सेंसरी) और गैंगलिया में गुप्त संक्रमण स्थापित होता है।
(*c*) चिकेन पॉक्स अत्यधिक संचारी रोग नहीं है।
(*d*) टिश्यु (ऊतक) कल्चर में वायरस पैदा किया जा सकता है।

नीचे दिए गए विकल्पों में से सही उत्तर का चयन कीजिए:

A. केवल (*a*) और (*c*)
B. केवल (*b*) और (*d*)
C. केवल (*a*), (*b*) और (*c*)
D. केवल (*b*), (*c*) और (*d*)

52. पौषणिक स्थिति की मूल्यांकन विधियाँ निम्नलिखित में से कौन-सी है?

(*a*) नैदानिक परीक्षक
(*b*) संज्ञानात्मक मूल्यांकन
(*c*) मानवमिति
(*d*) प्रकायाथत्मक मूल्यांकन
(*e*) आहार ग्राहयता का मूल्यांकन

नीचे दिए गए विकल्पों में से सही उत्तर का चयन कीजिए:

A. केवल (*a*), (*c*), (*d*) और (*e*)
B. केवल (*b*), (*c*), (*d*) और (*e*)
C. केवल (*a*), (*b*), (*d*) और (*e*)
D. केवल (*a*), (*b*), (*c*) और (*d*)

53. निम्नलिखित में से कौन-कौन से कथन अनुबद्ध क्रम भार संरचना (कन्जुगेटेड सिक्वेंस लोडिंग स्ट्रकचर) से संबंधित है?

(*a*) प्रशिक्षण भार तथा आवृत्ति, प्रशिक्षण के प्रारंभिक चरण में हमेशा एक समान होती है।
(*b*) इस प्रशिक्षण को कपल्ड सक्सेसिव सिस्टम कहा जाता है।
(*c*) बल प्रयोग वाले खेलकूद में यह भार संचरना मुख्यतः प्रारम्भिक चरण तथा प्रतियोगी चरण के लिए प्रयुक्त होता है।
(*d*) लोडिंग में वापसी की अवधि के बाद संकेंद्रित लोडिंग अवधि अथवा अहि पहुंच (ओवर रीचिंग) अवधि की अनुमति होती है।

नीचे दिए गए विकल्पों में से सही उत्तर का चयन कीजिए:

A. केवल (*b*), (*c*) B. केवल (*a*), (*c*)
C. केवल (*c*), (*d*) D. केवल (*b*), (*d*)

54. डायनमिक कन्सेंट्रिक प्रणाली में निम्नलिखित में से कौन-कौन सा वैरिएसन शामिल है?

(*a*) मेक्सिमल रेसिस्टेंस प्रणाली
(*b*) रिएक्टिव प्रणाली
(*c*) आइसो-काइनेटिक प्रणाली
(*d*) सर-मैक्सिमल रेसिस्टेंस प्रणाली

नीचे दिए गए विकल्पों में से सही उत्तर का चयन कीजिए:

A. केवल (*b*), (*c*) B. केवल (*a*), (*b*)
C. केवल (*c*), (*d*) D. केवल (*a*), (*d*)

55. साहित्य समीक्षा के प्रयोजन में सम्मिलित हैः

(*a*) शोध के नैतिक पक्षों पर चर्चा करना

(*b*) आंकड़ा स्रोत कोड की पहचान करना

(*c*) शोध प्रश्नावली का निर्माण करना

(*d*) प्रासंगिक प्रविधि ज्ञात करना

(*e*) संदर्भ ग्रंथ सूची का मेटा विश्लेषण करना

नीचे दिए गए विकल्पों में से सही उत्तर का चयन कीजिएः

A. केवल (*b*), (*c*), (*d*)

B. केवल (*a*), (*b*), (*c*)

C. केवल (*c*), (*d*), (*e*)

D. केवल (*b*), (*c*), (*e*)

56. मापन स्केल के वर्गीकरण में सर्वाधिक रूप से प्रयुक्त जाते हैंः

(*a*) अनुपात मापनी

(*b*) प्रासंगिकता मापनी

(*c*) अनुक्रमिक मापनी

(*d*) कार्यप्रयोग मापनी

(*e*) नामात्रिक मापनी

नीचे दिए गए विकल्पों में से सही उत्तर का चयन कीजिएः

A. केवल (*a*), (*d*), (*e*)

B. केवल (*c*), (*d*), (*e*)

C. केवल (*a*), (*c*), (*e*)

D. केवल (*b*), (*d*), (*a*)

57. निम्नलिखित में से कौन-कौन शरीर विज्ञान अनुपालन संबंधी टेस्ट है?

(*a*) बेसीक फंकशन टेस्ट

(*b*) फंडामेंटल मुवमेंट टेस्ट

(*c*) बायो-केमिकल टेस्ट

(*d*) बॉडी मुवमेंट टेस्ट

(*e*) बायो मैकेनिकल टेस्ट

नीचे दिए गए विकल्पों में से सही उत्तर का चयन कीजिएः

A. केवल (*a*), (*c*), (*e*)

B. केवल (*b*), (*c*), (*d*)

C. केवल (*a*), (*d*), (*e*)

D. केवल (*c*), (*d*), (*e*)

58. निम्नलिखित में से सही कथन का चयन करेंः

(*a*) गोनियोमीटर लचीलेपन का मापन करती है

(*b*) स्पाईग्मोमैनोमिटर रक्त माप का मापन करती है

(*c*) स्किन फोल्ड कैलिपर हड्डी के घनत्व का मापन करती है

(*d*) डाइनामोमीटर यांत्रिक बल अथवा शक्ति का मापन करती है

(*e*) स्पाइरोमीटर महत्वपूर्ण क्षमता (वाइटल कैपासिटी) का मापन करती है

नीचे दिए गए विकल्पों में से सही उत्तर का चयन कीजिएः

A. केवल (*a*), (*c*), (*d*)

B. केवल (*b*), (*d*), (*e*)

C. केवल (*b*), (*c*), (*e*)

D. केवल (*a*), (*b*), (*e*)

59. निम्नलिखित में से कौन से कारक संसंजकता वृद्धि करते हैं?

(*a*) व्यक्तिगत आकर्षण

(*b*) बृहत् समूह आकार

(*c*) अंतर समूह प्रतिस्पर्धा

(*d*) लक्ष्य पर सहमति

(*e*) पारस्परिक क्रिया

नीचे दिए गए विकल्पों में से सही उत्तर का चयन कीजिएः

A. केवल (*a*), (*d*), (*e*)

B. केवल (*b*), (*c*), (*d*)

C. केवल (*c*), (*d*), (*e*)

D. केवल (*a*), (*b*), (*c*)

60. निम्नलिखित में से कौन से सिद्धांत आयोजन संघक्रियात्मक योजना चरण (Event operational planning phase) से संबंधित है?

(*a*) आकास्मिकता सिद्धांत

(*b*) व्यवहारिक सिद्धांत

(*c*) एजेंसी सिद्धांत

(*d*) जटिलता सिद्धांत

नीचे दिए गए विकल्पों में से सही उत्तर का चयन कीजिए:

A. केवल (*a*), (*b*), (*c*)

B. केवल (*a*), (*b*), (*d*)

C. केवल (*b*), (*c*), (*d*)

D. केवल (*a*), (*c*), (*d*)

61. सूची-I के साथ सूची-II का मिलान कीजिए:

सूची-I (अधिनियम)	सूची-II (वर्ष)
(*a*) पुनर्वास अधिनियम	I. 1986
(*b*) विशेष शिक्षा अधिनियम	II. 1973
(*c*) दिव्यांग बालक संरक्षण अधिनियम	III. 1975
(*d*) दिव्यांग शिक्षा अधिनियम	IV. 1961

नीचे दिए गए विकल्पों में से सही उत्तर का चयन कीजिए:

	(*a*)	(*b*)	(*c*)	(*d*)
A.	III	IV	II	I
B.	I	III	II	IV
C.	II	IV	I	III
D.	II	III	I	IV

62. सूची-I के साथ सूची-II का मिलान कीजिए:

सूची-I	सूची-II
(*a*) लेप्टिन	I. ओडिपोसाइटिस द्वारा स्रावित। इसके सामान्य स्तर हाइपोथैलेमस को आहार ग्रहण को बनाए रखने का संकेत देते हैं
(*b*) पेप्टाइड	II. एपिथिलियम कोशिका में स्रावित शक्तिशाली हार्मोन जिससे भूख बढ़ती है
(*c*) ग्रेलिन	III. भोजन के समय भोजन में कैलोरी की अनुपात में आंत्रीय कोशिकाओं द्वारा छोड़े गए हार्मोन
(*d*) मिलानोकॉर्टीन-4	IV. संभवतः खाना बंद करने का संकेत देता है

नीचे दिए गए विकल्पों में से सही उत्तर का चयन कीजिए:

	(*a*)	(*b*)	(*c*)	(*d*)
A.	IV	III	II	I
B.	I	III	II	IV
C.	II	I	III	IV
D.	III	IV	II	I

63. सूची-I के साथ सूची-II का मिलान कीजिए:

सूची-I	सूची-II
(*a*) सममितीय शक्ति	I. मध्यवर्ती वेगों पर
(*b*) अर्द्ध-सममितीय शक्ति	II. शून्य वेग पर
(*c*) शक्ति-गति	III. निम्न वेगों पर
(*d*) गति-शक्ति	IV. अत्यधिक निम्न वेगों पर

नीचे दिए गए विकल्पों में से सही उत्तर का चयन कीजिए:

	(*a*)	(*b*)	(*c*)	(*d*)
A.	II	IV	I	III
B.	IV	III	I	II
C.	III	II	IV	I
D.	I	IV	II	III

64. सूची-I के साथ सूची-II का मिलान कीजिए:

सूची-I परामर्श पद्धती	सूची-II उदाहरण
(*a*) संकीर्ण बाहरी	I. आयोजना रणनीति
(*b*) विस्तृत बाहरी	II. शारिरीक तनाव को पहचानना
(*c*) विस्तृत आंतरिक	III. ध्वनि को पूर्वानुमानित करना
(*d*) संकीर्ण आंतरिक	IV. प्रतिद्वंदी की स्थिति को पहचानना

नीचे दिए गए विकल्पों में से सही उत्तर का चयन कीजिए:

	(a)	(b)	(c)	(d)
A.	IV	III	II	I
B.	III	IV	I	II
C.	II	IV	I	III
D.	I	II	III	IV

65. सूची-I के साथ सूची-II का मिलान कीजिए:

सूची-I परंपरागत दर्शनशास्त्र	सूची-II शारीरिक शिक्षा की पाठ्यचर्या के निहितार्थ
(a) आदर्शवाद	I. प्रोग्राम की प्रभाविता के लिए शिक्षक उत्तरदायी होता है, निर्देशन उपकरण और सुविधाओं से अधिक महत्वपूर्ण होता है।
(b) यथार्थवाद	II. कार्यकलापों का चयन उनके महत्व के वैज्ञानिक साक्ष्य के आधार पर किया जाता है।
(c) प्रकृतिवाद	III. छात्रों की जरुरतें और रुचियॉम पाठ्यचर्या को निर्धारित करती हैं।
(d) प्रयोजनवाद	IV. छात्र अपने गति से विकास करते हैं।

नीचे दिए गए विकल्पों में से सही उत्तर का चयन कीजिए:

	(a)	(b)	(c)	(d)
A.	I	II	IV	III
B.	I	II	III	IV
C.	IV	III	II	I
D.	II	III	IV	I

66. सूची-I के साथ सूची-II का मिलान कीजिए:

सूची-I जल में घुलनशील विटामिन	सूची-II आवश्यकता
(a) फोलेसिन	I. खाद्य अणुओं के विखंडन के लिए आवश्यक
(b) राइबोफ्लोविन	II. डी.एन.एन. एवं अन्य अणुओं के संश्लेषण के लिए आवश्यक
(c) थायमीन	III. कोशिका अणुओं का संश्लेषण
(d) निआसीन	IV. नेत्र के स्वास्थ्य के लिए महत्वपूर्ण

नीचे दिए गए विकल्पों में से सही उत्तर का चयन कीजिए:

	(a)	(b)	(c)	(d)
A.	I	III	II	IV
B.	II	I	III	IV
C.	III	IV	II	I
D.	II	IV	I	III

67. सूची-I के साथ सूची-II का मिलान कीजिए:

सूची-I	सूची-II
(a) उत्केंद्रिक प्रशिक्षण	I. वह प्रशिक्षण गति विधि के लौकिक एवं आकाशीय पहलुओं के सूक्ष्म होने तथा स्थिर होने में सहायक होता है।
(b) जहिल प्रशिक्षण	II. मांस पेशियों की लंबाई कम होती है।
(c) इडियो-मोटर प्रशिक्षण	III. यह रेसिसटेंस प्रशिक्षण को प्लायोमेट्रिक प्रशिक्षण से जोड़ता है।
(d) संकेन्द्रिक संकुचन प्रशिक्षण	IV. वह प्रशिक्षण जो गति विधि के लंबे खिंचने के चरण को बढ़ता है।

नीचे दिए गए विकल्पों में से सही उत्तर का चयन कीजिए:

	(a)	(b)	(c)	(d)
A.	I	II	IV	III
B.	IV	III	I	II
C.	II	IV	III	I
D.	II	I	IV	III

68. सूची-I के साथ सूची-II का मिलान कीजिए:

सूची-I साक्षात्कार	सूची-II अर्थ/अभिप्राय
(a) सुव्यवस्थित साक्षात्कार	I. अधिकतर लचीलापन उपागम
(b) अव्यवस्थित साक्षात्कार	II. पूर्व निर्धारित प्रश्न
(c) केंद्रित साक्षात्कार	III. व्यक्तिगत जीवन अनुभव
(d) नैदानिक साक्षात्कार	IV. उत्तर दिए जाने वाले प्रश्न पर विशेष ध्यान देना

नीचे दिए गए विकल्पों में से सही उत्तर का चयन कीजिए:

	(a)	(b)	(c)	(d)
A.	II	III	IV	I
B.	IV	III	I	II
C.	III	IV	II	I
D.	II	I	IV	III

69. सूची-I के साथ सूची-II का मिलान कीजिए:

सूची-I टेस्ट का नाम	सूची-II टेस्ट मद
(a) आयोना-ब्रास मोटर एडुकेबिलिटि टेस्ट	I. बाधा दौड़
(b) स्कॉट मोटर एबिलिटि टेस्ट	II. बेड़ी हर्डल रेस
(c) मेथेनी-जॉनसन टेस्ट	III. लूप जंप
(d) न्यूटन मोटर एबिलिटि टेस्ट	IV. फ्रंट रौल

नीचे दिए गए विकल्पों में से सही उत्तर का चयन कीजिए:

	(a)	(b)	(c)	(d)
A.	II	III	IV	I
B.	IV	II	III	I
C.	III	IV	I	II
D.	III	I	IV	II

70. सूची-I के साथ सूची-II का मिलान कीजिए:

सूची-I जनसंपर्क के मॉडल	सूची-II उद्देश्य
(a) प्रेस एजेन्टरी	I. विकीर्णन
(b) जन सूचना प्रचार	II. वैज्ञानिक प्रत्यायन
(c) असम्मित	III. आपसी ताल-मेल
(d) सम्मित	IV. प्रचार

नीचे दिए गए विकल्पों में से सही उत्तर का चयन कीजिए:

	(a)	(b)	(c)	(d)
A.	IV	II	III	I
B.	IV	I	II	III
C.	I	II	III	IV
D.	III	II	IV	I

71. निम्नलिखित विश्वविद्यालयों को तीसरे खेलो इंडिया विश्वविद्यालय खेलों में जो 2022 उत्तर प्रदेश में आयोजित हुए अनुसार उनकी स्थिति के अनुक्रम में व्यवस्थित कीजिए:

(a) पंजाबी विश्वविद्यालय

(b) जैन विश्वविद्यालय

(c) गुरुनानक देव विश्वविद्यालय

(d) कुरुक्षेत्र विश्वविद्यालय

(e) पंजाब विश्वविद्यालय

नीचे दिए गए विकल्पों में से सही उत्तर का चयन कीजिए:

A. (c), (e), (a), (d), (b)
B. (d), (e), (c), (b), (a)
C. (e), (c), (b), (a), (d)
D. (c), (d), (e), (b), (a)

72. संक्रियण, संकुचन व शिथिलन के दौरान पेशी क्रिया में निम्न को अनुक्रमानुसार व्यवस्थित कीजिए:

(a) टी-टुयुबूल प्रणाली के विध्रुवण से सेक्रोप्लाज्मी की पार्श्विक झिल्ली से Ca^{2+} का मोचन होता है।

(b) Ca^{2+} क्रिया तंतु में ट्रोपोनिन-ट्रोपोमायोसिन को बांधती है।

(c) टर्मिनल एक्सान के भीतर लघु झिल्ली प्रकार के तंतु ऐसिटाइलक्लाइन (एसीएच) का मोचन करते हैं।

(d) पेशी क्रिया के दौरान, एक्टिन मायोसिन एटीपी के साथ जुड़ता है।

(e) पेशी क्रिया संभाविता सेरकोमियर के ए-I जंक्शन पर अनुप्रस्त ट्युबूल्स को विध्रुवित करती है।

नीचे दिए गए विकल्पों में से सही उत्तर का चयन कीजिए:

A. (c), (e), (a), (b), (d)
B. (e), (c), (a), (b), (d)
C. (b), (a), (c), (d), (e)
D. (d), (c), (b), (a), (e)

73. निम्न कथनों को सही क्रम में व्यवस्थित कीजिए:

(a) प्रत्येक क्रॉस-ब्रिज चक्र ऐडेनोसीन ट्राइफास्फेट (एटीपी) के हाइड्रोलाइबेशन से संबंधित है।

(*b*) क्रॉस ब्रिज का तत्काल बल अनन्य रूप से *x* दूरी पर निर्भर होता है।

(*c*) क्रॉस ब्रिज दर प्रकार्यों के अनुसार संलग्न व विलग होते हैं, जो अनन्य रूप से '*x* - दुरी' समीकरण पर निर्भर है। संतुलन की स्थिति में क्रॉस ब्रिज शीर्ष से एक्टिव तंतु पर निकटतम अनुलग्नक तक की दूरी।

(*d*) एक्टिन व मायोसिन तंतु अनिवार्य रूप से अनन्य होते हैं।

नीचे दिए गए विकल्पों में से सही उत्तर का चयन कीजिए:

A. (*d*), (*c*), (*b*), (*a*)
B. (*a*), (*b*), (*c*), (*d*)
C. (*c*), (*d*), (*b*), (*a*)
D. (*b*), (*d*), (*c*), (*a*)

74. निम्नलिखितं मनोवैज्ञानिक निर्धारण को कालक्रम में उनके विकास वर्ष के अनुसार सही क्रम में व्यवस्थित कीजिए:

(*a*) खेलकूद अभिप्रेरणात्मक सूची
(*b*) आइसेंक व्यक्तिगत सूची
(*c*) खेलकूद प्रतिकृति कौशल सूची
(*d*) खेलों के लिए मनोवैज्ञानिक कौशल सूची

नीचे दिए गए विकल्पों में से सही उत्तर का चयन कीजिए:

A. (*a*), (*c*), (*d*), (*b*)
B. (*c*), (*a*), (*b*), (*d*)
C. (*a*), (*d*), (*b*), (*c*)
D. (*b*), (*a*), (*d*), (*c*)

75. ऊर्ध्वमुखी (बॉटम-अप) पाठ्यचर्या का सही क्रम क्या है?

(*a*) शारीरिक प्रबंधन
(*b*) मूलभूत चालन (मोटर) कौशल
(*c*) मिश्र कौशल
(*d*) जीवन पर्यन्त कौशल

नीचे दिए गए विकल्पों में से सही उत्तर का चयन कीजिए:

A. (*b*), (*c*), (*a*), (*d*)
B. (*b*), (*a*), (*c*), (*d*)
C. (*a*), (*b*), (*c*), (*d*)
D. (*a*), (*c*), (*b*), (*d*)

76. मैच के दौरान आपातकालीन स्थिति से निपटने के लिए निम्नलिखित को अनुक्रम में व्यवस्थित कीजिए:

(*a*) प्रथम उपचार प्रदान करना
(*b*) मदद माँगना
(*c*) क्षेत्र को सुरक्षित बनाना
(*d*) घायल व्यक्ति की स्थिति का मूल्यांकन करना

नीचे दिए गए विकल्पों में से सही उत्तर का चयन कीजिए:

A. (*d*), (*c*), (*a*), (*b*)
B. (*c*), (*a*), (*d*), (*b*)
C. (*c*), (*d*), (*b*), (*a*)
D. (*d*), (*c*), (*b*), (*a*)

77. साइक्लिक स्पोर्ट्स के लिए मध्य अवधि सहनशीलता के वैकल्पिक विकास के क्रम को सजाएं:

(*a*) सामान्य शारीरिक तैयारी
(*b*) शक्ति
(*c*) गति
(*d*) सहनशक्ति

नीचे दिए गए विकल्पों में से सही उत्तर का चयन कीजिए:

A. (*a*), (*c*), (*d*), (*b*)
B. (*a*), (*d*), (*c*), (*b*)
C. (*a*), (*d*), (*b*), (*c*)
D. (*a*), (*b*), (*c*), (*d*)

78. एक पथीय एनोवा (ANOVA) के परिगणन का सही अनुक्रम लिखिए:

(*a*) प्रतिदर्शों के वर्ग का योग
(*b*) प्रतिदर्शों के अंदर वर्गों का योग
(*c*) शुद्धिकरण कारक
(*d*) विविध प्रतिदर्श के सभी मदों का योग
(*e*) वर्गों का कुल योग

नीचे दिए गए विकल्पों में से सही उत्तर का चयन कीजिए:

A. (*d*), (*c*), (*e*), (*a*), (*b*)
B. (*c*), (*b*), (*a*), (*e*), (*d*)
C. (*d*), (*b*), (*e*), (*a*), (*c*)
D. (*b*), (*a*), (*d*), (*e*), (*c*)

79. खेलकूद विशिष्ट टेस्ट करने के लिए उठाए जाने वाले कदमों के सही क्रम बताएं:

(*a*) पायलट अध्ययन करना

(*b*) टेस्ट संबंधी वस्तुओं का चयन

(*c*) संशोधित टेस्ट संबंधी वस्तुओं का प्रशासन

(*d*) कार्यविधि स्थापित करना

(*e*) सुविधाओं तथा उपस्करों को प्राप्त करना

नीचे दिए गए विकल्पों में से सही उत्तर का चयन कीजिए:

A. (*b*), (*e*), (*d*), (*a*), (*c*)
B. (*a*), (*d*), (*b*), (*e*), (*c*)
C. (*e*), (*c*), (*b*), (*d*), (*a*)
D. (*c*), (*e*), (*a*), (*b*), (*d*)

80. निम्नलिखित को निर्णय लेने के क्लासिकी मॉडल के संबंध में संयोजित कीजिए:

(*a*) विकल्प मूल्यांकन

(*b*) समस्या विवरण

(*c*) विकल्प देना

(*d*) उच्चतम विकल्प का चयन

नीचे दिए गए विकल्पों में से सही उत्तर का चयन कीजिए:

A. (*a*), (*b*), (*c*), (*d*)
B. (*c*), (*d*), (*b*), (*a*)
C. (*b*), (*c*), (*a*), (*d*)
D. (*a*), (*d*), (*b*), (*c*)

81. **कथन (I):** उत्तर कोरिया और दक्षिण कोरिया के एथलीटों ने सिडनी ओलंपिक गेम्स 2000 के उद्घाटन समारोह में कोरिया के बैनर तले एक टीम के रूप में स्टेडियम में प्रवेश किया।

कथन (II): वर्ष 2000 में कराये गए सिडनी ओलंपिक गेम्स में दक्षिण अफ्रीका के जो जिया थागवाले ने पुरुषों का मैराथन जीता था।

उपरोक्त कथन के आलोक में, नीचे दिए गए विकल्पों में से सही उत्तर का चयन कीजिए:

A. कथन I और कथन II दोनों सत्य है
B. कथन I और कथन II दोनों असत्य है
C. कथन I सत्य है, लेकिन कथन II असत्य है
D. कथन I असत्य है, लेकिन कथन II सत्य है

82. फास्फोलिपिड्स के उदाहरण कौन-से हैं?

(*a*) सेफलिन्स

(*b*) ग्लाइकोलिपिड्स

(*c*) लिपोसिटोल्स

(*d*) गैंगलिओसाइड्स

(*e*) लेसिथिन्स

नीचे दिए गए विकल्पों में से सही उत्तर का चयन कीजिए:

A. केवल (*b*), (*d*), (*e*)
B. केवल (*a*), (*c*), (*b*)
C. केवल (*a*), (*c*), (*e*)
D. केवल (*c*), (*d*), (*e*)

83. नीचे कथन दिए गए हैं:

कथन (I): गतिज डाटा को सामान्य रूप से डायनमोमीटर अथवा बल ऊर्जा परिवर्तकों के प्रयोग द्वारा एकत्र किया जाता है।

कथन (II): मानवगति के संबंध में काइनेमेटिक, गतिज व इलेक्ट्रोमायोग्राफी डाटा बहुधा संकलित कर समीकरणों के दो सेटों में संश्लिष्ट किए जाते हैं जो गति का गणितीय रूप में वर्णन करते हैं।

उपरोक्त कथन के आलोक में, नीचे दिए गए विकल्पों में से सही उत्तर का चयन कीजिए:

A. कथन I और कथन II दोनों सत्य है
B. कथन I और कथन II दोनों असत्य है
C. कथन I सत्य है, लेकिन कथन II असत्य है
D. कथन I असत्य है, लेकिन कथन II सत्य है

84. नीचे कथन दिए गए हैं:

कथन (I): सामाजिक प्रयास की घटना के अनुसार व्यक्तिगत प्रयास वास्तव में ऐसे उदाहरणों में बढ़ सकता है जहाँ कार्य प्रासंगिकता, अंतरसमूह प्रतिस्पधात्मकता साझेदार प्रयास और व्यक्तिगत भागीदारी मौन है।

कथन (II): सामाजिक स्वैचारी घटना के अनुसार समूह का आकार बढ़ने के साथ समूह प्रेरणा में वृद्धि होती है।

उपरोक्त कथन के आलोक में, नीचे दिए गए विकल्पों में से सही उत्तर का चयन कीजिए:

A. कथन I और कथन II दोनों सत्य है

B. कथन I और कथन II दोनों असत्य है

C. कथन I सत्य है, लेकिन कथन II असत्य है

D. कथन I असत्य है, लेकिन कथन II सत्य है

85. नीचे दो कथन दिए गए हैं:

कथन (I): छात्र और समाज की जरूरतों के प्रत्युत्तर में पाठ्यचर्या में सतत परिवर्तन होने चाहिए।

कथन (II): मूल्यांकन इस बात की जाँच कर सकता है कि पाठ्यचर्या में वांछित तरीके से प्रगति हो रही है।

उपरोक्त कथन के आलोक में, नीचे दिए गए विकल्पों में से सही उत्तर का चयन कीजिए:

A. कथन I और कथन II दोनों सत्य है

B. कथन I और कथन II दोनों असत्य है

C. कथन I सत्य है, लेकिन कथन II असत्य है

D. कथन I असत्य है, लेकिन कथन II सत्य है

86. वायु-प्रदूषण के मुख्य स्रोत निम्नलिखित में से कौन-से हैं?

(*a*) आटोमोबाइल

(*b*) मल-जल

(*c*) उद्योग

(*d*) घरेलू स्रोत

नीचे दिए गए विकल्पों में से सही उत्तर का चयन कीजिए:

A. केवल (*a*), (*b*), (*d*)

B. केवल (*b*), (*c*), (*d*)

C. केवल (*a*), (*c*), (*d*)

D. केवल (*a*), (*b*), (*c*)

87. निम्नलिखित समस्याओं में से किनका मध्यम अवधि योजना में प्राथमिक महत्व है?

(*a*) विलंबित परिवर्तन

(*b*) प्रशिक्षण प्रभावों का

(*c*) प्रशिक्षण अवशिष्ट

(*d*) विलंबित

(*e*) व्यवधान का अत्यधिक कार्य

नीचे दिए गए विकल्पों में से सही उत्तर का चयन कीजिए:

A. केवल (*a*), (*b*), (*d*), (*e*)

B. केवल (*a*), (*b*), (*c*), (*d*)

C. केवल (*b*), (*c*), (*d*), (*e*)

D. केवल (*a*), (*c*), (*d*), (*e*)

88. साहित्य समीक्षा के चरण:

(*a*) विवेचकों का निर्धारण

(*b*) सूचना की प्राप्ति

(*c*) प्राथमिक स्रोतों की खोज

(*d*) समस्या कथन लेखन

(*e*) शीर्षक चयन

नीचे दिए गए विकल्पों में से सही उत्तर का चयन कीजिए:

A. केवल (*b*), (*c*), (*d*)

B. केवल (*a*), (*c*), (*e*)

C. केवल (*b*), (*d*), (*e*)

D. केवल (*a*), (*c*), (*d*)

89. नीचे दो कथन दिए गए हैं:

कथन (I): भरोसेमंद परीक्षण एक ही व्यक्ति पर एक ही समय दो या अनेक बार किया, जो परिणाम एक समान ही निकलता है।

कथन (II): परीक्षण की वस्तुपरकता से तात्पर्य यह है कि जब एक ही परीक्षण विभिन्न परीक्षणकर्ताओं/प्रयोगकर्ताओं द्वारा किया जाए तो भी परिणाम लगभग एक समान रहता है।

उपरोक्त कथन के आलोक में, नीचे दिए गए विकल्पों में से सही उत्तर का चयन कीजिए:

A. कथन I और कथन II दोनों सत्य है
B. कथन I और कथन II दोनों असत्य है
C. कथन I सत्य है, लेकिन कथन II असत्य है
D. कथन I असत्य है, लेकिन कथन II सत्य है

90. निम्नलिखित में से क्या एक संघठन की वित्तीय स्थिति विश्लेषण के दूसरे चरण को जाँचने में सम्मिलित है?

(*a*) आय विवरण
(*b*) आय
(*c*) खर्चे
(*d*) परिसंपत्ति
(*e*) स्वामित्व एक्विटि (समता)

नीचे दिए गए विकल्पों में से सही उत्तर का चयन कीजिए:

A. केवल (*a*), (*c*), (*d*)
B. केवल (*a*), (*b*), (*c*)
C. केवल (*b*), (*c*), (*e*)
D. केवल (*c*), (*d*), (*e*)

निर्देश (प्र.सं. 91-95): *नीचे दिए गए गद्यांश को पढ़िए एवं उन पर आधारित प्रश्नों का उत्तर दीजिए।*

आंकड़ा संग्रह विशिष्ट शोध विषय से संबंधित सूचना का संग्रह करने अथवा इसे एकता करने की वह प्रक्रिया है जिसका प्रयोग सिद्धांतों एवं संस्तुतियों को निरुपित करने हेतु प्रदर्शन अथवा उपलब्धि विश्लेषण की परावर्ती प्रक्रिया में क्रीडा-विज्ञान शोधकर्ता द्वारा किया जाएगा। परिशुद्ध आंकड़ा संग्रह शोध की संपूर्णता को बनाए रखने हेतु महत्वपूर्ण है। एक शोध अध्ययन में डाटा में पाँच विभिन्न उपलब्धि स्तर जो अंतर्राष्ट्रीय (7), राष्ट्रीय (8), राज्य (10), जिला (15) एवं अंतर्विद्यालयी (20) से 60 बॉस्केटबॉल खिलाड़ियों पर परिकलित किया गया। आंकड़ा संग्रह करने के पश्चात एनोवा का प्रयोग करते हुए इसका विश्लेषण किया गया एवं अंतर्राष्ट्रीय खिलाड़ी ($\Sigma x_1 = 357$), राष्ट्रीय बॉस्केटबॉल खिलाड़ी ($\Sigma x_2 = 320$), राज्य बॉस्केटबॉल खिलाड़ी ($\Sigma x_3 = 330$), जिला बॉस्केटबॉल खिलाड़ी ($\Sigma x_4 = 360$) के लिए परिणाम के तौर पर प्राप्त एवं अंतर-विद्यालयी बॉस्केटबॉल खिलाड़ी ($\Sigma x_5 = 440$) के लिए परिणाम प्राप्त हुआ आगे अंतर्राष्ट्रीय बॉस्केटबॉल खिलाड़ी ($\Sigma x_1^2 = 18229$), राष्ट्रीय बॉस्केटबॉल खिलाड़ी ($\Sigma x_2^2 = 12858$), राज्य बॉस्केटबॉल खिलाड़ी ($\Sigma x_3^2 = 10932$), जिला बॉस्केटबॉल खिलाड़ी ($\Sigma x_4^2 = 8714$) एवं अंतर-विद्यालयी बॉस्केटबॉल खिलाड़ी के बारे में ($\Sigma x_5^2 = 9878$) परिणाम आंकड़े के विश्लेषण से प्राप्त हुआ। 4,55 की स्वतंत्रता सीमा वाले अभिव्यंजकाता के 0.05 स्तर पर सारणी बद्ध मान 2.539 होने के रूप के रूप में परिणाम प्राप्त हुआ।

91. अशोधित वर्ग-योग (RSS) का मान कितना है?

A. 60611 B. 60116
C. 60616 D. 60166

92. समूह (ss)b के मध्य वर्ग के योग का मान कितना है।

A. 5796.18 B. 5769.18
C. 5796.81 D. 5786.18

93. F अनुपात के परिकलित मान निम्नलिखित कौन-से कथन सत्य है?

(*a*) सामूहिक माध्यों एवं प्राक्कल्पना में कोई महत्वपूर्ण अन्तर नहीं होने पर स्वीकृत होता है।
(*b*) प्राक्कल्पना स्वीकृत नहीं की जाती है।
(*c*) परिकलित F > सारणीबद्ध F 0.05 (4, 55) होता है।
(*d*) सामूहिक माध्यों में महत्वपूर्ण अन्तर होता है।

नीचे दिए गए विकल्पों में से सही उत्तर का चयन कीजिए:

A. केवल (*a*), (*c*)
B. केवल (*a*), (*c*), (*d*)
C. केवल (*b*), (*c*), (*d*)
D. केवल (*a*), (*b*), (*d*)

94. सूची-I के साथ सूची-II का मिलान कीजिए:

सूची-I	सूची-II
(*a*) वर्ग का कुल योग (TSS)	I. 54420.82
(*b*) संशुद्धि कारक	II. 202.27
(*c*) परिकलित एक (F) अनुपात	III. 394
(*d*) समूह में वर्ग का योग (एसएस) डब्ल्यू	IV. 6190.18

नीचे दिए गए विकल्पों में से सही उत्तर का चयन कीजिए:

	(a)	(b)	(c)	(d)
A.	III	IV	I	II
B.	IV	I	II	III
C.	I	III	IV	II
D.	III	I	IV	II

95. नीचे दो कथन दिए गए हैं:

कथन (I): यग्मिय माध्यों के मध्य तुलना प्रसरण एफ (F) अनुपात, पोस्ट हॉक परीक्षण के महत्वपूर्ण विश्लेषण के पश्चात जब प्रक्कल्पना स्वीकृत नहीं होती तो माध्य प्रयुक्त होते हैं।

कथन (II): यदि प्रदत्त स्तर में माध्य अंतर की अपेक्षा क्रांतिक (आलोचनात्मक) अंतर (सी.डी.) कम होता है तो युग्मित माध्यों के मध्य महत्वपूर्ण अंतर होता है।

उपरोक्त कथन के आलोक में, नीचे दिए गए विकल्पों में से सही उत्तर का चयन कीजिए:

A. कथन I और कथन II दोनों सत्य है
B. कथन I और कथन II दोनों असत्य है
C. कथन I सत्य है, लेकिन कथन II असत्य है
D. कथन I असत्य है, लेकिन कथन II सत्य है

निर्देश (प्र.सं. 96-100): *निम्न गद्यांश को पढ़िए व उसके अंत में पूछे गए प्रश्नों के उत्तर दीजिए:*

खेल विज्ञान हेतु परीक्षण महत्वपूर्ण होने के अनेक कारण है। परीक्षण का मुख्य उद्देश्य यह स्थापित करना होता है कि किसी व्यक्ति की शक्तियां और कमजोरियां कहाँ-कहाँ पर हैं। वैध परिणाम प्राप्त करने के लिए धावकों के लिए यह महत्वपूर्ण है कि वे फिटनेस परीक्षणों पर सकारात्मक अनुक्रिया करें। फिटनेस परीक्षण को खेल विशेष में वास्तव में अंतर्ग्रस्त पेशी समूह और पेशी तंतु प्रकार की कार्य प्रदर्शन सामर्थ्य की जाँच करनी चाहिए। व्यवहारिकता की संकल्पना भी किए जाने वाले परीक्षण का चयन करते समय एक महत्वपूर्ण विचारणीय विषय होता है। एक उपयुक्त फिटनेस परीक्षण को उस चीज का मापना करना चाहिए जिसे मापने का वह दावा करता है। इसकी अंतर्वस्तु की निकट से जाँच कर वैधता के अंश का पता लगाया जा सकता है। उपयुक्त फिटनेस परीक्षण को कसौटी विधि की तुलना में सटीक भी होना चाहिए। दो अथवा अधिक लक्षणों अथवा अवसरों पर किसी परीक्षण से समान परिणाम प्राप्त करना संभव होना चाहिए। तथापि किसी भी परीक्षण के मामले में बार-बार के मापन में समान्यतयों, अप्रत्याशित रूप में अंतर होगा। समान विषयों (सब्जैक्ट्स) के बार-बार मापन की संकल्पना पर आधारित मापन की एक अन्य विशेषता इसकी विश्वसनीयत होती है। यह सत्य है कि परिशुद्धि के संबंध में भी ऐसा ही कहा जा सकता है। विश्वसनीयता का एक विशिष्ट अभिलक्षण यह है कि यह विषयों के बीच की परिवर्तिता और विषयों के भीतर की परिवर्तिता दोनों पर निर्भर करती है।

96. वैध परिणाम प्राप्त करने हेतु निम्न में से क्या महत्वपूर्ण है?

A. प्रासंगिकता
B. व्यवहारिकता
C. वैधता
D. परिशुद्धि

97. किए जाने वाले परीक्षण का चयन करते समय निम्न में से क्या महत्वपूर्ण विचारणीय होता है?

A. वैधता
B. विशिष्टिकरण
C. कमजोरी की पहचान करना
D. प्रासंगिकता

98. कसौटी विधि की तुलना में सटीक होने की आवश्यकता वाले परीक्षण को निम्न में से क्या कहा जाता है?

A. वैधता
B. वैधता का अंश
C. विशिष्टता
D. परिशुद्धि

99. अनुक्रमी मापन की संगति .... है।

A. सूक्ष्मतापूर्ण
B. विश्वसनीयता
C. वैधता
D. परिशुद्धि

100. परीक्षण को उसका मापन करना चाहिए जिसे मापने का वह दावा करता है, वह है ....।

A. विश्वसनीयता
B. सूक्ष्मतापूर्ण
C. वैधता
D. विशिष्टता

उत्तरमाला

1. (D): राष्ट्रीय खेल प्रतिभा प्रतियोगिता (एन.एस.टी.सी.) के अधीन नहीं आने वाला खेल हैंडबॉल है। थांग-ता, सिलाम्बम और खो-खो ये तीनों खेल भारतीय परंपरा से जुड़े हैं और इन्हें भारतीय खेल प्राधिकरण द्वारा एन.एस.टी.सी. के तहत प्रोत्साहित किया जाता है ताकि इन खेलों में प्रतिभा को पहचाना जा सके और विकसित किया जा सके। इन खेलों में युवा खिलाड़ियों को विशेष प्रशिक्षण और सहायता प्रदान की जाती है। दूसरी ओर, हैंडबॉल एक ऐसा खेल है जो वैश्विक स्तर पर खेला जाता है और इसे खेल प्रतियोगिताओं में अक्सर शामिल किया जाता है, लेकिन इसे एन.एस.टी.सी. के तहत विशेष रूप से प्रोत्साहित नहीं किया जाता क्योंकि इसका मुख्य फोकस भारतीय परंपरागत खेलों पर है।

2. (C): फिलेन्थ्रोपीनम विद्यालय की स्थापना बर्नहार्ड बेस्डो ने की थी। लाइसियम और द एकेडेमी प्राचीन ग्रीक और रोमन संस्कृतियों से संबंधित शैक्षिक संस्थाएं हैं, जबकि रायल सेन्ट्रेल इंस्टिट्यूट ऑफ जिमनास्टिक स्वीडन में स्थापित एक जिमनास्टिक शिक्षा संस्थान है। फिलेन्थ्रोपीनम की स्थापना 18वीं शताब्दी में जर्मनी में की गई थी और इसका मुख्य उद्देश्य युवाओं को नैतिक और भौतिक शिक्षा प्रदान करना था। इस संस्थान ने शिक्षा के क्षेत्र में अनेक नवाचारों की शुरुआत की, जिससे यह अन्य विकल्पों से भिन्न होता है।

3. (B): प्राचीन यूनान में हेफैस्टस को अग्नि देव के नाम से जाना जाता था। हेफैस्टस ओलिंपियन देवताओं में से एक थे और वे अग्नि और धातुकर्म के देवता थे। वह विशेष रूप से लोहार के काम में कुशल थे और उन्होंने देवताओं के लिए अनेक शस्त्र और कवच बनाए। अन्य विकल्प जैसे कि डाइनीसस, जो मदिरा और उत्सव के देवता हैं, एफ्रोडाइट, प्रेम और सौंदर्य की देवी हैं, और अपोलो, जो संगीत, चिकित्सा और प्रकाश के देवता हैं, अग्नि के देवता के रूप में गलत हैं।

4. (D): एन.सी.ओ.ई. रांची भारतीय खेल प्राधिकरण (एस.ए.आई.) द्वारा प्रदत्त राष्ट्रीय श्रेष्ठ केंद्र स्कीम का केंद्र नहीं है। एन.सी.ओ.ई., एल्लेपी, एन.सी.ओ.ई., इम्फाल और एन.सी.ओ.ई., लखनऊ ये तीनों केन्द्र इस स्कीम के अंतर्गत आते हैं और इनमें विभिन्न खेल विधाओं के लिए प्रशिक्षण सुविधाएँ उपलब्ध कराई जाती हैं। ये केन्द्र खिलाड़ियों को उच्च स्तरीय प्रशिक्षण प्रदान करने के लिए स्थापित किए गए हैं।

5. (B): करतल आकुंचन सेगिट्टल प्लेन में होता है जब हाथ के पूर्व पक्ष की ओर कलाई मुड़ती है। इसे आमतौर पर फ्लेक्शन कहा जाता है, जिसमें कलाई का अग्र भाग हाथ की दिशा में मुड़ता है। अन्य विकल्पों में, पृष्ठ आकुंचन उस आंदोलन का वर्णन करता है जब कलाई पीछे की ओर मुड़ती है, अरीय आकुंचन और अल्नर आकुंचन कलाई के अन्य दिशाओं में मुड़ने के आंदोलनों को संदर्भित करते हैं। इसलिए, बोलर के हाथ के पूर्व पक्ष में कलाई का मुड़ना करतल आकुंचन कहलाता है।

6. (A): बेसबाल बल्ले का कोणीय वेग निकालने के लिए, लिनियर वेग और रेडियस का उपयोग करके निम्नलिखित सूत्र का प्रयोग किया जाता है:

कोणीय वेग (ω) = लिनियर वेग (v) / रेडियस (r)

यहाँ दिया गया लिनियर वेग 40 मी./से. है और रेडियस 1.2 मीटर (120 से.मी.) है।

अतः, कोणीय वेग = 40/1.2 = 33.3 रेडियन प्रति सेकंड।

7. (C): पेशी कंडरा काम्पलेक्स में कंडरा को नम्य संघटक की शृंखला इसलिए कहा जाता है क्योंकि यह संकुचनशील संघटक के साथ शृंखला में पड़ी नम्य सामग्री है। कंडरा एक प्रकार का ऊतक होता है जो मांसपेशियों को हड्डियों से जोड़ता है और यह उच्चतम तन्यता ताकत के साथ लचीला होता है, जिससे यह शक्ति के संचरण में मदद करता है। यह संकुचनशील

मांसपेशी फाइबर से उत्पन्न बल को कंकाल प्रणाली तक पहुँचाने के कार्य में सहायक होता है। इसका मुख्य कार्य मांसपेशियों की संकुचन शक्ति को हड्डियों तक सुरक्षित रूप से पहुँचाना है, जिससे शरीर की गति संभव हो पाती है।

8. (D): टैलोक्रुरल ज्वाइंट गिंगलीमस ज्वाइंट का उदाहरण है। यह ज्वाइंट टखने में स्थित होता है और इसे घुटने के जोड़ की तरह एक धुरी पर घूमने वाला जोड़ माना जाता है। टैलोक्रुरल ज्वाइंट में, टिबिया और फिबुला (पैर की लंबी हड्डियाँ) तालस हड्डी के साथ मिलकर एक ढक्कन की तरह बैठती हैं, जिससे यह मुख्यतः पैर को ऊपर और नीचे हिलाने में सक्षम बनाता है। रेडियो कार्पल, एसेटाबुलर फेमोरल, और ग्लेनोह्यूमरल जोड़ अन्य प्रकार के जोड़ हैं जो अलग-अलग गतिशीलता प्रदान करते हैं।

9. (B): अन्योन्याक्रियात्मक मॉडल यह दर्शाता है कि व्यवहार व्यक्ति और पर्यावरण के बीच के प्रभाव का प्रदर्शन है। इस मॉडल के अनुसार, व्यक्ति के व्यवहार को उसकी आनुवंशिकी, उसके विकास, और उसके वातावरण से प्रभावित माना जाता है। यह मॉडल मानता है कि व्यवहार में आनुवंशिकी और पर्यावरणीय कारकों के बीच एक गहरा इंटरएक्शन होता है, जिससे व्यक्तित्व के विकास और व्यवहारिक प्रतिक्रियाओं में निरंतर परिवर्तन होता है। अन्य विकल्पों में लक्षण सिद्धांत और मानवतावादित मॉडल व्यक्ति के आंतरिक गुणों और अनुभवों को महत्व देते हैं जबकि अन्योन्याक्रियात्मक व्यक्तित्व व्यवहार भी इसी तरह के संबंधों को दर्शाता है लेकिन यह उतना व्यापक नहीं है जितना कि अन्योन्याक्रियात्मक मॉडल।

10. (B): अनुप्रयुक्त खेल मनोविज्ञानी खेल मनोविज्ञान का वृत्ति के अनुप्रयोग प्रक्रिया में प्राथमिक रूचि रखता है। इस प्रकार के मनोविज्ञानी का मुख्य कार्य खेल और एथलेटिक्स में प्रदर्शन को सुधारने के लिए मानसिक कौशल और रणनीतियों को लागू करना होता है। वे एथलीटों को तनाव प्रबंधन, ध्यान केंद्रित करने, आत्म-विश्वास बढ़ाने और प्रेरणा में सुधार करने के तरीके सिखाते हैं। शैक्षिणक खेल मनोविज्ञानी और शैक्षिक खेल मनोविज्ञानी, जैसे कि अन्य विकल्पों में बताया गया है, अधिक शोध और सैद्धांतिक ज्ञान पर केंद्रित होते हैं, जबकि वृत्तिय खेल मनोविज्ञान एक सामान्य शब्द है जो इस क्षेत्र को सम्बोधित करता है। अनुप्रयुक्त खेल मनोविज्ञानी सीधे एथलीटों के साथ काम करता है और उनके प्रदर्शन में सुधार लाने के लिए प्रत्यक्ष तौर पर तैयारी करता है।

11. (B): संसक्ति के रेखीय मॉडल में सबसे मूल (आरंभिक) स्थिति रूपण है। इस मॉडल के अनुसार, संस्कृति और इसके विकास की प्रक्रिया में रूपण सबसे प्रारंभिक चरण होता है, जिसमें नए विचार, अवधारणाएँ और नवाचारों का निर्माण होता है। इसके बाद मानकीकरण आता है, जिसमें इन नई चीजों को समाज में स्थापित और मानक रूप में स्वीकार किया जाता है। निष्पादक और आक्रमीक चरण इस प्रक्रिया में और भी उन्नत और जटिल चरण होते हैं जो कि इस मॉडल के अनुसार बाद में आते हैं। रूपण इस प्रक्रिया का आधार बनता है और संस्कृति के निर्माण और विकास की नींव रखता है।

12. (A): व्यक्तित्व का इंटरएक्टिव मॉडल को संक्षेप में $B = f(P, E)$ के रूप में दर्शाया जाता है। इस सूत्र में, B व्यवहार को दर्शाता है, P व्यक्तित्व को और E पर्यावरण को। इस मॉडल का मूल यह है कि व्यवहार केवल व्यक्तित्व या केवल पर्यावरण से प्रभावित नहीं होता, बल्कि यह दोनों के बीच के अन्योन्याक्रिया से निर्धारित होता है। अन्य विकल्प जैसे कि $F = b(P, E)$, $P = b(f, E)$, और $E = f(B, P)$ इस संबंध को गलत तरीके से प्रस्तुत करते हैं या व्यवहार, व्यक्तित्व, और पर्यावरण के बीच संबंधों को सही ढंग से नहीं दर्शाते।

13. (A): भारत में यूथ अफेयर्स और स्पोर्ट्स मंत्रालय ने टारगेट ओलंपिक पोडियम योजना (TOPS) सितम्बर 2014 में शुरू की थी। इस योजना का मुख्य उद्देश्य ओलंपिक खेलों में भारतीय एथलीटों की प्रदर्शन क्षमता में सुधार लाना और उन्हें पदक जीतने में सक्षम

बनाना है। इसके लिए, मंत्रालय ने एथलीटों को उच्च स्तरीय प्रशिक्षण, बेहतर खेल सुविधाएं और वैश्विक स्तर पर प्रतियोगिता के अनुभव के लिए सहायता प्रदान करना है। इस योजना के अंतर्गत, विशिष्ट खेलों में प्रतिभाशाली एथलीटों की पहचान की जाती है और उन्हें उचित आर्थिक सहायता दी जाती है।

14. (D): टेनिस के खेल में अंडरहैंड स्ट्राइक वस्तु नियंत्रण कौशल का हिस्सा नहीं है। अंडरहैंड स्ट्राइक मुख्य रूप से बैडमिंटन जैसे खेलों में प्रयोग की जाती है, जहां यह एक आम और महत्वपूर्ण तकनीक होती है। टेनिस में, अंडरहैंड टॉस, बैकहैंड स्ट्राइक, और ओवरहैंड स्ट्राइक सहित अन्य कौशल सामान्य रूप से प्रयोग होते हैं और खेल की तकनीक का हिस्सा होते हैं। अंडरहैंड स्ट्राइक टेनिस में विशेष रूप से प्रचलित नहीं है क्योंकि इसे उच्च स्तर के प्रतियोगिता में अप्रभावी माना जाता है।

15. (C): प्राथमिक कक्षाओं के बच्चों के लिए नाट्यकरण विधि सर्वाधिक उपयुक्त शिक्षण पद्धति है। इस विधि में, शिक्षक और छात्र एक साथ मिलकर नाटकीय प्रस्तुतियाँ करते हैं, जिससे बच्चों को सीखने का अनुभव अधिक मनोरंजक और संवादात्मक होता है। इस विधि से बच्चों की सृजनात्मकता और कल्पना को बढ़ावा मिलता है और वे अधिक प्रभावी ढंग से नई चीजें सीख पाते हैं। मौखिक विधि और अनुकृति, हालांकि उपयोगी होते हैं, लेकिन नाट्यकरण की तरह इंटरएक्टिव नहीं होते, और 'इच्छानुसार' विधि में नियोजित शिक्षण का अभाव होता है, जिससे यह शिक्षण के लिए कम प्रभावी हो सकता है।

16. (C): कलिंग औद्योगिक प्रौद्योगिकी संस्थान को कार्पोरेट सामाजिक उत्तरदायित्व के माध्यम से खेलों को प्रोत्साहित करने की श्रेणी के अंतर्गत वर्ष 2022 के लिए राष्ट्रीय खेल प्रोत्साहन पुरस्कार प्रदान किया गया था। यह संस्थान ने खेलों के विकास और खिलाड़ियों की सहायता के लिए महत्वपूर्ण पहल की है, जिसमें विभिन्न खेलों के लिए उत्कृष्ट प्रशिक्षण सुविधाएँ और खेल अकादमियों का निर्माण शामिल है।

17. (B): संतुलित आहार के निर्माण के सिद्धांतों के आधार पर, प्रोटीन की दैनिक आवश्यकता दैनिक ऊर्जा ग्रहण का लगभग 10-15% होती है। यह प्रतिशत इसलिए महत्वपूर्ण है क्योंकि प्रोटीन शरीर के ऊतकों के निर्माण और मरम्मत के लिए आवश्यक होता है और यह हमारी ऊर्जा की जरूरतों का एक महत्वपूर्ण स्रोत भी है। अन्य प्रतिशत मूल्य जैसे कि 4.6%, 20.25% और 30.35% या तो बहुत कम या बहुत अधिक हैं, जो कि दैनिक आवश्यकताओं के लिए अनुपयुक्त हैं।

18. (C): विद्यालयी स्वास्थ्य सेवा की माध्यमिक शिक्षा समिति ने 1953 में छात्रों की चिकित्सा जांच और विद्यालय में भोजन के कार्यक्रम दोनों पर बल दिया। यह सिफारिश बच्चों के समग्र स्वास्थ्य और पोषण को सुनिश्चित करने के लिए की गई थी। यह धारणा थी कि अगर बच्चों की उचित चिकित्सा जांच हो और उन्हें स्कूल में पौष्टिक भोजन प्रदान किया जाए, तो उनका शैक्षिक प्रदर्शन और सामान्य स्वास्थ्य सुधार सकता है। यह दृष्टिकोण समग्र शैक्षिक अनुभव को बेहतर बनाने और छात्रों की शैक्षणिक सफलता के लिए एक मजबूत आधार प्रदान करने में मदद करता है।

19. (A): स्वास्थ्य की स्पेक्ट्रम संबंधी अवधारणा के अनुसार, स्वास्थ्य की अवस्था को गतिशील परिघटना माना जाता है जो सतत परिवर्तन की प्रक्रिया में है। यह अवधारणा स्पष्ट करती है कि स्वास्थ्य केवल बीमारी या आरोग्य की अवस्था नहीं होती, बल्कि यह लगातार बदलने वाली स्थितियों का संग्रह है जो व्यक्ति की जीवनशैली, आहार, व्यायाम, मानसिक स्थिति और सामाजिक संबंधों पर निर्भर करती है।

20. (B): विद्यालयी स्वास्थ्य रिकॉर्ड रखे जाने का मुख्य प्रयोजन सतत बुद्धिमतापूर्ण स्वास्थ्य पर्यवेक्षण प्रदान करना है। इसके अंतर्गत, विद्यालय स्वास्थ्य रिकॉर्ड्स में छात्रों की शारीरिक विकास, टीकाकरण की स्थिति, बीमारियों का इतिहास, और अन्य स्वास्थ्य संबंधी जानकारी शामिल होती है, जिससे समय समय पर छात्रों की स्वास्थ्य स्थिति की निगरानी और उनके

शारीरिक विकास का मूल्यांकन किया जा सके। अन्य विकल्प जैसे कि प्रबंधन और शिक्षक के बीच लिंक प्रदान करना, शिक्षक के कार्यनिष्पादन का मूल्यांकन करना, और विद्यालयी खेल गतिविधियों का रिकॉर्ड रखना, स्वास्थ्य रिकॉर्ड के प्राथमिक उद्देश्यों से भिन्न हैं और मुख्य रूप से शैक्षणिक या प्रशासनिक कार्यों से संबंधित होते हैं।

21. (C): प्रशिक्षण सत्र की सापेक्ष घनत्व की गणना इस प्रकार की जा सकती है कि निरपेक्ष परिमाण (104 मिनट) को सापेक्ष परिमाण (110 मिनट) से विभाजित किया जाए और फिर उसे 100 से गुणा किया जाए। यह गणना इस प्रकार होती है:

$(104/110) \times 100 = 94.54\%$

यह प्रतिशत दर्शाता है कि एथलीट ने अपनी सापेक्ष क्षमता का 94.54% इस्तेमाल किया है। यह गणना एथलीट के प्रशिक्षण की तीव्रता और उसकी क्षमता के उपयोग को मापने का एक माध्यम है, जो कि प्रशिक्षण के प्रभाव और उसकी तीव्रता को समझने में मदद करता है।

22. (C): जब एथलीट स्टैंडिंग बारबेल कर्ल करते हैं, तब रेक्टस एब्डोमिनिस मांसपेशी स्टैबिलाइजर मांसपेशी के रूप में कार्य करती है। यह मांसपेशी पेट की मुख्य मांसपेशी होती है और यह शरीर के मध्य भाग को स्थिरता प्रदान करती है, जो कि बारबेल कर्ल के दौरान अत्यंत आवश्यक होता है। यह स्थिरता शरीर को सही मुद्रा में रखने और बारबेल को उठाते समय अन्य मांसपेशियों पर अनावश्यक तनाव से बचाने में मदद करती है। बाइसेप्स और ब्रैकियालिस प्रमुख रूप से सक्रिय मांसपेशियां होती हैं जो बारबेल को मोड़ने में सहायता करती हैं, जबकि ट्राइसेप्स इस क्रिया में सीधे तौर पर सहायक नहीं होती है।

23. (C): उच्च गति के साथ कम प्रतिरोध पर काबू पाने की धावक की क्षमता को गति की ताकत कहा जाता है। यह खासकर उन खेलों में महत्वपूर्ण होता है जहां तेज गति और उच्च स्तरीय चपलता की आवश्यकता होती है। गति की ताकत का मतलब है कि एथलीट न्यूनतम प्रतिरोध के साथ तीव्रता से गति बढ़ा सकता है, जो धावकों के लिए उनके विस्फोटक दौड़ प्रदर्शन में सुधार लाने में सहायक होती है। न्यूनतम ताकत, अधिकतम ताकत, और सापेक्ष ताकत अन्य प्रकार के बल होते हैं जो विशिष्ट परिस्थितियों में उपयोगी होते हैं लेकिन उच्च गति वाली गतिविधियों में गति की ताकत की तरह प्रभावी नहीं होते।

24. (A): संचलन के प्रारंभिक चरण के दौरान अधिकतम मांसपेशीय बल विकसित करने की क्षमता को प्रारंभिक शक्ति कहते हैं। यह क्षमता खासकर उन खेलों में महत्वपूर्ण होती है जहां विस्फोटक प्रारंभिक बल की आवश्यकता होती है, जैसे कि स्प्रिंटिंग, लॉन्ग जम्प, या वेटलिफ्टिंग। प्रारंभिक शक्ति से एथलीट को त्वरित और शक्तिशाली शुरुआत करने में मदद मिलती है, जो कि प्रतिस्पर्धा में एक निर्णायक क्षण हो सकता है। विस्फोटक शक्ति और अधिकतम शक्ति भी महत्वपूर्ण होते हैं लेकिन वे संचलन के दौरान लगातार और दीर्घकालिक बल उत्पन्न करने पर जोर देते हैं, न कि केवल प्रारंभिक चरण पर।

25. (C): निगमनात्मक विधि वैज्ञानिक विधि की एक प्रक्रिया है जिसमें सिद्धांतों से विकसित परिकल्पना का परीक्षण किया जाता है। इस विधि का उपयोग करते हुए, वैज्ञानिक पहले एक सिद्धांत के आधार पर एक परिकल्पना तैयार करते हैं और फिर उस परिकल्पना को विभिन्न प्रयोगों या अध्ययनों के माध्यम से परीक्षण करते हैं। यह विधि वैज्ञानिक अनुसंधान के लिए मूलभूत है क्योंकि यह सटीकता और विश्वसनीयता प्रदान करती है। अन्य विकल्प जैसे कि परिकल्पना विधि और आगमनात्मक विधि संबंधित परिकल्पनाओं के विकास या डेटा से सिद्धांत के निष्कर्षण पर केंद्रित होती हैं, जबकि प्रतिमान विधि शोध दृष्टिकोणों का एक सामान्यीकरण प्रस्तुत करती है।

26. (C): गुणात्मक शोध की मुख्य विशेषता प्रत्यक्षवादी परिकल्पनाओं और आंकड़ा विश्लेषण से बचना है। गुणात्मक शोध विधियां आम तौर पर विस्तृत,

वर्णनात्मक जानकारी प्राप्त करने पर केंद्रित होती हैं और यह अधिकतर व्यक्तिगत अनुभवों, मानवीय व्यवहारों, सांस्कृतिक प्रथाओं, और सामाजिक संरचनाओं के गहराई से अध्ययन पर जोर देती हैं। इस प्रकार के शोध में, मात्रात्मक विश्लेषण के विपरीत, डेटा को संख्याओं या सांख्यिकीय मॉडलों में नहीं बदला जाता। अन्य विकल्प जैसे कि अंकों के रूप में डेटा संग्रह और डेटा विश्लेषण में अनुभवाश्रित विधि का प्रयोग, मात्रात्मक शोध विधियों के लक्षण हैं, जो गुणात्मक शोध की मुख्य विशेषताओं से भिन्न होते हैं।

27. (B): शोध अभिकल्प को आंकड़ा संग्रह और उसके विश्लेषण के प्रत्येक चरण के लिए एक ढांचा के रूप में जाना जाता है। यह शोधकर्ताओं को उनके अध्ययन की योजना बनाने, आंकड़ा संग्रह की पद्धतियों को व्यवस्थित करने, और डेटा विश्लेषण के लिए नियमित तरीके से कार्य करने में सहायता करता है। यह शोध प्रक्रिया के दौरान उठने वाले संभावित मुद्दों को संबोधित करता है और शोध के निष्कर्षों की वैधता और विश्वसनीयता सुनिश्चित करने के लिए महत्वपूर्ण होता है।

28. (B): संक्षिप्त टिप्पणी सहित संदर्भग्रंथ सूची का अर्थ है कि किसी पुस्तक या आलेख के प्रत्येक स्रोत के स्वरूप और महत्व के बारे में संक्षिप्त विवरण दिया गया हो। इस प्रकार की सूची में, प्रत्येक स्रोत की जानकारी जैसे कि लेखक, प्रकाशन वर्ष, प्रकाशक और पुस्तक का शीर्षक शामिल होता है। संदर्भग्रंथ सूची की तुलना में इसमें अतिरिक्त रूप से स्रोत का संक्षिप्त विवरण और महत्व का उल्लेख होता है, जो शोधकर्ता को स्रोत की प्रासंगिकता समझने में सहायता करता है। अनुक्रमणिका मुख्य रूप से पुस्तक में विषयों का क्रमबद्ध सूचीकरण होती है और सारांश विषयवस्तु का संक्षिप्त वर्णन प्रदान करता है, इसलिए विकल्प (B) सटीक है।

29. (D): होविट स्प्रोर्ट्स स्किल टेस्ट टेनिस खेल से जुड़ा हुआ है। यह टेस्ट टेनिस खिलाड़ियों की विशेष कौशलों को मापने के लिए डिजाइन किया गया है, जिसमें उनकी सटीकता, स्पीड, और सहनशक्ति शामिल हैं। बैडमिंटन, हॉकी और फुटबॉल में भी विशेष कौशल परीक्षण होते हैं, परंतु होविट स्प्रोर्ट्स स्किल टेस्ट का सीधा संबंध टेनिस से है, इसलिए शेष विकल्प इस संदर्भ में अप्रासंगिक हैं।

30. (D): क्रौस-वेबर टेस्ट में न्यूनतम मस्कुलर ताकत का मापन किया जाता है। यह टेस्ट विभिन्न शारीरिक गतिविधियों के माध्यम से व्यक्ति की न्यूनतम मस्कुलर ताकत को परखता है, जो कि उसकी शारीरिक क्षमता और सहनशक्ति का एक महत्वपूर्ण आयाम है। अन्य विकल्प जैसे कि सापेक्ष मस्कुलर ताकत, अधिकतम मस्कुलर ताकत और पूर्ण मस्कुलर ताकल का उपयोग अन्य प्रकार के परीक्षणों में किया जाता है, जो अधिकतम या औसत ताकत की मापन क्षमता पर केंद्रित होते हैं।

31. (C): हार्वर्ड स्टेप टेस्ट में प्रतिभागी को 5 मिनट तक एक स्टेप पर बार-बार ऊपर और नीचे करने का अभ्यास करना होता है। इसे पुनः शक्ति प्राप्ति दर की जाँच करके हृदयवाहिका पुष्टि अथवा एरोबिक पुष्टि मापने में प्रयोग किया जाता है। इस टेस्ट को सन् 1943 में लुसियन ब्राउहा द्वारा विकसित किया गा था।

32. (B): डायर टेनिस टेस्ट को 1935 में विकसित किया गया था। यह टेस्ट टेनिस खिलाड़ियों की गतिशीलता, ताकत, और खेल कौशल का मापन करता है।

33. (B): स्वार्थ समूह का अर्थ होता है एक ऐसा समूह जो अपने सदस्यों के हितों को संगठन पर प्रभावित करने के लिए संगठित करता है। यह शब्द उन समूहों के लिए प्रयोग होता है जो विशेष रूप से राजनीतिक, आर्थिक या सामाजिक हितों के लिए अपनी बात रखते हैं। पूर्तिकर्ता समूह, नियंत्रण एजेंसी और नियंत्रक समूह अन्य प्रकार के संगठनात्मक इकाइयों का उल्लेख करते हैं जो कि सीधे तौर पर सदस्यों द्वारा संगठन को प्रभावित करने के लिए संगठित नहीं होते हैं।

34. (A): व्यक्तिगत आकर्षण एक टीम में संसक्तिकरण वृद्धि का कारक होता है। जब टीम के सदस्य एक-दूसरे को आकर्षक पाते हैं, तो उनके बीच संवाद और सहयोग

में सुधार होता है, जिससे टीम की कार्यक्षमता और सहयोग में वृद्धि होती है। इसके विपरीत, बृहत् समूह आकार अक्सर संवाद में बाधा पैदा करता है और अंतर समूह प्रतिस्पर्धा टीम के भीतर टकराव को बढ़ा सकती है। प्रभुत्व, यद्यपि यह एक सदस्य के नियंत्रण को दर्शाता है, लेकिन यह सहयोग और सामंजस्य को कम कर सकता है।

35. (D): नेतृत्व वह प्रक्रिया है जो व्यक्ति या समूह की लक्ष्य प्राप्ति की ओर एकाग्रता को प्रभावित करती है। एक प्रभावशाली नेता अपने अनुयायियों को अभिप्रेरित करता है, उन्हें उनके लक्ष्यों की ओर निर्देशित करता है और उनकी एकाग्रता और प्रतिबद्धता को बढ़ाता है। जबकि प्रबंधन और प्रशासन, भी महत्वपूर्ण प्रक्रियाएं हैं, मुख्य रूप से संगठनात्मक संरचनाओं और नियमों को नियंत्रित करने पर केंद्रित हैं। प्रेरणा एक आंतरिक प्रक्रिया है जो व्यक्ति की आंतरिक इच्छाओं को सक्रिय करती है लेकिन नेतृत्व से इसकी प्रकृति भिन्न होती है।

36. (B): आयोजन करना एक परियोजना को पूरा करने के लिए विभिन्न मानव, वित्तीय और भौतिक साधनों को प्रभावी रूप से एकीकरण की प्रक्रिया को कहा जाता है। आयोजन करना इसलिए महत्वपूर्ण है क्योंकि यह संसाधनों के उपयोग में कुशलता लाता है और परियोजनाओं के सफल संचालन को सुनिश्चित करता है। निदेशन देना और नेतृत्व प्रदान करना दोनों संसाधनों का प्रबंधन करने के तरीके हैं, लेकिन वे उस तरह से संसाधनों का एकीकरण नहीं करते जैसे कि आयोजन करना करता है। कर्मचारी भर्ती, जबकि यह मानव संसाधनों के भर्ती की प्रक्रिया है, वित्तीय और भौतिक संसाधनों के साथ एकीकरण में शामिल नहीं होती है।

37. (C): बफरिंग के लिए उपलब्ध बाइकार्बोनेट आयनों की मात्रा को अलकलाई रिजर्व कहा जाता है। यह रिजर्व रक्त में अम्ल (एसिड) एवं क्षार (बेस) की सांद्रता को संतुलित रखने में मदद करता है, जो कि शरीर के pH स्तर को नियंत्रित करने के लिए आवश्यक होता है। बाइकार्बोनेट आयन एसिडों को न्यूट्रलाइज करने में सहायक होते हैं, इसलिए इसे अलकलाई रिजर्व कहा जाता है क्योंकि यह बेसिक (अल्कलाईन) प्रतिक्रिया को दर्शाता है।

38. (A): T वेव का निर्माण निलयों का विध्रुवीकरण के परिणामस्वरूप होता है। इलेक्ट्रोकार्डियोग्राफ (ECG) में T वेव उस समय उत्पन्न होती है जब हृदय के निलय (ventricles) अपनी विद्युत स्थिति को पुनः प्राप्त करते हैं यानी वे विध्रुवीकरण के बाद अपनी मूल स्थिति में वापस आते हैं। यह प्रक्रिया हृदय के ठीक से काम करने की स्थिति को दर्शाता है। आर्ट्रियम के आराम की अवस्था, आट्रिया का विध्रुविकरण और निलयों का विध्रुवीकरण इसे प्रभावित नहीं करते हैं और ईसीजी में अलग तरह के तरंगों के रूप में दर्शाए जाते हैं।

39. (D)

40. (C): संवृद्धि हार्मोन व्यायाम के दौरान ग्लूकोज के सेल्युलर अपटेक को बढ़ाता है, न कि घटाता है। यह हार्मोन मुख्य रूप से मांसपेशियों की वृद्धि और मरम्मत में सहायक होता है और इसका प्रमुख कार्य ऊतकों के निर्माण और शरीर के विकास में सहायता करना है। इसके विपरीत, कार्टिजल और थायरॉयड हार्मोन ऊर्जा उपयोग और चयापचय को प्रभावित करते हैं, लेकिन इनका व्यायाम के दौरान ग्लूकोज अपटेक पर सीधा नकारात्मक प्रभाव नहीं पड़ता है। नॉरएपिनेफ्रीन, जो एक न्यूरोट्रांसमीटर है, ऊर्जा की मांग को बढ़ाता है और इसलिए यह ग्लूकोज के अपटेक को प्रभावित कर सकता है, लेकिन यह भी मुख्य रूप से ग्लूकोज के उपयोग को बढ़ाता है।

41. (D): 1980 मास्को ओलंपिक से संबंधित सही कथन हैं:

(*a*) 'मीशा' शुभंकर था,

(*c*) संयुक्त राज्य अमेरिका ने खेलों का बहिष्कार किया था, और

(*e*) आधिकारिक प्रतीक व्लादिमीर अर्सेन्तेयेव ने बनाया था।

'मीशा' भालू उस ओलंपिक का आइकॉनिक शुभंकर था, और अमेरिका का बहिष्कार उस समय की राजनीतिक तनावों के कारण हुआ था। विकल्प (*b*) और (*d*) गलत हैं क्योंकि वास्तविक टीमों की संख्या 80 थी और पदक तालिका में सोवियत संघ प्रथम स्थान पर था।

42. (A): जर्मन आदर्शवादी दार्शनिकों में (*b*) जोहान गॉटलिब फिश्टे, (*d*) इमैनुएल कांट, और (*e*) जॉर्ज विल्हेल्म फ्रेडरिक हेगेल शामिल हैं। ये दार्शनिक जर्मन आदर्शवाद के प्रमुख प्रतिनिधि हैं, जो कि कांट के कार्यों पर आधारित एक दार्शनिक आंदोलन है जिसने यूरोपीय दर्शन में महत्वपूर्ण योगदान दिया है। निकोली मैकियावेली और जार्ज बर्कले, जिन्हें (*a*) और (*c*) में उल्लेखित किया गया है, क्रमशः इतालवी और आयरिश दर्शन के प्रतिनिधि हैं और जर्मन आदर्शवाद से संबंधित नहीं हैं।

43. (B): शारिरिक शिक्षा अद्वितीय है क्योंकि यह संज्ञानात्मक, संवेगात्मक, और मनश्चालक अधिगम क्षेत्रों में अपना योगदान करती है। संज्ञानात्मक अधिगम में यह विद्यार्थियों को खेलों के नियम, रणनीतियाँ और योजनाएँ समझने में मदद करता है। संवेगात्मक अधिगम के अंतर्गत, यह आत्म-सम्मान और टीम वर्क की भावना को विकसित करता है। मनश्चालक अधिगम में, शारिरिक शिक्षा समन्वय, संतुलन, और मोटर कौशल को बढ़ावा देती है। जबकि शीलगुण, प्रत्यक्ष रूप से शारिरिक शिक्षा के मुख्य अधिगम क्षेत्रों का हिस्सा नहीं हैं।

44. (A): पतले तंतु से संबद्ध प्रोटीनों में एक्टिन, नेबुलिन, और ट्रोपोसिन शामिल हैं। एक्टिन फिलामेंट का मुख्य घटक है जो मांसपेशी संकुचन में केंद्रीय भूमिका निभाता है। नेबुलिन मांसपेशी फाइबर की लंबाई और स्थिरता में सहायक होती है, और ट्रोपोसिन कैल्शियम आयनों की उपस्थिति में एक्टिन और मायोसिन के मध्य संचार को सक्रिय करता है। मायोसिन और टाइटिन मोटे तंतुओं से संबंधित होते हैं और इसलिए उनका पतले तंतुओं के साथ सीधा संबंध नहीं है।

45. (C): यांत्रिकी की दो प्रमुख उपशाखाएँ स्थितिज और गतिज हैं। स्थितिज यांत्रिकी उन वस्तुओं का अध्ययन करती है जो स्थिर होती हैं या आराम की स्थिति में होती हैं, जबकि गतिज यांत्रिकी गति में वस्तुओं के व्यवहार का अध्ययन करती है। रेखिय और कोणीय यांत्रिकी वास्तविक उपशाखाएँ नहीं हैं और इसलिए इनका उपयोग यांत्रिकी की शाखाओं के रूप में नहीं किया जाता है।

46. (A): गति के सही प्रकार रेखीय गति और कोणीय गति हैं। रेखीय गति किसी वस्तु के सीधी रेखा में चलने की स्थिति को दर्शाती है, जबकि कोणीय गति किसी बिंदु के चारों ओर घूमने की प्रक्रिया को व्यक्त करती है। ये दोनों गतियाँ व्यापक रूप से भौतिकी में मान्यता प्राप्त हैं और उनका विस्तृत अध्ययन किया जाता है। चक्रिय गति और अभाशीय गति गति के प्रकार के रूप में मानक शब्द नहीं हैं और इनका सामान्य भौतिक विज्ञान में विशेष उपयोग नहीं होता है।

47. (A)

48. (B): कंपीटीटिव स्टेट एनजाइटी इन्वेंटरी-2R (CSAI-2R) संज्ञानात्मक चिंता, कायिक चिंता, और आत्मविश्वास का मापन करती है। यह उपकरण एथलीटों में प्रतिस्पर्धी स्थितियों से जुड़ी चिंता के विभिन्न पहलुओं को मापने के लिए डिजाइन किया गया है। संज्ञानात्मक चिंता उन चिंताओं को दर्शाती है जो प्रदर्शन की चिंता से जुड़ी होती हैं, कायिक चिंता शारीरिक लक्षणों जैसे कि तनाव और अस्थिरता से संबंधित होती है, और आत्मविश्वास खिलाड़ी की अपनी क्षमता पर विश्वास को मापता है।

49. (C): शारीरिक शिक्षा कर्मचारी प्रोग्राम में सम्मिलित घटकों में स्वास्थिक जीवन शैली को प्रोत्साहित करना, नैतिक मूल्य बनाना, जीवन शैली का प्रशिक्षण करना, और शारीरिक स्वास्थ्य को प्रोत्साहित करना शामिल हैं। ये सभी घटक शारीरिक शिक्षा कार्यक्रमों के मूल उद्देश्यों को पूरा करते हैं, जिसमें समग्र विकास और व्यक्तियों के शारीरिक और मानसिक स्वास्थ्य में सुधार

करना प्रमुख है। जबकि मनोदैहिक लक्षणों को प्रोत्साहित करना, सीधे तौर पर शारीरिक शिक्षा के मूल घटकों में शामिल नहीं होता है।

50. (C): पाठ्यचर्या जो छात्र सीख सकते हैं, छात्रों का अधिगम कैसे होता है, और छात्रों के अधिगम को कैसे सत्यापित किया जाता है, इन सभी का योजनाबद्ध क्रम पाठ्यचर्या के तहत आता है। ये घटक पाठ्यचर्या की संरचना के मुख्य आधार हैं, जो शिक्षण की योजना और उसके कार्यान्वयन को व्यवस्थित बनाते हैं। छात्रों को ग्रेड कैसे मिलता है और अध्येतावृत्ति प्राप्त होती है, ये विषय पाठ्यचर्या के अधिगम और उसकी योजना के मूल तत्व नहीं हैं बल्कि मूल्यांकन और परिणामों से संबंधित हैं।

51. (B): चिकन पॉक्स के कारण वरिसेला-जोस्टर वायरस (VZV) होता है, और इस वायरस से ज्ञानेन्द्रियों (सेंसरी) और गैंगलिया में गुप्त संक्रमण स्थापित होता है, और टिश्यु (ऊतक) कल्चर में वायरस पैदा किया जा सकता है। वरिसेला-जोस्टर वायरस द्वारा न्यूरोंस में गुप्त संक्रमण इसे शरीर में लंबे समय तक बनाए रखता है और यह वैज्ञानिक प्रयोगशालाओं में टिश्यु कल्चर के माध्यम से विकसित किया जा सकता है। बी पैरा पर्टूसिस और चिकन पॉक्स की अत्यधिक संचारी न होने की जानकारी गलत है, क्योंकि चिकन पॉक्स एक अत्यधिक संचारी रोग है।

52. (A): पौषणिक स्थिति की मूल्यांकन विधियां उन तरीकों को दर्शाती हैं जिनके द्वारा व्यक्तियों के पोषण संबंधी स्वास्थ्य का आंकलन किया जाता है। विकल्प (*a*) 'नैदानिक परीक्षक' पोषण स्थिति का आकलन करने के लिए विभिन्न लक्षणों और शारीरिक निष्कर्षों का मूल्यांकन करता है। विकल्प (*c*) 'मानवमिति' शरीर के विभिन्न मापदंडों को मापने की विधि है, जैसे कि ऊंचाई, वजन, शरीर की चर्बी आदि, जो पोषण संबंधी स्थिति का निर्धारण करते हैं। विकल्प (*d*) 'प्रकायाथत्मक मूल्यांकन' विशेष रूप से शारीरिक फिटनेस और पोषण की स्थिति का मूल्यांकन करने के लिए उपयोगी है। विकल्प (*e*) 'आहार ग्राहयता का मूल्यांकन' यह दर्शाता है कि व्यक्ति किस प्रकार के आहार का सेवन कर रहा है और वह उसके पोषण स्तर को कैसे प्रभावित करता है। इसके विपरीत, विकल्प (*b*) 'संज्ञानात्मक मूल्यांकन' मानसिक क्षमताओं का मूल्यांकन करता है, जो पोषण स्थिति से सीधे संबंधित नहीं है।

53. (D): अनुबद्ध क्रम भार संरचना (कन्जुगेटेड सिक्वेंस लोडिंग स्ट्रकचर) एक विशेष प्रकार की प्रशिक्षण योजना है जो विभिन्न प्रकार के भार को विशेष अवधियों में लागू करती है। विकल्प (*b*) 'इस प्रशिक्षण को कपल्ड सक्सेसिव सिस्टम कहा जाता है' और विकल्प (*d*) 'लोडिंग में वापसी की अवधि के बाद संकेद्रित लोडिंग अवधि अथवा अहि पहुंच (ओवर रीचिंग) अवधि की अनुमति होती है', ये दोनों अनुबद्ध क्रम भार संरचना के मूल तत्व हैं। इस प्रशिक्षण विधि में विभिन्न प्रकार के प्रशिक्षण लोड को विशिष्ट समय अवधियों में लागू करना शामिल है, जिससे प्रदर्शन में सुधार होता है और चोट की संभावना कम होती है।

54. (D): डायनमिक कन्सेंट्रिक प्रणाली एक विशेष प्रकार की शारीरिक प्रशिक्षण प्रणाली है जो मुख्य रूप से मांसपेशियों की संकुचन गति और ताकत को बढ़ावा देती है। विकल्प (*a*) 'मेक्सिमल रेसिस्टेंस प्रणाली' और विकल्प (*d*) 'सर-मैक्सिमल रेसिस्टेंस प्रणाली' दोनों ही उच्च और मध्यम स्तर के प्रतिरोध के साथ अभ्यास करने के लिए उपयोगी हैं, जो कि डायनमिक कन्सेंट्रिक प्रणाली का एक अंग हैं।

55. (A): साहित्य समीक्षा का मुख्य उद्देश्य विषय-सामग्री को गहराई से समझना और प्रासंगिक संदर्भों को जुटाना होता है। विकल्प (*b*) 'आंकड़ा स्रोत कोड की पहचान करना' साहित्य समीक्षा में अन्वेषण किए गए डेटा को वर्गीकृत करने और संग्रहीत करने की प्रक्रिया का उल्लेख करता है, जो कि शोध के विषय में गहराई से जानकारी प्रदान करता है। विकल्प (*c*) 'शोध प्रश्नावली का निर्माण करना' यह सुनिश्चित करता है कि साहित्य समीक्षा के द्वारा प्राप्त जानकारी से उपयुक्त प्रश्न तैयार किए जा सकें जो शोध के

उद्देश्यों को पूरा करें। विकल्प (*d*) 'प्रासंगिक प्रविधि ज्ञात करना' से यह पता चलता है कि समीक्षा के माध्यम से उपयुक्त प्रौद्योगिकियां और विधियां जो शोध में उपयोग की जा सकती हैं, उन्हें पहचाना जा सकता है। इस प्रकार, इन तीनों विकल्पों का साहित्य समीक्षा के प्रमुख उद्देश्यों से सीधा संबंध है।

56. (C): मापन स्केल का वर्गीकरण विभिन्न प्रकार के डेटा को मापने के लिए किया जाता है। विकल्प (*a*) 'अनुपात मापनी' विशेष रूप से वास्तविक शून्य बिंदु के साथ माप की अनुमति देता है, जो सटीक और विस्तृत मापन सक्षम करता है। विकल्प (*c*) 'अनुक्रमिक मापनी' वस्तुओं या उत्तरदाताओं को क्रमबद्ध तरीके से व्यवस्थित करने की क्षमता प्रदान करती है, जिससे प्राथमिकता या महत्व का पता चलता है। विकल्प (*e*) 'नामात्रिक मापनी' वर्गीकरण और पहचान के लिए उपयोगी होती है, जैसे कि लिंग, जाति, आदि। ये तीनों स्केल डेटा के विश्लेषण और प्रस्तुतीकरण में आवश्यक होते हैं और विभिन्न प्रकार के डेटा को प्रभावी ढंग से संभालने के लिए उपयुक्त होते हैं।

57. (A): शरीर विज्ञान अनुपालन संबंधी टेस्ट विशेष रूप से शरीर की कार्यात्मक क्षमताओं को मापने के लिए डिजाइन किए गए हैं। विकल्प (*a*) 'बेसीक फंकशन टेस्ट' आधारभूत शारीरिक कार्यों का मूल्यांकन करता है, जैसे कि चलना, उठना, बैठना आदि। विकल्प (*c*) 'बायो-केमिकल टेस्ट' शरीर के रासायनिक संतुलन और मेटाबोलिक प्रक्रियाओं का विश्लेषण करता है, जो शारीरिक स्वास्थ्य और कार्यात्मकता के संकेतक हैं। विकल्प (*e*) 'बायो मैकेनिकल टेस्ट' शरीर की मेकैनिकल गतिविधियों और संरचना का आकलन करता है, जैसे कि गति के दौरान मांसपेशियों का संकुचन, जोड़ों की गति आदि। ये टेस्ट शरीर की अनुकूलन क्षमता और स्वास्थ्य की स्थिति को समझने में मदद करते हैं।

58. (B): चयनित उपकरण विशेष प्रकार की मापन क्षमताओं के लिए डिजाइन किए गए हैं। विकल्प (*b*) 'स्पाईग्मोमैनोमिटर रक्तचाप का मापन करती है', यह स्पाईग्मोमैनोमिटर का मुख्य कार्य है, जो रक्तचाप को मापने के लिए अत्यंत प्रभावी है। विकल्प (*d*) 'डाइनामोमीटर यांत्रिक बल अथवा शक्ति का मापन करती है', यह उपकरण मांसपेशियों की ताकत का मापन करने के लिए उपयोगी होता है। विकल्प (*e*) 'स्पाइरोमीटर महत्वपूर्ण क्षमता (वाइटल कैपासिटी) का मापन करती है', यह फेफड़ों की क्षमता और स्वास्थ्य की जांच करने में महत्वपूर्ण है। इन तीनों उपकरणों का उपयोग विशेष रूप से उनके संबंधित कार्यों के लिए किया जाता है, जबकि अन्य विकल्प गलत जानकारी प्रदान करते हैं।

59. (A): संसंजकता की वृद्धि के लिए कुछ महत्वपूर्ण कारक होते हैं। विकल्प (*a*) 'व्यक्तिगत आकर्षण' समूह के सदस्यों के बीच अधिक लगाव और सहयोग को बढ़ावा देता है। विकल्प (*d*) 'लक्ष्य पर सहमति' समूह के सदस्यों को एक साझा उद्देश्य की ओर उन्मुख करता है, जिससे सहयोग और सामूहिक प्रयासों में वृद्धि होती है। विकल्प (*e*) 'पारस्परिक क्रिया' समूह के सदस्यों के बीच संवाद और संबंधों को मजबूत करता है, जिससे समूह की संसंजकता में वृद्धि होती है। ये तीनों कारक मिलकर समूह की कुल संगठनात्मक क्षमता और सहयोग को बेहतर बनाते हैं।

60. (D): आयोजन संघक्रियात्मक योजना चरण में विभिन्न सिद्धांतों का उपयोग होता है। विकल्प (*a*) 'आकास्मिकता सिद्धांत' यह दर्शाता है कि योजना की सफलता विभिन्न बाह्य और आंतरिक कारकों पर निर्भर करती है। विकल्प (*c*) 'एजेंसी सिद्धांत' विभिन्न हितधारकों के बीच संबंधों और उनकी जिम्मेदारियों को व्यवस्थित करता है, जिससे योजना की दक्षता बढ़ती है। विकल्प (*d*) 'जटिलता सिद्धांत' यह समझने में मदद करता है कि कैसे विभिन्न घटक और कारक एक दूसरे के साथ इंटरैक्ट करते हैं और योजना की परिणामी जटिलता को कैसे प्रबंधित किया जा सकता है।

61. (C): सूची-I में दिए गए अधिनियमों और सूची-II में उनके वर्षों के सही मिलान के लिए विकल्प (C) सही है, जिसके अनुसार (*a*) पुनर्वास अधिनियम का

वर्ष 1973 है, (*b*) विशेष शिक्षा अधिनियम का वर्ष 1961 है, (*c*) दिव्यांग बालक संरक्षण अधिनियम का वर्ष 1986 है, और (*d*) दिव्यांग शिक्षा अधिनियम का वर्ष 1975 है।

62. (B)

63. (A): सममितीय शक्ति, अर्द्ध-सममितीय शक्ति, शक्ति-गति, और गति-शक्ति के संबंधों को उनकी उपयुक्त स्थितियों के साथ सही ढंग से विकल्प (A) में मिलाया गया है। (*a*) सममितीय शक्ति का संबंध शून्य वेग से है, जहाँ शक्ति उत्पादन संतुलित और समान होता है, (*b*) अर्द्ध-सममितीय शक्ति का संबंध अत्यधिक निम्न वेगों से है, जहाँ शक्ति उत्पादन असंतुलित होता है, (*c*) शक्ति-गति का संबंध मध्यवर्ती वेगों से है, जहाँ शक्ति और गति के बीच संतुलन पाया जाता है, और (*d*) गति-शक्ति का संबंध निम्न वेगों से है, जहाँ शक्ति कम होती है लेकिन गति बढ़ती है।

64. (B): सूची-I में दी गई परामर्श पद्धतियों के उदाहरणों के साथ सही मिलान विकल्प (B) में प्रदान किया गया है, जहाँ (*a*) संकीर्ण बाहरी पद्धति के लिए 'ध्वनि को पूर्वानुमानित करना' है, जो सीमित बाहरी संदर्भों में उपयोगी होती है, (*b*) विस्तृत बाहरी पद्धति के लिए 'प्रतिद्वंदी की स्थिति को पहचानना' है, जो व्यापक बाहरी जानकारी की व्याख्या करती है, (*c*) विस्तृत आंतरिक पद्धति के लिए 'आयोजना रणनीति' है, जो व्यक्तिगत आंतरिक सोच और रणनीतिक निर्णयों पर जोर देती है, और (*d*) संकीर्ण आंतरिक पद्धति के लिए 'शारीरिक तनाव को पहचानना' है, जो सीमित आंतरिक जानकारी पर केंद्रित होती है।

65. (A): परंपरागत दर्शनशास्त्र और शारीरिक शिक्षा की पाठ्यचर्या के निहितार्थों का सही मिलान विकल्प (A) में दिया गया है। इसमें (*a*) आदर्शवाद के लिए 'प्रोग्राम की प्रभाविता के लिए शिक्षक उत्तरदायी होता है, निर्देशन उपकरण और सुविधाओं से अधिक महत्वपूर्ण होता है' है, जो आदर्शवादी दृष्टिकोण को दर्शाता है, (*b*) यथार्थवाद के लिए 'कार्यकलापों का चयन उनके महत्व के वैज्ञानिक साक्ष्य के आधार पर किया जाता है' है, जो यथार्थवादी दृष्टिकोण को स्पष्ट करता है, (*c*) प्रकृतिवाद के लिए छात्र अपने गति से विकास करते हैं और (*d*) प्रयोजनवाद के लिए 'छात्रों की जरूरतें और रूचियॉम पाठ्यचर्या को निर्धारित करती है' है, जो प्रयोजनवाद का विचार प्रकट करती है।

66. (D): जल में घुलनशील विटामिन और उनकी आवश्यकताओं का सही मिलान विकल्प (D) में प्रदान किया गया है। (*a*) फोलेसिन के लिए 'डी.एन.एन. एवं अन्य अणुओं के संश्लेषण के लिए आवश्यक' है, जो इसकी बायोकेमिकल भूमिका को दर्शाता है, (*b*) राइबोफ्लोविन के लिए 'नेत्र के स्वास्थ्य के लिए महत्वपूर्ण' है, जो इसके अनेक जैविक कार्यों में से एक है, (*c*) थायमीन के लिए 'खाद्य अणुओं के विखंडन के लिए आवश्यक' है, जो इसकी ऊर्जा चयापचय में भूमिका को बताता है, और (*d*) निआसीन के लिए 'कोशिका अणुओं का संश्लेषण' है, जो इसकी शारीरिक और जैविक क्रियाओं में महत्वपूर्ण योगदान देता है।

67. (B): प्रशिक्षण विधियों और उनके वर्णनों का सही मिलान विकल्प (B) में प्रदान किया गया है। इसमें (*b*) उत्केंद्रिक प्रशिक्षण के लिए 'वह प्रशिक्षण जो गति विधि के लंबे खिंचने के चरण को बढ़ता है' है, जो उत्केंद्रिक अभ्यास की परिभाषा के अनुरूप है जहाँ मांसपेशियाँ फैलती हैं जबकि तनाव बढ़ता है, (*b*) जहिल प्रशिक्षण के लिए 'यह रेसिसटेंस प्रशिक्षण को प्लायोमेट्रिक प्रशिक्षण से जोड़ता है' है, जो जहिल या त्वरित प्रतिक्रिया वाले अभ्यासों की प्रकृति को दर्शाता है, (*c*) इडियो-मोटर प्रशिक्षण के लिए 'वह प्रशिक्षण गति विधि के लौकिक एवं आकाशीय पहलुओं के सूक्ष्म होने तथा स्थिर होने में सहायक होता है', जो इस तरह के अभ्यास की यथार्थवादी स्थितियों में सहायता करता है, और (*d*) संकेन्द्रिक संकुचन प्रशिक्षण के लिए 'मांस पेशियों की लंबाई कम होती है', जो संकुचन के दौरान मांसपेशियों की गतिविधि का सटीक वर्णन करता है।

68. (D): साक्षात्कार विधियों और उनके अर्थों का सही मिलान विकल्प (D) में प्रदान किया गया है। इसमें (*a*) सुव्यवस्थित साक्षात्कार के लिए 'पूर्व निर्धारित प्रश्न' है, जो इस विधि के ढांचागत उपागम को दर्शाता है, (*b*) अव्यवस्थित साक्षात्कार के लिए 'अधिकतर लचीलापन उपागम' है, जो इस तरह के साक्षात्कार में लचीलेपन को इंगित करता है, (*c*) केंद्रित साक्षात्कार के लिए 'उत्तर दिए जाने वाले प्रश्न पर विशेष ध्यान देना' है, जो विशेष विषयों या मुद्दों पर ध्यान केंद्रित करता है, और (*d*) नैदानिक साक्षात्कार के लिए 'व्यक्तिगत जीवन अनुभव' है, जो व्यक्ति की व्यक्तिगत और गहन जानकारी को सामने लाने का प्रयास करता है।

69. (D): विभिन्न मोटर एबिलिटि टेस्ट और उनके परीक्षण वस्तुओं का सही मिलान विकल्प (D) में दिया गया है। इसमें (*a*) आयोना-ब्रास मोटर एडुकेबिलिटि टेस्ट के लिए 'लूप जंप' है, जो इस टेस्ट के उद्देश्य को पूरा करता है, (*b*) स्काट मोटर एबिलिटि टेस्ट के लिए 'बाधा दौड़' है, जो मोटर स्किल्स का आकलन करता है, (*c*) मेथेनी-जॉनसन टेस्ट के लिए 'फ्रंट रौल' है, जो शारीरिक निपुणता को मापने के लिए उपयोगी है, और (*d*) न्यूटन मोटर एबिलिटि टेस्ट के लिए 'बेड़ी हर्डल रेस' है, जो विशेष रूप से त्वरण और सहनशक्ति को जांचता है।

70. (B): जनसंपर्क के मॉडल और उनके उद्देश्यों का सही मिलान विकल्प (B) में दिया गया है। यहाँ (*a*) प्रेस एजेंटरी मॉडल के लिए 'प्रचार' है, जो इस मॉडल का मुख्य लक्ष्य होता है, जिसमें संगठन की छवि या उत्पाद को सकारात्मक रूप से प्रदर्शित करना शामिल है, (*b*) जन सूचना प्रचार के लिए 'विकीर्णन' है, जो इस मॉडल के तहत व्यापक रूप से जानकारी प्रसारित करने की प्रक्रिया को दर्शाता है, (*c*) असम्मित मॉडल के लिए 'वैज्ञानिक प्रत्यायन' है, जहां संगठन और उसके दर्शकों के बीच संबंधों का विश्लेषण और परिष्कार किया जाता है, और (*d*) सम्मित मॉडल के लिए 'आपसी ताल-मेल' है, जो संगठन और उसके हितधारकों के बीच समान लाभकारी संबंध स्थापित करने पर केंद्रित होता है।

71. (C): तीसरे खेलो इंडिया विश्वविद्यालय खेलों के दौरान प्रतिभागी विश्वविद्यालयों की स्थिति का सही क्रम विकल्प (C) में दिया गया है। इसमें (*e*) पंजाब विश्वविद्यालय प्रथम स्थान पर रहा, इसके बाद (*c*) गुरुनानक देव विश्वविद्यालय दूसरे स्थान पर, (*b*) जैन विश्वविद्यालय तीसरे स्थान पर, (*a*) पंजाबी विश्वविद्यालय चौथे स्थान पर, और (*d*) कुरुक्षेत्र विश्वविद्यालय पांचवें स्थान पर रहे। यह क्रम उनके प्रदर्शन और जीते गए मेडलों की संख्या के आधार पर है।

72. (A): पेशी क्रिया में संक्रियण, संकुचन, और शिथिलन की प्रक्रिया का सही अनुक्रम विकल्प (A) में दिया गया है। यहाँ (*c*) प्रक्रिया की शुरुआत टर्मिनल एक्सान के भीतर एसीएच के मोचन से होती है, (*e*) फिर पेशी क्रिया संभाविता सेरकोमियर के ए-I जंक्शन पर अनुप्रस्त ट्यूबूल्स को विध्रुवित करती है, (*a*) जिससे टी-ट्यूबूल प्रणाली के विध्रुवण से Ca^{2+} का मोचन होता है, (*b*) और Ca^{2+} ट्रोपोनिन-ट्रोपोमायोसिन को बांधती है जिससे संकुचन होता है, और अंत में (*d*) पेशी क्रिया के दौरान, एक्टिन मायोसिन एटीपी के साथ जुड़ता है जिससे शक्ति उत्पन्न होती है।

73. (A): क्रॉस-ब्रिज साइकिल और उसके कार्यप्रणाली का सही अनुक्रम विकल्प (A) में निर्धारित किया गया है। यहाँ (*d*) एक्टिन और मायोसिन के अनम्य होने का वर्णन है जो पेशी तंतुओं की बुनियादी विशेषता दर्शाता है। इसके बाद (*c*) में क्रॉस ब्रिज दर प्रकार्यों का वर्णन है जो उनके अनुलग्नक और विलगन को समझाता है, जो क्रॉस ब्रिज की दूरी पर निर्भर करता है। (*b*) में क्रॉस ब्रिज के बल का वर्णन है जो गति दूरी पर निर्भरता को बताता है। अंत में (*a*) में प्रत्येक क्रॉस-ब्रिज चक्र का ATP के हाइड्रोलाइजेशन से संबंध बताया गया है। यह अनुक्रम सही तरीके से मांसपेशी संकुचन की प्रक्रिया को चरणबद्ध तरीके से वर्णित करता है।

74. (D): मनोवैज्ञानिक निर्धारणों के विकास के वर्षों के अनुसार सही क्रम विकल्प (D) में दिया गया है। (*b*) आइसेंक व्यक्तिगत सूची सबसे पहले विकसित की गई थी, जो मनोवैज्ञानिक विश्लेषण के लिए एक मूल पद्धति प्रदान करती है। इसके बाद (*a*) खेलकूद अभिप्रेरणात्मक सूची विकसित की गई, जो खेल में प्रेरणा के पहलुओं को मापती है। (*d*) खेलों के लिए मनोवैज्ञानिक कौशल सूची और (*c*) खेलकूद प्रतिकृति कौशल सूची का विकास बाद में हुआ, जो खिलाड़ियों के मानसिक कौशलों और विशेषताओं को मापता है। यह क्रम इन उपकरणों के विकास के ऐतिहासिक क्रम को सही ढंग से दर्शाता है।

75. (C): उर्ध्वमुखी (बॉटम-अप) पाठ्यचर्या का सही क्रम विकल्प (C) में प्रदान किया गया है। इसमें (*a*) शारीरिक प्रबंधन के साथ शुरुआत होती है, जो बुनियादी शारीरिक नियंत्रण और व्यवस्थापन कौशलों को सिखाने पर जोर देती है। इसके बाद (*b*) मूलभूत चालन कौशल सिखाया जाता है, जो बच्चों को चलने, दौड़ने और कूदने जैसे मौलिक कौशल सिखाने पर केंद्रित है। (*c*) मिश्र कौशल का विकास होता है, जो मूलभूत कौशलों पर आधारित अधिक जटिल और संयोजित क्रियाओं को सिखाता है। अंत में (*d*) जीवन पर्यन्त कौशल सिखाए जाते हैं, जो व्यक्तिगत और सामाजिक जीवन में उपयोगी होते हैं।

76. (C): मैच के दौरान आपातकालीन स्थिति से निपटने के लिए उचित प्रतिक्रिया का सही अनुक्रम विकल्प (C) में दिया गया है। प्रथम चरण में (*c*) क्षेत्र को सुरक्षित बनाना आवश्यक है, जिससे अधिक नुकसान या चोट से बचा जा सके। दूसरे चरण में (*d*) घायल व्यक्ति की स्थिति का मूल्यांकन करना होता है ताकि समझा जा सके कि आगे क्या चिकित्सीय कदम उठाने हैं। तीसरे चरण में (*b*) आवश्यक मदद माँगी जाती है, जैसे एम्बुलेंस या आपातकालीन चिकित्सा सेवा। अंतिम चरण में (*a*) प्रथम उपचार प्रदान करना शामिल है, जो घायल व्यक्ति की स्थिति को स्थिर करने के लिए आवश्यक होता है। यह अनुक्रम सुरक्षित और प्रभावी ढंग से आपातकालीन स्थितियों का सामना करने के लिए उचित है।

77. (D): साइक्लिक स्पोर्ट्स के लिए मध्य अवधि सहनशीलता का विकास अनुक्रम विकल्प (D) में सही ढंग से दिया गया है। यहाँ (*a*) सामान्य शारीरिक तैयारी से शुरूआत होती है, जो एक एथलीट के लिए मूलभूत फिटनेस को विकसित करती है। इसके बाद (*b*) शक्ति का विकास होता है, जो ताकत और शक्ति को बढ़ाता है। (*c*) गति का विकास इसके बाद होता है, जो तेजी और फुर्ती को बढ़ावा देता है। अंत में (*d*) सहनशक्ति का विकास किया जाता है, जो लंबी अवधि तक शारीरिक परिश्रम को संभालने के लिए आवश्यक है।

78. (A): एक पथीय एनोवा के परिगणन का सही अनुक्रम विकल्प (A) में दिया गया है। (*d*) पहले सभी मदों का योग लिया जाता है जो डेटा का आधार तैयार करता है। इसके बाद (*c*) शुद्धिकरण कारक निर्धारित किया जाता है जो विश्लेषण के लिए आवश्यक होता है। (*e*) फिर वर्गों का कुल योग निकाला जाता है जो विश्लेषण की समग्रता को बढ़ाता है। (*a*) प्रतिदर्शों के वर्ग का योग और (*b*) प्रतिदर्शों के अंदर वर्गों का योग निर्धारित किए जाते हैं जो विश्लेषण की सटीकता को सुनिश्चित करते हैं। यह क्रम एनोवा के परिगणन को सही ढंग से प्रक्रियात्मक रूप से प्रस्तुत करता है।

79. (A): खेलकूद विशिष्ट टेस्ट की प्रक्रिया के उचित कदमों का अनुक्रम विकल्प (A) में सही ढंग से दिया गया है। पहले (*b*) टेस्ट संबंधी वस्तुओं का चयन किया जाता है, जो परीक्षण के लिए आवश्यक प्रमुख कारकों और मापदंडों को निर्धारित करता है। इसके बाद (*e*) सुविधाओं और उपस्करों को प्राप्त करने का कार्य होता है, जो टेस्ट को संचालित करने के लिए आवश्यक संसाधनों की व्यवस्था करता है। फिर (*d*) कार्यविधि स्थापित की जाती है, जो टेस्ट के संचालन की विधि और प्रक्रिया को निर्धारित करती है। (*a*) पायलट अध्ययन करना इस प्रक्रिया का एक महत्वपूर्ण हिस्सा है जो टेस्ट की विश्वसनीयता और

मान्यता की जांच करता है। अंत में (*c*) संशोधित टेस्ट संबंधी वस्तुओं का प्रशासन होता है, जो अंतिम टेस्टिंग प्रक्रिया को पूरा करता है।

80. (C): निर्णय लेने के क्लासिकी मॉडल के सही क्रम का वर्णन विकल्प (C) में किया गया है। इसमें सबसे पहले (*b*) समस्या विवरण होता है, जहाँ निर्णय लेने की प्रक्रिया में सामना की जा रही समस्या को स्पष्ट किया जाता है। इसके बाद (*c*) विकल्प देना होता है, जहाँ संभावित समाधानों की पहचान की जाती है। फिर (*a*) विकल्प मूल्यांकन होता है, जहाँ विकल्पों को उनकी प्रभावशीलता और संभावित परिणामों के आधार पर तौला जाता है। अंत में (*d*) उच्चतम विकल्प का चयन होता है, जहाँ सर्वश्रेष्ठ समझे जाने वाले विकल्प को चुना जाता है। यह क्रम निर्णय लेने की एक व्यवस्थित और तार्किक प्रक्रिया को दर्शाता है।

81. (C): उत्तर कोरिया और दक्षिण कोरिया के एथलीटों ने वास्तव में सिडनी ओलंपिक गेम्स 2000 के उद्घाटन समारोह में एक साझा बैनर के तले भाग लिया, जो उस समय की एकता और सद्भावना का प्रतीक था। यह कथन सत्य है। हालांकि, कथन II जो कहता है कि वर्ष 2000 में सिडनी ओलंपिक गेम्स में दक्षिण अफ्रीका के जो जिया थागवाले ने पुरुषों का मैराथन जीता था, वह असत्य है क्योंकि वास्तव में विजेता गेजा अबेरा थे, जो इथियोपिया के थे।

82. (C): फास्फोलिपिड्स के उदाहरण के रूप में विकल्प (C) सही है। (*a*) सेफलिन्स, (*c*) लिपोसिटोल्स, और (*e*) लेसिथिन्स फास्फोलिपिड्स के उदाहरण हैं। फास्फोलिपिड्स ऐसे लिपिड्स होते हैं जिनमें फास्फेट समूह होता है, जो उन्हें पानी में आंशिक रूप से घुलनशील बनाता है। लेसिथिन्स और सेफलिन्स दोनों ऐसे फास्फोलिपिड्स हैं जो सेल मेंब्रेन के मुख्य घटक होते हैं और विभिन्न बायोकेमिकल प्रक्रियाओं में शामिल होते हैं। लिपोसिटोल्स, जिनमें फास्फेटिडिलइनोसिटोल शामिल है, सेल सिग्नलिंग में महत्वपूर्ण भूमिका निभाते हैं। विकल्प (*b*) ग्लाइकोलिपिड्स और (*d*) गैंगलिओसाइड्स ग्लाइकोलिपिड्स के वर्ग में आते हैं और फास्फोलिपिड्स नहीं हैं।

83. (A) गतिज और काइनेमेटिक डाटा संग्रहण से संबंधित दोनों कथन सत्य हैं। कथन I के अनुसार, गतिज डाटा आमतौर पर डायनमोमीटर या बल ऊर्जा परिवर्तकों का उपयोग करके एकत्र किया जाता है, जो सटीक और व्यवहारिक रूप से सही है क्योंकि ये उपकरण बल और गतिशीलता को मापने के लिए मानक होते हैं। कथन II जो कहता है कि मानवगति से संबंधित काइनेमेटिक, गतिज और इलेक्ट्रोमायोग्राफी डाटा अक्सर संकलित कर दो सेटों में संश्लिष्ट किए जाते हैं, भी सत्य है क्योंकि यह गति का विश्लेषणात्मक और गणितीय वर्णन प्रदान करने के लिए आवश्यक होता है।

84. (C): सामाजिक प्रयास की घटना और सामाजिक स्वैचारी घटना से संबंधित कथनों के विश्लेषण के आधार पर, कथन I सत्य है और कथन II असत्य है। कथन I जो कहता है कि व्यक्तिगत प्रयास उन स्थितियों में बढ़ सकता है जहां कार्य प्रासंगिकता, अंतरसमूह प्रतिस्पर्धात्मकता साझेदार प्रयास और व्यक्तिगत भागीदारी मौन है, सही है क्योंकि ऐसी परिस्थितियों में व्यक्तियों को अधिक उत्तरदायित्व महसूस होता है और वे अधिक प्रयास करते हैं। कथन II जो कहता है कि समूह का आकार बढ़ने के साथ समूह प्रेरणा में वृद्धि होती है, गलत है क्योंकि आमतौर पर समूह के आकार में वृद्धि होने पर समूह की उत्पादकता और प्रेरणा में कमी आती है, जिसे 'सामाजिक लोफिंग' कहा जाता है।

85. (A): शिक्षा और मूल्यांकन से संबंधित कथनों का सत्यता का मूल्यांकन यह दर्शाता है कि कथन I और कथन II दोनों सत्य हैं। कथन I के अनुसार, पाठ्यचर्या में सतत परिवर्तन होने चाहिए जो छात्र और समाज की जरूरतों के प्रत्युत्तर में हो। यह शिक्षा के प्रति गतिशील और प्रतिक्रियाशील दृष्टिकोण को दर्शाता है जो समय के साथ विकसित होता रहता है। कथन II के अनुसार, मूल्यांकन का उपयोग पाठ्यचर्या में वांछित तरीके से प्रगति की जाँच के लिए किया जा सकता

है, जो शैक्षिक प्रक्रियाओं में मूल्यांकन की महत्वपूर्ण भूमिका को रेखांकित करता है। दोनों कथन शिक्षा के लिए महत्वपूर्ण सिद्धांतों को संबोधित करते हैं और वर्तमान शिक्षा नीतियों के अनुरूप हैं।

86. **(C):** वायु-प्रदूषण के मुख्य स्रोतों के विकल्प (C) में सही ढंग से चयन किया गया है। (*a*) आटोमोबाइल, (*c*) उद्योग और (*d*) घरेलू स्रोत प्रमुख वायु-प्रदूषण स्रोत हैं। आटोमोबाइल और उद्योगों से निकलने वाले धुएं में हानिकारक गैस और कण शामिल होते हैं जो वायु की गुणवत्ता को काफी प्रभावित करते हैं। घरेलू स्रोत जैसे कि खाना पकाने, हीटिंग और धूम्रपान भी महत्वपूर्ण योगदान देते हैं। विकल्प (*b*) मल-जल, जिसे सामान्यतः जल प्रदूषण के स्रोत के रूप में माना जाता है, यहां अनुपयुक्त है।

87. **(B)** मध्यम अवधि योजना की समस्याओं का सही क्रम विकल्प (B) में प्रदान किया गया है। (*a*) विलंबित परिवर्तन, (*b*) प्रशिक्षण प्रभावों का, (*c*) प्रशिक्षण अवशिष्ट, और (*d*) विलंबित, ये सभी मध्यम अवधि योजना में प्रमुख महत्व रखते हैं। ये कारक प्रशिक्षण की दक्षता, संगतता, और प्रभावशीलता को संबोधित करते हैं, जिसमें ट्रेनिंग अवधि के बाद दीर्घकालिक प्रभावों का मूल्यांकन शामिल है। यह विकल्प प्रशिक्षण प्रक्रियाओं की उचित योजना और समीक्षा की आवश्यकता को उजागर करता है।

88. **(D):** साहित्य समीक्षा के चरणों में विकल्प (D) सही है। साहित्य समीक्षा की प्रक्रिया में पहले (*a*) विवेचकों का निर्धारण किया जाता है, जहाँ विषय के विशेषज्ञों और साहित्य के स्रोतों की पहचान की जाती है। फिर (*c*) प्राथमिक स्रोतों की खोज की जाती है जो मुख्य डेटा और सूचना प्रदान करते हैं। इसके बाद (*d*) समस्या कथन लेखन होता है, जहाँ शोध की मुख्य समस्याओं और प्रश्नों को विस्तार से लिखा जाता है। यह अनुक्रम साहित्य समीक्षा की सटीक और व्यवस्थित प्रक्रिया को दर्शाता है।

89. **(A):** विश्वसनीयता और वस्तुपरकता के संबंध में दिए गए कथनों की सत्यता का विश्लेषण यह दर्शाता है कि कथन I और कथन II दोनों सत्य हैं। कथन I के अनुसार, भरोसेमंद परीक्षण वह होता है जिसमें एक ही व्यक्ति पर एक ही समय में किए गए परीक्षण के परिणाम समान निकलते हैं, जो विश्वसनीयता की मूल परिभाषा को दर्शाता है। कथन II के अनुसार, परीक्षण की वस्तुपरकता का तात्पर्य यह है कि एक ही परीक्षण विभिन्न परीक्षणकर्ताओं द्वारा किए जाने पर भी परिणाम लगभग समान रहते हैं, जो परीक्षण की वस्तुपरकता के महत्व को बताता है। दोनों कथन विश्वसनीयता और वस्तुपरकता की मूल अवधारणाओं को सही ढंग से संबोधित करते हैं।

90. **(B):** एक संगठन की वित्तीय स्थिति के विश्लेषण के दूसरे चरण में विकल्प (B) सही है। इसमें (*a*) आय विवरण, (*b*) आय, और (*c*) खर्चे शामिल हैं। आय विवरण संगठन की वित्तीय प्रदर्शन का सारांश प्रदान करता है, जिसमें आय और खर्चों की जानकारी होती है। आय और खर्चे वित्तीय स्थिति के मूल्यांकन में महत्वपूर्ण कारक होते हैं, जो संगठन की कमाई और खर्च की दिशा को दर्शाते हैं। यह विकल्प संगठन की वित्तीय दक्षता और स्थिरता के मूल्यांकन में सहायक होता है।

91. **(A):** अशोधित वर्ग-योग (RSS) का मान 60611 है। इस मान का निर्धारण शोध के दौरान एकत्रित आंकड़ों के विश्लेषण से किया जाता है, जिसमें सभी अंतर्राष्ट्रीय, राष्ट्रीय, राज्य, जिला, और अंतर-विद्यालयी खिलाड़ियों के वर्ग-योगों को जोड़ा जाता है। इस मान को समझने के लिए, उपलब्ध आंकड़ों का योग लिया गया था जो कुल 60611 होता है। यह मान शोधकर्ताओं को विश्लेषण के दौरान मौलिकता और सही आंकड़ों की पुष्टि करने में मदद करता है।

92. **(A):** समूह (ss)b के मध्य वर्ग के योग का मान 5796.18 है। यह मान आंकड़ा संग्रह और एनोवा विश्लेषण के दौरान उत्पन्न होता है और यह विभिन्न समूहों के मध्य वर्ग के योगों का कुल योग होता है। यह मान शोधकर्ताओं को विभिन्न समूहों में उपलब्धि के स्तरों के बीच विभिन्नताओं की तुलना करने के

लिए एक महत्वपूर्ण मापदंड प्रदान करता है। इसका उपयोग यह निर्धारित करने में किया जाता है कि क्या समूहों के बीच में सांख्यिकीय रूप से महत्वपूर्ण अंतर है। इस प्रक्रिया से प्राप्त डेटा शोधकर्ताओं को अपनी प्राक्कल्पना की पुष्टि या अस्वीकृति में सहायता प्रदान करता है।

93. (C): F अनुपात के परिकलित मान का सही मूल्यांकन करने में, विकल्प (C) सत्य है जिसमें केवल (*b*), (*c*) और (*d*) शामिल हैं। परिकलित F अनुपात की तुलना सारणीबद्ध F 0.05 (4, 55) से की जाती है, और यदि परिकलित F सारणीबद्ध F से अधिक होता है, तो यह दर्शाता है कि समूह माध्यों में महत्वपूर्ण अंतर होता है। यह आंकड़े के विश्लेषण में प्रमुख तत्व होता है जो शोधकर्ता को अपनी प्राक्कल्पना की पुष्टि या अस्वीकृति में मदद करता है।

94. (B)

95. (D): युग्मित माध्यों की तुलना और पोस्ट हॉक परीक्षण से संबंधित कथनों का मूल्यांकन दर्शाता है कि कथन I असत्य है और कथन II सत्य है। कथन I में वर्णित युग्मिय माध्यों के मध्य तुलना प्रसरण एफ (F) अनुपात का उपयोग विश्लेषण में अक्सर प्रक्कल्पना के स्वीकार के लिए किया जाता है, जबकि कथन II सही है जो बताता है कि यदि माध्य अंतर क्रांतिक (आलोचनात्मक) अंतर से कम होता है तो महत्वपूर्ण अंतर होता है।

96. (A): वैध परिणाम प्राप्त करने हेतु प्रासंगिकता महत्वपूर्ण है। जब फिटनेस परीक्षण किया जाता है, तो यह आवश्यक होता है कि परीक्षण उस खेल विशेष की विशेषताओं और वहां आवश्यक पेशी समूह तथा पेशी तंतु प्रकार की कार्यप्रदर्शन सामर्थ्य की सही जाँच कर सके। इससे यह सुनिश्चित होता है कि परीक्षण के परिणाम उस विशिष्ट खेल की जरूरतों के अनुरूप और संबंधित हों।

97. (B): परीक्षण का चयन करते समय विशिष्टिकरण एक महत्वपूर्ण विचारणीय विषय होता है। परीक्षण को खेल विशेष के लिए उपयुक्त होना चाहिए, जिससे वह उस खेल के लिए आवश्यक विशिष्ट कौशल और शारीरिक विशेषताओं की सही जाँच कर सके। यह विशेषता परीक्षण के वैधता और प्रभावशीलता को सुनिश्चित करती है।

98. (D): कसौटी विधि की तुलना में सटीक होने की आवश्यकता वाले परीक्षण को परिशुद्धि कहा जाता है। परिशुद्धि यह सुनिश्चित करती है कि परीक्षण बार-बार किए जाने पर भी समान परिणाम प्रदान करता है, जिससे उसके परिणामों पर विश्वास किया जा सकता है और वे वास्तविक मापन को दर्शाते हैं।

99. (B): अनुक्रमी मापन की संगति विश्वसनीयता है। विश्वसनीयता यह सुनिश्चित करती है कि एक ही परीक्षण को बार-बार करने पर या विभिन्न समय पर किए जाने पर भी परीक्षण के परिणाम में स्थिरता बनी रहती है। यह परीक्षण की विश्वसनीयता को मजबूत करती है और इसके परिणामों की प्रामाणिकता को बढ़ाती है।

100 (C): परीक्षण को उसका मापन करना चाहिए जिसे मापने का वह दावा करता है, वह वैधता है। वैधता यह सुनिश्चित करती है कि परीक्षण उस विशेषता या क्षमता की सही जाँच कर रहा है जिसके लिए उसे डिजाइन किया गया है। यह परीक्षण के मूल्यांकन की सटीकता और उपयोगिता को दर्शाता है, जिससे वैज्ञानिक और तकनीकी मानकों के अनुरूप उसकी प्रभावशीलता स्थापित होती है।

National Testing Agency (NTA)

UGC-NET जूनियर रिसर्च फैलोशिप तथा सहायक प्राध्यापक पात्रता परीक्षा

शारीरिक शिक्षा, जून-2023

(Exam held on 13-06-2023)

प्रश्न-पत्र-II

1. पैन्क्रेशन खेल में निम्नलिखित में से कौन से खेल शामिल होते हैं?

A. बास्केटबाल और हैंडबाल

B. मुक्केबाजी, जूडो और कुश्ती

C. कुश्ती और मुक्केबाजी

D. मुक्केबाजी और जूडो

2. बैडमिंन्टन खेल को पहली बार ओलम्पिक में किस सन् में शामिल किया गया?

A. 1980 B. 1984

C. 1996 D. 1992

3. टोकियो ओलम्पिक में निरज चोपड़ा ने भाला फेक कर स्वर्ण पदक प्राप्त किया?

A. 86.58 मी. B. 87.28 मी.

C. 87.58 मी. D. 88.88 मी.

4. स्टेड दौड़ की दूरी थी:

A. 42.195 किमी. B. 200 मी.

C. 110 मी. D. 21 किमी.

5. महिला एथलीट त्रय के कौन-से घटक हैं?

A. बुलुमिया, मासिक धर्म और तनाव भंग

B. एनोरेविशया, अति मासिक धर्म और अस्थि घनत्व हानि

C. अव्यवस्थित खानपान, एमेनोर्रहिआ और औक्टिओपोरोसिस

D. पोषक तत्वों की कमी, मासिक धर्म और हार्मोन संबंधी असंतुलन

6. निम्नलिखित में से कौन-से फास्ट ट्विच फाइबर सम्मिलित हैं?

A. अपेक्षाकृत रूप से माइट्रो-कोन्ड्रिया की लघु संख्या और उच्च ATPase क्रिया

B. अपेक्षाकृत रूप से माइटो-कोन्ड्रिया की लघु संख्या और निम्न ATPase क्रिया

C. उच्च मायोसिन ATPase क्रिया

D. क्रॉस ब्रिज टर्न ओवर की निम्न दर

7. प्रशिक्षित और अप्रशिक्षित एथलीट के उच्चतम हृदयी निर्गत में अंतर का क्या कारण है?

A. अप्रशिक्षित एथलीट का निम्न विश्रांति हृदय दर के कारण निम्नतर हृदयी निर्गत होता है।

B. अप्रशिक्षित एथलीट का निम्न विश्रांति हृदय दर के कारण उच्च हृदयी निर्गत होता है।

C. प्रशिक्षित एथलीट का निम्नतर आधात परिमाप के कारण निम्नतर हृदयी निर्गत होता है।

D. प्रशिक्षित एथलीट का बड़े आधात परिमाप के कारण निम्नतर हृदयी निर्गत होता है।

8. निम्नलिखित में से कौन-सा ऐमीनो अम्ल नहीं है?

A. ग्लुटेमाइन अम्ल B. पाल्मेटिक अम्ल

C. एस्पारेटेट अम्ल D. ग्लुटेमैट अम्ल

9. निम्नलिखित में से संधि का कौन-सा प्रकार अन्योन्य अभिग्रहण के रूप में जाना जाता है?
A. धुराग्र संधि B. सेडल संधि
C. कांडिलॉयड संधि D. हिंज संधि

10. यदि सभी प्रकार के बलों से समान लाइन ऑफ एकशन निहित हो तो यह कहलाता है?
A. तनन बल B. समानांतर बल
C. सरेख बल D. समवर्ती बल

11. पारस्परिक तंत्रिकोत्तेजन और अवरोधन की अवधारणा का वर्णन सर्वप्रथम किसने किया?
A. जे.वी. बसमेजियन B. एम. मिल्नर
C. चार्ल्स शेरिंग्टन D. बी.ए. गोविट्जके

12. स्कंध मेखला की मांसपेशियों का पश्च समूह निम्नलिखित में से कौन-सा नहीं है?
A. लेवेटर स्केपुली B. रॉमबॉयड
C. ट्रेपेजियस D. इन्फ्रास्पिनेटस

13. निम्नलिखित में से कौन-सा अभ्यास आपको एक समय में एक कौशल पर ध्यान केन्द्रित करने की अनुमति देता है और उससे अगले कौशल की ओर बढ़ने से पूर्व एक वैयक्तिक कौशल के सभी परीक्षणों का पूरा करना सम्मिलित है?
A. यादृच्छिक अभ्यास B. निरुद्ध अभ्यास
C. अनवरत अभ्यास D. व्यक्तिगत अभ्यास

14. निम्नलिखित में से किसे कार्यात्मक मनोवैज्ञानिक कौशल के रूप में जाना जाता है?
A. एकाग्रता B. लक्ष्य निर्धारण
C. आत्म विश्वास D. आक्रामकता

15. व्यक्तित्व के किन्हीं गुणों को प्रदर्शित करने के लिए एक अभ्यास को किस रूप में जाना जाता है?
A. व्यक्तित्व के गुण
B. व्यक्ति का प्रोफाइल
C. स्थिति स्थापन (रिजिलियंस)
D. व्यक्तित्व संबंधी अंतर्विरोध

16. वह कोच निम्नलिखित में से किससे संबंधित है, एथलीटों को समूह के लक्ष्यों, अभ्यास की पद्धतियों एवं गेम की युक्तियों और रणनीतियों के बारे में निर्णय में भाग लेने की अनुमति देता है?
A. निर्देशात्मक व्यवहार
B. लोकतांत्रिक व्यवहार
C. स्वेच्छाचारी व्यवहार
D. सकारात्मक प्रतिपुष्टि (फीडबैक)

17. निम्नलिखित में से कौन-सा खुला कौशल का एक उदाहरण है?
A. सॉकर ड्रिबल B. टेनिस फोरहैंड
C. बास्केटबॉल लेअप D. वॉलीबॉल सर्व

18. खेलो-इंडिया कार्यक्रम सर्वप्रथम कब प्रारम्भ किया गया था?
A. 2014 B. 2016
C. 2018 D. 2019

19. निम्नलिखित में से कौन प्राप्त किए गए उद्देश्यों की मात्रा का मापन करता है और एक पाठ के समापन पर आयोजित किया जाता है?
A. निर्माणात्मक मूल्यांकन (Formative assessment)
B. संकलनात्मक मूल्यांकन (Summative assessment)
C. लिखित मूल्यांकन (Written assessment)
D. मौखिक मूल्यांकन (Oral assessment)

20. शरीर में वसा प्रतिशत आकलन के लिए किस पद्धति को स्वर्ण मानक माना जाता गया है?
A. मानवमिति (एंथ्रोपोमेट्री)
B. जैवविद्युतीय प्रतिबाधा विश्लेषण (बायोइलेक्ट्रिकल इंपीडेन्स एनालिसिस)
C. प्लेथीस्मोग्राफी
D. जल-स्थैतिक तोलन (हाइड्रोस्टैटिक वेइंग)

21. निम्नलिखित में से कौन-सर्प-दंश का परिणाम नहीं है?
A. सर्प की प्रजाति
B. सर्प का आकार
C. दंश की हुई जगह का स्थान (क्षेत्र)
D. टीकाकृत किए जाने वाली विनोम की मात्रा

22. आहार संबंधी रेशों से होने वाली उर्जा आपूर्ति की दर होती है:

A. 4 किलो कैलोरी/ग्राम

B. 9 किलो कैलोरी/ग्राम

C. 2 किलो कैलोरी/ग्राम

D. 3 किलो कैलोरी/ग्राम

23. संक्रामक कर्मक के वाहन-जनित संचरण से अभिप्राय है:

A. किसी सुग्राह्य व्यक्ति के लिए आर्थोपोड अथवा किस जीवित वाहक के माध्य से संक्रामक कर्मक का संचरण।

B. जल, खाद्य, कच्ची सब्जियों इत्यादि के माध्यम से संक्रामक एजेंट (कर्मक) का संचरन।

C. "ड्रापलेट न्युक्ली" के माध्यम से संक्रामक कर्मक का संचरन।

D. जल अथवा खाद्य के अतिरिक्त किसी मरीज के संक्रामक विसर्जन (डिसचार्ज) द्वारा संक्रामक कर्मक का संचरन।

24. यदि श्रेणी क्रम सहसंबंध (P) = 0.80 और व्यक्तियों की संख्या (N) = 10, तो Σd^2 का मान क्या होगा?

A. 33 B. 36.5

C. 23 D. 32

25. प्रशिक्षण शक्ति स्थापित्व हेतु सूत्र है:

A. RMR × 1.7 B. P = F × V

C. HV × HI D. RMR × 2.0

26. यदि कोई युवा खिलाड़ी मात्र तीव्र/दौड़ अभ्यास में प्रशिक्षित होता है, तो यह किस ओर प्रेरित करेगा?

A. अतिक्षतिपूरण की ओर

B. उत्क्रमणीयता की ओर

C. गतिबाधा की ओर

D. बृहत्तर गति की ओर

27. किसी प्रतिस्पर्धा से पूर्व प्रशिक्षण कार्य भार में कमी इस रूप में जानी जाती है?

A. उतक्रमणीयता B. क्रमसूक्ष्मण (टेपर)

C. निःप्रशिक्षण D. संचरण

28. किसी खिलाड़ी को जबकि वह स्वास्थ्य लाभ प्राप्त कर रहा हो, तो कौन-सा भार उसे तैयारी करते रहने की अनुमति देता है?

A. उद्दीपक भार B. अप्रशिक्षण भार

C. प्रतिधारण भार D. अतिभार

29. निम्नलिखित प्रेक्षणों को आरोही क्रम में व्यवस्थित किया गया है। यह डाटा का Q_3 17.5 है, तो x का मान क्या होगा?

1, 3, 6, 9, 12, x, 18, 95

A. 14 B. 16

C. 13 D. 15

30. निम्नलिखित में से कौन-से क्षेत्र अनुसंधान विधि नहीं है?

A. व्यक्तिगत साक्षात्कार

B. टेलीफोन से किया गया सर्वेक्षण

C. दस्तावेजों का विश्लेषण

D. जन-समूह अवलोकन (प्रेक्षण)

31. निम्नलिखित में से कौन-सा एक प्रकीर्णन का महत्वपूर्ण मापक नहीं है?

A. परास (सीमा) B. माध्य विचलन

C. मानक विचलन D. सहसंबंध

32. निम्नलिखित में से कौन-सी प्रविधि प्रश्नावलियों की शृंखला का इस तरह प्रयोग करती है कि उत्तरदाता विषय के संदर्भ में अंततः सामंजस्य स्थापित कर लेता है और मूलतः व्यहारों, आवश्यकताओं और लक्ष्यों के संदर्भ में निर्णय लेने में सहायता हेतु विशेषज्ञ राय का प्रयोग करता है?

A. डेल्फी प्रविधि

B. साक्षात्कार प्रविधि

C. मामला अध्ययन (केस स्टडी) प्रविधि

D. नियामक सर्वेक्षण प्रविधि

33. निम्नलिखित में से कौन-सा परीक्षण, शरीर के स्थायी संतुलन के मापन से संबंधित नहीं है?

A. नेल्सन बैलेंस बीम परीक्षण

B. फ्लेमिंगो बैलेंस परीक्षण

C. बॉस स्टिक परीक्षण

D. प्रोग्रेसिव इनवर्टेड बैलेंस परीक्षण

34. निम्नलिखित में से कौन-सा मानव शारीरिक गठन उर्ध्वाधर आयाम पर बल प्रदान करते हुए लंबी और दुबली काया के रूप में जाना जाता है?

A. पिकनिक B. एंडोमार्फिक

C. एपॉप्लेक्टिक हैबिटस D. थाइसिक हैबिटस

35. निम्नलिखित में से कौन-सा काया द्रव्यमान सूचकांक (बॉडी मास इंडेक्स) भी कहलाता है?

A. हिथ कार्टर सूचकांक

B. शेल्टन सूचकांक

C. पोन्डरल सूचकांक

D. क्यूटलेट सूचकांक

36. निम्नलिखित में से कौन-सी स्किनफोल्ड साइट महिला के काया-घनत्व के मापन हेतु 'जैक्सन-पोलक 3-साइट स्किनफोल्ड सूत्र' (1985) में शामिल नहीं है?

A. ट्राईसेप्स (Triceps)

B. एब्डोमिनल (Abdominal)

C. सुप्राईलिआक (Suprailiac)

D. सबस्केपुलर (Subscapular)

37. अर्हता और हराने (नॉआउट) के आधार पर 87 टीमों के एक टूर्नामेन्ट में क्वार्टरफाइनल में 4 टीमों की विशेष छँटनी की जाती है, नॉक आउट मैचों के पश्चात 4 टीमों राउंड रॉबिन टूर्नामेन्ट में खेलने के लिए अर्हता प्राप्त करती हैं। टूर्नामेन्ट में कुल मैचों की संख्या कितनी होगी?

A. 91 B. 86

C. 90 D. 89

38. 400 मी. ट्रैक में 1.22 मी. की पाँचवी लेन के लिए अंतरीकरण कितना होता है?

A. 30.50 B. 30.03

C. 30.05 D. 30.04

39. निम्नलिखित में से कौन किसी अधीनस्थ की असावधानी के लिए किसी वरिष्ठ पर मुकदमा करने के लिए वाद हेतु वादी प्रदान करता है?

A. प्रातिनिधिक देयता B. बंधक देयता

C. पूँजी देयता D. आपातिक देयता

40. प्रबंधन प्रक्रिया का कार्यवाही (एक्सन) भाग निम्नलिखित में से कौन-सा है?

A. आयोजन करना B. नेतृत्व करना

C. नियोजन करना D. मूल्यांकन करना

41. राष्ट्रमंडल खेल 2022 में भारतीय महिला लॉन बाउल टीम में निम्नलिखित में से किन सदस्यों का प्रतिनिधित्व शामिल था?

(*a*) रूपा रानी तिर्की

(*b*) अन्नू रानी

(*c*) पिंकी

(*d*) नयन्मोनी सैकिया

(*e*) लवली चौबे

नीचे दिए गए विकल्पों में से सही उत्तर का चयन कीजिए।

A. केवल (*a*), (*b*), (*c*) और (*d*)

B. केवल (*a*), (*c*), (*d*) और (*e*)

C. केवल (*b*), (*c*), (*d*) और (*e*)

D. केवल (*a*), (*b*), (*d*) और (*e*)

42. भावात्मक क्षेत्र ईलियट एम. एवडन के सामाजिक अनुक्रिया प्रतिरूप वर्गीकरण पर आधारित सही व्याख्या निम्नलिखित में से किसमें हैं?

(*a*) एक्स्ट्रा इंडीविजुअल – मृत्तिका के साथ कार्य करना

(*b*) एकपक्षी – फुटबाल टीम

(*c*) अन्तरसमूह – बास्केटबाल टीम

(*d*) इन्ट्राइंडीविजुअल – ध्यान

(*e*) अंतःसमूह – डॉजबाल

नीचे दिए गए विकल्पों में से सही उत्तर का चयन कीजिए।

A. केवल (*b*), (*d*) और (*e*)

B. केवल (*a*), (*c*) और (*d*)

C. केवल (*a*), (*b*) और (*c*)

D. केवल (*a*), (*d*) और (*e*)

43. पेशीय क्रिया के दौरान निम्नलिखित में से कौन-से प्रोटीन फिलामेन्ट अंतर्क्रिया का सार्थक ढंग से प्रभावित करते हैं?

(*a*) टोपोनिन

(*b*) अल्फा (α) एक्टिनिन

(*c*) अल्फा (α) लेक्टलबुमिन

(*d*) बीटा (β) एक्टिनिन

नीचे दिए गए विकल्पों में से सही उत्तर का चयन कीजिए।

A. केवल (*b*), (*c*), (*d*)

B. केवल (*c*), (*d*)

C. केवल (*a*), (*b*), (*d*)

D. केवल (*a*), (*d*)

44. निम्नलिखित में से कौन से शारीरिक कारक हैं, जो Vo_2 max को सीमित कर सकते हैं?

(*a*) सक्रिय पेशीय उपापचय

(*b*) केन्द्रीय रक्त प्रवाह

(*c*) परिधीय रक्त प्रवाह

(*d*) ज्वारीय परिमाप

नीचे दिए गए विकल्पों में से सही उत्तर का चयन कीजिए।

A. केवल (*b*), (*c*), (*d*)

B. केवल (*a*), (*b*), (*c*)

C. केवल (*a*), (*c*), (*d*)

D. केवल (*a*), (*b*), (*d*)

45. यदि गेंद को टॉप (शीर्ष) स्पिन प्रदान की जाती है उसके प्रभाव स्वरूप गेंद की गति के संदर्भ में निम्नलिखित में से कौन-सा सही है?

(*a*) गेंद अधिक ऊँचाई से जायेगी

(*b*) गेंद अधिक गति से जायेगी

(*c*) गेंद कम ऊँचाई से जायेगी

(*d*) गेंद कम गति से जायेगी

नीचे दिए गए विकल्पों में से सही उत्तर का चयन कीजिए।

A. केवल (*a*), (*b*) B. केवल (*b*), (*c*)

C. केवल (*b*), (*d*) D. केवल (*a*), (*c*)

46. श्रेणि-संधि की मांसपेशियों का अग्र समूह कौन-सा है?

(*a*) टेन्सर फैसिएक लैटे

(*b*) ग्रेसिलिस

(*c*) सार्टोरियस

(*d*) पेक्टिनियस

नीचे दिए गए विकल्पों में से सही उत्तर का चयन कीजिए।

A. केवल (*b*), (*c*), (*d*)

B. केवल (*a*), (*b*), (*c*)

C. केवल (*a*), (*b*), (*d*)

D. केवल (*a*), (*c*), (*d*)

47. संसक्ति मापन के लिए निम्नलिखित में से किन साधनों (टूल्स) का उपयोग किया जाता है?

(*a*) बोड पोड

(*b*) प्रश्नावली

(*c*) सोशियोग्राम

(*d*) मोनोग्राम

(*e*) इलेक्ट्रो कार्डिओ ग्राम

नीचे दिए गए विकल्पों में से सही उत्तर का चयन कीजिए।

A. केवल (*b*), (*d*) B. केवल (*d*), (*e*)

C. केवल (*b*), (*c*) D. केवल (*a*), (*b*), (*c*)

48. दुश्चिंता की देहिक अनुक्रिया में सम्मिलित है:

(*a*) पसीना आना

(*b*) (मांस) पेशीय तनाव

(*c*) नेत्र सम्पर्क से बचना

(*d*) कमजोर एकाग्रता

(*e*) उनींदापन

नीचे दिए गए विकल्पों में से सही उत्तर का चयन कीजिए।

A. केवल (*a*), (*c*), (*e*)

B. केवल (*b*), (*c*), (*d*)

C. केवल (*a*), (*b*), (*e*)

D. केवल (*a*), (*e*)

49. निम्नलिखित में से मूल्यांकन तकनीक के किन उदाहरण का अधिकांशतया औपचारिक मूल्यांकन में उपयोग किया जाता है?

(*a*) कौशल परीक्षण

(*b*) लिखित परीक्षा

(*c*) रेटिंग स्केल्स

(*d*) छात्र का साक्षात्कार

(*e*) फिटनेसग्राम

नीचे दिए गए विकल्पों में से सही उत्तर का चयन कीजिए।

A. केवल (*b*), (*c*), (*d*)

B. केवल (*a*), (*b*), (*e*)

C. केवल (*d*), (*e*)

D. केवल (*c*), (*d*)

50. निम्नलिखित में से किन संगठनों/संस्थानों को वर्ष 2021 के लिए राष्ट्रीय खेल प्रोत्साहन पुरस्कार से सम्मानित किया गया है?

(*a*) मानव रचना शिक्षा संस्थान

(*b*) तेल एवं प्राकृतिक गैस निगम

(*c*) सैन्य खेल संस्थान

(*d*) टाटा स्टील

नीचे दिए गए विकल्पों में से सही उत्तर का चयन कीजिए।

A. केवल (*a*), (*b*), (*d*)

B. केवल (*a*), (*b*)

C. केवल (*c*), (*d*)

D. केवल (*b*), (*c*)

51. स्थूलतामापन हेतु सर्वाधिक व्यापक रूप से प्रयुक्त होने वाले मानदण्ड हैं:

(*a*) शरीर का वजन

(*b*) त्वचांवलन (स्किनफोल्ड) मोटाई

(*c*) कमर परिधि

(*d*) अस्थि गहनता (धनत्व)

(*e*) पेशी बायोप्सी

नीचे दिए गए विकल्पों में से सही उत्तर का चयन कीजिए।

A. केवल (*b*), (*c*), (*d*)

B. केवल (*a*), (*b*), (*c*)

C. केवल (*c*), (*d*), (*e*)

D. केवल (*a*), (*d*), (*e*)

52. जल-प्रदूषण के कौन-से कारक हैं?

(*a*) भौतिक प्रदूषक

(*b*) मलजल (गंदा पानी)

(*c*) औद्योगिक एवं व्यापारिक अपशिष्ट

(*d*) कृषि एवं संबंधित क्रिया कलाप

(*e*) ध्वनि प्रदूषण

नीचे दिए गए विकल्पों में से सही उत्तर का चयन कीजिए।

A. केवल (*a*), (*b*), (*d*), (*e*)

B. केवल (*a*), (*b*), (*c*), (*e*)

C. केवल (*b*), (*c*), (*d*), (*e*)

D. केवल (*a*), (*b*), (*c*), (*d*)

53. निम्नलिखित में से कौन-से कारक हैं जो अनुक्रिया गति को प्रभावित करते हैं?

(*a*) मजबूती एवं शक्ति

(*b*) दृश्य सुतीक्ष्णता

(*c*) तंत्रकीय अनुक्रिया

(*d*) खाद्य आदतें

नीचे दिए गए विकल्पों में से सही उत्तर का चयन कीजिए।

A. केवल (*b*), (*c*), (*d*)

B. केवल (*d*), (*a*), (*c*)

C. केवल (*c*), (*d*)

D. केवल (*a*), (*b*), (*c*)

54. अति भारिता के प्रतिपादकों ने मजबूती में वृद्धि हो निम्नलिखित किन तरीकों का सुझाव दिया है?

(*a*) परिश्रांति हेतु अधिकतम भार, मजबूतीलब्धता को प्रेरित करने वाला।

(*b*) परिश्रांति हेतु उप-उच्चिष्ठ भार, अतिबृद्धि के प्रेरित करने वाला।

(*c*) परिश्रांति हेतु संमतभार, शक्ति प्रेरक

(*d*) परिश्रांति हेतु कम भार, स्थापित्व प्रेरक

नीचे दिए गए विकल्पों में से सही उत्तर का चयन कीजिए:

A. केवल (*a*), (*c*) B. केवल (*b*), (*c*)

C. केवल (*b*), (*d*) D. केवल (*a*), (*b*)

55. द्विपद विस्तार में X का मान क्या होगा?

$(H+T)^9 = H^9 + 9H^8 + 36\,H^7T^2 + 84H^6T^3 + XH^5T^4 + XH^4T^5 + 84H^3T^6 + 36H^2T^7 + 9HT^8 + T^9$

A. 126 B. 112

C. 108 D. 148

56. वैज्ञानिक कपट के क्षेत्र निम्नलिखित में से कौन-से हैं?

(*a*) डाटा का अप्रकाशन

(*b*) विभिन्न स्रोतों से विवरण

(*c*) खराब डाटा संग्रहण और अवरोधन

(*d*) अस्वीकार्य प्रकाशन तौर-तरीके

नीचे दिए गए विकल्पों में से सही उत्तर का चयन कीजिए:

A. केवल (*a*), (*b*), (*d*)

B. केवल (*a*), (*c*) (*d*)

C. केवल (*a*), (*b*), (*c*)

D. केवल (*b*), (*c*), (*d*)

57. रोस्टन् द्वारा प्रदत्त शरीर-रचना के प्रकार कौन-से हैं?

(*a*) डाइजेस्टिफ

(*b*) एपॉप्लेक्टिक

(*c*) मस्क्यूलर

(*d*) थाइसिक

(*e*) सेरेब्रेल

नीचे दिए गए विकल्पों में से सही उत्तर का चयन कीजिए:

A. केवल (*a*), (*b*), (*d*)

B. केवल (*a*), (*c*), (*d*), (*e*)

C. केवल (*a*), (*c*), (*e*)

D. केवल (*b*), (*c*), (*e*)

58. निम्नलिखित में से कौन-सा परीक्षण दक्षता निर्धारण (मूल्यांकन) से संबंधित है?

(*a*) बरपी परीक्षण

(*b*) साइट स्टेप परीक्षण

(*c*) राइट बूमेरांग रन परीक्षण

(*d*) डॉजिंग रन परीक्षण

(*e*) रोजर्स परीक्षण

नीचे दिए गए विकल्पों में से सही उत्तर का चयन कीजिए:

A. केवल (*b*), (*c*), (*d*)

B. केवल (*a*), (*b*), (*c*), (*d*)

C. केवल (*c*) और (*d*)

D. केवल (*a*), (*b*) और (*e*)

59. निम्नलिखित में से कौन-सी नीति निर्माण शैलियां हैं।

(*a*) आत्मवाचक निर्णय शैली

(*b*) चिंतनशील निर्णय शैली

(*c*) संगत निर्णय शैली

(*d*) दब्बू निर्णय शैली

(*e*) लोकतांत्रिक निर्णय शैली

नीचे दिए गए विकल्पों में से सही उत्तर का चयन कीजिए:

A. केवल (*a*), (*c*), (*d*)

B. केवल (*e*), (*b*), (*d*)

C. केवल (*c*), (*b*), (*e*)

D. केवल (*a*), (*b*), (*c*)

60. खेल प्रबंधन के कौन-कौन से तत्व हैं?

(*a*) आयोजित करना (*b*) योजना बनाना

(*c*) भाग लेना (*d*) मूल्यांकन करना

नीचे दिए गए विकल्पों में से सही उत्तर का चयन कीजिए:

A. केवल (*a*), (*b*) और (*c*)

B. केवल (*a*) और (*b*)

C. केवल (*a*), (*b*) और (*d*)

D. केवल (*b*), (*c*) और (*d*)

61. यदि एकमार्गी प्रसरण - विश्लेषण (एनोवा) में, समूह A (N=10), समूह B (N=8), समूह C (N=7), (MS)w = 4.21 और tab F0.05 (2,22) = 3.44 है। तो शैफे के पोस्टहॉक परीक्षण का प्रयोग करते हुए, क्रांतिक अंतर के मान क्या होंगे?

(*a*) 2.78 (*b*) 2.55
(*c*) 2.65 (*d*) 2.48
(*e*) 2.81

नीचे दिए गए विकल्पों में से सही उत्तर का चयन कीजिए:

A. केवल (*a*), (*c*), (*e*)
B. केवल (*a*), (*b*), (*d*)
C. केवल (*a*), (*b*), (*e*)
D. केवल (*a*), (*b*), (*c*)

62. AAHPERD (आहपर्ड) बास्केटबाल कौशल परीक्षण की परीक्षण मदें निम्नलिखित में से कौन-सी हैं?

(*a*) स्पीड स्पाट शूटिंग
(*b*) पासिंग
(*c*) कूदना और हवा में घूमना
(*d*) प्रतिरक्षी गति
(*e*) नियंत्र ड्रिबल

नीचे दिए गए विकल्पों में से सही उत्तर का चयन कीजिए:

A. केवल (*a*), (*c*), (*d*), (*e*)
B. केवल (*a*), (*b*), (*d*), (*e*)
C. केवल (*a*), (*c*), (*e*)
D. केवल (*b*), (*c*), (*d*), (*e*)

63. एथलीटों द्वारा लक्ष्य निर्धारण प्रक्रिया में निम्नलिखित में से कौन-से सिद्धांतों का उपयोग किया जाता है?

(*a*) विशिष्ट
(*b*) चुनौतीपूर्ण और नियंत्रणीय
(*c*) असम्भव
(*d*) मापनीय और बहु-विध
(*e*) व्यक्तिगत

नीचे दिए गए विकल्पों में से सही उत्तर का चयन कीजिए:

A. केवल (*a*), (*b*), (*d*), (*e*)
B. केवल (*a*), (*c*), (*e*)
C. केवल (*a*), (*b*), (*c*), (*d*)
D. केवल (*a*), (*e*)

64. अर्थक्रियावाद के मूल भूत सिद्धांत निम्नलिखित में से कौन-से हैं?

(*a*) यह मनुष्य की शक्ति को सर्वोच्य मानता है।
(*b*) मूल्य पूर्व निर्धारित नहीं होते हैं।
(*c*) यह अद्वैतात्मक संकल्पना है।
(*d*) यह बहुलवादात्मक संकल्पना है।
(*e*) यह पदार्थ में विश्वास करता है।

नीचे दिए गए विकल्पों में से सही उत्तर का चयन कीजिए:

A. केवल (*a*), (*d*) और (*e*)
B. केवल (*b*), (*c*) और (*e*)
C. केवल (*a*), (*b*) और (*d*)
D. केवल (*b*), (*c*) और (*d*)

65. निम्नलिखित में से विशिष्ट शोध समस्याओं का चिन्हित करने की विधि कौन-सी है?

(*a*) आगमनात्मक तर्क
(*b*) निगमनात्मक तर्क
(*c*) आनुभवि अध्ययन
(*d*) प्रेक्षण

नीचे दिए गए विकल्पों में से सही उत्तर का चयन कीजिए:

A. केवल (*a*), (*c*), (*d*)
B. केवल (*a*), (*b*), (*d*)
C. केवल (*a*), (*b*)
D. केवल (*a*), (*d*)

66. सूची-I के साथ सूची-II का मिलान कीजिए:

सूची-I (राष्ट्रमंडल युवा खेलों के आयोजक शहर)	सूची-II (वर्ष)
(*a*) बहामास	I. 2008
(*b*) समोआ	II. 2004
(*c*) पूणे	III. 2017
(*d*) बेंडिगो	IV. 2015

नीचे दिए गए विकल्पों में से सही उत्तर का चयन कीजिएः

	(a)	(b)	(c)	(d)
A.	IV	I	III	II
B.	III	IV	I	II
C.	I	III	II	IV
D.	II	I	IV	III

67. सूची-I के साथ सूची-II का मिलान कीजिएः

सूची-I	सूची-II
(a) जल	I. पेशीय प्रोटीन का 60 प्रतिशत
(b) प्रोटीन	II. कंकाली पेशीय द्रव्यमान का 5 प्रतिशत
(c) नमक एवं अन्य पदार्थ	III. कंकाली पेशीय द्रव्यमान का 20 प्रतिशत
(d) मायोसिन	IV. कंकाली पेशीय द्रव्यमान 75 प्रतिशत

नीचे दिए गए विकल्पों में से सही उत्तर का चयन कीजिएः

	(a)	(b)	(c)	(d)
A.	II	I	III	IV
B.	III	IV	I	II
C.	IV	III	II	I
D.	I	II	IV	III

68. सूची-I के साथ सूची-II का मिलान कीजिएः

सूची-I	सूची-II
(a) होलो बैक (जीनपुश्त)	I. गेनू वेरम
(b) मेरुदंड का पार्श्व झुकाव	II. गेनू वैल्गाम
(c) संहतजानु (नॉक नी)	III. स्कोलिओसिस
(d) झुके हुए पैर	IV. लॉर्डोसिस

नीचे दिए गए विकल्पों में से सही उत्तर का चयन कीजिएः

	(a)	(b)	(c)	(d)
A.	II	III	IV	I
B.	IV	III	I	II
C.	IV	III	II	I
D.	III	IV	II	I

69. सूची-I के साथ सूची-II का मिलान कीजिएः

सूची-I (समूह ही संसजकता के संवर्धन की रणनीतियां)	सूची-II (पहल रणनीतियों के उदाहरण)
(a) प्रभेदकता	I. फिटनेस के स्तर द्वारा स्वीमिंग पूल को विभाजित करना
(b) वैयक्तिक स्थिति	II. एक साथ भार में कमी लाने के लिए एक लक्ष्य निर्धारित करना
(c) समूह के नियम	III. कक्षा के लिए पोस्तर और नारे (स्लोगंस) बनाना
(d) व्यक्तिगत त्याग	IV. नियमित लोगों से नए लोगों की मदद करने के लिए कहना

नीचे दिए गए विकल्पों में से सही उत्तर का चयन कीजिएः

	(a)	(b)	(c)	(d)
A.	I	II	III	IV
B.	III	I	II	IV
C.	IV	III	II	I
D.	III	IV	II	I

70. सूची-I के साथ सूची-II का मिलान कीजिएः

सूची-I	सूची-II
(a) वाई.एम.सी.ए. शारीरिक शिक्षा महाविद्यालय	I. 1950
(b) केन्द्रीय शारीरिक शिक्षा एवं मनोरंजन सलाहकारी बोर्ड	II. 1995
(c) अखिल भारतीय खेल परिषद	III. 1920
(d) राष्ट्रीय शिक्षक शिक्षा परिषद	IV. 1954

नीचे दिए गए विकल्पों में से सही उत्तर का चयन कीजिएः

	(a)	(b)	(c)	(d)
A.	III	IV	I	II
B.	III	I	II	IV
C.	III	I	IV	II
D.	III	II	IV	I

71. सूची-I के साथ सूची-II का मिलान कीजिए:

सूची-I	सूची-II
(*a*) हड्डियाँ	I. नपुंसकता
(*b*) प्रजनन	II. सोरियासिस
(*c*) त्वचा	III. परिरेखीय संवहनतंत्र रोग
(*d*) रुधिर वाहिका	IV. बिंब (डिस्क) अपक्षय (ह्रास)

नीचे दिए गए विकल्पों में से सही उत्तर का चयन कीजिए:

	(*a*)	(*b*)	(*c*)	(*d*)
A.	I	II	III	IV
B.	IV	I	II	III
C.	III	IV	I	II
D.	II	III	IV	I

72. सूची-I के साथ सूची-II का मिलान कीजिए:

सूची-I (शक्ति का प्रकार)	सूची-II (आशय)
(*a*) निरपेक्ष शक्ति	I. अधिकतम शक्ति एवं शरीर वजन के मध्य अनुपात।
(*b*) सापेक्षित शक्ति	II. पेशी तनाव एवं छोटे होने की स्थिति उत्पन्न करती है।
(*c*) संकेद्रिक शक्ति	III. शरीर वजन पर ध्यान दिए बिना अधिकतम बल का प्रयास।
(*d*) उत्केंद्रिक शक्ति	IV. एक पेशी बाह्य प्रति रोध की अपेक्षा कम तनाव उत्पन्न करती है।

नीचे दिए गए विकल्पों में से सही उत्तर का चयन कीजिए:

	(*a*)	(*b*)	(*c*)	(*d*)
A.	III	II	I	IV
B.	II	I	III	IV
C.	IV	I	II	III
D.	III	I	II	IV

73. सूची-I के साथ सूची-II का मिलान कीजिए:

सूची-I	सूची-II
(*a*) विविक्त चर	I. मापन की समान इकाइयों द्वारा प्रदर्शित करता है।
(*b*) सतत चर	II. इकाइयों से कम प्रविभाजित नहीं किया जा सकता है।
(*c*) सांकेतिक मापनी	III. गैर-अनुपात वर्गीकरण।
(*d*) अंतराल मापनी	IV. प्रविभाजन की किसी भी मात्रा में सक्षम।

नीचे दिए गए विकल्पों में से सही उत्तर का चयन कीजिए:

	(*a*)	(*b*)	(*c*)	(*d*)
A.	II	IV	I	III
B.	III	IV	I	II
C.	II	IV	III	I
D.	III	IV	II	I

74. सूची-I के साथ सूची-II का मिलान कीजिए:

सूची-I	सूची-II
(*a*) मोटर क्षमता	I. भिन्न एथलेटिक आयोजनों या खेलों में प्रदर्शन की वर्तमान योग्यता गति, समन्वयन, सुनम्यता आदि जैसे मूलभूत तत्वों के संयोग द्वारा सुनिश्चित होती है।
(*b*) सामान्य मोटर क्षमता (जी.एम.सी)	II. विकसित क्षमता, भिन्न खेल कार्यकलापों में प्रदर्शन की किसी व्यक्ति की वर्तमान योग्यता। बड़े मांसपेशीय कार्यकलापों में प्रदर्शन की योग्यता के लिए तंत्रिका मांसपेशीय समन्वयन की आवश्यकता होती है।
(*c*) सामान्य एथलेटिक योग्यता (जी.ए.ए.)	III. अनेकों (तंत्रिका मांसपेशीय, मनो-मोटर) कार्यकलापों में प्रदर्शन के लिए किसी व्यक्ति की अंतःशक्ति में गति की व्यापक रेंज शामिल रहती है।
(*d*) सामान्य मोटर योग्यता (जी.एम.ए.)	IV. जटिल मोटर सम-वयनों के अधिगम की नैसर्गिक या जन्मसिद्ध योग्यता।

नीचे दिए गए विकल्पों में से सही उत्तर का चयन कीजिए:

	(*a*)	(*b*)	(*c*)	(*d*)
A.	II	III	I	IV
B.	III	IV	I	II
C.	IV	III	II	I
D.	IV	III	I	II

75. सूची-I के साथ सूची-II का मिलान कीजिए:

सूची-I (भारतीय एथलीट)	**सूची-II (खेल)**
(*a*) अचिन्ता शिवली	I. मुक्केबाजी (बाक्सिंग)
(*b*) सुधीर	II. पैरा टेबल-टेनिस
(*c*) निखत जरीन	III. भारोत्तोलन (वेटलिफ्टिंग)
(*d*) भाविना पटेल	IV. पैरा पावर लिफ्टिंग

नीचे दिए गए विकल्पों में से सही उत्तर का चयन कीजिए:

	(*a*)	(*b*)	(*c*)	(*d*)
A.	II	III	IV	I
B.	IV	III	I	II
C.	II	IV	I	III
D.	III	IV	I	II

76. निम्नलिखित शहरों को उनके एशियाई खेलों के आयोजन साल के क्रमानुसार आरोही क्रम में व्यवस्थित कीजिए:

(*a*) मनीला

(*b*) बुसान

(*c*) इंचिओम

(*d*) तेहरान

नीचे दिए गए विकल्पों में से सही उत्तर का चयन कीजिए:

A. (*a*), (*b*), (*c*), (*d*)

B. (*c*), (*b*), (*d*), (*a*)

C. (*b*), (*c*), (*a*), (*d*)

D. (*d*), (*a*), (*c*), (*b*)

77. संयोजक उतकों की परषिकृत परतों का बहिर्मुखी अंतमुखी कोर्नेट का क्रम बताइए।

(*a*) पेरिमाइजियम

(*b*) एन्डोमजियम

(*c*) सार्कोलेम्मा

(*d*) एपिमाइजियम

नीचे दिए गए विकल्पों में से सही उत्तर का चयन कीजिए:

A. (*b*), (*c*), (*d*), (*a*)

B. (*d*), (*a*), (*b*), (*c*)

C. (*c*), (*b*), (*a*), (*d*)

D. (*a*), (*d*), (*c*), (*b*)

78. मानव-शरीर की मांसपेशियों को सिर से पैर तक निकटस्थ संलग्नता के अनुसार अनुक्रम में व्यवस्थित कीजिए:

(*a*) कलार्द्ध पेशी (Semimembranous)

(*b*) गैस्ट्रॉक्निमियस (Gastroenemius)

(*c*) अधोजत्रुक पेशी

(*d*) अंगुलिपर्व प्रसारिणी लघु पेशी

(*e*) उपोजत्रुक कर्णमूलिका

नीचे दिए गए विकल्पों में से सही उत्तर का चयन कीजिए:

A. (*c*), (*e*), (*a*), (*d*), (*b*)

B. (*a*), (*e*), (*c*), (*b*), (*d*)

C. (*e*), (*c*), (*a*), (*b*), (*d*)

D. (*c*), (*e*), (*a*), (*b*), (*d*)

79. उस सही क्रम को बताइए, जिसमें किस प्रकार, हमारे संवेदी आगत ध्यान देने के लिए प्रतिसार्धा करते हैं और उस प्रक्रिया की रूपरेखा बनाते हैं, जिसके द्वारा कौशल का निर्माण किया जाता है।

(*a*) प्रत्यक्षीकरण

(*b*) नीति निर्माण

(*c*) तटस्थ आवेगों से शरीर के माध्यम से सही अनुक्रिया को प्रारम्भ करना

(*d*) अनुक्रिया

नीचे दिए गए विकल्पों में से सही उत्तर का चयन कीजिए:

A. (*a*), (*c*), (*b*), (*d*)

B. (*a*), (*c*), (*d*), (*b*)

C. (*a*), (*d*), (*c*), (*b*)

D. (*a*), (*b*), (*c*), (*d*)

80. शारीरिक शिक्षा में सामान्य पाठ योजना के शिक्षण का सही क्रम बताइए।

(*a*) औपचारिक भाग

(*b*) विशेष भाग

(*c*) आरम्भिक भाग

(*d*) मनोरंजक भाग

नीचे दिए गए विकल्पों में से सही उत्तर का चयन कीजिए:

A. (*b*), (*a*), (*c*), (*d*)
B. (*c*), (*a*), (*b*), (*d*)
C. (*a*), (*b*), (*c*), (*d*)
D. (*c*), (*b*), (*a*), (*d*)

81. स्वास्थ्य नियोजक चक्र के निम्नलिखित चरण हैं, उन्हें अनुक्रमानुसार क्रम में व्यवस्थित कीजिए:

(*a*) स्वास्थ्य दशा का विश्लेषण

(*b*) देखभाल एवं मूल्यांकन

(*c*) सूत्रबद्ध योजना बनाना

(*d*) कार्यक्रम बनाना और क्रियान्वयन

(*e*) उद्देश्यों एवं लक्ष्यों को स्थापित करना

नीचे दिए गए विकल्पों में से सही उत्तर का चयन कीजिए:

A. (*c*), (*a*), (*d*), (*e*), (*b*)
B. (*a*), (*e*), (*c*), (*d*), (*b*)
C. (*c*), (*a*), (*e*), (*d*), (*b*)
D. (*a*), (*e*), (*d*), (*c*), (*b*)

82. अवायुवीय एलाक्टिक प्रणाली पर भारतीय प्रतिरूप प्रशिक्षन के सही अनुक्रम को बताइए:

(*a*) उष्मीकरण

(*b*) शक्ति प्रशिक्षण

(*c*) लघु अवधि वाला तकनीकि प्रशिक्षण

(*d*) अधिकतम शक्ति प्रशिक्षण

(*e*) अधिकतम गति एवं दक्षता प्रशिक्षण (2 + 8 सकेंड)

नीचे दिए गए विकल्पों में से सही उत्तर का चयन कीजिए:

A. (*a*), (*b*), (*d*), (*e*), (*c*)
B. (*a*), (*c*), (*e*), (*d*), (*b*)
C. (*a*), (*c*), (*b*), (*e*), (*d*)
D. (*a*), (*d*), (*b*), (*c*), (*e*)

83. सहप्रसरण-विश्लेषण (ANCOVA) के परिकलन हेतु SPSS-21 संस्करण के निम्नलिखित समादेशों को अनुक्रम में व्यस्थित कीजिए।

(*a*) सामान्य रेखीय मॉडल

(*b*) वर्गों का योग मॉडल – टाइप I

(*c*) एकचर

(*d*) उत्तर-परीक्षा - आश्रित चर, पूर्व-परीक्षण - सहप्रसारी

(*e*) विश्लेषण करना

नीचे दिए गए विकल्पों में से सही उत्तर का चयन कीजिए:

A. (*e*), (*a*), (*b*), (*c*), (*d*)
B. (*e*), (*a*), (*c*), (*b*), (*d*)
C. (*e*), (*a*), (*c*), (*d*), (*b*)
D. (*e*), (*c*), (*a*), (*d*), (*b*)

84. निम्नलिखित कौशल परीक्षणों को उनके निर्मित होने वर्ष के अनुसार आरोही क्रम में व्यवस्थित कीजिए:

(*a*) केम्पविन्सेन्ट रैली परीक्षण

(*b*) शर्मन रैली परीक्षण

(*c*) हैमर टेनिस योग्यता परीक्षण

(*d*) विस्कान्सिन वाल परीक्षण

(*e*) अलोइया टेनिस सर्विस रिटर्न परीक्षण

नीचे दिए गए विकल्पों में से सही उत्तर का चयन कीजिए:

A. (*a*), (*d*), (*b*), (*c*), (*e*)
B. (*d*), (*a*), (*c*), (*b*), (*e*)
C. (*d*), (*a*), (*b*), (*e*), (*c*)
D. (*d*), (*a*), (*b*), (*c*), (*e*)

85. तीसरे खेलो इंडिया युवा खेलो - हेतु आरोही क्रम में राज्यों की अधिकारिक रैंकिंग क्रम को व्यवस्थित कीजिए।

(*a*) केरल (*b*) मणिपुर

(*c*) कर्नाटक (*d*) महाराष्ट्र

(*e*) हरियाणा

नीचे दिए गए विकल्पों में से सही उत्तर का चयन कीजिए:

A. (*e*), (*c*), (*a*), (*d*), (*b*)
B. (*e*), (*d*), (*c*), (*b*), (*a*)
C. (*e*), (*b*), (*d*), (*c*), (*a*)
D. (*e*), (*a*), (*c*), (*d*), (*b*)

86. नीचे दो कथन दिए गए हैं:

कथन I: किसी दिशा में तेजी से प्रारंभ करने हेतु गुरुत्व केन्द्र यथासंभव निम्न तथा अभीष्ट गति की दिशा यथा संभव आधार के कोर निकट रखनी चाहिए।

कथन II: तीव्र गति के दौरान तेजी से रूकने हेतु, गुरुत्व केन्द्र को यथासंभव अनुवर्ति संचलनों के साथ निरंतर कमी करना यथासंभव आधार क्षेत्र को व्यापक बनाना और आधार की कोर से दूर गति करें जो संचलन की दिशा के नजदीक होती है।

उपरोक्त कथन के आलोक में, नीचे दिए गए विकल्पों में से सबसे उपयुक्त उत्तर का चयन कीजिए:

A. कथन I और II दोनों सत्य हैं
B. कथन I और II दोनों असत्य हैं
C. कथन I सत्य है, लेकिन कथन II असत्य है
D. कथन I असत्य है, लेकिन कथन II सत्य है

87. नीचे दो कथन दिए गए हैं:

कथन I: जब कोई समूह प्रभेदक महसूस करता है तो उसकी एकता और एक्स की भावनाएं कम होती हैं।

कथन II: खेल में प्रभेदकता टीम की वेश-भूषा और आदर्श वाक्य के माध्यम से पारम्परिक रूप से प्राप्त की गई है।

उपरोक्त कथन के आलोक में, नीचे दिए गए विकल्पों में से सबसे उपयुक्त उत्तर का चयन कीजिए:

A. कथन I और II दोनों सत्य हैं
B. कथन I और II दोनों असत्य हैं
C. कथन I सत्य है, लेकिन कथन II असत्य है
D. कथन I असत्य है, लेकिन कथन II सत्य है

88. नीचे दो कथन दिए गए हैं: एक अभिकथन (A) के रूप में लिखित है तो दूसरा उसके कारण (R) के रूप में:

अभिकथन (A): भौतिक स्थिति में सुधार प्राथमिक रूप से अतिभार सिद्धांत पर आधारित होती हैं।

कारण (R): अतिभार सिद्धांत के अनुसार जब शरीर की हो रही वृद्धि पर मांग रखी जाती है, अनुक्रिया हेतु क्षमता तभी सुधार होता है।

उपरोक्त कथन के आलोक में, नीचे दिए गए विकल्पों में से सबसे उपयुक्त उत्तर का चयन कीजिए:

A. (A) और (R) दोनों सही हैं और (R), (A) की सही व्याख्या है।
B. (A) और (R) दोनों सही हैं, लेकिन (R), (A) की सही व्याख्या नहीं है।
C. (A) सही है, लेकिन (R) सही नहीं है।
D. (A) सही नहीं है, लेकिन (R) सही है।

89. नीचे दो कथन दिए गए हैं:

कथन I: सहप्रसरण विश्लेषण में आरंभिक माध्य अंतिम माध्य में अंतर के लिए समायोजित किये जाते हैं और समायोजित माध्य महत्ता के लिए परीक्षित किये जाते हैं।

कथन II: सहप्रसरण विश्लेषण के प्रयोग का लाभ यह है कि प्रसरण का विश्लेषण सर्वप्रथम आरंभिक माध्यों के बीच अंतर की परिगणना के लिए किया जाता है और महत्वपूर्ण F-अनुपात यह इंगित करता है कि आरंभिक प्रतिदर्श एक समान आबादी से लिया गया है, इसलिए प्रतिदर्शन पक्षपात-रहित है।

उपरोक्त कथन के आलोक में, नीचे दिए गए विकल्पों में से सबसे उपयुक्त उत्तर का चयन कीजिए:

A. कथन I और II दोनों सत्य हैं
B. कथन I और II दोनों असत्य हैं
C. कथन I सत्य है, लेकिन कथन II असत्य है
D. कथन I असत्य है, लेकिन कथन II सत्य है

90. नीचे दो कथन दिए गए हैं:

कथन I: नियम-संदर्भित परीक्षण में, प्रमुख सरोकार यह है कि कैसे व्यक्ति निष्पादन के स्थापित स्तर पहुँचते हैं, बजाय इसके कि अन्य व्यक्ति उस स्तर पर कैसे पहुँचे होंगे।

कथन II: मानदंड संदर्भित मापन में, छात्रों का सापेक्षी प्रदर्शन मूल्यांकित किया जाता है और शारीरिक शिक्षा में ग्रेडिंग पद्धति का आधार है।

उपरोक्त कथन के आलोक में, नीचे दिए गए विकल्पों में से सबसे उपयुक्त उत्तर का चयन कीजिए:

A. कथन I और II दोनों सत्य हैं
B. कथन I और II दोनों असत्य हैं
C. कथन I सत्य है, लेकिन कथन II असत्य है
D. कथन I असत्य है, लेकिन कथन II सत्य है

निर्देश (प्र.सं. 91-95): *निम्नलिखित को ध्यानपूर्वक पढ़ें और नीचे दिए गये प्रश्नों के उत्तर दीजिए:*

खेल प्रतिस्पर्धा दुश्चिंता परीक्षण (SCAT) प्रश्नावली का प्रयोग करते हुए रेनर मर्टेन्स ने दुश्चिंता स्तर पर विभिन्न खेल समूहों के 50 खिलाड़ियों से आँकड़े एकत्रित किए थे, जिनमें व्यक्तिगत खेलों (10), रैकट खेलों (10), जल-संबंधी खेलों (10), टीम खेलों (10) और समाघात खेलों (10) (कम्बैट) से खिलाड़ियों का चयन किया था। आँकड़ा संचयन के पश्चात आँकड़े को एक पथ प्रसरण विश्लेषण (ANOVA) का प्रयोग करते हुए विश्लेषित किया था और परिणाम स्वरूप व्यक्तिगत खेलों से ($\Sigma X_1 = 167$), रैकट खेलों से ($\Sigma X_2 = 153$), जल खेलों से ($\Sigma X_3 = 119$), टीम खेलों से ($\Sigma X_4 = 198$) और समाघात खेलों से ($\Sigma X_5 = 197$) आँकड़े प्राप्त हुए। आँकड़े के और अधिक विश्लेषण के पश्चात व्यक्तिगत खेलों से ($\Sigma_1{}^2 \rightarrow X12 = 2827$), रैकट खेलों से ($\Sigma X_2^2 \rightarrow X22 = 2373$), जल संबंधी खेलों से ($\Sigma X_3^2 \rightarrow X32 = 1437$), टीम खेलों से ($\Sigma X_4^2 \rightarrow X42 = 3956$) और समाघात खेलों से ($\Sigma X_5^2 = 3933$) के रूप में आँकड़े प्रकाशित हुए। स्वातंत्र्य-कोटि 4, 45 के साथ सार्थकता स्तर 0.05 पर सारणीबद्ध 'F' का मान 2.58 प्राप्त हुआ।

91. वर्गों के कुल योग (TSS) का मान कितना होगा?

A. 614.88
B. 614.68
C. 614.86
D. 641.88

92. F-अनुपात के परिकलित मान के संदर्भ में निम्नलिखित में से कौन से सही हैं?

(*a*) परिकल्पना अस्वीकृत है।
(*b*) परिकल्पना स्वीकृत है।
(*c*) परिकलित F > सारणीबद्ध $F_{0.05}$ (4, 45)
(*d*) समूह माध्यमों के बीच महत्वपूर्ण भेद है।
(*e*) समूह माध्यों के बीच कोई महत्वपूर्ण भेद नहीं है।

नीचे दिए गए विकल्पों में से सही उत्तर का चयन कीजिए:

A. केवल (*b*), (*c*), (*e*)
B. केवल (*a*), (*c*), (*e*)
C. केवल (*a*), (*c*), (*d*)
D. केवल (*a*), (*c*), (*d*), (*e*)

93. एक पथ प्रसरण विश्लेषण परिकलन हेतु निम्नलिखित सोपानों को अनुक्रम में व्यवस्थित कीजिए।

(*a*) संशोधन कारक (C.F.)
(*b*) समूहों के माध्य वर्गों का योग $(SS)_b$
(*c*) वर्गों का कुल योग (TSS)
(*d*) वर्गों का अपरिष्कृत योग (RSS)
(*e*) समूहों में वर्गों का योग $(SS)_w$

नीचे दिए गए विकल्पों में से सही उत्तर का चयन कीजिए:

A. (*a*), (*d*), (*c*), (*e*), (*b*)
B. (*a*), (*c*), (*d*), (*b*), (*e*)
C. (*a*), (*d*), (*c*), (*b*), (*e*)
D. (*a*), (*b*), (*d*), (*c*), (*e*)

94. नीचे दो कथन दिए गए हैं:

कथन I: युग्मित माध्यों के बीच तुलना के लिए पोस्टहॉक परीक्षण तब अनुप्रयुक्त किया जाता है जब परिकल्पना अस्वीकृत होती है या महत्वपूर्ण प्रसरण विश्लेषण (ANOVA) F-अनुपात का अनुपालन स्वीकार नहीं करती है।

कथन II: जब क्रांतिक अंतर, दिये गये स्तर के माध्य अंतर से अधिक होता है, तो युग्मित माध्यों के बीच महत्वपूर्ण अंतर होता है।

उपरोक्त कथन के आलोक में, नीचे दिए गए विकल्पों में से सबसे उपयुक्त उत्तर का चयन कीजिए:

A. कथन I और II दोनों सत्य हैं

B. कथन I और II दोनों असत्य हैं

C. कथन I सत्य है, लेकिन कथन II असत्य हैं

D. कथन I असत्य है, लेकिन कथन II सत्य हैं

95. सूची-I के साथ सूची-II का मिलान कीजिए:

सूची-I	सूची-II
(*a*) समूहों के मध्य वर्गों का योग	I. 27.438
(*b*) वर्गों का अपरिष्कृत योग	II. 13911.12
(*c*) परिकलित F-अनुपात	III. 436.08
(*d*) संशोधन कारक (C.F.)	IV. 14526

नीचे दिए गए विकल्पों में से सही उत्तर का चयन कीजिए:

	(*a*)	(*b*)	(*c*)	(*d*)
A.	IV	III	I	II
B.	III	II	I	IV
C.	III	IV	II	I
D.	III	IV	I	II

निर्देश (प्र.सं. 96-100): *निम्नलिखित को ध्यानपूर्वक पढ़े और नीचे दिए गये प्रश्नों के उत्तर दीजिए:*

अरविन्द, आशीष, अनमोल और अर्पित नामक चार धावकों का बिल्कुल ठीक ढंग से एक समान भार 175 पाउंड है। वे चार धावन पथों पर दौड़ रहे हैं, जिनकी त्रिज्या भिन्न हैं, लेकिन एक समान वेग 30 फुट/सेकंड है। सभी धावन पथों पर गुरुत्वाकर्षण बल अविरत 32 फुट/सेकंड^2 माना जाता है। अरविन्द एक कृत्रिम धावन पथ पर दौड़ रहा है, जिनकी त्रिज्या 125 फुट है, आशीष 100 फुट की त्रिज्या वाले धावन पथ पर दौड़ रहा है, अनमोल 40 फुट के त्रिज्या वाले धावन पथ पर दौड़ रहा है और अर्पित उस बल का पता लगाने के लिए केवल 10 फुट की त्रिज्या वाले धावन पथ पर दौड़ रहा है जो उसको मोड़ की लेन (पथ) से बाहर खींच लेता है या धावन पथ के मोड़ के अनुसरण की अनुमति देने के लिए कितना बल आवश्यक है? यह वह बल है, जो एथलीट के दौड़ने पर खींचने को प्रवण होता था उसे अपने पथ से बाहर धकेल देता है।

96. बल का मान क्या होगा, जो आशीष को खींचेगा, यदि उस धावन पथ की त्रिज्या 100 फुट है?

A. 44.74 पाउंड्स B. 44.47 पाउंड्स

C. 47.74 पाउंड्स D. 45.74 पाउंड्स

97. बल का मान क्या होगा, जो अरविन्द को खींचेगा, यदि उस धावन पथ की त्रिज्या 70 फूट है?

A. 70.51 पाउंड्स B. 69.31 पाउंड्स

C. 70.13 पाउंड्स D. 70.31 पाउंड्स

98. निम्नलिखित में से कौन-सा कथन सही है?

(*a*) बल, जो आशीष को खींचने को प्रवृत्त होता है, वह अनमोल की तुलना में बृहत्तर है।

(*b*) बल, जो अनमोल को खींचने को प्रवृत्त होता है, वह अर्पित की तुलना में बृहत्तर है।

(*c*) बल, जो अरविन्द को खींचने को प्रवृत्त होता है, वह न्यूनतम है।

(*d*) बल, जो अर्पित को खींचने को प्रवृत्त होता है, वह अनमोल और आशीष की तुलना में बृहत्तर है।

नीचे दिए गए विकल्पों में से सही उत्तर का चयन कीजिए:

A. केवल (*a*), (*b*), (*d*)

B. केवल (*a*), (*c*), (*d*)

C. केवल (*a*), (*b*)

D. केवल (*a*), (*b*), (*c*)

99. नीचे दो कथन दिए गए हैं:

कथन I: जब कृत्रिम या सिंडर धावन पथ छोटा बना जाता है तो अपकेन्द्रीय बल के परिणाम में वृद्धि होती है।

कथन II: अपकेन्द्री बल के परिणाम से बाहर निगलने (ऑफसेट) के लिए धावक या तो उस बिंदु की ओर भुकता है, जिसके बारे में वह मुड़ रहा है या तटीय पथ पर दौड़ता है।

उपरोक्त कथन के आलोक में, नीचे दिए गए, विकल्पों में से सबसे उपयुक्त उत्तर का चयन कीजिए:

A. कथन I और II दोनों सत्य हैं

B. कथन I और II दोनों असत्य हैं

C. कथन I सत्य है, लेकिन कथन II असत्य हैं

D. कथन I असत्य है, लेकिन कथन II सत्य हैं

100. सूची-I के साथ सूची-II का मिलान कीजिए:

सूची-I	सूची-II
(*a*) बल आशीष को खींचने को प्रवृत्त होता है।	I. 49.22 पाउंड्स
(*b*) बल अनमोल को खींचने को प्रवृत्त होता है।	II. 492.19 पाउंड्स
(*c*) बल अर्पित को खींचने को प्रवृत्त होता है।	III. 123.05 पाउंड्स
(*d*) बल अरविन्द को खींचने को प्रवृत्त होता है।	IV. 39.375 पाउंड्स

नीचे दिए गए विकल्पों में से सही उत्तर का चयन कीजिए:

	(*a*)	(*b*)	(*c*)	(*d*)
A.	I	III	II	IV
B.	III	I	II	IV
C.	II	III	I	IV
D.	IV	III	II	I

उत्तरमाला

1. (C): पैन्क्रेशन यह खेल बेहद कठोर और थोड़ा नियमों से मुक्त होता था, जिसमें प्रतिद्वंद्वी को पराजित करने के लिए लगभग किसी भी तरह की तकनीक की अनुमति थी। पैन्क्रेशन का इतिहास ग्रीक मिथकों में भी पाया जाता है और इसे ओलम्पिक खेलों में भी शामिल किया गया था। मुक्केबाजी में जहां मुक्के मारने की तकनीक होती है, वहीं कुश्ती में ग्रिपिंग और नियंत्रण के तरीके शामिल होते हैं।

2. (D): बैडमिंटन खेल को पहली बार ओलम्पिक खेलों में 1992 में बार्सिलोना, स्पेन में शामिल किया गया था। इस खेल का आधुनिक स्वरूप इंग्लैंड में 19वीं सदी के अंत में विकसित हुआ था, और इसे विश्व स्तर पर पहचान तब मिली जब इसे 1972 में म्यूनिख ओलम्पिक्स में प्रदर्शनी खेल के रूप में पेश किया गया था। 1992 में, बैडमिंटन ने पूरी तरह से ओलम्पिक खेलों का हिस्सा बन गया, जिसमें पुरुषों और महिलाओं के एकल और युगल वर्गों के साथ-साथ मिश्रित युगल वर्ग भी शामिल था।

3. (C): टोकियो ओलम्पिक 2020 में नीरज चोपड़ा ने पुरुषों की भाला फेंक स्पर्धा में 87.58 मीटर की दूरी पर भाला फेंककर स्वर्ण पदक जीता था। यह भारत के लिए एक ऐतिहासिक जीत थी क्योंकि यह ट्रैक और फील्ड में भारत का पहला ओलम्पिक स्वर्ण पदक था। नीरज चोपड़ा की इस उपलब्धि ने न केवल भारतीय खेलों में उनका नाम स्वर्ण अक्षरों में दर्ज कराया, बल्कि पूरे देश में खेलों के प्रति उत्साह और संचार में भी वृद्धि की।

4. (B): स्टेड दौड़ एक प्राचीन ग्रीक ओलंपिक दौड़ थी, जिसकी दूरी लगभग 200 मीटर थी। यह दौड़ ओलम्पिया के स्टेडियम में आयोजित की जाती थी, जहाँ इसका नाम भी इसी स्टेडियम से पड़ा। स्टेडियम का आकार और दौड़ की दूरी सटीक रूप से मापी जाती थी, जो कि आज के 200 मीटर दौड़ के समान होती थी। प्राचीन ग्रीक काल में, यह ओलम्पिक खेलों के सबसे पुराने और महत्वपूर्ण आयोजनों में से एक था। इस दौड़ में एथलीट नंगे पाँव और अक्सर पूरी तरह से निर्वस्त्र होकर दौड़ते थे, जिससे इस दौड़ की चुनौती और भी अधिक हो जाती थी। स्टेड दौड़ प्राचीन ग्रीक समाज में शारीरिक क्षमता और साहस के प्रदर्शन का महत्वपूर्ण साधन मानी जाती थी।

5. (C): महिला एथलीट त्रय के तीन मुख्य घटक हैं: अव्यवस्थित खानपान, एमेनोर्रहिआ (मासिक धर्म की अनुपस्थिति), और ऑस्टियोपोरोसिस (हड्डियों का कमजोर होना)। यह स्थिति उन महिला एथलीटों में देखने को मिलती है जो अत्यधिक व्यायाम करती हैं और अपर्याप्त पोषण का सेवन करती हैं। अव्यवस्थित खानपान से शरीर में ऊर्जा की कमी हो जाती है, जो मासिक धर्म चक्र को प्रभावित कर सकती है, इससे

एमेनोर्रहिआ हो सकता है। इसके अलावा, उचित पोषण की कमी से हड्डियों की संरचना कमजोर पड़ सकती है, जिससे ऑस्टियोपोरोसिस का खतरा बढ़ जाता है। इस प्रकार की स्वास्थ्य समस्याएँ न केवल एथलीटों के प्रदर्शन को प्रभावित करती हैं, बल्कि उनके समग्र स्वास्थ्य पर भी गहरा असर डाल सकती हैं।

6. (C): फास्ट ट्विच फाइबर मांसपेशियों के वे तंतु होते हैं जिनमें उच्च मायोसिन ATPase क्रिया होती है। ये फाइबर तेजी से सिकुड़ते हैं और विस्फोटक बल प्रदान करते हैं, जो उन्हें अल्पकालिक, उच्च तीव्रता वाली गतिविधियों के लिए अनुकूल बनाता है। उच्च मायोसिन ATPase क्रिया का मतलब है कि ये फाइबर एडेनोसिन ट्राईफॉस्फेट (ATP) को तेजी से तोड़ सकते हैं, जो मांसपेशियों को संकुचित करने के लिए ऊर्जा प्रदान करता है। इसके परिणामस्वरूप, फास्ट ट्विच फाइबर छोटे समय के लिए अधिकतम शक्ति प्रदान कर सकते हैं, जैसे कि स्प्रिंटिंग या भारोत्तोलन जैसे खेलों में।

7. (D): प्रशिक्षित एथलीटों में बड़े आधात परिमाप (stroke volume) के कारण हृदयी निर्गत (cardiac output) में वृद्धि होती है। हृदयी निर्गत, हृदय द्वारा प्रति मिनट पम्प की जाने वाली रक्त की मात्रा है, जो आधात परिमाप और हृदय दर के गुणनफल से निर्धारित होती है। प्रशिक्षित एथलीटों का हृदय अधिक कुशलतापूर्वक कार्य करता है, जिससे प्रत्येक धड़कन में अधिक रक्त पंप होता है। इसका मुख्य कारण हृदय की मांसपेशियों का विकास होना और बेहतर रक्त संचार प्रणाली का विकसित होना है। इसके विपरीत, अप्रशिक्षित एथलीटों में छोटे आधात परिमाप के कारण प्रति मिनट कम रक्त पम्प होता है, जिससे उनका हृदयी निर्गत कम होता है। इस प्रकार, प्रशिक्षण न केवल मांसपेशियों की क्षमता में सुधार करता है बल्कि हृदयी निर्गत को भी बढ़ाता है, जो एथलीटिक प्रदर्शन के लिए महत्वपूर्ण है।

8. (B): पाल्मेटिक अम्ल एक प्रकार का फैटी अम्ल है, जो कि ऐमीनो अम्ल नहीं है। ऐमीनो अम्ल प्रोटीन के निर्माण खंड होते हैं और उनमें एक एमीनो समूह ($-NH_2$) और एक कार्बोक्सिलिक एसिड समूह ($-COOH$) शामिल होता है। पाल्मेटिक अम्ल, जो कि एक संतृप्त फैटी अम्ल है, में ये विशेषताएँ नहीं पाई जातीं। इसके बजाय, इसमें एक लंबी कार्बन चेन होती है जिसे वसा और तेलों में पाया जाता है। पाल्मेटिक अम्ल का प्रमुख उपयोग खाद्य उद्योग में और साबुन तथा कॉस्मेटिक उत्पादों के निर्माण में होता है। इसका रासायनिक संरचना ऐमीनो अम्लों से भिन्न होती है और इसमें एमीनो समूह नहीं होता है।

9. (B): सेडल संधि को अन्योन्य अभिग्रहण के रूप में जाना जाता है। सेडल संधि में, एक हड्डी की सतह घुमावदार होती है जबकि दूसरी हड्डी की सतह इसमें बैठती है, जिससे अन्योन्य अभिग्रहण की स्थिति बनती है। इस प्रकार की संधि मुख्य रूप से अंगुलियों के जोड़ों में और जबड़े के जोड़ों में पाई जाती है। इसे कभी-कभी आधार जोड़ भी कहा जाता है क्योंकि यह उंगलियों के आधार और जबड़े के मूल में मौजूद होता है।

10. (C): जब सभी प्रकार के बल एक ही रेखा में कार्य करते हैं, तो इसे सरेख बल कहा जाता है। इस स्थिति में, बलों की दिशा समान होती है और वे एक ही रेखा के साथ कार्य करते हैं, जिससे उनके प्रभाव में वृद्धि होती है। यह अवधारणा मूल रूप से यांत्रिकी से संबंधित है, जहां बलों की समग्र प्रभाविता उनके सरेखण पर निर्भर करती है। सरेख बलों का प्रयोग विभिन्न तकनीकी और यांत्रिक अनुप्रयोगों में किया जाता है, जैसे कि निर्माण, विमानन और वाहन इंजीनियरिंग में। इस प्रकार की बल व्यवस्था से अधिकतम क्षमता प्राप्त की जा सकती है क्योंकि सभी बल एक दिशा में काम कर रहे होते हैं, जिससे उनके प्रभाव को दोगुना किया जा सकता है। यह स्थिति यांत्रिक दक्षता और प्रदर्शन में सुधार करती है, जो कि इंजीनियरिंग और भौतिक विज्ञान के अध्ययन में महत्वपूर्ण है।

11. (C): चार्ल्स शेरिंग्टन ने सर्वप्रथम पारस्परिक तंत्रिकोत्तेजन और अवरोधन की अवधारणा का वर्णन

किया था। इस अवधारणा के अनुसार, जब एक मांसपेशी संकुचित होती है, तो इसकी प्रतिद्वंद्वी मांसपेशी निष्क्रिय हो जाती है। शेरिंग्टन के अनुसंधानों ने यह स्पष्ट किया कि मांसपेशियों की संक्रियता नियंत्रित करने वाली तंत्रिकाएं इस प्रक्रिया में महत्वपूर्ण भूमिका निभाती हैं। यह जानकारी न केवल शरीर की मोटर संचालन प्रणाली के अध्ययन के लिए महत्वपूर्ण है, बल्कि यह तंत्रिका विज्ञान और फिजियोथेरेपी के क्षेत्र में भी उपयोगी है। शेरिंग्टन के योगदान ने न्यूरोलॉजिकल अध्ययनों में एक नई दिशा प्रदान की और मानव शरीर की जटिलताओं को समझने में मदद की।

12. (D)

13. (B): निरुद्ध अभ्यास एक प्रकार का अभ्यास है जिसमें खिलाड़ी एक ही समय में एक ही कौशल पर ध्यान केंद्रित करते हैं और उस कौशल को पूरी तरह से महारत हासिल करने तक दोहराते हैं। इस अभ्यास के दौरान, खिलाड़ी को किसी विशेष कौशल की विभिन्न शैलियों और पहलुओं पर काम करने का अवसर मिलता है, जब तक कि वह इसे सही नहीं कर लेता। यह अभ्यास विशेष रूप से उन खेलों में उपयोगी होता है जहां तकनीकी कौशल की आवश्यकता होती है, जैसे कि गोल्फ, जिमनास्टिक्स, या क्रिकेट में बैटिंग। निरुद्ध अभ्यास से खिलाड़ियों को तकनीकी निपुणता हासिल करने में मदद मिलती है, और यह उन्हें अधिक ध्यान केंद्रित करने और विशेष कौशल पर महारत हासिल करने में सक्षम बनाता है।

14. (A): एकाग्रता को कार्यात्मक मनोवैज्ञानिक कौशल के रूप में जाना जाता है। एकाग्रता की क्षमता से खिलाड़ी विकर्षणों को दूर कर सकते हैं और अपने कार्य पर पूर्ण रूप से ध्यान केंद्रित कर सकते हैं। यह खेलों में बहुत महत्वपूर्ण होता है, खासकर उन परिस्थितियों में जहाँ त्वरित निर्णय लेना और क्रियान्वयन करना पड़ता है। एकाग्रता से खिलाड़ी का प्रदर्शन सुधरता है क्योंकि वह किसी भी बाहरी या आंतरिक विचलन को अनदेखा कर सकता है और अपने लक्ष्य पर पूरी तरह से केंद्रित रह सकता है। इस कौशल का विकास विशेष रूप से उच्च दबाव वाले खेल स्थितियों में और टीम खेलों में जहां एक साथ कई कारकों पर ध्यान देना पड़ता है, अत्यधिक महत्वपूर्ण होता है।

15. (A): व्यक्तित्व के गुणों को प्रदर्शित करने के लिए एक अभ्यास को 'व्यक्तित्व के गुण' के रूप में जाना जाता है। यह व्यक्तित्व मनोविज्ञान में एक प्रमुख अवधारणा है जो यह बताती है कि किसी व्यक्ति की विशेषताएं और प्रवृत्तियाँ कैसे उसके व्यवहार और क्रियाओं को आकार देती हैं। व्यक्तित्व के गुण उस व्यक्ति की विशेषताओं को दर्शाते हैं, जैसे कि सहयोगिता, आत्म-नियंत्रण, और खुलापन। इन गुणों को समझना और विकसित करना व्यक्तिगत विकास और सामाजिक संपर्कों में सुधार के लिए महत्वपूर्ण है।

16. (B): लोकतांत्रिक व्यवहार वह शैली है जिसमें एक कोच अपने एथलीटों को समूह के लक्ष्यों, अभ्यास की पद्धतियों, और गेम की युक्तियों और रणनीतियों के बारे में निर्णय लेने में सक्रिय भागीदारी की अनुमति देता है। इस प्रकार का व्यवहार खिलाड़ियों को अधिक जवाबदेही और स्वामित्व की भावना विकसित करने में मदद करता है। इससे उन्हें टीम के लक्ष्यों के प्रति अधिक प्रतिबद्धता और समर्पण महसूस होता है। लोकतांत्रिक कोचिंग शैली टीम के सदस्यों के बीच सहयोग और संवाद को बढ़ावा देती है, जिससे टीम का मनोबल और आपसी समझ बढ़ती है। यह व्यवहार खिलाड़ियों को उनकी रणनीतिक सोच और समस्या-समाधान कौशल को विकसित करने का अवसर प्रदान करता है, जो उन्हें खेल के दौरान तेजी से और प्रभावी ढंग से निर्णय लेने में मदद करता है।

17. (D): वॉलीबॉल सर्व एक खुला कौशल का उदाहरण है। खुले कौशल वे होते हैं जिन्हें अप्रत्याशित और लगातार बदलते वातावरण में निष्पादित किया जाता है। वॉलीबॉल सर्व के दौरान, खिलाड़ियों को विपरीत टीम के प्रतिक्रियाओं और उनके संरक्षण के तरीके के अनुसार अपने सर्व को अजस्ट करना पड़ता है। यह कौशल उन्हें गतिशील परिस्थितियों में लचीलापन और अनुकूलन क्षमता प्रदान करता है।

18. (C): खेलो-इंडिया कार्यक्रम की शुरुआत सर्वप्रथम 2018 में की गई थी। इस कार्यक्रम का उद्देश्य भारतीय खेलों को प्रोत्साहन देना और देश भर के युवाओं में खेल के प्रति उत्साह बढ़ाना है। खेलो-इंडिया विभिन्न स्तरों पर खेल प्रतियोगिताओं का आयोजन करता है और युवा प्रतिभाओं की पहचान कर उन्हें नेशनल लेवल पर प्रतिस्पर्धा के लिए तैयार करता है।

19. (B): संकलनात्मक मूल्यांकन (Summative assessment): वह प्रक्रिया है जिसके द्वारा शिक्षक किसी पाठ्यक्रम, पाठ या शिक्षण सत्र के समापन पर छात्रों की सीखने की प्रगति और प्राप्त किए गए उद्देश्यों की मात्रा का मूल्यांकन करते हैं। यह आमतौर पर पाठ्यक्रम के अंत में किया जाता है और इसमें परीक्षा, परियोजना, या अन्य मूल्यांकन के तरीके शामिल हो सकते हैं जो यह आकलन करते हैं कि छात्र ने सीखने की अवधि के दौरान कितनी जानकारी और कौशल हासिल किए हैं। संकलनात्मक मूल्यांकन का मुख्य उद्देश्य यह सुनिश्चित करना होता है कि छात्रों ने शिक्षण उद्देश्यों को पूरा किया है या नहीं और यह उनके ग्रेडिंग और प्रमाणीकरण में भी सहायक होता है।

20. (D): शरीर में वसा प्रतिशत का आकलन करने के लिए जल-स्थैतिक तोलन को स्वर्ण मानक माना गया है। इस पद्धति में, एक व्यक्ति को पानी में डुबोया जाता है और उसके शरीर का वजन पानी के अंदर मापा जाता है। इस डेटा की मदद से, शरीर की वसा की मात्रा का बहुत सटीक अनुमान लगाया जा सकता है क्योंकि वसा और वसा रहित द्रव्यमान (जैसे कि मांसपेशियाँ और हड्डियाँ) का घनत्व अलग-अलग होता है। यह तकनीक अत्यधिक सटीक है क्योंकि यह शरीर के विभिन्न भागों में वसा के प्रतिशत को सही तरीके से निर्धारित कर सकती है, और इसे खेल विज्ञान और चिकित्सा क्षेत्र में व्यापक रूप से अपनाया गया है।

21. (B): सर्प का आकार सर्प-दंश का परिणाम नहीं होता है। सर्प-दंश के परिणामों में मुख्य रूप से विष की मात्रा, दंश की हुई जगह का स्थान, और सर्प की प्रजाति शामिल होती हैं। इन कारकों का संयोजन यह निर्धारित करता है कि विष का प्रभाव कितना गंभीर होगा। सर्प का आकार सीधे तौर पर दंश के प्रभाव को प्रभावित नहीं करता है, क्योंकि यह विष की प्रवृत्ति और मात्रा पर निर्भर करता है, न कि सर्प के आकार पर। इस प्रकार, दंश के प्रभाव का अध्ययन करते समय सर्प की प्रजाति और विष की मात्रा पर अधिक ध्यान दिया जाता है।

22. (C): आहार संबंधी रेशों से होने वाली उर्जा आपूर्ति की दर लगभग 2 किलो कैलोरी प्रति ग्राम होती है। यह जानकारी खासकर उन लोगों के लिए महत्वपूर्ण होती है जो अपने दैनिक आहार में कैलोरी की मात्रा का हिसाब रखते हैं। डाइटरी फाइबर मुख्यतः कार्बोहाइड्रेट के अघुलनशील रूप होते हैं जो आंतों के माध्यम से यथावत गुजर जाते हैं। यह शरीर द्वारा पूरी तरह से पचाया नहीं जाता है, इसलिए इसकी कैलोरीय योगदान कम होता है। फाइबर की उपस्थिति पाचन प्रक्रिया को धीमा कर देती है, जिससे भोजन के पाचन के दौरान ऊर्जा धीरे-धीरे मुक्त होती है, और यह लंबे समय तक तृप्ति प्रदान करता है।

23. (B): वाहन-जनित संचरण का अभिप्राय जल, खाद्य, कच्ची सब्जियों इत्यादि के माध्यम से संक्रामक एजेंट (कर्मक) के संचरण से है। इस प्रकार का संचरण विशेष रूप से उन रोगों में देखा जाता है जो पानी और भोजन के दूषित होने से फैलते हैं, जैसे कि कोलेरा, हैजा, और टाइफाइड बुखार। इस प्रकार के संचरण में, जल या खाद्य पदार्थ संक्रमित व्यक्ति के मल या उत्सर्जन से दूषित हो सकते हैं, जिसके परिणामस्वरूप रोग का प्रसार उन व्यक्तियों में हो सकता है जो दूषित जल या खाद्य पदार्थों का सेवन करते हैं।

24. (A): P = 0.80 दिया गया है

N = 10 दिया गया है

$$\Sigma d^2 = \frac{1-P\left\{N(N^2-1)\right\}}{6}$$

$$= \frac{1-0.80\left\{10(100-1)\right\}}{6}$$

$$= \frac{0.20\{10(99)\}}{6} = \frac{2(99)}{6}$$

$$= \frac{99}{3} = 33$$

इस प्रकार

$$\Sigma d^2 = 33.$$

25. (C): प्रशिक्षण शक्ति स्थापित्व के लिए सूत्र 'HV × HI' है, जहाँ 'HV' का अर्थ है हार्ट वॉल्यूम (Heart Volume) और 'HI' का अर्थ है हार्ट इंटेंसिटी (Heart Intensity)। यह सूत्र यह सुझाव देता है कि व्यायाम के दौरान हृदय की कार्य क्षमता और उसके तीव्रता से हृदय की शक्ति और व्यायाम की दक्षता निर्धारित होती है। हार्ट वॉल्यूम, जो हृदय द्वारा प्रति धड़कन में पम्प की गई रक्त की मात्रा को दर्शाता है, और हार्ट इंटेंसिटी, जो हृदय के प्रयास की तीव्रता को दर्शाता है, दोनों मिलकर व्यायाम के प्रभाव को बढ़ाते हैं और प्रशिक्षण की शक्ति को मापते हैं. इसलिए यह सूत्र उस सिद्धांत को बल देता है कि उच्च हृदय गतिविधि से बेहतर प्रशिक्षण परिणाम संभव हैं।

26. (C): यदि कोई युवा खिलाड़ी केवल तीव्र/दौड़ अभ्यास में प्रशिक्षित होता है, तो इससे गतिबाधा की ओर प्रेरित होता है। गतिबाधा एक ऐसी स्थिति है जहां खिलाड़ी के प्रदर्शन में स्थिरता या गिरावट आती है क्योंकि शरीर एक ही प्रकार के तीव्र अभ्यास के अधिक लंबे समय तक संपर्क में आने के कारण समायोजित नहीं हो पाता है। यह शरीर के लिए विभिन्न प्रकार की फिटनेस गतिविधियों में अनुकूलित होने में कठिनाई उत्पन्न करता है, जिससे उनकी कुल फिटनेस में विविधता की कमी आती है।

27. (B): किसी प्रतिस्पर्धा से पूर्व प्रशिक्षण कार्य भार में कमी को 'क्रमसूक्ष्मण' (Tapering) के रूप में जाना जाता है। टेपरिंग का उद्देश्य खिलाड़ियों को प्रतिस्पर्धा से पहले उचित आराम और रिकवरी प्रदान करके उनकी प्रदर्शन क्षमता को अधिकतम करना है। इस प्रक्रिया में, प्रशिक्षण की मात्रा कम की जाती है लेकिन प्रशिक्षण की गुणवत्ता बनाए रखी जाती है। यह खिलाड़ियों को थकान से मुक्त करता है और उन्हें ताजा करता है, जिससे वे प्रतिस्पर्धा के दिन अपने सर्वोत्तम प्रदर्शन के लिए तैयार होते हैं।

28. (C): प्रतिधारण भार वह भार है जो किसी खिलाड़ी को स्वास्थ्य लाभ प्राप्त करते समय उसे तैयारी करते रहने की अनुमति देता है। प्रतिधारण भार वह न्यूनतम भार है जिसे बनाए रखने से खिलाड़ी की मौजूदा फिटनेस स्तर को बनाए रखा जा सकता है। यह भार खिलाड़ी को उसके वर्तमान स्वास्थ्य लाभों को खोए बिना अपनी फिटनेस को कायम रखने में सहायता करता है। यह खासकर तब उपयोगी होता है जब खिलाड़ी चोट से उबर रहा हो या जब वह किसी कारणवश सामान्य प्रशिक्षण कार्यक्रम का पालन नहीं कर पा रहा हो। प्रतिधारण भार का उपयोग करने से खिलाड़ी लंबे समय तक फिटनेस बनाए रख सकते हैं और स्वास्थ्य हानि के जोखिम को कम कर सकते हैं।

29. (B): तृतीय चतुर्थक (Q_3) वह मान है, जिसके अंतर्गत बढते क्रम में व्यवस्थित करने पर 75% डेटा बिंदु पाए जाते हैं। 1, 3, 6, 9, 12, x, 18, 95 का मान होगा–

$$\frac{3(n+1)}{4} = Q_2 \Rightarrow \frac{3(7+1+x)}{4} = 17.5$$

$$24 + 3x = 70$$

$$3x = 70 - 24$$

$$3x = 46$$

$$x = 15.33$$

$$x = \approx 16$$

30. (C): जन-समूह अवलोकन (प्रेक्षण) एक अनुसंधान विधि नहीं है। इसे अवलोकनीय प्रेक्षण के रूप में भी जाना जाता है, जिसमें शोधकर्ता व्यवहारिक गतिविधियों, सामाजिक घटनाओं या संगठनात्मक प्रक्रियाओं को उनके स्वाभाविक वातावरण में अवलोकन करते हैं। यह विधि वास्तविक समय में डेटा एकत्रित करने के लिए प्रयोग की जाती है और यह अन्य अनुसंधान

तरीकों की तुलना में व्यवहारिक जानकारी प्रदान करने में अधिक सक्षम होती है। इस पद्धति का उपयोग व्यवहार को समझने और सामाजिक या सांस्कृतिक पैटर्न्स की पहचान करने के लिए किया जाता है।

31. (D): सहसंबंध का प्रकीर्णन के मापकों से सीधा संबंध नहीं है क्योंकि प्रकीर्णन से तात्पर्य डेटा के वितरण की चौड़ाई और विविधता को मापना होता है। सहसंबंध वह सांख्यिकीय माप है जो दो चरों के बीच संबंध की तीव्रता और दिशा को बताता है। यह मान –1 से +1 के बीच होता है जहाँ +1 पूर्ण सकारात्मक सहसंबंध, –1 पूर्ण नकारात्मक सहसंबंध और 0 कोई सहसंबंध नहीं होने का संकेत देता है। वहीं, परास, माध्य विचलन और मानक विचलन जैसे मापक वास्तव में डेटा के वितरण की चौड़ाई को मापते हैं। इसका अर्थ है कि ये मापक बताते हैं कि डेटा कितना विस्तृत या संकेंद्रित है, जिसे डेटा के मध्य बिंदु से विचलन के माध्यम से मापा जाता है।

32. (A): डेल्फी प्रविधि एक व्यवस्थित, बहुचरणीय प्रक्रिया है जिसमें विषय विशेषज्ञों की राय को अनेक राउंड के माध्यम से इकट्ठा किया जाता है ताकि सामंजस्यपूर्ण सहमति तक पहुँचा जा सके। प्रत्येक राउंड के बाद, एक सारांश प्रतिक्रिया प्रदान की जाती है और प्रतिभागी अपनी पिछली प्रतिक्रियाओं को देखते हुए अपने ज़वाबों को संशोधित कर सकते हैं। यह विधि मूलतः व्यवहारों, आवश्यकताओं और लक्ष्यों के संदर्भ में जटिल निर्णय लेने में सहायक होती है, जिसमें उत्तरदाता अंततरू विषय के संदर्भ में सामंजस्य स्थापित कर लेता है।

33. (A): नेल्सन बैलेंस बीम परीक्षण शरीर के स्थायी संतुलन के मापन से संबंधित नहीं है। यह परीक्षण मुख्यतः एथलीटों की संतुलन क्षमता को मापने के लिए डिजाइन किया गया है, जिसमें व्यक्ति को बैलेंस बीम पर चलना होता है। इसके विपरीत, फ्लेमिंगो बैलेंस परीक्षण, बॉस स्टिक परीक्षण, और प्रोग्रेसिव इनवर्टेड बैलेंस परीक्षण जैसे परीक्षण विशेष रूप से शरीर के स्थायी संतुलन के मापन के लिए उपयोग किए जाते हैं, जो संतुलन बनाए रखने की क्षमता को परखते हैं।

34. (D): थाइसिक हैबिटस मानव शारीरिक गठन का वर्गीकरण है जो लंबी और दुबली काया के लिए जाना जाता है। यह गठन उर्ध्वाधर आयाम पर बल प्रदान करते हुए, शरीर की लंबाई और पतलेपन को प्रकट करता है। थाइसिक व्यक्ति में मांसपेशियों का विकास कम होता है, हड्डियाँ पतली और लंबी होती हैं, और शरीर का आकार आम तौर पर पतला होता है। यह विशेष रूप से उन खेलों में फायदेमंद होता है जहाँ ऊंचाई और रेंज ऑफ मोशन महत्वपूर्ण होते हैं, जैसे कि बास्केटबॉल और वॉलीबॉल। इसके विपरीत, पिकनिक, एंडोमार्फिक, और एपॉप्लेक्टिक हैबिटस अन्य प्रकार के शारीरिक गठन हैं जो विभिन्न शारीरिक विशेषताओं और वजन वितरण पैटर्न को दर्शाते हैं।

35. (D): क्यूटलेट सूचकांक वास्तव में एक काल्पनिक या गलत सूचकांक है जिसे किसी भी वैध वैज्ञानिक या सांख्यिकीय अध्ययन में नहीं पाया जाता। बॉडी मास इंडेक्स (BMI) एक प्रमाणित और व्यापक रूप से स्वीकृत माप है जो व्यक्ति के शरीर के वजन को उसकी ऊंचाई के वर्ग के अनुसार विभाजित करता है। BMI का मान यह निर्धारित करने में सहायक होता है कि कोई व्यक्ति अंडरवेट, नॉर्मल वेट, ओवरवेट या ओबीस है।

36. (D)

37. (D): इस टूर्नामेन्ट में कुल 89 मैच खेले जाते हैं। इसकी गणना इस प्रकार हैः 87 टीमों के साथ शुरू होने वाले नॉकआउट चरण में, आखिरी चार टीमों के बचे रहने तक कुल 86 मैच खेले जाने चाहिए (क्योंकि हर मैच में एक टीम बाहर हो जाती है, और अंतिम चार के लिए 83 टीमें बाहर होनी चाहिए, इसलिए 86 मैच होंगे)। इसके बाद, चार टीमों के बीच राउंड रॉबिन फॉर्मेट में प्रत्येक टीम एक दूसरे से एक बार मैच खेलती है, इसलिए इसमें 6 और मैच होते हैं (क्योंकि प्रत्येक टीम तीन अन्य टीमों से खेलती है)। इस प्रकार, कुल मैचों की संख्या 86 (नॉकआउट) + 3 (राउंड रॉबिन) = 89 होती है।

38. (C): 400 मीटर ट्रैक पर पाँचवी लेन के लिए अंतरीकरण 30.05 मीटर होता है। ट्रैक की प्रत्येक लेन के लिए अंतरीकरण, उस लेन की संपूर्ण लंबाई को चारों ओर से दो बार गोलाकार भाग (घेरा) और दो बार सीधी लाइन (उर्ध्वाधर भाग) की लंबाई से जोड़ कर निकाला जाता है। लेन की चौड़ाई और घेरे के व्यास पर आधारित होता है, और यह तय करता है कि प्रत्येक लेन की कुल लंबाई कितनी होगी। पाँचवी लेन के लिए यह अंतरीकरण, जो 30.05 मीटर है, यह सुनिश्चित करता है कि सभी धावकों के पास समान दूरी तय करने का अवसर हो।

39. (A): प्रातिनिधिक देयता, जिसे अंग्रेजी में "Vicarious Liability" के नाम से भी जाना जाता है, यह उस स्थिति को वर्णित करता है जब एक वरिष्ठ व्यक्ति या संगठन अपने अधीनस्थों द्वारा की गई गलतियों या असावधानियों के लिए कानूनी रूप से जिम्मेदार होता है। यह कानूनी सिद्धांत मुख्य रूप से उस स्थिति में लागू होता है जब अधीनस्थ किसी कार्य को अपने नियोक्ता के हित में कर रहा होता है और उस कार्य के दौरान कोई गलती या असावधानी हो जाती है। इस सिद्धांत का उपयोग करके, पीड़ित व्यक्ति नियोक्ता पर मुकदमा चला सकता है, भले ही गलती सीधे तौर पर नियोक्ता द्वारा न की गई हो।

40. (B): नेतृत्व करना प्रबंधन प्रक्रिया का एक महत्वपूर्ण कार्यवाही भाग है। नेतृत्व का मुख्य उद्देश्य संगठन के लक्ष्यों की प्राप्ति के लिए टीम या संगठन के सदस्यों को प्रेरित और मार्गदर्शन करना होता है। एक प्रभावी नेता वह होता है जो अपने सहकर्मियों को उद्देश्यपूर्ण दिशा में ले जा सकता है और उन्हें उनकी पूर्ण क्षमता तक काम करने के लिए प्रेरित कर सकता है। नेतृत्व में संवाद कौशल, निर्णय लेने की क्षमता, और समस्या सुलझाने की योग्यता शामिल होती है, जो कि किसी भी संगठन के सुचारू और कुशल संचालन के लिए अनिवार्य हैं। अन्य विकल्प जैसे कि आयोजन करना, नियोजन करना और मूल्यांकन करना भी महत्वपूर्ण हैं, लेकिन वे प्रत्यक्ष कार्यवाही नहीं करते बल्कि संगठनात्मक संरचना और भविष्य की योजनाओं की नींव रखते हैं।

41. (B): राष्ट्रमंडल खेल 2022 में भारतीय महिला लॉन बाउल टीम में रूपा रानी तिर्की, पिंकी, नयन्मोनी सैकिया, और लवली चौबे ने प्रतिनिधित्व किया था। ये खिलाड़ी टीम की मुख्य सदस्य थे और उन्होंने खेल में अपनी उत्कृष्ट क्षमताओं का प्रदर्शन किया। रूपा रानी तिर्की और पिंकी विशेष रूप से लॉन बाउल में अपनी निपुणता के लिए जानी जाती हैं, जबकि नयन्मोनी सैकिया और लवली चौबे ने भी महत्वपूर्ण योगदान दिया। अन्नू रानी, जो एक भाला फेंक एथलीट हैं, इस खेल में प्रतिनिधित्व नहीं करती हैं।

42. (B): भावात्मक क्षेत्र ईलियट एम. एवडन के सामाजिक अनुक्रिया प्रतिरूप वर्गीकरण पर आधारित सही व्याख्या में एक्स्ट्रा इंडीविजुअल – मृत्तिका के साथ कार्य करना, अन्तरसमूह – बास्केटबाल टीम, और इन्ट्राइंडीविजुअल – ध्यान शामिल हैं। ये विकल्प व्यक्तिगत, अंतर-समूह, और अतिरिक्त-व्यक्तिगत संबंधों को दर्शाते हैं, जो कि एवडन के प्रतिरूप के अनुरूप हैं। एक्स्ट्रा इंडीविजुअल कार्य करना, जैसे मृत्तिका के साथ काम करना, व्यक्तिगत प्रयासों और वातावरण के साथ बातचीत को दर्शाता है। अन्तरसमूह – बास्केटबाल टीम समूह के भीतर व्यक्तिगत भूमिकाओं और दलगत दिनमिक्स को प्रदर्शित करती है। इन्ट्राइंडीविजुअल – ध्यान, व्यक्तिगत स्व-संवेदना और आत्म-प्रतिबिंब के माध्यम से भावनात्मक क्षेत्र की गहराई को उजागर करता है।

43. (C): पेशीय क्रिया के दौरान, टोपोनिन, अल्फा (α) एक्टिनिन, और बीटा (β) एक्टिनिन प्रोटीन फिलामेंट अंतःक्रिया को सार्थक ढंग से प्रभावित करते हैं। टोपोनिन पेशीय फाइबर्स में कैल्शियम आयनों के प्रति संवेदनशीलता प्रदान करता है, जो पेशी संकुचन की शुरुआत में महत्वपूर्ण भूमिका निभाता है। यह प्रोटीन ट्रोपोमायोसिन के साथ मिलकर काम करता है, जो पेशीय संकुचन में अभिन्न भूमिका निभाता है। अल्फा (α) एक्टिनिन और बीटा (β) एक्टिनिन दोनों एक्टिन फिलामेंट्स की व्यवस्था और स्थिरता में योगदान करते हैं, जिससे पेशीय फाइबर्स की संरचनात्मक एकीकरण और कार्यात्मक क्षमता में वृद्धि होती है। अल्फा (α)

लेक्टलबुमिन, जो एक प्रोटीन है, मुख्यतः दूध में पाया जाता है और पेशीय क्रिया में कोई सीधा योगदान नहीं करता।

44. (B): Vo_2 max को सीमित करने वाले शारीरिक कारकों में सक्रिय पेशीय उपापचय, केन्द्रीय रक्त प्रवाह, और परिधीय रक्त प्रवाह शामिल हैं। सक्रिय पेशीय उपापचय यह निर्धारित करता है कि पेशी किस प्रकार और कितनी मात्रा में ऑक्सीजन का उपयोग कर रही है, जो कि Vo_2 max के मूल्यांकन में महत्वपूर्ण है। केन्द्रीय रक्त प्रवाह, जैसे कि हृदय से रक्त का पम्प होना, और परिधीय रक्त प्रवाह, जैसे कि रक्त का पेशियों तक पहुँचना, ये दोनों ऑक्सीजन और पोषक तत्वों की आपूर्ति को सीमित कर सकते हैं यदि वे कमजोर हों। ज्वारीय परिमाप, जो कि सांस की मात्रा को मापता है, Vo_2 max को प्रत्यक्ष रूप से प्रभावित नहीं करता क्योंकि यह अधिकतम ऑक्सीजन उपयोग की क्षमता से संबंधित नहीं है।

45. (B)

46. (D): श्रेणि-संधि की मांसपेशियों का अग्र समूह में टेन्सर फैसिएक लैटे, सार्टोरियस, और पेक्टिनियस शामिल हैं। ये मांसपेशियाँ जांघ के अग्र भाग में स्थित होती हैं और मुख्य रूप से पैर की गतिविधि और स्थिरता में सहायता करती हैं। टेन्सर फैसिएक लैटे, जो कि श्रेणि-संधि के फैलाव और स्थिरता में महत्वपूर्ण योगदान देती है। सार्टोरियस, जो कि सबसे लंबी मांसपेशी है, श्रेणि-संधि के फ्लेक्सन, अभिसारन और आंतरिक घूर्णन में भाग लेती है। पेक्टिनियस मांसपेशी जांघ के फ्लेक्सन और अभिसारन में सहायता करती है। ये सभी मांसपेशियाँ जांघ के अग्र भाग में योगदान देने वाली क्रियाओं में महत्वपूर्ण भूमिका निभाती हैं, जिससे श्रेणि-संधि की गतिविधि और स्थिरता सुनिश्चित होती है।

47. (C): संसक्ति मापन के लिए प्रश्नावली और सोशियोग्राम का उपयोग किया जाता है। प्रश्नावली विशेष रूप से व्यक्तियों के सामाजिक आदतों, पसंद, और जीवनशैली से संबंधित विविध प्रकार के डेटा एकत्रित करने के लिए डिजाइन की जाती है। यह टूल शोधकर्ताओं को सामाजिक रूप से प्रासंगिक जानकारी प्राप्त करने में सहायता करता है, जैसे कि सामाजिक नेटवर्क, संबंधों की गहराई, और व्यक्तियों की सामाजिक सक्रियता। सोशियोग्राम एक दृश्य साधन है जो समूहों में व्यक्तिगत संबंधों और बातचीत के पैटर्न को मानचित्रित करता है। यह सामाजिक संरचनाओं और व्यक्तिगत सदस्यों के बीच इंटरैक्शन की जटिलता को दर्शाता है, जो संसक्ति के मापन में महत्वपूर्ण है। बोड पोड और इलेक्ट्रो कार्डिओ ग्राम, जो कि शारीरिक स्वास्थ्य और हृदय की गतिविधि को मापने के लिए उपयोगी हैं, संसक्ति मापन में प्रयोग नहीं किए जाते हैं।

48. (C): दुश्चिंता की देहिक अनुक्रिया में पसीना आना, (मांस) पेशीय तनाव, और उनींदापन शामिल हैं। ये शारीरिक प्रतिक्रियाएँ तनाव या चिंता की स्थिति में शरीर द्वारा अनुभव की जाती हैं। पसीना आना सहज नर्वस सिस्टम की प्रतिक्रिया के रूप में होता है, जो शरीर को ठंडा करने और तनाव के स्तर को कम करने में मदद करता है। मांसपेशीय तनाव आमतौर पर चिंता की एक प्रत्यक्ष अभिव्यक्ति है, जिसमें मांसपेशियां अनजाने में सिकुड़ जाती हैं। उनींदापन भी दुश्चिंता की प्रतिक्रिया के रूप में देखा जा सकता है, क्योंकि अत्यधिक मानसिक तनाव से थकान महसूस हो सकती है। नेत्र संपर्क से बचना और कमजोर एकाग्रता भी चिंता से जुड़ी हो सकती हैं, लेकिन वे प्राथमिक शारीरिक प्रतिक्रियाएं नहीं हैं।

49. (B): औपचारिक मूल्यांकन में अधिकांशतया कौशल परीक्षण, लिखित परीक्षा और फिटनेसग्राम जैसी तकनीकों का उपयोग किया जाता है। कौशल परीक्षण व्यक्तिगत कौशल और प्रदर्शन की माप के लिए किया जाता है, जो व्यक्ति की योग्यताओं को सटीक रूप से परखने के लिए उपयुक्त है। लिखित परीक्षा सामान्यतः ज्ञान और समझ के स्तर का आंकलन करने के लिए इस्तेमाल की जाती है, जिसमें विशिष्ट विषयों पर प्रश्न पूछे जाते हैं। फिटनेसग्राम शारीरिक स्वास्थ्य और फिटनेस का मूल्यांकन करने के लिए एक मानकीकृत प्रक्रिया है, जिसमें शारीरिक क्षमता और सहनशक्ति की जांच की जाती है। ये तीनों तकनीकें व्यापक रूप से

विभिन्न शैक्षिक और प्रोफेशनल सेटिंग्स में मूल्यांकन के मानदंड के रूप में स्वीकार की जाती हैं, जो उम्मीदवारों के व्यापक गुणों और योग्यताओं का आकलन करने में सहायक होती हैं।

50. (B): वर्ष 2021 के लिए राष्ट्रीय खेल प्रोत्साहन पुरस्कार से मानव रचना शिक्षा संस्थान और तेल एवं प्राकृतिक गैस निगम को सम्मानित किया गया है। ये संगठन/संस्थान खेल क्षेत्र में उत्कृष्टता और खेल प्रोत्साहन में अपने योगदान के लिए चयनित किए गए थे। मानव रचना शिक्षा संस्थान ने खेल विकास, प्रशिक्षण सुविधाओं, और खेलों के प्रति अपनी संलग्नता के कारण प्रशंसा प्राप्त की। वहीं, तेल एवं प्राकृतिक गैस निगम ने अपने कर्मचारियों को खेल में सक्रिय भागीदारी और समर्थन प्रदान करने के लिए उल्लेखनीय कार्य किया है। इन संस्थानों का योगदान न केवल खेलों के प्रति जागरूकता बढ़ाता है बल्कि युवा प्रतिभाओं को भी पोषित करता है, जो देश के खेल परिदृश्य को मजबूती प्रदान करता है।

51. (B): स्थूलतामापन के लिए सर्वाधिक व्यापक रूप से प्रयुक्त मानदंडों में शरीर का वजन, त्वचांवलन (स्किनफोल्ड) मोटाई, और कमर परिधि शामिल हैं। शरीर का वजन आसानी से मापने योग्य और सबसे सामान्य मापदंड है, जिससे व्यक्ति की समग्र शारीरिक स्थिति का अनुमान लगाया जा सकता है। त्वचांवलन मोटाई का मापन शरीर में वसा की मात्रा का अधिक सटीक आंकलन प्रदान करता है, जिसे विशेष उपकरणों के माध्यम से मापा जाता है। कमर परिधि का मापन शरीर में वसा के वितरण को दर्शाता है और मोटापे से संबंधित स्वास्थ्य जोखिमों की पहचान में महत्वपूर्ण होता है। ये मानदंड न केवल व्यक्तिगत स्वास्थ्य का मूल्यांकन करने के लिए महत्वपूर्ण हैं बल्कि चिकित्सा और फिट्नेस पेशेवरों द्वारा व्यापक रूप से इस्तेमाल किए जाते हैं।

52. (D): जल-प्रदूषण के मुख्य कारकों में भौतिक प्रदूषक, मलजल (गंदा पानी), औद्योगिक एवं व्यापारिक अपशिष्ट, और कृषि एवं संबंधित क्रिया-कलाप शामिल हैं। भौतिक प्रदूषकों में प्लास्टिक, कचरा, और अन्य अपघटनीय सामग्री शामिल हैं जो जलीय पारिस्थितिकी तंत्र को प्रभावित करती हैं। मलजल में घरेलू, औद्योगिक, और कृषि गतिविधियों से निकलने वाले अपशिष्ट जल शामिल हैं, जो नदियों, झीलों, और समुद्रों में जा कर जलीय जीव को प्रभावित करते हैं। औद्योगिक अपशिष्ट में रासायनिक और खतरनाक पदार्थ शामिल होते हैं जो पानी के रासायनिक संतुलन को बिगाड़ सकते हैं। कृषि गतिविधियों से उत्पन्न नाइट्रेट, फॉस्फेट और कीटनाशक पानी में मिल कर ईट्रोफिकेशन की समस्या को बढ़ाते हैं, जो जल स्त्रोतों के ऑक्सीजन स्तर को कम कर देता है और जलीय जीव के लिए हानिकारक है। इन सभी कारकों की वजह से जल-प्रदूषण एक गंभीर पर्यावरणीय चुनौती बन चुका है।

53. (D): अनुक्रिया गति को प्रभावित करने वाले मुख्य कारक हैं: मजबूती एवं शक्ति, दृश्य सुतीक्ष्णता और तंत्रकीय अनुक्रिया। मजबूती एवं शक्ति से आशय है कि अभिक्रियाओं की गति किस प्रकार से बलों का प्रतिक्रिया करती है। दृश्य सुतीक्ष्णता उस स्थिति को दर्शाती है जहाँ दृश्य प्रतिक्रियाएं किस प्रकार प्रभावित करती हैं। तंत्रकीय अनुक्रिया का संबंध उस प्रक्रिया से है जो किसी अभिक्रिया को उत्प्रेरित करती है, जैसे कि एंजाइम की क्रियाविधि। ये तीनों कारक मिलकर एक अभिक्रिया की गति को निर्धारित करते हैं। ये कारक न केवल रासायनिक बल्कि भौतिक और जैविक प्रक्रियाओं में भी महत्वपूर्ण होते हैं। खाद्य आदतें इस संदर्भ में मुख्य रूप से उल्लिखित नहीं हैं क्योंकि वे अधिक सामान्य और व्यापक कारक हैं जो सीधे तौर पर अनुक्रिया गति को प्रभावित नहीं करते।

54. (D): अति भारिता, जो कि वजन उठाने और मांसपेशियों की मजबूती बढ़ाने के तरीकों पर आधारित है, में दो मुख्य तरीके सुझाए गए हैं: परिश्रांति हेतु अधिकतम भार और परिश्रांति हेतु उप-उच्चिष्ठ भार। अधिकतम भार उस वजन को उठाने की प्रक्रिया है जो सबसे अधिक हो सकता है, और यह मांसपेशियों की मजबूतीलब्धता को प्रेरित करता है। उप-उच्चिष्ठ भार

मांसपेशियों की अतिवृद्धि को प्रेरित करने वाला होता है, जिससे मांसपेशियाँ बड़ी और मजबूत होती हैं। ये दोनों तरीके मांसपेशी बढ़ाने की क्षमता को बढ़ाते हैं और अधिकतम मजबूती प्राप्त करने में सहायक होते हैं।

55. (A) **56. (B)**

57. (C): रोस्टन द्वारा प्रदत्त शरीर-रचना के प्रकारों में डाइजेस्टिव, मस्क्यूलर और सेरेब्रल शामिल हैं। डाइजेस्टिव शरीर-रचना उन लोगों को दर्शाती है जिनका पाचन तंत्र प्रमुख होता है। मस्क्यूलर शरीर-रचना वाले व्यक्ति मांसपेशियों के प्रभावी विकास और कार्यक्षमता को दर्शाते हैं। सेरेब्रल शरीर-रचना उन लोगों की होती है जिनकी मानसिक क्षमताएं उनके शरीरिक लक्षणों का प्रमुख हिस्सा होती हैं।

58. (B): दक्षता निर्धारण (मूल्यांकन) से संबंधित परीक्षणों में बरपी परीक्षण, साइट स्टेप परीक्षण, राइट बूमेरांग रन परीक्षण, और डॉजिंग रन परीक्षण शामिल हैं। बरपी परीक्षण शारीरिक सहनशक्ति और ताकत को मापने के लिए उपयोगी है, जबकि साइट स्टेप परीक्षण चपलता और फुर्ती का मूल्यांकन करता है। राइट बूमेरांग रन परीक्षण और डॉजिंग रन परीक्षण दोनों व्यक्ति की गतिशीलता और प्रतिक्रिया क्षमता को परखते हैं। रोजर्स परीक्षण, जो इस विकल्प में शामिल नहीं है, अन्य प्रकार के मूल्यांकनों के लिए हो सकता है, लेकिन यहां उल्लिखित नहीं है क्योंकि यह शारीरिक दक्षता को सीधे तौर पर मापने के लिए नहीं है।

59. (D): नीति निर्माण शैलियों में आत्मवाचक निर्णय शैली, चिंतनशील निर्णय शैली, और संगत निर्णय शैली शामिल हैं। आत्मवाचक निर्णय शैली में नीति निर्माता अपनी व्यक्तिगत अंतर्दृष्टि और अनुभव के आधार पर निर्णय लेते हैं। चिंतनशील निर्णय शैली व्यापक विचार-विमर्श और विश्लेषण पर केंद्रित होती है, जिसमें सभी संभावित परिणामों का मूल्यांकन किया जाता है। संगत निर्णय शैली में, नीतियां ऐसे निर्धारित की जाती हैं जो सभी संबंधित पक्षों के हितों के अनुरूप हों। दब्बू निर्णय शैली और लोकतांत्रिक निर्णय शैली इस प्रश्न के संदर्भ में उत्तर के रूप में गलत हैं क्योंकि वे विशेष रूप से नीति निर्माण प्रक्रिया के प्रमुख शैलियों का प्रतिनिधित्व नहीं करते हैं।

60. (C): खेल प्रबंधन के तत्वों में आयोजित करना, योजना बनाना, और मूल्यांकन करना शामिल हैं। आयोजित करना और योजना बनाना खेल की घटनाओं और गतिविधियों के संचालन के लिए आवश्यक कदम हैं, जिसमें सभी आवश्यक संसाधनों की पहचान और संगठन शामिल है। मूल्यांकन करना इन गतिविधियों के प्रभाव और परिणामों का आकलन करने के लिए आवश्यक है, जिससे सुधार के क्षेत्रों की पहचान हो सके और भविष्य के लिए बेहतर योजनाएँ बनाई जा सकें। भाग लेना, जबकि खेल गतिविधियों में महत्वपूर्ण है, उसे प्रबंधन के तत्व के रूप में नहीं देखा जाता क्योंकि यह प्रत्यक्ष रूप से प्रबंधन क्रियाविधियों से संबंधित नहीं है।

61. (D)

62. (B): AAHPERD बास्केटबाल कौशल परीक्षण में स्पीड स्पाट शूटिंग, पासिंग, प्रतिरक्षी गति, और नियंत्र ड्रिबल जैसी परीक्षण मदें शामिल हैं। स्पीड स्पाट शूटिंग खिलाड़ी की शूटिंग की गति और सटीकता को मापता है। पासिंग परीक्षण खिलाड़ी की गेंद संभालने और पास करने की क्षमता का आकलन करता है। प्रतिरक्षी गति खिलाड़ी की रक्षात्मक गति और चपलता को परखती है। नियंत्र ड्रिबल परीक्षण में खिलाड़ी की ड्रिबलिंग कौशल की जांच की जाती है।

63. (A): एथलीटों द्वारा लक्ष्य निर्धारण प्रक्रिया में उपयोग किए जाने वाले सिद्धांतों में विशिष्ट, चुनौतीपूर्ण और नियंत्रणीय, मापनीय और बहु-विध, और व्यक्तिगत शामिल हैं। विशिष्ट लक्ष्य वे होते हैं जिन्हें स्पष्ट रूप से परिभाषित किया गया है। चुनौतीपूर्ण और नियंत्रणीय लक्ष्य वे होते हैं जो एथलीट को प्रेरित करते हैं और जिन्हें वे प्राप्त कर सकते हैं। मापनीय और बहु-विध लक्ष्य उन्हें विशेष रूप से मापने योग्य और विभिन्न दिशाओं से प्राप्त किया जा सकता है। व्यक्तिगत लक्ष्य उन लक्ष्यों को दर्शाते हैं जो विशेष रूप से एथलीट की अपनी इच्छाओं और जरूरतों के अनुरूप होते हैं।

64. (C): अर्थक्रियावाद के मूलभूत सिद्धांतों में शामिल हैं कि मनुष्य की शक्ति को सर्वोच्च माना जाता है, मूल्य पूर्व निर्धारित नहीं होते हैं, और यह एक बहुलवादात्मक संकल्पना है। अर्थक्रियावाद मानवीय क्रियाओं के प्रभावों पर केंद्रित एक दर्शन है, जिसमें व्यक्तिगत क्रियाएँ मानव समुदाय पर प्रभाव डालती हैं। मूल्यों का न होना पूर्व निर्धारित मानता है कि मानव क्रियाएँ और निर्णय समय और संदर्भ के साथ विकसित हो सकते हैं। बहुलवादात्मक संकल्पना का अर्थ है कि विभिन्न दृष्टिकोण और मानवीय क्रियाएँ वास्तविकता का एक समग्र चित्र प्रदान करती हैं। विकल्प (*c*) और (*e*) गलत हैं क्योंकि ये अर्थक्रियावाद के मूलभूत सिद्धांतों का प्रतिनिधित्व नहीं करते हैं।

65. (C): विशिष्ट शोध समस्याओं का चिन्हित करने की विधियों में आगमनात्मक तर्क और निगमनात्मक तर्क प्रमुख हैं। आगमनात्मक तर्क वह विधि है जिसमें विशिष्ट डेटा या उदाहरणों से सामान्य निष्कर्ष निकाले जाते हैं। इसका उपयोग करके, शोधकर्ता विशिष्ट जानकारी से बड़ी सामान्य समस्याओं की पहचान कर सकते हैं। निगमनात्मक तर्क वह प्रक्रिया है जिसमें सामान्य सिद्धांतों या नियमों से विशिष्ट नतीजों की ओर अग्रसर किया जाता है, यह शोधकर्ताओं को सिद्धांतों को विशिष्ट स्थितियों में लागू करने की अनुमति देता है। प्रेक्षण एक महत्वपूर्ण शोध तकनीक है, परंतु यह सीधे तौर पर विशिष्ट शोध समस्याओं का चिन्हित नहीं करती है बल्कि यह डेटा एकत्रित करने की प्रक्रिया है।

66. (B): राष्ट्रमंडल युवा खेलों का छठा संस्करण नासाउ, बहामास में आयोजित किया गया था खेल 18 से 23 जुलाई 2017 तक आयोजित किए गए थे। राष्ट्रमंडल युवा खेलों का पाँचवाँ संस्करण 5 से 11 सितंबर 2015 तक समोआ की राजधानी एपिया में आयोजित किया गया था। समोआ खेलों के लिए एकमात्र बोलीदाता था। 65 देशों और क्षेत्रों के लगभग 807 एथलीटों ने नौ खेलों में भाग लिया। राष्ट्रमंडल युवा खेलों का तीसरा संस्करण 12 से 18 अक्टूबर 2008 तक पुणे, भारत में आयोजित किया गया था। इन खेलों में 71 देशों के 1,220 से अधिक एथलीटों ने भाग लिया था। 2004 राष्ट्रमंडल युवा खेल, जिसे आधिकारिक तौर पर द्वितीय राष्ट्रमंडल युवा खेल के रूप में जाना जाता है, और आमतौर पर बेंडिगो 2004 के रूप में जाना जाता है, एक क्षेत्रीय खेल आयोजन है जो 30 नवम्बर से 3 दिसम्बर 2004 तक बेंडिगो, ऑस्ट्रेलिया में आयोजित किया गया था।

67. (C): जल, प्रोटीन, नमक एवं अन्य पदार्थ, और मायोसिन के सामग्री और उनके प्रतिशत के अनुसार सही मिलान इस प्रकार है: जल कंकाली पेशीय द्रव्यमान का 75 प्रतिशत होता है, प्रोटीन पेशीय प्रोटीन का 20 प्रतिशत बनाते हैं, नमक एवं अन्य पदार्थ कंकाली पेशीय द्रव्यमान का 5 प्रतिशत होते हैं, और मायोसिन पेशीय प्रोटीन का 60 प्रतिशत होता हैं।

68. (C)

69. (B): समूह संसजकता के संवर्धन की रणनीतियों का सही मिलान इस प्रकार है: प्रभेदकता के लिए कक्षा के लिए पोस्तर और नारे बनाना (III), वैयक्तिक स्थिति के लिए फिटनेस के स्तर द्वारा स्वीमिंग पूल को विभाजित करना (I), समूह के नियम के लिए एक साथ भार में कमी लाने के लिए एक लक्ष्य निर्धारित करना (II), और व्यक्तिगत त्याग के लिए नियमित लोगों से नए लोगों की मदद करने के लिए कहना (IV)। यह मिलान प्रत्येक रणनीति के संदर्भ को सही ढंग से उदाहरणों के साथ जोड़ता है, जबकि अन्य विकल्प इन रणनीतियों को उनके उदाहरणों के साथ सही ढंग से मिलान नहीं करते हैं।

70. (C): वाई.एम.सी.ए. शारीरिक शिक्षा महाविद्यालय की स्थापना 1920 में की गई थी इस कॉलेज की स्थापना हैरी, क्रो बक ने की थी। शारीरिक शिक्षा और खेलों के विकास के लिये भारत सरकार के मानव संसाधन मंत्रालय ने सन् 1950 में शारीरिक शिक्षा मनोरंजन के केन्द्रीय परामर्श बोर्ड एवं 1954 में अखिल भारत खेल सलाहकार बोर्ड की स्थापना की। राष्ट्रीय शिक्षक शिक्षा

परिषद् भारत सरकार की एक संस्था है जिसकी स्थापना राष्ट्रीय शिक्षा परिषद् अधिनियम 1993 के अंतर्गत 17 अगस्त, 1995 में की गई थी। इसका उत्तरदायित्व भारतीय शिक्षा प्रणाली के मानक प्रक्रियाएँ एवं धाराओं का निरीक्षण करना है। इसका मुख्य उद्देश्य देश में अध्यापक शिक्षा प्रणाली के योजनागत और समन्वित विकास को प्राप्त करना और इससे सम्बन्धित मामलों में अध्यापक शिक्षा प्रणाली में मानकों और मापदण्डों का विनियमन और उचित अनुरक्षण करना है।

71. (B): सूची-I (विभिन्न शारीरिक तंत्र) और सूची-II (उनसे जुड़ी चिकित्सीय स्थितियाँ) का सही मिलान इस प्रकार हैः हड्डियाँ के लिए बिंब (डिस्क) अपक्षय (ह्रास) (IV), प्रजनन के लिए नपुंसकता (I), त्वचा के लिए सोरियासिस (II), और रुधिर वाहिका के लिए परिरेखीय संवहनतंत्र रोग (III)। बिंब अपक्षय यानी डिस्क डिजनरेशन मुख्य रूप से हड्डियों के बीच के डिस्क में घटित होती है। नपुंसकता प्रजनन सम्बंधित समस्या है। सोरियासिस त्वचा से सम्बंधित एक प्रकार की चर्मरोग है। परिरेखीय संवहनतंत्र रोग रुधिर वाहिकाओं के असामान्य फंक्शन से संबंधित है। इस प्रकार, विकल्प (B) सही मिलान प्रदान करता है।

72 (D): शक्ति के प्रकारों और उनके आशय का सही मिलान निम्नलिखित हैः निरपेक्ष शक्ति के लिए शरीर वजन पर ध्यान दिए बिना अधिकतम बल का प्रयास (III), सापेक्षित शक्ति के लिए अधिकतम शक्ति एवं शरीर वजन के मध्य अनुपात (I), संकेंद्रिक शक्ति के लिए पेशी तनाव एवं छोटे होने की स्थिति उत्पन्न करती है (II), और उत्केंद्रिक शक्ति के लिए एक पेशी बाह्य प्रति रोध की अपेक्षा कम तनाव उत्पन्न करती है (IV)। ये मिलान शक्ति के प्रकारों को उनके विशिष्ट कार्यों के साथ सही रूप से जोड़ते हैं।

73. (C): सूची-I (विभिन्न प्रकार के मापनी) और सूची-II (उनके गुणों) का सही मिलान इस प्रकार हैः विविक्त चर के लिए इकाइयों से कम प्रविभाजित नहीं किया जा सकता है (II), सतत चर के लिए प्रविभाजन की किसी भी मात्रा में सक्षम (IV), सांकेतिक मापनी के लिए गैर-अनुपात वर्गीकरण (III), और अंतराल मापनी के लिए मापन की समान इकाइयों द्वारा प्रदर्शित करता है (I)। यह मिलान प्रत्येक मापनी विधि की विशेषताओं को सही ढंग से उनकी परिभाषाओं के साथ जोड़ता है।

74. (D): सूची-I में विभिन्न मोटर क्षमताओं का वर्णन किया गया है और सूची-II में उनकी विशेषताओं का। विकल्प (D) सही है क्योंकि इसमें प्रत्येक मोटर क्षमता को उसकी उचित विशेषता के साथ सही ढंग से मिलाया गया है। मोटर क्षमता को जटिल मोटर सम-वयनों के अधिगम की नैसर्गिक या जन्मसिद्ध योग्यता (IV) के रूप में वर्णित किया गया है, जो विभिन्न आंतरिक और बाहरी गतिविधियों के लिए अनुकूलन की बुनियादी क्षमता प्रदान करती है। सामान्य मोटर क्षमता (जी.एम.सी) को अनेकों तंत्रिका मांसपेशीय कार्यकलापों में प्रदर्शन के लिए किसी व्यक्ति की अंतःशक्ति में गति की व्यापक रेंज शामिल रहती हैं (III) के रूप में वर्णित है। सामान्य एथलेटिक योग्यता (जी.ए.ए.) को भिन्न एथलेटिक आयोजनों या खेलों में प्रदर्शन की वर्तमान योग्यता गति, समन्वयन, सुनम्यता आदि जैसे मूलभूत तत्वों के संयोग द्वारा सुनिश्चित होती है (I) के रूप में तथा सामान्य मोटर योग्यता (जी.एम.ए.) को विकसित क्षमता, भिन्न खेल कार्यकलापों में प्रदर्शन की किसी व्यक्ति की वर्तमान योग्यता। बड़े मांसपेशीय कार्यकलापों में प्रदर्शन की योग्यता के लिए तंत्रिका मांसपेशीय समन्वयन की आवश्यकता होती है (II) के रूप में वर्णित है।

75. (D)

76. (B): एशियाई खेलों के आयोजन वर्षों के अनुसार शहरों का आरोही क्रम इस प्रकार हैः इंचिओम (2014), बुसान (2002), तेहरान (1974), मनीला (1954)।

77. (B): संयोजक उतकों की परषिकृत परतों का बहिर्मुखी अंतमुखी क्रम, जो मांसपेशियों की बनावट में व्यापक रूप से पाया जाता है, विकल्प (B) में दिया गया हैः

एपिमाइजियम (*d*), पेरिमाइजियम (*a*), एन्डोमजियम (*b*), और सार्कोलेम्मा (*c*)। एपिमाइजियम मांसपेशियों की सबसे बाहरी परत है, जो मांसपेशियों को ढकतीं है और संरक्षण प्रदान करती है। पेरिमाइजियम एपिमाइजियम के नीचे स्थित होती है और मांसपेशी फाइबर बंडलों को समूहित करने का कार्य करती है। एन्डोमजियम पेरिमाइजियम के नीचे स्थित होती है और प्रत्येक मांसपेशी फाइबर को अलग करती है। सार्कोलेम्मा मांसपेशी फाइबर की सबसे आंतरिक परत होती है, जो प्रत्येक मांसपेशी कोशिका को ढकती है।

78. (C): मानव-शरीर की मांसपेशियों को सिर से पैर तक निकटस्थ संलग्नता के अनुसार अनुक्रमित करने का सही विकल्प (C) है, जिसमें सही क्रम है: उपोजत्रुक कर्णमूलिका (*e*) सिर के पास होती है, अधोजत्रुक पेशी (*c*) गर्दन से जुड़ी होती है, कलार्द्ध पेशी (*a*) जांघ के पिछले हिस्से में होती है, गैस्ट्रॉक्निमियस (*b*) पिंडली में होती है, और अंगुलिपर्व प्रसारिणी लघु पेशी (*d*) पैर के निचले हिस्से में होती है। यह व्यवस्था सबसे ऊपर से नीचे की ओर सही अनुक्रम प्रदान करती है।

79. (D): संवेदी आगत का प्रतिसाधा करने और कौशल का निर्माण करने की प्रक्रिया का सही क्रम विकल्प (D) में दिया गया है: प्रत्यक्षीकरण (*a*), नीति निर्माण (*b*), तटस्थ आवेगों से शरीर के माध्यम से सही अनुक्रिया को प्रारम्भ करना (*c*), और अनुक्रिया (*d*)। प्रत्यक्षीकरण से प्रारंभ होकर, जहां विशेष स्थितियों और कार्यों की कल्पना की जाती है, यह प्रक्रिया नीति निर्माण में आगे बढ़ती है जहां संभावित व्यवहार और निर्णय लिए जाते हैं। इसके बाद, तटस्थ आवेगों के माध्यम से उचित अनुक्रियाएँ शुरू की जाती हैं और अंततः अनुक्रिया व्यवहार में बदल जाती है। इस क्रम का सही पालन करते हुए यह प्रक्रिया संवेदनाओं से लेकर कौशल के निर्माण तक की व्यवस्थित यात्रा को दर्शाती है।

80. (B): शारीरिक शिक्षा में सामान्य पाठ योजना के शिक्षण का सही क्रम विकल्प (B) में निर्दिष्ट है: आरम्भिक भाग (*c*), औपचारिक भाग (*a*), विशेष भाग (*b*), मनोरंजक भाग (*d*)। आरम्भिक भाग में शिक्षण सत्र की शुरुआत होती है, जिसमें वार्म अप और तैयारी की गतिविधियां शामिल होती हैं। इसके बाद औपचारिक भाग आता है जहाँ मुख्य शिक्षण सामग्री प्रस्तुत की जाती है। विशेष भाग में उन विशेष तकनीकों और कौशलों पर ध्यान केंद्रित किया जाता है जिन पर उस दिन विशेष जोर दिया जाता है। अंत में, मनोरंजक भाग में खेल और अन्य सक्रियताएं शामिल होती हैं जो सत्र को समाप्त करती हैं। यह क्रम छात्रों को सक्रिय और लगातार संलग्न रखता है, साथ ही शिक्षण प्रक्रिया को संरचित और प्रभावी बनाता है।

81. (B): स्वास्थ्य नियोजक चक्र के चरणों का सही क्रम विकल्प (B) में दिया गया है, जो इस प्रकार है: स्वास्थ्य दशा का विश्लेषण (*a*), उद्देश्यों एवं लक्ष्यों को स्थापित करना (*e*), सूत्रबद्ध योजना बनाना (*c*), कार्यक्रम बनाना और क्रियान्वयन (*d*), देखभाल एवं मूल्यांकन (*b*)। इस क्रम में पहले मौजूदा स्वास्थ्य की स्थिति का विश्लेषण किया जाता है, उसके बाद उद्देश्य और लक्ष्य निर्धारित किए जाते हैं। तत्पश्चात, योजना बनाई जाती है, जिसे कार्यान्वित किया जाता है और अंत में मूल्यांकन के द्वारा उसकी सफलता और प्रभावितता की जाँच की जाती है। यह क्रम स्वास्थ्य नियोजन और कार्यक्रम संचालन के लिए एक तार्किक और क्रमबद्ध पद्धति प्रदान करता है।

82. (B): अवायुवीय एलाक्टिक प्रणाली पर भारतीय प्रतिरूप प्रशिक्षण का सही अनुक्रम विकल्प (B) में दिया गया है: उष्मीकरण (*a*), लघु अवधि वाला तकनीकि प्रशिक्षण (*c*), अधिकतम गति एवं दक्षता प्रशिक्षण (2+8 सकेंड) (*e*), अधिकतम शक्ति प्रशिक्षण (*d*), शक्ति प्रशिक्षण (*b*)। इस क्रम में, प्रशिक्षण उष्मीकरण से शुरू होता है जिससे शरीर को आगामी भौतिक गतिविधियों के लिए तैयार किया जाता है। इसके बाद लघु अवधि वाले तकनीकी प्रशिक्षण और फिर अधिकतम गति एवं दक्षता के प्रशिक्षण पर ध्यान केंद्रित किया जाता है, जिससे खिलाड़ी की प्रदर्शन क्षमता में तीव्रता और दक्षता बढ़ती है। अंत में, अधिकतम शक्ति और सामान्य शक्ति

प्रशिक्षण से खिलाड़ी के शारीरिक बल और सहनशक्ति में सुधार होता है।

83. (C): सहप्रसरण-विश्लेषण (ANCOVA) के परिकलन के लिए SPSS-21 संस्करण में समादेशों को सही क्रम में व्यवस्थित करना आवश्यक होता है। सही क्रम है: पहले 'विश्लेषण करना' (*e*) जहां आप विश्लेषण प्रक्रिया को चालू करते हैं, इसके बाद 'सामान्य'रेखीय मॉडल' (*a*) का चयन करते हैं, जो कि ANCOVA का आधार होता है। 'एकचर' (*c*) चरण में आप चर को चुनते हैं जो कि विश्लेषण का हिस्सा होंगे। 'उत्तर-परीक्षा - आश्रित चर, पूर्व-परीक्षण - सहप्रसारी' (*d*) में आप आश्रित और स्वतंत्र चरों को स्थापित करते हैं। अंत में, 'वर्गों का योग मॉडल – टाइप I' (*b*) का उपयोग करते हुए परिणामों का मूल्यांकन किया जाता है। यह क्रम विश्लेषण को संरचित और क्रमबद्ध तरीके से पूरा करने में सहायक होता है।

84. (D): कौशल परीक्षणों को उनके निर्मित होने के वर्ष के अनुसार सही क्रम में व्यवस्थित करने के लिए विकल्प (D) सही है, जिसमें क्रम है: 'विस्कान्सिन वाल परीक्षण' (*d*), 'केम्पविन्सेन्ट रैली परीक्षण' (*a*), 'शर्मन रैली परीक्षण' (*b*), 'हैमर टेनिस योग्यता परीक्षण' (*c*), और 'अलोइया टेनिस सर्विस रिटर्न परीक्षण' (*e*)।

85. (B): तीसरे खेलो इंडिया यूवा खेल का आयोजन 10 से 22 जनवरी 2020 के मध्य गुवाहाटी असम में किया गया। केन्द्रीय खेल और युवा कल्यपाण राज्य मंत्री किरण रिजिजू की घोषणा के अनुसार 4 स्वदेशी खेलों को 'खेलो इंडिया यूवा खेल' में सम्मिलित किया गया है। तीसरे खेलो इंडिया यूवा खेलों हेतू आरोही क्रम में राज्यों की अधिकारिक रैंकिंग का सही क्रम है:

हरियाणा > महाराष्ट्र > कर्नाटक > मणिपुर > केरल

86. (D): कथन I असत्य है, लेकिन कथन II सत्य है। कथन I के अनुसार, तेजी से प्रारंभ करने के लिए गुरुत्व केंद्र को निम्न रखना चाहिए, जो कि भौतिक विज्ञान के सामान्य नियमों के विरुद्ध है क्योंकि गुरुत्व केंद्र की उच्च स्थिति अधिक स्थिरता और तेजी से गति प्रदान करती है। कथन II में तेजी से रुकने के लिए गुरुत्व केंद्र को कम करने और आधार क्षेत्र को व्यापक बनाने की बात की गई है, जो सही है। तेजी से रुकने के लिए स्थिरता महत्वपूर्ण होती है और गुरुत्व केंद्र को कम रखने से स्थिरता में वृद्धि होती है। इस प्रकार, कथन II व्यवहारिक और तार्किक रूप से सही है।

87. (D): कथन I असत्य है, लेकिन कथन II सत्य है। कथन I का दावा है कि जब कोई समूह प्रभेदक महसूस करता है तो उसकी एकता और सहयोग की भावनाएं कम होती हैं, जो कि वास्तविकता में असत्य है क्योंकि प्रभेदकता अक्सर समूह की पहचान और एकता को मजबूत करती है। दूसरी ओर, कथन II बताता है कि खेल में प्रभेदकता टीम की वेश-भूषा और आदर्श वाक्य के माध्यम से परंपरागत रूप से प्राप्त की गई है, जो कि सत्य है क्योंकि ये तत्व टीम की पहचान बनाने में महत्वपूर्ण होते हैं और समर्थकों के बीच सहानुभूति और समर्थन बढ़ाते हैं।

88. (A): अभिकथन (A) और कारण (R) दोनों सही हैं और (R), (A) की सही व्याख्या है। अभिकथन कहता है कि भौतिक स्थिति में सुधार मुख्य रूप से अतिभार सिद्धांत पर आधारित होती है, जो कि खेल विज्ञान में एक प्रमुख सिद्धांत है। यह सिद्धांत यह बताता है कि शरीर तभी अधिक क्षमताओं का विकास करता है जब उस पर अधिक मांग डाली जाती है। यह शारीरिक और न्यूरोमस्कुलर सिस्टम दोनों पर लागू होता है। इसलिए, अभिकथन और उसका कारण दोनों सही हैं और कारण अभिकथन की सही व्याख्या प्रदान करता है।

89. (B): कथन I और II दोनों असत्य हैं। कथन I में कहा गया है कि सहप्रसरण विश्लेषण में आरंभिक माध्य और अंतिम माध्य में अंतर को समायोजित किया जाता है और समायोजित माध्यों की महत्ता की परीक्षा की जाती है। यह भाग तकनीकी रूप से सही है क्योंकि सहप्रसरण विश्लेषण में सहप्रसारी चर के प्रभाव को

समायोजित करने के बाद अंतिम परिणामों की परीक्षा की जाती है। हालांकि, कथन II में वर्णित प्रक्रिया गलत है क्योंकि सहप्रसरण विश्लेषण में आरंभिक माध्यों के बीच अंतर की परिगणना नहीं की जाती हैय बल्कि यह आरंभिक माध्यों को स्थिर करने के लिए होता है ताकि उपचार के प्रभाव का आकलन किया जा सके। इसलिए यह कथन गलतफहमी पर आधारित है और गलत है।

90. **(B):** कथन I और II दोनों असत्य हैं। कथन I कहता है कि नियम-संदर्भित परीक्षण में प्रमुख सरोकार यह है कि व्यक्ति निष्पादन के स्थापित स्तर तक कैसे पहुँचते हैं, यह सच नहीं है। नियम-संदर्भित परीक्षण में वास्तविक चिंता यह होती है कि प्रत्येक व्यक्ति एक निश्चित मानक या मापदंड को पूरा करता है या नहीं, न कि वे उसे कैसे पूरा करते हैं। कथन II भी गलत है क्योंकि मानदंड-संदर्भित मापन में, प्रत्येक छात्र का प्रदर्शन एक निर्धारित मानक के अनुसार मापा जाता है, न कि उनके सापेक्ष प्रदर्शन को। इस प्रकार, दोनों कथन गलत हैं क्योंकि वे शैक्षिक मूल्यांकन के सिद्धांतों को सही ढंग से नहीं दर्शाते हैं।

91. **(A)**

92 **(C):** F-अनुपात के परिकल्पित मान की व्याख्या के लिए, प्राप्त F-अनुपात 2.58 है जो कि सारणीबद्ध $F_{0.05}$ (4, 45) से अधिक है। इसका मतलब है कि परिकल्पना अस्वीकृत है और समूह माध्यों के बीच महत्वपूर्ण भेद पाया गया है। इसलिए, विकल्प (C) सही है जिसमें शामिल हैं: परिकल्पना अस्वीकृत है (*a*), परिकलित F > सारणीबद्ध F (*c*), और समूह माध्यमों के बीच महत्वपूर्ण भेद है (*d*)।

93 **(C):** एक पथ प्रसरण विश्लेषण परिकलन के लिए उचित सोपानों का अनुक्रम विकल्प (C) में सही ढंग से प्रदर्शित हैः संशोधन कारक (C.F.) (*a*), वर्गों का अपरिष्कृत योग (RSS) (*d*), वर्गों का कुल योग (TSS) (*c*), समूहों के माध्य वर्गों का योग $(SS)_b$ (*b*), और समूहों में वर्गों का योग $(SS)_w$ (*e*)। यह क्रम विश्लेषण की प्रक्रिया को तार्किक रूप से दर्शाता है और आवश्यक कदमों को क्रमबद्ध करता है।

94. **(C)** **95.** **(D)**

96. **(A):** बल को मान 44.74 पाउड्स होगा, जो आशिष को खींचेगा।

97. **(D):** बल का मान 70.31 पाउंड्स होगा, जो अरविंद को खींचंगा।

98. **(C)**

99. **(A):** कथन I सत्य है क्योंकि छोटे धावन पथ पर अपकेन्द्रीय बल में वृद्धि होती है क्योंकि वेग समान रहने पर त्रिज्या कम होने से बल अधिक हो जाता है। कथन II भी सत्य है क्योंकि अपकेन्द्रीय बल की वजह से धावक को या तो अधिक झुकना पड़ता है या फिर वह तटीय पथ पर दौड़ता है ताकि वह अपने पथ पर बना रह सके।

100. **(A):** सूची-I और सूची-II का मिलान करते हुए, विकल्प (A) सही मिलान प्रदान करता है, जिसमें आशीष के लिए बल 49.22 पाउंड्स, अनमोल के लिए 123.05 पाउंड्स, अर्पित के लिए 492.19 पाउंड्स, और अरविन्द के लिए 39.375 पाउंड्स बताया गया है। यह विकल्प दिए गए डेटा और प्राप्त परिणामों के अनुरूप है।

पिछले प्रश्न-पत्र (हल सहित)

National Testing Agency (NTA)

UGC-NET जूनियर रिसर्च फैलोशिप तथा सहायक प्राध्यापक पात्रता परीक्षा

शारीरिक शिक्षा, मार्च-2023

(Exam held on 02-03-2023)

प्रश्न-पत्र-II

1. 'ए सिस्टम ऑफ फेन्सिंग' नामक पुस्तक के लेखक कौन हैं?

A. पेस्टालोज्जी

B. जोहान्न हैपल

C. आर्किबाल्ड मैक्लॉरेन

D. गट्स मट्स

2. जी.ए.पी.एस. (GAPS) वित्तपोषित कार्यक्रम निम्नलिखित में से किसके द्वारा विकसित किया गया था?

A. आई.ओ.सी. और स्टेलेनबॉश विश्वविद्यालय

B. राष्ट्रमंडल खेल संघ और ग्रिफिथ विश्वविद्यालय

C. एशियाई खेल संघ और बीजिंग खेल विश्वविद्यालय

D. आई.ओ.ए. और खेलो इंडिया

3. डोलिचोस दौड़ की दूरी .... थी।

A. 21 किमी. B. 5 किमी.

C. 42.195 किमी. D. 3000 मी.

4. 'एमाईल' नामक पुस्तक के लेखक कौन हैं?

A. जोहान्न बर्नहार्ड बेसडोव

B. जीन जैक्स रूसो

C. फ्रेडरिक लुडविग जॉन

D. कार्ल डाइम

5. पेशीय क्रिया के दौरान निम्नलिखित में से किसे देखा जाता है?

A. ए.टी.पी. के एक अणु का उपयोग किया जाता है

B. ए.टी.पी. क्रिया संबंधक स्थल को आबद्ध करता है

C. क्रॉस ब्रिज ट्रोपोनिन को आबद्ध करता है

D. क्रॉस ब्रिज दो शक्ति आघातों का निष्पादन करता है

6. पट्टिल पेशियों में संकुचनशील प्रणाली की कार्यात्मक इकाई क्या है?

A. सारकोमेयर B. क्रॉस ब्रिज

C. Z बैंड D. मायोफाइब्रिल

7. पेशीय ऊतकों में ऑक्सीजन का प्राथमिक स्रोत है:

A. एडीनोसाइन B. मायोग्लोबिन

C. हीमोग्लोबिन D. फासिया

8. एथलीट द्वारा निम्नलिखित में से कौन-सा शारीरिक परिवर्तन उच्च तुंगता पर त्वरित समायोजन को अनुभूत किए जाने की संभावना है?

A. उप-उच्चिष्ठ हृदयी निर्गत में वृद्धि

B. आघात परिमाप में कमी होती है

C. बढ़ा हुआ हीमोग्लोबिन अंतर्वस्तु

D. बढ़ा हुआ माइटोकोन्ड्रियल घनत्व

9. यदि आवर्तन की त्रिज्या समान कोणीय वेग और भार के साथ अधिक होती है, तो इनमें से कौन-सा अधिक होगा?

A. आवर्तन बल

B. केन्द्रापसारी बल

C. केन्द्राभिसारी बल

D. गुरुत्वाकर्षण बल

10. निम्नलिखित में से किस मांसपेशी को हँसुली (Clavicle) के तृतीय पार्श्व, प्रवर्ध (Acromion) और स्कंधास्थि के मेरुदंड पर प्रविष्ट कराया जाता है?

A. रॉमबायड्यूस मेजर
B. पेक्टोरालिस मेजर
C. ट्रेपेजियस
D. सेरेटस एंटीरियर

11. टेलर मांसपेशी का वैज्ञानिक नाम क्या है?

A. हैम्स्ट्रिंग्स B. सार्टोरियस
C. सेराटस एंटीरियर D. ग्रेसिलिस

12. उत्तोलक का सर्वाधिक कार्यक्षम प्रकार निम्नलिखित में से कौन-सा है?

A. प्रथम वर्ग उत्तोलक
B. तृतीय वर्ग उत्तोलक
C. बल उत्तोलक
D. द्वितीय वर्ग उत्तोलक

13. किसी व्यवहारात्मक अनुक्रिया के निर्धारण के लिए स्थिति के साथ व्यक्ति की परस्पर क्रिया को किस रूप में जाना जाता है?

A. व्यक्तिगत संबंधी अंतर्विरोध
B. संज्ञानात्मक प्रभावी प्रक्रमण प्रणाली
C. संज्ञानात्मक भावात्मक प्रक्रमण प्रणाली
D. अन्योन्य क्रिया निदर्श

14. किसी मित्र या टीम के सदस्य को सफलतापूर्वक निष्पादन करते हुए देख कर आत्मविश्वास प्राप्त करने को किस रूप में जाना जाता है?

A. सामाजिक समर्थन
B. प्रत्यायुक्त अनुभव
C. कल्पनात्मक अनुभव
D. निष्पादन की उपलब्धियाँ

15. कोई क्रिया, वाक्यांश या उद्दीपन जो आपको ध्यान केन्द्रित करने के लिए स्मरण कराता है, को किस नाम से जाना जाता है?

A. संकेत शब्द
B. मध्य में रहना
C. उत्प्रेरक (Triggers)
D. अनुकरण

16. कम अंतर्भूत अभिप्रेरण वाला एक युवा एथलीट उस स्थिति में एक उपलब्धि में भाग लेगा, जब ऐसा करने के लिए पर्याप्त पारितोषिक या बाह्य अभिप्रेरण होगा। इसे किस रूप में जाना जाता है?

A. गुणक सिद्धांत B. विशेष्य सिद्धांत
C. योजक सिद्धांत D. अप्रेरण सिद्धांत

17. भारत के प्रथम राष्ट्रीय खेल विश्वविद्यालय की स्थापना कब की गई थी?

A. 2012 B. 2014
C. 2018 D. 2020

18. निम्नलिखित में से कौन-सा शारीरिक शिक्षा में मूल्यांकन का एक प्रयोजन नहीं है?

A. छिपी प्रतिभा की पहचान करना
B. व्यंग्यात्मक टिप्पणी करना
C. रूपांतरणों को निर्धारित करना
D. समुचित प्रतिपुष्टि प्रदान करना

19. कौशल के निष्पादन के इर्द-गिर्द वातावरण की स्थितियाँ निष्पादन के दौरान समान रहती हैं, जिन्हें किस रूप में जाना जाता है?

A. खुले कौशल B. अविरल कौशल
C. आंशिक कौशल D. निरुद्ध कौशल

20. एथलीट की अधिगमित या सहज विशेषताएँ, जो खेल में उसकी सफलता संभव बनाएंगी या उसकी संभावना होगी। इसे किस रूप में जाना जाता है?

A. गूंज
B. अंधविश्वासी व्यवहार
C. मनोवैज्ञानिक कौशल
D. मनोवैज्ञानिक पद्धति

21. रायबोफ्लेविन की कमी से होने वाली सर्वाधिक सामान्य हानि (क्षति) होती है?

A. वेरनिक-एन्सेफेलोपेथी
B. कोणीय (Angular stomatitis)
C. कन्जक्टिवल जेरोसिस
D. बौनापन

22. मानव इम्युनोग्लोब्युलिन तंत्र कितने प्रमुख वर्गों से बना है?

A. 2 B. 3
C. 5 D. 4

23. बिटामिन B_6 को इस रूप में भी जाना जाता है:

A. पायरीडॉक्सिन

B. पैण्टोथेनिक अम्ल (Acid)

C. टोकोफेरॉल

D. निकोटिनिक अम्ल (Acid)

24. किसी क्रिया में शामिल एक गतिज शृंखला की सभी पेशियों को समकालिक करने की क्षमता किस रूप में जानी जाती है?

A. अन्तःपेशीय समन्वय

B. अन्तरापेशी समन्वय

C. अतिवृद्धि

D. बाह्यपेशी समन्वय

25. निम्नलिखित में से कौन विपर्यास (व्यतिरेकी) प्रशिक्षण का सही उदाहरण है?

A. 10 जंप स्क्वाट्स के तीन समुच्चयों के पूर्व 10 अर्धस्क्वाट्स के तीन समुच्चय

B. 10 जंप स्क्वाट्स के एक समुच्चय के बाद 10 अर्धस्क्वाट्स का एक समुच्चय

C. 10 एकल पैर (Leg) स्क्वाट्स के 4 समुच्चय और स्थल पर 10 हाप्स के चार समुच्चय

D. 15 लंजेज के चार समुच्चय और 15 स्पिलिट के चार समुच्चय

26. निम्नांकित किस वर्ष में मॉर्गन और एडम्सन ने पहली बार परिपथ प्रशिक्षण को प्रस्तावित किया?

A. 1949 B. 1969

C. 1959 D. 1939

27. यदि खिलाड़ी कूल्हा अनामनियों (Flexors) के संकुचन द्वारा पेल्विस पर फीमर का संकुचन कर रहा है तो यह किसका उदाहरण है?

A. गतिज गतिशीलता

B. अतिसक्रिय गतिशीलता

C. निष्क्रिय गतिशीलता

D. सक्रिय गतिशीलता

28. प्रत्येक मूल अंक के वर्ग करने के पश्चात और फिर प्रत्येक से 9 घटाने पर हमें 7, –5, –8, 0, 16 प्राप्त होता है। मूल अंकों का माध्य क्या होगा?

A. 2.5 B. 3

C. 2 D. 4

29. निम्नलिखित प्रेक्षणों को आरोही क्रम में व्यवस्थित किया गया है। यदि डाटा की माध्यिका 65.5 है, तो x का मान क्या होगा?

13, 24, 31, 37, 49, x, $x + 3$, 71, 83, 91, 99, 13007

A. 64.5 B. 63.5

C. 63 D. 64

30. निम्नलिखित में से किस सांख्यिकी में व्यक्ति से संबंधित अज्ञात तथ्य ज्ञात मापनीय गुणों से अनुमानित किये जाते हैं?

A. परिणामात्मक सांख्यिकी

B. संबंधी सांख्यिकी

C. विवरणात्मक सांख्यिकी

D. भविष्यवाची सांख्यिकी

31. निम्नलिखित में से कौन-सी आलोचना कथनों के अर्थ एवं परिशुद्धता से संबंधित है और इसका मूल्यांकन डाक्यूमेंट की प्रमाणिकता से इसके अंतर्वस्तु की विश्वसनीयता की तरफ स्थानान्तरित होती है?

A. बाह्य आलोचना B. सामान्य आलोचना

C. दार्शनिक आलोचना D. आंतरिक आलोचना

32. यदि स्पीयरमेन ब्राउन भविष्यवाणी सूत्र का प्रयोग करते हुए सकल परीक्षण की विश्वसनीयता (rtt) 0.92 है, तो अर्ध परीक्षण की विश्वसनीयता (rht) क्या होगी?

A. 0.852 B. 0.825

C. 0.858 D. 0.885

33. निम्नलिखित में से कौन-सा मानव शारीरिक गठन क्षैतिज आयाम पर बल प्रदान करते हुए छोटी और स्थूल काया के रूप में जाना जाता है?

A. पिकनिक (Pyknic)

B. एंडोमॉर्फिक

C. एपॉप्लेक्टिक हैबिटस

D. थाइसिक हैबिटस

34. निम्नलिखित में से कौन-सा खेल भारतीय खेल प्राधिकरण (SAI) के प्रतिभा पहचान प्रोटोकॉल में शामिल नहीं है?

A. कबड्डी B. खो-खो

C. नौकायन D. टेनिस

35. निम्नलिखित में से कौन-सी स्किनफोल्ड साइट पुरुष के काया-घनत्व के मापन हेतु जैक्सन-पोलक 3-साइट स्किनफोल्ड सूत्र (1985) में शामिल नहीं है?

A. त्रिशिरस्क (Triceps)

B. सीना (Chest)

C. अधिश्रोणीय (Suprailiac)

D. उपस्कंध (Subscapular)

36. आयोजन प्रबंधन में नियोजन का निम्नलिखित कौन-सा एक आयाम नहीं है?

A. प्रबंध-स्तर

B. योजना का प्रकार

C. कार्यक्षेत्र

D. कोच की दक्षता

37. बार-बार उत्पन्न होने वाली परिस्थितियों को संभालने हेतु नीतियों, प्रक्रियाओं और नियमों को इस रूप में जाना जाता है :

A. एकल-उपयोग योजनाएँ

B. स्थायी योजनाएँ

C. प्रचालन योजनाएँ

D. संकीर्ण योजनाएँ

38. नेताओं की अपने कर्मचारियों पर विश्वास एवं भरोसे की मनोवृत्ति का होना निम्नांकित किसका उदाहरण है?

A. आकर्षण (प्रत्यापक) प्रबंधन

B. प्राधिकारिक प्रबंधन

C. अहस्तक्षेप प्रबंधन

D. सेवक प्रबंधन

39. खेल संबंधी सुविधा प्रबंधक का निम्नलिखित में से कौन-सा एक प्राथमिक सरोकार है?

A. भीड़ एकत्र होना

B. खिलाड़ी का प्रदर्शन

C. सुविधाओं का उपयोग करते हुए व्यक्ति की सुरक्षा करना

D. आयोजनों के परिणाम

40. निम्नलिखित में से कौन-सा प्रोफेशनल कार्यक्रम उच्च माध्यमिक स्तर पर शारीरिक शिक्षा के शिक्षकों को तैयार करने के लिए है?

A. एम.फिल

B. एम.पी.एड

C. बी.पी.एड

D. डी.पी.एड

41. दर्शन की शाखाओं और उनके केन्द्रित क्षेत्रों पर आधारित निम्नलिखित में से कौन-सा उत्तर सही है?

(*a*) तत्व-मीमांसा–यथार्थ की प्रकृति

(*b*) मूल्य-मीमांसा–समाज का लक्ष्य और मूल्य

(*c*) सौंदर्यशास्त्र–ज्ञान की प्रकृति

(*d*) ज्ञान-मीमांसा–सौंदर्य एवं कला की प्रकृति

(*e*) नीतिशास्त्र–आचरण का उत्तरदायित्व और मानदंड

नीचे दिए गए विकल्पों में से सही उत्तर चुनें :

A. केवल (*a*), (*b*) और (*e*)

B. केवल (*a*), (*b*) और (*d*)

C. केवल (*b*), (*c*) और (*e*)

D. केवल (*c*), (*d*) और (*e*)

42. कन्फ्यूशियस के अनुसार निम्नलिखित में से कौन-से तत्व शिक्षण प्रक्रिया में शामिल रहते हैं?

(*a*) अनुप्रयोग करना

(*b*) निरूपण करना

(*c*) आदेश देना

(*d*) पुष्टि करना

(*e*) अनुदेश देना

नीचे दिए गए विकल्पों में से सही उत्तर चुनें :

A. केवल (*a*), (*b*), (*c*) और (*e*)

B. केवल (*a*), (*b*), (*d*) और (*e*)

C. केवल (*b*), (*c*), (*d*) और (*e*)

D. केवल (*a*), (*b*) और (*e*)

43. निम्नलिखित में से कौन-से ईंधन के स्रोत हैं, जो ऑक्सीकरण और ATP के गठन के लिए क्रियाधार (Substrate) की आपूर्ति करते हैं?

(*a*) पेशियों के भीतर भंडारित ग्लाइकोजेन अणु

(*b*) फ्रक्टोकाइनेज

(*c*) मुक्त वसीय अम्ल

(*d*) लिपोप्रोटीन लाइपेज

नीचे दिए गए विकल्पों में से सही उत्तर चुनें :

A. केवल (*a*) और (*d*)

B. केवल (*b*) और (*d*)

C. केवल (*a*) और (*c*)

D. केवल (*c*) और (*d*)

44. गर्मी के दौरान कौन-सी शारीरिक अनुकूलन प्रतिक्रया देखी जाती है?

(*a*) परिधीय परिसंचारी शारीरिक अनुकूलन प्रतिक्रया के एक रूप को भी परिलक्षित करता है

(*b*) त्वचीय रक्त प्रवाह में सुधार

(*c*) हृदयी निर्गत का प्रभावी वितरण

(*d*) म्लेदन के प्रारंभ के लिए निचली सीमा (लोअर्ड थ्रेशोल्ड)

नीचे दिए गए विकल्पों में से सही उत्तर चुनें:

A. केवल (*a*), (*c*) और (*d*)

B. केवल (*b*), (*c*) और (*d*)

C. केवल (*a*) और (*c*)

D. केवल (*a*) और (*d*)

45. निम्नलिखित में से स्कंध संधि की मांसपेशियों का अग्र समूह कौन-सा है?

(*a*) पेक्टोरालिस मेजर

(*b*) कोराकोब्रेकियालिस

(*c*) पेक्टोरालिस माइनर

(*d*) सबस्केपुलारिस

(*e*) ट्रेपेजियस

नीचे दिए गए विकल्पों में से सही उत्तर चुनें:

A. केवल (*a*), (*b*) और (*d*)

B. केवल (*a*), (*b*) और (*e*)

C. केवल (*b*), (*c*) और (*d*)

D. केवल (*a*), (*b*), (*c*) और (*d*)

46. निम्नलिखित में से कौन-से कारक स्थायित्व की मात्रा को प्रभावित करते हैं?

(*a*) आधार का क्षेत्रफल

(*b*) गुरुत्व का केंद्र

(*c*) संचलन की गति

(*d*) बल का अनुप्रयोग

(*e*) शरीर का वजन

नीचे दिए गए विकल्पों में से सही उत्तर चुनें:

A. केवल (*a*), (*b*) और (*d*)

B. केवल (*a*), (*b*) और (*e*)

C. केवल (*a*), (*b*), (*d*) और (*e*)

D. केवल (*b*), (*d*) और (*e*)

47. निम्नलिखित में से कौन-से सिद्धांत समूह विकास से संबंधित हैं?

(*a*) लोलकीय सिद्धांत

(*b*) चक्रीय सिद्धांत

(*c*) कोणीय सिद्धांत

(*d*) रैखिक सिद्धांत

नीचे दिए गए विकल्पों में से सही उत्तर चुनें:

A. केवल (*b*) और (*d*)

B. केवल (*a*), (*b*) और (*c*)

C. केवल (*b*), (*c*) और (*d*)

D. केवल (*a*), (*b*) और (*d*)

48. निम्नलिखित में से कौन बाह्य अभिप्रेरण से संबंधित है?

(*a*) एकीकृत नियमन

(*b*) पहचाना गया नियमन

(*c*) उपलब्धि

(*d*) उद्दीपन

(*e*) अंतर्वेशित नियमन

नीचे दिए गए विकल्पों में से सही उत्तर चुनें:

A. केवल (*a*), (*b*) और (*e*)

B. केवल (*a*), (*c*) और (*d*)

C. केवल (*c*) और (*d*)

D. केवल (*b*), (*c*) और (*d*)

49. निम्नलिखित में से किन कारकों पर शिक्षण विधि निर्भर है?

(*a*) विषय सामग्री

(*b*) छात्रों का स्वभाव

(*c*) लिंग (Gender)

(*d*) सुविधाओं की उपलब्धता

(*e*) छात्रों की सामाजिक-आर्थिक स्थिति

नीचे. दिए गए विकल्पों में से सही उत्तर चुनें:

A. केवल (*a*), (*b*) और (*e*)

B. केवल (*a*), (*b*), (*c*) और (*d*)

C. केवल (*a*), (*b*), (*d*) और (*e*)

D. केवल (*a*) और (*c*)

50. निम्नलिखित में से कौन-सी शारीरिक शिक्षा पाठ्यचर्या में वस्तु नियंत्रण गतिविधियाँ हैं?

(*a*) ओवरहैंड थ्रो (*b*) फोरहैंड स्ट्राइक

(*c*) थ्रो-इन (*d*) लॉन्ग जम्प

(*e*) कैच

नीचे दिए गए विकल्पों में से सही उत्तर चुनें:

A. केवल (*a*) और (*b*)

B. केवल (*a*), (*d*) और (*e*)

C. केवल (*a*), (*b*), (*c*) और (*e*)

D. केवल (*a*), (*c*) और (*d*)

51. निम्नलिखित में से प्राथमिक उपचार के उद्देश्य क्या होते हैं?

(*a*) जीवन बचाना

(*b*) स्थिति (हालात) को अधिक गंभीर होने से बचाना

(*c*) स्वास्थ्य की पुनर्बहाली में सहायता करना

(*d*) इलाज करना

(*e*) पुनर्वासित करना

नीचे दिए गए विकल्पों में से सही उत्तर चुनें:

A. केवल (*a*), (*c*) और (*d*)

B. केवल (*b*), (*c*) और (*d*)

C. केवल (*a*), (*b*) और (*c*)

D. केवल (*c*), (*d*) और (*e*)

52. विटामिन D के संदर्भ में कौन-से कथन सही हैं?

(*a*) फॉस्फेट के सपार पुनरावशोषण में वृद्धि करना।

(*b*) अस्थि पुनरावशोषण को संवर्धित करता है, कोलाजेन परिपक्वन को प्रभावित करता है

(*c*) इसकी कमी केराटोमेलेसिया रोग का कारण बन जाती है

(*d*) इसे शरीर में संग्रहित नहीं किया जा सकता

(*e*) कैल्शियम एवं फॉस्फोरस के आँत द्वारा अवशोषण को बढ़ाता है

नीचे दिए गए विकल्पों में से सही उत्तर चुनें:

A. केवल (*a*) और (*c*)

B. केवल (*c*) और (*d*)

C. केवल (*a*), (*b*) और (*e*)

D. केवल (*c*), (*d*) और (*e*)

53. निम्नलिखित में से कौन-से कारक हैं जो किसी खिलाड़ी के दौड़ने की गति को निर्धारित करते हैं?

(*a*) कदमों की लम्बाई

(*b*) प्रतिक्रिया अवधि

(*c*) प्रशिक्षण आयु

(*d*) कदमों का आरोह-अवरोह

नीचे दिए गए विकल्पों में से सही उत्तर चुनें:

A. केवल (*a*) और (*c*)

B. केवल (*b*) और (*d*)

C. केवल (*a*) और (*d*)

D. केवल (*b*) और (*c*)

54. शक्ति-प्रतिरोधक विधि इनमें से किसका संयोजन है?

(*a*) आइसोटोनिक (*b*) आइसोमीट्रिक

(*c*) आइसोकायनेटिक (*d*) बैलिस्टिक

(*e*) प्लायोमीट्रिक

नीचे दिए गए विकल्पों में से सही उत्तर चुनें:

A. केवल (*a*), (*c*) और (*d*)

B. केवल (*b*), (*c*) और (*e*)

C. केवल (*a*), (*b*) और (*d*)

D. केवल (*c*), (*d*) और (*e*)

55. निम्नलिखित में से कौन-सा शोध कारण और प्रभाव संबंध स्थापित करने का प्रयास करता है?

A. विकासात्मक शोध

B. प्रयोगात्मक शोध

C. विश्लेषणात्मक शोध

D. गुणात्मक शोध

56. आंतरिक वैधता हेतु संकट नियंत्रण की विधियाँ कौन-सी हैं?

(*a*) कूटभेषज (Placebo)

(*b*) अज्ञात ढाँचा (Blind set up)

(*c*) यादृच्छिकीकरण

(*d*) बहु अभिक्रिया हस्तक्षेप

नीचे दिए गए विकल्पों में से सही उत्तर चुनें:

A. केवल (*a*), (*b*) और (*c*)

B. केवल (*a*), (*c*) और (*d*)

C. केवल (*b*), (*c*) और (*d*)

D. केवल (*a*), (*b*) और (*d*)

57. भारतीय खेल प्राधिकरण (SAI) की हॉकी-टेस्ट की परीक्षण मदें कौन-सी हैं?

(*a*) गोल में मारना

(*b*) हॉकी पर बॉल का संतुलन

(*c*) ड्रिब्लिंग

(*d*) बॉल के साथ गति करना

नीचे दिए गए विकल्पों में से सही उत्तर चुनें:

A. केवल (*a*), (*c*) और (*d*)

B. केवल (*b*), (*c*) और (*d*)

C. केवल (*a*), (*b*) और (*c*)

D. केवल (*a*), (*b*) और (*d*)

58. आहपर्ड (AAHPERD) वॉलीबॉल कौशल परीक्षण की परीक्षण मदें कौन-सी हैं?

(*a*) वॉली देना

(*b*) ब्लॉक करना

(*c*) सर्विस देना

(*d*) पास करना

(*e*) सेट अप

नीचे दिए गए विकल्पों में से सही उत्तर चुनें:

A. केवल (*a*), (*b*) और (*d*)

B. केवल (*a*), (*b*), (*c*) और (*e*)

C. केवल (*a*), (*c*), (*d*) और (*e*)

D. केवल (*b*), (*c*) और (*d*)

59. भारतीय खेल प्राधिकरण (SAI) की वॉलीबॉल टेस्ट की परीक्षण मदें निम्नलिखित में से कौन-सी हैं?

(*a*) मेडिसिन बॉल थ्रो

(*b*) एक्यूरेसी ऑफ सर्विस

(*c*) सेट अप

(*d*) बॉल वालीईंग

नीचे दिए गए विकल्पों में से सही उत्तर चुनें:

A. केवल (*a*), (*b*) और (*d*)

B. केवल (*a*), (*c*) और (*d*)

C. केवल (*b*), (*c*) और (*d*)

D. केवल (*a*), (*b*) और (*c*)

60. निम्नलिखित में से कौन-से मार्गदर्शी सिद्धांत कौशलपूर्ण निष्पादन के विकास में होते हैं?

(*a*) खंडित कौशल, जिनमें पूर्ण रूप से सिद्धहस्तता प्राप्त नहीं की जा सकती।

(*b*) अधिगम के प्रारंभिक चरणों में निरुद्ध अभ्यास का उपयोग करें।

(*c*) अभ्यास को यथासंभव यथार्थवादी बनाएँ।

(*d*) आंशिक-अधिगम उपागम को कभी भी न प्रयुक्त करें।

(*e*) अपने कार्य निष्पादन के कमजोर पक्षों के विकास पर विशेष ध्यान दें।

नीचे दिए गए विकल्पों में से सही उत्तर चुनें:

A. केवल (*a*), (*b*) और (*d*)

B. केवल (*a*), (*c*) और (*e*)

C. केवल (*a*), (*b*), (*c*) और (*e*)

D. केवल (*b*), (*c*), (*d*) और (*e*)

61. मसाज में प्रयुक्त सही हेर-फेर का पता लगाएँ:

(*a*) दबाव का हेर-फेर

(*b*) स्थिरकारी हेर-फेर

(*c*) आघात का हेर-फेर (Percussion manipulation)

(*d*) स्ट्रोकिंग मैनिपुलेशन

नीचे दिए गए विकल्पों में से सही उत्तर चुनें:

A. केवल (*a*), (*b*) और (*c*)

B. केवल (*b*), (*c*) और (*d*)

C. केवल (*a*), (*b*) और (*d*)

D. केवल (*a*), (*c*) और (*d*)

62. निम्नलिखित में से कौन-से शीर्ष स्तर के प्रबंधन के कार्य हैं?

(*a*) दैनंदिन के क्रियाकलापों को करने के आवश्यक वित्त की व्यवस्था करना

(*b*) नीतियों के अनुसार संगठन की योजनाओं का कार्यान्वयन और क्रियान्वयन करना

(*c*) निष्पादन की समीक्षा करना और सभी क्रियाकलापों पर नियंत्रण रखना

(*d*) रणनीतिक योजना और नीतियों को तैयार करना

(*e*) उपयुक्त कार्योत्पादक पर्यवेक्षी स्टाफ की भर्ती और चयन करना

नीचे दिए गए विकल्पों में से सही उत्तर चुनें:

A. केवल (*a*), (*b*) और (*c*)

B. केवल (*a*), (*c*) और (*d*)

C. केवल (*c*), (*d*) और (*e*)

D. केवल (*b*), (*c*) और (*d*)

63. निम्नलिखित में से कौन-से कारक विश्वसनीयता को प्रभावित करते हैं?

(*a*) परिवर्तनशीलता
(*b*) निदर्श का आकार
(*c*) निदर्श की प्रतिनिधिकता
(*d*) वस्तुनिष्ठा
(*e*) विषयनिष्ठता

नीचे दिए गए विकल्पों में से सही उत्तर चुनें:

A. केवल (*a*), (*b*) और (*c*)
B. केवल (*a*), (*b*) और (*d*)
C. केवल (*a*), (*b*), (*c*) और (*d*)
D. केवल (*a*), (*b*), (*c*) और (*e*)

64. रूपांतरणकारी नेतृत्व के निम्नलिखित में से कौन-से घटक हैं?

(*a*) आदर्शीकृत प्रभाव
(*b*) प्रेरणास्पद अभिप्रेरण
(*c*) बौद्धिक उद्दीपन
(*d*) व्यक्तिकृत सोच-विचार
(*e*) आंतरिक स्थिति

नीचे दिए गए विकल्पों में से सही उत्तर चुनें:

A. केवल (*a*), (*b*), (*d*) और (*e*)
B. केवल (*a*), (*b*) और (*e*)
C. केवल (*a*), (*b*), (*c*) और (*d*)
D. केवल (*a*), (*c*), (*d*) और (*e*)

65. पाठ्यचर्या की रूपरेखा मूल्यांकन के किस रूप की पैरवी करती है?

(*a*) छात्र का निष्पादन
(*b*) शिक्षक का स्व-मूल्यांकन
(*c*) पाठ्यचर्या में सुधार
(*d*) संकलनात्मक मूल्यांकन (Summative assessment)

नीचे दिए गए विकल्पों में से सही उत्तर चुनें:

A. केवल (*a*), (*b*) और (*c*)
B. केवल (*a*) और (*b*)
C. केवल (*b*), (*c*) और (*d*)
D. केवल (*c*) और (*d*)

66. सूची-I को सूची-II से सुमेलित कीजिए:

सूची-I (दर्शन)	**सूची-II (व्याख्याता)**
(*a*) अर्थक्रियावाद	(*i*) सैमुअल बटलर
(*b*) प्रकृतिवाद	(*ii*) मुलकेस्टर
(*c*) आदर्शवाद	(*iii*) सी.बी. पीयर्स
(*d*) यथार्थवाद	(*iv*) शोपेनआवर

नीचे दिए गए विकल्पों में से सही उत्तर चुनें:

	(*a*)	(*b*)	(*c*)	(*d*)
A.	(*i*)	(*ii*)	(*iii*)	(*iv*)
B.	(*ii*)	(*iii*)	(*i*)	(*iv*)
C.	(*iii*)	(*i*)	(*iv*)	(*ii*)
D.	(*i*)	(*iv*)	(*ii*)	(*iii*)

67. सूची-I को सूची-II से सुमेलित कीजिए:

सूची-I	**सूची-II**
(*a*) आई बैंड (I-band)	(*i*) आई बैंड के द्विभाजन
(*b*) जेड रेखा (Z-line)	(*ii*) प्रोटीन की संरचना
(*c*) एम बैंड (M-band)	(*iii*) अदीप्त क्षेत्र (Darker Zone)
(*d*) ए बैंड (A-band)	(*iv*) प्रकाशित क्षेत्र (Lighter zone)

नीचे दिए गए विकल्पों में से सही उत्तर चुनें:

	(*a*)	(*b*)	(*c*)	(*d*)
A.	(*iv*)	(*i*)	(*ii*)	(*iii*)
B.	(*iii*)	(*ii*)	(*iv*)	(*i*)
C.	(*ii*)	(*iii*)	(*i*)	(*iv*)
D.	(*i*)	(*iv*)	(*iii*)	(*ii*)

68. सूची-I को सूची-II से सुमेलित कीजिए:

सूची-I (मांसपेशी)	**सूची-II (कार्य)**
(*a*) ट्रेपेजियस	(*i*) फोरआर्म को अकुंचित करता है
(*b*) सबस्केपुलारिस	(*ii*) स्केपुला को उत्थापित और स्थिर करता है
(*c*) टेरेस माइनर	(*iii*) भुजा को पार्श्विक चक्रित करता है
(*d*) ब्रेकिओ रेडिआलिस	(*iv*) भुजा को मध्यतः चक्रित करता है

नीचे दिए गए विकल्पों में से सही उत्तर चुनें :

	(a)	(b)	(c)	(d)
A.	(ii)	(iv)	(i)	(iii)
B.	(iv)	(ii)	(iii)	(i)
C.	(iii)	(iv)	(ii)	(i)
D.	(ii)	(iv)	(iii)	(i)

69. सूची-I को सूची-II से सुमेलित कीजिए :

सूची-I (एकाग्रता के प्रकार)	सूची-II (आयाम)
(a) व्यापक-बाह्य	(i) एक ध्वनि का पूर्वानुमान करना
(b) संकीर्ण-बाह्य	(ii) विरोधियों की अवस्थितियों पर ध्यान देना
(c) व्यापक-आंतरिक	(iii) संकेत शब्दों का उपयोग करना
(d) संकीर्ण-आंतरिक	(iv) युक्तियों का नियोजन करना

नीचे दिए गए विकल्पों में से सही उत्तर चुनें :

	(a)	(b)	(c)	(d)
A.	(iv)	(iii)	(ii)	(i)
B.	(ii)	(i)	(iv)	(iii)
C.	(i)	(ii)	(iii)	(iv)
D.	(ii)	(i)	(iii)	(iv)

70. सूची-I को सूची-II से सुमेलित कीजिए :

सूची-I (शिक्षण में व्यवहार प्रबंधन तकनीक)	सूची-II (परिभाषा)
(a) सकारात्मक पुनर्बलन	(i) एक वांछित व्यवहार के निष्पादन के बाद परिणाम की प्रतिपुष्टि (फीडबैक)
(b) मॉडलिंग (प्रतिरूपण)	(ii) एक कौशल के निष्पादन में छात्र की सहायता के लिए अतिरिक्त संकेत उद्दीपन प्रदान करना
(c) लोप	(iii) छात्रों को प्राप्त पैटर्न की दृश्य अवधारणा प्रदान करने के लिए कौशल के घटकों को आरंभ करना
(d) प्रेरण (प्राम्टिंग)	(iv) किसी व्यवहार के निष्पादन के बाद पुनर्बलन को पीछे रखने की प्रक्रिया

नीचे दिए गए विकल्पों में से सही उत्तर चुनें :

	(a)	(b)	(c)	(d)
A.	(i)	(iii)	(iv)	(ii)
B.	(i)	(iv)	(iii)	(ii)
C.	(ii)	(iii)	(iv)	(i)
D.	(ii)	(iv)	(i)	(iii)

71. सूची-I को सूची-II से सुमेलित कीजिए :

सूची-I (विपरीत घटना (परिणाम))	सूची-II (टीका)
(a) ब्रांक्रियल न्यूराइटिस	(i) रुबेला
(b) ऑस्टियोमायेलिटिस	(ii) MMR
(c) आरथ्राल्जिया	(iii) टिटेनस
(d) थ्रॉम्बोसाइटोपेनिया	(iv) BCG

नीचे दिए गए विकल्पों में से सही उत्तर चुनें :

	(a)	(b)	(c)	(d)
A.	(i)	(ii)	(iii)	(iv)
B.	(ii)	(iii)	(iv)	(i)
C.	(iii)	(iv)	(i)	(ii)
D.	(iv)	(i)	(ii)	(iii)

72. सूची-I को सूची-II से सुमेलित कीजिए :

सूची-I (शक्ति प्रशिक्षण)	सूची-II (खेल विशिष्ट अनुप्रयोग)
(a) क्षेपण शक्ति	(i) आइस हॉकी
(b) उत्प्रेरण (Take of) शक्ति	(ii) बेसबॉल में घड़ा (Pitcher)
(c) प्रारंभ करने की शक्ति	(iii) डाइविंग
(d) शक्ति अवमंदन	(iv) बॉक्सिंग

नीचे दिए गए विकल्पों में से सही उत्तर चुनें :

	(a)	(b)	(c)	(d)
A.	(i)	(ii)	(iii)	(iv)
B.	(i)	(iv)	(iii)	(ii)
C.	(ii)	(iii)	(iv)	(i)
D.	(iii)	(i)	(ii)	(iv)

73. सूची-I को सूची-II से सुमेलित कीजिए :

सूची-I	सूची-II
(a) जेड-मापनी	(i) माध्य से दूरी ($M \pm 3.5\sigma$)
(b) हल मापनी	(ii) 9 बिंदु मापनी
(c) स्टैन्टाइन मापनी	(iii) माध्य से मानक विचलन दूरी
(d) टी-मापनी	(iv) माध्य से दूरी $M \pm 5\sigma$

नीचे दिए गए विकल्पों में से सही उत्तर चुनें :

	(*a*)	(*b*)	(*c*)	(*d*)
A.	(*iii*)	(*i*)	(*ii*)	(*iv*)
B.	(*iii*)	(*i*)	(*iv*)	(*ii*)
C.	(*iii*)	(*iv*)	(*i*)	(*ii*)
D.	(*iv*)	(*i*)	(*ii*)	(*iii*)

74. सूची-I को सूची-II से सुमेलित कीजिए :

सूची-I	सूची-II
(*a*) आनुभविक वैधता	(*i*) परीक्षक द्वारा परीक्षण को स्पष्ट उपयोग योग्य बनाने के लिए परीक्षण स्थिति तथा परीक्षण की स्वीकार्यता
(*b*) तार्किक वैधता	(*ii*) परीक्षण के अंकों और मापन के अन्य समुच्चय के मध्य समान्यतः सांख्यिकी रूप में अभिव्यक्त होती है
(*c*) सांख्यिकीय वैधता	(*iii*) आवश्यक लक्षण की संक्षिप्त व्याख्या और मापन
(*d*) फलक वैधता	(*iv*) प्रदत्त उद्देश्य हेतु परीक्षण का मूल्य जो अनुभव द्वारा सिद्ध होता है

नीचे दिए गए विकल्पों में से सही उत्तर चुनें :

	(*a*)	(*b*)	(*c*)	(*d*)
A.	(*iv*)	(*i*)	(*ii*)	(*iii*)
B.	(*i*)	(*iv*)	(*iii*)	(*ii*)
C.	(*iv*)	(*iii*)	(*ii*)	(*i*)
D.	(*iii*)	(*iv*)	(*ii*)	(*i*)

75. सूची-I को सूची-II से सुमेलित कीजिए :

सूची-I (राष्ट्रमंडल खेल 2022 में महिला पहलवान)	सूची-II (भार-वर्ग)
(*a*) अंशु मलिक	(*i*) 62 किग्रा. फ्रीस्टाइल
(*b*) साक्षी मलिक	(*ii*) 68 किग्रा. फ्रीस्टाइल
(*c*) विनेश फोगाट	(*iii*) 57 किग्रा. फ्रीस्टाइल
(*d*) दिव्या काकरान	(*iv*) 53 किग्रा. फ्रीस्टाइल

नीचे दिए गए विकल्पों में से सही उत्तर चुनें :

	(*a*)	(*b*)	(*c*)	(*d*)
A.	(*i*)	(*ii*)	(*iii*)	(*iv*)
B.	(*ii*)	(*iii*)	(*i*)	(*iv*)
C.	(*ii*)	(*iv*)	(*iii*)	(*i*)
D.	(*iii*)	(*i*)	(*iv*)	(*ii*)

76. निम्नलिखित शुभंकरों को ओलंपिक खेलों में उनके प्रयोग के आरोही क्रम में व्यवस्थित कीजिए :

(*a*) सैम

(*b*) विनिकस

(*c*) फीवोस और एथीना

(*d*) इज्जी

नीचे दिए गए विकल्पों में से सही उत्तर चुनें :

A. (*a*), (*c*), (*b*), (*d*)
B. (*a*), (*d*), (*c*), (*b*)
C. (*d*), (*a*), (*b*), (*c*)
D. (*c*), (*a*), (*d*), (*b*)

77. स्वास्थ्य के मानावली को अनुक्रमानुसार क्रम में व्यवस्थित कीजिए :

(*a*) अच्छा स्वास्थ्य

(*b*) हल्की बीमारी

(*c*) मृत्यु

(*d*) बीमारी से मुक्ति

(*e*) स्वास्थ्य का सही (सकारात्मक) होना

नीचे दिए गए विकल्पों में से सही उत्तर चुनें :

A. (*a*), (*e*), (*d*), (*b*), (*c*)
B. (*e*), (*a*), (*b*), (*d*), (*c*)
C. (*e*), (*a*), (*d*), (*b*), (*c*)
D. (*a*), (*c*), (*b*), (*e*), (*d*)

78. निम्नलिखित कौशल परीक्षणों को उनके निर्मित होने के वर्ष के अनुसार आरोही क्रम में व्यवस्थित कीजिए :

(*a*) एंटरिम बास्केटबॉल कौशल परीक्षण

(*b*) मोर-क्रिश्चियन सामान्य सॉसर योग्यता कौशल परीक्षण बैटरी

(*c*) चॉपमैन बॉल नियंत्रण परीक्षण

(*d*) हेल्मेन वॉलीबॉल परीक्षण

(*e*) GSC बैडमिन्टन क्लियर परीक्षण

नीचे दिए गए विकल्पों में से सही उत्तर चुनें :

A. (*a*), (*d*), (*c*), (*b*), (*e*)
B. (*d*), (*a*), (*b*), (*c*), (*e*)
C. (*d*), (*a*), (*c*), (*b*), (*e*)
D. (*b*), (*d*), (*a*), (*c*), (*e*)

79. प्रसरण-विश्लेषण (ANOVA) के एकमार्गी परिकलन हेतु SPSS-21 संस्करण के निम्नलिखित समादेशों को अनुक्रम में व्यवस्थित कीजिए :

(*a*) माध्यों की तुलना

(*b*) पोस्ट हॉक का चयन

(*c*) एक मार्गी ANOVA

(*d*) आश्रित चर, कारक का चयन

(*e*) विश्लेषण करना

नीचे दिए गए विकल्पों में से सही उत्तर चुनें :

A. (*e*), (*a*), (*c*), (*d*), (*b*)
B. (*e*), (*a*), (*d*), (*c*), (*b*)
C. (*a*), (*c*), (*e*), (*d*), (*b*)
D. (*e*), (*c*), (*a*), (*d*), (*b*)

80. प्रशिक्षण कारक पिरामिड के अनुसार प्रशिक्षण के विभिन्न पहलुओं का सही अनुक्रम बताइए :

(*a*) शारीरिक प्रशिक्षण

(*b*) मनोवैज्ञानिक प्रशिक्षण

(*c*) प्रौद्योगिकीय प्रशिक्षण

(*d*) सामरिक प्रशिक्षण

नीचे दिए गए विकल्पों में से सही उत्तर चुनें :

A. (*a*), (*b*), (*c*), (*d*) B. (*a*), (*c*), (*b*), (*d*)
C. (*a*), (*c*), (*d*), (*b*) D. (*a*), (*d*), (*b*), (*c*)

81. ऑक्सीजन परिवहन प्रणाली का सही क्रम बताइए :

(*a*) हिमोग्लोबिन संकेंद्रण

(*b*) एरोबिक उपापचय

(*c*) परिधीय रक्त प्रवाह

(*d*) फुफ्फुस संवातन (Pulmonary ventilation)

(*e*) रक्त परिमाप और हृदयी निर्गत

नीचे दिए गए विकल्पों में से सही उत्तर चुनें :

A. (*b*), (*c*), (*e*), (*a*), (*d*)
B. (*e*), (*d*), (*a*), (*b*), (*c*)
C. (*d*), (*a*), (*e*), (*c*), (*b*)
D. (*e*), (*b*), (*d*), (*a*), (*c*)

82. पांव से सिर के क्रम में मानव कंकाल की अस्थियों को अनुक्रम में व्यवस्थित कीजिए :

(*a*) ओ.एस. कैल्सिस

(*b*) कंठिका अस्थि

(*c*) असिरूप अस्थि

(*d*) ग्रीवा मेरू (Cervical Vertebrae)

(*e*) जात्रुकस्थि (Sphenoid)

नीचे दिए गए विकल्पों में से सही उत्तर चुनें :

A. (*a*), (*d*), (*c*), (*e*), (*b*)
B. (*a*), (*c*), (*d*), (*b*), (*e*)
C. (*a*), (*c*), (*b*), (*d*), (*e*)
D. (*c*), (*a*), (*d*), (*b*), (*e*)

83. तनाव (Stress) प्रक्रिया के सही चरणों को बताइए :

(*a*) मांग का प्रत्यक्षीकरण

(*b*) तनाव की अनुक्रिया

(*c*) व्यवहारात्मक परिणाम

(*d*) पर्यावरणीय मांग

नीचे दिए गए विकल्पों में से सही उत्तर चुनें :

A. (*a*), (*d*), (*c*), (*b*) B. (*a*), (*b*), (*c*), (*d*)
C. (*a*), (*d*), (*b*), (*c*) D. (*d*), (*a*), (*b*), (*c*)

84. क्लासिकी निर्णयन निदर्श के आधार पर निम्नलिखित कदमों के क्रम को व्यवस्थित कीजिए :

(*a*) अवसर

(*b*) विकल्प उत्पन्न करना

(*c*) उद्देश्य और मापदंड निर्धारित करना

(*d*) निर्णय को क्रियान्वित करना

(*e*) सर्वाधिक व्यावहारिक विकल्प का चयन करना

नीचे दिए गए विकल्पों में से सही उत्तर चुनें :

A. (*b*), (*a*), (*e*), (*c*), (*d*)
B. (*b*), (*d*), (*a*), (*c*), (*e*)
C. (*a*), (*c*), (*b*), (*e*), (*d*)
D. (*a*), (*e*), (*c*), (*d*), (*b*)

85. लयात्मक समादेश (Rhythmic command) के भागों का सही क्रम बताइए :

(*a*) व्याख्या (*b*) कार्यान्वयन

(*c*) लयात्मक गणना (*d*) विराम

(*e*) रोकना

नीचे दिए गए विकल्पों में से सही उत्तर चुनें :

A. (*a*), (*e*), (*b*), (*c*), (*d*)
B. (*a*), (*b*), (*d*), (*c*), (*e*)
C. (*a*), (*d*), (*b*), (*c*), (*e*)
D. (*a*), (*c*), (*d*), (*b*), (*e*)

86. नीचे दो कथन दिए गए हैं :

कथन (I) : परीक्षण बैटरी के चयन हेतु बहु-सहसंबंध नियोजित किया जा सकता है, जो उन परीक्षण मदों से बना होता है जिनका मानदंडों के साथ उच्चतम और एक-दूसरे के साथ निम्नतम सहसंबंध होता है।

कथन (II) : यदि दो परीक्षण मदें अत्यधिक संबंधी प्राप्त होती हैं, तो उनमें से जो मानदंड के साथ अत्यधिक सहसंबंधी होगी उसका चयन किया जायेगा।

उपरोक्त कथन के आलोक में, निम्नलिखित विकल्पों में से सही उत्तर चुनें :

A. कथन (I) और (II) दोनों सत्य हैं
B. कथन (I) और (II) दोनों असत्य हैं
C. कथन (I) सत्य है, लेकिन कथन (II) असत्य है
D. कथन (I) असत्य है, लेकिन कथन (II) सत्य है

87. नीचे दो कथन दिए गए हैं :

कथन (I) : जब परीक्षक मापी जा रही गुणवत्ता के मूल्यांकन के लिए अर्हता प्राप्त होता है तो वस्तुनिष्ठ मापन की कोई भी मात्रा ठोस निर्णय को प्रतिस्थापित नहीं कर सकती है और न ही विषयनिष्ठ निर्णय के साथ कुछ गलत कर सकती है।

कथन (II) : निष्पादनों में मात्रात्मक मूल्यांकन की अपेक्षा गुणवत्ता परक मूल्यांकन आवश्यक होता है।

उपरोक्त कथन के आलोक में, निम्नलिखित विकल्पों में से सही उत्तर चुनें :

A. कथन (I) और (II) दोनों सत्य हैं
B. कथन (I) और (II) दोनों असत्य हैं
C. कथन (I) सत्य है, लेकिन कथन (II) असत्य है
D. कथन (I) असत्य है, लेकिन कथन (II) सत्य है

88. नीचे दो कथन दिए गए हैं :

कथन (I) : शोध ने दर्शाया है कि समर्थक भीड़ दुश्चिंता में वृद्धि करती है और निष्पादक के अभिप्रेक्षण को बढ़ाती है।

कथन (II) : विद्वेषी भीड़ दुश्चिंता में कमी लाती है और खिलाड़ियों में आये अत्यधिक आक्रामक व्यवहार को प्रोत्साहित करती है।

उपरोक्त कथन के आलोक में, निम्नलिखित विकल्पों में से सही उत्तर चुनें :

A. कथन (I) और (II) दोनों सत्य हैं
B. कथन (I) और (II) दोनों असत्य हैं
C. कथन (I) सत्य है, लेकिन कथन (II) असत्य है
D. कथन (I) असत्य है, लेकिन कथन (II) सत्य है

89. नीचे दो कथन दिए गए हैं :

कथन (I) : वसा एवं तेल ऊर्जा के सांद्रित स्रोत हैं। वसामय ऊतक में शरीर की अधिकांश वसा ट्राइग्लिसरॉयड के रूप में पायी जाती है।

कथन (II) : कार्बोहाइड्रेट वसा के आक्सीकरण हेतु एवं कुछ गैर-आवश्यक एमिनो अम्लों के संश्लेषण हेतु भी आवश्यक है।

उपरोक्त कथन के आलोक में, निम्नलिखित विकल्पों में से सही उत्तर चुनें :

A. कथन (I) और (II) दोनों सत्य हैं
B. कथन (I) और (II) दोनों असत्य हैं
C. कथन (I) सत्य है, लेकिन कथन (II) असत्य है
D. कथन (I) असत्य है, लेकिन कथन (II) सत्य है

90. नीचे दो कथन दिए गए हैं : एक को अभिकथन (A) और दूसरे को तर्क (R) कहा गया है।

अभिकथन (A) : एक तनन लघुकारी चक्र को एक प्लायोमीट्रिक पेशी क्रिया के रूप में समझा जा सकता है।

तर्क (R) : उत्केन्द्रीय पेशीक्रिया प्लायोमीट्रिक प्रशिक्षण में संकेंद्रित पेशी क्रिया के पूर्व उत्पन्न होती है।

उपरोक्त कथन के आलोक में, नीचे दिए गए विकल्पों में से सही उत्तर का चयन कीजिए :

A. (A) और (R) दोनों सत्य हैं और (R), (A) की सही व्याख्या है
B. (A) और (R) दोनों सत्य हैं, लेकिन (R), (A) की सही व्याख्या नहीं है
C. (A) सत्य है, लेकिन (R) असत्य है
D. (A) असत्य है, लेकिन (R) सत्य है

निर्देश (प्र.सं. 91 से 95 तक): *निम्नलिखित गद्यांश को पढ़ें और प्रश्नों के उत्तर दें।*

बैडमिंटन के विभिन्न पहलुओं जैसे—इतिहास, नियम-कानून, तकनीक, कार्यनीति एवं मनोवैज्ञानिक पक्षों पर 60 विषयों पर एक ज्ञान परीक्षा संपादित की गई। उत्तर (अर्थात् A, B, C और D) सहित 5 बहु-विकल्पी परीक्षण मदें हैं, प्रत्येक परीक्षण मदों के सही उत्तर और प्रत्येक परीक्षण मद के लिए 27% की उच्च एवं निम्न समूह (प्रत्येक समूह में 16 परीक्षण अंक) प्रत्येक परीक्षण मद के मद विश्लेषण के उद्देश्य हेतु नीचे सारणी में दिया गया है।

मद	समूह	उत्तर				सही उत्तर
		A	B	C	D	
1	उच्च	1	13	2	0	B
	निम्न	4	3	5	4	
2	उच्च	0	1	12	3	C
	निम्न	3	4	5	4	
3	उच्च	0	10	0	6	B
	निम्न	1	8	0	7	
4	उच्च	11	3	2	0	A
	निम्न	3	10	3	0	
5	उच्च	2	4	3	7	D
	निम्न	7	4	4	1	

91. परीक्षण मद संख्या 2 हेतु कठिन सूचकांक क्या है?

A. 0.53 B. 0.50
C. 0.63 D. 0.55

92. निम्नलिखित में से परीक्षण मद संख्या 3, 4 एवं 5 हेतु कठिनता सूचकांक मान (DI) कौन-से हैं?

(*a*) 0.56 (*b*) 0.42
(*c*) 0.44 (*d*) 0.25

नीचे दिए गए विकल्पों में से सही उत्तर चुनें:

A. केवल (*a*), (*b*) और (*d*)
B. केवल (*a*), (*b*) और (*c*)
C. केवल (*a*), (*c*) और (*d*)
D. केवल (*b*), (*c*) और (*d*)

93. निम्नलिखित में से कौन-से कथन सही हैं?

(*a*) परीक्षण संख्या 3 हेतु कठिनता सूचकांक मान 0.56
(*b*) दुहराव परीक्षण मद संख्या 5
(*c*) प्रतिधारण परीक्षण मद संख्या 3
(*d*) प्रतिधारण परीक्षण मद संख्या 4, लेकिन उत्तर D प्रतिस्थापन

नीचे दिए गए विकल्पों में से सही उत्तर चुनें:

A. केवल (*b*), (*c*) और (*d*)
B. केवल (*a*) और (*c*)
C. केवल (*a*), (*c*) और (*d*)
D. केवल (*a*), (*b*) और (*d*)

94. नीचे दो कथन दिए गए हैं:

कथन I: +1.00 से –1.00 तक के परास (रेंज) वाले विभेदन का सूचकांक होते हैं लेकिन ये चरम बहुत कम ही उत्पन्न होते हैं और एक ऋणात्मक सूचकांक संकेत करता है कि निम्न समूह में उत्तर दिए जाने की अपेक्षा उच्च समूह के अधिक विद्यार्थी उत्तर देते हैं।

कथन II: किसी प्रतिमान (नियम) संदर्भित परीक्षण पर 0.40 अथवा नीचे के विभेदन का सूचकांक सूचित करता है कि मद अच्छी तरह से विभेद करती है।

उपरोक्त कथन के आलोक में, निम्नलिखित विकल्पों में से सही उत्तर चुनें:

A. कथन (I) और (II) दोनों सत्य हैं
B. कथन (I) और (II) दोनों असत्य हैं
C. कथन (I) सत्य है, लेकिन कथन (II) असत्य है
D. कथन (I) असत्य है, लेकिन कथन (II) सत्य है

95. सूची-I को सूची-II से सुमेलित कीजिए:

सूची-I (मद संख्या)	सूची-II (विभेदी सूचकांक)
(*a*) परीक्षण मद 4	(*i*) 0.50
(*b*) परीक्षण मद 1	(*ii*) 0.38
(*c*) परीक्षण मद 5	(*iii*) 0.44
(*d*) परीक्षण मद 2	(*iv*) 0.63

नीचे दिए गए विकल्पों में से सही उत्तर चुनें:

	(*a*)	(*b*)	(*c*)	(*d*)
A.	(*iii*)	(*iv*)	(*ii*)	(*i*)
B.	(*i*)	(*iv*)	(*iii*)	(*ii*)
C.	(*iv*)	(*i*)	(*ii*)	(*iii*)
D.	(*i*)	(*iv*)	(*ii*)	(*iii*)

निर्देश (प्र.सं. 96 से 100 तक): *निम्नलिखित गद्यांश को पढ़ें और प्रश्नों के उत्तर दें।*

ऊर्ध्वाधर कूद परीक्षण हेतु चार (4) विभिन्न परीक्षकों द्वारा प्रयोग-व्यक्ति के रूप में 5 महिला बैडमिन्टन खिलाड़ियों से आँकड़ा एकत्रित किया गया। आँकड़ा एकत्रण के पश्चात् अन्तःवर्ग सहसंबंध के लिए प्रसरण विश्लेषण द्वारा चार परीक्षणों (Trials) की वस्तुनिष्ठता के निर्धारण हेतु आँकड़ों का विश्लेषण किया गया, जिससे ट्रायल 1 के लिए ($\sum X_1 = 49$), ट्रायल 2 के लिए ($\sum X_2 = 54$), ट्रायल 3 के लिए ($\sum X_3 = 56$) और ट्रायल 4 के लिए ($\sum X_4 = 57$), आँकड़े परिणामस्वरूप प्राप्त हुए। आँकड़े के और अधिक विश्लेषण के बाद ट्रायल 1 हेतु ($\sum X_1^2 = 497$), ट्रायल 2 हेतु ($\sum X_2^2 = 624$), ट्रायल 3 हेतु ($\sum X_3^2 = 690$) और ट्रायल 4 हेतु ($\sum X_4^2 = 775$) आँकड़ा प्राप्त हुआ। $\sum(\text{Rows})^2$ का मान = 10090 है। महत्ता के 0.05 स्तर पर सारणीबद्ध मान 3.49 प्राप्त हुआ।

96. वर्गों के कुल योग $(SS)_T$ का मान कितना है?

A. 253.2
B. 235.2
C. 253.8
D. 253.4

97. ट्रायलों के लिए F-परीक्षण के परिकलित के संदर्भ में निम्नलिखित में से कौन-से सही हैं?

(*a*) परिकल्पना अस्वीकृत है

(*b*) परिकल्पना स्वीकृत है

(*c*) परिकलित F < सारणीबद्ध F

(*d*) ट्रायलों के माध्यों के बीच कोई महत्वपूर्ण अंतर नहीं है

नीचे दिए गए विकल्पों में से सही उत्तर चुनें:

A. केवल (*a*), (*c*) और (*d*)
B. केवल (*b*) और (*c*)
C. केवल (*b*), (*c*) और (*d*)
D. केवल (*a*) और (*c*)

98. अंतःवर्ग सहसंबंध (R) हेतु एक पथ प्रसरण विश्लेषण के परिकलन के निम्नलिखित सोपानों को अनुक्रम में व्यवस्थित कीजिए:

(*a*) ट्रायलों हेतु वर्ग माध्य $(MS)_B$

(*b*) ट्रायलों हेतु वर्गों का योग (कॉलम)

(*c*) वर्गों का कुल योग (SS_T)

(*d*) अन्योन्यक्रिया हेतु वर्गों का योग (SS_E)

(*e*) अन्योन्यक्रिया हेतु वर्ग माध्य $(MS)_E$

नीचे दिए गए विकल्पों में से सही उत्तर चुनें:

A. (*b*), (*c*), (*d*), (*e*), (*a*)
B. (*b*), (*c*), (*d*), (*a*), (*e*)
C. (*c*), (*b*), (*d*), (*e*), (*a*)
D. (*c*), (*b*), (*d*), (*a*), (*e*)

99. नीचे दो कथन दिए गए हैं:

कथन I: अंतःवर्ग सहसंबंध (R) हेतु एक पथ विश्लेषण में, ट्रायलों के मध्य महत्वपूर्ण अंतर नहीं होना चाहिए।

कथन II: विश्वसनीयता या वस्तुनिष्ठता को प्रेक्षित अंक प्रसरण द्वारा विभाजित वास्तविक अंक प्रसरण के रूप में व्याख्यायित किया जा सकता है।

उपर्युक्त कथनों के आलोक में निम्नलिखित विकल्पों से सही उत्तर चुनें:

A. कथन I और II दोनों सही हैं
B. कथन I और II दोनों गलत हैं
C. कथन I सत्य है, किन्तु कथन II गलत है
D. कथन I असत्य है, किन्तु कथन II सही है

100. सूची-I को सूची-II से सुमेलित कीजिए:

सूची-I	सूची-II
(*a*) प्रयोग व्यक्तियों के वर्गों (Rows) का योग $(SS)_R$	(*i*) 7.6
(*b*) अन्योन्यक्रिया हेतु वर्गों का योग $(SS)_E$	(*ii*) 55.9
(*c*) ट्रायल के वर्गों (कॉलम) का योग $(SS)_B$	(*iii*) 2.53
(*d*) ट्रायलों के वर्ग-माध्य $(MS)_B$	(*iv*) 189.7

नीचे दिए गए विकल्पों में से सही उत्तर चुनें:

	(*a*)	(*b*)	(*c*)	(*d*)
A.	(*iv*)	(*ii*)	(*iii*)	(*i*)
B.	(*ii*)	(*iv*)	(*iii*)	(*i*)
C.	(*ii*)	(*iv*)	(*i*)	(*iii*)
D.	(*iv*)	(*ii*)	(*i*)	(*iii*)

उत्तरमाला

1. **(C):** "System of Fencing" नामक पुस्तक के लेखक आर्किबाल्ड मैक्लॉरेन हैं। आर्किबाल्ड मैक्लारेन 19वीं शताब्दी में शारीरिक शिक्षा के क्षेत्र में एक प्रमुख विद्वान थे। उन्होंने तलवारबाजी और शारीरिक शिक्षा पर कई महत्वपूर्ण काम किए थे। इस पुस्तक में उन्होंने तलवारबाजी के विभिन्न तकनीकों और मौलिक सिद्धांतों का विस्तारपूर्वक वर्णन किया है। मैक्लारेन ने भौतिक शिक्षा के क्षेत्र में योगदान देने के लिए विभिन्न अनुसंधान और अध्ययन किए जो आज भी महत्वपूर्ण माना जाता है।

2. **(B):** जी.ए.पी.एस. (GAPS) यानी 'ग्लोबल एथलीट प्रोग्राम सपोर्ट' राष्ट्रमंडल खेल संघ और ग्रिफिथ विश्वविद्यालय द्वारा विकसित किया गया था। इसका मुख्य उद्देश्य विभिन्न खेलों में प्रतिभाशाली एथलीटों का पोषण करना है। ग्रिफिथ विश्वविद्यालय ऑस्ट्रेलिया में स्थित है और यहाँ के विज्ञान और खेल के क्षेत्र में अनुसंधान काफी प्रेरणादायक है। राष्ट्रमंडल खेल संघ ने इस कार्यक्रम को उन देशों में पहुँचाने का कार्य किया जिनके पास उनका अपना खेलों के लिये विकसित आधारभूत संरचना नहीं है।

   इस कार्यक्रम में एथलीटों को उनके करियर के हर पड़ाव पर समर्थन दिया जाता है, चाहे वो ट्रेनिंग हो, चोट का सामना करना हो, या फिर मानसिक स्वास्थ्य से संबंधित मुद्दे हो। इसके अलावा, इसमें एथलीटों को उनके क्षेत्र में उचित शिक्षा और प्रशिक्षण भी प्रदान किया जाता है।

3. **(B):** डोलिचोस दौड़ की दूरी 5 किमी होती है। यह दौड़ मुख्यतः प्राचीन ग्रीक खेलों में आयोजित की जाती थी। डोलिचोस दौड़ के बारे में विशेष बात यह है कि यह एक लंबी दौड़ होती है, लेकिन यह मैराथन से कम होती है। इसमें धैर्य एवं सहनशीलता की महत्वपूर्ण भूमिका होती है।

   प्राचीन ग्रीक काल में, डोलिचोस दौड़ ओलिम्पिक खेलों में भी शामिल थी। इस खेल की विशेषता यह थी कि इसमें भाग लेने वाले एथलीट एक विशेष प्रकार के स्टेडियम में दौड़ते थे जिसे 'स्टेडियन' कहा जाता था। इसे देखकर ही आधुनिक ओलिम्पिक खेलों का आयोजन किया जाता है।

4. **(B):** "Emile" नामक पुस्तक के लेखक जीन-जैक रूसो (Jean-Jacques Rousseau) हैं। इस पुस्तक में रूसो ने शिक्षा, समाज और मानवता के बारे में गहरे विचार प्रस्तुत किए हैं। "Emile" मुख्यतः एक शिक्षाशास्त्र की पुस्तक है जिसमें रूसो ने मानव विकास और शिक्षा के नैतिक, भौतिक, और बौद्धिक पहलुओं पर विचार किए हैं।

   रूसो का मानना था कि बच्चे को स्वाभाविक वातावरण में ही शिक्षा मिलनी चाहिए और उन्हें स्वतंत्रता मिलनी चाहिए ताकि वे स्वयं के नैतिक और आत्मिक विकास में योगदान कर सकें। "Emile" पुस्तक ने शिक्षा के क्षेत्र में कई बदलाव लाए, और यह आज भी शिक्षा के क्षेत्र में एक महत्वपूर्ण कृति मानी जाती है। इसके विचार आज भी शिक्षा की नीतियों और प्रक्रियाओं में महत्वपूर्ण समझे जाते हैं।

5. **(C):** पेशीय क्रिया के दौरान 'क्रॉसब्रिज' ट्रोपोनिन को आबद्ध करता है। पेशियों में मायोसिन और एक्टिन नामक दो प्रोटीन होती हैं। मायोसिन के अग्र भाग और एक्टिन के बीच में एक क्रॉसब्रिज बनता है, जो ट्रोपोनिन प्रोटीन को आबद्ध करता है। जब ATP (Adenosine triphosphate) का विघटन होता है, तो यह क्रॉसब्रिज ऊर्जा मुक्त करता है, जिससे पेशी संकुचित होती है।

   यह पूरी प्रक्रिया बहुत ही जटिल है और इसमें विभिन्न बायोकेमिकल घटक शामिल हैं। इस प्रक्रिया को क्रॉसब्रिज साइकलिंग कहते हैं और इसके बिना पेशीय क्रिया संभव नहीं है। यहाँ पर ट्रोपोनिन का मुख्य कार्य है एक्टिन को अवरुद्ध करना ताकि मायोसिन के साथ आबद्ध ना हो। जब ट्रोपोनिन को आबद्ध किया जाता है, तब एक्टिन और मायोसिन आबद्ध होते हैं और क्रॉसब्रिज साइकलिंग होता है।

6. (A): पट्टिल पेशियों में संकुचन शील प्रणाली की कार्यात्मक इकाई सारकोमेयर है। सारकोमेयर एक प्रकार की बायोलॉजिकल इकाई है जिसमें मायोफिलामेंट्स और माइक्रोफिलामेंट्स शामिल होते हैं। इसे बनाने वाले मुख्य घटक मायोसिन और एक्टिन हैं।

सारकोमेयर इकाई के अंदर एक्टिन और मायोसिन के बीच क्रॉसब्रिज संकुचन के लिए जिम्मेदार होते हैं। यह इकाई बहुत ही छोटी होती है और इसके बिना पेशीय क्रिया संभव नहीं है। सारकोमेयर के कारण ही पेशियों में लचीलापन और संकुचन की क्षमता होती है। इसे अधिक समझने के लिए माइक्रोस्कोपिक तकनीकों का उपयोग किया जाता है, और इसे विभिन्न प्रकार के पेशियों में विभिन्न तरीकों से पाया जाता है।

7. (B): पेशीय ऊतकों में ऑक्सीजन का प्राथमिक स्रोत मायोग्लोबिन होता है। मायोग्लोबिन एक प्रकार की प्रोटीन है जो मुख्य रूप से पेशियों में पाई जाती है और यह ऑक्सीजन को संचारित और संचित करने का काम करती है। जब पेशियाँ काम करती हैं, उन्हें ऊर्जा और ऑक्सीजन की आवश्यकता होती है। मायोग्लोबिन इस ऑक्सीजन को पेशियों तक पहुँचाता है और ऊर्जा उत्पन्न करने में मदद करता है।

हीमोग्लोबिन भी ऑक्सीजन को ट्रांसपोर्ट करता है, लेकिन यह मुख्य रूप से रक्त में होता है, न कि पेशीय ऊतकों में। अन्य विकल्पों में, एडीनोसाइन और फासिया पेशीय क्रिया से सीधे संबंधित नहीं हैं।

मायोग्लोबिन का एक अन्य महत्वपूर्ण कार्य यह है कि यह ऑक्सीजन को 'संचित' भी करता है, ताकि जब पेशी को ज्यादा ऑक्सीजन की जरूरत हो, तो यह तात्कालिक रूप से उपलब्ध हो सके।

8. (A): एथलीट द्वारा उच्चतुंगता पर त्वरित समायोजन के दौरान उप-उच्चिष्ठ हृदयी निर्गत में वृद्धि की संभावना है। उच्चतुंगता पर ऑक्सीजन की कमी होती है, और इसके प्रतिकार में शरीर की विभिन्न प्रक्रियाएं बदलती हैं। उप-उच्चिष्ठ हृदयी निर्गत या स्ट्रोक वॉल्यूम एक महत्वपूर्ण माप है जिसे शरीर बदलता है ताकि अधिक ऑक्सीजन को शरीर के विभिन्न हिस्सों तक पहुँचाया जा सके। हृदय का काम है रक्त को पूरे शरीर में पंप करना, जिसमें ऑक्सीजन और अन्य मौलिक अंश होते हैं। जब ऑक्सीजन की मात्रा कम हो, तो हृदय को अधिक मेहनत करनी पड़ती है ताकि वह अधिक रक्त (और इसके साथ ऑक्सीजन) को पूरे शरीर में भेज सके। इस प्रकार, उप-उच्चिष्ठ हृदयी निर्गत में वृद्धि होने की संभावना रहती है।

इसके अलावा, उच्चतुंगता के प्रतिकार में शरीर में अन्य बदलाव भी हो सकते हैं, जैसे कि हीमोग्लोबिन की मात्रा में वृद्धि, लेकिन ये बदलाव धीरे-धीरे होते हैं और त्वरित समायोजन में इतना महत्वपूर्ण नहीं माने जाते हैं। इसलिए, उप-उच्चिष्ठ हृदयी निर्गत में वृद्धि की संभावना सबसे अधिक होती है।

9. (B): यदि आवर्तन की त्रिज्या, कोणीय वेग, और भार के साथ अधिक होती है, तो इनमें से 'केन्द्रापसारी बल' अधिक होगा। केन्द्रापसारी बल वह बल है जो किसी भी घूर्णनशील वस्तु को इसके घूर्णन के केंद्र से बाहर की ओर प्रवृत्त करता है। इसे गणितीय रूप में $F = m \times r \times \omega^2$ से व्यक्त किया जाता है, जहाँ F केन्द्रापसारी बल, m भार, r त्रिज्या, और ω कोणीय वेग है।

जैसा कि सूत्र में दिखाया गया है, केन्द्रापसारी बल सीधे समानुपातिक होता है त्रिज्या, भार, और कोणीय वेग के वर्ग के साथ। इसका मतलब है कि अगर ये तीनों मात्राएं बढ़ती हैं, तो केन्द्रापसारी बल भी अधिक होगा।

यह बल कई जगहों पर महत्वपूर्ण है, जैसे कि वाहनों के टायर, घूमते हुए चाकों, और अन्य घूर्णनशील सिस्टम में। इसके अलावा, केन्द्रापसारी बल का विशेष महत्व भौतिकी और इंजीनियरिंग में भी है।

10. (C): ट्रेपेजियस (Trapezius) मांसपेशी है जिसे हँसुली के तृतीय पार्श्व, प्रवर्धन उपविद्ध और स्कंधास्थि के मेरुदंड पर प्रविष्ट कराया जाता है। यह पेशी विभिन्न कार्यों को निभाती है, जैसे कि गर्दन और कंधों को उठाना, घुमाना, और झुकाना।

ट्रेपेजियस मांसपेशी के तीन कार्यात्मक भाग हैं–शीर्षक (upper), मध्य (middle), और तल (lower)। यह मांसपेशी कंधों और पीठ के विभिन्न भागों के बीच

संबंध बनाए रखती है और इसके बिना हमारी कई दैनिक गतिविधियाँ, जैसे कि वस्त्र पहनना, बस्ता उठाना, और सिर घुमाना, कठिन हो सकती हैं।

ट्रेपेजियस के कार्य के महत्व को समझते हुए, कई व्यायाम और फिजियोथेरेपी तकनीकें इसे मजबूत और स्वस्थ बनाने के लिए विकसित की गई हैं। इस पेशी की कमजोरी या चोट से गर्दन और कंधों में दर्द और असुविधा हो सकती है।

11. (B): टेलर मांसपेशी का वैज्ञानिक नाम 'सार्टोरियस' (Sartorius) है। यह मांसपेशी जांघ के पूरे शीर्ष भाग से लेकर मध्य भाग तक फैला होता है और यह जांघ को मोड़ने, घुमाने और उठाने में मदद करता है। सार्टोरियस का नाम लैटिन शब्द 'sartor' से आया है, जिसका अर्थ है 'टेलर'। यह इसलिए है क्योंकि इस पेशी की सहायता से व्यक्ति उस स्थिति में आ सकता है जिसमें टेलर बैठकर काम करते हैं।

सार्टोरियस मांसपेशी कूल्हे के जोड़ से आरंभ होकर घुटने के जोड़ तक जाती है। इसे 'शरीर की सबसे लंबी मांसपेशी' भी कहा जाता है। इस पेशी का मुख्य कार्य है कूल्हे और घुटने के जोड़ को फ्लेक्स (झुकाना) करना और कूल्हे को अभिवृत्ति (रोटेट) करना।

इस पेशी की कमजोरी या चोट से जांघ, कूल्हे और घुटने में दर्द और असुविधा हो सकती है। इसके अलावा, इस पेशी की चोट का असर व्यक्ति के चाल पर भी पड़ सकता है।

12. (A): प्रथम वर्ग का उत्तोलक सर्वाधिक कार्यक्षम माना जाता है। इस प्रकार के उत्तोलक में भार और बल के बीच में एक आलंब होता है, जो बल और भार के विभाजन को संतुलित करने में मदद करता है। इसका मुख्य लाभ यह है कि यह अधिक बल का उपयोग किए बिना अधिक भार उठा सकता है।

प्रथम वर्ग के उत्तोलक के उदाहरण में पल्ला, उठाने वाले टांगें और लीवर हो सकते हैं। इसे विभिन्न क्षेत्रों में, जैसे कि निर्माण, मैकेनिकल इंजीनियरिंग, और भारी मशीनों में, व्यापक रूप से उपयोग किया जाता है।

दूसरी और तीसरी श्रेणी के उत्तोलक भी होते हैं, लेकिन वे आमतौर पर पहली श्रेणी के उत्तोलक की तुलना में कम कार्यक्षम होते हैं क्योंकि उनमें आलंब, भार, और बल के बीच की दूरी और अनुपात आमतौर पर अनुकूल नहीं होते।

13. (C): किसी व्यवहारात्मक अनुक्रिया के निर्धारण के लिए, स्थिति के साथ व्यक्ति की परस्पर क्रिया को 'संज्ञानात्मक-भावात्मक प्रक्रमण प्रणाली' (Cognitive-Emotional Processing System) के रूप में जाना जाता है।

इस प्रक्रमण प्रणाली में, व्यक्ति के संज्ञान (विचार) और भावनाएं (भाव) एक साथ काम करते हैं ताकि उसकी प्रतिक्रिया या व्यवहार निर्धारित किया जा सके। जैसे, अगर किसी व्यक्ति ने एक परिवर्तन देखा, तो उसके संज्ञानात्मक प्रक्रिया (उसकी समझ और सोच) और भावात्मक प्रक्रिया (उसकी भावनाएं और अनुभूतियाँ) मिलकर उसकी प्रतिक्रिया को निर्धारित करेंगे।

यह प्रक्रमण प्रणाली व्यक्ति की आत्म-संवेदना, जानकारी प्रोसेसिंग, और व्यवहार के बारे में महत्वपूर्ण जानकारी प्रदान करती है। यह न केवल मनोविज्ञान में, बल्कि सामाजिक विज्ञान, मानविकी, और अन्य विज्ञानों में भी उपयोगी है।

इस प्रक्रमण प्रणाली के माध्यम से, हम व्यक्ति और परिस्थिति के बीच जटिल संबंध को बेहतर समझ सकते हैं, और इससे व्यक्ति के प्रतिक्रियाओं और व्यवहार का अधिक सटीक अनुमान लगाया जा सकता है।

14. (B): किसी मित्र या टीम के सदस्य को सफलता पूर्वक निष्पादन करते हुए देखकर आत्मविश्वास प्राप्त करने को 'प्रत्यायुक्त अनुभव' (Vicarious Experience) के रूप में जाना जाता है।

प्रत्यायुक्त अनुभव एक महत्वपूर्ण संज्ञानात्मक प्रक्रिया है जिसमें व्यक्ति दूसरों की सफलता या विफलता को देखकर अपने खुद के क्षमताओं का आंकलन करते हैं। यह बात विशेषकर उन लोगों के लिए सत्य है जिनके पास खुद की क्षमताओं का ठोस मूल्यांकन करने का कोई अनुभव नहीं है।

इस प्रक्रिया में, व्यक्ति का मानना है कि अगर किसी अन्य व्यक्ति ने कोई कार्य सफलतापूर्वक पूरा किया है, तो उसके पास भी उस कार्य को पूरा करने की क्षमता है। इस प्रकार, व्यक्ति के आत्मविश्वास के स्तर में वृद्धि होती है।

प्रत्यायुक्त अनुभव का महत्व विभिन्न क्षेत्रों में है, जैसे कि शिक्षा, व्यापार, खेल, और मनोविज्ञान, जहाँ यह व्यक्ति के अभिप्रेरण और आत्मविश्वास को बढ़ावा देता है।

15. (C): कोई क्रिया, वाक्यांश या उद्दीपन जो आपको ध्यान केंद्रित करने के लिए स्मरण कराता है, को 'उत्प्रेरक' (Triggers) के रूप में जाना जाता है।

उत्प्रेरक एक प्रकार का संकेत होता है जिसे दिमाग पहचानता है और इस पर किसी विशेष प्रकार की प्रतिक्रिया या कार्य निष्पादित करता है। उत्प्रेरकों का उपयोग मनोविज्ञान में व्यापक रूप से होता है, खासकर आदतों की शैली, याददाश्त, और सीखने-सिखाने की प्रक्रिया में।

उत्प्रेरक का उपयोग आमतौर पर किसी विशेष कार्य के लिए अभिप्रेरित या ध्यान केंद्रित करने में होता है। उदाहरण स्वरूप, कुछ लोग अपने कार्य को पूरा करने से पहले एक विशेष तरीके से अपनी कुर्सी पर बैठते हैं, या एक विशेष गीत सुनते हैं। इन सब कार्यों में उत्प्रेरक की महत्वपूर्ण भूमिका है।

इस प्रकार, उत्प्रेरक व्यक्ति के व्यवहार और क्रियाकलापों में एक संरचनात्मक भूमिका निभाते हैं और उन्हें एक निश्चित दिशा में मार्गदर्शन करते हैं।

16. (C): कम अंतरभूत अभिप्रेरण वाला एक युवा एथलीट उस स्थिति में एक उपलब्धि में भाग लेगा, जब ऐसा करने के लिए पर्याप्त पारितोषिक या बाह्य अभिप्रेरण होगा, को 'योजक सिद्धांत' (Additive Principle) के रूप में जाना जाता है।

योजक सिद्धांत के अनुसार, व्यक्ति उन कार्यों में भाग लेंगे जहाँ उन्हें बाह्य अभिप्रेरण या इनाम मिलता है, खासकर तब जब उनका अंतरभूत अभिप्रेरण कम हो। यह समझा जाता है कि बाह्य पारितोषिक और इनाम व्यक्ति के कमजोर अंतरभूत अभिप्रेरण को प्रतिपूर्ण करते हैं।

इस सिद्धांत का महत्वपूर्ण उपयोग खेलकूद, व्यापार, शिक्षा, और कार्यस्थल पर अभिप्रेरण के क्षेत्र में किया जाता है। यह सिद्धांत मानता है कि अगर किसी की आत्म-प्रेरणा कम है, तो उसे बाह्य इनामों और पारितोषिकों के माध्यम से प्रेरित किया जा सकता है।

इस प्रकार, 'योजक सिद्धांत' एक व्यक्ति के अभिप्रेरण और उसके बाह्य और अंतरभूत तत्वों के बीच एक जटिल संबंध को समझने में मदद करता है।

17. (C): भारत के प्रथम राष्ट्रीय खेल विश्वविद्यालय की स्थापना 2018 में की गई थी। यह विश्वविद्यालय भारत सरकार द्वारा खेल और शारीरिक शिक्षा के क्षेत्र में शिक्षा, अनुसंधान, और उत्कृष्टता को बढ़ावा देने के लिए स्थापित किया गया है।

इस विश्वविद्यालय का मुख्य उद्देश्य भारत में खेलकूद को प्रोत्साहित करना है, और उसे और भी प्रोत्साहित करने के लिए विभिन्न ट्रेनिंग प्रोग्राम, कोर्सेज, और अनुसंधान कार्यक्रम चालू करना है।

विश्वविद्यालय के माध्यम से, खिलाड़ियों को उनके खेल के तकनीकी पहलुओं में उत्कृष्टता हासिल करने में मदद मिलती है, और वे अपने क्षेत्र में नई ऊँचाईयों को छू सकते हैं। यह विश्वविद्यालय खेल और शारीरिक शिक्षा के क्षेत्र में उच्च शिक्षा के मानकों को भी ऊँचा करने का काम कर रहा है।

यह विश्वविद्यालय भारतीय खेल को नई दिशा और दृष्टिकोण प्रदान कर रहा है।

18. (B): व्यंग्यात्मक टिप्पणी करना शारीरिक शिक्षा में मूल्यांकन का एक प्रयोजन नहीं है। मूल्यांकन का मुख्य उद्देश्य विद्यार्थियों के प्रगति, क्षमता और योग्यता का विश्लेषण करना है, ताकि उन्हें उनकी कमजोरियों और मजबूतियों का पता चले।

- **छिपी प्रतिभा की पहचान करना :** इससे शिक्षक विद्यार्थियों में उनकी छिपी प्रतिभा को पहचान कर, उनके विकास में योगदान कर सकते हैं।

- **रूपांतरणों को निर्धारित करना :** मूल्यांकन के माध्यम से, शिक्षक विद्यार्थियों में हुए शारीरिक और मानसिक रूपांतरण को निर्धारित कर सकते हैं।
- **समुचित प्रतिपुष्टि प्रदान करना :** शिक्षक विद्यार्थियों को उनके प्रगति के लिए सकारात्मक प्रतिक्रिया और अभिप्रेरणा प्रदान कर सकते हैं।

लेकिन, व्यंग्यात्मक टिप्पणी करना यहाँ पर उपयुक्त नहीं होगा, क्योंकि इससे विद्यार्थी में नकारात्मकता की भावना आएगी और उसका मनोबल गिर जाएगा, जो कि उसके विकास में रुकावट डाल सकता है।

19. (D): जब कौशल के निष्पादन के इर्द-गिर्द वातावरण की स्थितियाँ निष्पादन के दौरान समान रहती हैं, ऐसे कौशल को 'निरुद्ध कौशल' (Closed Skill) के रूप में जाना जाता है।

निरुद्ध कौशल उन कौशलों को कहा जाता है जो एक निर्धारित, अविरल और अपरिवर्तनीय वातावरण में होते हैं। इन कौशलों में, प्रदर्शन के परिमाण और गुणवत्ता पर बाहरी तत्वों का कम या नहीं के बराबर प्रभाव पड़ता है। उदाहरण स्वरूप, गोल्फ की एक पट्टी मारना या एक निश्चित दिशा में तीरंदाजी करना इसे दर्शाता है।

निरुद्ध कौशल के विपरीत, 'खुले कौशल' वे होते हैं जिनमें वातावरण के अनुकूल स्थितियों में अनुकूलन की आवश्यकता होती है। उदाहरण स्वरूप, क्रिकेट में बॉलिंग या फुटबॉल में पास करना।

इस प्रकार, निरुद्ध कौशल के बारे में जानकारी विभिन्न प्रकार के कौशलों की समझ में मदद करती है।

20. (C): एथलीट की अधिगमित या सहज विशेषताएं, जो उसकी खेल में सफलता संभव बनाएंगी या उसकी संभावना होगी, को 'मनोवैज्ञानिक कौशल' के रूप में जाना जाता है।

मनोवैज्ञानिक कौशल उन विशेषताओं या क्षमताओं को दर्शाते हैं जो एथलीट के व्यक्तित्व, नैतिकता, स्व-विश्वास, मोटिवेशन आदि को प्रतिबिम्बित करते हैं। यह कौशल एक एथलीट को उसके प्रदर्शन में उत्कृष्टता हासिल करने में मदद करते हैं।

उदाहरण स्वरूप, एक एथलीट का आत्म-नियंत्रण, संयम, और लक्ष्य-निर्धारण क्षमता, ये सब मनोवैज्ञानिक कौशल हैं जो उसे सफल बनाते हैं।

ये कौशल अक्सर मनोवैज्ञानिक प्रशिक्षण कार्यक्रम के माध्यम से विकसित किए जाते हैं, जिसमें स्व-वार्तालाप, ध्यान, और प्रत्यक्षीकरण जैसी तकनीकें शामिल होती हैं।

इस प्रकार, मनोवैज्ञानिक कौशल एथलीट्स के प्रदर्शन में महत्वपूर्ण भूमिका निभाते हैं।

21. (B)

22. (C): मानव इम्युनोग्लोब्युलिन तंत्र को प्रमुख रूप से पाँच वर्गों में विभाजित किया जाता है। ये पाँच वर्ग निम्नलिखित हैं :

- **IgG (इम्युनोग्लोब्युलिन G) :** यह शरीर में सबसे अधिक मात्रा में पाया जाने वाला एंटीबॉडी है। यह विषाणुओं, जीवाणुओं, और अन्य अवांछित अणुओं के खिलाफ संरक्षा प्रदान करता है।
- **IgA (इम्युनोग्लोब्युलिन A) :** यह शरीर के बाहरी परत, जैसे कि सांस लेने वाले मार्ग और पाचन तंतु में पाया जाता है। यह वहाँ के संक्रमण से बचाव करता है।
- **IgM (इम्युनोग्लोब्युलिन M) :** जब शरीर को कोई नया संक्रमण होता है, तो यह पहली बार उत्पादित होने वाला एंटीबॉडी है।
- **IgE (इम्युनोग्लोब्युलिन E) :** यह एलर्जी और अन्य प्रतिवादी प्रतिक्रियाओं में भूमिका निभाता है।
- **IgD (इम्युनोग्लोब्युलिन D) :** इसका सटीक कार्य अभी तक स्पष्ट नहीं है, लेकिन यह इम्यून रिस्पॉन्स में भूमिका निभा सकता है।

इन पाँच वर्गों का प्रमुख उद्देश्य है शरीर को विभिन्न प्रकार के संक्रमण और अन्य रोगजनक अणुओं से संरक्षा प्रदान करना। इम्युनोग्लोब्युलिन, अथवा एंटीबॉडीज़, शरीर की प्रतिरोध प्रणाली का महत्वपूर्ण हिस्सा हैं जो हमें संक्रमण और बीमारियों से बचाते हैं।

23. (A): विटामिन B_6 को पायरीडॉक्सिन के रूप में भी जाना जाता है। यह विटामिन शरीर में विभिन्न कार्यों के लिए महत्वपूर्ण है, जैसे कि एमिनो एसिड मेटाबोलिज़्म, ग्लूकोज़ का उत्पादन, और न्यूरोट्रांसमिटर सिंथेसिस। यह विटामिन लाल रक्त कणिकाओं के निर्माण में भी भूमिका निभाता है और इम्यून सिस्टम को भी मजबूत बनाता है।

पायरीडॉक्सिन विटामिन B कॉम्प्लेक्स का हिस्सा है, जिसमें B_1, B_2, B_3, B_5, B_7, B_9 और B_{12} शामिल हैं। विटामिन B_6 की कमी से पेरिफेरल न्यूरोपैथी, अनीमिया, और कुछ प्रकार की त्वचा संबंधी विकारों की समस्या हो सकती है।

विटामिन B_6 के अलावा, बाकी विकल्पों में पैण्टोथेनिक अम्ल विटामिन B_5 का एक रूप है, टोकोफेरॉल विटामिन E का एक रूप है, और निकोटिनिक अम्ल विटामिन B_3 का एक रूप है।

24. (B): किसी क्रिया में शामिल एक गतिज शृंखला की सभी पेशियों को समकालिक करने की क्षमता अन्तरापेशी समन्वय (Intermuscular Coordination) के रूप में जानी जाती है। जब हम कोई भी शारीरिक क्रिया करते हैं, तो उसमें विभिन्न पेशियों का संचारण होता है। इस संचारण को व्यवस्थित करने और सभी पेशियों के बीच समन्वय स्थापित करने में अन्तरापेशी समन्वय महत्वपूर्ण भूमिका निभाता है।

अन्तरापेशी समन्वय शारीरिक क्षमता, स्किल और प्रदर्शन को बेहतर बनाने में मदद करता है। उचित समन्वय के बिना, पेशियों का असंगठित और अनियमित कार्य हो सकता है, जिससे किसी भी शारीरिक क्रिया का प्रदर्शन कम हो सकता है।

इसके अलावा, यह समन्वय शरीर में ऊर्जा का भी उचित उपयोग करने में मदद करता है, क्योंकि समन्वित पेशियों का काम ज्यादा कुशलतापूर्वक होता है।

25. (B): विपर्यास (व्यतिरेकी) प्रशिक्षण एक प्रकार की शारीरिक व्यायाम की विधि है, जिसमें विभिन्न प्रकार के व्यायामों को एक के बाद एक किया जाता है, ताकि एक ही समूह की पेशियों पर अलग-अलग प्रकार की भार डाली जा सके। उदाहरण स्वरूप, जंप स्क्वाट्स और अर्ध स्क्वाट्स। जंप स्क्वाट्स में पूर्ण उछाल लेनी पड़ती है, जबकि अर्ध स्क्वाट्स में केवल आधी उछाल होती है।

विकल्प B में दिए गए 10 जंप स्क्वाट्स के एक समुच्चय के बाद 10 अर्ध स्क्वाट्स का एक समुच्चय करना, एक ही पेशी समूह (जैसे क्वाड्रिसेप्स, हैमस्ट्रिंग्स, ग्लूट्स आदि) पर विभिन्न प्रकार की स्ट्रेस और स्टिमुलस डालने का एक उत्कृष्ट तरीका है।

इस तरीके में, जंप स्क्वाट्स आपकी पेशियों को उच्च इंटेंसिटी के साथ लोड करेंगे, जबकि अर्ध स्क्वाट्स उन्हें कुछ राहत प्रदान करेंगे, लेकिन फिर भी उन्हें एक्टिवेट करेंगे। इस प्रकार, आप एक ही व्यायाम सत्र में विभिन्न प्रकार की पेशी स्टिमुलस प्रदान कर सकते हैं।

26. (C): परिपथ प्रशिक्षण (Circuit Training) को पहली बार 1959 में आर.ई. मॉर्गन और जी.टी. एडम्सन द्वारा प्रस्तावित किया गया था। यह व्यायाम की एक विधा है जिसमें विभिन्न स्तरों पर व्यायाम किए जाते हैं और प्रत्येक स्तर के बाद थोड़ा आराम लिया जाता है।

परिपथ प्रशिक्षण का मुख्य उद्देश्य शारीरिक स्थिति और आरोग्य को बेहतर बनाना है। यह कई प्रकार के व्यायामों का संचारण करता है, जैसे कि कार्डियो, स्ट्रेंथ ट्रेनिंग, और फ्लेक्सिबिलिटी व्यायाम। यह ताकत, धैर्य, और कार्डियोवैस्कुलर स्वास्थ्य को बेहतर बनाने में मदद करता है।

परिपथ प्रशिक्षण के इस प्रकार के प्रोटोकॉल का उपयोग विभिन्न स्पोर्ट्स ट्रेनिंग, रिहैबिलिटेशन, और फिटनेस प्रोग्राम में किया जाता है। इसने व्यायाम और फिटनेस की दुनिया में एक नई दिशा स्थापित की और बहुत सारे लोगों को उनके फिटनेस लक्ष्यों की प्राप्ति में मदद की है।

27. (D): यदि खिलाड़ी कूल्हा अनामनियों (Flexors) द्वारा पेल्विस पर फीमर (femur) का संकुचन (contraction) कर रहा है, तो यह सक्रिय गतिशीलता (Active Mobility) का उदाहरण है। सक्रिय गतिशीलता तब होती है जब एक पेशी इतना ज्यादा संकुचित हो जाता है कि उसकी और अधिक संकुचन की क्षमता कम हो जाती है।

उदाहरण स्वरूप, जब कूल्हे के अनामनियों का पूरी तरह से संकुचन होता है, तो वे और अधिक संकुचित नहीं हो सकते, जिससे उनकी कार्यक्षमता में कमी आ सकती है।

सक्रिय गतिशीलता को समझना खेल प्रशिक्षण और चिकित्सा में महत्वपूर्ण है, क्योंकि यह एक खिलाड़ी की प्रदर्शन क्षमता को प्रभावित कर सकता है। यह जानकारी प्रशिक्षकों और थेरेपिस्टों को उनके खिलाड़ियों के लिए अधिक कुशल प्रशिक्षण और उपचार प्रोग्राम तैयार करने में मदद कर सकती है।

28. (B)

29. (D)

30. (D): भविष्यवाची सांख्यिकी (Predictive Statistics) का मुख्य उद्देश्य व्यक्ति से संबंधित अज्ञात तथ्यों को ज्ञात मापनीय गुणों से अनुमानित करना है। इस प्रकार के सांख्यिकी का उपयोग आमतौर पर एक छोटे सैम्पल सेट से पूरे पॉपुलेशन के बारे में निष्कर्ष पर पहुँचने के लिए किया जाता है।

उदाहरण स्वरूप, यदि हमें एक विशेष उम्र समूह के लोगों का औसत वजन ज्ञात करना है, तो हम उस समूह से एक छोटा सैम्पल लेंगे और उसके आधार पर पूरे समूह का औसत वजन अनुमानित करेंगे।

इसके विपरीत, विवरणात्मक सांख्यिकी (Descriptive Statistics) में केवल मौजूदा डेटा का विश्लेषण किया जाता है, संबंधी सांख्यिकी (Relationship Statistics) में दो या दो से अधिक चर के बीच के संबंध को मापा जाता है, और परिणामात्मक सांख्यिकी (Inferential Statistics) में कारण और परिणाम के संबंध का विश्लेषण किया जाता है।

31. (D): आंतरिक आलोचना (Internal Criticism) उस प्रकार की समीक्षा या मूल्यांकन है जो किसी दस्तावेज, सिद्धांत या अनुसंधान की विश्वसनीयता, परिशुद्धता, और अर्थ को ध्यान में रखकर की जाती है। इसमें दस्तावेज़ की प्रमाणिकता और अंतर्वस्तु की विश्वसनीयता का मूल्यांकन किया जाता है।

यह आलोचना उसी प्रमाण या डेटा से संबंधित होती है जिस पर कोई सिद्धांत या अनुसंधान आधारित है। इससे जाँचा जाता है कि क्या प्रमाण सही है, क्या उनका उपयोग ठीक तरीके से किया गया है, और क्या उनका अर्थ सही तरीके से निकाला गया है।

बाह्य आलोचना (External Criticism) के विपरीत, जिसमें किसी बाहरी स्रोत या संदर्भ के आधार पर मूल्यांकन किया जाता है, आंतरिक आलोचना केवल उसी दस्तावेज या सिद्धांत के आधार पर होती है।

32. (A)

33. (C)

34. (D): भारतीय खेल प्राधिकरण (SAI) का प्रतिभा पहचान प्रोटोकॉल आमतौर पर भारतीय स्वरूप के खेलों को प्रोत्साहित करने के लिए तैयार किया जाता है। यह उन खेलों का चयन करता है जो भारतीय संस्कृति और परंपरा से जुड़े होते हैं और जिनमें भारतीय खिलाड़ियों को अंतर्राष्ट्रीय स्तर पर प्रदर्शन करने की संभावना होती है।

कबड्डी और खो-खो भारतीय उत्पत्ति के खेल हैं और इनमें बड़ी संख्या में भाग लेने वाले भारतीय खिलाड़ियों की पहचान की जाती है। नौकायन (Canoeing) भी उन खेलों में शामिल है जिसे भारतीय खेल प्राधिकरण (SAI) प्रोत्साहित करता है, क्योंकि यह भी एक ऐसा खेल है जिसमें भारतीय खिलाड़ियों के शामिल होने की संभावना है।

हालाँकि, टेनिस एक अंतरराष्ट्रीय खेल है और इसे आमतौर पर SAI के प्रतिभा पहचान प्रोटोकॉल में शामिल नहीं किया जाता है। इसका मुख्य कारण यह है कि टेनिस पहले से ही विश्व स्तर पर एक प्रमुख खेल है और इसे भारतीय खेल प्राधिकरण के प्रतिभा पहचान प्रोटोकॉल के द्वारा प्रोत्साहित नहीं किया जाता है।

35. (C): जैक्सन-पोलक 3-साइट स्किन फोल्ड सूत्र (1985) पुरुषों के लिए तीन मुख्य स्किन फोल्ड साइट्स का मौलिक उपयोग करता है, जिसमें त्रिशिरस्क (Triceps), सीना (Chest), और उपस्कंध (Subscapular)

शामिल हैं। यह मैपिंग पुरुषों के काया-घनत्व का अनुमान लगाने में मदद करता है।

अधिश्रोणीय (Suprailiac) स्किन फोल्ड, जिसे श्रोणि के ऊपरी भाग में मापा जाता है, इस सूत्र में शामिल नहीं है। यह अक्सर अन्य सूत्रों में शामिल किया जाता है, लेकिन जैक्सन-पोलक 3-साइट सूत्र में इसका उपयोग नहीं किया गया है।

36. (D): आयोजन प्रबंधन में नियोजन के विभिन्न आयाम हो सकते हैं, जैसे :

- **प्रबंध-स्तर (Management Level):** यह निर्धारित करता है कि नियोजन किस स्तर पर किया जा रहा है–उच्च प्रबंध, मध्यम स्तर या निचले स्तर के लिए।
- **योजना का प्रकार (Type of Planning):** यह निर्धारित करता है कि योजना दीर्घकालिक है, मध्यकालिक है या अल्पकालिक है।
- **कार्यक्षेत्र (Scope):** यह निर्धारित करता है कि योजना कितने व्यापक स्तर पर की जा रही है–क्या यह केवल एक विभाग के लिए है या पूरे संगठन के लिए है।

कोच की दक्षता (Coaching Skills) आयोजन प्रबंधन या नियोजन के आयाम में नहीं आती। यह सामान्यतः कोचिंग और टीम प्रबंधन से संबंधित है, जिसमें कोच कैसे खिलाड़ियों को प्रशिक्षित करते हैं, उनकी प्रगति कैसे ट्रैक करते हैं, और उनके प्रदर्शन को कैसे बेहतर बनाते हैं, यह सब शामिल होता है।

37. (B): बार-बार उत्पन्न होने वाली परिस्थितियों को संभालने के लिए जिन नीतियों, प्रक्रियाओं, और नियमों का उपयोग किया जाता है, उन्हें स्थायी योजनाएँ (Standing Plans) कहा जाता है। यह योजनाएँ आमतौर पर विभिन्न प्रकार की आवर्तक (recurring) परिस्थितियों या समस्याओं के समाधान के लिए तैयार की जाती हैं।

उदाहरण स्वरूप, एक कंपनी में हर महीने बिल्स कैसे भेजे जाएंगे, या कैसे इन्वेंटरी मैनेज की जाएगी, या कैसे नौकरियों की भर्ती की जाएगी, इन सबके लिए स्थायी योजनाएँ होती हैं।

इनका मुख्य उद्देश्य विभागों और कर्मचारियों को बार-बार उत्पन्न होने वाले कार्यों और समस्याओं को एक निश्चित और कुशल तरीके से संभालने में मदद करना है।

38. (C): नेताओं की अपने कर्मचारियों पर विश्वास और भरोसे की मनोवृत्ति को अहस्तक्षेप प्रबंधन (Laissez-faire Management) में देखा जा सकता है। इस प्रकार के प्रबंधन में, नेता अपने कर्मचारियों को उनके कार्य में पूरी आजादी देते हैं और उनपर पूरा विश्वास और भरोसा रखते हैं। यह माना जाता है कि कर्मचारी जब खुद से और बिना बाहरी हस्तक्षेप के अपना कार्य करेंगे, तो वे उसमें अधिक रुचि रखेंगे और उच्चतम स्तर का प्रदर्शन करेंगे।

इसके विपरीत, प्राधिकारिक प्रबंधन में नेता अपने प्राधिकार संप्रेषण में अधिक विश्वास रखते हैं। आकर्षण (प्रत्यापक) प्रबंधन में नेता अपने प्रेरणादायक व्यक्तित्व और विचारों से कर्मचारियों को प्रेरित करते हैं। सेवक प्रबंधन में, नेता अपने कर्मचारियों की सेवा करने में विश्वास रखते हैं।

अहस्तक्षेप प्रबंधन ही वह प्रकार है जहाँ नेता कर्मचारियों पर पूरा विश्वास और भरोसा रखते हैं, उन्हें उनके काम में आजादी देते हैं और न्यूनतम हस्तक्षेप करते हैं।

39. (C): खेल संबंधी सुविधा प्रबंधक का प्राथमिक सरोकार व्यक्तियों की सुरक्षा करना है जो सुविधाओं का उपयोग करते हैं। यह बहुत महत्वपूर्ण है क्योंकि अगर सुरक्षा की उपयुक्त व्यवस्था नहीं होगी, तो यह किसी भी स्थानीय या राष्ट्रीय स्तर की खेल प्रतियोगिता, ट्रेनिंग या अन्य आयोजन में समस्या उत्पन्न कर सकती है।

भले ही भीड़ एकत्रित होना, खिलाड़ी का प्रदर्शन, और आयोजनों के परिणाम भी महत्वपूर्ण हो सकते हैं, लेकिन ये सब तब ही संभव हैं जब सुरक्षा पर पूरी तरह से ध्यान दिया जाता है। अगर सुरक्षा उपेक्षित की जाए, तो यह खिलाड़ियों और दर्शकों के लिए घातक भी हो सकता है।

सुरक्षा के लिए विभिन्न प्रकार के मापदंडों और प्रोटोकॉल का पालन करना, उपकरणों की नियमित जाँच करना, और आपातकालीन सेवाओं की व्यवस्था करना, इन सब का ध्यान रखना आवश्यक है।

40. (B): उच्चतर माध्यमिक स्तर पर शारीरिक शिक्षा के शिक्षकों को तैयार करने के लिए एम.पी.एड (Master of Physical Education) कार्यक्रम है। यह एक प्रोफेशनल पोस्ट-ग्रेजुएट कोर्स है जिसे 2 साल में पूरा किया जाता है। इस कोर्स में शिक्षा के विभिन्न आयामों, जैसे कि पाठ्यक्रम विकास, शिक्षा में मानकों का विकास, शारीरिक शिक्षा के मूल सिद्धांत और उनके प्रयोग आदि पर गहरा अध्ययन और अनुसंधान किया जाता है।

बी.पी.एड (Bachelor of Physical Education) और डी.पी.एड (Diploma in Physical Education) भी शारीरिक शिक्षा के क्षेत्र में हैं, लेकिन ये आमतौर पर उच्च माध्यमिक या माध्यमिक स्तर के लिए होते हैं। एम.फिल (Master of Philosophy) एक अनुसंधान-केंद्रित कोर्स है जो किसी भी विषय में हो सकता है।

41. (A): दर्शन की शाखा और उनके केन्द्रित क्षेत्र :

- तत्व-मीमांसा का केंद्रित क्षेत्र यथार्थ की प्रकृति है। इसमें सबसे मूल तत्वों या प्रकृति के बारे में विचार किया जाता है।
- मूल्य-मीमांसा में समाज के लक्ष्य और मूल्यों पर विचार किया जाता है। यह उन मूल्यों और सिद्धांतों का अध्ययन है जो हमारे आचरण और निर्णयों को मार्गदर्शित करते हैं।
- नीतिशास्त्र में आचरण, उत्तरदायित्व, और मानदंड का अध्ययन होता है। इसमें धर्म, कर्तव्य, और नैतिक मूल्यों पर गहरा विचार किया जाता है।

इसके विपरीत, सौंदर्यशास्त्र ज्ञान की प्रकृति का अध्ययन नहीं करता, बल्कि यह सौंदर्य और कला की प्रकृति का अध्ययन करता है। ज्ञान-मीमांसा, जिसे ज्ञान शास्त्र भी कहा जाता है, ज्ञान की प्रकृति, स्रोत, और सीमाओं का अध्ययन करता है, न कि सौंदर्य और कला की प्रकृति।

42. (B): कन्फ्यूशियस, जिन्होंने चीनी दर्शन में महत्वपूर्ण योगदान दिया, उनके अनुसार शिक्षा के तत्व हैं :

- **अनुप्रयोग करना :** कन्फ्यूशियस के अनुसार, केवल जानकारी होने से कुछ नहीं होगा, उसे अनुप्रयोग में लाना भी जरूरी है।
- **निरूपण करना :** कन्फ्यूशियस शिक्षा में विचारशीलता और समझ की महत्वपूर्ण भूमिका मानते थे। उन्होंने बताया कि एक व्यक्ति के पास अपने ज्ञान का विश्लेषण करने की क्षमता होनी चाहिए।
- **पुष्टि करना :** उनके अनुसार, शिक्षा केवल जानकारी का हस्तांतरण नहीं है, बल्कि यह व्यक्ति के विकास और संस्कार में भी योगदान करती है।
- **अनुदेश देना :** कन्फ्यूशियस के अनुसार, शिक्षक का कार्य केवल जानकारी देने का नहीं, बल्कि सही दिशा में मार्गदर्शन करना भी है।
- **आदेश देना :** यह तत्व कन्फ्यूशियस के दृष्टिकोण में शिक्षा में शामिल नहीं है, क्योंकि उनका मानना था कि शिक्षा एक अन्योन्य क्रियापरक प्रक्रिया है जिसमें शिक्षक और शिक्षार्थी दोनों का सहयोग होना चाहिए।

43. (C): ऑक्सीजन और ATP के गठन के लिए क्रियाधार (Substrate) की आपूर्ति करने वाले ईंधन के स्रोत :

- **पेशियों के भीतर भंडारित ग्लाइकोजेन अणु :** पेशियों में भंडारित ग्लाइकोजेन को जरूरत के समय ग्लूकोज में बदल देते हैं, जो तत्पश्चात् ऑक्सीजन के साथ उत्पन्न किए गए श्वसनिक प्रक्रिया के माध्यम से ATP (Adenosine triphosphate) उत्पन्न करने के लिए उपयोग किया जाता है।
- **मुक्त वसीय अम्ल :** मुक्त वसीय अम्ल भी ATP उत्पन्न करने के लिए ऑक्सीजन के साथ श्वसनिक प्रक्रिया में शामिल होते हैं। वसीय अम्ल का उपयोग दैनिक क्रियाओं और व्यायाम में अधिक होता है, जहाँ अधिक ऊर्जा की आवश्यकता होती है।

फ्रक्टोकाइनेज और लिपोप्रोटीन लाइपेज ATP के उत्पादन के लिए ऑक्सीजन और सबस्ट्रेट की आपूर्ति में सीधे योगदान नहीं करते हैं।

44. (B): गर्मी के दौरान निम्न शारीरिक अनुकूलन प्रतिक्रिया देखी जाती है :

- **त्वचीय रक्त प्रवाह में सुधार :** जब शरीर का तापमान बढ़ता है, तो त्वचा के रक्तवाहिकाओं में वासोडाइलेशन होता है, जिससे रक्त प्रवाह बढ़कर ऊष्मा का निर्वहन होता है।
- **हृदयी निर्गत का प्रभावी वितरण :** ऊष्मा के दौरान हृदय का निर्गत बढ़ता है, जिससे रक्त का वितरण त्वचा और अन्य भागों में बढ़कर, ऊष्मा का निष्कासन सुनिश्चित होता है।
- **स्लेदन के प्रारंभ के लिए निचली सीमा (लोअर थ्रेशोल्ड) :** जब शरीर का तापमान बढ़ता है, स्लेदन की प्रक्रिया जल्दी शुरू होती है, जिससे ऊष्मा का निर्वहन होता है.

परिधीय परिसंचारी अनुकूलन पर्यनुकूलन के एक रूप को भी परिलक्षित करता है : यह तत्व ऊष्मा के दौरान देखा नहीं जाता है, क्योंकि यह ठंडी स्थितियों में अधिक प्रयोगी होता है।

45. (A): स्कंध संधि के अग्र समूह में निम्नलिखित मांसपेशियाँ शामिल हैं :

- **पेक्टोरालिस मेजर :** यह बड़ी मांसपेशी है जो छाती के अधिकांश भाग को ढँकती है और यह स्कंध संधि को अग्रवर्ती और अधोगति में ले जाती है।
- **कोराकोब्रेकियालिस :** यह स्कंध की अग्र ओर स्थित है और स्कंध को अग्रवर्ती और बाहरी ओर घुमाती है।
- **सबस्केपुलारिस :** यह मांसपेशी स्कंध ब्लेड के अधोभाग में स्थित है और स्कंध को अंदर और अग्रवर्ती दिशा में घुमाती है।

पेक्टोरालिस माइनर और ट्रेपेजियस इस समूह में शामिल नहीं हैं, इन्हें स्कंध संधि के पीछे के समूह में माना जाता है।

46. (B): कारक स्थायित्व, जिसे अंग्रेजी में Static Stability कहते हैं, एक वस्तु या संरचना की स्थिरता को मापता है, जब वह विश्राम पर होता है। कारक स्थायित्व को प्रभावित करने वाले मुख्य घटक हैं :

- **आधार का क्षेत्रफल :** जितना अधिक क्षेत्रफल होगा, उतनी ही अधिक स्थिरता होगी।
- **गुरुत्व का केंद्र :** यह वह स्थान है जहाँ एक वस्तु का सम्पूर्ण भार केंद्रित होता है। यदि शरीर का गुरुत्व केन्द्र निचला और मध्य भाग हो, तो स्थिरता अधिक होती है।
- **शरीर का वजन :** भारी वस्तुएँ आमतौर पर अधिक स्थिर होती हैं क्योंकि उनका गुरुत्व केंद्र निचले भाग में होता है।

संचलन की गति और बल का अनुप्रयोग आमतौर पर गतिज स्थायित्व को प्रभावित करते हैं, न कि कारक स्थायित्व को।

47. (D): समूह विकास से संबंधित सिद्धांत निम्नलिखित हैं :

- **लोलकीय सिद्धांत :** यह सिद्धांत समूहों की वृद्धि और विकास के दौरान पारस्परिक संबंधों में होने वाले बदलावों पर जोर देता है।
- **चक्रीय सिद्धांत :** इस सिद्धांत के अनुसार, विकास एक पुनरावलोकनीय और चक्रीय प्रक्रिया है।
- **रैखिक सिद्धांत :** इस सिद्धांत में माना जाता है कि विकास एक निरंतर और रैखिक मार्ग में होता है।

कोणीय सिद्धांत : यह सिद्धांत विकास को अंगों या आकृतियों के कोण के संबंध में नहीं देखता है, इसलिए यह विकास से सीधे तौर पर संबंधित नहीं है।

48. (A)

49. (B): शिक्षण विधि का चयन कई कारकों पर निर्भर करता है, जैसे :

- **विषय सामग्री :** शिक्षण विधि का चयन विषय सामग्री के प्रकार पर भी निर्भर करता है।
- **छात्रों का स्वभाव :** विभिन्न छात्रों की विभिन्न जरूरतों और शैलियों को ध्यान में रखकर शिक्षण विधि का चयन किया जाता है।

- **लिंग (Gender):** कभी-कभी लिंग के हिसाब से भी शिक्षण विधियों का चयन किया जाता है, जैसे कुछ कार्यक्रम महिलाओं या पुरुषों के लिए अधिक उपयुक्त हो सकते हैं।
- **सुविधाओं की उपलब्धता :** उपलब्ध सुविधाओं के हिसाब से भी शिक्षण विधि का चयन होता है।

50. (C): वस्तु नियंत्रण गतिविधियाँ वे होती हैं जिनमें किसी वस्तु (जैसे गेंद) को नियंत्रित किया जाता है।

- **ओवरहैंड थ्रो :** इसमें गेंद को ओवरहैंड तकनीक से फेंका जाता है।
- **फोरहैंड स्ट्राइक :** इसमें गेंद को फोरहैंड तकनीक से मारा जाता है।
- **थ्रो-इन :** इसमें गेंद को साइडलाइन से फिर से खेल में लाया जाता है, जिसमें वस्तु को नियंत्रित किया जाता है।
- **कैच :** इसमें गेंद को पकड़ा जाता है, जिसमें भी वस्तु का नियंत्रण होता है।

51. (C): प्राथमिक उपचार के मुख्य उद्देश्य होते हैं :

- **जीवन बचाना :** यहाँ की प्राथमिकता जीवन को बचाने की है।
- **स्थिति (हालात) को अधिक गंभीर होने से बचाना :** किसी भी घाव या चोट के बढ़ने से रोकने की कोशिश की जाती है।
- **स्वास्थ्य की पुनर्बहाली में सहायता करना :** आगे के इलाज के लिए मदद करने में भी योगदान देता है।

52. (C)

53. (C): खिलाड़ी के दौड़ने की गति को निर्धारित करने वाले कारक :

- **कदमों की लंबाई :** दौड़ने की गति में कदमों की लंबाई महत्वपूर्ण भूमिका निभाती है। लंबे कदम अधिक दूरी को कवर करने में मदद करते हैं।
- **कदमों का आरोह-अवरोह :** यह भी दौड़ने की गति को प्रभावित करता है। कदमों के उत्थान और अवरोह का तारतम्य, यानी कैसे और कितनी तेजी से कदम उठाया और गिराया जाता है, इस पर भी गति निर्भर करती है।

54. (C): शक्ति-प्रतिरोधक विधि में संयोजन :

- **आइसोटोनिक :** इसमें मांसपेशी की लंबाई बदलती है जबकि टेंशन (प्रतिरोध) स्थिर रहता है।
- **आइसोमीट्रिक :** इसमें मांसपेशी की लंबाई स्थिर रहती है जबकि प्रतिरोध बदल सकता है।
- **बैलिस्टिक :** यह विधि अचानक और तेज़ शक्ति का उपयोग करती है।

इन तीनों (आइसोटोनिक, आइसोमीट्रिक, बैलिस्टिक) का संयोजन शक्ति-प्रतिरोध की विधि में किया जाता है।

55. (B): प्रयोगात्मक शोध एक प्रकार का शोध है जिसमें शोधकर्ता एक या अधिक चर को मानिपुलेट (संशोधित) करते हैं और उसके प्रभाव पर नजर रखते हैं। इसका मुख्य उद्देश्य कारण और प्रभाव के बीच संबंध स्थापित करना है।

56. (A): आंतरिक वैधता हेतु संकट नियंत्रण के लिए सामान्यतः कूटभेषज (Placebo), अज्ञात ढाँचा (Blind Setup), और यादृच्छिकीकरण (Randomization) जैसी विधियों का उपयोग किया जाता है। इससे शोध में होने वाले संकटों को नियंत्रित किया जा सकता है।

57. (D): भारतीय खेल प्राधिकरण (SAI) की हॉकी-टेस्ट की परीक्षण मदों में गोल में मारना, हॉकी पर बॉल का संतुलन, और बॉल के साथ गति करना जैसी क्षमताएं महत्वपूर्ण मानी जाती हैं। इन क्षमताओं का मूल्यांकन किया जाता है ताकि खिलाड़ी की क्षमता का सही आंकलन किया जा सके।

58. (C): आहपर्ड (AAHPERD) वॉलीबॉल कौशल परीक्षण की परीक्षण मदों में वॉली देना, सर्विस देना, पास करना, और सेट अप महत्वपूर्ण माने जाते हैं। ये क्षमताएँ वॉलीबॉल खेल के महत्वपूर्ण हिस्से हैं और खिलाड़ियों के वॉलीबॉल कौशल का सही मूल्यांकन करने में मदद करते हैं। ब्लॉक करना भी महत्वपूर्ण है, लेकिन AAHPERD वॉलीबॉल कौशल परीक्षण में यह आमतौर पर शामिल नहीं किया जाता है।

59. (A): भारतीय खेल प्राधिकरण (SAI) की वॉलीबॉल टेस्ट की परीक्षण मदों में मेडिसिन बॉल थ्रो की जाती है ताकि खिलाड़ियों की ऊपरी शरीर की शक्ति का मूल्यांकन किया जा सके। एक्यूरेसी ऑफ सर्विस टेस्ट में सर्विस देने की क्षमता का मूल्यांकन किया जाता है। बॉल वॉलीईंग में खिलाड़ी की वॉली करने की क्षमता का मूल्यांकन किया जाता है।

60. (C)

61. (D): मसाज में विभिन्न प्रकार के हेर-फेर का उपयोग किया जाता है :

- **दबाव का हेर-फेर :** इस तकनीक में विभिन्न तंतुओं के बीच अधिकतम यांत्रिक गति प्राप्त करने के लिए शरीर पर गहरा स्थानीय दबाव लागू किया जाता है।
- **आघात का हेर-फेर :** एक उपकरण के माध्यम से नरम ऊतकों के दर्द और पीड़ा का उपचार किया जाता है।
- **स्ट्रोकिंग मैनिपुलेशन :** इसमें हाथों को त्वचा पर केवल एक ही दिशा में लयबद्ध तरीके से और लगातार घुमाया जाता है जिसका उद्देश्य उस दिशा में रक्त के प्रवाह को बढ़ाना, ऊतकों को खींचना आदि होता है।

62. (B): शीर्ष स्तर के प्रबंधन के कार्य आमतौर पर नीति निर्धारण, रणनीतिक योजना तैयारी, और संगठन की सर्वसमावेशी प्रगति की निगरानी शामिल होती हैं।

- नीतियों के अनुसार संगठन की योजनाओं का कार्यान्वयन और क्रियान्वयन करना। यह नीति और योजनाओं को लागू करने का कार्य है।
- निष्पादन की समीक्षा करना और सभी क्रियाकलापों पर नियंत्रण रखना। यह निष्पादन मॉनिटरिंग और नियंत्रण का कार्य है।
- रणनीतिक योजना और नीतियों को तैयार करना। यह नीति और रणनीतिक विकास का कार्य है।

इन कार्यों में दैनिक क्रियाकलापों की वित्तीय व्यवस्था या स्टाफ की भर्ती और चयन आमतौर पर शामिल नहीं होते हैं; ये कार्य मध्य या निचले स्तर के प्रबंधन के द्वारा किए जाते हैं।

63. (A): विश्वसनीयता को प्रभावित करने वाले कारक निम्नलिखित हैं :

- **परिवर्तनशीलता :** यदि एक प्रक्रिया या परिमाप बार-बार भिन्न परिणाम देता है, तो इसकी विश्वसनीयता कम हो सकती है।
- **निदर्श का आकार :** निदर्श का आकार भी विश्वसनीयता पर असर डाल सकता है। उचित आकार का चयन करना महत्वपूर्ण है।
- **निदर्श की प्रतिनिधिकता :** जिस पैमाने पर विश्वसनीयता का मूल्यांकन किया जा रहा है, वह यदि पूरे पूल का प्रतिष्ठान नहीं है, तो विश्वसनीयता कम हो सकती है।

64. (C): रूपांतरणकारी नेतृत्व में निम्नलिखित घटक होते हैं :

- **आदर्शीकृत प्रभाव :** नेता यहाँ अपने व्यक्तित्व और आदर्शों के माध्यम से लोगों को प्रभावित करते हैं।
- **प्रेरणास्पद अभिप्रेरण :** नेता उत्साही, उत्साहित करने वाले और उत्कृष्टता की प्रेरणा देते हैं।
- **बौद्धिक उद्दीपन :** नेता टीम के लोगों को नई दृष्टिकोण से सोचने और समस्या सुलझाने में मदद करते हैं।
- **व्यक्तिकृत सोच-विचार :** नेता प्रत्येक व्यक्ति को उनकी व्यक्तिगत जरूरतों और विकास के हिसाब से ध्यान देते हैं।

65. (A): पाठ्यचर्या की रूपरेखा निम्नलिखित का मूल्यांकन करती है :

- **छात्रों का निष्पादन :** पाठ्यक्रम के अंतर्गत छात्रों के प्रगति और समर्पण का मूल्यांकन किया जाता है।
- **शिक्षक का स्व-मूल्यांकन :** शिक्षक अपने आत्म-मूल्यांकन के माध्यम से पाठ्यचर्या में किए गए कार्य की सफलता को मापते हैं।
- **पाठ्यचर्या में सुधार :** मूल्यांकन के परिणामस्वरूप, शिक्षक पाठ्यक्रम में आवश्यक सुधार कर सकते हैं।

66. (C) **67. (A)** **68. (D)**

69. (B) **70. (A)** **71. (C)**

72. (C) **73. (A)** **74. (C)**

75. (D)

76. (B): ओलंपिक शुभंकरों के आरोही क्रम में उनके प्रयोग की जानकारी निम्नलिखित है :

- 'सैम' 1984 लॉस एंजेलिस ओलंपिक का शुभंकर था।
- 'इज्जी' 1996 अटलांटा ओलंपिक का शुभंकर था।
- 'फीवोस और एथीना' 2004 एथेन्स ओलंपिक के शुभंकर थे।
- 'विनिकस' 2016 रियो ओलंपिक का शुभंकर था।

77. (C)

78. (B): विभिन्न कौशल परीक्षणों का उनके निर्माण वर्ष के अनुसार आरोही क्रम इस प्रकार है :

- हेल्मेन वॉलीबॉल परीक्षण : 1971
- एंटरिम बास्केटबॉल कौशल परीक्षण : 1972
- मोर-क्रिश्चियन सामान्य सॉसर योग्यता कौशल परीक्षण बैटरी : 1979
- चॉपमैन बॉल नियंत्रण परीक्षण : 1982
- GSC बैडमिन्टन क्लियर परीक्षण : 1993

79. (A)

80. (C): प्रशिक्षण कारक पिरामिड के अनुसार प्रशिक्षण के विभिन्न पहलुओं का अनुक्रम निम्नलिखित है :

- **शारीरिक प्रशिक्षण :** यह बेसलाइन क्षमता बनाता है और अन्य प्रशिक्षण के लिए तैयार करता है।
- **प्रौद्योगिकीय प्रशिक्षण :** यह विशिष्ट कौशल और ज्ञान को विकसित करता है, जो विशेष क्षेत्र में उपयोगी हो सकते हैं।
- **सामरिक प्रशिक्षण :** यह टीमवर्क और स्ट्रेटेजी को बेहतर बनाता है।
- **मनोवैज्ञानिक प्रशिक्षण :** यह सबसे उच्च स्तर पर उपयोग किया जाता है और यह मानसिक रूप से लोगों को उनके क्षेत्र में सहायक बनाता है।

81. (C): ऑक्सीजन परिवहन प्रणाली का सही क्रम निम्नलिखित है :

- **फुफ्फुस संवातन (Pulmonary Ventilation):** यह पहला कदम है, जिसमें वायुमंडलीय ऑक्सीजन को फुफ्फुसों में ले जाया जाता है।
- **हिमोग्लोबिन संकेंद्रण :** ऑक्सीजन को हिमोग्लोबिन के साथ जोड़ने का काम होता है।
- **रक्त परिमाप और हृदयी निर्गत :** यहाँ पर हृदय रक्त को शरीर के विभिन्न हिस्सों में पंप करता है।
- **परिधीय रक्त प्रवाह :** इससे ऑक्सीजन-युक्त रक्त विभिन्न ऊतकों तक पहुँचता है।
- **एरोबिक उपापचय :** आखिरकार, शरीर के कोशिकाओं में ऑक्सीजन का उपयोग उर्जा उत्पादन में होता है।

82. (C): पांव से सिर की ओर मानव कंकाल की अस्थियों का अनुक्रम निम्नलिखित है :

- **ओ.एस. कैल्सिस :** यह पैर की अस्थि है।
- **असिरूप अस्थि :** यह निचले शरीर का हिस्सा है।
- **कंठिका अस्थि :** यह गले के पास स्थित है।
- **ग्रीवा मेरू (Cervical Vertebrae):** यह गर्दन का हिस्सा है।
- **जातुक अस्थि (Sphenoid):** यह सिर के भीतर स्थित है।

83. (D): तनाव (Stress) प्रक्रिया के चरण निम्नलिखित क्रम में हैं :

- **पर्यावरणीय मांग :** यह पहला चरण है, जहाँ किसी बाहरी परिस्थिति या घटना से तनाव उत्पन्न होता है।
- **मांग का प्रत्यक्षीकरण :** इसमें व्यक्ति मांग को कैसे देखता है और कैसे उसका मूल्यांकन करता है, यह शामिल है।

- **तनाव की अनुक्रिया :** यहाँ पर व्यक्ति की शारीरिक और मानसिक प्रतिक्रिया होती है।
- **व्यवहारात्मक परिणाम :** इस चरण में तनाव के द्वारा उत्पन्न होने वाले भावनात्मक परिणाम होते हैं।

84. (C): क्लासिक निर्णय निदर्श के आधार पर उठाए गए कदम निम्नलिखित क्रम में हैं :

- **अवसर :** पहला कदम है अवसर का पता लगाना, जहाँ निर्णय की आवश्यकता है।
- **उद्देश्य और मापदंड निर्धारित करना :** जब आपको पता चलता है कि आपको कहाँ निर्णय लेना है, तो आपको उसके लिए उद्देश्य और मापदंड निर्धारित करने होंगे।
- **विकल्प उत्पन्न करना :** उद्देश्य और मापदंड के आधार पर विभिन्न विकल्पों का निर्माण किया जाता है।
- **सर्वाधिक व्यावहारिक विकल्प का चयन करना :** विकल्पों को मूल्यांकन करने के बाद, सबसे व्यावहारिक विकल्प का चयन किया जाता है।
- **निर्णय को क्रियान्वित करना :** अंत में, चयनित विकल्प को क्रियान्वित किया जाता है।

85. (C): लयात्मक समादेश (Rhythmic command) के भाग निम्नलिखित क्रम में हैं :

- **व्याख्या :** पहला कदम है समादेश की व्याख्या करना, ताकि सबको पता चले कि क्या करना है।
- **विराम :** व्याख्या के बाद, एक छोटा विराम लिया जाता है, ताकि सबको सोचने और तैयारी करने का समय मिले।
- **कार्यान्वयन :** विराम के बाद, समादेश का कार्यान्वयन किया जाता है।
- **लयात्मक गणना :** कार्यान्वयन के दौरान, लयात्मक गणना की जाती है, ताकि सबका समन्वय बना रहे।
- **रोकना :** अंत में, समादेश का कार्यान्वयन रोका जाता है।

86. (A) **87. (A)** **88. (B)**

89. (A) **90. (A)** **91. (A)**

92. (C) **93. (D)** **94. (B)**

95. (D) **96. (A)** **97. (C)**

98. (D) **99. (A)** **100. (D)**

पिछले प्रश्न-पत्र (हल सहित)

National Testing Agency (NTA)

UGC-NET जूनियर रिसर्च फैलोशिप तथा सहायक प्राध्यापक पात्रता परीक्षा

शारीरिक शिक्षा, जुलाई-2022*

(Online exam held on 11-07-2022)

प्रश्न-पत्र-II

नोटः *इस प्रश्न-पत्र में **सौ (100)** बहु-विकल्पीय प्रश्न हैं। प्रत्येक प्रश्न के **दो (2)** अंक हैं। **सभी प्रश्न अनिवार्य** हैं।*

1. 776 ईसापूर्व में सर्वप्रथम आयोजित पहला और एकमात्र ओलम्पियाड था :

A. द डियावलोस B. द स्टेड

C. द डैलिकोस D. द चैरियट रेस

2. आई.ओ.सी. के कार्यकारी मंडल में शामिल होते हैं :

A. आई.ओ.सी. के अध्यक्ष, पाँच सचिव, आठ अन्य सदस्यगण

B. आई.ओ.सी. के अध्यक्ष, चार उपाध्यक्ष, दस अन्य सदस्यगण

C. आई.ओ.सी. के अध्यक्ष, पाँच उपाध्यक्ष, सात अन्य सदस्यगण

D. आई.ओ.सी. के अध्यक्ष, आई.ओ.सी. के सचिव, तीन उपाध्यक्ष

3. दर्शनशास्त्र की किस विचारधारा को 'भौतिकतावाद' भी कहा जाता है?

A. आदर्शवाद B. व्यवहारिकतावाद

C. प्रकृतिवाद D. मानवतावाद

4. कोबेल और स्कवेन के अनुसार निम्नांकित में से क्या शारीरिक शिक्षा का उद्देश्य नहीं है?

A. तंत्रिका-पेशीय समन्वय

B. अंगों की शक्ति और अपनाए जाने के प्रयास

C. सांस्कृतिक विकास

D. व्याख्यात्मक (निर्वचनात्मक) विकास

5. 'ऑक्सीजन डेप्ट' शब्द सर्वप्रथम किसके द्वारा दिया गया?

A. हैंस क्रेब B. ए.वी. हिल

C. ओ. मेयरहॉट D. हैजबर्ग

6. मिनट संवातन (मिनट वेन्टीलेशन) (V_E) गणना का सूत्र क्या होगा? V_E =

A. TLC × f B. TV × f

C. VC × f D. EV × f

7. मांसपेशियों (कंकाली) का संघटन क्या है?

A. 75% प्रोटीन, 20% जल और 5% अकार्बनिक लवण

B. 65% प्रोटीन, 30% जल और 5% अकार्बनिक लवण

C. 85% जल, 10% प्रोटीन और 5% अकार्बनिक लवण

D. 75% जल, 20% प्रोटीन और 5% अकार्बनिक लवण

8. टी.सी.ए. (ट्राइ कार्बोक्सिलिक अम्ल) चक्र की निष्पत्ति के दौरान निम्न के उत्पादन का एक महत्वपूर्ण परिणाम उत्पन्न होता है :

A. CO_2 का उत्पादन B. ATP उत्पादन

C. H_2O उत्पादन D. उपरोक्त सभी

9. अंडाभ संधि को इस नाम से भी जाना जाता है :

A. सैडल संधि B. बॉल एंड सॉकेट संधि

C. विच्छिन्न संधि D. कान्डीलॉयड संधि

* Exam of December 2021 & June 2022.

10. प्रथम इलेक्ट्रोमायोग्राफी मशीन किसने तैयार की?

A. रिचर्ड डब्ल्यू बोवर B. एडवर्ड फॉक्स

C. जैसपर D. जॉन विली

11. कपालीय तंत्रिकाएँ निम्नलिखित का अंतर्निहित भाग है :

A. केन्द्रीय मस्तिष्क

B. स्वायत्त तंत्रिका प्रणाली

C. परिधीय तंत्रिका प्रणाली

D. केन्द्रीय तंत्रिका प्रणाली

12. अस्थि का यांत्रिक अक्ष क्या है?

A. सामान्य गति में संतुलन बिन्दु

B. ऋजुरेखा निकटस्थ एवं दूरस्थ छोर के मध्य बिन्दु से गुजरती है

C. शाफ्ट एवं ग्रीवास्थि को जोड़नेवाली ऋजुरेखा

D. ऋजुरेखा दूरस्थ छोर पर लीवर बिन्दु की तरह कार्य करती है

13. निम्नांकित में से किस प्रकार के लक्ष्य में उन क्रियाओं पर बल दिया जाता है जिसमें व्यक्ति को कार्य निष्पादन के दौरान अच्छी तरह कार्य निष्पादन अथवा कार्यपालन के लिए अवश्य संलग्न करना चाहिए?

A. परिणामी लक्ष्य B. कार्यनिष्पादन लक्ष्य

C. प्रक्रिया लक्ष्य D. दीर्घावधिक लक्ष्य

14. निम्नांकित में से किस सिद्धांत का आधार वाक्य है कि कार्यनिष्पादन के विशेषज्ञ होने की दशा में वर्द्धित उत्तेजना के फलस्वरूप बेहतर कार्यनिष्पादन का प्रतिफल प्राप्त होता है?

A. आवेग सिद्धांत

B. मूल्यांकन-आशंका सिद्धांत

C. लक्षण सिद्धांत

D. आकस्मिकता सिद्धांत

15. निम्नांकित में से किस मनोवैज्ञानिक कौशल प्रशिक्षण प्रावस्था में विभिन्न प्रकार के मनोवैज्ञानिक कौशल के अधिगम हेतु कार्यनीति और तकनीक पर बल दिया जाता है?

A. शिक्षा प्रावस्था B. अर्जन प्रावस्था

C. अभ्यास प्रावस्था D. कार्यनिष्पादन प्रावस्था

16. व्यावहारिक अनुक्रिया अवधारित करने के लिए किसी व्यक्ति के व्यक्तित्व पर्यावरण के साथ संवाद होता है, यह कहलाता है :

A. अभिज्ञानात्मक भावनात्मक प्रक्रमण प्रणाली

B. व्यक्तित्व विरोधाभास

C. अभिज्ञानात्मक प्रभावी प्रक्रमण प्रणाली

D. व्यवहारपरक अनुक्रिया प्रक्रमण प्रणाली

17. शरद कालीन खेलो इंडिया गेम्स का शुभारंभ किस वर्ष हुआ?

A. 2018 B. 2019

C. 2020 D. 2022

18. यूनाइटेड स्टेट्स मिलिटरी एकेडमी की स्थापना किस वर्ष हुई?

A. 1802 B. 1800

C. 1783 D. 1849

19. भारत में आधुनिक शारीरिक शिक्षा शिक्षक प्रशिक्षण कार्यक्रम तैयार करने का श्रेय किसे जाता है?

A. एम. रॉब्सन B. पी.एम. जोसेफ

C. एच.सी. बक D. करण सिंह

20. श्री हनुमान व्यायाम प्रसारक मंडल (अखाड़ा)– अमरावती में अंतदेशीय कार्यकलाप (सेट ड्रिल, शारीरिक व्यायाम, सरल मार्शल आर्ट इत्यादि) का पंच सप्ताहिक ग्रीष्मकालीन पाठ्यक्रम का शुभारंभ किस वर्ष किया गया?

A. 1924 B. 1926

C. 1928 D. 1930

21. निम्नलिखित में से किसके कारण जल प्रदूषण नहीं होता है?

A. पेन्ट B. ग्रेवेल

C. डिटर्जेन्ट D. सिल्ट

22. स्वास्थ्य के संबंध में निम्नलिखित में से कौन-सा सही नहीं है?

A. यह स्थिर परिघटना नहीं है

B. स्वास्थ्य बहुआयामी परिघटना नहीं है

C. यह गतिज परिघटना है

D. यह गतिज है न कि स्थितिज

23. सामुदायिक स्वास्थ्य कार्यकर्ताओं द्वारा सामना की जाने वाली सर्वाधिक सामान्य समस्या का मुख्य कारण है :
A. लोगों द्वारा समस्या उत्पन्न करना
B. स्वास्थ्य संबंधी विनियम का अभाव
C. सुविधाओं के प्रयोग की लोगों की इच्छा की अभाव
D. उत्तम स्वास्थ्य सेवाएँ

24. डब्ल्यू.एच.ओ. के अनुसार निम्नलिखित में से कौन-सा स्वास्थ्य के आयाम से संबंधित नहीं है?
A. सामाजिक आयाम B. मानसिक आयाम
C. शिक्षाशास्त्रीय आयाम D. शारीरिक आयाम

25. यदि एथलीट इष्टतम समय पर दूसरे उद्दीपक का प्रयोग नहीं करता है तो अति-प्रतिकर (चरम क्षतिपूर्ति) के दौरान क्या प्रतिफल होगा?
A. थकान होती है
B. प्रत्यावर्तन (उलझन) होता है
C. चरमोत्कर्ष उत्पन्न होता है
D. अत्यधिक प्रतिपूर्ति

26. प्रशिक्षण में निरंतर उद्दीपन के प्रति किसी जैविक पदार्थ की अनुक्रिया में ह्रास कहलाता है :
A. व्युत्क्रमनीयता (विपर्यता)
B. अनुकूलन
C. पर्यनुकूलन
D. समायोजन

27. द्रुतगति से सुधार होनेवाली वायकीय सहन के लिए किस प्रकार का प्रशिक्षण सर्वाधिक प्रभावी होता है?
A. मध्यान्तर प्रशिक्षण
B. फार्टलेक प्रशिक्षण
C. सतत पद्धति प्रशिक्षण
D. गति सहनशीलता प्रशिक्षण

28. श्रेष्ठतम परिकलन नामक प्रशिक्षण भी कहलाता है :
A. वीगर्ट का नियम B. फैल्ब्रोफ का नियम
C. निरपेक्ष विधि D. हस्तक्षेप विधि

29. यदि माध्य 36 है, माध्यिका 32.5 है और मानक विचलन 5 है, तो स्क्यूनेस का मान होगा :
A. 0.7 B. –0.7
C. 2.1 D. 1.4

30. किसी अध्ययन के अंतर्गत, वॉलीबॉल (N = 10), हैंडबॉल (N = 10) और फुटबॉल (N = 10) के लिए खिलाड़ियों के शारीरिक योग्यता मानकों की तुलना ANOVA के साथ की गई। समूहों के बीच स्वतंत्रता का अंशांक हेतु (वर्गों का योग) तथा समूहों के अंतर्गत (वर्गों का योग) होगा :
A. 3 और 30 B. 29 और 3
C. 2 और 27 D. 28 और 2

31. वह अनुसंधान जिसमें ग्रंथकार ने पूर्व अनुसंधान का मूल्यांकन एवं संक्षेपण किया हो, उन आंकड़ों का स्रोत कहलाता है :
A. प्राथमिक स्रोत B. द्वितीयक स्रोत
C. विश्वकोश D ग्रंथसूची

32. संसाधनों की सूची जो प्रत्येक लेख अथवा पुस्तक की प्रकृति एवं विषय-क्षेत्र का संक्षिप्त विवरण प्रदान करने वाले संसाधनों की सूची के रूप में जाना जाता है, कहलाता है :
A. संदर्भ ग्रंथ B. टीका ग्रंथसूची
C. अनुक्रमणिका D. सारांश

33. सभी छात्रों के मध्य उच्चस्तरीय अधिगम को बढ़ाने और जहाँ और अधिक विकास एवं अधिगम आवश्यक है ऐसे क्षेत्रों को चिह्नित करने के लिए कौन-सा मूल्यांकन होता है?
A. वस्तुनिष्ठ मूल्यांकन
B. विषयनिष्ठ मूल्यांकन
C. समाकलनात्मक मूल्यांकन
D. निर्माणात्मक मूल्यांकन

34. शार्टर बैरो मोटर क्षमता परीक्षण का मद कौन-सा नहीं है?
A. स्टैण्डिंग ब्राड जंप B. मेडिसिन बाल पुट
C. वाल पास D. जिगजैग रन

35. यदि किसी एथलीट का शारीरिक भार 90 किग्रा. है और उसका काया द्रव्यमान सूचकांक (बी.एम.आई.) 30 किग्रा./मी.^{2} है, तो एथलीट की ऊँचाई क्या होगी?
A. 1.532 मी. B. 1.723 मी.
C. 1.732 मी. D. 1.632 मी.

36. एक एथलीट 7 पुल अप और 8 पुश अप लगाता है। उसका शारीरिक भार 160 पाउण्ड और लंबाई 68 इंच है। उसकी भुजा प्रबलता का मान क्या होगा?

A. 361
B. 365
C. 360
D. 243

37. निम्नलिखित में से कौन नियंत्रण के कृत्य (प्रकार्य) के अंतर्गत नहीं है?

A. निगरानी (प्रबोधन)
B. मूल्यांकन
C. प्रतिधारण
D. पुरस्कार देना

38. निम्नांकित में से क्या खेल उत्पाद सेवा का प्रमुख वर्ग नहीं है?

A. प्रतिभागी सेवा
B. दर्शक सेवा
C. कार्यकलाप (इवेंट) सेवा
D. प्रायोजन सेवा

39. सर्वप्रथम, प्रबंधन का सिद्धांत किसके द्वारा प्रतिपादित किया गया?

A. एफ.डब्ल्यू. टेलर
B. हेनरी फेयोल
C. जेम्स ए.ई. स्टोन
D. पीटर डकर

40. सारभूत विचारों को समझने की योग्यता कहलाती है :

A. तकनीकी कौशल
B. जन कौशल
C. अवधारणात्मक कौशल
D. निर्णय लेने का कौशल

41. यूनान के सर्व-यूनानी खेलों को पूर्व समूह में क्या कहा जाता था?

(*a*) स्टीफैमाइटिक गेम्स
(*b*) क्राउन गेम्स
(*c*) वेनलॉक गेम्स
(*d*) फ्यूनरल गेम्स

नीचे दिए गए विकल्पों में से **सही उत्तर** का चयन कीजिए :

A. केवल (*a*), (*b*) और (*c*)
B. केवल (*a*) और (*b*)
C. केवल (*c*) और (*d*)
D. केवल (*a*), (*c*) और (*d*)

42. खेलो इंडिया कार्यक्रम के संबंध में निम्नांकित में से कौन-सा विशेषक सही **नहीं** है?

(*a*) वार्षिक खेल प्रतियोगिता
(*b*) महिलाओं के लिए खेल
(*c*) सभी व्यक्तियों के लिए खेल
(*d*) स्कूली बच्चों की शारीरिक स्वस्थता
(*e*) सामाजिक विकास के लिए खेल

नीचे दिए गए विकल्पों में से **सही उत्तर** का चयन कीजिए :

A. केवल (*a*) और (*e*)
B. केवल (*b*) और (*d*)
C. केवल (*c*) और (*e*)
D. केवल (*b*) और (*e*)

43. उत्तर एथेंस काल से संबंधित सही कथनों का चयन करें?

(*a*) इस काल में बौद्धिकता का उदय हुआ।
(*b*) इस काल को संक्रमण युग की भी संज्ञा दी जाती है।
(*c*) इस युग में इस्थमियन खेलों की शुरूआत हुई।
(*d*) इस काल में शारीरिक शिक्षा का लक्ष्य वैयक्तिक कुशलता और स्वस्थ आदतों का निर्माण करना था।
(*e*) पैलेस्ट्रा और डाइडैस्कोलिम की सार्थकता और लोकप्रियता में वृद्धि हुई।

नीचे दिए गए विकल्पों में से **सही उत्तर** का चयन कीजिए :

A. केवल (*a*) और (*c*)
B. केवल (*a*), (*b*) और (*e*)
C. केवल (*a*), (*c*) और (*e*)
D. केवल (*a*), (*b*) और (*d*)

44. ऊपरी उदर और सिर में अंतःस्रावी ग्रंथियाँ हैं :

(*a*) पीनियल

(*b*) हाइपोथैल्मस

(*c*) थाइमस

(*d*) अंडाशय/वृषण

नीचे दिए गए विकल्पों में से **सही उत्तर** का चयन कीजिए :

A. केवल (*a*), (*b*) और (*d*)

B. केवल (*a*), (*b*) और (*c*)

C. केवल (*a*) और (*b*)

D. केवल (*a*) और (*c*)

45. ऊर्जा खपत में शामिल शारीरिक कार्यकलाप हैं :

(*a*) भ्रमण

(*b*) सोना

(*c*) दौड़ना

(*d*) धीमी गति से दौड़ना

नीचे दिए गए विकल्पों में से **सही उत्तर** का चयन कीजिए :

A. केवल (*a*), (*b*) और (*c*)

B. केवल (*a*) और (*d*)

C. केवल (*a*), (*c*) और (*d*)

D. केवल (*b*) और (*d*)

46. शरीर के मुख्य भाग से वातावरण में ऊष्मा का हस्तांतरण निम्नलिखित के द्वारा होता है :

(*a*) केन्द्रीय तापमान

(*b*) त्वचा

(*c*) पहनावा

(*d*) संवहन

(*e*) चालन

नीचे दिए गए विकल्पों में से **सही उत्तर** का चयन कीजिए :

A. (*a*), (*b*), (*c*), (*d*) और (*e*)

B. केवल (*a*), (*c*), (*d*) और (*b*)

C. केवल (*a*), (*b*), (*d*) और (*e*)

D. केवल (*a*), (*c*), (*d*) और (*e*)

47. वास्तव में प्रक्षेपक गति कब होती है?

(*a*) हवा में सभी प्रक्षेप

(*b*) तीरंदाजी

(*c*) तैराकी

(*d*) रोलिंग

(*e*) शूटिंग

नीचे दिए गए विकल्पों में से **सही उत्तर** का चयन कीजिए :

A. केवल (*a*), (*b*) और (*e*)

B. केवल (*a*), (*b*) और (*c*)

C. केवल (*a*), (*c*) और (*e*)

D. केवल (*a*), (*d*) और (*e*)

48. अस्थिभंग के कारण निम्नलिखित हैं :

(*a*) बलात चोट

(*b*) अकस्मात खिंचाव

(*c*) विश्राम

(*d*) अस्थि श्लथ

नीचे दिए गए विकल्पों में से **सही उत्तर** का चयन कीजिए :

A. केवल (*a*), (*b*) और (*c*)

B. केवल (*a*), (*b*) और (*d*)

C. केवल (*a*), (*c*) और (*d*)

D. केवल (*b*), (*c*) और (*d*)

49. चल संधियों के संसूचक कौन-से हैं?

(*a*) एक अक्षीय संचलन

(*b*) द्वि अक्षीय संचलन

(*c*) स्थिर संधि

(*d*) त्रिअक्षीय संचलन

(*e*) गैरअक्षीय संचलन

नीचे दिए गए विकल्पों में से **सही उत्तर** का चयन कीजिए :

A. केवल (*a*), (*b*) और (*c*)

B. केवल (*a*), (*b*), (*c*) और (*d*)

C. केवल (*a*), (*b*), (*d*) और (*e*)

D. केवल (*a*), (*c*), (*d*) और (*e*)

50. शैक्षणिक क्रीड़ा-मनोवैज्ञानिकों द्वारा निम्नांकित में से किन-किन मनोवैज्ञानिक कौशल प्रशिक्षण संबंधी व्यक्तित्व-विकृतियों की आवश्यकताओं को पूरा किया जाता है?

(*a*) व्यक्तित्व-विकृतियाँ

(*b*) बिंब विधान

(*c*) लक्ष्य निर्धारण

(*d*) मानसिक तैयारी

(*e*) मनोरोग विज्ञान

नीचे दिए गए विकल्पों में से **सही उत्तर** का चयन कीजिए :

A. केवल (*b*), (*c*) और (*d*)

B. केवल (*a*), (*b*), (*c*) और (*e*)

C. केवल (*a*), (*c*) और (*d*)

D. केवल (*b*), (*c*) और (*e*)

51. खेल में सकारात्मक आत्मवार्ता के फलस्वरूप :

(*a*) आत्मविश्वास में वृद्धि होती है

(*b*) व्यक्ति आशावादी हो जाता है

(*c*) अत्यधिक कामोत्तेजना का उद्दीपन होता है

(*d*) आत्मविश्वास में कमी आती है

(*e*) तनाव का उपशमन होता है

नीचे दिए गए विकल्पों में से **सही उत्तर** का चयन कीजिए :

A. केवल (*a*), (*c*), (*d*) और (*e*)

B. केवल (*a*), (*b*) और (*e*)

C. केवल (*a*), (*b*) और (*d*)

D. केवल (*a*), (*b*) और (*c*)

52. निम्नलिखित में से कौन-से सिद्धांत समूह विकास के भाग हैं?

(*a*) रेखीय सिद्धांत

(*b*) चक्रीय सिद्धांत

(*c*) लोलक सिद्धांत

(*d*) त्रिभुज सिद्धांत

(*e*) अरेखीय सिद्धांत

नीचे दिए गए विकल्पों में से **सही उत्तर** का चयन कीजिए :

A. केवल (*a*), (*b*) और (*c*)

B. केवल (*a*), (*b*) और (*e*)

C. केवल (*a*), (*d*) और (*e*)

D. केवल (*a*) और (*e*)

53. खेलो इंडिया कार्यक्रम के अंतर्गत निम्नांकित में से कौन-से राष्ट्रीय खेलों का आयोजन किया जाता है?

(*a*) खेलो इंडिया यूथ गेम्स

(*b*) खेलो इंडिया यूनिवर्सिटी गेम्स

(*c*) खेलो इंडिया वीमेन गेम्स

(*d*) खेलो इंडिया विंटर गेम्स

(*e*) खेलो इंडिया रूरल गेम्स

नीचे दिए गए विकल्पों में से **सबसे उपयुक्त उत्तर** का चयन कीजिए :

A. केवल (*a*), (*b*) और (*e*)

B. केवल (*a*) और (*b*)

C. केवल (*a*), (*b*) और (*d*)

D. केवल (*a*), (*b*) और (*c*)

54. निम्न में से कौन-से फिट इंडिया मूवमेंट के उद्देश्य हैं?

(*a*) सुगम, हास्य और मनोरंजन के तौर पर स्वस्थता को बढ़ावा देना

(*b*) प्राथमिक उपचार के ज्ञान का संवर्धन

(*c*) स्वदेशी खेलों को प्रोत्साहित करना

(*d*) प्रत्येक विद्यालय, गाँव तक स्वस्थता का अभिगम

(*e*) वैयक्तिक स्वस्थता वृत्तांत भारत के नागरिकों के साथ साझा करने के लिए प्लेटफॉर्म का निर्माण

नीचे दिए गए विकल्पों में से **सबसे उपयुक्त उत्तर** का चयन कीजिए :

A. केवल (*a*), (*c*) और (*d*)

B. केवल (*a*), (*c*) और (*e*)

C. केवल (*a*), (*b*), (*c*) और (*d*)

D. केवल (*a*), (*c*), (*d*) और (*e*)

55. निम्नांकित में से कौन-से कथन सही हैं?

(*a*) शताब्दी ओलंपिक खेलों का आयोजन अटलांटा में हुआ।

(*b*) वर्ष 1896 में आयोजित ओलंपिक में 317 एथलीट ने भाग लिया।

(*c*) वर्ष 1896 में आयोजित ओलंपिक में 11 राष्ट्रों में प्रतिस्पर्धा हुई थी।

(*d*) शताब्दी ओलंपिक में 197 देशों में प्रतिस्पर्द्धा हुई।

नीचे दिए गए विकल्पों में से **सबसे उपयुक्त उत्तर** का चयन कीजिए :

A. केवल (*a*), (*b*) और (*c*)

B. केवल (*a*), (*c*) और (*d*)

C. केवल (*b*), (*c*) और (*d*)

D. केवल (*a*) और (*c*)

56. मोटापा रोग का कारण निम्न है :

(*a*) वंशागत कारक

(*b*) शारीरिक अक्रियता

(*c*) खान-पान की आदतें

(*d*) अस्वच्छ स्थितियाँ

नीचे दिए गए विकल्पों में से **सही उत्तर** का चयन कीजिए :

A. केवल (*a*), (*b*), (*c*)

B. केवल (*a*), (*c*), (*d*)

C. केवल (*c*), (*d*)

D. केवल (*b*), (*c*), (*d*)

57. जल प्रदूषण के अत्यधिक गंभीर पहलू का कारण मानव कार्यकलाप है, जो हैं :

(*a*) मलजल, औद्योगिक एवं व्यापार कचरा

(*b*) आटोमोबाइल्स, लकड़ी एवं कोयला

(*c*) कृषिसंबंधी प्रदूषक एवं भौतिक प्रदूषक

(*d*) तापीय एवं रेडियोधर्मी द्रव्य

नीचे दिए गए विकल्पों में से **सही उत्तर** का चयन कीजिए :

A. केवल (*a*), (*b*), (*c*)

B. केवल (*d*), (*a*), (*b*)

C. केवल (*a*), (*c*), (*d*)

D. केवल (*b*), (*c*), (*d*)

58. चेचक का विषाणु निम्नलिखित में होता है :

(*a*) शरीर के नाखून

(*b*) मुख-कंठ्य स्राव

(*c*) त्वचा अपक्षति

(*d*) श्लेष्मा

(*e*) बाल

नीचे दिए गए विकल्पों में से **सही उत्तर** का चयन कीजिए :

A. केवल (*a*), (*b*), (*c*)

B. केवल (*b*), (*c*), (*d*)

C. केवल (*e*), (*d*), (*c*)

D. केवल (*c*), (*a*), (*e*)

59. यदि तन्यता के तुरंत बाद मांसपेशी संकुचित हो जाती है तो :

(*a*) बल और शक्ति का प्रतिफल बढ़ता है।

(*b*) ऊर्जा व्यय घटता है।

(*c*) सहन प्रतिफल बढ़ता है।

(*d*) विस्फोटी शक्ति प्रतिफल घटता है।

नीचे दिए गए विकल्पों में से **सही उत्तर** का चयन कीजिए :

A. केवल (*a*) और (*b*)

B. केवल (*a*) और (*d*)

C. केवल (*b*) और (*d*)

D. केवल (*a*) और (*c*)

60. लचीलापन से संबंधित सही कथन कौन-से हैं?

(*a*) आयु बढ़ने के साथ-साथ यह भी बढ़ती है।

(*b*) वयस्क व्यक्तियों की तुलना में बच्चों में अधिक सुनम्यता होती है।

(*c*) शुरूतर आयाम के लिए विभिन्न संधियों के संचलन में कुछ हद तक एक समन्वय होना आवश्यक पूर्व-अपेक्षा है।

(*d*) सुनम्यता बहुत हद तक आयु पर निर्भर करती है।

(*e*) लैंगिक भिन्नता और संधि की संरचना में विभेद होने के कारण महिलाओं की तुलना में पुरुषों की सुनम्यता कम होती है।

नीचे दिए गए विकल्पों में से **सबसे उपयुक्त उत्तर** का चयन कीजिए :

A. केवल (*c*), (*d*), (*e*), (*b*)

B. केवल (*a*), (*e*), (*d*), (*b*)

C. केवल (*a*), (*b*), (*c*), (*e*)

D. (*d*), (*a*), (*b*), (*e*), (*c*)

61. प्रशिक्षण में प्रयुक्त चक्रीयता है :

(*a*) मैक्रो साइकिल

(*b*) बाइसाइकिल

(*c*) मिजो साइकिल

(*d*) ट्राइ साइकिल

(*e*) माइक्रो साइकिल

नीचे दिए गए विकल्पों में से **सर्वाधिक उपयुक्त उत्तर** का चयन कीजिए :

A. केवल (*b*), (*d*), (*e*) B. केवल (*a*), (*b*), (*d*)

C. केवल (*a*), (*c*), (*e*) D. केवल (*d*), (*c*), (*b*)

62. निम्नलिखित में से कौन मध्य प्रवृत्ति माध्यमान के मापकों के संबंध में सही है?

(*a*) मध्य प्रवृत्ति का विश्वसनीय और सबसे सटीक मापक माध्य है।

(*b*) प्रगामी आँकड़ों यथा सहसंबंध के गुणांक की संगणना हेतु माध्यमान की आवश्यकता होती है।

(*c*) माध्यमान में स्थिरता कम होती है क्योंकि समान जनसंख्या स्रोत से लिए गए प्रतिदर्शों के माध्यों के बीच विचलन कम होते हैं।

(*d*) माध्यमान की गणना ग्राफिक विधि से की जा सकती है।

नीचे दिए गए विकल्पों में से **सबसे उपयुक्त उत्तर** का चयन कीजिए :

A. केवल (*a*) और (*b*)

B. केवल (*a*), (*b*) और (*c*)

C. केवल (*b*), (*c*) और (*d*)

D. केवल (*a*), (*c*) और (*d*)

63. संकल्पना आधारित शोध के संबंध में निम्नलिखित में से कौन-कौन से कथन सही हैं?

(*a*) यह तर्कपूर्ण चिंतन पर आधारित होता है।

(*b*) संकल्पना आधारित शोध दार्शनिक शोध का ही दूसरा नाम है।

(*c*) संकल्पना आधारित शोध प्रयोगात्मक शोध का स्वरूप है।

(*d*) यह एक सारभूत विचारों का व्यवस्थित और अनुशासित परीक्षण है।

नीचे दिए गए विकल्पों में से **सबसे उपयुक्त उत्तर** का चयन कीजिए :

A. केवल (*a*) और (*b*)

B. केवल (*a*), (*b*) और (*c*)

C. केवल (*b*), (*c*) और (*d*)

D. केवल (*a*), (*b*) और (*d*)

64. वैषम्यता और वक्रता-मात्रा के संबंध में निम्नलिखित में कौन सही हैं?

(*a*) नकारात्मक वैषम्यता का वक्र दाहिनी ओर अधिक झुका होता है।

(*b*) सकारात्मक वैषम्यता का वक्र बायीं ओर अधिक झुका होता है।

(*c*) सामान्य वक्र अधोवक्री (लैप्टोकुर्टीक) होता है।

(*d*) सामान्य वक्र के लिए वक्रता-मात्रा (कुर्टोसिस) का मान 0.263 होता है।

(*e*) यदि कोई वक्र सपाट से सामान्य है तो वह चिपिटक-वक्र (प्लैटीकुर्टीक) होता है।

नीचे दिए गए विकल्पों में से **सबसे उपयुक्त उत्तर** का चयन कीजिए :

A. केवल (*a*), (*b*), (*c*) और (*d*)

B. केवल (*a*), (*b*) और (*d*)

C. केवल (*a*), (*b*), (*c*) और (*e*)

D. केवल (*d*) और (*e*)

65. निम्नलिखित में से कौन मापन की मानक त्रुटि (एस.ई.एम.) को प्रस्तुत करता है?

(*a*) आँकड़े की वैधता

(*b*) परिमाप त्रुटि के फलस्वरूप जिस सीमा तक व्यक्ति के प्राप्तांक में परिवर्तन होता है

(*c*) आँकड़े की विश्वसनीयता

(*d*) प्राक्कलन प्राप्तांक मानदंड प्राप्तांक से भिन्न होता है

नीचे दिए गए विकल्पों में से **सही उत्तर** का चयन कीजिए :

A. केवल (*a*), (*b*) और (*d*)
B. केवल (*b*), (*c*) और (*d*)
C. केवल (*c*) और (*d*)
D. केवल (*b*) और (*c*)

66. मार्टेन, विली और बर्टन (1990) द्वारा प्रदत्त प्रतिस्पर्धी चिन्ताजन्य अवस्था के अवयव-2 (CSAI-2) की मद कौन-सी है?

(*a*) मुझे भय है कि कहीं मेरा कार्य निष्पादन खराब न हो जाए
(*b*) प्रतिस्पर्धा से पूर्व मैं विश्रांति महसूस कर रहा हूँ
(*c*) मुझे सुखानुभूति हो रही है
(*d*) मुझे चक्कर आ रहा है

नीचे दिए गए विकल्पों में से **सही उत्तर** का चयन कीजिए :

A. केवल (*a*), (*b*) और (*d*)
B. केवल (*a*), (*b*) और (*c*)
C. केवल (*a*), (*c*) और (*d*)
D. केवल (*b*), (*c*) और (*d*)

67. मानसिक दृढ़ता के मूल्यांकन हेतु लोहर (1986) द्वारा प्रतिपादित मनोवैज्ञानिक कार्यनिष्पादन अंतर्वस्तु में शामिल मद कौन-सी हैं?

(*a*) प्रतिस्पर्धा के समय लक्ष्य निर्धारण महत्वपूर्ण होता है।
(*b*) मैं उच्च प्रबलता से अभ्यास करता हूँ।
(*c*) प्रतिस्पर्धा के दौरान मैं क्रोधित और निराश हो जाता हूँ।
(*d*) मैं अपने आप को प्रतिस्पर्धा में विजेता के बदले पराजित होने वाले के रूप में देखता हूँ।

नीचे दिए गए विकल्पों में से **सही उत्तर** का चयन कीजिए :

A. केवल (*a*), (*c*) और (*d*)
B. केवल (*b*), (*c*) और (*d*)
C. केवल (*b*) और (*d*)
D. केवल (*a*), (*b*) और (*d*)

68. हेनरी फेयोल निम्नांकित में से किस प्रबंधन सिद्धांत के प्रतिपादक **नहीं हैं**?

(*a*) एस्पिरिट डी कॉर्प्स
(*b*) यूनिटी ऑफ पीपुल
(*c*) डिविजन ऑफ वर्क
(*d*) स्केलर चेन
(*e*) प्रबंधन

नीचे दिए गए विकल्पों में से **सही उत्तर** का चयन कीजिए :

A. केवल (*b*) और (*e*)
B. केवल (*c*) और (*d*)
C. केवल (*e*) और (*a*)
D. केवल (*e*) और (*c*)

69. निम्न में कौन-से उपकरणों की खरीद से पूर्व के चरणों में शामिल हैं?

(*a*) अधिप्रापण नीति
(*b*) खरीद कार्ड
(*c*) वार्ता करना
(*d*) मांग पत्र प्रस्तुत करना

नीचे दिए गए विकल्पों में से **सही उत्तर** का चयन कीजिए :

A. केवल (*a*), (*b*)
B. केवल (*c*), (*b*)
C. केवल (*b*), (*d*)
D. केवल (*a*), (*d*)

70. निम्नांकित में से पर्यवेक्षण के घटक चुनिए :

(*a*) पर्यवेक्षण हस्तक्षेप है।
(*b*) किसी व्यवसाय में वरिष्ठ सदस्य पर्यवेक्षण कार्य करते हैं।
(*c*) पर्यवेक्षण एक सतत प्रक्रिया है।
(*d*) पर्यवेक्षण पर्यवेक्षक और पर्यवेक्षी व्यक्तियों के मध्य संबंध है।

नीचे दिए गए विकल्पों में से **सही उत्तर** का चयन कीजिए :

A. केवल (*b*), (*c*), (*d*)
B. केवल (*a*), (*b*), (*c*)
C. केवल (*c*), (*d*), (*a*)
D. केवल (*a*), (*b*), (*d*)

71. सूची-I के साथ सूची-II का मिलान कीजिए।

सूची-I (हार्मोन)	सूची-II (स्राव नियंत्रण)
(*a*) प्रोलैक्टिन (पी.आर.एल.)	I. हाइपोथैल्मिक सेन्सरी
(*b*) ऑक्सीटोसिन	II. ए.सी.टी.एच. स्ट्रेन
(*c*) कार्टिसोल	III. हाइपोथैल्मिक इन्हिबिटिंग
(*d*) पाराथार्मोन	IV. प्लाज्मा कैल्शियम

नीचे दिए गए विकल्पों में से **सही उत्तर** का चयन कीजिए :

	(*a*)	(*b*)	(*c*)	(*d*)
A.	I	III	IV	II
B.	III	I	II	IV
C.	IV	II	III	I
D.	II	III	I	IV

72. सूची-I के साथ सूची-II का मिलान कीजिए।

सूची-I (सिद्धांत)	सूची-II (सिद्धांतवेत्ता)
(*a*) विध्वंस-सिद्धांत	I. यूरी हैनिन
(*b*) इष्टतम कार्यकरण का व्यष्टिक क्षेत्र सिद्धांत	II. फैजी और हार्डी
(*c*) दिशापरकता सिद्धांत	III. जोन्स
(*d*) विपर्यय सिद्धांत	IV. एप्टेर

नीचे दिए गए विकल्पों में से **सही उत्तर** का चयन कीजिए :

	(*a*)	(*b*)	(*c*)	(*d*)
A.	I	III	II	IV
B.	IV	III	II	I
C.	III	II	I	IV
D.	II	I	III	IV

73. सूची-I के साथ सूची-II का मिलान कीजिए।

सूची-I (भारतीय खेल प्राधिकरण की स्कीम)	सूची-II (उद्देश्य)
(*a*) नेशनल सेंटर्स ऑफ एक्सेलेंस	I. जूनियर लेवल के खिलाड़ियों को तैयार करने के लिए उन्हें उचित प्रशिक्षण देना
(*b*) साई प्रशिक्षण केन्द्र	II. विद्यालयों से खेल प्रतिभा को स्काउट करना
(*c*) एसटीसी के विस्तार केन्द्र	III. ओलंपिक खेलों में उत्कृष्टता की प्राप्ति हेतु एथलीटों को प्रशिक्षित करना
(*d*) नेशनल स्पोर्ट्स टैलेंट कंटेस्ट	IV. विद्यालयों और महाविद्यालयों में खेल मानक विकसित करना

नीचे दिए गए विकल्पों में से **सही उत्तर** का चयन कीजिए :

	(*a*)	(*b*)	(*c*)	(*d*)
A.	I	III	II	IV
B.	II	IIII	I	IV
C.	III	I	IV	II
D.	IV	III	II	I

74. सूची-I के साथ सूची-II का मिलान कीजिए।

सूची-I (रोग)	सूची-II (विषाणु)
(*a*) मलेरिया	I. वैरीओला विषाणु
(*b*) चेचक	II. परजीवी
(*c*) खसरा	III. जीवाणु
(*d*) अतिसार (हैजा)	IV. जोस्टर विषाणु

नीचे दिए गए विकल्पों में से **सही उत्तर** का चयन कीजिए :

	(*a*)	(*b*)	(*c*)	(*d*)
A.	I	II	IV	III
B.	II	III	IV	I
C.	II	IV	I	III
D.	IV	I	III	II

75. सूची-I के साथ सूची-II का मिलान कीजिए।

सूची-I (शब्द)	सूची-II (अर्थ)
(*a*) परिबोधन योग्यता	I. पूरे शरीर के संचलन के दौरान संतुलन बनाए रखना
(*b*) युग्मन योग्यता	II. संचलन क्रिया में इसे पुनः प्रस्तुत करना
(*c*) संतुलन योग्यता	III. शरीर की मुद्रा और इसके संचलन में परिवर्तन

(*d*) लय योग्यता	IV. शारीरिक अंगों के संचलन का समन्वय

नीचे दिए गए विकल्पों में से **सही उत्तर** का चयन कीजिए :

	(*a*)	(*b*)	(*c*)	(*d*)
A.	I	II	III	IV
B.	III	IV	I	II
C.	IV	II	I	III
D.	III	I	II	IV

76. सूची-I के साथ सूची-II का मिलान कीजिए।

सूची-I (मानक अंक)	**सूची-II (माप)**
(*a*) स्टेनाइन	I. 20 से 80
(*b*) सी-स्कोर्स	II. 1 से 9
(*c*) टी-स्कोर्स	III. –36 से + 36
(*d*) सिग्मा-स्कोर्स	IV. 0 से 10

नीचे दिए गए विकल्पों में से **सही उत्तर** का चयन कीजिए :

	(*a*)	(*b*)	(*c*)	(*d*)
A.	IV	II	I	III
B.	II	IV	I	III
C.	II	IV	III	I
D.	IV	II	III	I

77. सूची-I के साथ सूची-II का मिलान कीजिए।

सूची-I	**सूची-II**
(*a*) सामान्य संचलन अभिक्षमता	I. किसी व्यक्ति द्वारा मूलभूत संचलन कौशल प्रदर्शन की अर्जित और अंतर्जात क्षमता
(*b*) संचलन स्वस्थता	II. किसी व्यक्ति की जटिल संचलन निष्पादन को सीखने की जन्मजात क्षमता
(*c*) संचलन सहनक्षमता	III. किसी व्यक्ति द्वारा कुशलतापूर्वक मूलभूत संचलन कौशल निष्पादन की क्षमता
(*d*) संचलन क्षमता	IV. किसी व्यक्ति की अपरिचित संचलन कौशल को तेजी से सीखने की क्षमता

नीचे दिए गए विकल्पों में से **सही उत्तर** का चयन कीजिए :

	(*a*)	(*b*)	(*c*)	(*d*)
A.	I	II	IV	III
B.	II	I	III	IV
C.	III	I	IV	II
D.	I	III	IV	II

78. सूची-I के साथ सूची-II का मिलान कीजिए।

सूची-I	**सूची-II**
(*a*) हैरोल्ट कूंज	I. निर्णय लेने और नेतृत्व की कला और विज्ञान
(*b*) डोनाल्ड जे. कफ	II. प्रबंधन सामाजिक और तकनीकी प्रक्रिया है
(*c*) हेनरी फेयोल	III. लोगों के माध्यम से और उनके साथ चीजों को कराने की कला
(*d*) थियो हैमैन और विलियम स्कॉट	IV. प्रबंधन पूर्वानुमान करना, योजना बनाना और संगठित करना है

नीचे दिए गए विकल्पों में से **सही उत्तर** का चयन कीजिए :

	(*a*)	(*b*)	(*c*)	(*d*)
A.	III	I	II	IV
B.	III	I	IV	II
C.	I	III	IV	II
D.	I	III	II	IV

79. सामान्यतया आहार योजना के निमित्त दिशा-निर्देशों को सुव्यवस्थित कीजिए :

(*a*) ऊर्जापान आहार

(*b*) आहार का समय

(*c*) तरल एवं फाइबर नियंत्रण

(*d*) आहार की मृदुता

(*e*) आहार का मनोवैज्ञानिक पहलू

नीचे दिए गए विकल्पों में से **सही उत्तर** का चयन कीजिए :

A. (*a*), (*c*), (*d*), (*b*), (*e*)

B. (*a*), (*b*), (*c*), (*d*), (*e*)

C. (*a*), (*d*), (*c*), (*b*), (*e*)

D. (*b*), (*c*), (*d*), (*a*), (*e*)

80. मानव शरीर संचलन विश्लेषण के चरण कौन-से हैं?

(*a*) घूर्णन के अक्ष की आवश्यकता

(*b*) पृष्ठ पर किया गया संचलन

(*c*) सतह भूमि (प्लेन) पर व्याख्या के फलस्वरूप बेहतर प्रतिफल

(*d*) सभी संचलन अक्ष से किए जाएंगे

नीचे दिए गए विकल्पों में से **सही उत्तर** का चयन कीजिए :

A. (*a*), (*b*), (*c*), (*d*)
B. (*b*), (*c*), (*d*), (*a*)
C. (*b*), (*a*), (*c*), (*d*)
D. (*a*), (*c*), (*d*), (*b*)

81. निम्नांकित व्यक्तियों को प्रारंभ से अंत के क्रम में व्यवस्थित कीजिए जिन्होंने जर्मनी में शारीरिक शिक्षा और खेल के विकास में अपना योगदान दिया है :

(*a*) गट्स मथ्स

(*b*) स्पिस

(*c*) बेसडो

(*d*) जौन

नीचे दिए गए विकल्पों में से **सही उत्तर** का चयन कीजिए :

A. (*a*), (*b*), (*d*), (*c*)
B. (*c*), (*a*), (*d*), (*b*)
C. (*c*), (*d*), (*a*), (*b*)
D. (*a*), (*d*), (*b*), (*c*)

82. प्रशिक्षण के निम्नांकित स्कंधों को सही क्रम में व्यवस्थित कीजिए :

(*a*) वार्म अप

(*b*) विश्राम विराम

(*c*) व्यायामों का अनुक्रम और कार्य

(*d*) कूलडाउन (प्रशांति)

नीचे दिए गए विकल्पों में से **सही उत्तर** का चयन कीजिए :

A. (*a*), (*b*), (*c*), (*d*)
B. (*b*), (*c*), (*a*), (*d*)
C. (*a*), (*c*), (*b*), (*d*)
D. (*d*), (*c*), (*a*), (*b*)

83. दार्शनिक अनुसंधान पद्धतियों के सोपानों को आरोही क्रम में व्यवस्थित करें :

(*a*) परिकल्पित संबंध

(*b*) उपयुक्त शीर्षक का चुनाव

(*c*) समस्या को परिभाषित करना

(*d*) समस्या क्षेत्र की पहचान

(*e*) संकल्पना निर्माण

(*f*) आंकड़ा संग्रहण की प्रक्रियाओं को रेखांकित करना

नीचे दिए गए विकल्पों में से **सही उत्तर** का चयन कीजिए :

A. (*d*), (*b*), (*e*), (*a*), (*c*), (*f*)
B. (*d*), (*b*), (*a*), (*c*), (*f*), (*e*)
C. (*d*), (*b*), (*c*), (*e*), (*a*), (*f*)
D. (*b*), (*d*), (*e*), (*a*), (*c*), (*f*)

84. निम्नलिखित परीक्षणों को उनके निर्माण वर्ष के आरोही क्रम में व्यवस्थित कीजिए?

(*a*) चांग बैडमिंटन परीक्षण

(*b*) हैरिसन बास्केटबाल परीक्षण

(*c*) बैरो संचलन अभिक्षमता परीक्षण

(*d*) वर्मोन्ट स्कूल स्वस्थता परीक्षण

(*e*) जॉनसन सॉकर परीक्षण

नीचे दिए गए विकल्पों में से **सही उत्तर** का चयन कीजिए :

A. (*c*), (*e*), (*a*), (*b*), (*d*)
B. (*e*), (*c*), (*b*), (*a*), (*d*)
C. (*c*), (*e*), (*b*), (*d*), (*a*)
D. (*c*), (*e*), (*b*), (*a*), (*d*)

85. नीचे दो कथन दिए गए हैं : एक अभिकथन (A) के रूप में लिखित है तो दूसरा उसके कारण (R) रूप में :

अभिकथन (A) : अपनाई गई शारीरिक क्रियाकलाप निःशक्त/दिव्यांग व्यक्तियों को प्रोग्राम और सेवा प्रदान करने के लिए शिक्षकों को तैयार करने से संबंधित है।

कारण (R) : अनुकूलित शारीरिक शिक्षकों की निःशक्त/दिव्यांग व्यक्तियों के निमित्त अभिकल्प योजना तैयार करने की

विशिष्ट भूमिका शैली है ताकि विद्यार्थी अपनी इष्टतम क्षमता का प्रयोग करते हुए शारीरिक शिक्षा कार्यकलापों में भाग ले सकें।

उपरोक्त कथन के आलोक में, नीचे दिए गए विकल्पों में से **सही उत्तर** का चयन कीजिए :

A. (A) और (R) दोनों सत्य हैं और (R), (A) की सही व्याख्या है।

B. (A) और (R) दोनों सत्य हैं, लेकिन (R), (A) की सही व्याख्या नहीं है।

C. (A) सत्य है, लेकिन (R) असत्य है।

D. (A) असत्य है, लेकिन (R) सत्य है।

86. नीचे दो कथन दिए गए हैं :

कथन I : प्रक्षेपक में यदि छोड़ने का वेग और छोड़ने की ऊँचाई एवं अवतारण समान है तो परास समान होगा यदि वस्तु को 30° एवं 60° से छोड़ा गया हो।

कथन II : शाटपुट में यदि छोड़ने का कोण 45° अथवा 45° से अधिक है तो परास अधिकतम होगा।

उपरोक्त कथन के आलोक में, नीचे दिए गए विकल्पों में से **सही उत्तर** का चयन कीजिए :

A. कथन I और II दोनों सत्य हैं

B. कथन I और II दोनों असत्य हैं

C. कथन I सत्य है, लेकिन कथन II असत्य है

D. कथन I असत्य है, लेकिन कथन II सत्य है

87. नीचे दो कथन दिए गए हैं : एक अभिकथन (A) के रूप में लिखित है तो दूसरा उसके कारण (R) रूप में :

अभिकथन (A) : कोच आन्तरिक अभिप्रेरण निर्माण के लिए बाह्य पुरस्कारों का कुशलतापूर्वक उपयोग करते हैं।

कारण (R) : पुरस्कारों के फलस्वरूप आन्तरिक अभिप्रेरण में वृद्धि हो सकती है यदि वे सार्थक उपलब्धियों पर आधारित हैं और इस प्रकार प्रात्यक्षिक अभिक्षमता बढ़ जाती है।

उपरोक्त कथन के आलोक में, नीचे दिए गए विकल्पों में से **सही उत्तर** का चयन कीजिए :

A. (A) और (R) दोनों सत्य हैं और (R), (A) की सही व्याख्या है।

B. (A) और (R) दोनों सत्य हैं, लेकिन (R), (A) की सही व्याख्या नहीं है।

C. (A) सत्य है, लेकिन (R) असत्य है।

D. (A) असत्य है, लेकिन (R) सत्य है।

88. नीचे दो कथन दिए गए हैं :

कथन I : बच्चों में शारीरिक कार्यकलाप की अतोषणीय ललक होती है।

कथन II : बच्चों को कौशल पूर्वाभ्यास (स्किल ड्रिल्स) नापसंद है किन्तु उन्हें श्रम साध्य खेल जिसमें दीर्घ पेशी क्रिया अन्तर्ग्रस्त है, की ललक होती है।

उपरोक्त कथन के आलोक में, नीचे दिए गए विकल्पों में से **सबसे उपयुक्त उत्तर** का चयन कीजिए :

A. कथन I और II दोनों सही हैं

B. कथन I और II दोनों गलत हैं

C. कथन I सही है, लेकिन कथन II गलत है

D. कथन I गलत है, लेकिन कथन II सही है

89. नीचे दो कथन दिए गए हैं :

कथन I : क्रिया अनुसंधान में न तो रचना में, न ही यंत्र में और न ही प्रक्रिया के परिष्करण की आवश्यकता होती है।

कथन II : क्रिया अनुसंधान में सभी बाह्य परिवर्ती चरों का नियंत्रण किया जाता है।

उपरोक्त कथन के आलोक में, नीचे दिए गए विकल्पों में से **सबसे उपयुक्त उत्तर** का चयन कीजिए :

A. कथन I और II दोनों सही हैं

B. कथन I और II दोनों गलत हैं

C. कथन I सही है, लेकिन कथन II गलत है

D. कथन I गलत है, लेकिन कथन II सही है

90. नीचे दो कथन दिए गए हैं :

कथन I : परीक्षण निर्माण में आनन (फलक) वैधता की उपेक्षा की जा सकती है।

कथन II : परीक्षण का संभाव्य प्रयोक्ता वैधता के आँकड़ागत साक्ष्य के साथ आवश्यक रूप से समग्रता में संबद्ध होना चाहिए।

उपरोक्त कथन के आलोक में, नीचे दिए गए विकल्पों में से **सही उत्तर** का चयन कीजिए :

A. कथन I और II दोनों सत्य हैं

B. कथन I और II दोनों असत्य हैं

C. कथन I सत्य है, लेकिन कथन II असत्य है

D. कथन I असत्य है, लेकिन कथन II सत्य है

निर्देश (प्र.सं. 91 से 95 तक): *निम्नलिखित गद्यांश को पढ़ें और प्रश्नों के उत्तर दें।*

एक शारीरिक शिक्षा के अध्यापक को महाविद्यालय के एथलीटों का हृद्-वाहिनी (कार्डियो वॉस्क्यूलर) सहन के मूल्यांकन का कार्य सौंपा गया था। इसके लिए उन्होंने हार्वार्ड स्टेप और कूपर-12 मिनट वॉक रनिंग जाँच आयोजित की। हार्बार्ड स्टेप टेस्ट के लिए उन्होंने 20 इंच ऊँची बेंच की और छात्रों को एक मिनट में 30 बार करते हुए 5 मिनट तक स्टेपिंग (अप-अप-डाउन-डाउन) करने को कहा। व्यायाम के समाप्त होने के ठीक एक मिनट बाद टेस्टर द्वारा नाड़ी स्पंद की गति (पल्स रेट) की गणना 1 से 1 : 30, 2 से 2 : 30 और 3 से 3 : 30 मिनट तक (तीन बार गिनते हुए) की गई। लेकिन कुछ मामलों में, उन्होंने 1 से 1 : 30 मिनट तक एकल नाड़ी-गति की गणना विधि को अपनाया। इसके अतिरिक्त, उन्होंने कूपर (1977 और 1982) 12 मिनटों तक टहलने और दौड़ने की जाँच की और VO_2 max (मिलि/किग्रा./न्यूनतम) का मूल्यांकन 12 मिनटों में एथलीटों द्वारा तय की गई कुल दूरी का उपयोग करते हुए किया। अपने मूल्यांकन में उन्होंने पाया कि रमेश के तीन नाड़ी स्पंदन की गणना क्रमशः 92, 73 और 62 तथा सुरेश की 80, 72 और 66 रही। जबकि मनोज की एक नाड़ी गति 88 और पीटर की 84 थी। इसके अतिरिक्त, रमेश, सुरेश, मनोज और पीटर ने 12 मिनटों में क्रमशः 1.750 मील, 1.5 मील, 1.250 मील और 2.0 मीलों की दूरी तय की।

91. रमेश और मनोज के स्वस्थता (फिटनेस) सूचकांक होंगे :

A. 61.98 और 66.08

B. 63.45 और 67.47

C. 66.08 और 61.98

D. 67.47 और 63.45

92. सुरेश और पीटर के स्वस्थता सूचकांक होंगे :

A. 67.43 और 63.47

B. 68.81 और 64.94

C. 63.47 और 67.43

D. 64.94 और 68.81

93. सुरेश और पीटर के VO_2 Max होंगे

A. 60.6546 और 42.669

B. 62.6654 और 46.696

C. 46.696 और 66.54

D. 42.669 और 60.6546

94. नीचे दो कथन दिए गए हैं :

कथन I : रमेश की स्वस्थ होने की दशा (फिटनेस कंडीशन) सुरेश से बेहतर है।

कथन II : मनोज की स्वस्थ होने की दशा पीटर से बेहतर है।

उपरोक्त कथन के आलोक में, नीचे दिए गए विकल्पों में से **सही उत्तर** का चयन कीजिए :

A. कथन I और II दोनों सत्य हैं

B. कथन I और II दोनों असत्य हैं

C. कथन I सत्य है, लेकिन कथन II असत्य है

D. कथन I असत्य है, लेकिन कथन II सत्य है

95. निम्नलिखित के VO_2 max को आरोही क्रम में सजाएँ :

(*a*) मनोज

(*b*) रमेश

(*c*) सुरेश

(*d*) पीटर

नीचे दिए गए विकल्पों में से **सही उत्तर** का चयन कीजिए :

A. (*d*), (*b*), (*c*), (*a*)

B. (*c*), (*a*), (*b*), (*d*)

C. (*a*), (*c*), (*b*), (*d*)

D. (*a*), (*b*), (*c*), (*d*)

निर्देश (प्र.सं. 96 से 100 तक): *निम्नलिखित गद्यांश को पढ़ें और प्रश्नों के उत्तर दें।*

अत्यधिक वजन ऐसी अवस्था है जिसमें वजन लम्बाई के आधार पर स्थापित मानक से अधिक हो जाता है। मोटापा का तात्पर्य अत्यधिक स्थूलता चाहे वह सामान्यीकृत हो या स्थानीकृत हो, से है। यदि काया द्रव्यमान सूचकांक (बी.एम.आई.), आयु और लिंग ज्ञात हो तो शरीर में वसा के प्रतिशत का अवधारणा ड्यूरेनबर्ग समीकरण से किया जाता है।

शारीरिक वसा का प्रतिशत = (1.2 × बीएमआई) + (0.23 × आयु के वर्ष) – (10.8 × G) – 5.4। इस समीकरण में G का मान पुरुष के लिए 1 और महिला के लिए शून्य है। पुरुष में 20% से 25% या उससे अधिक का शारीरिक वसा प्रतिशत और महिला में 25% से 32% या उससे अधिक मात्रा में शारीरिक वसा प्रतिशत होने की दशा में माना जाता है कि वह पुरुष या महिला मोटापा के उपापचयी और स्वास्थ्य संबंधी जोखिम से ग्रसित है। पुरुषों में 3% शारीरिक वसा अनिवार्य है जबकि महिलाओं में इसकी अनिवार्य मात्रा 12% है। किसी कुलीन पुरुष एथलीट के शरीर में वसा की मात्रा 2% से 5% और महिला एथलीट के शरीर में वसा की मात्रा 10% से 13% होती है।

96. जगदीश 42 वर्षीय युवक है जिसकी लंबाई 1.64 मीटर और उसके शरीर का वजन 76 किलोग्राम है तो उसके शरीर में वसा का प्रतिशत होगा :

A. 22.14
B. 27.37
C. 25.32
D. 24.23

97. सुनीता 37 वर्षीय महिला है जिसके शरीर का वजन 72 किग्रा. है और उसकी लंबाई 1.52 मीटर है तो उसके शरीर में वसा का प्रतिशत होगा :

A. 33.27
B. 40.51
C. 24.16
D. 25.14

98. नीचे दो कथन दिए गए हैं :

कथन I : सुनीता मोटापा के उपापचयी और स्वास्थ्य जोखिम से ग्रस्त नहीं है।

कथन II : जगदीश मोटापा के उपापचयी और स्वास्थ्य जोखिम से ग्रस्त है।

उपरोक्त कथन के आलोक में, नीचे दिए गए विकल्पों में से **सही उत्तर** का चयन कीजिए :

A. कथन I और II दोनों सत्य हैं
B. कथन I और II दोनों असत्य हैं
C. कथन I सत्य है, लेकिन कथन II असत्य है
D. कथन I असत्य है, लेकिन कथन II सत्य है

99. नीचे दो कथन दिए गए हैं :

कथन I : महिलाओं में आवश्यक शारीरिक वसा की मात्रा पुरुषों की तुलना में कम होती है।

कथन II : अत्यधिक वजन ऐसी अवस्था है जिसमें या तो सामान्य रूप से अथवा किसी स्थान विशेष में अत्यधिक वसा का निक्षेप हो जाता है।

उपरोक्त कथन के आलोक में, नीचे दिए गए विकल्पों में से **सही उत्तर** का चयन कीजिए :

A. कथन I और II दोनों सत्य हैं
B. कथन I और II दोनों असत्य हैं
C. कथन I सत्य है, लेकिन कथन II असत्य है
D. कथन I असत्य है, लेकिन कथन II सत्य है

100. नीचे दो कथन दिए गए हैं : नेल्सन 24 वर्षीय पुरुष एथलीट है जिसका बीएमआई 18 है तो दिए गए गद्यांश के आलोक में निम्नांकित में से कौन-सा कथन सही है?

कथन I : नेल्सन एक कुलीन एथलीट है।

कथन II : नेल्सन में वसा का प्रतिशत 2% से 5% के बीच होता है।

उपरोक्त कथन के आलोक में, नीचे दिए गए विकल्पों में से **सही उत्तर** का चयन कीजिए :

A. कथन I और II दोनों सत्य हैं
B. कथन I और II दोनों असत्य हैं
C. कथन I सत्य है, लेकिन कथन II असत्य है
D. कथन I असत्य है, लेकिन कथन II सत्य है

उत्तरमाला

1. **(B):** प्राचीन ओलम्पिक खेलों का आयोजन 776 ईसा पूर्व में ग्रीस (यूनान) के ओलम्पिया नामक स्थल से हुआ था। ओलम्पिक खेलों का आयोजन प्रति 4 वर्ष के अंतराल पर ओलम्पिया नामक स्थल पर ग्रीक देवता जीयस के सम्मान में किया जाता था। इस 4 वर्ष के अंतराल को ओलम्पियाड नाम नाम दिया गया। प्राचीन ओलंपिक खेलों का पहला लिखित रिकॉर्ड 776 ईसा पूर्व का है जब कोरोबस नाम के एक रसोइए ने एकमात्र प्रतियोगिता जीती थी, 192 मीटर का फुटट्रेस जिसे स्टेड कहा जाता था (आधुनिक 'स्टेडियम का मूल', पहला ओलंपिक चैंपियन बनने के लिए)

   किंवदंती है कि ज्यूस और नश्वर महिला अल्कमेने के बेटे हेराक्लीज (रोमन हरक्यूलिस) ने खेलों की स्थापना की, जो छठी शताब्दी ईसा पूर्व के अंत तक सभी ग्रीक खेल उत्सवों में सबसे प्रसिद्ध हो गया था। दूसरी शताब्दी ईसा पूर्व के मध्य में रोमन साम्राज्य द्वारा ग्रीस पर विजय प्राप्त करने के बाद, खेल जारी रहे, लेकिन उनके मानकों और गुणवत्ता में गिरावट आई। ईस्वी सन् 393 में, सम्राट थियोडोसियस प्रथम, एक ईसाई ने, लगभग 12 शताब्दियों के बाद प्राचीन ओलंपिक परंपरा को समाप्त करते हुए, सभी 'मूर्तिपूजक' त्योहारों पर प्रतिबंध लगाने का आह्वन किया। पहला आधुनिक ओलंपिक 1896 में एथेंस, ग्रीस में आयोजित किया गया था।

2. **(B):** अन्तरराष्ट्रीय ओलम्पिक समिति (IOC) की स्थापना पियरे डे कोबेर्टिन (Pierre de Coubertin) द्वारा 23 जून, 1894 को की गई थी। यूनानी व्यापारी डेमेट्रियस विकेलस (Demetrius Vikelas) आईओसी के प्रथम अध्यक्ष बने थे। आईओसी का मुख्य लक्ष्य ओलम्पिक खेलों का नियमित रूप से आयोजन करना तथा ओलम्पिकवाद (olympicism) एवं ओलम्पिक आंदोलन को प्रोत्साहन देना है। ओलम्पिकवाद एक जीवन दर्शन है, जो शरीर, इच्छा और मन के गुणों को संतुलित रूप से संगठित और विकसित करता है। खेल को संस्कृति और शिक्षा से जोड़कर ओलम्पिकवाद एक ऐसी जीवनशैली विकसित करने का प्रयास करता है, जो प्रयत्नों, अच्छे उदाहरणों, शैक्षणिक मूल्यों तथा सार्वभौमिक मौलिक नैतिक सिद्धांतों से आनंदित होने पर आधारित होती है। ओलम्पिक आंदोलन का लक्ष्य है- ओलम्पिक भावना, जिसके लिये पारस्परिक समझदारी के साथ-साथ मित्रता, एकजुटता और ईमानदारी की भावना आवश्यक है तथा भेदभावरहित खेलों के माध्यम से युवाओं को शिक्षित करके शांतिपूर्ण और सुखी संसार के सृजन में योगदान देना है। अंतर्राष्ट्रीय ओलंपिक समिति के अध्यक्ष कार्यकारी बोर्ड के प्रमुख होते हैं जो अंतरराष्ट्रीय ओलंपिक समिति (IOC) के प्रशासन और प्रबंधन की जिम्मेदारी सँभालते हैं। आईओसी कार्यकारी बोर्ड में अध्यक्ष, 4 उपाध्यक्ष और 10 अन्य आईओसी सदस्य शामिल होते हैं। बोर्ड के सदस्यों का चुनाव IOC सत्र में गुप्त मत-पत्र द्वारा किया जाता है।

3. **(C):** दर्शनशास्त्र की प्रकृतिवादी विचारधारा को 'भौतिकतावाद' के नाम से भी जाना जाता है। भौतिकतावाद में सभी वस्तुओं, यहाँ तक कि धर्म की भी, वैज्ञानिक व्याख्या की जाती है। भौतिकवाद को आदर्शवाद (Idealism) की संकल्पना के विपरीत देखा जा सकता है। आदर्शवाद वह सिद्धांत है जिसमें अंतिम यथार्थ पारलौकिक होता है। परंतु भौतिकतावाद इस बात में विश्वास करता है कि सभी वस्तुएँ स्थूलकाय पदार्थ (जड़ पदार्थ) पर आधारित हैं। भौतिकतावाद की चर्चा तीन प्रकार से की जा सकती है, यथा—दार्शनिक भौतिकतावाद, वैज्ञानिक भौतिकतावाद तथा ऐतिहासिक भौतिकतावाद। भौतिकतावाद मानवीय इतिहास के विकास में भौतिक दशाओं के उत्पादन की मूलभूत और कारणात्मक भूमिका पर जोर देता है।

4. **(C): शारीरिक शिक्षा के उद्देश्य :** शारीरिक शिक्षा के उद्देश्य अनेक हैं। 1980 ई. में हावर्ड विश्वविद्यालय के शारीरिक शिक्षा निदेशक ने स्वास्थ्य शिक्षा के विभिन्न पहलू जैसे स्वास्थ्य संबंधी आदतों को और शिक्षा के मनोरंजक पहलुओं को शारीरिक शिक्षा का उद्देश्य माना था। इसी समय प्रसिद्ध शारीरिक शिक्षण विचारक डॉ. बुझ ने इस बात पर जोर दिया कि शारीरिक शिक्षा का

उद्देश्य मनुष्य के शारीरिक, नैतिक और सामाजिक विकास से है। 1934 ई. में अमरीकी शारीरिक शिक्षा समिति ने अपने शोध के बाद निम्नलिखित पाँच उद्देश्य सुझाए थे–

1. शारीरिक विकास और 'फिजिकल फिटनेस'
2. मानसिक स्वास्थ्य और कौशल विकास
3. सामाजिक और नैतिक चरित्र-निर्माण
4. संवेगात्मक विकास
5. आत्मसम्मान

1947 ई. में श्री एंजेंस ने अपने पी.एच.डी. के शोध में शारीरिक शिक्षा के उद्देश्यों को पाँच वर्गों में विभाजित किया।

1. शारीरिक स्वास्थ्य एवं अंगों का विकास
2. भावनात्मक एवं मानसिक विकास
3. सामाजिक विकास
4. बौद्धिक विकास
5. मस्तिष्क और मांसपेशी का तालमेल

कोबेल और स्कवेन के अनुसार शारीरिक शिक्षा का उद्देश्य निम्नलिखित है–

1. तंत्रिका-पेशीय समन्वय
2. अंगों की शक्ति और अपनाए जाने के प्रयास
3. व्याख्यात्मक (निर्वचनात्मक) विकास।

5. (B): सक्रिय शारीरिक कार्य या व्यायाम के समय पेशियों में ऊर्जा का व्यय बहुत बढ़ जाता है और अधिकांश ATP, ADP में बदल जाती है। अतः ग्लूकोज का तीव्र जारण होने लगता है, परंतु फेफड़े इसके लिए आवश्यक ऑक्सीजन की पूर्ति नहीं कर पाते। इसके फलस्वरूप ग्लूकोज के अधूरे जारण से पेशी तंतुओं में लैक्टिक अम्ल जमा होने लगता है और व्यक्ति की सांस फूलने लगती है, इसी दशा को ऑक्सीजन ऋण (Oxygen debt) कहते हैं। इसका आविष्कार ए.वी. हिल ने किया था।

6. (B)

7. (D): कंकाल की मांसपेशियों में लगभग 75% पानी, 20% प्रोटीन, 1-10% वसा और 1% ग्लाइकोजन होता है। मानव शरीर का अधिकांश भाग माँसपेशियों से ढंका होता है। माँसपेशियाँ शरीर के कुल भार का लगभग 40% भाग बनाती हैं। अधिकतर जंतुओं मे इनका संबंध संचालन या गति से होता है। यह अंगों मे गति उत्पन्न करता है। शरीर का ऊपरी हिस्सा पूर्ण रूप से माँसपेशियों से ढँका रहता है, इसी कारण शरीर सुंदर व सुडौल दिखाई देता है।

8. (D): TCA चक्र का प्रारंभ एसीटाइल समूह के ओक्सेलो एसीटिक अम्ल (OAA) तथा जल के साथ संघनन से होता है और सिट्रिक अम्ल का निर्माण होता है। यह अभिक्रिया सिट्रेट सिंथेटेज एंजाइम द्वारा होती है तथा सक्सीनाइल का एक अणु मुक्त होता है। तब सिट्रेट, आइसोसिट्रेट में समायवित हो जाता है। यह डिकार्बोक्सिलिकरण के दो लगातार चरणों के रूप में होता है। इसके उपरांत एल्फाकीटों ग्लूटेरिक अम्ल, तत्पश्चात् सक्सीनाइल (CoA) का निर्माण होता है। सिट्रिक अम्ल के बचे हुए चरणों में सक्सीनाइल ओक्सेलोऐसीटिक अम्ल में ऑक्सीकृत होकर चक्र को आगे बढ़ाने में सहायक होता है। सक्सीनाइल (CoA) से सक्सीनिक अम्ल के रूपांतरण के दौरान जीटीपी के एक अणु का निर्माण होता है। इसे क्रियाधार स्तरीय फॉस्फोरिलिकरण कहते हैं। इन युग्मित अभिक्रियाओं में जीटीपी, जीडीपी में रूपांतरित हो जाता है तथा एडीपी से एटीपी का निर्माण होता है। चक्र में तीन स्थान ऐसे होते हैं जिसमें NAD^+ का $NADH + H^+$ में अपचयन होता है और एक स्थान पर FAD^+ का $FADH_2$ में अपचयन होता है।

टीसीए चक्र द्वारा एसिटिल CoA को एंजाइमस अम्ल के निरंतर ऑक्सीकरण हेतु ऑक्सेलोऐसीटेट, अम्ल के पुनर्निर्माण की आवश्यकता होती है, जो चक्र का प्रथम सदस्य है। इसके साथ-साथ NAD^+ तथा FAD^+ का NADH व $FADH_2$ से क्रमशः पुनःउत्पादन होता है। अतः साँस की इस अवस्था के समीकरण को संक्षेप में निम्नवत् लिखा जा सकता है :

$$\text{पायरुविक अम्ल} + 4NAD^+ FAD^+ + 2H_2O + ADP + Pi \xrightarrow{\text{माइट्रोकोंड्रियल आधात्री}} 3CO_2 + 4NADH + 4H^+ + FADH_2 + ATP$$

TCA चक्र में ग्लूकोज के विखंडन से कार्बन-डाइऑक्साइड (CO_2) निकलती है, $NADH + H^+$ के आठ अणु, $FADH_2$ के दो अणु तथा दो एटीपी अणुओं का निर्माण होता है।

9. (D): संधि या जोड़ शरीर के उन स्थानों को कहते हैं, जहाँ दो अस्थियाँ एक दूसरे से मिलती हैं, जैसे कंधे, कुहनी या कूल्हे की संधि। इनका निर्माण शरीर में गति सुलभ करने और यांत्रिक आधार हेतु होता है। इनका वर्गीकरण संरचना और इनके प्रकार्यों के आधार पर होता है।

स्थूलकाय संधि (Condyloid joint) में एक लंबा-सा गड्ढा बन जाता है और दूसरी अस्थि उन्नतोदर और लंबोतरी-सी हो जाती है। यह भाग पहली अस्थि के गड्ढे में रहता है और अस्थियाँ स्नायुओं द्वारा आपस में बँधी रहती हैं, जैसे मणिबंध अर्थात् कलाई की संधि। इनमें आकुचन (flexion), विस्तार (extension), अभिवर्तन (adduction), अपवर्तन (abduction), पर्यावर्तन (circumduction) इत्यादि क्रियाएँ होती हैं।

10. (C): कनाडा के मॉन्ट्रियल में मैकगिल विश्वविद्यालय में हर्बर्ट जैस्पर द्वारा पहली आधुनिक EMG मशीन बनाई गई थी। इलेक्ट्रोमायोग्राफी (EMG) मांसपेशियों की विद्युत गतिविधि की जांच करने के लिए एक नैदानिक प्रक्रिया है जो माँसपेशियों में मोटर न्यूरॉन्स द्वारा संचारित होती है। परीक्षण माँसपेशियों और मोटर न्यूरॉन्स या माँसपेशियों को नियंत्रित करने वाले तंत्रिकाओं के स्वास्थ्य की जांच करने में मदद करता है। यदि आपकी माँसपेशियों में किसी भी विकार का संकेत मिलता है, तो ईएमजी की सिफारिश की जाती है।

11. (C)

12. (B): एक लंबी हड्डी का यांत्रिक अक्ष समीपस्थ और बाहर के संयुक्त क्षेत्रों के संयुक्त केंद्र बिंदुओं को जोड़ने वाली एक सीधी रेखा है, चाहे वह ललाट या धनु तल में हो। एक हड्डी का एनाटॉमिक अक्ष मध्य-डायफिसियल लाइन है। शारीरिक अक्ष रेखा ललाट तल में सीधी हो सकती है लेकिन धनु तल में वक्रित होती है, जैसा कि फीमर में होता है।

13. (C) **14. (A)**

15. (B): मनोवैज्ञानिक कौशल प्रशिक्षण कार्यक्रम आत्म-प्रभावकारिता और भावनात्मक नियंत्रण में सुधार करके प्रदर्शन को अनुकूलित करने पर ध्यान केंद्रित करता है। इन मनोवैज्ञानिक कौशलों में सुधार करने के लिए, एथलीट लक्ष्य निर्धारण, कल्पना और विश्राम का उपयोग करके सत्र पूरा करता है। टीए गिल (2000) और हॉर्न (2002) ने बताया है कि कार्यक्रम शैक्षिक दृष्टिकोण का पालन करता है। कार्यक्रम में तीन मुख्य चरण होते हैं :

शैक्षिक चरण - पीएसटी की समझ और महत्व और प्रदर्शन पर इसके प्रभाव को विकसित करना।

अधिग्रहण चरण - एथलीट सीखते हैं कि पीएसटी विधियों का उपयोग कैसे करें और उन्हें कैसे लागू करें।

अभ्यास चरण - पीएसटी के लिए समय और प्रयास समर्पित करें और प्रतियोगिता और अभ्यास दोनों में प्रशिक्षण पूरा करें (हॉर्न, 2002)।

16. (A): व्यवहारिक प्रतिक्रिया निर्धारित करने के लिए एक व्यक्ति का व्यक्तित्व पर्यावरण के साथ संवाद स्थापित करता है जिसे संज्ञानात्मक-भावात्मक प्रक्रमण प्रणाली का नाम दिया गया है। संज्ञानात्मक-भावात्मक व्यक्तित्व प्रणाली या संज्ञानात्मक-भावात्मक प्रक्रमण प्रणाली (CAPS) 1995 में वाल्टर मिशेल और यूची शोडा द्वारा प्रस्तावित व्यक्तित्व के मनोविज्ञान में एक योगदान है। संज्ञानात्मक-भावात्मक मॉडल के अनुसार, व्यवहार की व्यापक समझ से व्यक्ति, स्थिति तथा व्यक्ति और स्थिति के बीच संवाद व्यवहार का सबसे अच्छा अनुमान लगाया जाता है।

17. (C): खेलो इंडिया को भारत सरकार ने साल 2017 में भारत में खेल की भावना को पुनर्जीवित करने के लिए शुरु किया था। इस पहल ने विभिन्न खेलों के लिए देश भर में खेल के बेहतर बुनियादी ढांचे और विभिन्न खेल अकादमी के निर्माण पर भी ध्यान केंद्रित किया। इस दौरान **खेलो इंडिया यूथ गेम्स** (KIYG) और **खेलो इंडिया यूनिवर्सिटी गेम्स** (KIUG) को वार्षिक आयोजनों के रूप में आयोजित किया जाने लगा, जहां अपने राज्यों और विश्वविद्यालयों का प्रतिनिधित्व करने वाले युवाओं ने अपने कौशल का प्रदर्शन भी किया और पदकों के लिए प्रतिस्पर्धा भी।

नई दिल्ली में आयोजित 2018 में खेलो इंडिया स्कूल गेम्स के साथ इस पहल की शुरुआत हुई। इस पहल को बड़ी सफलता तब मिली, जब भारतीय ओलंपिक संघ (IOA) उस साल के अंत में इस पहल से जुड़ गया और खेलो इंडिया स्कूल गेम्स का नाम बदलकर 2019 से खेलो इंडिया यूथ गेम्स कर दिया गया। खेलो इंडिया

यूनिवर्सिटी गेम्स का पहला संस्करण 2020 में कलिंगा इंस्टीट्यूट ऑफ इंडस्ट्रियल टेक्नोलॉजी (KIIT), ओडिशा में आयोजित किया गया था। खेलो इंडिया विंटर गेम्स (KIWG) के तीन संस्करण कश्मीर के लेह, लद्दाख और गुलमर्ग में आयोजित किए गए थे। खेलो इंडिया विंटर गेम्स का पहला संस्करण साल 2020 में आयोजित किया गया था।

18. **(A):** संयुक्त राज्य अमेरिका सैन्य अकादमी (USMA), वेस्ट प्वाइंट के रूप में जाना जाता है। यह पांच अमेरिकी सेवा अकादमियों में सबसे पुराना है और संयुक्त राज्य सेना में कमीशन के लिए कैडेटों को शिक्षित करता है। अकादमी की स्थापना 1802 में हुई थी, जब राष्ट्रपति थॉमस जेफरसन ने निर्देश दिया था कि वेस्ट प्वाइंट पर संयुक्त राज्य सैन्य अकादमी की स्थापना के लिए योजनाओं को गति प्रदान की जाए। संपूर्ण केंद्रीय परिसर कई ऐतिहासिक स्थलों, इमारतों और स्मारकों से युक्त है। परिसर की अधिकांश इमारतों का निर्माण नॉर्मन शैली में ग्रे और काले ग्रेनाइट से किया गया है। परिसर एक लोकप्रिय पर्यटन स्थल है, जिसमें एक आगंतुक केंद्र और संयुक्त राज्य सेना का सबसे पुराना संग्रहालय है।

19. **(C):** आजादी के पहले भारत में शारीरिक शिक्षा को एक नया एवं वैज्ञानिक दृष्टिकोण देने का श्रेय डॉ. एच.सी. बक को जाता है। भारत में वाई.एम.सी.ए. के आने के पश्चात् एच.सी. बक ने 1920 ई. में वाई.एम.सी.ए. कॉलेज ऑफ फिजिकल एजूकेशन, मद्रास (चेन्नई) की स्थापना की। इससे पूर्व शारीरिक शिक्षा केवल खेल के मैदानों एवं अखाड़ों तक ही सीमित हुआ करती थी और इस शिक्षा हेतु लोगों को अधूरी जानकारी तक ही सीमित रहना पड़ता था। एच.सी. बक ने प्रशिक्षित शिक्षक तैयार किए। इसके अतिरिक्त भारत में पश्चिमी खेलों को स्थापित करने, प्रचार एवं प्रसार का श्रेय भी उन्हीं को जाता है। इन्होंने जिन खेलों को मुख्य रूप से स्थापित किया, उनमें हॉकी, फुटबॉल, वॉलीबाल, बॉस्केटबाल इत्यादि हैं।

20. **(A):** श्री हनुमान व्यायाम प्रसारक मंडल (अखाड़ा), अमरावती ने 1924 में स्वदेशी गतिविधियों (सेट ड्रिल, शारीरिक व्यायाम, सरल मार्शल आर्ट आदि) का पांच सप्ताह का ग्रीष्मकालीन पाठ्यक्रम शुरू किया। लोकप्रिय रूप से एचवीपीएम के रूप में जाना जाता है, यह शारीरिक प्रशिक्षण के लिए भारत में एक प्रमुख संस्थान है। इसकी स्थापना श्री अनंत वैद्य और श्री अंबदास वैद्य ने 1914 के आसपास की थी। पहले इसे हनुमान अखाड़ा कहा जाता था। कई राजनीतिक नेताओं और स्वतंत्रता सेनानियों ने एचवीपीएम का दौरा किया है। कहा जाता है कि शिवराम राजगुरु ने एचवीपीएम में पढ़ाई की थी। अपने गुप्त प्रवास के दौरान चंद्रशेखर आजाद भी यहां कुछ दिनों तक रहे थे।

21. **(B):** बजरी (Gravel) से जल प्रदूषण नहीं होता है। जल प्रदूषण का तात्पर्य नदियों, झीलों, नहरों, तालाबों और समुद्रों जैसे जल निकायों के प्रदूषण से है। यह औद्योगिक और कृषि अपशिष्ट के कारण होता है। घुलित ऑक्सीजन जल प्रदूषण का कारण नहीं है क्योंकि यह जैविक ऑक्सीजन की मांग को कम करता है और जीवों को जीवित रहने में मदद करता है।

22. **(B)** **23.** **(C)**

24. **(C):** विश्व स्वास्थ्य संगठन (World Health Organisation) द्वारा दी गई स्वास्थ्य की परिभाषा इस प्रकार है :

''स्वास्थ्य वह स्थिति है जब व्यक्ति शारीरिक, मानसिक व सामाजिक, तीनों रूप से स्वस्थ होता है। केवल रोग या बीमारी का न होना ही स्वास्थ्य नहीं कहलाता है।''

हाल ही में इस परिभाषा में एक और आयाम जोड़ दिया गया है। वह है–''सामाजिक व आर्थिक रूप से उत्पादक जीवन जीने की क्षमता।'' विश्व स्वास्थ्य संगठन द्वारा दी गई परिभाषा में वर्णित स्वास्थ्य के तीनों आयामों, अर्थात्–शारीरिक, मानसिक व सामाजिक आयामों के अतिरिक्त स्वास्थ्य के कुछ नए आयाम भी हैं–जैसे आध्यात्मिक तथा व्यावसायिक। स्वास्थ्य के ये सभी आयाम एक-दूसरे से घनिष्ठ रूप से संबंधित हैं और एक-दूसरे के साथ अंतःक्रिया करते हैं।

25. **(B):** जब भी चरम क्षतिपूर्ति होती है, एथलीट प्रशिक्षण और प्रदर्शन के लिए सकारात्मक लाभ के साथ एक नया, परिवर्द्धित होमियोस्टैटिक स्तर स्थापित करता है। एथलेटिक दक्षता में कार्यात्मक वृद्धि के आधार के रूप में चरम क्षतिपूर्ति, जिसके परिणामस्वरूप शरीर के प्रशिक्षण उत्तेजना (लोड) के अनुकूलन और मांसपेशियों में

ग्लाइकोजन स्टोर की पुनःपूर्ति होती है। यदि परिणामी चरण या दो उत्तेजनाओं के बीच का समय बहुत लंबा है, तो चरम क्षतिपूर्ति क्षीण हो जाएगी, जिसके परिणामस्वरूप समावेशन या प्रदर्शन क्षमता में कमी आएगी।

26. (D): प्रशिक्षण में निरंतर उद्दीपन के प्रति किसी जैविक पदार्थ की अनुक्रिया में ह्रास समायोजन कहलाता है। समायोजन को सामंजस्य, व्यवस्थापन या अनुकूलन भी कहते हैं। समायोजन दो शब्दों को मिलाकर बना है—सम और आयोजन। सम् का अर्थ है भली-भाँति, अच्छी तरह या समान रूप से और आयोजन का अर्थ है व्यवस्था अर्थात् अच्छी तरह व्यवस्था करना। समायोजन का अर्थ हुआ सुव्यवस्था या अच्छे ढंग से परिस्थितियों को अनुकूल बनाने की प्रक्रिया जिससे कि व्यक्ति की आवश्यकताएँ पूरी हो जाए और मानसिक द्वन्द्व उत्पन्न न होने पाये।

27. (A): एरोबिक सहनशक्ति में तेजी से सुधार के लिए अंतराल (Interval) प्रकार का प्रशिक्षण बेहद प्रभावी है। अंतराल प्रकार के प्रशिक्षण में अपेक्षाकृत तेज गति से दोहराए गए प्रयास शामिल होते हैं, जो अपूर्ण आरोग्य प्राप्ति के माप अंतराल से अलग होते हैं। यह प्रयास और पुनर्प्राप्ति के सिद्धांत पर आधारित है। इसे कम समय के अंतराल, मध्य समय के अंतराल और लंबे समय के अंतराल में वर्गीकृत किया जा सकता है।

28. (A) **29. (C)** **30. (C)**

31. (B): द्वितीयक स्रोत वे हैं जो प्राथमिक स्रोतों की जानकारी की व्याख्या या मूल्यांकन करते हैं। नतीजतन, वे प्राथमिक स्रोतों से अटूट रूप से जुड़े रहते हैं। इन स्रोतों में प्राथमिक स्रोतों को अक्सर वर्णित, सामान्यीकृत और संश्लेषित किया जाता है। कुछ उदाहरणों में जर्नल लेख, संदर्भ पुस्तकें, पाठ्यपुस्तकें, विश्वकोश, वृत्तचित्र और अकादमिक लेखन शामिल हैं। इसके अतिरिक्त, माध्यमिक स्रोतों में कलात्मक कार्यों के सारांश, विवरण और मूल्यांकन शामिल हैं।

किसी शोध पत्र में इनका हवाला देते समय इनका सामान्य रूप से सीधे तौर पर मूल्यांकन नहीं किया जाता है। हालाँकि, हम उनका उपयोग अपने तर्कों को मजबूत करने, नए विचारों को विकसित करने और क्षेत्र में मौजूदा डेटा का खंडन करने के लिए करते हैं। दूसरे शब्दों में, हम प्राथमिक स्रोतों से संबंधित अपने विश्वासों या तर्कों का समर्थन करने के लिए द्वितीयक स्रोतों का उपयोग करते हैं। द्वितीयक स्रोत डेटा एकत्र करने और प्राथमिक स्रोतों से निष्कर्ष निकालने में सहायता करते हैं।

32. (B): संसाधनों की सूची जो प्रत्येक लेख अथवा पुस्तक की प्रकृति एवं विषय-क्षेत्र का संक्षिप्त विवरण प्रदान करने वाले संसाधनों की सूची के रूप में जाना जाता है, एनोटेटेड ग्रंथसूची कहलाता है। एक एनोटेट किया गया ग्रंथ सूची उस विषय पर उपलब्ध संदर्भों की एक सूची है जिसे संबंधित परियोजना में संदर्भित किया गया है या उसका उल्लेख किया गया है। एक एनोटेट किए गए ग्रंथ सूची में प्रत्येक प्रविष्टि संक्षिप्त विवरण और मूल्यांकन के साथ प्रदान किए गए संदर्भों का संक्षिप्त विवरण देता है जिसमें प्रत्येक प्रविष्टि को कवर किया जाता है।

यह ग्रंथसूची या तो एक बड़ी परियोजना का हिस्सा हो सकती है या अपनी खुद की एक एकल परियोजना हो सकती है। संसाधन का एक संक्षिप्त विश्लेषण या सारांश प्रत्येक प्रविष्टि के साथ दिया होता है। यह परियोजना की गुणवत्ता और अनुसंधान की मात्रा के साथ-साथ परियोजना के प्रत्येक स्रोत की प्रासंगिकता दर्शाता है।

33. (D): संरचनात्मक या निर्माणात्मक मूल्यांकन (Formative Evaluation) से अभिप्राय किसी ऐसे शैक्षिक कार्यक्रम, योजना, प्रक्रिया अथवा सामग्री आदि के मूल्यांकन से है, जिसमें मूल्यांकन के आधार पर सुधार करना संभव हो। दूसरे शब्दों में, संरचनात्मक मूल्यांकनकर्ता किसी शैक्षिक कार्यक्रम, योजना, प्रक्रिया की सामग्री की प्रभावशीलता, गुणवत्ता, वांछनीयता तथा उपयोगिता का आकलन इसलिए करता है कि उस कार्यक्रम, योजना, प्रक्रिया या सामग्री को और अधिक प्रभावशाली, गुणवत्तापूर्ण, वांछनीय तथा उपयोगी बनाया जा सके। स्पष्ट है कि संरचनात्मक मूल्यांकन में किसी निर्माणाधीन कार्यक्रम, योजना, प्रक्रिया या सामग्री को अन्तिम रूप देने से पूर्व उसके प्रारम्भिक प्रारूप (Preliminary Draft) का मूल्यांकन किया जाता है जिससे उसकी संरचनागत कमियों को दूर किया जा सके। उदाहरण के लिए यदि किसी पाठ्यपुस्तक के प्रारम्भिक प्रारूप (First Draft) का मूल्यांकन इस दृष्टि से किया जा रहा है कि इसके छपकर बाजार में आने से पूर्व इसमें आवश्यक सुधार करके इसे अधिक उपयोगी तथा प्रभावशाली बनाया जा सके तो इस प्रकार के मूल्यांकन को संरचनात्मक मूल्यांकन कहा जाएगा तथा

मूल्यांकन प्रक्रिया की यह भूमिका संरचनात्मक भूमिका कही जाएगी। इसी प्रकार से यादे किसी नवीन शिक्षण विधि, दूरदर्शन पाठ, पाठ्यक्रम, सहायक सामग्री आदि में संशोधन व सुधार करने की दृष्टि से इनका मूल्यांकन किया जाता है तो इसे संरचनात्मक मूल्यांकन कहेंगे। स्पष्ट है कि संरचनात्मक मूल्यांकन का मुख्य उद्देश्य शैक्षिक कार्यक्रम या सामग्री को तैयार करने वाले व्यक्ति को उसके द्वारा तैयार किए जा रहे कार्यक्रम या सामग्री की कमियों को इंगित करना तथा उन्हें दूर करने के उपाय बताना है। अतः संरचनात्मक मूल्यांकनकर्ता के कार्य को तीन भागों में बाँटा जा सकता है। ये तीन कार्य—प्रथम, शैक्षिक कार्यक्रम या सामग्री के विभिन्न अंगों के गुण व दोषों के संबंध में स्पष्ट प्रमाण एकत्रित करना, द्वितीय इन प्रमाणों के आधार पर कार्यक्रम या सामग्री की कमियों को सम्मुख रखना तथा तृतीय, इन कमियों को दूर करके कार्यक्रम या सामग्री को अधिक प्रभावपूर्ण बनाने के लिए सुझाव प्रस्तुत करना है।

34. (C): शार्टर बैरो मोटर क्षमता परीक्षण के मद—

- स्टैंडिंग ब्रॉड जम्प
- जिग-जैग दौड़
- मेडिसन बॉल थ्रो (लड़कों के लिए 3 किग्रा. लड़कियों के लिए 1 किग्रा.)।

35. (C): शरीर द्रव्यमान सूचकांक (बीएमआई) एक व्यक्ति के द्रव्यमान और ऊँचाई के अनुपात से प्राप्त मूल्य है। बीएमआई को शरीर के द्रव्यमान के रूप में परिभाषित किया जाता है, जो शरीर की ऊंचाई के वर्ग से विभाजित होता है, और kg/m^2 की इकाइयों में व्यक्त किया जाता है, जिसके परिणामस्वरूप किलोग्राम में द्रव्यमान और मीटर में ऊँचाई व्यक्त होती है।

बीएमआई एक तालिका का उपयोग करके निर्धारित किया जा सकता है जो बीएमआई को विभिन्न बीएमआई श्रेणियों के लिए समोच्च रेखाओं या रंगों का उपयोग करके द्रव्यमान और ऊंचाई के कार्य के रूप में प्रदर्शित करता है, और जो माप की अन्य इकाइयों का उपयोग कर सकता है। यदि किसी एथलीट का शारीरिक भार 90 किग्रा. है और उसका बीएनआई 30 किग्रा./मी.^{2} है

तो एथलीट की ऊँचाई = $\sqrt{\frac{90}{30}} = \sqrt{3} = 1.732$ मी.।

36. (C)

37. (C): प्रतिधारण नियंत्रण के कृत्य (प्रकार्य) के अंतर्गत नहीं आता है। नियंत्रण प्रबंधक का एक महत्वपूर्ण कार्य है। अधीनस्थों से नियोजित परिणामों की इच्छा रखने के लिए एक प्रबंधक को उनके क्रियाकलापों पर प्रभावी नियंत्रण की आवश्यकता होती है। दूसरे शब्दों में, नियंत्रण से तात्पर्य संगठन में नियोजन के अनुसार क्रियाओं के निष्पादन से है। नियंत्रण इस बात का भी आश्वासन है कि संगठन के पूर्व निर्धारित लक्ष्यों को प्राप्त करने के लिए सभी संसाधनों का उपयोग प्रभावी तथा दक्षतापूर्ण ढंग से हो रहा है। अतः नियंत्रण एक उद्देश्य मूलक कार्य है।

प्रबंधक का नियंत्रण एक सर्वव्यापी कार्य है। यह प्रत्येक प्रबंधक का प्राथमिक कार्य भी है। प्रबंध के प्रत्येक स्तर-शीर्ष, मध्यम तथा निम्न पर प्रबंधक को अपने अधीनस्थ कर्मचारियों की क्रियाओं को नियंत्रित करने के लिए नियंत्रण कार्य को निष्पादित करना चाहिए। किसी भी व्यावसायिक इकाई की भाँति नियंत्रण शिक्षा संस्थानों, सेना, औषधालयों तथा क्लबों में भी उतना ही आवश्यक है जितना व्यावसायिक इकाइयों में। नियंत्रण को प्रबंध का अंतिम कार्य समझ लेना भूल होगी। यह प्रबंधन चक्र को वापस नियोजन कार्य पर लाता है। नियंत्रण से निष्पादन एवं मानकों के विचलन का ज्ञान होता है। इन विचलनों का विश्लेषण करता है तथा उन्हीं के आधार पर उसके सुधार के लिए कार्य करता है। इस प्रक्रिया द्वारा भविष्य के लिए नियोजन करने में सहायता मिलती है। क्योंकि जो समस्याएँ नियंत्रण में सामने आईं उनके प्रकाश में भविष्य के लिए अच्छी योजनाएँ तैयार की जा सकती हैं। इस प्रकार नियंत्रण प्रबंध प्रक्रिया के एक चक्र को पूरा करता है तथा अगले चक्र के नियोजन में सुधार करता है।

38. (C)

39. (A): वैज्ञानिक प्रबन्धन (जिसे **टेलरवाद** और **टेलर पद्धति** भी कहते हैं) प्रबन्धन का एक सिद्धान्त है जो कार्य-प्रवाह (workflow) का विश्लेषण एवं संश्लेषण करती है और इस प्रकार श्रमिक उत्पादकता को बढ़ाने में सहायता करती है। इसके मूल सिद्धान्त 1880 एवं 1890 के दशकों में फ्रेडरिक विंस्लो टेलर द्वारा प्रतिपादित किये गये जो उनकी रचनाओं "शॉप मैनेजमेन्ट" (1905)

तथा "द प्रिन्सिपल्स ऑफ साइन्टिफिक मैनेजमेन्ट" (1911) के द्वारा प्रकाश में आये। टेलर का मानना था कि परिपाटी और "रूल ऑफ थम्ब" पर आधारित निर्णय के स्थान पर ऐसी तरीकों/विधियों का उपयोग किया जाना चाहिये जो कार्मिकों के कार्य का ध्यानपूर्वक अध्ययन के फलस्वरूप विकसित किये गये हों।

वस्तुतः टेलरवाद, दक्षता वृद्धि का दूसरा नाम है। उन्नीसवीं शताब्दी के अन्त एवं बीसवीं शताब्दी के प्रारम्भ में मानव-जीवन में दक्षता बढ़ाने, बर्बादी कम करने, प्रयोगधारित विधियों का उपयोग करने आदि की बहुत चर्चा हुई। टेलरवाद को इनका ही एक अंश माना जा सकता है।

40. (C): सारभूत विचार (Abstract thinking): जिसे अमूर्त तर्क के रूप में भी जाना जाता है, में जटिल अवधारणाओं को समझने और सोचने की क्षमता शामिल होती है, जो वास्तविक होते हुए भी ठोस अनुभवों, वस्तुओं, लोगों या स्थितियों से बंधी नहीं होती हैं।

सारभूत विचार को एक उच्चस्तरीय विचार माना जाता है, आमतौर पर उन विचारों और सिद्धांतों के रूप में जो अक्सर प्रतीकात्मक या काल्पनिक होते हैं। इस प्रकार की सोध उस प्रकार की सोच की तुलना में अधिक जटिल होती हैं जो जानकारी और तथ्यों को रटने और याद करने पर केन्द्रित होती हैं।

अमूर्त अवधारणाओं के उदाहरणों में निम्नलिखित विचार शामिल हैं : • हास्य • कल्पना • मित्रता • स्वतंत्रता • ईर्ष्या • सफलता • प्रेम • विकास • प्रसन्नता • आशा • बुद्धिमत्ता।

41. (B)

42. (C): खेलो इंडिया कार्यक्रम के तहत आने वाली विभिन्न श्रेणियां निम्नलिखित हैं—

- खेल के मैदान का विकास
- राष्ट्रीय/क्षेत्रीय/राज्य/खेल शिक्षाविदों को सहायता
- सामुदायिक कोचिंग का विकास
- राज्य स्तरीय खेलो इंडिया सेंटर
- स्कूली बच्चों की शारीरिक शिक्षा
- महिलाओं के लिए खेल
- वार्षिक खेलकूद प्रतियोगिता
- विकलांग लोगों के बीच खेल को बढ़ावा देना
- प्रतिभा खोज और विकास
- शांति और विकास के लिए खेल
- उपयोग और निर्माण/खेल अवसंरचना का उन्नयन
- ग्रामीण और देशी/आदिवासी खेलों को बढ़ावा देना।

43. (D)

44. (B): अंतःस्रावी ग्रंथियां वे होती हैं जो सीधे रक्त में अपना पदार्थ स्रावित करती हैं। अंतःस्रावी ग्रंथियों में कोई नलिका नहीं होती। अंतःस्रावी ग्रंथि द्वारा स्रावित होने वाला पदार्थ हार्मोन कहलाता है। ये हार्मोन रक्त के जरिए संचरित होते हैं और शरीर से संबंधित अंगों पर काम करते हैं। हार्मोन्स एक प्रकार के रासायनिक पदार्थ होते हैं।

अंतःस्रावी प्रणाली हमारे शरीर की गतिविधियों के बीच समन्वय स्थापित करने में भी मदद करता है। हमारे शरीर में उपस्थित अंतःस्रावी ग्रंथियां हैं—पीनियल ग्रंथि, हाइपोथैलमस ग्रंथि, पिट्यूटरी ग्रंथि, थायराइड ग्रंथि, पैराथायराइड ग्रंथि, थाइमस, अग्न्याशय, अधिवृक्क ग्रंथि, वृषण और अंडाशय। अंतःस्रावी ग्रंथियों की कार्यप्रणाली को तंत्रिका तंत्र नियंत्रित करता है। हार्मोन्स शरीर और तंत्रिका तंत्र के बीच दूत का काम करते हैं।

हाइपोथैलमस और पिट्यूटरी ग्रंथि तंत्रिका तंत्र और अंतःस्रावी प्रणाली के बीच समन्वय का मुख्य केंद्र हैं। हाइपोथैलमस मस्तिष्क के विभिन्न हिस्सों और उससे हो कर गुज़रने वाली रक्त वाहिकाओं से सूचना एकत्र करने में मदद करता है। इसके बाद यह सूचना पिट्यूटरी ग्रंथि को दी जाती है जो अपने स्राव द्वारा सभी अन्य अंतःस्रावी ग्रंथियों की गतिविधियों को नियंत्रित करता है। मानव शरीर में हार्मोन्स विकास, चयापचय गतिविधियों और प्रजनन में मदद करते हैं।

45. (C) **46. (A)**

47. (A): जब किसी वस्तु को पृथ्वी के गुरुत्वीय क्षेत्र में एक प्रारंभिक वेग से किसी कोण पर फेंका जाता है तो वस्तु ऊर्ध्वाधर दिशा में गति करते हुए गुरुत्वीय त्वरण के अंतर्गत एक वक्र पथ पर गति करती है। वस्तु की इस गति को प्रक्षेप्य गति (Motion of a projectile) कहते हैं एवं वस्तु जिस पथ पर गति करती है उसे प्रक्षेप पथ कहते हैं।

प्रक्षेप्य गति के उदाहरण–

1. तोप से छूटे गोले की गति
2. भाला फेंक खेल में भाले की गति
3. छत से फेंकी गई गेंद की गति
4. बल्लेबाज द्वारा मारी गई गेंद की गति
5. फुटबॉल खेल में गेंद की गति
6. तीरंदाजी
7. शूटिंग
8. गोल्फ बॉल की गति, इत्यादि।

48. (B): हड्डी का फ्रैक्चर हड्डी के ऊतकों की निरंतरता में पूर्ण या आंशिक विराम है। खेलकूद में लगी चोट, कार दुर्घटना या गिरने के कारण शरीर की किसी भी हड्डी में फ्रैक्चर हो सकता है। इन दर्दनाक चोटों को ठीक होने में समय लगता है। हालांकि, हड्डियों को कमजोर करने वाली कुछ चिकित्सीय स्थितियों का परिणाम कई अस्थि भंग हो सकते हैं।

अस्थि भंग के कारण–

- दर्दनाक घटनाएं–जैसे खेल चोटें, वाहन दुर्घटनाएं और गिरना।
- ऑस्टियोपोरोसिस और कुछ प्रकार के कैंसर जैसी स्थितियों में हड्डियाँ अधिक आसानी से टूट जाती हैं।

49. (C): संधि या जोड़ (Joints) शरीर के उन स्थानों को कहते हैं, जहाँ दो अस्थियाँ एक दूसरे से मिलती हैं, जैसे कंधे, कुहनी या कूल्हे की संधि। इनका निर्माण शरीर में गति सुलभ करने और यांत्रिक आधार हेतु होता है। इनका वर्गीकरण संरचना और इनके प्रकार्यों के आधार पर होता है। शरीर में विशेषकर तीन प्रकार की संधियाँ पाई जाती हैं: अचल संधि, अर्धचल संधि तथा चल संधि।

अचल संधि–इन संधियों में अस्थियों के संधिपृष्ठों का संयोग हो जाता है। दोनों अस्थियों के बीच कुछ भी अंतर नहीं होता। इस कारण अस्थियों के संगम स्थान पर किसी प्रकार की गति नहीं हो पाती। दोनों अस्थियाँ तंतु ऊतक द्वारा आपस में जुड़ी रहती हैं। इन संधियों में तीन श्रेणियाँ पाई जाती हैं–

- सीवनी (Sutures) में अस्थियाँ अपने कोरों द्वारा आपस में मिली रहती हैं। यह केवल कपालास्थियों में पाया जाता है।
- दंतमूलसंधि (Gomphosis) में एक अस्थि का नुकीला भाग दूसरी अस्थि के भीतर प्रविष्ट रहता है, जैसे हनु में लगे दाँत।
- तांतव सांध (Syndesmosis) में अस्थियों के पृष्ठ अस्थ्यांतरिक स्नायु के द्वारा आपस में जुड़े रहते हैं।

अर्धचल संधि–इन संधियों में अस्थियों के बीच में उपास्थि (cartilage) रहती है तथा गति कम होती है। इस श्रेणी में दो भेद पाए जाते हैं।

- **उपास्थि संधि** (Synchodrosis) में उपास्थि कुछ समय के बाद अस्थि में परिणत हो जाती है और अस्थियों के सिरे एक दूसरे के साथ पूर्णतया जुड़ जाते हैं। पश्चात्कपाल के तलभाग के बीच में इसी प्रकार की संधि होती है। इन संधियों में कुछ भी गति नहीं होती।
- **तंतूपास्थि संधि** (symphysis) में अस्थियों के सिरों के बीच में रहनेवाली उपास्थि का शोषण नहीं होता। यह उपास्थि दोनों अस्थियों को एक दूसरे से मिलाए रहती है। उपास्थि के अतिरिक्त कुछ स्नायुएँ भी अस्थियों को जोड़े रहती हैं। इसी कारण इन संधियों में कुछ गति होती है। कशेरुकों के बीच की संधि इसी प्रकार की है।

चल संधियाँ–इन संधियों की गति अबाध होती है। इनमें निम्नलिखित विशेषताएँ पाई जाती हैं :

- इन संधियों में गतियों की बहुरूपता, जिससे सब दिशाओं, दो दिशाओं, एक दिशा, या केवल अक्षों पर ही गति होती है।
- संधि के भीतर स्थित अस्थियों का एक दूसरे से प्रत्यक्ष संपर्क नहीं होता।
- संधि एक कोशिका द्वारा पूर्णतया आच्छादित रहती है, जिसमें दो स्तर होते हैं : (1) तंतु स्तर (fibrous layer) तथा (2) स्नेहक स्तर (Synovial layer);
- स्नेहक स्तर संधि का भीतर से पूर्णतया ढंका रहता है। केवल उपास्थियुक्त अस्थियों के सिरे को स्वतंत्र छोड़ देता है।
- संधि के भीतर विवर (cavity) होता है, जो तंतु उपास्थि के एक गोल टुकड़े से पूर्णतया, अथवा अपूर्णतया, दो भागों में विभक्त रहता है।

- कोशिका के बाहर स्नायु उपस्थित रहती है। संधियों में स्थित अर्ध एवं पूर्णचंद्राकार तंतूनास्थि से अस्थियों को धक्के से रक्षा होती है और यह दोनों अस्थियों के सिरों को आपस में रगड़ से बचाती है।

50. (A): शैक्षिक खेल मनोवैज्ञानिकों द्वारा मनोवैज्ञानिक कौशल प्रशिक्षण आवश्यकताओं को निम्न प्रकार से संबोधित किया जाता है :

- लक्ष्य की स्थापना
- बिम्ब सृष्टि
- उत्तेजना विनियमन
- एकाग्रता
- मानसिक तैयारी
- भोजन विकार
- मादक द्रव्यों का सेवन
- व्यक्तित्व विकार
- गंभीर अवसाद या चिंता।

51. (B): आत्मवार्ता हमारे आंतरिक संवाद को संदर्भित करती है, जिसमें हम अपने आप से कहे गए कथनों से युक्त होते हैं। हम में से अधिकांश लोग अपने जीवन में आत्मवार्ता का उपयोग करते हैं, जैसे नौकरी के लिए साक्षात्कार या किसी विशेष कार्य-तिथि से पहले स्वयं को उत्साहजनक बनाने के लिए वार्ता। यह अभ्यास हमें अपने विचारों और भावनाओं का मूल्यांकन और नियमन करने में मदद करता है और कुछ स्थितियों में तनाव और चिंता को कम करने में मदद कर सकता है। एथलीट प्रशिक्षण के दौरान और प्रतियोगिता में आत्मवार्ता में भी शामिल होते हैं, ''बढ़ते रहो'' और ''लक्ष्य पर ध्यान केंद्रित करो'', या ''मैं मजबूत महसूस कर रहा हूँ'' जैसे मंत्रों को दोहराते हुए। खेलों में, आत्मवार्ता दो कार्य कर सकती है :

1. एक एथलीट की प्रेरणा को बढ़ावा देना और उन्हें और अधिक प्रयास करने के लिए प्रोत्साहित करना।
2. अपने प्रयास या प्रदर्शन की गुणवत्ता में सुधार करने के लिए एथलीट को निर्देशित करने वाली प्रासंगिक क्रियाओं पर ध्यान देना (''गेंद को पास करना'', ''तेजी से जाना'')। ऐसा माना जाता है कि दौड़ने जैसे सकल मोटर नियंत्रण के बजाय बास्केटबॉल जैसे ठीक मोटर नियंत्रण की आवश्यकता वाले खेलों के लिए यह अधिक फायदेमंद है।

52. (A): मनोवैज्ञानिक ब्रूस टकमैन 1965 में अपने समूह विकास मॉडल को यह समझाने के लिए विकसित किया कि स्वस्थ टीमें समय के साथ कैसे जुड़ती है। टकमैन का मॉडल उन पाँच चरणों की पहचान करता है जिनके माध्यम से समूह प्रगति करता है :

Forming, Storming, Norming, Performing and Adjourning

समूह विकास सिद्धान्त के निम्न भाग हैं :

(*i*) **रेखीय सिद्धान्त :** समूह चरणों के क्रम के माध्यम से आगे बढ़ते हैं जो गठन के साथ शुरू होते हैं और समाप्ति के साथ समाप्त होते हैं।

(*ii*) **चक्रीय सिद्धान्त :** समूह चरणों के अनुक्रम के माध्यम से आगे बढ़ते हैं। पाँच चरणों को दोहराते रहते हैं।

(*iii*) **लोलक सिद्धान्त :** समूह की वृद्धि और विकास के दौरान पारस्परिक संबंधों में होने वाले बदलाव पर जोर देता है।

53. (C): खेलो इंडिया गेम्स भारत में विशिष्ट आयु समूहों को समर्पित जमीनी स्तर के खेल आयोजनों का एक समूह है। खेलो इंडिया योजना के तहत तीन मुख्य आयोजन होते हैं जो हर साल खेल और फिटनेस के विकास के लिए एक राष्ट्रीय कार्यक्रम के रूप में होते हैं।

- खेलो इंडिया यूथ गेम्स
- खेलो इंडिया यूनिवर्सिटी गेम्स
- खेलो इंडिया विंटर गेम्स।

54. (D): फिट इंडिया मूवमेंट की शुरुआत 29 अगस्त, 2019 को फिटनेस को हमारे दैनिक जीवन का अभिन्न अंग बनाने के उद्देश्य से की गई थी। आंदोलन का मिशन व्यवहार में परिवर्तन लाना और शारीरिक रूप से अधिक सक्रिय जीवन शैली की ओर बढ़ना है। इस मिशन को प्राप्त करने की दिशा में, फिट इंडिया निम्नलिखित उद्देश्यों को प्राप्त करने के लिए विभिन्न पहल करने और कार्यक्रम आयोजित करने का प्रस्ताव करता है :

- फिटनेस को सुगम, हास्य और मनोरंजन के रूप में बढ़ावा देना।
- केंद्रित अभियानों के माध्यम से फिटनेस को बढ़ावा देने वाली फिटनेस और विभिन्न शारीरिक गतिविधियों के बारे में जागरूकता फैलाना।

- स्वदेशी खेलों को बढ़ावा देना।
- फिटनेस को हर स्कूल, कॉलेज/विश्वविद्यालय, पंचायत/गांव आदि तक पहुंचाना।
- भारत के नागरिकों के लिए जानकारी साझा करने, जागरूकता बढ़ाने और व्यक्तिगत फिटनेस कहानियों को साझा करने के लिए प्रोत्साहित करने के लिए एक मंच तैयार करना।

55. (B): 1896 का ग्रीष्मकालीन ओलम्पिक, जो आधिकारिक तौर पर पहला आधुनिक ओलम्पियाड खेल के रूप में जाना जाता है, एक बहु-खेल प्रतियोगिता थी जो यूनान की राजधानी एथेंस में 6 अप्रैल से 15 अप्रैल 1896 के बीच आयोजित हुई थी। यह आधुनिक युग में आयोजित होने वाली पहली अन्तर्राष्ट्रीय ओलम्पिक खेल प्रतियोगिता थी। चूँकि प्राचीन यूनान ओलम्पिक खेलों का जन्मस्थान था, अतएव एथेंस आधुनिक खेलों के उद्घाटन के लिए उपयुक्त विकल्प माना गया था। खेलों में 11 देशों के एथलीटों ने भाग लिया, जिसमें ग्रीस, जर्मनी, फ्रांस और ग्रेट ब्रिटेन से सबसे बड़ा प्रतिनिधिमंडल आया।

1996 ग्रीष्मकालीन ओलम्पिक, आधिकारिक रूप से XXVI ओलम्पियाड खेलों के खेलों के रूप में जाना जाता है और अनौपचारिक रूप से सौ साल का ओलम्पिक खेलों के रूप में जाना जाता है। यह एक प्रमुख अंतरराष्ट्रीय बहु-खेल आयोजन था जो अटलांटा, जॉर्जिया, संयुक्त राज्य अमेरिका में 19 जुलाई से 4 अगस्त 1996 तक हुआ था। रिकॉर्ड 197 देशों, सभी मौजूदा आईओसी सदस्य देशों, ने खेलों में भाग लिया, जिसमें 10,318 एथलीट शामिल थे।

56. (A): मोटापे के कई कारण हो सकते हैं। इनमें से प्रमुख हैं :

- मोटापा और शरीर का वजन बढ़ना, ऊर्जा के सेवन और ऊर्जा के उपयोग के बीच असंतुलन के कारण होता है।
- अधिक चर्बीयुक्त आहार का सेवन करना भी मोटापे का कारण है।
- कम व्यायाम करना और स्थिर जीवन-यापन मोटापे का प्रमुख कारण है।
- असंतुलित व्यवहार और मानसिक तनाव की वजह से लोग ज्यादा भोजन करने लगते हैं, जो मोटापे का कारण बनता है।
- शारीरिक क्रियाओं के सही ढंग से नहीं होने पर भी शरीर में चर्बी जमा होने लगती है, यह भी मोटापे का एक कारण है।
- बाल्यावस्था और युवावस्था के समय का मोटापा व्यस्क होने पर भी रह सकता है।
- कई लोगों को दिन मे खाना खाने के बाद सोने की आदत होती है जो मोटापे का कारण बन सकती है।
- हाइपोथाइरॉयडिज़्म (अवटु अल्पक्रियता)
- बहुत ज्यादा मीठे का सेवन करने से भी मोटापे का खतरा रहता है
- जेनेटिक्स, जो प्रभावित करता है कि आपका शरीर भोजन को ऊर्जा में कैसे बदलता है और वसा को कैसे स्टोर करता है।

57. (C): जल प्रदूषण प्रत्यक्ष स्रोतों, जैसे कारखानों, अपशिष्ट प्रबंधन के तरीकों, रिफाइनरियों आदि के कारण होता है, जो अपशिष्ट और खतरनाक उप-उत्पादों को बिना उपचारित किए हुए सीधे निकटतम जल स्रोतों में छोड़ते हैं। अप्रत्यक्ष स्रोतों में वे प्रदूषक शामिल हैं जो भूजल या मिट्टी के माध्यम से या अम्लीय वर्षा के माध्यम से जल निकायों में प्रवेश करते हैं।

मानवीय कारण :

1. रसायन
2. सीवेज
3. हाईवे अपवाह
4. रेडियोधर्मी अपशिष्ट
5. तेल
6. कृषि अपशिष्ट
7. प्लास्टिक।

58. (B): चेचक एक अत्यधिक संक्रामक और संभावित रूप से गंभीर बीमारी है जो बुखार, लाल चकत्ते, खांसी और लाल पानी वाली आंखों का कारण बनती है। यह मुख्य रूप से संक्रमित व्यक्ति के खांसने या छींकने के बाद हवा के माध्यम से फैलता है। चेचक के लक्षण संक्रमण के 7 से 21 दिन बाद शुरू होते हैं। चेचक लाल चकत्ते के प्रकट होने के लगभग चार दिन पहले से लेकर चार दिन बाद तक संक्रामक होता है। विशिष्ट चेचक के दौरान लाल चकत्ते होने से पहले ही लोग चेचक फैला सकते हैं।

59. (A)

60. (A): शारीरिक पुष्टि और सुनम्यता के लिए लचक का होना अति आवश्यक है। व्यक्ति के शरीर के जोड़ों में गति क्षमता को लचक कहते हैं। शारीरिक पुष्टि के लिए व्यक्ति में लचक भी एक अनिवार्य अंग है। जिस व्यक्ति के शरीर में अधिक लचक होती है, वह व्यक्ति बिना किसी कष्ट के आसानी से तथा कुशलतापूर्वक कार्य करता है। ऐसा प्रायः देखने में आता है कि लचक वाले व्यक्ति आकर्षक लगते हैं। उनका व्यक्तित्व अच्छा होता है। लचक का केवल खिलाड़ियों के जीवन में ही नहीं, अपितु सामान्य व्यक्ति के जीवन में भी विशेष महत्व होता है। लचक के द्वारा व्यक्ति की गति की सीमा में वृद्धि होती है। लचकदार शरीर वाले व्यक्ति जब कोई गति संबंधी कार्य करते हैं, तो उनकी मांसपेशियों में तनाव (Muscle Tension) कम होता है जिसके फलस्वरूप उनकी ऊर्जा में बचाव अधिक होता है अर्थात् कम ऊर्जा व्यय से अधिक कार्य हो जाता है। लचक आयु बढ़ने के साथ-साथ घटती है। सुनम्यता बहुत हद तक व्यक्ति के आयु पर निर्भर करती है। शुरूतर आयाम के लिए विभिन्न संधियों के संचलन/गमन में कुछ हद तक समन्वय होना आवश्यक पूर्व अपेक्षा है। इसी प्रकार महिलाओं की तुलना में पुरुषों की सुनम्यता कम होती है। लचक का सीधा संबंध सीखने से भी होता है। यदि शरीर में लचक काफी होती है, तो कोई भी गतिक्रिया आसानी से सीखी जा सकती है, जैसे—तैराकी में Back Stroke सीखने के लिए कंधे के जोड़ में लचक होनी आवश्यक है, अन्यथा Back Stroke सीखना कठिन हो जाता है। इसके अतिरिक्त खेल चोटों (Sport Injuries) से बचाव के लिए भी लचक का होना आवश्यक है।

61. (C): चक्रीयता का सिद्धांत : प्रशिक्षण कार्यक्रम विभिन्न प्रशिक्षण चक्रों जैसे मैको चक्र, मेसो चक्र, माइक्रो चक्र के द्वारा विकसित किए जाते हैं। मैको चक्र सबसे लम्बी अवधि, माइक्रो सबसे छोटी अवधि (3 से 10 दिन) और मेसो चक्र मध्यम अवधि का होता है।

62. (A): केंद्रीय प्रवृत्ति को सांख्यिकीय माप के रूप में जाना जाता है जो संपूर्ण वितरण या डेटासेट के एकल मान का प्रतिनिधित्व करता है। इसका उद्देश्य वितरण में संपूर्ण डेटा का सटीक विवरण प्रदान करना है। डेटासेट की केंद्रीय प्रवृत्ति को तीन महत्वपूर्ण मापों जैसे माध्य, माध्यिका और बहुलक का उपयोग करके पता लगाया जा सकता है।

माध्य (या औसत) केंद्रीय प्रवृत्ति का सबसे लोकप्रिय और प्रसिद्ध माप है। इसका उपयोग असतत और निरंतर डेटा दोनों के साथ किया जा सकता है, हालांकि इसका उपयोग अक्सर निरंतर डेटा के साथ होता है। माध्य डेटा सेट में मानों की संख्या से विभाजित डेटा सेट सभी मानों के योग के बराबर होता है। माध्य केन्द्रीय प्रवृत्ति का सर्वाधिक विश्वसनीय एवं सटीक माप है। इसके लिए सहसंबंध के गुणांक जैसे अन्य आँकड़ों की गणना करने की आवश्यकता होती है।

63. (D): संकल्पनात्मक या वैचारिक शोध, जैसा कि नाम से पता चलता है, वह शोध है जो अमूर्त अवधारणाओं और विचारों से संबंधित होता है। इसमें व्यावहारिक प्रयोग शामिल नहीं है, बल्कि किसी दिए गए विषय पर उपलब्ध जानकारी का विश्लेषण करने वाले शोधकर्ता पर निर्भर करता है। नए सिद्धांतों को विकसित करने, मौजूदा सिद्धांतों को काउंटर करने या मौजूदा सिद्धांतों की एक अलग तरीके से व्याख्या करने के लिए दर्शनशास्त्र के अध्ययन में अवधारणात्मक शोध का व्यापक रूप से उपयोग किया जाता है।

वास्तविक दुनिया की समस्याओं को हल करने के लिए वैचारिक शोध का उपयोग किया जा सकता है। वैचारिक ढांचे, जो विश्लेषणात्मक उपकरण हैं जिसे शोधकर्ता अपने अध्ययन में उपयोग करते हैं, वैचारिक शोध पर आधारित होते हैं। इसके अलावा, ये ढांचे वैचारिक भेद करने और अनुसंधान उद्देश्यों के लिए शोधकर्ताओं की आवश्यकता वाले विचारों को व्यवस्थित करने में मदद करते हैं।

64. (D)

65. (D): मापन की मानक त्रुटि (SEM) एक परीक्षण या प्रयोग में माप की त्रुटि का मानक विचलन है। यह त्रुटि भिन्नता से निकटता से जुड़ा हुआ है, जो माप त्रुटि के कारण होने वाले परीक्षण में परिवर्तनशीलता की मात्रा को इंगित करता है। माप की मानक त्रुटि का उपयोग परीक्षण में व्यक्तिगत परिणामों पर माप त्रुटि के प्रभाव को निर्धारित करने के लिए किया जाता है और

मनोविश्लेषणात्मक अनुसंधान और मानकीकृत शैक्षणिक परीक्षण में एक सामान्य उपकरण है।

माप की मानक त्रुटि प्रेक्षित अंकों के मानक विचलन और परीक्षण की विश्वसनीयता दोनों का एक कार्य है। जब परीक्षण पूरी तरह से विश्वसनीय होता है, तो माप की मानक त्रुटि 0 के बराबर होती है। जब परीक्षण पूरी तरह से अविश्वसनीय होता है, तो माप की मानक त्रुटि अपने अधिकतम पर होती है, जो दिए गए अंकों के मानक विचलन के बराबर होती है। माप की मानक त्रुटि का एक अतिरिक्त लाभ यह है कि यह माप की मूल इकाई में निहित होता है। अत्यधिक वितरण के अपवाद के साथ, माप की मानक त्रुटि को किसी विशेष परीक्षण या माप की निश्चित विशेषता के रूप में देखा जाता है।

माप की मानक त्रुटि विश्वसनीयता गुणांक के पूरक भूमिका में कार्य करती है। विश्वसनीयता को उस डिग्री के रूप में समझा जा सकता है जिस तक एक परीक्षण सुसंगत, दोहराने योग्य और भरोसेमंद है। विश्वसनीयता गुणांक 0 से 1 तक होता है : जब एक परीक्षण पूरी तरह से विश्वसनीय होता है, तो सभी दिए गए स्कोर विचलन वास्तविक स्कोर भिन्नता के कारण होते हैं, जब एक परीक्षण पूरी तरह से अविश्वसनीय होता है, तो सभी दिए गए स्कोर भिन्नता त्रुटि का परिणाम होते हैं। हालांकि विश्वसनीयता गुणांक एक समूह या जनसंख्या में मापे गए परीक्षण में त्रुटि की मात्रा के बारे में महत्वपूर्ण जानकारी प्रदान करता है, यह एक व्यक्तिगत परीक्षण स्कोर में मौजूदा त्रुटि की सूचना नहीं देता है।

66. (C) **67. (B)**

68. (A): प्रबन्ध विज्ञान ने आधुनिक विश्व को उन्नति के अनेक अवसर प्रदान किये हैं । इस विज्ञान के विकास-क्रम में अन्य सामाजिक विज्ञानों की भांति कुछ सिद्धान्तों का विकास हुआ है। प्रबन्ध के सिद्धान्तों का प्रतिपादन अनेक विद्वानों के अध्ययन, अनुसन्धान एवं अनुभव का परिणाम है।

प्रबन्ध की सिद्धान्त परिस्थिति सापेक्ष तथा व्यवहार निष्ठ हैं। हेनरी फेयोल के अनुसार 'प्रबन्ध के सिद्धान्त पूर्ण रूप से लचीले तथा प्रत्येक परिस्थिति में लागू करने योग्य होने चाहिये।' प्रबन्ध की तकनीकी का अत्यधिक विकास हुआ है तथा अनेक विद्वानों ने प्रबन्ध के सिद्धान्तों का प्रतिपादन किया है। हेनरी फेयोल को प्रबन्ध के आधुनिक सिद्धान्तों का जन्मदाता कहा जाता है क्योंकि उन्होंने ही प्रबन्धकीय सिद्धान्तों की आवश्यकता का सर्वप्रथम अनुभव किया।

उनके अनुसार प्रबंधन के 14 मुख्य सिद्धान्त इस प्रकार हैं–

1. कार्य विभाजन
2. अधिकार और उत्तरदायित्व
3. अनुशासन
4. आदेश की एकता
5. निर्देशन की एकता
6. सार्वजनिक हित पर विशेष बल
7. पारिश्रमिक
8. केन्द्रीयकरण एवं विकेन्द्रीकरण
9. स्केलर चेन
10. आदेश
11. साम्यता
12. स्थिरता
13. पहल
14. एस्पिरिट डी कार्पस (सहयोग की भावना)।

69. (D)

70. (D): पर्यवेक्षण दो शब्दों परि और वेक्षण से मिलकर बना है। शब्दकोश अनुसार पर्यवेक्षण का अर्थ है, किसी वस्तु या व्यक्ति पर निगरानी रखना या यह जांचना कि कार्य सही ढंग से हो रहा है या नहीं। पर्यवेक्षण के लिये अंग्रेजी में प्रयुक्त 'Supervision' का अर्थ है, 'उच्च दृष्टि'। इससे आशय है उच्च द्वारा अधीनस्थों के कार्यों की देखभाल। इसके अंतर्गत निगरानी, निरीक्षण, निर्देशन, नियंत्रण, मार्गदर्शन और समन्वय के साथ-साथ शिक्षा और सलाह भी शामिल है। अतः पर्यवेक्षक की भूमिका नेता से मिलती-जुलती है।

पर्यवेक्षण का सिद्धांत पदसोपानिक सिद्धांत का अनुसरण करता है अर्थात प्रत्येक उच्च अधिकारी अपने ठीक नीचे के अधीनस्थों का पर्यवेक्षक होता है। उच्च अधिकारी अधीनस्थों के कार्यों की छान-बीन करता है और देखता है कि वे कार्य निर्धारित तरीके से कर रहे हैं या नहीं।

उनके मार्ग में आने वाली कठिनाइयों को दूर करना व उनके कौशल, ज्ञान आदि का उपयोग करना, प्रत्येक पर्यवेक्षक का प्राथमिक कार्य है।

71. **(B)** **72.** **(D)** **73.** **(C)**

74. **(C):** मलेरिया प्लाज्मोडियम नामक प्रोटोजोआ द्वारा होता है। जिसे फैलाने के लिए मादा एनाफिलीज नामक मच्छर जिम्मेदार होता है। मलेरिया परजीवी की अकाइनीट अवस्था मच्छर के पेट में पायी जाती है। लघु व गुरु युग्मक (Gamete) मच्छर के आमाशय में बनते हैं जिसमें निषेचन से zygote तथा तत्पश्चात ookinete बनता है।

चिकनपॉक्स अतिसूक्ष्म वायरस (वैरिओला/वैरिसेला) के कारण होता है। चेचक में तीव्र ज्वर के साथ शरीर में काफी दर्द होता है तथा चेहरे और छाती पर धब्बे पड़ जाते हैं।

खसरा विषाणु जनित रोग है। एड्स, चेचक, पोलियो, पीलिया, रेबीज आदि रोग भी विषाणु जनित रोग हैं। विदित है कि खसरा रोग का मुख्य कारण मार्बेली विषाणु है। यह वायु वाहित रोग है।

हैजा एक संक्रामक रोग है जो दूषित भोजन व जल इत्यादि ग्रहण करने से होता है। यह बैक्टीरिया जनित रोग है जिसका कारक-विब्रियो कॉलेरी जीवाणु है।

75. **(B)** **76.** **(B)** **77.** **(D)**
78. **(B)** **79.** **(B)** **80.** **(A)**
81. **(B)** **82.** **(C)**

83. **(C):** दार्शनिक शोध-प्रक्रिया उन क्रियाओं अथवा चरणों का क्रमबद्ध विवरण है जिसके द्वारा किसी शोध को सफलता के साथ सम्पन्न किया जाता है। शोध-प्रक्रिया के कई चरण होते हैं। यहाँ यह जानना आवश्यक है कि शोध-प्रक्रिया में प्रत्येक चरण एक दूसरे पर निर्भर होता है। कोई चरण एक-दूसरे से पृथक एवं स्वतन्त्र नहीं होता।

दार्शनिक शोध-प्रक्रिया के विविध चरण–

1. विषय-निर्धारण
2. शोध-समस्या निर्धारण
3. सम्बन्धित साहित्य का व्यापक सर्वेक्षण (survey of literature)
4. परिकल्पना या प्राकल्पना (Hypothesis) का निर्माण
5. शोध की रूपरेखा तैयार करना
6. तथ्य-संग्रह एवं तथ्य-विश्लेषण
7. परिकल्पना की जाँच
8. सामान्यीकरण एवं व्याख्या
9. शोध प्रतिवेदन (Research Report) तैयार करना

84. **(D)** **85.** **(A)** **86.** **(C)**
87. **(A)** **88.** **(A)**

89. **(C):** क्रियात्मक अनुसंधान (Action Research) में न तो रचना में, न ही यंत्र में और न ही प्रक्रिया में परिष्करण की आवश्यकता होती है। अमेरिका को क्रियात्मक अनुसंधान का सूत्रपात करने का श्रेय दिया जाता है। जॉन कोलियर ने सर्वप्रथम सन् 1945 में क्रियात्मक अनुसंधान शब्द का प्रयोग द्वितीय विश्व युद्ध में किया।

क्रियात्मक अनुसंधान एक प्रक्रिया है जिसका उद्देश्य मौलिक समस्याओं का अध्ययन करके नवीन तथ्यों की खोज करना, जीवन सत्य की स्थापना करना तथा नवीन सिद्धांतों का प्रतिपादन करना है। अनुसंधान एक सोद्देश्य, प्रक्रिया है, जिसके द्वारा मानव ज्ञान में वृद्धि की जाती है।

इसमें अनुसंधानकर्ता विद्यालय के शिक्षक, प्रधानाध्यापक, प्रबंधक और निरीक्षक स्वयं ही होते हैं। इस अनुसंधान का मुख्य उद्देश्य विद्यालय की कार्यप्रणाली में संशोधन कर सुधार लाना है। क्रियात्मक अनुसंधान को संपादित करने में शिक्षक, प्रधानाध्यापक, प्रबंधक और निरीक्षक वैज्ञानिक दृष्टिकोण अपनाते हैं। अनुसंधान के अंतर्गत तत्कालीन प्रयोग पर अधिक बल देते हैं।

90. **(B)** **91.** **(C)** **92.** **(B)**
93. **(D)** **94.** **(B)** **95.** **(C)**
96. **(B)** **97.** **(B)** **98.** **(D)**
99. **(B)** **100.** **(B)**

पिछले प्रश्न-पत्र (हल सहित)

National Testing Agency (NTA)

UGC-NET जूनियर रिसर्च फैलोशिप तथा सहायक प्राध्यापक पात्रता परीक्षा

शारीरिक शिक्षा, जून-2021

(Online exam held on 21-11-2021)

प्रश्न-पत्र-II

1. किस दर्शन के अनुसार "आसन्न सांसारिक उद्देश्य" की सूक्ति को व्यावहारिक विचार के रूप में माना गया?

A. अस्तित्ववाद B. पराभौतिक
C. आदर्शवाद D. उपयोगितावाद

2. 1983 में "ओलंपिक गोल्ड ऑर्डर" किसने प्राप्त किया?

A. इंदिरा गाँधी B. अश्विनी कुमार
C. वी.सी. शुक्ला D. विजय कुमार मल्होत्रा

3. राष्ट्रीय खेलकूद पॉलिसी कब प्रथम बार बनाई गई?

A. 1986 B. 1992
C. 2001 D. 1984

4. निम्नलिखित में से किस शहर में राष्ट्रमंडल खेलों का आयोजन दो बार हुआ?

A. दिल्ली B. गोल्ड कोस्ट
C. ग्लासगो D. एडिनबर्ग

5. बहुत से खिलाड़ी डायुरेटिक्स का इस्तेमाल इर्गोजेनिक एड के रूप में करते हैं, परंतु डायुरेटिक्स के इस्तेमाल से क्या होता है?

A. वसा मुक्त द्रव्यमान बढ़ जाता है।
B. मूत्र उत्पादन और निकलना बढ़ जाता है।
C. मूत्र उत्पादन कम हो जाता है।
D. शरीर का भार और वसा द्रव्यमान बढ़ जाता है।

6. कसरत गहनता के बढ़ने के अनुपात में स्ट्रोक वॉल्यूम बढ़ता है परंतु सामान्यतः यह अपने अधिकतम वैल्यू तक लगभग कितना प्राप्त करता है?

A. VO_2 max का 30% – 40%
B. VO_2 max का 50% – 60%
C. VO_2 max का 70% – 80%
D. VO_2 max का 80% – 90%

7. प्रतिरोध प्रशिक्षण के परिणामस्वरूप महिलाएँ अपनी क्षमता को बढ़ा सकती हैं तथा क्षमता बढ़ोत्तरी निम्न में से किसके कारण होती है?

A. हार्मोन्स संबंधी कारक
B. तंत्रिका तंत्र संबंधी कारक
C. अत्यधिक पेशी द्रव्यमान
D. अत्यधिक वसा द्रव्यमान

8. होमियोस्टेसिस को कायम रखने के लिए, वह भी उन सभी प्रक्रियाओं को निर्धारित करते हुए जो कि शरीर के आंतरिक वातावरण को प्रभावित करते हैं, उसके लिए निम्नलिखित में से कौन उत्तरदायी है?

A. हाइपोथैलेमस
B. थैलेमस
C. सेरीबेलम
D. सेरीब्रम

9. यदि P = घर्षण को समाप्त करने के लिए जरूरी बल है और W = सतह को जकड़ने वाला बल है तो घर्षण μ (mu) का गुणांक होगा :

A. $\mu = \frac{P}{W}$ B. $\mu = \frac{W}{P}$
C. $\mu = W \times P$ D. $\mu = W + P$

10. निम्नलिखित में से कौन-सा कथन सही नहीं है जब शरीर सामान्य स्थिति से पुश-अप डिप स्थिति (कोहनियों का आकुंचन) में आता है?

A. कंधे की संधि → क्षैतिज एबडक्सन

B. कलाई → अत्यधिक विस्तार (आकुंचन) में कमी

C. शोल्डर गरडल → एबडक्शन

D. नितम्ब → स्थिर संकुचन में आकुंचन

11. 300 N वस्तु को 2 m/s^2 गति देने के लिए कितना बल लगाने की आवश्यकता होती है?

A. 150 N B. 30.61 N

C. 61.22 N D. 15.31 N

12. निम्नलिखित में से कौन-सी माँसपेशी प्राथमिक श्वसन माँसपेशी नहीं है?

A. डायफ्रांम B. ट्रांसवर्सस थोरेसिस

C. लेवाटोर्स कास्टोरम D. इरेक्टर स्पाइनल

13. प्रतियोगिता से पूर्व खिलाड़ी के भय को कम करने के लिए किस प्रकार के बिंब का इस्तेमाल किया जाना चाहिए?

A. कॉगनिटिव स्पेसिफिक बिंब

B. मोटिवेशनल स्पेसिफिक बिंब

C. मोटिवेशनल जनरल बिंब

D. मोटिवेशनल जनरल अराउजल

14. किस प्रकार का गोल केवल आपके प्रयास पर निर्भर नहीं करता अपितु आपके विरोधी की योग्यता और खेल पर निर्भर करता है?

A. आउटकम गोल B. प्रदर्शन गोल

C. प्रक्रिया गोल D. शॉर्ट टर्म गोल

15. आपके व्यक्तित्व के सबसे मूलभूत स्तर को क्या कहा जाता है?

A. प्रारूपी प्रतिक्रिया

B. व्यक्तित्व विश्लेषक (लक्षण)

C. भूमिका संबंधित व्यवहार

D. मनोवैज्ञानिक आधारभूत

16. सामाजिक सुविधा सिद्धांत किसके द्वारा बनाया गया?

A. सजॉन B. जैरी रेनॉल्ड्स

C. हॉफमैन D. नॉरमैन ट्रिपलेट

17. कौशल प्रदर्शन को सुकर बनाने के लिए किस प्रकार की प्रतिपुष्टि (फीडबैक) अधिक कारगर होती है?

A. सूचनात्मक फीडबैक B. सकारात्मक फीडबैक

C. सुधारात्मक फीडबैक D. नकारात्मक फीडबैक

18. भारत में केंद्र सरकार और राज्य सरकार हेतु अध्यापक शिक्षा के संदर्भ में सलाहकार निकाय कौन-सा है?

A. UGC B. ICMR

C. NCTE D. NCERT

19. राष्ट्रीय खेलकूद प्रतिभा खोज योजना में परिवर्णी शब्द PESAT किसके लिए आता है?

A. फिजिकल, इफिसिएंसी, स्पोर्ट्स, एप्टीट्यूड टेस्ट

B. परफार्मेंस, इक्सीलेंस, स्पोर्ट्स, एटीट्यूड, ट्रेनिंग

C. फिजिकल, एजुकेशन, स्पोर्ट्स, एटीट्यूड, टाइम

D. फिजिकल, इफिसिएंसी, स्पोर्ट्स, एप्टीट्यूड, ट्रेनिंग

20. निम्नलिखित में से कौन-सी गतिविधि खुला कौशल अभ्यास नहीं है?

A. वॉलीबाल स्पाइक

B. बास्केटबॉल में मुक्त रूप से फेंकना

C. फेंकी गई गेंद को पकड़ना

D. टेनिस ग्राउंड स्ट्रोक

21. अधिकतर सी.एन.एस. को प्रभावित करने वाले वायरल डिसीज को कहा जाता है?

A. कुष्ठ रोग B. स्मॉल पाक्स

C. रैबीज D. कोविड-19

22. अधिशेष मात्रा में विटामिन C के कारण होने वाली 'डिसआर्डर हायपरविटेमिनस' बीमारी के लक्ष्य की पहचान कीजिए।

A. गैस्ट्रोइंटेस्टाइनल डिस्टर्बेंस

B. कोमल उतकों में कैल्शियम का निक्षेप

C. मूत्राशय (यूरीनरी ट्रेट) में पथरी बनना

D. स्नावयीव तंत्र का अवसादग्रस्त होना

23. निम्नलिखित में से कौन-सी निष्क्रिय प्रतिरोधक क्षमता नहीं है?

A. त्रिदोषक प्रतिरोधक क्षमता

B. सामान्य प्रतिरोधक क्षमता

C. विशिष्ट प्रतिरोधक क्षमता

D. पशु एंटीटॉक्सिन या एंटीसेरा

24. निम्नलिखित में से कौन-सा जल प्रदूषक हैजा जैसी जलजन्म बीमारियों का स्रोत होता है?

A. पशु अपशिष्ट B. उर्वरक

C. गंदा पानी D. पारा

25. किसी एथलीट की शक्ति प्रशिक्षण के लिए उपयुक्त गहन जोन की पहचान करें :

A. सब-मैक्सीमल–अधिकतम का 50-70%

B. कम–अधिकतम का 50-60%

C. मध्यम–अधिकतम का 70-80%

D. अधिकतम–अधिकतम का 80-90%

26. जो कारक सहनशक्ति क्षमता का निर्धारक नहीं माना जाता है, वह है :

A. एरोबिक क्षमता B. फॉस्फोजन स्टोर

C. तकनीकी पूर्णता D. यौक्तिक गतिविधि

27. निम्नलिखित में से कौन-सा कंधे की चौड़ाई से संबंधित है?

A. बाईकॉन्डाइलर डाईमीटर (व्यास)

B. बाईक्रिस्टल डाईमीटर (व्यास)

C. बाईएक्रोमियल डाईमीटर (व्यास)

D. बाईट्रोचैंट्रिक डाईमीटर (व्यास)

28. आंतरिक प्रेरणा के उच्चतम स्तर को क्या कहा जाता है?

A. प्रवाह B. पराकाष्ठा

C. आत्मविश्वास D. पांडित्य

29. लीस्ट सिग्निफिकेंट डिफरेंस टेस्ट (एल.एस.डी.) में क्रिटिकल डिफरेंस (एल.एस.डी.) की गणना निम्नलिखित के द्वारा की जाती है।

A. $CD = t_{0.05}(\text{error d.f.})\sqrt{\frac{2(MSS)_{error}}{n}}$

B. $CD = t_{0.05}(\text{error d.f.})\sqrt{\frac{4(MSS)_{error}}{n}}$

C. $CD = t_{0.05}(\text{error d.f.})\sqrt{\frac{6(MSS)_{error}}{n}}$

D. $CD = t_{0.05}(\text{error d.f.})\sqrt{\frac{8(MSS)_{error}}{n}}$

30. कोटा सैंपलिंग के बारे में निम्नलिखित में से कौन-सा कथन सही नहीं है?

A. यह गैर-संभाव्यता प्रतिदर्श है।

B. यह व्यक्ति-सापेक्ष है।

C. यह शोधकर्ता के अनुभव पर आधारित होता है।

D. यह व्यक्ति निरपेक्ष है।

31. यदि प्रायोगिक समूह का औसत 15 है। नियंत्रण समूह का औसत 12 है और नियंत्रण समूह का मानक विचलन 5 है तो इफेक्ट साइज (Δ) होगा।

A. 5.4 B. 0.60

C. 1.2 D. 0.40

32. यदि r आयु और वजन के बीच सहसंबंध गुणांक का प्रतिनिधित्व करता है और N संख्या है। r का परिकलित मूल्य $= 0.510$ और $N = 15$ है। कॉलम 0.05 में $N-2(=13)$df के लिए r का सारणी मूल्य 0.514 है और 0.01 में 0.561 है। ऐसी स्थिति में निम्नलिखित में से कौन-सा कथन सही है?

A. 0.01 स्तर पर आयु और वजन के बीच उल्लेखनीय सहसंबंध है।

B. 0.05 पर आयु और वजन के बीच उल्लेखनीय सहसंबंध है।

C. आयु और वजन के बीच उल्लेखनीय सहसंबंध है।

D. अमान्य परिकल्पना को अस्वीकार कर दिया करता है।

33. यदि $r = 0.65$ हो, तो स्पीयरमैन ब्राउन प्रोफेसी सूत्र का इस्तेमाल करते हुए समग्र परीक्षण की विश्वसनीयता कितनी होगी?

A. 0.781

B. 0.778

C. 0.798

D. 0.788

34. पूले बैडमिंटन परीक्षण में क्या शामिल नहीं होता है?

A. फोरहैंड क्लीयर परीक्षण

B. स्मैश परीक्षण

C. बैकहैंड क्लीयर परीक्षण

D. लॉन्ग सर्व परीक्षण

35. हॉर्वर्ड स्टेप टेस्ट में कोई व्यक्ति कसरत अवधि को 5 मिनट में पूरा करता है। उसकी पुनःप्राप्ति अवधि (रिकवरी पीरियड) नाड़ी स्पंदन (पल्स काउंट) 1-1½ मिनट में 75, 2-2½ मिनट में 50 और 3-3½ मिनट में 35 रही। हार्वर्ड स्टेप टेस्ट के लॉन्ग फॉर्म के लिए व्यक्ति की शारीरिक दक्षता सूचकांक (PEI) कितनी होगी?

A. 94 B. 95
C. 93 D. 84

36. एस.ए.आई. बैडमिंटन कौशल परीक्षण में क्या शामिल नहीं है?

A. बैडमिंटन शटल रन
B. स्टैंडिंग बैकवार्ड जम्प
C. स्टैंडिंग ब्रॉड जम्प
D. टेनिस बॉल थ्रो

37. खुदरा रोकड़, निम्नलिखित में किस निधि का पर्याय है?

A. विवेक आधारित निधि
B. आकस्मिक निधि
C. संचलन निधि
D. ऋण शोधन निधि

38. किस प्रकार के प्रशासन को 'पितृसत्तावादी' के रूप में भी जाना जाता है?

A. लैसेज फेयेर B. इक्लेटिक
C. आटोक्रैटिक D. एनार्किक

39. किसने वैज्ञानिक प्रबंधन सिद्धांत का विकास किया?

A. एल्टन मेयो B. मैक्स वेबर
C. एफ.डब्ल्यू. टेलर D. हैनरी फेयोल

40. शुरू-शुरू में चार के 4 समूह में खेलने वाली 16 टीमों के लीग सह-नाकआउट टूर्नामेंट, जिसमें सभी टीमें समूह में लीग मैच खेलती हैं तो मैचों की कुल संख्या कितनी होगी? प्रत्येक समूह से दो शीर्षस्थ टीमें नॉकआउट स्टेज के लिए क्वालीफाई करती हैं और सेमीफाइनल में हार जाने वाले भी तीसरे और चौथे स्थान का निर्णय करने के लिए खेलते हैं।

A. 32 B. 31
C. 30 D. 33

41. प्राचीन ओलंपिक्स के ग्रीक मिथक में भगवान जीयुस का हीरा के साथ कौन-सा संबंध सही है?

(*a*) पत्नी (*b*) बहन
(*c*) बेटी (*d*) भतीजा

नीचे दिए गए विकल्पों में से ***सही उत्तर*** का चयन कीजिए :

A. केवल (*a*) और (*b*) B. केवल (*b*) और (*c*)
C. केवल (*c*) और (*d*) D. केवल (*d*) और (*a*)

42. दर्शन में निम्नलिखित शामिल होते हैं :

(*a*) मूल्य-मीमांसा (*b*) नीति शास्त्र
(*c*) सौंदर्य शास्त्र (*d*) धर्मविज्ञान

नीचे दिए गए विकल्पों में से ***सही उत्तर*** का चयन कीजिए :

A. केवल (*a*), (*c*) और (*d*)
B. केवल (*b*), (*c*) और (*d*)
C. केवल (*d*), (*b*) और (*a*)
D. केवल (*a*), (*b*) और (*c*)

43. अप्रत्यक्ष कैलोरीमेट्री द्वारा ऊर्जा खपत को मापा जा सकता है। इसमें किसका मापन शामिल है?

(*a*) शरीर द्वारा उत्पादित ऊष्मा
(*b*) ऑक्सीडेटिव एंजाइम स्तर
(*c*) ऑक्सीजन खपत
(*d*) कार्बन डाइऑक्साइड उत्पादन
(*e*) श्वसन एक्सचेंज अनुपात

नीचे दिए गए विकल्पों में से ***सही उत्तर*** का चयन कीजिए :

A. केवल (*a*), (*c*), (*e*) B. केवल (*b*), (*d*), (*e*)
C. केवल (*a*), (*b*), (*c*) D. केवल (*c*), (*d*), (*e*)

44. उम्र बढ़ने के साथ VO_2 max में कमी तथा क्रियाकलाप में कमी को मुख्य रूप से किसकी कमी द्वारा वर्णित किया जाता है?

(*a*) फेफड़े की कुल क्षमता
(*b*) अधिकतम हृदय गति
(*c*) आर्टिरियल-मिक्स्ड विनस ऑक्सीजन अंतर
(*d*) लैक्टेट थ्रैसहोल्ड
(*e*) अधिकतम स्ट्रोक वॉल्यूम

नीचे दिए गए विकल्पों में से ***सही उत्तर*** का चयन कीजिए :

A. केवल (*b*), (*c*), (*e*) B. केवल (*a*), (*b*), (*d*)

C. केवल (*b*), (*d*), (*e*) D. केवल (*a*), (*c*), (*e*)

45. सामान्यतः महिलाओं में पुरुषों के मुकाबले कम VO_2 max (ml/Kg/min) होता है। शोध यह बताते हैं कि यह अंतर निम्न में से किसके कारण होता है?

(*a*) उच्च हृदय गति

(*b*) उच्च लैक्टेट थ्रेसहोल्ड

(*c*) उच्च वसा द्रव्यमान

(*d*) कम हीमोग्लोबिन

(*e*) कम (न्यून) हृदय आउटपुट

नीचे दिए गए विकल्पों में से ***सही उत्तर*** का चयन कीजिए :

A. केवल (*a*), (*b*), (*c*) B. केवल (*b*), (*c*), (*d*)

C. केवल (*c*), (*d*), (*e*) D. केवल (*a*), (*d*), (*e*)

46. निम्नलिखित में से कौन-सी सिनारथ्रोसिस प्वाइंट की विशेषताएँ हैं?

(*a*) वे कार्टीलैगिनस प्रकार की होती हैं।

(*b*) वे फाइबरस प्रकार की होती हैं।

(*c*) वे लिगामेंटस प्रकार की होती हैं।

(*d*) उनमें ज्वाइंट कैप्सूल होता है।

(*e*) उनमें आर्टीकुलेटर कैविटी नहीं होती है।

नीचे दिए गए विकल्पों में से ***सही उत्तर*** का चयन कीजिए :

A. केवल (*a*), (*b*) और (*c*)

B. केवल (*a*), (*c*) और (*d*)

C. केवल (*a*), (*b*), (*c*) और (*e*)

D. केवल (*a*), (*d*) और (*e*)

47. निम्नलिखित में से कौन-से कथन सही हैं?

(*a*) पैर और टांग को घुटने से पीछे की ओर उठाने को आकुंचन कहा जाता है।

(*b*) रेडियल और अलनर आकुंचन को पार्श्विक आकुंचन कहा जाता है।

(*c*) सरकमडक्शन, केवल सिगेटल एक्सिस और फ्रंटल प्लेन पर किया जाता है।

(*d*) मेडियन प्लेन, शरीर के पोस्टेरियर और एन्टेरियर हाव्स में विभाजित कर देता है।

नीचे दिए गए विकल्पों में से ***सही उत्तर*** का चयन कीजिए :

A. केवल (*a*), (*b*) और (*c*)

B. केवल (*a*) और (*b*)

C. केवल (*b*), (*c*) और (*d*)

D. केवल (*a*), (*c*) और (*d*)

48. निम्नलिखित में से कौन-सी डायराथ्रोसिस जोड़ों की विशेषताएँ हैं?

(*a*) एक आर्टीकुलर कैविटी मौजूद होती है।

(*b*) जोड़ स्लीव प्रकार के लिगामेंट युक्त कैप्सूल में बंद रहता है।

(*c*) आर्टीकुलेटिंग सतहें सफेद फाइब्रो कार्टिलेज से ढकी होती हैं।

(*d*) आर्टीकुलेटिंग सतहें चिकनी होती हैं।

(*e*) सिनोवियल मेम्ब्रेन, मौजूद सिनोवियल द्रव का स्राव करता है।

नीचे दिए गए विकल्पों में से ***सही उत्तर*** का चयन कीजिए :

A. केवल (*a*), (*b*), (*c*) और (*d*)

B. केवल (*a*), (*b*), (*c*) और (*e*)

C. केवल (*a*), (*b*), (*d*) और (*e*)

D. केवल (*b*), (*c*), (*d*) और (*e*)

49. जब हम किसी नए व्यवहार के साथ प्रयोग करते हैं, तो संभावित परिणाम होते हैं।

(*a*) सकारात्मक पुनर्बलन (*b*) नकारात्मक पुनर्बलन

(*c*) प्रतिस्थानिक पुनर्बलन (*d*) एक तटस्थ उत्तर

(*e*) सजा

नीचे दिए गए विकल्पों में से ***सही उत्तर*** का चयन कीजिए :

A. केवल (*a*), (*b*), (*d*) और (*e*)

B. केवल (*a*), (*b*), (*c*) और (*d*)

C. केवल (*a*), (*b*) और (*c*)

D. केवल (*a*), (*b*) और (*d*)

50. निम्नलिखित में से कौन-से सिद्धांत समूह विकास के भाग हैं?

(*a*) लिनियर सिद्धांत (*b*) साइक्लिकल सिद्धांत

(*c*) पेंडुलर सिद्धांत (*d*) नॉन-लिनियर सिद्धांत

(*e*) ट्राइएंगल सिद्धांत

नीचे दिए गए विकल्पों में से ***सही उत्तर*** का चयन कीजिए :

A. केवल (*a*), (*b*), (*d*) और (*e*)

B. केवल (*a*), (*b*) और (*c*)

C. केवल (*b*), (*c*) और (*d*)

D. केवल (*a*), (*b*), (*c*) और (*e*)

51. निम्नलिखित में से कौन-से कार्य एन.सी.टी.ई. के नहीं हैं?

(*a*) अध्यापक शिक्षा के विभिन्न पहलुओं से संबंधित सर्वेक्षण और अध्ययन करना और उसके परिणाम को प्रकाशित करना।

(*b*) अध्यापक शिक्षा संस्थानों में अर्हताप्राप्त स्टॉफ की नियुक्ति करना।

(*c*) देश में अध्यापक शिक्षा का समन्वयन और निगरानी तथा उसका विकास।

(*d*) अध्यापक शिक्षा के क्षेत्र में किसी विशिष्ट श्रेणी के पाठ्यक्रमों या प्रशिक्षण हेतु प्रतिमानक बनाना।

(*e*) एन.सी.टी.ई. द्वारा मान्यताप्राप्त संस्थानों से अध्यापक शिक्षा के कोर्स को पूरा करने वाले विद्यार्थियों हेतु रोजगार के अवसरों का सृजन करना।

नीचे दिए गए विकल्पों में से ***सही उत्तर*** का चयन कीजिए :

A. केवल (*a*) और (*e*) B. केवल (*c*) और (*d*)

C. केवल (*b*) और (*e*) D. केवल (*a*) और (*b*)

52. पाठ्यक्रम विकास में निम्न में से कौन-कौन-सी विषय सूची शामिल होती है?

(*a*) बदलाव की गतिकी

(*b*) शिक्षा प्रवृत्ति

(*c*) मूल्य और मिथक

(*d*) दार्शनिक और मिथक

(*e*) पाठ्यक्रम संबंधी मामले

नीचे दिए गए विकल्पों में से ***सही उत्तर*** का चयन कीजिए :

A. केवल (*a*), (*b*), (*d*) और (*e*)

B. केवल (*a*), (*b*) और (*e*)

C. केवल (*b*), (*c*) और (*e*)

D. केवल (*b*), (*c*), (*d*) और (*e*)

53. निम्नलिखित में से कौन-से कथन सही हैं?

(*a*) निश्चित सीमा से अधिक जमा होने पर विटामिन A और D जहरीले स्तर पर पहुँच जाते हैं।

(*b*) कैल्शियम और सोडियम को प्रमुख खनिज कहा जाता है।

(*c*) जिंक और आयोडीन को ट्रेस खनिज कहा जाता है।

(*d*) रिबोफ्लेविन और थायमिन वसा में घुलनशील हैं।

नीचे दिए गए विकल्पों में से ***सही उत्तर*** का चयन कीजिए :

A. केवल (*a*), (*b*) और (*c*)

B. केवल (*a*), (*c*) और (*d*)

C. केवल (*a*) और (*b*)

D. केवल (*b*), (*c*) और (*d*)

54. निम्नलिखित बीमारियों की सूची में से उस बीमारी की पहचान कीजिए, जो मोटापे से जुड़ी हैं।

(*a*) कैंसर

(*b*) एड्स

(*c*) मधुमेह

(*d*) ऑस्टीयोआर्थराइटिस

(*e*) हेपेटाइटिस

नीचे दिए गए विकल्पों में से ***सही उत्तर*** का चयन कीजिए :

A. केवल (*a*), (*b*), (*e*) B. केवल (*b*), (*c*)

C. केवल (*b*), (*d*), (*e*) D. केवल (*a*), (*c*), (*d*)

55. निम्नलिखित में से कौन-से सही हैं?

(*a*) इंसुलिन आधारित मधुमेह—पैनक्रियाज पर्याप्त मात्रा में रिसाव नहीं कर सकती।

(*b*) मधुमेह मैलिटस—शरीर ग्लूकोज को मैटाबोलाइज करने में असमर्थ।

(*c*) नॉन-इंसुलिन आधारित मधुमेह–ग्लूकोज को अवशोषित करने के लिए कोशिका में इंसुलिन रीसैप्टर साइटस की पर्याप्त मात्रा।

(*d*) पेप्टिक अल्सर–गैस्टिक एसिड्स का बारम्बार अत्यधिक स्राव।

नीचे दिए गए विकल्पों में से ***सही उत्तर*** का चयन कीजिए :

A. केवल (*a*), (*b*) और (*c*)

B. केवल (*a*), (*b*) और (*d*)

C. केवल (*b*), (*c*) और (*d*)

D. केवल (*b*) और (*d*)

56. प्रतियोगिताओं को निम्नलिखित मानदंड के आधार पर वर्गीकृत किया जा सकता है :

(*a*) प्रतियोगिता का स्थान

(*b*) प्रतियोगिता का स्तर

(*c*) प्रतियोगिता के आयोजन का तरीका

(*d*) प्रतियोगिता की प्रशिक्षण-पद्धति का पक्ष

(*e*) प्रतियोगिता की तारीखें

नीचे दिए गए विकल्पों में से ***सही उत्तर*** का चयन कीजिए :

A. केवल (*a*), (*b*), (*c*) B. केवल (*b*), (*c*), (*d*)

C. केवल (*c*), (*d*), (*a*) D. केवल (*d*), (*a*), (*e*)

57. आमतौर पर खेलकूद प्रशिक्षण में प्रयोग किए जाने वाले अलग-अलग प्रकार के मेसो-साइकिल प्रशिक्षण कार्यक्रम हो सकते हैं, जैसे–

(*a*) परिचयात्मक मेसो-साइकिल

(*b*) उपक्रमात्मक मेसो-साइकिल

(*c*) प्रतियोगिता पूर्व मेसो-साइकिल

(*d*) प्रतियोगिता के बाद मेसो-साइकिल

(*e*) परिचय-पूर्व मेसो-साइकिल

नीचे दिए गए विकल्पों में से ***सही उत्तर*** का चयन कीजिए :

A. केवल (*a*), (*b*) एवं (*c*)

B. केवल (*a*), (*c*) एवं (*e*)

C. केवल (*a*), (*c*) एवं (*d*)

D. केवल (*c*), (*d*) एवं (*e*)

58. छात्रों के एक समूह की आई.क्यू. परीक्षा ली गई। औसत अंक 66.34 था, मध्यम अंक 70.34 या और मानक विचलन 9.67 था। दिए गए परिणाम के आधार पर निम्नलिखित में से कौन-से सही हैं?

(*a*) यह परीक्षा छात्रों के लिए आसान है।

(*b*) यह परीक्षा छात्रों के लिए कठिन है।

(*c*) वितरण सकारात्मक रूप से अस्पष्ट होगा।

(*d*) वितरण नकारात्मक रूप से अस्पष्ट होगा।

नीचे दिए गए विकल्पों में से ***सही उत्तर*** का चयन कीजिए :

A. केवल (*a*) और (*d*)

B. केवल (*b*) और (*c*)

C. केवल (*a*) और (*c*)

D. केवल (*b*) और (*d*)

59. निम्नलिखित में से कौन-से कथन सही हैं?

(*a*) वर्णनात्मक अनुसंधान स्तर से संबंधित होता है और सर्वाधिक प्रचलित विधि सर्वेक्षण है।

(*b*) गुणात्मक अनुसंधान की विशेषता गहन प्रत्यक्ष उपस्थिति होती है और आँकड़ों का संकलन प्रेक्षण और साक्षात्कारों के माध्यम से किया जाता है।

(*c*) विश्लेषणात्मक अनुसंधान में गहन अध्ययन और मूल्यांकन शामिल होता है ताकि जटिल पक्षों को स्पष्ट किया जा सके।

(*d*) महामारी विज्ञान संबंधी अनुसंधान, प्रायोगिक अनुसंधान की पद्धति है।

नीचे दिए गए विकल्पों में से ***सही उत्तर*** का चयन कीजिए :

A. केवल (*a*) और (*b*)

B. केवल (*a*), (*b*) और (*d*)

C. केवल (*b*), (*c*) और (*d*)

D. केवल (*a*), (*b*) और (*c*)

60. एक वितरण का चतुर्थक विचलन यदि 6.00 है, $P_{90} = 50$ और $P_{10} = 10$ है तो वितरण वक्र होगा :

(*a*) प्लेटी कुर्टिक

(*b*) लेप्टोकुर्टिक

(*c*) सामान्य

(*d*) K_U का मान = 0.263

(*e*) K_U का मान = 0.15

नीचे दिए गए विकल्पों में से ***सही उत्तर*** का चयन कीजिए :

A. केवल (*a*) और (*d*) B. केवल (*b*) और (*e*)

C. केवल (*a*) और (*e*) D. केवल (*c*) और (*d*)

61. आर.जे. वेलेरंड और एल.जी. पेलेटियर आदि (1995) द्वारा खेलकूद प्रेरणा पैमाना (SMS) के संबंध में निम्नलिखित में से कौन-से कथन सही हैं?

(*a*) पैमाने में 28 मद होते हैं।

(*b*) पैमाने में इन्ट्रिंसिक प्रेरणा उप-पैमाने के रूप में होती है।

(*c*) पैमाने में 5 प्वाइंट लिकर्ट स्केल होता है।

(*d*) एमोटिवेशन एक उप-पैमाना है।

नीचे दिए गए विकल्पों में से ***सही उत्तर*** का चयन कीजिए :

A. केवल (*a*), (*b*) और (*c*)

B. केवल (*b*), (*c*) और (*d*)

C. केवल (*a*), (*b*) और (*d*)

D. केवल (*a*), (*c*) और (*d*)

62. चैंग बैडमिंटन परीक्षण के मद निम्नलिखित में से कौन-से हैं?

(*a*) लॉन्ग सर्व (*b*) ओवरहेड ड्रॉप शॉट

(*c*) स्मैश (*d*) स्ट्रेटेजी (रणनीति)

नीचे दिए गए विकल्पों में से ***सही उत्तर*** का चयन कीजिए :

A. केवल (*a*), (*b*) और (*d*)

B. केवल (*a*) और (*c*)

C. केवल (*a*), (*c*) और (*d*)

D. केवल (*a*), (*b*) और (*c*)

63. एम.एल. कमलेश (1990) द्वारा उपलब्धि प्रेरणा प्रश्नावली के बारे में कौन-सा कथन निम्न में से सही है?

(*a*) प्रश्नावली में 20 मद होते हैं।

(*b*) प्रत्येक कथन में अधिकतम 2 प्रतिक्रिया वैल्यू होती है।

(*c*) व्यक्ति अगर 24 से कम प्वाइंट स्कोर प्राप्त करता है, उससे संतुलित खेलकूद उपलब्धि प्रेरणा का पता चलता है।

(*d*) व्यक्ति अगर 30 प्वाइंट स्कोर प्राप्त करता है, उससे उच्च खेलकूद उपलब्धि प्रेरणा का पता चलता है।

नीचे दिए गए विकल्पों में से ***सही उत्तर*** का चयन कीजिए :

A. केवल (*a*), (*b*) और (*c*)

B. केवल (*b*), (*c*) और (*d*)

C. केवल (*a*), (*c*) और (*d*)

D. केवल (*a*), (*b*) और (*d*)

64. निम्नलिखित में से कौन-से कार्मिक प्रबंधन का सिद्धांत हैं?

(*a*) करियर को आगे बढ़ाने के अवसर

(*b*) प्राधिकार का प्रत्यायोजन

(*c*) वैयक्तिक भिन्नता को मान्यता

(*d*) तानाशाहीपूर्ण दृष्टिकोण

नीचे दिए गए विकल्पों में से ***सही उत्तर*** का चयन कीजिए :

A. केवल (*a*), (*b*) और (*c*)

B. केवल (*a*) और (*b*)

C. केवल (*a*), (*c*) और (*d*)

D. केवल (*a*), (*b*) और (*d*)

65. निम्नलिखित में से प्रबंधन की क्लासिकल सिद्धांतों की कौन-सी शाखाएँ हैं?

(*a*) वैज्ञानिक प्रबंधन सिद्धांत

(*b*) प्रशासनिक सिद्धांत

(*c*) नौकरशाही सिद्धांत

(*d*) मानव संसाधन सिद्धांत

नीचे दिए गए विकल्पों में से ***सही उत्तर*** का चयन कीजिए :

A. केवल (*a*), (*b*) और (*d*)

B. केवल (*b*), (*c*) और (*d*)

C. केवल (*a*) और (*b*)

D. केवल (*a*), (*b*) और (*c*)

66. सूची-I के साथ सूची-II का मिलान कीजिए :

सूची-I (देश जिससे संबंध रखते हैं)	**सूची-II (शारीरिक शिक्षा शास्त्री)**
(*a*) स्वीडन	I. आर्कबाल्ड मैकलर्न
(*b*) जर्मनी	II. पर हैनरिक लिंग
(*c*) ग्रेट ब्रिटेन	III. एडवर्ड हिट्चकॉक
(*d*) संयुक्त राज्य अमेरिका	IV. जे.सी.एफ. गट्स म्यूथस

नीचे दिए गए विकल्पों में से ***सही उत्तर*** का चयन कीजिए :

	(*a*)	(*b*)	(*c*)	(*d*)
A.	II	I	IV	III
B.	I	III	II	IV
C.	III	II	IV	I
D.	II	IV	I	III

67. सूची-I के साथ सूची-II का मिलान कीजिए :

सूची-I (स्थिति)	**सूची-II (प्रभाव)**
(*a*) हाइपोबेरिक वातावरण	I. असमूहित ऑक्सीजन लेना
(*b*) हाइपोक्सिया	II. वायु तापमान का कम होना
(*c*) दबाव में कुछ कमी	III. एटमोस्फेरिक (वातावरणीय) दबाव में कमी
(*d*) निर्जलीकरण	IV. पल्मोनरी वेंटीलेशन में बढ़ोत्तरी

नीचे दिए गए विकल्पों में से ***सही उत्तर*** का चयन कीजिए :

	(*a*)	(*b*)	(*c*)	(*d*)
A.	II	I	IV	III
B.	III	I	IV	II
C.	IV	III	II	I
D.	III	IV	I	II

68. सूची-I के साथ सूची-II का मिलान कीजिए :

सूची-I (जोड़)	**सूची-II (एक्सिस नंबर पर गति)**
(*a*) इररेगुलर	I. यूनीएक्सियल
(*b*) हिंज	II. बायो एक्सियल
(*c*) कोंडीलॉयड	III. ट्राइएक्सियल
(*d*) बॉल एंड सॉकेट	IV. नॉन एक्सियल

नीचे दिए गए विकल्पों में से ***सही उत्तर*** का चयन कीजिए :

	(*a*)	(*b*)	(*c*)	(*d*)
A.	I	IV	II	III
B.	IV	I	II	III
C.	I	IV	III	II
D.	II	I	IV	III

69. सूची-I के साथ सूची-II का मिलान कीजिए :

सूची-I (मनोवैज्ञानिक उपागम)	**सूची-II (खेलकूद मनोविज्ञान में उदाहरण)**
(*a*) सामाजिक मनोविज्ञान	I. कौशल अर्जन
(*b*) संज्ञानात्मक मनोविज्ञान	II. टीम में एकजुटता
(*c*) शरीर क्रियात्मक मनोविज्ञान	III. उत्तेजना और प्रदर्शन
(*d*) विकासात्मक मनोविज्ञान	IV. सामाजिक शिक्षण

नीचे दिए गए विकल्पों में से ***सही उत्तर*** का चयन कीजिए :

	(*a*)	(*b*)	(*c*)	(*d*)
A.	IV	I	II	III
B.	II	I	III	IV
C.	III	I	II	IV
D.	IV	III	II	I

70. सूची-I के साथ सूची-II का मिलान कीजिए :

सूची-I (पी.ई. कक्षा में प्रौद्योगिकीय संसाधन)	**सूची-II (लाभ/उद्देश्य)**
(*a*) पेडोमीटर	I. गति और दिशा की ट्रैकिंग
(*b*) हार्ट रेट मॉनिटर	II. शरीर की बनावट का मूल्यांकन
(*c*) जी.पी.एस.	III. लिए गए चरणों को रिकॉर्ड का करना
(*d*) बायोइम्पेंडेंस उपकरण	IV. क्रियाकलाप की गहनता का स्तर

नीचे दिए गए विकल्पों में से ***सही उत्तर*** का चयन कीजिए :

	(*a*)	(*b*)	(*c*)	(*d*)
A.	II	III	I	IV
B.	II	I	III	IV
C.	III	IV	I	II
D.	IV	II	III	I

71. सूची-I के साथ सूची-II का मिलान कीजिए :

सूची-I (कार्यक्रम/नीति)	सूची-II (आरंभ होने का वर्ष)
(*a*) राष्ट्रीय मलेरिया नियंत्रण कार्यक्रम	I. 1955
(*b*) राष्ट्रीय फाइलेरिया नियंत्रण कार्यक्रम	II. 1962
(*c*) राष्ट्रीय तपेदिक कार्यक्रम	III. 1953
(*d*) राष्ट्रीय एड्स नियंत्रण नीति	IV. 2002

नीचे दिए गए विकल्पों में से ***सही उत्तर*** का चयन कीजिए :

	(*a*)	(*b*)	(*c*)	(*d*)
A.	III	II	IV	I
B.	II	I	III	IV
C.	III	I	II	IV
D.	II	III	I	IV

72. सूची-I के साथ सूची-II का मिलान कीजिए :

सूची-I (अवधि)	सूची-II (गतिविधियों के प्रकार)
(*a*) तैयारी की अवधि–I	I. प्रतियोगी गतिविधियों के प्रशिक्षण का स्वरूप (साथ-साथ चलने वाला परंतु भिन्न-भिन्न संचलन)
(*b*) तैयारी की अवधि–II	II. विशेष तैयारी संबंधी गतिविधियाँ प्रारंभिक (संचलन के स्वरूपों पर पूर्ण कुशलता प्राप्त करना)
(*c*) तैयारी की अवधि–III	III. प्रतियोगी गतिविधियाँ, उचित (नियमों के साथ उचित स्थिति)
(*d*) प्रतियोगिता की अवधि–IV	IV. विशेष तैयारी संबंधी गतिविधियाँ विकासशील (शारीरिक गुणों में सुधार)

नीचे दिए गए विकल्पों में से ***सही उत्तर*** का चयन कीजिए :

	(*a*)	(*b*)	(*c*)	(*d*)
A.	IV	II	I	III
B.	I	IV	II	III
C.	I	II	III	IV
D.	IV	I	III	II

73. सूची-I के साथ सूची-II का मिलान कीजिए :

सूची-I (सीमा)	सूची-II (एन.पी.सी. में क्षेत्रफल का %)
(*a*) –2 सिग्मा से –1 सिग्मा	I. 95.44
(*b*) 0 से + 2 सिग्मा	II. 13.59
(*c*) –1 से +2 सिग्मा	III. 72.67
(*d*) –2 सिग्मा से +2 सिग्मा	IV. 81.85
	V. 47.72

नीचे दिए गए विकल्पों में से ***सही उत्तर*** का चयन कीजिए :

	(*a*)	(*b*)	(*c*)	(*d*)
A.	I	III	V	II
B.	III	IV	I	II
C.	II	V	IV	I
D.	II	III	V	I

74. सूची-I के साथ सूची-II का मिलान कीजिए :

सूची-I (मापण)	सूची-II (परीक्षण)
(*a*) मोटर शैक्षणीयता	I. फ्लीशमैन परीक्षण
(*b*) मोटर फिटनेस	II. मैथिनी-जॉनसन परीक्षण
(*c*) मोटर दक्षता	III. न्यूटन परीक्षण
(*d*) शारीरिक फिटनेस	IV. किर्चनर परीक्षण

नीचे दिए गए विकल्पों में से ***सही उत्तर*** का चयन कीजिए :

	(*a*)	(*b*)	(*c*)	(*d*)
A.	II	IV	III	I
B.	II	III	IV	I
C.	III	IV	II	I
D.	IV	II	III	I

75. सूची-I के साथ सूची-II का मिलान कीजिए :

सूची-I (खेल)	सूची-II (गेंद की परिधि)
(*a*) क्रिकेट (महिला)	I. 22.4 – 23.5 सेमी.
(*b*) हॉकी	II. 27.6 – 28.3 सेमी.
(*c*) सॉफ्टबॉल (महिला)	III. 22.4 – 22.9 सेमी.
(*d*) टेनिस	IV. 22 – 22.9 सेमी.

नीचे दिए गए विकल्पों में से ***सही उत्तर*** का चयन कीजिए :

	(*a*)	(*b*)	(*c*)	(*d*)
A.	II	III	I	IV
B.	III	II	I	IV
C.	I	III	II	IV
D.	III	I	II	IV

76. भारतीय ओलम्पिक एसोसिएशन के अध्यक्षों को प्रथम से अंतिम तक क्रमबद्ध करें।

(*a*) अश्वनी कुमार

(*b*) सुरेश कल्माडी

(*c*) सर दोराबजी टाटा

(*d*) महाराजा भूपेन्द्र सिंह

नीचे दिए गए विकल्पों में से ***सही उत्तर*** का चयन कीजिए :

A. (*b*), (*c*), (*d*), (*a*) B. (*a*), (*b*), (*c*), (*d*)

C. (*d*), (*a*), (*b*), (*c*) D. (*c*), (*d*), (*a*), (*b*)

77. ग्लाइकोलाइसिस के रासायनिक प्रभाव (कैमिकल रिएक्शन) को नीचे दर्शाया गया है, उनके प्रदर्शित होने के सही क्रम का पता लगाएं।

(*a*) साइट्रिक अम्ल

(*b*) एसिटिल CO-A

(*c*) फ्रक्टोज-1-6-डाइफॉस्फेट

(*d*) ऑक्जोएसिटिक अम्ल

(*e*) ग्लूकोज-6-फास्फेट

नीचे दिए गए विकल्पों में से ***सही उत्तर*** का चयन कीजिए :

A. (*c*), (*e*), (*b*), (*d*), (*a*)

B. (*c*), (*e*), (*d*), (*a*), (*b*)

C. (*e*), (*c*), (*b*), (*a*), (*d*)

D. (*e*), (*c*), (*d*), (*a*), (*b*)

78. स्केलेटल मसल (पेशी) मैक्रो स्ट्रक्चर को बाहर से भीतर के क्रम में व्यवस्थित करें :

(*a*) एंडोमाइसियम (*b*) एपीमाइसियम

(*c*) सार्कोलीमा (*d*) पेरी माइसियम

(*e*) सार्कोप्लाज्म

नीचे दिए गए विकल्पों में से ***सही उत्तर*** का चयन कीजिए :

A. (*d*), (*b*), (*a*), (*e*), (*c*)

B. (*b*), (*d*), (*a*), (*c*), (*e*)

C. (*b*), (*a*), (*d*), (*e*), (*c*)

D. (*d*), (*a*), (*b*), (*c*), (*e*)

79. आरोही क्रम में मास्लो के जरूरत के सोपान क्रम के सही क्रम का पता लगाएँ।

(*a*) सुरक्षा और सामाजिक जरूरत

(*b*) मनोवैज्ञानिक आवश्यकता

(*c*) आत्म यथार्थपरकता

(*d*) सम्मान की जरूरत

(*e*) बौद्धिक और सौंदर्यपरक जरूरत

नीचे दिए गए विकल्पों में से ***सही उत्तर*** का चयन कीजिए :

A. (*c*), (*e*), (*d*), (*a*), (*b*)

B. (*b*), (*c*), (*d*), (*e*), (*a*)

C. (*b*), (*a*), (*d*), (*e*), (*c*)

D. (*c*), (*a*), (*d*), (*e*), (*b*)

80. खेलो इंडिया विश्वविद्यालय खेलकूद के प्रथम चरण में भारतीय विश्वविद्यालयों के रैंक के सही क्रम का चयन करें।

(*a*) पंजाबी विश्वविद्यालय, पटियाला

(*b*) पंजाब विश्वविद्यालय

(*c*) एम.डी.यू., रोहतक

(*d*) मंगलोर विश्वविद्यालय

(*e*) सावित्रीबाई फुले विश्वविद्यालय

नीचे दिए गए विकल्पों में से ***सही उत्तर*** का चयन कीजिए :

A. (*e*), (*b*), (*a*), (*d*), (*c*)

B. (*b*), (*e*), (*a*), (*c*), (*d*)

C. (*a*), (*c*), (*e*), (*b*), (*d*)

D. (*b*), (*d*), (*a*), (*c*), (*e*)

81. निम्नलिखित टीकों को उनके आविष्कार किए जाने के वर्ष से आरंभ से अंत के क्रम में व्यवस्थित करें :

(*a*) रूबेला

(*b*) डी.टी.पी.

(*c*) मम्पूस

(*d*) येलो फीवर

(*e*) डिप्थीरिया

नीचे दिए गए विकल्पों में से ***सही उत्तर*** का चयन कीजिए :

A. (*c*), (*d*), (*a*), (*b*), (*e*)

B. (*e*), (*d*), (*b*), (*c*), (*a*)

C. (*b*), (*a*), (*c*), (*d*), (*e*)

D. (*c*), (*d*), (*e*), (*b*), (*a*)

82. खेलकूद के किसी प्रशिक्षण कार्यक्रम के दौरान निम्नलिखित कारकों के विकास के क्रम में उन्हें व्यवस्थित करें :

(*a*) तकनीकी पक्ष विकास

(*b*) मानसिक प्रशिक्षण

(*c*) यौक्तिक पक्ष विकास

(*d*) शारीरिक स्वस्थता विकास

(*e*) प्रतिस्पर्धी गतिविधियों का मॉडल स्वरूप

नीचे दिए गए विकल्पों में से ***सही उत्तर*** का चयन कीजिए :

A. (*d*), (*c*), (*b*), (*a*), (*e*)

B. (*d*), (*a*), (*b*), (*c*), (*e*)

C. (*d*), (*e*), (*a*), (*c*), (*b*)

D. (*d*), (*a*), (*e*), (*c*), (*b*)

83. किसी प्रश्नावली के संबंध में योजना बनाते समय निम्नलिखित कदमों को आरंभ से अंत के सही क्रम में व्यवस्थित करें :

(*a*) अनुसंधान के लक्ष्यों का निर्धारण करना

(*b*) आवश्यकता के अनुसार संशोधन करना, अंतिम रूप देना और दूसरी प्रतियाँ (डुप्लीकेट) बनाना

(*c*) आँकड़े एकत्र करना, सारणी बनाना और अंतिम रिपोर्ट तैयार करना

(*d*) प्रश्नों और पूर्वपरीक्षा का मूल्यांकन

(*e*) प्रश्नों का विकास करना

नीचे दिए गए विकल्पों में से ***सही उत्तर*** का चयन कीजिए :

A. (*a*), (*b*), (*e*), (*d*), (*c*)

B. (*a*), (*e*), (*d*), (*b*), (*c*)

C. (*a*), (*d*), (*e*), (*c*), (*b*)

D. (*a*), (*e*), (*b*), (*c*), (*d*)

84. कौशल परीक्षण कंस्ट्रक्शन (निर्माण) के निम्नलिखित चरणों को आरोही क्रम में लगाएँ।

(*a*) परीक्षण के प्रबंधन और स्कोरिंग के लिए सही प्रक्रिया की स्थापना करना।

(*b*) खेल का विश्लेषण अथवा शारीरिक गुणवत्ता।

(*c*) विश्वसनीयता का निर्धारण और विषयनिष्ठता का परिकलन।

(*d*) मान्यता की स्थापना।

(*e*) उस परीक्षण मद का चयन जिससे वांछित गुणों को मापा जा सके।

नीचे दिए गए विकल्पों में से ***सही उत्तर*** का चयन कीजिए :

A. (*b*), (*e*), (*a*), (*d*), (*c*)

B. (*b*), (*e*), (*a*), (*c*), (*d*)

C. (*b*), (*a*), (*e*), (*c*), (*d*)

D. (*e*), (*b*), (*a*), (*c*), (*d*)

85. बजटिंग प्रक्रिया के कदमों को आरोही क्रम में व्यवस्थित करें :

(*a*) पिछले बजटों का विश्लेषण करना और नए अनुरोधों के साथ मिलान करना।

(*b*) आँकड़ों का औचित्य सिद्ध करना तथा बजट प्रस्तुत करना।

(*c*) बजट की व्याख्या और आकलन करना।

(*d*) आँकड़े एकत्र करना।

(*e*) बजट निर्माण करना।

नीचे दिए गए विकल्पों में से ***सही उत्तर*** का चयन कीजिए :

A. (*d*), (*a*), (*e*), (*b*), (*c*)

B. (*d*), (*e*), (*a*), (*b*), (*c*)

C. (*e*), (*d*), (*a*), (*b*), (*c*)

D. (*d*), (*e*), (*b*), (*a*), (*c*)

86. नीचे दो कथन दिए गए हैं–एक अभिकथन (A) के रूप में लिखित है तो दूसरा उसके कारण (R) के रूप में :

अभिकथन (A) : सर्दी में लंबी कसरत के दौरान ऊर्जा आपूर्ति कम हो जाती है और कसरत की गहनता कम हो जाती है, तब व्यक्ति की अल्पताप (हाइपोथर्मिया) बढ़ जाती है।

कारण (R) : अत्यधिक कसरत से कैटाचोल्मनिस निकलता है जो ईंधन के लिए स्वतंत्र वसा अम्ल का मोबिलाइजेशन करता है और उसके इस्तेमाल को बढ़ा देता है। परंतु सर्दी के दिनों में वैसोकंस्ट्रिक्शन (नाड़ी संकुचन) होता है।

उपरोक्त कथन के आलोक में, नीचे दिए गए विकल्पों में से ***सबसे उपयुक्त*** उत्तर का चयन कीजिए।

A. (A) और (R) दोनों सही हैं और (R), (A) की सही व्याख्या है।

B. (A) और (R) दोनों सही हैं और (R), (A) की सही व्याख्या नहीं है।

C. (A) सही है, लेकिन (R) सही नहीं है।

D. (A) सही नहीं है, लेकिन (R) सही है।

87. नीचे दो कथन दिए गए हैं :

कथन I : दो टेल टेस्ट में सामान्य वक्र का 2.5% क्षेत्र माध्य के ऊपर 1.96 मानक विचलन की दायीं ओर पड़ता है और 2.5% क्षेत्र माध्य के नीचे 1.96 मानक विचलन की बायीं ओर पड़ता है।

कथन II : एक टेल टेस्ट में बड़े प्रतिदर्श माध्यों के बीच अंतर का परीक्षण करने के लिए 5% लेवल सिग्निफिकेंस पर 1.64 का Z स्कोर का यार्डस्टिक के रूप में लिया जाता है।

उपरोक्त कथन के आलोक में, नीचे दिए गए विकल्पों में से ***सबसे उपयुक्त*** उत्तर का चयन कीजिए।

A. कथन I और II दोनों सही हैं।

B. कथन I और II दोनों गलत हैं।

C. कथन I सही है, लेकिन कथन II गलत है।

D. कथन I गलत है, लेकिन कथन II सही है।

88. नीचे दो कथन दिए गए हैं–एक अभिकथन (A) के रूप में लिखित है तो दूसरा उसके कारण (R) के रूप में :

अभिकथन (A) : यदि संवेगण पर केवल गुरुत्व केंद्र काम कर रहा है तो संवेगण का प्रोजेक्टाइल परवलयिक होगा।

कारण (R) : उड़ान में ऊर्ध्वाधर कारक स्थिर रहता है और क्षैतिज कारक 9.8 m/s पर अधोमुखी गति प्रदान करता है।

उपरोक्त कथन के आलोक में, नीचे दिए गए विकल्पों में से ***सबसे उपयुक्त*** उत्तर का चयन कीजिए।

A. (A) और (R) दोनों सही हैं और (R), (A) की सही व्याख्या है।

B. (A) और (R) दोनों सही हैं और (R), (A) की सही व्याख्या नहीं है।

C. (A) सही है, लेकिन (R) सही नहीं है।

D. (A) सही नहीं है, लेकिन (R) सही है।

89. नीचे दो कथन दिए गए हैं :

कथन I : जब भी व्यक्तिपरक मापन की जरूरत होती है तब तक व्यक्तिपरक मापन को विषयपरक बनाने का हर संभव प्रयास करना चाहिए।

कथन II : किसी भी प्रकार से वस्तुपरक मापन पक्के निर्णय को प्रतिस्थापित नहीं कर सकता, और नहीं व्यक्तिपरक निर्णय के बारे में कुछ गलत है।

उपरोक्त कथन के आलोक में, नीचे दिए गए विकल्पों में से ***सबसे उपयुक्त*** उत्तर का चयन कीजिए।

A. कथन I और II दोनों सही हैं।

B. कथन I और II दोनों गलत हैं।

C. कथन I सही है, लेकिन कथन II गलत है।

D. कथन I गलत है, लेकिन कथन II सही है।

90. नीचे दो कथन दिए गए हैं :

कथन I : वित्तीय प्रबंधन किसी संगठन हानि द्वारा निधियों के दुरुपयोग और बर्बादी से बचाकर उसे बचाए और बनाए रखने में मदद करता है।

कथन II : यदि अच्छा वित्तीय प्रबंधन नहीं है तो शारीरिक शिक्षा और खेलकूद कार्यक्रम कभी भी प्रभावी नहीं हो सकते।

उपरोक्त कथन के आलोक में, नीचे दिए गए विकल्पों में से ***सबसे उपयुक्त*** उत्तर का चयन कीजिए।

A. कथन I और II दोनों सही हैं।
B. कथन I और II दोनों गलत हैं।
C. कथन I सही है, लेकिन कथन II गलत है।
D. कथन I गलत है, लेकिन कथन II सही है।

निर्देश (प्र.सं. 91 से 95 तक): *निम्नलिखित गद्यांश के आधार पर प्रश्नों का उत्तर दें।*

कोरोना वायरस संपूर्ण विश्व में श्वसन संबंधी बीमारी है। महामारी का कारण बना क्लब-आकृति के ग्लाइकोप्रोटीन नोक जो लिफाफे (इन्वेलप) में था, उसने वायरस को मुकुट जैसा आकार प्रदान किया। वायरस या बैक्टीरिया से लड़ने में हमारे शरीर की प्रतिरोधी प्रणाली चार प्रमुख कार्य करती है, जो इस प्रकार है :

(*i*) यह बाह्य पदार्थों की पहचान करती है।
(*ii*) इन बाह्य पदार्थों से लड़कर हमारे शरीर को बचाती है।
(*iii*) यह पुनःसंक्रमण से रक्षा करती है।
(*iv*) यह निगरानी का कार्य करती है।

स्वाभाविक प्रतिरोधी क्षमता वह सुरक्षा होती है जिसे हम जन्मजात पाते हैं। सक्रिय या ग्रहित प्रतिरोधी क्षमता तब विकसित होती है जब हम संक्रमित हो जाते हैं अथवा जब टीकाकरण हो जाता है। प्रत्यक्ष प्रतिरोधी क्षमता तब होती है, जब हम बाहर से एंटीबॉडीज प्राप्त करते हैं जिसे रक्त उत्पादों का ट्रांसफ्यूजन कहा जाता है। शारीरिक क्रियाकलाप हमारी प्रतिरोधी क्षमता को बढ़ा सकते हैं।

व्यायाम फेफड़ों और श्वास नलिकाओं से बैक्टीरिया को बाहर कर सकता है। व्यायाम एंटीबॉडीज तथा डब्ल्यू.बी.सी. जो शरीर के प्रतिरोधी प्रणाली कोशिकाएँ होती हैं, जो रोगों से लड़ते हैं, में परिवर्तन कर सकता है। व्यायाम के दौरान शरीर के तापमान में थोड़ी सी बढ़ोतरी बैक्टीरिया को बढ़ने से रोक सकता है। व्यायाम तनाव हार्मोन्स के स्राव को कम करता है जो हमें बीमारी से बचाता है। जब लोगों को कोरोना वायरस के प्रसार को रोकने के लिए घर में रहने के लिए मजबूर किया गया तब डब्ल्यू.एच.ओ. (विश्व स्वास्थ्य संगठन) ने उन्हें यह सुझाव दिया कि वे शारीरिक गतिविधियों में भाग लें। 6-17 साल की उम्र वालों के लिए 60 मिनट्स प्रतिदिन, सामान्य से अधिक है, 75 मिनट्स प्रति सप्ताह अधिक है अथवा 150 मिनट्स प्रति सप्ताह सामान्य से 2 से 3 दिन प्रति सप्ताह वयस्कों के लिए क्रमशः है।

91. कोविड-19 वायरस की संरचना में प्रोटरुडिंग नोक (स्पाइक्स) शामिल होते हैं जो निम्न में से किससे बने होते हैं?

A. लिपिड
B. साइटोकाइनेनिन
C. स्टार्च
D. प्रोटीन

92. शरीर की प्रतिरोधी प्रणाली का एक कार्य बाह्य खतरनाक पदार्थों की पहचान करना तथा म्यूटेंट कोशिकाओं को नष्ट करना है, जिसे निम्न में से क्या कहा जाता है?

A. मान्यता
B. सुरक्षा
C. निगरानी
D. रक्षा

93. प्रत्यक्ष प्रतिरोधी क्षमता किस प्रकार विकसित होती है?

A. टीकाकरण
B. जन्मजात गुण
C. रक्त उत्पाद ट्रांसफ्यूजन
D. किसी संक्रमित व्यक्ति से संक्रमण

94. शरीर को संक्रमण से बचाने के लिए व्यायाम किस प्रकार सहायक हो सकता है?

(*a*) शरीर के तापमान को बढ़ाकर बैक्टीरिया को बढ़ने से रोकता है।
(*b*) मांसपेशी क्षमता को बढ़ाता है ताकि बैक्टीरिया से लड़ा जा सके।
(*c*) व्यायाम फेफड़ों से बैक्टीरिया को बाहर निकाल सकता है।
(*d*) व्यायाम तनाव हार्मोन्स के स्राव को कम करता है।

नीचे दिए गए विकल्पों में से ***सही उत्तर*** का चयन कीजिए :

A. केवल (*a*), (*c*), (*d*)
B. केवल (*a*), (*b*), (*c*)
C. केवल (*a*), (*b*), (*d*)
D. केवल (*b*), (*c*), (*d*)

95. महामारी के दौरान जब लोगों को घर में रहने के लिए मजबूर किया गया तो विश्व स्वास्थ्य संगठन (WHO) ने वयस्कों और बुजुर्गों के लिए शारीरिक क्रियाकलाप (PA) करने का सुझाव दिया।

(*a*) 150 मिनट्स प्रति सप्ताह के लिए सामान्य PA, 2 दिन प्रति सप्ताह

(*b*) 150 मिनट्स प्रति सप्ताह के लिए सामान्य PA, 3 दिन प्रति सप्ताह
(*c*) 75 मिनट्स प्रति सप्ताह के लिए अधिक PA, 2 दिन प्रति सप्ताह
(*d*) 75 मिनट्स प्रति सप्ताह के लिए अधिक PA, 3 दिन प्रति सप्ताह

नीचे दिए गए विकल्पों में से ***सही उत्तर*** का चयन कीजिए :

A. केवल (*a*) और (*c*) B. केवल (*a*) और (*d*)
C. केवल (*b*) और (*d*) D. केवल (*b*) और (*c*)

निर्देश (प्र.सं. 96 से 100 तक): *निम्नलिखित गद्यांश के आधार पर प्रश्नों का उत्तर दें।*

पिछले कुछ समय से लोग महिला बॉडी-बिल्डरों को लड़ाकू या पथविचलित मानते हैं चूंकि उनकी प्रकृति ऐसी ही होती है। इसी कारण पश्चिमी संस्कृति में अधिकतर लोग लैंगिकता को विभिन्न अवधारणाओं के रूप में देखते हैं जो समूचे मानक को दो अलग-अलग श्रेणियाँ और पारस्परिक विशिष्ट महिला और पुरुष में बांटा है। इसी वर्गीकरण प्रणाली के अनुसार महिलाओं को 'कमजोर लिंग' के रूप में परिभाषित किया गया है तथा महिलापन का संबंध कोमलता, मृदुल, भावात्मक और जिसे सुरक्षा की जरूरत होती है, से जुड़ा हुआ है। वास्तव में गत शताब्दी से महिला की कोमलता और कमजोरी को महिला की सुंदरता से जोड़ना प्रमुख स्तर रहा है। दूसरी ओर पुरुष को मजबूत लिंग के रूप में परिभाषित किया गया है तथा पौरुषता का संबंध उसके कठोर, मजबूत, तर्कसंगत और महिला रक्षक है। वास्तव में पुरुष आकर्षण परंपरागत रूप से अनिरीह और मजबूत से संबंधित है। और बहुत से लोगों का सामान्य तौर पर यह भावना है कि "प्रकृति ने ऐसा ही बनाया है।" महिला बॉडी-बिल्डरों ने लैंगिक तर्क को चुनौती दी है और बहुत से लोगों के विचारों को, कि दुनिया ऐसी ही चलती है, को चुनौती दी है। वर्चस्ववादी लैंगिक विचारधारा के अनुसार महिला बॉडी-बिल्डर्स अनफैमिनाइन (un femine) हैं, क्योंकि ये 'बहुत ज्यादा मांसपेशीय' तथा कुरूप होती हैं, क्योंकि उनका शरीर नाजुक/कोमल और निरीह नहीं होता है। परंतु सभी लोग इस विचारधारा को नहीं मानते हैं। जो लोग महिलाओं की वैकल्पिक परिभाषा ढूँढते हैं, उनके लिए महिला बॉडी-बिल्डिंग ने नई छवि प्रदान की है, जिसे कुछ लोग अपने आप में आकर्षक मानते हैं। वे 'महिला भंगुरता' के पारंपरिक विचार को चुनौती देना पसंद करते हैं तथा शरीर रचना के लिंग विभिन्नता के बारे में सवाल उठाते हैं। महिलाओं के शरीर गठन ने इस प्रक्रिया को यह दिखाते हुए उत्साहित किया है कि कठोरता और ताकत केवल पुरुषों के गुण नहीं हैं।

96. महिला बॉडी-बिल्डरों को निम्नलिखित में से क्या माना जाता है?

A. अनफेमिनाइन B. कोमल
C. कमजोर D. महिला भंगुरता

97. पुरुष को निम्नलिखित में से किस रूप में परिभाषित किया गया है?

(*a*) कठोर
(*b*) मजबूत
(*c*) तर्कसंगत
(*d*) अत्यधिक मांसपेशी युक्त

नीचे दिए गए विकल्पों में से ***सही उत्तर*** का चयन कीजिए :

A. केवल (*b*), (*c*) और (*d*)
B. केवल (*a*), (*c*) और (*d*)
C. केवल (*d*), (*b*) और (*a*)
D. केवल (*a*), (*b*) और (*c*)

98. निम्नलिखित में से कौन-सा महिला की परिभाषा का वैकल्पिक अर्थ है?

A. महिला भंगुरता B. कोमल
C. भावुक D. महिला की नवीन छवि

99. लिंग को निम्नलिखित श्रेणियों में परिभाषित किया जा सकता है?

(*a*) पुरुष (*b*) विद्रोही
(*c*) महिला (*d*) पथ विचलनकर्ता

नीचे दिए गए विकल्पों में से ***सही उत्तर*** का चयन कीजिए :

A. केवल (*b*) और (*a*) B. केवल (*d*) और (*c*)
C. केवल (*b*) और (*d*) D. केवल (*a*) और (*c*)

100. "प्रकृति ने उसे इसी रूप में बनाया है" जिसका तात्पर्य पुरुष को किस रूप में परिभाषित किया गया है?

A. महिला रक्षक B. कमजोर
C. निरीह D. निडर

उत्तरमाला

1	2	3	4	5	6	7	8	9	10
D	A	D	D	B	B	B	A	A	C
11	12	13	14	15	16	17	18	19	20
C	D	D	A	D	A	C	C	A	B
21	22	23	24	25	26	27	28	29	30
C	C	A	C	C	D	C	A	A	D
31	32	33	34	35	36	37	38	39	40
B	C	D	B	A	C	C	C	C	A
41	42	43	44	45	46	47	48	49	50
A	D	D	A	C	C	B	C	A	B
51	52	53	54	55	56	57	58	59	60
C	A	A	D	B	B	A	A	D	B
61	62	63	64	65	66	67	68	69	70
C	D	D	A	D	D	D	B	B	C
71	72	73	74	75	76	77	78	79	80
C	A	C	A	D	D	C	B	C	B
81	82	83	84	85	86	87	88	89	90
B	D	B	B	A	B	A	C	A	A
91	92	93	94	95	96	97	98	99	100
D	C	C	A	D	A	D	D	D	A

पिछले प्रश्न-पत्र (हल सहित)

National Testing Agency (NTA)

UGC-NET जूनियर रिसर्च फैलोशिप तथा सहायक प्राध्यापक पात्रता परीक्षा

शारीरिक शिक्षा, जून-2020

(Online exam held on 29-09-2020)

प्रश्न-पत्र-II

नोटः *इस प्रश्न-पत्र में* **सौ (100)** *बहु-विकल्पीय प्रश्न हैं। प्रत्येक प्रश्न के* **दो (2)** *अंक हैं।* **सभी प्रश्न अनिवार्य** *हैं।*

1. शारीरिक शिक्षा का क्षेत्र प्राथमिक रूप से इसके अध्ययन पर केन्द्रित है :

A. अभ्यास और क्रीड़ा में मानव प्रदर्शन
B. व्यक्तियों का फिटनेस
C. मानव चलन
D. मनुष्यों का स्वास्थ्य एवं खुशहाली

2. शारीरिक शिक्षा के स्नायुमांसपेशीय विकास के उद्देश्य अर्जन का परीक्षण इसके द्वारा किया जा सकता है :

A. 800 यार्ड दौड़
B. जॉनसन बास्केटबाल योग्यता परीक्षण
C. स्कॉट् बैडमिन्टन ज्ञान परीक्षण
D. स्पोर्ट्समैनशिप अभिवृत्ति मापक

3. "मुझे फुटबाल क्यों खेलना चाहिए?" जैसे प्रश्नों पर चर्चा दर्शनशास्त्र की विशेष शाखा में होता है, जिसे कहा जाता है :

A. पराभौतिकी
B. मूल्यमीमांसा
C. ज्ञानमीमांसा
D. तर्क

4. दर्शनशास्त्र का वह सिद्धांत जो खेल समर्थन शैक्षिक प्रक्रिया के महत्वपूर्ण भाग के रूप में करता है, वह है :

A. आदर्शवाद B. व्यवहारवाद
C. प्रकृतिवाद D. अस्तित्ववाद

5. माँसपेशियों के संकुचन के दौरान यदि गति नियत गति से माँसपेशियों के खिंचाव के द्वारा उत्पन्न तनाव संपूर्ण गति सीमा में अधिकतम रहे तो उसे क्या कहते हैं?

A. आइसोटॉनिक संकुचन
B. आइसोमेट्रिक संकुचन
C. एक्सेन्ट्रिक संकुचन
D. आइसोकाइनेटिक संकुचन

6. खिलाड़ियों की चोट खिंचाव (strain) के कारण निम्नलिखित में क्या प्रभावित होता है?

A. अस्थिबंध B. कंडरा
C. उपास्थि D. मांसपेशी

7. अत्याधिक व्यायाम के दौरान एक सहनशील खिलाड़ी के पास एल्वोलर कैपिलरी मेंम्ब्रेन से गैसस स्थानांतरण की बेहतर क्षमता होती है और इसे निम्नरूप में उल्लेखित किया जाता है :

A. फेफड़े की क्षमता B. विसरण की क्षमता
C. गैस विनिमय अनुपात D. फुफ्फुस संवातन

8. रक्त और मांसपेशियों से लैक्टिक अम्ल के निष्कासन में ऊर्जा की आवश्यकता होती है और अधिकांश से यह ऊर्जा उपलब्ध कराई जाती है :

A. एयरोबिक तंत्र के द्वारा
B. एनारोबिक तंत्र के द्वारा
C. ATP-PC तंत्र के द्वारा
D. β ऑक्सीकरण के द्वारा

9. केन्द्रीय प्रदूषण नियन्त्रण बोर्ड, दिल्ली के अनुसार वायु गुणवत्ता इंडेक्स रेंज 201-300, निम्नलिखित में से किस वर्ग के अंतर्गत आती है?

A. अच्छा B. खराब
C. बहुत खराब D. चिंताजनक

10. किस क्रिया के दौरान वर्धित मांसपेशीय क्षमता के कारण जोड़ों में स्थायित्व आता है और जोड़ों की अनुक्रिया बल का उच्चस्तर शनैः शनैः कम हो जाता है :

A. उच्च चपलता संचलन
B. पुश
C. सहिष्णुता दौड़
D. खिंचाव

11. 100 मीटर की फर्राटा दौड़ के त्वरण चरण पर यदि आप गति बढ़ाएँ तो क्या होगा?

A. त्वरण की दिशा नकारात्मक होगी।
B. गति की दिशा नकारात्मक होगी।
C. वेग की दिशा नियत होगी।
D. त्वरण की दिशा सकारात्मक होगी।

12. 'खेलो इंडिया' का दर्शन है :

A. खेल संस्कृति को प्रोत्साहित करना और खेलों की क्रिया को बढ़ाना
B. देश में खेल संस्कृति को अनुप्राणित करना और खेल उत्कृष्टता प्राप्त करना
C. खेलों को जमीनी स्तर पर प्रोत्साहित करना
D. 2024 ओलंपिक में 20 मेडल जितना

13. निम्नलिखित में से कौन-सा कारक समूह की प्रभावी कार्य पद्धति को प्रभावित नहीं करता है?

A. पक्षपात B. सामीप्य
C. निष्पक्षता D. सामाजिक सहयोग

14. निम्नलिखित में से किसका विचार वांकर (1980) द्वारा वयस्कों के शारीरिक क्रिया-कलाप में भागीदारी के कारण के रूप में नहीं किया गया है :

A. आत्म-चुनौती B. स्वास्थ्य कारक
C. अच्छी अनुभूति D. वजन बढ़ाना

15. 1896 के ओलंपिक कार्यक्रम के एथलेटिक इवेंट में निम्नलिखित में से कौन-सा एथलेटिक इवेंट शामिल नहीं था?

A. 110 मी. बाधा दौड़ B. 1500 मी.
C. 5000 मी. D. पोलवाल्ट

16. निम्नलिखित में से कौन-सा सफल नेतृत्व का कारण नहीं है?

A. उत्तरदायित्व B. निष्ठा
C. अधैर्य D. अखंडता

17. निम्नलिखित में से कौन-सी अध्याय योजना की पद्धति नहीं है?

A. हर्बर्ट की पाँच सोपान पद्धति
B. मॉरिसन अथवा इकाई पद्धति
C. ब्लूम अथवा मूल्यांकन पद्धति
D. पिरामिड पद्धति

18. यदि $n = 55$, $M = 30$ और $\sigma = 8$, तो कुडर रिचर्डसन सूत्र का प्रयोग करते हुए कुल परीक्षण की विश्वसनीयता होगी :

A. 0.820 B. 0.850
C. 0.802 D. 0.830

19. संयुक्त राष्ट्र ने 21 जून को योग दिवस के रूप में आयोजित करने के लिए सार्वभौमिक अपील को इसके द्वारा मान्यता प्रदान की :

A. संकल्प 67/137 द्वारा 21 दिसंबर, 2014
B. संकल्प 67/137 द्वारा 11 दिसंबर, 2014
C. संकल्प 69/131 द्वारा 21 दिसंबर, 2014
D. संकल्प 69/131 द्वारा 11 दिसंबर, 2014

20. यदि विचरण गुणांक (CV) का मान है 6.25 व मानक विचलन (σ) 5 है, तब माध्य ($\bar{x}$) का मान होगा :

A. 80.25 B. 80
C. 75 D. 31.25

21. व्यायाम से अत्यधिक स्वास्थ्य लाभ प्राप्त होते हैं, निम्नलिखित कथनों में से कौन-से कथन व्यायाम एवं स्वास्थ्य के संबंध में सही नहीं है?

A. व्यायाम से मुद्रा में सुधार होता है
B. व्यायाम से व्यक्ति अपनी आयु बढ़ा सकता है
C. शारीरिक क्रियाकलाप से कई शारीरिक एवं मानसिक विकृतियों से बचाव में मदद मिलती है
D. व्यायाम से व्यवहार में भी सुधार होता है

22. निम्नलिखित में से कौन-सा जलप्रदूषक जलजनित रोग कोलेरा का मूल कारण है?

A. पशु अपशिष्ट B. फर्टिलाइजर
C. सीवेज D. मरकरी

23. जलने से हुए घाव के लिए प्राथमिक चिकित्सा हेतु निम्नलिखित दिशानिर्देश हैं जो सही नहीं है, उसे बताएं :

A. बर्फ वाले ठंडे पानी का उपयोग करना
B. रोगी को दौड़ने की अनुमति न देना
C. रोगी को जमीन पर लेटे रहने के लिए कहना
D. सूखे कपड़ों के द्वारा जले हुए भाग को ढक देना

24. निम्नलिखित में से कौन-सा घटक स्वास्थ्य संबंधी पुष्टता का घटक नहीं है?

A. कार्डियोरेस्पीरेटरी फंक्शन
B. बॉडी कम्पोजिशन
C. एबडोमिनल स्ट्रैंथ एनड्यूरेंस
D. रिएक्शन टाइम

25. तकनीक प्रशिक्षण त्रुटियों में सुधार प्रत्यक्ष एवं अप्रत्यक्ष विधियों द्वारा किया जाता है। प्रत्यक्ष विधि की एक पद्धति है :

A. क्रिया का अभ्यास सरल अवस्था में करना
B. बाह्य अवस्था जैसे मैदान, खेल सामान आदि में बदलाव
C. गलत और सही क्रिया को दर्शा कर त्रुटियों का ज्ञान कराना
D. गतिक्रियान्वयन के दौरान अतिरिक्त कार्य का निर्धारण करना

26. प्रशिक्षण भार की मात्रा को यही भी कहते हैं :

A. क्रिटिकल भार B. बाह्य भार
C. ऑप्टिमम भार D. आतंरिक भार

27. ओवरलोड का दैहिक कार्यात्मक संलक्षण है :

A. भूख की कमी B. बढ़ी हुई उत्तेजना
C. तनावपूर्ण संचलन D. कोच से संपर्क में कमी

28. शक्ति प्रयोग हेतु न्यूरो-मांसपेशीय पद्धति की जैविकक्षमता को कहते हैं :

A. अधिकतम शक्ति B. विस्फोटक शक्ति
C. परम शक्ति D. दृष्टतम शक्ति

29. क्रोम्बैक अल्फा प्रश्नावली की विश्वसनीयता के परीक्षण के लिए भी प्रयुक्त होता है जब यह परीक्षण के निहितार्थ होता है :

A. त्रि-निर्माण B. द्वि-निर्माण
C. एकल निर्माण D. बहुसंख्यक निर्माण

30. सकल अभिवृति के मापन के लिए कौन-सा माप सबसे अधिक उपयुक्त और विश्वसनीय होता है?

A. लाइकर्ट स्केल्स B. डिफरेंशियल स्केल्स
C. थर्सटन स्केलिंग D. आर्बिटरी स्केल्स

31. निम्नलिखित में से क्या परिकल्पना का प्रकार नहीं है?

A. अस्थायी परिकल्पना
B. प्रतिविधिक परिकल्पना
C. वर्णनात्मक परिकल्पना
D. अन्वेषी परिकल्पना

32. आंकड़ों के वर्गीकरण के विश्लेषण में कौन-सा अनिवार्य नहीं है?

A. सुस्पष्टता B. पर्याप्तता
C. स्थायित्व D. लचीलापन

33. अधिगम की इकाई की निर्देशात्मक अवस्थाओं में शिक्षक द्वारा प्रयुक्त मूल्यांकन कहलाता है :

A. संकलनात्मक मूल्यांकन
B. रचनात्मक मूल्यांकन
C. विषयनिष्ठ मूल्यांकन
D. वस्तुनिष्ठ मूल्यांकन

34. परीक्षण की विश्वनीयता और वस्तुनिष्ठता निम्न के प्रयोग द्वारा दर्ज की जाती हैं :

A. आंशिक सहसंबंध B. बहु सहसंबंध
C. एकमार्गी एनोवा D. अंतरकक्षीय सहसंबंध

35. यदि एक परीक्षण में 50 छात्र सम्मिलित होते हैं और उनमें से 38 एक सवाल का सही उत्तर देते हैं, तो उस परीक्षण प्रश्न का कठिनता स्तर होगा :

A. 0.19 B. 0.76
C. 0.13 D. 0.88

36. यदि Cu = 25, Cl = 12 और Nu = 27, तो विभेद तालिका होगी :

A. 0.481 B. 0.418
C. 0.408 D. 0.490

37. शारीरिक शिक्षा में सबसे उपयुक्त शिक्षण साधन हैं :

A. कार्यशाला B. पुनश्चर्या प्रशिक्षण

C. श्रवण दृश्य D. पैनल परिचर्चा

38. निम्नलिखित में से कौन-सा योजना का प्रकार नहीं है?

A. तदर्थ योजना B. युक्ति योजना

C. रणनीति योजना D. कार्यवाहक योजना

39. एक हाल की कम से कम ऊँचाई जिसमें हैंडबाल, बास्केटबाल, टेबल टेनिस व जूडो को समावेशित किया जा सके :

A. 6.7 मी. B. 7.2 मी.

C. 7.6 मी. D. 8.2 मी.

40. 400 मी. ट्रैक जिसकी सीधी लम्बाई 80 मी., 8 लेन (1.22 मी), व ट्रैक के चारों और अतिरिक्त जगह के लिए कितने क्षेत्र की आवश्यकता होगी?

A. 185.28 मी. लम्बाई एवं 105.28 मी चौड़ाई

B. 192.55 मी. लम्बाई एवं 110.55 मी चौड़ाई

C. 218.55 मी. लम्बाई एवं 115.52 मी चौड़ाई

D. 208.52 मी. लम्बाई एवं 112.52 मी चौड़ाई

41. उच्च खेल प्रदर्शन हेतु प्राथमिक तथा अतिरिक्त प्रशिक्षण के साधनों का उपयोग किया जाता है। इनमें से कौन-से अतिरिक्त प्रशिक्षण के साधन हैं?

(*a*) शारीरिक अभ्यास

(*b*) पेडागोगिकल साधन

(*c*) चिकित्सीय एवं फिजियोथेरेपी साधन

(*d*) मनोवैज्ञानिक साधन

(*e*) खेल सामग्री संबंधी साधन

नीचे दिए गए विकल्पों में से सही उत्तर चुनिए :

A. केवल (*a*), (*b*), (*c*) और (*d*)

B. केवल (*a*), (*b*), (*d*) और (*e*)

C. केवल (*b*), (*c*), (*d*) और (*e*)

D. केवल (*a*), (*c*), (*d*) और (*e*)

42. जब कोई व्यक्ति प्रौढ़ होता है जब उम्र बढ़ने की प्रक्रिया के साथ निम्न शारीरिक परिवर्तन परिलक्षिप्त होते हैं :

(*a*) घटे हुए वजन के साथ दुबला शरीर

(*b*) शारीरिक वसा के प्रतिशत में वृद्धि

(*c*) रक्त दाब में ह्रास

(*d*) प्रतिक्रिया समय में वृद्धि

(*e*) बेसल मेटाबॉलिक रेट में कमी

नीचे दिए गए विकल्पों में से सही उत्तर चुनिए :

A. केवल (*a*), (*c*) और (*d*)

B. केवल (*b*), (*d*) और (*e*)

C. केवल (*b*), (*c*) और (*d*)

D. केवल (*a*), (*b*) और (*e*)

43. नीचे दी गई सूची से अर्गोजेनिक सहायक ज्ञात करें :

(*a*) एस्कोर्बिक अम्ल (*b*) एम्फीटामाइन

(*c*) थायमीन (*d*) पैंगेनिक अम्ल

(*e*) ग्लूटामाइन

नीचे दिए गए विकल्पों में से सही उत्तर चुनें :

A. केवल (*a*), (*c*) और (*d*)

B. केवल (*b*), (*d*) और (*e*)

C. केवल (*b*), (*c*) और (*d*)

D. केवल (*a*), (*c*) और (*e*)

44. शॉटपुट में प्रदर्शन के सुधार के लिए खिलाड़ी को तीन आयामों पर ध्यान केंद्रित करना चाहिए :

(*a*) अधिकतम त्वरण

(*b*) मुक्त करने के समय अधिकतम वेग

(*c*) अधिकतम कोण

(*d*) मुक्त करने की ऊँची ऊँचाई

(*e*) आगे के वेग को कम रखना

नीचे दिए गए विकल्पों में से सही उत्तर चुनिए :

A. केवल (*a*), (*b*) और (*c*)

B. केवल (*b*), (*c*) और (*d*)

C. केवल (*c*), (*d*) और (*e*)

D. केवल (*a*), (*c*) और (*d*)

45. यांत्रिक ऊर्जा प्राप्त होती है :

(*a*) आवेग के कारण ऊर्जा

(*b*) गति के कारण ऊर्जा

(*c*) संरचना में बदलाव के कारण ऊर्जा

(*d*) स्थिति के कारण ऊर्जा

नीचे दिए गए विकल्पों में से सही उत्तर चुनिए :

A. केवल (*a*) और (*c*) B. केवल (*b*) और (*d*)

C. केवल (*c*) और (*d*) D. केवल (*a*) और (*b*)

46. टाइप 'A' व्यवहार प्रतिरूप के अभिलक्षण हैं :

(*a*) अत्यधिक प्रतिस्पर्धी अन्तर्नोद

(*b*) अत्यावश्यकता का प्रबल भाव

(*c*) घृणापरक अनुक्रिया

(*d*) सुगमता से उत्पन्न शत्रु भाव

नीचे दिए गए विकल्पों में से सही उत्तर चुनिए :

A. केवल (*a*), (*b*), (*d*) B. केवल (*b*), (*c*), (*d*)

C. केवल (*a*), (*b*), (*c*) D. केवल (*a*), (*c*), (*d*)

47. उपलब्धि अभिप्रेरण एथलीट के निम्नलिखित प्रयास को इंगित करता है :

(*a*) औरों के समतुल्य प्रदर्शन

(*b*) बाधाओं से बाहर आना

(*c*) उत्कृष्टता प्राप्त करना

(*d*) कार्य में निपुणता के प्रयास

नीचे दिए गए विकल्पों में से सही उत्तर चुनिए :

A. केवल (*a*), (*b*) और (*c*)

B. केवल (*a*), (*b*) और (*d*)

C. केवल (*a*), (*c*) और (*d*)

D. केवल (*b*), (*c*) और (*d*)

48. राष्ट्रीय अध्यापक शिक्षा परिषद् (एनसीटीई) 2014 अधिसूचना के अनुसार बी.पी.एड. प्रोग्राम की पाठ्यचर्या निम्नलिखित में से किसके साथ संबद्ध करके बनायी जाएगी :

(*a*) बचपन का अध्याय

(*b*) शिक्षाशास्त्रीय ज्ञान

(*c*) निष्पादन विश्लेषण

(*d*) संचार कौशल

(*e*) शारीरिक शिक्षा का सामाजिक संदर्भ

नीचे दिए गए विकल्पों में से सही उत्तर चुनिए :

A. केवल (*a*), (*b*), (*c*) और (*d*)

B. केवल (*a*), (*c*), (*d*) और (*e*)

C. केवल (*b*), (*c*), (*d*) और (*e*)

D. केवल (*a*), (*b*), (*d*) और (*e*)

49. खेलो इंडिया योजना के मुख्य तत्व/उद्देश्य निम्नलिखित में से कौन से हैं?

(*a*) खेल के मैदान का विकास

(*b*) सामुदायिक प्रशिक्षण विकास

(*c*) शांति और विकास हेतु खेल

(*d*) शारीरिक फिटनेस और कॉलेज स्तर पर खेल निष्पादन में सुधार

(*e*) स्कूल जाने वाले बच्चों के लिए शारीरिक फिटनेस

नीचे दिए गए विकल्पों में से सही उत्तर चुनिए :

A. केवल (*a*), (*c*) और (*e*)

B. केवल (*a*), (*b*), (*c*) और (*e*)

C. केवल (*b*), (*c*), (*d*) और (*e*)

D. केवल (*a*), (*c*) और (*d*)

50. कुछ रोग ऐसे हैं जिन्हें आनुवांशिक अथवा वंशानुगत माना जाता है। निम्नलिखित में से किन रोगों को वंशानुगत विकृति के रूप में माना जाता है?

(*a*) रूबेला [Rubella]

(*b*) थेलासेमिया [Thalassemia]

(*c*) सिकल सेल एनीमिया [Sickle-cell anaemia]

(*d*) पोलियो माइलिटिस [Poliomyelitis]

(*e*) हेमोफीलिया [Haemophilia]

नीचे दिए गए विकल्पों में से सही उत्तर चुनिए :

A. केवल (*a*), (*c*), (*e*) B. केवल (*b*), (*c*), (*e*)

C. केवल (*a*), (*d*), (*e*) D. केवल (*b*), (*c*), (*d*)

51. हेपेटाइटिस 'ए' एक तीव्र संक्रामक रोग है और रोग के संचारण के प्रकार हैं :

(*a*) रक्त एवं त्वचा भेदन द्वारा

(*b*) प्रत्यक्ष एवं अप्रत्यक्ष संपर्क द्वारा

(*c*) वायुनिर्मित बूंदें

(*d*) रोगवाहक संचारण

(*e*) यौन संचारण

नीचे दिए गए विकल्पों में से सही उत्तर चुनिए :

A. केवल (*a*), (*c*) और (*e*)

B. केवल (*b*), (*c*) और (*d*)

C. केवल (*b*), (*d*) और (*e*)

D. केवल (*a*), (*b*) और (*e*)

52. शक्ति क्षमता को निम्नलिखित प्रकार में विभाजित किया जाता है :

(*a*) साधारण शक्ति (*b*) अधिकतम शक्ति

(*c*) सम्बन्धित शक्ति (*d*) विस्फोटक शक्ति

(*e*) शक्ति सहनशीलता

नीचे दिए गए विकल्पों में से सही उत्तर चुनिए :

A. केवल (*a*), (*d*) और (*e*)

B. केवल (*b*), (*d*) और (*e*)

C. केवल (*b*), (*c*) और (*d*)

D. केवल (*b*), (*c*) और (*e*)

53. बाह्य भार का निर्धारण करने वाले चरों को सम्मिलित होते हैं :

(*a*) गति अभ्यास के प्रतिपादन की विशेषता
(*b*) लैक्टिक एसिड का सान्द्रण
(*c*) अभ्यास के प्रकार
(*d*) हृदयगति
(*e*) भार की गहनता

नीचे दिए गए विकल्पों में से सही उत्तर चुनिए :

A. केवल (*a*), (*c*) और (*e*)
B. केवल (*b*), (*c*) और (*d*)
C. केवल (*a*), (*c*) और (*d*)
D. केवल (*a*), (*b*) और (*e*)

54. विचरता (ANOVA) के विश्लेषण में प्रयोग होता है :

(*a*) समूह विचरता के भीतर परीक्षण
(*b*) समूह विचरता के मध्य परीक्षण
(*c*) समूह विचरता की तुलना
(*d*) समूह माध्यों की तुलना

नीचे दिए गए विकल्पों में से सही उत्तर चुनिए :

A. केवल (*a*) और (*b*) B. केवल (*c*) और (*d*)
C. केवल (*a*) और (*c*) D. केवल (*b*) और (*d*)

55. सूमह माध्यों की तुलना के लिए निम्नलिखित में से उपयुक्त परीक्षण का सही विकल्प क्या है?

(*a*) एक समूह : *t*-टेस्ट अथवा *Z*-टेस्ट
(*b*) दो समूह : *t*-टेस्ट अथवा *F*-टेस्ट
(*c*) दो से अधिक समूहः *t*-टेस्ट
(*d*) दो से अधिक समूहः *F*-टेस्ट

नीचे दिए गए विकल्पों में से सही उत्तर चुनिए :

A. केवल (*a*) और (*b*) B. केवल (*b*) और (*c*)
C. केवल (*c*) और (*d*) D. केवल (*a*) और (*d*)

56. एएएचपीईआरडी स्वास्थ संबंधी शारीरिक फिटनेस परीक्षण में कौन-से स्किनफोल्ड्स शामिल होते हैं?

(*a*) ट्राइसेप्स (*b*) सबस्केंपुलर
(*c*) लैटरल एबडोमेन (*d*) सुप्रा इलिआक
(*e*) चेस्ट गिर्थ

नीचे दिए गए विकल्पों में से सही उत्तर चुनिए :

A. केवल (*a*) और (*b*)
B. केवल (*a*), (*b*) और (*d*)
C. केवल (*a*), (*b*) और (*e*)
D. केवल (*b*), (*c*) और (*d*)

57. खेल प्रतियोगिता व्यग्रता परीक्षण (एससीएटी) संबंध में रेनर मार्टेन्स द्वारा प्रदत्त प्रश्नावली से संबंधित निम्नलिखित में से कौन-से कथन सही हैं?

(*a*) प्रश्नावली में 15 मदें हैं।
(*b*) प्रश्नावली में 5 भ्रमपूर्ण मदें हैं।
(*c*) प्रश्नावली को प्रत्येक मद में 5 उत्तर दिये गये हैं।
(*d*) भ्रामक मदों की गिनती नहीं की गई है।

नीचे दिए गए विकल्पों में से सही उत्तर चुनिए :

A. केवल (*a*), (*c*) और (*d*)
B. केवल (*a*), (*b*) और (*d*)
C. केवल (*a*) और (*d*)
D. केवल (*a*) और (*c*)

58. स्थैतिक घर्षण बल निम्न में से किन पहलुओं पर आधारित है?

(*a*) संपर्क सतह क्षेत्र
(*b*) संपर्क सतह क्षेत्र की प्रकृति
(*c*) संपर्क सतह की सामग्री
(*d*) सामान्य क्रिया बल

नीचे दिए गए विकल्पों में से सही उत्तर चुनिए :

A. केवल (*a*), (*b*) और (*c*)
B. केवल (*b*), (*c*) और (*d*)
C. केवल (*a*), (*c*) और (*d*)
D. केवल (*a*), (*b*) और (*d*)

59. निम्नलिखित में से कौन-सा बजट के बारे में सही है?

(*a*) बजट और आय-व्यय का सामान्य लिखित पूर्व आकलन है।
(*b*) बजट एक संस्था को आर्थिक योजना का भविष्य की समय अवधि की रचना अभिव्यक्ति है।
(*c*) बजट एक विशिष्ट विधिवत विधि द्वारा विभिन्न विशिष्ट अवधि के व्यय का लेखा है।
(*d*) बजट प्रबंध योजना व देय अवधि की पालिसी का औपचारिक विवरण है।

नीचे दिए गए विकल्पों में से सही उत्तर चुनिए :

A. केवल (*a*) और (*b*)
B. केवल (*a*), (*b*) और (*c*)

C. केवल (*a*), (*b*) और (*d*)

D. केवल (*b*), (*c*) और (*d*)

60. फर्राटा दौड़ जैसी गतिविधियों के लिए FT फाईबर माँसपेशियों में कौन-से अभिलक्षण उपयुक्त हैं?

(*a*) अत्यधिक ग्लाइकोलिटिक क्षमता

(*b*) कम केशिका घनत्व

(*c*) संकुचन का कम बल

(*d*) कम थकान क्षमता

(*e*) कम ऐरोबिक क्षमता

नीचे दिए गए विकल्पों में से सही उत्तर चुनिए :

A. केवल (*a*), (*b*) और (*e*)

B. केवल (*a*), (*c*) और (*e*)

C. केवल (*b*), (*c*) और (*d*)

D. केवल (*b*), (*d*) और (*e*)

61. निम्नलिखित सेवाएं विद्यालय स्वास्थ्य सेवा के अंतर्गत उपलब्ध कराई जानी अपेक्षित हैं। इनमें से किन्हें शामिल नहीं किया गया है?

(*a*) टीकाकरण

(*b*) सूक्ष्म पोषकतत्त्व प्रबंधन

(*c*) निःशक्तता का प्राथमिक निवारण

(*d*) डी वार्मिंग

(*e*) मध्याह्न भोजन

नीचे दिए गए विकल्पों में से सही उत्तर चुनिए :

A. केवल (*a*), (*c*), (*d*) और (*e*)

B. केवल (*b*), (*c*), (*d*) और (*e*)

C. केवल (*a*), (*b*), (*d*) और (*e*)

D. केवल (*a*), (*b*), (*c*) और (*e*)

62. निम्नलिखित में से कौन-से शारीरिक शिक्षाविद् जर्मनी से थे?

(*a*) जोहान गट्स मुथ्स   (*b*) फ्रैंज नैश्टगेल

(*c*) जोहान बेसडौ   (*d*) फ्रेडरिक लुडविग जॉन

(*e*) पर हेनरिक लिंग

नीचे दिए गए विकल्पों में से सही उत्तर चुनिए :

A. केवल (*a*), (*c*) और (*d*)

B. केवल (*a*), (*d*) और (*e*)

C. केवल (*b*), (*c*) और (*d*)

D. केवल (*a*), (*b*) और (*c*)

63. कंपटीटिव स्टेट एन्जाइटी इन्वेंट्री-2 के संबंध में निम्नलिखित में से कौन से कथन सही हैं?

(*a*) इन्वेंट्री में 25 मदें/प्रश्न होते हैं।

(*b*) इन्वेंट्री में 3 उपमापक होते हैं।

(*c*) इन्वेंट्री के तीन उपमापक हैं : व्यग्रता, संज्ञानात्मक व्यग्रता और आत्मविश्वास।

(*d*) दैहिक व्यग्रता उपमापक में 9 प्रश्न/मदें होती हैं।

(*e*) संज्ञानात्मक व्यग्रता उपमापक में 8 प्रश्न/मदें होती हैं।

नीचे दिए गए विकल्पों में से सही उत्तर चुनिए :

A. केवल (*a*), (*b*), (*c*) और (*d*)

B. केवल (*a*), (*b*) और (*d*)

C. केवल (*b*), (*c*), (*d*) और (*e*)

D. केवल (*b*), (*c*) और (*d*)

64. एनसीटीई अधिसूचना 2014 के अनुसार सीनियर सेकेण्डरी/इण्टरमीडिएट शारीरिक शिक्षा शिक्षक के लिए एम.पी.एस. (2 वर्ष के साथ) निम्नलिखित में से कौन-सी अकादमिक और व्यावसायिक योग्यताएँ आवश्यक हैं?

(*a*) शारीरिक शिक्षा में स्नातक (बी.पी.एड.)

(*b*) शारीरिक शिक्षा में स्नातक (बी.पी.ई.)

(*c*) वैकल्पिक विषय के रूप में शारीरिक शिक्षा के साथ स्नातक

(*d*) स्पोर्ट्स/गेम/एथलेटिक्स में राष्ट्रीय भागीदारी के साथ किसी भी स्ट्रीम में स्नातक डिग्री

नीचे दिए गए विकल्पों में से सही उत्तर चुनिए :

A. केवल (*a*), (*b*) और (*c*)

B. केवल (*a*), (*c*) और (*d*)

C. केवल (*b*), (*c*) और (*d*)

D. केवल (*a*) और (*b*)

65. पैरामेट्रिक परीक्षण में सामान्य पूर्वानुमान होते हैं :

(*a*) यादृच्छिकता   (*b*) अरेखीयता

(*c*) सामान्यता   (*d*) चरों की सजातीयता

नीचे दिए गए विकल्पों में से सही उत्तर चुनिए :

A. केवल (*a*) और (*c*)

B. केवल (*b*) और (*d*)

C. केवल (*a*) और (*b*)

D. केवल (*c*) और (*d*)

66. सूची-I को सूची-II के साथ सुमेलित करें :

सूची-I	**सूची-II**
(*a*) नीचे के चरण में कुहनी के जोड़ का मॉंसपेशीय संकुचन	(*i*) एक्सेंट्रिक
(*b*) नीचे के चरण में कन्धों के जोड़ का मांसपेशीय संकुचन	(*ii*) एकटेन्सर्स
(*c*) नीचे के चरण में घुटने की सक्रिय मांसपेशीय समूह	(*iii*) कॉन्सेंट्रिक
(*d*) ऊपर के चरण में कंधों के सक्रिय मांसपेशीय समूह	(*iv*) फ्लेक्सर्स

नीचे दिए गए विकल्पों में से सही उत्तर का चयन करें :

	(*a*)	(*b*)	(*c*)	(*d*)
A.	(*i*)	(*iv*)	(*i*)	(*iii*)
B.	(*iv*)	(*ii*)	(*iii*)	(*i*)
C.	(*i*)	(*iii*)	(*ii*)	(*iv*)
D.	(*iii*)	(*i*)	(*iv*)	(*ii*)

67. सूची-I को सूची-II के साथ सुमेलित करें :

सूची-I (शारीरिक गतिविधि)	**सूची-II (दक्षता का प्रतिशत)**
(*a*) क्षैतिज रूप से चलना	(*i*) 24–34
(*b*) तैरना (फ्री-स्टाईल)	(*ii*) 10–20
(*c*) साईकिल चलाना	(*iii*) 19–35
(*d*) नौकायन	(*iv*) 3–7

नीचे दिए गए विकल्पों में से सही उत्तर चुनें :

	(*a*)	(*b*)	(*c*)	(*d*)
A.	(*iv*)	(*iii*)	(*ii*)	(*i*)
B.	(*iii*)	(*iv*)	(*i*)	(*ii*)
C.	(*ii*)	(*i*)	(*iv*)	(*iii*)
D.	(*iii*)	(*iv*)	(*ii*)	(*i*)

68. सूची-I को सूची-II के साथ सुमेलित करें :

सूची-I (मांसपेशियां)	**सूची-II (उद्‌गम)**
(*a*) सार्टोरियम	(*i*) प्राक्सिमल टिबिया
(*b*) रेक्टस फेमोरिस	(*ii*) मिडियल टिबिया (पेसांसीरीनस)
(*c*) पॉपलिटियस	(*iii*) एंटीरीयर सुपीरियर इलेक्स्पाइन
(*d*) ग्रसिलिस	(*iv*) एंटीरीयर इंफीरीयर इलेक्स्प

नीचे दिए गए विकल्पों में से सही उत्तर चुनिए :

	(*a*)	(*b*)	(*c*)	(*d*)
A.	(*i*)	(*ii*)	(*iii*)	(*iv*)
B.	(*iv*)	(*iii*)	(*ii*)	(*i*)
C.	(*ii*)	(*iii*)	(*iv*)	(*i*)
D.	(*iii*)	(*iv*)	(*i*)	(*ii*)

69. वर्ष 2019 के ध्यानचंद पुरस्कार विजेताओं के संदर्भ में सूची-I को सूची-II के साथ सुमेलित कीजिए :

सूची-I (नाम)	**सूची-II (गेम/खेल)**
(*a*) निट्टेन किर्टेन	(*i*) कुश्ती
(*b*) मैन्युल फ्रेडरिक	(*ii*) टेनिस
(*c*) मनोज कुमार	(*iii*) टेबल टेनिस
(*d*) अरूप बसाक	(*iv*) हॉकी

नीचे दिए गए विकल्पों में से सही उत्तर चुनिए :

	(*a*)	(*b*)	(*c*)	(*d*)
A.	(*iii*)	(*i*)	(*ii*)	(*iv*)
B.	(*ii*)	(*i*)	(*iii*)	(*iv*)
C.	(*i*)	(*iv*)	(*iii*)	(*ii*)
D.	(*ii*)	(*iv*)	(*i*)	(*iii*)

70. सूची-I को सूची-II को उनकी स्थापना/अस्तित्व में आने के वर्ष आधार पर सुमेलित कीजिए :

सूची-I	**सूची-II**
(*a*) नेशनल फिजिकल फिटनेस ड्राइव	(*i*) 1965
(*b*) नेशनल प्ले फील्ड्स एसोसिएशन ऑफ इंडिया	(*ii*) 1959
(*c*) नेशनल फिटनेस कार्प्स	(*iii*) 2009
(*d*) सेंट्रल एडवायजरी बोर्ड ऑफ फिजिकल एजूकेशन एंड रिक्रीशन	(*iv*) 1950

नीचे दिए गए विकल्पों में से सही उत्तर चुनिए :

	(*a*)	(*b*)	(*c*)	(*d*)
A.	(*i*)	(*ii*)	(*iv*)	(*iii*)
B.	(*i*)	(*iii*)	(*ii*)	(*iv*)
C.	(*ii*)	(*iii*)	(*i*)	(*iv*)
D.	(*ii*)	(*i*)	(*iv*)	(*iii*)

71. सूची-I को सूची-II के साथ सुमेलित करें :

सूची-I	**सूची-II**
(*a*) एल्युमिनियम	(*i*) 75 एमजी/एल
(*b*) कैल्शियम	(*ii*) 250 एमजी/एल
(*c*) क्लोराइड	(*iii*) 5 एमजी/एल
(*d*) जिंक	(*iv*) 0.03 एमजी/एल

नीचे दिए गए विकल्पों में से सही उत्तर चुनें :

	(a)	(b)	(c)	(d)
A.	(iii)	(iv)	(ii)	(i)
B.	(i)	(iii)	(ii)	(iv)
C.	(iv)	(i)	(ii)	(iii)
D.	(iv)	(ii)	(i)	(iii)

72. सूची-I को सूची-II के साथ सुमेलित कीजिए :

सूची-I (प्रशिक्षण चक्र)	सूची-II (समय)
(a) मीसो-चक्र	(i) एक मास से अधिक समय
(b) वार्षिक योजना	(ii) 1-2 सप्ताह
(c) सूक्ष्म-चक्र	(iii) एक वर्ष
(d) मैक्रो-चक्र	(iv) 3-6 सप्ताह

नीचे दिए गए विकल्पों में से सही उत्तर चुनिए :

	(a)	(b)	(c)	(d)
A.	(iv)	(iii)	(ii)	(i)
B.	(i)	(iv)	(iii)	(ii)
C.	(iii)	(ii)	(i)	(iv)
D.	(ii)	(i)	(iv)	(iii)

73. सूची-I को सूची-II के साथ सुमेलित कीजिए :

सूची-I (शरीर के प्रकार)	सूची-II (अभिलाक्षणिक गुण)
(a) थिसिक हैबिटस	(i) लंबा, पतला शरीर
(b) एपोप्लेटिक हैबिटस	(ii) बिना ताकत का शरीर
(c) पिकनिक	(iii) छोटा मोटा शरीर
(d) एस्थेसिक	(iv) ठोस शरीर

नीचे दिए गए विकल्पों में से सही उत्तर चुनिए :

	(a)	(b)	(c)	(d)
A.	(i)	(iii)	(ii)	(iv)
B.	(iii)	(i)	(iv)	(ii)
C.	(i)	(iii)	(iv)	(ii)
D.	(iv)	(iii)	(ii)	(i)

74. सूची-I को सूची-II के साथ सुमेलित करें :

सूची-I (वैधता के प्रकार)	सूची-II (व्याख्या)
(a) सांख्यिकीय वैधता	(i) परीक्षण विषयवस्तु और उद्देश्य के बीच समझौते के प्रसार द्वारा प्रदर्शित परीक्षण की वैधता
(b) पाठ्यचर्या वैधता	(ii) किसी मद का विभेदकारी मान
(c) आनुभविक वैधता	(iii) अनुभव द्वारा सिद्ध हो चुके दिये गये उद्देश्य परीक्षण का मूल्य
(d) मद वैधता	(iv) संख्यात्मक रूप से अभिव्यक्त परीक्षण वैधता

नीचे दिए गए विकल्पों में से सही उत्तर चुनिए :

	(a)	(b)	(c)	(d)
A.	(iv)	(i)	(ii)	(iii)
B.	(iv)	(iii)	(ii)	(i)
C.	(ii)	(i)	(iii)	(iv)
D.	(iv)	(i)	(iii)	(ii)

75. सूची-I को सूची-II के साथ सुमेलित करें :

सूची-I (अभिलाक्षणिक गुण)	सूची-II (व्याख्या)
(a) संसक्ति सहायक है	(i) सूमह में संसक्ति समय के साथ बदल सकती है
(b) संसक्ति प्रभावी है	(ii) समूह एक उद्देश्य के लिए बनाये जाते हैं
(c) संसक्ति बहुआयामी है	(iii) समूह सदस्यों के बीच सदस्यों की सामाजिक अन्योन्यक्रिया संवेदना उत्पन्न करती है
(d) संसक्ति गतिशील है	(iv) वह कारक जो समूह को अक्षुण्ण रखते हैं

नीचे दिए गए विकल्पों में से सही उत्तर चुनिए :

	(a)	(b)	(c)	(d)
A.	(ii)	(iii)	(iv)	(i)
B.	(iv)	(i)	(ii)	(iii)
C.	(iii)	(iv)	(i)	(ii)
D.	(i)	(ii)	(iii)	(iv)

76. शरीर रचना के गुणात्मक विश्लेषण के चरणों को क्रमिक रूप से लगाइए :

(a) गतिविधियों को अस्थायी चरणों में बांटना

(b) गति के संयुक्त क्षेत्र में किसी भी दूरस्थ छोरों की पहचान करना

(c) शामिल जोड़ों और उन जोड़ों के कारण घटित संचलन की पहचान करना

(*d*) माँसपेशीय संकुचन का निर्धारण और प्रत्येक जोड़ में प्रबल सक्रिय माँसपेशीय समूह की पहचान करना।

(*e*) उद्धरणों की पहचान करना जब जोड़ में तीव्र कोणीय त्वरण उत्पन्न होता है और जहाँ यह प्रभाव उत्पन्न होता है।

नीचे दिए गए विकल्पों में से सही उत्तर चुनिए :

A. (*a*), (*c*), (*d*), (*e*), (*b*)
B. (*b*), (*d*), (*a*), (*c*), (*e*)
C. (*c*), (*d*), (*e*), (*b*), (*a*)
D. (*d*), (*e*), (*b*), (*a*), (*c*)

77. तनाव प्रक्रिया में चार अंतर्संबंधित अवस्थाएँ शामिल होती हैं। इन अवस्थाओं को उनके व्युत्पत्ति के क्रम में क्रमानुसार व्यवस्थित कीजिए :

(*a*) मांग का प्रत्यक्षण
(*b*) तनाव अनुक्रिया
(*c*) तनाव के व्यावहारिक परिणाम
(*d*) पर्यावरणीय मांग

नीचे दिए गए विकल्पों में से सही उत्तर चुनिए :

A. (*d*), (*b*), (*a*), (*c*) B. (*b*), (*c*), (*d*), (*a*)
C. (*d*), (*a*), (*b*), (*c*) D. (*a*), (*b*), (*c*), (*d*)

78. निम्नलिखित में से मनोवैज्ञानिक कौशल प्रशिक्षण की अवस्थाओं का सही क्रम चुनिए :

(*a*) अभ्यास अवस्था
(*b*) अधिग्रहण अवस्था
(*c*) समावेशन और अनुप्रयोग अवस्था
(*d*) शिक्षा अवस्था

नीचे दिए गए विकल्पों में से सही उत्तर चुनिए :

A. (*d*), (*b*), (*a*), (*c*) B. (*a*), (*b*), (*c*), (*d*)
C. (*c*), (*d*), (*b*), (*a*) D. (*b*), (*a*), (*d*), (*c*)

79. निम्नलिखित कार्यकलापों को, जिसका शिक्षक को शिक्षण की पूर्व सक्रिय अवस्था में आवश्यक रूप से निर्णय करना होता है, क्रमानुसार प्रथम से अंतिम के क्रम में व्यवस्थित कीजिए :

(*a*) शिक्षण रणनीतियों के बारे में निर्णय
(*b*) लक्ष्यों का निर्धारण
(*c*) शिक्षण रणनीतियों का वितरण
(*d*) प्रस्तुतीकरण हेतु विषयवार मामलों को क्रमबद्ध करना
(*e*) विषयगत मामलों के बारे में निर्णय

नीचे दिए गए विकल्पों में से सही उत्तर चुनिए :

A. (*b*), (*d*), (*e*), (*c*), (*a*)
B. (*b*), (*a*), (*c*), (*d*), (*e*)
C. (*b*), (*a*), (*d*), (*c*), (*e*)
D. (*b*), (*e*), (*d*), (*a*), (*c*)

80. मनुष्य के शरीर में मलेरिया पेरासाइट को लाइफ साइकल (life cycle) को अनुक्रमिक रूप से व्यवस्थित करें :

(*a*) रक्त कोशिकाओं में मेरोज्वाएट्स का प्रवेश करना
(*b*) लीवर में मल्टीप्लिकेशन होना
(*c*) मनुष्य के शरीर में स्पोरोज्वाएट्स का प्रवेश
(*d*) मनुष्य के खून का मच्छर में प्रवेश करना
(*e*) दूषित मच्छर द्वारा व्यक्ति को काटना

नीचे दिए गए विकल्पों में से सही उत्तर चुनिए :

A. (*d*), (*a*), (*c*), (*b*), (*e*)
B. (*e*), (*b*), (*c*), (*a*), (*d*)
C. (*d*), (*b*), (*a*), (*c*), (*e*)
D. (*e*), (*c*), (*b*), (*a*), (*d*)

81. पीरियडाइजेशन के विभिन्न चरणों में लचीलापन विकसित करने हेतु दिए जाने वाले महत्व के हिसाब से व्यवस्थित करें :

(*a*) विश्रांति काल (*b*) तैयारी काल-I
(*c*) तैयारी काल-II (*d*) तैयारी काल-III
(*e*) स्पर्धा

नीचे दिए गए विकल्पों में से सही उत्तर चुनिए :

A. (*a*), (*b*), (*c*), (*d*), (*e*)
B. (*b*), (*a*), (*d*), (*c*), (*e*)
C. (*c*), (*d*), (*a*), (*b*), (*e*)
D. (*b*), (*c*), (*d*), (*e*), (*a*)

82. नमूनीकरण की प्रक्रिया में चरण शामिल होते हैं :

(*a*) संभाव्यता और असंभाव्यता नमूनीकरण के मध्य चयन
(*b*) नमूना इकाई का ब्यौरा देना
(*c*) नमूने को विश्वसनीय बनाना
(*d*) आवश्यक नमूने के आकार का निर्धारण
(*e*) उपयुक्त नमूना प्रारूप का चयन

नीचे दिए गए विकल्पों में से सही उत्तर चुनिए :

A. (*a*), (*b*), (*c*), (*e*), (*d*)
B. (*b*), (*c*), (*a*), (*e*), (*d*)
C. (*e*), (*b*), (*a*), (*d*), (*c*)
D. (*d*), (*c*), (*e*), (*a*), (*b*)

83. परीक्षण के पश्चात् परीक्षण संचालन के निम्नलिखित कर्तव्यों को आरोही क्रम में व्यवस्थित कीजिए :

(*a*) परिणाम की व्याख्या

(*b*) अपरिष्कृत आंकड़े बदलना

(*c*) नियमों के साथ परिणामों की तुलना

(*d*) फोलोअप

(*e*) आंकड़ा पत्र इकट्ठा करना

नीचे दिए गए विकल्पों में से सही उत्तर चुनिए :

A. (*e*), (*c*), (*b*), (*a*), (*d*)
B. (*e*), (*b*), (*a*), (*c*), (*d*)
C. (*e*), (*b*), (*c*), (*a*), (*d*)
D. (*e*), (*b*), (*c*), (*d*), (*a*)

84. निम्नलिखित स्मृति की अवस्थाओं को प्रथम से अंतिम के सही क्रम में व्यवस्थित कीजिए :

(*a*) शिक्षण (*b*) स्मरण

(*c*) पहचान (*d*) प्रतिधारण

नीचे दिए गए विकल्पों में से सही उत्तर चुनिए :

A. (*a*), (*b*), (*c*), (*d*) B. (*a*), (*d*), (*b*), (*c*)
C. (*a*), (*c*), (*d*), (*b*) D. (*a*), (*d*), (*c*), (*b*)

85. निम्नलिखित मांसपेशियों के उद्गम को शीर्षस्थ से निम्नस्थ क्रम में व्यवस्थित कीजिए :

(*a*) पैक्टोरैलिस माइनर

(*b*) सिरेटस पोस्टेरियर इनफीरियर

(*c*) कोरैको ब्रैंकिआटिक्स

(*d*) लिवेटर स्कैपुले

नीचे दिए गए विकल्पों में से सही उत्तर चुनिए :

A. (*c*), (*d*), (*b*), (*a*) B. (*d*), (*c*), (*a*), (*b*)
C. (*d*), (*b*), (*c*), (*a*) D. (*c*), (*b*), (*a*), (*d*)

86. नीचे दो कथन दिए गए हैं :

कथन-I : युग्मित t-टेस्ट का प्रयोग दो संबंधित माध्यों (μ_1 और μ_2) की तुलना के लिए किया जाता है।

कथन-II : t-टेस्ट एक पद्धति है, जिसे आनुमानिक सांख्यिकी के लिए प्रयोग में लाया जाता है।

उपर्युक्त कथनों के आलोक में निम्नांकित विकल्पों में सर्वाधिक उपयुक्त उत्तर चुनें :

A. कथन I और II दोनों सही हैं।

B. कथन I और II दोनों गलत हैं।

C. कथन I सही है, किन्तु कथन II सही नहीं है।

D. कथन I सही नहीं है, किन्तु कथन II सही है।

87. नीचे दो कथन दिए गए हैं, एक को अभिकथन (A) और दूसरे को तर्क (R) कहा गया है :

अभिकथन (A) : फैटफ्री मास एवं लीन बॉडी मास शब्द को सामान्यतया अनुपरिवर्तनीय माना जाता है, जबकि इनमें ऐसा नहीं होना चाहिए।

तर्क (R) : लीन बॉडी मास में अनिवार्य फैट स्टोर का न्यून प्रतिशत (शायद 3% तक), प्रमुखतया केंद्रीय नर्वस सिस्टम के भीतर, बोनमेरो एवं आंतरिक अंग शामिल रहते हैं।

उपर्युक्त कथनों के आलोक में निम्नांकित विकल्पों में से सर्वाधिक उपयुक्त उत्तर चुनें :

A. (A) और (R) दोनों सही हैं और (R), (A) की सही व्याख्या है

B. (A) और (R) दोनों सही हैं और (R), (A) की सही व्याख्या नहीं है।

C. (A) सही है, परन्तु (R) गलत है।

D. (A) गलत है, परन्तु (R) सही है।

88. नीचे दो कथन दिए गए हैं, एक को अभिकथन (A) और दूसरे को तर्क (R) कहा गया है :

अभिकथन (A) : ऊंची कूद के लिए कोई खड़ी अवस्था से चिह्नित है पहले नीचे जाता है।

कारण (R) : खड़ी अवस्था से नीचे जाने पर स्थायित्त्व के अंश में वृद्धि होती है।

उपर्युक्त कथनों के आलोक में निम्नांकित विकल्पों में से सर्वाधिक उपयुक्त उत्तर चुनें :

A. (A) और (R) दोनों सही हैं और (R), (A) की सही व्याख्या है।

B. (A) और (R) दोनों सही हैं और (R), (A) की सही व्याख्या नहीं है।

C. (A) सही है, परन्तु (R) गलत है।

D. (A) गलत है, परन्तु (R) सही है।

89. नीचे दो कथन दिए गए हैं, एक को अभिकथन (A) और दूसरे को तर्क (R) कहा गया है :

अभिकथन (A) : महिला खिलाड़ियों को मासिकधर्म के दौरान प्रशिक्षण और किसी भी खेल को पूरा करने की अनुमति दी जानी चाहिए क्योंकि वे जानती हैं कि अप्रतिकर लक्षण प्रकट नहीं होंगे और उनके प्रदर्शन पर कोई बड़ा प्रभाव नहीं पड़ेगा।

तर्क (R) : मासिकधर्म और गड़बड़ी पर हल्के व्यायाम का कोई व्यापक प्रभाव परिलक्षित नहीं होता जबकि भारी, सघन प्रशिक्षण और प्रतियोगिताओं में कुछ खिलाड़ियों में एमेनोरिया की उत्पत्ति बहुत आम नहीं है।

उपर्युक्त कथनों के आलोक में निम्नांकित विकल्पों में से सही उत्तर चुनें :

A. (A) और (R) दोनों सही हैं और (R), (A) की सही व्याख्या है।

B. (A) और (R) दोनों सही हैं और (R), (A) की सही व्याख्या नहीं है।

C. (A) सही है, परन्तु (R) गलत है।

D. (A) गलत है, परन्तु (R) सही है।

90. नीचे दो कथन दिए गए हैं, एक को अभिकथन (A) और दूसरे को तर्क (R) कहा गया है :

अभिकथन (A) : प्रशिक्षण द्वारा गति प्रदर्शन भी विकसित किया जा सकता है जिस प्रकार शक्ति एवं सहनशीलता।

तर्क (R) : गति का जटिल स्वभाव होता है क्योंकि यह अधिकतम मात्रा में सेन्ट्रल नर्वस सिस्टम पर आधारित होता है।

उपर्युक्त कथनों के आलोक में निम्नांकित विकल्पों में से सही उत्तर चुनें :

A. (A) और (R) दोनों सही हैं और (R), (A) की सही व्याख्या है।

B. (A) और (R) दोनों सही हैं और (R), (A) की सही व्याख्या नहीं है।

C. (A) सही है, परन्तु (R) गलत है।

D. (A) गलत है, परन्तु (R) सही है।

निर्देशः (प्र.सं. 91-95) निम्नलिखित गद्यांश को पढ़िए और प्रश्नों के उत्तर दीजिए :

खिलाड़ियों के सहनशील प्रदर्शन पर आयुर्वेदिक औषधि प्रभाव का एक प्रायोगिक अध्ययन किया गया। इसके लिए शोधकर्ता ने 150 विषयों को यादृच्छिक रूप से तीन समूहों में बांट दिया, जैसे प्रायोगिक (N-50), प्लेसिबो (N-50) और नियंत्रित (N-50)।

उसने प्राकल्पित किया कि इस आयुर्वेदिक दवा के कारण सहनशीलता प्रदर्शन में यह उल्लेखनीय सुधार होगा। प्रयोग को शुरुआत में उसने सभी तीनों समूहों की पूर्व जांच के बाद सप्ताह के बाद उन्होंने उत्तर परीक्षण किया। आंकड़ों के विश्लेषण के लिए उसने एकदिशीय अनोवा टेस्ट (ANOVA test) का प्रयोग किया। गणना के बाद f-वैल्यू 4.25 था। (0.05 स्तर पर f-वैल्यू सारणी मान 3.06 और 0.01 स्तर पर 4.75)। आगे के विश्लेषण के लिए उन्होंने t टेस्ट का प्रयोग किया। प्रायोगिक और प्लेसिबो समूह के मध्य t वैल्यू की गणना 2.10 (0.5 स्तर पर t का सारणी मान (df98) 1.96 और 0.01 स्तर पर सारणी मान 2.58) थी। इसके बाद प्रायोगिक और नियंत्रित समूह के मध्य t का गणना मान 2.12 था। इसी प्रकार प्लेसिबो और नियंत्रित समूह के बीच t वैल्यू का गणना मान 1.26 था।

91. निम्नलिखित में कौन-सा/से सही है?

(*a*) प्रायोगिक और प्लेसिबो समूह के बीच 0.05 के स्तर पर एक उल्लेखनीय अंतर पाया गया।

(*b*) प्रायोगिक और प्लेसिबो समूह के मध्य 0.01 के स्तर पर एक उल्लेखनीय अंतर पाया गया।

(*c*) नियंत्रित और प्लेसिबो समूह के मध्य भी उल्लेखनीय अंतर नहीं पाया गया।

सही विकल्प चुनें :

A. केवल (*a*) सही है।

B. केवल (*a*) और (*c*) सही हैं।

C. केवल (*b*) सही है।

D. केवल (*b*) और (*c*) सही हैं।

92. इस अध्ययन में प्राक्कल्पना का कौन-सा प्रकार लिया गया?

A. शून्य प्राक्कल्पना

B. निर्देशित (नकारात्मक) प्राक्कल्पना

C. निर्देशित (सकारात्मक) प्राक्कल्पना

D. वर्णित प्राक्कल्पना

93. निम्नलिखित में कौन-सा/से गणना के बाद f वैल्यू के लिए सही है?

(*a*) F-अनुपात 0.05 स्तर पर उल्लेखनीय है।

(*b*) F-अनुपात 0.01 स्तर पर उल्लेखनीय है।

(*c*) F-अनुपात किसी भी स्तर पर उल्लेखनीय नहीं है।

सही विकल्प चुनें :

A. केवल (*a*) सही है।

B. केवल (*b*) सही है।

C. केवल (*c*) सही है।

D. केवल (*a*) और (*b*) सही हैं।

94. निम्नलिखित में कौन-सा/से चरों के अध्ययन के बारे में सही हैं?

A. सहनशीलता स्वतंत्र चर है।

B. आहार (आयुर्वेदिक औषधि) निर्भर चर है।

C. सहनशीलता निर्भर चर है।

D. आहार (आयुर्वेदिक औषधि) स्वतंत्र चर है।

95. समूहों के भीतर और समूहों के मध्य स्वतंत्रता का माप होगा :

A. 2 और 147 B. 3 और 150

C. 3 और 148 D. 2 और 148

निर्देशः (प्र.सं. 96-100) निम्नलिखित गद्यांश को पढ़िए और प्रश्नों के उत्तर दीजिए :

अनुसंधान से विदित हुआ है कि गति–कौशल का अधिगम (learning) विशिष्ट है। यह प्रात्याक्षिक गति संवेग पर भी लागू होता है चूंकि प्रतिवर्त क्रिया को छोड़कर समस्त स्वैच्छिक संवेगों से प्रत्यक्षण शामिल होता है। गति अधिगम में दृश्य प्रत्यक्षण बहुत महत्वपूर्ण है लेकिन ज्ञान की प्राप्ति ध्वनि, स्पर्श, घ्राण, स्वाद एवं शारीरिक स्थिति की सजगता के माध्यमों से की जा सकती है। जटिल गति क्रियाकलापों में ऐसे संवेगों को एकीकृत रूप में प्रयोग में लाया जाता है। उदाहरण के रूप में बास्केटबाल के खेल में खिलाड़ी बास्केट को शूट करने के लिए दृष्टि, रेफरी को सुनने के लिए ध्वनि, गेंद को महसूस करने के लिए स्पर्श एवं बास्केट तथा अन्य खिलाड़ियों के संबंध में उनकी शारीरिक स्थिति का पता लगाने के लिए गति संवेग का प्रयोग करते हैं।

दृश्य प्रणाली का प्रभावी नियंत्रण दृष्टि-तीक्ष्ण-वस्तुओं को सुस्पष्टता के साथ देखने की क्षमता, प्रात्यक्षिक स्थिरता-वास्तु के आकार-प्रकार एवं रंग में फर्क यदि कोई है, का पता लगाने की क्षमता, गहनता प्रत्यक्षण-वस्तुओं के बीच की दूरी को जानने की सजगता की क्षमता, दृश्य लक्ष्यानुसरण गतिमान वस्तु का पता लगाने की क्षमता पर निर्भर करता है।

प्रत्यक्षण की भांति ही श्रवण बोध में उप-कौशल शामिल है और ये हैं– सजगता ध्वनि है अथवा नहीं, इसका पता लगाने की क्षमता, विभेदन-ध्वनियों की आवृत्ति एवं विभिन्न बलों के बीच विभेद करने की क्षमता, दिशा-बोध-ध्वनि के आने की दिशा का पता लगाने की क्षमता आकृति-भूमि–एक ही समय में होने वाली अन्य कोलाहल ध्वनियों में से विशेष ध्वनि का पता लगाने की क्षमता।

गतिसंवेगी प्रणाली में सूचना प्राप्त करने के लिए आंख अथवा कान का प्रयोग करने की बजाए गतिसंवेगी प्रणाली जोड़ों में स्थित प्रोपिसेप्टर का प्रयोग करती है। गतिसंवेगी प्रत्यक्षण से संबंधित तीन मुख्य कौशल हैं– बेलेंस-गुरुत्वाकर्षण के सन्दर्भ में शरीर की पोजीशन की व्यक्ति की क्षमता, शरीर सजगता का संबंध खेल में शरीर की स्थिति के बारे में समझ एवं पार्श्विकता–शरीर के दोनों तरफ (दायें एवं बायें) के बीच के भेद की क्षमता।

96. खड़े होने की स्थिति में [standup position] शरीर को को दायें अथवा बायीं ओर झुकाना विशिष्ट गतिसंवेगी प्रत्यक्षण [kinesthetic perception] है और इसे क्या कहते हैं?

A. दिशा सजगता [direction ability]

B. शरीर सजगता [body awareness]

C. पार्श्विकता [laterality]

D. आकार भूमि [Figure-ground]

97. शारीरिक शिक्षा की कक्षा में विभिन्न स्वरों के बीच में से अध्यापक की सीटी की पहचान करना विशिष्ट श्रवणबोध प्रत्यक्षण पर निर्भर करता है और वह है :

A. विभेदन B. आकार-भूमि

C. दिशा-सक्षमता D. शरीर सजगता

98. झूलती हुई गेंद देखने को विशिष्ट दृष्टि प्रत्यक्षण (visual perception) में क्या कहते हैं?

A. दृश्य लक्ष्यानुसरण B. दृष्टि तीक्ष्णता

C. गहनता प्रत्यक्षण D. प्रात्यक्षिक स्थिरता

99. समस्त स्वैच्छिक संवेगों में प्रत्यक्षण होता है। ऐसे विविध संवेगी आगतों का पता लगायें जो प्रत्यक्षण से संबंधित हैं :

(*a*) दृष्टि (*b*) श्रवण बोध
(*c*) गतिसंवेगी (*d*) परिवर्त क्रिया
(*e*) स्पर्शनीय

A. (*a*), (*c*), (*d*), (*e*) B. (*a*), (*b*), (*c*), (*e*)
C. (*b*), (*c*), (*d*), (*e*) D. (*a*), (*b*), (*c*), (*d*)

100. गेंद को दूर की बास्केट में फेंकने की बजाय पास की बास्केट में फेंकने को क्या कहते हैं?

A. दृश्यलक्ष्यानुसरण B. दृश्य स्थिरता
C. दिशा सक्षमता D. गहनता प्रत्यक्षण

उत्तरमाला

1	2	3	4	5	6	7	8	9	10
C	B	D	C	D	D	B	A	B	A
11	**12**	**13**	**14**	**15**	**16**	**17**	**18**	**19**	**20**
D	B	A	D	C	C	D	C	D	B
21	**22**	**23**	**24**	**25**	**26**	**27**	**28**	**29**	**30**
D	C	A	D	C	D	A	C	C	B
31	**32**	**33**	**34**	**35**	**36**	**37**	**38**	**39**	**40**
D	B	B	D	B	A	C	D	A	A
41	**42**	**43**	**44**	**45**	**46**	**47**	**48**	**49**	**50**
C	D	D	B	B	A	D	D	B	B
51	**52**	**53**	**54**	**55**	**56**	**57**	**58**	**59**	**60**
D	B	A	D	D	A	B	B	C	A
61	**62**	**63**	**64**	**65**	**66**	**67**	**68**	**69**	**70**
C	A	D	D	A	C	B	D	D	C
71	**72**	**73**	**74**	**75**	**76**	**77**	**78**	**79**	**80**
C	A	C	D	A	A	C	A	D	D
81	**82**	**83**	**84**	**85**	**86**	**87**	**88**	**89**	**90**
D	C	C	B	B	A	A	B	B	D
91	**92**	**93**	**94**	**95**	**96**	**97**	**98**	**99**	**100**
B	C	A	D	A	C	B	A	B	D

व्याख्यात्मक उत्तर

1. शारीरिक शिक्षा का क्षेत्र प्राथमिक रूप से मानव चलन (Human movement) के अध्ययन पर केन्द्रित है। शारीरिक शिक्षा दो शब्दों के मेल से बना एक विस्तृत शब्द है। शारीरिक शिक्षा दो अलग-अलग शब्दों 'शारीरिक' तथा 'शिक्षा' से मिलकर बना है। इसमें 'शारीरिक' शब्द का साधारण अर्थ शरीर से सम्बन्धित विभिन्न क्रियाओं एवं गतिविधियों से है। इसका संबंध किसी एक, एक से अधिक या सभी शारीरिक विशिष्टताओं से हो सकता है। यह सामान्यतः शारीरिक बनावट, शारीरिक स्वास्थ्य, शारीरिक फिटनेस, शारीरिक क्षमता एवं शारीरिक आवश्यकताओं आदि के रूप में भी जाना जाता है।

'शिक्षा' शब्द से अभिप्राय क्रमबद्ध व सुव्यवस्थित रूप से निर्देश, क्रमबद्ध तरीके से तैयारी, उचित दृष्टिकोण, किसी कार्य विशेष के दृष्टिगत दिये जाने वाले दिशा-निर्देश तथा सही मान्यतायें विकसित करने से है।

इन दोनों शब्दों का संयुक्त अर्थ "शारीरिक क्रिया कार्यकलापों के व्यवस्थित व क्रमबद्ध निर्देशन एवं प्रशिक्षण से लिया जाना चाहिए जो मनुष्य को शारीरिक रूप से विकसित करने व उसे बनाये रखने तथा शारीरिक शक्तियों के संचरण के लिए अत्यन्त आवश्यक है।"

शिक्षा से अभिप्राय व्यवस्थित कार्यकलाप व कार्यपद्धति से है। कोई भी मनुष्य कार्यकलापों के द्वारा ही कुछ सीखता है। शिक्षा केवल एक कमरे तक सीमित न होकर खेल के मैदान, पुस्तकालय, घर यहाँ तक कि समाज में प्रत्येक स्थान पर सीखी जा सकती है। ऐसी शिक्षा मानव के व्यक्तिगत जीवन को समृद्ध बनाने में प्रेरणा का कार्य करती है।

2. शारीरिक शिक्षा के स्नायुमांसपेशीय विकास के उद्देश्य अर्जन का परीक्षण जॉनसन बास्केटबॉल योग्यता परीक्षण द्वारा किया जाता है। इस परीक्षण में तीन क्रियाओं का प्रयोग किया जाता है :

- फील्ड गोल स्पीड टैस्ट (Field Goal Speed Test)
- बास्केटबॉल प्रक्षेप अचूकता के लिए (Basketball throw for accuracy)
- ड्रिबल (Dribble)

परीक्षण की विश्वसनीयता (Reliability) .890 है और इसकी वैधता (Validity) .0880 है।

4. दर्शनशास्त्र का वह सिद्धांत जो खेल का समर्थन शैक्षिक प्रक्रिया के महत्वपूर्ण भाग के रूप में करता है, वह प्रकृतिवाद है। पाश्चात्य दार्शनिक विचारधारा के अन्तर्गत प्रकृतिवाद सबसे पुरातन है। इसका उद्भव 18वीं शताब्दी की यूरोप की सामाजिक, आर्थिक, राजनीतिक, धार्मिक एवं शैक्षणिक क्षेत्र की क्रान्ति के परिणामस्वरूप हुआ। प्रकृतिवादी मत के दो समर्थक वाल्टेयर (Waltair) एवं रूसो (Rousseau) थे। इनका मानना था कि मनुष्य धार्मिक एवं सामाजिक बन्धनों से मुक्त हो जिससे कि वह अपने जीवन एवं नैतिक स्तर को बढ़ा सकें। इस विचारधारा के अन्य समर्थक एवं पोषकों के अन्तर्गत अरस्तू, कॉम्टे, हॉब्स, बेकन, डार्विन, लैमार्क, हक्सले, स्पेन्सर, बर्नार्ड शॉ आदि चिन्तकों का नाम आता है।

प्रकृतिवाद अपने शुद्ध रूप से वैज्ञानिक विचारधारा पर केन्द्रित है। यह प्रकृति को सर्वोच्च सत्ता के रूप में स्वीकार करता है। यह अलौकिक और पारलौकिक को नहीं मानता है। इस मत के अनुसार इस संसार का कारण और कर्ता दोनों ही प्रकृति है। प्रकृतिवाद में भौतिक तत्वों को प्रधानता प्रदान की गई है। संक्षिप्त रूप में हम कह सकते हैं "प्रकृतिवाद यह विचारधारा है जो आध्यात्मिक तत्वों को अस्वीकार करते हुए प्रकृति को अन्तिम सत्ता मानती है और मानव के प्राकृतिक स्वरूप के आधार पर सभी वस्तुओं की व्याख्या करती है।"

रूसो ने अपनी पुस्तक एमाइल (Emile) में बालकों के विभिन्न स्तरों के लिये विभिन्न प्रकार के पाठ्यक्रम का सुझाव दिया है। इसमें उन्होंने बालक के आयु के विकास के अनुसार शिक्षा तथा विषयों की अवस्था का वर्णन किया है। उन्होंने पाठ्यक्रम के सम्बन्ध में अपने विचार निम्न प्रकार प्रस्तुत किये हैं :

- प्रारम्भिक अवस्था में बालकों को किसी प्रकार की शिक्षा न दी जाये। उन्हें समाज से दूर उन्मुक्त वातावरण में प्राकृतिक ढंग से विकसित होने का अवसर प्रदान किया जाये।
- शैशवावस्था में बालकों से विभिन्न प्रकार की क्रियायें करवायी जायें। बालक को फूलों, पत्तों, पेड़ों की डालियों से खेलने दें। उनको मापना, तोलना व गिनना सिखाया जाये।
- बाल्यावस्था में बालकों को ज्ञानेन्द्रियों की शिक्षा दी जाये। वे दौड़ने लगे, उछले-कूदे, भागे और तैरना सीखें।
- किशोरावस्था में पाठ्यक्रम में भाषा, गणित, संगीत तथा हस्तकलाओं को सम्मिलित करना चाहिये।
- युवावस्था में बालकों को संवेगों पर नियन्त्रण करने का प्रशिक्षण देना चाहिये।

5. **आइसोकाइनेटिक व्यायाम (Isokinetic Exercises):** आइसोकाइनेटिक व्यायाम विशेष रूप से निर्मित मशीनों की सहायता से किए जाते हैं। सन् 1968 में पेरीन (Perrine) ने इस प्रकार के व्यायामों को विकसित किया। इन व्यायामों के द्वारा एक विशेष प्रकार का

पेशीय संकुचन होता है, जिसका प्रयोग सामान्य रूप से खेलों में नहीं किया जाता। इस प्रकार के व्यायामों का प्रयोग केवल पानी वाले खेलों में किया जाता है; जैसे—नाव खेना (Rowing) और तैरना (Swimming) आदि में। आइसोटोनिक व्यायाम में गति की सीमा के किसी एक विशेष कोण पर मांसपेशीय संकुचन द्वारा अधिकतम शक्ति लगाई जाती है, जबकि आइसोकाइनेटिक व्यायाम में मांसपेशियों के संकुचन के द्वारा गति की पूरी सीमा तक अधिकतम शक्ति लगाई जाती है। इसमें व्यक्तिगत क्षमता के अनुसार संकुचन की गति में आवश्यक परिवर्तन कर लिया जाता है। जो व्यक्ति मशीन पर आइसोकाइनेटिक व्यायाम करता है, उसको यह ध्यान रखना चाहिए कि वह गति की पूरी सीमा तक शक्ति लगाता रहे। पुनरावृत्ति (Repetition) की संख्या को निश्चित करके और गति को कम या अधिक करके आइसोकाइनेटिक व्यायाम का शक्ति के विकास में प्रभावशाली ढंग से प्रयोग किया जा सकता है। इस प्रकार के व्यायामों की सहायता से विस्फोटक शक्ति सहन-क्षमता में भी वृद्धि की जा सकती है।

6. खिंचाव (Strain) प्रायः मांसपेशी की चोट होती है। पेशी खिंचाव साधारण भी हो सकता और असाधारण भी। कई बार पूरी-पूरी मांसपेशी खराब हो जाती है। ऐसी दशा में उस हिस्से को हिलाना भी असंभव हो जाता है, जहां से मांसपेशी अधिक खराब हुई हो। वहां पर असहनीय दर्द भी हो सकता है। अत्यधिक प्रशिक्षण, अभ्यास या प्रतियोगिता के दौरान ऐसी अनेक स्थितियां हो सकती हैं, जिनके कारण पेशी खिंचाव हो सकता है। मोच (Sprain) लिगामेंट की चोट होती है। यह अधिक खिंचाव या लिगामेंट के फटने के फलस्वरूप हो जाती है। सामान्यतया, मोच कोहनी के जोड़ या टखने के जोड़ पर होती है।

8. एरोबिक क्रियाएँ (Aerobic Activities): एरोबिक प्रशिक्षण में सघनता कम होती है तथा क्रिया की अवधि लम्बी होती है। एरोबिक प्रणाली में ऑक्सीजन का प्रयोग किया जाता है। लगातार लम्बी अवधि तक क्रिया करने पर कार्बोहाइड्रेटस व वसा का Brack down करके कई गुणा अधिक मात्रा में ऊर्जा उत्पन्न की जाती है। हमारे शरीर को लम्बा व्यायाम करने के लिए ऑक्सीजन की अत्याधिक आवश्यकता होती है। इसलिए हमारे शरीर की ऑक्सीजन प्रयोग क्षमता हमारे (Cardio-vascular System) पर निर्भर करती है। अर्थात् फेफड़ों, हृदय और रक्त के द्वारा ही हमारे शरीर में ऑक्सीजन पहुँचती है। लम्बी अवधि के व्यायाम में माँसपेशियों को ज्यादा से ज्यादा मात्रा में ऑक्सीजन की आवश्यकता होती है तथा कार्बन डाईआक्साइड भी अधिक मात्रा में पैदा होती है। एरोबिक क्रियाओं द्वारा हम लम्बी अवधि तक अपने शरीर की ऑक्सीजन की माँग को पूरा कर सकते हैं। ऑक्सीजन पुष्टि के विकास के लिए निम्नलिखित एरोबिक क्रियाएँ प्रयोग में लाई जाती हैं।

9. केन्द्रीय प्रदूषण नियंत्रण बोर्ड, दिल्ली के अनुसार वायु गुणवत्ता इंडेक्स

वायु गुणवत्ता	**स्वास्थ्य पर प्रभाव**
अच्छा (0-50)	कुछ नहीं
संतोषजनक (51-100)	संवेदनशील लोगों को सांस लेने में तकलीफ हो सकती है।
थोड़ा प्रदूषित (101-200)	फेफड़े की बीमारी जैसे अस्थमा, और हृदय रोग, बच्चों और बड़े वयस्कों के साथ लोगों को असुविधा के कारण सांस लेने में तकलीफ हो सकती है।
खराब (201-300)	लंबे समय तक ऐसा रहने पर लोगों को सांस लेने में तकलीफ और हृदय रोग से पीड़ित लोगों को बहुत असुविधा हो सकती है।
बहुत खराब (301-400)	लंबे समय तक ऐसा रहने पर लोगों को सांस की बीमारी हो सकती है। फेफड़े और दिल की बीमारियों वाले लोगों पर प्रभाव अधिक खतरनाक हो सकती है।
गंभीर (401-500)	यह आपातकाल कहा जायेगा, स्वस्थ लोगों का भी श्वसन खराब हो सकता है। फेफड़ें/हृदय रोग वाले लोगों का प्रभाव गंभीर रूप से प्रभावित हो सकता है, अतः पूरी तरह से घर के अंदर रहे।

12. वर्तमान में जारी योजना राजीव गांधी खेल अभियान (आरजीकेए), शहरी खेल आधारभूत संरचना योजना (यूएसआईएस) और राष्ट्रीय खेल प्रतिभा खोज प्रणाली कार्यक्रम (एनएसटीएसएसपी) को समाहित करने के बाद 2016-2017 के दौरान एक नई समग्र योजना 'खेलो इंडिया' शुरू की गई थी।

राज्यों और केंद्र शासित प्रदेशों के खेल विभागों सहित सभी हितधारकों के साथ बहुत विचार-विमर्श करने के बाद नवीकृत 'खेलो इंडिया' को विकसित किया गया है। यह योजना केंद्रीय क्षेत्र की योजना के रूप में लागू की जा रही है। नवीकृत खेलो इंडिया में बारह घटक हैं जिसका उद्देश्य राष्ट्रीय खेल नीति 2001 के दो लक्ष्यों को हासिल करना है। ये लक्ष्य हैं– खेलों का आधार व्यापक बनाना और खेलों में श्रेष्ठता हासिल करना। इससे देश में खेल संस्कृति को बढ़ावा मिलेगा और इससे वे लाभ भी मिल सकेंगे जो खेल प्रदान करता है अर्थात्, बच्चों और युवाओं का विकास, सामुदायिक विकास, लड़के-लड़की में समानता, स्वस्थ राष्ट्र, राष्ट्रीय गौरव और खेल विकास संबंधी आर्थिक अवसरों में बढ़ोतरी।

16. **एक अच्छे नेता के गुण :** कुल मिलाकर ऐसी 18,000 विशेषताएँ हैं जो अंवेषकों/शोधकर्ताओं द्वारा पहचानी गई हैं। अच्छे नेता के गुण, जो इस विषय पर जिन्हें महारत हासिल है, द्वारा बताए गए हैं, नीचे दिए गए हैं–

- ऊर्जा, भावात्मक स्थिरता, मानवीय संबंधी का ज्ञान, अभिप्रेरणा, संप्रेषण, कौशल, शिक्षण-योग्यता, सामाजिक कौशल तथा तकनीकी दक्षता। **जॉर्ज टेरी**
- ओजस्विता, धैर्य/सहनशीलता, निर्णय लेने की क्षमता/दृढ़संकल्प, काम में लगे रहना, व्यवहार में स्थिरता, बौद्धिक योग्यता तथा ज्ञान। **चेस्टर बर्नार्ड**
- शारीरिक तथा ओजस्वी (तंत्रिकीय) ऊर्जा, उत्साह, उद्देश्यपूर्ण तथा दिशाज्ञान, तकनीकी निपुणता, मैत्रीपूर्ण तथा स्नेही, दृढ़संकल्प। **ओर्डवे टैड**
- साहस, आत्म-विश्वास, नैतिक गुण, निज-त्याग, पैतृकवाद, न्यायसंगत/निष्पक्ष। **हिल**
- शारीरिक/भौतिक तथा निर्धारक कारक, बुद्धिमत्ता, आत्म-विश्वास, सामाजिकता, इच्छाशक्ति तथा प्रभुत्व। **स्टोगिल**

इस प्रकार उपर्युक्त परिभाषा के आधार पर स्पष्ट होता है कि अधैर्य (Impatience) सफल नेतृत्व का गुण नहीं है।

17. पाठ-योजना किसी विषयवस्तु की उस छोटी इकाई अथवा इकाइयों को कहते हैं जिसे अथवा जिन्हें शिक्षक किसी निश्चित कालांश में पढ़ाता है। सफल और प्रभावशाली शिक्षण के लिए पाठ-योजना का निर्माण प्रथम व महत्वपूर्ण पद हैं। अध्यापक के लिए यह जानना आवश्यक है कि उसे क्या पढ़ाना है तथा कैसे पढ़ाना है। उसे पाठ का उद्देश्य स्पष्ट होना आवश्यक है। उसे यह भी जानना आवश्यक है कि वह छात्रों के सामाजिक व भौतिक वातावरण के आधार पर पाठ-योजना में किन क्रियाओं का समावेश करें।

पाठ-योजना का निर्माण करने के लिए शिक्षाशास्त्रियों ने अपनी-अपनी मौलिक धारणाओं तथा शिक्षा सिद्धांतों को दृष्टि में रखते हुए अलग-अलग समयों में अलग-अलग बातों पर जोर दिया है। पाठ-योजना के निर्माण के मुख्य उपागम निम्न हैं–

- हर्बर्ट की पंचपद प्रणाली।
- डीवी तथा किलपैट्रिक उपागम।
- मौरसिन अथवा इकाई उपागम।
- अमेरिकन उपागम।
- ब्रिटिश उपागम।
- भारतीय उपागम।
- ब्लूम अथवा मूल्यांकन दृष्टिकोण।

19. **अंतर्राष्ट्रीय योग दिवस :** पहला अंतर्राष्ट्रीय योग दिवस 21 जून, 2015 को दुनिया भर में मनाया गया था। भारत में इस दिवस को मनाने की पूरी जिम्मेदारी भारत सरकार के आयुष (आयुर्वेद, योग और प्राकृतिक चिकित्सा, यूनानी, सिद्ध और होम्योपैथी) मंत्रालय द्वारा की गयी थी। भारत में इंडिया गेट पर आयोजित 35 मिनट के इस कार्यक्रम में 21 आसनों को किया गया था जिसमें लगभग 35,985 लोगों सहित 84 देशों के गणमान्य व्यक्तियों ने हिस्सा लिया था। इस घटना को गिनीज बुक ऑफ वर्ल्ड रेकॉर्ड्स में भी दर्ज किया गया है। इस गिनीज पुरस्कार को आयुष मंत्रालय की ओर से श्रीपद येसो नाइक ने ग्रहण किया था।

इसकी सार्वभौमिक अपील को स्वीकार करते हुए। 11 दिसंबर, 2014 को, संयुक्त राष्ट्र ने रेसोल्यूशन 69/131 के द्वारा 21 जून को अंतर्राष्ट्रीय योग दिवस के रूप में घोषित किया। अंतर्राष्ट्रीय योग दिवस की स्थापना का मसौदा भारत द्वारा प्रस्तावित किया गया था और 175 देशों द्वारा इसका समर्थन किया गया था। प्रस्ताव को पहली बार प्रधानमंत्री नरेन्द्र मोदी ने महासभा के 69वें सत्र के उद्घाटन के दौरान अपने संबोधन में पेश किया था। संयुक्त राष्ट्र महासभा द्वारा प्रस्तावित किसी भी मसौदा प्रस्ताव के लिए मिलने वाला सबसे बड़ा समर्थन था।

21. व्यायाम के लाभ (Benefits of Exercise) : नियमित रूप से व्यायाम करने से शरीर सुन्दर, सुडौल एवं ओजस्वी बनता है। व्यायाम करने से माँसपेशियाँ सुविकसित होती हैं व शरीर की कार्यक्षमता में भी वृद्धि होती है। व्यायाम के परिणामस्वरूप व्यक्ति शारीरिक एवं मानसिक रूप से स्वस्थ रहते हैं। व्यायाम करते समय श्वसन क्रिया तीव्र हो जाती है तथा अधिक मात्रा में ऑक्सीजन ग्रहण की जाती है। पर्याप्त मात्रा में ऑक्सीजन ग्रहण करने से रक्त भी शुद्ध होता है तथा शरीर से अनेक व्यर्थ पदार्थ बाहर निकल जाते हैं। व्यायाम करने से पाचन क्रिया ठीक हो जाती है तथा भूख बढ़ती है। व्यायाम करने से नींद भी अच्छी आती है। प्राणायाम से व्यक्ति के शारीरिक, मानसिक, संवेगात्मक तथा आत्मिक सभी पक्षों में लाभ होता है। इस प्रकार व्यायाम से व्यवहार में भी सुधार होता है यह कथन गलत है।

22. हैजा दस्त/अतिसार/डायरिया वाला रोग है, जो कि विब्रियो कोलरा बैक्टीरिया के कारण होता है। यह प्रजाति मनुष्य के लिए सामान्य नहीं है। मानव पाचन तंत्र में, बैक्टीरिया की उपस्थिति उसके मूल जीवन चक्र का स्वाभाविक हिस्सा नहीं है। हैजा के बैक्टीरिया व्यक्ति में दूषित भोजन खाने या पानी पीने के माध्यम से संक्रमित हो सकता है। इस बीमारी के कारण रोगी के शरीर में जल की कमी हो जाती है तथा रक्त का संचार धीमा पड़ जाता हैं। उल्टी दस्त के साथ शरीर का सारा जल निकल जाता है जिसके कारण प्यास बहुत बढ़ जाती है। उपचार– हैजे का टीका लगवाना चाहिए। पानी को उबालकर पीना चाहिए।

23. जलना व झुलसना (Burns and Scalds) : गर्म धातु, आग या रासायनिक पदार्थ के संपर्क में आने से त्वचा जल जाती है या झुलस जाती है। इससे कभी-कभी त्वचा, मांसपेशियाँ और ऊतक (tissues) नष्ट हो जाते हैं। गर्म तेल, पानी, भाप, चाय, दूध के पड़ने से भी झुलस व जल जाती है। व्यक्ति को असहनीय दर्द होता है। कपड़े शरीर से चिपक जाते हैं। अधिक जलने पर व्यक्ति की मृत्यु भी हो सकती है।

उपचार (Treatment)

- अगर कपड़ों में आग लगी हो, तो व्यक्ति को भागना नहीं चाहिए, बल्कि जमीन पर लोट-पोटकर होकर आग बुझाने की कोशिश करनी चाहिए।
- व्यक्ति को कम्बल या मोटे कपड़े से ढँकना चाहिए।
- जले भाग का बहुत सावधानी से उपचार करना चाहिए।
- शरीर पर पड़े जलने व झुलसने के स्थान पर बरनॉल या अन्य एंटीसेप्टिक क्रीम लगानी चाहिए।
- बच्चों या बड़ों के हाथ या शरीर पर उसी समय टूथपेस्ट लगाने से भी ठंडक पड़ जाती है।
- जले व झुलसे स्थान पर बर्फ मलनी चाहिए।
- रसायन से जलने पर दाग पर ठंडा पानी डालना चाहिए।
- यदि छाले पड़ गये हों, तो उन्हें फोड़ना नहीं चाहिए।
- रूई से सोडियम बाईकार्बोनेट के घोल को लगाना चाहिए।
- अगर व्यक्ति सदमे की हालत में है, तो उसे सहानुभूतिपूर्वक व्यवहार करके सदमे का उपचार करना चाहिए।
- रोगी को पानी में ½ चम्चम नमक डालकर पिलाना चाहिए।
- जल्दी-से-जल्दी डॉक्टरी सहायता पहुँचानी चाहिए।

24. "फिटनेस या स्वस्थता वह स्थिति है, जो व्यक्ति द्वारा किए जा सकने वाले कार्यों की डिग्री या परिमाण को लक्षित करे। फिटनेस व्यक्तिगत मामला है। यह प्रत्येक व्यक्ति को उसकी अंतःशक्ति के साथ अत्यधिक प्रभावी तरीके से क्रियान्वित करने की योग्यता प्रदान करती है। कार्य करने की क्षमता या योग्यता फिटनेस के शारीरिक, मानसिक, भावनात्मक एवं सामाजिक तत्वों पर निर्भर करती है, ये सभी एक-दूसरे से जुड़े हैं एवं परस्पर अन्योन्याश्रित हैं।"

स्वास्थ्य संबंधी फिटनेस के पाँच घटक निम्नलिखित हैं :

- लचीलापन (Flexibility)
- शरीर की संरचना (Body composition)
- हृदय की धीरज (Cardiovascular endurance)
- मांसपेशियों की शक्ति (Muscular strenght)
- मांसपेशियों की धीरज (Muscular endurance)

स्वास्थ्य संबंधी फिटनेस घटक में रिएक्शन टाइम नहीं है।

29. **गुणांक अल्फा (Coefficient alpha) :** आंतरिक संगतता विश्वसनीयता (internal consistency reliability) का आकलन गुणांक अल्फा (coefficient alpha) द्वारा ज्ञात करने की विधि का प्रतिपादन क्रॉनबैक द्वारा मूलतः किया गया है। परंतु इसके विकास और कैसर एवं माइकेल एवं नोविक तथा लेविस द्वारा किया गया प्रयास भी अधिक महत्वपूर्ण है। K – R सूत्र का एक दोष यह है कि इसके द्वारा आंतरिक संगतता विश्वसनीयता उन परीक्षणों से ज्ञात किया जाता है जिनके एकांश के उत्तर को सही या गलत के रूप में प्राप्तांकित किया जा सकता है जैसा कि व्यक्तित्व परीक्षणों एवं अभिक्षमता परीक्षणों में प्रायः होता है। परन्तु जब परीक्षण के एकांश ऐसे होते हैं जिनका प्राप्तांक-लेखन सही-गलत में न होकर बहु चयन विधि द्वारा जैसे, पूर्णतः सहमत, सहमत तटस्थ, असहमत तथा पूर्णतः असहमत आदि में होते हैं जैसा कि व्यक्तित्व परीक्षण, मनोवृत्ति परीक्षण तथा अभिरुचि परीक्षणों आदि में होता है, तो ऐसी परिस्थिति में K – R का उपयोग नहीं हो पाता है। ऐसी परिस्थिति में आंतरिक संगतता विश्वसनीयता ज्ञात करने के लिए शोधकर्त्ताओं ने गुणांक अल्फा (coefficient alpha or α) का प्रतिपादन किया गया जिसका सूत्र इस प्रकार है–

$$r_u = \alpha = \left(\frac{n}{n-1}\right)\left(\frac{\alpha_i^2 - \Sigma\sigma_i^2}{\sigma^2}\right)$$

उपरोक्त ध्यान देने से यह स्पष्ट हो जाता है कि अल्फा गुणांक ज्ञात करने का यह सूत्र $K - R_{20}$ के सूत्र से काफी मिलता-जुलता है। सिर्फ अंतर यही है कि सूत्र $K - R_{20}$ के Σpq . जगह पर $\Sigma\sigma_i^2$ लिखा गया है जिसका मतलब प्रत्येक एकांश पर के प्रसरण का योग से होता है। गुणांक अल्फा को आंतरिक संगतता के माध्यम से विश्वसनीयता ज्ञात करने का सबसे मान्य विधि माना गया है।

अल्फा गुणांक में त्रुटि प्रसरण का स्रोत अन्तर्विषय प्रतिदर्शन (content sampling) तथा अन्तर्विषय विसमानता (content heterogentity) दोनों ही होता है।

31. वर्णनात्मक उपकल्पना, प्रतिविधिक उपकल्पना तथा अस्थायी उपकल्पना, उपकल्पना (Hypothesis) के प्रकार हैं। जबकि अन्वेषी अनुसंधान उपकल्पना के प्रकार नहीं है।

अन्वेषी अनुसंधान (Exploratory Research) : यह अनुसंधान उन विषयों का अध्ययन करता है जिनके विषय में या तो कोई जानकारी नहीं होती या बहुत कम जानकारी उपलब्ध हैं। सामान्यतया इस प्रकार का अनुसंधान गुणात्मक होता है जो कि प्राक्कल्पना निर्माण या प्राकल्पनाओं और सिद्धांतों के परीक्षण में लाभदायक होते हैं।

इस अनुसंधान में यह माना जाता है कि यह अनुसंधानकर्त्ता को अध्ययन के अन्तर्गत समस्या या स्थिति का कोई ज्ञान नहीं है या जिस समूह का वह अध्ययन कर रहा है उसकी संरचना से वह परिचित नहीं है (जैसे बन्दीगृह, उद्योग, विश्वविद्यालय, गाँव आदि)। उदाहरण के रूप में जेल के विषय में अन्वेषी अनुसंधान पर अध्ययन में, अनुसंधानकर्त्ता बताता है कि किस प्रकार बन्दीगृह को बैरक और वार्डों में विभाजित कर दिया जाता है, विभिन्न प्रकार के बन्दीगृह अधिकारियों को किस प्रकार का कार्य सौंपा जाता है, क्या-क्या मनोरंजनात्मक, स्वास्थ्य संबंधी और शैक्षिक सुविधाएँ बन्दियों को प्रदान की जाती हैं, अन्य बन्दियों और अधिकारियों के साथ अन्तर्क्रिया करते समय उन्हें किन नियमों का पालन करना पड़ता है, बाहरी दुनिया के साथ संबंध उन्हें किस प्रकार बनाए रखने पड़ते हैं आदि।

33. अधिगम की इकाई की निर्देशात्मक अवस्थाओं में शिक्षक द्वारा प्रयुक्त मूल्यांकन संरचनात्मक मूल्यांकन/रचनात्मक मूल्यांकन कहलाता है। संरचनात्मक मूल्यांकन (Formative Evaluation) से अभिप्राय किसी ऐसे शैक्षिक कार्यक्रम,

योजना प्रक्रिया अथवा सामग्री आदि के मूल्यांकन से है, जिसमें मूल्यांकन के आधार पर सुधार करना सम्भव हो। दूसरे शब्दों में, संरचनात्मक मूल्यांकनकर्ता किसी शैक्षिक कार्यक्रम, योजना, प्रक्रिया की सामग्री की प्रभावशीलता, गुणवत्ता, वांछनीयता तथा उपयोगिता का आँकलन इसलिये करता है कि उस कार्यक्रम, योजना, प्रक्रिया या सामग्री की और अधिक प्रभावशाली, गुणवत्तापूर्ण, वांछनीय तथा उपयोगी बनाया जा सके। स्पष्ट है कि संरचना मूल्यांकन में किसी निर्माणाधीन कार्यक्रम, योजना, प्रक्रिया या सामग्री को अन्तिम रूप देने से पूर्व उसके प्रारम्भिक प्रारूप (Preliminary Draft) का मूल्यांकन किया जाता है जिससे उसकी संरचनागत कमियों को दूर किया जा सके। उदाहरण के लिए यदि किसी नवीन शिक्षण विधि, दूरदर्शन पाठ, पाठ्यक्रम, सहायक सामग्री आदि में संशोधन व सुधार करने की दृष्टि से इनका मूल्यांकन किया जाता है तो इसे संरचनात्मक मूल्यांकन कहेंगे। स्पष्ट है कि संरचनात्मक मूल्यांकन का मुख्य उद्देश्य शैक्षिक कार्यक्रम या सामग्री को तैयार करने वाले व्यक्ति को उसके द्वारा तैयार किये जा रहे कार्यक्रम या सामग्री की कमियों को इंगित करना तथा उन्हें दूर करने के उपाय बताना है।

38. कार्यात्मक या कार्यवाहक योजना, योजना का प्रकार नहीं है। कार्यात्मक बजट पद्धति की महत्ता तथा उपयोगिता उसके क्रमिक इतिहास से ही स्पष्ट है फिर भी विषय की व्यापकता को समझने के लिए विश्लेषण आवश्यक होगा। यह प्रचलित परंपरागत बजट पद्धति से भिन्न खासकर विकसित और विकासशील देशों के लिए प्रभावकारी बजट के रूप में अपनाई जाने वाली कालबद्ध योजना है जो उस योजना के लिए आवंटित राशि के प्रतिकूल निर्धारित लक्ष्य प्राप्ति है। इसके अंतर्गत एक निश्चित कार्य योजना बनाई जाती है, एक निश्चित राशि आवंटित की जाती है और निर्धारित समय के अंतर्गत उसका समापन किया जाता है, अर्थात् उसे कालबद्ध वित्तीय योजना भी कह सकते हैं जहां निर्धारित लक्ष्य की प्राप्ति भी सुनिश्चित की जाती है। विधायिका द्वारा इस प्रकार के बजट निर्माण तथा स्वीकृति के बाद कार्यपालिका के ऊपर उसके कार्यान्वयन की जिम्मेदारी होती है।

42. **शारीरिक परिवर्तन (Physical Change)** ये निम्न दो प्रकार से होते हैं :

- **बाह्य परिवर्तन (External change) :** वृद्धावस्था में शारीरिक परिवर्तन की गति अत्यन्त तीव्र होती है जो शरीर के सभी भागों में दृष्टिगोचर होता है। शारीरिक ह्रास दूर से ही दिखायी पड़ता है। व्यक्ति के शरीर का हाव-भाव परिवर्तित हो जाता है। व्यक्ति के चेहरे में परिवर्तन शरीर के अन्य भागों की अपेक्षा शीघ्रता से आता है। नाक का भाग बढ़ जाता है, दाँतों के टूटने से मुँह की आकृति परिवर्तित हो जाती है। आँखों में चमकत्व की कमी हो जाती है। गाल भीतर की और धँस जाते हैं। हड्डियों में बिकार का आना, बाणी में दोष, आलंबक श्लेष्मा पृष्ठों में प्रदाह और पीड़ा उत्पन्न होना, बाह्य त्वचा का पतला होना, तैलीय एवं श्वेद ग्रंथियों के अपक्षय से त्वचा का शुष्क एवं खुरदुरा होना, शरीर से पसीने की कमी, शरीर के खुले भागों में काले धब्बों का पड़ना, आयु वृद्धि के साथ-साथ त्वचा के ऊपर तिल, घटे हुए वजन के साथ दुबला शरीर, शारीरिक वसा के प्रतिशत में वृद्धि, मस्से एवं अन्य दोष प्रगट हो जाते हैं।
- **आन्तरिक परिवर्तन (Internal change) :** यद्यपि व्यक्ति के शरीर के आन्तरिक परिवर्तन बाह्य परिवर्तनों की भाँति तुरन्त आभास नहीं देते हैं किन्तु ये भी उतने ही व्यापक व गंभीर होते हैं। अस्थि पंजर के परिवर्तन-हड्डियों के कड़े होने, खनिज लवणों के एकत्रित होने तथा हड्डियों की आन्तरिक रचनाओं में परिवर्तन के कारण आते हैं। तंत्रिकीय परिवर्तनों में मस्तिष्कीय परिवर्तन महत्वपूर्ण है। इस अवस्था में मस्तिष्क का भार कम हो जाता है। पार्श्व निलय प्रायः फैल जाते हैं और कार्टेक्स ऊतक की पट्टिका तंग हो जाती है। केन्द्रीय तंत्रिका तंत्र में परिवर्तन जरणावस्था के प्रारम्भ में होने लगते हैं जो गति एवं बौद्धिक ह्रास के रूप में प्रकट होता है। आयु वृद्धि के साथ-साथ अभ्यांतर अंगों में काफी रूपान्तरण हो जाता है। अपक्षय-प्लीहा, यकृत, अंडग्रन्थि, हृदय, फेफड़ा, अग्नाशय एवं वृक्कों में विशेषतयाः अधिक होता है। वृद्धावस्था में सर्वाधिक व्यापक परिवर्तन हृदय में होता है। बेसल मेटाबॉलिक दर में कमी हो जाती है।

43. एरगोजेनिक ऐड से तात्पर्य ऐसे साधन या क्रिया से है, जिसके द्वारा एक खिलाड़ी की मांसपेशी ताकत, गति, प्रतिक्रियात्मक समय, सहनशीलता आदि में सुधार होता है। दूसरे शब्दों में कहा जा सकता है कि विभिन्न प्रकार की प्रक्रियाएँ जिसके परिणामस्वरूप खिलाड़ी के प्रदर्शन में सुधार लाया जाए, एरगोजेनिक ऐड कहलाते हैं। एस्कोर्बिक अम्ल, थायमीन तथा ग्लूटामाइन आदि एरगोजेनिक ऐड के सहायक तत्व हैं।

एरगोजेनिक ऐड के निम्नलिखित प्रभाव हैं :

- ये सीधे-सीधे मांसपेशीय तन्तुओं पर प्रभाव डालता है।
- ये थकान उत्पन्न करने वाले उत्पादों को कम करता है या उसका विरोध करता है।
- मांसपेशीय क्रिया के अंतर्गत संकुचन व प्रकुंचन के लिए प्रभावी रूप से ईंधन पहुँचाने का कार्य करता है।
- धनात्मक रूप से हृदय तथा रक्त परिसंचरण तन्त्र पर प्रभाव डालता है।
- धनात्मक रूप से श्वसन तन्त्र पर प्रभाव डालता है।
- मांसपेशीय क्रियाओं के दौरान केन्द्रीय नाड़ीय तन्त्र को धनात्मक रूप से प्रभावित करता है।

उपरोक्त बिन्दुओं के आधार पर कहा जा सकता है कि पेशी प्रभावी सहाय्य शरीर के तन्त्रों की क्रियात्मक क्षमता को प्रभावित कर प्रदर्शन में सुधार लाता है। मनोवैज्ञानिक अवरोधकों को दूर कर प्रदर्शन पर प्रभाव डालता है तथा प्रशिक्षण एवं प्रतियोगिता के दौरान क्षतिपूर्ति की गति को बढ़ाता है।

44. खेल तकनीक का विकास (Development of Sports Technique) : खेलों में विशेषतः गति की समस्या को हल करने के लिए हमें जैवयान्त्रिकीय प्रक्रिया से संबंधित होना पड़ता है। उदाहरण के लिए – शॉट पुट द्वारा अधिक से अधिक सम्भावित दूरी तय करना। इस समस्या को जैवयान्त्रिकीय गुणों के आधार पर विभिन्न तरीकों से वर्णित कर सकते हैं–

- खिलाड़ी शॉट को खड़ी स्थिति से प्रक्षेपित (Put) कर सकता है।
- खिलाड़ी शॉट को खड़ी स्थिति से पत्थर की तरह फेंक सकता है।
- खिलाड़ी शॉट को एक हाथ के साथ घूर्णन करके त्वरित (Accelerated) कर सकता है।
- तवा को फेंकने के लिए जिस प्रकार खिलाड़ी दोनों हाथों का उपयोग करता है। ठीक उसी प्रकार शॉट को भी दोनों हाथों से दोलन क्रिया (Pendulam Swing) द्वारा त्वरित करने के बाद एक हाथ से भी प्रक्षेपित कर सकता है।
- शॉट पुट की अन्य तकनीक जिसमें खिलाड़ी प्रारम्भिक रन अप गति के उपयोग से भी कर सकता है।

अतः खेलों में ऐसी तकनीक को उपयोग में लाना चाहिए। जिसमें कम से कम मांसपेशीय बल लगाकर शॉट प्रक्षेपण से अधिकतम दूरी तय की जा सके। अतः पूर्व में शॉट पुट के लिए खड़ी तकनीक (Standing Technique) का उपयोग किया जाता था। खेल जगत में अच्छे खिलाड़ी तकनीक (Rotating technique) एवं पेरीऑबराइन तकनीक को उपयोग में ला रहे हैं। इन तकनीकों में नियमानुसार शॉट, प्रक्षेपण के दौरान टोडी (Chin) के नजदीक होना आवश्यक है और कोहनी (Elbow) शॉट के पीछे रखना जरूरी होता है।

शॉटपुट में प्रदर्शन के सुधार के लिए खिलाड़ियों को तीन आयामों पर ध्यान केन्द्रित करना चाहिए–

- मुक्त करने के समय अधिकतम वेग
- अधिकतम कोण
- मुक्त करने की ऊँची ऊँचाई।

45. यांत्रिक ऊर्जा : किसी पिंड में उसकी गति (गतिज ऊर्जा) अथवा (स्थितिज ऊर्जा) के कारण कार्य करने की जो क्षमता होती है वह पिंड की यांत्रिक ऊर्जा कहलाती है। किसी वस्तु की गतिज ऊर्जा तथा स्थितिज ऊर्जा का योग उसकी कुल याांत्रिक ऊर्जा है।

स्थितिज ऊर्जा (Static energy) किसी वस्तु को स्थानान्तरित की गई ऊर्जा उसमें स्थितिज ऊर्जा के रूप में संचित हो जाता है। अर्थात् 'किसी वस्तु में उसकी अवस्था या स्थिति (Position) के कारण कार्य करने की क्षमता वस्तु की स्थितिज ऊर्जा कहलाती है।

गति ऊर्जा (Kinetic energy) किसी पिंड की गति के कारण कार्य करने की क्षमता गतिज ऊर्जा होती है। किसी वस्तु की गतिज ऊर्जा उसकी चाल के साथ बढ़ती है। किसी गतिशील वस्तु में उसकी गति के कारण कितनी ऊर्जा निहित होती है। परिभाषा के अनुसार हम

कह सकते हैं कि किसी निश्चित वेग से गतिशील वस्तु की गतिज ऊर्जा उस वस्तु पर इस वेग को प्राप्त करने के लिए किए गए कार्य के बराबर है।

जब कोई पिंड किसी ऊँचाई से नीचे गिर रही होती है तब इसकी स्थितिज ऊर्जा कम होती जाती है जबकि पिंड की गतिज ऊर्जा बढ़ती जाती है।

46. **टाइप–ए (Type–A) :** टाइप-ए प्रकार के व्यक्तियों में धैर्य की कमी, उच्च अभिप्रेरणा, उतावलापन, स्वयं के पास समय की कमी होना एवं हर समय काम के बोझ से लदे होने का अनुभव करना आदि विशेषताएँ होती हैं। ऐसे स्वभाव के कारण टाइप-ए प्रकार के व्यक्तियों को उच्च रक्तचाप, उच्च कोलेस्ट्रॉल की समस्या अधिक रहती है। टाइप-ए व्यवहार प्रतिरूप के अभिलक्षण निम्नलिखित हैं–

- अत्यधिक प्रतिस्पर्धी अन्तर्नोद
- आवश्यकता का प्रबल भाव
- सुगमता से उत्पन्न शत्रु भाव

टाइप–बी (Type–B) : ऐसे व्यक्तियों में टाइप-ए की विशेषताओं का अभाव होता है। ये टाइप-ए के ठीक विपरीत प्रकार के व्यक्ति होते हैं।

47. अभिप्रेरणा से सम्बन्धित नयी विचारधारा का नाम उपलब्धि-अभिप्रेरणा है। इसका सर्वप्रथम प्रतिपादन अमेरिका में किया गया। उपलब्धि-अभिप्रेरणा की प्रकृति व्यक्तिगत होती है और आधारभूत लक्ष्य उपलब्धि होता है। किसी भी प्रकार की उपलब्धि के लिए काम को करने की अभिप्रेरणा को उपलब्धि अभिप्रेरणा कहा जाता है। अर्थात् कठिन कार्यों में निपुणता प्राप्त करने की उम्मीद करना ही उपलब्धि-अभिप्रेरणा है। उपलब्धि अभिप्रेरणा एथलीट के निम्नलिखित प्रयास को इंगित करता है–

- बाधाओं से बाहर आना
- उत्कृष्टता प्राप्त करना
- कार्य में निपुणता लाने का प्रयास करना।

50. **थेलासीमिया** बच्चों को माता-पिता से आनुवांशिक तौर पर मिलने वाला रक्त-रोग है। इस रोग के होने पर शरीर की हीमोग्लोबिन निर्माण प्रक्रिया में गड़बड़ी हो जाती है जिसके कारण रक्तक्षीणता के लक्षण प्रकट होते हैं। इसकी पहचान तीन माह की आयु के बाद ही होती है। इसमें रोगी बच्चे के शरीर में रक्त की भारी होने लगती है जिसके कारण उसे बार-बार खून चढ़ाने की आवश्यकता होती है।

सिकल-सेल एनीमिया एक आनुवांशिक रक्त रोग होता है जिसमें लाल रक्त कोशिकाओं (RBC) में हीमोग्लोबिन के स्थान पर असामान्य हीमोग्लोबिन होने के कारण लाल रक्त कोशिका ऑक्सीजन के द्वारा हँसिया के आकार की हो जाती है। सिकल सेल एनीमिया में माता व पिता में से कोई एक बीमारी का वाहक होता है।

हीमोफीलिया आनुवांशिक रोग है। इस रोग से ग्रस्त व्यक्ति में रक्त का थक्का नहीं बनता है जिसके कारण शरीर के किसी अंग के कटने पर खून का बहना बन्द नहीं होता और शीघ्र उपचार न होने पर रोगी की मृत्यु हो जाती है।

51. हेपेटाइटिस A यकृत का एक अतिपाती (acute) संक्रामक रोग है जो मुख्यतः बच्चों और युवा प्रौढ़ों पर प्रभाव डालता है। हेपेटाइटिस A विषाणु (HAV) का प्रेषण मल-मुखीय मार्ग से होता है, अर्थात् HAV का संक्रमण संदूषित जल, भोजन अथवा दूध के अर्न्तग्रहण द्वारा होता है।

लक्षण (Symptoms) :

- उच्च ताप, सिरदर्द, थकान, सामान्य कमजोरी और जोड़ दर्द।
- उल्टी और मिचली महसूस होने के साथ ही भूख में कमी जिसे अरुचि (anorexia) कहते हैं।
- शरीर पर जलन डालने वाले ददोरों का प्रकटन।
- गाढ़ा पीला मूत्र।
- संक्रमण के 3 से 10 दिनों बाद हल्के रंग का मल।

रोकथाम (Prevention) : हेपेटाइटिस A के संक्रमण से बचने के लिए निम्नलिखित निरोधी तरीके अपनाने चाहिए :

- क्लोरीनयुक्त, उबले हुए और ओजीनीकृत जल का उपयोग करें।
- रोगी के बर्तनों और बिस्तर को छूने के बाद हाथों की उचित सफाई करना।

52. ताकत (Strength) : सामान्यतः ताकत की परिभाषा है "गतिरोध के सम्मुख बल लगाने की क्षमता ताकत कहलाती है।" तेज दौड़ने वाले के लिए ब्लाक को चीरने के लिए जो ताकत चाहिए वह उससे भिन्न है जो एकवेटलिफ्टर को 200 किलोग्राम बारवेल उठाने के लिए चाहिए। इससे पता चलता है कि शक्ति कई प्रकार की होती है।

ताकत के प्रकार (Types of Strength) : ताकत निम्नलिखित प्रकार की होती है :

- **अधिकतम ताकत :** एकल अधिकतम खिंचाव में जो बड़ी-से-बड़ी ताकत सम्भव है।
- **विस्फोटक ताकत :** तेज खिंचाव के साथ प्रतिरोध को हटाने की क्षमता।
- **सहन शक्ति की ताकत :** बल को कई गुना बढ़ाकर प्रदर्शन करने की क्षमता।

54. एनोवा (ANOVA) को प्रसारण विश्लेषण (Analysis of Varience) के नाम से भी जाना जाता है। प्रसारण विश्लेषण का प्रतिपादन सर रॉनैल्ड ए. फिशन (1923) के द्वारा किया गया था और इसके विकास का श्रेय प्रो. स्नेकेडॉर को दिया जाता है। एनोवा के विश्लेषण में समूह विचरता के मध्य परीक्षण तथा समूह माध्यों की तुलना का प्रयोग किया जाता है।

प्रो. ओवेन एल. डेविस के अनुसार "प्रसारण विश्लेषण, आवश्यक रूप से, विचरण के अभिनिर्धारित स्रोतों के तदनुरूप विभिन्न प्रकार के संघटकों के बीच प्रसरण के विश्लेषण की एक विधि है"।

सामान्यता प्रसरण के दो संघटक होते हैं–

- प्रतिदर्शों के बीच प्रसरण तथा
- प्रतिदर्शों के अन्तर्गत प्रसरण, अर्थात्

Total Variance = Variance 'between' samples + Variance 'within' samples.

55. छोटे प्रतिदर्शों (Small Samples) के विभ्रम ज्ञात करने के लिए अथवा सार्थकता परीक्षण के लिए साधारणतया दो तरह के 'परीक्षण' (Tests) किये जाते हैं–

- *t*-परीक्षण (*t*-test) अथवा *t*-वितरण (*t*-distribution)
- *z*-परीक्षण (*z*-test) अथवा *z*-वितरण (*z*-distribution)

'टी' परीक्षण : छोटे आकार के प्रतिदर्श के सार्थकता परीक्षण हेतु डब्लू.एस. गोसेट (W.S. Gosset) ने 1908 में स्टूडेंट (Student) के नाम से एक विधि का प्रतिपादन किया। उन्होंने एक अनुपात (Ratio) प्रतिपादन किया जिसे '*t*' अथवा 'स्टूडेंट का टी' (Student's *t*) कहा जाता है। उन्होंने प्रत्येक प्रतिचयन वितरण हेतु *t*-वितरण (t-distribution) का भी प्रतिपादन किया। 'टी' वितरण इस मान्यता पर आधारित है कि वह समग्र, जिसमें से प्रतिदर्श लिया गया है, प्रसामान्य अथवा अनुमानतः प्रसामान्य वितरण है। इस तथ्य को मानते हुए, शोधकर्ता टी-वितरण का उपयोग समग्र माध्य या दो माध्यों के अन्तर का परीक्षण करने के लिए कर सकता है चाहे समग्र का विचलन ज्ञात न हो।

टी-वितरण घण्टाकार आकृति का तथा पूर्णरूपेण संमितीय होता है। इसमें विचरणशीलता अधिक होती है। टी-वक्र (*t*-curve) अपने छोरों (tails) पर अधिक फैली होती है और केन्द्र से अधिक चिपटी होती है। वस्तुतः टी-वितरण प्रसामान्य वितरण की तरह ही होता है।

F परीक्षण द्वारा शोधकर्ता दो या दो से अधिक समूहों के माध्यों के अन्तर की सार्थकता की जाँच करता है। F परीक्षण की जरूरत इसलिए पड़ती है क्योंकि दो से अधिक समूहों में भी *t*-test लग सकता है परन्तु यह अत्यधिक श्रम एवं समय लेने वाला कार्य होगा।

58. किसी वस्तु पर थोड़ा बाह्य बल आरोपित करने पर स्थैतिक घर्षण के कारण वस्तु में गति उत्पन्न नहीं होती। जैसे-जैसे बाह्य बल बढ़ाते जाते हैं, स्थैतिक घर्षण बल भी बढ़ता जाता है तथा सीमान्त घर्षण की स्थिति तक अर्थात् सीमान्त घर्षण के अधिकतम मान तक स्थैतिक घर्षण बल वस्तु पर आरोपित बाह्य बल के बराबर होता जाता है। इसलिए कहा जाता है कि स्थैतिक घर्षण बल स्वतः सामायोज्य बल है। आरोपित बल का मान सीमान्त बल से थोड़ा भी बढ़ जाने पर वस्तु में बल की दिशा में त्वरित गति उत्पन्न हो जाती है, परन्तु इस दशा में वस्तु में गति आरम्भ हो जाने पर वस्तु तथा तल के बीच कार्य करने वाला घर्षण बल (गतिक घर्षण बल) सीमान्त घर्षण बल से कुछ कम होता है तथा यह लगभग नियत रहता है।

59. बजट में आय एवं व्यय के अनुमान लगाये जाते हैं तथा व्ययों को पूर्ण करने हेतु विभिन्न प्रकार की पद्धतियों एवं साधनों को उपयोग में लाया जाता है। वास्तव में, बजट सरकार के वित्तीय प्रशासन का केन्द्र-बिन्दु होता है। इसके द्वारा सरकार देश के आर्थिक साधनों का नियोजन व नियंत्रण करके आर्थिक क्रियाओं को प्रभावित करती है। बजट शब्द फ्रेंच शब्द बजटे (***Bougette***) से लिया गया है जिसका आशय एक छोटे थैले से है। इस प्रकार बजट सरकार के आय एवं व्ययों का एक वार्षिक विवरण है।

बजट के प्रमुख उद्देश्य निम्न प्रकार हैं :

- **भावी विकास :** बजट का उद्देश्य भावी परिस्थितियों को ध्यान में रखकर विकास के कार्यक्रमों का निर्माण करना होता है। बजट में गत वर्ष व चालू वर्ष पर ध्यान तो देते हैं व साथ ही भावी विकास पर भी पर्याप्त ध्यान दिया जाता है।
- **आय-व्यय का अनुमान लगाना :** बजट के आधार पर देश की कुल आय एवं कुल व्यय के अनुमान लगाये जाते हैं तथा ब्याज के आधार पर आय प्राप्ति के साधनों की खोज की जाती है।
- **नियोजन सम्बन्धी उद्देश्य :** राष्ट्रीय बजट का उद्देश्य नियोजन से सम्बन्धित होता है और जो भी बजट बनाया जाता है, उसमें योजना को भी सम्मिलित किया जाता है। इसी प्रकार जो योजनाएँ बनायी जाती हैं, वे भी बजट का रूप धारण कर सकती हैं क्योंकि दोनों में ही भविष्य की आय एवं व्ययों को ध्यान में रखकर योजना का निर्माण किया जाता है।
- **सरकार का अधिकार :** बजट का उद्देश्य सरकार को एक निर्धारित मात्रा में व्यय करने एवं आय प्राप्त करने के अधिकार प्रदान करना होता है। संसदीय प्रणाली में सरकार के आय एवं व्यय की सीमा संसद में बजट पास करने पर ही निर्भर करती है।
- **कार्यकलाप बजट पद्धति :** बजट प्रस्तावों की रचना का उनके कार्यान्वयन से प्रत्यक्ष सम्बन्ध स्थापित किया जाता है। बजट की रचना एवं उसके वास्तविक परिणामों के मध्य मेल स्थापित किया जाता है।
- **राजकीय नीति का उपकरण :** बजट राजकीय नीति का एक प्रधान उपकरण है। अर्थव्यवस्था में वांछित लक्ष्यों की पूर्ति हेतु बजट-नीति का निर्धारण किया जाता है।
- **कार्यात्मक दृष्टिकोण :** बजटों में आय तथा व्यय का ऐसा प्रावधान किया गया है जो आर्थिक क्षेत्र में प्रभावकारी परिणाम दे सके। इसमें सरकार के कार्यों का स्पष्ट चित्र जनता के सामने आ जाता है।
- **योजना से सम्बन्धित :** आर्थिक विकास के सन्दर्भ में योजनाओं से सम्बन्धित बजट प्रावधानों को रखा जाता है। लक्ष्यों का निर्धारण करके उसे प्राप्त करने के प्रयास किये जाते हैं। लक्ष्यों का निर्धारण योजना के आधार पर ही किया जाना चाहिए।

61. **विद्यालयी स्वास्थ्य (School Health) :** शिक्षा का क्षेत्र अधिक व्यापक है। सामान्यतया स्वास्थ्य शिक्षा के क्षेत्र के अन्तर्गत बालकों से स्वास्थ्य का संरक्षण जैसे उचित भौतिक वातावरण की व्यवस्था, उनके शरीरिक एवं मानसिक स्वास्थ्य में दोषों तथा व्याधियों के निदान एवं उपचार हेतु स्वास्थ्य सेवाओं का प्रबंध तथा उनके स्वास्थ्य की वृद्धि के लिए उन्हें स्वास्थ्य संबंधी नियमों आदि से अवगत कराना निहित है। अतः शिक्षा के क्षेत्रों में व्यक्तिगत स्वास्थ्य शारीरिक शिक्षा, स्वास्थ्य विज्ञान एवं सामुदायिक स्वास्थ्य से संबंधित तथ्यों के ज्ञान की आवश्यकता है। अतः विद्यालयी स्वास्थ्य शिक्षा के अन्तर्गत निम्न मुख्य बिन्दु रखे जा सकते हैं—

- **स्वास्थ्यपूर्ण विद्यालयी वातावरण :** स्वास्थ्यपूर्ण विद्यालयों के वातावरण के अन्तर्गत वे समस्त चीजें: जैसे— भवन, क्रीड़ास्थल, जलाशय, वायु एवं प्रकाश की व्यवस्था, बैठने की व्यवस्था, विद्यालय में स्वच्छता की व्यवस्था, स्वास्थ्यप्रद विद्यालय, दैनिक कार्यक्रम इसके साथ-ही-साथ आहार एवं पीने के पानी की व्यवस्था आदि सम्मिलित की जा सकती है।
- **विद्यालयी स्वास्थ्य सेवाएँ :** यह अत्यधिक महत्त्वपूर्ण कार्य है। बिना इसकी कोई स्वास्थ्य व्यवस्था सुचारू रूप से संचालित नहीं हो पायेगी। इसके अन्तर्गत स्वास्थ्य मूल्यांकन परीक्षण तथा दोषों एवं रोगों का निदान तथा उपचार बाधा ग्रस्त बालकों की देखभाल तथा शिक्षा, संचारी रोगों का निरोध तथा

नियंत्रण, टीकाकरण, मध्याह्न-भोजन, शारीरिक शिक्षा, मानसिक और जनसंख्या नियंत्रण की शिक्षा आदि को रखा जा सकता है।

- **स्वास्थ्य निर्देशन :** बालकों को विद्यालयी सेवाओं के द्वारा ही स्वास्थ्य शिक्षा अप्रत्यक्ष रूप से देना नितान्त आवश्यक है, क्योंकि इस समय तक बालकों का मानसिक विकास इतना अधिक नहीं होता कि वह सैद्धान्तिक निर्देश को भली प्रकार समझ सके। इन सेवाओं द्वारा प्राप्त ज्ञान तथा अनुभव आकस्मिक या योजनाबद्ध हो सकता है।

62. **जोहान गुट्स मुथ्स**, जर्मनी में एक शिक्षक थे, और विशेष रूप से शारीरिक शिक्षा के विकास में उनकी भूमिका के लिए जाना जाता है। उन्हें "जिमनास्टिक्स के पितामह" के रूप में माना जाता है। गुट्स मुथ्स ने स्कूली पाठ्यक्रम में व्यवस्थित शारीरिक व्यायाम का परिचय दिया, और उन्होंने कलात्मक जिम्नास्टिक के मूल सिद्धांतों को विकसित किया।

जोहान बर्नहार्ड एक जर्मन शैक्षिक सुधारक थे। ये शिक्षक और लेखक थे। उन्होंने डेसाऊ में एक प्रभावशाली प्रगतिशील स्कूल फिलैंथ्रोपिनम की स्थापना की और बच्चों के लिए एक लोकप्रिय सचित्र पाठ्यपुस्तक 'एलीमेवारवेर्क' की रचना की।

फ्रेडरिक लुडविग जॉन एक जर्मन जिमनास्टिक शिक्षक थे। इन्होंने जर्मन जिमनास्टिक्स (टर्नर) आंदोलन की स्थापना के साथ-साथ 1813 के जर्मन अभियान को प्रभावित करने का श्रेय भी दिया जाता है।

64. एन.सी.टी.ई. अधिसूचना 2014 के अनुसार सीनियर सेकेण्डरी/इण्टरमीडिएट शारीरिक शिक्षा-शिक्षक के लिए एम.पी.एड. (2 वर्ष के साथ) निम्नलिखित अकादमिक और व्यावसायिक योग्यताएँ हैं–

- कम-से-कम 50% अंकों के साथ शारीरिक शिक्षा में स्नातक (बी.पी.एड.) अथवा समकक्ष अथवा कम से कम 50% अंकों के साथ स्वास्थ्य और शारीरिक शिक्षा विज्ञान में स्नातक (बी.एस.सी.)।
- अनु. जाति/अनु. जनजाति/अन्य पिछड़े वर्गों व अन्य श्रेणियों के लिए अर्हक अंकों में सीटों में आरक्षण और शिथिलता केन्द्रीय सरकार/राज्य सरकार के नियमानुसार, जो भी लागू हो, प्रदान की जाएगी।

65. **प्राचल (Parametric) :** प्राचल को एक मान कहा जा सकता है जो जनसंख्या के बारे में जानकारी प्रदान करता है जिसकी शोध में जांच की जानी है। इसका वर्णन "जनसंख्या के माप के तौर पर भी किया जा सकता है और यह जनसंख्या के सभी व्यक्तियों के केंद्रीय मान, प्रकीर्णन सहसंबंध सूचकांकों को संदर्भित करता है"। उदाहरण के लिए, यदि कोई शोधकर्ता किसी दिए गए वर्ष में भारत में नवजात शिशुओं के औसत वजन को जानना चाहते हैं, तो इसे प्राचल कहा जा सकता है क्योंकि यह एक दिए गए वर्ष में भारत में सभी नवजात शिशुओं के वजन का वर्णन करता है। एक सटीक प्राचल प्राप्त करना आसान नहीं होती है और किसी भी प्राचल में सांख्यिकी होती है। प्राचल परीक्षण में सामान्य पूर्वानुमान में यादृच्छिकता एवं सामान्यता शामिल होते हैं।

68. **पैरो की पेशियाँ :** जंघा के आगे की तरफ सार्टोरियस रैक्टस फिमोरिस (Rectus Femora's) वास्टस लेट्रेलिस, मिडिएलिस (Vastus Lateralis, Vastis Medialis) और पीछे की तरफ बाइसेप्स फिमोरिस (Biceps femoris), सेमिटेन्डिनोसस (Semitendinosus) आदि मांसपेशियां होती हैं। घुटने के नीचे के हिस्से में गैस्ट्रोक्नीमियस (Gastrocenemius), सोलियस (Solius) आदि प्रमुख है।

शरीर की सबसे बड़ी मांसपेशी ग्लूटियस मैक्सिमस (Gluteus Maximus) है। यह नितम्ब भाग में मिलती है। सबसे लम्बी मांसपेशी सार्टोरियस (Sartorius) है। यह जंघा के अग्रभाग में पाई जाती है। शरीर की सबसे छोटी मांसपेशी स्टेपीडियस (Stapedius) है। यह कर्ण के अन्दर पाई जाती है।

आन्तरिक घूर्णन (Medial or Invert Rotation) : ऊर्ध्वाधर अक्ष के परितः टीबिया और फिबुला की अन्दर की ओर की क्रिया को आन्तरिक घूर्णन कहते हैं। यह क्रिया तभी संभव है जब घुटना आंकुचित स्थिति में हो और उस पर किसी प्रकार का कोई भार न हो। इसमें सम्मिलित मांसपेशियां निम्न हैं–

- सेमिमेंब्रेनस मांसपेशी (Semimembranus)
- सेमीटेन्डेस (Semitendanous)
- पॉलीपीटीयस (Polpitious)

ग्रेसीलिस मांसपेशी मानव शरीर का एक महत्वपूर्ण हिस्सा है जो जांघ और घुटने के आंदोलन से जुड़ा होता है, और इसके साथ-साथ कई माइक्रोसर्जिकल उपयोग भी होते हैं। यह पट्टा जैसी मांसपेशी निचले पैर के क्षेत्र में समाप्त होने से पहले जघन की हड्डी से टिबिया के शाफ्ट तक, शरीर के निचले आधे हिस्से में चलती है। ग्रैसिलिस पेशी को प्रसूति तंत्रिका से जोड़ा जाता है और आमतौर पर घुटने की फ्लेक्सिंग क्षमता, और पैर की क्षमता को मध्य में घुमाने के लिए जांघ की गति से जुड़ा होता है।

69. **ध्यानचंद पुरस्कार :** यह पुरस्कार खेल-कूद में जीवनभर आजीवन उपलब्धि के लिए वर्ष 2002 में शुरू किया गया था। यह पुरस्कार महान भारतीय हॉकी खिलाड़ी ध्यानचंद के नाम पर है। यह पुरस्कार प्राप्त करने वालों को एक प्रतिमा, प्रमाणपत्र, पारंपरिक पोशाक और पाँच लाख रुपये नकद दिये जाते हैं। इस पुरस्कार से प्रत्येक वर्ष ज्यादा से ज्यादा तीन खिलाडियों को सम्मानित किया जाता है।

ध्यानचंद पुरस्कार 2019 के विजेता सूची

पुरस्कृत का नाम	खेल
मैनुअल फ्रेडरिक्स	हॉकी
अरूप बसाक	टेबल टेनिस
मनोज कुमार	कुश्ती
नितिन कीर्तने	टेनिस
सी लालरेमसांगा	तीरंदाजी

72. खेल प्रशिक्षण के सिद्धांत में इकोनॉमी ऑफ मूवमेंट सम्मिलित नहीं होता है। खेल प्रशिक्षण के सिद्धांत में भार का प्रोग्रेसन, लगातार प्रशिक्षण का चक्र सम्मिलित होता है। भार का प्रोग्रेसन किसी व्यक्ति की योग्यताओं में प्रगति/सुधार खेल प्रशिक्षण का एक अग्रणी सिद्धांत है। प्रोग्रेसन का अर्थ है कि स्वस्थता में हुई प्रगति के साथ-साथ प्रशिक्षण में और कड़ाई/उग्रता लाई जाती है, जो खिलाड़ी की स्वस्थता की वर्तमान स्थिति के लिए चुनौती होती है। निरन्तरता के सिद्धांत का अभिप्राय है प्रशिक्षण की निरन्तरता। नियत कालिक सिद्धांत के अनुसार खेल प्रशिक्षण की 3 समयावधियाँ होती हैं– वृहत् चक्र (marcrocycle), मध्यम चक्र (Mesocycle) एवं सूक्ष्म चक्र (Microcycle)। वृहत् चक्र बड़ा या लम्बा चक्र होता है, जो 4 से 12 मास या इससे भी अधिक अवधि का होता है। मध्यम चक्र मध्यवर्ती या मध्यम अवधि का होता है एवं यह कुछ सप्ताह का (प्रायः 4-6 सप्ताह) हो सकता है। सूक्ष्म चक्र छोटा/अल्पावधि) का होता है एवं यह कुछ दिन का हो सकता है।

74. **वैधता :** उपलब्धि का मापन करने के लिए, व्यवसाय के लिए व्यक्तियों का चयन करने के लिए अथवा छात्रों की भावी सफलता का अनुमान लगाने के लिए परीक्षणों का प्रयोग किया जाता है। परन्तु परीक्षण के इन प्रयोगों के समय सबसे महत्वपूर्ण प्रश्न है- क्या प्रयोग में लाया जाने वाला परीक्षण अपने उद्देश्य की पूर्ति करता है। निःसन्देह कुछ परीक्षण ऐसे होते हैं जो अपने उद्देश्य की पूर्ति सफलतापूर्वक नहीं करते। ऐसे परीक्षणों को अवैध परीक्षण कहते हैं। जब परीक्षण अपने उद्देश्य की पूर्ति करता है जब उसे वैध परीक्षण कहते हैं तथा परीक्षण की इस विशेषता को वैधता कहते हैं। वैधता के प्रमुख प्रकार निम्नलिखित हैं–

- **सांख्यिकीय वैधता :** किसी परीक्षण की वैधता ज्ञात करने के लिए सह-सम्बन्ध गुणांक, *t* परीक्षण कारक विश्लेषण जैसी सांख्यिकीय विधियों का भी प्रयोग किया जाता है। पूर्व कथित वैधता, समवर्ती वैधता तथा कारक वैधता सांख्यिकीय आधार पर स्थापित की जाती है।
- **आनुभाविक वैधता :** इस वैधता से तात्पर्य ऐसी वैधता से होता है जिसका निर्धारक आनुभाविक तरीकों से होता है। इस वैधता से यह पता चलता है कि व्यक्तियों के वास्तविक प्रतिदर्श में वास्तविक केसेज के साथ परीक्षण वास्तव में अपना उद्देश्य की पूर्ति कर पाता है या नहीं। कसौटी प्राप्तांकों पर आधृत वैधता गुणांक इसी श्रेणी के होते हैं।
- **पाठ्यचर्या वैधता :** परीक्षण विषयवस्तु और उद्देश्य के बीच समझौते के प्रसार द्वारा प्रदर्शित की वैधता है।
- **मद वैधता :** किसी मद का विभेदकारी मान है।

77. तनाव एक सकारात्मक (positive) व प्रेरक (motivating) शक्ति है जो सारा जीवन हमें प्रभावित करती है। यह खतरे के प्रति हमें अधिक सचेत, सतर्क व जागरूक रखती है। विद्युत तरंग की तरह, यह हमारे शरीर की

कार्यक्षमता में वृद्धि करती है। ऊर्जा का अधिक संचार होने लगता है और इससे हमारी कार्यक्षमता बढ़ती है।

तनाव एक प्रकार की नकारात्मक भावनात्मक स्थिति भी है जो व्यक्ति की स्रोतों या योग्यता से अधिक कार्य करने, शारीरिक प्रणाली की थकावट से उत्पन्न होती है और इससे शारीरिक/व्यवहारिक कठिनाइयां उत्पन्न होती हैं।

वैज्ञानिक भाषा में तनाव की परिभाषा शारीरिक व मानसिक, दोनों तरह से की जा सकती हैं। तनाव ग्रस्त मनुष्य तनाव को अच्छे बुरे, दोनों रूपों में लेता है।

तनाव प्रक्रिया में चार अंतर्संबंधित अवस्थाओं का क्रमिक रूप हैं–

- पर्यावरणीय मांग
- मांग का प्रत्यक्षण
- तनाव अनुक्रिया
- तनाव के व्यवहारिक परिणाम।

80. मलेरिया रोग प्लाज्मोडियम प्रोटोजोआ (परजीवी) से होता है। इस रोग की तीन अवस्थाएं होती हैं– प्रथम अवस्था में सिर दर्द के साथ ठंड लगकर बुखार आता है, दूसरी अवस्था में बुखार सिर दर्द के साथ बढ़कर अधिक हो जाता है और तीसरी अवस्था में पसीना आता है, दर्द कम हो जाता है और बुखार उतर जाता है। इसके उपचार में क्लोरोक्वीन, केमोक्वीन आदि का सेवन करना चाहिए।

प्लाज्मोडियम का जीवन चक्र :

- RBC के टूटने से एक विषाक्त पदार्थ 'हेमोजोइन' का निर्माण होता है जो हर तीन से चार दिन में ठंड लगने की शिकायत और तेज बुखार के लिये जिम्मेदार होता है।
- संक्रमित मादा एनफिलीज मच्छर के काटने से प्लाज्मोडियम मानव शरीर में स्पोरोजोइट्स (संक्रामक रोग) के रूप में प्रवेश करता है।
- परजीवी शुरू में यकृत कोशिकाओं के भीतर वृद्धि करते हैं और फिर लाल रक्त कोशिकाओं (RBCs) पर हमला करते हैं जिसके परिणामस्वरूप RBC टूटने लगते हैं।
- मादा एनाफिलीज मच्छर द्वारा किसी संक्रमित व्यक्ति को काटे जाने से ये परजीवी मच्छर के शरीर में प्रवेश कर जाते हैं और इस प्रकार ऐसे मच्छर के काटने से अन्य लोगों में फैलता है।
- परजीवी उनकी लार ग्रंथियों में जमा होने वाले स्पोरोजोइट्स के निर्माण के लिए स्वयं में वृद्धि करते हैं। जब ये मच्छर किसी इंसान को काटते हैं तो स्पोरोजोइट्स उस व्यक्ति के शरीर में प्रवेश कर जाते हैं, जिसके कारण ऐसी घटनाओं में वृद्धि होती है।

84. स्मृति के चार प्रमुख तत्त्व हैं– सीखना, धारणा, पुनःस्मरण या प्रत्यास्मरण तथा प्रत्यभिज्ञा या पहचान। इनका संक्षिप्त विवरण निम्नलिखित है–

- **सीखना (Learning) :** 'सीखना या अधिगम' स्मृति का आधारभूत तत्व है। स्मृति की क्रियाएँ सीखने से उत्पन्न होती हैं। वुडवर्थ ने स्मृति को सामान्य रूप से सीखने का एक अंग माना है, तथा स्मरण को सीखे गये तथ्यों का सीधा, उपयोग बताया हैं। जब तक कोई ज्ञान, अनुभव या तथ्य मस्तिष्क में पहुँचकर अपना संस्कार नहीं बनायेगा तब तक स्मरण की प्रक्रिया प्रारम्भ हो ही नहीं सकती। सीखी हुई बातें पहले अवचेतन मन में एकत्र होती हैं और बाद में याद की जाती हैं। अतः सीखना स्मरण के लिए सबसे पहली शर्त है।
- **धारणा (Retention) :** सीखने के उपरान्त किसी ज्ञान या अनुभव को मस्तिष्क में धारण कर लिया जाता है। किसी समय-विशेष में जो कुछ सीखा जाता है, मनुष्य के मस्तिष्क में वह स्मृति चिह्नों या संस्कारों के रूप में स्थित हो जाता है। जीवन के विभिन्न क्षेत्रों से आये सभी संस्कार एक संगठित अवस्था में अवचेतन मन में संगृहीत होते हैं। वस्तुतः स्मृति-चिह्नों या संस्कारों के संगृहीत होने की क्रिया ही धारणा है। आवश्यकतानुसार इन संगृहीत संस्कारों को पुनः दोहराया जा सकता है।
- **पुनः स्मरण या प्रत्यास्मरण (Recall) :** सीखे गये अनुभावों को पुनः दोहराने या चेतना में लाने की क्रिया पुनःस्मरण या प्रत्यास्मरण कहलाती है।
- **प्रत्यभिज्ञा या पहचान (Recognition) :** प्रत्यभिज्ञा या पहचान, स्मृति का चतुर्थ एवं अन्तिम तत्त्व है जिसका शाब्दिक अर्थ है– 'किसी पहले से जाने हुए विषय को पुनः जानना या पहचानना।

जब कोई भूतकालीन अनुभव, चेतन मन में पुनःस्मरण या प्रत्याह्वान के बाद, सही अथवा गलत होने के लिए पहचान लिया जाता है तो स्मृति का यह तत्व प्रत्यभिज्ञा या पहचान कहलाएगा।

86. *t* परीक्षण का पता एक सुप्रसिद्ध सांख्यिकीविद् डब्ल्यू. एस. गोसट (1876–1937) ने किया था जो कि आयरलैण्ड की एक ब्रू कंपनी गिन्नेस में सांख्यिकीविद् था। गोसट ही वह पहला व्यक्ति था जिसने लघु प्रतिदर्शों से प्राप्त सूचना का विवेचन करने की विधि विकसित की। लेकिन कंपनी की ओर से कंपनी के किसी भी कर्मचारी को अपने लेख प्रकाशित कराने की अनुमति नहीं थी। अतः गोसट ने 1907 में "स्टूडेन्ट" के नाम से गुप्त रूप से अपने लेखों को प्रकाशित किया। यही कारण है कि आज भी इस परीक्षण को स्टूडेन्ट *t*-परीक्षण कहा जाता है। *t*-परीक्षण का प्रयोग दो प्रतिदर्शों के माध्यमों की तुलना करने में किया जाता है।

युग्मित *t* परीक्षण : यदि समान पदों पर किसी घटना की दो क्रियाओं का प्रभाव ज्ञात करना हो तो युग्मित *t* परीक्षण से सार्थकता की जाँच की जा सकती है।

उदाहरण में विद्यार्थियों में कोचिंग का प्रभाव, नवजात शिशुओं पर पौष्टिक भोजन का प्रभाव, प्रशिक्षण का श्रमिकों पर प्रभाव, दवा का रोगियों पर प्रभाव, खाद का फसल उत्पादन पर प्रभाव आदि। इसकी विशेषता यह है कि यहाँ न्यादर्श की इकाईयाँ समान होती हैं परन्तु उसे दो विभिन्न परिथितियों में देखा जाता है।

इस प्रकार के प्रतिदर्शों को युग्मित प्रतिदर्श कहा जाता है तथा इस परीक्षण को युग्मित *t* परीक्षण कहा जाता है। अंतः कथन I और II दोनों सही हैं।

87. 'लीन बॉडी मास' मांसपेशियाँ, हड्डी और शरीर के अन्य गैर वसा ऊतक है। दुबला शरीर द्रव्यमान की गणना कुल शरीर के वजन और शरीर में वसा के वजन के बीच अंतर के रूप में की जाती है या अधिक वसा को छोड़कर सब कुछ के वजन के रूप में। स्वस्थ माने जाने वाले 'लीन बॉडीमास' की सीमा लगभग 70% है। लीन बॉडी मास में अनिवार्य वसा का भंडार न्यूनतम प्रतिशत (लगभग 3% तक), प्रमुखतया केन्द्रीय तंत्रिका प्रणाली के भीतर, बोनमेरी एवं आंतरिक अंग शामिल रहते हैं।

मानव शरीर की आकृति को पूर्ण रूप देने में LBM (लीन बॉडी मास) दुबला शरीर द्रव्यमान शरीर संरचना का वह घटक है, जो कुल शरीर के वजन से वसा वाले वजन को घटा कर गणना करता है। FBM (fat body mass) मोटा शरीर द्रव्यमान शरीर संरचना का वह घटक है जो कुल शरीर के वसा को शरीर वजन में सम्मिलित होती है। फैटफ्री मास एवं लीन बॉडी मास शब्द को सामान्यतया अनुपरिवर्तनीय माना जाता है, जबकि इनमें ऐसा नहीं होना चाहिए। इस प्रकार (A) और (R) दोनों सही हैं, और (R), (A) की सही व्याख्या है।

88. ऊर्ध्वाधर कूद या ऊर्ध्वाधर छलांग हवा में ऊपर की ओर कूदने की क्रिया है। यह धीरज और विस्फोटक शक्ति दोनों के निर्माण के लिए एक प्रभावी अभ्यास है। ऊर्ध्वाधर कूद के लिए खड़ी अवस्था से सबसे चिन्हित है पहले नीचे जाता है।

ऊर्ध्वाधर कूद दो अलग-अलग प्रकारों में विभाजित हैं :

- **खड़ी कूद :** यह एक ठहराव से किए गए ऊर्ध्वाधर कूद को संदर्भित करता है जिसमें कोई भी कदम शामिल नहीं है। यह आमतौर पर एक त्वरित क्राउचिंग एक्शन से पहले होता है। खड़ी अवस्था में नीचे जाने पर स्थायित्व के अंश में वृद्धि होती है।
- **वर्टिकल जंप रनिंग :** यह रन अप के बाद वर्टिकल जंप को संदर्भित करता है। रन का अंतिम चरण जंप में लॉन्च करने के लिए उपयोग किया जाता है। इससे कूद में अतिरिक्त ऊर्जा जोड़ने और खड़े ऊर्ध्वाधर कूद परिणाम में सुधार करने में मदद मिल सकती है।

सामान्य तौर पर, खड़ी ऊर्ध्वाधर कूद वह है जो एथलीटों के लिए आधिकारिक माप के रूप में उपयोग की जाती है। इस प्रकार अभिकथन (A) एवं तर्क (R) दोनों सही हैं और (R), (A) की सही व्याख्या नहीं है।

पिछले प्रश्न-पत्र (हल सहित)

National Testing Agency (NTA)

UGC-NET जूनियर रिसर्च फैलोशिप तथा सहायक प्राध्यापक पात्रता परीक्षा

शारीरिक शिक्षा, दिसम्बर-2019*

प्रश्न-पत्र-II

1. निम्नलिखित में से कौन-सा घटक स्वास्थ्य लाभ की गति को सबसे ज्यादा निर्धारित करता है?

A. नींद B. पोषण

C. अतिभार D. आत्मसम्मान

2. निम्नलिखित में से कौन-से सही हैं?

(a) सिर का झुकना दूसरी श्रेणी की लीवर है

(b) पैर की उंगलियों पर शरीर का उठाना तृतीय श्रेणी का लीवर है

(c) कोहनी का घुमाव तृतीय श्रेणी का लीवर है

(d) कोहनी का विस्तार प्रथम श्रेणी का लीवर है

निम्नलिखित में से सही विकल्प चुनें:

A. (*a*), (*b*) और (*c*) B. (*a*), (*b*) और (*d*)

C. (*b*), (*c*) और (*d*) D. केवल (*c*) और (*d*)

3. न्यूटन के सार्वभौमिक गुरुत्वाकर्षण के सिद्धांत के बारे में निम्नलिखित में से क्या सही नहीं है?

A. इस ब्रम्मांड में प्रत्येक वस्तु एक-दूसरे को समान और विपरीत बल के साथ आकर्षित करती है।

B. गुरुत्वाकर्षण का बल दोनों वस्तुओं के परिमाण के गुणनफल से प्रत्यक्ष समानुपाती है।

C. गुरुत्वाकर्षण का बल दोनों वस्तुओं के बीच की दूरी से प्रतिलोम अनुपाती है।

D. गुरुत्वाकर्षण का बल दोनों वस्तुओं के बीच की दूरी के वर्ग से प्रतिलोम अनुपाती है।

4. निम्नलिखित में से कौन-सी क्षमता मुख्य रूप से तेज कौशल अधिग्रहण के लिए जिम्मेदार है?

A. शक्ति B. लचीलापन

C. समन्वयक क्षमता D. गति

5. निम्नलिखित में से कौन-से तीन प्रशिक्षण के स्थानांतरण के संबंध में सही हैं?

(*a*) नकारात्मक स्थानांतरण

(*b*) निराशाजनक स्थानांतरण

(*c*) धनात्मक स्थानांतरण

(*d*) शून्य स्थानांतरण

निम्नलिखित में से सही विकल्प चुनें:

A. (*a*), (*c*) और (*d*) B. (*b*), (*c*) और (*d*)

C. (*a*), (*b*) और (*c*) D. (*a*), (*b*) और (*d*)

6. रीढ़ का लचीलापन और विस्तार इस पर किया जाता है:

A. सैजिटल एक्सिस और फ्रंटल प्लेन

B. कोरोनल एक्सिस और सैजिटल प्लेन

C. हॉरिजॉन्टल एक्सिस और वर्टिकल प्लेन

D. ट्रांसवर्स एक्सिस और कोरोनल प्लेन

7. निम्नलिखित का मिलान करें:

सूची-I (पारिभाषिक शब्द)	सूची-II (अस्थि का भाग)
(*a*) ट्रांचेंटर	(*i*) अस्थि का एक छोटा गुमटेदार प्रक्षेप
(*b*) ट्यूबरकल	(*ii*) अस्थि का प्रक्षेपित भाग
(*c*) प्रोसेस	(*iii*) अस्थि का एक नुकीला प्रक्षेप
(*d*) स्पाइन	(*iv*) अस्थि का एक बड़ा गुमटेदार प्रक्षेप

कूट:

	(*a*)	(*b*)	(*c*)	(*d*)
A.	(*i*)	(*iv*)	(*ii*)	(*iii*)
B.	(*iv*)	(*i*)	(*ii*)	(*iii*)
C.	(*i*)	(*iv*)	(*iii*)	(*ii*)
D.	(*iv*)	(*i*)	(*iii*)	(*ii*)

*Online exam held on 04-12-2019.

8. 3000 मीटर से अधिक ऊंचाई पर सहनशक्ति प्रदर्शन _______ के कारण गंभीर रूप से प्रभावित होता है:

A. अधिक ऊंचाई पर हवा में ऑक्सीजन के प्रतिशत में कमी

B. ऊंचाई बढ़ने के साथ ऑक्सीजन के आंशिक दबाव में कमी

C. ऊंचाई बढ़ने के साथ बैरोमीटर का दबाव बढ़ जाना

D. फुफ्फुसीय वेंटिलेशन की कमी

9. शिक्षक-मध्यस्थता संबंधी अनुदेशात्मक प्रारूप में निम्न शामिल हैं:

(*a*) सक्रिय शिक्षण

(*b*) टास्क शिक्षण

(*c*) पारस्परिक प्रारूप

(*d*) प्रश्न के माध्यम से शिक्षण

निम्नलिखित में से सही विकल्प चुनें:

A. (*a*), (*b*) और (*c*)   B. (*a*), (*c*) और (*d*)

C. (*c*), (*b*) और (*d*)   D. केवल (*b*) और (*c*)

10. सूची–I में दिए गए व्यक्तित्व के आयामों का सूची–II में दिए गए विशेषताओं के साथ मिलान करें।

सूची-I	सूची-II
(*a*) बहिर्मुखता	(*i*) अच्छा स्वभाव और सहयोगी
(*b*) अनुकूलता	(*ii*) मिलनसार और उत्साही
(*c*) भावनात्मक स्थिरता	(*iii*) कल्पनाशील और सरल
(*d*) निर्मलता का अनुभव	(*iv*) शांत और संतुलित

कूट:

	(*a*)	(*b*)	(*c*)	(*d*)
A.	(*iv*)	(*iii*)	(*ii*)	(*i*)
B.	(*ii*)	(*i*)	(*iv*)	(*iii*)
C.	(*iii*)	(*ii*)	(*i*)	(*iv*)
D.	(*i*)	(*iv*)	(*iii*)	(*ii*)

11. डी.आई.एम. एक प्रक्रिया है जो विधि स्थापित करने के लिए प्रयोग किया जाता है:

A. पर्यवेक्षण प्रबंधन कार्यक्रम

B. कार्मिक प्रबंधन कार्यक्रम

C. जोखिम प्रबंधन कार्यक्रम

D. बजट प्रबंधन कार्यक्रम

12. निम्नलिखित में पेशी संकुचन के तंत्र के चरणों का सही क्रम ज्ञात कीजिए। सही विकल्प चुनें:

A. एटीपी टूट जाता है, कैल्शियम मुक्त होता है, ट्रोपोनिन की निष्क्रियता, मायोसिन एक्टिन को खींचता है, एक्टिन और मायोसिन युग्मित होते हैं, संभावित क्रिया उत्पन्न होती है

B. कैल्शियम मुक्त होता है, संभावित क्रिया उत्पन्न होती है, एटीपी टूट जाता है, ट्रोपोनिन की निष्क्रियता, एक्टिन और मायोसिन युग्मित होते हैं, मायोसिन एक्टिन को खींचता है

C. संभावित क्रिया उत्पन्न होती है, कैल्शियम मुक्त होता है, ट्रोपोनिन की निष्क्रियता, एक्टिन और मायोसिन युग्मित होते हैं, एटीपी टूट जाता है, मायोसिन एक्टिन को खींचता है

D. संभावित क्रिया उत्पन्न होती है, ट्रोपोनिन की निष्क्रियता, कैल्शियम मुक्त होता है, एटीपी टूट जाता है, मायोसिन एक्टिन को खींचता है, एक्टिन और मायोसिन युग्मित होते हैं

13. निम्नलिखित मोटर फिटनेस टेस्ट को आरोही क्रम में उनके निर्माण के वर्ष के अनुसार व्यवस्थित करें:

(*a*) ओरेगन मोटर फिटनेस टेस्ट

(*b*) AAHPER यूथ फिटनेस टेस्ट

(*c*) इंडियाना मोटर फिटनेस टेस्ट

(*d*) मोटर फिटनेस का फ्लेशिमैन टेस्ट

सही विकल्प चुनें:

A. (*c*), (*d*), (*b*) और (*a*)

B. (*c*), (*b*), (*a*) और (*d*)

C. (*a*), (*b*), (*c*) और (*d*)

D. (*b*), (*c*), (*d*) और (*a*)

14. निम्नलिखित में से कौन-से तीन प्रतिशत आइटम विश्लेषण में ऊपरी और निचले समूह की सीमा में आते हैं?

(*a*) 20 प्रतिशत   (*b*) 25 प्रतिशत

(*c*) 27 प्रतिशत   (*d*) 33 प्रतिशत

सही विकल्प चुनें:

A. (*a*), (*b*) और (*c*)   B. (*b*), (*c*) और (*d*)

C. (*a*), (*c*) और (*d*)   D. (*a*), (*b*) और (*d*)

15. खेल प्रबंधक की कड़ी की अंतिम शृंखला है:

A. जनसंपर्क

B. निर्देशन

C. नियंत्रण और मूल्यांकन

D. वित्त और बजट

16. दीर्घकालीन सहनशक्ति प्रशिक्षण के बाद विरामावस्था में हृदय दर काफी कम हो जाती है। तकनीकी रूप से, इस कमी को कहा जाता है:

A. ब्रैडीकार्डिया प्रशिक्षण

B. टैकीकार्डिया

C. एथलेटिक हर्ट

D. कार्डियाक हाइपरट्राफी

17. निम्नलिखित पोषक तत्वों को उनकी कमी वाले सिंड्रोम से मिलान करें:

सूची-I (पोषक तत्व)	**सूची-II (कमी के लक्षण)**
(*a*) विटामिन B_{12}	(*i*) घेंघा
(*b*) विटामिन D	(*ii*) क्वाशिओरकोर
(*c*) प्रोटीन	(*iii*) ओस्टियोमलेसिया
(*d*) आयोडीन	(*iv*) पर्निशियम एनीमिया

कूट:

	(*a*)	(*b*)	(*c*)	(*d*)
A.	(*iv*)	(*iii*)	(*i*)	(*ii*)
B.	(*ii*)	(*i*)	(*iv*)	(*iii*)
C.	(*iv*)	(*iii*)	(*ii*)	(*i*)
D.	(*iii*)	(*iv*)	(*ii*)	(*i*)

18. अधिक संख्या में आइटमों की तुलना में लंबे परीक्षण अधिक हैं:

A. वैध

B. वस्तुपरक

C. विश्वसनीय

D. व्यवहार्य

19. निम्नलिखित में से किस बीमारी के लिए मोटापा सीधे तौर पर जिम्मेदार नहीं है?

A. मधुमेह

B. इस्केमिक हृदय रोग

C. कैंसर

D. हाइपरलिपिडिमिया

20. शिक्षक अक्सर "क्या और कैसे पढ़ाएँ" मार्गदर्शन करने के लिए किस प्रकार के परीक्षण का उपयोग करते हैं?

A. रचनात्मक

B. नैदानिक

C. टर्मिनल

D. योगात्मक

21. सूची–I में दी गई वस्तुओं से सूची–II में दी गई उनके समकक्षों के साथ मिलान करें।

सूची-I	**सूची-II**
(*a*) कालानुक्रमिक आयु	(*i*) बच्चे की शारीरिक क्षमता के अनुसार उम्र
(*b*) शारीरिक रचना के आधार पर अनुमानित आयु	(*ii*) वर्ष, महीने और दिनों में अभिलेख के अनुसार बच्चे की आयु
(*c*) दैहिक आयु	(*iii*) बच्चे के संज्ञानात्मक विकास के अनुसार आयु
(*d*) मानसिक आयु	(*iv*) बच्चे की कंकाल प्रणाली की वृद्धि और विकास के अनुसार

कूट:

	(*a*)	(*b*)	(*c*)	(*d*)
A.	(*iv*)	(*i*)	(*ii*)	(*iii*)
B.	(*ii*)	(*iv*)	(*i*)	(*iii*)
C.	(*ii*)	(*i*)	(*iii*)	(*iv*)
D.	(*ii*)	(*iii*)	(*iv*)	(*i*)

22. नीचे दो कथन दिए गए हैं। एक अभिकथन (A) और दूसरा कारण (R) है।

अभिकथन (A): पाठ्यक्रम केवल सामग्री का चयन और वितरण नहीं है, ज्ञान का एक क्षेत्र है, जो पाठ्यक्रम से अलग है।

कारण (R): पाठ्यक्रम कार्यक्रम या इकाई, विषयों मुद्दों या विषय की सामग्री है जिसे अन्तर्निहित किया जाएगा क्योंकि यह आगे बढ़ता है और इसमें शिक्षाशास्त्र शामिल नहीं है।

उपरोक्त आलोक में, नीचे दिए गए कोड में से सही विकल्प चुनें:

A. (A) और (R) दोनों सत्य हैं और (R), (A) की सही व्याख्या है

B. (A) और (R) दोनों सत्य हैं और (R), (A) की सही व्याख्या नहीं है

C. (A) सत्य है, लेकिन (R) गलत है

D. (A) गलत है, लेकिन (R) सत्य है

23. निम्नलिखित में से कौन-सा एक शोध-पत्र के लिए शुरुआत से अंत तक एक अमूर्त के विभिन्न भागों का सही अनुक्रम है?

A. उद्देश्य, विधि, परिणाम, निष्कर्ष
B. विधि, उद्देश्य, निष्कर्ष, परिणाम
C. उद्देश्य, विधि, निष्कर्ष, परिणाम
D. उद्देश्य, परिणाम, विधि, निष्कर्ष

24. निम्नलिखित में से कौन-सा प्रक्षेप्य गति के बारे में सत्य नहीं है, जब प्रक्षेपण और लैडिंग की ऊंचाई समान है?

A. किसी प्रक्षेप्य की क्षैतिज गति इसके ऊर्ध्वाधर गति से स्वतंत्र होती है।
B. प्रक्षेप्य की सीमा समान होगी यदि कोई वस्तु 60° और 30° पर प्रक्षेपित की जाती है बशर्ते कि रिलीज का वेग स्थिर हो।
C. प्रक्षेप्य की सीमा गुरुत्वाकर्षण बल के सीधे अनुपातिक होती है।
D. सीमा अधिकतम होगी यदि एक शॉट पुटर ने 45° से कम पर शॉट लगाया।

25. निम्नलिखित में से कौन-सा जन्म के बाद एक बच्चे को दिए गए टीकाकरण का सही क्रम है?

A. खसरा, BCG, DPT-3, OVP-I
B. BCG, खसरा, OVP-I, DPT-3
C. OVP-I, खसरा, DPT-3, BCG
D. BCG, DPT-3, खसरा, OVP-I

26. सूची–I में दिए गए अकादमी/क्लब का सूची–II में दिए गए स्थापना के वर्ष के साथ मिलान करें।

सूची-I		सूची-II
(*a*) टाटा फुटबॉल अकादमी	(*i*)	1991
(*b*) एयर इंडिया हॉकी अकादमी	(*ii*)	2008
(*c*) गोपीचंद बैडमिंटन अकादमी	(*iii*)	1987
(*d*) चर्चिल ब्रदर्स फुटबॉल क्लब, गोवा	(*iv*)	1988

कूट:

	(*a*)	(*b*)	(*c*)	(*d*)
A.	(*iii*)	(*i*)	(*iv*)	(*ii*)
B.	(*i*)	(*iii*)	(*iv*)	(*ii*)
C.	(*iii*)	(*i*)	(*ii*)	(*iv*)
D.	(*i*)	(*iii*)	(*ii*)	(*iv*)

27. किस स्तर पर, बच्चों द्वारा उपलब्धि प्रेरण की जाती है?

A. प्यूबिसेंस
B. किशोरावस्था
C. इन्फेन्सी
D. सामाजिक विकास का औपचारिक चरण

28. निम्नलिखित में से, जिन्हें जल प्रदूषण के गंभीर पहलू के रूप में माना जाता है:

(*a*) भंग खनिज
(*b*) कृषि प्रदूषक
(*c*) निलंबित अशुद्धियाँ
(*d*) औद्योगिक और व्यापार अपशिष्ट

नीचे दिए गए विकल्पों में से सही विकल्प चुनें:

A. (*a*) और (*b*) B. (*c*) और (*d*)
C. (*a*) और (*c*) D. (*b*) और (*d*)

29. निम्नलिखित में से कौन प्रबंधन का कार्य नहीं है?

A. निर्देशन B. यूनियन नेतृत्व
C. योजना D. समन्वय

30. नियंत्रण चक्र के सही क्रम को पहचानें:

A. कार्रवाई, मूल्यांकन, प्रतिपुष्टि, समायोजन
B. प्रतिपुष्टि, मूल्यांकन, समायोजन, कार्रवाई
C. कार्रवाई, प्रतिपुष्टि, मूल्यांकन, समायोजन
D. समायोजन, कार्रवाई, प्रतिपुष्टि, मूल्यांकन

31. किस देश में "आत्मा के लिए संगीत और शरीर के लिए जिमनास्टिक" को महत्वपूर्ण माना जाता था?

A. यूनान B. रोम
C. स्वीडन D. डेनमार्क

32. शक्ति प्रशिक्षण के निम्नलिखित सिद्धांतों को उनके लाभकारी से मिलान करें:

सूची-I	सूची-II
(*a*) विविधता का सिद्धांत	(*i*) तत्परता की स्थिति का निर्धारण
(*b*) विशिष्टता का सिद्धांत	(*ii*) कार्य क्षमता में वृद्धि
(*c*) वैयक्तिकरण का सिद्धांत	(*iii*) अधिक अनुकूलन प्राप्त करने के लिए
(*d*) भार की प्रगति का सिद्धांत	(*iv*) मनोवैज्ञानिक भलाई के लिए सकारात्मक प्रभाव

कूट:

	(a)	(b)	(c)	(d)
A.	(iii)	(iv)	(ii)	(i)
B.	(iv)	(iii)	(i)	(ii)
C.	(ii)	(i)	(iv)	(iii)
D.	(i)	(iii)	(ii)	(iv)

33. क्रायोथेरेपी के तहत आने वाले तौर-तरीकों की पहचान करें।

(a) सूक्ष्म-तरंग व्याधि (b) शीत व्हर्लपूल स्नान
(c) लघु तरंग व्याधि (d) अल्ट्रा साउंड
(e) शीतलक स्प्रे

नीचे दिए गए कोड में से सही विकल्प चुनें:

A. (a) और (d) B. (b) और (e)
C. (a) और (e) D. (c) और (d)

34. विश्व हेपेटाइटिस दिवस मनाया जाता है:

A. 28 जुलाई B. 18 जुलाई
C. 28 जून D. 18 जून

35. नीचे दो कथन दिए गए हैं। एक अभिकथन (A) और दूसरा कारण (R) है।

अभिकथन (A) : नकारात्मक तिरछापन के रूप में अंक/स्कोर बढ़ जाती है आवृत्ति घट जाती है।

कारण (R) : नकारात्मक तिरछापन में परीक्षार्थियों के लिए परीक्षा बहुत आसान है।

उपरोक्त कथन के संदर्भ में, निम्नलिखित में से कौन-सा सत्य है?

A. (A) और (R) दोनों सत्य हैं और (R), (A) की सही व्याख्या है
B. (A) और (R) दोनों सत्य हैं, किन्तु (R), (A) की सही व्याख्या नहीं है
C. (A) सत्य है, लेकिन (R) गलत है
D. (A) गलत है, लेकिन (R) सत्य है

36. निम्नलिखित में से कौन नौसिखिए एथलीटों के लिए कंडीशनिंग का एक मूल तरीका नहीं है?

A. दोहराव विधि B. क्रॉस-ट्रेनिंग विधि
C. सतत विधि D. प्लायोमेट्रिक विधि

37. प्लेन जो शरीर को सिनस्टर और डेक्सटर में विभाजित करता है उसे निम्न के रूप में जाना जाता है:

A. फ्रंटल प्लेन B. कॉरोनल प्लेन
C. सैजीटल प्लेन D. क्षैजित प्लेन

38. सांख्यिकीय तकनीक को डेटा के एक सेट को कम करने के लिए इस्तेमाल किया जाता है, जो समान चर को भूल घटकों में समूहित करता है:

A. मेटा विश्लेषण B. कारक (तत्व) विश्लेषण
C. त्रुटि विचलन D. कैनोनिकल सहसंबंध

39. बॉडी मास इंडेक्स की गणना के लिए, निम्नलिखित में से किस पैरामीटर की आवश्यकता है?

(a) सेंटीमीटर में ऊँचाई
(b) किलोग्राम में वजन
(c) मीटर में ऊँचाई
(d) बॉडी फैट%
(e) पाउंड में वजन

नीचे दिए गए विकल्पों में से सही विकल्प चुनें:

A. (a) और (b) B. (b), (c) और (d)
C. (a), (d) और (e) D. (b) और (c)

40. एथलीटों को प्रेरित करने के लिए सबसे अच्छा उपाय कौन-सा है?

A. आंतरिक प्रेरणा B. अभिप्रेरणा
C. जैविक अभिप्रेरणा D. बाह्य प्रेरणा

41. लगभग एक ही परिणाम में एक ही परीक्षण और उन्हीं छात्रों को नए परीक्षण देने के बीच एक उच्च सहसंबंध गुणांक प्राप्त करना:

A. पूर्वसूचक वैधता B. फेस वैधता
C. समवर्ती वैधता D. निर्माण वैधता

42. निम्नलिखित रोगों का उनके संबंधित कारक से मिलान करें:

सूची-I (रोग)	सूची-II (संबंधित कारक)
(a) अतिसार	(i) जीवाणु
(b) स्वाइन फ्लू	(ii) आनुवंशिक विकार
(c) यक्ष्मा	(iii) परजीवी
(d) मधुमेह	(iv) वायरस

कूटः

	(a)	(b)	(c)	(d)
A.	(iii)	(iv)	(i)	(ii)
B.	(iv)	(iii)	(i)	(ii)
C.	(i)	(iv)	(ii)	(iii)
D.	(ii)	(iii)	(iv)	(i)

43. निम्नलिखित विवरणों को उनके संबंधित विवरणकों के साथ मिलान करें:

सूची-I	सूची-II
(a) पारिस्थितिक-अनुकूलन	(i) हृदय चक्र की विद्युत गतिविधि की रिकॉर्डिंग
(b) होमिओस्टेसिस	(ii) कंकाल की मांसपेशी की विद्युत गतिविधि की रिकॉर्डिंग
(c) इलेक्ट्रोकार्डियोग्राम	(iii) उच्च एल्टीट्यूट की अनुकूलक प्रतिक्रिया
(d) इलेक्ट्रोमायोग्राम	(iv) आंतरिक पर्यावरण की समरूप गति

कूटः

	(a)	(b)	(c)	(d)
A.	(iv)	(iii)	(ii)	(i)
B.	(iii)	(iv)	(i)	(ii)
C.	(iv)	(i)	(ii)	(iii)
D.	(ii)	(iv)	(i)	(iii)

44. नीचे दिए गए कोडों से कैरोन संसंजन कारकों के वैचारिक मॉडल का सही क्रम खोजें:

A. पर्यावरणीय कारक, व्यक्तिगत कारक, समूह कारक, नेतृत्व कारक
B. व्यक्तिगत कारक, समूह कारक, नेतृत्व कारक, पर्यावरणीय कारक
C. समूह कारक, नेतृत्व कारक, व्यक्तिगत कारक, पर्यावरणीय कारक
D. पर्यावरणीय कारक, समूह कारक, व्यक्तिगत कारक, नेतृत्व कारक

45. निम्नलिखित में से किसने प्रतिपादित किया 'कि कोई व्यक्ति तब तक तनाव में नहीं आएगा जब तक कि उसकी स्थिति के बारे में उसकी धारणा को खतरा नहीं हो?

A. लैजेरस B. एडलर
C. एरिकसन D. हार्नी

46. निम्नलिखित में से कौन-सा रनिंग गेट साइकिल के बारे में सही है?

(a) स्विंग फेज स्टांस फेज की तुलना में लंबा है
(b) डबल सपोर्ट पीरियड मौजूद है
(c) बॉडी फ्लोटिंग पीरियड मौजूद है
(d) स्विंग फेज के दौरान COM बॉडी की स्थिति अधिक होती है

नीचे दिए गए कोड में से सही विकल्प चुनें:

A. (a), (b) और (d) B. (b), (c) और (d)
C. केवल (a) और (d) D. (a), (c) और (d)

47. निम्नलिखित में से कौन-सा सृजनात्मक सोच के चरणों के सही अनुक्रमिक क्रम में है?

(a) तैयारी (b) ऊष्मायन
(c) प्रदीपन (d) मूल्यांकन
(e) पुनरीक्षण

निम्नलिखित में से सही क्रम चुनें:

A. तैयारी, प्रदीपन, मूल्यांकन, ऊष्मायन, पुनरीक्षण
B. ऊष्मायन, तैयारी, मूल्यांकन, प्रदीपन, पुनरीक्षण
C. प्रदीपन, पुनरीक्षण, तैयारी, ऊष्मायन, मूल्यांकन
D. तैयारी, ऊष्मायन, प्रदीपन, मूल्यांकन, पुनरीक्षण

48. निम्नलिखित में से किस कार्य के लिए ओरेगन मोटर फिटनेस टेस्ट की स्थापना की गई थी?

(a) ग्रेड स्तर के अनुसार शारीरिक फिटनेस की स्थिति निर्धारित करने के लिए।
(b) मानक से नीचे के लोगों की पहचान, ताकि फिटनेस में सुधार के लिए कार्यक्रम शुरू किया जा सके।
(c) युवाओं को खेल चयन की सलाह देना।
(d) युवाओं को प्रेरित करना।

नीचे दिए गए कोड में से सही विकल्प चुनें:

A. (a), (b) और (c) B. (a), (c) और (d)
C. (a), (b) और (d) D. (b), (c) और (d)

49. निम्नलिखित चिकित्सीय तौर-तरीकों का संबंधित प्रक्रियाओं के साथ मिलान करें:

सूची-I	सूची-II
(a) क्रायोथेरेपी	(i) TENS
(b) पेनेट्रेटिव थर्मोथेरेपी	(ii) मोम स्नान

(*c*) सुपरफिशियल थर्मोथेरेपी (*iii*) वर्ल पूल स्नान
(*d*) इलेक्ट्रोथेरेपी (*iv*) अल्ट्रासाउंड

कूट:

	(*a*)	(*b*)	(*c*)	(*d*)
A.	(*ii*)	(*iv*)	(*i*)	(*iii*)
B.	(*iii*)	(*i*)	(*iv*)	(*ii*)
C.	(*iii*)	(*iv*)	(*ii*)	(*i*)
D.	(*iv*)	(*iii*)	(*ii*)	(*i*)

50. दो चर पूरी तरह से नकारात्मक रूप से सहसंबध कहा जाता है यदिः

A. उनके बीच सह-चर सकारात्मक है
B. उनके बीच संहसंबंध का गुणांक शून्य है
C. उनके बीच सहसंबंध का गुणांक –1 है
D. उनके बीच सह-चर नकारात्मक है

51. निम्नलिखित में से कौन-से गेम्स/स्पोर्ट्स लक्ष्य ओलंपिक पोडियम योजना में उच्च प्राथमिकता वाले खेल के रूप में शामिल हैं?

(*a*) तीरंदाजी (*b*) बॉक्सिंग
(*c*) एथलेटिक्स (*d*) हॉकी
(*e*) जिम्नास्टिक

नीचे दिए गए कोड में से सही विकल्प चुनें:

A. (*a*), (*b*) और (*d*)
B. (*a*), (*c*) और (*e*)
C. (*b*), (*c*), (*d*) और (*e*)
D. (*a*), (*b*) और (*c*)

52. निम्नलिखित चरणों का पालन करके एक संगठन में प्रबंधन के उद्देश्य कार्यान्वित किए जाते हैं:

(*a*) उद्देश्यों के लिए उपयुक्त रणनीति चुनना
(*b*) उद्देश्यों की प्राप्ति के लिए जिम्मेदारियाँ सौंपना
(*c*) अधिकतम संसाधनों के उपयोग को प्राप्त करने के लिए विशिष्ट गतिविधियों का निर्धारण करना
(*d*) उद्देश्यों की प्राप्ति के लिए संसाधनों का आवंटन करना

निम्नलिखित विकल्पों में से कार्य योजना की अवधि में उद्देश्यों का सही क्रम चुनें:

A. (*a*), (*d*), (*c*), (*b*) B. (*b*), (*c*), (*d*), (*a*)
C. (*d*), (*a*), (*c*), (*b*) D. (*a*), (*b*), (*d*), (*c*)

53. निम्नलिखित में से कौन यूएएस के डेरिल सिडेंटोप द्वारा विकसित बाल खेल शिक्षा का उद्देश्य नहीं था?

A. सक्षम B. साक्षर
C. उत्साही खिलाड़ी D. वेलनेस

54. नीचे दो कथन दिए गए हैं। एक अभिकथन (A) और दूसरा कारण (R) है।

अभिकथन (A) : मौजूदा खेल कौशल परीक्षणों में से अधिकांश अनुप्रयुक्त हैं क्योंकि वे एक कृत्रिम स्थिति में व्यक्तियों को प्रशासित करते हैं।

कारण (R) : चूंकि खेल टीम के सदस्यों के साथ विरोधियों के खिलाफ खेला जाता है, इसलिए कौशल परीक्षण का एक सही माप दूसरों के साथ होना चाहिए और अलग अलगाव में नहीं होना चाहिए।

ऊपर दिए गए दो कथनों के प्रकाश में, नीचे दिए गए कोडों में से सही विकल्प चुनें:

A. (A) और (R) दोनों सत्य हैं और (R), (A) की सही व्याख्या है
B. (A) और (R) दोनों सत्य हैं और (R), (A) की सही व्याख्या नहीं है
C. (A) सत्य है, लेकिन (R) गलत है
D. (A) गलत है, लेकिन (R) सत्य है

55. निम्नलिखित में से किस वर्ष में भारत के खेल मंत्रालय की ''लक्ष्य ओलंपिक पोडियम योजना' शुरू की गई थी?

A. 2013 B. 2014
C. 2015 D. 2016

56. निम्नलिखित में से कौन-सा मानव शरीर में पाए जाने वाले ऊपर से नीचे तक स्नायुबंधन का सही क्रम है?

A. ट्रांसवर्स ह्यूमरल, कोराकोएक्रोमियल, इनफिरियर ग्लेनोह्यूमरल, एन्युलर लिगामेंट
B. ट्रांसवर्स ह्यूमरल, इनफिरियर ग्लेनोह्यूमरल, कोराकोएक्रोमियल, एन्युलर लिगामेंट
C. कोराकोएक्रोमियल, ट्रांसवर्स ह्यूमरल, इनफिरियर ग्लेनोह्यूमरल, एन्युलर लिगामेंट
D. कोराकोएक्रोमियल, इनफिरियर ग्लेनोह्यूमरल, ट्रांसवर्स ह्यूमरल, एन्युलर लिगामेंट

57. सामान्य वितरण का चतुर्थांश विचलन है:

A. 1/2 B. 2/3
C. 1/3 D. 1/4

58. निम्नलिखित में से कौन-सा सही है?

(*a*) विशेष क्षेत्र खेल योजना की आयु सीमा 12–18 वर्ष है।

(*b*) विशेष क्षेत्र की खेल योजना में 30 संकाय शामिल हैं।

(*c*) राष्ट्रीय खेल विकास कोष की स्थापना 1998 में की गई थी।

(*d*) राष्ट्रीय खेल विकास कोष की स्थापना 2000 में की गई थी।

नीचे दिए गए कोड में से सही विकल्प चुनें:

A. केवल (*a*) और (*c*)
B. केवल (*a*) और (*d*)
C. (*a*), (*b*) और (*d*)
D. केवल (*b*) और (*d*)

59. निम्नलिखित में से कौन-से दो प्रशिक्षण और प्रदर्शन लक्ष्यों को निर्धारित करने में महत्वपूर्ण हैं?

(*a*) लक्ष्य को आसानी से सुलभ और अप्राप्य होना चाहिए।

(*b*) लक्ष्य प्राप्य होना चाहिए।

(*c*) लक्ष्य यथार्थवादी होना चाहिए।

(*d*) लक्ष्य क्षमता से बहुत अधिक होना चाहिए।

नीचे दिए गए कोड में से सही विकल्प चुनें:

A. (*b*) और (*c*) B. (*a*) और (*c*)
C. (*b*) और (*d*) D. (*c*) और (*d*)

60. निम्न में से कौन-सा हेपेटाइटिस जल जनित है?

A. हेपेटाइटिस–B B. हेपेटाइटिस–C
C. हेपेटाइटिस–D D. हेपेटाइटिस–E

61. नीचे दो कथन दिए गए हैं। एक अभिकथन (A) और दूसरा कारण (R) है।

अभिकथन (A): अनियंत्रित आहार के साथ निष्क्रिय जीवन शैली न केवल बुढ़ापे के लिए बल्कि युवा पीढ़ी के लिए भी कई स्वास्थ्य संबंधी खतरों का कारण बन सकती है।

कारण (R) : यदि कोई अपनी शारीरिक फिटनेस को बनाए रख सकता है, तो इससे कोई फर्क नहीं पड़ता कि वह क्या आहार ले रहा है।

ऊपर दिए गए दो कथनों के प्रकाश में, नीचे दिए गए कोडों में से सही विकल्प चुनें:

A. (A) और (R) दोनों सत्य हैं और (R), (A) की सही व्याख्या है
B. (A) और (R) दोनों सत्य हैं और (R), (A) की सही व्याख्या नहीं है
C. (A) सत्य है, लेकिन (R) गलत है
D. (A) गलत है, लेकिन (R) सत्य है

62. निम्नलिखित में से कौन-सा योजना का समूह अवधि के क्रम से सही अवरोही क्रम में है?

A. संकल्पनात्मक योजना, मेसो-चक्र योजना, माइक्रो-चक्र योजना, मैक्रो-चक्र योजना
B. माइक्रो-चक्र योजना, मेसो-चक्र योजना, मैक्रो-चक्र योजना, संकल्पनात्मक योजना
C. मैक्रो-चक्र योजना, मेसो-चक्र योजना, माइक्रो-चक्र योजना, संकल्पनात्मक योजना
D. संकल्पनात्मक योजना, मैक्रो-चक्र योजना, मेसो-चक्र योजना, माइक्रो-चक्र योजना,

63. निम्नलिखित का मिलान करें:

सूची-I (टर्म)	**सूची-II (फार्मूला)**
(*a*) स्टेन स्कोर	(*i*) 5 + 2 Z
(*b*) C-स्कोर	(*ii*) 50 + 10 Z
(*c*) T-स्कोर	(*iii*) X × M/S.D
(*d*) सिग्मा-स्कोर	(*iv*) 5.5 + 2 Z

कूट:

	(*a*)	(*b*)	(*c*)	(*d*)
A.	(*i*)	(*iv*)	(*ii*)	(*iii*)
B.	(*i*)	(*iv*)	(*iii*)	(*ii*)
C.	(*iv*)	(*i*)	(*iii*)	(*ii*)
D.	(*iv*)	(*i*)	(*ii*)	(*iii*)

64. खेल प्रबंधन में अच्छा और आसान संचार जीवित रखने के लिए आवश्यक है:

A. नींव B. विशेषता
C. सिद्धांत D. गतिशीलता

65. 1963 में, शारीरिक शिक्षा शिक्षकों की मांग को पूरा करने के लिए राष्ट्रीय अनुशासन योजना निदेशालय ने केंद्रीय प्रशिक्षण संस्थान की स्थापना की:

A. ग्वालियर (म.प्र.) B. अलवर (राजस्थान)
C. बरवाहा (म.प्र.) D. पुणे

66. प्रायोगिक अनुसंधान में उपयोग किए जाने वाले अभिकल्प जिसमें समूह यादृच्छिक रूप से बनते हैं और जो कि अमान्यता के अधिकांश स्रोतों को नियंत्रित करते हैं उन्हे निम्न रूप में जाना जाता है :

A. पूर्व प्रयोगात्मक अभिकल्प
B. सत्य-प्रयोगात्मक अभिकल्प
C. अर्ध-प्रयोगात्मक अभिकल्प
D. पूर्व-पोस्ट वास्तविक अभिकल्प

67. निम्नलिखित में से कौन-सी मनोवैज्ञानिक क्षमता सामरिक विकास के लिए महत्वपूर्ण है?

(*a*) विशेष स्वैच्छिक क्षमताएं
(*b*) विशेष बौद्धिक क्षमताएं
(*c*) विशेष आक्रामक क्षमताएं
(*d*) विशेष बोध क्षमताएं

नीचे दिए गए कोड में से सही विकल्प चुनें:

A. (*b*), (*c*) और (*d*) B. (*a*), (*c*) और (*d*)
C. (*a*), (*b*) और (*d*) D. (*a*), (*b*) और (*c*)

68. NCTE 2014 की अधिसूचना के अनुसार, निम्नलिखित में से कौन M.P.Ed. के 2 वर्षीय कोर्स में प्रवेश के लिए पात्रता है?

(*a*) कम-से-कम 50% अंकों के साथ B.P.Ed. या समकक्ष।
(*b*) 50% अंकों के साथ स्वास्थ्य और शारीरिक शिक्षा में B.Sc.।
(*c*) 50% अंकों के साथ B.P.E.S.।
(*d*) कम-से-कम 45% अंकों के साथ B.P.Ed. या समकक्ष।

निम्नलिखित में से सही विकल्प चुनें:

A. केवल (*a*) और (*c*)
B. केवल (*a*) और (*d*)
C. केवल (*a*) और (*b*)
D. (*b*), (*c*) और (*d*)

69. निम्नलिखित में से कौन-से सही हैं?

(*a*) विस्थापन वेक्टर मात्रा है
(*b*) विस्थापन से दूरी अधिक हो सकती है
(*c*) कोणीय विस्थापन प्रारंभिक और अंतिम स्थिति के बीच का कोण है
(*d*) कोण = त्रिज्या/चाप
(*e*) कोणों को बाएँ क्षैतिज अक्ष से मापा जाता है

नीचे दिए गए कोड में से सही विकल्प चुनें:

A. (*a*), (*b*), (*c*) और (*d*)
B. (*a*), (*b*) और (*c*)
C. (*a*), (*c*) और (*d*)
D. (*a*) और (*c*)

70. निम्नलिखित में से कौन-से चरण विचरण का विश्लेषण करने के लिए हैं?

(*a*) नमूनों के भीतर से जनसंख्या विचरण का अनुमान निर्धारित करने हेतु।
(*b*) नमूनों के मध्यमान के बीच से जनसंख्या विचरण का एक अनुमान निर्धारित करने हेतु।
(*c*) प्रत्येक वर्ग के लिए अपेक्षित और अवलोकित आवृत्ति के बीच का अंतर निर्धारित करने हेतु।
(*d*) जनसंख्या को असमान परिवर्तन माना जाता है।

निम्नलिखित में से सही विकल्प चुनें:

A. केवल (*a*) और (*b*)
B. केवल (*a*) और (*d*)
C. (*b*), (*c*) और (*d*)
D. केवल (*c*) और (*d*)

71. निम्नलिखित में से कौन-से दो दार्शनिक सिद्धांतों के स्रोत हैं?

(*a*) अन्तर्दृष्टि
(*b*) शरीर विज्ञान से लिए गए सिद्धांत
(*c*) अधिगम के नियम
(*d*) अनुभव

सही विकल्प को कूटबद्ध करें:

A. (*a*) और (*b*)
B. (*b*) और (*c*)
C. (*c*) और (*d*)
D. (*a*) और (*d*)

72. तत्संबंधी स्रोत के संबंध में निम्नलिखित शब्दों का मिलान करें:

सूची-I	**सूची-II**
(*a*) मैक्रो-खनिज	(*i*) कॉपर
(*b*) मैक्रो-पोषक तत्व	(*ii*) कैल्शियम
(*c*) सूक्ष्म खनिज	(*iii*) फोलिक एसिड
(*d*) सूक्ष्म पोषक तत्व	(*iv*) फैटी एसिड

कूट:

	(*a*)	(*b*)	(*c*)	(*d*)
A.	(*ii*)	(*iv*)	(*i*)	(*iii*)
B.	(*iii*)	(*i*)	(*iv*)	(*ii*)
C.	(*iv*)	(*iii*)	(*i*)	(*ii*)
D.	(*ii*)	(*iii*)	(*iv*)	(*i*)

73. निम्नलिखित में से कौन शरीर के वर्गीकरण के विकास के वर्ष संबंध में आरोही कालानुक्रमिक रूप से एक सही क्रम है?

A. शेल्डन, क्रेश्चमर, हिप्पोक्रेट्स, हेल्थ-कार्टर सोमाटो प्रकार

B. हेल्थ-कार्टर सोमाटो प्रकार, हिप्पोक्रेट्स, शेल्डन, क्रेश्चमर

C. क्रेश्चमर, शेल्डन, हेल्थ-कार्टर सोमाटो प्रकार, हिप्पोक्रेट्स

D. हिप्पोक्रेट्स, क्रेश्चमर, शेल्डन, हेल्थ-कार्टर सोमाटो प्रकार

74. नीचे दो कथन दिए गए हैं। एक अभिकथन (A) और दूसरा कारण (R) है।

अभिकथन (A): प्रावरणी की तुलना में टेंडन और स्नायुबंधन कम लोचदार होते हैं, जिसमें व्यक्तिगत मांसपेशियों और प्रावरणी को शामिल करने वाले झिल्ली शामिल होते हैं।

कारण (R) : टेंडन और स्नायुबंधन में कोलेजन की अधिक मात्रा होती है, जबकि प्रावरणी कम लोचदार होती है।

उपरोक्त कथनों के संदर्भ में कौन-सा सत्य है?

A. (A) और (R) दोनों सत्य हैं और (R), (A) की सही व्याख्या है

B. (A) और (R) दोनों सत्य हैं और (R), (A) की सही व्याख्या नहीं है

C. (A) सत्य है, लेकिन (R) गलत है

D. (A) गलत है, लेकिन (R) सत्य है

75. खाद्यय अणुओं के बंध में ऊर्जा से बनने वाला उच्च ऊर्जा यौगिक, जिसे हमारी कोशिकाओं के भीतर छोड़ा और संग्रहीत किया जाता है, कहलाता है:

A. ग्लाइकोजन
B. एडेनोसिन-डी-फॉस्फेट
C. एडेनोसिन-ट्राइफॉस्फेट
D. फॉस्फोक्रिस्टाइन

76. निम्नलिखित पोषक तत्वों को उनके कार्यों से मिलान करें:

सूची-I	**सूची-II**
(*a*) ट्राइग्लिसराइड	(*i*) रासायनिक प्रतिक्रिया में उत्प्रेरक
(*b*) ग्लाइकोजन	(*ii*) एंजाइम और हार्मोन उत्पन्न होते हैं
(*c*) एमिनो एसिड	(*iii*) केंद्रित ऊर्जा स्रोत
(*d*) विटामिन	(*iv*) उच्च तीव्रता व्यायाम के दौरान प्रमुख ऊर्जा प्रदाता

कूट:

	(*a*)	(*b*)	(*c*)	(*d*)
A.	(*ii*)	(*iii*)	(*iv*)	(*i*)
B.	(*iv*)	(*iii*)	(*i*)	(*ii*)
C.	(*ii*)	(*iv*)	(*i*)	(*iii*)
D.	(*iii*)	(*iv*)	(*ii*)	(*i*)

77. काम की समान दर के लिए, प्रशिक्षित महिला में आमतौर पर समान रूप से प्रशिक्षित पुरुषों की तुलना में समान हृदयस्पर्शी प्रतिक्रिया होती है, एक को छोड़कर : गलत समावेश ज्ञात करें:

A. पुरुषों की तुलना में महिला की हृदय गति अधिक होती है

B. सबमैक्स कार्डियक आउटपुट पुरुषों और महिलाओं दोनों के लिए समान है

C. पुरुषों की तुलना में महिला में स्ट्रोक की मात्रा अधिक होती है

D. महिलाओं में पुरुषों की तुलना से अधिकतम VO_2 में एक ही सापेक्ष वृद्धि हुई है

78. सामान्य पुरुष वयस्क की महत्वपूर्ण क्षमता की सीमा है:

A. 1 से 2 लीटर
B. 3 से 5 लीटर
C. 5 से 6 लीटर
D. 6 से 8 लीटर

79. निम्नलिखित में से कौन-सा सही है?

A. चतुर्थक विचलन माध्य के बारे में ली गई परिवर्तनशीलता का एक उपाय है।

B. विभिन्नता का गुणांक माध्य के साथ समायोजित समूह का प्रतिशत भिन्नता है।

C. सकारात्मक तिरछापन में विषय के लिए जाँच बहुत सरल होता है।

D. स्वतंत्र चरों की संख्या के रूप में परिभाषित किया जा सकता है जो एक आंकड़े का गठन करता है।

80. निम्नलिखित में से कंकाल की मांसपेशी फाइबर की पतली मायोफिलमेंट्स की विशेषता कौन-सी हैं?

(*a*) मायोसिन होता है

(*b*) एक्टिन होता है

(*c*) ट्रोपोनिन होता है

(*d*) ATPase होता है

(*e*) Z-लाइन से जुड़ता है

(*f*) I बैंड में पड़ा नहीं होता है

नीचे दिए गए कोड में से सही विकल्प चुनें:

A. (*b*), (*c*) और (*e*) B. (*a*), (*c*) और (*e*)

C. (*a*), (*d*) और (*f*) D. (*b*), (*d*) और (*f*)

81. निम्नलिखित में से जो एंटी डोपिंग एजेंसी (WADA) द्वारा प्रतिबंधित नहीं हैं?

(*a*) एमिनो एसिड

(*b*) ग्रोथ हार्मोन

(*c*) क्रिएटिनिन

(*d*) एरिथ्रोपोइटिन

नीचे दिए गए कोड में से सही विकल्प चुनें:

A. (*a*) और (*b*) B. (*a*) और (*c*)

C. (*b*) और (*d*) D. (*c*) और (*d*)

82. JCR टेस्ट के शटल रन टेस्ट आइटम में लेन की चौड़ाई है:

A. 3 फीट B. 1 फीट

C. 5 फीट D. 6 फीट

83. निम्नलिखित बीमारियों में से कौन एक आनुवांशिक विकार है?

A. रुमेटॉइड गठिया B. लेप्रोसी

C. हीमोफिलिया D. एड्स

84. निम्नलिखित में से कौन प्रश्नावली के बारे में सही हैं?

(*a*) ओपन एंडेड प्रश्न में, रैंकिग की गई वस्तुओं और श्रेणीबद्ध प्रतिक्रियाओं के माध्यम से विशिष्ट प्रतिक्रियाएं ली जाती हैं।

(*b*) रैंकिंग में, प्रावदी कुछ मानदंडों के अनुसार रैंक क्रम में प्रतिक्रिया को जगह देता है।

(*c*) स्केल किए गए आइटम में, प्रावादी केवल उनके समझौते की शक्ति का संकेत देता है।

(*d*) श्रेणीबद्ध प्रतिक्रिया में, उत्तरदाताओं को केवल 'हां' या 'नहीं' जैसी प्रतिक्रियाओं में उत्तर दिया जाता है।

कूट में सही विकल्प चुनें:

A. (*a*), (*b*) और (*d*) B. (*a*), (*c*) और (*d*)

C. (*b*), (*c*) और (*d*) D. केवल (*b*) और (*d*)

85. अंतराल प्रशिक्षण विधि में निम्नलिखित दो कारकों में से किसे महत्वपूर्ण माना जाता है?

(*a*) पूर्ण वसूली रोक देता है

(*b*) पल्स रेट की निगरानी करना

(*c*) रक्तचाप की निगरानी करना

(*d*) अपूर्ण रिकवरी रोक देता है

सही विकल्प चुनें:

A. (*b*) और (*c*) B. (*a*) और (*c*)

C. (*b*) और (*d*) D. (*a*) और (*b*)

86. निम्नलिखित में से कौन पाठ्यक्रम डिजाइन का सिद्धांत नहीं है?

A. चौड़ाई B. गहराई

C. सम्बद्धता D. सहयोग

87. ब्लूम, क्रथेवही और उनके सहयोगियों ने खेल मनोविज्ञान के उद्देश्यों को इस रूप में संक्षेपित किया:

A. ज्ञानात्मक, भावात्मक और मनःप्रेरक

B. हाइजीनिक, शिक्षाप्रद, मनोरंजक और उपचारात्मक

C. शारीरिक फिटनेस, मानसिक स्वास्थ्य और दक्षता, सामाजिक और नैतिक चरित्र

D. स्वास्थ्य, मानसिक, न्यूरोमस्कुलर और सामाजिक

88. निम्नलिखित में से कौन-सा एक जन्मजात प्रवृत्ति है?

A. भावना B. अन्तःप्रेरणा

C. अनुभूति D. मनोभाव

89. नीचे दो कथन दिए गए हैं। एक अभिकथन (A) और दूसरा कारण (R) है।

अभिकथन (A) : ऊंचाई खुद एक तनाव है और ऊंचाई पर व्यायाम करना तनावपूर्ण है क्योंकि समुद्र स्तर की तुलना में कम ऑक्सीजन उपलब्ध है।

कथन (R) : ऊंचाई पर हवा में ऑक्सीजन का प्रतिशत समुद्र के स्तर के समान है लेकिन बढ़ती ऊंचाई के साथ बैरोमीटर का दबाव कम हो जाता है।

उपरोक्त दोनों कथन के प्रकाश में, सही विकल्प चुनें:

A. (A) और (R) दोनों सत्य हैं और (R), (A) की सही व्याख्या है

B. (A) और (R) दोनों सत्य हैं और (R), (A) की सही व्याख्या नहीं है

C. (A) सत्य है, लेकिन (R) गलत है

D. (A) गलत है, लेकिन (R) सत्य है

90. मैराथन में एथेंस तक जाने वाले महान एथलीट फिडिपिड्स के अंतिम शब्द क्या थे?

A. सेलिब्रेट, वी वोन

B. रीजाइस, वी कॉन्कर

C. चियर्स, वी कॉन्कर्ड

D. हिप-हिप हुर्रे

निर्देशः (प्र.सं. 91-95) निम्नलिखित अनुच्छेद को ध्यान से पढ़ें और उन प्रश्नों के उत्तर दें जो अनुसरण करते हैं:

मैदान पर सफलता या विफलता अक्सर मानसिक कारकों पर निर्भर करती है जितना कि शारीरिक कारकों पर। खेल मनोवैज्ञानिक, एथलीट की मानसिकता के नाटकीय प्रभाव को पहचानते हैं और इष्टतम प्रदर्शन के लिए आत्मविश्वास बढ़ाते हुए क्षेत्र की बाधाओं को दूर करने के लिए दिमाग तैयार करने पर ध्यान केंद्रित करते हम में से हर एक के पास एक अप्रयुक्त ऊर्जा स्रोत है जिसे बेहतर परिणाम लाने के लिए तैयार किया जा सकता है। प्रेरणा को बढ़ाना मूल रूप से रवैया का बदलना है जो सकारात्मकता 'कर सकते हैं' जैसी धारणा का विकास करता है और व्यवस्थित व्यवहार में संलग्न कर सकता है— अल्पकालिक प्रक्रिया के लक्ष्य - सुधार की सुविधा प्रदान करते हैं। यदि आप खेल में नेतृत्व की भूमिका निभाते हैं तो आपके एथलीटों या टीम पर आपका काफी प्रभाव पड़ेगा। आप के पास फिर भी एक अच्छा नैतिक काम हो सकता है, व्यक्तिगत प्रयास को पहचान सकते हैं और पारदर्शी रूप से पुरस्कार स्थापित कर सकते हैं जो लोगों की उपलब्धि की भावना को सुदृढ़ करता है। लेख में उल्लिखित सर्वोत्तम तकनीकों को काम करने के लिए विशिष्ट परिस्थितियों और व्यक्तिगत एथलीटों की जरूरतों के आसपास ढाला जाना चाहिए। हमेशा प्रेरक तकनीकों के अनुप्रयोग में मूल और अभिनव होने का प्रयास करते हैं।

91. एक एथलीट को उत्तेजित करने के लिए खेल मनोवैज्ञानिक द्वारा कौन-सी तकनीकों की सिफारिश की जाती हैं?

A. मूल और अभिनव

B. रोल मॉडल का चयन और अनुसरण करना

C. बायोग्राफी पढ़ना और अनुसरण करना

D. 100% देना

92. शीर्ष श्रेणी के प्रदर्शन के लिए, खेल मनोवैज्ञानिकों द्वारा पूर्वापेक्षित मान्यताएं क्या हैं?

A. मैदान पर बाधाओं को दूर करने के लिए मन को तैयार करना

B. सकारात्मक सोच अपनाना

C. समाज में एक खिलाड़ी को पहचानना

D. एक्सपोजर प्रदान करना

93. शीर्ष श्रेणी के प्रदर्शन को प्रदर्शित करने के लिए हममें में कौन-सी विशेषताएँ मौजूद हैं?

A. बौद्धिक और प्रेरक कारक

B. मानसिक और सामाजिक कारक

C. शारीरिक और मानसिक कारक

D. शारीरिक और शारीरिक कारक

94. शीर्ष श्रेणी के प्रदर्शन को प्रदर्शित करने के लिए हममें में कौन-सी विशेषताएँ मौजूद हैं?

A. दिमाग

B. अप्रयुक्त ऊर्जा स्रोत

C. जरूरत

D. उपलब्धि की भावना

95. खेल प्रदर्शन को बढ़ाने के लिए सिफारिश की गई तकनीक असाधारण रूप से अच्छी तरह से कैसे कार्य कर सकती है?

A. कोचों द्वारा निर्धारित कार्यक्रम के अनुसार

B. कोच की क्षमता पर दृढ़ विश्वास करना

C. उच्च श्रेणी की एथलीटों की अनुसूची और आहार योजना का पालन करना

D. व्यक्तिगत एथलीटों को विशेष परिस्थितियों के अनुसार ढालना

निर्देशः (प्र.सं. 96-100) निम्नलिखित अनुच्छेद को ध्यान से पढ़ें और उन प्रश्नों के उत्तर दे जो अनुसरण करते हैं:

आकंड़े अब शारीरिक शिक्षा और खेल के क्षेत्र में अनुसंधान का एक अनिवार्य हिस्सा बन गए हैं। डेटा विश्लेषण की विभिन्न सांख्यिकीय तकनीकें हैं जैसे कि केंद्रीय प्रवृत्ति के उपाय, प्रसार के उपाय, संबंध के उपाय आदि। माध्यिका केंद्रीय प्रवृत्ति की एक माप है और यह वितरण में मध्य सबसे अधिक स्कोर है, जैसे कि आधे अवलोकन इसके ऊपर और आधे इससे दूर जाते हैं। इसके अलावा, माध्यिका अत्याधिक मूल्यों से प्रभावित नहीं है। जहां माध्य एक भारित औसत है, इसकी गणना वितरण के सभी अंकों से की जाती है। माध्य विचलन विक्षेपण का एक उपाय है और वितरण में वस्तुओं की संख्या से विभाजित औसत से कुछ विचलन (संकेतों की अनदेखी) के रूप में परिभाषित किया गया है। सामान्य संभावना वितरण शारीरिक शिक्षा में सबसे अधिक और अक्सर उपयोग किए जाने वाले निरंतर वितरण में से एक है। क्योंकि सभी मानव लक्षण जैसे ऊंचाई, वजन, रक्तचाप शक्ति, गति आदि एक सामान्य वितरण का अनुसरण करते हैं बशर्ते एक बड़ा नमूना यादृच्छिक तरीके से प्राप्त किया जाए। सामान्य वक्र इस तरह से द्विपक्षीय सममित वक्र होता है कि यदि एक सामान्य वक्र का कुल क्षेत्रफल (मामले) 100% माना जाता है, तो -1σ से $+1\sigma$ 68.26%, -2σ से $+2\sigma$ 95.44% और -3σ से $+3\sigma$ 99.74% क्षेत्र (मामले) को कवर किया जाएगा।

96. यदि NPC पर 10,000 विषयों का डेटा प्लान्ट किया जाता है। तो 1σ (सकारात्मक दिशा में) से परे कितने मामले सामने आएंगे?

A. 1587 B. 3174
C. 6828 D. 5418

97. निम्नलिखित सेट के डेटा का माध्यिका क्या है?

9, 7, 5, 10, 11, 13

A. 9 B. 10
C. 3.5 D. 9.5

98. निम्नलिखित आंकड़ों के सेट में केंद्रीय प्रवृत्ति का कौन-सा तरीका सबसे उपयुक्त होगा?

9, 12, 14, 16, 18, 19

A. माध्य B. माध्यिका
C. मोड D. ज्यामितिक माध्य

99. निम्नलिखित आंकड़ों का माध्य विचलन क्या है?

5, 6, 9, 10, 15

A. 9 B. 2.8
C. 2.0 D. 14

100. यदि NPC पर 10,000 मामलों को डेटा प्लॉट किया जाता है, तो -1σ से $+2\sigma$ के बीच कितने मामले मिलेंगे?

A. 1658 B. 1358
C. 2718 D. 2871

उत्तरमाला

1	2	3	4	5	6	7	8	9	10
C	D	C	C	A	B	B	B	C	B
11	**12**	**13**	**14**	**15**	**16**	**17**	**18**	**19**	**20**
C	C	B	B	C	A	C	C	C	B
21	**22**	**23**	**24**	**25**	**26**	**27**	**28**	**29**	**30**
B	A	A	C	B	C	D	D	B	C
31	**32**	**33**	**34**	**35**	**36**	**37**	**38**	**39**	**40**
A	B	B	A	A	B	C	B	D	A
41	**42**	**43**	**44**	**45**	**46**	**47**	**48**	**49**	**50**
C	A	B	A	A	D	D	C	C	C
51	**52**	**53**	**54**	**55**	**56**	**57**	**58**	**59**	**60**
A	A	D	A	B	C	B	A	A	D

61	62	63	64	65	66	67	68	69	70
C	D	D	D	C	B	C	C	B	A
71	**72**	**73**	**74**	**75**	**76**	**77**	**78**	**79**	**80**
D	A	D	A	C	D	C	B	A	A
81	**82**	**83**	**84**	**85**	**86**	**87**	**88**	**89**	**90**
B	D	C	D	C	D	A	B	A	B
91	**92**	**93**	**94**	**95**	**96**	**97**	**98**	**99**	**100**
A	A	C	B	D	A	D	B	B	B

व्याख्यात्मक उत्तर

1. अतिभार का सिद्धान्त (Principle of Overload): किसी व्यक्ति की योग्यताओं में प्रगति खेल प्रशिक्षण का एक अग्रणी सिद्धान्त है, अतिभार का अर्थ है कि स्वास्थ्य में हुई प्रगति के साथ-साथ प्रशिक्षण में और कड़ाई लाई जाती है जो खिलाड़ी की स्वस्थता की वर्तमान स्थिति के लिए चुनौती होती है। उग्रता (कड़ाई) से थकावट होती है। जैसे-जैसे उग्रता समाप्त होती है स्वास्थ्य लाभ होने लगता है। यदि प्रशिक्षण की उग्रता आदर्श स्तर की है (अधिकतम सीमा जिसका ज्ञान नहीं है से कुछ कम) तो प्रशिक्षार्थी पुनर्लाभ के बाद उग्रता बढ़ाये जाने से पूर्व की तुलना में अधिक स्वस्थ होगा।

2. प्रथम श्रेणी का उत्तोलक : इस लीवर को संतुलन का लीवर कहाँ जाता है। इसमें अक्ष (Axis) प्रतिरोध (Resistance) तथा बल (Force) के मध्य को फैलना आदि। उदाहरण- बच्चों का झूला, कैची, प्लास, रोअर्स का चप्पू, डम्बल से ट्राइसेप को फैलाना आदि।

तृतीय श्रेणी का उत्तोलक : इस लीवर में बल (Force) अक्ष (Axis) तथा प्रतिरोध (Resistance) के मध्य में होता है, इसे गति लीवर भी कहते है। शरीर से ज्यादातर लीवर तीसरी श्रेणी के है। उदाहरणः सिट-अप्स, टाँग का फैलाना, कोहनी के जोड़ पर बाइसेप्स का कार्य कर्लिंग करना आदि।

3. गुरुत्वाकर्षण का सार्वत्रिक नियम : विश्व का प्रत्येक पिंड प्रत्येक अन्य पिंड को एक बल से आकर्षित करता है, जो दोनों पिंडों के द्रव्यमानों के गुणनफल के समानुपाती तथा उनके बीच की दूरी के वर्ग के व्युत्क्रमानुपाती होता है। यह बल दोनों पिंडों को मिलाने वाली रेखा की दिशा में लगता है।

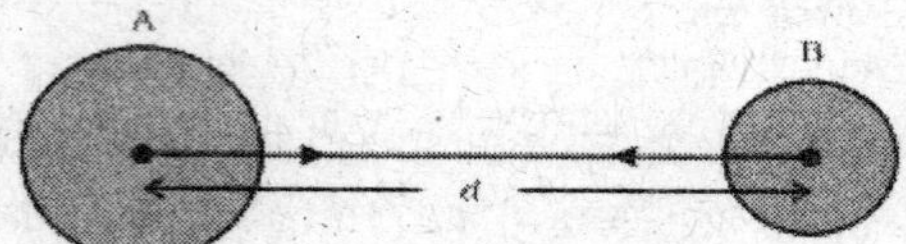

$$F = G\frac{Mm}{d^2}$$

चित्रः *किन्हीं दो एकसमान पिंडो के बीच गुरुत्वाकर्षण बल उनके केंद्रों को मिलाने वाली रेखा की दिशा में निर्देशित होता है।*

मान लीजिए M तथा m द्रव्यमान के दो पिंड A तथा B एक-दूसरे से d दूरी पर स्थित हैं। मान लीजिए दोनों पिंडों के बीच आकर्षण बल F है। गुरुत्वाकर्षण के सार्वत्रिक नियम के अनुसार, दोनों पिंडों के बीच लगने वाला बल उनके द्रव्यमानों के गुणनफल के समानुपाती है। अर्थात्

$$F \propto M \times m \qquad ...(i)$$

तथा दोनों पिंडों के बीच लगने वाला बल उनके बीच की दूरी के वर्ग के व्युत्क्रमानुपाती है, अर्थात्

$$F \propto \frac{1}{d^2} \qquad ...(ii)$$

समीकरणों (i) तथा (ii) से हमें प्राप्त होगा

$$F \propto \frac{M \times m}{d^2} \qquad ...(iii)$$

या

$$F = G\frac{M \times m}{d^2} \qquad ...(iv)$$

जहाँ G एक आनुपातिकता स्थिरांक है और इसे सार्वत्रिक गुरुत्वीय स्थिरांक कहते हैं।

वज्र-गुणन करने पर, समीकरण (*iv*) से प्राप्त होगा

$$F \times d^2 = GM \times m$$

या $$G = \frac{F d^2}{M \times m} \quad ...(v)$$

समीकरण (*v*) में बल, दूरी तथा द्रव्यमान के मात्रक प्रतिस्थापित करने पर हमें G के SI मात्रक प्राप्त होंगे जो $N\ m^2\ kg^{-2}$ है।

हैनरी कैवेंडिस (1731-1810) ने एक सुग्राही तुला का उपयोग करके G का मान ज्ञात किया। G का वर्तमान मान्य मान $6.673 \times 10^{-11}\ N\ m^2\ kg^{-2}$ है।

5. प्रशिक्षण का स्थानान्तरण वह प्रभाव है जो एक काम के अभ्यास का दूसरे कार्यों को सीखते या करते समय उस पर होता है। शिक्षा के क्षेत्र में प्रशिक्षण स्थानान्तरण की संरचना नई नहीं है। सीखने में स्थानान्तरण आवश्यक है क्योंकि पूर्व सिखलाई के संदर्भ में स्थानान्तरण हमेशा होता है। जब हम एक तकनीक सीखते है तो प्रथम चरण में जो कुछ सीखा जाता है। वह अगले चरण में सीखने में मदद करता है। कई बार जब हम एक नया कार्य सीखने की कोशिश करते है, हम पाते है कि यह पहले सीखे गये या प्रशिक्षण पाए गए कार्य से प्रभावित है।

10. **व्यक्तित्व का पंच-कारक मॉडल :** निकट के वर्षों में आधारभूत व्यक्तित्व विशेषकों की संख्या को लेकर उत्पन्न हुए मत वैभिन्य से एक रुचिकर दिशा परिवर्तन हुआ है। पॉल कॉस्टा (Paul Costa) तथा राबर्ट मैक्रे (Robert MeCrane) ने सभी संभावित व्यक्तित्व विशेषकों की जाँच कर पाँच कारकों के एक समुच्चय के बारे में जानकारी दी है। इनको बृहत् पाँच कारकों (Big Five Factors) के नाम से जाना जाता है। ये पाँच कारक निम्न हैं–

1. **अनुभवों के लिए खुलापन :** जो लोग इस कारक पर उच्च अंक प्राप्त करते हैं वे कल्पनाशील, उत्सुक, नए विचारों के प्रति उदारता एवं सांस्कृतिक क्रियाकलापों में अभिरुचि लेने वाले व्यक्ति होते हैं। इसके विपरीत, कम अंक प्राप्त करने वाले व्यक्तियों में अनम्यता पाई जाती है।
2. **बहिर्मुखता :** यह विशेषता उन लोगों में पाई जाती है जिनमें सामाजिक सक्रियता, आग्रहिता, बहिर्गमन, बातूनापन और आमोद-प्रमोद के प्रति पसंदगी पाई जाती है। इसके विपरीत ऐसे लोग होते हैं जो शर्मीले और संकोची होते हैं।
3. **सहमतिशीलता :** यह कारक लोगों की उन विशेषताओं को बताता है जिनमें सहायता करने, सहयोग करने, मैत्रीपूर्ण व्यवहार करने, देखभाल करने एवं पोषण करने जैसे व्यवहार सम्मिलित होते हैं। इसके विपरीत वे लोग होते हैं जो आक्रामक और आत्म-केंद्रित होते हैं।
4. **तंत्रिकाताप :** इस कारक पर उच्च अंक प्राप्त करने वाले लोग संवेगिक रूप से अस्थिर, दुश्चिंतित, परेशान, भयभीत, दुःखी, चिड़चिड़े और तनावग्रस्त होते है। इससे विपरीत प्रकार के लोग सुसमायोजित होते हैं।
5. **अंतर्विवेकशीलता :** इस कारक पर उच्च अंक प्राप्त करने वाले लोगों में उपलब्धि-उन्मुखता, निर्भरता, उत्तरदायित्व, दूरदर्शिता, कर्मठता और आम-नियंत्रण पाया जाता है। इसके विपरीत, कम अंक प्राप्त करने वाले लोगों में आवेग पाया जाता है।

व्यक्तित्व के क्षेत्र में यह पंच-कारक मॉडल एक महत्वपूर्ण सैद्धांतिक विकास का प्रतिनिधित्व करते हैं। विभिन्न संस्कृतियों में लोगों के व्यक्तित्व को समझने के लिए यह मॉडल अत्यंत उपयोगी सिद्ध हुआ है। विभिन्न संस्कृतियों, भाषाओं में उपलब्ध व्यक्तित्व विशेषकों के विश्लेषण से यह मॉडल संगत है और विभिन्न विधियों से किए गए व्यक्तित्व के अध्ययन भी मॉडल का समर्थन करते हैं। अतएव, आज व्यक्तित्व के अध्ययन के लिए यह मॉडल सबसे अधिक महत्वपूर्ण आनुभविक उपागम माना जाता है।

12. पेशी संकुचन की महत्वपूर्ण प्रावस्थाएँ हैं–

(*i*) एक तंत्रिका सिग्नल न्यूरोपेशीय जंक्शन पर पहुँच कर न्यूरोट्रांसमीटर (एसीटाइलकोलीन) मुक्त होता है जो पेशीकला में क्रिया विभव उत्सर्जित करता है।

(*ii*) यह पूरे पेशीय रेशों में फैल जाता है जो पेशीद्रव्य में कैल्शियम आयन मुक्त करता है।

(*iii*) कैल्शियम स्तर बढ़ने के कारण कैल्शियम एक्टिन तन्तु के ट्रोपोनिन के साथ जुड़ता है। यह मायोसिन के क्रिया स्थानों को हटाता है।

(*iv*) मायोसीन शीर्ष के बाहर से एक्टिन की क्रिया स्थानों पर सेतु बन्धन द्वारा संयुक्त होता है।

(*v*) यह जुड़े एक्टिन तन्तु को खींचकर A-बैंड की केन्द्र की ओर लाता है। अब Z-पंक्ति को अन्दर खींचकर पेशीकला में संकुचित हो जाता है।

(*vi*) पेशी के छोटे एवं सकुचित होने पर I-बैंड कम हो जाता है जबकि A-बैंड अपनी समान लम्बाई को बनाये रखता है।

15. **प्रबन्धन का अर्थ है :** उपलब्ध संसाधनों का दक्षतापूर्वक तथा प्रभावपूर्ण तरीके से उपयोग करते हुए लोगों के कार्यों में समन्वय करना ताकि लक्ष्यों की प्राप्ति सुनिश्चत की जा सके। प्रबन्धन के अन्तर्गत आयोजन संगठन निर्माण स्टाकिंग नेतृत्व करना तथा संगठन अथवा पहल का नियंत्रण करना आदि आते है।

खेल प्रबन्धन शृंखला की अंतिम कड़ी नियंत्रण एवं मूल्यांकन (Control and evaluation) हैं।

16. **एरोबिक क्रियाएँ (Aerobic Activities):** एरोबिक प्रशिक्षण में सघनता कम होती है तथा क्रिया की अवधि लम्बी होती है। एरोबिक प्रणाली में ऑक्सीजन का प्रयोग किया जाता है। लगातार लम्बी अवधि तक क्रिया करने पर कार्बोहाइड्रेटस व वसा का Brack down करके कई गुणा अधिक मात्रा में ऊर्जा उत्पन्न की जाती है। हमारे शरीर को लम्बा व्यायाम करने के लिए ऑक्सीजन की अत्याधिक आवश्यकता होती है। इसलिए हमारे शरीर की ऑक्सीजन प्रयोग क्षमता हमारे (Cardio-vascular System) पर निर्भर करती है। अर्थात् फेफड़ों, हृदय और रक्त के द्वारा ही हमारे शरीर में ऑक्सीजन पहुँचती है। लम्बी अवधि के व्यायाम में माँसपेशियों को ज्यादा से ज्यादा मात्रा में ऑक्सीजन की आवश्यकता होती है तथा कार्बन डाईआक्साइड भी अधिक मात्रा में पैदा होती है। एरोबिक क्रियाओं द्वारा हम लम्बी अवधि तक अपने शरीर की ऑक्सीजन की माँग को पूरा कर सकते हैं। ऑक्सीजन पुष्टि के विकास के लिए निम्नलिखित एरोबिक क्रियाएँ प्रयोग में लाई जाती हैं।

17. प्रोटीन की कमी से क्वाशिओरकर रोग हो जाता है। प्रोटीन कार्बन, हाइड्रोजन, ऑक्सीजन, नाइट्रोजन व सल्फर नामक तत्वों से बनी होती है। अतः वे हमारे पाचन क्रिया संस्थान के द्वारा अमीनो एसिड्स में बदल दिए जाते हैं। इन अमीनो एसिड्स का प्रयोग शरीर के द्वारा रक्त, मांसपेशियों, नाखूनों, त्वचा, बालों व आंतरिक अंगों के निर्माण में किया जाता है।

विटामिन 'D' का रासायनिक नाम कैल्सिफेरॉल है। इसका सबसे अच्छा स्रोत सूर्य की किरणें (Sun Rays) हैं। वास्तव में सूर्य की किरणों के द्वारा विटामिन D का निर्माण हमारी त्वचा (Skin) की कोशिकाओं द्वारा किया जाता है, जो कि यहाँ से निर्मित होकर रुधिर में मुक्त हो जाता है। इसके अलावा मक्खन, यकृत, अंडों, दूध, मछली का तेल इत्यादि से भी विटामिन D प्रचुर मात्रा में प्राप्त होता है। विटामिन D की कमी से बच्चों में सूखा रोग या रिकेट्स (Rickets) तथा वयस्कों में सूखा रोग या ओस्टिओमैलेसिया (Osteomalacia) नामक बीमारी हो जाती है।

आयोडीन : शरीर में सबसे ज्यादा आयोडीन का संचय थायराइड ग्रन्थि में रहता है। यह ग्रन्थि थायरॉक्सिन क्रिया में भाग लेती है। आयोडीन की कमी से घेंघा रोग हो जाता है। यह रोग अधिकतर पहाड़ी लोगों को होता है। इसकी कमी को पूरा करने के लिये भोजन में आयोडीनयुक्त नमक लेना चाहिए।

शरीर में विटामिन B_{12} की कमी नवीन कोशिकाओं में उचित तरीके से गुणित होकर वृद्धि करने की क्षमता में कमी लाती है, जिससे नई कोशिकाएं तीव्रता से नहीं बनती और त्वचा पीली पड़ने के साथ-साथ एनीमिया के लक्षण भी प्रकट हो जाते हैं। अतः ऐसी स्थिति में दृष्टि संबंधी समस्याएं, मुंह में छाले आदि समस्याएं पैदा हो जाती हैं। विटामिन B_{12} की कमी से याददाश्त खो जाने एवं पक्षाघात का भी खतरा रहता है।

19. मोटापा कई प्रकार का देखने में आता है। मोटापा शारीरिक शिक्षा एवं खेलकूद की क्रियाओं में बाधक है। केवल कुश्ती जैसी भारी-भरकम स्पर्धाओं को छोड़कर मोटापा शरीर के अंगों पर अनावश्यक बोझ है जिसको वहन करने में कठिनाई होती है। इससे शरीर की आकृति एवं ढांचा भी बदल जाता है, जिससे शारीरिक सुन्दरता

समाप्त हो जाती है। शरीर स्वयं के लिए बोझ बन जाता है। मोटापा बहुत से रोगों से जुड़ा हुआ है है, जैसे- *हृदय रोग, मधुमेह, निद्राकालीन श्वास समस्या,* कई प्रकार के *कैंसर* और *अस्थिसंध्यार्ति मोटापे* का प्रमुख कारण अत्याधिक कैलोरी वाले खाद्य पदार्थों का सेवन, शारीरिक गतिविधियों का अभाव, आनुवांशिकी का मिश्रण हो सकता है। हालांकि मात्र आनुवांशिक, चिकित्सकीय या मानसिक रोग के कारण बहुत ही कम संख्या में पाये जाते हैं।

मोटापे के प्रकार एवं कारण : मोटापे कई प्रकार के देखने में आते हैं, प्रमुख मोटापा इस प्रकार है- 1. सर्वांग मोटापा, 2. एकांग मोटापा, 3. रोग जन्य मोटापा, 4. वंशानुगत मोटापा, 5. आसाधिक मोटापा, 6. विश्रामिक मोटापा, 7. आयुगत मोटापा, 8. वसायुक्त भोजन करने पर मोटापा।

अच्छी खान-पान व्यवस्था के कारण कुछ व्यक्तियों के पूरे शरीर पर मोटापा छा जाता है इसका प्रभाव सभी अंगों पर दिखाई पड़ता है। कुछ व्यक्तियों का केवल एक अंग मोटा हो जाता है जैसे पेट का अत्याधिक मोटा हो जाना। कुछ व्यक्ति अपनी वंश परम्परा के अनुसार पर्याप्त एवं अधिक मोटे होते हैं। कुछ व्यक्ति किसी रोग के कारण मोटे हो जाते हैं। कुछ लोगों पर किसी औषधि का विशेष प्रभाव पड़ जाता है, जिसके कारण वे मोटे हो जाते हैं। अत्याधिक विश्राम अथवा सीट या गद्दी पर बैठे रहने के कारण भी शरीर मोटा हो जाता है। मनुष्य पर आयु के अनुसार भी मोटापा आ जाता है। अरामतलब एवं सर्विसशुदा लोग 45 वर्ष के बाद प्रायः मोटे होते देखे गए है। अत्याधिक वसायुक्त एवं प्रोटीनयुक्त भोजन करने पर भी मोटापा आ जाता है। महत्वपूर्ण तथ्य यह भी है कि पुरुषों की अपेक्षा महिलाएं अधिक संख्या में मोटी पाई जाती हैं इसका मुख्य कारण जननांगों का अधिक विकसित होना है।

22. शिक्षा के औपचारिक एवं अनौपचारिक स्वरूप में प्रत्येक स्तर के लिए निर्धारित उद्देश्यों की सम्प्राप्ति के लिए उपयुक्त पाठ्यक्रम का होना अति आवश्यक है। प्रत्येक स्तर पर पाठ्यक्रम पृथक होता है, जिससे कि इसी के आधार पर कक्षागत क्रमायोजन किया जाता है। पाठ्यक्रम में ज्ञान के नित्य नवीन समावेशों की आवश्यकता को किसी भी स्तर पर स्वीकार किया जा सकता है, क्योंकि नये प्रयोग और नवाचारिक प्रयत्नों के कारण ज्ञान के क्षेत्र में निरंतर वृद्धि हो रही है। अतः शिक्षा के प्रत्येक स्तर पर पाठ्यक्रम में परिवर्तन उनके स्तर पर पाठ्यक्रम में परिवर्तन उनके स्तर के आधार पर किया जाना अपेक्षित है।

पाठ्यक्रम निर्माण की सैद्धांतिक पृष्ठभूमि एवं उद्देश्य और प्रारूप : पाठ्यक्रम निर्माण की सैद्धांतिक पृष्ठभूमि एवं उद्देश्यों के निर्धारण करने में शिक्षाविदों के अनुभव, शिक्षण कार्यों, प्रयोगों तथा उन प्रयोगों के निष्कर्ष को प्रधानता दी जाती है।

पाठ्यक्रम निर्माण की सैद्धांतिक पृष्ठभूमि के निम्नलिखित आधार महत्वपूर्ण हैं :

1. शिक्षा का दर्शन
2. मनोवैज्ञानिक आवश्यकताएँ
3. पाठ्य-वस्तु
4. शिक्षण-विधियाँ
5. शाला संगठन एवं प्रशासन
6. सामुदायिक संबंध
7. नवीन शोध एवं नवाचार
8. राष्ट्रीय लक्ष्य
9. स्वास्थ्य एवं सृजनात्मकता
10. मूल्यांकन पद्धति आदि।

उदाहरणस्वरूप माध्यमिक स्तरीय–अध्यापक शिक्षण पाठ्यक्रम को प्रस्तुत करना उपयोगी रहेगा।

माध्यमिक स्तर को अध्यापकीय तैयार के लिए प्रायः एक वर्षीय बी.ए. या समकक्ष उपाधि के लिए निर्दिष्ट पाठ्यक्रम में सैद्धांतिक एवं व्यवहारिक तथा विधियां, प्रविधियाँ और नवाचार; प्रायोगिक कार्य निर्धारित हैं।

23. वर्णनात्मक शोध-कार्य के सफलतापूर्वक संचालन के लिए निम्नलिखित चरणों से गुजरना आवश्यक होता है।

(*i*) **शोध के उद्देश्यों का प्रतिपादन :** सर्वप्रथम शोध के उद्देश्यों को निर्धारित किया जाता है, तत्पश्चातउद्देश्यों को स्पष्टतः परिभाषित किया जाता है। यहां शोध से सम्बद्ध मौलिक प्रश्नों को स्पष्ट किया जाता है। ऐसा करने से अनावश्यक तथ्यों के संकलन एवं धन व श्रम की बर्बादी को रोका जा सकता है।

(*ii*) **तथ्य-संकलन की प्रविधियों का चुनाव :** तथ्य-संकलन की विभिन्न प्रविधियों में से विषय या समस्या की प्रकृति के अनुरूप उपयुक्त प्रविधि का चुनाव शोध-कार्य को सफलतापूर्वक आगे बढ़ाने की दृष्टि से नितान्त आवश्यक है। इसके अभाव में विषय से सम्बद्ध प्रामाणिक तथ्यों एवं आंकड़ों को एकत्रित नहीं किया जा सकता।

(*iii*) **आँकड़ों का संग्रहण :** इस चरण में पूर्व अनुमानों के खण्डन के लिए आँकड़ों का संग्रहण किया जाना चाहिए। आँकड़ों के संग्रहण में सावधानी बरतनी चाहिए, ताकि परिणाम के आकलन में किसी प्रकार की अशुद्धि की सम्भावना न रहे। इस चरण में शोधकर्त्ता आन्तरिक तथा बाह्य मान्यता को कम करने की योजना बना ली जाती है।

(*iv*) **परिणाम का विश्लेषण तथा व्याख्या करना :** शोध प्रक्रिया का यह चरण विद्यार्थियों के लिए अधिक चिन्ताजनक होता है, क्योंकि इसमें सांख्यिकी का प्रयोग किया जाता है। इसमें सबसे कठिन प्रक्रिया यह पता लगाना होता है कि किस प्रकार का विश्लेषण किया जाए। इस चरण में प्रयोग में पूर्व आए परिणामों के खण्डन के लिए पुनः निरीक्षण किया जाता है।

24. प्रक्षेप्य : प्रक्षेप्य को एक प्रारंभिक वेग के साथ फेंके गए शरीर के रूप में परिभाषित किया जाता है और किसी इंजन या ईंधन या किसी स्रोत द्वारा चालित किए बिना सिर्फ गुरुत्वाकर्षण के अधीन गति करता है। प्रक्षेप्य के पथ को प्रक्षेप्य वक्र कहा जाता है। प्रक्षेप्य गति को चित्र में रेखाचित्र द्वारा दिखाया गया है।

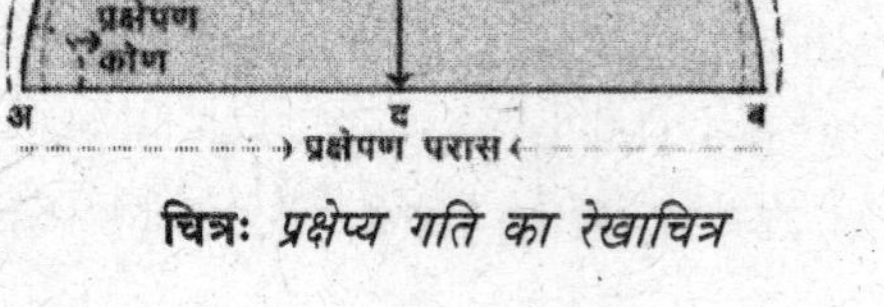

चित्रः *प्रक्षेप्य गति का रेखाचित्र*

माना कोई वस्तु प्रारंभिक वेग u से, क्षैतिज के साथ कोण θ बनाते हुए बिन्दु o से प्रक्षेपित किया जाता है। क्रमांक– में o को मूल बिन्दु (Original Point) मानकर ox तथा oy क्रमशः x व y अक्ष क्षैतिज व उर्ध्वाधर दिशा प्रदर्शित करते हैं। प्रारंभिक वेग u को क्षैतिज व उर्ध्वाधर घटकों में वियोजित करने पर, क्षैतिज घटक $u_x = u \cos \theta$ तथा उर्ध्वाधर घटक $u_y = u \sin \theta$ होंगे। ये दोनों घटक एक-दूसरे पर निर्भर नहीं करते हैं। स्पष्ट है कि वस्तु के क्षैतिज वेग पर गुरुत्वीय त्वरण का कोई प्रभाव नहीं होगा। अतः क्षैतिज वेग नियत रहता है। लेकिन वस्तु की उर्ध्वाधर गति गुरुत्वीय त्वरण के अन्तर्गत होगी। जब वस्तु समान क्षैतिज तल पर वापस आ जायेगी तो वस्तु के उर्ध्वाधर व क्षैतिज वेग घटक ठीक उतने ही होंगे जितने कि प्रक्षेपण करते समय थे और गति की दिशा क्षैतिज से उतने ही कोण पर प्रक्षेपण दिशा के विपरीत होगी। अतः यदि एक वस्तु किसी मीनार की चोटी से विरामावस्था से नीचे गिरायी जाती है तथा एक अन्य वस्तु ठीक उसी समय किसी निश्चित क्षैतिज वेग से प्रक्षेपित की जाती है तो दोनों वस्तु पृथ्वी पर एक साथ पहुचेंगी (यद्यपि पृथ्वी पर टकराने से उनके स्थान भिन्न-भिन्न हो सकते हैं)।

25.

शिशुओं के लिए	
बीसीजी	जन्म के समय या एक वर्ष की उम्र तक जितनी जल्दी हो सके
हेपेटाइटिस बी (बर्थ डोज)	जन्म के समय या 24 घंटे के भीतर जितनी जल्दी संभव हो सके
ओपीवी-0	जन्म के समय या 15 दिनों के भीतर जितनी जल्दी संभव हो सके
ओपीवी-1, 2, 3	6 सप्ताह, 10 सप्ताह और 14 सप्ताह
डीपीटी-1, 2, 3	6 सप्ताह, 10 सप्ताह और 14 सप्ताह
हेपेटाइटिस बी-1, 2, 3	6 सप्ताह, 10 सप्ताह और 14 सप्ताह
खसरा	9 माह पूरे होने से लेकर 12 माह तक
विटामिन-ए पहली खुराक	9 माह पर, खसरे के साथ

बच्चों के लिए	
डीपीटी बूस्टर I	16-24 माह
ओपीवी बूस्टर	16-24 माह
विटामिन-ए दूसरी से नौवी खुराक तक	16 माह। उसके बाद, प्रत्येक 6 माह के अन्तराल पर 5 वर्ष की उम्र तक एक खुराक
डीपीटी बूस्टर II	5-6 वर्ष
टीटी	10 व 16 वर्ष

26. टाटा स्टील परंपरागत खेल के साथ एडवेंचर्स खेलों को बढ़ावा देने के लिए काम करता है। आदिवासियों के परंपरागत खेल तीरंदाजी को बढ़ावा देने के लिए 1996 में टाटा तीरंदाजी मणिपुर और मेघालय आदि राज्यों के जनजातीय युवाओं को प्रशिक्षण दिया जाता है। प्रतिभाशाली बच्चों में फुटबॉल को बढ़ावा देने के लिए 1987 में टाटा फुटबॉल अकादमी का गठन किया गया। एवरेस्ट की चोटी पर पहुँचने वाली पहली महिला बछेंद्री पाल झारखंड से ही जुड़ी हैं।

एयर इंडिया हॉकी अकादमीः तत्कालीन केंद्रीय नागरिक उड्डयन मंत्री, माधवराव सिंधिया के प्रयास से 1991 में एयर-इंडिया नेशनल हॉकी अकादमी का जन्म हुआ। 2001 में ऑल इंग्लैंड बैडमिंटन चैंपियनशिप जीतने के बाद पुलेला गोपीचंद ने जन विश्वस्तरीय बैडमिंटन अकादमी खोलने का विचार किया तो कड़े संघर्ष के बाद 2003 में आंध्र प्रदेश सरकार ने अकादमी शुरू करने के लिए 45 साल की लीज पर गोपीचंद को पाँच एकड़ जमीन दी, लेकिन आर्थिक ढाँचा विकसित करने की बात पर हाथ खींच लिये। गोपीचंद का अपना सपना साकार करने के लिए पारिवारिक संपत्ति तक गिरवी रखनी पड़ी। उसी दौर में खेल का सामान बनाने वाली कंपनी योनेक्स और उनके कुछ रिश्तेदारों ने मदद की, तब जाकर 2008 में हर तरह की सुविधाओं वाली बैडमिंटन अकादमी का निर्माण पूरा हुआ। इसी चर्चिल ब्रदर्स फुटबॉल क्लब, गोवा के मार्गो में स्थित एक भारतीय पेशेवर फुटबॉल क्लब है। चर्चिल ब्रदर्स की स्थापना 1988 में मार्गाओ में हुई थी और 1996 में नए नेशनल फुटबॉल लीग के संस्थापक क्लब थे। 2007 में, क्लब, आई-लीग में एक संस्थापक क्लब भी था।

27. उपलब्धि प्रेरणा की परिभाषा देते हुए मैक्लीलैण्ड (1961) ने इसे श्रेष्ठता के मापदण्ड के साथ प्रतिस्पर्धा से संबंध रखना बताया है। विभिन्न अध्ययनों के आधार पर मैक्लीलैण्ड ने सुझाव दिया है कि जिस व्यक्ति में उपलब्धि अभिप्रेरणा अधिक रहती है वे वातावरण में अधिक विकसित होते हैं और उनमें अधिक सामर्थ्य की सम्भावना रहती है। अन्य अध्ययनों में भी यह पाया गया है कि जिनमें उपलब्धि प्रेरणा अधिक होती है वे कार्य से अधिक सफल पाए गए हैं। ऐटकिन्सन (Atkinson, 1953) के अनुसार, जब किसी व्यक्ति में उपलब्धि की आवश्यकता कम दिखाई पड़ती है तो उसमें वास्तव में असफलता का भय अधिक होता है। ऐटकिन्सन (1964) ने आगे अपने प्रयोगात्मक साक्ष्यों के आधार पर सलाह दी है कि उपलब्धि आवश्यकता उस समय सक्रिय होती है जब व्यक्ति अनुभव करता है कि उसके कार्यों का मूल्यांकन हो रहा है। उपलब्धि आवश्यकता मैस्लो (Maslow, 1954) के सेल्फ एक्चुअलाइजेशन (Self actualization) से मिलता-जुलता है जिसमें व्यक्ति की यह इच्छा होती है कि उसकी जितनी क्षमता है उसकी पूर्ण अभिव्यक्ति और विकास हो।

उपलब्धि प्रेरणा को बाल्यावस्था में ही अर्जित किया जाता है। सामाजिक विकास के क्रम में ही बच्चे अभिभावकों से तथा अन्य प्रतिमानों (models) से उपलब्धि प्रेरणा को अर्जित करते है। इस प्रकार के सामाजिक प्रभावों द्वारा उपलब्धि प्राप्त करने के मूल्य का विकास होता है जो उपलब्धि प्रेरणा के स्तर को बढ़ाने में कारगर सिद्ध होता है। इस संबंध में भारत में बी.के. मिश्रा ने भी एक अध्ययन में पाया कि भारतीय समाज में लड़के और लड़कियों के प्रति माता-पिता के दृष्टिकोण में अंतर होने के कारण उपलब्धि प्रेरणा के स्तर में भिन्नता देखने को मिलती है। साथ ही, जन्म क्रम (birth order), पारिवारिक परिवेश, परिवार की संरचना, सामाजिक एवं सांस्कृतिक भिन्नताएं आदि भी *n*Ach के महत्वपूर्ण निर्धारक हैं।

28. किसी जलस्रोत में ऐसे पदार्थों का इतनी मात्रा में मिश्रित हो जाना, जो उस जलस्रोत की प्राकृतिक गुणवत्ता को पूरी तरह बदल दे, इस स्थिति को जल प्रदूषण के तौर पर परिभाषित किया जा सकता है। इस प्रकार के बदलाव से पानी की उपयोगिता को नुकसान पहुंचता है,

जीवों का स्वास्थ्य प्रभावित होता है, और देखने, स्वाद अथवा गंध की दृष्टि से यह बेहद घृणास्पद हो जाता है। जल प्रदूषण में सतही जल प्रदूषण, (नदी, झील, तालाब), भूजल प्रदूषण और समुद्री प्रदूषण शामिल है।

जल प्रदूषण के कारण

पृथ्वी पर जल का 4/5 हिस्सा है, फिर भी हमारे सामने सीमित जल की समस्या आती है; क्योंकि जल में 97 प्रतिशत समुद्री जल का भाग है जो खारा पानी व पीने योग्य नहीं है। शेष जल का 80 प्रतिशत भाग ध्रुवों में बर्फ के रूप में जमा हुआ है। 10 प्रतिशत भाग चट्टानों के नीचे दबा पड़ा है। ऐसी स्थिति में पीने योग्य जल का हिस्सा केवल 0.32 प्रतिशत है, जिसमें झीलों, नदियों, कुओं आदि के जल-स्रोत आते हैं और यही पानी मानव, वनस्पति व जीव-जंतुओं के उपयोग में आता है। इससे स्पष्ट है कि हमारे पीने योग्य जल-स्रोत सीमित हैं, फिर भी आज हम अपने क्षणिक लाभ के लिए इन स्रोंतों को प्रदूषित कर कष्टों को आमंत्रित कर रहे है। प्रदूषित जल पीने से मानव को तो हानि होती ही है, लेकिन ऐसे जल से पेड़-पौधे एवं फसलों पर भी प्रतिकूल प्रभाव पड़ता है। हरित क्रांति से उत्पादन तो बढ़ा, साथ ही कीटनाशकों व रासायनिक पदार्थों का उपयोग भी बढ़ा है। कीटनाशकों के अधिक व अनुचित प्रयोग के कारण जल प्रदूषित हो रहा है। रासायनिक कारखानों का अपशिष्ट नदियों में बहाया जा रहा है, जिससे इन नदियों का जल प्रदूषित हो रहा है।

कोई भी औद्योगिक इकाई पर्यावरण को किस हद तक प्रभावित कर सकती है, इसका उदाहरण तमिलनाडु का अर्काट जिला है। यहाँ आबूर एवं रानीपेट शहरों में चमड़ा-शोधन के कोई 250-300 कारखाने हैं। ये सभी कारखाने अपने अपशिष्ट पदार्थों को नदियों व नहरों में बिना सोचे-समझे बहा रहे हैं। इससे वहाँ की पैदावार लगभग 70 प्रतिशत तक कम हो गई है। पीने का पानी पीने योग्य नहीं रहा। वहाँ के सड़ांध मार रहे इलाके में जानवर तक चरने नहीं जाते।

29. प्रबन्धन के प्रमुख कार्य निम्न हैं:

1. **नियोजन (Planning):** नियोजन मस्तिष्क की एक प्रक्रिया है, जिसमें बुद्धिमता, कल्पनाशक्ति, अग्रदृष्टि पक्के इरादे आदि की आवश्यकता होती है। अतः नियोजन का अर्थ यह है कि पूर्व में ही यह निश्चय करना कि किसी कार्य को किसी निश्चित उद्देश्य की पूर्ति हेतु किस स्थान पर किस समय तथा किसके द्वारा किया जाना चाहिए? दूसरे शब्दों में यह कहा जा सकता है कि नियोजन वांछित परिणामों को प्राप्त करने के लिए कार्य की विधि ज्ञात करना है।
2. **संगठन (Organising):** नियोजन द्वारा उद्देश्य एवं लक्ष्य आदि निर्धारित करने के पश्चात उन्हें कार्यान्वित करना होता है, जिन्हें प्रबंध 'संगठन' के माध्यम से करता है। संगठन का आशय योजना द्वारा निर्धारित लक्ष्यों की पूर्ति करने वाले तंत्र से है।
3. **नियुक्तियां (Staffing):** किसी भी संगठन के ढांचे का निर्माण तब ही सम्भव है जब उसमें कुशल एवं योग्य व्यक्ति नियुक्त हों। नियुक्तियाँ करना प्रबन्ध का प्रशासनिक कार्य हैं जिसका अर्थ है– संगठन की योजना के अनुसार अधिकारियों तथा कर्मचारियों की नियुक्ति करना, उनको आवश्यक प्रशिक्षण करना, पदोन्नति, स्थानान्तरण, सेवा मुक्ति आदि की व्यवस्था करना
4. **निर्देशन (Direction):** प्रबन्ध मूलतः व्यक्तियों से काम करवाने की कला है। दूसरे व्यक्तियों से काम करवाने के लिए यह आवश्यक है कि उनके कार्य को निर्धारित उद्देश्यों एवं लक्ष्यों की प्राप्ति हेतु निर्धारित दिशाओं में प्रशस्त तथा निर्देशित किया जाये।
5. **समन्वय (Co-Ordination):** एक ही कार्य की विभिन्न व्यक्तियों द्वारा भिन्न-भिन्न रूप से व्याख्या करना मानव जाति का स्वभाव है। इन वैचारिक मतभेदों से उपक्रम के सामूहिक उद्देश्यों को पूर्ण करना कठिन है। इन उद्देश्यों की प्राप्ति के लिए व्यक्तिगत क्रियाओं, विचारों, कार्यकलापों तथा भावनाओं में सामंजस्य लाना आवश्यक है।
6. **नियन्त्रण (Control):** क्या समस्त कार्य योजनाबद्ध चल रहे हैं? क्या क्रियाएं निर्धारित लक्ष्यों की ओर अग्रसर हो रही हैं? और क्या इनमें कोई सुधार की आवश्यकता है? इन समस्त प्रश्नों का हल

प्रभावशाली नियंत्रण में निहित है। नियंत्रण वर्तमान कार्यों को पूर्व निर्धारित लक्ष्यों से मिलान करने की वह प्रक्रिया है जिससे मानवीय तथा भौतिक साधनों के औचित्य पूर्ण उपयोग का ज्ञान हो सके तथा यदि आवश्यक हो तो उन प्रक्रियाओं में सुधार किया जा सके।

7. **उत्प्रेरण (Motivation):** किसी भी व्यवसाय अथवा उद्योग को सुचारू रूप से चलाने के लिए भौतिक तत्वों के अतिरिक्त एक और तत्व की आवश्यकता होती है, जिसे मानव तत्व अथवा श्रम तत्व कहते हैं। इस श्रम तत्व के द्वारा ही भौतिक साधनों का उपयोग किया जाना सम्भव होता है।

31. प्रारम्भिक शिक्षा में प्लेटो व्यायाम अर्थात् जिमनास्टिक को भी महत्वपूर्ण मानते हैं। संगीत की भाँति प्लेटो जिमनास्टिक का भी विस्तृत अर्थ लेते हैं। प्रोफेसर बार्कर कहते हैं कि, प्लेटो का जिमनास्टिक से तात्पर्य शरीर की सामान्य देख-रेख से था। जिमनास्टिक शारीरिक व्यायाम से बढ़कर है; उसमें स्वस्थ बने रहने के लिए आहारशास्त्र तथा चिकित्साशास्त्र का भी ज्ञान है। प्लेटो लोगों को सादे भोजन खाने की सलाह देते हैं; वे अत्यधिक स्वादिष्ट तथा गरिष्ठ खाद्य पदार्थों के उपयोग को अनुचित बताते हैं। उनका कहना है कि जिमनास्टिक का ज्ञान व व्यवहार उस सीमा तक हो कि लोगों को डॉक्टरों की आवश्यकता नहीं पड़नी चाहिए।

प्रारम्भिक शिक्षा में बाद के दो वर्ष (18 से 20 तक) ऐसे वर्ष हैं जिनमें सभी युवकों/युवतियों को सैनिक शिक्षा देने का प्रयोजन है। जो व्यक्ति अधिक योग्यता का परिचय देते हैं; उन्हें उच्चस्तरीय शिक्षा के लिए तथा शेष को सैनिक वर्ग में सम्मिलित किया जाता है। प्लेटो संगीत को व्यक्ति की आत्मा तथा जिमनास्टिक को उसके शरीर के लिए आवश्यक मानते थे।

33. मोच के तुरंत उपचार के लिए क्रायोथेरेपी विधि प्रयुक्त की जाती है। क्रायोथेरेपी बर्फ से संबंधित उपचार है। इसमें संभव हो, तो जख्मी हिस्से पर बर्फ लगाएं, विशेषकर जब खून बहे एवं सूजन कम करनी हो। यह जलन कम करने के लिए भी आवश्यक है। इससे पुनर्वास समय कम होगा तथा खिलाड़ी स्पोर्ट्स कार्य पर जल्दी लौट सकेगा। कई घंटों तक हर घंटे के बाद बर्फ 20-30 मिनट तक लगाना चाहिए। यह आईस बैग, केमिकल पैक, जमी हुई सब्जियों, सोडा कैन या स्नो के रूप में हो सकती है।

34. विश्व हेपेटाइटिस दिवस हेपेटाइटिस के बारे में जागरूकता प्रसारित करने और लोगों को शीघ्र निदान, रोकथाम और हेपेटाइटिस के उपचार को प्रोत्साहित करने के लिए प्रतिवर्ष 28 जुलाई को मनाया जाता है। हेपेटाइटिस संक्रामक बीमारियाँ का समूह है, जिसे हेपेटाइटिस ए, बी, सी, डी और ई के रूप में जाना जाता है। हिपेटाइटिस एक संक्रामक रोग है, लेकिन इसका मतलब यह नहीं है कि ये छूने मात्र से फैल जाता है। इसलिए परिवार के किसी सदस्य को यह रोग होने पर उसे बिल्कुल अलग रखने की जरूरत नहीं होती है, हालांकि परिवार के अन्य सदस्यों को संक्रमणमुक्त रखने के लिए कुछ सावधानियां बरतना आवश्यक है।

35. शब्द 'तिरछापन' का उपयोग डेटासेट के माध्यम से समरूपता की अनुपस्थिति के लिए किया जाता है। यह माध्य से विचलन की विशेषता है, दूसरे की तुलना में एक तरफ अधिक होना, अर्थात् वितरण की विशेषता एक पूंछ को दूसरे की तुलना में भारी होना। तिरछापन का उपयोग डेटा के वितरण के आकार को इंगित करने के लिए किया जाता है। तिरछे वितरण में, वक्र को बाईं या दाईं ओर अधिक बढ़ाया जाता है। इसलिए, जब भूखंड को दाईं ओर अधिक बढ़ाया जाता है, तो यह सकारात्मक तिरछापन को दर्शाता है, जिसमें मोड (मंझला) का मतलब है। दूसरी ओर, जब प्लॉट को बाई दिशा की ओर अधिक खींचा जाता है, तो इसे नकारात्मक तिरछापन कहा जाता है और इसलिए, इसका अर्थ है (मध्यमा) मोड।

38. **घटक विश्लेषण (Factor analysis):** एक सांख्यिकीय प्रक्रिया है जो एक सेट में प्रत्येक चर का सेट में प्रत्येक अन्य चर के साथ सहसंबंधों की परीक्षा के द्वारा आश्रित चरों के एक सेट की अवधारणात्मक संरचना का अन्वेषण करती है। घटक विश्लेषण का उपयोग व्यर्थ या अनावश्यक वस्तुओं की पहचान कर चरों के एक सेट को कम करने के लिए भी किया जा सकता है।

39. बॉडी मास इंडेक्स (BMI): बॉडी मास इंडेक्स को क्युटलेट इंडेक्स भी कहा जाता है। वास्तव में यह एक सांख्यिकीय मापन है जो व्यक्ति के भार व ऊँचाई की तुलना करता है। एक स्वस्थ शरीर का भार अनुमान लगाने का यह एक बहुत लाभदायक उपकरण है, जो व्यक्ति की ऊँचाई पर आधारित है अर्थात् ऊँचाई के अनुसार व्यक्ति के शरीर का भार कितना होना चाहिए। वास्तव में इस उपकरण को भार की समस्या को ज्ञात करने के लिए व्यापक रूप से प्रयोग में लाया जाता है। BMI का मापन व मूल्यांकन बहुत आसान होता है। BMI की सहायता से कोई भी व्यक्ति यह पता लगा सकता है कि उसका भार अल्प भार, सामान्य भार, अति भार या मोटापे (स्थूलता) की श्रेणी में है या नहीं। इसका मान (Value) किग्रा./मीटर^2 में मापा जाता है।

BMI की गणना (Calculation of BMI): किसी व्यक्ति BMI की निम्नलिखित फॉमूले की सहायता से गणना की जाती है:

$$\text{बॉडी मास इंडेक्स (BMI)} = \left(\frac{\text{शरीर का भार}}{\text{ऊँचाई} \times \text{ऊँचाई}}\right)$$

यहाँ पर शरीर का भार कि.ग्रा. से तथा उसकी ऊँचाई मी. में मापी जाती है।

मापन के दौरान सावधनियाँ (Precautions During Measurements): BMI के लिए माप लेते समय निम्नलिखित सावधानियों को अवश्य ध्यान में रखना चाहिए:

1. शरीर का भार विश्वसनीय एवं त्रुटिहीन भार मशीन पर लेना चाहिए।
2. जिस सदस्य या पड़ोसी का भार लिया जाना हो, उसके शरीर पर कम-से-कम कपड़े डालने चाहिए। विशेष रूप से जूते नहीं डालने चाहिए।
3. ऊँचाई के मापन के दौरान वह नंगे पैर होना चाहिए व उसका शरीर सीधा रहना चाहिए।

40. अभिप्रेरण एक प्रकार की शक्ति है, जो छात्रों में अध्ययन तथा अन्य कार्यों को करने का जोश तथा रुचि उत्पन्न करती है। व्यक्ति जो भी कार्य करता है उसमें किसी प्रकार की अभिप्रेरणा की भूमिका आवश्यक होती है। अध्यापक के समक्ष यह बहुत बड़ी समस्या होती है कि छात्रों को किस प्रकार अधिक से अधिक अभिप्रेरित किया जाए। अध्यापक इसके लिए अनेक उपाय करता है। अभिप्रेरणा अधिगम के लिए कोई आवश्यक शर्त नहीं है। परन्तु फिर भी अधिगम प्रक्रिया को गतिशीलता प्रदान करती है। इसे ''सीखने का हृदय'' (Heart of Learning), ''सीखने का स्वर्ण पथ'' (Golden Road of Learning) तथा सीखने की ''अनिवार्य स्थिति'' (Potent Factor in Learning) मुख्य कारक कहा गया है। गेट्स के शब्दों में, ''अभिप्रेरणा स्वतंत्र समाज में एक अच्छे कार्यक्रम का केंद्रीय समस्या है।'' मैक्डूगल के अनुसार, ''अभिप्रेरणा वे शारीरिक और मानसिक दशाएं हैं जो किसी कार्य को करने के लिए प्रेरित करती हैं।'' अभिप्रेरणा दो प्रकार की होती है:

1. आंतरिक अभिप्रेरणा (Natural Motivation)
2. बाह्य अभिप्रेरणा (Artifical Motivation)

आंतरिक अभिप्रेरणा/प्राथमिक प्राकृतिक अभिप्रेरणा : इस वर्ग की अभिप्रेरणा मनुष्य की जन्मजात प्रवृत्तियों व रुचियों पर निर्भर करती है। प्राकृतिक अभिप्रेरणा के अन्तर्गत शारीरिक, स्वभाविक, सामाजिक और संवेगात्मक अभिप्रेरणा शामिल हैं। इस प्रकार की अभिप्रेरणा में व्यक्ति को पाठ्य-पुस्तक और क्रियाओं से व्यक्ति को या छात्र को प्रोत्साहन मिलता है। प्राकृतिक अभिप्रेरणा का संबंध प्राकृतिक इच्छाओं, रुचियों एवम् आवश्यकताओं से होता है। प्राकृतिक अभिप्रेरणा के अन्तर्गत शारीरिक अभिप्रेरणा, सामाजिक अभिप्रेरणा, संवेगात्मक अभिप्रेरणा शामिल हैं।

कृत्रिम/बाह्य/द्वितीयक अभिप्रेरणा : इस प्रकार की अभिप्रेरणा का संबंध किसी व्यक्ति से न होकर वातावरण से होता है। कृत्रिम अभिप्रेरणा में परिणामों का ज्ञान, पुरस्कार, दंड, लक्ष्य प्रतियोगिता शामिल हैं।

41. समवर्ती वैधता : वह वैधता है जो परीक्षण को किसी वर्तमान कसौटी के साथ सहसम्बन्धित करने पर प्राप्त होती है। जैसे, यदि हम किसी अभिवृत्ति परीक्षण का निर्माण कर रहे हैं, तो हम इसकी वैधता जानने के लिए पहले से कोई ऐसा अभिवृत्ति परीक्षण ले सकते हैं, जिसकी वैधता तथा विश्वसनीयता पूरी तरह से संतोषजनक हो। इन दोनों परीक्षण को ही समूह पर क्रियान्वित करके

इनका सहसम्बन्ध ज्ञात कर लिया जाता है। इस प्रकार के सहसम्बन्ध को समवर्ती वैधता गुणांक (Concurrent validity coefficient) कहते हैं।

समवर्ती वैधता गुणांक दो प्रकार से निकाला जा सकता है–

1. सहसम्बन्ध ज्ञात करके (By computing correlation) तथा
2. विभेदन ज्ञात करके (By computing discrimination)

भविष्यवाची वैधता (Predictive validity): इस प्रकार की वैधता जानने के लिए परीक्षण को ऐसी कसौटी पर सहसम्बन्धित किया जाता है जो वर्तमान में उपलब्ध न होकर कुछ समय बाद अर्थात् भविष्य में उपलब्ध होती है। जैसे यदि हम आज कोई अभिक्षमता परीक्षण बनाते हैं और उसकी भविष्यवाची वैधता ज्ञात करना चाहते हैं तो हमें उस अभिक्षमता परीक्षण को वर्तमान में एक समूह पर प्रशासित करके उनके अंक प्राप्त करने होंगे तथा साल भर बाद हम यदि उसे पुनः उसी समूह पर अभिक्षमता परीक्षण प्रशासित करें और दोनों बार के अंकों में हमें उच्च सहसम्बन्ध प्राप्त हो, तो इसका अर्थ है कि अभिक्षमता परीक्षण में भविष्यवाची वैधता पायी जाती हैं।

रचनात्मक वैधता (Construct validity): रचनात्मक वैधता को कारक वैधता (Factorial validity) तथा शीलगुण वैधता (Trait validity) भी कहा जाता है। रचनात्मक वैधता में किसी परीक्षण की संरचना (Construct) का मापन अर्थात् उसकी वैधता का मापन किया जाता है। संरचना किसी परीक्षण का अनिरीक्षणीय (Non-observable) गुण होता है जिसके माध्यम से हम व्यवहारों की व्याख्या करते हैं, जैसे बुद्धि परीक्षण में बुद्धि संरचना का उदाहरण है जिसे हम देख नहीं सकते मात्र समझा सकते हैं। माना यदि हमें बुद्धि परीक्षण की रचनात्मक वैधता जाननी है तो बुद्धि के आधार पर परीक्षणकर्ता कोई उपकल्पना बना लेते हैं। जैसे अधिक बृद्धि वाले व्यक्तियों के बालक भी तीव्र बुद्धि के ही होते हैं। यदि इस उपकल्पना का परीक्षण के दौरान सत्यापन हो जाता है जो वह उपर्युक्त बुद्धि परीक्षण की रचनात्मक वैधता होगी। रचनात्मक वैधता का परिकलन उपरोक्त दोनों वैधता अन्तर्विषय वैधता तथा कसौटी सम्बन्धित वैधता से जटिल है अतः परीक्षणकर्ता रचनात्मक वैधता ज्ञात करने का निर्णय तभी लेते हैं जब उनके पास अन्य कोई विकल्प नहीं होता।

आमुख या प्रत्यक्ष वैधता (Face validity): मनोमितिक दृष्टि से (Psychometrically) प्रत्यक्ष वैधता कोई वैज्ञानिक वैधता नहीं है। प्रत्यक्ष या आमुख वैधता परीक्षण क्या माप रहा है इससे सम्बन्धित नहीं होती बल्कि परीक्षण एक सरसरी निगाह में क्या मापते हुए दिखायी देता है, इससे सम्बन्धित होती है।

42. **मधुमेह या डायबिटीज** नामक रोग मनुष्य के शरीर में इन्सुलिन नामक हारमोन के अल्पस्रावण से शरीर की शर्करा के अवशोषित न होकर रक्त में मिल जाने के कारण होता है। मधुमेह के रोगी को अपने शरीर में रक्त शर्करा की मात्रा को सामान्य स्तर पर बनाए रखने के लिये मेथी के बीजों तथा करैले के रस एवं सब्जी का प्रयोग लाभदायक होता है।

अतिसार (Diarrhoea): यह ऐसी अवस्था होती है जिसमें संक्रमण के कारण पेट की आँतों की कार्य-प्रणाली सामान्य नहीं रहती। प्रमुख रूप से आँतों का महत्वपूर्ण कार्य अतिरिक्त जल का अवशोषण करना है। अतिसार रोग की स्थिति में आँतें इस कार्य को नहीं कर पाती हैं। इस कारण शरीर का अतिरिक्त जल मलद्वार द्वारा बाहर निष्कासित हो जाता है और जल के साथ कुछ अन्य आवश्यक खनिज लवण भी शरीर से बाहर निकल जाते हैं, इस प्रकार शरीर में जल की कमी हो जाती है।

तपेदिक या क्षय रोग : तेपेदिक (टयूबरकयुलोसिस, क्षय रोग या टीबी) बैक्टीरिया के कारण होने वाली संक्रामक बीमारी है। यह वायु द्वारा फैलने वाला रोग है। यह 'माइक्रोवैसीलस टयूबरकुलोसिस' नामक जीवाणु से होता है। यह रोग विशेष रूप से ओद्यौगिक नगरों गन्दी व घनी बस्तियों में आसानी से फैलता है। क्षय रोग से मनुष्य के कई अंग प्रभावित होते हैं। यह फुफ्फुसीय व अफुफ्फुसीय क्षय रोग में शरीर की ग्रन्थियाँ, अस्थियाँ व आँत आदि अंग प्रभावित होते हैं। आजकल शरीर में पौष्टिक खाने की कमी, जंकफूड के इस्तेमाल, मीजल्स

या न्यूमोनिया के बिगड़ने और एच.आई.वी. पॉजिटिव होने से भी तपेदिक का इन्फेक्शन होता है।

स्वाइन फ्लू : स्वाइन इन्फ्लुएंजा विषाणुओं के विभिन्न प्रकारों में से एक H_1N_1 विषाणु के प्रभाव के कारण होता है। यह विषाणु मुख्यतः सुअर में पाया जाता है। सुअरों से मनुष्य में इस विषाणु का संक्रमण आसानी से नहीं होता। यदि इसके संक्रमण से मानव में फ्लू होता है, तो इसे जुनोटिक स्वाइन फ्लू कहते हैं। स्वाइन फ्लू के लक्षण इन्फ्लूएंजा संक्रमण के समान हैं। प्रायः इसमें बुखार, खांसी, जुकाम, थकान, सिर दर्द के लक्षण दिखते हैं। यदि नियमित रूप से 102.5 डिग्री फारेंनहाइट ज्वर रहता है तो स्वाइन फ्लू की संभावना बनती है। अभी इस रोग का प्रभावी टीका खोजा नहीं जा सकता है। इस पर अभी शोध चल रहा है।

47. सर्जनात्मक चिन्तन का स्वरूप काफी जटिल होता है। इसमें व्यक्ति किसी समस्या के भिन्न-भिन्न पहलुओं पर भिन्न-भिन्न (divergent directions) में चिन्तन कर कुछ नये विचारों एवं तथ्यों की रचना या सर्जन (creation) करता है। मनोवैज्ञानिकों ने सर्जनात्मक चिन्तन तथा समस्या समाधान व्यवहार के विश्लेषण करने पर यह बतलाया है कि इसमें कुछ अवस्थाएँ (stages) सम्मिलित होती हैं। वालास (Wallas, 1926), पैट्रीक (Patrick, 1937), विनाके (Vinacke, 1952) तथा कोफर (Cofer, 1957) के अनुसार चाहे व्यक्ति सामान्य चिन्तन द्वारा किसी समस्या का समाधान कर रहा हो या वह सर्जनात्मक रूप से चिन्तन कर रहा हो, उसमें निम्नांकित चार अवस्थाएँ (stages) होती हैं–

1. **आयोजन (Preparation):** सर्जनात्मक चिन्तन में या किसी समस्या के समाधान में आयोजित यह सबसे पहली अवस्था होती है। इस अवस्था में समस्या से संबंधित आवश्यकता तथ्यों एवं प्रमाणों को एकत्रित करने की तैयारी या आयोजन किया जाता है। समस्या को ठीक ढंग से परिभाषित करके उसके पक्ष-विपक्ष में प्रमाण एकत्रित किया जाता है। ऐसा करने में व्यक्ति प्रयत्न तथा त्रुटि (trial and error) का भी सहारा लेता है। आइन्सटिन को यदि भौतिकी तथा गणित का विस्तृत ज्ञान नहीं होता तो वे सापेक्षता का सिद्धान्त का प्रतिपादन नहीं कर पाते। अपने इस विस्तृत ज्ञान के आधार पर समस्या से संबंधित तथ्यों तथा प्रमाणों को उन्होंने पहले जमा करने की तैयारी की। उसी तरह से राईट भाइयों द्वारा जब हवा में उड़ने की बात सोची गयी तो उन्होंने पहले भौतिक विज्ञानों के ज्ञान के आधार पर इस समस्या से संबंधित तथ्यों एवं प्रमाणों को एकत्रित करने का आयोजन किया होगा। इस तरह से प्रत्येक रचनात्मक चिन्तन विभिन्न प्रकार के तथ्यों एवं प्रमाणों को एकत्रित करने का आयोजन करता है। समस्या के स्वरूप तथा व्यक्ति के ज्ञान के अनुसार यह अवस्था लम्बे या कम समय तक के लिये होती है। यदि समस्या जटिल है तथा व्यक्ति का ज्ञान सीमित है तो वह अवस्था लम्बे समय तक जारी रह सकती है। परन्तु यदि समस्या में जटिलता कम है तथा व्यक्ति का ज्ञान भंडार अधिक परिपक्व है, तो यह अवस्था कम समय तक ही जारी रहती है। जिम्बाडों तथा रूक के अनुसार इस अवस्था पर व्यक्ति की आयु तथा बुद्धि का भी प्रभाव पड़ता है।

2. **उद्भवन (Incubation):** किसी भी सर्जनात्मक चिन्तन या समस्या व्यवहार की दूसरी अवस्था उद्भवन की होती है। इस अवस्था में व्यक्ति में निष्क्रियता बढ़ जाती है और थोड़े समय के लिए समस्या के बारे में वह चिन्तन करना छोड़ देता है। जब कोई ढंग से कोशिश करने के बाद भी किसी समस्या का समाधान नहीं हो पाता है, तो इस अवस्था की उत्पत्ति होती है। इस अवस्था में व्यक्ति समस्या के समाधान के बारे में चिन्तन करना छोड़कर या तो सो जाता है या विश्राम करने लगता है। पेट्रीक ने कवियों तथा कलाकारों पर अध्ययन करके इस बात की पुष्टि की है कि सर्जनात्मक चिन्तन में उद्भवन की अवस्था होती है। मनोवैज्ञानिकों का कहना है कि इस अवस्था में यद्यपि व्यक्ति अपना ध्यान समस्या की ओर से पूर्णतः हटा लेता है, फिर भी अचेतन रूप से उसके बारे में सोचते रहता है। इस तरह से इस अवस्था में चेतन रूप से व्यक्ति समस्या के बारे में चिन्तन करना छोड़ देता है परंतु अचेतन रूप से उसके समाधान के बारे में चिन्तन जारी रखता है।

3. प्रबोधन (Illumination): इस अवस्था में अचानक व्यक्ति को समस्या का समाधान दीख पड़ता है। सिलभरमैन के अनुसार, "समाधान के अकस्मात अनुभव को प्रबोध कहा जाता है।" यह अवस्था प्रत्येक रचनात्मक चिन्तन या सर्जनात्मक चिन्तन में पायी जाती है। उद्भवन अवस्था में जब व्यक्ति अचेतन रूप से समस्या के भिन्न-भिन्न पहलुओं को पुनर्संगठित करते रहता है, तो अचानक उसे उस समस्या का समाधान नजर आ जाता है। प्रबोधन की यह घटना सूझ (insight) के समान है। मनोवैज्ञानिक के अनुसार व्यक्ति में उद्भवन की अवस्था के बाद प्रबोधन (illumination) की अवस्था कमी भी उत्पन्न हो सकती है। यहाँ तक कि कभी-कभी व्यक्ति को स्वप्न में भी प्रबोधन का अनुभव होते पाया गया है।

4. प्रमाणीकरण या संशोधन (Verification or Revision): प्रमाणीकरण या संशोधन सर्जनात्मक चिन्तन या समस्या समाधान व्यवहार की चौथी अवस्था है। इस अवस्था में प्रबोधन की अवस्था से प्राप्त समाधान या निष्कर्ष की जाँच या मूल्यांकन किया जाता है। इस अवस्था में व्यक्ति यह देखने की कोशिश करता है कि उसे जो समाधान प्राप्त हुआ है यह ठीक है या नहीं। जाँच करने के बाद जब व्यक्ति इस निष्कर्ष पर पहुँचता है कि समाधान या निष्कर्ष सही नहीं था तो वह सम्पूर्ण कार्यविधि का संशोधन करता है और पुनः एक दूसरे समाधान की खोज करता है।

ऊपर के विवरण से स्पष्ट है कि सर्जनात्मक चिन्तन की चार अवस्थाएँ हैं जो एक निश्चित क्रम में होती हैं। कुछ मनोवैज्ञनिकों ने इन अवस्थाओं की आलोचना की है और कहा है कि सभी सर्जनात्मक चिन्तन में ये सभी अवस्थाएँ नहीं होतीं हैं।

50. जब सहसंबंध गुणांक $r = +1.00$ पर पहुँचता है (या $r = +0.50$ से ज्यादा), तो इसका अर्थ है कि दो चरों के मध्य एक सशक्त धनात्मक संबंध या संबंध की एक ऊँची डिग्री है। इसका अर्थ यह है भी कि एक चर एक चर पर एक प्रतिभागी के जितने ज्यादा अंक हैं, तो दूसरे चर में भी अंक ज्यादा होंगे। इसके साथ, यदि कोई प्रतिभागी एक चर पर बहुत कम अंक प्राप्त करता है, तो दूसरे चर पर भी उसके अंक कम होंगे। यथा, शिक्षा के वर्षों तथा धन के बीच एक धनात्मक संबंध है। कुल मिलाकर, व्यक्ति की शिक्षा के जितने ज्यादा वर्ष होगी, उतनी ज्यादा उसकी समृद्धि होगी। इन दो चरों के मध्य एक सशक्त सहसंबंध का अर्थ यह भी है कि जितने कम वर्ष शिक्षा के होंगे, उतनी ही कम उस व्यक्ति की दौलत होगी। यदि सहसंबंध एक सटीक ($r = +1.00$) था तो पूरे नमूने में शिक्षा के बढ़ते वर्ष से बढ़ती दौलत का एक भी अपवाद नहीं होगा। इसका अर्थ यह होगा कि दोनों चरों के मध्य एक सटीक रैखिक संबंध है। हम पद रैखिक को पुनः देखेंगे, परंतु प्रारंभिक रूप से इसका अर्थ है कि एक सरल रेखा x-अक्ष पर चर A तथा y-अक्ष पर चर B के मध्य आरेखी चित्र का सर्वश्रेष्ठ निरूपण होगा। परंतु, वास्तविक दुनिया में दो चरों के मध्य सटीक संबंध अस्तित्व में नहीं होते हैं। इस प्रकार, वास्तविक दुनिया में शिक्षा तथा धन के मध्य एक सशक्त परंतु सटीक प्रबंध का अर्थ होगा कि संबंध नमूने के अधिकतर लोगों के लिए कार्य करेगा, परंतु, कुछ अपवाद हैं। दूसरे शब्दों में कुछ बहुत शिक्षित व्यक्ति धनी नहीं हैं और कुछ अशिक्षित व्यक्ति धनी हैं।

जब सहसंबंध गुणांक $r = -1.00$ पर पहुँचता है (या $r = -0.50$ से कम), तो इसका अर्थ है कि दो चरों के मध्य एक सशक्त ऋणात्मक संबंध है। इसका अर्थ है कि एक चर पर किसी प्रतिभागी का जितना ज्यादा अंक होगा, दूसरे चर पर उतना ही कम अंक होगा। उदाहरण के लिए, धूम्रपान तथा दीर्घजीविता के मध्य एक सशक्त ऋणात्मक संबंध है। दूसरे शब्दों में, कोई व्यक्ति जितना ज्यादा धूम्रपान करता है या करती है, उतनी ही कम उसकी दीर्घजीविता है, तथा कोई जितना कम धूम्रपान करता है, उतना ज्यादा वह जीवित रह सकता हैं।

51. केंद्र सरकार ने टारगेट ओलंपिक पोडियम स्कीम (TOPS) शुरू की है। इस योजना में खिलाड़ियों के चयन और प्रशिक्षण की जिम्मेदारी पूर्व खिलाड़ियों और लंबे समय से खेल प्रशासन से जुड़े लोगों को दी गई है। इस योजना को लागू करने के लिए आठ सदस्यीय पैनल का भी गठन किया गया है। यह योजना वर्ष 2020 तक

आयोजित होने वाले सभी महत्वपूर्ण खेल आयोजनों तक लागू रहेगी। आठ सदस्यीय पैनल विभिन्न खेलों के 75 से 100 खिलाड़ियों के पूल का चयन करेगा। चयनित खिलाड़ियों को अगले दो ओलंपिक खेलों में 25 से 30 मेडल जीतने के लक्ष्य के साथ प्रशिक्षित किया जाएगा। इस योजना के अंतर्गत एथलेटिक्स, तीरंदाजी, बैडमिंटन, मुक्केबाजी, कुश्ती और शूटिंग पर मुख्य ध्यान केंद्रित किया गया है।

56. प्रत्यस्थ (एलास्टिक) ऊतक (टिश्यु) जो हड्डियों को एक साथ पकड़े रहते हैं, उन्हें स्नायु (लिगामेंट) कहते हैं। वस्तुतः मजबूती से बंधा हुआ हड्डियों का जोड़ जो ऊतक से कसा रहता है उसे लिगामेंट कहा जाता है। ऊतक में चिकनापन होने के कारण यह हड्डियों का परिचालन सरल कर देता है।

57. चतुर्थांश विचलन का अर्थ एवं परिभाषा (Meaning and definition of Quartile Deviation): जब किसी समूह के सभी प्राप्तांकों को चार बराबर भागों में बाँटा जाता है तो प्रत्येक भाग को चतुर्थांश (Quartile) कहते हैं। स्केल पर नीचे से ऊपर की ओर प्रथम चतुर्थांश को Q_1, द्वितीय चतुर्थांश को Q_2 और तृतीय चतुर्थांश को Q_3 से व्यक्त करते हैं। किसी समूह के मध्यांक (Q_2) से उसके दोनों ओर के चतुर्थांशों (Q_1 और Q_3) के विचलन के औसत को चतुर्थांश विचलन कहते हैं। गैरेट (1973) के अनुसार, "किसी आवृत्ति वितरण में 75वें प्रतिशतांक और 25वें प्रतिशतांक के बीच की आधी दूरी होती है।" चतुर्थांश विचलन का दूसरा नाम अर्द्ध-मध्यांक-चतुर्थांश (Semi-Inter-Quartile Range) है। अतः यह इसके दूसरे नाम से स्पष्ट है कि यह एक प्रकार का प्रसार है। इसका संकेत चिन्ह QD अथवा Q है।

चतुर्थांश विचलन के गुण :

1. Q का अर्थ Q_3 और Q_1 के मध्य की दूरी है।
2. जब अंक वितरण के सीमान्तों पर विचलन की मात्रा अधिक होती है तब इसका उपयोग किया जाता है।
3. जब अंक वितरण विषम हो या मुक्त छोर हो तब Q की गणना की जाती है।
4. वर्णनात्मक सांख्यिकी में इसका उपयोग बहुत अधिक है।
5. रचना, गुण और गणना की दृष्टि से Q का सम्बंध बहुत कुछ मध्यांक से है।

58. विशेष क्षेत्र खेल योजना : योजना के अन्तर्गत, केन्द्र भा. खे.प्रा./मंत्रालय द्वारा पूर्ण रूप से निधि उपलब्ध कराते हुए खेल मैदान, इण्डोर हॉल, उपस्कर सहायता/प्रशिक्षकों इत्यादि जैसी अधिसंरचना के साथ राज्य सरकारों/केन्द्र शासित प्रशासन के परामर्श से आरम्भ किए जाते है।

उद्देश्य : विशेष क्षेत्र खेल योजना का उद्देश्य देश के जनजातीय, ग्रामीण, तटीय और पर्वतीय क्षेत्रों तथा अनुवांशिक भौगोलिक लाभप्रद वाले क्षेत्रों से आधुनिक प्रतिस्पर्द्धात्मक खेलों के लिए प्रतिभा की खोज करना और आधुनिक प्रतिस्पर्द्धात्मक खेलों में उत्कृष्टता प्राप्त करने के लिए वैज्ञानिक रूप से उन्हें घोषित करना है। इस योजना का मुख्य उद्देश्य 12 से 18 वर्ष के आयु वर्ग के उत्कृष्ट खिलाड़ियों को प्रशिक्षण दिया जाता है। विशेष मामलों में आयु में छूट दी जाती है।

शामिल खेल विधाएं : तीरन्दाजी, एथलेटिक्स, बैडमिन्टन, बास्केटबॉल, मुक्केबाजी, केनोईग, साईक्लिंग, तलवारबाजी, फुटबॉल, जिम्नास्टिक, हैंडबॉल, हॉकी, जूडो, कबड्डी, कराटे, क्याकिंग, नौकायन, निशानेबाजी, तैराकी, ताईकवाँडो, वालीबॉल, भारोत्तोलन, कुश्ती और वुशु।

राष्ट्रीय खेल विकास कोष (एनएसडीएफ) की स्थापना 1998 में केद्र सरकार द्वारा खेलों को बढ़ावा देने के उद्देश्य से सरकार के अलावा गैर-सरकारी स्रोतों, निजी व कॉरपोरेट क्षेत्र एवं प्रवासी भारतियों से धन जुटाने के लिए की गई थी। इस कोष का इस्तेमाल खेलों को प्रोत्साहित करने तथा विशेष खेलों एवं खिलाड़ियों को राष्ट्रीय तथा अंतरराष्ट्रीय स्तर की उत्कृष्टता हासिल कराने; खिलाड़ियों, प्रशिक्षुकों तथा खेल विशेषज्ञों को संबंधित खेल क्षेत्र में विशेष प्रशिक्षण एवं कोचिंग देने; खेल में उत्कृष्टता बढ़ाने के लिए यथा आवश्यक बुनियादी सुविधाओं के निर्माण एवं रखरखाव के लिए; खेल में श्रेष्ठता को बढ़ावा देने के उद्देश्य से सरकारी तथा गैर-सरकारी संगठनों को उपकरण आपूर्ति करने, खेल में उत्तमता लाने के लिए समस्याओं की पहचान करने तथा अनुसंधान एवं विकासात्मक अध्ययन करने के लिए किया जाता है।

60. हेपेटाइटिस बच्चों को होने वाली एक. प्रमुख बीमारी है। इसे आम बोलचाल की भाषा में पीलिया, कमला रोग, पांडु रोग या जॉयंडिस के नाम से जाना जाता है। हेपेटाइटिस कई प्रकार का होता है– हेपेटाइटिस 'ए', हेपेटाइटिस 'बी', हेपेटाइटिस 'सी' और हेपेटाइटिस 'ई'। हेपेटाइटिस 'बी' व 'सी' रक्त संक्रमण से होता है। हेपेटाइटिस 'ए' व 'ई' बीमारी पानी के संक्रमण से फैलती है। यह एंटोवायरस-72 (7) नामक विषाणु से होती है। इससे लीवर में सूजन आ जाती है, रोगी की भूख मरने लगती है उसे बुखार आ सकता है या ठंड लगने से सिर दर्द, थकान, कमजोरी आदि की शिकायत हो सकती है। रोग बढ़ जाता है तो उसे उलटी के साथ सिर में चक्कर आने शुरू हो जाते हैं। आँखों और पेशाब का रंग पीला पड़ जाता है। इस बीमारी में मौत का खतरा कम रहता है।

उपचार : एक बार हेपेटाइटिस 'ए' या 'ई' हो जाए तो इसकी कोई दवा नहीं है, हेपेटाइटिस 'ए' की रोकथाम का टीका बाजार में उपलब्ध है। इसकी दो खुराक 6 महीने के अंतर पर लगती हैं। हेपेटाइटिस 'बी' को भी वैक्सीन से रोका जा सकता है। इसकी तीन खुराकें 0, 1 एवं 6 महीने पर लगानी पड़ती हैं। हेपेटाइटिस 'ए' टीके का असर 15-20 वर्ष तक रहता है जबकि हेपेटाइटिस 'बी' का टीका हर पाँच साल बाद फिर से लगवाना चाहिए। हेपेटाइटिस चार से छह सप्ताह में खुद ठीक हो जाता है।

61. मानव शरीर को एक गतिशील मशीन या स्वचालित रायासनिक प्रयोगशाला कहा जा सकता है, दैनिक जीवन के प्रत्येक कार्य में पर्याप्त ऊर्जा एवं शक्ति की आवश्यकता होती है। इसके साथ-साथ शरीर रूपी मशीन की टूटी-फूटी कोशिकाओं की मरम्मत करने तथा शारीरिक विकास के लिए भी पर्याप्त ऊर्जा एवं ऊष्मा की आवश्यकता रहती है। शरीर की इसी आवश्यकता को भोजन द्वारा पूरा किया जाता है। भोजन में निहित पोषक पदार्थ विभिन्न शारीरिक एवं रासायनिक क्रियाओं को तथा शारीरिक क्रियाओं को संचालित करते हुए शारीरिक वृद्धि में अपना पर्याप्त योगदान देते हैं, भोजन में निहित पोषक पदार्थों के जलने (Oxidation) से शरीर में ऊर्जा एवं ऊष्मा पैदा होती है जो कोशिका निर्माण, ऊत्तकों की मरम्मत एवं विभिन्न रोगों से लड़ने में सहायक होती है। शारीरिक शिक्षा की प्रत्येक गतिविधि शारीरिक क्रियाओं एवं अच्छे स्वास्थ्य पर निर्भर होती है और अच्छा स्वास्थ्य संतुलित भोजन पर आधारित होता है। अतः शारीरिक शिक्षा से जुड़े लोगों को सन्तुलित आहार के महत्व एवं कुपोषणजन्य हीनताओं की पर्याप्त जानकारी होनी चाहिए।

62. खेल ट्रेनिंग में समय अवधि एवं व्यक्तियों की संख्या के आधार पर विभिन्न ट्रेनिंग योजनाएं तैयार की जा रही हैं। इस समय अवधि के आधार पर ट्रेनिंग योजना तीन प्रकार की होती हैं–1. माइक्रो-चक्र योजना, 2. मीजो-चक्र योजना, 3. मैक्रो-चक्र योजना। मीजो- चक्र योजनाएँ बहुत महत्वपूर्ण ट्रेनिंग योजनायें हैं। इस योजना की समय अवधि ये 6 सप्ताह तक होती है। इसे औसतन/मासिक ट्रेनिंग चक्र भी कहते हैं।

65. राष्ट्रीय अनुशासन योजना (N.D.S.) का आरम्भ सन् 1954 ई. में जनरल जे.के. भोसले द्वारा शुरू की गई, जो उस समय केन्द्र में पुनर्वास उपमन्त्री थे। N.D.S. का निदेशालय 1960 में अलवर में खोला गया था। प्रशिक्षित अध्यापकों की बढ़ती मांग के अनुसार 1963 ई. में मध्य प्रदेश के बरवाहा में भी निदेशालय खोला गया।

68. NCTE 2014 की अधिसूचना के अनुसार M.P.Ed. के 2 वर्षीय कोर्स में प्रवेश के लिए योग्यता हैं : मास्टर ऑफ फिजिकल एजुकेशन (एमपीएड) एक स्नातकोत्तर पाठ्यक्रम (Postgraduate Courses) है। यह पाठ्यक्रम खेल गतिविधियों (Sports activities) और कार्यवाहक एथलेटिक्स खेलों से सम्बंधित पाठ्यक्रम (related course) है। यह कोर्स दो साल का होता है तथा इस कोर्स में चार सेमेस्टर (semester) होते हैं। इस कोर्स को करने के लिए छात्रों के पास किसी मान्यता प्राप्त विश्वविद्यालय से 50% अंकों के साथ फिजिकल एजुकेशन में स्नातक की डिग्री होनी अनिवार्य है।

69. कोणीय विस्थापना (Angular Displacement): वृत्तीय गति के अधीन कोई वस्तु अपनी प्रारंभिक स्थिति के सापेक्ष जितने कोण घूम जाती है उसे कोणीय विस्थापन कहा जाता है। कोणीय विस्थापन एक सदिश राशि है। कोणीय विस्थापन का मात्रक 'रेडियन' (Radian) होता

है। कोणीय विस्थापन की विमा ($M^0L^0T^0$) होती है अर्थात् इसे द्रव्यमान, लंबाई एवं समय के पदों में नहीं व्यक्त किया जा सकता है।

प्रक्षेप्य गति : जब कोई वस्तु क्षैतिज से कोई कोण बनाते हुए ऊर्ध्वाधर तल में प्रक्षेपित की जाती है तो उसका पथ परवलयाकार होता है। पिण्डं की यह गति प्रक्षेप्य गति कहलाती है।

70. प्रसारण विश्लेषण : प्रसरण का विश्लेषण संक्षेप में एनोवा (ANOVA) के नाम से जाना जाता है। इस सांख्यिकीय तकनीक का प्रयोग यह सुनिश्चित करने के लिए किया जाता है कि किस प्रकार एक चर (Variable) दूसरे चर को प्रभावित करता है। यह कई प्रकार के अन्तर वाले और कई प्रकार के वर्गीकृत प्रश्नों के एक-साथ संयुक्त विश्लेषण की एक सांख्यिकीय विधि है, जिसका उद्देश्य यह अनुमान करना होता है कि प्रदत्त वर्गों में किसी प्रकार के अन्तर महत्वपूर्ण हैं या नहीं। यदि सम्पूर्ण प्रदत्त वितरण केवल संयोग मात्र से ही होना संभव प्रतीत होता है; अर्थात् प्रत्येक वर्ग की संयोगिक रचना के कारण उसमें विद्यमान न्यून अथवा अधिक परिवर्त्यता का परिणाम है, तो अन्तर महत्वपूर्ण नहीं माना जाता है।

प्रसरण विश्लेषण प्रसरणों के बीच के अन्तर का परीक्षण करने वाली विधि है। इस विधि द्वारा माध्यों की समांगता की जाँच की जाती है। प्रसरण विश्लेषण द्वारा हम इस बात का अनुमान लगाते हैं कि प्रत्येक उपादान का कुल विचरण में कितना योगदान है। प्रसरण विश्लेषण द्वारा आँकड़ों में निहित कुल विचरण का विभिन्न स्रोतों द्वारा हुए घटक-विचरणों में विभाजन किया जाता है।

72. खनिज (Minerals): हमारे आहार में खनिजों की बहुत आवश्यकता होती है। हमारे शरीर का 4 प्रतिशत भाग खनिजों से ही बना होता है। स्वस्थ दाँतों, अस्थियों व मांसपेशियों के लिए इन खनिजों की आवश्यकता होती है। विभिन्न क्रियाओं, जैसे— तांत्रिका आवेगों (Nerve impulses) के प्रेषण, हारमोन्स के निर्माण व दिल की धड़कन को बनाए रखने के लिए शरीर द्वारा खनिजों का प्रयोग किया जाता है। खनिजों को मैक्रो खनिजों (Macro-minerals) तथा माइक्रो-खनिजों (Micro-minerals or trace minerals) में वर्गीकृत किया जा सकता है। हमारे शरीर को माइक्रो-खनिजों (Micro-minerals) की अपेक्षा मैक्रो-खनिजों या मुख्य खनिजों की अधिक मात्रा की आवश्यकता होती है। मुख्य खनिज या मैक्रो खनिज; जैसे— कैल्सियम, फॉस्फोरस, सोडियम, क्लोरीन, मैग्नेशियम, पोटेशियम व सल्फर आदि हमारे शरीर के लिए नितांत आवश्यकता होते हैं तथा प्रतिदिन इनमें से प्रत्येक खनिज की मात्रा 0.1 ग्राम आहार में अवश्य होनी चाहिए जबकि माइक्रो-खनिजों; जैसे— ताँबा (Copper), आयरन, आयोडीन फ्लोराइड, कोबाल्ट (Cobalt), क्रोमियम, सैलिनियम व जिंक की कम मात्रा में जरूरत होती है अर्थात् प्रतिदिन प्रत्येक माइक्रो-खनिज की मात्रा 0.01 ग्राम होनी चाहिए।

सूक्ष्म (माइक्रो) पोषक तत्व (Micronutrients): खनिज तथा विटाामिन सूक्ष्म पोषक तत्वों में सम्मिलित किए जाते हैं। सूक्ष्म पोषक तत्वों की आवश्यकता बहुत कम मात्रा में पड़ती है। ये पोषक तत्व शरीर के सामान्य रूप से कामकाज करने हेतु अत्याधिक आवश्यक हैं। इन पोषक तत्वों का प्रमुख कार्य शरीर में विभिन्न रासायनिक प्रतिक्रियाओं को घटित होने में सहायता करना है। खनिजों को आगे दो श्रेणियों में विभाजित किया जा सकता है। ऐसे तत्व जिनकी बहुत अधिक मात्रा में शरीर में आवश्यकता होती है। उन्हें मैक्रो पोषक तत्व कहते हैं। जैसे- कार्बोहाइड्रेट, प्रोटीन, लिपिड्स तथा ऐसे तत्व जिनकी बहुत कम मात्रा में आवश्यकता होती है, उन्हें माइक्रो पोषक तत्व कहते हैं जैसे- लवण तथा विटामिन।

73. विशिष्ट समूह या वर्गों में वर्गीकृत करने वाले सिद्धांत :

1. **हिप्पोक्रेटस द्वारा किया हुआ वर्गीकरण:** हिप्पोक्रेट्स ने व्यक्तियों के स्वभाव के आधार पर उन्हें निम्न चार विशिष्ट समूह या वर्गों में बांटने का प्रयास किया है।
   - कफ प्रवृत्ति वाले (Choleric)
   - काले पित्त वाले (Melancholic)
   - पीले पित्त वाले (Phlegmatic)
   - अधिक रुधिर वाले (Sanguinic)
2. **क्रेश्मर वर्गीकरण (Kretschmer's classification):** क्रेश्मर एक जर्मन मनोचिकित्सक (Psychiatrist) थे जिन्होंने व्यक्तित्व सिद्धान्त का प्रतिपादन

मानसिक रोगों से ग्रस्त अर्थात् मनोविदलता (Schizophrenia) एवं उत्साह-विषाद (Manic depression) रोगियों के निरीक्षण के आधार पर किया। इन्होंने व्यक्तित्व के चार प्रकार बताए–

- **स्थूलकाय प्रकार (Pyknic type):** ऐसे व्यक्तियों का कद छोटा, शरीर भारी एवं गोलाकार, गर्दन छोटी एवं मोटी होती है। ऐसे लोग स्वभाव से सामाजिक, खाने के शौकीन तथा सोने में उन्हें काफी अच्छा लगता है। क्रेश्मर इन्हें साइक्लोआड (Cycloid) कहते हैं। इनमें उत्साह-विषाद मनोविकृति के लक्षण उत्पन्न होने की सम्भावना अधिक होती है।
- **कृशकाय प्रकार (Asthenic type):** ऐसे व्यक्ति लम्बे तथा पतले-दुबले शरीर के होते हैं। इनका स्वभाव चिड़चिड़ा तथा सामाजिक उत्तरदायित्व से दूर रहने की प्रवृत्ति होती है। इस प्रकार के व्यक्तियों को क्रेश्मर सिजोआड (Schizoid) कहते हैं तथा इनमें मनोविदलता रोग की सम्भावना अधिक होती है।
- **पुष्टकाय प्रकार (Athletic type):** ऐसे व्यक्ति के शरीर की माँसपेशियाँ मजबूत तथा विकसित होती हैं, कद न तो अधिक लम्बा न ही शरीर अधिक मोटा होता है अर्थात् शरीर सुडौल होता है। स्वभाव में न तो अधिक चंचलता तथा न ही मंदन (Depression) होता है। यह अपने आपको परिस्थितियों के अनुसार समायोजित कर लेते हैं। इनकी समाज में अच्छी प्रतिष्ठा होती है।
- **विशालकाय शरीर (Dysplastic type):** इस प्रकार में ऐसे व्यक्तियों को रखा जाता है जिनमें उपरोक्त तीनों प्रकार के गुणों का मिला-जुला रूप होता है।

3. शेल्डन वर्गीकरण (Sheldon's classification): शेल्डन ने शरीर गठन के आधार पर सोमैटो टाइप (Somatotype) सिद्धान्त का प्रतिपादन किया। इन्होंने शरीर गठन के आधार पर व्यक्तित्व के तीन प्रकार बताए–

- **एण्डोमार्फी (Endomorphy):** एण्डोमार्फी व्यक्ति मोटे, नाटे तथा शरीर गोलाकार होता है। यह लोग सामाजिक, आरामतलब, खुशमिजाज होते हैं तथा खाने के शौकीन होते हैं। इस स्वभाव को शेल्डन ने विसरोटोनिया (Viscerotonia) कहा है।
- **मासोमार्फी (Mesomorphy):** मासोमार्फी व्यक्तियो की हड्डी (Bone) एवं माँसपेशियाँ काफी विकसित होती हैं तथा शरीर गठन सुडौल होता है। ऐसे व्यक्ति बहादुर, निश्चयी, आक्रामक होते हैं। ऐसे व्यक्तियों के स्वभाव को शेल्डन ने सोमैटोटोनिया (Somatotonia) कहा है।
- **एक्टोमार्फी (Ectomorphy):** ऐसे व्यक्ति लम्बे वे पतले-दुबले होते हैं। बदन इकहरा होता है। यह व्यक्ति अकेलापन पसंद करते हैं तथा संकोचशील एवं लजालु स्वभाव के होते हैं। स्वभाव के आधार पर इन्हें सेरीब्रोटोनया (Cerebrotonia) कहा जाता है।

75. एडीनोसिन ट्राइफॉस्फेट या एटीपी एक कार्बनिक यौगिक है। कार्बन के रासायनिक यौगिकों को कार्बनिक यौगिक कहते हैं। प्रकृति में इनकी संख्या 10 लाख से भी अधिक है। जीवन पद्धति में कार्बनिक यौगिकों की बहुत ही महत्वपूर्ण भूमिका है। इनमें कार्बन के साथ-साथ हाइड्रोजन भी रहता है। ऐतिहासिक तथा परंपरागत कारणों से कुछ कार्बन के यौगकों को कार्बनिक यौगिकों की श्रेणी में नहीं रखा जाता है। इनमें कार्बनडाइऑक्साइड, कार्बन मोनोऑक्साइड प्रमुख हैं। सभी जैव अणु जैसे कार्बोहाइड्रेड, अमीनो अम्ल, प्रोटीन, आरएएन तथा डीएनए कार्बनिक यौगिक ही हैं। कार्बन और हाइड्रोजन के यौगिकों को हाइड्रोकार्बन कहते हैं। मेथेन (CH_4) सबसे छोटे अणुसूत्र का हाइड्रोकार्बन है। ईथेन (C_2H_6), प्रोपेन (C_3H_8) आदि इसके बाद आते हैं, जिनमें क्रमशः एक-एक कार्बन जुड़ता जाता है। हाइड्रोकार्बन तीन श्रेणियों में विभाजित किए जा सकते हैं: ईथेन श्रेणी, एथिलीन श्रेणी और ऐसीटिलीन श्रेणी। ईथेन श्रेणी के हाइड्रोकार्बन संतृप्त हैं, अर्थात् इनमें हाइड्रोजन की मात्रा और बढ़ाई नहीं जा सकती। एथिलीन में दो कार्बनों के बीच में एक द्विबंध (=) है, ऐसीटिलीन में त्रिगुण बंध (°) वाले यौगिक अस्थायी हैं। ये आसानी से ऑक्सीकृत एवं हैलोजनीकृत हो सकते हैं। हाइड्रोकार्बनों के बहुत से व्युत्पन्न तैयार किए जा सकते हैं, जिनके विविध उपयोग हैं।

ऐसे व्युत्पन्न क्लोराइड, ब्रोमाइड, आयोडाइड, ऐल्कोहल, सोडियम ऐल्कॉक्साइड, ऐमिन, मरकैप्टन, नाइट्रेट, नाइट्राइट, हाईड्रोजन फास्फेट तथा हाइड्रोजन सल्फेट हैं। असंतृप्त हाइड्रोकार्बन अधिक सक्रिय होता है और अनेक अभिकारकों से संयुक्त हो सरलता से व्युत्पन्न बनाता है। ऐसे अनेक व्युत्पन्न औद्योगिक दृष्टि से बड़े महत्व के सिद्ध हुए हैं। इनसे अनेक बहुमूल्य विलायक, प्लास्टिक, कृमिनाशक ओषधियाँ आदि प्राप्त हुई हैं। हाइड्रोकार्बनों के ऑक्सीकरण से ऐल्कोहॉल, ईथर, कीटोन, ऐल्डीहाइड, वसा, अम्ल, एस्टर आदि प्राप्त होते हैं। ऐल्कोहल प्राथमिक, द्वितीयक और तृतीयक हो सकते हैं। इनके एस्टर द्रव सुगंधित होते हैं। अनेक सुगंधित द्रव्य इनसे तैयार किए जा सकते हैं। इसी प्रकार एडीनोसिन ट्राइफॉस्फेट को भी विभिन्न प्रयोगों में लिया जा सकता है।

76. **ट्राईग्लीसेराइड या ट्राईग्लीसेरॉल** वे ग्लीसेराइड होते हैं, जो तीन वसा अम्ल से एस्टरीकृत किये होते हैं। ये वनस्पति तेल एवं जंतु वसा के प्रमुख संघटक होते हैं। **कार्बोहाइड्रेट** शरीर में यकृत द्वारा संचित किया जाता है। यह ग्लाइकोजन के रूप में रहता है। जब मनुष्य उपवास की स्थिति में रहता है तो यह संचित कार्बोहाइड्रेट (glycogen) शरीर को आवश्यक ऊर्जा प्रदान करता है।

अमीनो एसिड : हमारे शरीर को 20 प्रकार के अमीनो एसिड की आवश्यकता है। अमीनो एसिड दो प्रकार के होते हैं- 10 आवश्यक अमीनो एसिड, 10 अनावश्यक अमीनो एसिड। प्रोटीन का निर्माण अमीनो एसिड से होता है। अतः हमारे शरीर को प्रोटीन के साथ ही आवश्यक अमीनो एसिड की आवश्यकता होती है।

विटामिन (Vitamins): विटामिन न तो हमें शक्ति प्रदान करते हैं और न ही शारीरिक वृद्धि में अधिक उपयोगी हैं, परन्तु फिर भी शरीर में इनकी अत्यधिक आवश्यकता होती है, ये शरीर संचालन में अप्रत्यक्ष रूप से बहुत सहायक होते हैं, क्योंकि इनकी कमी से शरीर में अनेक रोग हो सकते हैं। विटामिन हीनता जन्य रोगों का उपचार सम्बन्धित विटामिन के सेवन मात्र से हो जाता है। विटामिनों के मुख्य दो वर्ग हैं—

1. वसा में घुलनशील (A, E, D, K)
2. पानी में घुलनशील (B और C)

78. **जीवंत धारकता (Vital Capacity):** एक सांस में स्वैच्छिक रूप से फेफड़ों में प्रवेश करने वाली वायु का पूर्ण आयतन, अधिकतम श्वसन से अधिकतम श्वांस छोड़ने अथवा इनमें अदला-बदली की प्रक्रिया को जीवंत धारकता कहते हैं। एक स्वस्थ व्यक्ति में औसतन जीवंत धारकता का मान लगभग 4.6 लीटर होता है।

फेफड़ों की कुल वायु क्षमता (Total Lung Capacity): यह जीवंत धारकता (4.6 लीटर) तथा अवशेष वायु (1.2 लीटर) का योग होता है, अर्थात् वायु की वह कुल मात्रा जो फेफड़ों में समा सकती है, वह है- 4.6 लीटर + 1.2 लीटर = 5.8 लीटर।

79. चतुर्थक विचलन परिवर्तनशीलता की माप की दूसरी प्रमुख विधि है। चतुर्थक विचलन (Quartile deviation या Q) किसी वितरण के 75वाँ शततमक तथा 25वाँ शततमक के बीच की दूरी का अर्द्धभाग होता है। 25वाँ शततमक को Q_1 तथा 75वाँ शततमक को Q_3 भी कहते हैं। 50वाँ शततमक को Q_2 कहा जाता है। Q_1 तथा Q_3 के बीच की दूरी को अंतश्चतुर्थक परास कहते हैं। जब इसी दूरी को 2 से विभाजित कर दिया जाता है, यानी उस दूरी का आधा कर दिया जाता है, तो उसे हम अर्द्ध अंतश्चतुर्थक परास या चतुर्थक विचलन या Q कहते हैं।

चतुर्थक विचलन के गुण :

1. गणना सरल और बोधगम्य होती है।
2. अति सीमान्त पदों के मूलयों का प्रभाव कम पड़ता है।
3. इसमें कोई गणितीय दुर्बोधता नहीं पाई जाती है।
4. जब केन्द्रीय प्रवृत्ति के माप के रूप में मध्यांक का प्रयोग किया जाता है। तब चतुर्थक विचलन सबसे अधिक विश्वसनीय सिद्ध होता है। (Down & Health 1959)।

चतुर्थक विचलन के दोष :

1. यह अति सीमान्त पदों को महत्व देता है।
2. तुलना के लिए यह उपयुक्त नहीं है।
3. यह सभी प्राप्तांकों पर निर्भर नहीं करता है।
4. गणितीय निरूपण में इसका उपयोग उचित नहीं है।

5. मध्यांक ज्ञात करने पर ही इसका प्रयोग उचित होता है।
6. यह निदर्शन अस्थिरता से प्रभावित होता है।
7. किसी भी पद के परिवर्तन होने से इसके मूल्य पर प्रभाव पड़ता है।

80. **पेशीय ऊतक (Muscles Tissue)**–प्रत्येक पेशी लम्बी बेलनाकार तन्तु की बनी होती है जो एक-दूसरे से समान्तर व्यवस्थित होती है। तन्तु महीन रेशों से बने होते हैं जिन्हें मायोफिब्रिल (Myofibrils) कहते हैं। पेशीय तन्तु में उद्दीपनों की प्रतिक्रिया संकुचन तथा शिथिलन द्वारा होता है। पेशीय ऊतक शरीर की गतिशीलता तथा विशेष शारीरिक भागों का गतिशीलता में सहायता प्रदान करता है। पेशीय ऊतक का विशेष लक्षण संकुचनशीलता, लचीलापन आदि। कार्य के आधार पर पेशीय ऊतक के निम्नलिखित प्रकार होते हैं–

- **रेखित पेशीय ऊतक (Skeletal muscles):** यह वह पेशीय ऊतक है जो अस्थियों से जुड़ा रहता है तथा यह इच्छानुसार गति को नियन्त्रित करती है इसलिए इन्हें ऐच्छिक पेशियाँ भी कहते हैं।
- **अरेखित पेशीय ऊतक (Smooth muscles):** यह अनैच्छिक पेशी ऊतक है। ये पेशियाँ कार्यिकी व वातावरणों के अनुसार संकुचित होती हैं। ये विसरल पेशियाँ भी कहलाती है।
- **हृदय पेशी ऊतक (Cardiac muscles):** यह एक संकुचनशील ऊतक है जो केवल हृदय में ही पाया जाता है। यह हृदय की संकुचनशील भित्ति में पाई जाती है।
- **तन्त्रिका ऊतक (Nervous tissue):** यह तन्त्रिका कोशिकाओं का बना होता है जिन्हें न्यूरॉन कहते हैं। तंत्रिका तन्त्र की रचनात्मक एवं क्रियात्मक इकाई न्यूरॉन है। न्यूरोग्लियल कोशिका न्यूरॉन की सुरक्षा तथा सहारा बनता है। जब न्यूरॉन में उद्दीपन होता है, विद्युतीय आवेगों को उत्पन्न करता है जो एक्सॉन की प्लाज्मा कला में परिवहन करती है।
- ऊतक व्यवस्थित होकर अंग बनाते हैं जो सहभागिता से अंग तन्त्र बनाते हैं जो बहुकोशिकीय जीवों में पाये जाते हैं।

81. खिलाड़ियों द्वारा खेल प्रदर्शन में श्रेष्ठता अर्जित करने के अभिप्राय से रासायनिक तथा अन्य दूसरे पदार्थों को अपने शरीर में पहुँचाने की प्रक्रिया डोपिंग कहलाती है। खेलों में डोपिंग के नियन्त्रण हेतु ड्रग परीक्षण एक अनिवार्य प्रक्रिया है। डोपिंग की जांच हेतु रक्त एवं मूत्र के नमूने की आवश्यकता होती है। वाडा (World Anti Doping Agency) की स्थापना 1999 में की गई थी। नाडा (National Anti Doping Agency) स्थापना 2005 में हुई थी। वर्ल्ड एंटी-डोपिंग एजेंसी द्वारा प्रतिबंधित निषिद्ध पदार्थों की सूची- एरिथ्रोपोइटीन (ईपीओ या एपोएटिन अल्फा); अनाबोलिक स्टेरॉयड; उत्तेजक; मानव विकास हार्मोन; मूत्रवर्धक; पेप्टाइड हार्मोन; विकास कारक और संबंधित पदार्थ; बीटा-2 एगोनिस्ट्स; हार्मोन और मेटाबोलिक मॉड्यूलेटर; एंड्रोजन; रक्त डोपिंग; पेप्टाइड हार्मोन; नशीले पदार्थ और कैनाबीनोइड।

82. J – Vertical Jump
C – Chin-up
R – Shuttle Run

JCR परीक्षण सामान्य गामक योग्यता (General Motor Ability) को मापता है। इस परीक्षण के प्रयोग से बल शक्ति, गति, चपलता और दमखम का मापन होता है। इस परीक्षण का गुणांक लगभग .59 से .90 के मध्य माना जाता है।

83. हीमोफीलिया को 'Bleeder's disease' भी कहते हैं। यह रोग केवल पुरुषों में होता है, जबकि महिलाएं सिर्फ वाहक का कार्य करती हैं। हीमोफीलिया एक वंशानुगत रोग है। इस रोग में रक्तस्राव बन्द नहीं होता है। इस रोग में फाइब्रिनोजेन एवं प्रोथोम्बिन प्रभावित होते हैं जो रक्त के जमने में सहायक होते हैं। इस रोग में अत्याधिक रक्तस्राव की मृत्यु हो जाती है।

हीमोफीलिया तीन प्रकार का होता है–

(*i*) **हीमोफीलिया 'A':** हीमोफीलिया से ग्रस्त 80% व्यक्तियों में हीमोफीलिया A होता है। यह X-सहलग्न अप्रभावी ऐलील के कारण होता है। इस ऐलील के कारण व्यक्ति में एन्टी-हीमोफीलिया कारक (AHF या Factor VIII) सामान्य से कम मात्रा में उत्पन्न होता है और इस कारण यह रोग होता है।

(*ii*) **क्रिसमस रोग या हीमोफीलिया 'B':** प्लाज्मा थ्रोम्बोप्लास्टिन कम्पोनेन्ट (PTC या Factor IX) की मात्रा में कमी के कारण यह रोग उत्पन्न होता है। यह कमी एक X-सहलग्न अप्रभावी ऐलील के कारण होती है। हीमोफीलिया से पीड़ित 20% व्यक्तियों में यह रोग होता है।

(*iii*) **हीमोफीलिया 'C':** यह रोग एक दुर्लभ आटोसोमल जीन के कारण उत्पन्न होता है। हीमोफीलिया से ग्रस्त 1% से कम व्यक्तियों में यह रोग होता है। इस रोग में प्लाज्मा थ्रोम्बोप्लास्टिन एन्टिसीडेन्ट (PTA या Facot XI) की मात्रा में कमी हो जाती है।

84. प्रश्नावली (Questionnaire) प्रश्नों या कथनों का समूह है, जिसके माध्यम से व्यक्ति से पूछकर सूचनाएँ एकत्रित की जाती है। प्रश्नावली अनुसंधान करने का एक औजार है जिसमें लोगों से सूचना एकत्र करने के लिए उनसे बहुत से प्रश्न पूछे जाते है। इस विधि की खोज 1938 में लन्दन सांख्यिकी सोसायटी ने किया था।

इसके निर्माण में एक आत्मनिष्ठ तथा प्रयोग में वस्तुनिष्ठ विधि है। तथा इसका प्रयोग तब किया जाता है जब तथ्यात्मक सूचनाओं की आवश्यकता होती है। प्रश्नावली का निर्माण इस प्रकार किया जाता है जिससे व्यक्ति के वांछित गुणों का मापन हो सके। प्रश्नावली का प्रयोग व्यक्तिगत तथा सामूहिक दोनों रूपों में किया जा सकता है। यदि प्रश्नावली का प्रयोग समूह के लिए किया जाता है तो यह समय, धन और श्रम की बचत करने में सहयोगी होता है।

एक अच्छी प्रश्नावली में निम्नलिखित गुणों का होना आवश्यक है–

1. प्रत्येक प्रश्नावली के साथ एक 'प्राथमिक पत्र' (Covering letter) होना चाहिए जोकि अनुसन्धान-कर्ता अनुसन्धान एवं सम्बन्धित संस्था के उद्देश्यों के विस्तार से परिचय दे सके।
2. प्रश्नावली के अन्दर लिखित निर्देश एवं उत्तर देने की विधि अतिसुन्दर, सुस्पष्ट एवं पूर्णरूप से लिखी होनी चाहिए। विशेष पदों की समुचित व्याख्या एवं अनुचित पदों को अलग कर देना चाहिए।
3. प्रश्नावली में प्रश्नों की संख्या बहुत अधिक नहीं हो, किन्तु प्रश्न सभी आवश्यकताओं को संकलित करने वाली हो।
4. प्रश्नावली में उन पदों को कभी नहीं रखना चाहिए। जिन्हें अन्य साधनों द्वारा सरलता से प्राप्त किया जा सकता है।
5. प्रश्नावली देखने में सुन्दर, सुव्यवस्थित एवं मुद्रण त्रुटियों से मुक्त होनी चाहिए।
6. ऐसे प्रश्नों को नहीं रखना चाहिए जो उत्तरदाता में ईर्ष्या, क्रोध आदि संवेगों को उत्पन्न करने वाले हों।
7. पदों को भलीभाँति वर्गीकृत कर देना चाहिए जिससे उत्तर देने में सुविधा रहे।

85. अंतराल प्रशिक्षण विधि सहनशीलता के द्वारा हृदय का प्रशिक्षण है। यह प्रशिक्षण विधि प्रयास एवं पुनः शक्ति प्राप्ति फिर प्रयास एवं पुनः शक्ति प्राप्ति के सिद्धान्त पर आधारित है। अबेब बिकिला ने 1920 में इस प्रशिक्षण विधि से अवगत कराया। इसे टेरेस प्रशिक्षण भी कहा जाता है।

86. **पाठ्यक्रम डिजाइन का सिद्धांत :** सीखने को निम्नलिखित सिद्धांत के आधार पर डिजाइन किया जाना चाहिए।

- चुनौती और आनंद
- चौड़ाई
- प्रगति
- गहराई
- जुटाना
- प्रासंगिकता
- वैयक्तिकरण और पसंद।

पिछले प्रश्न-पत्र (हल सहित)

National Testing Agency (NTA)

UGC-NET जूनियर रिसर्च फैलोशिप तथा सहायक प्राध्यापक पात्रता परीक्षा

शारीरिक शिक्षा, जून-2019*

प्रश्न-पत्र-II

नोटः *इस प्रश्न-पत्र में* **सौ (100)** *बहु-विकल्पीय प्रश्न हैं। प्रत्येक प्रश्न के* **दो (2)** *अंक हैं।* **सभी प्रश्न अनिवार्य** *हैं।*

1. सूची-I की सूची-II के साथ मिलान करें :

सूची-I (चिंता हास तकनीक)	सूची-II (प्रतिपादक)
(*a*) प्रगतिशील विश्रांति	(*i*) जोहानिस शुल्ज
(*b*) विश्रांति की अनुक्रिया	(*ii*) रोनाल्ड स्मिथ
(*c*) ऑटोजेनिक प्रशिक्षण	(*iii*) एडमंड जैकोबसन
(*d*) संज्ञानात्मक-भावात्मक तनाव प्रबंधन तकनीक	(*iv*) हर्बर्ट बेन्सन

सही विकल्प चुनें :

	(*a*)	(*b*)	(*c*)	(*d*)
A.	(*iii*)	(*ii*)	(*i*)	(*iv*)
B.	(*ii*)	(*iv*)	(*iii*)	(*i*)
C.	(*ii*)	(*i*)	(*iii*)	(*iv*)
D.	(*iii*)	(*iv*)	(*i*)	(*ii*)

2. सूची-I की सूची-II के साथ मिलान करें :

सूची-I	सूची-II
(*a*) स्ट्रेचेबिलिटी	(*i*) अधिक रेंज में गति का संचलन।
(*b*) सप्पलनेस	(*ii*) मांसपेशियों और स्नायुबंधन की लंबाई को बढ़ाया जा सकता है और स्वतः प्राप्त किया जा सकता है।
(*c*) फ्लैक्सिबिलिटी	(*iii*) जोड़ों में विभिन्न सतहों पर गति की डिग्री।
(*d*) मोबिलिटी	(*iv*) मांसपेशियां कम तनाव की स्थिति में रहती हैं और आसान गति संभव है।

सही विकल्प चुनें :

	(*a*)	(*b*)	(*c*)	(*d*)
A.	(*iv*)	(*i*)	(*ii*)	(*iii*)
B.	(*ii*)	(*iv*)	(*i*)	(*iii*)
C.	(*iii*)	(*i*)	(*ii*)	(*iv*)
D.	(*ii*)	(*iii*)	(*iv*)	(*i*)

3. सामाजिक जरूरतों के अनुसार, पाठ्यक्रम में लचीलापन इसकी ______ है।

A. समावेशिता B. प्रतिक्रियात्मकता
C. खुलापन D. अनुकूलन

4. एक सब्जेक्ट (व्यक्ति) हारवर्ड स्टेप पर 5 मिनट के लिए व्यायाम करता है। व्यायाम के बाद, हृदय स्पंदन की सामान्यीकरण प्रक्रिया, 1 से 1½ मिनट के लिए उसके दिल की धड़कन 90 है, 2 से 2½ मिनट के लिए उसके दिल की धड़कन 65 है और 3 से 3½ मिनट के लिए उसके दिल की धड़कन 45 है। एक सब्जेक्ट (व्यक्ति) की भौतिक दक्षता सूचकांक है :

A. 60 B. 75
C. 80 D. 95

5. AAHPER स्वास्थ्य संबंधी शारीरिक फिटनेस टेस्ट में नीचे सूचीबद्ध टेस्ट आइटमों में से तीन आइटम शामिल हैं। नीचे दिए गए विकल्पों में से टेस्ट आइटम को पहचानें :

(*a*) कार्डियो रेस्पाइरेटोरी फंक्शन
(*b*) मस्कुलर स्ट्रेंग्थ
(*c*) बॉडी कम्पोजीशन
(*d*) ग्रॉस बॉडी संतुलन

*Online exam held on 24-06-2019.

(*e*) एब्डोमिनल एंड लो बैक हैमस्ट्रिंग मुस्कुलोस्केलेटल फंक्शन

(*f*) स्टेटिक स्ट्रेंग्थ

नीचे दिए गए विकल्पों से सही उत्तर चुनें।

A. (*a*), (*d*), (*e*) B. (*a*), (*c*), (*e*)

C. (*c*), (*d*), (*f*) D. (*f*), (*c*), (*d*)

6. अनुक्रम में निर्देश के साथ अवधि का आबंटन कहा जाता है :

A. आधिकारिक निर्देश

B. माइक्रो अवधि-निर्धारण

C. निर्देशात्मक अवधि-निर्धारण

D. मैक्रो अवधि-निर्धारण

7. सूची-I की सूची-II के साथ मिलान करें :

सूची-I (बीएमआई रेंज)	सूची-II (श्रेणी)
(*a*) < 18.5	(*i*) वर्ग-I मोटापा
(*b*) 18.5–24.9	(*ii*) सामान्य भार
(*c*) 25.0–29.9	(*iii*) कम-भार
(*d*) 30.0–34.9	(*iv*) अधिक-भार

सही विकल्प चुनें :

	(*a*)	(*b*)	(*c*)	(*d*)
A.	(*iii*)	(*iv*)	(*ii*)	(*i*)
B.	(*iii*)	(*ii*)	(*iv*)	(*i*)
C.	(*ii*)	(*iii*)	(*i*)	(*iv*)
D.	(*ii*)	(*iv*)	(*iii*)	(*i*)

8. मास्लो ने प्रेरणा का एक संतोषजनक सिद्धांत विकसित किया, जिसका लक्ष्य सभी प्रकार की मानवीय आवश्यकताओं की व्याख्या करना था और खुद को संतुष्ट करने के लिए लोगों की आवश्यकताओं को चुनना था। आवश्यकताओं को उसके द्वारा चिह्नित किया गया है।

वे आवश्यकताएँ हैं :

(*a*) सामाजिक आवश्यकताएँ

(*b*) सुरक्षा संबंधी आवश्यकताएँ

(*c*) सम्मान पाने की आवश्यकताएँ

(*d*) शारीरिक आवश्यकताएँ

(*e*) बौद्धिक आवश्यकताएँ

आवश्यकताओं के अनुसार उन्हें क्रमित करें और निम्नलिखित विकल्पों में से सही विकल्प चुनें :

A. (*b*), (*a*), (*d*), (*e*), (*c*)

B. (*d*), (*b*), (*a*), (*c*), (*e*)

C. (*a*), (*c*), (*b*), (*d*), (*e*)

D. (*e*), (*b*), (*c*), (*a*), (*d*)

9. बंडुरा के अनुसार, व्यवहार की शिक्षा चार चरणों में होती है। वे इस प्रकार हैं :

(*a*) प्रतिधारण (*b*) प्रतिकृति

(*c*) ध्यान (*d*) प्रबलन

क्रमिक रूप से उन्हें व्यवस्थित करें और सही विकल्प चुनें :

A. (*a*), (*b*), (*c*), (*d*) B. (*c*), (*a*), (*b*), (*d*)

C. (*b*), (*c*), (*d*), (*a*) D. (*d*), (*b*), (*a*), (*c*)

10. सूची-I की सूची-II के साथ मिलान करें :

सूची-I	सूची-II
(*a*) एक ऐसी स्थिति जिसमें गर्भाशय ग्रीवा रीढ़ आगे घुमावदार है, लेकिन सिर और ठोड़ी को गिराया नहीं जाता है	(*i*) लम्बर किफोसिस
(*b*) एक ऐसी स्थिति जिसमें वक्षीय क्षेत्र में सामान्य वक्र बढ़ जाता है	(*ii*) सर्विकल लोरडोसिस
(*c*) एक ऐसी स्थिति जिसमें लम्बर स्पाइन की सामान्य वक्र को समाप्त होने तक कम कर दिया जाता है	(*iii*) लम्बर लोरडोसिस
(*d*) एक ऐसी स्थिति जिसमें लम्बर स्पाइन की सामान्य वक्र अतिरंजित होती है और श्रोणि नीचे झुक जाती है, जिससे पेट का फैलाव होता है	(*iv*) डोर्सल किफोसिस

सही विकल्प चुनें :

	(*a*)	(*b*)	(*c*)	(*d*)
A.	(*ii*)	(*iii*)	(*iv*)	(*i*)
B.	(*ii*)	(*iv*)	(*iii*)	(*i*)
C.	(*ii*)	(*i*)	(*iv*)	(*iii*)
D.	(*ii*)	(*iv*)	(*i*)	(*iii*)

11. जो प्रशिक्षण विशेषताओं की चक्रीयता के सिद्धांत का पूर्वावलोकन में नहीं है?

A. विभिन्न कार्यों को एक साथ नहीं किया जा सकता है

B. प्रशिक्षण का इकलौता चक्र ऊपर से तैयार किया जाना चाहिए

C. प्रशिक्षण के कुछ कार्यों को बार-बार निपटना पड़ता है

D. सफल भागीदारी के लिए खिलाड़ी को सर्वोच्च रूप प्राप्त करना चाहिए

12. क्लासिकल परीक्षण सिद्धांत में प्राप्त स्कोर, जिसमें एक व्यक्ति का शुद्ध स्कोर और त्रुटि स्कोर शामिल है :

A. शुद्ध स्कोर B. अवलोकन स्कोर

C. मानक स्कोर D. त्रुटि स्कोर

13. प्रबंधन से संबंधित नेतृत्व सिद्धांत हैं :

A. गुण, व्यवहार और पुनरावर्ती

B. गुण, व्यवहार और आकस्मिकता

C. गुण, मूल्यांकन और पुनरावर्ती

D. गुण, पुनरावर्ती, प्रतिस्पर्धी

14. एक माप में किस हद तक माप का प्रदर्शन शामिल है, किस शब्द को कहा जाता है?

A. सरल वैधता B. सामग्री वैधता

C. मापन वैधता D. तार्किक वैधता

15. नीचे दिए गए विकल्पों में से संवेदी-मोटर एकीकरण के सही अनुक्रम को पहचानें :

(*a*) रिसेप्टर्स की धारणा

(*b*) CNS द्वारा व्याख्या

(*c*) आवेग का प्रतिकूल स्थानांतरण

(*d*) आवेग का अपवाही स्थानांतरण

सही विकल्प चुनें :

A. (*c*), (*a*), (*b*), (*d*) B. (*a*), (*c*), (*b*), (*d*)

C. (*b*), (*d*), (*c*), (*a*) D. (*a*), (*d*), (*b*), (*c*)

16. अ ईयर राउंड पिरीयोडायजेशन के अंतिम चरण के उद्देश्य की पहचान करें :

A. उत्तम क्षतिपूर्ति

B. प्रत्येक योग्यता का चयन

C. स्वास्थ्य लाभ

D. हर त्रुटि का सुधार

17. सूची-I की सूची-II के साथ मिलान करें :

सूची-I	सूची-II
(*a*) कौशल	(*i*) मोटर कार्य से निपटने के लिए मोटर प्रक्रिया
(*b*) शैली	(*ii*) मोटर क्रियाओं की एक श्रृंखला के लिए व्यक्तिगत अभिव्यक्ति
(*c*) तकनीक	(*iii*) मोटर समन्वय के अत्यधिक उन्नत नियंत्रण और विनियमन प्रक्रिया
(*d*) कौशलपूर्ण प्रचलन	(*iv*) मोटर कार्य का स्वचालितकरण

सही विकल्प चुनें :

	(*a*)	(*b*)	(*c*)	(*d*)
A.	(*iv*)	(*ii*)	(*iii*)	(*i*)
B.	(*iii*)	(*iv*)	(*ii*)	(*i*)
C.	(*iv*)	(*ii*)	(*i*)	(*iii*)
D.	(*ii*)	(*i*)	(*iii*)	(*iv*)

18. निम्नलिखित में से किसे यांत्रिक लाभ का उपयोग करके प्राप्त किया जा सकता है?

A. ग्रेड-I और ग्रेड-II (लीवर)

B. ग्रेड-II और ग्रेड-III (लीवर)

C. ग्रेड-I और ग्रेड-III (लीवर)

D. ग्रेड-I, ग्रेड-II और ग्रेड-III (लीवर)

19. ''न्यूरो-मस्कुलर स्किल कैपेसिटी'' को मापने के लिए बनाया गया एक परीक्षण है :

A. आयोवा-ब्रेस टेस्ट

B. मेथेनी-जॉनसन परीक्षण

C. एडम का क्रीड़ा कौशल परीक्षण

D. लार्सन टेस्ट

20. **अभिकथन (A) :** अंतराल पैमाने में, किसी भी दो लगातार संख्याओं के बीच की दूरी पैमाने पर एक समान है।

कारण (R) : अंतराल पैमाने पर मापा गया डेटा विभिन्न श्रेणियों में वर्गीकृत किया जा सकता है और यह स्वयं भी वर्गीकृत हो सकता है।

सही विकल्प चुनें :

A. (A) और (R) दोनों सही हैं और (R), (A) की सही व्याख्या है

B. (A) और (R) दोनों सही हैं, लेकिन (R), (A) की सही व्याख्या नहीं है

C. (A) सही है और (R) गलत है

D. (A) गलत है और (R) सही है

21. प्रबंधन की अपनी विपुल प्रकृति के कारण, इसे दो वांछित परिणाम प्राप्त करने हैं। ये दो संसाधन क्या हैं?

A. कलात्मक और गैर-कलात्मक संसाधन

B. वैज्ञानिक और कलात्मक संसाधन

C. मानव और गैर-मानव संसाधन

D. व्यावहारिक और सैद्धांतिक संसाधन

22. **अभिकथन (A) :** अक्ष और समतल काल्पनिक अवधारणाएँ हैं जो शरीर के संचलन और स्थान के प्रकार का वर्णन करते हैं।

कारण (R) : समकोण पर शरीर से होकर गुजरने वाली रेखा मध्य तल पर शरीर को पश्च तथा अग्र भागों में विभाजित करता है।

सही विकल्प चुनें :

A. (A) और (R) दोनों सही हैं और (R), (A) की सही व्याख्या है

B. (A) और (R) दोनों सही हैं, लेकिन (R), (A) की सही व्याख्या नहीं है

C. (A) सही है और (R) गलत है

D. (A) गलत है और (R) सही है

23. यदि माध्य, माध्यिका, बहुलक और मानक विचलन किसी दिए गए डेटा सेट के लिए जाने जाते हैं, तो पियर्सन का पहला तिर्यक गुणांक बराबर होता है :

A. $\frac{3(\text{माध्यिका} - \text{माध्य})}{\sigma}$

B. $\frac{3(\text{माध्य} - \text{बहुलक})}{\sigma}$

C. $\frac{3(\text{माध्य} + \text{माध्यिका})}{\sigma}$

D. $\frac{3(\text{माध्यिका} + \text{मानक विचलन})}{\sigma}$

24. कौन-सा तीन आइटम पुरुषों के लिए बैरो थ्री आइटम जनरल मोटर एबिलिटी टेस्ट का भाग है?

A. स्टैंडिंग ब्रॉड जंप, 60-यार्ड डैश, सॉफ्ट बॉल थ्रो

B. जिग-जैग रन, मेडिसिन बॉल पुट (8 पौंड), वॉल पास

C. सॉफ्ट बॉल थ्रो, मेडिसिन बॉल पुट (8 पौंड), ब्रॉड जंपिंग

D. स्टैंडिंग ब्रॉड जम्प, जिग-जैग रन, मेडिसिन बॉल पुट (6 पाउंड)

25. **अभिकथन (A) :** यह देखा गया है कि महिलाओं और पुरुषों के लिए मांसपेशियों में एटीपी और पीसी का संकेंद्रण समान होती है।

कारण (R) : पुरुषों और महिलाओं के मांसपेशीय तन्तु में परिवर्तनशीलता के कारण प्रदर्शन में अंतर होता है।

सही विकल्प चुनें :

A. (A) और (R) दोनों सही हैं और (R), (A) की सही व्याख्या है

B. (A) और (R) दोनों सही हैं, लेकिन (R), (A) की सही व्याख्या नहीं है

C. (A) सही है और (R) गलत है

D. (A) गलत है और (R) सही है

26. सूची-I की सूची-II के साथ मिलान करें :

सूची-I	सूची-II
(*a*) एक कोणीय पथ में विस्थापन	(*i*) कोणीय विस्थापन
(*b*) वस्तु एक क्षैतिज अक्ष प्रारंभिक और अंतिम स्थिति के बीच के रास्ते पर चलता है	(*ii*) कोणीय गति
(*c*) वस्तु एक क्षैतिज अक्ष, प्रारंभिक और अंतिम स्थिति के बीच दो कोणों में से छोटे पर चलता है	(*iii*) कोणीय वेग
(*d*) कोणीय दूरी समय के विरुद्ध एक वस्तु को कवर किया	(*iv*) कोणीय दूरी

सही विकल्प चुनें :

	(a)	(b)	(c)	(d)
A.	(ii)	(iv)	(iii)	(i)
B.	(iii)	(iv)	(i)	(ii)
C.	(i)	(ii)	(iii)	(iv)
D.	(ii)	(i)	(iv)	(iii)

27. दो घटनाओं को परस्पर अनन्य कहा गया है :

A. जब दोनों घटनाएँ एक साथ होती हैं

B. जब उनमें से कोई एक घटना संभावित रूप से दूसरी घटना की वरीयता से घटित नहीं होती है

C. जब दोनों घटनाओं के होने की संभावना समान होती है

D. जब एक घटना का अर्थ है कि दूसरी नहीं हो सकती है

28. 1970 के मध्य में, 'वेलनेस' शब्द को इसके द्वारा अपनाया गया था :

A. एच.एल. डन B. आर. रोडेल

C. जे. ट्रेविस D. बी. हेटलर

29. सूची-I की सूची-II के साथ मिलान करें :

सूची-I	सूची-II
(a) जड़त्व	(i) बल × समय
(b) संवेग	(ii) द्रव्यमान
(c) वजन	(iii) द्रव्यमान × वेग
(d) आवेग	(iv) द्रव्यमान × गुरुत्वाकर्षण के कारण त्वरण

सही विकल्प चुनें :

	(a)	(b)	(c)	(d)
A.	(ii)	(iv)	(i)	(iii)
B.	(i)	(ii)	(iii)	(iv)
C.	(ii)	(iii)	(iv)	(i)
D.	(iii)	(i)	(ii)	(iv)

30. निम्नलिखित में से कौन-सा परीक्षण एड्स/एचआईवी वायरस की पुष्टि के लिए, प्रयोग किया जाता है?

A. एलिसा

B. पश्चिमी धब्बा

C. पूर्वी धब्बा

D. एल्डिहाइड परीक्षण

31. शरीर वर्गीकरण की प्रणाली का आविष्कार करने वाले सबसे पहले ज्ञात व्यक्ति हैं :

A. अर्न्स्ट क्रेचमर B. हिप्पोक्रेट्स

C. हॉल D. विलियम शेल्डन

32. प्राचीन ओलंपिक खेलों के मुख्य जजों को भी इस रूप में जाना जाता था :

A. फिलोस्ट्राटस B. हेलनोडिकस

C. पाससिनोडिकाइ D. पौसिनिआस

33. मानव पोषण में वसा और तेल के कार्य :

(a) ऊर्जा का संकेन्द्रित स्रोत प्रदान करता है

(b) रक्त के थक्के जमने में मदद करता है

(c) बॉडी बिल्डिंग फंक्शन के लिए अतिरिक्त प्रोटीन

(d) कुछ महत्वपूर्ण अंगों को कुशन के रूप में कार्य करता है

सही विकल्प चुनें :

A. (a) और (b) B. (a) और (d)

C. केवल (a) D. केवल (c)

34. सूची-I की सूची-II के साथ मिलान करें :

सूची-I	सूची-II
(a) अनुसंधान अध्ययन जो तथ्यों का वर्णन करते हैं जैसा कि वे आते हैं	(i) निरीक्षणात्मक अनुसंधान
(b) एक गैर-प्रयोगात्मक वैचारिक अनुसंधान तार्किक सोच पर आधारित है	(ii) एक्स-पोस्ट फैक्टो अनुसंधान
(c) अनुभव और अवलोकन पर आधारित अनुसंधान का लक्ष्य कारकों के बीच आकस्मिक संबंध निर्धारित करना है	(iii) दार्शनिक अनुसंधान
(d) प्राकृतिक अध्ययन का महामारी, पौधे की वृद्धि, बाल विकास, पशु-पक्षी या भीड़ के व्यवहार का क्षेत्र	(iv) अनुभवजन्य (प्रायोगिक) अनुसंधान

सही विकल्प चुनें :

	(a)	(b)	(c)	(d)
A.	(ii)	(iv)	(i)	(iii)
B.	(ii)	(iii)	(iv)	(i)
C.	(iii)	(i)	(ii)	(iv)
D.	(iii)	(ii)	(i)	(iv)

35. नीचे दिए गए विकल्पों में से सही द्रव के घर्षण पर निर्भर कारक का पता लगाएँ :

(*a*) वस्तु और द्रव के बीच सापेक्ष गति

(*b*) द्रव और वस्तु के बीच समय के विरुद्ध सापेक्ष विस्थापन

(*c*) द्रव की ठंडी और गर्म का संवेदन

(*d*) सतह की संरचना

(*e*) द्रव का रंग

A. (*a*), (*b*) एवं (*c*) B. (*b*), (*c*) एवं (*d*)

C. (*a*), (*c*) एवं (*e*) D. (*b*), (*c*) एवं (*e*)

36. उनकी प्रचण्डता के अनुसार ऊष्मा विकारों की व्यवस्था आरोही क्रम में करें :

(*a*) ऊष्माघात

(*b*) हीट श्रिंक

(*c*) हीट क्रैंप्स

(*d*) पानी की कमी के कारण गर्मी की सांद्रता

(*e*) नमक की कमी के कारण ऊष्मा सांद्रता

सही विकल्प चुनें :

A. (*d*), (*e*), (*b*), (*c*), (*a*)

B. (*e*), (*d*), (*c*), (*b*), (*a*)

C. (*b*), (*d*), (*e*), (*c*), (*a*)

D. (*c*), (*b*), (*d*), (*e*), (*a*)

37. प्राथमिक चिकित्सा प्रक्रिया के दौरान प्रयुक्त शब्द 'ABC' किस शब्द के समूह को दर्शाता है?

A. Airway, Breathing, Cardiac

B. Assessment, Breathing, Circulation

C. Airway, Body check, Cardiac

D. Airway, Breathing, Circulation

38. **अभिकथन (A) :** हमारे शरीर में सूक्ष्म पोषक तत्वों की आवश्यकता बहुत कम मात्रा में होती है।

कारण (R) : वे मानव शरीर के अंगों और प्रणालियों के सामान्य कामकाज के लिए कम महत्वपूर्ण हैं।

सही विकल्प चुनें :

A. (A) और (R) दोनों सही हैं और (R), (A) की सही व्याख्या है

B. (A) और (R) दोनों सही हैं, लेकिन (R), (A) की सही व्याख्या नहीं है

C. (A) सही है और (R) गलत है

D. (A) गलत है और (R) सही है

39. प्रगतिशील विश्रांति तकनीक द्वारा विकसित किया गया था :

A. एडमंड जैकोबसन B. रॉबर्ट एस. वेनबर्ग

C. रोनाल्ड स्मिथ D. डोनाल्ड मेइचेनबाउम

40. सूची-I की सूची-II के साथ मिलान करें :

सूची-I	सूची-II
(*a*) एमफेटामाइन्स	(*i*) रक्त से अमोनिया को साफ करता है
(*b*) एस्पारटिक एसिड	(*ii*) बफरिंग सिस्टम शुरू करता है
(*c*) क्षारीय	(*iii*) वसा चयापचय की शुरूआत करता है
(*d*) कैफीन	(*iv*) न्यूरोमस्कुलर उत्तेजना

सही विकल्प चुनें :

	(*a*)	(*b*)	(*c*)	(*d*)
A.	(*iv*)	(*i*)	(*ii*)	(*iii*)
B.	(*iii*)	(*iv*)	(*i*)	(*ii*)
C.	(*ii*)	(*iii*)	(*i*)	(*iv*)
D.	(*iv*)	(*i*)	(*iii*)	(*ii*)

41. 130 पाउंड वाला एक व्यक्ति 0.52 सेकंड में चार सीढ़ियाँ चढ़ता है। प्रत्येक सीढ़ी की ऊँचाई 7 इंच है। उस व्यक्ति द्वारा की गई शक्ति प्रदर्शन क्या है?

A. 560.65 फीट पाउंड/सेकंड

B. 571.45 फीट पाउंड/सेकंड

C. 583.33 फीट पाउंड/सेकंड

D. 586.35 फीट पाउंड/सेकंड

42. **अभिकथन (A) :** प्रत्येक अंतर्राष्ट्रीय और तर्कसंगत खेल संगठन के पास मीडिया के साथ अनुबंध और व्यक्तिगत संबंधों के लिए जिम्मेदार एक अधिकारी होना चाहिए।

कारण (R) : गोपनीय कारणों से मीडिया के सामने मीडिया अधिकारी के नाम, टेलीफोन नंबर जैसे सम्पर्कों का खुलासा नहीं किया जाना चाहिए।

सही विकल्प चुनें :

A. (A) और (R) दोनों सही हैं और (R), (A) की सही व्याख्या है

B. (A) और (R) दोनों सही हैं, लेकिन (R), (A) की सही व्याख्या नहीं है

C. (A) सही है और (R) गलत है

D. (A) गलत है और (R) सही है

43. स्विमिंग पूल के निर्माण के प्रारंभिक चरणों को उचित क्रम में व्यवस्थित करें :

(*a*) एक परमिट प्राप्त करें

(*b*) क्षेत्र की खुदाई करें

(*c*) पूल का डिजाइन करें

(*d*) जमीन को श्रेणीबद्ध करें

नीचे दिए गए विकल्पों में से सही विकल्प चुनें :

A. (*c*), (*b*), (*d*), (*a*) B. (*a*), (*b*), (*c*), (*d*)

C. (*d*), (*c*), (*a*), (*b*) D. (*c*), (*a*), (*b*), (*d*)

44. ग्रीस में शारीरिक शिक्षा के इतिहास को चार अवधियों में विभाजित किया गया है। वे इस प्रकार हैं :

(*a*) स्पार्टन काल (*b*) प्रारंभिक एथेरियन काल

(*c*) होमरिक काल (*d*) स्वर्ण काल

समय अवधि पर विचार करते हुए कालानुक्रमिक व्यवस्था करें और सही विकल्प चुनें :

A. (*b*), (*c*), (*d*), (*a*) B. (*c*), (*a*), (*b*), (*d*)

C. (*c*), (*b*), (*d*), (*a*) D. (*a*), (*b*), (*d*), (*c*)

45. 150 पाउंड वजन वाले एक आदमी के शरीर में 30% वसा होती है। उस आदमी का वजन कितना होगा, अगर उसकी चर्बी घटकर 25% रह जाए?

A. 120 पौंड B. 125 पौंड

C. 135 पौंड D. 140 पौंड

46. 1947 से पहले, भारत में कितने शारीरिक शिक्षा संस्थान थे?

A. 3 B. 4

C. 5 D. 7

47. मानव शरीर में एटीपी-पीसी के रेडीमेड इंट्रामस्क्युलर स्टोर हैं :

A. 570 से 690 mM B. 120 से 180 mM

C. 450 से 510 mM D. 1000 से 1200 mM

48. सूची-I की सूची-II के साथ मिलान करें :

सूची-I	सूची-II
(*a*) बाईएक्रोमियल व्यास	(*i*) घुटने की चौड़ाई
(*b*) बाईक्रिस्टल व्यास	(*ii*) कंधे की चौड़ाई
(*c*) बिट्रोचानटेरिक व्यास	(*iii*) उदरीय व्यास
(*d*) फीमर बाइकोंडिलर	(*iv*) कमर की चौड़ाई

सही विकल्प चुनें :

	(*a*)	(*b*)	(*c*)	(*d*)
A.	(*iii*)	(*iv*)	(*ii*)	(*i*)
B.	(*ii*)	(*iii*)	(*iv*)	(*i*)
C.	(*iii*)	(*ii*)	(*i*)	(*iv*)
D.	(*ii*)	(*iv*)	(*iii*)	(*i*)

49. शारीरिक शिक्षा कार्यक्रम के लिए आवंटित समय समानुपातिक रूप से आनुपातिक है?

A. स्कूल की प्रकृति B. कार्यक्रम सामग्री

C. स्कूल की स्थानीयता D. स्कूल का हित

50. **अभिकथन (A) :** दर्शनशास्त्र पूछताछ से संबंधित एक क्षेत्र है, जो व्यक्तियों को ब्रह्मांड के साथ अपने रिश्ते का संतोषजनक और सार्थक तरीके से मूल्यांकन करने में मदद करता है।

कारण (R) : किसी व्यक्ति का दर्शन उसके कार्यक्रमों के उद्देश्यों या परिणामों और तीन उद्देश्यों को प्राप्त करने के तरीकों को प्रभावित करता है।

सही विकल्प चुनें :

A. (A) और (R) दोनों सही हैं और (R), (A) की सही व्याख्या है

B. (A) और (R) दोनों सही हैं, लेकिन (R), (A) की सही व्याख्या नहीं है

C. (A) सही है और (R) गलत है

D. (A) गलत है और (R) सही है

51. वह बल जो वस्तु को जल जनित स्थिति में ऊपर की ओर जोर प्रदान करता है :

A. गुरुत्वाकर्षण बल B. प्रतिरोधक बल

C. प्रणोदक बल D. उत्प्लावक बल

52. रणवीर के एक आसंधि से दूसरे में तंत्रिका आवेग के प्रसार को कहा जाता है :

A. संप्रेषण चालन B. प्रतिवर्त चालन

C. स्थानिक चालन D. साल्टेटोरी चालन

53. नीचे दिए गए ओलंपिक खेलों के कालक्रम का सही क्रम चुनें :

A. रोम, टोक्यो, मैक्सिको सिटी, म्यूनिख

B. म्यूनिख, मैक्सिको सिटी, टोक्यो, रोम

C. टोक्यो, म्यूनिख, मैक्सिको सिटी, रोम

D. रोम, म्यूनिख, मैक्सिको सिटी, टोक्यो

54. सूची-I की सूची-II के साथ मिलान करें :

सूची-I	**सूची-II**
(*a*) दो चरों के बीच कम्प्यूटिंग सहसंबंधी सबसे अधिक उपयोग की जाने वाली विधि	(*i*) अंतःवर्ग सहसंबंध
(*b*) एनोवा (ANOVA) तकनीक का उपयोग माप की विश्वसनीयता का अनुमान लगाने के लिए किया जाता है	(*ii*) अंतर-वर्ग सहसंबंध
(*c*) बहुपरीक्षणों के परीक्षण की विश्वसनीयता का अनुमान लगाने के लिए एक तकनीक का उपयोग किया जाता है	(*iii*) अंतर-परीक्षक विश्वसनीयता
(*d*) विश्वसनीयता का एक रूप जो परीक्षक से संबंधित है	(*iv*) अल्फा गुणांक

सही विकल्प चुनें :

	(*a*)	(*b*)	(*c*)	(*d*)
A.	(*ii*)	(*iii*)	(*iv*)	(*i*)
B.	(*iv*)	(*iii*)	(*i*)	(*ii*)
C.	(*iv*)	(*iii*)	(*ii*)	(*i*)
D.	(*ii*)	(*i*)	(*iv*)	(*iii*)

55. बुस, ए.एच. और पेरी एम. (1992) ने एक 'आक्रमण पैमाना' का निर्माण किया, जिसमें 4 कारक शामिल हैं :

A. शारीरिक आक्रामकता, क्रोध, चिंता और शत्रुता

B. शारीरिक आक्रामकता, मौखिक आक्रामकता, क्रोध और शत्रुता

C. मौखिक आक्रामकता, तनाव, चिंता और शत्रुता

D. तनाव, चिंता, शत्रुता और क्रोध

56. **अभिकथन (A) :** एक कक्षा के सभी छात्रों की जरूरतों को पूरा करने की सीमा को प्रायः गुणवत्ता कार्यक्रम के एक महत्वपूर्ण निर्धारण के रूप में नहीं देखा जाता है।

कारण (R) : व्यक्तिगत निर्देशों और जवाबदेही की अवधारणा के अनुरूप एक मॉडल उपलब्धि आधारित पाठ्यक्रम मॉडल है।

सही विकल्प चुनें :

A. (A) और (R) दोनों सही हैं और (R), (A) की सही व्याख्या है

B. (A) और (R) दोनों सही हैं, लेकिन (R), (A) की सही व्याख्या नहीं है

C. (A) सही है और (R) गलत है

D. (A) गलत है और (R) सही है

57. एक ठोस और तरल पदार्थ की गति के बीच के प्रतिरोध को इस प्रकार कहा जाता है :

A. रोलिंग घर्षण　　B. द्रव घर्षण

C. ठोस घर्षण　　D. फिसलने वाला घर्षण

58. उपलब्धि आधारित पाठ्यक्रम पूरा करता है :

(*a*) छात्रों की विशेष आवश्यकताएँ

(*b*) छात्रों की उच्च अपेक्षाएँ

(*c*) शिक्षा से संबंधित विधान

(*d*) सीखने में चिंता की प्रारंभिक पहचान

सही विकल्प चुनें :

A. (*a*) एवं (*c*)　　B. (*c*) एवं (*d*)

C. (*a*) एवं (*d*)　　D. (*a*) एवं (*b*)

59. उस व्यक्ति का बॉडी मास इंडेक्स क्या होगा जिसका वजन 90 किलोग्राम है और जिसकी ऊँचाई 170 सेमी. है?

A. 30.41 किग्रा/मी.^{2}　　B. 31.14 किग्रा/मी.^{2}

C. 32.16 किग्रा/मी.^{2}　　D. 32.71 किग्रा/मी.^{2}

60. प्रेरण प्रतिक्रिया निम्नलिखित में से दो कारकों द्वारा प्रदर्शन को सुविधाजनक बनाने का प्रयास करती है :

(*a*) सकारात्मक मनोदशा बनाना

(*b*) दंडित करना

(*c*) आत्मविश्वास बढ़ाना

(*d*) पुरस्कृत करना

सही विकल्प चुनें :

A. (*a*) एवं (*b*)　　B. (*b*) एवं (*d*)

C. (*a*) एवं (*c*)　　D. (*c*) एवं (*d*)

61. सूची-I की सूची-II के साथ मिलान करें :

सूची-I	**सूची-II**
(*a*) आदर्शवाद	(*i*) मनुष्य का अस्तित्व स्वयं की अवधारणा से संबंधित है

(*b*) यथार्थवाद	(*ii*)	किसी के अनुभवों पर सच्चाई से निपटता है
(*c*) व्यावहारिकता	(*iii*)	समझने के लिए केंद्र के रूप में मन के साथ व्यवहार करता है
(*d*) अस्तित्ववाद	(*iv*)	वास्तविक भौतिक दुनिया की अवधारणा से संबंधित है

सही विकल्प चुनें :

	(*a*)	(*b*)	(*c*)	(*d*)
A.	(*ii*)	(*iii*)	(*iv*)	(*i*)
B.	(*iv*)	(*ii*)	(*iii*)	(*i*)
C.	(*iii*)	(*iv*)	(*ii*)	(*i*)
D.	(*i*)	(*iv*)	(*ii*)	(*iii*)

62. कौन-सा विटामिन कैल्शियम अवशोषण में भूमिका निभाता है?

A. विटामिन A B. विटामिन D
C. विटामिन C D. विटामिन E

63. महामारी विज्ञान किसको संदर्भित करता है?

A. निवारक और उपचारात्मक औषध विज्ञान
B. निवारक और सामुदायिक औषध विज्ञान
C. प्राथमिक और द्वितीयक औषध विज्ञान
D. निवारक और सामाजिक औषध विज्ञान

64. निम्नलिखित में से कुछ ट्रैक और फील्ड एथलीट हैं :

(*a*) सर्गेई बुबका (*b*) बॉब बिमोन
(*c*) जोला बड्ड (*d*) मैरी डेकर
(*e*) अंजू बॉबी जॉर्ज (*f*) जैकी जोयनर
(*g*) टी.सी. योहानन

उपरोक्त सूचीबद्ध नामों में, लम्बी कूद वाले हैं :

A. (*a*), (*b*), (*e*), (*g*) B. (*b*), (*e*), (*f*), (*g*)
C. (*b*), (*e*), (*c*), (*d*) D. (*d*), (*e*), (*f*), (*g*)

65. **अभिकथन (A) :** अधिकांश एटीपी अभ्यास के दौरान कम हो गए—अधिकांश भंडार पुनर्प्राप्ति अवधि के एक घंटे बाद बहाल हो जाते हैं।

कारण (R) : फॉस्फेन के लिए बहाल की गई ऊर्जा मुख्य रूप से ऑक्सीजन की पुनर्प्राप्ति चरण में काम कर रहे एक एरोबिक प्रणाली द्वारा प्रदान की जाती है।

सही विकल्प चुनें :

A. (A) और (R) दोनों सही हैं और (R), (A) की सही व्याख्या है
B. (A) और (R) दोनों सही हैं, लेकिन (R), (A) की सही व्याख्या नहीं है
C. (A) सही है और (R) गलत है
D. (A) गलत है और (R) सही है

66. विभिन्न प्रकार के बजट हैं :

A. स्कूल बजट, कॉलेज बजट, विश्वविद्यालय बजट
B. क्लब बजट, कॉर्पोरेट बजट, प्रदर्शन बजट
C. प्राथमिक बजट, द्वितीयक बजट और तृतीयक बजट
D. शून्य आधारित बजट, स्थायी बजट, कार्यक्रम आधारित बजट

67. प्रबंधन के मूल कार्यों से मिलते-जुलते शब्दों का सही समूह निकालें :

A. नियोजन, आयोजन, समन्वय, कमांडिंग और नियंत्रण
B. नियोजन, धुरीकरण, त्वरित, जोड़-तोड़ करना और नियंत्रण
C. आयोजन, जोड़-तोड़ करना, पहल, इंजीनियरिंग और समन्वय
D. सहकारिता, जोड़-तोड़ करना, संचालन, निष्पादन और प्रबंधन

68. छात्रों की ताकत और निर्देश के उद्देश्यों के बीच स्थिरता है :

A. कार्यक्रम की अनुकूलता
B. कार्यक्रम का उद्देश्य
C. कार्यक्रम की शुद्धता
D. कार्यक्रम की उपयुक्तता

69. **अभिकथन (A) :** मुद्रा, शरीर के संरेखण को स्थिर और प्रवस्था संबंधी अनैच्छिक क्रिया द्वारा नियंत्रित किया जाता है। जबकि स्टैटिक रिफ्लेक्स में निरंतर संकुचन शामिल है, प्रवस्था संबंधी रिफ्लेक्स क्षणिक संचलन से संबंधित है।

कारण (R) : मुद्रा के एकीकृत पैटर्न को स्वचालित और अचेतन द्वारा पूर्व निर्धारित किया जाता है, जिसके परिणामस्वरूप वजन का स्थानांतरण होता है।

सही विकल्प चुनें :

A. (A) और (R) दोनों सही हैं और (R), (A) की सही व्याख्या है

B. (A) और (R) दोनों सही हैं, लेकिन (R), (A) की सही व्याख्या नहीं है

C. (A) सही है और (R) गलत है

D. (A) गलत है और (R) सही है

70. हिक के बैडमिंटन टेस्ट में तीन आइटम होते हैं। नीचे दिए गए विकल्पों में से परीक्षण वस्तुओं को पहचानें :

(*a*) पीछे की ओर कूदना

(*b*) क्लियर टेस्ट

(*c*) स्मैश टेस्ट

(*d*) शटल रन टेस्ट

(*e*) रणनीति परीक्षण

नीचे दिए गए विकल्पों में से सही उत्तर चुनें :

A. (*a*), (*b*) एवं (*d*) B. (*b*), (*c*) एवं (*e*)

C. (*a*), (*b*) एवं (*e*) D. (*b*), (*c*) एवं (*d*)

71. वसा (पामिटिक एसिड) के लिए श्वसन विनिमय अनुपात है :

A. 0.55 B. 0.60

C. 0.70 D. 0.80

72. शब्द 'श्रेणीबद्ध' चर का उपयोग निम्न आंकड़ों के लिए किया जाता है :

A. अंतराल और क्रमिक B. अनुपात और अंतराल

C. क्रमिक और नाममात्र D. अंतराल और नाममात्र

73. मेगा स्पोर्ट इवेंट से जुड़ी गैर-खेल सुविधाएँ हैं :

A. खेल गाँव, व्यायामशाला, खेल का मैदान

B. खेल गाँव, शहर का मेकओवर, परिवहन

C. नागरिक सेवाएँ, खेल का मैदान, व्यायामशाला

D. स्टेडिया, स्विमंग पूल, सिटी मेकओवर

74. अभिकथन (A) : सभी प्रकार के शक्ति प्रशिक्षण मांसपेशियों की अतिवृद्धि के बराबर मात्रा में उत्पादन नहीं करते हैं।

कारण (R) : एटीपी और अन्य मांसपेशियों के प्रोटीन के टूटने और संश्लेषण में असंतुलन द्वारा मांसपेशियों के आकार में वृद्धि के लिए उत्तेजना दी जाती है।

सही विकल्प चुनें :

A. (A) और (R) दोनों सही हैं और (R), (A) की सही व्याख्या है

B. (A) और (R) दोनों सही हैं, लेकिन (R), (A) की सही व्याख्या नहीं है

C. (A) सही है और (R) गलत है

D. (A) गलत है और (R) सही है

75. एक प्रबंधक में तकनीकी कौशल होता है :

A. किसी विशिष्ट कार्य या उसके कौशल को करने की विधि

B. लोगों के साथ ठीक से काम करने की क्षमता

C. जटिल विचारों को समझने की क्षमता

D. लोगों को अपने लक्ष्यों को प्राप्त करने के लिए प्रेरित करना

76. एनारोबिक एथलीट की तुलना में, एरोबिक एथलीट के दिल की विशेषता है :

A. बाएं वेंट्रिकल की कैविटी आकार में वृद्धि

B. बाएं वेंट्रिकल की हृदय की मांसपेशियों की अतिवृद्धि

C. समग्र हृदय की मायोकार्डियल मोटाई में वृद्धि हुई

D. बाई ओर की दीवारों की अति स्पष्ट मोटाई

77. एक खेल प्रतियोगिता की रिपोर्ट के प्रकाशन के संबंध में, प्रेस विज्ञप्ति की जानकारी उनकी शुरूआत से लेकर बाद के चरणों तक के क्रम में दें।

(*a*) प्रतियोगिता का विवरण, प्रतियोगिता का इतिहास

(*b*) दिनांक, समय, आमंत्रित टीम

(*c*) प्रतियोगिता का नाम और अनुमोदित टीम का पूरा विवरण

(*d*) अलग-अलग समय में टीमों/खिलाड़ियों का आगमन

सही विकल्प चुनें :

A. (*b*), (*c*), (*d*), (*a*) B. (*a*), (*b*), (*c*), (*d*)

C. (*a*), (*d*), (*c*), (*b*) D. (*c*), (*b*), (*d*), (*a*)

78. प्रतिक्रिया क्षमता के निम्नलिखित चरणों को क्रम में व्यवस्थित करें :

(*a*) संवेदी अंग तक पहुँचने के लिए संकेत द्वारा लिया गया समय

(*b*) सीएनएस द्वारा मोटर तंत्रिका आवेग उत्पन्न करने के लिए लिया गया समय

(*c*) सीएनएस तक पहुँचने के लिए सिग्नल द्वारा लिया गया समय

(*d*) तंत्रिका आवेग उत्पन्न करने के लिए ज्ञानेन्द्रिय द्वारा लिया गया समय

(*e*) मांसपेशी तक पहुँचने के लिए मोटर तंत्रिका आवेग द्वारा लिया गया समय

सही विकल्प चुनें :

A. (*a*), (*b*), (*c*), (*d*), (*e*) B. (*a*), (*c*), (*d*), (*b*), (*e*)
C. (*a*), (*d*), (*b*), (*c*), (*e*) D. (*a*), (*d*), (*c*), (*b*), (*e*)

79. विश्राम की स्थिति के दौरान भी रक्त में लैक्टिक एसिड की निरंतर मात्रा है :

A. प्रति 100 मिलीलीटर रक्त में 5 मिलीग्राम
B. प्रति 100 मिलीलीटर रक्त में 10 मिलीग्राम
C. प्रति 100 मिलीलीटर रक्त में 15 मिलीग्राम
D. प्रति 100 मिलीलीटर रक्त में 20 मिलीग्राम

80. **अभिकथन (A) :** आक्रामकता व्यक्तित्व की एक विशेषता है जिसे एथलीट की सफलता के साथ जुड़ा हुआ माना जाता है।

कारण (R) : खेलों में आक्रामकता बढ़ी हुई व्यावसायिकता और जीतने के लिए वित्तीय प्रोत्साहन का प्रत्यक्ष परिणाम है।

सही विकल्प चुनें :

A. (A) और (R) दोनों सही हैं और (R), (A) की सही व्याख्या है
B. (A) और (R) दोनों सही हैं, लेकिन (R), (A) की सही व्याख्या नहीं है
C. (A) सही है और (R) गलत है
D. (A) गलत है और (R) सही है

81. ''लोकस ऑफ कंट्रोल'' वर्णन करता है कि हम किस हद तक मानते हैं कि हम अपने जीवन के नियंत्रण में हैं।'' इस अवधारणा को विकसित किया गया था :

A. सी.डी. स्पीलबर्गर B. रिचर्ड एच. कॉक्स
C. जूलियन बी. रोटर D. मेरी जोन्स

82. सहनशीलता प्रशिक्षण के लिए तीव्रता क्षेत्र है :

A. 70-80% प्रतिरोध अनुप्रयोग
B. 60-70% प्रतिरोध अनुप्रयोग
C. 90-100% प्रतिरोध अनुप्रयोग
D. 30-50% प्रतिरोध अनुप्रयोग

83. **अभिकथन (A) :** उम्र बढ़ने के कारण होने वाली शारीरिक संरचना में परिवर्तन मुख्य रूप से बेसल चयापचय दर और शारीरिक गतिविधि में कमी के कारण होता है।

कारण (R) : व्यायाम पतले शरीर के द्रव्यमान को संरक्षित करने, वसा के भंडार को कम करने और प्रोटीन संश्लेषण को प्रोत्साहित करने के लिए दिखाया गया था।

सही विकल्प चुनें :

A. (A) और (R) दोनों सही हैं और (R), (A) की सही व्याख्या है
B. (A) और (R) दोनों सही हैं, लेकिन (R), (A) की सही व्याख्या नहीं है
C. (A) सही है और (R) गलत है
D. (A) गलत है और (R) सही है

84. मधुमेह के गैर-परिवर्तनीय जोखिम कारक हैं :

A. उन्नत आयु, पारिवारिक इतिहास, प्रजाति
B. मनोवैज्ञानिक तनाव, उन्नत उम्र, आनुवंशिकी
C. शरीर में वसा का वितरण, उच्च कोलेस्ट्रॉल, पारिवारिक इतिहास।
D. अस्वास्थ्यकर आहार, उच्च कोलेस्ट्रॉल, मोटापा

85. एक रनिंग इवेंट में वह दर जिस पर समय के साथ वेग में परिवर्तन होता है, इस रूप में जानी जाती है :

A. वेग B. अवत्वरण
C. गति D. त्वरण

86. मध्याह्न भोजन का उद्देश्य है :

A. कक्षा में भूख से बचें, कुपोषण से बचें, मानसिक बीमारी से बचें
B. स्कूल नामांकन बढ़ाना, स्कूल उपस्थिति बढ़ाना, कुपोषण का समाधान करना
C. स्कूल की उपस्थिति बढ़ाएँ, छात्र अशांति से बचें, संक्रामक बीमारी से बचें
D. स्कूल नामांकन बढ़ाएँ, स्कूल उपस्थिति बढ़ाएँ, छात्र अशांति से बचें

87. अंतर्राष्ट्रीय खेल मनोविज्ञान संस्थान की स्थापना की गई थी :

A. 1955 B. 1944
C. 1965 D. 1974

88. निम्नलिखित में से कौन-सी चतुशिरस्क मांसपेशियों के समूह हैं?

(*a*) वासटस लेटरेल्स (*b*) एबडक्टर लॉनगस
(*c*) रेक्टस फिमोरिस (*d*) वासटस मीडिएलिस
(*e*) एडडॉक्टर मैगनस (*f*) बाइसेप्स फिमोसिस

सही विकल्प चुनें :

A. (*a*), (*b*), (*d*) B. (*a*), (*b*), (*f*)
C. (*a*), (*c*), (*d*) D. (*a*), (*e*), (*c*)

89. ANCOVA शुरू करने के लिए SPSS-17 संस्करण में निम्नलिखित कमांड्स हैं :

(*a*) विश्लेषण (*b*) बहुभिन्नरूपी
(*c*) यूनिवैरिएट (*d*) सामान्य रैखिक मॉडल
(*e*) पुनरावृत्त उपाय

नीचे दिए गए विकल्पों में से कमांड का सही क्रम चुनें :

A. (*a*), (*d*) और (*b*) B. (*a*), (*d*) और (*e*)
C. (*a*), (*c*) और (*d*) D. (*a*), (*d*) और (*c*)

90. जब एक नमूना एक प्रतिभागी से पूछकर प्राप्त किया जाता है, जिसे शुरू में नमूने में चुना जाता है, तो कुछ अन्य लोगों को सुझाव देने के लिए जो अध्ययन के लिए इच्छुक या उपयुक्त हो सकते हैं, नमूना के रूप में लेबल किया गया है :

A. अनुक्रमिक नमूना B. उद्देश्यपूर्ण नमूना
C. स्नोबॉल नमूना D. अनुगामी नमूना

91. निर्देशों का व्यक्तिकरण है :

A. निर्देशों में लचीलापन लाना
B. छात्रों की क्षमता के अनुसार निर्देश संशोधित करना
C. इसे उपयुक्त बनाना
D. इसे लक्ष्य आधारित बनाना

92. खेल प्रशिक्षण का उद्देश्य है :

A. खेल प्रदर्शन में सुधार
B. शारीरिक दक्षता में सुधार
C. मनोवैज्ञानिक फिटनेस में सुधार
D. तकनीकी और कार्यनीतिक फिटनेस में सुधार

93. कारक विश्लेषण के लिए SPSS-17 संस्करण में निम्नलिखित कमांडों का उपयोग किया जाता है :

(*a*) विश्लेषण (*b*) कारक
(*c*) डेटा में कमी

निम्नलिखित में से सही क्रम चुनें :

A. (*a*), (*c*) और (*b*) B. (*a*), (*b*) और (*c*)
C. (*b*), (*c*) और (*a*) D. (*b*), (*a*) और (*c*)

94. मोटापे के अंतःस्रावी प्रभाव में से एक है :

A. कार्पल टनल सिंड्रोम
B. पॉलीसिस्टिक ओवेरियन सिंड्रोम
C. सोशल स्टिग्माटायजेशन
D. गैस्ट्रो-एसोफैगल, प्रतिवर्त रोग

95. माता-पिता से अच्छे व्यवहार के जीवन मूल्यों और मानकों के अध्ययन को कहा जा सकता है :

A. माध्यमिक समाजीकरण
B. प्राथमिक समाजीकरण
C. प्राकृतिक समाजीकरण
D. योजनाबद्ध समाजीकरण

निर्देश (प्रश्न संख्या 96 से 100 तक): *अनुच्छेद को ध्यान से पढ़ें और इन प्रश्नों के उत्तर दें।*

द्रव घर्षण एक ठोस और एक तरल पदार्थ (तरल या गैस) के बीच सापेक्ष गति के दौरान प्रतिरोध है। गति के दौरान द्रव के दो प्रकार के प्रवाह से द्रव घर्षण होता है।

(*i*) लेमिनार प्रवाह, जो किसी ठोस वस्तु के चारों ओर हवा या पानी का प्रवाह होता है, अपेक्षाकृत चिकना होता है।

(*ii*) अशांत प्रवाह एक ठोस वस्तु के चारों ओर हवा या पानी का प्रवाह होता है, जो कि खुरदरी धारियां और निम्न दबाव वाले क्षेत्र (कैविटेशन) का निर्माण करता है।

मानव गति में प्राथमिक रुचि के दो तरल पदार्थ हवा और पानी हैं। द्रव घर्षण के लिए प्रभावी कारक निम्नानुसार हैं :

(*a*) वस्तु और द्रव के बीच सापेक्ष वेग।
(*b*) वस्तु का आकार और उसका सक्रिय सतह क्षेत्र।
(*c*) वस्तु की सतह की बनावट।
(*d*) द्रव दबाव
(*e*) द्रव का तापमान

द्रव घर्षण (F) को समीकरण $F = KPSV^2/2$ में व्यक्त किया जा सकता है, जहाँ K शरीर के आकार और बनावट के आधार पर एक संख्यात्मक गुणांक है और द्रव प्रवाह के लिए इसका दृष्टिकोण, P द्रव का दबाव है, S शरीर का सक्रिय सतह क्षेत्र है, जिस पर द्रव की धारा गुजरती है और V शरीर के लिए द्रव का सापेक्ष वेग है।

96. निम्न दबाव क्षेत्र निम्न द्वारा बनाए जाते हैं :
A. वस्तु की सतह की बनावट
B. अशांत प्रवाह
C. लेमिना का प्रवाह
D. वस्तु का अनुभागीय क्षेत्र

97. एक ठोस सतह के आसपास हवा या पानी का प्रवाह जो अपेक्षाकृत समतल होता है :
A. अशांत प्रवाह
B. लामिना का प्रवाह
C. द्रव का वेग
D. तरल पदार्थ की अभिवृत्ति

98. द्रव घर्षण सीधे तौर पर निर्भर करता है :
A. तरल दबाव, सक्रिय सतह क्षेत्र और व्युत्क्रमानुपाती रूप से सापेक्ष वेग पर
B. द्रव दबाव, सक्रिय सतह और सापेक्ष वेग
C. सक्रिय सतह क्षेत्र लेकिन द्रव दबाव और व्युत्क्रमानुपाती रूप से सापेक्ष वेग पर
D. सापेक्ष वेग लेकिन व्युत्क्रमानुपाती रूप से तरल पदार्थ के दबाव और सक्रिय सतह क्षेत्र पर

99. वस्तु के ऊपर से गुजरने वाले द्रव का वेग निर्धारित करता है :
A. वस्तु की सतह की बनावट
B. द्रव घर्षण
C. द्रव गुणांक
D. द्रव का तापमान

100. वस्तु का आकार और बनावट निर्धारित करती है :
A. K B. P
C. S D. V

उत्तरमाला

1	2	3	4	5	6	7	8	9	10
D	B	D	B	B	B	B	B	B	D
11	**12**	**13**	**14**	**15**	**16**	**17**	**18**	**19**	**20**
B	B	B	D	B	C	C	C	B	C
21	**22**	**23**	**24**	**25**	**26**	**27**	**28**	**29**	**30**
C	B	B	D	C	B	D	C	C	B
31	**32**	**33**	**34**	**35**	**36**	**37**	**38**	**39**	**40**
D	B	B	B	B	D	D	C	A	A
41	**42**	**43**	**44**	**45**	**46**	**47**	**48**	**49**	**50**
C	C	D	B	D	B	A	B	B	B
51	**52**	**53**	**54**	**55**	**56**	**57**	**58**	**59**	**60**
D	D	A	D	B	D	B	C	B	C
61	**62**	**63**	**64**	**65**	**66**	**67**	**68**	**69**	**70**
C	B	D	B	D	D	A	D	A	B
71	**72**	**73**	**74**	**75**	**76**	**77**	**78**	**79**	**80**
C	C	B	A	A	A	B	D	B	B
81	**82**	**83**	**84**	**85**	**86**	**87**	**88**	**89**	**90**
C	D	A	A	D	B	C	C	D	C
91	**92**	**93**	**94**	**95**	**96**	**97**	**98**	**99**	**100**
B	A	A	B	B	B	B	B	B	A

व्याख्यात्मक उत्तर

1. चिंता ह्रास तकनीकें वे कौशल हैं जो किसी व्यक्ति को चिंता, तनाव और तनाव को दूर करने में मदद करने के लिए एक थेरेपिस्ट (चिकित्सक) द्वारा सिखाई जाती हैं। चिंता को तनाव, कष्ट और घबराहट सहित कई तरीकों से अनुभव किया जा सकता है, और विचारों में या शारीरिक उत्तेजनाओं के रूप में अनुभव किया जा सकता है। चिंता को कम करने की तकनीकों में तनाव-मुक्ति, दृश्य और कल्पना, डायफ्रामिक श्वास, तनाव टीकाकरण और ध्यान शामिल हो सकते हैं।

चिंता ह्रास की तकनीकों को सीखने और लागू करने का लक्ष्य चिंता की तीव्रता को कम करने में मदद करना है, जो एक व्यक्ति महसूस करता है। ये तकनीक लोगों को तनावमुक्त करने और उन्हें प्रबंधित करने के तरीके सिखने में भी सहायक हैं। कई तकनीकों का उपयोग एक-दूसरे के साथ संयोजन में किया जाता है। उदाहरण के लिए, एक व्यक्ति को डायफ्रामिक श्वास सिखाया जा सकता है जबकि विश्राम तकनीकों में संलग्न है, एक दृश्य और कल्पना व्यायाम, और/या ध्यान भी सिखाया जाता है।

3. सामाजिक आवश्यकताओं के अनुसार, पाठ्यक्रम में लचीलापन इसका अनुकूलन है। पाठ्यचर्या का संयोजन विद्यार्थियों के शैक्षणिक मानक और अवस्था की परिपक्वता के चरण के अनुसार पाठ्यक्रम का अनुकूलन है। विद्यार्थियों को सीखने की सामग्री को प्राप्त करने के अपने स्तरों के लिए अधिक उपयुक्त होने के साथ बेहतर प्रेरित किया जा सकता है। पाठ्यक्रम का संयोजन किसी विषय के मुख्य शिक्षण क्षेत्र का अधिक या कम विस्तार हो सकती है। इसलिए किसी भी संयोजन को आयोजित करने से पहले सीखने के प्रत्येक चरण के लिए कोर लर्निंग क्षेत्र का सीमांकन करना आवश्यक है।

5. 60 साल से अधिक उम्र के वयस्कों के लिए अमेरिकन एलायंस फॉर हेल्थ, फिजिकल एजुकेशन, रिक्रिएशन एंड डांस (AAHPERD) फंक्शनल फिटनेस टेस्ट डिजाइन किया गया था। परीक्षण आइटम को कम फिटनेस वाले बुजुर्गों की फिटनेस क्षमता को मापने के लिए डिजाइन किया गया है जो अभी तक अस्वस्थ नहीं हैं, तथा जो ओस्नेस (1996) द्वारा एक परीक्षण मैनुअल में वर्णित है। परीक्षण शरीर की संरचना, लचीलापन, चपलता, समन्वय, ऊपरी शरीर की शक्ति और एरोबिक सहनशक्ति को मापते हैं। परीक्षण इस प्रकार डिजाइन किए गए थे कि उन्हें क्षेत्र में पेशेवरों और क्लीनिशियन द्वारा प्रबंधित किया जा सके जिनके पास विशेष माप-उपकरण, प्रशिक्षण और संसाधनों की कमी है।

6. माइक्रो शेड्यूलिंग का अर्थ अनिवार्य रूप से समय के छोटे खण्डों में अपने दिन की योजना बनाना है। निरंतर सम्बद्ध दुनिया में, कुछ भी करना मुश्किल लग सकता है। ई-मेल, सूचना और संदेशों की कभी न खत्म होने वाले प्रवाह का अर्थ है कि हमारे अवधान और समय पर अंतहीन मांगें हैं, और एक विशिष्ट कार्य पर तेजी से ध्यान केंद्रित करना कठिन है। इसने उत्पादकता बढ़ाने के लिए लोगों को अपने दिन को संरचित करने के लिए रचनात्मक दृष्टिकोण के साथ आने के लिए प्रेरित किया है। वर्तमान में गति पाने वाली अवधारणाओं में से एक को 'माइक्रो शेड्यूलिंग' के रूप में जाना जाता है।

7. **शरीर द्रव्यमान सूचकांक (BMI)** या **एन्थ्रोपोमैट्रिक सूचकांक**, ये बताता है कि किसी के शरीर का भार उसकी लंबाई के अनुपात में ठीक है या नहीं। उदाहरण के लिए भारतीय लोगों के लिए उनका बी.एम.आई. 22.9 से अधिक नहीं होना चाहिए। एक युवा व्यक्ति के शरीर का अपेक्षित भार उसकी लंबाई के अनुसार होना चाहिए, जिससे कि उसका शारीरिक गठन अनुकूल लगे। शरीर द्रव्यमान सूचकांक (बी.एम.आई.) व्यक्ति की लंबाई को दोगुना कर उसमें भार किलोग्राम से भाग देकर निकाला जाता है। शरीर द्रव्यमान सूचकांक या क्वेटलेट सूचकांक, एक विवादास्पद सांख्यिकीय माप है जो एक व्यक्ति के भार और ऊँचाई की तुलना करता है। हालांकि यह वास्तव में शरीर की वसा की प्रतिशतता का मापन नहीं करता है, फिर भी यह व्यक्ति की लम्बाई के आधार पर उसके स्वस्थ शरीर के भार का अनुमान लगाता है।

बीएमआई = भार (किलोग्राम में)/ऊँचाई (मीटर)^2 में

भार/लंबाई अनुपात	वर्गीकरण
< 18.5	कम भार
18.5–24.9	सामान्य भार
25.0–29.9	अधिक भार
30.0–34.9	श्रेणी-1 मोटा
35.0–39.9	श्रेणी-2 मोटा
> 40.0	श्रेणी-3 मोटा

8. मास्लोव का आवश्यकताओं का पदानुक्रम : अब्राहम मास्लोव ने अपने क्लासिकीय शोधपत्र *ए थ्योरी ऑफ ह्यूमैन मोटिवेशन* (1943) में मानव प्रेरणा का 'आवश्यकता पदानुक्रम' सिद्धांत का प्रतिपादन किया। उनकी लोकप्रिय पुस्तक *'मोटिवेशन एंड पर्सनेलिटी'* 1954 में प्रकाशित हुई। मास्लोव का आवश्यकता पदानुक्रम मानव प्रेरणा का पहला व्यवस्थित अवधारणात्मक मॉडल है। उन्होंने समझाया कि मानवीय जरूरतें मानव व्यवहार को प्रभावित करती हैं। एक मनोवैंज्ञानिक होने के नाते उन्होंने मानव व्यवहार को मनोविश्लेषण के जरिए समझा।

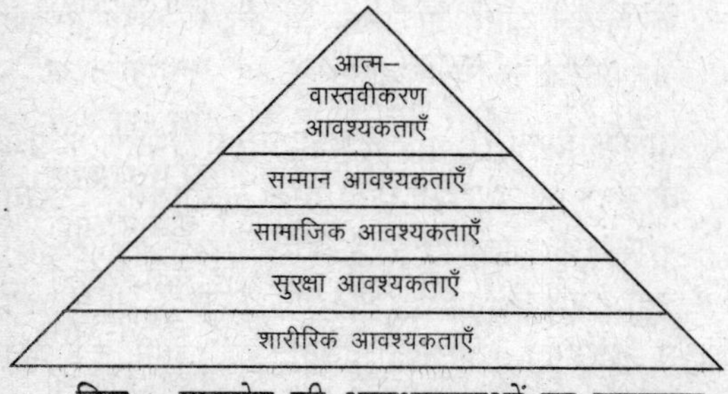

चित्र : *मास्लोव की आवश्यकताओं का पदानुक्रम*

मास्लोव के आवश्यकता पदानुक्रम सिद्धांत के अधीन बढ़ते क्रम में व्यवस्थित मानवीय आवश्यकताओं के पाँच स्तर होते हैं। इसे उपरोक्त चित्र में दर्शाया गया है।

1. शारीरिक आवश्यकताएँ (जैविक आवश्यकताएँ) जैसे–भूख, प्यास, सेक्स, नींद।
2. सुरक्षा आवश्यकताएँ (रक्षा आवश्यकताएँ) जैसे–प्राकृतिक आपदाओं, धमकियों, खतरों से बचाव।
3. सामाजिक आवश्यकताएँ (प्रेम आवश्यकताएँ) जैसे–समूहों, परिवार, दोस्ती के संबंध का अहसास।
4. सम्मान आवश्यकताएँ (अहं आवश्यकताएँ) जिन्हें दो समूहों में बाँटा जा सकता है–उपलब्धि आवश्यकताएँ जैसे–आत्मविश्वास, स्वतंत्रता, योग्यता; और पहचान आवश्यकताएँ जैसे–हैसियत, महत्व, पसंद।
5. आत्म-वास्तवीकरण आवश्यकताएँ, जैसे–आत्मपूर्ति, अपनी संभावित क्षमताओं की अनुभूतिकरण, रचनात्मकता। 'आत्म-वास्तवीकरण' शब्द का प्रयोग पहली बार कर्ट गोल्डस्टीन ने किया था।

9. अल्बर्ट बंदुरा के अनुसार, व्यवहार की शिक्षा चार चरणों में होती है। वे इस प्रकार हैं–

(i) **ध्यान**–हम जिस हद तक उजागर होते हैं उतना ही व्यवहार को नोटिस करते हैं। एक व्यवहार को सीमित करने के लिए, हमारे ध्यान को उस तरफ आकर्षित करना होगा। हम दैनिक आधार पर कई व्यवहार करते हैं, और इनमें से कई उल्लेखनीय हैं। ध्यान इसलिए अत्यंत महत्वपूर्ण है कि हम जान पाते हैं कि क्या एक व्यवहार दूसरों की नकल करने को प्रभावित करता है।

(ii) **प्रतिधारण**–व्यवहार को कितनी अच्छी तरह याद किया जाता है। व्यवहार पर ध्यान दिया जा सकता है लेकिन हमेशा याद नहीं किया जाता है जो स्पष्ट रूप से नकल को रोकता है। इसलिए यह महत्वपूर्ण है कि व्यवहार की एक स्मृति का निर्माण पर्यवेक्षक द्वारा बाद में किया जाए। अधिकांश सामाजिक शिक्षा तत्काल नहीं है, इसलिए यह प्रक्रिया उन मामलों में विशेष रूप से महत्वपूर्ण है। यहाँ तक कि अगर इसे देखने के तुरंत बाद व्यवहार को पुनः पेश किया जाता है, तो भी संदर्भित करने के लिए याद रखने की आवश्यकता है।

(iii) **प्रजनन**–यह उस व्यवहार को प्रकट करने की क्षमता है जिसे मॉडल ने अभी-अभी प्रदर्शित किया है। हम दैनिक आधार पर इतना व्यवहार देखते हैं कि हम चाहते हैं कि हम हमेशा सक्षम रहें लेकिन यह संभव नहीं है। हमारी शारीरिक क्षमता सीमित है और इस कारण से, यहाँ तक कि हम व्यवहार को पुनः पेश करना चाहते हैं, लेकिन हम नहीं कर सकते।

(*iv*) **प्रेरणा**–यह व्यवहार करने की इच्छा को प्रेरित करता है। किसी व्यवहार का पालन करने पर पुरस्कार और सजा का निर्धारण पर्यवेक्षक द्वारा किया जाएगा। यदि कथित पुरस्कार कथित कीमत से अधिक भारी है, तो पर्यवेक्षक द्वारा व्यवहार की नकल करने की अधिक संभावना होगी। यदि विचित्र रूप से सुदृढ़ीकरण पर्यवेक्षक के लिए पर्याप्त महत्वपूर्ण नहीं देखा जाता है, तो वे व्यवहार को बर्दाश्त नहीं।

11. चक्रीयता का सिद्धान्त (Principle of Cyclicity): खेल प्रशिक्षण कार्यक्रम विभिन्न चक्रों; जैसे—मैक्रो चक्र, मेसो चक्र तथा माइक्रो चक्र के द्वारा विकसित किए जाते हैं। मैक्रो चक्र प्रशिक्षण की सबसे लम्बी अवधि का चक्र होता है जिसकी अवधि लगभग 3 से 12 महीने की होती है। मेसो चक्र मध्यम अवधि का प्रशिक्षण चक्र होता है तथा यह चक्र 3 से 6 सप्ताह का हो सकता है। माइक्रो चक्र सबसे छोटी अवधि का चक्र होता है जिसकी अवधि 3 से 10 दिन हो सकती है।

12. क्लासिकल टेस्ट थ्योरी (CTT) संबंधित साइकोमेट्रिक थ्योरी का एक निकाय है जो मनोवैज्ञानिक परीक्षण के परिणामों जैसे कि वस्तुओं की कठिनाई या परीक्षार्थियों की क्षमता की भविष्यवाणी करता है। यह इस विचार के आधार पर परीक्षण का सिद्धांत है कि किसी व्यक्ति का परीक्षण पर प्राप्त स्कोर एक शुद्ध स्कोर (त्रुटि मुक्त स्कोर) और एक त्रुटि स्कोर का योग है। सामान्यतया, क्लासिकल टेस्ट थ्योरी का उद्देश्य मनोवैज्ञानिक परीक्षणों की विश्वसनीयता को समझना और सुधारना है। क्लासिकल टेस्ट थ्योरी को मोटे तौर पर शुद्ध स्कोर सिद्धांत का पर्याय माना जा सकता है। 'क्लासिकल' शब्द न केवल इन मॉडलों के कालक्रम को संदर्भित करता है, बल्कि अधिक हाल के साइकोमेट्रिक सिद्धांतों के साथ भी विरोधाभासी है, जिसे आम तौर पर सामूहिक रूप से आइटम प्रतिक्रिया सिद्धांत के रूप में संदर्भित किया जाता है, जो कभी-कभी 'आधुनिक अव्यक्त सिद्धांत' के रूप 'आधुनिक' रूप में अपील करता है। क्लासिकल टेस्ट थ्योरी मानता है कि प्रत्येक व्यक्ति का एक शुद्ध स्कोर T होता है, जो कि माप में कोई त्रुटि नहीं होने पर प्राप्त किया जाएगा। एक व्यक्ति के शुद्ध स्कोर को इस रूप में परिभाषित किया गया है कि परीक्षण के स्वतंत्र प्रबंधन की एक अनंत संख्या से अधिक अपेक्षित संख्या शुद्ध स्कोर है। दुर्भाग्य से, परीक्षणकर्ता कभी भी किसी व्यक्ति के वास्तविक स्कोर का निरीक्षण नहीं करते हैं, केवल एक अवलोकन स्कोर X। यह माना जाता है कि अवलोकन स्कोर = शुद्ध स्कोर + कुछ त्रुटि।

X	=	T	+	E
अवलोकन स्कोर		शुद्ध स्कोर		त्रुटि

13. दशकों से, नेतृत्व सिद्धांत कई अध्ययनों का स्रोत रहा है। वास्तविकता के साथ-साथ व्यवहार में, कई ने यह परिभाषित करने की कोशिश की है कि प्रामाणिक नेताओं को समूह से अलग खड़े होने में क्या-क्या गुण होते हैं। इसलिए, नेतृत्व पर कई सिद्धांत हैं क्योंकि दार्शनिक, शोधकर्ता और प्रोफेसर हैं जिन्होंने अध्ययन किया है और अपने नेतृत्व सिद्धांत को अंततः प्रकाशित किया है। सिद्धांतों को आमतौर पर वर्गीकृत किया जाता है कि किस पहलू से नेता को सबसे अधिक परिभाषित किया जाता है। सबसे व्यापक हैं: ग्रेट मैन थ्योरी, ट्रेट थ्योरी, बिहेवियरल थ्योरी, आकस्मिक सिद्धांत, संव्यवहार सिद्धांत और परिवर्तनकारी सिद्धांत।

14. तार्किक वैधता (Logical Validity): परीक्षण के पदों के चयन अथवा रचना करते समय जब परीक्षण निर्माता परीक्षण के उद्देश्यों से सम्बन्धित सम्प्रत्ययों (concepts) तथा इकाइयों (units) का चयन करता है, तो परीक्षण में तर्कसंगत (तार्किक) वैधता पाई जाती है। यदि व्यक्तित्व-परीक्षण की रचना हम कर रहे हैं, तो चयन किए गए पद ऐसे होने चाहिए जो व्यक्तित्व विशेषताओं/शीलगुणों से ही सम्बन्धित हो।

15. संवेदी प्रेरण एकीकरण संवेदी प्रणाली (तंत्रिकाओं) और प्रेरण प्रणाली (मांसपेशियों) के बीच एक संबंध को संदर्भित करता है। इसके अलावा, यह उस प्रक्रिया को संदर्भित करता है जिसके द्वारा ये दो प्रणालियाँ (संवेदी और प्रेरण) एक-दूसरे के साथ संचार और समन्वय करती हैं। संवेदी मोटर एकीकरण कौशल का विकास जन्म से लेकर लगभग 7 वर्ष तक की आयु तक होता

है। इन वर्षों के दौरान, बच्चा मुख्य रूप से चीजों को महसूस करता है और फिर उन संवेदनाओं की ओर अपने शरीर को खिसकाता है। अन्य सभी मानसिक और सामाजिक कार्यों में उनकी वृद्धि संवेदी-प्रेरण एकीकरण की नींव पर आधारित होगी। संवेदी प्रेरण एकीकरण के विकास की प्रक्रिया में एक बच्चा पहले चलना सीखता है और फिर वह गतिविधि के माध्यम से सीखता है। संचलन प्रक्रिया में बच्चे के शरीर को अधिक से अधिक कुशल उद्देश्यपूर्ण गतिविधि के साथ उपयोग करने की क्षमता में निरंतर विकास शामिल है। फिर, इस संचलन के माध्यम से, बच्चा अपने बारे में अधिक सीखता है क्योंकि वह अपने माहौल की खोज करता है। इस प्रक्रिया के तीन भाग होते हैं: (1) एक इंद्रिय अंग उत्तेजना प्राप्त करता है, (2) तंत्रिकाएँ सूचना को मस्तिष्क तक ले जाती हैं जहाँ सूचना की विवेचन की जाती है। (3) मस्तिष्क तब यह निर्धारित करता है कि प्रतिक्रिया करने के लिए मांसपेशी फाइबर के उपयुक्त समूह को क्या निर्देश देना और प्रेषित करना है। ये दो प्रणालियाँ एक टीम के रूप में एक साथ काम करती हैं, और अगर भेजे गए तंत्रिका आवेग समस्याग्रस्त हैं, तो मस्तिष्क को संदेश प्राप्त नहीं होगा, और अगर प्रेरण तंत्रिकाओं में व्यवधान है, तो मांसपेशियों को एक स्पष्ट संदेश नहीं मिलेगा और सही प्रेरण प्रतिक्रिया नहीं दे पाएंगे। परिपक्वता के दौरान शैक्षणिक क्षमताओं के साथ-साथ व्यवहार और भावनात्मक विकास इन दो कारकों के पूर्ण एकीकरण पर आश्रित होते हैं क्योंकि संवेदी प्रेरण का एकीकरण हो रहा है।

16. संपूर्ण वर्ष के लिए अपने प्रशिक्षण की योजना बनाने के लिए एक व्यवस्थित तरीका है। प्रारंभिक, प्रतिस्पर्धी और परिवर्तन के 3 चरण, प्रशिक्षण के लक्ष्यों को सीजन में विभाजित करते हैं। दिशा-निर्देशों का उपयोग करके आप और आपके कोच एक व्यक्तिगत कार्यक्रम बना सकते हैं जो शक्ति, कंडीशनिंग और खेल का विशिष्ट प्रशिक्षण लक्ष्यों को संबोधित करता है। पूरे साल लगातार मानसिक और शारीरिक रूप से स्वस्थ बनाए रखने के लिए सक्रिय आराम हमेशा इस दिनचर्या का सबसे महत्वपूर्ण हिस्सा है। कुल मिलाकर, अपने चरणों के सभी भागों के लिए अपने आवधिक उपयोग के साथ सुसंगत रहें और सफलता आपकी पहुँच में है।

19. 'न्यूरो-मस्कुलर स्किल कैपेसिटी' को मापने के लिए तैयार किया गया एक टेस्ट 'मेथेनी-जॉनसन टेस्ट' है। प्रत्येक प्रतिभागी को व्यायाम मॉडल के साथ परिचित कराने के लिए प्रारंभिक व्यायाम परीक्षण के अधीन किया गया था। टेस्ट बैटरी में निम्नलिखित चार मोटर स्टंट होते हैं : फ्रंट रोल, बैक रोल, जंपिंग हाफ-टर्न और जंपिंग फुल-टर्न विशिष्ट परीक्षण से पहले, विशिष्ट शारीरिक और मोटर अनुकूलन को बढ़ावा देने के लिए विषय 5 मिनट तक चलने वाले वार्म अप का प्रदर्शन करते हैं।

20. अंतराल स्केल में, स्केल पर किसी भी दो लगातार संख्याओं के बीच की दूरी एक समान है। एक अंतराल पैमाने ने सार्थक विभाजनों के साथ संख्याओं का क्रम दिया है, लगातार अंतराल के बीच परिमाण बराबर हैं। अंतराल स्केल में एक शुद्ध शून्य नहीं होता है यानी सेल्सियस में 0 डिग्री का मतलब गर्मी की अनुपस्थिति नहीं है।

अंतराल स्केल के गुण हैं :

- पहचान
- परिमाण
- समान दूरी

उदाहरण के लिए, फारेनहाइट/सेल्सियस तापमापी यानी 90° पर तापमान 45° से अधिक गर्म होता है और 10° और 30° के बीच का अंतर 60° डिग्री और 80° के बीच का अंतर समान होता है।

23. यदि माध्य, माध्यिका, बहुलक और मानक विचलन किसी दिए गए डेटा सेट के लिए जाने जाते हैं, तो पियर्सन का पहला तिर्यक गुणांक $\frac{3(\text{माध्य} - \text{माध्यिका})}{\sigma}$ बराबर होता है। संभाव्यता सिद्धांत और आँकड़ों में, तिर्यक अपने अर्थ के बारे में एक वास्तविक-मूल्यवान यादृच्छिक चर की संभावना वितरण की विषमता का एक उपाय है। तिर्यक मान सकारात्मक या नकारात्मक या अपरिभाषित हो सकता है।

24. हैरोल्ड एम. बैरो ने पुरुषों के लिए जनरल मोटर एबिलिटी टेस्ट की जांच की और व्यक्तिगत ग्रेडिंग के मानदंडों की घोषणा की। शामिल तीन परीक्षण आइटम हैं :

(*i*) स्टैंडिंग ब्रॉड जंप

(*ii*) जिग-जैग रन

(*iii*) मेडिसिन-बॉल पुट।

25. यह देखा गया है कि पुरुषों और महिलाओं की मांसपेशियों में एटीपी और पीसी का संकेंद्रण समान होता है। एटीपी-पीसी सेट में, धावक 100-मीटर स्प्रिंट कर रहा है। प्रत्येक पुनरावृत्ति को उसके सर्वश्रेष्ठ समय की तुलना में 3 सेकंड धीमी गति से चलाया जाना है। प्रत्येक पुनरावृत्ति के बीच शेष की पुनःप्राप्ति के लिए 0:54 के साथ कुल आठ पुनरावृत्तियाँ पूरी की जानी हैं। एटीपी-पीसी के आधे हिस्से को पुनर्स्थापित करने के लिए आवश्यक समय का उपयोग किया गया है—यानी, एटीपी-पीसी के लिए आधे जीवन की पुनर्स्थापन अवधि लगभग 30 सेकंड है, जिसमें 2 मिनट तक पूर्ण पुनर्स्थापन होती है।

इस प्रकार, यह व्यक्ति आधे से अधिक एटीपी-पीसी का नवीकरण करेगा। ठीक उसी नवीकरण के दौरान मायोग्लोबिन O_2 की पुनःपूर्ति भी हो रही है। पुनर्प्राप्त की गई राशियाँ रिकवरी चरण के दौरान प्रतिभागी की गतिविधि से प्रभावित होती हैं, जिसमें सबसे बड़ी नवीकरण होती है जैसे कि स्ट्रेचिंग और वॉकिंग जैसी हल्की गतिविधि।

क्योंकि एटीपी-पीसी स्टोर इतनी जल्दी ठीक हो जाते हैं कि उन्हें ऊर्जा प्रदान करने के लिए बार-बार कॉल किया जा सकता है। एटीपी-पीसी प्रणाली को बार-बार उत्तेजित करने से उस प्रणाली की क्षमता में वृद्धि होनी चाहिए। एलए (LA) प्रणाली की किसी भी बड़ी भागीदारी को कार्य अंतराल को कम रखने से बचा जाता है ताकि थोड़ा लैक्टेट संचय हो सके।

26. **कोणीय विस्थापन (Angular Displacement):** जब कोई वस्तु वृत्ताकार मार्ग पर वृत्तीय गति (Circular motion) करती है तो उस वस्तु द्वारा तय किया गया कोण, वस्तु का कोणीय विस्थापन कहलाता है। घूर्णन की मात्रा जिसे रेडियन, अंश (Degree) या परिभ्रमण या चक्कर (Revolution) के रूप में व्यक्त किया जाता है। ग्रीक शब्दों में कोणीय विस्थापन को थीटा (θ) संकेत से दर्शाते हैं। इसे कोणीय वेग और समय के गुणनफल के रूप में भी वर्णित किया जा सकता है। अतः ''घूर्णन में शरीर द्वारा प्रारंभिक एवं अंतिम स्थिति के मध्य तय की गई कम-से-कम कोणीय दूरी को कोणीय विस्थापन कहते हैं।'' इसमें दिशा और परिमाण (magnitude) दोनों ही निश्चित होते हैं। इसमें दक्षिणावर्त क्रियाओं धनात्मक (+) और वामावर्त क्रियाओं को ऋणात्मक (–) रूप में वर्णित किया जाता है।

कोणीय वेग (Angular Velocity): किसी वस्तु के कोणीय गति के दौरान कोणीय विस्थापन की दर (कोण में परिवर्तन की दर) को कोणीय वेग कहते हैं। ग्रीक अक्षरों में इसे ओमेगा (ω) से प्रदर्शित करते हैं। कोणीय वेग एक सदिश राशि है। किसी घूर्णन करती हुई वस्तु के कोणीय वेग का नियत दर पर निर्धारण, कोणीय विस्थापन को समय से विभाजित करके प्राप्त किया जाता है।

$$\text{कोणीय वेग} = \frac{\text{कोणीय विस्थापन}}{\text{समयान्तराल}}$$

$$\omega = \frac{\Delta\theta}{\Delta t}.$$

कोणीय चाल या कोणीय आवृत्ति (Angular speed or Angular Frequency): एक घूर्णन करती हुई वस्तु की कोणीय चाल को तय की गई कोणीय दूरी की दर के रूप में परिभाषित किया जाता है। कोणीय चाल की गणना, तय किए गए कुल कोणीय दूरी को समय से विभाजित कर, किया जाता है। अतः

$$\sigma = \frac{\phi}{t}$$

जहाँ σ = कोणीय चाल (रेडियन/सेकेंड)

ϕ = कोणीय दूरी (रेडियन में)

t = समय (सेकेण्ड में)

कोणीय दूरी (Angular Distance): ''घूर्णन करते हुए शरीर द्वारा तय किया गया कोण ही कोणीय दूरी कहलाता है।'' दूसरे शब्दों में कोणीय दूरी, प्रारंभिक एवं अंतिम

स्थिति के मध्य तय किए गए कोण के बराबर होती है। जिसे घूर्णन पथ का अनुसरण करते हुए नापा जाता है। जब एक घूर्णन करता हुआ शरीर, एक स्थान से दूसरे स्थान पर जाता है और कोणीय दूरी जिसके माध्यम से शरीर के स्थान में परिवर्तन होता है। वह अंतिम और प्रारंभिक स्थिति के मध्य कोण के बराबर होती है। उदाहरण के लिए—हॉरिजन्टल बार पर जिम्नास्ट द्वारा फारवर्ड ज्वाइंट सर्किल (Forward giant circle) का प्रदर्शन।

27. दो घटनाओं को परस्पर अनन्य घटना कहा जाता है जब दोनों एक ही समय में नहीं हो सकते। प्रायिकता में, एक प्रयोग के परिणाम हैं जिन्हें हम घटनाएँ कहते हैं। इन घटनाओं में से कुछ अन्य घटनाओं के साथ संबंध हैं। दूसरे शब्दों में, हम कहते हैं कि कुछ घटनाएँ अन्य घटनाओं की घटना को प्रभावित करती हैं। उदाहरण के लिए, एक सिक्का टॉस करने से यदि आपको 'हेड' देता है, तो यह आपको 'टेल' नहीं देगा। ये परस्पर अनन्य घटनाएँ हैं।

28. 'वेलनेस' शब्द का आधुनिक उपयोग 1950 के दशक से होता है और एक अल्पकालिक—लेकिन चिकित्सक हलबर्ट एल डन द्वारा **हाई लेवल वेलनेस** (प्रकाशित 1961) नामक कृति को माना जाता है। हालाँकि, शुरूआत में डन की कृति पर थोड़ा ध्यान दिया गया, लेकिन बाद में उनके विचारों को 1970 के दशक में यू.एस. में व्यक्तियों के अनौपचारिक नेटवर्क द्वारा स्वीकार किया गया, जिसमें डॉ. जॉन ट्रैविस, डॉन अर्देल, डॉ. बिल हेटलर और अन्य शामिल थे। इन 'वेलनेस मूवमेंट के जनकों' ने वेलनेस के अपने व्यापक मॉडल तैयार किए, नए वेलनेस मूल्यांकन उपकरण विकसित किएं और अवधारणा पर सक्रिय रूप से लिखा और बोला। ट्रैविस, अर्देल, हेटलर और उनके सहयोगी दुनिया के पहले वेलनेस सेंटर बनाने, पहले यूनिवर्सिटी कैंपस वेलनेस सेंटर को विकसित करने और यू.एस. में नेशनल वेलनेस इंस्टीट्यूट और नेशनल वेलनेस कॉन्फ्रेंस की स्थापना का उन्हें श्रेय दिया जाता है।

30. एड्स रोग के इलाज के लिए आवश्यकता इस बात की है कि इसका समय पर सही परीक्षण द्वारा इस रोग की पहचान कर ली जाए। आजकल प्रयोगशाला में अनेक प्रकार की जांच की जाती है, जिनमें से कुछ प्रमुख हैं—

(*i*) **एलिसा जांच (Enzyme linked Immunosorbent Assay):** यह परीक्षण अपेक्षाकृत सरल है एवं आजकल आमतौर पर किया जा रहा हैं। इसमें जांच खर्च भी काफी कम है। इस परीक्षण की सत्यता 95 प्रतिशत तक होती है। इस परीक्षण में प्रकाशीय विधि द्वारा रंगों का परीक्षण कर संक्रमण का निर्धारण किया जाता है।

(*ii*) **रैपिड जांच**—यह जांच एलिसा की अपेक्षा खर्चीली है, परन्तु इसके द्वारा कुछ मिनटों से लेकर एक घंटे के अंदर ही जांच के परिणाम प्राप्त हो जाते हैं। इस पद्धति का इस्तेमाल आकस्मिक चिकित्सा अथवा रक्तदान के लिए रक्त बैंक में किया जाता है।

31. मानव शरीर के प्रकार का अर्थ मानव शरीर के आकार व रचना से है। प्रसिद्ध वैज्ञानिक विलियम हरबर्ट शैल्डन (William Herbert Sheldon) के अनुसार शरीर के वर्गीकरण का आविष्कार करने वाले सबसे पहले ज्ञात व्यक्ति थे। इन्होंने Somatotype के आधार पर सभी व्यक्तियों को तीन निम्नलिखित श्रेणियों में वर्गीकृत किया है।

1. **एंडोमोर्फ (Endomorph):** इस प्रकार के व्यक्तियों का शरीर गोलमटोल होता है। ये बड़े एवं सुदृढ़ शरीर के कारण खेलों में अधिक अच्छा प्रदर्शन नहीं कर पाते हैं। इनके लिए उपयुक्त खेल भारोत्तोलन (Weight Lifting) तथा पावर लिफ्टिंग (Power Lifting) होते हैं।
2. **मेसोमोर्फ (Mesomorph):** मेसोमोर्फ व्यक्तियों का शरीर सुदृढ़ मजबूत एवं वर्गाकार होता है। इन व्यक्तियों के कंधे व छाती चौड़ी होती है। ये व्यक्ति किसी भी खेल में अच्छा प्रदर्शन कर सकते हैं।
3. **एक्टोमोर्फ (Ectomorph):** जिन व्यक्तियों का शरीर पतला एवं लंबा होता है उन्हें एक्टोमोर्फ श्रेणी में रखा गया है। इनके शरीर की मांसपेशियाँ पतली होती हैं व हाथ-पैर लंबे होते हैं। इनकी छाती चपटी होती है। इनका शारीरिक ढाँचा हल्का होता है अतः ये सहनक्षमता संबंधित खेलों के लिए उपयुक्त होता है।

32. हेलनोडीकाई प्राचीन ओलंपिक खेलों के जज थे, और खेलों की सफलता के लिए उनके प्रयासों को श्रेय दिया जाता है। खेलों के मानकों और विरासत को बनाए रखना, साथ ही नियमों को बनाए रखना उनका पवित्र कर्तव्य था। मूल रूप से शीर्षक अग्नोथेटाई (जिसका अर्थ गेम आयोजक) था, लेकिन इसके तुरंत बाद हेलनोडीकाई में बदल दिया गया। मूल रूप से, केवल एक ही हेलानोडिकस था, लेकिन यह विस्तारित हुआ, बारह सदस्यों तक पहुँच गया और फिर 344 ईसा पूर्व में दस सदस्यों पर स्थापित होकर रह गया। वे एक सर्वेक्षक के रूप में सीनियर हेलनोडिका के साथ व्यक्तिगत घटनाओं की निगरानी करते थे।

33. मानव पोषण में वसा और तेलों के कार्य ऊर्जा के केंद्रित स्रोत प्रदान करते हैं और कुछ महत्वपूर्ण अंगों के लिए कुशन के रूप में कार्य करते हैं। हाल के वर्षों में यद्यपि वे बदनाम हुए हैं फिर भी वसा और तेल कम मात्रा में अच्छे स्वास्थ्य के लिए आवश्यक हैं। कार्बोहाइड्रेट और प्रोटीन की तरह, वे एक रीढ़ की तरह कार्बनिक यौगिक होते हैं जिनमें कार्बन, हाइड्रोजन और ऑक्सीजन होते हैं। वसा और तेल सभी लिपिड हैं, और दो शब्दों का उपयोग अक्सर एक-दूसरे के लिए किया जाता है। हालाँकि, गंभीरता से कहा जाए तो कमरे के तापमान पर वसा ठोस होती है, जबकि तेल तरल होते हैं। वे आपके शरीर को फैटी एसिड प्रदान करते हैं, जो शरीर विज्ञान में महत्वपूर्ण चयापचय और संरचनात्मक भूमिका निभाते हैं।

37. जीवन को बचाने के लिए प्राथमिक उपचार महत्वपूर्ण है। आपातकालीन सेवाओं के आने से पहले कोई व्यक्ति किसी जानलेवा घटना या चोट के बाद प्राथमिक उपचार कर सकता है। प्राथमिक उपचार का उद्देश्य जीवन को संरक्षित करना, नुकसान को रोकना और स्वास्थ्य लाभ को बढ़ावा देना है। प्राथमिक चिकित्सा में, ABC वायुमार्ग, श्वास और परिसंचरण के लिए प्रयुक्त होता है। स्वास्थ्य लाभ की स्थिति हेतु चोट को कम करने में तत्काल मदद करती है। CPR (Cardiopulmonary Resuscitation) के लिए प्रयुक्त है। यह ऑक्सीजन युक्त रक्त के प्रवाह को बनाए रखने में मदद करता है। छाती को संकुचित करते समय, आप कड़क की आवाज सुन सकते हैं। यह सामान्य बात है।

38. जीवन के लिए सूक्ष्म पोषक तत्व कम मात्रा में आवश्यक है। इनमें सूक्ष्म खनिज और विटामिन शामिल हैं। सूक्ष्म खनिजों या ट्रेस तत्वों (पता लगाए जाने वाले तत्व) में कम से कम लोहा, कोबाल्ट, क्रोमियम, तांबा, आयोडीन, मैंगनीज, सेलेनियम, जस्ता और मोलिब्डेनम शामिल हैं। आहार-विषयक खनिज बहुत कम मात्रा में (आमतौर पर 100 mg प्रतिदिन से कम) मानव शरीर के लिए आवश्यक है। ध्यान दें कि यहाँ 'खनिज' शब्द का उपयोग भूवैज्ञानिक विज्ञान में उपयोग से अलग है। विटामिन कार्बनिक रसायन हैं जो किसी दिए गए जीव को अच्छे स्वास्थ्य के लिए विदित मात्रा में चाहिए, लेकिन जो जीव संश्लेषण नहीं कर सकता है, उसे अपने आहार से प्राप्त करना चाहिए।

39. जैकोबसन की विश्रांति तकनीक एक प्रकार की चिकित्सा है जो विशिष्ट मांसपेशी समूहों को क्रम में कसने और आराम करने पर केंद्रित है। इसे प्रगतिशील विश्रांति चिकित्सा के रूप में भी जाना जाता है। विशिष्ट क्षेत्रों और झुकाव पर ध्यान केंद्रित करके और फिर उन्हें आराम देकर, आप अपने शरीर और शारीरिक संवेदनाओं के बारे में अधिक जागरूक हो सकते हैं।

डॉ. एडमंड जैकोबसन ने 1920 के दशक में ऐसी तकनीक का आविष्कार किया जिससे उनके रोगियों को चिंता से निपटने में मदद मिल सके। डॉ. जैकोबसन ने महसूस किया कि मांसपेशियों को आराम देने से दिमाग को भी आराम मिल सकता है। तकनीक में शरीर के बाकी हिस्सों को आराम देते हुए एक मांसपेशी समूह को कसने, और फिर तनाव को जारी करना शामिल है।

44. ग्रीस में शारीरिक शिक्षा के इतिहास को चार अवधियों में विभाजित किया गया है। वे निम्नानुसार हैं—होमरिक अवधि, स्पार्टन अवधि, प्रारंभिक एथेनियन अवधि और स्वर्ण काल। पूरे इतिहास में, समाज ने शारीरिक शिक्षा और खेल पर एक अलग मूल्य स्थापित किया है। सामाजिक-सांस्कृतिक घटनाओं में परिवर्तन के परिणामस्वरूप शारीरिक शिक्षा का उद्देश्य अलग-अलग

समय की अवधि में बदल गया है। कुछ सभ्यताएँ शारीरिक शिक्षा के अभ्यास का उपयोग युद्ध की तैयारी के लिए करती हैं, कुछ लाभ के लिए और कुछ सामान्य सर्वांगीण विकास के लिए। शारीरिक शिक्षा के विकास में तीन प्राचीन संस्कृतियों का विशेष महत्व है। एथेनियन ग्रीक्स, स्पार्टन ग्रीक्स और रोमन प्रत्येक के मन, शरीर और आत्मा के बारे में अपनी-अपनी मान्यता थी।

46. 1947 से पहले, भारत में 4 शारीरिक शिक्षा संस्थान थे :

(*i*) विद्या ब्रदर्स को 1914 में सर हनुमान व्यायाम प्रसारक मंडल, अमरावती का पता चला, जो मूल रूप से भारत में शारीरिक शिक्षा के पाठ्यक्रम की सेवा के लिए था।

(*ii*) स्वतंत्रता-पूर्व दिनों में भारत में वैज्ञानिक भौतिक शिक्षा का उत्कृष्ट विकास के लिए वाई.एम.सी.ए. कॉलेज ऑफ फिजिकल एजुकेशन, मद्रास की स्थापना 1920 में एच.सी. बक द्वारा की गई। अपनी स्थापना के बाद से यह कॉलेज भारत में शारीरिक शिक्षा को बढ़ावा देने और व्यवस्थित करने के लिए अथक और निःस्वार्थ रूप से काम कर रहा है।

(*iii*) गवर्नमेंट कॉलेज ऑफ फिजिकल एजुकेशन, हैदराबाद।

(*iv*) ट्रेनिंग इंस्टीट्यूट ऑफ फिजिकल एजुकेशन, कांदिवली (बॉम्बे)

उपरोक्त संस्थानों को भारत में व्यवस्थित और वैज्ञानिक प्रकार से शारीरिक शिक्षा पाठ्यक्रमों को बढ़ावा देने के लिए स्थापित किया गया था।

51. वह बल जो शरीर को जल जनित स्थिति में ऊपर की ओर धक्का प्रदान करता है, वह उत्प्लावक बल है। जब किसी वस्तु को किसी द्रव में रखा जाता है, तो द्रव ऊपर की ओर बल लगाता है जिसे हम उत्प्लावक बल कहते हैं। द्रव द्वारा वस्तु पर लगाए गए दबाव से उत्प्लावक बल निकलता है। क्योंकि गहराई बढ़ने पर दबाव बढ़ता है, किसी वस्तु के तल पर दबाव हमेशा शीर्ष के बल से बड़ा होता है—इसलिए यह शुद्ध आवेश बल है। उत्प्लावक बल वहाँ मौजूद होती है जहाँ वस्तु तैरती या डूबती है।

53. अब तक आयोजित किए गए ओलम्पिक खेल

वर्ष	स्थान	देश
1896	एथेन्स	यूनान
1900	पेरिस	फ्रांस
1904	सेण्टलुई	अमेरिका
1908	लन्दन	इंगलैण्ड
1912	स्टॉकहोम	स्वीडन
1916	बर्लिन	जर्मनी (नहीं हुए)
1920	एण्टवर्प	बेल्जियम
1924	पेरिस	फ्रांस
1928	एमस्टर्डम	हॉलैण्ड
1932	लॉस एंजिल्स	अमेरिका
1936	बर्लिन	जर्मनी
1940	टोकियो	जापान (नहीं हुए)
1944	लन्दन	इंगलैण्ड (नहीं हुए)
1948	लन्दन	इंगलैण्ड
1952	हेलसिंकी	फिनलैण्ड
1956	मेलबॉर्न	ऑस्ट्रेलिया
1960	रोम	इटली
1964	टोकियो	जापान
1968	मैक्सिको सिटी	मैक्सिको
1972	म्यूनिख	पश्चिमी जर्मनी
1976	मॉण्ट्रियल	कनाडा
1980	मॉस्को	सोवियत संघ रूस
1984	लॉस एंजिल्स	अमेरिका
1988	सियोल	दक्षिण कोरिया
1992	बार्सिलोना	स्पेन
1996	अटलाण्टा	यूएसए
2000	सिडनी	ऑस्ट्रेलिया
2004	एथेन्स	यूनान
2008	बीजिंग	चीन
2012	लन्दन	इंगलैण्ड
2016	रियो-डी-जेनेरियो	ब्राजील

57. एक ठोस और द्रव की गति के बीच के प्रतिरोध को द्रव घर्षण कहा जाता है। द्रव प्रतिरोध तरल पदार्थ के प्रवाह का विरोध करता है। प्रतिरोध द्रव में अणुओं के बीच घर्षण के कारण होता है। किसी ठोस वस्तु के किसी द्रव में चले जाने पर इस विरोध को ड्रैग कहा जाता है। पानी के माध्यम से एक कश्ती को पैडल करने के लिए, आपको ड्रैग के विरोधी बल से अधिक बल लगाना चाहिए। स्काई डाइवर में एक टर्मिनल गति होती है क्योंकि ड्रैग फोर्स गुरुत्वाकर्षण बल को संतुलित करता है। पाइप के माध्यम से बहने वाले तरल पदार्थ में ड्रैग के कारण प्रेशर ड्रॉप होता है।

59. बीएमआई चार्ट और उनके वर्गीकरण के अनुसार, 90 किलोग्राम वजन और 170 सेमी. लंबाई के लिए बीएमआई स्कोर 31.14 है जो बताता है कि आपका वजन मोटापा वाला है। 31.14 का बॉडी मास इंडेक्स 170 सेंटीमीटर ऊंचाई के वर्ग द्वारा विभाजित 90 किलोग्राम वजन से लिया गया है।

60. किसी व्यक्ति की सभी क्रियाओं के पीछे प्रेरण को प्रेरक शक्ति के रूप में परिभाषित किया जा सकता है। किसी व्यक्ति की जरूरतों और इच्छाओं दोनों का प्रभाव व्यवहार की दिशा पर मजबूती से पड़ता है। प्रेरणा आपकी भावनाओं और उपलब्धि से संबंधित लक्ष्यों पर आधारित होता है। प्रेरण के विभिन्न रूप हैं जिनमें बाह्य, आंतरिक, शारीरिक और उपलब्धि प्रेरण शामिल हैं। प्रेरण के और भी कई नकारात्मक रूप हैं। उपलब्धि प्रेरण को सफलता की आवश्यकता या उत्कृष्टता की प्राप्ति के रूप में परिभाषित किया जा सकता है। व्यक्ति अलग-अलग माध्यमों से अपनी जरूरतों को पूरा करेंगे और आंतरिक और बाहरी दोनों कारणों से अलग-अलग कारणों से सफल होंगे।

63. जानपदिक रोग विज्ञान (एपिडेमियोलॉजी) स्वास्थ्य-संबंधित अवस्थाओं या घटनाओं (रोग सहित) के वितरण और निर्धारकों का अध्ययन है, और इस अध्ययन की उपयोगिता रोगों और अन्य स्वास्थ्य समस्याओं के नियंत्रण के लिए है। एपिडेमियोलॉजी संबंधी जांच करने के लिए विभिन्न विधियों का उपयोग किया जा सकता है। वितरण का अध्ययन करने के लिए निगरानी और वर्णनात्मक अध्ययन का उपयोग किया जा सकता है; विश्लेषणात्मक अध्ययन का उपयोग निर्धारकों का अध्ययन करने के लिए किया जाता है।

66. बजट परिभाषित अवधि, अक्सर एक वर्ष के लिए एक वित्तीय योजना है। इसमें नियोजित बिक्री परिमाण और राजस्व, संसाधन मात्रा, लागत और व्यय, परिसंपत्ति, देयताएँ और नकदी प्रवाह शामिल हो सकते हैं। कंपनियों, सरकारों, परिवारों और अन्य संगठनों ने इसका उपयोग गतिविधियों या घटनाओं की रणनीतिक योजनाओं को औसत दर्जे के रूप में व्यक्त करने के लिए किया है। बजट एक विशेष उद्देश्य के लिए आवंटित धन का योग है और उन्हें पूरा करने के लिए प्रस्तावों के साथ इच्छित व्यय का सारांश है जिसमें कैसे प्राप्त किया जाए, का उल्लेख होता है।

इसमें एक बजट अधिशेष जिसमें भविष्य के उपयोग के लिए धन प्रदान करना, या ऐसा घाटा जिसमें व्यय आय से अधिक हो, शामिल हो सकता है। बजट के प्रकारः बिक्री बजट, उत्पादन बजट, पूँजीगत बजट, नकदी प्रवाह/नकदी बजट, सशर्त बजट, विपणन बजट, परियोजना बजट, राजस्व बजट, व्यय बजट, लचीलापन बजट, विनियोग बजट, प्रदर्शन बजट, शून्य आधारित बजट और व्यक्तिगत बजट।

67. 1916 में हेनरी फेयोल नाम के एक फ्रांसीसी कोयला खदान के निदेशक ने 'एडमिनिस्ट्रेशन इंडस्ट्रीएल्ले एट जेनरले' नामक एक पुस्तक लिखी, जिसमें यह सुनिश्चित करने के पाँच अलग-अलग कार्यों का प्रबंधन किया जिसे फेयोल ने जोर देकर कहा कि यह किसी भी उद्योग में लागू होगा। 1950 के दशक में, प्रबंधन पाठ्यपुस्तकों ने फेयोल के कुछ विचारों को अपनी सामग्री में शामिल करना शुरू किया। प्रबंधन के स्कूल की विधि और, आज, प्रबंधन पाठ्यक्रम अभी भी व्यावसायिक छात्रों को प्रबंधन सिखाने के लिए फेयोल के कई विचारों का उपयोग करता है।

हेनरी फेयोल (1841–1925) प्रबंधन को पाँच कार्यों से युक्त मानते हैं :

1. योजना (पूर्वानुमान)
2. आयोजन

3. कमांडिंग
4. समन्वय
5. नियंत्रण।

76. एनारोबिक एथलीट की तुलना में, एरोबिक एथलीट के हृदय में बाएं वेंट्रिकल के बढ़े हुए गुहा का आकार इसकी विशेषता है। एरोबिक और एनारोबिक व्यायाम दो प्रकार के व्यायाम हैं जो शामिल किए गए मांसपेशी फाइबर की तीव्रता, अंतराल और प्रकार के आधार पर भिन्न होते हैं। एनारोबिक और एरोबिक व्यायाम लिपिड चयापचय पर एक अनुकूल प्रभाव डालते हैं, जबकि एनारोबिक व्यायाम लिपिड प्रोफाइल पर सकारात्मक प्रभाव डालते हैं।

83. उम्र बढ़ने के कारण होने वाली शारीरिक संरचना में परिवर्तन मुख्य रूप से बेसल चयापचय दर और शारीरिक गतिविधि में कमी के कारण होता है क्योंकि व्यायाम में दुबला शरीर द्रव्यमान को संरक्षित करने, वसा भंडार में कमी और प्रोटीन संश्लेषण को प्रोत्साहित करने के लिए दिखाया गया था। आयु ऊर्जा चयापचय में परिवर्तन का सबसे महत्वपूर्ण कारक है। बेसल चयापचय दर उम्र के साथ लगभग रैखिक रूप से घट जाती है।

84. पूर्व मधुमेह के विकास के लिए कई जोखिम कारक आपके जोखिम को बढ़ाते हैं और अंततः, टाइप 2 मधुमेह।

इन विशेषताओं में से कुछ गैर-परिवर्तनीय हैं, या आपके नियंत्रण से परे हैं, जैसे :

- **पारिवारिक इतिहास :** यदि आपके पास मधुमेह से पीड़ित एक सगा रिश्तेदार है, तो आपका जोखिम काफी बढ़ जाता है।
- **प्रजाती या जातीय पृष्ठभूमि :** यदि आप अफ्रीकी-अमेरिकी, एशियाई-अमेरिकी, लातीनी/ हिस्पैनिक-अमेरिकी, या प्रशांत द्वीपवासी प्रजाती के हैं, तो आपको मधुमेह विकसित होने की अधिक संभावना है।
- **आयु :** आप जितने बड़े होते हैं, मधुमेह के लिए आपका जोखिम उतना अधिक होता है। आमतौर पर टाइप 2 मधुमेह मध्यम आयु वर्ग के वयस्कों में होता है, जो कि ज्यादातर 45 वर्ष की आयु के बाद होता है। हालांकि, स्वास्थ्य सेवा प्रदाता टाइप 2 मधुमेह वाले बच्चों और किशोरों का अधिक से अधिक निदान कर रहे हैं।
- **गर्भावधि मधुमेह का इतिहास :** यदि आपने गर्भावस्था के दौरान मधुमेह का विकास किया है, तो आपको अधिक जोखिम है।

85. एक रनिंग इवेंट में वह दर जिस पर समय के साथ वेग बदलता है, त्वरण के रूप में जाना जाता है। त्वरण को तकनीकी शब्दों में एक वेक्टर मात्रा के रूप में परिभाषित किया गया है जो वेग के परिवर्तन की दर को इंगित करता है। इसमें लंबाई और समय के आयाम हैं। "एक्सेलेरेशन को अक्सर 'स्पीड अप' कहा जाता है, हालांकि इसे अधिक सटीक रूप से 'वेलोसिटी अप' कहा जाएगा।" एक्सीलरेशन का हर रोज का अनुभव एक वाहन में होता है। जब आप एक्सीलेटर पर कदम रखते हैं तो कार की गति बढ़ जाती है क्योंकि इंजन द्वारा ड्राइव ट्रेन पर बल बढ़ाया जाता है।

87. द इंटरनेशनल सोसाइटी ऑफ स्पोर्ट्स साइकोलॉजी (ISSP) एक संगठन है जो दुनिया भर में खेल मनोविज्ञान के क्षेत्र में अनुसंधान, अभ्यास और विकास को बढ़ावा देने के लिए समर्पित है।

इसकी स्थापना 1965 में इटली के डॉ. डेरुशीओयो एंटोनेली के निर्देशन में की गई थी। ISSP उन विद्वानों की एक बहु-विषयक एसोसिएशन है, जिनके शोध के हित खेल मनोविज्ञान के कुछ पहलुओं पर ध्यान केंद्रित करते हैं। समाज अवस्थित है :

(*i*) खेल, शारीरिक गतिविधि और स्वास्थ्य विन्यास के भीतर मानव व्यवहार के अध्ययन को प्रोत्साहित और बढ़ावा देना;

(*ii*) समाचार-पत्र, बैठकों और चतुष्कोणीय कांग्रेस के माध्यम से ज्ञान के बंटवारे की सुविधा;

(*iii*) खेल मनोविज्ञान में अनुसंधान और पेशेवर अभ्यास की गुणवत्ता में सुधार।

समाज सभी देशों के लोगों के बीच शांति और समझ को बढ़ावा देने का भी प्रयास करता है। समाज के सदस्यों

में शोधकर्ता, मनोवैज्ञानिक, शिक्षक, कोच और प्रशासक शामिल हैं, साथ ही खेल मनोविज्ञान में रुचि रखने वाले छात्रों और एथलीटों को भी शामिल किया गया है।

88. क्वाड्रिसेप्स फेमोरिस मांसपेशी, बड़े मांसल पेशी समूह, जो जांघ के सामने और किनारों को कवर करते हैं। इसके चार भाग हैं : रेक्टस फेमोरिस, विस्टस लेटरलिस, विस्टस मेडियालिस और विस्टस इंटरमीडियस। वे इलियम (श्रोणि (पेल्विस) के ऊपरी भाग, या हिपबोन) और फीमर (जांघ की हड्डी) से उत्पन्न होते हैं, पटेला (घुटने के नीचे) के आसपास कण्डरा में एक साथ आते हैं और टिबिया (शिनबोन) से जुड़ते हैं। ये मांसपेशियां घुटने से पैर तक फैली होती हैं और खड़े होने, चलने और लगभग सभी गतिविधियों में पैरों के लिए महत्वपूर्ण हैं।

90. जब कोई नमूना किसी प्रतिभागी से पूछकर प्राप्त किया जाता है, जिसे शुरू में नमूने में चुना जाता है, तो किसी अन्य व्यक्ति को सुझाव देने के लिए जो अध्ययन के लिए इच्छुक या उपयुक्त हो सकता है, नमूना को स्नोबॉल नमूने के रूप में लेबल किया जाता है। स्नोबॉल नमूना तब होता है जब शोध का लाभ एक प्रतिभागी से दूसरे प्रतिभागी को सुझाव देता है तथा शोधकर्ता से परिचय कराता है। जबकि अधिकांश अनुसंधान परियोजनाओं को स्नोबॉलिंग की कुछ मात्रा से लाभ होता है, यह एक खतरनाक प्राथमिक नमूना डिजाइन है, क्योंकि स्नोबॉल नमूना में निहित जोखिम एकल, नेटवर्क समूह का ओवर रिप्रजेंटेशन है।

91. व्यक्तिगत निर्देश में प्रत्येक शिक्षार्थी के लिए अलग-अलग कार्य और व्यक्तिगत स्तर पर समर्थन शामिल है। यह इस विचार पर आधारित है कि सभी शिक्षार्थियों की अलग-अलग जरूरतें होती हैं, और इसलिए यह एक दृष्टिकोण है जो व्यक्तिगत रूप से गठित किया जाता है—विशेष रूप से उन गतिविधियों के संदर्भ में जो छात्र करते हैं और जिस गति से वे पाठ्यक्रम के माध्यम से आगे बढ़ाते हैं—वह अधिक प्रभावी होगा। व्यक्तिगत शिक्षा के विभिन्न मॉडलों की शिक्षा में वर्षों से कोशिश की गई है, विशेष रूप से गणित जैसे विषयों में, जहाँ विद्यार्थियों के पास व्यक्तिगत गतिविधियों के समूह हो सकते हैं, जिन्हें वे अक्सर स्वतंत्र रूप से पूरा करते हैं। हाल ही में, व्यक्तिगत गतिविधियों और प्रतिक्रिया को सुविधाजनक बनाने के लिए डिजिटल तकनीकों को नियोजित किया गया है।

94. हाइपोथैलेमिक-पिट्यूटरी हार्मोन अक्ष में परिवर्तन के परिणामस्वरूप उत्पन्न होने वाले कई अंतःस्रावी परिवर्तनों के साथ मोटापा जुड़ा हो सकता है। इनमें हाइपोथायरायडिज्म, कुशिंग रोग, हाइपोगोनाडिज्म और वृद्धि हार्मोन की कमी शामिल हैं। ऊर्जा भंडारण में अपनी भूमिका के अलावा, वसा ऊतक में कई अन्य महत्वपूर्ण कार्य होते हैं जिन्हें हार्मोन या पदार्थों के माध्यम से मध्यस्थता और एडिपोसाइट्स द्वारा जारी किया जा सकता है जिसमें लेप्टिन और एडिपोनेक्टिन शामिल होते हैं।

95. माता-पिता से अच्छे व्यवहार के जीवन मूल्यों और मानकों के सीखने को प्राथमिक समाजीकरण भी कहा जा सकता है। प्राथमिक समाजीकरण एक ऐसी प्रक्रिया है जो एक बच्चे को परिवार के समर्थन के माध्यम से सामाजिक बनने में मदद करती है। यह प्रारंभिक बचपन में होने वाली प्रक्रिया है। एक बच्चे को विभिन्न सांस्कृतिक और सामाजिक तत्वों से अवगत कराने में परिवार की भूमिका महत्वपूर्ण है। यह स्पष्ट है कि बच्चे का परिवार या अभिभावक के साथ लगाव है। इस तरह वह मानों, सामाजिक मानदंडों और अभ्यास आदि को सीखना आसान बनाता है।

टैल्कॉट पार्सन्स के सिद्धांत के अनुसार, एक बच्चे को सामाजिक बनाने में मदद करने के लिए एक परिवार दो प्रक्रिया करता है। वे हैं :

- समाज की संस्कृति का अंतर्राष्ट्रीयकरण
- व्यक्तित्व की संरचना

प्राथमिक समाजीकरण के चार एजेंट परिवार, स्कूल, सहकर्मी समूह और मीडिया हैं।

पिछले प्रश्न-पत्र (हल सहित)

UGC-NET जूनियर रिसर्च फैलोशिप तथा सहायक प्राध्यापक परीक्षा

शारीरिक शिक्षा, जुलाई–2018*

प्रश्न-पत्र–II

नोटः *इस प्रश्न-पत्र में* ***सौ (100)*** *बहु-विकल्पीय प्रश्न हैं। प्रत्येक प्रश्न के* ***दो (2)*** *अंक हैं।* ***सभी*** *प्रश्न अनिवार्य हैं।*

1. जिस व्यक्ति ने "खेल-कूद के माध्यम से शिक्षा, संस्कृति, विकास तथा शांति के क्षेत्र में महत्वपूर्ण उपलब्धि हासिल की है" उसे कौन-सा पुरस्कार दिया जाता है?

A. पीअरे द कूबरटिन मेडल

B. ओलम्पिक लारेल

C. ओलम्पिक आर्डर

D. ओलम्पिक कप

2. यह परिभाषा कि "खेल में विशुद्धतः क्रियाकलाप संबंधी आनन्द के लिये अनुक्रियाओं की पुनरावृत्ति होती है।" किसने दी है?

A. बेटेलहाइम B. पीगेट

C. गुथरी D. लेविन

3. उस रोग को चिन्हित कीजिए जिसे हाइपोकाइनेटिक रोग कहा जाता है :

A. एड्स B. डेंगू

C. सिरॉसिस ऑफ लीवर D. रह्यूमैटिक आर्थराइटिस

4. उस मांसपेशी प्रोटीन को पहचानिये जो थिक फिलामेन्ट का हिस्सा नहीं है :

A. मिओसिन B. सी-प्रोटीन

C. ट्रोपोमिओसिन D. एम-प्रोटीन

5. रेनॉल्ड्स संख्या वह संख्या है जिसका प्रयोग यह निर्धारण करने के लिए किया जा सकता है कि किसी वस्तु के चारों ओर प्रवाह अशांत या परतदार है या नहीं। यदि $U \rightarrow$ प्रक्षेपक की चाल है, $d \rightarrow$ गोला का व्यास है और $V \rightarrow$ माध्यम की श्यानता है, तो रेनॉल्ड्स संख्या की गणना किसके द्वारा होती है?

A. $Re = \frac{Ud}{V}$ B. $Re = \frac{Vd}{U}$

C. $Re = \frac{UV}{d}$ D. $Re = UdV$

6. दो बल जो मात्रा में समतुल्य हैं, परिभ्रमण की धुरी से किसी दूरी पर विरोधी दिशाओं में कार्य करते हैं और बिना किसी स्थानान्तरण के परिभ्रमण उत्पन्न करते हैं को कहा जाता है :

A. आवेग B. आवेग-युग्मन

C. बल-युग्मन D. प्रतिलोम गतिकी

7. नकारात्मक त्वरित अधिगम वक्र को यह भी कहा जाता है:

A. उत्तल वक्र B. अवतल-उत्तल वक्र

C. अवतल वक्र D. उत्तल-अवतल वक्र

8. प्रत्यक्षज्ञानात्मक शारीरिक क्रियात्मक सक्रियण में क्षण-क्षण परिवर्तनों को कहा जाता है :

A. विशेषता दुश्चिंता

B. संज्ञानात्मक स्थित दुश्चिंता

C. तनाव

D. कायिक स्थिति दुश्चिंता

9. शारीरिक शिक्षा में अध्यापन और अधिगम की पारिस्थितिकी .... समझने में सहायता करता है।

A. कार्य व्यवस्था के आयाम

B. अध्यापन प्रणाली विज्ञान

C. शिक्षक और छात्र की सामाजिक दक्षता

D. पर्यवेक्षण विधि

10. सभी रोगप्रतिकारक .... से निर्मित यौगिक हैं।

A. पॉलिपेप्टाइड कड़ी B. खनिज कॉर्टिकॉर्ड्स

C. ट्राइग्लिसराइड D. डाइसैकेराइड कड़ी

* Exam held on 08/07/2018

11. अभ्यास से एक घंटा पहले उपभोग की जानेवाली कार्बोहाइड्रेट की मात्रा है :

A. शरीर के प्रति किलो वजन पर 1 ग्राम कार्बोहाइड्रेट

B. शरीर के प्रति किलो वजन पर 2 ग्राम कार्बोहाइड्रेट

C. शरीर के प्रति किलो वजन पर 2.5 ग्राम कार्बोहाइड्रेट

D. शरीर के प्रति किलो वजन पर 3 ग्राम कार्बोहाइड्रेट

12. जब कोई प्रशिक्षु किसी संचलन का बार-बार अभ्यास करता है और कोच निरंतर पर्यवेक्षण करता है, सहायता करता है और त्रुटि सुधार करता है, तो इस विधि को कहा जाता है :

A. कार्य विधि B. प्रस्तुतीकरण विधि

C. सहयोग विधि D. अवलोकन विधि

13. खेलकूद प्रशिक्षण की कौन-सी विशेषता वैज्ञानिक अवलोकन, प्रयोग, विश्लेषण और संश्लेषण की प्रक्रिया को निर्दिष्ट करता है?

A. शैक्षिक प्रक्रिया

B. नियोजित और व्यवस्थित प्रक्रिया

C. पूर्णता की प्रक्रिया

D. वैज्ञानिक प्रक्रिया

14. गुणात्मक शोध अध्ययनों में सामान्यतः प्राक्कल्पना :

A. कभी प्रयोग नहीं किए जाते।

B. बहुधा सृजित किए जाते हैं क्योंकि आंकड़ों का संग्रहण, व्याख्या और विश्लेषण किया जाता है।

C. शोध अध्ययन पूरा होने के पश्चात् सदैव चुने जाते हैं।

D. अत्यन्त ही विशिष्ट होते हैं और अध्ययन प्रारम्भ करने से पहले बताए जाते हैं।

15. गुणात्मक शोध में प्रयुक्त एक प्रकार का प्रतिचयन जिसमें उन मामलों का चयन शामिल होता है जो शोधकर्ता की आशाओं और सामान्यीकरण की पुष्टि नहीं करते हैं को कहा जाता है :

A. अतिशय–मामला प्रतिचयन

B. नकारात्मक–मामला प्रतिचयन

C. आलोचनात्मक–मामला प्रतिचयन

D. लाक्षणिक–मामला प्रतिचयन

16. कौन-सा मूल्यांकन सभी छात्रों के बीच सीखने के उच्च स्तरों को बढ़ावा देता है तथा उन क्षेत्रों को इंगित करता है जहाँ और विकास तथा सीखने की आवश्यकता है?

A. रचनात्मक मूल्यांकन B. संकलित मूल्यांकन

C. विषयनिष्ठ मूल्यांकन D. वस्तुनिष्ठ मूल्यांकन

17. यदि हमें 50 मदों का परीक्षण करना है जिसका माध्य 30 और मानक विचलन 6 है, कुदर रिचर्डसन पद्धति का प्रयोग करते हुए परीक्षण की विश्वसनीयता क्या होगी?

A. 0.70 B. 0.82

C. 0.68 D. 0.78

18. पर्यवेक्षण का प्राथमिक ध्यान .... देखना होगा।

A. सीखने की स्थिति B. रिकॉर्डों का रख-रखाव

C. कार्यकलाप कार्यक्रम D. प्रतियोगिता कार्यक्रम

19. अंतःप्राचीर कार्यक्रम .... के लिए उत्कृष्ट आधार हैं।

A. छात्र मनोरंजन B. मूल अनुदेशात्मक कार्य

C. प्रतिभा पहचान D. कौशल विकास

20. "प्ले" सिद्धान्त हैं :

(*a*) विरेचन सिद्धान्त

(*b*) गुणरोपण सिद्धान्त

(*c*) मनोविश्लेषणात्मक सिद्धान्त

(*d*) सामाजिक अधिगम सिद्धान्त

कूट :

A. (*a*), (*c*) B. (*b*), (*d*)

C. (*a*), (*b*) D. (*c*), (*d*)

21. निम्नलिखित में से कौन **सही** है?

(*a*) पहला शीतकालीन ओलम्पिक खेलों का आयोजन वर्ष 1928 में चेमोनिक्स, फ्रांस में हुआ था।

(*b*) युवा ओलम्पिक की अवधारणा वर्ष 1998 में जोहान्न रोजनजोफ ने दी थी।

(*c*) पहला शीतकालीन युवा ओलम्पिक खेलों (विंटर यूथ ओलम्पिक) वर्ष 2012 में इन्सब्रक (आस्ट्रिया) में आयोजित किया गया था।

(*d*) प्रथम ग्रीष्मकालीन युवा ओलम्पिक खेलों का आयोजन वर्ष 2008 में सिंगापुर में हुआ था।

कूट :

A. (*a*), (*b*) और (*c*) B. (*b*) और (*c*)

C. (*a*), (*c*) और (*d*) D. (*a*), (*b*), (*c*) और (*d*)

22. निम्नलिखित में से थर्मोथिरैपी प्रतिविधियों की पहचान कीजिए :

(*a*) वाणिज्यिक जेल (*b*) हाइड्रोकोलेटर पैक्स

(*c*) अल्ट्रासाउन्ड (*d*) स्पन्दन

(*e*) टी.ई.एन.एस (*f*) डायाथर्मी

निम्नलिखित कूट से **सही** उत्तर का पता लगाइये :

A. (*a*), (*c*), (*e*)   B. (*b*), (*d*), (*f*)

C. (*a*), (*e*), (*f*)   D. (*b*), (*c*), (*f*)

23. किसी व्यक्ति का फुफ्फुसीय संवातन लिंग के निरपेक्ष .... पर निर्भर करता है।

(*a*) महत्वपूर्ण क्षमता   (*b*) ज्वारीय परिमाण

(*c*) हृदय गति   (*d*) श्वाँस गति

(*e*) आघात परिमाण

निम्नलिखित कूट से **सही** उत्तर का पता लगाइये :

A. (*a*), (*d*)   B. (*b*), (*d*)

C. (*c*), (*e*)   D. (*b*), (*c*)

24. निम्नलिखित में से कौन-से **सही** हैं?

(*a*) मानव शरीर में सियाटिक स्नायु सबसे बड़ी और लंबी स्नायु हैं।

(*b*) फीमर की पार्श्विक गति विपरीत दिशा के श्रोणि के पार्श्विक झुकाव के कारण सुविधाजनक होता है।

(*c*) हैम्स्ट्रिंग्स कूल्हा विस्तार और घुटना आंकुचन दोनों में सहायता करते हैं।

कूट :

A. (*a*) और (*b*) सही हैं।

B. (*b*) और (*c*) सही हैं।

C. (*a*) और (*c*) सही हैं।

D. (*a*), (*b*) और (*c*) सही हैं।

25. निम्नलिखित में से कौन-सा **सही** है?

(*a*) बल का संवेग वह बल है जो बल के कार्य की रेखा और परिभ्रमण की धुरी के बीच अभिलम्ब दूरी से गुणित होता है।

(*b*) ज्वाइंट एक्सेस के समीप ट्यूबरोसाइटीज और कॉन्डाइल्स मांसपेशी के उत्तोलक भुजाओं को कम करते हैं।

(*c*) ह्यूमेरस का कैपिटुलम और रेडियल ट्यूरोसिटी यांत्रिकी लाभ में वृद्धि करते हैं।

निम्नलिखित कूट से **सही** उत्तर का पता लगाइये :

A. (*a*) और (*b*) सही हैं।

B. (*b*) और (*c*) सही हैं।

C. (*a*) और (*c*) सही हैं।

D. (*a*), (*b*) और (*c*) सही हैं।

26. दुश्चिंता की स्थिति के व्यक्तिगत कारक हैं :

(*a*) संज्ञानात्मक मूल्यांकन

(*b*) प्रतियोगिता

(*c*) प्रत्याशा

(*d*) सामना कर सकने की शैली

कूट :

A. (*a*), (*b*), (*c*)   B. (*b*), (*c*), (*d*)

C. (*a*), (*c*), (*d*)   D. (*c*), (*d*), (*a*)

27. कैरन ने नेतृत्व प्रक्रिया की अवधारणा तैयार करने के लिए दो बुनियादी तरीकों की पहचान की है :

(*a*) सामाजिक प्रणाली   (*b*) प्रभाव प्रणाली

(*c*) शक्ति प्रणाली   (*d*) नेता का प्रादुर्भाव

कूट :

A. (*b*), (*c*)   B. (*a*), (*d*)

C. (*a*), (*b*)   D. (*c*), (*d*)

28. शारीरिक शिक्षा में अध्यापन/अधिगम को मुख्य रूप से तीन अन्तर्क्रियात्मक कार्य के रूप में देखा जा सकता है :

(*a*) छात्र-सामाजिक प्रणाली

(*b*) संगठनात्मक कार्य प्रणाली

(*c*) अनुदेशात्मक कार्य प्रणाली

(*d*) मूल्यांकन कार्य प्रणाली

कूट :

A. (*b*), (*d*), (*c*)   B. (*b*), (*c*), (*a*)

C. (*a*), (*b*), (*d*)   D. (*a*), (*d*), (*c*)

29. कार्बोहाइड्रेट भरण के लिए आवश्यक होती हैं :

(*a*) आहार में फेर-बदल   (*b*) कठिन अभ्यास

(*c*) निर्जलीकरण   (*d*) भुखमरी

(*e*) नियासिन ग्रहण

कूट :

A. (*a*), (*b*), (*c*)   B. (*b*), (*c*), (*e*)

C. (*b*), (*d*), (*e*)   D. (*a*), (*b*), (*d*)

30. निम्नलिखित में से जल में घुलनशील विटामिनों का पता लगाइये :

(*a*) विटामिन ए   (*b*) विटामिन बी

(*c*) विटामिन के   (*d*) विटामिन डी

(*e*) विटामिन सी

नीचे दिए गए कूट से **सही** उत्तर का पता लगाइये:

A. (*a*), (*b*), (*c*)   B. (*b*), (*e*)

C. (*b*), (*c*)   D. (*b*), (*d*), (*c*)

31. पहले रूपान्तरण के कारण होने वाले महत्वपूर्ण परिवर्तनों का **सही** संयोजन पता लगाइये :

(*a*) भुजा और पैर लंबे हो जाते हैं।
(*b*) बुनियादी गति परिष्कृत हो जाते हैं।
(*c*) अच्छे संवेगात्मक नियंत्रण का विकास होता है।
(*d*) ऊँचाई बढ़ती है।
(*e*) साधारण गतियों की संयोजन क्षमता अर्जित की जाती है।

कूट :
A. (*a*), (*b*), (*c*), (*e*) B. (*a*), (*b*), (*d*), (*e*)
C. (*b*), (*c*), (*d*), (*e*) D. (*a*), (*c*), (*d*), (*e*)

32. निम्नलिखित कूट में से रणनीतिक तैयारी के सिद्धान्तों का **सही** संयोजन पता लगाइये :
(*a*) रचनात्मक आत्म-प्रयास
(*b*) अपरिवर्तनीय रणनीतिक योजना का निर्माण
(*c*) मूल्यांकन और निर्धारण
(*d*) कार्य का अवलोकन और प्रत्यक्ष ज्ञान
(*e*) सिद्धान्त और व्यवहार की एकता

कूट :
A. (*a*), (*b*), (*c*), (*e*) B. (*a*), (*b*), (*c*), (*d*)
C. (*a*), (*c*), (*d*), (*e*) D. (*b*), (*c*), (*d*), (*e*)

33. केस स्टडी शोध डिजाइन के विशेष रूप से महत्वपूर्ण घटक हैं :
(*a*) अध्ययन के प्रश्न
(*b*) विश्लेषणात्मक सामान्यीकरण
(*c*) विश्लेषण की एक इकाई
(*d*) निष्कर्ष की व्याख्या के लिए मानदंड

कूट :
A. (*a*), (*b*) और (*c*) B. (*b*), (*c*) और (*d*)
C. (*c*), (*d*) और (*a*) D. (*d*), (*a*) और (*b*)

34. निम्नलिखित किस केस स्टडी डिजाइन में शोधकर्त्ता किसी विशेष केस की तुलना में कुछ अधिक सामान्य को समझने में अपनी प्रारम्भिक रुचि को केन्द्रित करता है?
(*a*) मूलभूत केस स्टडी (*b*) सहायक केस स्टडी
(*c*) सामूहिक केस स्टडी (*d*) भूतलक्षी केस स्टडी

कूट :
A. (*a*) और (*b*) B. (*b*) और (*c*)
C. (*c*) और (*d*) D. (*d*) और (*a*)

35. निम्न में से कौन-सा ज्ञान परीक्षण से संबंधित है?
(*a*) विभेद सूचकांक (*b*) कठिनाई रेटिंग
(*c*) सम्मिश्र अंक (*d*) प्रत्युत्तर गुणवत्ता

कूट :
A. (*a*), (*b*), (*c*) B. (*a*), (*c*), (*d*)
C. (*a*), (*b*), (*d*) D. (*a*), (*b*), (*c*), (*d*)

36. स्काट गामक योग्यता परीक्षण बैटरी-2 के मद कौन-से हैं?
(*a*) फर्राटा (डैश) (*b*) बास्केटबॉल फेंकना
(*c*) बाधा-दौड़ (*d*) दीवार पास
(*e*) लंबी कूद

कूट :
A. (*b*), (*c*), (*d*), (*e*) B. (*a*), (*b*), (*c*), (*e*)
C. (*b*), (*c*), (*e*) D. (*b*), (*c*), (*d*)

37. प्रबन्धन में संचार के तरीकों का **सही** संयोजन पता लगाइये :
(*a*) श्रव्य दृश्य संचार (*b*) इलैक्ट्रिक/वायर संचार
(*c*) अप्रत्यक्ष संचार (*d*) मौखिक संचार
(*e*) लिखित संचार

कूट :
A. (*d*), (*e*), (*a*), (*b*) B. (*a*), (*b*), (*c*), (*d*), (*e*)
C. (*e*), (*d*), (*c*), (*b*) D. (*b*), (*c*), (*d*), (*e*), (*a*)

38. निम्नलिखित कूट का प्रयोग करते हुए प्रबन्धन में निर्णय करने के **सही** संयोजन का पता लगाइये :
(*a*) निर्णय करने की आवश्यकता का निर्धारण
(*b*) सर्वोत्तम विकल्प का चयन
(*c*) लागू किए जाने वाले मानदंड स्थापित करना
(*d*) विकल्पों की सूची बनाना
(*e*) प्रत्येक मानदंड को प्राथमिकता प्रदान करना
(*f*) विकल्प को लागू करना और इसकी प्रभावकारिता का मूल्यांकन करना

कूट :
A. (*f*), (*d*), (*e*), (*c*), (*a*) और (*b*)
B. (*a*), (*c*), (*e*), (*d*), (*b*) और (*f*)
C. (*d*), (*e*), (*f*), (*c*), (*a*) और (*b*)
D. (*c*), (*d*), (*a*), (*e*), (*b*) और (*f*)

39. ओलम्पिक में शुरू किए गए निम्नलिखित महिला स्पर्धाओं को पहले से अंतिम के क्रम में व्यवस्थित कीजिए :
(*a*) साइक्लिंग (ट्रैक स्पर्धा) (*b*) बास्केटबॉल
(*c*) भारोत्तोलन (*d*) मुक्केबाजी

कूट :
A. (*a*), (*c*), (*b*), (*d*) B. (*b*), (*a*), (*c*), (*d*)
C. (*a*), (*b*), (*d*), (*c*) D. (*b*), (*c*), (*a*), (*d*)

40. नीचे दिये गये कूट में से **सही** क्रम को चुनिये :

(*a*) अध्रुवण (डिपोलाराइजेशन)

(*b*) एसिटाइल कोलिन की निर्युक्ति

(*c*) उद्दीपन (स्टिमुलस)

(*d*) एक्शन पोटेन्शियल

(*e*) स्पाइक पोटेन्शियल

कूट :

A. (*d*), (*c*), (*a*), (*e*), (*b*) B. (*c*), (*a*), (*d*), (*b*), (*e*)

C. (*c*), (*d*), (*a*), (*e*), (*b*) D. (*d*), (*a*), (*c*), (*b*), (*e*)

41. नीचे दिये गये कूट से **सही** क्रम को चुनिये :

(*a*) संपीडन (कम्प्रेशन) (*b*) स्थायीकरण

(*c*) बर्फ (*d*) विश्राम

(*e*) उन्नयन

कूट :

A. (*c*), (*a*), (*d*), (*b*), (*e*) B. (*d*), (*c*), (*a*), (*e*), (*b*)

C. (*c*), (*a*), (*e*), (*b*), (*d*) D. (*d*), (*a*), (*c*), (*e*), (*b*)

42. चलने के गेट चक्र में अवधियों का **सही** क्रम पता कीजिए :

(*a*) टर्मिनल स्विंग (*b*) प्री-स्विंग

(*c*) इनिशियल कांटैक्ट (*d*) इनिशियल स्विंग

(*e*) लोडिंग रिस्पांस (*f*) मिड स्टांस

(*g*) टर्मिनल स्टांस (*h*) मिड स्विंग

कूट :

A. (*c*), (*g*), (*f*), (*b*), (*d*), (*h*), (*e*), (*a*)

B. (*c*), (*e*), (*f*), (*g*), (*b*), (*d*), (*h*), (*a*)

C. (*c*), (*f*), (*e*), (*g*), (*b*), (*h*), (*d*), (*a*)

D. (*c*), (*g*), (*e*), (*f*), (*h*), (*d*), (*b*), (*a*)

43. यदि एक व्यक्ति शरीर रचना मुद्रा में खड़ा है तो विभिन्न जोड़ के निम्नलिखित सुस्पष्ट सतहों को शरीर में ऊपर से नीचे की ओर के क्रम में व्यवस्थित कीजिए :

(*a*) एसेटब्युलम

(*b*) ग्लेनोइड केविटी

(*c*) मिडियल और लैटेरल कॉन्डाइल

(*d*) ट्रॉचलियर नॉच

कूट :

A. (*a*), (*d*), (*b*), (*c*) B. (*b*), (*d*), (*a*), (*c*)

C. (*b*), (*a*), (*c*), (*d*) D. (*a*), (*b*), (*c*), (*d*)

44. नीचे दिए गए कूट में से सिद्धान्तों के **सही** कालक्रम को चुनिए :

(*a*) नेतृत्व का जीवन-चक्र सिद्धान्त

(*b*) आक्रमण का दो कारक सिद्धान्त

(*c*) प्रेरणा का आवश्यकता उपलब्धि सिद्धान्त

(*d*) दुश्चिंता का उत्क्रमण सिद्धान्त

कूट :

A. (*c*), (*d*), (*b*), (*a*) B. (*a*), (*b*), (*d*), (*c*)

C. (*b*), (*c*), (*a*), (*d*) D. (*d*), (*a*), (*c*), (*b*)

45. छात्रों के लिए महत्वपूर्ण परिणाम प्राप्त करने हेतु आदर्श पाठ्यक्रम के समुचित अवधारणा निर्माण की आवश्यकता होती है। निम्नलिखित को क्रमानुसार व्यवस्थित कीजिए :

(*a*) अनुदेशात्मक व्यवहारों के लक्ष्य परिभाषित करना।

(*b*) मूल्यांकन करना कि किस तरह अनुदेशात्मक व्यवहार और संगठनात्मक दशाएँ परिणाम प्राप्त करने में सहायक/बाधक हो सकती हैं।

(*c*) एक स्पष्ट कार्यक्रम दृष्टि का विकास करना।

(*d*) पाठ्यक्रम योजना का विकास करना।

कूट :

A. (*c*), (*a*), (*b*), (*d*) B. (*a*), (*b*), (*c*), (*d*)

C. (*b*), (*d*), (*a*), (*c*) D. (*b*), (*c*), (*d*), (*a*)

46. निम्नलिखित कूट में से लोक स्वास्थ्य के चार विशिष्ट चरणों का सही कालक्रमिक क्रम पता लगाइये :

(*a*) सामाजिक इंजीनियरिंग चरण

(*b*) रोग नियंत्रण चरण

(*c*) सबके लिए स्वास्थ्य चरण

(*d*) स्वास्थ्य संवर्धनात्मक चरण

कूट :

A. (*b*), (*d*), (*a*), (*c*) B. (*d*), (*b*), (*a*), (*c*)

C. (*c*), (*b*), (*d*), (*a*) D. (*a*), (*b*), (*d*), (*c*)

47. स्कूल स्वास्थ्य कार्यक्रमों के उद्देश्यों को सही क्रम में व्यवस्थित करिये और निम्नलिखित कूट में से सही उत्तर चुनिये :

(*a*) रोग से बचाव।

(*b*) शीघ्र निरूपण और उपचार।

(*c*) विद्यार्थियों और कर्मचारियों में स्वास्थ्य चेतना जाग्रत करना।

(*d*) स्वास्थ्यप्रद विद्यालय वातावरण की व्यवस्था।

कूट :

A. (*d*), (*b*), (*c*), (*a*) B. (*d*), (*c*), (*a*), (*b*)

C. (*a*), (*d*), (*b*), (*c*) D. (*c*), (*d*), (*a*), (*b*)

48. वार्षिक योजना तैयार करने के लिए चरणों का **सही** क्रम पता लगाइये :

(*a*) लक्ष्य और उपलक्ष्य का निर्धारण

(*b*) अवधियों और मध्य-चक्रों का निर्धारण

(*c*) भार गतिकी और सूचकांकों का निर्धारण

(*d*) प्रदर्शन पूर्वानुमान और प्रदर्शन संरचना का निर्धारण

(*e*) परीक्षणों, नियंत्रणों, प्रतियोगिताओं की तिथियों का निर्धारण

कूट :

A. (*a*), (*d*), (*c*), (*b*), (*e*) B. (*d*), (*a*), (*b*), (*e*), (*c*)

C. (*a*), (*b*), (*c*), (*d*), (*e*) D. (*e*), (*a*), (*c*), (*b*), (*d*)

49. नीचे दिए गए कूट में से **सही** क्रम को चुनिए :

(*a*) अपवाही प्रक्रिया

(*b*) संबंधित मांसपेशियों की क्रिया

(*c*) संचलन कार्यक्रम का निर्माण

(*d*) संचलन का क्रियान्वयन आरम्भ होता है

(*e*) अभिवाही प्रक्रिया

कूट :

A. (*a*), (*c*), (*b*), (*e*), (*d*) B. (*c*), (*a*), (*b*), (*d*), (*e*)

C. (*b*), (*c*), (*d*), (*e*), (*a*) D. (*c*), (*b*), (*d*), (*e*), (*a*)

50. निम्नलिखित कूट में से ऊपर से नीचे दिए गए मानवमिति चिन्हों को व्यवस्थित कीजिए जब एक शरीर रचना के अनुरूप स्थिति में खड़ा है?

(*a*) स्टाइलॉइड प्रोसेस (*b*) ट्रेजिऑन

(*c*) मिडियल मैलिओलस (*d*) जिफोइड प्रोसेस

कूट :

A. (*d*), (*b*), (*c*), (*a*) B. (*d*), (*b*), (*a*), (*c*)

C. (*b*), (*d*), (*c*), (*a*) D. (*b*), (*d*), (*a*), (*c*)

51. निम्नलिखित कूट का प्रयोग करते हुए उपकरणों का ध्यान रखने तथा उनके अनुरक्षण के घटकों को क्रमानुसार व्यवस्थित कीजिए :

(*a*) जाँच (*b*) सफाई

(*c*) गिनती (*d*) मरम्मत

(*e*) धूल झाड़ना

कूट :

A. (*b*), (*c*), (*d*), (*a*) और (*e*)

B. (*a*), (*b*), (*c*), (*d*) और (*e*)

C. (*a*), (*c*), (*e*), (*b*) और (*d*)

D. (*c*), (*d*), (*e*), (*a*) और (*b*)

52. प्रभावी बजट निर्माण के सिद्धान्तों को क्रमानुसार व्यवस्थित कीजिए :

(*a*) पहले तैयार रहें।

(*b*) लचीला बनें।

(*c*) यथार्थवादी बनें।

(*d*) सहज समझने योग्य हों।

(*e*) कार्यक्रमों उद्देश्यों पर आधारित हों।

कूट :

A. (*e*), (*c*), (*b*), (*a*), (*d*) B. (*d*), (*c*), (*a*), (*b*), (*e*)

C. (*b*), (*c*), (*d*), (*e*), (*a*) D. (*a*), (*b*), (*c*), (*e*), (*d*)

53. मापन व मूल्यांकन के उद्देश्य कौन-से हैं?

(*a*) पूर्वानुमान (*b*) अभिप्रेरणा

(*c*) उपलब्धि (*d*) निदान

कूट :

A. (*a*), (*b*), (*c*) B. (*a*), (*c*), (*d*)

C. (*b*), (*c*), (*d*) D. (*a*), (*b*), (*c*), (*d*)

54. संज्ञानात्मक क्षेत्र में सरल से जटिल की ओर नीचे दिये गये कूट में से श्रेणीक्रम में व्यवस्थित कीजिये :

(*a*) संश्लेषण (*b*) विश्लेषण

(*c*) ज्ञान (*d*) मूल्यांकन

(*e*) अनुप्रयोग (*f*) बोध

कूट :

A. (*c*), (*f*), (*e*), (*a*), (*b*), (*d*)

B. (*c*), (*f*), (*b*), (*e*), (*a*), (*d*)

C. (*c*), (*f*), (*e*), (*b*), (*a*), (*d*)

D. (*c*), (*f*), (*b*), (*a*), (*e*), (*d*)

55. नीचे दो कथन दिए गए हैं, एक को **अभिकथन (A)** है और दूसरे को **तर्क (R)** कहा गया है :

अभिकथन (A) : अभिविन्यास को न तो बहुत दीर्घ और न ही बहुत लघु होना चाहिए अपितु 'पर्याप्त' होना चाहिए।

तर्क (R) : अध्यापन तकनीक अभिविन्यास स्प्रिंट दौड़ में एक "गेट सेट" की स्थिति होती है।

उपरोक्त कथनों के संदर्भ में निम्नलिखित में से कौन-सा सही है?

A. (A) और (R) दोनों सही हैं और (R), (A) का सही स्पष्टीकरण है।

B. (A) और (R) दोनों सही हैं, परंतु (R), (A) का सही स्पष्टीकरण नहीं है।

C. (A) सही है, परंतु (R) गलत है।

D. (A) गलत है, परंतु (R) सही है।

56. नीचे दो कथन दिए गए हैं, एक को **अभिकथन (A)** है और दूसरे को **तर्क (R)** कहा गया है।

अभिकथन (A) : 100 मीटर में झुकी हुई स्थिति, मांसपेशी की बल-लंबाई संबंध और बढ़े हुए जोड़ संचलन के कारण मांसपेशीय ऊर्जा आवश्यकता की दृष्टि से अवस्था अधिक खर्चीली होती है किंतु जैव यांत्रिकी दृष्टि से यह लाभप्रद है।

तर्क (R) : चालक बल की दिशा में आधार के आकार में वृद्धि संतुलन को बढ़ा देता है।

उपर्युक्त कथनों के संदर्भ में निम्नलिखित में से कौन-सा **सही** है?

A. (A) एवं (R) दोनों सही हैं और (R), (A) की सही व्याख्या है।
B. (A) एवं (R) दोनों सही हैं, लेकिन (R), (A) की सही व्याख्या नहीं है।
C. (A) सही है, लेकिन (R) गलत है।
D. (A) गलत है, लेकिन (R) सही है।

57. नीचे दो कथन दिए गए हैं, एक **अभिकथन (A)** है और दूसरा **तर्क (R)** है :

अभिकथन (A) : किसी भी परीक्षण कार्यक्रम की सफलता के लिए छात्रों का परीक्षणों के प्रति दृष्टिकोण अत्यन्त महत्वपूर्ण होता है।

तर्क (R) : शारीरिक शिक्षक को उन सकारात्मक प्रेरक गुणों का लाभ उठाना चाहिए जो सामान्यतया शारीरिक प्रदर्शन परीक्षणों में अंतर्निहित होते हैं।

उपर्युक्त कथनों के संदर्भ में निम्नलिखित में से कौन-सा **सही** है?

A. (A) एवं (R) दोनों सही हैं और (R), (A) की सही व्याख्या है।
B. (A) एवं (R) दोनों सही हैं, लेकिन (R), (A) की सही व्याख्या नहीं है।
C. (A) सही है, लेकिन (R) गलत है।
D. (A) गलत है, लेकिन (R) सही है।

58. नीचे दो कथन दिए गए हैं, एक को **अभिकथन (A)** है और दूसरे को **तर्क (R)** कहा गया है :

अभिकथन (A) : प्रबन्धन चीजों को सम्पन्न करने या पूरा करने की प्रक्रिया है।

तर्क (R) : मनुष्य के साथ निपटने का विलक्षण तरीका मानव अभियांत्रिकों की कला है।

उपर्युक्त कथनों के संदर्भ में निम्नलिखित में से कौन-सा **सही** है?

A. (A) और (R) दोनों सही हैं और (R), (A) का सही स्पष्टीकरण है।
B. (A) और (R) दोनों सही हैं, परंतु (R), (A) का सही स्पष्टीकरण नहीं है।
C. (A) सही है, परंतु (R) गलत है।
D. (A) गलत है, परंतु (R) सही है।

59. नीचे दो कथन दिए गए हैं, एक **अभिकथन (A)** है और दूसरा **तर्क (R)** है :

अभिकथन (A) : शारीरिक स्वस्थता परीक्षणों की वैधता प्रदर्शन मानदण्ड के रूप में बैटरी में सभी परीक्षण मदों के संयुक्त अंकों को प्रयुक्त कर निर्धारित की जाती है।

तर्क (R) : वैधता स्थापित करते हुए परीक्षण मदों को भी दोहरीकरण विलोपित करने के लिए सहसंबंधित करना चाहिए।

उपर्युक्त कथनों के संदर्भ में निम्नलिखित में से कौन-सा **सही** है?

A. (A) एवं (R) दोनों सही हैं और (R), (A) की सही व्याख्या है।
B. (A) एवं (R) दोनों सही हैं, लेकिन (R), (A) की सही व्याख्या नहीं है।
C. (A) सही है, लेकिम (R) गलत है।
D. (A) गलत है, लेकिन (R) सही है।

60. नीचे दो कथन दिए गए हैं, एक **अभिकथन (A)** है और दूसरा **तर्क (R)** है :

अभिकथन (A) : जब एक परीक्षक की अनेक परीक्षणों की विश्वसनीयता प्राप्त करने या दो से अधिक निर्णयकों के साथ परीक्षण की वस्तुनिष्ठता में रुचि है, प्रसरण विश्लेषण द्वारा अंतर-श्रेणी सहसंबंध गुणांक का प्रयोग किया जाता है।

तर्क (R) : प्रोडक्ट मोमेंट सहसंबंध अनेक परीक्षणों पर परिवर्तिता के विभिन्न स्रोतों की सम्पूर्ण परीक्षण के माध्यम से अनुमति नहीं देता है।

उपर्युक्त कथनों के संदर्भ में निम्नलिखित में से कौन-सा **सही** है?

A. (A) एवं (R) दोनों सही हैं और (R), (A) की सही व्याख्या है।

B. (A) एवं (R) दोनों सही हैं, लेकिन (R), (A) की सही व्याख्या नहीं है।

C. (A) सही है, लेकिन (R) गलत है।

D. (A) गलत है, लेकिन (R) सही है।

61. नीचे दो कथन दिए गए हैं, एक को **अभिकथन (A)** है और दूसरे को **तर्क (R)** कहा गया है :

अभिकथन (A) : अनुप्रयुक्त शोध में समस्याएं मुद्दों की दिशा में होना चाहिए जो अंततः प्रैक्टिस करने वालों के लिए उपयोगी सिद्ध होता है।

तर्क (R) : वैज्ञानिकों को जो वे अवलोकन करते हैं के प्रभावों को ही नहीं देखना चाहिए अपितु उनके मूल कारणों का पता लगाने का प्रयत्न भी करना चाहिए।

उपर्युक्त कथनों के संदर्भ में निम्नलिखित में से कौन-सा **सही** है?

A. (A) और (R) दोनों सही हैं और (R), (A) का सही स्पष्टीकरण है।

B. (A) और (R) दोनों सही हैं, परंतु (R), (A) का सही स्पष्टीकरण नहीं है।

C. (A) सही है, परंतु (R) गलत है।

D. (A) गलत है, परंतु (R) सही है।

62. नीचे दो कथन दिए गए हैं, एक को **अभिकथन (A)** है और दूसरे को **तर्क (R)** कहा गया है :

अभिकथन (A) : कुछ इतिहासकार सिद्धान्तों को उनके साक्ष्य की तुलना में जाँच भी करते हैं और सामान्यीकरण के आधार के रूप में सिद्धान्त का प्रयोग करते हैं।

तर्क (R) : सामान्यीकरण बृहत् सांश्लेषित कथन हैं जो कई साक्ष्यों के इतिहासकार के भाव को प्रस्तुत करता है।

उपर्युक्त कथनों के संदर्भ में निम्नलिखित में से कौन-सा **सही** है?

A. (A) और (R) दोनों सही हैं और (R), (A) का सही स्पष्टीकरण है।

B. (A) और (R) दोनों सही हैं, परंतु (R), (A) का सही स्पष्टीकरण नहीं है।

C. (A) सही है, परंतु (R) गलत है।

D. (A) गलत है, परंतु (R) सही है।

63. नीचे दो कथन दिए गए हैं, एक को **अभिकथन (A)** है और दूसरे को **तर्क (R)** कहा गया है।

अभिकथन (A) : प्रशिक्षण की विभिन्न अवस्थाओं के लिए मांग रूपरेखा का निर्धारण प्रदर्शन क्षमता और प्रदर्शन संरचना के आधार पर होना चाहिए।

तर्क (R) : माँग रूपरेखा सर्वाधिक प्रभावशाली साधन हैं जो प्रतिभा की पहचान करने तथा इसके विकास के लिए आधार के रूप में काम करती हैं।

उपर्युक्त कथनों के संदर्भ में निम्नलिखित में से कौन-सा **सही** है?

A. (A) एवं (R) दोनों सही हैं और (R), (A) की सही व्याख्या है।

B. (A) एवं (R) दोनों सही हैं, लेकिन (R), (A) की सही व्याख्या नहीं है।

C. (A) सही है, लेकिन (R) गलत है।

D. (A) गलत है, लेकिन (R) सही है।

64. नीचे दो कथन दिए गए हैं, एक को **अभिकथन (A)** और दूसरे को **तर्क (R)** कहा गया है।

अभिकथन (A) : मोटर क्षमता या कौशल में जितनी स्थिर वृद्धि होगी, इसके गिरावट की गति उतनी ही धीमी होगी, प्रशिक्षण के अभाव में।

तर्क (R) : प्रशिक्षण के दीर्घ अंतराल और परिवर्ती अवधियां मोटर क्षमता या कौशल में धीमी गिरावट के लिए लाभकारी सिद्ध हुई हैं।

उपर्युक्त कथनों के संदर्भ में निम्नलिखित में से कौन-सा **सही** है?

A. (A) एवं (R) दोनों सही हैं और (R), (A) की सही व्याख्या है।

B. (A) एवं (R) दोनों सही हैं, परंतु (R), (A) की सही व्याख्या नहीं है।

C. (A) सही है, लेकिन (R) गलत है।

D. (A) गलत है, लेकिन (R) सही है।

65. नीचे दो कथन दिए गए हैं, एक को **अभिकथन (A)** है और दूसरे को **तर्क (R)** कहा गया है।

अभिकथन (A) : किसी व्यक्ति में रोगप्रतिरक्षा उसके ह्यूमरल और सेल्युलर प्रतिक्रिया पर निर्भर करता है।

तर्क (R) : उत्पन्न रोग प्रतिरक्षा, रोग के प्रकार पर निर्भर अलग-अलग समयावधि के लिए सामान्य होता है।

उपर्युक्त कथनों के संदर्भ में निम्नलिखित में से कौन-सा **सही** है?

A. (A) एवं (R) दोनों सही हैं और (R), (A) की सही व्याख्या है।
B. (A) एवं (R) दोनों सही हैं, लेकिन (R), (A) की सही व्याख्या नहीं है।
C. (A) सही है, लेकिन (R) गलत है।
D. (A) गलत है, लेकिन (R) सही है।

66. नीचे दो कथन दिए गए हैं, एक को **अभिकथन (A)** और दूसरे को **तर्क (R)** कहा गया है।

अभिकथन (A) : किसी समुदाय में वर्तमान मृत्यु दर के सापेक्ष समुदाय के स्वास्थ्य का वर्णन पूर्णता न्यायोचित है।

तर्क (R) : जनसंख्या में मृत्यु की संख्या कम करना स्वास्थ्यचर्या कार्यक्रम का स्पष्ट लक्ष्य है और ऐसा करने में सफलता या विफलता बेहतर स्वास्थ्य के प्रति राष्ट्र की प्रतिबद्धता का पैमाना है।

उपर्युक्त कथनों के संदर्भ में निम्नलिखित में से कौन-सा **सही** है?

A. (A) एवं (R) दोनों सही हैं और (R), (A) की सही व्याख्या है।
B. (A) एवं (R) दोनों सही हैं, लेकिन (R), (A) की सही व्याख्या नहीं है।
C. (A) सही है, लेकिन (R) गलत है।
D. (A) गलत है, लेकिन (R) सही है।

67. नीचे दो कथन दिए गए हैं, एक को **अभिकथन (A)** है और दूसरे को **तर्क (R)** कहा गया है :

अभिकथन (A) : शारीरिक शिक्षा कार्यक्रम जो किन्डरगार्टन बालकों के लिए संपूर्ण हो का ढांचा बनाना कठिन होता है।

तर्क (R) : बालकों और बालिकाओं की परिपक्वता में भिन्नता और अनेक अन्य अंतर के कारण अपेक्षित होता है कि पाठ्यक्रम छात्रों को आनंद उठाने के लिए विभिन्न प्रकार के अनुभव प्रदान करें।

उपर्युक्त कथनों के संदर्भ में निम्नलिखित में से कौन-सा **सही** है?

A. (A) और (R) दोनों सही हैं और (R), (A) का सही स्पष्टीकरण है।
B. (A) और (R) दोनों सही हैं, परंतु (R), (A) का सही स्पष्टीकरण नहीं है।
C. (A) सही है, परंतु (R) गलत है।
D. (A) गलत है, परंतु (R) सही है।

68. नीचे दो कथन दिए गए हैं, एक को **अभिकथन (A)** है और दूसरे को **तर्क (R)** कहा गया है :

अभिकथन (A) : पाठ्यक्रम शैक्षणिक और पेशेवर दर्शनों को कार्यान्वित करने का साधन है।

तर्क (R) : इसका व्यापक परिप्रेक्ष्य होता है जिसमें आवश्यक और सहायक तत्व शामिल होते हैं जिनका लक्ष्य शैक्षणिक तथा पेशेवर उद्देश्यों के सार्थक नयाचार को बनाए रखना होता है।

उपर्युक्त कथनों के संदर्भ में निम्नलिखित में से कौन-सा **सही** है?

A. (A) और (R) दोनों सही हैं और (R), (A) का सही स्पष्टीकरण है।
B. (A) और (R) दोनों सही हैं, परंतु (R), (A) का सही स्पष्टीकरण नहीं है।
C. (A) सही है, परंतु (R) गलत है।
D. (A) गलत है, परंतु (R) सही है।

69. नीचे दो कथन दिए गए हैं, एक को **अभिकथन (A)** और दूसरे को **तर्क (R)** कहा गया है।

अभिकथन (A) : सूचना संसाधन में उत्प्रेरक की पहचान करना मुख्य रूप से संवेदी अवस्था है जो विभिन्न स्रोतों से जोड़ी गई पर्यावरणीय सूचना का विश्लेषण करता है।

तर्क (R) : यह अवस्था उत्प्रेरक की पहचान करने से प्रारम्भ होता है जो पर्यावरणीय उत्प्रेरकों के प्रकृति के बारे में सूचना प्रदान करता है कि कौन-सा कदम उठाना है।

उपर्युक्त कथनों के संदर्भ में निम्नलिखित में से कौन-सा **सही** है?

A. (A) एवं (R) दोनों सही हैं और (R), (A) की सही व्याख्या है।
B. (A) एवं (R) दोनों सही हैं, लेकिन (R), (A) की सही व्याख्या नहीं है।
C. (A) सही है, लेकिन (R) गलत है।
D. (A) गलत है, लेकिन (R) सही है।

70. नीचे दो कथन दिए गए हैं, एक को **अभिकथन (A)** है और दूसरे को **तर्क (R)** कहा गया है :

अभिकथन (A) : व्यक्तिगत लक्षण और परिस्थितिजन्य कारक व्यवहार को प्रभावित करने के लिए विचित्र तरीके से एक-दूसरे के साथ अन्तर्क्रिया करते हैं या मिल जाते हैं।

तर्क (R) : एक व्यक्ति का व्यवहार पर्यावरणीय प्रभावों तथा सामाजिक पुनर्बलन के द्वारा निर्धारित होता है।

उपर्युक्त कथनों के संदर्भ में निम्नलिखित में से कौन-सा **सही** है?

A. (A) और (R) दोनों सही हैं और (R), (A) का सही स्पष्टीकरण है।

B. (A) और (R) दोनों सही हैं, परंतु (R), (A) का सही स्पष्टीकरण नहीं है।

C. (A) सही है, परंतु (R) गलत है।

D. (A) गलत है, परंतु (R) सही है।

71. नीचे दो कथन दिए गए हैं, एक को **अभिकथन (A)** है और दूसरे को **तर्क (R)** कहा गया है :

अभिकथन (A) : गोल्फ में एक ड्राइव शॉट गड्ढ़ा वाले गोल्फ गेंद को सरलता से 250 गज तक पहुँचा सकता है जबकि बिना गड्ढ़ा वाला गोल्फ गेंद उसी ड्राइव शॉट से लगभग 100 गज तक पहुँचा पाता है।

तर्क (R) : गोल्फ के गेंद में गड्ढ़ा अत्यन्त ही प्रभावी 'ट्रिप वायर' के रूप में काम करता है जिसके परिणामस्वरूप परतदार प्रवाह का जल्दी अलगाव होता है और घटा हुआ तलघर्षण गोल्फ गेंद को समान प्रयास से ही अधिक दूरी तय करने देता है।

उपर्युक्त कथनों के संदर्भ में निम्नलिखित में से कौन-सा **सही** है?

A. (A) एवं (R) दोनों सही हैं और (R), (A) की सही व्याख्या है।

B. (A) एवं (R) दोनों सही हैं, लेकिन (R), (A) की सही व्याख्या नहीं है।

C. (A) सही है, लेकिन (R) गलत है।

D. (A) गलत है, लेकिन (R) सही है।

72. नीचे दो कथन दिए गए हैं, एक को **अभिकथन (A)** है और दूसरे को **तर्क (R)** कहा गया है।

अभिकथन (A) : जब कोई किसी बृहद् भार को खींच रहा है या धकेल रहा है तो यदि वह बड़े कदमों की अपेक्षा छोटे कदम उठाता है तो लगाए गए बल में कम उतार-चढ़ाव होगा।

तर्क (R) : यदि बड़े कदम उठाए जाते हैं ΣF_{FF} में अधिक परिवर्तन के कारण ΣF_C में बड़ा परिवर्तन होगा जिसके परिणामस्वरूप भार में त्वरण और वित्वरण होगा।

उपर्युक्त कथनों के संदर्भ में निम्नलिखित में से कौन-सा **सही** है?

A. (A) एवं (R) दोनों सही हैं और (R), (A) की सही व्याख्या है।

B. (A) एवं (R) दोनों सही हैं, लेकिन (R), (A) की सही व्याख्या नहीं है।

C. (A) सही है, लेकिन (R) गलत है।

D. (A) गलत है, लेकिन (R) सही है।

73. नीचे दो कथन दिए गए हैं, एक को **अभिकथन (A)** है और दूसरे को **तर्क (R)** कहा गया है।

अभिकथन (A) : 2000 मी. या अधिक की तुंगता पर हाइपरवेंटिलेशन तथा तुंगता के कारण बढ़ी हुई कार्डियोवस्कुलर क्रिया से क्षमता प्रदर्शन में अधिक कमी आती है।

तर्क (R) : तुंगता अल्पकालिक (एनोरोबिक) स्प्रिंट और शक्ति प्रदर्शन पर प्रतिकूल प्रभाव नहीं डालता है जो उच्च-ऊर्जा फॉस्फेट तथा ग्लाइकोलिटिक प्रतिक्रिया पर निर्भर करता है।

उपर्युक्त कथनों के संदर्भ में निम्नलिखित में से कौन-सा **सही** है?

A. (A) एवं (R) दोनों सही हैं और (R), (A) की सही व्याख्या है।

B. (A) एवं (R) दोनों सही हैं, लेकिन (R), (A) की सही व्याख्या नहीं है।

C. (A) सही है, लेकिन (R) गलत है।

D. (A) गलत है, लेकिन (R) सही है।

74. नीचे दो कथन दिए गए हैं, एक को **अभिकथन (A)** है और दूसरे को **तर्क (R)** कहा गया है।

अभिकथन (A) : ऊर्जा व्यय का मापन अथवा अनुमान अभ्यास शरीरक्रिया विज्ञानी को किसी क्रियाकलाप के शरीरक्रियात्मक लागत के निर्धारण की अनुमति देता है और यह निष्पादक कार्य के ऑक्सीजन लागत के द्वारा मापा जाता है।

तर्क (R) : मेटाबोलिक (एम ई टी) समतुल्य ऊर्जा व्यय अभिव्यक्त करने की जेनरिक पद्धति है। एक एम ई टी विश्राम में ऑक्सीजन खपत के समतुल्य है।

उपर्युक्त कथनों के संदर्भ में निम्नलिखित में से कौन-सा **सही** है?

A. (A) एवं (R) दोनों सही हैं और (R), (A) की सही व्याख्या है।
B. (A) एवं (R) दोनों सही हैं, लेकिन (R), (A) की सही व्याख्या नहीं है।
C. (A) सही है, लेकिन (R) गलत है।
D. (A) गलत है, लेकिन (R) सही है।

75. नीचे दो कथन दिए गए हैं, एक को **अभिकथन (A)** है और दूसरे को **तर्क (R)** कहा गया है :

अभिकथन (A) : अस्तित्ववाद परम्परागत दर्शनों के विरुद्ध अधिक प्रतिक्रियास्वरूप है जो तात्विक सिद्धान्तों में सर्वोच्च व्यवस्था तथा शाश्वत अर्थ की खोज करने की मांग करता है।

तर्क (R) : अस्तित्ववाद में मानव जीवन में अपने अर्थ की स्वयं परिभाषा करता है और अतर्कसंगत ब्रह्माण्ड में विद्यमान होने के बावजूद तर्कसंगत निर्णय करने का प्रयास करता है।

उपर्युक्त कथनों के संदर्भ में निम्नलिखित में से कौन-सा **सही** है?

A. (A) और (R) दोनों सही हैं और (R), (A) का सही स्पष्टीकरण है।
B. (A) और (R) दोनों सही हैं, परंतु (R), (A) का सही स्पष्टीकरण नहीं है।
C. (A) सही है, परंतु (R) गलत है।
D. (A) गलत है, परंतु (R) सही है।

76. नीचे दो कथन दिए गए हैं, एक को **अभिकथन (A)** है और दूसरे को **तर्क (R)** कहा गया है :

अभिकथन (A) : किशोरावस्था तीव्र विकास और विसंगत परिवर्तन का समय होता है जो भिन्न-भिन्न किशोरों में भिन्न-भिन्न होता है।

तर्क (R) : किशोर प्रिफ्रंटल कोर्टेक्स जो विकास के लिए उत्तरदायी होता है पूरी तरह से विकसित नहीं होता है।

उपर्युक्त कथनों के संदर्भ में निम्नलिखित में से कौन-सा **सही** है?

A. (A) और (R) दोनों सही हैं और (R), (A) का सही स्पष्टीकरण है।
B. (A) और (R) दोनों सही हैं, परंतु (R), (A) का सही स्पष्टीकरण नहीं है।
C. (A) सही है, परंतु (R) गलत है।
D. (A) गलत है, परंतु (R) सही है।

77. सूची-I को सूची-II से सुमेलित कीजिए और नीचे दिए गए कूट में से सही विकल्प चुनिए :

सूची-I	**सूची-II**
(*a*) मनोदशा प्रोफाइल	(*i*) स्पीलबर्ग गोर्सच और लूशेन
(*b*) खेल संबद्धता	(*ii*) स्मिथ, शूट्ज, स्मॉल और प्लेसेक
(*c*) स्थिति-लक्षण दुश्चिंता सूची	(*iii*) लान्डर और लूश्चेन
(*d*) एथलेटिक सामना करने की कौशल सूची-28	(*iv*) मैक्सलेयर लॉर और ड्रॉपलमैन

कूट :

	(*a*)	(*b*)	(*c*)	(*d*)
A.	(*iv*)	(*iii*)	(*i*)	(*ii*)
B.	(*iii*)	(*i*)	(*ii*)	(*iv*)
C.	(*i*)	(*iv*)	(*iii*)	(*ii*)
D.	(*ii*)	(*i*)	(*iv*)	(*iii*)

78. सूची-I को सूची-II से सुमेलित कीजिए और नीचे दिए गए कूट में से सही विकल्प चुनिए :

सूची-I	**सूची-II**
(*a*) स्वतःसाधक भविष्योकित	(*i*) अपने पर्यावरण की व्याख्या करके अनुभव के माध्यम से स्वनिर्माण का प्रत्यक्ष ज्ञान
(*b*) आत्म-सम्मान	(*ii*) आपके अनुभव, चिन्तन और भावनाओं के कुल योग को प्रतिबिम्बित करता है।
(*c*) आत्म बिम्ब	(*iii*) कुछ होने की आशा करना जो वास्तव में इसके होने में सहायता करता है
(*d*) आत्म धारणा	(*iv*) स्वयं में गर्व का अनुभव करना जिसमें वह अपनी अपूर्णता के प्रति सजग होता है तथा उसे स्वीकार करता है जो उसकी अतर्निहित शक्तियों तथा सकारात्मक गुणों को संजोए रखता है।

कूट :

	(a)	(b)	(c)	(d)
A.	(ii)	(i)	(iii)	(iv)
B.	(i)	(iii)	(iv)	(ii)
C.	(iii)	(iv)	(ii)	(i)
D.	(iv)	(ii)	(i)	(iii)

79. सूची-I को सूची-II से सुमेलित कीजिए और नीचे दिए गए कूट में से सही विकल्प चुनिए :

सूची-I (खिलाड़ी)	सूची-II (उच्च स्तरीय खेल प्रदर्शन के लिए वांछनीय आसन)
(a) स्प्रिंटर्स	(i) एन्टीरियर पेल्विक टिल्ट और लार्डोसिस
(b) महिला जिम्नास्ट	(ii) राउन्डेड बैक
(c) रैकेट स्पोर्ट्स	(iii) एंटीरियर पेल्विक टिल्ट और प्रोट्रूडिंग बटक्स
(d) रोईंग और कैनोसिंग	(iv) इनवर्टेड फीट

कूट :

	(a)	(b)	(c)	(d)
A.	(i)	(iii)	(iv)	(ii)
B.	(iv)	(iii)	(ii)	(i)
C.	(iii)	(i)	(iv)	(ii)
D.	(i)	(ii)	(iii)	(iv)

80. सूची-I को सूची-II से सुमेलित कीजिए और नीचे दिए गए कूट में से सही विकल्प चुनिए :

सूची-I (मांसपेशी)	सूची-II (समीपस्थ संयोजन)
(a) रेक्टस फेमोरिस	(i) एन्टीरियर सुपीरियर इलियक स्पाइन
(b) सार्टोरियस	(ii) लैटेरल इस्वियल फ्यूबरोसिटी
(c) बाइसेप्स फेमोरिस (लांग हेड)	(iii) मेडियल इस्वियल ट्यूबरोसिटी
(d) सेमीटेन्डीनोसस	(iv) एन्टीरियर इन्फीरियर इलियक स्पाइन

कूट :

	(a)	(b)	(c)	(d)
A.	(i)	(iv)	(iii)	(ii)
B.	(iv)	(i)	(ii)	(iii)
C.	(iv)	(ii)	(i)	(iii)
D.	(i)	(iv)	(ii)	(iii)

81. सूची-I को सूची-II से सुमेलित कीजिए और नीचे दिए गए कूट में से सही विकल्प चुनिए :

सूची-I	सूची-II
(a) ए टी पी	(i) सतत शक्ति
(b) ए टी पी + पी सी + लैक्टिक अम्ल	(ii) एरोबिक क्षमता
(c) ए टी पी + पी सी	(iii) बल – शक्ति
(d) इलैक्ट्रॉन परिवहन – ऑक्सिडेटिव फास्फोराइलेशन	(iv) एनोरोबिक शक्ति क्षमता

कूट :

	(a)	(b)	(c)	(d)
A.	(iv)	(ii)	(i)	(iii)
B.	(iii)	(i)	(iv)	(ii)
C.	(iii)	(iv)	(i)	(ii)
D.	(iv)	(i)	(ii)	(iii)

82. सूची-I को सूची-II से सुमेलित कीजिए और नीचे दिए गए कूट में से सही विकल्प चुनिए :

सूची-I	सूची-II
(a) मेटेनोलोन	(i) पेप्टिड हार्मोन
(b) कोरिओनिक गोनाडोट्रोफिन	(ii) डियूरेटिक्स
(c) साल्वयूटोमॉल	(iii) अनाबोलिक एजेन्ट
(d) डेस्मोप्रेसिन	(iv) बीटा-2 अगॉनिस्ट

कूट :

	(a)	(b)	(c)	(d)
A.	(iii)	(iv)	(i)	(ii)
B.	(iv)	(iii)	(ii)	(i)
C.	(ii)	(iv)	(i)	(iii)
D.	(iii)	(i)	(iv)	(ii)

83. सूची-I को सूची-II से सुमेलित कीजिए और नीचे दिए गए कूट में से सही विकल्प चुनिए :

सूची-I (एसोसिएशन/फेडरेशन)	सूची-II (स्थापना)
(a) एफ आई वी ए	(i) 1932
(b) एफ आई बी ए	(ii) 1907
(c) आई एस एस एफ	(iii) 1947
(d) आई टी टी एफ	(iv) 1926

कूट :

	(a)	(b)	(c)	(d)
A.	(iii)	(i)	(ii)	(iv)
B.	(iv)	(ii)	(iii)	(i)
C.	(ii)	(iv)	(i)	(iii)
D.	(iv)	(iii)	(ii)	(i)

84. सूची-I को सूची-II से सुमेलित कीजिए और नीचे दिए गए कूट में से सही विकल्प चुनिए :

सूची-I (आईओसी महिला और खेल पुरस्कार, 2017)	**सूची-II (विजेता)**
(*a*) विश्व ट्रॉफी विजेता	(*i*) जापान महिला टेनिस फेडरेशन
(*b*) एशिया	(*ii*) सुश्री लाइड एने
(*c*) अफ्रीका	(*iii*) श्रीमती बिर्गट्टा कर्विनेन
(*d*) यूरोप	(*iv*) सुश्री एन्ड्रुला वसिलिउ
	(*v*) सुश्री पिन जियांग

कूट :

	(*a*)	(*b*)	(*c*)	(*d*)
A.	(*iv*)	(*v*)	(*ii*)	(*iii*)
B.	(*iv*)	(*i*)	(*iii*)	(*ii*)
C.	(*iii*)	(*i*)	(*ii*)	(*iv*)
D.	(*iii*)	(*v*)	(*iv*)	(*ii*)

85. सूची-I को सूची-II से सुमेलित कीजिए और नीचे दिए गए कूट में से सही विकल्प चुनिए :

सूची-I	**सूची-II**
(*a*) अध्यापन पेशा अवसर	(*i*) वाणिज्यिक स्पोर्ट्स क्लब
(*b*) कोचिंग पेशा अवसर	(*ii*) एथलेटिक प्रशासन
(*c*) फिटनेस और स्वास्थ्य से संबंधित पेशा अवसर	(*iii*) अपनाई गई शारीरिक शिक्षा
(*d*) खेलकूद प्रबन्धन पेशा अवसर	(*iv*) हेल्थ क्लब

कूट :

	(*a*)	(*b*)	(*c*)	(*d*)
A.	(*iii*)	(*i*)	(*iv*)	(*ii*)
B.	(*iii*)	(*i*)	(*ii*)	(*iv*)
C.	(*i*)	(*ii*)	(*iv*)	(*iii*)
D.	(*ii*)	(*iii*)	(*i*)	(*iv*)

86. सूची-I को सूची-II से सुमेलित कीजिए और नीचे दिए गए कूट में से सही विकल्प चुनिए :

सूची-I	**सूची-II**
(*a*) संकल्पनात्मक कौशल	(*i*) किसी कला, कार्रवाई या कौशल का व्यावहारिक प्रदर्शन तथा स्पष्टीकरण
(*b*) मानव कौशल	(*ii*) उद्देश्यों, लक्ष्यों और प्रचालन के क्षेत्र की दृष्टि से किसी संगठन की सीमाएँ
(*c*) प्रदर्शन	(*iii*) नवोन्मेषी विचारों को जन्म देने की तकनीक
(*d*) अधिकार क्षेत्र	(*iv*) मनुष्यों के साथ निपटने की उत्कृष्ट तरीके

कूट :

	(*a*)	(*b*)	(*c*)	(*d*)
A.	(*i*)	(*ii*)	(*iii*)	(*iv*)
B.	(*ii*)	(*iii*)	(*iv*)	(*i*)
C.	(*iv*)	(*ii*)	(*i*)	(*iii*)
D.	(*iii*)	(*iv*)	(*i*)	(*ii*)

87. सूची-I को सूची-II से सुमेलित कीजिए और नीचे दिए गए कूट में से सही विकल्प चुनिए :

सूची-I	**सूची-II**
(*a*) प्वाइंट बाइसीरियल सहसंबंध	(*i*) $\frac{n\sigma_t^2 - M(n-M)}{\sigma_t^2(n-1)}$
(*b*) विभेद सूचकांक	(*ii*) $\frac{2rht}{1+rht}$
(*c*) कुदर रिचर्डसन विधि	(*iii*) $\frac{\overline{X}_p - \overline{X}_q}{Sx}\sqrt{pq}$
(*d*) स्पीयरमैन – ब्राउन भविष्योक्ति सूत्र	(*iv*) $\frac{Cu - Cl}{Nu}$

कूट :

	(*a*)	(*b*)	(*c*)	(*d*)
A.	(*ii*)	(*iv*)	(*i*)	(*iii*)
B.	(*ii*)	(*iv*)	(*iii*)	(*i*)
C.	(*iii*)	(*iv*)	(*ii*)	(*i*)
D.	(*iii*)	(*iv*)	(*i*)	(*ii*)

88. सूची-I को सूची-II से सुमेलित कीजिए और नीचे दिए गए कूट में से सही विकल्प चुनिए :

सूची-I	**सूची-II**
(*a*) सील क्रॉल	(*i*) फिशर मोटर प्रदर्शन परीक्षण
(*b*) बेबी हर्डल्स	(*ii*) पर्सेप्चुअल-मोटर ऑब्स्टैकल कोर्स
(*c*) एजिलिटी टायर रन	(*iii*) न्यूटन गामक योग्यता परीक्षण
(*d*) टनल क्रॉल	(*iv*) ग्लोवर शारीरिक स्वास्थता परीक्षण

कूट :

	(a)	(b)	(c)	(d)
A.	(ii)	(iv)	(iii)	(i)
B.	(iii)	(iv)	(ii)	(i)
C.	(iv)	(iii)	(i)	(ii)
D.	(iv)	(iii)	(ii)	(i)

89. सूची-I को सूची-II से सुमेलित कीजिए और नीचे दिए गए कूट में से सही विकल्प चुनिए :

सूची-I	सूची-II
(a) वैज्ञानिक कदाचार	(i) उपचारात्मक कार्यकलाप
(b) वैज्ञानिक गलतियाँ	(ii) स्पष्ट
(c) गैर प्रकाशन आंकड़े	(iii) प्रतिबंध
(d) साहित्यिक चोरी	(iv) फर्जी आंकड़े

कूट :

	(a)	(b)	(c)	(d)
A.	(ii)	(iii)	(i)	(iv)
B.	(iv)	(ii)	(iii)	(i)
C.	(iii)	(ii)	(iv)	(i)
D.	(i)	(iv)	(ii)	(iii)

90. सूची-I को सूची-II से सुमेलित कीजिए और नीचे दिए गए कूट में से सही विकल्प चुनिए :

सूची-I (शोध का विवरण)	सूची-II (शोध के प्रकार)
(a) शोध जिसमें एक ही अध्ययन में मात्रात्मक और गुणात्मक तकनीक मिश्रित किए जाते हैं	(i) चरण आर-पार मिश्रित आदर्श शोध
(b) शोध जिसमें मात्रात्मक और गुणात्मक उपागम शोध प्रक्रिया के आर-पार चरण में हैं	(ii) मिश्रित शोध
(c) शोध जिसमें मात्रात्मक अवस्था गुणात्मक अवस्था समग्र शोध अध्ययन में शामिल किए जाते हैं	(iii) मिश्रित आदर्श शोध
(d) गुणात्मक शोध उद्देश्य का प्रयोग, गुणात्मक आंकड़ों का संग्रह और मात्रात्मक विश्लेषण का प्रदर्शन है	(iv) मिश्रित विधि शोध

कूट :

	(a)	(b)	(c)	(d)
A.	(i)	(ii)	(iii)	(iv)
B.	(ii)	(iii)	(iv)	(i)
C.	(iii)	(iv)	(i)	(ii)
D.	(iv)	(i)	(ii)	(iii)

91. सूची-I को सूची-II से सुमेलित कीजिए और नीचे दिए गए कूट में से सही विकल्प चुनिए :

सूची-I	सूची-II
(a) जीवन शैली	(i) एक ही प्रकार के प्रशिक्षण साधनों का अत्याधिक प्रयोग
(b) असंतोषप्रद नौकरी	(ii) बार-बार वजन वृद्धि
(c) प्रशिक्षण में प्रमुख त्रुटियाँ	(iii) नाड़ी-स्पन्दन का धीमी गति से सामान्य होना
(d) कायिक-कार्यात्मक लक्षण	(iv) पर्यावरण

कूट :

	(a)	(b)	(c)	(d)
A.	(iv)	(ii)	(iii)	(i)
B.	(ii)	(i)	(iv)	(iii)
C.	(ii)	(iv)	(i)	(iii)
D.	(iii)	(ii)	(iv)	(i)

92. सूची-I को सूची-II से सुमेलित कीजिए और नीचे दिए गए कूट में से सही विकल्प चुनिए :

सूची-I	सूची-II
(a) निर्बलता दूर करना और स्वास्थ्य लाभ तथा विश्राम प्रदान करना	(i) पूर्व प्रतियोगिता मध्य चक्र
(b) पिछले प्रशिक्षण की अवस्था को पुनःप्राप्त करने का लक्ष्य करता है।	(ii) बुनियादी मध्य चक्र
(c) सर्वोच्च फॉर्म प्राप्त करने का लक्ष्य करता है।	(iii) मध्यवर्ती मध्य चक्र
(d) चयनित गति क्षमताओं और कौशलों का विकास	(iv) आरंभिक मध्य चक्र

कूट :

	(a)	(b)	(c)	(d)
A.	(iii)	(iv)	(i)	(ii)
B.	(i)	(iii)	(ii)	(iv)
C.	(ii)	(i)	(iii)	(iv)
D.	(iv)	(ii)	(i)	(iii)

93. सूची-I में दिए गए खनिजों को सूची-II में दिए गए उनकी कमी के रोग लक्षणों से सुमेलित कीजिए और दिए गए कूट में से सही विकल्प चुनिए :

सूची-I	सूची-II
(*a*) सेलेनियम	(*i*) घेघा
(*b*) कैल्सियम	(*ii*) अवरुद्ध विकास
(*c*) सल्फर	(*iii*) कलाई या कुल्हा टूटना
(*d*) आयोडिन	(*iv*) मन्द प्रतिरक्षा

कूट :

	(*a*)	(*b*)	(*c*)	(*d*)
A.	(*ii*)	(*iii*)	(*iv*)	(*i*)
B.	(*iv*)	(*iii*)	(*ii*)	(*i*)
C.	(*iv*)	(*ii*)	(*i*)	(*iii*)
D.	(*iii*)	(*iv*)	(*ii*)	(*i*)

94. सूची-I में दिए गए संचारी रोगों को सूची-II में दिए गए उनके उष्मायन अवधि से सुमेलित कीजिए और नीचे दिए गए कूट से सही विकल्प चुनिए :

सूची-I	सूची-II
(*a*) खसरा	(*i*) 1½ से 3 दिन
(*b*) इन्फ्लुएन्जा	(*ii*) 2 से 6 दिन, कभी-कभी लंबा भी
(*c*) डिफ्थीरिया	(*iii*) 30 से 180 दिन
(*d*) हेपाटाइटिस बी	(*iv*) 10 से 14 दिन

कूट :

	(*a*)	(*b*)	(*c*)	(*d*)
A.	(*ii*)	(*i*)	(*iv*)	(*iii*)
B.	(*iv*)	(*iii*)	(*i*)	(*ii*)
C.	(*iii*)	(*ii*)	(*iv*)	(*i*)
D.	(*iv*)	(*i*)	(*ii*)	(*iii*)

95. सूची-I को सूची-II से सुमेलित कीजिए और नीचे दिए गए कूट में से सही विकल्प चुनिए :

सूची-I	सूची-II
(*a*) पाठ्यक्रम रूपात्मकता	(*i*) विभिन्न खेलों और शारीरिक गतिविधियों का कौशल अर्जित करने तथा मापनीय प्रदर्शन निपुणता दर्शाने के लिए प्रशिक्षणाधीन पेशेवर
(*b*) प्रमाणिक मूल्यांकन	(*ii*) लक्ष्य और उद्देश्य हासिल करने के साधन और विधि
(*c*) कौशल और वीरता	(*iii*) लोचदार परिस्थितियां जिसमें अस्थायी कार्यक्रम और प्रणाली शामिल है
(*d*) वैकल्पिक अधिगम	(*iv*) छात्रों को उपयुक्त संदर्भ में आवश्यक प्रदर्शन गुणों का प्रदर्शन करने हेतु अनुमति

कूट :

	(*a*)	(*b*)	(*c*)	(*d*)
A.	(*ii*)	(*iv*)	(*i*)	(*iii*)
B.	(*iii*)	(*i*)	(*ii*)	(*iv*)
C.	(*iv*)	(*ii*)	(*iii*)	(*i*)
D.	(*i*)	(*iii*)	(*iv*)	(*ii*)

निर्देश (प्र.सं. 96 से 100 तक) : *दिए गए उद्धरण को पढ़ें और प्रश्नों के उत्तर दें :*

खेल पोषण वैज्ञानिक रूप से आधारित पोषण और अभ्यास शरीरक्रिया विज्ञान सिद्धान्तों जो प्रशिक्षण, प्रदर्शन तथा स्वास्थ्य लाभ को बढ़ाता है का एकीकरण तथा अनुप्रयोग है। इसने बल दिया है कि बृहत् पोषक और सूक्ष्म पोषक की आवश्यकता प्रशिक्षण विशिष्ट होती है। कार्बोहाइड्रेट सामान्यतया मोनोसैक्राइड्स, डिसैक्राइड्स और पॉलीसैक्राइड्स के रूप में वर्गीकृत किए जाते हैं। वैज्ञानिकों ने कार्बोहाइड्रेट युक्त खाद्यों को उनके अन्तर्ग्रहण, पाचन और अवशोषण के पश्चात् शरीर की ग्लूकोज प्रतिक्रिया के आधार पर वर्गीकृत किया है। एक एथलीट की कार्बोहाइड्रेट की दैनिक आवश्यकता अभ्यास की सघनता तथा अवधि पर निर्भर करती है। प्रोटीन का प्रमुख कार्य उत्तकों का निर्माण और संरक्षण करना है। प्रोटीन पौधों और पशु दोनों से प्राप्त भोजन में मिलता है। प्रोटीन की गुणवत्ता एमिनो अम्ल की मात्रा और प्रकार तथा किस सीमा तक एमिनो अम्ल अवशोषित किए जाते हैं के आधार पर निर्धारित होती है। मांसपेशी का टूटना तनाव हार्मोन कोर्टिसोल से उत्प्रेरित होता है जो एन्ड्रेनल ग्रंथि से निकलता है। जब शरीर तनाव में होता है तो एक प्रतिक्रिया के रूप में एमिनों अम्ल का ऑक्सीकरण होता है। सहनशीलता अभ्यास कार्य के आरम्भ में सामान्यतया पर्याप्त कार्बोहाइड्रेट, मांसपेशी ग्लाइकोजेन में जमा रहता है, इसलिए ऊर्जा की थोड़ी-सी आवश्यकता शुरू में एमिनो अम्ल से आती है। जैसे ही मांसपेशी ग्लाइकोजेन भंडार में भारी कमी आती है, कंकाल मांसपेशी कुछ एमिनो अम्ल का प्रयोग ऊर्जा के लिए करती है। अभ्यासरत मांसपेशी मेटाबोलिज्म के लिए कार्बोहाइड्रेट (ग्लूकोज और/या ग्लाइकोजेन) का प्रयोग कर सकता है और इस प्रक्रिया में ग्लाइकोलिसिस से उत्पन्न कुछ पाइरूवेट एमिनो अम्ल एलानाइन में परिवर्तित हो जाता है। इस एलानाइन का कंकाल मांसपेशी द्वारा प्रयोग नहीं किया जाता है किंतु यकृत इसे ग्लूकोज उत्पन्न करने के लिए पाइरूवेट में परिवर्तित कर देता है। एथलीटों को

गैर-एथलीटों से अधिक प्रोटीन की आवश्यकता होती है और विभिन्न प्रकार की गतिविधियों अर्थात बल, अत्यधिक क्षमता, उच्च गहनता इत्यादि के लिए अलग-अलग होता है।

96. कार्बोहाइड्रेट युक्त खाद्यों को उनके अन्तर्ग्रहण, पाचन और अवशोषण के पश्चात् शरीर की ग्लूकोज प्रतिक्रिया के आधार पर वर्गीकरण की विधि को कहा जाता है :

A. ग्लाइसेमिक प्रतिक्रिया B. ग्लाइसेमिक सूचकांक
C. हाइपरग्लाइसिमिया D. ग्लट

97. अत्यधिक गहन और अत्यधिक लघु अवधि (1 मिनट से भी कम) कार्यकलाप में भाग लेने वाले एथलीट के लिए दैनिक कार्बोहाइड्रेट अनुशंसा है :

A. 5-7 ग्रा./कि.ग्रा. शरीर वजन
B. 8-10 ग्रा./कि.ग्रा. शरीर वजन
C. 10-12 ग्रा./कि.ग्रा. शरीर वजन
D. 13-15 ग्रा./कि.ग्रा. शरीर वजन

98. कोर्टिसोल, जिसका स्राव एड्रेनल ग्रंथि से होता है, से उत्तेजित होकर मांसपेशी के टूटने को कहा जाता है :

A. एमिनोलिसिस B. ऐक्टोमाइलिसिस
C. प्रोटिओलिसिस D. माइटिओलिसिस

99. यकृत में एलानाइन (अन्य एमिनो अम्ल भी) ग्लूकोज उत्पन्न करने के लिए पाइरूवेट में परिवर्तित हो सकता है, इस प्रक्रिया को कहा जाता है :

A. ग्लूकोनिओजेनेसिस B. ग्लूकोएमिनोजेनेसिस
C. ग्लूकोएलाइनेजेनेसिस D. ग्लूकोजेनेसिस

100. सहनशील एथलीट के लिए अनुशंसित दैनिक प्रोटीन अंतर्ग्रहण है :

A. 0.7-1.0 ग्रा./कि.ग्रा. शरीर वजन
B. 1.2-1.4 ग्रा./कि.ग्रा. शरीर वजन
C. 2.5-3.0 ग्रा./कि.ग्रा. शरीर वजन
D. 3.2-3.6 ग्रा./कि.ग्रा. शरीर वजन

उत्तरमाला

1	2	3	4	5	6	7	8	9	10
B	B	D	C	A	C	A	D	A	A
11	**12**	**13**	**14**	**15**	**16**	**17**	**18**	**19**	**20**
A	C	C	B	B	A	C	A	C	A
21	**22**	**23**	**24**	**25**	**26**	**27**	**28**	**29**	**30**
B	D	B	D	C	D	A	B	D	B
31	**32**	**33**	**34**	**35**	**36**	**37**	**38**	**39**	**40**
B	C	C	B	C	C	A	B	B	C
41	**42**	**43**	**44**	**45**	**46**	**47**	**48**	**49**	**50**
B	B	B	C	A	A	B	B	B	D
51	**52**	**53**	**54**	**55**	**56**	**57**	**58**	**59**	**60**
C	A	D	C	B	B	B	B	A	B
61	**62**	**63**	**64**	**65**	**66**	**67**	**68**	**69**	**70**
B	A	A	C	C	A	A	B	B	B
71	**72**	**73**	**74**	**75**	**76**	**77**	**78**	**79**	**80**
C	A	B	A	B	C	A	C	C	C
81	**82**	**83**	**84**	**85**	**86**	**87**	**88**	**89**	**90**
C	D	A	C	A	D	D	D	C	B
91	**92**	**93**	**94**	**95**	**96**	**97**	**98**	**99**	**100**
C	A	B	D	A	B	A	C	A	B

पिछले प्रश्न-पत्र (हल सहित)

UGC-NET जूनियर रिसर्च फैलोशिप तथा सहायक प्राध्यापक परीक्षा

शारीरिक शिक्षा, नवम्बर-2017*

प्रश्न-पत्र-II

नोटः *इस प्रश्न-पत्र में* ***पचास (50)*** *बहु-विकल्पीय प्रश्न हैं। प्रत्येक प्रश्न के* ***दो (2)*** *अंक हैं।* ***सभी*** *प्रश्न अनिवार्य हैं।*

1. शारीरिक शिक्षा का दर्शन आधारित है :

A. अस्तित्ववाद B. व्यवहारवाद

C. संकलन दर्शन D. यथार्थवाद

2. रक्त में सर्वाधिक ऑक्सीजन वहन किया जाता है :

A. प्लाज्मा के घोल में

B. प्लाज्मा प्रोटीन के साथ संयुक्त

C. हीमोग्लोबिन के साथ रासायनिक रूप से संयुक्त

D. आर.बी.सी. के घोल में

3. किस स्थिति में 'वर्टेब्रल डिस्क्स' पर सर्वाधिक दबाव होता है?

A. सीधा खड़ा होने पर B. बैठने पर

C. चित्त लेटने पर D. पट लेटने पर

4. कौशल सीखने की योग्यता पर व्यक्तिगत भिन्नता का प्रभाव किसके द्वारा प्रभावित होता है?

A. आनुवंशिकता

B. परिवेश

C. प्रतिभागी का लिंग

D. आनुवंशिकता और परिवेश

5. अबंधता पाठ्यक्रम है :

A. सामाजिक आवश्यकता केन्द्रित

B. सामाजिक मूल्य केन्द्रित

C. मुद्रा केन्द्रित

D. बाल केन्द्रित

6. सिफीलिस के लिए कारण है :

A. ट्रेपोनेमा पैलिडियम

B. ट्रेपोनेमा सल्फियम

C. बैंक्टेरियम रिबिनोपोरियम

D. मल्टीपोरियम डर्मा

7. निम्नलिखित में से कौन-सा खेल प्रशिक्षण की विशेषता नहीं है?

A. मानव संचय का दोहन

B. नियंत्रित दैनिक नित्यचर्या

C. स्थिर प्रक्रिया

D. शैक्षिक प्रक्रिया

8. यादृच्छिक नियंत्रित परीक्षण की एक अभिकल्पना (डिजाइन) नहीं है?

A. क्रमगुणित अभिकल्पना (फैक्टोरिएल डिजाइन)

B. समानांतर अभिकल्पना

C. क्रॉस-ओवर अभिकल्पना

D. स्तरीकृत अभिकल्पना

9. पोन्डरल तालिका खिलाड़ी की स्थिति के संदर्भ में किस सोमेटोटाइपिंग को दर्शाती है?

A. एन्डोमोर्फी B. मेजोमोर्फी

C. एक्टोमोर्फी D. इनमें से कोई नहीं

10. निम्नलिखित में से कौन-सा संगठन के सिद्धांत के विरुद्ध है?

A. उपयुक्त विकेन्द्रीकरण

B. प्राधिकार की अधिव्याप्ति

C. शक्ति का प्रत्यायोजन

D. समुचित संवाद

11. बुढ़ापे की प्रक्रिया में शारीरिक परिवर्तनों में सर्वाधिक दिखाई पड़ने वाली वृद्धि है :

(*a*) अधिकतम हृदय गति

(*b*) विश्राम में नाड़ी दर

(*c*) अधिकतम हृदय का निर्गम

* Exam held on 05-11-2017

(*d*) विश्राम में सिस्टॉलिक रक्त-चाप

(*e*) बाह्य प्रतिरोध

कूट :

A. (*a*), (*c*) और (*d*) B. (*b*), (*d*) और (*e*)

C. (*c*), (*e*) और (*a*) D. (*d*), (*a*) और (*b*)

12. अधिक ऊँचाई पर एक मिनट से अधिक दौड़ प्रतिस्पर्धा में प्रदर्शन को महत्वपूर्ण रूप से प्रभावित करता है :

(*a*) कुल बैरोमीट्रिक दबाव में कमी

(*b*) ऑक्सीजन के आंशिक दबाव में कमी

(*c*) घर्षण प्रतिरोध को कम करता है

(*d*) पर्यावरणीय तापमान को कम करता है

(*e*) पेशी को ऑक्सीजन उपलब्धता कम करता है

सही कूट पता लगाइये :

A. (*a*), (*b*), (*e*) B. (*b*), (*c*), (*d*)

C. (*b*), (*d*), (*e*) D. (*a*), (*c*), (*d*)

13. पर्यावर्तनकारी गति (सर्कमडक्शन मूवमेन्ट्स) को करने देने वाले जोड़ हैं :

(*a*) सिर की 'इंटरवर्टेब्रल'

(*b*) अंगूठे की 'मेटाकार्पोफेलेन्जील'

(*c*) पांवों की अंतरागुल्फिकाएँ (इंटरटार्सल)

(*d*) पैर की उंगलियों की 'मेटाकार्पोफेलेन्जील'

(*e*) भुजा और कंधों के स्टर्नोक्लेविकुलर

कूट :

A. (*a*) और (*b*) B. (*b*) और (*d*)

C. (*c*) और (*e*) D. (*a*) और (*d*)

14. प्रभावशाली टीम वातावरण किसके द्वारा विकसित होता है?

(*a*) सामाजिक समर्थन (*b*) विशिष्टता

(*c*) समीपता (*d*) निष्पक्षता

(*e*) व्यक्तिगत उत्कृष्टता

कूट :

A. (*a*), (*b*), (*d*), (*e*) B. (*a*), (*b*), (*c*), (*e*)

C. (*a*), (*b*), (*c*), (*d*) D. (*c*), (*d*), (*e*), (*a*)

15. शिक्षा में प्रौद्योगिकी कर सकता है :

(*a*) संवाद में वृद्धि

(*b*) कार्यकलाप समय में कमी

(*c*) खराब शिक्षक को अच्छे शिक्षक में बदलना

(*d*) छात्रों को युक्तियाँ उपलब्ध कराना

(*e*) छात्रों की सामाजिक पृष्ठभूमि को समझने में सहायता

(*f*) शिक्षक छात्र अंतःक्रिया में वृद्धि

कूट :

A. (*a*), (*b*), (*f*) B. (*a*), (*b*), (*c*)

C. (*b*), (*c*), (*d*) D. (*a*), (*c*), (*f*)

16. निम्नलिखित वसा में घुलनशील विटामिन है :

(*a*) विटामिन ए (*b*) विटामिन बी

(*c*) विटामिन सी (*d*) विटामिन डी

(*e*) विटामिन ई (*f*) विटामिन के

कूट :

A. (*a*), (*b*), (*d*) B. (*b*), (*d*), (*e*), (*f*)

C. (*b*), (*c*), (*e*), (*f*) D. (*a*), (*d*), (*e*), (*f*)

17. नीचे दिए गए कूट का प्रयोग कर बाह्य भार की प्रमात्रा का सही संयोजन बताइये :

(*a*) भार का परिमाण

(*b*) प्रशिक्षण साधनों का प्रकार

(*c*) व्यायाम की गुणवत्ता

(*d*) भार की तीव्रता

(*e*) भार की बारम्बारता

कूट :

A. (*a*), (*b*), (*c*), (*d*), (*e*) B. (*a*), (*b*), (*c*), (*d*)

C. (*a*), (*c*), (*d*), (*e*) D. (*b*), (*c*), (*d*), (*e*)

18. मानक परीक्षण की कसौटी में सम्मिलित होते हैं :

(*a*) वैधता (*b*) विचरणशीलता

(*d*) मानक (*d*) वस्तुनिष्ठता

(*d*) जटिलता

कूट :

A. (*a*), (*c*), (*d*), (*e*) B. (*a*), (*b*), (*c*), (*d*)

C. (*a*), (*c*), (*d*) D. (*a*), (*d*)

19. परीक्षण की वैधता किन विधियों द्वारा स्थापित की जाती है?

(*a*) निर्णायकों द्वारा दर्जा

(*b*) खेल प्रतियोगिता में स्थान

(*c*) स्थापित परीक्षण

(*d*) ज्ञात स्तरों की योग्यता की तुलना

(*e*) मिश्रित अंक

(*f*) समानान्तर रूप

कूट :

A. (*a*), (*b*), (*c*), (*d*), (*e*)
B. (*a*), (*b*), (*e*)
C. (*a*), (*b*), (*c*), (*e*)
D. (*a*), (*b*), (*c*), (*e*), (*f*)

20. शारीरिक शिक्षा की समाजशास्त्रीय स्थापना चर्चा करताहै :

(*a*) शरीर प्रकार
(*b*) मोटर अधिगम
(*c*) प्रतिस्पर्धा और सहयोग
(*d*) समाजीकरण प्रक्रिया

कूट :

A. (*a*) और (*d*)
B. (*b*) और (*d*)
C. (*a*) और (*c*)
D. (*c*) और (*d*)

21. पुरुष डिकैथलोन के दूसरे दिन होने वाली स्पर्धाओं का सही क्रम को चुनिए :

(*a*) डिस्कस थ्रो
(*b*) पोल वॉल्ट
(*c*) 110 मी. बाधा दौड़
(*d*) 1500 मी.
(*e*) जैवलिन थ्रो

कूट :

A. (*c*), (*e*), (*a*), (*b*), (*d*)
B. (*c*), (*a*), (*b*), (*e*), (*d*)
C. (*c*), (*e*), (*b*), (*a*), (*d*)
D. (*c*), (*b*), (*e*), (*a*), (*d*)

22. नीचे दिये गए कूट में से फुफ्फुसीय संचार का सही क्रम चुनिए :

(*a*) बायां बहिःकर्ण
(*b*) फेफड़ा
(*c*) दायां बहिःकर्ण
(*d*) फुफ्फुसीय धमनी
(*e*) महाशिरा
(*f*) दायां वेंट्रिकल (छिद्र)
(*g*) फुफ्फुसीय नस

कूट :

A. (*e*), (*c*), (*f*), (*g*), (*b*), (*d*), (*a*)
B. (*c*), (*e*), (*g*), (*f*), (*d*), (*a*), (*b*)
C. (*e*), (*c*), (*f*), (*d*), (*b*), (*g*), (*a*)
D. (*c*), (*e*), (*f*), (*g*), (*d*), (*a*), (*b*)

23. निम्नलिखित मांस-पेशियों को नीचे से ऊपर तक की उनकी अवस्थिति के अनुसार क्रम में व्यवस्थित कीजिए :

(*a*) इलियाकस
(*b*) एडक्टर मैग्नस
(*c*) पेरोनियस ब्रेविज
(*d*) सोअस मेजर
(*e*) पेक्टिनियस

कूट :

A. (*d*), (*c*), (*a*), (*b*), (*e*)
B. (*c*), (*b*), (*e*), (*a*), (*d*)
C. (*e*), (*a*), (*d*), (*c*), (*b*)
D. (*a*), (*d*), (*c*), (*e*), (*b*)

24. कौशल अधिगम के सामान्य प्रदर्शन विशेषताओं को क्रमानुसार व्यवस्थित कीजिए :

(*a*) संसक्ति
(*b*) दृढ़ता
(*c*) अनुकूलनीयता
(*d*) सुधार

कूट :

A. (*d*), (*a*), (*b*), (*c*)
B. (*a*), (*b*), (*d*), (*c*)
C. (*b*), (*d*), (*a*), (*c*)
D. (*c*), (*d*), (*b*), (*a*)

25. हर्बर्ट ने ज्ञान पाठ योजना के लिए पाँच औपचारिक चरणों का विकास किया। नीचे दिए गए कूट में से चरणों का सही क्रम चुनिए :

(*a*) साहचर्य और तुलना
(*b*) सामान्यीकरण
(*c*) प्रस्तुतीकरण
(*d*) तैयारी
(*e*) प्रयोग

कूट :

A. (*d*), (*c*), (*a*), (*b*), (*e*)
B. (*a*), (*d*), (*c*), (*e*), (*b*)
C. (*b*), (*a*), (*d*), (*c*), (*e*)
D. (*d*), (*a*), (*c*), (*b*), (*e*)

26. नीचे दिए गए कूट में से सही क्रम को चुनिए :
(संचारणशील बीमारियों का प्रतिकार एवं नियंत्रण)

(*a*) रोगाणुनाशक
(*b*) इलाज
(*c*) अधिसूचना
(*d*) पृथक्करण
(*e*) टीकाकरण

कूट :

A. (*d*), (*b*), (*a*), (*c*), (*e*)
B. (*d*), (*e*), (*b*), (*c*), (*a*)
C. (*c*), (*d*), (*e*), (*b*), (*a*)
D. (*c*), (*d*), (*b*), (*e*), (*a*)

27. तकनीक प्रशिक्षण के चरणों को क्रमबद्ध कीजिए तथा निम्नलिखित कूट में से सही विकल्प चुनिए :

(*a*) गति अधिगम प्रक्रिया के तौर-तरीके ज्ञात करना
(*b*) सर्वोत्तम गति प्रक्रिया का निर्धारण करना
(*c*) तकनीक प्रशिक्षण के क्रियान्वयन के तौर-तरीके खोजना
(*d*) गति समन्वय का अध्ययन करना

कूट :

A. (*a*), (*b*), (*c*), (*d*)
B. (*b*), (*d*), (*a*), (*c*)
C. (*a*), (*b*), (*d*), (*c*)
D. (*b*), (*c*), (*d*), (*a*)

28. विषयवस्तु के विश्लेषण के कदमों का सही क्रम बतलाइए:

(*a*) वर्गों का परीक्षण
(*b*) रिपोर्ट को तैयार करना

(*c*) आंकड़ों का संग्रहण

(*d*) विषय का विश्लेषणात्मक विवरण

(*e*) अध्ययन की इकाईयों का चयन

(*f*) वर्गों की मार्किंग

(*g*) तालिका का सूत्रीकरण

(*h*) अध्ययन के रूप की योजना

कूट :

A. (*e*), (*f*), (*a*), (*c*), (*g*), (*h*), (*d*), (*b*)

B. (*c*), (*e*), (*g*), (*h*), (*f*), (*a*), (*d*), (*b*)

C. (*h*), (*e*), (*f*), (*c*), (*a*), (*g*), (*d*), (*b*)

D. (*e*), (*f*), (*c*), (*a*), (*g*), (*h*), (*d*), (*b*)

29. बेरो गामक योग्यता परीक्षण के मदों में नीचे दिए गए कूट में से सही क्रम व्यवस्थित कीजिए :

(*a*) 60 गज फर्राटा दौड़   (*b*) स्टैंडिंग ब्राड जम्प

(*c*) वाल पास   (*d*) साफ्टबाल थ्रो

(*e*) टेढ़ी-मेढ़ी दौड़   (*f*) मेडिसिन बाल फेंकना

कूट :

A. (*b*), (*c*), (*d*), (*f*), (*e*), (*a*)

B. (*b*), (*c*), (*d*), (*e*), (*f*), (*a*)

C. (*b*), (*d*), (*e*), (*c*), (*f*), (*a*)

D. (*b*), (*d*), (*e*), (*f*), (*c*), (*a*)

30. 'जेनरल लेसन प्लान' में निम्नलिखित सम्मिलित होता है : नीचे दिए गए कूट में से सही क्रम को चुनिए :

(*a*) औपचारिक भाग

(*b*) प्रस्तावना

(*c*) असेम्बली और हाज़िरी

(*d*) मनोरंजन

(*e*) असेम्बली और विसर्जन

कूट :

A. (*e*), (*b*), (*c*). (*d*) और (*a*)

B. (*a*), (*c*), (*d*), (*e*) और (*b*)

C. (*c*), (*b*), (*a*), (*d*) और (*e*)

D. (*b*), (*a*), (*d*), (*e*) और (*c*)

31. नीचे दो कथन दिए गए हैं, एक को अभिकथन (A) और दूसरे को तर्क (R) कहा गया है।

अभिकथन (A) : शारीरिक शिक्षा एक संबद्ध विज्ञान है जिसका मूलरूप से मनुष्य की गति से संबंध है।

तर्क (R) : शरीर रचना विज्ञान, शरीर विज्ञान, मानव-विज्ञान, जैव रसायन, जैव भौतिकी, जैव यांत्रिकी इत्यादि शारीरिक क्रिया कार्यक्रम की दृष्टि से मनुष्य और उसकी गति को समझने में अत्यधिक योगदान करता है।

उपरोक्त कथनों के संदर्भ में निम्नलिखित में कौन-सा सही है?

कूट :

A. (A) एवं (R) दोनों सही हैं और (R), (A) की सही व्याख्या है।

B. (A) एवं (R) दोनों सही हैं, लेकिन (R), (A) की सही व्याख्या नहीं है।

C. (A) सही है, लेकिन (R) गलत है।

D. (A) गलत है, लेकिन (R) सही है।

32. नीचे दो कथन दिए गए हैं, एक को अभिकथन (A) और दूसरे को तर्क (R) कहा गया है।

अभिकथन (A) : कड़े व्यायाम के दौरान कुछ अंगों में रक्त की आपूर्ति शिरा संकुचन के कारण कम हो जाती है और कुछ अंगों में रक्त का प्रवाह शिरा प्रसार के कारण अत्यधिक बढ़ जाता है।

तर्क (R) : रक्त का प्रवाह दो बिंदुओं के बीच में दबाव अनुपात के समानुपातिक होता है और 'प्रवाह के प्रतिरोध' के उलटा समानुपातिक होता है।

उपरोक्त कथनों के संदर्भ में निम्नलिखित में से कौन-सा सही है?

कूट :

A. (A) एवं (R) दोनों सही हैं और (R), (A) की सही व्याख्या है।

B. (A) एवं (R) दोनों सही हैं, लेकिन (R), (A) की सही व्याख्या नहीं है।

C. (A) सही है, लेकिन (R) गलत है।

D. (A) गलत है, लेकिन (R) सही है।

33. नीचे दो कथन दिए गए हैं, एक को अभिकथन (A) और दूसरे को तर्क (R) कहा गया है।

अभिकथन (A) : सोएस मांस-पेशी को खींचने से रीढ़ पर बल बढ़ जाता है।

तर्क (R) : लंबर रीढ़ में अधिक पीछे झुकने के साथ बल कम होता है।

उपरोक्त कथनों के संदर्भ में निम्नलिखित में से कौन-सा सही है?

कूट :

A. (A) एवं (R) दोनों सही हैं और (R), (A) की सही व्याख्या है।

B. (A) एवं (R) दोनों सही हैं, लेकिन (R), (A) की सही व्याख्या नहीं है।

C. (A) सही है, लेकिन (R) गलत है।

D. (A) गलत है, लेकिन (R) सही है।

34. नीचे दो कथन दिए गए हैं, एक अभिकथन (A) है और दूसरा तर्क (R) है।

अभिकथन (A) : खेल-कूद में सहभागिता केन्द्रित अभिप्रेरण के स्रोत व्यक्तिगत स्वप्रवृत्तियों की जांच के लिए हैं। इनका उच्च अभिप्रेरणात्मक अवस्था से संबंध है।

तर्क (R) : अभिप्रेरणा के लिए उच्च योग्यता वाले व्यक्ति इस अभिप्रेरणात्मक योग्यता को तब तक प्रदर्शित नहीं करेंगे जब तक कि परिस्थिति या वातावरण इसके लिए अनुकूल न हो।

उपर्युक्त कथनों के संदर्भ में, निम्नलिखित में से कौन-सा सही है?

कूट :

A. (A) और (R) दोनों सही हैं और (R), (A) की सही व्याख्या है।

B. (A) और (R) दोनों सही हैं, किंतु (R), (A) की सही व्याख्या नहीं है।

C. (A) सही है, किंतु (R) गलत है।

D. (A) गलत है, किंतु (R) सही है।

35. नीचे दो कथन दिए गए हैं, एक अभिकथन (A) है और दूसरा तर्क (R) है।

अभिकथन (A) : शारीरिक शिक्षा के उद्देश्य इतिहास के दौर में परिवर्तित हुए हैं।

तर्क (R) : विगत कुछ वर्षों में विभिन्न विश्वविद्यालयों में किए गए शोध के परिणामस्वरूप अवधारणा में परिवर्तन हुआ।

उपर्युक्त कथनों के संदर्भ में, निम्नलिखित में से कौन-सा सही है?

कूट :

A. (A) और (R) दोनों सही हैं और (R), (A) की सही व्याख्या है।

B. (A) और (R) दोनों सही हैं, किंतु (R), (A) की सही व्याख्या नहीं है।

C. (A) सही है, किंतु (R) गलत है।

D. (A) गलत है, किंतु (R) सही है।

36. नीचे दो कथन दिए गए हैं, एक को अभिकथन (A) और दूसरे को तर्क (R) कहा गया है।

अभिकथन (A) : स्वास्थ्य की स्पेक्ट्रमी अवधारणा बल देती है कि व्यक्ति का स्वास्थ्य स्थिर नहीं है।

तर्क (R) : इसका अर्थ है कि स्वास्थ्य एक अवस्था है जिसे सदैव के लिए प्राप्त नहीं किया जाता अपितु सदैव नवीकरण करना होता है।

उपरोक्त कथनों के संदर्भ में, निम्नलिखित में से कौन-सा सही है?

कूट :

A. (A) एवं (R) दोनों सही हैं और (R), (A) की सही व्याख्या है।

B. (A) एवं (R) दोनों सही हैं, लेकिन (R), (A) की सही व्याख्या नहीं है।

C. (A) सही है, लेकिन (R) गलत है।

D. (A) गलत है, लेकिन (R) सही है।

37. नीचे दो कथन दिए गए हैं, एक को अभिकथन (A) और दूसरे को तर्क (R) कहा गया है।

अभिकथन (A) : कोई भी शोधार्थी समस्या को परिभाषित कर उसके इर्द-गिर्द घेरा डालता है ताकि उसको आवश्यकता से संबंधित स्थितियों में पाए गए समान प्रश्नों को सावधानीपूर्वक गंतव्यों से अलग किया जा सके।

तर्क (R) : शोध समस्या समाधान के लिए प्रस्तावित एक विशिष्ट प्रश्न होता है।

उपरोक्त कथनों के संदर्भ में, निम्नलिखित में से कौन-सा सही है?

कूट :

A. (A) एवं (R) दोनों सही हैं और (R), (A) की सही व्याख्या है।

B. (A) एवं (R) दोनों सही हैं, लेकिन (R), (A) की सही व्याख्या नहीं है।

C. (A) सही है, लेकिन (R) गलत है।

D. (A) गलत है, लेकिन (R) सही है।

38. नीचे दो कथन दिए गए हैं, एक को अभिकथन (A) और दूसरे को तर्क (R) कहा गया है।

अभिकथन (A) : खेल वैज्ञानिकों ने इस बात की खोजबीन की है कि आनुवंशिक कारक सर्वोच्च स्तरीय एथलीटों द्वारा ओलम्पिक पदकों को पाने में एक प्रमुख भूमिका निभाते हैं।

तर्क (R) : खेल प्रतिभा अंततः उस सीमा को निर्धारित करती है, जिससे प्रशिक्षण के जरिए खेल संबंधी कार्य-प्रदर्शन (परफोर्मेंस) में सुधार लाया जा सकता है।

उपरोक्त कथनों के संदर्भ में, निम्नलिखित में से कौन-सा सही है?

कूट :

A. (A) एवं (R) दोनों सही हैं और (R), (A) की सही व्याख्या है।

B. (A) एवं (R) दोनों सही हैं, लेकिन (R), (A) की सही व्याख्या नहीं है।

C. (A) सही है, लेकिन (R) गलत है।

D. (A) गलत है, लेकिन (R) सही है।

39. निम्नलिखित में से सही कथनों को चुनिए :

कथन I : मध्यमान की मानक त्रुटि में नमूने के आकार के प्रत्यक्ष अनुपात में गिरावट आती है।

कथन II : मध्यमान का मानक त्रुटि नमूना चयन का मानक विचलन होता है।

कथन III : कोई भी सांख्यिक जनसंख्या का लक्षण होता है।

कूट :

A. केवल I और II सही हैं

B. केवल I और III सही हैं

C. I, II और III सही हैं

D. केवल II सही है

40. नीचे दो कथन दिए गए हैं, एक अभिकथन (A) है और दूसरा (R) है।

अभिकथन (A) : खेलों में अनेक कौशल और योग्यताएँ शामिल हैं जो सफल प्रदर्शन का मार्ग प्रशस्त करती हैं।

तर्क (R) : कौशल परीक्षण संबंधित खेल की वास्तविक योग्यताओं को नहीं माप सकते।

उपर्युक्त दोनों कथनों के संदर्भ में, निम्नलिखित में से कौन-सा कथन सही है?

कूट :

A. (A) और (R) दोनों सही हैं और (R), (A) की सही व्याख्या है।

B. (A) और (R) दोनों सही हैं, किंतु (R), (A) की सही व्याख्या नहीं है।

C. (A) सही है, किंतु (R) गलत है।

D. (A) गलत है, किंतु (R) सही है।

41. नीचे दो कथन दिए गए हैं, एक को अभिकथन (A) और दूसरे को तर्क (R) कहा गया है।

अभिकथन (A) : प्रबंधकीय कार्यों जैसे योजना बनाना, संगठित करना, कर्मचारी भर्ती और निदेश देने में एक कार्य नियंत्रण भी है।

तर्क (R) : अपेक्षित लक्ष्य प्राप्त करने में यह एक महत्वपूर्ण कार्य है क्योंकि यह त्रुटियों और विपथन को रोक कर आवश्यक लक्ष्य प्राप्त करता है।

उपरोक्त कथनों के संदर्भ में, निम्नलिखित में से कौन-सा कथन सही है?

कूट :

A. (A) एवं (R) दोनों सही हैं और (R), (A) की सही व्याख्या है।

B. (A) एवं (R) दोनों सही हैं, लेकिन (R), (A) की सही व्याख्या नहीं है।

C. (A) सही है, लेकिन (R) गलत है।

D. (A) गलत है, लेकिन (R) सही है।

42. सूची-I को सूची-II से सुमेलित कीजिए और नीचे दिए गए कूट में से सही विकल्प चुनिए :

सूची-I	सूची-II
(*a*) 2018 ग्रीष्मकालीन युवा ओलंपिक	(*i*) लाउजेन
(*b*) 2020 शीतकालीन युवा ओलंपिक	(*ii*) टोक्यो
(*c*) 2020 ग्रीष्मकालीन ओलंपिक	(*iii*) ब्यूनस आयर्स
(*d*) 2020 शीतकालीन ओलंपिक	(*iv*) बीजिंग

कूट :

	(*a*)	(*b*)	(*c*)	(*d*)
A.	(*i*)	(*iii*)	(*ii*)	(*iv*)
B.	(*iii*)	(*i*)	(*ii*)	(*iv*)
C.	(*iv*)	(*iii*)	(*ii*)	(*i*)
D.	(*ii*)	(*iv*)	(*iii*)	(*i*)

43. सूची-I को सूची-II से सुमेलित कीजिए और नीचे दिए गए कूट में से सही विकल्प चुनिए :

सूची-I	सूची-II
(*a*) विटामिन ई	(*i*) एरोबिक ग्लाइकोलिसिस
(*b*) ग्लाइकोजेन	(*ii*) एनेरोबिक ग्लाइकोलिसिस
(*c*) वसीय अम्ल	(*iii*) एर्गोजेनिक एड
(*d*) कोइन्जाइम एन.ए.डी.	(*iv*) इन्ड्यूरेन्स

कूट :

	(*a*)	(*b*)	(*c*)	(*d*)
A.	(*iii*)	(*i*)	(*iv*)	(*ii*)
B.	(*iv*)	(*ii*)	(*i*)	(*iii*)
C.	(*iv*)	(*iii*)	(*ii*)	(*i*)
D.	(*iii*)	(*iv*)	(*i*)	(*ii*)

44. सूची-I को सूची-II से सुमेलित कीजिए और नीचे दिए गए कूट में से सही विकल्प चुनिए :

सूची-I	सूची-II
(*a*) धुरी संबंधी बल	(*i*) दबाव को विभक्त करना
(*b*) तन्य दबाव (स्ट्रेस)	(*ii*) मैटेरियल क्रॉस सेक्शन के साथ स्ट्रेस कॉप्लानर का भाग
(*c*) गहन दबाव	(*iii*) दी गई सतह का लंबमापी दबाव भाग
(*d*) संपीडन दबाव (कम्प्रेशनल स्ट्रेस)	(*iv*) तनन बल (टेन्सन फोर्स)

कूट :

	(*a*)	(*b*)	(*c*)	(*d*)
A.	(*i*)	(*ii*)	(*iii*)	(*iv*)
B.	(*ii*)	(*iii*)	(*iv*)	(*i*)
C.	(*iii*)	(*iv*)	(*i*)	(*ii*)
D.	(*iv*)	(*i*)	(*ii*)	(*iii*)

45. सूची-I को सूची-II से सुमेलित कीजिए और नीचे दिए गए कूट में से सही विकल्प चुनिए :

सूची-I	सूची-II
(*a*) तनाव	(*i*) शारीरिक और मनोवैज्ञानिक मांग और प्रत्युत्तर क्षमता के बीच असंतुलन
(*b*) क्रोध	(*ii*) मानसिक और स्नायु संबंधी दबाव का अनुभव
(*c*) कुंठा	(*iii*) किसी व्यक्ति के विरुद्ध नीच अपराध के प्रत्युत्तर में होता है
(*d*) चिंता	(*iv*) मांग की पूर्ति में अनुभवगत प्रतिरोध से उत्पन्न नकारात्मकता

कूट :

	(*a*)	(*b*)	(*c*)	(*d*)
A.	(*ii*)	(*iii*)	(*iv*)	(*i*)
B.	(*iii*)	(*iv*)	(*i*)	(*ii*)
C.	(*iv*)	(*i*)	(*ii*)	(*iii*)
D.	(*i*)	(*ii*)	(*iii*)	(*iv*)

46. सूची-I को सूची-II से सुमेलित कीजिए और नीचे दिए गए कूट में से सही विकल्प चुनिए :

सूची-I	सूची-II
(*a*) नेशनल फिजिकल एफिसिएन्सी ड्राइव	(*i*) 1954
(*b*) ए.आइ.यू. (इन्टर यूनिवर्सिटी बोर्ड)	(*ii*) 1980
(*c*) ऑल इंडिया कौंसिल ऑफ स्पोर्ट्स	(*iii*) 1957
(*d*) स्पोर्ट्स ऑथोरिटी ऑफ इंडिया	(*iv*) 1961
	(*v*) 1925
	(*vi*) 1959-60

कूट :

	(*a*)	(*b*)	(*c*)	(*d*)
A.	(*vi*)	(*v*)	(*i*)	(*ii*)
B.	(*v*)	(*vi*)	(*iii*)	(*ii*)
C.	(*vi*)	(*i*)	(*iv*)	(*iii*)
D.	(*iv*)	(*i*)	(*iii*)	(*ii*)

47. सूची-I को सूची-II से सुमेलित कीजिए और नीचे दिए गए कूट में से सही विकल्प चुनिए :

सूची-I (कैलोरी की आवश्यकता)	सूची-II (कैलोरी/प्रतिदिन)
(*a*) मनुष्य-निष्क्रिय	(*i*) 3020
(*b*) महिला-निष्क्रिय	(*ii*) 2440
(*c*) लड़के—16-17 वर्ष	(*iii*) 2320
(*d*) लड़कियाँ—16-17 वर्ष	(*iv*) 1900

कूट :

	(*a*)	(*b*)	(*c*)	(*d*)
A.	(*i*)	(*iii*)	(*ii*)	(*iv*)
B.	(*iii*)	(*iv*)	(*ii*)	(*i*)
C.	(*i*)	(*iii*)	(*iv*)	(*ii*)
D.	(*iii*)	(*iv*)	(*i*)	(*ii*)

48. सूची-I को सूची-II से सुमेलित कीजिए और नीचे दिए गए कूट में से सही विकल्प चुनिए :

सूची-I	सूची-II
(*a*) चक्रीय प्रशिक्षण का सिद्धान्त	(*i*) समूह एवं एकल प्रशिक्षण
(*b*) भार वृद्धि का सिद्धान्त	(*ii*) भार अनुक्रमणी
(*c*) प्रशिक्षण के विनियमन का सिद्धान्त	(*iii*) भार-पुनःप्राप्ति की क्रमबद्धता
(*d*) एकरूपता तथा विभिन्नता का सिद्धान्त	(*iv*) रेखा विधि

कूट :

	(*a*)	(*b*)	(*c*)	(*d*)
A.	(*i*)	(*ii*)	(*iv*)	(*iii*)
B.	(*iii*)	(*iv*)	(*ii*)	(*i*)
C.	(*ii*)	(*iii*)	(*i*)	(*iv*)
D.	(*iv*)	(*i*)	(*iii*)	(*ii*)

49. सूची-I को सूची-II के साथ सुमेलित कीजिए और नीचे दिए गए कूट में से सही विकल्प को चुनिए :

सूची-I	सूची-II
(*a*) मध्यमान	(*i*) विशेषण का मापन
(*b*) चतुर्थ विचलन	(*ii*) असमानता का मापन
(*c*) गिनी गुणांक	(*iii*) केन्द्रीय प्रवृत्ति के मापन
(*d*) संकल्प का गुणांक	(*iv*) प्रतिमान विश्लेषण

कूट :

	(*a*)	(*b*)	(*c*)	(*d*)
A.	(*i*)	(*iii*)	(*ii*)	(*iv*)
B.	(*iii*)	(*i*)	(*ii*)	(*iv*)
C.	(*i*)	(*iii*)	(*iv*)	(*ii*)
D.	(*iii*)	(*i*)	(*iv*)	(*ii*)

50. सूची-I को सूची-II से सुमेलित कीजिए और नीचे दिए गए कूट में से सही विकल्प को चुनिए :

सूची-I	सूची-II
(*a*) इन्डियाना गामक दक्षता प्रदर्शक-I	(*i*) (स्ट्रैडल चिन्स् + पुश अप्स) × (स्टैंडिंग ब्राड जम्प)
(*b*) इन्डियाना गामक दक्षता प्रदर्शक-II	(*ii*) (स्ट्रैडल चिन्स् + पुश अप्स) × (वर्टिकल जम्प)
(*c*) इन्डियाना गामक दक्षता प्रदर्शक-III	(*iii*) (चिन्स् + पुश अप्स) × (स्टैंडिंग ब्राड जम्प)
(*d*) इन्डियाना गामक दक्षता प्रदर्शक-IV	(*iv*) (चिन्स् + पुश अप्स) × (वर्टिकल जम्प)

कूट :

	(*a*)	(*b*)	(*c*)	(*d*)
A.	(*iv*)	(*ii*)	(*i*)	(*iii*)
B.	(*iv*)	(*iii*)	(*i*)	(*ii*)
C.	(*iv*)	(*iii*)	(*ii*)	(*i*)
D.	(*iii*)	(*iv*)	(*ii*)	(*i*)

उत्तरमाला

1	2	3	4	5	6	7	8	9	10
C	C	B	D	D	A	C	D	C	B
11	**12**	**13**	**14**	**15**	**16**	**17**	**18**	**19**	**20**
B	A	D	C	A	D	B	C	A	D
21	**22**	**23**	**24**	**25**	**26**	**27**	**28**	**29**	**30**
B	C	B	A	A	D	B	B	C	C
31	**32**	**33**	**34**	**35**	**36**	**37**	**38**	**39**	**40**
A	A	C	C	C	A	B	B	A	C
41	**42**	**43**	**44**	**45**	**46**	**47**	**48**	**49**	**50**
A	B	A	D	A	A	D	B	B	C

व्याख्यात्मक उत्तर

2. लाल रुधिर कोशिकाएँ, उनके अंदर हीमोग्लोबिन नामक लाल वर्णक की उपस्थिति के कारण रंग में लाल होती हैं। लाल रुधिर कोशिकाएँ (Red Blood Cells, RBC) ऑक्सीजन की वाहक होती हैं। लाल रुधिर कोशिकाएँ, ऑक्सीजन को फेफड़ों से शरीर की सभी कोशिकाओं को ले जाती हैं। लाल रुधिर कोशिकाओं में उपस्थित, वास्तव में यह हीमोग्लोबिन ही है जो शरीर भर में ऑक्सीजन ले जाता है। हीमोग्लोबिन, ऑक्सीजन को फेफड़ों से शरीर ऊतकों तक ले जाने का बहुत ही महत्वपूर्ण कार्य करता है। हीमोग्लोबिन कुछ कार्बन डाइऑक्साइड शरीर ऊतकों से फेफड़ों तक ले जाता है। (अधिकांश कार्बन डाइऑक्साइड, विलेय रूप में रुधिर की प्लाज्मा द्वारा ले जायी जाती है)। लाल रुधिर कोशिकाएँ आकृति में गोलाकार होती हैं। लाल रुधिर कोशिकाओं में केन्द्रक (nuclei) नहीं होते हैं। लाल रुधिर कोशिकाओं को जल्दी-जल्दी बनना होता है क्योंकि वे काफी लम्बे समय तक जीवित नहीं रहती हैं। प्रत्येक लाल रुधिर कोशिका लगभग चार महीने तक जीवित रहती हैं। लाल रुधिर कोशिकाओं के संक्षिप्त जीवन का एक कारण है कि उनमें केन्द्रक नहीं होते हैं। आकलन किया जा चुका है कि मानव रुधिर की लगभग तीन मिलियन लाल रुधिर कोशिकाएँ प्रतिदिन मरती हैं परन्तु उस संख्या की चार गुना प्रतिदिन अस्थिमज्जा में बनती हैं। इसलिए, जब हम किसी व्यक्ति के जीवन को बचाने के लिए रक्तदान करते हैं, तो हमारे शरीर से रक्त की हानि को, एक दिन के भीतर ही अत्यंत शीघ्र पूरा किया जा सकता है। कारण यह है कि हमारी अस्थिमज्जा में, लाल रुधिर कोशिकाएँ बहुत ही तेजी से बनती हैं। ध्यातव्य है कि रुधिर (या रक्त) में अधिकांश कोशिकाएँ, लाल रुधिर कोशिकाएँ होती हैं।

4. **अधिगम शैली (Learning Style):** अभिगमकर्ता द्वारा अपनाया गया एक ऐसी शैली होता है जिसमें वह अधिगम तथा अध्ययन के प्रति एक विशेष दृष्टिकोण अपनाता है। संबधात्मक शैली (Relational Style) तथा विश्लेषणात्मक शैली (Analytical Style) दो महत्वपूर्ण अधिगम शैली हैं जिनका उपयोग व्यक्तियों द्वारा काफी किया जाता है। कौशल सीखने की योग्यता पर व्यक्तिगत भिन्नता का प्रभाव आनुवंशिकता और परिवेश द्वारा प्रभावित होता है। इसके साथ ही साथ अधिगम कई कारकों से प्रभावित होता है जिनमें पुनर्बलन का स्वरूप, अभिप्रेरण का स्तर, अधिगम की तत्परता, अधिगम की विधि तथा व्यक्तिगत कारक प्रमुख हैं।

6. **सिफलिस (Syphilis):** इस रोग का कारक ट्रैपोनेमा पैलिडियम (Treponema Pallidum) है। इस रोग का संक्रमण रोगी के साथ मैथुन या संभोग करने से होता है। इस रोग में शिश्न व योनि में लाल रंग के दाने, बाद में शरीर पर चकते तथा अंत में हृदय, यकृत व मस्तिष्क भी प्रभावित होता है। इस रोग में पेनिसिलीन द्वारा लाभ होता है।

7. किसी भी क्षेत्र में उत्कृष्ट प्रदर्शन के लिए प्रशिक्षण एक अनिवार्य विशेषता है। खेल का प्रशिक्षण प्राप्त करके ही खिलाड़ियों द्वारा खेल में अच्छा प्रदर्शन किया जाता है। यदि खिलाड़ी खेल का प्रशिक्षण नहीं लेते हैं, तो उनके खेल में किसी भी प्रकार का विकास देखने को नहीं मिलता है। प्रशिक्षण के माध्यम से ही खिलाड़ियों में मानसिक, बौद्धिक, व्यक्तिगत, तकनीकी क्षमताओं आदि का विकास किया जाता है। इस प्रकार से खेल प्रशिक्षण की निम्नलिखित विशेषताएँ हैं–
   - खेल प्रशिक्षण प्रदर्शन लक्षित होता है।
   - खेल प्रशिक्षण व्यक्तिगत विषय वस्तु (मामला) होताहै।
   - खेल प्रशिक्षण नियोजित और सुव्यवस्थित होता है।
   - खेल प्रशिक्षण वैज्ञानिक प्रक्रिया है।
   - खेल प्रशिक्षण शैक्षणिक प्रक्रिया है।
   - खेल प्रशिक्षण में प्रशिक्षक एक मार्गदर्शक होता है।
   - खेल प्रशिक्षण एक नियंत्रित प्रक्रिया है।

8. यादृच्छिक नियंत्रित परीक्षण अभिकल्पना में क्रमगुणित अभिकल्पना, समानांतर अभिकल्पना तथा क्रॉस-ओवर अभिकल्पना शामिल हैं, जबकि स्तरीकृत अभिकल्पना शामिल नहीं है। यादृच्छिक परीक्षण एक ऐसा परीक्षण है

जिसे यदि एक जैसी परिस्थिति में भी बार-बार दोहराया जाए, तो भी सदैव एक-सा उत्तर नहीं आता है। किसी भी परीक्षण के किसी भी प्रयास में संभव परिणामों की कुल संख्या को घटनाओं की विशेष संख्या कहते हैं।

9. मानव शरीर के प्रकार का अर्थ मानव शरीर के आकार एवं रचना से है। प्रसिद्ध वैज्ञानिक हर्बर्ट शैल्डन के अनुसार शरीर के आकार अर्थात् Somatotype के आधार पर सभी व्यक्तियों को तीन निम्नलिखित श्रेणियों में बाँटा गया है–

एंडोमोर्फ (Endomorph): इस प्रकार के व्यक्तियों का शरीर गोल-मटोल होता है। ये बड़े एवं सुदृढ़ शरीर के कारण खेलों में अधिक अच्छा प्रदर्शन नहीं कर पाते हैं। इनके लिए उपयुक्त खेल भारोत्तोलन (Weight Lifting) तथा पॉवर लिफ्टिंग (Power Lifting) होते हैं।

मेसोमोर्फ (Mesomorph): मेसोमोर्फ व्यक्तियों का शरीर सुदृढ़, मजबूत एवं वर्गाकार होता है। इन व्यक्तियों के कंधे व छाती चौड़ी होती है। ये व्यक्ति किसी भी खेल में अच्छा प्रदर्शन कर सकते हैं।

एक्टोमोर्फ (Ectomorph): जिन व्यक्तियों का शरीर पतला एवं लम्बा होता है, उन्हें एक्टोमोर्फ श्रेणी में रखा गया है। इनके शरीर की मांसपेशियाँ पतली होती हैं व हाथ-पैर लम्बे होते हैं। इनकी छाती चपटी होती है। इनका शरीर ढाँचा हल्का होता है। अतः ये सहनक्षमता सम्बन्धित खेलों के लिए उपयुक्त होता है। इस प्रकार पोन्डरल तालिका खिलाड़ी की स्थिति के संदर्भ एक्टोमोर्फी सोमेटोटाइपिंग को दर्शाती है।

10. संगठन सिद्धांत के प्रमुख तत्व निम्नलिखित हैं :

1. यह विचारधारा मानती है कि प्रशासन एक तरह से सार्वभौमिक संरचनात्मक निर्माण है, जो संगठन के कुछ आम सिद्धांतों के लिए उत्तरदायी है;
2. इस दृष्टिकोण के समर्थकों ने मूल सत्य की खोज में अपनी गहरी रुचि दिखाई है कि एक संगठन के कार्यों में विभाजन किया जाना चाहिए;
3. इस दृष्टिकोण के समर्थक, हालांकि, संगठनात्मक कार्य के अत्यधिक विकेंद्रीकरण के खतरे को पूरी तरह से भूले नहीं हैं। इसलिए, वे एक संगठन में उचित समन्वय पर बहुत जोर देते हैं;
4. यह विचारधारा प्रशासनिक मामले में शक्तियों केसमान रूप से प्रयोग में नियंत्रण के एक तत्व में पक्ष में हैं;
5. इस विचारधारा के पैरवीकार दृढ़ता से आदेश और दिशा की एकता के पक्ष में हैं;
6. यह विचारधारा प्राधिकरण के केंद्रीकरण के पक्ष में भी है; और
7. इस विचारधारा की एक और महत्वपूर्ण विशेषता प्रबंधकीय परिप्रेक्ष्य है। एक प्रबंधकीय परिप्रेक्ष्य से संबंधित प्रशासन के इस पारंपरिक दृष्टिकोण के समर्थक अधिकांश विद्वान संगठन को सफल बनाने के लिए तकनीक या सिद्धांत को पोषित करने की सलाह देते हैं।

11. बुढ़ापे की प्रक्रिया में शारीरिक परिवर्तनों में सर्वाधिक दिखाई देने वाली–विश्राम में नाड़ी दर, विश्राम में सिस्टॉलिक रक्तचाप तथा बाह्य प्रतिरोध है। इसके साथ ही साथ बुढ़ापे में दृष्टि, श्रवणशक्ति, चखने, सूँघने तथा स्पर्श आदि की तीक्ष्णता आती है। सामान्यतः बुढ़ापे में मधुमेह (Type-2 diabetes), मोटापा, उच्च-रक्तचाप तथा हृदय रोग इत्यादि जैसी स्वास्थ्य समस्याएँ उत्पन्न होती हैं।

12. ऊँचाई के बढ़ने के साथ ही खिलाड़ी पर कई व्यावहारिक प्रभाव पड़ते हैं। इससे हवा का घनत्व कम हो जाता है जिसके कारण वायु/हवा द्वारा क्रियाओं के प्रति प्रतिरोध कम हो जाता है। साँस लेने में प्रयोग होने वाली हवा में ऑक्सीजन का दबाव कम हो जाता है जिससे शरीर में प्रवेश होने वाली ऑक्सीजन की मात्रा सीमित हो जाती है। इससे वातावरण/वायुमंडल का तापमान कम हो जाता है। गुरुत्वाकर्षण की शक्ति में भी कुछ कमी आती है। यदि खिलाड़ी ऊँचाई पर बने रहते हैं तो शारीरिक विज्ञान की व्यवस्थाओं जैसे कोशिकाओं में बाइकार्बोनेट स्तर की कमी, रक्त में हीमोग्लोबिन और लाल रक्त कणों की संख्या में वृद्धि और शरीर में विभिन्न द्रव्यों के स्तर के पुनर्स्थापन से सहनशक्ति के स्तर में निरंतर सुधार होता है। इस प्रकार स्पष्ट होता है कि अधिक ऊँचाई पर एक मिनट से अधिक दौड़ प्रतिस्पर्धा में प्रदर्शन को महत्वपूर्ण रूप से कुल बैरोमीट्रिक दबाव में कमी, ऑक्सीज़न के आंशिक दबाव में कमी तथा पेशी को ऑक्सीजन उपलब्धता कम करता है।

16. 'विटामिन' शब्द का प्रयोग सी फंक द्वारा सन् 1911 ई. में किया गया था। इसका नामकरण अंग्रेजी वर्णमाला के अक्षरों के अनुसार किया गया है, जैसे—A, B, C, D, E इत्यादि। विलेयता के आधार पर विटामिनों को दो वर्गों में विभाजित किया गया है—

(*a*) **जल में घुलनशील विटामिन**—विटामिन-B समूह एवं विटामिन-C

(*b*) **वसा में घुलनशील विटामिन**—विटामिन-A, विटामिन-D, विटामिन-E एवं विटामिन-K।

18. मानक परीक्षण की कसौटी में निम्नलिखित मापदंड सम्मिलित होते हैं—

(*a*) **वस्तुनिष्ठता :** यह प्रक्रिया लक्ष्यों से परिपूर्ण होती है तथा इसमें विषयनिष्ठता होती है। अर्थात् यह घृणा, अविश्वास, पूर्ण निर्णय से स्वतंत्र होती है, इसलिए मूल्यांकन के दौरान स्थापित मानकों के द्वारा प्रदर्शन के मूल्यांकन को अधिक महत्व दिया जाता है।

(*b*) **विश्वसनीयता :** इस प्रक्रिया में एकरूपता होनी चाहिए जिससे मूल्यांकन करने के दौरान सरलता से हम तुलना कर समझ सकें। अर्थात् इस मूल्यांकन की प्रक्रिया में विश्वसनीयता एवं समरूपता होनी चाहिए।

(*a*) **प्रामाणिकता :** यह मूल्यांकन अंतिम होता है, अतः परिणाम पर आधारित होता है। कई बार अत्यंत उपयोगी निवेश किसी मूल्यांकन संसाधन की अपेक्षा अधिक प्राप्त होता है।

19. परीक्षण की वैधता (Validity of the test): परीक्षण निर्माण की इस अवस्था में परीक्षण की वैधता ज्ञात की जाती है। जब परीक्षण उस उद्देश्य या गुण को मापने में सफल हो पाता है, जिसके लिए उसे बनाया गया है, तो उस परीक्षण को वैध (Valid) परीक्षण कहा जाता है तथा परीक्षण के इस गुण को वैधता की संज्ञा दी जाती है।

परीक्षण का मानक (Norms of the test): परीक्षण निर्माण की इस अवस्था में परीक्षण निर्माणकर्ता (test constructor) परीक्षण के लिए एक मानक (norms) तैयार करता है। इसके लिए वह एक बड़ा प्रतिनिधिक प्रतिदर्श (representative sample) लेता है और परीक्षण पर उस प्रतिदर्श का माध्य प्राप्तांक (Mean score) ज्ञात कर लेता है। यही माध्य प्राप्तांक उस परीक्षण का मानक कहलाता है। अतः स्पष्ट होता है कि परीक्षण की वैधता निर्णायकों द्वारा दर्जा, खेल प्रतियोगिता में स्थान, स्थापित परीक्षण, ज्ञान स्तरों की योग्यता की तुलना तथा मिश्रित अंक की विधियों द्वारा स्थापित की जाती है।

20. समाज में बाद की जिन्दगी में प्रतिस्पर्धा की चुनौतियों पर खरा उतरने के लिए खेल व स्पोर्ट्स व्यक्ति को तैयार करते हैं। इसमें भौतिक व मानसिक तंदरुस्ती, अच्छा चरित्र, अनुशासन, प्रतिस्पर्धा की भावना, अपनी सफलता में चुनौती अनुभव करने के अवसर व सामाजिक प्रतिष्ठा शामिल है। शारीरिक शिक्षा की समाजशास्त्रीय स्थापना मुख्यतः प्रतिस्पर्धा और सहयोग तथा समाजीकरण पर चर्चा करता है। समाजीकरण से तात्पर्य उस प्रक्रिया से है जिसके द्वारा व्यक्ति समूह में एक क्रियाशील सदस्य बनाता है, समूह की कार्यविधियों से समन्वय स्थापित करता है, उसकी परम्पराओं का ध्यान रखता है और सामाजिक परिस्थितियों से अनुकूलन करके अपने साथियों के प्रति सहनशीलता की भावना को विकसित करता है।

21. फील्ड इवेंट्स (Field Events): फील्ड इवेंट्स को दो भागों में विभाजित किया जाता है :

(क) थ्रोइंग इवेंट्स (Throwing Events): इनमें निम्नलिखित इवेंट्स होते हैं: शॉट पुट, डिस्कस थ्रो, हैमर थ्रो और जैवलिन थ्रो।

(ख) जम्पिंग इवेंट्स (Jumping Events): इनमें निम्नलिखित इवेंट्स होते हैं : लम्बी कूद, ऊँची कूद, त्रिपद कूद (Triple Jump) और बाँस कूद (Pole Vault)।

उपरोक्त इवेंट्स के अतिरिक्त एथलेटिक्स में डिकैथलोन और हैपटेथलोन भी क्रमशः पुरुषों तथा महिलाओं के लिए होते हैं।

1. **डिकैथलोन इवेंट्स (Decathlon Events):** डिकैथलोन में निम्न इवेंट्स होते हैं—100 मी. दौड़, लम्बी कूद, गोला फेंक, ऊँची कूद, 400 मी. दौड़, 110 मी. हर्डल्स, डिस्कस थ्रो, बाँस कूद, भाला फेंक और 1500 मी. दौड़। पुरुष डिकैथलोन के दूसरे दिन

होने वाली स्पर्धाओं का सही क्रम है–(*i*) 100 मी. बाधा दौड़, (*ii*) डिस्कस थ्रो, (*iii*) बाँस कूद (Pole Vault), (*iv*) भाला फेंक (Javelin throw), (*v*) 1500 मी. दौड़।

2. **हैपटेथलोन इवेंट्स (Heptathlon Events):** हैपटेथलोन में निम्नलिखित इवेंट्स होते हैं–100 मी. हर्डल्स, लम्बी कूद, गोला फेंक, ऊँची कूद, भाला फेंक और 800 मी. दौड़।

22. फुफ्फुसों को रक्त पहुँचाने का कार्य फुफ्फुसीय परिसंचरण के द्वारा पूरा होता है। वाहिकाएँ अशुद्ध (डिऑक्सीजिनेटेड) रक्त को हृदय से फुफ्फुसों तक ले जाती हैं और वहाँ रक्त शुद्ध (ऑक्सीजिनेटेड) होकर दोबारा हृदय में आ जाता है। यहाँ से शुद्ध (ऑक्सीजिनेटेड) रक्त शरीर के अन्य भागों में वितरित होता है। फुफ्फुसीय परिसंचरण में 4 से 8 सेकेंड का समय लगता है।

हृदय के दाएँ निलय (वेन्ट्रिकल) से फुफ्फुसीय धमनी (pulmonary trunk) के द्वारा फुफ्फुसीय रक्त परिसंचरण की शुरुआत होती है। फुफ्फुसीय ट्रंक पाँचवें थॉरेसिक वर्टिब्रा (कशेरुका) के स्तर पर दाईं और बाईं फुफ्फुसीय धमनियों में बँट जाता है। यह धमनियाँ क्रमशः दाएँ और बाएँ फुफ्फुसों में पहुँच जाती हैं। यहाँ ये धमनिकाओं में बँटकर ब्रोन्काई (bronchi) के साथ-साथ आगे बढ़ती हैं। आगे ये सूक्ष्म केशिकाओं (capillaries) में बँटकर ब्रोन्कियोल्स (bronchioles) के सिरों तक पहुँच जाती हैं। यहाँ गैसों का आदान-प्रदान होता है, जिसके फलस्वरूप अशुद्ध रक्त शुद्ध रक्त में बदल जाता है। शुद्ध रक्त को शिरिकाएँ (venules) जमा कर लेती हैं और चार बड़ी शिराएँ (veins) बनाती हैं। इनमें से दो शिराएँ दाएँ फुफ्फुस से तथा दो शिराएँ बाएँ फुफ्फुस से शुद्ध (ऑक्सीजिनेटेड) रक्त को लेकर बाहर निकलती हैं और अलग-अलग छिद्रों द्वारा बाएँ अलिन्द (एट्रियम) में पहुँचा देती हैं। इन चारों शिराओं को 'फुफ्फुसीय शिराएँ, (pulmonary veins) कहते हैं। ये शिराएँ शुद्ध (ऑक्सीजिनेटेड) रक्त का संवाहन करती हैं।

25. पाठयोजना का शाब्दिक अर्थ होता है पाठ की तैयारी। कक्षा में प्रवेश करने से पहले अध्यापक उन सभी बातों को लिपिबद्ध कर लेता है, जिसे वह एक निश्चित समयावधि के अन्दर पढ़ाना चाहता है। पाठ योजना की सहायता से शिक्षक को बालकों का पूर्व ज्ञान, पाठ का उद्देश्य आदि ज्ञात हो जाता है। अतः शालाओं में जितने भी ज्ञानात्मक और क्रियात्मक अभ्यास कराए जाते हैं, उनका एक निश्चित लक्ष्य होता है, जिन्हें पाठ की संज्ञा दी जाती है। प्रसिद्ध चिंतक हर्बर्ट ने पाठ योजना के लिए पाँच औपचारिक चरणों का विकास किया जिसका क्रमिक रूप है–तैयारी, प्रस्तुतीकरण, साहचर्य एवं तुलना, सामान्यीकरण तथा प्रयोग।

26. जब रोग एक व्यक्ति से दूसरे व्यक्ति तक प्रत्यक्ष या परोक्ष रूप से, जैसे–हवा, धूल, मिट्टी, पानी, भोजन के द्वारा फैलते हैं, वे संक्रामक रोग कहलाते हैं। उदाहरणतया एड्स, चेचक, हेपेटाइटिस-बी, टायफायड, टिटनेस, वायरल फीवर इत्यादि। संक्रमणशील/संचरणशील बीमारियों का प्रतिकार एवं नियंत्रण का सही क्रम है–अधिसूचना (Notification), पृथक्करण (Isolation), इलाज (Treatment), टीकाकरण (Immunization) तथा रोगाणुनाशक (Disinfection)।

28. शारीरिक शिक्षा के क्षेत्र में उपलब्ध व्यावसायिक पाठ्यचर्याओं का उद्देश्य होता है, शारीरिक शिक्षा को जीविका का साधन बनाने वाले इच्छुक अभ्यर्थियों को प्रशिक्षित करना जिससे कि वे शिक्षा के विभिन्न प्रक्रमों जैसे–प्राथमिक पाठशालाओं, माध्यमिक विद्यालयों, स्नातक स्तर पर तथा विश्वविद्यालय स्तर तथा इसके अलावा भी शारीरिक शिक्षा अध्यापक हेतु पाठ्य की विषय-वस्तु चाहे वह प्रमाण-पत्र स्नातकोत्तर स्तर की हो तो उसकी विषय-वस्तु विविध अंश क्रम में तीन महत्वपूर्ण उद्देश्यों पर केन्द्रित रहती है।

- शारीरिक शिक्षा के विषय में सम्पूर्ण जानकारी उपलब्ध कराना।
- शिक्षण संस्थाओं में विद्यार्थियों को क्या पढ़ाया जाएगा।
- यह सब किन विधियों तथा प्रविधियों द्वारा सिखाया/पढ़ाया जाएगा।

विषय-वस्तु के विश्लेषण के क्रमिक रूप इस प्रकार हैं–

(*a*) आँकड़ों का संग्रहण

(*b*) अध्ययन की इकाइयों का चयन

(c) तालिका का सूत्रीकरण
(d) अध्ययन के रूप में योजना
(e) वर्गों का मार्किंग
(f) वर्गों का परीक्षण
(g) विषय का विश्लेषणात्मक विवरण
(h) रिपोर्ट को तैयार करना।

30. **सामान्य पाठ योजना (General Lesson Plan):** इसका अर्थ उन पाठों से है, जिनमें केवल सांविधिक क्रियाओं का शिक्षण दिया जाता है। इस पाठ योजना में स्फूर्तिदायक तथा मनोरंजन को छोड़कर अन्य सभी सोपानों का शिक्षण गिनती तथा ताल से होता है। बहुत ही आसान शब्दों में कहा जा सकता है कि बड़े खेलों को छोड़कर समस्त क्रियाओं का शिक्षण सामान्य पाठ योजना की सहायता से होता है। सामान्य पाठ योजना में क्रमिक रूप से सम्मिलित हैं—असेम्बली और हाजिरी, प्रस्तावना, औपचारिक भाग, मनोरंजन तथा असेम्बली और विसर्जन।

31. शारीरिक शिक्षा को एक विज्ञान कहा जा सकता है यदि इसे सिद्धांतों, नियमों, परिकल्पनाओं जिस पर इनका निर्माण हुआ है, का निर्धारण व प्रमाणीकरण हो जाए। जैसा कि हम जानते हैं मानव जीवन कई अलग-अलग अनुशासनों के माध्यम से बिखरा पड़ा है। शारीरिक शिक्षा विभिन्न स्रोतों से अपने सिद्धांतों की रचना करती है, जैसे—एनाटॉमी, फिजियोलॉजी, मानसिक स्वच्छता, मनोविज्ञान, नृशास्त्र विज्ञान, जैव-रसायन शास्त्र, जैव भौतिक शास्त्र, जैव यांत्रिकी आदि जो 'मानव' और उसके 'क्रियाकलापों' को समझने में काफी मदद देती हैं। इन विज्ञानों ने ही शारीरिक शिक्षा के लिए एक वैज्ञानिक आधार खड़ा किया है। शारीरिक शिक्षा कार्यक्रमों का मार्गदर्शन करने वाले सिद्धांत और परिकल्पनाएँ भी इन विज्ञानों पर ही निर्भर करती हैं। अतः इस प्रकार स्पष्ट होता है कि कथन (A) एवं कारण (R) दोनों सही हैं और (R), (A) की सही व्याख्या है।

32. जब हमारी मांसपेशियाँ आराम की अवस्था में होती हैं तो उनमें ATP और Creatine Phosphate की प्रचुर मात्रा होती है। परंतु जब हम व्यायाम शुरू करते हैं तो कुछ ही क्षणों के बाद मांसपेशियों में ATP का भंडार समाप्त हो जाता है। इसी समय ADP (Adinosine Diphosphate) का स्तर बढ़ जाता है। Creatine Phosphate मांसपेशियों के संकुचन तथा प्रसार के लिए ATP की पूर्ति तुरन्त शुरू कर देता है। Creatine Phosphate के अणु, जिनमें ऊर्जा और फास्फेट होता है, ATP और Creatine बनाने के लिए ADP के अणुओं में बदल जाते हैं। कुछ समय के बाद Creatine Phosphate से जो ATP हमें प्राप्त होता है वह भी समाप्त हो जाता है। ऐसे समय पर ATP के लिए Glycolysis नामक स्रोत शुरू होता है। Glycolysis की प्रक्रिया में Glycogen (मांसपेशियों में ग्लूकोज का भंडारण) या रक्त में से ग्लूकोज रासायनिक क्रिया द्वारा पाइरूविक अम्ल (Pyruvic Acid) में बदलता रहता है।

यदि ऐसे समय पर O_2 आसानीपूर्वक मिल जाती है तो पाइरूविक अम्ल Acid CO_2 और H_2O में बदल जाता है। यह Critic Acid चक्र होता है जिससे मांसपेशियों को ATP प्राप्त हो जाता है। उपर्युक्त दोनों क्रियाएँ ऑक्सीजन की उपस्थिति तथा अनुपस्थिति दोनों में हो सकती हैं लेकिन तीसरी प्रक्रिया, जिसे हम Oxidative Phosphorylation कहते हैं, केवल ऑक्सीजन की उपस्थिति में ही ATP बनाती है। Pyruvic Acid से ATP इसी प्रक्रिया से बनाया जाता है। यदि O_2 की पूर्ति पूरी नहीं होती तो Glycolysis प्रक्रिया के द्वारा जो Pyruvic Acid बनता है वह Lactic Acid में बदल जाता है। यह अवस्था केवल उसी दशा में आती है जब कार्य बहुत कठिन हो तथा लम्बी अवधि का हो। Lactic Acid के बनने की अवस्था ही वास्तव में ऑक्सीजन ऋण की अवस्था होती है। यदि फिर भी हम व्यायाम को जारी रखें तो ऑक्सीजन ऋण भी बढ़ता जाता है। Lactic Acid और ऑक्सीजन ऋण का आपस में सीधा सम्बन्ध है, अर्थात् Lactic Acid की जितनी मात्रा हमारे शरीर में बढ़ती है उतना ही ऑक्सीजन ऋण बढ़ता है तथा Lactic Acid की मात्रा जितनी कम होती है उतना ही ऑक्सीजन ऋण कम हो जाता है, लेकिन Lactic Acid शरीर में तभी बनता है जब ऑक्सीजन ऋण 2.3 लीटर हो चुका हो अर्थात् 2.3 लीटर के ऑक्सीजन ऋण के बाद ही Lactic Acid बनता है। यदि हम फिर भी

व्यायाम करते रहें तो Lactic Acid रक्त-प्रवाह के माध्यम से लीवर में पहुँच जाता है जहाँ पर ऑक्सीकृत होकर यह पुनः Pyruvic Acid बन जाता है तथा Critic Cycle के द्वारा CO_2 और H_2O में विभाजित हो जाता है जिससे ATP बन जाता है। पूर्ण आराम करने से ऑक्सीजन ऋण कम हो जाता है। खिलाड़ी सामान्य हो जाता है तथा फिर से ATP मांसपेशियों में जमा हो जाता है ताकि वे फिर से कार्य कर सकें।

सामान्यतया, यदि कूलिंग डाउन उचित ढंग से किया जाए तो लैक्टिक एसिड लगभग एक घंटे में निकल जाता है। यदि कूलिंग डाउन हल्के व्यायामों के साथ नहीं किया जाए तो इसमें दो घंटे या इससे भी अधिक लग सकते हैं।

अतः इस प्रकार स्पष्ट होता है कि कथन (A) तथा कारण (R) दोनों सही हैं और (R), (A) की सही व्याख्या है।

33. मानव शरीर का लगभग आधा वजन पेशियों का होता है। वे हमारे शरीर को गति प्रदान करते हैं। हमारे शरीर में लगभग 650 पेशियाँ हैं और प्रत्येक पेशी हमें एक खास गति पैदा करने में मदद करती है। पेशियाँ अस्थियों की मदद से हमारे शरीर को चलाती हैं। हृदय की पेशियों द्वारा रक्त को पूरे शरीर में पहुँचाया जाता है। हमारे शरीर की बहुत-सी गतिविधियों के लिए बहुत-सी पेशियों को एक साथ काम करने की आवश्यकता होती है। व्यायाम करते समय मांसपेशियों में अनुचित खिंचाव के कारण अनेक समस्याएँ उत्पन्न हो जाती हैं। सोएस मांसपेशी (कूल्हें की दोनों पेशियाँ) को खींचने से रीढ़ पर बल बढ़ जाता है। इसी प्रकार लंबर रीढ़ से अधिक पीछे झुकने के साथ बल कम नहीं होता बल्कि बढ़ जाता है। अतः अभिकथन (A) सही है, लेकिन तर्क (R) गलत है।

35. मनुष्य का शारीरिक शिक्षा का ज्ञान उतना ही पुराना है, जितना कि मनुष्य स्वयं है। शारीरिक शिक्षा, शिक्षा का अविभाज्य अंग है। बुचर (1960) के अनुसार आधुनिक शिक्षा का लक्ष्य मानवीय, जन्मजात आंतरिक गुणों का संतुलित विकास करना है। दूसरे शब्दों में, इसका अर्थ मानव का सर्वांगीण विकास करने से लिया जाता है, जिसमें शारीरिक, मानसिक, शैक्षिक, सामाजिक, नैतिक और आध्यात्मिक विकास का समावेश है। शारीरिक शिक्षा के उद्देश्य इतिहास के दौर में परिवर्तित हुए हैं। उदाहरण के लिए 6ठी शताब्दी ई.पू. के काल को ऐतिहासिक काल भी कहा जाता है। इस समय पहली बार ब्राह्मणों की प्रतिष्ठा के प्रति आवाज आई जिसके फलस्वरूप गौतम बुद्ध तथा महावीर की चलाई हुई लहरों ने जोर पकड़ा था। इसका प्रभाव साधारण जीवन और शिक्षा पर पड़ा। सबसे अधिक प्रभाव जो इस समय ने किया वह लड़ाई-झगड़ा न करना तथा शांतिमय जीवन व्यतीत करना था। मेगस्थनीज ने इस समय का वर्णन करते हुए लिखा है कि इस समय हथियार लड़ाई के समय प्रयोग में लाए जाते थे। शांति के समय कुश्ती, दौड़ना, उछल-कूद, नेजा फेंकना तथा घुड़सवारी बहुत प्रचलित थी।

41. मनुष्य, उद्देश्य तथा साधन शारीरिक शिक्षा के लिए अति महत्वपूर्ण हैं तथा खेल क्रियाएँ, जिनके उद्देश्यों को उस समय तक प्राप्त नहीं किया जा सकता जब तक इन सभी तत्वों का प्रबंध उचित तथा संघटित प्रकार से न किया जाए। कुशलता के साथ क्रियाओं का निष्पादन करने के लिए तथा बेहतर प्रदर्शन करने के लिए मनुष्य को अन्य व्यक्तियों के मार्गदर्शन की आवश्यकता होती है। इसलिए सभी प्रकार की मानवीय संस्थाओं में योजना तथा व्यवस्था की क्रियाओं का विशेष महत्व होता है। व्यवस्थित प्रयास के बिना शारीरिक शिक्षा के उद्देश्यों को प्राप्त करना कठिन हो सकता है। इसी प्रकार, खेल तथा शारीरिक शिक्षा के कार्यक्रमों को कुशलता के साथ आयोजित करने के लिए आवश्यक उपकरणों तथा यंत्रों की व्यवस्था करना प्रबंधन का एक महत्वपूर्ण कार्य है। सरल भाषा में प्रबंधन का कार्य निम्नलिखित है–

- इस तथ्य की जानकारी रखना कि क्या करना है, अर्थात् योजना निर्मित करना, लक्ष्य एवं उद्देश्यों को निर्धारित करना।
- प्रतिनिधान अर्थात् अधीनस्थ अधिकारियों में शक्ति तथा कार्यों का विवरण करना।
- संगठन, कार्य तथा प्रयासों को वितरित करना एवं कार्य एवं प्रयासों को समन्वित करना जिससे एक सुव्यवस्थित संगठन निर्मित हो सके।

- प्रेरित करना अर्थात् उदाहरण तथा पुरस्कारों की सहायता से सहकर्मियों को प्रोत्साहित करना।
- व्यक्तियों को विकसित करना, कुशल कर्मचारियों का एक संगठन निर्मित करना जिससे वर्तमान कर्मचारियों को स्थानान्तरित किया जा सके।

अतः इस प्रकार स्पष्ट होता है कि अभिकथन (A) एवं कारण (R) दोनों सही हैं और (R), (A) की सही व्याख्या है।

45. **तनाव** : सभी खिलाड़ी विजयी होना चाहते हैं, सर्वश्रेष्ठ प्रदर्शन करना चाहते हैं किंतु सदैव सफलता तो प्राप्त नहीं होती है। परिणामस्वरूप असफलता खिलाड़ी को तनाव की ओर ले जाती है। इससे मांसपेशियों में तनाव आता है और खिलाड़ी अपनी गतियों को उचित ढंग से नहीं कर पाता, जिसके कारण उसका भविष्यगत प्रदर्शन प्रभावित होता है। इस प्रकार तनाव में खिलाड़ी मानसिक और स्नायु संबंधी दबाव का अनुभव करता है।

कुण्ठा : मन का विचार है कि कुण्ठा जीव की वह अवस्था है जो किसी प्रेरणायुक्त व्यवहार की संतुष्टि के कठिन या असम्भव हो जाने के कारण उत्पन्न होती है। इस प्रकार माँग की पूर्ति में अनुभवगत प्रतिरोध से उत्पन्न नकारात्मकता ही कुण्ठा है। कुण्ठा को मनोवैज्ञानिकों द्वारा तीन अर्थों द्वारा समझाया गया है—कुण्ठा परिस्थिति, कुण्ठा अवस्था, कुण्ठा प्रतिक्रिया।

चिन्ता : चिन्ता एक सामान्य लक्षण है जो लगभग सभी व्यक्तियों में पाया जाता है। कॉलमैन के अनुसार, ''भय तथा आशंका की सामान्यीकृत अनुभूति ही चिन्ता है। चिंता प्रत्येक व्यक्ति में भिन्न-भिन्न मात्रा में पाई जाती है। इस प्रकार शारीरिक और मनोवैज्ञानिक माँग और प्रत्युत्तर क्षमता के बीच असंतुलन ही चिंता है।

क्रोध : पूर्वधारणा का आक्रमण सिद्धांत फ्रायड के मूल प्रवृत्ति सिद्धांत पर आधारित है। यह किसी व्यक्ति के विरुद्ध नीच अपराध के प्रत्युत्तर में होता है।

49. **मध्यिका (Median):** आँकड़ों में चरम मानों की उपस्थिति के द्वारा समांतर माध्य प्रभावित होता है। यदि आप केंद्रीय प्रवृत्ति का ऐसा माप लेते हैं, जो आँकड़ों की मध्य स्थिति पर आधारित है, तो यह चरम मानों से प्रभावित नहीं होगा। मध्यिका उस चर का स्थितिक मान है, जो वितरण को दो समान भागों में बाँट देता है। एक भाग के अंतर्गत सभी मान मध्यिका मान से अधिक या उसके बराबर होते हैं और दूसरे भाग के सभी मान उससे कम या उसके बराबर होते हैं। जब आँकड़ा समुच्चय को उनके परिमाण के क्रम में व्यवस्थित किया जाए तो मध्यवर्ती मान मध्यिका होता है।

चतुर्थक विलचन (Quartile Deviation): किसी वितरण में उच्च या निम्न किसी भी चरम मान की उपस्थिति परिक्षेपण के माप के रूप में परास की उपयोगिता को घटा सकती है। इसलिए, एक ऐसे माप की जरूरत हो सकती है, जो कि बाह्य मूल्यों से अनुचित रूप से प्रभावित न हो।

गिनी गुणांक (Gini Coefficient): किसी भी अर्थव्यवस्था में असमानता के सूचक को गिनी गुणांक कहते हैं। यह सूचक शून्य से लेकर एक के बीच होता है। 'शून्य' गिनी गुणांक सम्पूर्ण समानता की स्थिति को दर्शाता है (प्रत्येक परिवार की आय एक समान होती है) लेकिन 'एक' पूर्ण असमानता की स्थिति को दर्शाता है। (एक परिवार अर्थव्यवस्था में पूरे आय का उपार्जन करता है)।

संकल्प गुणांक (Co-efficient of determination): प्रमाप विचलन या संकल्प गुणांक अपकिरण का एक निरपेक्ष माप (absolute measure) है। किसी श्रेणी का प्रमाप विचलन उसी इकाई में आता है जिस इकाई में समंक दिए होते हैं। इसलिए इस आधार पर दो या दो से अधिक श्रेणियों की तुलना करना संभव नहीं हो पाता। अतः दो श्रेणियों में विचरण की तुलना करने के लिए विचरण-गुणांक का प्रयोग किया जाता है। यह अपकिरण का एक सापेक्ष माप है।

प्रश्न-पत्र-III

*नोटः इस प्रश्न-पत्र में **पचहत्तर (75)** बहु-विकल्पीय प्रश्न हैं। प्रत्येक प्रश्न के **दो (2)** अंक हैं। **सभी** प्रश्न अनिवार्य हैं।*

1. .... में मानव के मानसिक, शारीरिक, बौद्धिक और सामाजिक शीलगुणों और प्रवृत्तियों के तत्त्व होते हैं जो वह बड़ा होने पर प्रदर्शित करता है।

A. जाइगोट B. स्त्री अंडा

C. पुरुष शुक्राणु D. पिकनिक

2. आई.ओ.सी. द्वारा यथा घोषित कौन-सी औषधि प्रतिबंधित नहीं है?

A. अल्कोहल B. स्टैन्जोलोल

C. एम्फेटामाइन D. मेरीजुआना

3. गतिक संबंधी अध्ययन (काइनेमेटिक स्टडी) में निम्नलिखित में से किस पर विचार किया जा सकता है?

A. दौड़ के प्रत्येक वर्ग के दौरान धावक की शक्ति

B. दौड़ के प्रारम्भ में धावक द्वारा 'स्टार्टिंग ब्लॉक्स' पर प्रयास का बल

C. दौड़ के दौरान धावक की कोणमय गति

D. मैदान की प्रतिक्रिया के कारण शरीर को धकेला जाता है

4. खेल के मीडिया कवरेज में नस्लीय और जातीय पूर्वाग्रह के सूक्ष्म रूप को कम करने का सबसे प्रभावी तरीका है :

A. प्रदर्शन मुद्दे पर ध्यान केन्द्रित करना

B. मीडिया की नौकरी में अधिक जातीय एवं नस्लीय अल्पसंख्यक लोगों को रखना

C. सभी मीडिया कर्मियों की नस्लीय अभिवृत्ति के संबंध में और शोध

D. नस्लीय या जातीय मुद्दों के बारे में शिकायत करने वाले खिलाड़ियों के साथ साक्षात्कार से बचना

5. किसके अनुसार चिंतन केवल ज्ञान के विशेषीकृत क्षेत्र तक सीमित नहीं है अपितु सामाजिक समस्या समाधान तक विस्तृत है?

A. हिल्डा ताबा B. फिनिक्स

C. ड्यूवे D. बेल्थ

6. टायफाइड की उद्भवन अवधि है :

A. 1 से 4 सप्ताह B. 1 से 2 सप्ताह

C. 1 से 2 महीना D. 2 से 4 महीना

7. जब एक प्रकार का प्रशिक्षण सुधार केवल एक कारक होता है, इस सिद्धान्त को कहते हैं :

A. भार की विशिष्टता

B. भार की सरलता

C. भार की जटिलता

D. भार की वैयक्तिकता

8. 10,000 खिलाड़ियों के सामान्य रूप से वितरित आँकड़ों में कितने खिलाड़ी $+3.0\,\sigma$ के पार होंगे?

A. 13 B. 26

C. 52 D. 126

9. किस मानदण्ड में शिक्षक यह जान जायेगा कि विद्यार्थी ने स्वीकार्य स्तर प्राप्त कर लिया है?

A. मानक संदर्भ

B. कसौटी संदर्भ

C. वस्तुनिष्ठ

D. मानक एवं कसौटी संदर्भ

10. सुविधा प्रबन्धन पद का अर्थ है :

A. संगठन की सुविधाओं की विपणन योजना

B. संगठन की भौतिक परिसम्पत्तियों का नियंत्रण

C. संगठन की मानव संसाधन योजना

D. संगठन की माल-सूची

11. मौलिक समाजशास्त्रीय सिद्धान्त हैं :

(*a*) संरचना

(*b*) मनोरंजन सिद्धान्त

(*c*) प्रकार्यात्मक सिद्धान्त

(*d*) संघर्ष सिद्धान्त

कूट :

A. (*a*), (*b*), (*c*) और (*d*)

B. (*b*), (*c*) और (*d*)

C. (*c*) और (*d*)

D. (*a*) और (*d*)

12. गर्म और आर्द्र जलवायु में भारी व्यायाम से ताप का निःशेषण हो सकता है और इसकी विशेषता होती है :

(*a*) स्थितिभ्रांति

(*b*) धीमी नाड़ी स्पंद दर

(*c*) पेशी मरोड़

(*d*) शरीर का घटा हुआ तापमान

(*e*) चक्कर

(*f*) न्यूनतम पसीना बहना

कूट से उत्तर का पता लगाइये :

A. (*a*), (*c*), (*e*) B. (*b*), (*d*), (*f*)

C. (*b*), (*c*), (*e*) D. (*a*), (*d*), (*f*)

13. यदि त्रिज्या (रैडियस) और कोणमय वेग दिया गया है तो निम्नलिखित में से कौन-सी कोणमय गतिकी (एन्गुलर काइनेमैटीज) होंगी?

(*a*) औसत त्वरण

(*b*) अभिकेन्द्री त्वरण

(*c*) रैखिक दूरी

(*d*) रैखिक वेग (स्पर्श-रेखीय)

(*e*) पूर्ण कोणमय

कूट :

A. (*a*) और (*c*) B. (*b*) और (*d*)

C. (*c*) और (*e*) D. (*a*), (*c*) और (*e*)

14. आक्रमण के बैरन की परिभाषा में मुख्य मुद्दे हैं :

(*a*) आक्रमण एक व्यवहार है।

(*b*) आक्रमण निर्देशित होता है।

(*c*) आक्रमण वंशागत होता है।

(*d*) आक्रमण में क्षति शामिल होती है।

(*e*) आक्रमण में जीव शामिल होता है।

कूट :

A. (*a*), (*b*), (*c*), (*d*) B. (*a*), (*b*), (*c*), (*e*)

C. (*b*), (*c*), (*d*), (*e*) D. (*a*), (*b*), (*d*), (*e*)

15. कौन से खेल फेडरेशन/एसोसिएशन स्वतंत्रता-प्राप्ति से पूर्व स्थापित किए गए थे?

(*a*) इंडियन हॉकी फेडरेशन

(*b*) इंडियन पोलो एसोसिएशन

(*c*) कबड्डी फेडरेशन ऑफ इंडिया

(*d*) नेशनल राइफल एसोसिएशन ऑफ इंडिया

(*e*) इंडियन वेट लिफ्टिंग फेडरेशन

(*f*) एमेच्योर एथलेटिक फेडरेशन ऑफ इंडिया

कूट :

A. (*a*), (*b*), (*c*), (*d*) B. (*a*), (*b*), (*d*)

C. (*a*), (*b*), (*d*), (*e*) D. (*a*), (*e*), (*f*)

16. लौह की कमी निम्नलिखित समूहों में हो सकता है :

(*a*) भारोत्तोलक

(*b*) मैराथन धावक

(*c*) स्प्रिंटर्स

(*d*) लाल मांस नहीं खाने वाले

(*e*) पहलवान

(*f*) रजः स्राव महिला

कूट :

A. (*b*), (*d*), (*f*) B. (*a*), (*c*), (*e*), (*f*)

C. (*b*), (*d*), (*e*), (*f*) D. (*b*), (*c*), (*d*), (*f*)

17. कक्षा गतिविधियों को निम्नलिखित तरीके से संगठित किया जा सकता है, नीचे दिए गए कूट में से सही संयोजन को चुनिए :

(*a*) इंटरवल प्रशिक्षण (*b*) स्टेशन प्रशिक्षण

(*c*) सर्किट प्रशिक्षण (*d*) फ्रंटल प्रशिक्षण

कूट :

A. (*a*), (*b*), (*c*) B. (*a*), (*c*), (*d*)

C. (*a*), (*b*), (*d*) D. (*b*), (*c*), (*d*)

18. निम्नलिखित में से कौन से सही हैं?

(*a*) पूर्ण विषमता = मध्यमान – बहुलांक

(*b*) पूर्ण विषमता = मध्यमान – मध्यांक

(*c*) सकारात्मक विषमता = परीक्षण अत्यंत कठिन होता है।

(*d*) नकारात्मक विषमता = परीक्षण अत्यंत आसान होता है।

(*e*) प्लेटी कुर्टिक वक्र = Ku 0.263 से कम होता है।

(*f*) लेप्टो कुर्टिक वक्र = Ku 0.263 से अधिक होता है।

कूट :

A. केवल (*b*), (*c*), (*d*), (*e*) और (*f*) सही हैं।

B. केवल (*a*), (*c*), (*d*), (*e*) और (*f*) सही हैं।

C. केवल (*a*), (*c*) और (*d*) सही हैं।

D. केवल (*b*), (*e*) और (*f*) सही हैं।

19. शेल्डन सोमेटोटाइपिंग में कौन-सा संयोजन खिलाड़ी का सोमेटोटाइप पहचानने योग्य होता है?

(*a*) पोन्डरल तालिका (*b*) वजन

(*c*) धड़ तालिका (*d*) ऊँचाई

कूट :

A. (*a*), (*b*), (*c*) B. (*a*), (*c*), (*d*)

C. (*a*), (*b*), (*d*) D. (*b*), (*c*), (*d*)

20. इंटरनेशनल ओलम्पिक कमिटी के संबंध में निम्नलिखित में से कौन-सा सही है?

(*a*) इसमें 105 सक्रिय सदस्य, 32 अवैतनिक सदस्य, 1 विशिष्ट सदस्य होता है।

(*b*) इसकी स्थापना 23 जून, 1894 को की गई।

(*c*) अवैतनिक प्रेजीडेंट—जैक्स रॉग

(*d*) प्रेजीडेंट—थॉमस बैच

कूट :

A. (*a*), (*c*) और (*d*) सही हैं।

B. (*a*), (*b*), (*c*) और (*d*) सही हैं।

C. (*b*), (*c*) और (*d*) सही हैं।

D. (*a*), (*b*) और (*c*) सही हैं।

21. बालकों के संज्ञानात्मक विकास के चरणों का सही क्रम क्या है?

(*a*) ठोस प्रचालनात्मक

(*b*) संवेदी पेशीय

(*c*) औपचारिक प्रचालनात्मक

(*d*) तैयारी संबंधी

कूट :

A. (*b*), (*d*), (*c*), (*a*) B. (*d*), (*b*), (*c*), (*a*)

C. (*a*), (*c*), (*b*), (*d*) D. (*b*), (*d*), (*a*), (*c*)

22. पेशी संकुचन से संबंधित घटनाक्रमों के बारे में नीचे दिए गए कूट में से सही क्रम को चुनिए :

(*a*) कैल्शियम ट्रोपोनिन से जुड़ता है इसके द्वारा ऐक्टिन पर क्रॉस ब्रिज जोड़ को अनावरित करता है।

(*b*) आड़े ट्यूबुल्स में ऐक्शन पोटेनशियल कैल्शियम को छोड़ना शुरू करता है।

(*c*) ऐक्टिन के गाढ़े फिलामेंट जोड़ पर ऊर्जीकृत मायोसिन क्रॉस ब्रिज करता है।

(*d*) एसेटाइल कोडीन मोटर एंड प्लेट को निष्क्रिय करता है।

(*e*) ए.टी.पी. मायोसिन को जोड़ता है, ऐक्टिन और मायोसिन के बीच संबंध तोड़ता है।

कूट :

A. (*d*), (*c*), (*b*), (*e*), (*a*)

B. (*b*), (*a*), (*d*), (*c*), (*e*)

C. (*b*), (*d*), (*c*), (*a*), (*e*)

D. (*d*), (*b*), (*a*), (*c*), (*e*)

23. मानव कंकाल के सिर से लेकर पैर की उँगलियों तक की हड्डियों को क्रम में व्यवस्थित कीजिए :

(*a*) टालुस (घुटिकास्थि)

(*b*) हाइऑइड (कंठिका)

(*c*) मैक्सिलरी बोन (जंभिका ऊर्ध्वहनु अस्थि)

(*d*) स्टरनम (उरोस्थि)

(*e*) क्यूबॉइड (घनास्थि)

कूट :

A. (*a*), (*e*), (*d*), (*b*), (*c*)

B. (*b*), (*c*), (*a*), (*e*), (*d*)

C. (*c*), (*b*), (*d*), (*a*), (*e*)

D. (*d*), (*a*), (*c*), (*e*), (*b*)

24. प्रश्नावलियों को जिस तरह से वे बनाए गए नीचे दिए गए कूट में से कालक्रमानुसार व्यवस्थित कीजिए :

(*a*) स्पोर्ट कोहेजन प्रश्नावली

(*b*) मल्टीडायमेंशनल स्पोर्ट कोहेजन इंस्ट्रुमेंट

(*c*) स्पोर्ट कोहेजिवनेस प्रश्नावली

(*d*) ग्रुप इन्वायरनमेंट प्रश्नावली

कूट :

A. (*a*), (*b*), (*c*), (*d*) B. (*b*), (*d*), (*a*), (*c*)

C. (*c*), (*a*), (*b*), (*d*) D. (*b*), (*c*), (*d*), (*a*)

25. जीवन-वृत्ति योजना बनाने की प्रक्रिया में निम्नलिखित प्रमुख अवस्थाएँ हैं।

नीचे दिए गए कूट में से सही क्रम को चुनिए :

(*a*) व्यक्तिगत और पेशेवर विकास

(*b*) जीवन-वृत्तियों की खोज

(*c*) जीवन वृत्ति प्राप्ति

(*d*) स्व-की पूर्ण खोज

कूट :

A. (*a*), (*c*), (*b*), (*d*) B. (*a*), (*b*), (*c*), (*d*)

C. (*d*), (*b*), (*c*), (*a*) D. (*b*), (*d*), (*a*), (*c*)

26. नीचे दिए गए कूट में से सही क्रम को चुनिए :
सार्वजनिक स्वास्थ्य की महत्त्वपूर्ण घटनाएँ उनके घटित होने के क्रम में
(*a*) आई.सी.एम.आर. ने भारतीयों के लिए पोषक तत्त्वों की आवश्यकताओं के बारे में घोषणा की और आहार संबंधी आबंटन (एलाउन्सेज) की सिफारिश की।
(*b*) राष्ट्रीय स्वास्थ्य नीति
(*c*) पल्स पोलियो टीकाकरण
(*d*) असंक्रामक रोग संबंधी कार्यक्रम

कूट :
A. (*b*), (*c*), (*a*), (*d*)
B. (*c*), (*a*), (*b*), (*d*)
C. (*c*), (*b*), (*d*), (*a*)
D. (*b*), (*c*), (*d*), (*a*)

27. नीचे दिए गए कूट में से सीखने वाले खिलाड़ियों द्वारा 'स्ट्रेट हिट' के अभ्यास में उठाए जानेवाले कदमों को क्रम में व्यवस्थित कीजिए :
(*a*) 'रॉल द बॉल' और 'हिट'
(*b*) 'ड्रिबल द बॉल' और 'हिट'
(*c*) रुकी हुई बॉल को 'हिट' करना
(*d*) बॉल के बिना 'हिट' करना
(*e*) 'ड्रिबल', 'रॉल' और 'हिट'

कूट :
A. (*d*), (*c*), (*a*), (*b*), (*e*)
B. (*c*), (*a*), (*d*), (*b*), (*e*)
C. (*a*), (*b*), (*c*), (*e*), (*d*)
D. (*d*), (*b*), (*a*), (*e*), (*c*)

28. प्रणाली-विश्लेषण के कदमों का सही क्रम बतलाइए :
(*a*) ब्लॉक डायग्राम
(*b*) प्रणाली के प्रचालन की समीक्षा
(*c*) समस्या का पृथक्करण
(*d*) समस्या क्षेत्र में विशिष्ट प्रचालन
(*e*) उद्देश्यों का सूत्रीकरण
(*f*) आँकड़ों का संग्रहण और विश्लेषण

कूट :
A. (*a*), (*e*), (*f*), (*c*), (*d*), (*b*)
B. (*e*), (*f*), (*b*), (*a*), (*d*), (*b*)
C. (*e*), (*b*), (*f*), (*c*), (*d*), (*a*)
D. (*e*), (*a*), (*b*), (*f*), (*c*), (*d*)

29. परीक्षण निर्मित करने के पदों को नीचे दिए गए कूट में से सही क्रम में व्यवस्थित कीजिए :
(*a*) विश्वसनीयता ज्ञात करना
(*b*) मानक निर्माण
(*c*) परीक्षण प्रशासन की सटीक विधि स्थापित करना
(*d*) परीक्षण संशोधित करना
(*e*) वैधता स्थापित करना
(*f*) परीक्षण मदों का चयन
(*g*) खेल विश्लेषण
(*h*) वस्तुनिष्ठता परिकलन

कूट :
A. (*f*), (*g*), (*a*), (*c*), (*h*), (*d*), (*e*), (*b*)
B. (*g*), (*f*), (*c*), (*a*), (*h*), (*e*), (*b*), (*d*)
C. (*g*), (*f*), (*c*), (*e*), (*a*), (*h*), (*d*), (*b*)
D. (*g*), (*f*), (*c*), (*a*), (*h*), (*e*), (*d*), (*b*)

30. नीचे दिए गए कूट से प्रदर्शन क्षमता के कारकों का सही संयोजन बताइये :
(*a*) समन्वयन योग्यताएँ
(*b*) बौद्धिक योग्यताएँ
(*c*) बनावट
(*d*) प्रतिबंधित योग्यताएँ
(*e*) तकनीकी-निपुणता योग्यताएँ

कूट :
A. (*a*), (*b*), (*c*), (*e*)
B. (*b*), (*c*), (*d*), (*e*)
C. (*a*), (*b*), (*d*), (*e*)
D. (*a*), (*c*), (*d*), (*e*)

31. नीचे दो कथन दिए गए हैं, एक को अभिकथन (A) और दूसरे को तर्क (R) कहा गया है :
अभिकथन (A) : किशोरावस्था के दौरान मस्तिष्क के भावनात्मक/सामाजिक नेटवर्क में परिवर्तनों का परिणाम समस्याओं के स्व-विनियमीकरण के रूप में सामने आता है।
तर्क (R) : किशोरावस्था के दौरान ऑक्सीटॉसिन के प्रति अत्यधिक संवेदनशीलता के कारण भावनात्मक और सामाजिक उत्तेजनाओं में वृद्धि होती है।
उपरोक्त कथनों के संदर्भ में निम्नलिखित में से कौन-सा सही है?

कूट :
A. (A) एवं (R) दोनों सही हैं और (R), (A) की सही व्याख्या है।

B. (A) एवं (R) दोनों सही हैं, लेकिन (R), (A) की सही व्याख्या नहीं है।
C. (A) सही है, लेकिन (R) गलत है।
D. (A) गलत है, लेकिन (R) सही है।

32. नीचे दो कथन दिए गए हैं, एक को अभिकथन (A) है और दूसरे को तर्क (R) कहा गया है :

अभिकथन (A) : प्रतिभा के बिना केवल प्रशिक्षण और उन्नत बाह्य कारकों तथा सुविधाओं के द्वारा अंतर्राष्ट्रीय स्तर का चैम्पियन खिलाड़ी बनाना संभव नहीं है।

तर्क (R) : किसी में खेल की क्षमता हो सकती है किंतु जब तक वह सुनियोजित प्रशिक्षण कार्यक्रम, जिसमें अच्छी आधारभूत संरचना तथा अत्यधिक वित्तीय निवेश है, में भाग नहीं लेता है अंतर्राष्ट्रीय ख्याति का खिलाड़ी बनाना असंभव है।

उपरोक्त कथनों के संदर्भ में निम्नलिखित में से कौन-सा सही है?

कूट :
A. (A) एवं (R) दोनों सही हैं और (R), (A) की सही व्याख्या है।
B. (A) एवं (R) दोनों सही हैं, लेकिन (R), (A) की सही व्याख्या नहीं है।
C. (A) सही है, लेकिन (R) गलत है।
D. (A) गलत है, लेकिन (R) सही है।

33. नीचे दो कथन दिए गए हैं, एक को अभिकथन (A) और दूसरे को तर्क (R) कहा गया है :

अभिकथन (A) : साइक्लिंग में भिन्न और बदलते अनुपात में क्वाड्रीसेप फेमोरिस और हैमस्ट्रिंग्स (घुटने के पीछे की नसें) का सह-संकुलन (कॉ-कॉन्ट्रेक्शन) होता है।

तर्क (R) : साइक्लिंग के पूरे समय में घुटनों के फैलाव के दौरान पैडल पर प्रयुक्त बल की दिशा स्थिर रहती है।

उपरोक्त कथनों के संदर्भ में निम्नलिखित में से कौन-सा सही है?

कूट :
A. (A) एवं (R) दोनों सही हैं और (R), (A) की सही व्याख्या है।
B. (A) एवं (R) दोनों सही हैं, लेकिन (R), (A) की सही व्याख्या नहीं है।
C. (A) सही है, लेकिन (R) गलत है।
D. (A) गलत है, लेकिन (R) सही है।

34. नीचे दो कथन दिए गए हैं, एक अभिकथन (A) है और दूसरा तर्क (R) है :

अभिकथन (A) : व्यक्तित्व का सामाजिक अधिगम सिद्धान्त जोर देता है कि व्यवहार सामाजिक अधिगम का फलन और स्थिति का बल है।

तर्क (R) : किसी व्यक्ति की प्रतिक्रिया का किसी विशेष स्रोत को कितना श्रेय दिया जाए समझने के लिए व्यक्तित्व तथा स्थिति के बीच अंतर्क्रिया महत्त्वपूर्ण है।

उपर्युक्त कथनों के संदर्भ में निम्नलिखित में से कौन सही है?

कूट :
A. (A) और (R) दोनों सही हैं और (R), (A) की सही व्याख्या है।
B. (A) और (R) दोनों सही हैं, किन्तु (R), (A) की सही व्याख्या नहीं है।
C. (A) सही है, किन्तु (R) गलत है।
D. (A) गलत है, किन्तु (R) सही है।

35. नीचे दो कथन दिए गए हैं, एक अभिकथन (A) है और दूसरा तर्क (R) है :

अभिकथन (A) : सेवाकालीन शिक्षा की आवश्यकता शिक्षण में अत्यावश्यक है।

तर्क (R) : चूँकि ज्ञान के सभी क्षेत्रों में तीव्र प्रगति हुई है और शिक्षाशास्त्रीय सिद्धान्त तथा अभ्यास के सतत मूल्यांकन की भी अति आवश्यकता है।

उपर्युक्त कथनों के संदर्भ में निम्नलिखित में से कौन-सा सही है?

कूट :
A. (A) और (R) दोनों सही हैं और (R), (A) की सही व्याख्या है।
B. (A) और (R) दोनों सही हैं, किन्तु (R), (A) की सही व्याख्या नहीं है।

C. (A) सही है, किन्तु (R) गलत है।

D. (A) गलत है, किन्तु (R) सही है।

36. नीचे दो कथन दिए गए हैं, एक को अभिकथन (A) और दूसरे को तर्क (R) कहा गया है :

अभिकथन (A) : भरपूर कार्बोहाइड्रेट आहार के माध्यम से ग्लाइकोजेन भरण की संभावना नियासिन के ग्रहण में कमी।

तर्क (R) : यह निष्कर्ष निकाला गया था कि कार्बोहाइड्रेट भरण के दौरान नियासिन ग्रहण में कमी से वातापेक्षी शक्ति में अधिकतम वृद्धि होती है।

उपर्युक्त कथनों के संदर्भ में निम्नलिखित में से कौन-सा सही है?

कूट :

A. (A) एवं (R) दोनों सही हैं और (R), (A) की सही व्याख्या है।

B. (A) एवं (R) दोनों सही हैं, लेकिन (R), (A) की सही व्याख्या नहीं है।

C. (A) सही है, लेकिन (R) गलत है।

D. (A) गलत है, लेकिन (R) सही है।

37. नीचे दो कथन दिए गए हैं, एक को अभिकथन (A) और दूसरे को तर्क (R) कहा गया है :

अभिकथन (A) : लघु तैयारी अवधि आमतौर पर अधिक लम्बे समय तक के लिए उच्चतम कार्य-प्रदर्शन की पर्याप्त स्थिरता पैदा करती है।

तर्क (R) : यदि उच्चतम कार्य-प्रदर्शन शीघ्र प्राप्त कर लिया जाए तो वह लंबी अवधि तक टिक नहीं सकता।

उपर्युक्त कथनों के संदर्भ में निम्नलिखित में से कौन-सा सही है?

कूट :

A. (A) एवं (R) दोनों सही हैं और (R), (A) की सही व्याख्या है।

B. (A) एवं (R) दोनों सही हैं, लेकिन (R), (A) की सही व्याख्या नहीं है।

C. (A) सही है, लेकिन (R) गलत है।

D. (A) गलत है, लेकिन (R) सही है।

38. नीचे दो कथन दिए गए हैं, एक को अभिकथन (A) और दूसरे को तर्क (R) कहा गया है :

अभिकथन (A) : काई-स्क्वैयर पर्यवेक्षणात्मक मूल्यों के समुच्चय के बीच विसंगतियों और उस परिकल्पना आधार पर प्राप्त तदनुरूपी सैद्धान्तिक मूल्यों के परीक्षण का एक मापदण्ड है, जिस पर जनसंख्या आधारित है।

तर्क (R) : काई-स्क्वैयर पर्यवेक्षित और प्रत्याशित के बीच विसंगतियों का एक विवरण मापन है। विसंगतियाँ जितनी अधिक बड़ी होंगी, काई-स्क्वैयर उतना ही अधिक लघु होगा।

उपरोक्त कथनों के संदर्भ में निम्नलिखित में से कौन-सा सही है?

कूट :

A. (A) एवं (R) दोनों सही हैं और (R), (A) की सही व्याख्या है।

B. (A) एवं (R) दोनों सही हैं, लेकिन (R), (A) की सही व्याख्या नहीं है।

C. (A) सही है, लेकिन (R) गलत है।

D. (A) गलत है, लेकिन (R) सही है।

39. नीचे दो कथन दिए गए हैं, एक अभिकथन (A) है और दूसरा तर्क (R) है :

अभिकथन (A) : बहु सहसंबंध को परीक्षण बैटरी के चयन में प्रयुक्त किया जाता है, जो उन परीक्षण मदों से बनी होती है, जिसका मापदण्ड के साथ उच्चतम और एक-दूसरे के साथ निम्नतम सहसंबंध होता है।

तर्क (R) : अत्यंत संबंधित पाये जाने वाले दो परीक्षण मदों में से एक जो मापदण्ड से उच्चतम सहसंबंधित होता है उसका चयन किया जाता है।

उपर्युक्त दोनों कथनों के संदर्भ में निम्नलिखित में से कौन-सा कथन सही है?

कूट :

A. (A) और (R) दोनों सही हैं और (R), (A) की सही व्याख्या है।

B. (A) और (R) दोनों सही हैं, किन्तु (R), (A) की सही व्याख्या नहीं है।

C. (A) सही है, किन्तु (R) गलत है।

D. (A) गलत है, किन्तु (R) सही है।

40. नीचे दो कथन दिए गए हैं, एक को अभिकथन (A) और दूसरे को तर्क (R) कहा गया है :

अभिकथन (A) : शारीरिक शिक्षा प्रशासक को कार्यालय प्रबन्धन की दक्षता की मुख्य बातों को समझने की आवश्यकता है।

तर्क (R) : विभाग के दक्ष प्रचालन के लिए त्रुटिरहित कार्यालय कार्यविधियों की आवश्यकता होती है।

उपरोक्त कथनों के संदर्भ में निम्नलिखित में से कौन-सा सही है?

कूट :

A. (A) एवं (R) दोनों सही हैं और (R), (A) की सही व्याख्या है।

B. (A) एवं (R) दोनों सही हैं, लेकिन (R), (A) की सही व्याख्या नहीं है।

C. (A) सही है, लेकिन (R) गलत है।

D. (A) गलत है, लेकिन (R) सही है।

41. नीचे दो कथन दिए गए हैं, एक को अभिकथन (A) और दूसरे को तर्क (R) कहा गया है :

अभिकथन (A) : दर्शकों के कारण पैदा हुई मनोवैज्ञानिक जागृति में वृद्धि का परिणाम अनुभवहीन कार्य-प्रदर्शकों (परफोर्मर्स) के कम प्रदर्शन के रूप में सामने आता है।

तर्क (R) : दर्शकों का दबाव ध्यान का टकराव पैदा करता है, जो सीखने वाले कार्य-प्रदर्शक (परफोर्मर) के लिए राह आसान बनाता है।

उपरोक्त कथनों के संदर्भ में निम्नलिखित में से कौन-सा सही है?

कूट :

A. (A) एवं (R) दोनों सही हैं और (R), (A) की सही व्याख्या है।

B. (A) एवं (R) दोनों सही हैं, लेकिन (R), (A) की सही व्याख्या नहीं है।

C. (A) सही है, लेकिन (R) गलत है।

D. (A) गलत है, लेकिन (R) सही है।

42. नीचे दो कथन दिए गए हैं, एक को अभिकथन (A) और दूसरे को तर्क (R) कहा गया है :

अभिकथन (A) : शरीर के बढ़ते हुए अभ्यंतर तापमान तथा निर्जलीकरण के परिणामतः हृद्वाहिका प्रणाली पर पड़े भार के कारण गर्म, शुष्क दशाओं में किया गया व्यायाम सीमित होता है।

तर्क (R) : अत्यधिक गर्मी में व्यायाम करने से निर्जलीकरण, हीट क्रैम्प, हीट इक्ज़ॉशन और हीट स्ट्रोक जैसे गर्मी से उत्पन्न विकार हो सकते हैं।

उपरोक्त कथनों के संदर्भ में निम्नलिखित में से कौन-सा सही है?

कूट :

A. (A) एवं (R) दोनों सही हैं और (R), (A) की सही व्याख्या है।

B. (A) एवं (R) दोनों सही हैं, लेकिन (R), (A) की सही व्याख्या नहीं है।

C. (A) सही है, लेकिन (R) गलत है।

D. (A) गलत है, लेकिन (R) सही है।

43. नीचे दो कथन दिए गए हैं, एक को अभिकथन (A) और दूसरे को तर्क (R) कहा गया है :

अभिकथन (A) : किक लगाने (फुटबॉल) में सिरा भाग (एक्सट्रिमिटी सेगमेन्ट) की लंबाई बढ़ने से बॉल के रैखिक वेग में वृद्धि होती है।

तर्क (R) : रैखिक वेग वेक्टर रोटेटिंग सेगमेन्ट के हमेशा समानांतर होता है।

उपरोक्त कथनों के संदर्भ में निम्नलिखित में से कौन-सा सही है?

कूट :

A. (A) एवं (R) दोनों सही हैं और (R), (A) की सही व्याख्या है।

B. (A) एवं (R) दोनों सही हैं, लेकिन (R), (A) की सही व्याख्या नहीं है।

C. (A) सही है, लेकिन (R) गलत है।

D. (A) गलत है, लेकिन (R) सही है।

44. नीचे दो कथन दिए गए हैं, एक अभिकथन (A) है और दूसरा तर्क (R) है :

अभिकथन (A) : शीलगुण दुश्चिंता तात्कालिक संवेगात्मक अनुभव है जिसकी विशेषता आशंका, भय और तनाव होती है और इसके साथ सक्रियण एवं उद्दोलन भी होता है।

तर्क (R) : इस स्थिति का अनुभव कतिपय वातावरणीय परिस्थितियों को तनावपूर्ण समझने की व्यक्तित्व स्ववृत्ति के कारण और बढ़ी हुई दुश्चिंतता के साथ इन परिस्थितियों के प्रति प्रतिक्रिया के कारण होता है।

उपर्युक्त कथनों के संदर्भ में निम्नलिखित में से कौन-सा सही है?

कूट :

A. (A) और (R) दोनों सही हैं और (R), (A) की सही व्याख्या है।

B. (A) और (R) दोनों सही हैं, किन्तु (R), (A) की सही व्याख्या नहीं है।

C. (A) सही है, किन्तु (R) गलत है।

D. (A) गलत है, किन्तु (R) सही है।

45. नीचे दो कथन दिए गए हैं, एक को अभिकथन (A) और दूसरे को तर्क (R) कहा गया है :

अभिकथन (A) : प्रदर्शन सूचक विषय अधिगम मानकों को प्रतिबिंबित करता है।

तर्क (R) : शैक्षिक प्रक्रिया में विभिन्न बिन्दुओं पर मानक उन प्रत्याशाओं को विनिर्दिष्ट करते हैं जिन्हें विशेष ग्रेड से पूरा करता है।

उपर्युक्त कथनों के संदर्भ में, निम्नलिखित में से कौन-सा सही है?

कूट :

A. (A) और (R) दोनों सही हैं और (R), (A) की सही व्याख्या है।

B. (A) और (R) दोनों सही हैं, किन्तु (R), (A) की सही व्याख्या नहीं है।

C. (A) सही है, किन्तु (R) गलत है।

D. (A) गलत है, किन्तु (R) सही है।

46. नीचे दो कथन दिए गए हैं, एक को अभिकथन (A) और दूसरे को तर्क (R) कहा गया है :

अभिकथन (A) : व्यायाम करने की अपेक्षा वजन कम करने का अधिक कुशल तरीका कैलोरी ग्रहण को कम करना है।

तर्क (R) : भोजन ग्रहण करने की प्रवृत्ति वजन के समानुपातिक होती है इसलिए जिनका ऊर्जा व्यय कम होता है वजनी हो जाते हैं।

उपरोक्त कथनों के संदर्भ में निम्नलिखित में से कौन-सा सही है?

कूट :

A. (A) एवं (R) दोनों सही हैं और (R), (A) की सही व्याख्या है।

B. (A) एवं (R) दोनों सही हैं, लेकिन (R), (A) की सही व्याख्या नहीं है।

C. (A) सही है, लेकिन (R) गलत है।

D. (A) गलत है, लेकिन (R) सही है।

47. नीचे दो कथन दिए गए हैं, एक को अभिकथन (A) और दूसरे को तर्क (R) कहा गया है :

अभिकथन (A) : प्रशिक्षण के प्रारम्भिक चरणों में समूह प्रशिक्षण योजनाओं का इस्तेमाल बड़ी संख्या में एथलीटों की प्रशिक्षण सुविधाओं के इष्टतम उपयोग को सुनिश्चित करने के लिए किया जाता है।

तर्क (R) : विशिष्ट खिलाड़ियों के लिए व्यक्तिगत प्रशिक्षण योजनाएं कार्य-प्रदर्शन के लिए पहले से आवश्यक विशेषताओं के विकास को सुनिश्चित नहीं कर सकतीं।

उपरोक्त कथनों के संदर्भ में निम्नलिखित में से कौन-सा सही है?

कूट :

A. (A) एवं (R) दोनों सही हैं और (R), (A) की सही व्याख्या है।

B. (A) एवं (R) दोनों सही हैं, लेकिन (R), (A) की सही व्याख्या नहीं है।

C. (A) सही है, लेकिन (R) गलत है।

D. (A) गलत है, लेकिन (R) सही है।

48. नीचे दो कथन दिए गए हैं, एक को अभिकथन (A) और दूसरे को तर्क (R) कहा गया है :

अभिकथन (A) : प्रकृतिवादी पर्यवेक्षण तकनीक मानव प्रकृति विज्ञान के शोध में एक अत्यंत लोकप्रिय शोध पद्धति है।

तर्क (R) : प्रकृतिवादी पर्यवेक्षण पर्यवेक्षक के पक्षपात से मुक्त नहीं होता है।

उपरोक्त कथनों के संदर्भ में निम्नलिखित में से कौन-सा सही है?

कूट :

A. (A) एवं (R) दोनों सही हैं और (R), (A) की सही व्याख्या है।

B. (A) एवं (R) दोनों सही हैं, लेकिन (R), (A) की सही व्याख्या नहीं है।

C. (A) सही है, लेकिन (R) गलत है।

D. (A) गलत है, लेकिन (R) सही है।

49. नीचे दो कथन दिए गए हैं, एक अभिकथन (A) है और दूसरा तर्क (R) है :

अभिकथन (A) : रचनात्मक मूल्यांकन सभी छात्रों के बीच अधिगम को प्रोत्साहित करता है और उन क्षेत्रों को इंगित करता है, जिनमें आगे के विकास और अधिगम की आवश्यकता है।

तर्क (R) : सर्वाधिक प्रभावी कार्यक्रम में रचनात्मक और यौगिक मूल्यांकन पद्धतियाँ दोनों शामिल हैं।

उपर्युक्त दोनों कथनों के संदर्भ में निम्नलिखित में से कौन-सा कथन सही है?

कूट :

A. (A) और (R) दोनों सही हैं और (R), (A) की सही व्याख्या है।

B. (A) और (R) दोनों सही हैं, किन्तु (R), (A) की सही व्याख्या नहीं है।

C. (A) सही है, किन्तु (R) गलत है।

D. (A) गलत है, किन्तु (R) सही है।

50. नीचे दो कथन दिए गए हैं, एक को अभिकथन (A) और दूसरे को तर्क (R) कहा गया है :

अभिकथन (A) : प्रबन्धकों के कार्यकारी कार्य निष्पादन की माप उनके व्यक्तिगत कार्य, सभी पहलुओं पर निर्णय लेने की योग्यता से की जाती है।

तर्क (R) : तानाशाह या निरंकुश प्रबन्धक जो दूसरों पर अपनी इच्छा को थोपने के लिए आक्रामक तरीके से शक्ति का प्रयोग करता है कभी भी सच्चा नेतृत्व प्रदान करने में समर्थ नहीं होगा।

उपरोक्त कथनों के संदर्भ में निम्नलिखित में से कौन-सा सही है?

कूट :

A. (A) एवं (R) दोनों सही हैं और (R), (A) की सही व्याख्या है।

B. (A) एवं (R) दोनों सही हैं, लेकिन (R), (A) की सही व्याख्या नहीं है।

C. (A) सही है, लेकिन (R) गलत है।

D. (A) गलत है, लेकिन (R) सही है।

51. सूची-I को सूची-II से सुमेलित कीजिए और नीचे दिए गए कूट में से सही उत्तर चुनिए :

सूची-I (दर्शन)	सूची-II (धारणाएँ)
(*a*) प्रकृतिवाद	(*i*) खेल को खेल-भावना से खेलना
(*b*) व्यवहारवाद	(*ii*) अनपढ़ रहने से बेहतर है जन्म न हो; कुविचारित होने से बेहतर है अनपढ़ रहना
(*c*) यथार्थवाद	(*iii*) समाज एक आवश्यक बुराई है
(*d*) अस्तित्ववाद	(*iv*) सभी विचार, मूल्य और यथार्थ परिवर्तित होते हैं

कूट :

	(*a*)	(*b*)	(*c*)	(*d*)
A.	(*iv*)	(*i*)	(*ii*)	(*iii*)
B.	(*i*)	(*iv*)	(*ii*)	(*iii*)
C.	(*i*)	(*iv*)	(*iii*)	(*ii*)
D.	(*iv*)	(*i*)	(*iii*)	(*ii*)

52. सूची-I को सूची-II से सुमेलित कीजिए और नीचे दिए गए कूट में से सही विकल्प को चुनिए :

सूची-I	सूची-II
(*a*) हाइड्रोथिरेपी	(*i*) माइक्रोवेव डायाथर्मी
(*b*) क्रायोथिरेपी	(*ii*) टी ई एन एस
(*c*) थर्मोथिरेपी	(*iii*) कन्ट्रास्ट बाथ
(*d*) इलेक्ट्रोथिरेपी	(*iv*) व्हर्ल-पुल बाथ

कूट :

	(*a*)	(*b*)	(*c*)	(*d*)
A.	(*iv*)	(*iii*)	(*ii*)	(*i*)
B.	(*iii*)	(*iv*)	(*i*)	(*ii*)
C.	(*iii*)	(*iv*)	(*ii*)	(*i*)
D.	(*iv*)	(*iii*)	(*i*)	(*ii*)

53. सूची-I को सूची-II से सुमेलित कीजिए और नीचे दिए गए कूट में से सही विकल्प को चुनिए :

सूची-I	सूची-II
(*a*) किक मारने का पैटर्न	(*i*) वालीबॉल बम्प
(*b*) भुजा के नीचे का पैटर्न	(*ii*) स्क्वैश शॉट
(*c*) भुजा के ऊपर का पैटर्न	(*iii*) वॉकिंग (चलना)
(*d*) भुजा के बगल का पैटर्न	(*iv*) बेसबॉल

कूट :

	(*a*)	(*b*)	(*c*)	(*d*)
A.	(*i*)	(*iv*)	(*ii*)	(*iii*)
B.	(*ii*)	(*iii*)	(*i*)	(*iv*)
C.	(*iii*)	(*i*)	(*iv*)	(*ii*)
D.	(*iv*)	(*ii*)	(*iii*)	(*i*)

54. सूची-I को सूची-II से सुमेलित कीजिए और नीचे दिए गए कूट में से सही विकल्प चुनिए :

सूची-I	सूची-II
(*a*) नीड एचीवमेंट सिद्धान्त	(*i*) व्यक्ति की उपलब्धि लक्ष्य और उसकी सक्षमता की अनुभवगत योग्यता के साथ इसकी अन्तर्क्रिया की जाँच करता है।
(*b*) एचीवमेंट गोल सिद्धान्त	(*ii*) खिलाड़ी अपनी सफलता और असफलताओं की किस प्रकार व्याख्या करता है पर आधारित
(*c*) कम्पीटेंश मोटिवेशन सिद्धान्त	(*iii*) व्यक्तिगत और परिस्थितिजन्य दोनों कारकों को व्यवहार का पूर्वाभासी मानता है।
(*d*) एट्रीब्युशन सिद्धान्त	(*iv*) अपनी योग्यताओं के उपयुक्त समझता है जो मूलतः प्रेरणा का निर्धारक है।

कूट :

	(*a*)	(*b*)	(*c*)	(*d*)
A.	(*i*)	(*iii*)	(*ii*)	(*iv*)
B.	(*ii*)	(*iv*)	(*i*)	(*iii*)
C.	(*iii*)	(*i*)	(*iv*)	(*ii*)
D.	(*iv*)	(*ii*)	(*iii*)	(*i*)

55. विभिन्न दार्शनिकों के पाठ्यक्रम पर नजरिये को सूची-I से सूची-II के साथ सुमेलित कीजिए और नीचे दिए गए कूट में से सही विकल्प चुनिए :

सूची-I	सूची-II
(*a*) क्रो एंड क्रो	(*i*) पाठ्यक्रम अभिप्रेत अधिगम परिणामों की ढाँचागत श्रृंखला है।
(*b*) जॉनसन	(*ii*) छात्रों के सभी अनुभव जब वे स्कूल के निदेश के अधीन होते हैं।
(*c*) वाल्टर	(*iii*) औपचारिक शैक्षिक और प्रशिक्षण अनुदेशों का संगठित सेट
(*d*) प्रैट	(*iv*) पाठ्यक्रम में स्कूल के अंदर और बाहर सभी सीखने वालों का अनुभवों का संग्रहण होता है।

कूट :

	(*a*)	(*b*)	(*c*)	(*d*)
A.	(*i*)	(*iv*)	(*ii*)	(*iii*)
B.	(*iv*)	(*i*)	(*ii*)	(*iii*)
C.	(*i*)	(*iv*)	(*iii*)	(*ii*)
D.	(*ii*)	(*iii*)	(*iv*)	(*i*)

56. सूची-I को सूची-II से सुमेलित कीजिए और नीचे दिए गए कूट में से सही विकल्प चुनिए :

सूची-I	सूची-II
(*a*) ऊर्जा को उत्पन्न करना	(*i*) अजैविक
(*b*) शरीर निर्माण	(*ii*) विटामिन
(*c*) संरक्षात्मक	(*iii*) सेल्यूलोज
(*d*) रफैज	(*iv*) कार्बोहाइड्रेट
	(*v*) प्रोटीन

कूट :

	(a)	(b)	(c)	(d)
A.	(iv)	(v)	(ii)	(iii)
B.	(v)	(iv)	(ii)	(i)
C.	(v)	(iv)	(i)	(ii)
D.	(iv)	(v)	(i)	(ii)

57. सूची-I को सूची-II से सुमेलित कीजिए और नीचे दिए गए कूट में से सही विकल्प चुनिए :

सूची-I	सूची-II
(a) शक्तिवाले खेल	(i) ऊर्जा व्यय में मितव्ययता
(b) सहनशीलता वाले खेल	(ii) अधिकतम गति हेतु अधिकतम बल पैदा करना
(c) तकनीकी खेल	(iii) अधिकतम अग्रगामी संचलन
(d) स्प्रिन्ट वाले खेल	(iv) शोभनीय एवं सुन्दरतापूर्ण उच्चकोटीय क्रिया

कूट :

	(a)	(b)	(c)	(d)
A.	(i)	(iii)	(iv)	(ii)
B.	(ii)	(i)	(iv)	(iii)
C.	(iii)	(ii)	(i)	(iv)
D.	(iv)	(iii)	(ii)	(i)

58. सूची-I को सूची-II से सुमेलित कीजिए और नीचे दिए गए कूट में से सही विकल्प चुनिए :

सूची-I	सूची-II
(a) परीक्षण की शक्ति	(i) मिथ्या शून्य परिकल्पना को स्वीकार करने की संभावना
(b) महत्त्व का स्तर	(ii) सत्य शून्य परिकल्पना को अस्वीकृत करने की संभावना
(c) टाइप-I त्रुटि	(iii) शून्य परिकल्पना को अस्वीकृत करने की परीक्षण की क्षमता, जब वह मिथ्या हो
(d) टाइप-II त्रुटि	(iv) नमूने के चयन संबंधी त्रुटि के कारण सत्य शून्य परिकल्पना को अस्वीकृत करने की संभावना

कूट :

	(a)	(b)	(c)	(d)
A.	(iv)	(iii)	(ii)	(i)
B.	(iii)	(iv)	(ii)	(i)
C.	(iii)	(iv)	(i)	(ii)
D.	(iv)	(iii)	(i)	(ii)

59. सूची-I को सूची-II से सुमेलित कीजिए और नीचे दिए गए कूट में से सही विकल्प को चुनिए :

सूची-I	सूची-II
(a) CSAI-2	(i) वुड, बिर्च व वेराफ्
(b) प्रोत्साहन अभिप्रेरणा तालिका	(ii) कैरान्, ब्रावले व विड्मेयर
(c) लक्षण-अवस्था आत्म-विश्वास तालिका	(iii) शियर्ड, गोल्बी व वान-वर्श्
(d) समूह वातावरण प्रश्नावली	(iv) बस पैरी
(e) खेल मानसिक दृढ़ता प्रश्नावली	(v) राबिन एस. विली
(f) खेल आक्रामकता प्रश्नावली	(vi) मार्टेन, विली व बर्टन

कूट :

	(a)	(b)	(c)	(d)	(e)	(f)
A.	(vi)	(iii)	(v)	(ii)	(i)	(iv)
B.	(vi)	(i)	(v)	(iii)	(ii)	(iv)
C.	(vi)	(ii)	(v)	(i)	(iii)	(iv)
D.	(vi)	(i)	(v)	(ii)	(iii)	(iv)

60. सूची-I को सूची-II से सुमेलित कीजिए और नीचे दिए गए कूट में से सही विकल्प चुनिए :

सूची-I	सूची-II
(a) कार्मिक प्रबन्धन	(i) निपटान प्रक्रिया
(b) अनुदेशात्मक प्रबन्धन	(ii) संघर्ष-समाधान
(c) वित्तीय प्रबन्धन	(iii) पाठ्यक्रम का पुनरीक्षण
(d) सामग्री प्रबन्धन	(iv) लेखा परीक्षा और लेखा

कूट :

	(a)	(b)	(c)	(d)
A.	(ii)	(iii)	(iv)	(i)
B.	(iii)	(ii)	(i)	(iv)
C.	(ii)	(i)	(iv)	(iii)
D.	(i)	(iv)	(iii)	(ii)

61. सूची-I में जर्मनी, स्वीडन, ग्रेट ब्रिटेन के लेखकों के नाम दिए गए हैं जिन्होंने अपने देश में शारीरिक शिक्षा के विकास में योगदान किया और सूची-II में उनकी पुस्तक/कृति दी गई है। सूची-I को सूची-II से सुमेलित कीजिए :

सूची-I	सूची-II
(*a*) गट्स मथ्स	(*i*) जर्मन जिमनास्टिक्स
(*b*) फ्रिंडरिच लुडविंग जॉन	(*ii*) ट्रेनिंग इन थ्योरी एंड प्रैक्टिस
(*c*) हैजलमर फ्रेडरिक लिंग	(*iii*) जिमनास्टिक्स फोर यंग
(*d*) आर्किबाल्ड मैक्लर्न	(*iv*) करिकुलम गाइड्स फोर एलीमेंटरी एंड सेकण्डरी स्कूल जिमनास्टिक्स प्रोग्राम्स

कूट :

	(*a*)	(*b*)	(*c*)	(*d*)
A.	(*i*)	(*iii*)	(*ii*)	(*iv*)
B.	(*iii*)	(*i*)	(*iv*)	(*ii*)
C.	(*i*)	(*iii*)	(*iv*)	(*ii*)
D.	(*iii*)	(*i*)	(*ii*)	(*iv*)

62. सूची-I को सूची-II से सुमेलित कीजिए और नीचे दिए गए कूट में से सही विकल्प चुनिए :

सूची-I	सूची-II
(*a*) पलमोनरी वेन्टिलेशन	(*i*) टेन्सिओमीटर
(*b*) प्राणाधार क्षमता	(*ii*) ट्रीडमिल
(*c*) पेशी बल	(*iii*) स्पाइरोमीटर
(*d*) अनुरूपित व्यायाम	(*iv*) मीटियोरोलॉजिकल बैलून
	(*v*) मैनोमीटर

कूट :

	(*a*)	(*b*)	(*c*)	(*d*)
A.	(*iv*)	(*v*)	(*i*)	(*ii*)
B.	(*iv*)	(*iii*)	(*i*)	(*ii*)
C.	(*iii*)	(*v*)	(*ii*)	(*i*)
D.	(*iii*)	(*iv*)	(*ii*)	(*i*)

63. सूची-I को सूची-II से सुमेलित कीजिए और नीचे दिए गए कूट में से सही विकल्प चुनिए :

सूची-I	सूची-II
(*a*) पैराफीन बाथ	(*i*) बिजलीकृत गर्मी
(*b*) रैडियंट हीट	(*ii*) स्कार टिश्यू का टूटना
(*c*) डायथर्मी	(*iii*) खनिज तेल के साथ मिश्रित
(*d*) अल्ट्रा साउंड	(*iv*) पुराने घाव को भरने में सहायता

कूट :

	(*a*)	(*b*)	(*c*)	(*d*)
A.	(*i*)	(*ii*)	(*iii*)	(*iv*)
B.	(*ii*)	(*iii*)	(*iv*)	(*i*)
C.	(*iii*)	(*iv*)	(*i*)	(*ii*)
D.	(*iv*)	(*i*)	(*ii*)	(*iii*)

64. सूची-I को सूची-II से सुमेलित कीजिए और नीचे दिए गए कूट में से सही विकल्प चुनिए :

सूची-I	सूची-II
(*a*) हाइपोक्सिया	(*i*) ऐलविअलर वेन्टिलेशन
(*b*) डेड स्पेस	(*ii*) वेन्ट्रीकुलर डायस्टोल
(*c*) हृदय चक्र	(*iii*) वायु की मात्रा जो एक सांस में लेते हैं
(*d*) ज्वारीय मात्रा	(*iv*) उत्तक स्तर पर ऑक्सीजन की कमी

कूट :

	(*a*)	(*b*)	(*c*)	(*d*)
A.	(*iii*)	(*iv*)	(*ii*)	(*i*)
B.	(*iv*)	(*iii*)	(*i*)	(*ii*)
C.	(*iii*)	(*i*)	(*iv*)	(*ii*)
D.	(*iv*)	(*i*)	(*ii*)	(*iii*)

65. सूची-I को सूची-II से सुमेलित कीजिए और नीचे दिए गए कूट में से सही विकल्प चुनिए :

सूची-I	सूची-II
(*a*) अनुदेशात्मक प्रासंगिकता	(*i*) उस प्रसंग जिसमें ज्ञान, कौशल और रणनीतियों का अंततः प्रयोग किया जाना है में उसके सदृश निष्पादन की जरूरत होती है
(*b*) प्रामाणिक परिणाम	(*ii*) नियमों के सेट के साथ अनुभवों का निर्माण
(*c*) आचार संहिता	(*iii*) शिक्षण कार्यकलाप के उच्च स्तर का प्रभाव
(*d*) मतारोपण	(*iv*) शिक्षण की उपयुक्तता की निगरानी

कूट :

	(a)	(b)	(c)	(d)
A.	(iv)	(i)	(ii)	(iii)
B.	(i)	(iii)	(iv)	(ii)
C.	(iii)	(iv)	(ii)	(i)
D.	(iv)	(i)	(iii)	(ii)

66. सूची-I को सूची-II से सुमेलित कीजिए और नीचे दिए गए कूट में से सही विकल्प चुनिए :

सूची-I (प्रेषण का माध्यम)	सूची-II (उदाहरण)
(a) वाहन-जनित	(i) धूल/ड्रापलेट न्यूक्लि (छींकने पर निकलने वाले जल-कण)
(b) वेक्टर-जनित	(ii) जल/दूध
(c) वायु-जनित	(iii) कॉक्रोच/चूहा
(d) फॉमाइट-जनित	(iv) टॉवेल्स/कपड़ा

कूट :

	(a)	(b)	(c)	(d)
A.	(ii)	(iii)	(i)	(iv)
B.	(iii)	(ii)	(iv)	(i)
C.	(iv)	(iii)	(i)	(ii)
D.	(ii)	(iv)	(iii)	(i)

67. सूची-I को सूची-II से सुमेलित कीजिए और नीचे दिए गए कूट में से सही विकल्प चुनिए :

सूची-I	सूची-II
(a) चक्रीय स्पोर्ट्स	(i) टेम्पो
(b) जिमनास्टिक्स	(ii) प्रतिरोध
(c) वेट ट्रेनिंग	(iii) गति
(d) रैकेट स्पोर्ट्स	(iv) कठिनाई की सीमा

कूट :

	(a)	(b)	(c)	(d)
A.	(iii)	(iv)	(ii)	(i)
B.	(i)	(ii)	(iii)	(iv)
C.	(ii)	(i)	(iv)	(iii)
D.	(iv)	(iii)	(i)	(ii)

68. सूची-I को सूची-II से सुमेलित कीजिए और नीचे दिए गए कूट में से सही विकल्प चुनिए :

सूची-I (शोध का प्रकार)	सूची-II (विशेषताएँ)
(a) केस स्टडी	(i) अतीत के अध्ययन के प्रति विश्लेषणात्मक विधि का अनुप्रयोग .
(b) एक्स पोस्ट फैक्टो रिसर्च	(ii) स्वतः प्रवर्तित और अबधित आँकड़ा संग्रहण तकनीकों का उपयोग करते हुए फील्ड शोध
(c) प्रकृतिवादी पूछताछ	(iii) पहले से स्पष्ट कारण-प्रभाव संबंध निहित शोध जाँच
(d) घटना-विज्ञान संबंधी शोध	(iv) वह विश्लेषण और परिणाम, जिनका सामान्यीकरण नहीं किया गया है
	(iv) सहभागी के दृष्टिकोण से किसी अवधारणा को समझने के लिए विश्लेषण प्रदान करना

कूट :

	(a)	(b)	(c)	(d)
A.	(iii)	(iv)	(ii)	(v)
B.	(iv)	(iii)	(ii)	(v)
C.	(iii)	(iv)	(v)	(ii)
D.	(iv)	(iii)	(v)	(ii)

69. सूची-I को सूची-II से सुमेलित कीजिए और नीचे दिए गए कूट में से सही उत्तर चुनिए :

सूची-I	सूची-II
(a) आकृति-8 दौड़	(i) स्कॉट् गामक योग्यता परीक्षण
(b) स्क्रेम्बल	(ii) नॉक्स् बास्केटबाल परीक्षण
(c) स्ट्रैडल चिनिंग	(iii) बेरो गामक योग्यता परीक्षण
(d) टेढ़ी-मेढ़ी दौड़	(iv) इन्डियाना गामक दक्षता परीक्षण
(e) बाधा दौड़	(v) न्यूटन गामक योग्यता परीक्षण
(f) पैन्नी कप	(vi) वेमोंट दक्षता परीक्षण

कूट :

	(a)	(b)	(c)	(d)	(e)	(f)
A.	(iv)	(v)	(vi)	(iii)	(i)	(ii)
B.	(v)	(vi)	(iv)	(iii)	(i)	(ii)
C.	(vi)	(v)	(iv)	(iii)	(i)	(ii)
D.	(vi)	(iv)	(v)	(iii)	(i)	(ii)

70. सूची-I को सूची-II से सुमेलित कीजिए और नीचे दिए गए कूट में से सही उत्तर चुनिए :

सूची-I	सूची-II
(a) निर्णयन	(i) समान लक्ष्य के प्रति विभिन्न लोगों का समन्वयन

(*b*)	प्रबन्धन	(*ii*)	कार्य और प्रदर्शन का आकलन
(*c*)	मूल्यांकन	(*iii*)	संवेगों और अभिवृत्ति से संबंधित
(*d*)	भावात्मक अधिगम	(*iv*)	शीघ्र निर्णय लेने की व्यक्तिगत अभिवृत्ति

कूट :

	(*a*)	(*b*)	(*c*)	(*d*)
A.	(*ii*)	(*iii*)	(*iv*)	(*i*)
B.	(*i*)	(*iv*)	(*iii*)	(*ii*)
C.	(*iv*)	(*i*)	(*ii*)	(*iii*)
D.	(*iii*)	(*iv*)	(*ii*)	(*i*)

निर्देश (प्रं.सं. 71-75): *परिच्छेद को पढ़िए और प्रश्नों के उत्तर दीजिए :*

खेल-कूद में इसके प्रतिभागियों के चरित्र-निर्माण नैतिक विकास का पोषण करने, उत्तरदायित्व का संवर्धन करने तथा रचनात्मक जीवन कौशल की शिक्षा देने की अपार संभावना है। इन परिणामों की प्राप्ति को बढ़ाया जा सकता है जब जीत को परिप्रेक्ष्य में रखा जाता है। खेल-कूद में खेल-भावना और नैतिक आचरण का ह्रास हुआ है, यह ह्रास युवा खेल से लेकर पेशेवर खेल तक खेल प्रतिस्पर्धाओं में फैल गया है। खेलभावना में जो विकार उत्पन्न हुआ है वह 'कोर्ट' और खेल के मैदान से परे खिलाड़ियों, उनके परिवारों, कोचों, अधिकारियों, प्रशंसकों, संस्थागत प्रशासकों, कॉरपोरेट प्रायोजकों, मीडिया और जनता तक पहुँच गया है।

इन सरोकारों के समाधान और खेल के नैतिक एवं चरित्र-निर्माण संभावना पर पुनः ध्यान केन्द्रित करने के लिए ''प्रतिष्ठा के साथ जीत का अनुसरण कीजिए'' पर बल दिया जाना चाहिए। प्रतिष्ठा के साथ जीत का अनुसरण करना सच्ची जीत के लिए नैतिकता को अनिवार्य मानता है। खेल में सुधार की सर्वोत्तम युक्ति जीत पर कम बल देना नहीं अपितु इस पर अधिक बल देना है कि सच्चे अर्थों में विजय नैतिक मानकों तथा खेल-भावना का पालन करना है। जब विजय की अवधारणा इस तरीके से बनती है तब प्रभावी विकास में खेल का योगदान बढ़ जाता है।

शिक्षक प्रशिक्षण कार्यक्रमों को अपने स्नातकों को न केवल कौशल तथा ज्ञान सिखाने अपितु मूल्यों और नैतिक निर्णयनों के विकास को बढ़ावा देने के लिए भी आवश्यक क्षमताएँ अर्जित करने में सहायता करनी चाहिए। यह आवश्यक है कि पेशेवर तैयार किए जाएं जो इस काम को करें और यह नहीं मान लें कि वे जानते हैं कि इसे कैसे किया जाए।

भावात्मक विकास का संवर्धन सभी आयु के लोगों के लिए गैर-स्कूल-आधारित शारीरिक कार्यकलाप कार्यक्रमों का एक महत्वपूर्ण पहलू है।

लोगों के बीच शारीरिक रूप से सक्रिय जीवन शैली को बढ़ावा देने के लिए प्रवर्तक के रूप में उनकी क्षमताओं में विश्वास, स्व-मूल्य का बोध और स्वास्थ्य तथा व्यक्तिगत तंदुरुस्ती के मूल्य को समझने के विकास के भावात्मक लक्ष्यों को उत्पन्न करना है। प्रतिभागियों को उन कार्यकलापों जो व्यक्तिगत रूप से सार्थक और संतोष प्रदान करने वाले हैं, में क्षमता के विकास के द्वारा अपने जीवन का उत्तरदायित्व ग्रहण करने के लिए सशक्त बनाना चाहिए।

71. भावनात्मक विकास का संवर्धन किसके लिए शारीरिक कार्यकलाप कार्यक्रमों का महत्त्वपूर्ण पहलू है :

A. स्कूल नहीं जाने वाले बच्चे
B. स्कूल जाने वाले छात्र
C. कॉलेज छात्र
D. सभी आयु के लोग

72. खेल-भावना में गिरावट के मुख्य कारण हैं :

(*a*) बिना परवाह किए कॉर्पोरेट वित्तपोषण
(*b*) घरेलू परिवेश
(*c*) भारी मौद्रिक पुरस्कार
(*d*) मीडिया और जनता का अत्यधिक ध्यान

कूट :

A. (*a*), (*b*), (*c*) B. (*a*), (*c*), (*d*)
C. (*b*), (*c*), (*d*) D. (*a*), (*b*), (*d*)

73. भावनात्मक लक्ष्य जिनको, शारीरिक कार्यकलापों में सक्रिय भागीदारी के द्वारा बढ़ावा दिया जाता है वे हैं :

(*a*) विश्वास बढ़ाना (*b*) प्रतिस्पर्धात्मकता
(*c*) आत्म मूल्य का बोध (*d*) सहयोग
(*e*) विशिष्टता

कूट :

A. (*a*), (*b*) B. (*c*), (*d*)
C. (*a*), (*c*) D. (*d*), (*e*)

74. नीचे दो कथन दिए गए हैं, एक अभिकथन (A) है और दूसरा तर्क (R) है :

अभिकथन (A) : खेल-कूद में अपने प्रतिभागियों में आजीवन प्रयोग हेतु सकारात्मक जीवन-कौशल सिखाने की संभावना है।

तर्क (R) : किसी व्यक्ति की संपूर्ण तंदुरुस्ती के लिए कौशल विकास पर ही पूरा बल नहीं होना चाहिए अपितु उपलब्धि के लिए जीतना है।

उपर्युक्त कथनों के संदर्भ में निम्नलिखित में से कौन-सा सही है?

कूट :

A. (A) और (R) दोनों सही हैं और (R), (A) की सही व्याख्या है।

B. (A) और (R) दोनों सही हैं, किन्तु (R), (A) की सही व्याख्या नहीं है।

C. (A) सही है, किन्तु (R) गलत है।

D. (A) गलत है, किन्तु (R) सही है।

75. नीचे दो कथन दिए गए हैं, एक अभिकथन (A) है और दूसरा तर्क (R) है :

अभिकथन (A) : खिलाड़ी के लिए खेल की नैतिक और चरित्र-निर्माण संभावना विकसित करने के लिए ''प्रतिष्ठा के साथ जीत का अनुसरण'' के संबंध में प्रयत्न होना चाहिए।

तर्क (R) : कोचों के द्वारा अपनायी जाने वाली सर्वोत्तम रणनीति जीतने पर बल नहीं देना है।

उपर्युक्त कथनों के संदर्भ में निम्नलिखित में से कौन-सा सही है?

कूट :

A. (A) और (R) दोनों सही हैं और (R), (A) की सही व्याख्या है।

B. (A) और (R) दोनों सही हैं, किन्तु (R), (A) की सही व्याख्या नहीं है।

C. (A) सही है, किन्तु (R) गलत है।

D. (A) गलत है, किन्तु (R) सही है।

उत्तरमाला

1	2	3	4	5	6	7	8	9	10
A	A	C	A	C	B	A	A	B	B
11	**12**	**13**	**14**	**15**	**16**	**17**	**18**	**19**	**20**
D	A	B	D	*	A	D	C	B	C
21	**22**	**23**	**24**	**25**	**26**	**27**	**28**	**29**	**30**
D	D	C	C	C	*	A	C	D	D
31	**32**	**33**	**34**	**35**	**36**	**37**	**38**	**39**	**40**
A	B	B	B	A	C	D	C	B	A
41	**42**	**43**	**44**	**45**	**46**	**47**	**48**	**49**	**50**
C	B	C	D	A	D	C	B	B	B
51	**52**	**53**	**54**	**55**	**56**	**57**	**58**	**59**	**60**
B	*	C	C	B	A	B	B	D	A
61	**62**	**63**	**64**	**65**	**66**	**67**	**68**	**69**	**70**
B	B	C	D	A	A	A	B	C	C
71	**72**	**73**	**74**	**75**					
D	D	C	B	C					

*Error in Question

व्याख्यात्मक उत्तर

1. **युग्मनज (Zygote)**–लैंगिक जनन द्वारा उत्पन्न सभी जीवों का विकास द्विगुणित युग्मनज से होता है। बाह्य निषेचन करने वाले सभी जीवों में युग्मनज (Zygote) का निर्माण बाह्य माध्यम (जल) में होता है। इसके विपरीत आन्तरिक निषेचन करने वाले जीवों में युग्मनज का निर्माण मादा जीवधारी के शरीर के भीतर होता है। युग्मनज में भोजन की थोड़ी-सी मात्रा होती है जो लगभग एक सप्ताह में खर्च हो जाती है। इसके पश्चात् युग्मनज या तो सुप्तावस्था (Resting stage) में पहुँच जाता है या फिर लार्वा अवस्था में पहुँचकर स्वयं पोषण करने लगता है। (जैसा कि मेंढक के युग्मनज से टेडपोल का निर्माण) उच्च श्रेणी के जन्तुओं जैसे मनुष्य में युग्मनज में समसूत्री विभाजन (Mitotic division) होते हैं जिससे यह खोखली गेंद जैसी संरचना बनाता है, इसे ब्लास्टोसिस्ट (Blastocyst) कहते हैं। यह मादा के गर्भाशय (Uterus) की दीवार पर रोपित (Implantation) हो जाता है और गर्भाशय दीवार से पोषण ग्रहण करके पुनः विकास करने लगता है।

उच्च पादपों में युग्मनज में सम-सूत्री विभाजन होते हैं जिसके फलस्वरूप भ्रूण (Embryo) का विकास होता है। युग्मनज दो पीढ़ियों के बीच की संयोजक कड़ी का कार्य करता है और जनन द्रव्य का सन्तानों में सम्बन्ध बनाता है। मनुष्य सहित सभी लैंगिंक प्रजनन करने वाले जीव अपना जीवन चक्र (Life cycle) एकल कोशिका युग्मनज से प्रारम्भ करते हैं जब वह 0.1 मिमी. आकार का होता है।

2. डोपिंग से तात्पर्य बाहरी रसायन पदार्थ या किसी हस्तकौशल विधि से है जिसे खिलाड़ी अपने प्रदर्शन में सुधार लाने के लिए गलत तरीके से अपने शरीर में IOC के नियम दरकिनार करते हुए प्रयोग करता है। IOC द्वारा डोपिंग की परिभाषा इस प्रकार से दी गई है–"एक प्रतियोगी खिलाड़ी द्वारा अपने प्रदर्शन में सुधार लाने के लिए बाहरी रसायन, शरीर शास्त्र विषयक पदार्थ की असामान्य मात्रा अपने शरीर में सामान्य रास्ते से और गलत तरीके से लेना डोपिंग कहलाता है। IOC द्वारा यथा घोषित औषधि प्रतिबंधित में अल्कोहल को शामिल नहीं किया गया है। IOC ने डोपिंग पर विशेष ध्यान देने के लिए वर्ष 1999 में WADA (World Anti Doping Agency) का गठन किया, जिसका मुख्यालय मॉण्ट्रियल (कनाडा) में है।

3. गति को अंग्रेजी में MOTION कहते हैं, गति सम्बन्धी अध्ययन करने वाले विज्ञान को गति विज्ञान कहते हैं, गति विज्ञान में अंग्रेजी में डायनेमिक्स, कायनेमेटिक्स एवं कायनेटिक आदि नामों से जानते हैं। गति विज्ञान जीवतंत्र शास्त्र की एक शाखा है जिसके अंतर्गत गति से प्राप्त ऊर्जा के प्रभाव एवं परिणाम का अध्ययन किया जाता है। काइनेमेटिक्स (Kinematics) समय, अदला-बदली, गति या संवेग के संदर्भ में गति की विवेचना करता है। विज्ञान की भाषा में यह गति की ज्यामिती है तथा यह चार प्रकार की गतियों को वर्णित करता है जैसे वे सीधी (लाइनीयर) या चक्रीय दिशा में होती हैं। काइनेमेटिक्स अध्ययन दौड़ के दौरान धावक की कोणमय गति है।

काइनेटिक्स, डायनामिक्स का वह पहलू है जिसमें उन बलों की चर्चा की जाती है जो वस्तुओं को गतिमान बनाते हैं। बल Push या Pull हो सकता है। मानव शरीर के सभी लिवर पुल टाइप मशीनें होती हैं, परंतु हुनर प्रदर्शन में पुश ही कुल हुनर का यांत्रिक भाग होता है। जैसे शॉट को धकेलने वाले हाथ द्वारा लगाया गया बल। प्रतिरोध पर काबू पाने के लिए मानव लिवर बल पैदा करते हैं तथा यही कार्य कहलाता है। काइनेटिक्स में बलों का वर्णन है जो गति पैदा करते हैं।

4. इलेक्ट्रॉनिक तथा प्रिंट मीडिया दोनों ही वर्तमान में संचार के मुख्य साधन हैं। ये दोनों ही माध्यम सूचना या डाटा को एकत्रित तथा सम्प्रेषित करते हैं। मीडिया शब्द का प्रयोग मास मीडिया, न्यूज मीडिया के अनेकार्थी शब्दों के रूप में किया जाता है। मीडिया के विभाजन में प्रकाशित समाचार-पत्र, पत्रिकाएँ, किताबें तथा इलेक्ट्रॉनिक संचार, जैसे–रेडियो, दूरदर्शन तथा फिल्में आदि शामिल हैं। आज खेल भी मीडिया के माध्यम से लोकप्रिय संगीत, फिल्म,

दूरदर्शन कार्यक्रमों की तरह मास संस्कृति का महत्वपूर्ण अंग बन चुका है। खेल के मीडिया कवरेज में नस्लीय और जातीय पूर्वाग्रह के सूक्ष्म रूप को कम करने का सबसे प्रभावी तरीका प्रदर्शन मुद्दे पर ध्यान केन्द्रित करना है। आज खेलों की मीडिया कवरेज ने विशेषकर विकसित देशों की आर्थिक वृद्धि में बड़ा योगदान है। वर्तमान में विश्व में सैंकड़ों 24 घंटे के निजी व सरकारी खेल चैनल हैं, जिनके माध्यम से दूरस्थ से दूरस्थ स्थानों तक भी खेलों का प्रसारण संभव हो चुका है।

6. **आंत्र ज्वार (Typhoid):** यह सोलमोनेला टाइफोसा (Solmonella Typhosa) नामक जीवाणु से होता है। इसे आंत का बुखार के नाम से जाना जाता है। यह रोग पानी की गंदगी से फैलता है। इस रोग की उद्भवन अवधि 1 से 2 सप्ताह होती है। रोगी की प्लीहा (Spleen) और आंत्र योजनी ग्रंथियाँ बढ़ जाती हैं। रोगी को तेज बुखार रहता है और सिरदर्द बना रहता है।

उपचार–व्यक्ति को मल-मूत्र स्थान से दूर कराना चाहिए। भोजन को मक्खियों से बचाना चाहिए। इसकी चिकित्सा के लिए क्लोरो-माइसिटिन औषधि का उपयोग किया जाता है।

7. भार की विशिष्टता सिद्धांत के अनुसार प्रशिक्षण की सहनता प्रशिक्षण के प्रभाव का निर्धारण करती है। प्रशिक्षण में विशिष्टता होनी चाहिए, जैसे—शरीर के किसी विशिष्ट या निश्चित अंग या भाग का व्यायाम करने पर वह अंग विकसित हो जाता है। यानि कि किसी विशेष व्यायाम या कौशल में अच्छा होने के लिए उसी व्यायाम या कौशल को करना चाहिए। उदाहरणतया, एक साइक्लिस्ट को साइकिल चलाने का प्रशिक्षण लेना चाहिए।

10. सुविधा प्रबंधन संगठन की भौतिक परिसम्पत्तियों का नियंत्रण है। सुविधा प्रबंधन एक पेशेवर प्रबंधन है जो संगठनों के लिए कुशल और प्रभावी वितरण एवं सेवाओं पर ध्यान केन्द्रित करता है। यह लोगों, स्थान, प्रक्रिया और प्रौद्योगिकी के एकीकरण के लिए कार्य करता है।

11. मौलिक समाजशास्त्रीय सिद्धांत के अंतर्गत संरचना सिद्धांत (Structure Theory) तथा संघर्ष सिद्धांत (Conflict Theory) आते हैं। संरचना सिद्धांत के अंतर्गत 'सामाजिक संरचना' और 'सामाजिक व्यवस्था' परस्पर सम्बन्धित अवधारणाएँ हैं। दोनों का सम्बन्ध समाज के विभिन्न अंगों से होने के कारण प्रायः इन्हें एक-दूसरे का पर्यायवाची माना जाता रहा है, यहाँ तक कि अधिकांश समाजशास्त्रीय साहित्य में इन्हें एक ही मानकर स्पष्ट किया गया है। इतना ही नहीं संरचना को संस्था और संगठन के साथ मिलाकर स्पष्ट करने की प्रवृत्ति रही है। इसी प्रकार संघर्षवादी सिद्धांत (Conflict Theory) के अंतर्गत सामाजिक संस्तरण समाज की आवश्यक विशेषता है। कोई भी समाज ऐसा नहीं हो सकता जिसमें लोग एक ही प्रकार से विचार कर अपनी संपूर्ण आवश्यकताओं की संतुष्टि कर सकें। लोग अपने-अपने ढंग से विचार कर उद्देश्य निश्चित करते हैं तथा उन्हें पूरा करने के वैयक्तिक और सामूहिक साधन ढूँढते हैं। सामूहिक लक्ष्य और साधन ही विभिन्न समूहों और वर्गों की उत्पत्ति का कारण होते हैं और हित समूह के रूप में जब अपने उद्देश्यों को पूरा करने का प्रयत्न करते हैं तो दूसरे समूहों से हितों को लेकर टकराव और प्रतिस्पर्द्धा की स्थिति बनती है जो कि संघर्ष में अभिव्यक्त होती है।

14. खेलों में खिलाड़ी के व्यवहार को कई शब्दावलियों के माध्यम से व्यक्त किया जाता है; जैसे—शारीरिक, दावेदारी, सक्षम, हिम्मतवाला, दिलेर, खतरनाक, हिंसक आदि शब्दों का इस्तेमाल एक-दूसरे के लिए करते हैं। आक्रामक व्यवहार को खिलाड़ी एवं दर्शक दोनों के लिए प्रयोग किया जाता है, किन्तु दोनों में काफी अंतर है। खेलों में आक्रामकता का प्रभाव, कितनी मात्रा में खेलों में भाग लिया गया है, पर निर्भर करता है। आक्रामकता से तात्पर्य है कि ऐसा व्यवहार जो सम्पत्ति को नुकसान पहुँचाए तथा दूसरे व्यक्ति को घायल करे। इसे दूसरी तरह भी समझा जा सकता है जैसे स्वयं या अन्यों को परवाह किए बिना खतरे में डाल देना। आक्रामकता के संदर्भ में बैरन ने परिभाषित करते हुए कहा कि आक्रामकता एक व्यवहार है, निर्देशित है, इसमें क्षति शामिल है, तथा जीव शामिल है।

16. रक्त में लाल कणों (RBCs) का बहुत बड़ा हिस्सा होता है तथा शरीर की सभी कोशिकाओं को उचित ढंग से काम करने योग्य रखता है। लोहे की कमी से एनीमिया

(anemia) जो कि विश्व में सबसे अधिक फैलने वाली समस्या है, का खतरा होता है। यह बच्चों, अधिक आयु की बढ़ती महिलाओं के लिए विशेष तौर पर गर्भावस्था में बहुत ही खतरनाक हो सकती है, परंतु यह पुरुषों तथा वृद्धि महिलाओं पर भी असर डालती है। इसके साथ ही साथ मैराथन धावक, लाल मांस नहीं खाने वाले, रजःस्राव महिला को भी लौह की कमी हो सकती है। लोहे के विशेष साधन हैं—मीट, मछली, लीवर तथा दूसरे मीट तत्व। लोहा हरी पत्तेदार सब्जियों तथा सूखे फलों में भी मिलता है, परंतु इस लोहे को शरीर द्वारा ऐसे ही नहीं सोखा जाता, जैसे पशुओं से प्राप्त उत्पादों से।

19. प्रसिद्ध वैज्ञानिक विलियम हरबर्ट शैल्डन (William Herbert Sheldon) के अनुसार, शरीर के आकार अर्थात् Somatotype पहचानने के लिए पोन्डरल तालिका, धड़ तालिका तथा ऊँचाई का संयोजन करते हैं। इनके अनुसार, Somatotype के आधार पर सभी व्यक्तियों को तीन श्रेणियों में वर्गीकृत करते हैं—

एंडोमोर्फ (Endomorph): इस प्रकार के व्यक्तियों का शरीर गोल-मटोल होता है। ये बड़े एवं सुदृढ़ शरीर के कारण खेलों में अधिक अच्छा प्रदर्शन नहीं कर पाते हैं। इनके लिए उपयुक्त खेल भारोत्तोलन (Weight Lifting) तथा पॉवर लिफ्टिंग (Power Lifting) होते हैं।

मेसोमोर्फ (Mesomorph): मेसोमोर्फ व्यक्तियों का शरीर सुदृढ़, मजबूत एवं वर्गाकार होता है। इन व्यक्तियों के कंधे व छाती चौड़ी होती हैं। ये व्यक्ति किसी भी खेल में अच्छा प्रदर्शन कर सकते हैं।

एक्टोमोर्फ (Ectomorph): जिन व्यक्तियों का शरीर पतला एवं लम्बा होता है, उन्हें एक्टोमोर्फ श्रेणी में रखा गया है। इनके शरीर की मांसपेशियाँ पतली होती हैं व हाथ-पैर लम्बे होते हैं। इनकी छाती चपटी होती है। इनका शरीर ढाँचा हल्का होता है। अतः ये सहनक्षमता सम्बन्धित खेलों के लिए उपयुक्त होते हैं।

20. अंतर्राष्ट्रीय ओलम्पिक समिति (IOC) एक अंतर्राष्ट्रीय समिति है जिसका मुख्यालय स्विट्ज़रलैंड के लुसाने में स्थित है। इसकी स्थापना पियरे डे कोबेर्टिन ने 23 जून, 1894 को की थी तथा यूनानी व्यापारी देमित्रिस विकेलस इसके प्रथम अध्यक्ष बने थे। इस समिति में 105 सक्रिय सदस्य, 32 अवैतनिक सदस्य तथा 2 विशिष्ट सदस्य हैं। इस समिति के अवैतनिक प्रेसिडेन्ट—जैक्स रॉग तथा प्रेसिडेन्ट—थॉमस बैच हैं।

21. जीन पियाजे (Jean Piaget) ने बालकों के संज्ञानात्मक विकास (Cognitive development) की व्याख्या करने के लिए चार-अवस्था सिद्धांत का प्रतिपादन किया है। इस सिद्धांत में पियाजे ने संज्ञानात्मक विकास की व्याख्या चार प्रमुख अवस्थाओं में बाँटकर की है। वे अवस्थाएँ निम्न हैं—

(i) **संवेदी-पेशीय अवस्था (Sensory-motor stage):** यह अवस्था जन्म से दो साल तक की होती है। इस अवस्था में शिशुओं में अन्य क्रियाओं के अलावा शारीरिक रूप से चीजों को इधर-उधर करना, वस्तुओं की पहचान करने की कोशिश करना, किसी चीज को पकड़ना और प्रायः उसे मुँह में डालकर उसका अध्ययन करना आदि प्रमुख है।

(ii) **प्राक्संक्रियात्मक अवस्था (Preoperational stage):** संज्ञानात्मक विकास की यह अवस्था 2 साल से 7 साल की होती है। दूसरे शब्दों में, यह वह अवस्था होती है जो प्रारंभिक बाल्यावस्था की होती है।

(iii) **ठोस संक्रिया की अवस्था (Stage of concrete operation):** यह अवस्था 7 साल से प्रारम्भ होकर 12 साल तक चलती है। इस अवस्था की विशेषता यह है कि बालक ठोस वस्तुओं के आधार पर आसानी से मानसिक संक्रियाएँ करके समस्या का समाधान कर लेता है। परंतु यदि उन वस्तुओं को न देकर उसके बारे में शाब्दिक कथन तैयार कर यदि समस्या उपस्थित की जाती है, तो वे ऐसी समस्याओं पर मानसिक संक्रियाएँ पर किसी निष्कर्ष पर पहुँचने में असमर्थ रहते हैं।

(iv) **औपचारिक संक्रिया की अवस्था (Stage of formal operation):** यह अवस्था 11 साल से प्रारम्भ होकर वयस्कावस्था तक चलती है। इस अवस्था में किशोरों का चिंतन अधिक लचीला तथा प्रभावी हो जाता है। उसके चिंतन में पूर्ण क्रमबद्धता आ जाती है। अब वे किसी समस्या का समाधान काल्पनिक रूप से सोचकर एवं चिंतन करके करने में सक्षम हो जाते हैं।

इस अवस्था में समस्या के समाधान के लिए समस्या के एकांशों को ठोस रूप से उसके सामने उपस्थित होना अनिवार्य नहीं है। इस तरह किशोरों के चिंतन में वस्तुनिष्ठता तथा वास्तविकता की भूमिका अधिक बढ़ जाती है।

22. इलेक्ट्रॉन सूक्ष्मदर्शी के आने से कंकाल पेशी (Skeletal muscle) की परासंरचना (Ultrastructure) ठीक से समझी जा सकती है। पेशी रेशा सूक्ष्म धागों का बना होता है जिसे पेशी रेशक (मायो-फिब्रिल) कहते हैं। कंकाल पेशी रेशा अकेला, लंबा, बेलनाकार, बहुकेन्द्रकी जीव द्रव्यी धागा होता है, जो 1 से 40 मि.मी. लंबा है। हर रेशा एक नलिकाकार आच्छद (tubular sheath) से ढंका रहता है जिसे पेशीचाल (सार्कोलेमा) कहते हैं। पेशी जीव द्रव्य को पेशीद्रव्य (सार्कोप्लाज्म) कहते हैं। यह पेशेरेशकों के गुच्छों के बीच की खाली जगहों और परिधीय रूप से स्थित केन्द्रकों के चारों ओर सबसे अधिक मात्रा में होता है।

मोटे मायोसिन तंतु गहरे पट्ट (dark band) वाले क्षेत्र में सीमित होते हैं। पतले एक्टिन तंतु पूरी तरह से हल्के पट्ट में होते हैं। हर पेशीरेशक विषमदैशिक में एक के बाद एक गहरे और हल्के पट्ट होते हैं। गहरे पट्ट को (एनाइसोट्रॉपिक) या A-डिस्क भी कहते हैं। यह काफी अपवर्तनात्मक (refractile) होती है और जीवित रेशे में गहरी दिखाई पड़ती है। यह ध्रुवित (पोलेराइस्ड) प्रकाश में दुगुना अपवर्तनात्मक दिखती है। यह एक मोटे तंतुओं की मायोसिन का गुण है। A-डिस्क का मध्य भाग हल्का होता है और उसको H-डिस्क कहते हैं। एक हल्के पट्ट को समदैशिक (आइसोट्रॉपिक) या I-डिस्क भी कहते हैं। यह बहुत कम अपवर्तक होता है और जीवित तंतु में हल्की दिखाई पड़ती है। I-डिस्क केवल पतले एक्टिन रेशे ही होते हैं लेकिन वे बढ़ते रहते हैं और A-डिस्क में घुस जाते हैं। एक पतली Z-झिल्ली प्रत्येक I-डिस्क को द्विभाजित (bisect) करती है। यह धागों का एक सेट है जिसमें एक्टिन तंतु घुसे होते हैं।

पेशीचोल–पेशी चोल किसी रेशे का कोई भी खंड है जो अनुक्रमिक (successive) Z-झिल्लियों के बीच में होता है। इसमें पूरा A-डिस्क और दोनों तरफ आधे-I डिस्क होते हैं। इस प्रकार एक पेशी रेखा कई पेशीचोल खंडों में विभाजित रहती है। यह उनकी भौतिक संरचना और कार्यिकी क्रिया की इकाई है।

क्रॉस सेतु–A-पट्ट के क्षेत्र में जहाँ मोटे और पतले तंतु दोनों एक-दूसरे पर अतिव्याप्त हैं, हर मोटा तंतु छह पतले तंतुओं से और हर पतला तंतु तीन मोटे तंतुओं से घिरा होता है। A-पट्ट में अतिव्यापन के क्षेत्र में अधिक आवर्धन (magnification) मोटे और पतले तंतुओं के बीच की रिक्ति (gap) कुछ-कुछ दूरी पर प्रक्षेपों (projections) द्वारा सेतुबंध-सा दिखाई देता है जिन्हें क्रॉस सेतु कहते हैं। ये मोटे तंतुओं के चारों ओर सर्पिल रूप में व्यवस्थित रहते हैं। सेतु कुंडली के एक चक्कर में छह क्रॉस सेतु बनते हैं जो एक्टिन तंतुओं के सक्रिय स्थलों से पारस्परिक क्रिया करते हैं।

23. अक्षीय कंकाल में 80 अस्थियाँ होती हैं जो शरीर की मुख्य अक्ष पर वितरित होती हैं। करोटि, मेरुदंड, उरोस्थि (स्टर्नम) और पसलियाँ अक्षीय कंकाल का गठन करती हैं। करोटि अस्थियों के दो समुच्चय–कपालीय (cranial) और आननी (facial) से बना है जिनका योग 22 है। कपालीय अस्थियों की संख्या 8 होती है। कपालीय अस्थियों में प्रमुख अस्थियाँ हैं–पैराइटल अस्थि, स्फीनॉयड अस्थि, जाइगोमेटिक अस्थि, मैक्सिलरी अस्थि इत्यादि। ये मस्तिष्क के लिए कठोर रक्षक बाह्य आवरण कपाल को बनाती हैं। आननी भाग में 14 कंकाली अवयव (skeletal elements) होते हैं जो करोटि के सामने का भाग बनाते हैं।

एक U-आकार की एकल अस्थि हाइऑइड (hyoid) मुख गुहा के नीचे स्थित होती है, यह भी कपाल में ही सन्निहित है। प्रत्येक मध्यकर्ण में तीन छोटी अस्थियाँ होती हैं–मैलियस, इनकस एवं स्टेपीज। इन्हें सामूहिक रूप से कर्ण अस्थिकाएँ कहते हैं। कपाल भाग कशेरूक दंड के अग्र भाग के साथ दो अनुकपाल अस्थिकंदों (occipital condyles) की सहायता से संधियोजन करता है। (द्विकंदीय करोटिया डाइकोंडाइलिक स्कल)।

कशेरुक दंड क्रम में व्यवस्थित पृष्ठ भाग में स्थित 26 इकाइयों का बना है जिन्हें कशेरुक कहते हैं। यह कपाल के आधार से निकलता और धड़ भाग का मुख्य ढांचा

तैयार करता है। प्रत्येक कशेरुक के बीच का भाग खोखला (तंत्रकीय नाल) होता है जिससे होकर मेरुरज्जु (spinal cord) गुजरती है। प्रथम कशेरुक एटलस है और यह अनुकपाल अस्थिकंदों के साथ संधियोजन करता है। कशेरुक दंड, कपाल की ओर से प्रारंभ करने पर, ग्रीवा (7), वक्षीय (12), कटि (5), त्रिक सेक्रमी (1-संयोजित) और अनुत्रिक (1-संयोजित) कशेरुकों में विभेदित होता है। ग्रीवा कशेरुकों की संख्या मनुष्य सहित लगभग सभी स्तनधारियों में 7 (सात) होती है। कशेरुक दंड मेरुरज्जु (spinal cord) की रक्षा करता है, सिर का आधार बनाते हैं और पसलियों तथा पीठ की पेशियों के संधि स्थल का निर्माण करते हैं। उरोस्थि (sternum) वक्ष की मध्य अधर रेखा पर स्थित एक चपटी अस्थि है।

पादों की अस्थियाँ अपनी मेखला का साथ उपांगीय कंकाल बनाती हैं। प्रत्येक पाद में 30 अस्थियाँ पाई जाती हैं। अग्रपाद (भुजा) की अस्थियाँ हैं–ह्यमेरस, रेडियस और अल्ना, कार्पल्स, मेटा कार्पल्स और फैलेंजेज। फीमर (उरु अस्थि–सबसे लम्बी अस्थि), टिबिया और फिबुला, टार्सल, क्यूबॉइड, टालुस, मेटाटार्सल और अंगुलि अस्थियाँ फैलेंजेज। कप के आकार की एक अस्थि जिसे पटेल्ला (Patella) कहते हैं। घुटने को अधर की ओर से ढंकती है। अतः मानव कंकाल से सिर से लेकर पैर की उँगलियों तक की हड्डियों का व्यवस्थित क्रम इस प्रकार है–मैक्सिलरी बोन, हाइऑइड, स्टरनम, टालुस तथा क्यूबॉइड।

31. किशोरावस्था के दौरान मस्तिष्क के भावनात्मक/सामाजिक संजाल में परिवर्तनों का परिणाम समस्याओं के स्व-विनियमीकरण के रूप में सामने आता है। क्योंकि किशोरावस्था के दौरान ऑक्सीटॉसिन के प्रति अत्यधिक संवेदनशीलता के कारण भावनात्मक और सामाजिक उत्तेजनाओं में वृद्धि होती है। किशोरावस्था को हर तरह से एक महत्वपूर्ण अवस्था माना गया है। इस अवस्था में शारीरिक एवं मनोवैज्ञानिक प्रभाव उभरकर सामने आते हैं। अपने तीव्र शारीरिक विकास के कारण ही इस अवस्था में किशोर अपने-आपको वयस्क से किसी तरह से कम नहीं समझता है तथा जैसा कि पियाजे ने कहा है, तीव्र मानसिक विकास होने के कारण किशोर वयस्क के समाज में अपने-आपको संगठित मानता है और वह एक नई मनोवृत्ति, मूल्य तथा अभिरुचि विकसित करने में सक्षम हो पाता है। **इस प्रकार कथन (A) तथा कारण (R) दोनों सही हैं और (R), (A) की सही व्याख्या है।**

32. प्रशिक्षण शब्द का प्रयोग पौराणिक काल से ही किया जा रहा है। प्रशिक्षण का अर्थ किसी कार्य की तैयारी की प्रक्रिया से है। अर्थात् कम-से-कम समय में वृद्धि अर्थात् खिलाड़ियों की शारीरिक क्षमता से है, जिससे खेलकूद में उनका अच्छा प्रदर्शन हो सके। प्रशिक्षण व्यक्ति को सुयोग्य बनाता है तथा व्यक्ति में आत्मविश्वास की वृद्धि भी करता है, इसलिए इसको खेल प्रशिक्षण कहते हैं। प्रतिभा के बिना केवल प्रशिक्षण और उन्नत बाह्य कारकों तथा सुविधाओं के द्वारा अंतर्राष्ट्रीय स्तर का चैम्पियन खिलाड़ी बनाना संभव नहीं है, लेकिन किसी में खेल की क्षमता हो सकती है किंतु जब तक वह सुनिश्चित प्रशिक्षण कार्यक्रम, जिसमें अच्छी आधारभूत संरचना तथा अत्यधिक वित्तीय निवेश है, में भाग नहीं लेता है अंतर्राष्ट्रीय ख्याति का खिलाड़ी बनाना असंभव है। खेल प्रशिक्षण का मुख्य उद्देश्य खिलाड़ी के खेल व्यवहार में सकारात्मक परिवर्तन करना है। उसके उच्च स्तर के प्रदर्शन के लिए उसे अधिशिक्षा दी जाती है। इस प्रकार यह कहा जा सकता है कि खेल प्रशिक्षण का मुख्य उद्देश्य खिलाड़ी के खेल प्रदर्शन के स्तर को ऊँचा उठाना है। प्रत्येक खिलाड़ी का प्रारम्भिक प्रदर्शन उसकी शारीरिक क्षमता, रुचि, व्यवहार, प्रकृति इत्यादि पर निर्भर करता है।

34. **सामाजिक अधिगम सिद्धांत :** इस प्रकार के सीखने की व्याख्या मनोवैज्ञानिक अल्बर्ट बैण्डुरा एवं रॉस ने अपने अधिगम सिद्धांत में किया है। सामाजिक अधिगम में व्यक्ति दूसरों के व्यवहारों का अनुकरण करता है, या कुछ विशेष नमूना मॉडल के व्यवहार व उनके परिणाम को देखकर उसी अनुरूप व्यवहार करना सीखता है। अतः इस प्रकार के अधिगम में जब बालक परिवार के अन्य व्यक्तियों या मॉडल को कोई व्यवहार करते हुए देखता है और साथ ही उस अमुक व्यवहार के परिणाम को भी देखता है, तो उससे प्रोत्साहित होकर बाद में वह भी उस व्यवहार को करने लगता है। इस प्रकार का व्यवहार बालक सामाजिक परिस्थितियों में सीखता है, जिसमें माता-पिता, परिवार, पास-पड़ोस, विद्यालय, सामाजिक

सदस्यों (सक्रिय) एवं बालक के लिए महत्वपूर्ण व्यक्ति आदि सम्मिलित रहते हैं जिनके व्यवहार का अनुकरण व प्रेक्षण करके बालक सीखता है। सामाजिक अधिगम मात्र दैहिक क्रियाओं के अनुकरण तक सीमित नहीं है बल्कि उसके द्वारा व्यक्तियों की मनोवृत्तियों, मूल्यों एवं व्यक्तित्व शीलगुणों (Personality traits) को सीखने व विकास की व्याख्या भी की जाती है। स्पष्टतः किसी व्यक्ति की प्रतिक्रिया का किसी विशेष स्रोत को कितना श्रेय दिया जाए समझने के लिए व्यक्तित्व तथा स्थिति के बीच अंतर्क्रिया महत्वपूर्ण है। इस प्रकार अभिकथन (A) और कारण (R) दोनों सही है, किंतु (R), (A) की सही व्याख्या नहीं है।

36. **कार्बोहाइड्रेट्स** : हमारे शरीर की सारी गतिविधियों में ऊर्जा का मुख्य स्रोत 'कार्बोहाइड्रेट्स' है। यह शरीर को तीव्र गति से ऊर्जा प्रदान करते हैं, परंतु शरीर में लम्बे समय के लिए इन्हें संचित नहीं किया जा सकता। जिन खेल गतिविधियों में अधिक सहनशक्ति की आवश्यकता हो, वहाँ खुराक में कार्बोहाइड्रेट्स की मात्रा बढ़ा दी जाती है। भरपूर कार्बोहाइड्रेट आहार के माध्यम से ग्लाइकोजेन भरण की संभावना नियासिन के ग्रहण में कमी हो जाती है। इसलिए यह निष्कर्ष निकाला गया था कि कार्बोहाइड्रेट भरण के दौरान नियासिन में कमी से वातापेक्षी शक्ति में अधिकतम वृद्धि होती है। कार्बोहाइड्रेट्स दो प्रकार के होते हैं–

सरल कार्बोहाइड्रेट्स में विटामिन व खनिज होते हैं। चीनी या मीठी वस्तुओं में सरल कार्बोहाइड्रेट्स पाए जाते हैं, जो तुरन्त ऊर्जा प्रदान करते हैं। इसे 'क्विक एनर्जी फूड' भी कहा जाता है।

जटिल कार्बोहाइड्रेट्स–विटामिन, खनिज एवं रेशे का बड़ा अच्छा स्रोत है। स्टार्च जटिल कार्बोहाइड्रेट्स है, इनमें चीनी के कई किस्म के अणु रासायनिक तौर पर मिले होते हैं। इनमें ताकत तो सामान्य चीनी से भी ज्यादा होती है, पर यह एकदम से नहीं मिलती, बल्कि धीरे-धीरे प्राप्त होती है।

37. वर्ष 1920 में जर्मनी के कोच डॉ. अर्नेस्ट वेनआकेन ने लगातार प्रशिक्षण पद्धति की खोज की थी। यह वर्ष 1960 के बाद काफी मशहूर हुई। यह शारीरिक प्रशिक्षण का एक प्रकार है, जिसमें अंतराल के बिना गतिविधि शामिल है। इस प्रकार का प्रशिक्षण विस्तारित अवधि के साथ उच्च तीव्रता या मध्यम तीव्रता का होता है। लम्बी दूरी में चाल थोड़ी रफ्तार से कम रहती है। यह प्रतिस्पर्द्धा दूरी तथा ट्रेनिंग रन की दूरी पर निर्भर करती है। इस पद्धति का प्रयोग एथलीट के धैर्य प्रशिक्षण के लिए होता है। इस प्रशिक्षण विधि से सहन-क्षमता को बढ़ाया जा सकता है। इसमें व्यायाम लम्बी अवधि तक बिना रुके किया जाता है अर्थात् निरन्तर किया जाता है। यदि उच्चतम कार्य-प्रदर्शन शीघ्र प्राप्त कर लिया जाए तो वह लंबी अवधि तक टिक नहीं सकता। अतः कथन (A) गलत है लेकिन (R) सही है।

38. काई-वर्ग परीक्षण (Chi-square Test) से इस बात की जानकारी होती है कि किसी समग्र विशेष में अवलोकित एवं प्रत्याशित मूल्य का अंतर मात्र किसी संयोग अर्थात् दैव परिणाम या आधारभूत परिकल्पनाओं के गलत होने के कारण है। काई-वर्ग परीक्षण की मान्यता है कि अवलोकनों (observation) की संख्या (N) यथासम्भव बड़ी अर्थात् 50 से अधिक होनी चाहिए अन्यथा अवलोकित तथा प्रत्याशित आवृत्तियों के अन्तरों (fo-fe) का बंटन प्रसामान्य नहीं होगा। यह भी मान्यता है कि प्रत्येक अवलोकन का परिणाम पिछले परिणाम से स्वतंत्र है। अतः कथन (A) सही है, लेकिन (R) गलत है।

39. सहसंबंध चरों के बीच संबंधों की गहनता एवं दिशा का अध्ययन एवं मापन करता है। सहसंबंध सह-प्रसरण का मापन करता है न कि कार्य-कारण संबंध का। सहसंबंध को कार्य-कारण संबंध के रूप में नहीं समझा जाना चाहिए। दो चरों x और y के बीच सहसंबंध की उपस्थिति का अर्थ है कि जब एक चर का मान किसी दिशा में बदलता है तो दूसरे चर का मान या तो उसी दिशा में बदलता है (अर्थात् धनात्मक परिवर्तन) या फिर विपरीत दिशा में (अर्थात् ऋणात्मक परिवर्तन)। परंतु, यह एक निश्चित ढंग से होता है। इसे आसानी से समझने के लिए, यहाँ हम मान लें कि सहसंबंध, यदि है, तो रेखीय है, अर्थात् दो चरों की सापेक्ष गति को ग्राफ पेपर पर एक सीधी रेखा द्वारा दिखाया जा सकता है। इस प्रकार बहु सहसंबंध को परीक्षण बैटरी के चयन में प्रयुक्त किया

जाता है, जो उन परीक्षण मदों से बनी होती है, जिसका मापदण्ड के साथ उच्चतम और एक-दूसरे के साथ निम्नतम सहसंबंध होता है। क्योंकि अत्यंत संबंधित पाये जाने वाले दो परीक्षण मदों में से एक जो मापदंड से उच्चतम सहसंबंधित होता है उसका चयन किया जाता है। अतः अभिकथन (A) तथा तर्क (R) दोनों सही हैं और (R), (A) की सही व्याख्या है।

40. शारीरिक शिक्षा तथा क्रीड़ा में मनुष्य, प्रायोजन तथा सामग्री का मौलिक स्थान है। एक उचित परिप्रेक्ष्य में न रखे जाने पर तथा एक समन्वित अभिगम द्वारा व्यवस्थित न होने पर इनके उद्देश्यों को प्राप्त करना सम्भव नहीं होगा। शारीरिक शिक्षा तथा क्रीड़ा का केन्द्रबिन्दु मनुष्य अर्थात् विकासशील बालक तथा उभरता खिलाड़ी है। शारीरिक शिक्षा अध्यापक, क्रीड़ा प्रशिक्षक, प्रशासक तथा क्रीड़ा वैज्ञानिक एक-दूसरे से सहयोग करके शिक्षण तथा निष्पादन को आसान बनाने का प्रयास करते हैं। मनुष्य ही वास्तव में सभी बातों का मापदंड है। निपुण प्रक्रिया शिक्षण तथा निष्पादन के लिए मनुष्य का अन्य व्यक्तियों से सहयोग प्राप्त करना अनिवार्य है। इसलिए मानव संस्थाओं के लिए आयोजन तथा प्रबंधन एक महत्वपूर्ण आवश्यकता है। एक संगठित प्रयास के अभाव में शारीरिक शिक्षा के लक्ष्यों की प्राप्ति असम्भव है। इस प्रकार स्पष्ट होता है कि अभिकथन (A) सही है, लेकिन कारण (R) गलत है।

44. शीलगुण दुश्चिंता (Trait anxiety) की चिन्ता व्यक्तित्व की एक अपेक्षाकृत स्थायी विशेषता है। यह प्रत्येक व्यक्ति में भिन्न-भिन्न भाग में पाई जाती है। शीलगुण सम्बन्धी चिन्ता एक व्यक्ति के व्यक्तित्व का पूर्ण भाग होती है। यह वातावरणीय घटनाओं, सम्भावित खतरों या असम्भावित खतरों के रूप में वर्गीकृत करने में व्यक्ति की प्रकृति के बारे में उल्लेख करती है। व्यक्ति चाहे किसी भी परिस्थिति में क्यों न हो, इस प्रकार की चिन्ता कुछ-न-कुछ मात्रा में आवश्यक होती है। शीलगुण सम्बन्धी चिन्ता को विश्व दृष्टि के रूप में सोचा जा सकता है जिसे व्यक्ति तब प्रयोग करता है, जब वह अपने वातावरण की स्थितियों से निपटता है। अतः अभिकथन (A) गलत है, किन्तु कारण (R) सही है।

48. प्रकृतिवादी पर्यवेक्षण तकनीक मानव प्रकृति विज्ञान के शोध में एक अत्यंत लोकप्रिय शोध पद्धति है। निरीक्षण प्राकृतिक है तथा प्रयोग कृत्रिम, उतना ही भ्रममूलक है। यह ठीक है कि निरीक्षण में प्रकृति पर हम अधिक निर्भर करते हैं और प्रयोग में घटनाओं की कृत्रिम पैदाइश होती है, परन्तु इसी के आधार पर दोनों में ऐसा प्रकार-भेद स्थापित नहीं किया जा सकता। एक अर्थ में निरीक्षण भी कृत्रिम है क्योंकि अपनी प्राकृतिक शक्तियों को बढ़ाने के लिए इसमें हम कृत्रिम यंत्रों का प्रयोग करते हैं। उसी प्रकार, एक अर्थ में प्रयोग भी प्राकृतिक है क्योंकि यहाँ भी घटनाओं के निरीक्षण में तो आखिर हमें अपनी प्राकृतिक शक्तियों (आँख, कान, नाक, हाथ पैर इत्यादि) का इस्तेमाल करना ही पड़ता है। इस प्रकार प्रकृतिवादी पर्यवेक्षक के पक्षपात से मुक्त नहीं होता है। इसलिए यहाँ भी यही कहा जा सकता है कि निरीक्षण और प्रयोग में यदि कोई इस तरह का भेद है तो वह मात्रा (Degree) का, प्रकार (kind) का नहीं—अर्थात् निरीक्षण कुछ अधिक प्राकृतिक है और प्रयोग कुछ अधिक कृत्रिम।

उपरोक्त विवरण से यह स्पष्ट है कि निरीक्षण और प्रयोग में कोई मौलिक भेद यानी प्रकार का भेद नहीं है। वस्तुतः दोनों में ही घटनाओं के स्वरूप का अध्ययन करते हैं और आगमन को उसकी सामग्री प्रदान करते हैं। सच तो यह है कि निरीक्षण ही दो प्रकार का होता है—(1) साधारण, जिसे हमने निरीक्षण के अन्दर रखा है और (2) प्रायोगिक (Experimental observation) जिसे हमने प्रयोग कहा है। दोनों में ही प्राकृतिक शक्तियों का हाथ रहता है तथा दोनों में हमारी शारीरिक तथा मानसिक सक्रियता आवश्यक है। इस तरह, जैसा उपरोक्त वर्णित है, यदि दोनों में कोई अन्तर है तो वह सिर्फ मात्रा का, प्रकार का नहीं। अतः अभिकथन (A) तथा कारण (R) दोनों सही हैं, लेकिन (R), (A) की सही व्याख्या नहीं है।

50. प्रबंधकों के कार्यकारी कार्य निष्पादन की माप उनके व्यक्तिगत कार्य, सभी पहलुओं पर निर्णय लेने की योग्यता पर निर्भर करता है। कोई प्रबंधक यथार्थ में एक नियोजक, संगठक, निर्देशक और नियंत्रक होता है। उसे एक ही समय में ये सारी भूमिकाएँ करनी पड़ती हैं। वह किसी

भी भूमिका की उपेक्षा नहीं कर सकता। इन भूमिकाओं के अंतर्गत कार्य करने के लिए विशेष कुशलता की आवश्यकता होती है। रॉबर्ट केटज तथा मेगिनसन ने प्रबंधक की कुशलता के चार स्वरूप बताए हैं–

(*a*) सैद्धांतिक,

(*b*) मानवीय संबंधात्मक,

(*c*) तकनीकी,

(*d*) प्रशासकीय।

(*a*) सैद्धांतिक कुशलता (Conceptual Skills): प्रबंधक की सैद्धांतिक कुशलता का आशय उस योग्यता से है, जिसके कारण वह परिस्थितियों का संगठन के उद्देश्यों के परिप्रेक्ष्य में यथोचित विश्लेषण करते हुए समयोचित निर्णय लेने में समर्थ रहता है। निर्णय लेने और उसे कार्यान्वित करवाने में विवेक, ज्ञान, अनुभव और साहस की आवश्यकता होती है। परस्पर विरोधी या अपर्याप्त सूचनाओं से विचलित न होते हुए उन्हें गहराई से सोचने और समझने की उसमें क्षमता होनी चाहिए। विशाल दूरदृष्टि उसकी सैद्धांतिक कुशलता का परिचय देती है।

(*b*) मानवीय संबंधात्मक कुशलता (Human-Relation Skills): संगठन के लक्ष्य प्राप्त करने के लिए उसे अनेकानेक व्यक्तियों से, चाहे वे संगठन में कार्यरत हों या न हों तथा वे किसी भी स्तर के हों–संबंध बनाना, बढ़ाना और टिकाना पड़ता है। हर व्यक्ति की बात समझने और अपनी बात समझाने या उनकी बात मानने और अपनी बात मनवा लेने में व्यावहारिक कुशलता की आवश्यकता होती है।

(c) तकनीकी कुशलता (Technical Skills): किसी भी तकनीकी क्षेत्र–जैसे उत्पादन, विपणन, वित्त आदि में गहन ज्ञान और विस्तृत अनुभव से प्रबंधक की तकनीकी कुशलता का परिचय मिलता है। ऐसी कुशलता से प्रबंधक प्रशंसा के पात्र बन जाते हैं। अधीनस्थ कर्मचारी प्रबंधक से उचित मार्गदर्शन और समस्या निवारण के उपायों की अपेक्षा रखते हैं। उनकी अपेक्षाएँ पूरी करने से उन्हें न केवल संतोष प्राप्त होता है बल्कि उनके मन में प्रबंधक के प्रति आदरभाव जाग्रत हो जाता है।

(*d*) प्रशासकीय कुशलता (Administrative Skills): संगठन में प्रबंधक ही प्रशासन के नीति-नियम बनाते हैं और वे ही उनका कार्यपालन करवाते हैं। प्रशासन के अभाव में कर्मचारियों में अनुशासनहीनता और संगठन में अव्यवस्था फैलना आरंभ हो जाती है। अतएव प्रत्येक प्रबंधक को कुशल प्रशासक होना चाहिए। मानवीय संबंधों को यथावत् रखते हुए प्रशासन करना यद्यपि अत्यंत दुर्लभ कार्य है, फिर भी प्रबंधक प्रशासन की उपेक्षा नहीं कर सकता। तटस्थता और अविचलित भाव से कर्मचारियों से कार्य निष्पादन करवाना ही प्रबंधनीय कुशलता है।

जहाँ तक निरकुंश प्रबंधक यह मानकर चलता है कि कर्मचारी स्वभाव से ही कामचोर एवं लापरवाह होते हैं तो उसकी नेतृत्व शैली निरंकुश, उत्पादन प्रधान या अधिक नकारात्मक होती है। निरकुंश प्रबंधक दूसरों पर अपनी इच्छा को थोपने के लिए आक्रामक तरीके से शक्ति का प्रयोग करते हैं। ये सही नेतृत्व प्रदान करने में हमेशा असमर्थ होते हैं।

इस प्रकार अभिकथन (A) तथा कारण (R) दोनों सही हैं, लेकिन (R), (A) की सही व्याख्या नहीं है।

51. **प्रकृतिवाद**–प्रकृतिवाद सबसे प्राचीन एवं भौतिकवादी सिद्धांत है, जिसकी चर्चा का केन्द्रीय विषय संसार के भौतिक तत्व है। भौतिक अस्तित्व से परे की वस्तुएँ एवं तत्व सब कपोल कल्पनाएँ हैं। दैहिक रूप में न प्रकट होने वाले का कोई अस्तित्व नहीं कहा जा सकता। सत्य, प्रकृति के भौतिक अस्तित्व में ही निहित है। प्रकृतिवाद का दर्शन खेल को खेल-भावना से खेलना है।

व्यवहारवाद–वह उपागम जिसमें अधिगम का उद्दीपन तथा अनुक्रिया के मध्य सम्बन्ध के रूप में व्यक्त किया गया हो अधिगम की व्यवहारवादी विचारधारा कहा गया है। अधिगम का यह उपागम इस बात पर बल देता है कि सभी विचार, मूल्य और यथार्थ परिवर्तित होते हैं।

यथार्थवाद–यथार्थवाद शारीरिक शिक्षा के तत्वज्ञान के सारतत्व एवं प्रेरणा स्रोत सामान्य शिक्षा के ही दर्शन सिद्धांत हैं। यथार्थवाद के अनुसार, ब्रह्मांड ही सत्य है, जो विभिन्न पदार्थों से निर्मित है और यह पदार्थ समय तथा

स्थिति के अनुसार परिवर्तित होते रहते हैं। अनपढ़ रहने से बेहतर है जन्म न हो; कुविचारित होने से बेहतर है अनपढ़ रहना। यह धारणाएँ य्रथार्थवाद से सम्बन्धित हैं।

अस्तित्ववाद–अस्तित्ववाद के अनुसार, व्यक्ति पूर्ण रूप से स्वतंत्र है। वह अपने भाग्य का निर्धारण स्वयं कर सकता है एवं अपने जीवन की उन्नति या अवनति का स्वयं निर्धारण कर सकता है। अस्तित्ववादी 'कारण' पर जोर नहीं देते बल्कि मनःस्थिति पर जोर देते हैं। समाज एक आवश्यक बुराई है, यह अस्तित्ववाद से सम्बन्धित है।

56. कार्बोहाइड्रेट (Carbohydrates): कार्बन, हाइड्रोजन और ऑक्सीजन के 1 : 2 : 1 के अनुपात से मिलकर बने कार्बनिक पदार्थ कार्बोहाइड्रेट कहलाते हैं। इनका आधारभूत सूत्र $(CH_2O)_n$ होता है। ये ऊर्जा के प्रमुख स्रोत हैं। शरीर की ऊर्जा की आवश्यकता की 50-75% मात्रा की पूर्ति इन्हीं के द्वारा होती है।

प्रोटीन (Protein): प्रोटीन शब्द का प्रयोग सबसे पहले वार्जिलियस (1938 ई.) ने किया था। प्रोटीन छोटी इकाइयों से बने होते हैं, जिन्हें ऐमीनो अम्ल कहते हैं। सभी जीवों में मिलने वाली प्रोटीन 20 विभिन्न प्रकार के ऐमीनो अम्ल के संयोजन से बनी होती है। प्रोटीन शारीरिक वृद्धि के लिए आवश्यक है। इनकी कमी से शारीरिक विकास अवरुद्ध हो जाता है। बच्चों में प्रोटीन की कमी से क्वाशिवोर्कर (Kwashiorkor) एवं मरास्मस (Marasmus) नामक रोग हो जाते हैं।

विटामिन (Vitamin): विटामिन, कार्बन के वह यौगिक हैं जो कि शरीर का काम सामान्य रूप में चलाए रखने के लिए बेहद जरूरी होते हैं। इनकी आवश्यकता बहुत थोड़ी-थोड़ी मात्रा में पड़ती है। वैसे यदि हमारी खुराक में किसी विटामिन की कमी रहती है तो हमें कुछ ऐसी बीमारियाँ लग जाती हैं जिन्हें 'अभावों से उपजी बीमारियाँ कहा जाता है।

अजैविक : इसमें फाइबर युक्त खाद्य पदार्थ आते हैं।

60. कार्मिक प्रशासन : कार्मिक प्रशासन अथवा कार्मिक प्रबंध संगठन का एक अति आवश्यक तत्व है। एक कुशल प्रबंधक के लिए एक स्वस्थ कार्मिक नीति पहली आवश्यकता होती है। इसके अंतर्गत संगठन के अंदर उत्पन्न संघर्ष का समाधान किया जाता है। फैलिक्स ए. तथा लावेड जी. निग्रो द्वारा दी गई प्रशासन की परिभाषा में, संक्षेप में अभिव्यक्त कार्मिक प्रशासन के उद्देश्य दिए गए हैं। इनके अनुसार, सार्वजनिक कार्मिक प्रशासन प्रशिक्षित कर्मचारियों को प्राप्त करने, उन्हें विकसित करने तथा उन्हें काम पर रखने की प्रक्रिया है ताकि वे अपना प्रयास आगे जाकर प्रकट कर सकें।

वित्तीय प्रबंध : इस मद के नीचे व्यापारिक संस्थाएँ, वित्तीय पथ, जैसे–संसाधन, साधन, वित्त आवंटन, बजट-परिप्रेक्षकीय नियोजन, दीर्घ तथा लघु अवधि लक्ष्य, नियोजन के मौलिक आधार, मार्गदर्शन सिद्धांत, व्यय नियंत्रण, उपाय, अंकेषण तथा परिकलन आदि मुद्दे आते हैं।

सामग्री प्रबंधन : इसका सीधा सम्बन्ध क्रीड़ा खेल सम्भार, खेल सामग्री, उद्देश्यों तथा गतिविधियों की दृष्टि से सम्भार की आवश्यकताओं, उपकरण क्रय नीतियों, सिद्धांतों तथा प्रक्रियाओं, उपकरण चयन में ध्यान देने योग्य बातों, सम्भार की अवेक्षा तथा देखभाल, उपकरण भण्डारीकरण, सुरक्षा मामलों के निस्तारण, उपकरण लेन-देन, सम्पत्ति सूची तथा उपकरणों का मानकीकरण तथा सम्परिवर्तन उपस्कर निर्वतन प्रक्रियाओं से है।

अनुदेशात्मक प्रबंधन : इसके अंतर्गत शारीरिक शिक्षा के उद्देश्यों का निर्माण, लक्ष्य निर्धारण, कार्यक्रम निर्माण के विभिन्न चरण–पाठ्यक्रम, पाठ्य-सामग्री, अध्यापकों का भाग ग्रहण, कार्यक्रम–नियोजन करते समय ध्यान देने योग्य बातें, लक्ष्यों तथा उद्देश्यों की उपलब्धि का मूल्यांकन आदि।

63. डायथर्मी : यह एक मशीन होती है जिससे इलेक्ट्रिक लाइन ऑफ फोर्सेज प्राप्त होती है और उसके द्वारा चोटिल स्थान की सिकाई की जाती है। इस विधि का प्रयोग करने से खिलाड़ी की चोट जल्दी ठीक हो जाती है और वह पुनः खेल में भाग लेने के लिए स्वस्थ हो जाता है।

अल्ट्रासाउण्ड : यह एक यंत्र होता है जिसमें से साउण्ड वेव निकलती हैं। इसमें व्यक्ति या खिलाड़ी के चोटिल स्थान की सिकाई वेव के द्वारा की जाती है जिससे उसका

दर्द कम हो जाता है और खिलाड़ी पुनः खेलने के लिए तैयार हो जाता है।

पैराफीन बाथ : पैराफीन बाथ में खनिज तेल के साथ मिश्रित कर खिलाड़ी के उपचार में प्रयोग किया जाता है।

रैडियंट हीट : रैडियंट हीट पुराने घाव को भरने में सहायता करता है।

68. केस स्टडी : केस स्टडी प्रक्रिया के लिए सर्वप्रथम शोधकर्ता एक निश्चित विषय का निर्धारण कर लेता है। तत्पश्चात् विषय की जाँच-पड़ताल करने के लिए आवश्यक सभी पहलुओं का निर्धारण कर लिया जाता है। तत्पश्चात् पूरी गहनता एवं ध्यानमग्नता के साथ केस का सभी कोणों से अध्ययन एक निश्चित परिणाम पर पहुँच जाता है। केस स्टडी में तत्परता एवं जल्दबाजी के स्थान पर धैर्य से अपने काम को अंजाम दिया जाता है। इस प्रकार केस स्टडी विश्लेषण और परिणाम, जिनका सामान्यीकरण नहीं किया जा सकता है।

एक्स पोस्ट फैक्टो रिसर्च : एक्स पोस्ट फैक्टो रिसर्च प्रारूप का सबसे पहले चैपिन एवं ग्रीनवुड ने प्रयोग किया है। इनके अनुसार यह वास्तव में अर्ध-प्रायोगिक (Quasi-experimental) है। इस विधि से अतीत या इतिहास से सम्बन्धित तथ्यों या ऐतिहासिक घटनाओं का अध्ययन किया जाता है। इस विधि द्वारा प्राचीन अभिलेखों के भिन्न-भिन्न पक्षों का तुलनात्मक अध्ययन करके महत्वपूर्ण निष्कर्षों पर पहुँचा जा सकता है।

घटना-विज्ञान सम्बन्धी शोध : फेनोमेनोलॉजी (घटना-विज्ञान) एक दर्शन, पद्धति, विधि एवं उपागम के रूप में एक सिद्धांत है, जिसका विकास दर्शनशास्त्र से हुआ है। फैनोमेनोलॉजी शब्द यूनानी भाषा के फैनीन (Phainein) शब्द से व्युत्पन्न माना जाता है जिसका अर्थ है–दिखना या प्रकट दर्शन। इस शोध के अंतर्गत सहभागी दृष्टिकोण से किसी अवधारणा को समझने के लिए विश्लेषण प्रदान करता है।

प्रकृतिवादी पूछताछ : प्राकृतिक पूछताछ विशेष रूप से अभूतपूर्व जाँच के लिए दी गई लेबल है। इसमें व्याख्यात्मक शोध और कई अन्य गैर प्रायोगिक और गैर-सकारात्मक विशेषज्ञ से पूछताछ शामिल है। प्रकृतिवादी पूछताछ के अंतर्गत स्वतः प्रवर्तित और अबधित आँकड़ा संग्रहण तकनीकों का उपयोग करते हुए फील्ड शोध है।

UGC-NET जूनियर रिसर्च फैलोशिप तथा सहायक प्राध्यापक परीक्षा

शारीरिक शिक्षा, जनवरी-2017*

प्रश्न-पत्र-II

नोटः *इस प्रश्न-पत्र में* ***पचास (50)*** *बहु-विकल्पीय प्रश्न हैं। प्रत्येक प्रश्न के* ***दो (2)*** *अंक हैं।* ***सभी*** *प्रश्न अनिवार्य हैं।*

1. रियो ओलम्पिक में जोसफ स्कूलिंग अपने देश के लिये स्वर्ण पदक जीतने वाला प्रथम तैराक है, वह हैः

A. लक्जेमबर्ग का B. बोलिविया का

C. सिंगापुर का D. आइसलैंड का

2. उन एथलीटों की पहचान कीजिए, जिनकी पेशियों में अधिक एस.टी. रेशे और अपेक्षाकृत कम एफ.टी. रेशे होते हैं

A. तेज दौड़ने वाले B. गोला फेंकने वाले

C. ऊँचा कूदने वाले D. मैराथन में दौड़ने वाले

3. ग्लेनोह्युमरल संधि के निकट हाथ के एबडक्शन के साथ निम्न में से क्या होता है?

A. कंधे के घेरे का एबडक्शन

B. कंधे के घेरे का एलिवेशन

C. कंधे के घेरे का ऊपर की ओर झुकाव

D. कंधे के घेरे का ऊपर की ओर घुमाव

4. यांत्रिकीय दबाव, ध्वनि इत्यादि भौतिक ऊर्जा के संदर्भ में उद्दीपन को किस मनोवैज्ञानिक ने परिभाषित किया है?

A. थॉर्नडाइक B. स्कीनर

C. कोहलर D. हल

5. प्रयोगवाद का दर्शन जिसने निम्नलिखित का प्रतिपादन कियाः

A. पाठ्यक्रम का मूल सिद्धांत

B. पाठ्यक्रम का यथार्थवादी सिद्धांत

C. पाठ्यक्रम का सहजवृत्ति सिद्धांत

D. पाठ्यक्रम का अस्थायी सिद्धांत

6. निम्नलिखित में से कौन-सा आनुवंशिक गुण नहीं है?

A. नाक की आकृति B. दंत क्षय

C. ब्लड ग्रुप D. त्वचा का रंग

7. प्रतिभा की पहचान के लिए निम्नलिखित में से किस कारक पर विचार नहीं किया जाना चाहिए?

A. विगत में प्रशिक्षण की प्रकृति और अवधि

B. बच्चे की सामाजिक और आर्थिक स्थिति

C. बच्चे की भावुक दशा

D. बच्चे की स्वास्थ्य स्थिति

8. यदि किसी ऐसी कंटीजेन्सी तालिका पर चाई स्क्वैयर टेस्ट किया जाना है जिसमें 3 कतारें और 4 कॉलम हैं तो कितनी डिग्री फ्रीडम उपयोगी होगी?

A. 12 B. 10

C. 8 D. 6

9. रीढ़ के पार्श्विक विचलन को मापते हैं

A. वर्ट्रिब्रो ग्राफ B. स्कोलियो मीटर

C. इन्क्रा-स्कोलियो D. गोनियो स्पाइन

10. खेल प्रबंधन शृंखला की अंतिम कड़ी हैः

A. नियंत्रण एवं मूल्यांकन B. वित्त एवं बजट

C. जन संपर्क D. समग्र नियंत्रण

11. बैडमिन्टन के द्रोणाचार्य, अर्जुन, पद्मश्री, पद्मभूषण एवं राजीव गांधी खेल रत्न से पुरस्कृत किया गया हैः

(*a*) प्रकाश पादुकोण (*b*) मोहम्मद आरिफ

(*c*) पुलेला गोपीचंद (*d*) विमल कुमार

कूटः

A. (*a*), (*b*), (*c*) B. (*a*), (*c*)

C. (*c*) D. (*a*), (*c*), (*d*)

* Exam held on 22 January, 2017.

12. निम्नलिखित चिकित्सीय प्रकारों में किनको अंतर्वेधी थर्मो-थैरैपी कहा जाता है?

(*a*) वैक्स बाथ (*b*) हाइड्रोथैरैपी

(*c*) शॉर्ट वेव डायथर्मी (*d*) क्रायोथैरैपी

(*e*) इलेक्ट्रोथैरैपी (*f*) अल्ट्रा-साउंड

कूटः

A. (*a*), (*e*) B. (*c*), (*f*)

C. (*c*), (*d*) D. (*b*), (*f*)

13. निम्न में से किस पर सेसामोयड हड्डियाँ पाई जाती हैं?

(*a*) मास्टोयड प्रोसेस (*b*) कलाई का पिसिफोर्म

(*c*) फर्स्ट मेटाकारपल बोन (*d*) हाइयोड बोन

कूटः

A. (*a*) और (*b*) B. (*a*) और (*c*)

C. (*b*) और (*c*) D. (*b*) और (*d*)

14. विशेषता केन्द्रित झुकाव से स्पष्ट होता है कि खिलाड़ियों का प्रेरित व्यवहार मुख्य रूप से निम्नलिखित से प्रभावित होता हैः

(*a*) व्यक्तित्व (*b*) नकारात्मक वातावरण

(*c*) जरूरतें और लक्ष्य (*d*) प्रतिस्पर्धा

कूटः

A. (*a*) और (*c*) B. (*a*) और (*d*)

C. (*b*) और (*c*) D. (*a*) और (*b*)

15. पाठ्यक्रम विकास के लिए डेल्फी तकनीक का प्रयोग किया जाता हैः

(*a*) लक्ष्य निर्धारित करने के लिए

(*b*) संगठनात्मक परिवर्तन का निर्धारण करने के लिए

(*c*) कार्यक्रम का मूल्यांकन करने के लिए

(*d*) पाठ्यक्रम संबंधी सोच विकसित करने के लिए छात्रों की आवश्यकताओं का आंकलन करना

(*e*) सामुदायिक जरूरतों को अभिनिश्चित करने के लिए

कूटः

A. (*a*), (*b*), (*d*), (*e*) B. (*b*), (*c*), (*d*), (*a*)

C. (*c*), (*d*), (*e*), (*b*) D. (*d*), (*e*), (*b*), (*a*)

16. निम्नलिखित में से किस खाद्य घटक का एंटीऑक्सीडेन्ट प्रभाव पड़ता है?

(*a*) फेन्ड्स (*b*) सीसेम लिगनस

(*c*) विटामिन-सी (*d*) विटामिन-डी

(*e*) विटामिन-ई (*f*) कॉरोटेनॉयड

कूटः

A. (*a*), (*c*), (*e*), (*f*) B. (*a*), (*b*), (*c*), (*e*), (*f*)

C. (*b*), (*d*), (*e*), (*f*) D. (*b*), (*c*), (*d*), (*e*)

17. नीचे दिए गए कूट का प्रयोग करते हुए गति को निर्धारित करने वाले सही संयोजन की पहचान कीजिएः

(*a*) मानसिक कारक

(*b*) पेशियों की खिंचावट

(*c*) लचीलापन

(*d*) तंत्रिका प्रणाली की गतिशीलता

(*e*) संधि के लिगामेन्ट्स

कूटः

A. (*a*), (*b*), (*c*) B. (*b*), (*c*), (*d*)

C. (*a*), (*c*), (*d*) D. (*c*), (*d*), (*e*)

18. निम्नलिखित में से कौन-सी रणनीतियाँ समस्याओं का समाधान करने में सहायक होती हैं?

(*a*) एल्गोरिथ्म

(*b*) मानसिक सेट

(*c*) योजना तर्काभास

(*d*) स्वतः शोध प्रणाली

(*e*) सादृश्य

कूटः

A. (*a*), (*b*) और (*d*) B. (*b*), (*d*) और (*e*)

C. (*a*), (*d*) और (*e*) D. (*b*), (*c*) और (*d*)

19. मानव निष्पादन के परीक्षण के लिए आचार संहिता संदर्भित मानकों के विकास के लिए प्रयोग में लाए जाने वाले बुनियादी दृष्टिकोण (एप्रोच) हैंः

(*a*) संदर्भित समतुल्यता दृष्टिकोण

(*b*) मानसिक आंकलन दृष्टिकोण

(*c*) न्यूनतम समतुल्यता दृष्टिकोण

(*d*) मानकीय दृष्टिकोण

(*e*) आनुभाविक दृष्टिकोण

(*f*) सभी स्रोतों का संयोजन

(*g*) तार्किक संतुलन दृष्टिकोण

कूटः

A. (*a*), (*b*), (*d*), (*g*) B. (*b*), (*c*), (*d*), (*e*)

C. (*b*), (*d*), (*e*), (*f*) D. (*d*), (*e*), (*f*), (*g*)

20. इन्ट्रामुरल कार्यक्रम छात्रों में कौन-सी भावना पैदा करता है?

(*a*) स्वार्थीपन (*b*) वैमनस्य

(*c*) अधिकतम भागीदारी (*d*) जन सहभागिता

कूटः

A. (*a*), (*b*) B. (*d*), (*a*)

C. (*d*), (*c*) D. (*c*), (*a*)

21. रियो डी जेनेरियो ओलम्पिक खेल 2016 के बैडमिन्टन महिला एकल स्पर्धा के I, II, III व IV स्थान विजेताओं का सही क्रम बताइयेः

(*a*) केरोलिना मारिन (*b*) नजोमी ओकूहारा

(*c*) पुरसला वेंकट सिंधु (*d*) ली जुरई

कूटः

A. (*a*), (*c*), (*b*), (*d*) B. (*a*), (*d*), (*c*), (*b*)

C. (*a*), (*c*), (*d*), (*b*) D. (*d*), (*a*), (*c*), (*b*)

22. तंत्रिका स्पन्दन के संचारण के दौरान होने वाली घटनाओं के सही क्रम की पहचान कीजिएः

(*a*) सोडियम का अंतर्वहन

(*b*) झिल्ली पारगम्यता का परिवर्तन

(*c*) उत्पन्न होने वाली कार्य संबंधी क्षमता

(*d*) अंतर्ग्रथित पुटिक की फटन

(*e*) उद्दीपन

(*f*) विध्रुवण

कूटः

A. (*e*), (*f*), (*b*), (*a*), (*d*), (*c*)

B. (*a*), (*e*), (*b*), (*f*), (*a*), (*c*)

C. (*b*), (*a*), (*f*), (*c*), (*d*), (*e*)

D. (*e*), (*b*), (*a*), (*f*), (*c*), (*d*)

23. अंदर से बाहर की ओर साइनोवियल संधि के घटकों को क्रम में व्यवस्थित करेंः

(*a*) हाइलाइन कार्टिलेज (*b*) साइनोवियल मेम्ब्रेन

(*c*) साइनोवियल फ्लूड (*d*) जॉइन्ट कैप्सूल

कूटः

A. (*a*), (*b*), (*c*), (*d*) B. (*a*), (*c*), (*b*), (*d*)

C. (*a*), (*d*), (*c*), (*b*) D. (*b*), (*c*), (*d*), (*a*)

24. व्यक्तिगत स्व-प्रभावोत्पादकता सूचना के चार मुख्य स्रोतों पर आधारित होती है। सूचना को सर्वाधिक प्रभावोत्पादक से निम्नतम प्रभावोत्पादक की ओर के क्रम में व्यवस्थित कीजिएः

(*a*) विगत प्रदर्शन की उपलब्धि

(*b*) शारीरिक सक्रियता

(*c*) अनिश्चित अनुभव

(*d*) सामाजिक और मौखिक रूप से मनाना

कूटः

A. (*a*), (*c*), (*d*), (*b*) B. (*a*), (*b*), (*c*), (*d*)

C. (*b*), (*c*), (*d*), (*a*) D. (*c*), (*a*), (*b*), (*d*)

25. घटित होने के क्रम में देखकर सीखने में शामिल विभिन्न कदमों के बारे में बताइएः

(*a*) पुनः उत्पादन

(*b*) ध्यान

(*c*) बाद में प्रयोग के लिए प्रेरणा

(*d*) प्रतिधारण

कूटः

A. (*c*), (*d*), (*b*), (*a*) B. (*b*), (*d*), (*a*), (*c*)

C. (*d*), (*b*), (*c*), (*a*) D. (*b*), (*a*), (*d*), (*c*)

26. सामान्य फलों के खाद्य प्रोटीन की प्रति 100 ग्राम में कैलोरी के पोषक मूल्य को घटते हुए क्रमिक रूप से व्यवस्थित कीजिएः

(*a*) आम (*b*) अमरूद

(*c*) संतरा (*d*) पपीता

कूटः

A. (*a*), (*b*), (*c*), (*d*) B. (*d*), (*c*), (*a*), (*b*)

C. (*a*), (*d*), (*b*), (*c*) D. (*b*), (*a*), (*c*), (*d*)

27. मेक्रो-साइकल प्लान में प्रायः निम्नलिखित कदमों का अनुसरण किया जाता है। नीचे दिए गए कूट का प्रयोग करते हुए इन्हें क्रमिक रूप से व्यवस्थित कीजिएः

(*a*) लक्ष्य और उप-लक्ष्यों का निर्धारण

(*b*) अवधियों का निर्धारण और मीजो-साइकल्स की व्यवस्था

(*c*) प्रदर्शन का पूर्वानुमान और प्रदर्शन का निर्धारण

(*d*) परीक्षणों, नियंत्रणों, प्रतिस्पर्धाओं की तारीखों का निर्धारण

(*e*) लोड डायनामिक्स और लोड इंडाइसेज का निर्धारण

कूटः

A. (*c*), (*a*), (*d*), (*e*), (*b*) B. (*a*), (*c*), (*b*), (*d*), (*e*)

C. (*c*), (*a*), (*b*), (*d*), (*e*) D. (*a*), (*b*), (*c*), (*d*), (*e*)

28. अनुसंधान के कदमों के सही क्रम का चयन करें।

(*a*) परिकल्पना तैयार करना।

(*b*) आँकड़ों का संकलन करना।

(*c*) सामान्यीकरण और निष्कर्ष तैयार करना।

(*d*) समस्या का चयन करना।

(*e*) आँकड़ों का विश्लेषण करना।

(*f*) अनुसंधान की डिजाइन।

(*g*) परिकल्पना के संबंध में चर्चा।

कूटः

A. (*d*), (*f*), (*a*), (*b*), (*e*), (*c*), (*g*)
B. (*f*), (*b*), (*e*), (*a*), (*g*), (*d*), (*c*)
C. (*d*), (*a*), (*f*), (*b*), (*e*), (*g*), (*c*)
D. (*d*), (*f*), (*a*), (*b*), (*e*), (*g*), (*c*)

29. जॉनसन बास्केटबॉल की निम्नलिखित मदों को क्रमिक रूप से व्यवस्थित कीजिएः

(*a*) ड्रिबल

(*b*) सटीकता के लिए बास्केटबॉल फेंकना

(*c*) फील्ड गोल स्पीड टेस्ट

कूटः

A. (*c*), (*b*), (*a*) B. (*a*), (*c*), (*b*)
C. (*c*), (*a*), (*b*) D. (*b*), (*a*), (*c*)

30. नियंत्रण के सार्वभौमिक सिद्धांतों को एक क्रम में व्यवस्थित कीजिएः

(*a*) लोगों का प्रोत्साहित या हतोत्साहित करना।

(*b*) तुलनीय प्रदर्शन मानक का विकास करना।

(*c*) प्रक्रिया और पद्धतियों का मूल्यांकन।

(*d*) एक रिपोर्टिंग प्रणाली की स्थापना करना।

कूटः

A. (*d*), (*b*), (*c*), (*a*) B. (*b*), (*c*), (*a*), (*d*)
C. (*c*), (*a*), (*d*), (*b*) D. (*a*), (*d*), (*b*), (*c*)

31. नीचे दो कथन दिए गए हैं, एक अभिकथन (A) है और दूसरा तर्क (R) हैः

अभिकथन (A) : देश में खेलों के उत्थान के लिये एन.एस.एन.आई.एस. एक नोडल एजेन्सी है।

तर्क (R) : एन.एस.एन.आई.एस. का प्राथमिक कार्य उच्च कोटि के प्रशिक्षक तैयार करना एवं राष्ट्रीय तथा अन्तर्राष्ट्रीय टीमों की तैयारी में उनकी अभूतपूर्व विशिष्टताओं एवं योगदान का इस्तेमाल करना है।

उपर्युक्त दोनों कथनों के संदर्भ में निम्नलिखित में से कौन-सा कथन सही है?

कूट :

A. (A) और (R) दोनों सही हैं और (R), (A) की सही व्याख्या है।

B. (A) और (R) दोनों सही हैं, किंतु (R), (A) की सही व्याख्या नहीं है।

C. (A) सही है, किंतु (R) सही नहीं है।

D. (A) सही नहीं है, किंतु (R) सही है।

32. नीचे दो कथन दिए गए हैं, एक अभिकथन (A) है और दूसरा तर्क (R) हैः

अभिकथन (A) : मादक पदार्थों में रासायनिक तत्व होते हैं और उनका नैदानिक उद्देश्यों के लिए उपयोग किया जाता है। दुर्भाग्यवश, अनेक एथलीट अनैतिक और अवैध तरीके से अपने प्रदर्शन के संवर्धन के लिए प्रतिबंधित चीजों का सेवन कर मादक पदार्थों का दुरूपयोग कर रहे हैं।

तर्क (R) : धूम्रपान और मद्यपान के बुरे प्रभाव जानने के बावजूद अनेक लोग उनका सेवन करते हैं तो एथलीटों को मादक पदार्थों के सेवन से क्यों रोका जाता है? केवल विजेताओं का महिमामंडन किया जाता है, इसलिए उन्हें किसी भी तरीके से प्रदर्शन के संवर्धन के लिए अनुमति दी जा सकती है।

उपर्युक्त दोनों कथनों के संदर्भ में निम्नलिखित में से कौन-सा कथन सही है?

कूट :

A. (A) और (R) दोनों सही हैं और (R), (A) की सही व्याख्या है।

B. (A) और (R) दोनों सही हैं, किंतु (R), (A) की सही व्याख्या नहीं है।

C. (A) सही है, किंतु (R) सही नहीं है।

D. (A) सही नहीं है, किंतु (R) सही है।

33. नीचे दो कथन दिए गए हैं, एक अभिकथन (A) है और दूसरा तर्क (R) हैः

अभिकथन (A) : एक गुलदार गोल्फ बॉल एक चिकनी गोल्फ बॉल की तुलना में ज्यादा दूर तक जाती है।

तर्क (R) : गुलदार गोल्फ बॉल वायु विक्षोभ का एक छोटा-सा दायरा अपने पीछे बनाती है जो अल्प दबाव का एक लघु क्षेत्र बनाती है।

उपर्युक्त दोनों कथनों के संदर्भ में निम्नलिखित में से कौन-सा कथन सही है?

कूट :

A. (A) और (R) दोनों सही हैं और (R), (A) की सही व्याख्या है।

B. (A) और (R) दोनों सही हैं, किंतु (R), (A) की सही व्याख्या नहीं है।

C. (A) सही है, किंतु (R) सही नहीं है।

D. (A) सही नहीं है, किंतु (R) सही है।

34. नीचे दो कथन दिए गए हैं, एक अभिकथन (A) है और दूसरा तर्क (R) है:

अभिकथन (A) : कंपीटेन्स मोटीवेशन थ्योरी में ये कहा गया है कि शिक्षण और प्रदर्शन कौशलों को नियंत्रण करने की अवधारणा आत्म-सम्मान और क्षमता के साथ-साथ प्रेरणा को प्रभावित करती है।

तर्क (R) : ये भावनाएँ, प्रेरणा को सीधे तौर पर प्रभावित नहीं करती हैं बल्कि भावनात्मक स्थिति जैसे आनंद, चिंता, गर्व, शर्म को प्रभावित करती हैं और इस प्रकार खिलाड़ियों को प्रभावित करती हैं।

उपर्युक्त दोनों कथनों के संदर्भ में निम्नलिखित में से कौन-सा कथन सही है?

कूट :

A. (A) और (R) दोनों सही हैं और (R), (A) की सही व्याख्या है।

B. (A) और (R) दोनों सही हैं, किंतु (R), (A) की सही व्याख्या नहीं है।

C. (A) सही है, किंतु (R) सही नहीं है।

D. (A) सही नहीं है, किंतु (R) सही है।

35. नीचे दो कथन दिए गए हैं, एक अभिकथन (A) है और दूसरा तर्क (R) है:

अभिकथन (A) : पाठ्यक्रम में स्कूल में और स्कूल से बाहर छात्र द्वारा प्राप्त किए गए सभी अनुभव शामिल होते हैं जिन्हें उस कार्यक्रम में शामिल किया जाता है जिसे उसके मानसिक, शारीरिक, भावनात्मक, सामाजिक, आध्यात्मिक और मानसिक विकास में सहायता देने के लिए तैयार किया जाता है।

तर्क (R) : पाठ्यक्रम शब्द लैटिन मूल का शब्द है और इससे एथलेटिक ग्राउंड का बोध होता है जिससे स्पष्ट होता है कि पाठ्यक्रम वह ग्राउंड है जिससे गुजरकर निश्चित लक्ष्य प्राप्त किया जाता है।

उपर्युक्त दोनों कथनों के संदर्भ में निम्नलिखित में से कौन-सा कथन सही है?

कूट :

A. (A) और (R) दोनों सही हैं और (R), (A) की सही व्याख्या है।

B. (A) और (R) दोनों सही हैं, किंतु (R), (A) की सही व्याख्या नहीं है।

C. (A) सही है, किंतु (R) सही नहीं है।

D. (A) सही नहीं है, किंतु (R) सही है।

36. नीचे दो कथन दिए गए हैं, एक अभिकथन (A) है और दूसरा तर्क (R) है:

अभिकथन (A) : आहार रेशों को परिहृदय बीमारियों की बढ़ती घटनाओं से संबंधित माना जाता है।

तर्क (R) : इसकी क्रिया के मेकेनिज्म का कारण पित्त लवण के साथ जुड़ना और उसके वापस अवशोषण की रोकथाम है, जिससे रक्त कॉलेस्ट्रोल का स्तर प्रभावित होता है।

उपर्युक्त दोनों कथनों के संदर्भ में निम्नलिखित में से कौन-सा कथन सही है?

कूट :

A. (A) और (R) दोनों सही हैं और (R), (A) की सही व्याख्या है।

B. (A) और (R) दोनों सही हैं, किंतु (R), (A) की सही व्याख्या नहीं है।

C. (A) सही है, किंतु (R) सही नहीं है।

D. (A) सही नहीं है, किंतु (R) सही है।

37. नीचे दो कथन दिए गए हैं, एक अभिकथन (A) है और दूसरा तर्क (R) है:

अभिकथन (A) : प्रतिस्पर्धा के लिए सीधी तैयारी का उद्देश्य मुख्य प्रतिस्पर्धा में वर्ष का श्रेष्ठ प्रदर्शन पाना होता है।

तर्क (R) : सीधी तैयारी बिल्ड-अप कॅम्पीटिशन के लिए भी महत्वपूर्ण है ताकि अभ्यास मैच में अच्छा प्रदर्शन किया जा सके।

उपर्युक्त दोनों कथनों के संदर्भ में निम्नलिखित में से कौन-सा कथन सही है?

कूट :

A. (A) और (R) दोनों सही हैं और (R), (A) की सही व्याख्या है।

B. (A) और (R) दोनों सही हैं, किंतु (R), (A) की सही व्याख्या नहीं है।

C. (A) सही है, किंतु (R) सही नहीं है।

D. (A) सही नहीं है, किंतु (R) सही है।

38. नीचे दो कथन दिए गए हैं, एक अभिकथन (A) है और दूसरा तर्क (R) है:

अभिकथन (A) : आश्रित परिवर्तनशीलता वह कारक होता है जिसका संबंध प्रकटित पक्ष से सम्बद्ध करने के लिए प्रयोगकर्ता चालाकी से प्रयोग करता है।

तर्क (R) : स्वतंत्र परिवर्तनशीलता, आश्रित परिवर्तनशीलता का अनुमानित कारण होता है तथा आश्रित परिवर्तनशीलता, स्वतंत्र परिवर्तनशीलता का अनुमानित प्रभाव होता है।

उपर्युक्त दोनों कथनों के संदर्भ में निम्नलिखित में से कौन-सा कथन सही है?

कूट :

A. (A) और (R) दोनों सही हैं और (R), (A) की सही व्याख्या है।

B. (A) और (R) दोनों सही हैं, किंतु (R), (A) की सही व्याख्या नहीं है।

C. (A) सही है, किंतु (R) सही नहीं है।

D. (A) सही नहीं है, किंतु (R) सही है।

39. नीचे दो कथन दिए गए हैं, एक अभिकथन (A) है और दूसरा तर्क (R) है:

अभिकथन (A) : किसी टेस्ट के परिणाम में स्थायित्वता से वैधता प्रभावित होती है।

तर्क (R) : टेस्ट के परिणामों में अस्थायित्वता होने पर वैधता मानदंड से सहसंबंध में कमी आ जाएगी।

उपर्युक्त दोनों कथनों के संदर्भ में निम्नलिखित में से कौन-सा कथन सही है?

कूट :

A. (A) और (R) दोनों सही हैं और (R), (A) की सही व्याख्या है।

B. (A) और (R) दोनों सही हैं, किंतु (R), (A) की सही व्याख्या नहीं है।

C. (A) सही है, किंतु (R) सही नहीं है।

D. (A) सही नहीं है, किंतु (R) सही है।

40. नीचे दो कथन दिए गए हैं, एक अभिकथन (A) है और दूसरा तर्क (R) है:

अभिकथन (A) : निरंकुश या स्वेच्छाचारी प्रबंधन मुख्यतः ''वन-मैन'' शो होता है, जिसमें शीर्ष पदस्थ कार्यकारी सभी अधिकारों का उपयोग करता है यानी सर्वोच्च सत्ता।

तर्क (R) : उसके मुँह से निकला प्रत्येक शब्द एक आदेश होता है, जिसका प्रत्येक व्यक्ति द्वारा पालन किया जाना चाहिए। स्वेच्छाचारी प्रशासक न तो विसम्मति और न ही असहमति को सहन करता है।

उपर्युक्त दोनों कथनों के संदर्भ में निम्नलिखित में से कौन-सा कथन सही है?

कूट :

A. (A) और (R) दोनों सही हैं और (R), (A) की सही व्याख्या है।

B. (A) और (R) दोनों सही हैं, किंतु (R), (A) की सही व्याख्या नहीं है।

C. (A) सही है, किंतु (R) सही नहीं है।

D. (A) सही नहीं है, किंतु (R) सही है।

41. सूची-I को सूची-II से सुमेलित कीजिए और नीचे दिए गए कूट से सही उत्तर चुनिए:

	सूची-I		सूची-II
(a)	आदर्शवाद	(i)	शिक्षा की स्वतन्त्रता
(b)	व्यवहारवाद	(ii)	प्राकृतिक वातावरण में शिक्षा
(c)	प्रकृतिवाद	(iii)	सफलता हेतु शिक्षा
(d)	अस्तित्ववाद	(iv)	विकास हेतु शिक्षा

कूटः

	(a)	(b)	(c)	(d)
A.	(iii)	(iv)	(i)	(ii)
B.	(iv)	(iii)	(ii)	(i)
C.	(i)	(ii)	(iii)	(iv)
D.	(ii)	(iv)	(i)	(iii)

42. सूची-I को सूची-II से सुमेलित कीजिए और नीचे दिए गए कूट से सही उत्तर चुनिए:

	सूची-I		सूची-II
(a)	आइसोटोनिक संकुचन	(i)	जब संकुचन का दबाव वस्तु के प्रतिरोध की तुलना में अधिक होता है।
(b)	आइसोमेट्रिक संकुचन	(ii)	वस्तु का प्रतिरोध गतिशक्ति की पूरी रेंज में स्थिर बना रहता है।
(c)	इकसेन्ट्रिक संकुचन	(iii)	जब वस्तु का प्रतिरोध संकुचन के दबाव की तुलना में अधिक होता है।
(d)	आइसो काइनेटिक संकुचन	(iv)	संकुचन के समय पेशी की लंबाई बढ़ती है।

कूटः

	(a)	(b)	(c)	(d)
A.	(iii)	(ii)	(iv)	(i)
B.	(ii)	(iv)	(i)	(iii)
C.	(i)	(iii)	(iv)	(ii)
D.	(iv)	(iii)	(ii)	(i)

43. सूची-I को सूची-II से सुमेलित कीजिए और नीचे दिए गए कूट से सही उत्तर चुनिए:

	सूची-I		सूची-II
(a)	स्ट्रैप पेशी	(i)	फ्लेक्सर पोलिसिस लौंगस
(b)	यूनीपीनैट पेशी	(ii)	डेल्टॉयड
(c)	बाइपीनैट पेशी	(iii)	स्टेर्नोडेयडो मस्टॉयड
(d)	मल्टीपीनैट पेशी	(iv)	गैस्ट्रोसिनेमियस

कूटः

	(a)	(b)	(c)	(d)
A.	(i)	(ii)	(iii)	(iv)
B.	(ii)	(iii)	(i)	(iv)
C.	(iii)	(i)	(iv)	(ii)
D.	(iv)	(ii)	(i)	(iii)

44. सूची-I को सूची-II से सुमेलित कीजिए और नीचे दिए गए कूट से सही उत्तर चुनिए :

	सूची-I		सूची-II
(a)	नेतृत्व	(i)	सेल्फ एक्युअलाइजेशन थ्योरी अब्राहम मास्लो 1970
(b)	चिंता	(ii)	टू फैक्टर थ्योरी-1971 स्कैचेर एण्ड सिंगर
(c)	व्यक्तित्व	(iii)	लाइफ साइकिल थ्योरी हर्षे एण्ड ब्लानचार्ड 1977
(d)	आक्रामकता	(iv)	रिवर्सल थ्योरी केर्ट 1985

कूटः

	(a)	(b)	(c)	(d)
A.	(i)	(ii)	(iii)	(iv)
B.	(ii)	(iii)	(iv)	(i)
C.	(iv)	(i)	(ii)	(iii)
D.	(iii)	(iv)	(i)	(ii)

45. सूची-I को सूची-II से सुमेलित कीजिए और नीचे दिए गए कूट से सही उत्तर चुनिए:

	सूची-I		सूची-II
(a)	एलेक्जेंडर कपरिन	(i)	मनुष्य के सबसे विस्मयकारी आविष्कार वे मूल्य हैं जिनके सहारे उसने जीवन जिया है।
(b)	मार्कस गुलियस सिसेरो	(ii)	मनुष्य वृहद आनंद उठाने के लिए पैदा होता है।
(c)	जोसेफ वूड क्रच	(iii)	बौद्धिक शक्ति और शारीरिक जोश स्वाभाविक मित्र हैं।
(d)	जस्टिस बायरन आर	(iv)	यदि खेल की भावना की संहिता ठीक है तो मैं इस बात की परवाह नहीं करता कि कौन नियम बनाता है या गीत लिखता है, क्योंकि संहिता ही मनुष्य के बीच के संबंधों को नियंत्रित और शासित करती है।

कूटः

	(a)	(b)	(c)	(d)
A.	(ii)	(iv)	(i)	(iii)
B.	(i)	(iv)	(iii)	(ii)
C.	(iv)	(ii)	(i)	(iii)
D.	(iii)	(iv)	(i)	(ii)

46. सूची-I को सूची-II से सुमेलित कीजिए और नीचे दिए गए कूट से सही उत्तर चुनिएः

सूची-I	सूची-II
(a) विटामिन-ए	(i) ऑस्टियोमलेशिया
(b) विटामिन-बी$_1$	(ii) रक्त में कम प्रोथ्रोम्बिन
(c) विटामिन-डी	(iii) केरेटोमलेशिया
(d) विटामिन-के	(iv) बेरीबेरी

कूटः

	(a)	(b)	(c)	(d)
A.	(ii)	(i)	(iv)	(iii)
B.	(iii)	(iv)	(ii)	(i)
C.	(iii)	(iv)	(i)	(ii)
D.	(ii)	(iii)	(i)	(iv)

47. सूची-I को सूची-II से सुमेलित कीजिए और नीचे दिए गए कूट से सही उत्तर चुनिएः

सूची-I	सूची-II
(a) सापेक्ष शक्ति	(i) सहनशीलता
(b) गति	(ii) अचक्रीय खेल
(c) बफर क्षमता	(iii) शरीर का भार
(d) संचलन गति	(iv) केन्द्रिय तंत्रिका प्रणाली की गतिशीलता

कूटः

	(a)	(b)	(c)	(d)
A.	(iv)	(ii)	(iii)	(i)
B.	(iii)	(iv)	(i)	(ii)
C.	(i)	(iii)	(ii)	(iv)
D.	(ii)	(i)	(iv)	(iii)

48. सूची-I को सूची-II से सुमेलित कीजिए और नीचे दिए गए कूट से सही उत्तर चुनिएः

सूची-I	सूची-II
(a) ऐतिहासिक अनुसंधान	(i) वर्तमान स्थिति
(b) कार्रवाई अनुसंधान	(ii) भिन्नता नियंत्रण
(c) सर्वेक्षण अनुसंधान	(iii) प्राकृतिक सेटिंग
(d) प्रायोगिक अनुसंधान	(iv) स्थानीय समस्या
	(v) अतीत की ओर उन्मुख

कूटः

	(a)	(b)	(c)	(d)
A.	(iii)	(ii)	(iv)	(i)
B.	(v)	(iv)	(i)	(ii)
C.	(v)	(i)	(iv)	(iii)
D.	(v)	(i)	(iii)	(iv)

49. सूची-I को सूची-II से सुमेलित कीजिए और नीचे दिए गए कूट से सही उत्तर चुनिएः

सूची-I	सूची-II
(a) परीक्षण	(i) आकलन
(b) मापक	(ii) स्तर
(c) मूल्यांकन	(iii) प्रशासित
(d) मानक	(iv) प्रदत्त
	(v) प्रेक्षण
	(vi) तुलना

कूटः

	(a)	(b)	(c)	(d)
A.	(v)	(iv)	(vi)	(i)
B.	(ii)	(i)	(v)	(iii)
C.	(iv)	(i)	(ii)	(vi)
D.	(iii)	(iv)	(i)	(ii)

50. सूची-I को सूची-II से सुमेलित कीजिए और नीचे दिए गए कूट से सही उत्तर चुनिएः

सूची-I	सूची-II
(a) लाइन संगठन	(i) कार्य विभाजन और विशेषज्ञता प्राप्त होते हैं।
(b) औपचारिक संगठन	(ii) कुछ विशिष्ट उद्देश्यों का प्राप्त करना है।
(c) समिति संगठन	(iii) सत्ता नीचे की ओर जाती है।
(d) लाइन एवं स्टाफ संगठन	(iv) कार्य प्रत्येक व्यक्ति को सौंपा जाता है।

कूटः

	(a)	(b)	(c)	(d)
A.	(iv)	(ii)	(i)	(iii)
B.	(iii)	(iv)	(ii)	(i)
C.	(i)	(ii)	(iii)	(iv)
D.	(ii)	(i)	(iv)	(iii)

उत्तरमाला

1	2	3	4	5	6	7	8	9	10
C	D	D	D	A	B	C	D	B	A
11	**12**	**13**	**14**	**15**	**16**	**17**	**18**	**19**	**20**
C	B	C	A	A	A	C	C	C	C
21	**22**	**23**	**24**	**25**	**26**	**27**	**28**	**29**	**30**
A	D	B	C	B	A	C	C	A	A
31	**32**	**33**	**34**	**35**	**36**	**37**	**38**	**39**	**40**
D	B	A	A	B	D	C	D	D	A
41	**42**	**43**	**44**	**45**	**46**	**47**	**48**	**49**	**50**
B	C	C	D	A	C	B	B	D	B

व्याख्यात्मक उत्तर

2. मनुष्य में तीन अलग-अलग प्रकार की मांसपेशियों की तंतुएँ होती हैं, जो उनके बीच उन्नयन के साथ होती हैं। आपके सभी एरोबिक दौड़ों के लिए स्लो-ट्विच तंतुएँ होती हैं जबकि फास्ट-ट्विच B (FT-B) तंतुएँ लघु एनएरोबिक के लिए, उच्च गति उत्पादन गतिविधियाँ, जैसे—दौड़, बाधा और कूद के लिए होती हैं। फास्ट ट्विच A(FT-A) तंतुएँ, जो दो एस टी और एफ टी-B तंतुओं के बीच के संक्रमण को प्रदर्शित करते हैं, अपेक्षाकृत उच्च-शक्ति उत्पादन के साथ लम्बे समय तक एनएरोबिक गतिविधियों के लिए हैं, जैसे कि 400 मीटर दौड़। यह दिया गया है कि आपके पास FT तंतुओं की तुलना में ST तंतुएँ अधिक हैं, अन्यथा आप स्प्रिंटर के बजाय डिस्टेंट धावक होते।

हालाँकि, डिस्टेंट धावकों के समूह के भीतर, एसटी तंतुओं की मात्राओं में फिर भी असमानताएँ हैं। कुछ धावकों में 90 प्रतिशत एसटी और 10 प्रतिशत एफटी तंतुएँ (मैराथनरों) में होती हैं, जबकि अन्य के पास 60 प्रतिशत एस.टी. और 40 प्रतिशत एफ.टी. तंतुएँ होती हैं।

4. हल के अधिकतर स्पष्टीकरण दो भाषाओं में दिए गए हैं, एक अनुभवजन्य वर्णन और दूसरा न्यूरोफिजियोलॉजिकल शब्दावली में उपयोग किया गया है। उत्तेजना (S) को भौतिक ऊर्जा के संदर्भ में जैसे कि यांत्रिक दबाव, ध्वनि, प्रकाश इत्यादि हल द्वारा परिभाषित किया गया है। जब जीव उत्तेजना ऊर्जा से निकलता है, तो एक अभिवाही तंत्रिका प्रापक आवेग (S) प्रतिक्रिया (R) उत्पन्न करता है।

इस प्रक्रिया को निम्नानुसार हल द्वारा वर्णित किया गया है : जब उत्तेजक (S) उपयुक्त प्रापक अंग से टकराता है, तो अभिवाही तंत्रिका प्रापक आवेग (S) उत्पन्न होता है और यह तंत्रिका कोशिकाओं की रेशेदार शाखाओं के साथ प्रसारित होता है। यह प्रसारण मस्तिष्क के माध्यम से प्रभावकारी अंगों की सामान्य दिशा में होता है। उत्तेजन ऊर्जा (S) के निरंतर क्रिया के दौरान, यह अभिवाही आवेग (S), लघु विलंब के पश्चात् शीघ्रता से अधिकतम तीव्रता से उत्पन्न होती है जिसके बाद यह धीरे-धीरे अधिकतम अपेक्षाकृत कम मान के एक सामान्य क्षय प्रकार्य के रूप में गिरता है। प्रापक पर उत्तेजना ऊर्जा (S) की क्रिया की समाप्ति के बाद अभिवाही आवेग (S) अपनी गतिविधि जारी रखता है। यह गतिविधि केंद्रीय तंत्रिका उत्तक में कुछ सेकेंड के लिए जारी रहती है। धीरे-धीरे एक सामान्य क्षय प्रकार्य के रूप में घटता हुआ शून्य के रूप में उस समय पहुँचता है, जब उत्तेजन ऊर्जा (S) कार्य करने के लिए समाप्त होता है।

5. प्रयोगवाद के दर्शन को व्यवहारवाद के नाम से भी जाना जाता है, जिसके अनुसार विश्व एक नियत प्रवाह और परिवर्तन की अवस्था में है और वास्तविकता वास्तविक अनुभवों या भौतिक और सामाजिक संसारों के साथ

अंतःक्रिया में है। ऐसी शिक्षा सामाजिक अध्ययन और भौतिक अनुभवों को प्राथमिकता देगी। पाठ्यक्रम का आधार व्यावहारिक व क्रियाशील, उपयोगी, जाँच आधारित समस्या समाधान होगा। शिक्षक अधिगमों के रूप में विद्यार्थियों के अनुदेशक होंगे।

6. मनुष्य में मुख्य आनुवंशिक गुण त्वचा का रंग, बाल की गुणवत्ता और रंग, नेत्रों का आकार, नाक का आकार तथा रक्त समूह है।

7. प्रतिभा को संगतता के स्तरों, सटीकता और औसत से ऊपर दक्षता के साथ कुछ अच्छी तरह करने की प्राकृतिक क्षमता के रूप में परिभाषित किया जा सकता है।

प्रतिभा की पहचान के लिए विचारित कारक हैं–

1. स्वास्थ्य स्थिति
2. विगत में प्रशिक्षण की प्रकृति और अवधि
3. बच्चों की सामाजिक और आर्थिक स्थिति

8. डिग्री ऑफ फ्रीडम (df)

- एक वितरण में डिग्रियों के फ्रीडम की संख्या, चरों की संख्या है जिसे स्वतंत्र रूप से मूल्यों को अभिहस्तांकित किया जा सकता है जब मूल्यों का योग तय हो जाता है। अर्थात् जिस हद तक अवलोकन अलग-अलग करने के लिए स्वतंत्र है।
- आनुषंगिक सारणी में, फ्रीडम की डिग्री सारणी में उपस्थित कक्षों की संख्या है जिन्हें स्वतंत्र रूप से मूल्यों को सौंपा जा सकता है। सारणी में शेष सभी कक्ष स्वचालित रूप से निर्धारित हो जाते हैं।
- चाई वितरण में df लागू होता है। साथ ही यह t-वितरण और f-वितरण में भी लागू होता है।
- फ्रीडम की डिग्रियों की संख्या, माइनस 1 कतारों की संख्या और माइनस 1 के कॉलमों के उत्पाद के बराबर होता है।

अर्थात् $(c-1) \cdot (r-1)$.

$\therefore$ फ्रीडम की डिग्री $= (4-1)(3-1)$

$= 3 \times 2 = 6.$

12. थर्मल एजेंटस : थर्मल एजेंट्स का उपयोग दर्द नियंत्रण में किया जाता है, जिसमें चिकित्सकीय शीतलन और तापन शामिल होते हैं जिनका प्रत्यक्ष और पलटा हुआ दोनों प्रकार के प्रभाव होते हैं। जिन्हें सैद्धांतिक क्रिया की सैद्धांतिक प्रक्रिया के साथ नोट किया जाता है। थर्मल एजेंट्स शरीर के विभिन्न गहराइयों पर स्थित उत्तकों को लक्षित कर सकते हैं जिसकी सीमाएँ त्वचा से मांसपेशी/अस्थि के अंतरफलक तक हैं। सतही ताप एजेंट्स (उदाहरण के लिए, गर्म पैक, गर्म जल उपचार, पैराफिन, तरल पदार्थ चिकित्सा और इन्फ्रा रेड) या गहरे ताप एजेंट्स (उदाहरण के लिए, शॉर्ट-वेव और माइक्रोवेव डायथर्मी और अल्ट्रा साउंड) का उपयोग रक्त प्रवाह, झिल्ली पारगम्यता, उत्तक विस्तारणीयता और रॉम संधि के लिए किया जा सकता है ताकि वे दर्द को कम करने में योगदान दे सकें। गर्म और ठंडा दोनों परिधीय और केंद्रीय तंत्रिका तंत्र की उत्तेजना को परिवर्तित करते हैं, और इस प्रकार दर्द को कम करने के साधन के रूप में कार्य कर सकते हैं। ठंड का थोड़ी असहजता के लिए उपयोग (उदाहरण संक्षिप्त बर्फ की मालिश) संतापहारक के रूप में दर्द को कम करने के लिए किया जाता है।

13. सेसामोयड हड्डियाँ बीज की तरह बोनी नोड्यूल हैं जो कुछ मांसपेशियों के उत्तकों में विकसित होती हैं, जहाँ वे संधियों की गतिविधियों के दौरान उभार वाले हड्डी युक्त सतहों के विरुद्ध घर्षण करते हैं। सेसामोयड हड्डी की घर्षण वाली सतह एक संधायक उपास्थि से ढकी होती है।

सेसामोयड हड्डियों के स्थान–

1. घुटने के जोड़ के सामने क्वाड्रिशेप्स फिमोसिस पेशियों के टेन्डन में पैटिला।
2. घुटने के जोड़ के पीछे गैस्ट्रोकमैनेस के पार्श्व हिस्से में फेबिला।
3. फ्लेक्सर हेलुसिस ब्रेविस के टेंडन में प्रथम मेटाटार्सल हड्डी के सिरे के नीचे दो सेसामोयड हड्डियाँ।
4. पेरोनियास लँगस के टेंडन में एक सेसामोयड हड्डी, जहाँ यह क्यूबॉयड हड्डी को चारों ओर से बाँधता है।
5. फ्लेक्सर कार्पी अलनरिस के टेंडन में पिसीफॉर्म।
6. पहला मेटाकार्पल हड्डी के सिरे के अलनरसाइड पर एक सेसामोयड हड्डी जो एडक्टर पोलिलसिस के टेंडन में स्थित होता है।
7. कभी-कभी फ्लेक्सर पोलिलसिस ब्रेविस के टेंडन में पहला मेटाकार्पल के सिरे के रेडियल साइड पर एक सेसामोयड हड्डी पाई जाती है।

सेसामोयड हड्डियों के कार्य–

1. माँसपेशी संकुचन के लिए घिरनी के रूप में कार्य करते हैं।
2. माँसपेशियों के खिंचाव की दिशा में बदलाव।
3. हड्डी के विरुद्ध टेंडन के घर्षण को अपने अपघर्षण से रोकने के लिए कम करते हैं।

सेसामोयड हड्डियों के लक्षण–

1. माँसपेशियों के टेंडन में विकसित करना।
2. पेरोस्टियम से रहित।
3. आमतौर पर बहुखंडीय केंद्रों द्वारा जन्म के बाद हड्डी बन जाते हैं।
4. हेवरसियन प्रणाली का अभाव।

नोट :

- पेटिला शरीर और उपास्थि को ढँकने वाला सबसे बड़ा सेसामोयड हड्डी है। इसका संधायक शरीर के अंदर का सबसे मोटा संधायक उपास्थि है।
- सेसामोयड हड्डियों को सही हड्डियों के रूप में वर्गीकृत नहीं किया जाता है, क्योंकि वे पेटोस्टियम द्वारा ढँके नहीं होते हैं।

14. अधिकांश वर्तमान सिद्धांत तीन सामान्य अनुस्थापनों में से एक हैं जो व्यक्तित्व सिद्धांत के दृष्टिकोण के समान हैंः गुण (या प्रतिभागी-केंद्रित) दृष्टिकोण, राज्य (परिस्थिति केंद्रित) दृष्टिकोण, और परस्परात्मक दृष्टिकोण। गुणकेंद्रित दृष्टिकोण में, प्रेरणा व्यक्तित्व, आवश्यकताओं और प्रदर्शनकर्ताओं के लक्ष्यों का एक प्रकार्य है। राज्य केंद्रित दृष्टिकोण में, प्रेरणा में कारकों के निर्धारण की स्थिति है ताकि एक व्यक्ति को शारीरिक गतिविधि जैसे फुटबॉल में, अच्छी तरह प्रेरित किया जा सके लेकिन तैराकी जैसे किसी अन्य में नहीं। हालाँकि विचारों को अत्यंत व्यापक रूप से स्वीकार किया जा रहा है, वह है पारस्परिक क्रिया का दृष्टिकोण। इसमें यह प्रतिभागी और स्थिति जो प्रेरणा के मूल का पता लगाएगा, के बीच परस्पर क्रिया है।

15. डेल्फी ''किसी खास विषय पर सावधानीपूर्वक तैयार किए गए अनुक्रमिक प्रश्नावली एवं संक्षिप्त जानकारी के एक सेट के माध्यम से अंतर-संक्षेपित जानकारी के साथ विस्तारित और पहली प्रतिक्रियाओं से प्राप्त विचारों का फीडबैक'' के लिए एक विधि है।

16. ऑक्सीकरणरोधक वे पदार्थ हैं जो ऑक्सीकरण द्वारा बनाए गए हानिकारक स्वतंत्र कणों को प्रभावहीन बनाते हैं। ऑक्सीकरण, उदाहरण के लिए कारों को जंग लगा सकते हैं। शरीर में कुछ ऑक्सीकरण अच्छा है, क्योंकि यह ऊर्जा पैदा करता है और जीवाणु आक्रमणकारियों को मारता है, लेकिन अधिक संख्या होने पर यह ऊतकों को नुकसान पहुँचा सकता है। ऑक्सीकरणरोधक स्वाभाविक रूप से कई खाद्य पदार्थों, मुख्यतः फलों और सब्जियों में पाए जाते हैं। ऑक्सीकरण रोधी गुणों के साथ विटामिनों में शामिल हैं–विटामिन C, E और A बीटा कैरोटीन के रूप में। कुछ खनिजों जैसे सेलेनियम भी ऑक्सीकरण रोधी गुण वाले माने जाते हैं। ऐसे दावे हैं कि बड़ी मात्रा में एंटीऑक्सीडेंट कई प्रकार की बीमारियों के प्रभाव को रोकती अथवा कम करती है, जिनमें हृदय रोग, मधुमेह, अल्जाइमर और विभिन्न प्रकार के कैंसर भी शामिल हैं।

17. **स्पीड :** दी गई स्थिति के अधीन न्यूनतम संभावित समय में प्रेरक क्रियाओं को निष्पादित करने की क्षमता ही स्पीड है। इसमें निम्नलिखित शामिल हैं :

(*a*) अत्यधिक विशिष्ट गतिविधि।

(*b*) केन्द्रीय तंत्रिका तंत्र पर आश्रित।

गति की पाँच क्षमताएँ–

1. **प्रतिक्रिया की क्षमता :** किसी संकेत का प्रभावी ढंग से और शीघ्र प्रतिक्रिया करने की क्षमता। उदाहरण–दृश्य, स्पर्श।
2. **गतिविधि की क्षमता :** न्यूनतम समय में एकल गति करने की क्षमता। उदाहरण–अचक्रीय गति, चक्रीय गति।
3. **त्वरण क्षमता :** स्थिर अवस्था से या धीमी गति से प्रचलन की तेज गति प्राप्त करने की क्षमता। यह विस्फोटक ताकत पर निर्भर करता है।
4. **लोकोमोटर क्षमता :** न्यूनतम संभावित अवधि या दूरी के लिए लोकोमोशन की अधिकतम गति को बनाए रखने की क्षमता। नोटः लोकोमोटर क्षमता केवल कुछ खेलों/स्पर्धाओं में लागू/महत्वपूर्ण है। उदाहरण : 100 मीटर, 200 मीटर, स्पीड स्केटिंग।
5. **गति सहनशीलता :** थकान की स्थिति में उच्च गति के साथ खेल गतिविधियों को संपादित करने की क्षमता। गति सहनशीलता गति और सहनशीलता की क्षमताओं का एक संयोजन है।

गति निर्धारित करने वाले कारक–

1. तंत्रिका तंत्र की गतिशीलता
2. विस्फोटक ताकत
3. तकनीक
4. बायोकेमिकल रिजर्व/मेटाबोलिक पावर (एटीपी/सीपी प्रणाली)
5. लचीलापन
6. मानसिक कारक
7. अन्य कारक : (*a*) मांसपेशीय संरचना, (*b*) समन्वय क्षमता (चपलता), (*c*) मांसपेशीय तापमान।

20. इन्ट्रामुरल मनोरंजक खेल हैं जो एक तय भौगोलिक क्षेत्र के भीतर आयोजित किए जाते हैं। यह शब्द, लैटिन शब्द इन्ट्रा + मुरस से बना है, जिसका अर्थ दीवारों के भीतर है और इसका उपयोग खेलों और प्रतियोगिताओं को इंगित करने के लिए किया जाता था जो एक पुराने शहर की 'दीवारों के भीतर' टीमों के बीच आयोजित हुआ था।

22. स्पन्दन का संचारण

1. एक उद्दीपन द्वारा आरंभ : रासायनिक, विद्युत, यांत्रिक और थर्मल।
2. सोडियम से कोशिका भित्ति की पारगम्यता में परिवर्तन।
3. सोडियम अंतर्वाह द्वारा कोशिका का विध्रुवण होना; कार्य संबंधी क्षमता की शुरुआत।
4. पुनःध्रुवीकरण और सामान्य विश्राम करने वाले ध्रुवीकृत (तैयार) अवस्था पर लौट आना होता है।
5. अंतर्ग्रंथित संचारण–
   (*a*) एक न्यूरॉन से अगले तक स्पन्दन का एकदिशीय संवाहन।
   (*b*) ज्यों ही स्पन्दन अक्षतंतु के अंतिम सिरे पर पहुँचता है, अंतर्ग्रथित पुटिक से तंत्रिका संचारक मुक्त होता है।
   (*c*) अंतर्ग्रथित रिक्ति में तंत्रिका संचारक का फैलाव पारगम्यता को बदल देता है।

25. देखकर सीखने के लिए शर्तें

बांडुरा (1977) ने देखकर सीखने के लिए चार प्राथमिकताएँ प्रस्तावित की हैं :

- प्रारूप पर ध्यान
- अवलोकित व्यवहार का प्रतिधारण
- अवलोकित क्रिया का पुनः उत्पादन
- इनाम के बदले अधिगम व्यवहार उत्पन्न करने की प्रेरणा

ध्यान स्पष्ट रूप से महत्वपूर्ण है, क्योंकि इसके बिना व्यवहार के बारे में आवश्यक जानकारी नहीं ली जा सकती। हालांकि, यह भी आवश्यक है कि अवलोकित क्रियाओं के अनुक्रम को याद करने में सक्षम होना भी आवश्यक है। साथ ही व्यवहार के पुनः उत्पादन में सक्षम होना भी आवश्यक है। अंत में, सीखने वालों को अपने नए अधिग्रहित कौशल का प्रदर्शन करने के लिए प्रेरित करने की आवश्यकता है। एक बच्चे के शपथ लेने हेतु सीखने वाले उदाहरण पर हमें लौटने पर, अभिभावक या अन्य शपथ के प्रारूप पर अवश्य ध्यान देना चाहिए कि माता-पिता अथवा अन्य शपथ के प्रारूप पर ध्यान देना चाहिए। तब ऐसा करते समय घटना (प्रतिधारण) अवश्य याद रखना चाहिए और शपथ के शब्द/शब्दों को दोहराना चाहिए। शपथ ग्रहण करने के लिए जो प्रतिक्रिया मिलती है वह शपथ ग्रहण के लिए बच्चों की प्रेरणा को निर्धारित करती है।

27. प्रशिक्षण चक्र : खेल प्रशिक्षण में तीन प्रकार के प्रशिक्षण चक्र होते हैं : माइक्रोसायकल, मीजोसायकल, मैक्रोसायकल।

1. **माइक्रोसायकल :** यह सबसे छोटा प्रशिक्षण चक्र है और यह 3 से 10 दिनों का होता है। जब माइक्रोसायकल की अवधि सात दिनों की होती है, तो इसे साप्ताहिक चक्र कहा जाता है। मायक्रोसायकल के प्रशिक्षण का अंतिम सत्र या दिन स्वास्थ्य लाभ और विश्राम पर लक्षित होता है। माइक्रोसायकल की प्रशिक्षण संरचना मीजोसायकल के भीतर इसकी स्थिति द्वारा निर्धारित की जाती है और मीजोसायकल के उद्देश्य पर भी निर्धारित की जाती है। माइक्रोसायकल का प्रभावी सूत्रीकरण और कार्यान्वयन मीजोसायकल की प्रभावशीलता को निर्धारित करता है। यह निर्धारण मैक्रोसायकल के बदले में होता है।
2. **मीजोसायकल :** मीजोसायकल 3-6 माइक्रोसायकल या साप्ताहिक चक्र की एक निश्चित व्यवस्था से बना है। एक मीजोसायकल का अंतिम माइक्रोसायकल मुख्यतः स्वास्थ्य लाभ और विश्राम पर लक्षित होता है। प्रदर्शन क्षमता या शीर्ष आकार के विकास की कुल प्रक्रिया के भाग के रूप में एक मीजोसायकल का लक्ष्य

निश्चित प्रशिक्षण कार्यों से निपटना है। सामान्यतः एक मीजोसायकल के एक या दो उद्देश्य होते हैं, जिसे तार्किक रूप से 3-6 सप्ताह में प्राप्त किया जा सकता है। सह मैक्रोसायकल में इसकी स्थिति पर निर्भर करता है। मैक्रोसायकल के उद्देश्य पर मीजोसायकल विभिन्न प्रकार के लक्ष्य रख सकता है। उदाहरण के लिए, अधिगम अथवा तकनीकी कौशल की पूर्णता, प्रेरक क्षमता को बरकरार रखने की दिशा में सुधार और गति मीजोसायकल में प्रदर्शन के स्थायीकरण में सुधार, शीर्ष शैली की उपलब्धि अथवा प्रतियोगिता के लिए सीधी तैयारी, स्वास्थ्य लाभ और विश्राम तथा आगे भी।

3. **मैक्रोसायकल :** इसे प्रशिक्षण का सबसे लम्बा चक्र माना जाता है। इसकी अवधि 3-4 माह से 12 माह अथवा उससे भी अधिक की हो सकती है। मैक्रोसायकल, मीजोसायकल की एक निश्चित व्यवस्था द्वारा बनाई गई है। एक मैक्रोसायकल में, अंतिम मीजोसायकल को इसलिए सूत्रबद्ध किया जाता है कि स्वास्थ्य लाभ और विश्राम को सुनिश्चित किया जा सके और अगले मैक्रोसायकल को प्रभावी परिवर्तनकाल के लिए तैयार किया जा सके। मैक्रोसायकल को अवधि के सिद्धांत के आधार पर सूत्रबद्ध किया गया है। कई मीजोसायकल इस प्रकार सूत्रबद्ध और व्यवस्थित किए जाते हैं कि मैक्रोसायकल स्पष्ट रूप से तीन अवधियों में विभाजित हों, अर्थात् प्रारंभिक, प्रतियोगिता और संक्रमणकालीन अवधि।

28. व्यावहारिक अनुसंधान के चरण

जैसा कि चित्र में दिखाया गया है व्यावहारिक अनुसंधान व्यवस्थित रूप से चरणों की एक संगठित शृंखला के साथ कार्य करता है।

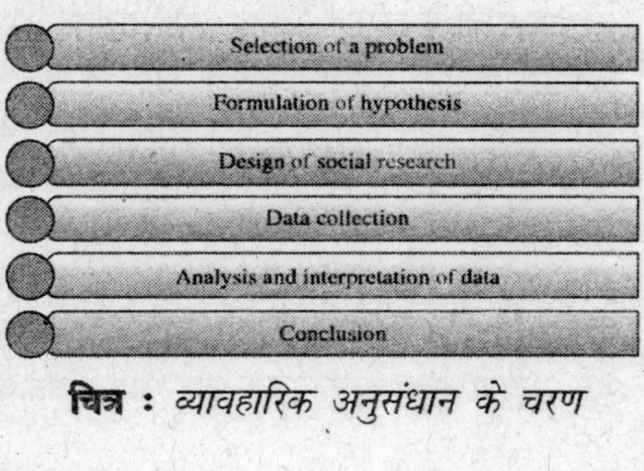

चित्र : *व्यावहारिक अनुसंधान के चरण*

30. नियंत्रण के चरण—नियंत्रण योजनाओं के विचलन को इंगित करता है और भविष्य योजनाओं में सुधार के लिए उपचारात्मक कार्रवाई का सुझाव देता है। नियंत्रण प्रक्रिया के तीन चरण हैं :

(*i*) मानकों की स्थापना करना।

(*ii*) मानकों के विपरीत एवं वास्तविक परिणामों को मापना और उनकी तुलना करना।

(*iii*) सुधारात्मक कार्रवाई करना।

(*i*) **मानकों की स्थापना करना :** किसी भी नियंत्रण प्रक्रिया में पहला चरण मानकों की स्थापना करना है, जिसके विपरीत परिणामों को मापा जा सकता है। मानक प्रदर्शन के मानदंड हैं। मानक गुणात्मक या मात्रात्मक हो सकते हैं। मानक जैसे—लागत को कम किया जाना चाहिए, संचार को तीव्र होना चाहिए, साख, कर्मचारियों का मनोबल इत्यादि, कुछ गुणात्मक मानक के दृष्टांत हैं। उत्पादन इकाइयों की संख्या, लाभ प्रतिशत, मानक घंटे, कुल लागत खर्च, ऊपरी खर्च इत्यादि मात्रात्मक रूप से व्यक्त की जा सकती हैं। बदलती परिस्थितियों के अनुकूल होने के लिए मानक लचीले होते हैं। मानकों को नियमों और तरीकों के अनुरूप से ज्यादा परिणामों की उपलब्धि पर जोर देना चाहिए। मानक भौतिक मानकों, लागत मानकों, राजस्व मानकों, पूँजी मानकों और अमूर्त मानकों आदि के हो सकते हैं।

(*ii*) **मानकों के विपरीत वास्तविक परिणामों को मापना और उनकी तुलना करना :** नियंत्रण प्रक्रिया का दूसरा चरण प्रदर्शन को मापना और इसकी तुलना तय मानकों से करना है। प्रदर्शन का मापन व्यक्तिगत अवलोकन द्वारा किया जा सकता है अथवा आँकड़ें, रिपोर्ट, चार्ट और कथनों के विभिन्न सारांशों के अध्ययन से। अगर नियंत्रण प्रणाली भली-भांति परिभाषित है तो तुलना अत्यंत आसान होता है। त्वरित गति से तुलना के लिए कई स्थापित तकनीकें उपलब्ध हैं। कुछ बदलाव वांछनीय हैं जैसे कि अत्यधिक उत्पादन, मानक से व्यय कम, जब वास्तविक प्रदर्शन मानकों से मेल खाता है, तो कोई सुधारात्मक कार्रवाई की आवश्यकता नहीं है। हालाँकि, यदि मानकों को प्राप्त नहीं किया जाता है, तो

प्रबंधन को आवश्यक सुधारात्मक कार्रवाई आरंभ करनी चाहिए। यदि विचलन उचित सीमा से परे है तो उन्हें शीर्ष प्रबंधन को सूचित करना चाहिए।

(iii) **सुधारात्मक कार्रवाई करना :** तय मानकों के साथ वास्तविक प्रदर्शन की तुलना करने और विचलन को देखते हुए, अगला महत्वपूर्ण चरण, प्रबंधकों द्वारा सुधारात्मक कार्रवाई करना है। विचलन का कारण अप्रभावी संचार, श्रम की दोषपूर्ण व्यवस्था, गलत उपकरण और मशीन, कामगारों की लापरवाही, प्रशिक्षण की कमी, अप्रभावी पर्यवेक्षण, अपर्याप्त सुविधाएँ आदि के कारण हो सकता है। प्रबंधन को विचलन के कारण की प्रकृति के आधार पर आवश्यक सुधारात्मक कार्रवाई करनी होगी।

33. कई सदियों से गोल्फ खेली जाती रही हैं, लेकिन गड्ढेदार गोल्फ बॉल का अस्तित्व 100 वर्षों से ही है। सन् 1908 में स्पल्डिंग कंपनी द्वारा पहली बार गोल्फ बॉल में गड्ढा पेश किया गया, जिससे गोल्फ बॉल दो गुनी दूरी तय करने लगा था। गड्ढे के बिना हवा का प्रवाह पर्णदलीय होता है और गेंद पूरी तरह से हवा की पतली परत को गोल्फ बॉल के चारों ओर घसीटता है। गड्ढे इस हवा परत को तोड़ता है और अशांति पैदा करता है। जो घसीट को कम करता है। गोल्फ बॉल लिफ्ट का भी अनुभव ले सकती है। जब बैकस्पिन द्वारा एक मामूली प्रहार किया जाता है, गेंद के शीर्ष भाग से गुजरने वाली हवा, गेंद की गति के विपरीत दिशा में बहती है। यह गेंद के ऊपर कम दबाव बनाती है। गेंद के नीचे, गेंद की गति हवा की गति के समान होती है और दबाव अधिक होता है। बर्नोली के सिद्धांत के अनुसार, इस तरह के दबाव में अंतर लिफ्टिंग फोर्स प्रदान करता है, जिसे गेंद पर पड़ने वाला मैग्नस फोर्स कहा जाता है, जिससे गेंद को उड़ान में कुछ और सेकेंड मिलते हैं।

34. कंपीटेन्स मोटीवेशन थ्योरी

विकास मनोचिकित्सक सुसान हार्टर के कार्य के आधार पर यह सिद्धांत मानता है कि लोगों को योग्य या सक्षम महसूस करने के लिए प्रेरित किया जाता है। इसके अलावा, ऐसी भावनाएँ प्रेरणा के प्राथमिक निर्धारक हैं। कंपीटेन्स मोटीवेशन थ्योरी यह भी तर्क देती है कि नियंत्रण का ग्रहण बोध (उनके नियंत्रण को समझना कि क्या वे अधिगम और कौशल का प्रदर्शन कर सकते हैं) आत्म-मूल्य और दक्षता मूल्यांकन के साथ उनकी प्रेरणा को प्रभावित करने के लिए काम करते हैं। हालाँकि, ये भावनाएँ सीधे प्रेरणा को प्रभावित नहीं करती हैं बल्कि वे भावनात्मक या भावनात्मक अवस्थाओं (जैसे—आनंद, चिंता, अभिमान और शर्म) को प्रभावित करते हैं। यह पहचानना भी महत्वपूर्ण है कि किसी एक की योग्यता डोमेन्स में अलग-अलग होती है (उदाहरण—शैक्षणिक, शारीरिक, सामाजिक)। उदाहरण के लिए, यदि एक युवा फुटबॉल खिलाड़ी, उच्च आत्मसम्मान का अनुभव करता है, अपने आप को सक्षम मानता है और अनुभव करने लगता है कि उसे अधिगम और सॉसर के प्रदर्शन पर नियंत्रण है, तब खेल सीखने का प्रयास उसकी खुशी, आनंद और गर्व बढ़ाएँगे। वे सकारात्मक प्रभावशाली अवस्थाओं के बदले बढ़ती प्रेरणा की ओर उन्मुख होंगे। इसके विपरीत, यदि कोई व्यायाम करने वाले व्यक्ति के पास कम आत्मसम्मान है, तो अक्षमता महसूस करता है और मानता है कि फिटनेस को बढ़ाने के लिए व्यक्तिगत कार्यों की थोड़ी भूमिका है। जबकि नकारात्मक, भावनात्मक प्रतिक्रियाओं का परिणाम होगा चिंता, लज्जा और उदासी। ये भावनाएँ प्रेरणा की गिरावट की ओर उन्मुख होगा।

36. आहार रेशा सामूहिक रूप से पौधों के भोजन में उपस्थित अपचनीय कार्बोहाइड्रेट को दर्शाते हैं। इन आहार रेशों की महत्ता तब प्रकाश में आई जब यह पाया गया कि जो लोग इन रेशों की प्रचुरता वाले भोजन का उपयोग करते हैं, उनमें कोरोनरी हृदय रोग, आँतों के कैंसर, बवासीर, मोटापा, मधुमेह, हायटस हर्निया, डिवर्टीकुलिटिस, इरिटेबल बोवेल सिंड्रोम, दंत क्षय और पित्त पत्थरों की कम घटनाएँ पाई गईं। इन आहार रेशों में सेल्युलोज, हेमीसेल्युलोज, लिग्निन, पेक्टिन, प्लांट गम्स, और म्युसिलेज शामिल हैं। इन सभी आहार रेशों में एक विशिष्ट रासायनिक संरचना होती है लेकिन भौतिक और रासायनिक गुणों में भिन्नता होती है। इनमें से कुछ पानी में घुलनशील हैं जबकि कुछ अघुलनशील। इन आहार रेशों में समृद्ध खाद्य पदार्थ अनाजों और दानों, फलिया, बीज वाले फल, खट्टे फल, गाजर, गोभी, हरी पत्तेदार सब्जियाँ, सेब, खरबूजे, आड़ू, नाशपाती हैं। ये आहार रेशे पेट के एंजाइमों द्वारा नहीं पचते और छोटी आंत जहाँ अधिकांश कार्बोहाइड्रेट, जैसे—स्टार्च और शुगर पचते और अवशोषित होते हैं।

आहार रेशों की विशेषता जल संग्रहण की होती है और इसी के कारण सूजन हो जाती है तथा स्पंज की तरह व्यवहार करती है क्योंकि ये गैस्ट्रोइन्टेस्टाइनल टैक्ट से होकर गुजरती है। रेशे आहार में परिमाण जोड़ते हैं और आंत में संक्रमण काल में वृद्धि करते हैं। इनमें से कुछ रेशे मलाशय में किण्वन होकर गुजर सकते हैं।

38. परिवर्तनशीलता एक ऐसा गुण है जो विभिन्न मूल्यों पर बनती है। गैरेट के अनुसार, परिवर्तनशीलता विशेषताएँ या गुण हैं जो परिमाण में अंतर प्रदर्शित करते हैं और जो कुछ आयामों के साथ भिन्नता रखते हैं। एक परिवर्तनशीलता कुछ ऐसा है जो बदल जाते हैं। यह एक प्रतीक है जिसके लिए हम अंक मान निर्दिष्ट करते हैं। स्वतंत्र परिवर्तनशीलता, आश्रित परिवर्तनशीलता का अनुमानित कारण है, जो अनुमानित प्रभाव भी है। स्वतंत्र परिवर्तनशीलता पूर्ववर्ती है : आश्रित परिवर्तनशीलता परिणाम है। परिवर्तनशीलता एक ऐसी चीज है जो बदली जा सकती है, जैसे कि विशेषता या मूल्य। आश्रित परिवर्तनशीलता वह परिवर्तनशीलता है जो अन्वेषक द्वारा मापा जाता है।

स्वतंत्र परिवर्तनशीलता वह परिवर्तनशीलता है जो अन्वेषक द्वारा नियंत्रित और कुशलतापूर्वक प्रयोग किया जा सकता है। सरल शब्दों में, एक अध्ययन में, स्वतंत्र परिवर्तनशीलता वह परिवर्तनशीलता है जिसे अन्वेषक द्वारा परिवर्तित या हेर-फेर किया जाता है, और आश्रित परिवर्तनशीलता वह प्रतिक्रिया है, जिसकी माप की जा सकती है। स्वतंत्र परिवर्तनशीलता अनुमानित कारण है, जबकि आश्रित परिवर्तनशीलता एक अनुमानित प्रभाव है। स्वतंत्र परिवर्तनशीलता पूर्ववर्ती है, जबकि आश्रित परिवर्तनशीलता परिणाम है। एक आश्रित परिवर्तनशीलता वह प्रत्येक वस्तु है, एक स्थिति है, अथवा प्रक्रिया है जिससे या जिस पर स्वतंत्र परिवर्तनशीलता से उपचार या क्रिया लागू होते हैं। आश्रित परिवर्तनशीलता में प्रतिक्रिया या परिवर्तन मापा जाता है और स्वतंत्र अथवा प्रायोगिक परिवर्तनशीलता के प्रभावों को निर्धारित करने के लिए कुछ सांख्यिकीय विधियाँ लागू की जाती हैं। दूसरे शब्दों में, स्वतंत्र परिवर्तनशीलता, प्रायोगिक परिवर्तनशीलता है; यह वह कारक है जो प्रयोगकर्ता अथवा शोधकर्ता द्वारा छेड़-छाड़ किया गया है।

आश्रित परिवर्तनशीलता वह परिणाम है जो तब घटित होता है जब कुछ चीजों में छेड़-छाड़ की जाती है। व्याख्या करने पर : जब एक बच्चे को चिकोटी काटी जाती है (स्वतंत्र परिवर्तनशीलता), उसकी प्रतिक्रिया यह कहते हुए होती है 'अरे' (आश्रित परिवर्तनशीलता)। यदि स्वतंत्र (प्रयोगात्मक) परिवर्तनशीलता तीव्र है, हो सकता है कि वह सिर्फ 'अरे' ही नहीं कहे बल्कि रोने या चिल्लाने अथवा यहाँ तक कि आक्रमणकारी पर झपट्टा भी मार सकता है।

41. आदर्शवाद की मुख्य विशेषताएँ–

1. समाज मानदंडों और मानकों का निर्धारण करता है।
2. प्रत्येक बच्चा क्षमताओं के साथ जन्म लेता है।
3. यह शिक्षक ही हैं जो प्रशिक्षण के माध्यम से बच्चों को उन आदर्शों को प्राप्त करने के लिए मदद करते हैं।
4. आदर्श व्यक्ति एक संतुलित व्यक्तित्व का स्वामी होता है जिसका अर्थ है शारीरिक और मानसिक दोनों तरह से तंदुरूस्त होना।
5. एक आदर्श शारीरिक शिक्षा कार्यक्रम का 'आदर्श केन्द्र' है।

यथार्थवाद की मुख्य विशेषताएँ–

1. दुनिया को उसी तरह से देखा जाना चाहिए जैसा कि यह है, और इस तरह से नहीं कि ऐसा होना चाहिए।
2. यथार्थवाद दृष्टिकोण में विज्ञान संबंधी है।
3. दुनिया व्यवस्थित हैं। यह कारण और प्रभाव के सिद्धांत पर काम करती है।
4. आदर्शवाद की कम भूमिका है।
5. शिक्षा को शारीरिक और मानसिक दोनों को विकसित करना चाहिए।

प्रकृतिवाद की मुख्य विशेषताएँ–

1. प्रकृति की चीजों की समझ प्रभाव है।
2. प्रत्येक व्यक्ति के पास स्वाभाविक प्राकृतिक प्रतिभा होती है।
3. शिक्षा का उद्देश्य स्वाभाविक/प्राकृतिक प्रतिभाओं को विकसित करना है।
4. शारीरिक शिक्षा के शिक्षक को विद्यार्थियों के स्वाभाविक प्रतिभाओं को विकसित करने के लिए उन्हें प्रशिक्षित करना चाहिए।

5. शिक्षा रात्रि का भोजन नहीं है, लेकिन एक प्राकृतिक पथ है।
6. किसी व्यक्ति का विकास संचित होना चाहिए, जो शारीरिक और मानसिक दोनों हैं।

व्यवहारवाद की मुख्य विशेषताएँ–

1. यह अनुभवों पर आधारित है।
2. सफलता ही कसौटी है।
3. न्यूनतम सिद्धांत अधिकतम अभ्यास।
4. शारीरिक शिक्षक को परीक्षण त्रुटि का उपाय करना चाहिए और फिर प्रशिक्षण देना चाहिए। प्रशिक्षण व्यावहारिक होना चाहिए।

43. शरीर में अधिकांश मांसपेशियों के ऊतक का निर्माण कंकाल की मांसपेशी करती है। इसमें अनुप्रस्थ धारियों के साथ बहु केंद्रित तंतुओं वाली लंबी समानांतर बंडल होती हैं जिससे यह शक्तिशाली संकुचन करने में सक्षम होते हैं और इसे सोमैटिक तथा ब्रांक्यिल मोटर नर्व द्वारा प्रेरित किया जाता है। इस मांसपेशी का उपयोग अस्थि और अन्य संरचनाओं में गति लाने के लिए उपयोग किया जाता है और शरीर को सहारा देने तथा आकार प्रदान करने में यह सहायक होती है। व्यक्तिगत कंकाल मांसपेशियों को अक्सर आकार के आधार पर नाम दिया जाता है। (उदाहरण–तिर्यग्वर्ग प्रमुख मांसपेशी), संलग्नक (उदाहरण–स्टेरोनोयॉइड पेशी), कार्य (उदाहरण–फ्लेक्जर पॉलीसीस लॉगस पेशी), स्थिति (पाल्मर इनटिरोसियस पेशी) अथवा तंतु अभिविन्यास (उदाहरण–बाहरी तिरछी मांसपेशियाँ)।

कंकाल की मांसपेशियों का वर्गीकरण : कंकाल की मांसपेशियों को फासिकुलस की व्यवस्था के आधार पर वर्गीकृत किया जा सकता है। फासिकुलस मांसपेशियाँ तंतुओं का एक समूह है। फासिकुलस मांसपेशी के खिंचाव की रेखा का समानान्तर होता है। उदाहरण के लिए, स्ट्रैप मांसपेशियाँ (स्र्टेनाहोयॉड और साट्रोरियस), फ्यूसिफॉर्म मांसपेशियाँ (बाइसेप्स ब्राचली) और चतुष्कोणीय मांसपेशियाँ (थायरोहाइड)। फैसिकुली मांसपेशी के खिंचाव की लाइन के तिरछी हो सकती हैं।

उदाहरण–त्रिकोणीय मांसपेशियाँ (टेम्पोरलिस); पेननेट (पंखनुमा), युनीपेननेट मांसपेशियाँ (एक्सटेंजर डिजिटोरम लँगस); बाइपेननेट मांसपेशियाँ (रेक्टस फिमोरिस), मल्टीपेननेट (डेल्टॉयड की एक्रोमियल तंतुएँ और सरकमपेननेट मांसपेशियाँ (टिबिअलिस एंटीरियर)। कुछ मांसपेशियाँ स्पायरल अथवा ट्विस्टेड व्यवस्था जैसे लैटिससिमस डोरसी और पैक्टोरलिस मेजर का प्रदर्शन करती है जबकि कुछ सुपिनेटर की तरह हड्डी के आस-पास सर्पिल एवं प्रदर्शित होते हैं।

46. विटामिन की कमी

विटामिन	कार्य	कमी के परिणाम
A	रेटिना से संबंधित कार्य इपिथिलियल वृद्धि नियंत्रण	रतौंधी, केरेटो मेलेशिया, जेरोफथेलमिया
B_1 (थाइमिन)	सह-एंजाइम	बेरी-बेरी, वर्निकिक की एन्सीफेलोपेथी
B_2 (राइबोफ्लेविन)	सह-एंजाइम	डरमेटॉइटिस, ग्लॉसाइटिस, केराटॉइटिस, न्यूरोपैथी, कन्फ्यूजन
B_6 (पाइरिडोक्सिन)	सह-एंजाइम	न्यूरोपैथी
B_{12} (कोबेलामाइन)	न्यूक्लिक अम्ल संश्लेषण	मेगालोब्लास्टिक एनीमिया, स्पाइनल कॉर्ट का सबक्युट कम्बाइन्ड डिजेनरेशन
नाइसिन	सह-एंजाइम NAD, NADP	पेलाग्रा (दस्त, त्वचाशोथ और पागलपन)
फॉलेट	न्यूक्लिक अम्ल संश्लेषण में सह-एंजाइम	मेगालोब्लास्टिक एनीमिया, विल्लस पेट का विल्लस एट्रोफी
विटामिन C	हाइड्रोजाइलेशन में सह कारक	स्कर्वी
विटामिन D	कैल्शियम और फॉस्फेट अवशोषण	रिकेट्स (बाल्यकाल) ओस्टियोमलेशिया (युवा)
विटामिन E	एंटी ऑक्सीडेंट	स्पिनोसेरेबलर डिजनरेशन
विटामिन K	जमाव कारक संश्लेषण के लिए सह-कारक	जमाव दोष के कारण रक्तस्राव

प्रश्न–पत्र–III

नोटः *इस प्रश्न-पत्र में* ***पचहत्तर (75)*** *बहु-विकल्पीय प्रश्न हैं। प्रत्येक प्रश्न के* ***दो (2)*** *अंक हैं।* ***सभी*** *प्रश्न अनिवार्य हैं।*

1. सीखने का वह सिद्धान्त जो उद्दीपन प्रतिक्रिया सहसंबंधन को बल देता है, कहलाता हैः

A. गेस्टाल्ट का सीखने का सिद्धान्त

B. ओपरेन्ट कन्डिशनिंग का सीखने का सिद्धान्त

C. समीपस्थता का सीखने का सिद्धान्त

D. प्रबलता का सीखने का सिद्धान्त

2. यदि एक तंत्रिका रेशा और सभी पेशी रेशे तंत्रिका में स्फूर्ति उत्पन्न करते हैं, तो उसे निम्नलिखित में से क्या कहा जाता है?

A. अंतर्ग्रथनी संचरण B. मोटर एंड प्लेट

C. मोटर यूनिट D. पारस्परिक तंत्रिकोत्तेजन

3. 20 ms^{-1} पर फेंकी गई 420 ग्राम के भार वाली क्रिकेट की गेंद के संवेग का परिमाण क्या होगा?

A. 8.2 Ns B. 8.4 Ns

C. 8.6 Ns D. 8.8 Ns

4. धारणात्मक सीख "उद्दीपन जो कि अनुभव एवं अभ्यास के फलस्वरूप वातावरण से सूचना हासिल करने की क्षमता में वृद्धि है" को किसने परिभाषित किया?

A. पावलॉव B. वाटसन

C. स्किनर D. गिब्सन

5. जो नेता अपनी शैली के कार्य-उन्मुख और निदेशात्मक शैली से अधिक संबंध बनाने और कम निदेशात्मक शैली से समायोजित करते हैं वे निम्नलिखित सिद्धांत का पालन करते हैंः

A. लोकतांत्रिक नेतृत्व का सिद्धांत

B. पारिस्थितिकीय नेतृत्व का सिद्धांत

C. परामर्शी नेतृत्व का सिद्धांत

D. समदृष्टि नेतृत्व का सिद्धांत

6. उस बीमारी की पहचान कीजिए, जिसको हाइपोकाइनेटिक के रूप में बतलाया जाता है

A. एड्स B. मलेरिया

C. रूमेटिक ऑर्थराइटिस D. मस्तिष्क शोथ

7. प्रदर्शन में वृद्धि बड़ी सीमा तक किसको छोड़कर निर्भर करती है?

A. कोचिंग-पद्धतियों में सुधार

B. उच्च कोटि की तकनीक और युक्ति का प्रवर्तन

C. समुचित रखरखाव वाला इन्फ्रास्ट्रक्चर

D. बेहतर पोषक सहायता

8. उपचार के बाद प्रायोगिक अनुसंधान में असम्बद्ध परिवर्तनों का नियंत्रण करने वाली तकनीक को कहते हैंः

A. परीक्षण-पश्चात

B. सहपरिवर्तन का विश्लेषण

C. एकतरफा 'एनोवा'

D. सांख्यिकीय ह्रास

9. पेडोरूल मापता हैः

A. एचिलीस टेन्डन का लम्ब से विचलन

B. पैर के मध्य चाप का कोण

C. मेटा फेलेन्जि की अनुपातिक लम्बाई

D. मेटा कार्पल्स की लम्बाई और चौड़ाई का अनुपात

10. निम्नलिखित में से कौन-सा खेल प्रबंधन में अवरोध पहचान के कार्यक्षेत्र में नहीं आता है?

A. मनोवैज्ञानिक B. किफायती

C. सामाजिक D. भौगोलिक

11. 2018 व 2022 में होने वाले कॉमनवेल्थ खेलों के शहरों को पहचानियेः

(*a*) गोल्ड कोस्ट, क्वींसलैंण्ड

(*b*) क्वालालुमपुर

(*c*) ऐडमन्टन

(*d*) डरबन

कूटः

A. (*a*), (*b*) B. (*b*), (*c*)

C. (*a*), (*c*) D. (*a*), (*d*)

12. जनवरी, 2016 की वाडा सूची (WADA List) में प्रतिबंधित तत्त्वों और पद्धतियों में निम्नलिखित में कौन से सही हैं?

(*a*) ड्यूरेटिक्स का सेवन सदैव प्रतिबंधित है।

(*b*) बीटा-2 का सेवन सदैव प्रतिबंधित है।
(*c*) कोकीन का सेवन सदैव प्रतिबंधित है।
(*d*) कैनाबिनोइड्स का सेवन सदैव प्रतिबंधित है।
(*e*) बीटा-ब्लॉकर्स का सेवन गोल्फ में प्रतिबंधित है।
(*f*) नारकोटिक्स का सेवन केवल प्रतिस्पर्धा में प्रतिबंधित है।

कूटः
A. (*a*), (*b*), (*e*), (*f*) B. (*a*), (*c*), (*d*), (*f*)
C. (*b*), (*c*), (*d*), (*f*) D. (*a*), (*b*), (*c*), (*e*), (*f*)

13. कौन-सी हड्डियाँ खोपड़ी का गतिशील भाग नहीं होती हैं?
(*a*) मैंडिबल (*b*) मैक्सिला
(*c*) फ्रंटल बोन (*d*) जाइगोमेटिक बोन

कूटः
A. (*a*), (*b*), (*c*) B. (*a*), (*c*), (*d*)
C. (*a*), (*b*), (*d*) D. (*b*), (*c*), (*d*)

14. खेलकूद से संबंधित टीम एक विशेष प्रकार का समूह होता है। इसकी मुख्य विशेषताएं हैं:
(*a*) सामूहिक पहचान की भावना
(*b*) संप्रेषण का स्तरित तरीका
(*c*) तानाशाहीपूर्ण नेतृत्व का दृष्टिकोण
(*d*) सह-नेतृत्व दृष्टिकोण
(*e*) मानकों और सामाजिक नियमों का विकास
(*f*) सदस्यों के लिए स्पष्ट भूमिकाओं का सेट

कूटः
A. (*a*), (*b*), (*d*), (*e*) B. (*a*), (*d*), (*e*), (*f*)
C. (*a*), (*b*), (*e*), (*f*) D. (*b*), (*c*), (*d*), (*f*)

15. ज्ञानात्मक दृष्टिकोण के अनुसार अध्यापक की भूमिका होती है:
(*a*) गलत उत्तरों को सही करना।
(*b*) गलत धारणाओं को सही करना।
(*c*) आसान बनाना तथा पर्यवेक्षण करना।
(*d*) कारगर रणनीतियाँ पढ़ाना।

कूटः
A. (*a*) और (*c*) B. (*a*) और (*d*)
C. (*b*) और (*d*) D. (*b*) और (*c*)

16. उन बीमारियों की पहचान कीजिए, जो अपनी प्रकृति में संक्रामक नहीं हैं:
(*a*) कैंसर (*b*) फाइलेरिया
(*c*) रूमेटिक हृदय रोग (*d*) गलसुआ
(*e*) चिकनगुनिया (*f*) मधुमेह

कूटः
A. (*a*), (*c*), (*f*) B. (*b*), (*d*), (*f*)
C. (*a*), (*d*), (*e*) D. (*b*), (*d*), (*e*)

17. नीचे दिए गए कूट से युक्ति क्षमताओं का सही संयोजन ज्ञात कीजिए:
(*a*) विशिष्ट बौद्धिक क्षमताएँ
(*b*) विशिष्ट संकल्पनात्मक एवं संवेगात्मक क्षमताएँ
(*c*) विशिष्ट गामक क्षमताएँ
(*d*) विशिष्ट ज्ञानात्मक क्षमताएँ

कूटः
A. (*a*), (*c*), (*d*) B. (*a*), (*b*), (*d*)
C. (*d*), (*c*), (*a*) D. (*b*), (*c*), (*d*)

18. निम्नलिखित में से कौन सत्य हैं?

(*a*) $S_K = \dfrac{3\,(\text{Mean} - \text{Median})}{\text{Standard Deviation}}$

(*b*) $S_K = \dfrac{P_{90} + P_{10}}{2} - P_{50}$

(*c*) $K_U = \dfrac{Q}{P_{90} - P_{10}}$

(*d*) $T = 50 + 10\left(\dfrac{X - M}{\sigma}\right)$

(*e*) $K_U = \dfrac{P_{90} + P_{10}}{Q}$

(*f*) $S_K = \dfrac{P_{90} - P_{10}}{2} + P_{50}$

कूटः
A. (*a*), (*c*), (*e*), (*f*) B. (*b*), (*d*), (*e*), (*f*)
C. (*b*), (*d*), (*c*), (*e*) D. (*a*), (*b*), (*c*), (*d*)

19. हीथ कार्टर द्वारा प्रवर्तित शीर्ष से नीचे की ओर के उन शरीर मापकों को क्रम में व्यवस्थित कीजिए, जिन्हें शरीर प्रकारों के मेसोमोर्फिक घटक के निर्धारण के लिए टेबल पर चिह्नित किया गया है:
(*a*) बाइसेप्स गिर्थ (*b*) कॉफ गिर्थ
(*c*) ऊँचाई (*d*) अस्थि फिमर
(*e*) अस्थि ह्यूमर्स

कूटः

A. (*c*), (*d*), (*e*), (*b*), (*a*) B. (*d*), (*e*), (*c*), (*a*), (*b*)
C. (*b*), (*a*), (*c*), (*e*), (*d*) D. (*c*), (*e*), (*d*), (*a*), (*b*)

20. विभागीय संगठन प्रकार क्या होते हैं?

(*a*) लाइन संगठन (*b*) कार्यात्मक संगठन
(*c*) औपचारिक संगठन (*d*) समिति संगठन

कूटः

A. (*a*) और (*d*) B. (*b*) और (*d*)
C. (*c*) और (*b*) D. (*c*) और (*d*)

21. निम्नलिखित कॉमनवेल्थ खेलों को आरोही क्रम में व्यवस्थित कीजिएः

(*a*) ब्रिस्बेन (ऑस्ट्रेलिया)
(*b*) मानचेस्टर (इंग्लैण्ड)
(*c*) क्वालालमपुर (मलेशिया)
(*d*) ग्लासगो (स्कॉटलैंड)
(*e*) एडमंटन (कनाडा)

कूटः

A. (*a*), (*b*), (*c*), (*d*), (*e*) B. (*a*), (*b*), (*c*), (*e*), (*d*)
C. (*e*), (*a*), (*c*), (*b*), (*d*) D. (*e*), (*a*), (*b*), (*c*), (*d*)

22. अवायु ग्लाइको अपघटन के दौरान होने वाले परिवर्तनों के सही क्रम की पहचान कीजिएः

(*a*) पाइरुविक अम्ल (*b*) फ्रक्टोज 1-6-डिफॉस्फेट
(*c*) लैक्टिक अम्ल (*d*) ग्लाइकोजेन
(*e*) ग्लूकोस (*f*) ग्लूकोस 6 फॉस्फेट

कूटः

A. (*e*), (*d*), (*b*), (*f*), (*c*), (*a*)
B. (*d*), (*e*), (*f*), (*b*), (*a*), (*c*)
C. (*d*), (*e*), (*b*), (*f*), (*a*), (*c*)
D. (*e*), (*d*), (*f*), (*b*), (*c*), (*a*)

23. निम्नलिखित सिद्धान्तों को कालक्रम में व्यवस्थित कीजिएः

(*a*) जिलमैन्स थ्री-फैक्टर मॉडल (एग्रेशन)
(*b*) कॉग्नीटिव सोमेटिक एन्क्जाइटी क्वेश्चनेयर (स्टेट एन्क्जाइटी)
(*c*) फील्डर्स कन्टीन्जेन्सी थ्योरी (लीडरशिप)
(*d*) कॉग्नीटिव इवेलुएशन थ्योरी (इन्ट्रिन्सिक मोटिवेशन)

कूटः

A. (*c*), (*a*), (*d*), (*b*) B. (*a*), (*b*), (*c*), (*d*)
C. (*b*), (*d*), (*a*), (*c*) D. (*d*), (*c*), (*b*), (*a*)

24. लक्ष्य निर्देशित गतिविधि के पूरे पैटर्न का सही अनुक्रम निम्नलिखित प्रक्रिया द्वारा दर्शाया जाता हैः

(*a*) पूर्ण करने संबंधी व्यवहार
(*b*) जरूरत
(*c*) प्रोत्साहन
(*d*) संचालन
(*e*) तैयार करने से जुड़ी गतिविधि

कूटः

A. (*c*), (*e*), (*b*), (*a*), (*d*) B. (*b*), (*d*), (*e*), (*c*), (*a*)
C. (*a*), (*b*), (*d*), (*c*), (*e*) D. (*b*), (*e*), (*a*), (*d*), (*c*)

25. एथलीट की चोट के मामले में (हाथ की अस्थि का भंग होना), फर्स्ट एड (प्राथमिक चिकित्सा) के सिद्धांत के आधार पर उठाए जाने वाले कदमों के क्रम को व्यवस्थित कीजिएः

(*a*) उपयुक्त इलाज
(*b*) एक्स-रे
(*c*) पर्यवेक्षण और मूल्यांकन
(*d*) अस्पताल और विशेषज्ञ को रेफर करना
(*e*) हिलाना-डुलाना नहीं और स्थिर करना
(*f*) पीड़ित को आश्वस्त करना

कूटः

A. (*a*), (*c*), (*e*), (*d*), (*b*), (*f*)
B. (*d*), (*b*), (*a*), (*e*), (*c*), (*f*)
C. (*f*), (*c*), (*e*), (*b*), (*a*), (*d*)
D. (*c*), (*f*), (*e*), (*d*), (*b*), (*a*)

26. नीचे नौसिखियों के लिए तकनीक प्रशिक्षण के शिक्षण के चरण दिए गए हैं। नीचे दिए गए कूट का प्रयोग करते हुए इन चरणों को क्रमिक रूप से व्यवस्थित कीजिएः

(*a*) व्याख्या (*b*) प्रदर्शन
(*c*) लीड-अप गेम (*d*) अभ्यास

कूटः

A. (*b*), (*a*), (*d*), (*c*) B. (*a*), (*b*), (*d*), (*c*)
C. (*b*), (*d*), (*c*), (*a*) D. (*a*), (*b*), (*c*), (*d*)

27. नीचे तीन प्रकार के इन्वेस्टिगेशन दिए गए हैंः

(*a*) फील्ड एक्सपेरीमेंट
(*b*) लैबोरेटरी एक्सपेरीमेंट
(*c*) एक्स पोस्ट फैक्टो फील्ड अध्ययन

अगर ऊपर सेकेंडरी वेरिएंस को नियंत्रित करने की अनुसंधानकर्ता की क्षमता के अनुसार इन्वेस्टिगेशन अवरोही

क्रम में व्यवस्थित किए गए हैं। तो विशिष्ट क्रम निम्नानुसार होगाः

कूटः

A. (*b*), (*a*), (*c*) B. (*a*), (*c*), (*b*)
C. (*a*), (*b*), (*c*) D. (*c*), (*b*), (*a*)

28. रोजर शारीरिक दक्षता सूचकांक शक्ति के एक मानक से प्राप्त किया गया है, जो व्यक्ति की किस बात पर आधारित है?

(*a*) लंबाई (*b*) लिंग
(*c*) शरीर संरचना (*d*) पोन्डरल सूचकांक
(*e*) भार (*f*) उम्र
(*g*) बी.एम.आई.

कूटः

A. (*a*), (*b*), (*f*) B. (*b*), (*c*), (*d*)
C. (*d*), (*f*), (*e*) D. (*b*), (*e*), (*f*)

29. पाठ्यक्रम के मूल्यांकन के बारे में दृष्टिकोण के सही क्रम की पहचान कीजिए:

(*a*) प्रणाली दृष्टिकोण (*b*) प्रबंधकीय दृष्टिकोण
(*c*) व्यवहारवादी दृष्टिकोण (*d*) मानवतावादी दृष्टिकोण

कूटः

A. (*b*), (*a*), (*c*), (*d*) B. (*c*), (*b*), (*a*), (*d*)
C. (*c*), (*a*), (*b*), (*d*) D. (*a*), (*b*), (*d*), (*c*)

30. निम्नलिखित हड्डियों को मध्य से पार्श्विक की ओर के क्रम (शरीर रचना संबंधी स्थिति) में व्यवस्थित कीजिए:

(*a*) हैमेट (मुड़ी हुई) (*b*) ट्रेपीजियम (समलंब)
(*c*) पिजिफॉर्म (मटरनुमा) (*d*) कैपिटेट (समुंड)
(*e*) ट्रैपीजॉइड (विषम चतुर्भुज)

कूटः

A. (*a*), (*e*), (*b*), (*c*), (*d*) B. (*c*), (*a*), (*d*), (*e*), (*b*)
C. (*d*), (*b*), (*c*), (*a*), (*e*) D. (*b*), (*c*), (*a*), (*e*), (*d*)

31. नीचे दो कथन दिए गए हैं, एक अभिकथन (A) है और दूसरा तर्क (R) है:

अभिकथन (A) : मानवतावाद अवैयक्तिकता के विरुद्ध एक विद्रोह है जिसके आविर्भाव से मानव एक व्यक्ति के रूप में उदय हुआ।

तर्क (R) : मानवतावाद हमारे चारों ओर जो भी हो रहा है उससे व्यक्तिगत प्रतिभा का विकास, पूर्ण संतुष्टि, भागीदारी एवं सहभागिता को प्रोत्साहित करता है।

उपर्युक्त दोनों कथनों के संदर्भ में निम्नलिखित में से कौन-सा कथन सही है?

कूट :

A. (A) और (R) दोनों सही हैं और (R), (A) की सही व्याख्या है।
B. (A) और (R) दोनों सही हैं, किंतु (R), (A) की सही व्याख्या नहीं है।
C. (A) सही है, किंतु (R) सही नहीं है।
D. (A) सही नहीं है, किंतु (R) सही है।

32. नीचे दो कथन दिए गए हैं, एक अभिकथन (A) है और दूसरा तर्क (R) है:

अभिकथन (A) : व्यायाम एक दबाव है, जो ऑक्सीजन एवं कार्बन डाई-ऑक्साइड, जल एवं ग्लूकोस तत्व, शरीर के तापमान आदि के मामले में आंतरिक वातावरण को अस्त-व्यस्त कर देते हैं और शरीर दबाव के प्रति अनुकूलन का प्रयास करता है।

तर्क (R) : कोई भी दबाव हानिकारक होता है और घातक चोट का मार्ग प्रशस्त हो सकता है।

उपर्युक्त दोनों कथनों के संदर्भ में निम्नलिखित में से कौन-सा कथन सही है?

कूट :

A. (A) और (R) दोनों सही हैं और (R), (A) की सही व्याख्या है।
B. (A) और (R) दोनों सही हैं, किंतु (R), (A) की सही व्याख्या नहीं है।
C. (A) सही है, किंतु (R) सही नहीं है।
D. (A) सही नहीं है, किंतु (R) सही है।

33. नीचे दो कथन दिए गए हैं, एक अभिकथन (A) है और दूसरा तर्क (R) है:

अभिकथन (A) : एक वॉलीबॉल का खिलाड़ी जमीन से ऊपर उछलते हुए स्मैश करता है, शरीर के निचले हिस्से पर एक बल-आघूर्ण होगा जिससे यह शरीर के ऊपरी हिस्से की गति के विपरीत घूमेगा जिससे कोणीय संवेग में कमी आएगी/कोई बदलाव नहीं होगा।

तर्क (R) : एक चक्रीय शरीर सतत कोणीय संवेग के साथ अपने घूर्णन के अक्ष पर तब तक घूमता रहेगा जब तक कि उस पर किसी बाह्य बल आघूर्ण का प्रभाव न हो।

उपर्युक्त दोनों कथनों के संदर्भ में निम्नलिखित में से कौन-सा कथन सही है?

कूट :

A. (A) और (R) दोनों सही हैं और (R), (A) की सही व्याख्या है।

B. (A) और (R) दोनों सही हैं, किंतु (R), (A) की सही व्याख्या नहीं है।

C. (A) सही है, किंतु (R) सही नहीं है।

D. (A) सही नहीं है, किंतु (R) सही है।

34. नीचे दो कथन दिए गए हैं, एक अभिकथन (A) है और दूसरा तर्क (R) हैः

अभिकथन (A) : ट्रेट एप्रोच ऑफ पर्सनैलिटी में कहा गया है कि ट्रेट में अपेक्षाकृत निरंतरता और लंबे समय तक चलते रहने की प्रकृति होती है।

तर्क (R) : विशेषताएँ किसी व्यक्ति को एक विशेष रीति से तैयार करने वाली मानी जाती है, भले ही उसकी परिस्थितियाँ, स्थितियाँ या पर्यावरणीय कारक कुछ भी हों।

उपर्युक्त दोनों कथनों के संदर्भ में निम्नलिखित में से कौन-सा कथन सही है?

कूट :

A. (A) और (R) दोनों सही हैं और (R), (A) की सही व्याख्या है।

B. (A) और (R) दोनों सही हैं, किंतु (R), (A) की सही व्याख्या नहीं है।

C. (A) सही है, किंतु (R) सही नहीं है।

D. (A) सही नहीं है, किंतु (R) सही है।

35. नीचे दो कथन दिए गए हैं, एक अभिकथन (A) है और दूसरा तर्क (R) हैः

अभिकथन (A) : अप्रासंगिक जैसे लिंग, कौशल, प्रजाति और शारीरिक बनावट के कारण शारीरिक शिक्षा के छात्रों को प्रायः नुकसान होता है।

तर्क (R) : पूर्वाग्रह तथा एकरसता की पहचान करने के लिए सभी पाठ्यक्रमों की समीक्षा की जाती है।

उपर्युक्त दोनों कथनों के संदर्भ में निम्नलिखित में से कौन-सा कथन सही है?

कूट :

A. (A) और (R) दोनों सही हैं और (R), (A) की सही व्याख्या है।

B. (A) और (R) दोनों सही हैं, किंतु (R), (A) की सही व्याख्या नहीं है।

C. (A) सही है, किंतु (R) सही नहीं है।

D. (A) सही नहीं है, किंतु (R) सही है।

36. नीचे दो कथन दिए गए हैं, एक अभिकथन (A) है और दूसरा तर्क (R) हैः

अभिकथन (A) : शरीर में लगभग 96 प्रतिशत फ्लोराइड अस्थियों और दाँतों में पाया जाता है, जो अस्थियों के सामान्य खनिजीकरण और दंतीय इनैमल के बनने के लिए उत्तरदायी है।

तर्क (R) : लंबी अवधि तक अतिरिक्त फ्लोराइड पाना दाँतों की बीमारियों की रोकथाम का सर्वाधिक प्रभावोत्पादक साधन है।

उपर्युक्त दोनों कथनों के संदर्भ में निम्नलिखित में से कौन-सा कथन सही है?

कूट :

A. (A) और (R) दोनों सही हैं और (R), (A) की सही व्याख्या है।

B. (A) और (R) दोनों सही हैं, किंतु (R), (A) की सही व्याख्या नहीं है।

C. (A) सही है, किंतु (R) सही नहीं है।

D. (A) सही नहीं है, किंतु (R) सही है।

37. नीचे दो कथन दिए गए हैं, एक अभिकथन (A) है और दूसरा तर्क (R) हैः

अभिकथन (A) : प्रतिस्पर्धा अवधि के दौरान जब गहन रूप से गतिविधियाँ की जाती हैं तो उच्च तुंगता पर प्रशिक्षण अत्यंत महत्वपूर्ण होता है।

तर्क (R) : गति सहनशीलता वाले खेलों और तकनीक प्रधान खेलों में तुंगता पर प्रशिक्षण प्रदर्शन में महत्वपूर्ण रूप से योगदान नहीं करता है।

उपर्युक्त दोनों कथनों के संदर्भ में निम्नलिखित में से कौन-सा कथन सही है?

कूट :

A. (A) और (R) दोनों सही हैं और (R), (A) की सही व्याख्या है।

B. (A) और (R) दोनों सही हैं, किंतु (R), (A) की सही व्याख्या नहीं है।

C. (A) सही है, किंतु (R) सही नहीं है।

D. (A) सही नहीं है, किंतु (R) सही है।

38. नीचे दो कथन दिए गए हैं, एक अभिकथन (A) है और दूसरा तर्क (R) है:

अभिकथन (A) : टेस्ट स्कोर का कुल परिवर्तन, वास्तविक परिवर्तन और त्रुटिगत परिवर्तन का जोड़ होता है।

तर्क (R) : वास्तविक स्कोर और त्रुटिगत स्कोर एक-दूसरे से स्वतंत्र होते हैं।

उपर्युक्त दोनों कथनों के संदर्भ में निम्नलिखित में से कौन-सा कथन सही है?

कूट :

A. (A) और (R) दोनों सही हैं और (R), (A) की सही व्याख्या है।

B. (A) और (R) दोनों सही हैं, किंतु (R), (A) की सही व्याख्या नहीं है।

C. (A) सही है, किंतु (R) सही नहीं है।

D. (A) सही नहीं है, किंतु (R) सही है।

39. नीचे दो कथन दिए गए हैं, एक अभिकथन (A) है और दूसरा तर्क (R) है:

अभिकथन (A) : ग्रेडिंग मानकों की सहायता से पूर्ण रूप से वस्तुनिष्ठ रेटिंग की प्रणाली है।

तर्क (R) : क्योंकि वस्तुनिष्ठता को ऐसे मानकों द्वारा प्रस्तुत किया जाता है जो अनुपात पैमाने पर आधारित होते हैं।

उपर्युक्त दोनों कथनों के संदर्भ में निम्नलिखित में से कौन-सा कथन सही है?

कूट :

A. (A) और (R) दोनों सही हैं और (R), (A) की सही व्याख्या है।

B. (A) और (R) दोनों सही हैं, किंतु (R), (A) की सही व्याख्या नहीं है।

C. (A) सही है, किंतु (R) सही नहीं है।

D. (A) सही नहीं है, किंतु (R) सही है।

40. नीचे दो कथन दिए गए हैं, एक अभिकथन (A) है और दूसरा तर्क (R) है:

अभिकथन (A) : किसी भी सुपरवाइजर का मुख्य उद्देश्य यह देखना होता है कि संगठन अपने उद्देश्य और लक्ष्य प्राप्त करे।

तर्क (R) : प्रबंधन के प्रथम स्तर का सुपरवाइजर मानवशक्ति की कार्यप्रणाली की देखरेख करता है ताकि उसके सभी लक्ष्य प्राप्त हों।

उपर्युक्त दोनों कथनों के संदर्भ में निम्नलिखित में से कौन-सा कथन सही है?

कूट :

A. (A) और (R) दोनों सही हैं और (R), (A) की सही व्याख्या है।

B. (A) और (R) दोनों सही हैं, किंतु (R), (A) की सही व्याख्या नहीं है।

C. (A) सही है, किंतु (R) सही नहीं है।

D. (A) सही नहीं है, किंतु (R) सही है।

41. नीचे दो कथन दिए गए हैं, एक अभिकथन (A) है और दूसरा तर्क (R) है:

अभिकथन (A) : सम्पूर्ण स्वास्थ्य का निकटतम संबंध तन्दुरुस्ती से है।

तर्क (R) : उच्च स्तरीय तन्दुरुस्ती प्राप्त करने हेतु संतोषजनक स्तरीय स्वस्थता के विकास एवं रखरखाव की आवश्यकता होती है।

उपर्युक्त दोनों कथनों के संदर्भ में निम्नलिखित में से कौन-सा कथन सही है?

कूट :

A. (A) और (R) दोनों सही हैं और (R), (A) की सही व्याख्या है।

B. (A) और (R) दोनों सही हैं, किंतु (R), (A) की सही व्याख्या नहीं है।

C. (A) सही है, किंतु (R) सही नहीं है।

D. (A) सही नहीं है, किंतु (R) सही है।

42. नीचे दो कथन दिए गए हैं, एक अभिकथन (A) है और दूसरा तर्क (R) है:

अभिकथन (A) : उच्च तीव्रता लघु अवधि के व्यायाम के दौरान कार्बोहाइड्रेट ऊर्जा का तात्कालिक स्रोत होता है, लेकिन लंबी अवधि में वसा मुख्य ऊर्जा स्रोत का स्थान ले लेगी।

तर्क (R) : न केवल कार्बोहाइड्रेट और वसा, बल्कि प्रोटीन भी ऊर्जा प्रदान करता है और प्रोटीन मेटाबोलिक डिराइवेटिव्स ए.टी.पी. को रिलीज करने के लिए टी.सी.ए. चक्र में प्रवेश करते हैं।

उपर्युक्त दोनों कथनों के संदर्भ में निम्नलिखित में से कौन-सा कथन सही है?

कूट :

A. (A) और (R) दोनों सही हैं और (R), (A) की सही व्याख्या है।

B. (A) और (R) दोनों सही हैं, किंतु (R), (A) की सही व्याख्या नहीं है।

C. (A) सही है, किंतु (R) सही नहीं है।

D. (A) सही नहीं है, किंतु (R) सही है।

43. नीचे दो कथन दिए गए हैं, एक अभिकथन (A) है और दूसरा तर्क (R) है:

अभिकथन (A) : यदि कोई हथौड़ा समान रूप से किसी वृत्त में घूम रहा हो, तो इसके संवेग में सतत परिवर्तन होता रहता है लेकिन इसकी गतिज ऊर्जा स्थिर बनी रहती है।

तर्क (R) : संवेग $\vec{p} = m\vec{v}$ किंतु KE = $\frac{1}{2}mv^2$ समान चक्रीय गति $\vec{v}$ में बदलाव होता है किंतु v^2 नहीं बदलता।

उपर्युक्त दोनों कथनों के संदर्भ में निम्नलिखित में से कौन-सा कथन सही है?

कूट :

A. (A) और (R) दोनों सही हैं और (R), (A) की सही व्याख्या है।

B. (A) और (R) दोनों सही हैं, किंतु (R), (A) की सही व्याख्या नहीं है।

C. (A) सही है, किंतु (R) सही नहीं है।

D. (A) सही नहीं है, किंतु (R) सही है।

44. नीचे दो कथन दिए गए हैं, एक अभिकथन (A) है और दूसरा तर्क (R) है:

अभिकथन (A) : मल्टीडाइमेंशनल एंग्जाइटी थ्योरी में भविष्यवाणी की जाती है कि ज्ञानात्मक स्थिति चिंता निष्पादन से नकारात्मक रूप से जुड़ा हुआ है परंतु सोमैटिक स्थिति की चिंता निष्पादन से इनवर्टेड-वी रीति से जुड़ा हुआ है।

तर्क (R) : निष्पादन, निर्वचन (सकारात्मक और नकारात्मक) से प्रभावित होता है न कि सक्रियता की मात्रा।

उपर्युक्त दोनों कथनों के संदर्भ में निम्नलिखित में से कौन-सा कथन सही है?

कूट :

A. (A) और (R) दोनों सही हैं और (R), (A) की सही व्याख्या है।

B. (A) और (R) दोनों सही हैं, किंतु (R), (A) की सही व्याख्या नहीं है।

C. (A) सही है, किंतु (R) सही नहीं है।

D. (A) सही नहीं है, किंतु (R) सही है।

45. नीचे दो कथन दिए गए हैं, एक अभिकथन (A) है और दूसरा तर्क (R) है:

अभिकथन (A) : सभी स्कूलों और समुदाय में यूनीमॉडल पाठ्यक्रम का विकास किया जाना चाहिए ताकि शारीरिक शिक्षा में गुणवत्तायुक्त कार्यक्रम तैयार करने में सभी संसाधनों को शामिल किया जा सके।

तर्क (R) : पाठ्यक्रमों के मुख्य विषय हैं : कम केन्द्रित और केन्द्रित विषय पर अधिक समय देना जिससे छात्र अधिक से अधिक सीख सके।

उपर्युक्त दोनों कथनों के संदर्भ में निम्नलिखित में से कौन-सा कथन सही है?

कूट :

A. (A) और (R) दोनों सही हैं और (R), (A) की सही व्याख्या है।

B. (A) और (R) दोनों सही हैं, किंतु (R), (A) की सही व्याख्या नहीं है।

C. (A) सही है, किंतु (R) सही नहीं है।

D. (A) सही नहीं है, किंतु (R) सही है।

46. नीचे दो कथन दिए गए हैं, एक अभिकथन (A) है और दूसरा तर्क (R) है:

अभिकथन (A) : आइसबर्ग का दिखाई देने वाला ऊपरी तैरता हुआ हिस्सा डाक्टरों द्वारा देखे जाने वाले नैदानिक मामलों का प्रतिनिधित्व करता है।

तर्क (R) : जल-रेखा दृश्यमान और अदृश्यमान मामलों के बीच विभाजन का प्रतिनिधित्व करता है।

उपर्युक्त दोनों कथनों के संदर्भ में निम्नलिखित में से कौन-सा कथन सही है?

कूट :

A. (A) और (R) दोनों सही हैं और (R), (A) की सही व्याख्या है।

B. (A) और (R) दोनों सही हैं, किंतु (R), (A) की सही व्याख्या नहीं है।

C. (A) सही है, किंतु (R) सही नहीं है।

D. (A) सही नहीं है, किंतु (R) सही है।

47. नीचे दो कथन दिए गए हैं, एक अभिकथन (A) है और दूसरा तर्क (R) है:

अभिकथन (A) : युवा शक्ति प्रशिक्षण कार्यक्रम को वजन उठाने के बजाए युक्ति के समुचित रूप को सीखने पर ध्यान केन्द्रित करना चाहिए।

तर्क (R) : वजन कार्यक्रम की समुचित तकनीक सामान्यतः शक्ति प्रशिक्षण और व्यायाम के प्रति सकारात्मक अभिवृत्ति को विकसित करती है।

उपर्युक्त दोनों कथनों के संदर्भ में निम्नलिखित में से कौन-सा कथन सही है?

कूट :

A. (A) और (R) दोनों सही हैं और (R), (A) की सही व्याख्या है।

B. (A) और (R) दोनों सही हैं, किंतु (R), (A) की सही व्याख्या नहीं है।

C. (A) सही है, किंतु (R) सही नहीं है।

D. (A) सही नहीं है, किंतु (R) सही है।

48. नीचे दो कथन दिए गए हैं, एक अभिकथन (A) है और दूसरा तर्क (R) है:

अभिकथन (A) : यदि X और Y का रिग्रेशन को-एफिशिएंट एक से बड़ा है, तो X पर Y का रिग्रेशन को-एफिसिएंट एक से अधिक होना चाहिए।

तर्क (R) : दो रिग्रेशन को-एफिशिएंट के बीच ज्यामितीय माध्य कोरिलेशन का को-एफिशिएंट होता है।

उपर्युक्त दोनों कथनों के संदर्भ में निम्नलिखित में से कौन-सा कथन सही है?

कूट :

A. (A) और (R) दोनों सही हैं और (R), (A) की सही व्याख्या है।

B. (A) और (R) दोनों सही हैं, किंतु (R), (A) की सही व्याख्या नहीं है।

C. (A) सही है, किंतु (R) सही नहीं है।

D. (A) सही नहीं है, किंतु (R) सही है।

49. नीचे दो कथन दिए गए हैं, एक अभिकथन (A) है और दूसरा तर्क (R) है:

अभिकथन (A) : किसी टेस्ट में उच्च स्तर की विश्वसनीयता मात्रा सराहनीय वस्तुनिष्ठ मात्रा के साथ को दर्शा सकती है।

तर्क (R) : इसीलिए टेस्ट कंस्ट्रक्शन में उच्च स्तर की वस्तुनिष्ठता सुनिश्चित करने का हरसंभव प्रयास किया जाना चाहिए।

उपर्युक्त दोनों कथनों के संदर्भ में निम्नलिखित में से कौन-सा कथन सही है?

कूट :

A. (A) और (R) दोनों सही हैं और (R), (A) की सही व्याख्या है।

B. (A) और (R) दोनों सही हैं, किंतु (R), (A) की सही व्याख्या नहीं है।

C. (A) सही है, और (R) सही नहीं है।

D. (A) सही नहीं है और (R) सही है।

50. नीचे दो कथन दिए गए हैं, एक अभिकथन (A) है और दूसरा तर्क (R) है:

अभिकथन (A) : प्रबंधन प्रत्येक संगठन में गतिशील जीवन देने वाला तत्त्व होता है।

तर्क (R) : यह सक्रिय करने वाला बल है, जो लोगों के माध्यम से कार्य पूरे करता है।

उपर्युक्त दोनों कथनों के संदर्भ में निम्नलिखित में से कौन-सा कथन सही है?

कूट :

A. (A) और (R) दोनों सही हैं और (R), (A) की सही व्याख्या है।

B. (A) और (R) दोनों सही हैं, किंतु (R), (A) की सही व्याख्या नहीं है।

C. (A) सही है, किंतु (R) सही नहीं है।

D. (A) सही नहीं है, किंतु (R) सही है।

51. सूची-I को सूची-II से सुमेलित कीजिए और नीचे दिए गए कूट से सही उत्तर चुनिए:

सूची-I	सूची-II
(*a*) एगोन	(*i*) वर्टिगो
(*b*) एलिया	(*ii*) प्रतियोगिता
(*c*) मिमिक्री	(*iii*) अनुकृति
(*d*) इलिन्क्स	(*iv*) संयोग

कूट:

	(*a*)	(*b*)	(*c*)	(*d*)
A.	(*ii*)	(*iv*)	(*iii*)	(*i*)
B.	(*ii*)	(*iii*)	(*iv*)	(*i*)
C.	(*ii*)	(*iv*)	(*i*)	(*iii*)
D.	(*iv*)	(*iii*)	(*ii*)	(*i*)

52. सूची-I को सूची-II से सुमेलित कीजिए और नीचे दिए गए कूट से सही उत्तर चुनिए:

सूची-I	सूची-II
(*a*) मोच आना (स्प्रैन)	(*i*) मस्तिष्क
(*b*) हीमेटोमा (रक्तगुल्म)	(*ii*) हड्डी
(*c*) विस्थापन (डिसलोकेशन)	(*iii*) त्वचा
(*d*) अल्पकालिक अचेतना होना (कॉन्कशन)	(*iv*) पेशी
(*e*) फफोला पड़ना (ब्लिस्टर)	(*v*) संधि

कूट:

	(*a*)	(*b*)	(*c*)	(*d*)	(*e*)
A.	(*iv*)	(*v*)	(*i*)	(*ii*)	(*iii*)
B.	(*v*)	(*iv*)	(*ii*)	(*i*)	(*iii*)
C.	(*iii*)	(*v*)	(*iv*)	(*ii*)	(*i*)
D.	(*v*)	(*iii*)	(*ii*)	(*i*)	(*iv*)

53. सूची-I को सूची-II से सुमेलित कीजिए और नीचे दिए गए कूट से सही उत्तर चुनिए:

सूची-I	सूची-II
(*a*) प्यूबिक गर्डल की कोक्सल हड्डियां	(*i*) कॉकलिया
(*b*) कान के ऑसिकल्स	(*ii*) साइटोसीन
(*c*) मसल प्रोटीन्स	(*iii*) इलियम
(*d*) पाइरीमाइडीन्स	(*iv*) रोडोप्सिन

कूट:

	(*a*)	(*b*)	(*c*)	(*d*)
A.	(*i*)	(*iii*)	(*ii*)	(*iv*)
B.	(*iii*)	(*i*)	(*iv*)	(*ii*)
C.	(*ii*)	(*iv*)	(*i*)	(*iii*)
D.	(*iv*)	(*ii*)	(*iii*)	(*i*)

54. सूची-I को सूची-II से सुमेलित कीजिए और नीचे दिए गए कूट से सही उत्तर चुनिए:

सूची-I	सूची-II
(*a*) डायरेक्शन ऑफ कैजुआलिटी	(*i*) घटनाओं और व्यवहार के सोचे गए कारण
(*b*) लक्षण	(*ii*) यह सोच प्रदर्शित करता है कि सफलता के प्रति पूरे समूह की अपेक्षा एकसमान ही होती है।
(*c*) सामूहिक प्रभावोत्पादकता	(*iii*) कंटेस्ट से पहले टीम के सदस्य यह सोचे कि हारने की जिम्मेदारी उसकी नहीं पर जीतने पर श्रेय लेगा।
(*d*) डिसपोजीशन ऑफ सेल्फ हैंडिकैपिंग	(*iv*) एकजुट होने से प्रदर्शन अच्छों रहा है या प्रदर्शन अच्छा रहने से एकजुटता आई है

कूटः

	(a)	(b)	(c)	(d)
A.	(iv)	(i)	(ii)	(iii)
B.	(i)	(ii)	(iii)	(iv)
C.	(iii)	(iv)	(i)	(ii)
D.	(ii)	(iii)	(iv)	(i)

55. सूची-I को सूची-II से सुमेलित कीजिए और नीचे दिए गए कूट से सही उत्तर चुनिएः

सूची-I	सूची-II
(a) सोद्देश्य	(i) छात्र हमेशा सक्रिय रहते हैं तथा शिक्षण सभी छात्रों में समान रूप से दिया जाता है।
(b) समीचीन	(ii) शिक्षार्थियों को सुरक्षित और चुनौतीपूर्ण दोनों प्रकार के माहौल में कार्य पर लगाया जाता है।
(c) निर्धारित क्रम	(iii) छात्रों की योग्यता, रुचि तथा अनुभव के लिए पाठ उपयुक्त होते हैं।
(d) सहभागितापूर्ण	(iv) गतिविधियों का चुनौतीपूर्ण कठिन है, फिर भी इनसे सफलतापूर्वक अभ्यास किया जा सकता है तथा गतिविधियों का क्रम होता है और इनकी गति तेज होती है।

कूटः

	(a)	(b)	(c)	(d)
A.	(i)	(ii)	(iii)	(iv)
B.	(iii)	(iv)	(i)	(ii)
C.	(iv)	(i)	(ii)	(iii)
D.	(ii)	(iii)	(iv)	(i)

56. सूची-I को सूची-II से सुमेलित कीजिए और नीचे दिए गए कूट से सही उत्तर चुनिएः

सूची-I	सूची-II
(a) प्रोटोजोल	(i) पोलियोमेरुरज्जुशोथ
(b) साइक्लॉप्स	(ii) हैजा
(c) वायरल	(iii) गिनी-कृमि (नहरुआ)
(d) जीवाणु संबंधी	(iv) राउंडवॉर्म
	(v) गिआर्डडायसिस

कूटः

	(a)	(b)	(c)	(d)
A.	(i)	(ii)	(iv)	(v)
B.	(ii)	(iii)	(v)	(i)
C.	(iv)	(i)	(iii)	(v)
D.	(v)	(iii)	(i)	(ii)

57. सूची-I को सूची-II से सुमेलित कीजिए और नीचे दिए गए कूट से सही उत्तर चुनिएः

सूची-I	सूची-II
(a) प्रशिक्षण की चक्रबद्धता	(i) वैयक्तिकता का सिद्धांत
(b) उच्चतम क्षतिपूर्ति	(ii) कालचक्रबद्धता का सिद्धांत
(c) सीढ़ी कक्ष पद्धति	(iii) भार को बढ़ाने का सिद्धांत
(d) एथलीटों का सामर्थ्य एवं संभाव्य	(iv) उच्चतम भार का सिद्धांत

कूटः

	(a)	(b)	(c)	(d)
A.	(ii)	(iii)	(iv)	(i)
B.	(ii)	(iv)	(iii)	(i)
C.	(i)	(ii)	(iii)	(iv)
D.	(iv)	(i)	(ii)	(iii)

58. सूची-I को सूची-II से सुमेलित कीजिए और नीचे दिए गए कूट से सही उत्तर चुनिएः

सूची-I	सूची-II
(a) काई-स्क्वायर टेस्ट	(i) $\frac{\sigma}{X}$
(b) को-एफिशिएंट ऑफ स्टैन्डर्ड डेविएशन	(ii) $\sqrt{\frac{\Sigma x^2}{N}}$
(c) वेरिएंस	(iii) $\frac{\Sigma(f_0 - f_e)^2}{f_e}$
(d) स्टैन्डर्ड डेविएशन	(iv) σ^2

कूटः

	(a)	(b)	(c)	(d)
A.	(i)	(ii)	(iv)	(iii)
B.	(iii)	(i)	(iv)	(ii)
C.	(i)	(ii)	(iii)	(iv)
D.	(iii)	(iv)	(i)	(ii)

59. सूची-I को सूची-II से सुमेलित कीजिए और नीचे दिए गए कूट से सही उत्तर चुनिएः

सूची-I (कौशल परीक्षण)	सूची-II (विश्वसनीयता गुणांक)
(*a*) ब्राउर मिलर टेनिस परीक्षण	(*i*) .87
(*b*) नॉक्स बास्केटबॉल परीक्षण	(*ii*) .90
(*c*) लॉकहार्ट मेकफर्सन बैडमिन्टन परीक्षण	(*iii*) .88
(*d*) ब्राडी वॉलीबॉल परीक्षण	(*iv*) .91
	(*v*) .80
	(*vi*) .93

कूटः

	(*a*)	(*b*)	(*c*)	(*d*)
A.	(*ii*)	(*iv*)	(*vi*)	(*iii*)
B.	(*v*)	(*iii*)	(*ii*)	(*vi*)
C.	(*iii*)	(*v*)	(*ii*)	(*iv*)
D.	(*vi*)	(*i*)	(*iii*)	(*v*)

60. सूची-I को सूची-II से सुमेलित कीजिए और नीचे दिए गए कूट से सही उत्तर चुनिएः

सूची-I	सूची-II
(*a*) उच्च प्रदर्शन	(*i*) युक्तिकारी कार्रवाई
(*b*) प्रतिस्पर्धा का आयोजन	(*ii*) प्रतिभा की पहचान
(*c*) बच्चों की छानबीन	(*iii*) प्रशिक्षण चरण
(*d*) प्रतिस्पर्धा कार्य का गामक समाधान	(*iv*) प्रतिस्पर्धा प्रणाली

कूटः

	(*a*)	(*b*)	(*c*)	(*d*)
A.	(*i*)	(*iii*)	(*iv*)	(*ii*)
B.	(*iii*)	(*iv*)	(*ii*)	(*i*)
C.	(*iv*)	(*ii*)	(*i*)	(*iii*)
D.	(*ii*)	(*i*)	(*iii*)	(*iv*)

61. सूची-I को सूची-II से सुमेलित कीजिए और नीचे दिए गए कूट से सही उत्तर चुनिएः

सूची-I	सूची-II
(*a*) जॉन बर्नाड बासुडो	(*i*) जर्मनी में जिमनास्टिक के जनक
(*b*) ग्रेडरिक लुडविग जॉन	(*ii*) प्राचीन जिमनास्टिक
(*c*) एडोल्फ स्पीज	(*iii*) टर्नवरिन
(*d*) पर हैनरिक लिंग	(*iv*) लिंगएड
(*e*) नील्स बख	(*v*) फिलेन्थ्रोपिनम्

कूटः

	(*a*)	(*b*)	(*c*)	(*d*)	(*e*)
A.	(*v*)	(*iii*)	(*iv*)	(*i*)	(*ii*)
B.	(*v*)	(*iii*)	(*i*)	(*iv*)	(*ii*)
C.	(*v*)	(*iii*)	(*i*)	(*ii*)	(*iv*)
D.	(*iii*)	(*v*)	(*i*)	(*iv*)	(*ii*)

62. सूची-I को सूची-II से सुमेलित कीजिए और नीचे दिए गए कूट से सही उत्तर चुनिएः

सूची-I	सूची-II
(*a*) एर्गोमेट्री	(*i*) गैस विश्लेषक
(*b*) फेफड़े का वायु संचार	(*ii*) टेलीमिट्री (दूरीमिति)
(*c*) ऑक्सीजन का उपभोग	(*iii*) ट्रेडमिल (पांव-चक्की)
(*d*) हृदय की धड़कन दर	(*iv*) मेटेओरालॉजिकल बैलून (मौसम संबंधी गुब्बारा)

कूटः

	(*a*)	(*b*)	(*c*)	(*d*)
A.	(*iii*)	(*iv*)	(*i*)	(*ii*)
B.	(*ii*)	(*i*)	(*iv*)	(*iii*)
C.	(*iii*)	(*i*)	(*iv*)	(*ii*)
D.	(*ii*)	(*iv*)	(*i*)	(*iii*)

63. सूची-I को सूची-II से सुमेलित कीजिए और नीचे दिए गए कूट से सही उत्तर चुनिएः

सूची-I	सूची-II
(*a*) डैम्पिंग	(*i*) लेमिनर फ्लो
(*b*) ब्राउंड्री लेयर	(*ii*) घूर्णन के एक अक्ष से दूसरे अक्ष पर स्थानांतरण
(*c*) क्लोज पैक्ड पोजीशन	(*iii*) दोलन पद्धति
(*d*) कोणीय संवेग की ट्रेडिंग	(*iv*) स्नायु तने हुए हैं
	(*v*) समक्रमीकरण के लिए प्रयुक्त विशिष्ट संदर्भ संकेत

कूटः

	(*a*)	(*b*)	(*c*)	(*d*)
A.	(*ii*)	(*v*)	(*iii*)	(*i*)
B.	(*iii*)	(*i*)	(*iv*)	(*ii*)
C.	(*i*)	(*iii*)	(*iv*)	(*ii*)
D.	(*v*)	(*ii*)	(*i*)	(*iii*)

64. सूची-I को सूची-II से सुमेलित कीजिए और नीचे दिए गए कूट से सही उत्तर चुनिएः

सूची-I	सूची-II
(*a*) साइकोएनालिसिस थ्योरी	(*i*) शेल्डन
(*b*) फेनोमेनोलॉजिकल थ्योरी	(*ii*) गोल्डबर्ग
(*c*) डिस्पोजीशनल थ्योरी	(*iii*) कार्ल जंग
(*d*) ट्रेट थ्योरी	(*iv*) बंडूरा
(*e*) बिहेवियर ऐंड सोशल लर्निंग थ्योरी	(*v*) अब्राहम मास्को

कूटः

	(*a*)	(*b*)	(*c*)	(*d*)	(*e*)
A.	(*i*)	(*ii*)	(*iii*)	(*iv*)	(*v*)
B.	(*iv*)	(*iii*)	(*ii*)	(*v*)	(*i*)
C.	(*iii*)	(*v*)	(*i*)	(*ii*)	(*iv*)
D.	(*v*)	(*i*)	(*iv*)	(*iii*)	(*ii*)

65. सूची-I को सूची-II से सुमेलित कीजिए और नीचे दिए गए कूट से सही उत्तर चुनिएः

सूची-I (लेखक)	सूची-II (उद्धरण)
(*a*) रोजलिंड कैसिड	(*i*) मनुष्य पैदा होता है, संघर्ष करता है और मर जाता है।
(*b*) एन.पी. नेल्सन	(*ii*) मानव संचरण ज्ञान की संस्था है न कि पूर्व सर्ग और इसी कारण यह ऐसा स्वीकार्य छतरी होता जिसके अंतर्गत संचरण उन्मुख गतिविधियों से जुड़े अनेक समूह एक-साथ आ सकते हैं।
(*c*) कोनरैड	(*iii*) यदि शारीरिक शिक्षा को मानव संचरण के कला और विज्ञान के रूप में परिभाषित किया जा रहा है, तो इसे गति कला क्यों न कहा जाए।
(*d*) जॉन शेफर्स	(*iv*) संचरण अनुभव, सामाजिक रूप से जागरूक लोगों के विकास में अपनी पहचान, अपना मूल्य, आत्मसम्मान और साक्षात्कार प्राप्त करने का माध्यम है।

कूटः

	(*a*)	(*b*)	(*c*)	(*d*)
A.	(*iii*)	(*iv*)	(*ii*)	(*i*)
B.	(*iv*)	(*iii*)	(*i*)	(*ii*)
C.	(*iv*)	(*i*)	(*iii*)	(*ii*)
D.	(*ii*)	(*iii*)	(*iv*)	(*i*)

66. सूची-I को सूची-II से सुमेलित कीजिए और नीचे दिए गए कूट से सही उत्तर चुनिएः

सूची-I	सूची-II
(*a*) श्वसन संक्रमण	(*i*) एस्केरिएसिस
(*b*) आंत्रिक संक्रमण	(*ii*) लिम्फेटिक फाइलेरिएसिस
(*c*) ऑर्थ्रोपोड-जनित संक्रमण	(*iii*) प्लेग
(*d*) जू नोजेज	(*iv*) गलसुआ

कूटः

	(*a*)	(*b*)	(*c*)	(*d*)
A.	(*ii*)	(*iii*)	(*iv*)	(*i*)
B.	(*i*)	(*ii*)	(*iii*)	(*iv*)
C.	(*iv*)	(*i*)	(*ii*)	(*iii*)
D.	(*iii*)	(*iv*)	(*i*)	(*ii*)

67. सूची-I को सूची-II से सुमेलित कीजिए और नीचे दिए गए कूट से सही उत्तर चुनिएः

सूची-I	सूची-II
(*a*) सूक्ष्म चक्र	(*i*) प्रशिक्षण का मध्यकालिक नियंत्रण
(*b*) दीर्घ चक्र	(*ii*) प्रदर्शन लक्ष्य का निर्धारण
(*c*) प्रशिक्षण का नियंत्रण और नियोजन का प्रारम्भिक बिन्दु	(*iii*) प्रशिक्षण का दीर्घकालिक नियंत्रण
(*d*) मध्य चक्र	(*iv*) प्रशिक्षण का लघुकालिक नियंत्रण

कूटः

	(*a*)	(*b*)	(*c*)	(*d*)
A.	(*iv*)	(*iii*)	(*ii*)	(*i*)
B.	(*iii*)	(*ii*)	(*iv*)	(*i*)
C.	(*i*)	(*iv*)	(*iii*)	(*ii*)
D.	(*ii*)	(*i*)	(*iv*)	(*iii*)

68. सूची-I को सूची-II से सुमेलित कीजिए और एन.पी.सी. की विशेषताओं के संबंध में नीचे दिए गए कूट से सही उत्तर चुनिएः

सूची-I	सूची-II
(*a*) प्वाईंट ऑफ इनफ्लेक्शन	(*i*) 0.263
(*b*) को-एफिशिएंट ऑफ कुर्टोसिस	(*ii*) 68.27%
(*c*) $\bar{X} \pm 3\sigma$	(*iii*) $\bar{X} \pm \sigma$
(*d*) $\bar{X} \pm 1\sigma$	(*iv*) 99.73%
	(*v*) 68.72%
	(*vi*) 99.37%

कूटः

	(*a*)	(*b*)	(*c*)	(*d*)
A.	(*iii*)	(*i*)	(*iv*)	(*ii*)
B.	(*iii*)	(*i*)	(*vi*)	(*v*)
C.	(*i*)	(*iii*)	(*iv*)	(*ii*)
D.	(*i*)	(*iii*)	(*vi*)	(*v*)

69. सूची-I को सूची-II से सुमेलित कीजिए और नीचे दिए गए कूट से सही उत्तर चुनिएः

सूची-I (मापक)	सूची-II (प्रतिपादक)
(*a*) व्यवहार आकलन मापक	(*i*) गेराल्ड कीन्यन 1968
(*b*) अभिवृत्ति मापक	(*ii*) चार्ल्स कॉवेल 1958
(*c*) सामाजिक व्यवहार प्रवृत्ति सूचकांक	(*iii*) चार्ल्स डी. स्पीलबर्गर 1972
(*d*) स्थिति-गुण चिंता माल-सूची	(*iv*) बी.ई. ब्लैन्चार्ड 1936

कूटः

	(*a*)	(*b*)	(*c*)	(*d*)
A.	(*ii*)	(*iii*)	(*iv*)	(*i*)
B.	(*i*)	(*iv*)	(*ii*)	(*iii*)
C.	(*iv*)	(*i*)	(*ii*)	(*iii*)
D.	(*ii*)	(*iv*)	(*iii*)	(*i*)

70. सूची-I को सूची-II से सुमेलित कीजिए और नीचे दिए गए कूट से सही उत्तर चुनिएः

सूची-I	सूची-II
(*a*) पेशेवर वृत्तिक नैतिकता	(*i*) स्कूल का प्रकार
(*b*) समय सारणी बनाना	(*ii*) पेशेवर आवश्यकता
(*c*) पाठ्यक्रम नियोजन	(*iii*) वैयक्तिक अंतर
(*d*) उम्र संबंधी विशेषताएँ	(*iv*) गतिविधियों का चयन

कूटः

	(*a*)	(*b*)	(*c*)	(*d*)
A.	(*iv*)	(*iii*)	(*ii*)	(*i*)
B.	(*i*)	(*ii*)	(*iii*)	(*iv*)
C.	(*iii*)	(*ii*)	(*iv*)	(*i*)
D.	(*ii*)	(*i*)	(*iii*)	(*iv*)

निर्देश (प्र. सं. 71 से 75 तक) : *नीचे दिए गए गद्यांश को पढ़िए तथा प्रश्नों के उत्तर दीजिएः*

खेल मनोविज्ञान के क्षेत्र में किए गए अनुसंधानों में चरों की अवधारणा का अत्यधिक महत्व है। खेल मनोविज्ञान में अनुसंधान चर को अनेक रूपों में वर्गीकृत किया जा सकता है। प्रख्यात मनोवैज्ञानिक एडवार्ड ने चरों को तीन श्रेणियों में वर्गीकृत किया है—उद्दीपक चर, व्यवहार संबंधी चर और संगठनात्मक चर। अन्य परिप्रेक्ष्य से चरों को दो श्रेणियों में बाँटा गया है—सतत चर और विवेकयुक्त चर। विवेकयुक्त चरों को पुनः वास्तविक चर और कृत्रिम विवेकयुक्त चर में विभाजित किया गया है।

अनुसंधान में चरों को विभिन्न रूपों में परिभाषित किया जा सकता है, सामान्य प्रकार की दो परिभाषाएँ हैं—संरचनात्मक परिभाषाएँ और प्रचालनात्मक परिभाषाएँ। वास्तविक अनुसंधान करने के लिए चरों को प्रचालित करना अत्यधिक महत्वपूर्ण है। दो या दो से अधिक चरों के बीच संभावित संबंध के अनंतिम कथन को पूर्वकल्पना कहते हैं। यह कहने की आवश्यकता नहीं है कि पूर्वकल्पना वह कथन है जिसे किसी पक्ष की जानकारी की समय की स्थिति के अनुसार सत्य स्वीकार किया जाता है तथा इसे नए सत्य की खोज में कार्रवाई के आधार के रूप में प्रयोग में लाया जाता है। अनुसंधान पूर्वकल्पना को नल हाइपोथेसिस (H_0) और एक्सपेरीमेंटल हाइपोथेसिस (H_1) के रूप में वर्गीकृत किया है। एक्सपेरीमेंटल हाइपोथेसिस को पुनः सकारात्मक और नकारात्मक हाइपोथेसिस में विभाजित किया गया है। हाइपोथेसिस प्रयोग के परीक्षण के लिए उपयुक्त सांख्यिकीय तकनीक बहुत आवश्यक है।

71. निम्नलिखित में से किन चर/चरों को आर्गनिज्मिक चर कहा जा सकता है?

(*a*) हृदय गति दर

(*b*) कार्य की जटिलता

(*c*) बुद्धि

(*d*) कार्य को सीखते समय की गई गलतियाँ

कूटः

A. केवल (*b*) और (*c*) B. केवल (*a*), (*b*) और (*c*)
C. केवल (*a*) और (*c*) D. केवल (*b*), (*c*) और (*d*)

72. निम्नलिखित में से कौन-सा कृत्रिम रूप से विवेकयुक्त चर है?

A. लिंग
B. राष्ट्रीयता
C. उत्तीर्ण और अनुत्तीर्ण होने की दृष्टि से परीक्षा का परिणाम
D. किसी परिवार में बच्चों की संख्या

73. निम्नलिखित में से कौन-सी बुद्धि की प्रचालनात्मक परिभाषा हैं?

(*a*) बुद्धि, समालोचनात्मक ढंग से सोचने, समस्या का समाधान करने तथा नई स्थितियों के अनुकूल बनने की योग्यता है।
(*b*) एक पर्यवेक्षक मनोवैज्ञानिक द्वारा देखी गई बुद्धि दर।
(*c*) बुद्धि, रैवेंस प्रोग्रेसिव मैट्रिक्स पर अंक (स्कोर) है।

कूटः

A. केवल (*b*) और (*c*)
B. केवल (*a*) और (*b*)
C. केवल (*b*)
D. केवल (*a*),, (*b*) और (*c*)

74. ''गैर-खिलाड़ियों की तुलना में खिलाड़ी अधिक बहिर्मुखी होते हैं'' यह निम्नलिखित का उदाहरण हैः

A. नल हाइपोथेसिस
B. डायरेक्शनल हाइपोथेसिस
C. नॉन-डायरेक्शनल हाइपोथेसिस
D. अनवेरिफिएबल हाइपोथेसिस

75. निम्नलिखित में से कौन पूर्व कल्पना की शैलीगत शुद्ध रूपांतरण को व्यक्त करता है?

(*a*) बुद्धि और खेलकूद निष्पादन के संबंध का अध्ययन करना।
(*b*) क्या बुद्धि और खेलकूद के निष्पादन में कोई संबंध है।
(*c*) बुद्धि और खेलकूद निष्पादन सकारात्मक रूप से सहसंबंधित हैं।
(*d*) बुद्धि और खेलकूद निष्पादन एक-दूसरे से संबंधित नहीं होते हैं।

कूटः

A. केवल (*a*) और (*b*) B. केवल (*b*) और (*c*)
C. केवल (*a*) और (*c*) D. केवल (*c*) और (*d*)

उत्तरमाला

1	2	3	4	5	6	7	8	9	10
C	C	B	D	B	C	C	B	A	C
11	**12**	**13**	**14**	**15**	**16**	**17**	**18**	**19**	**20**
D	A	D	C	C	A	B	D	D	B
21	**22**	**23**	**24**	**25**	**26**	**27**	**28**	**29**	**30**
C	B	A	B	D	A	A	D	B	B
31	**32**	**33**	**34**	**35**	**36**	**37**	**38**	**39**	**40**
A	C	B	A	A	C	D	A	D	A
41	**42**	**43**	**44**	**45**	**46**	**47**	**48**	**49**	**50**
B	B	A	B	D	B	A	D	B	B
51	**52**	**53**	**54**	**55**	**56**	**57**	**58**	**59**	**60**
A	B	B	A	D	D	B	B	B	B
61	**62**	**63**	**64**	**65**	**66**	**67**	**68**	**69**	**70**
B	A	B	C	B	C	A	A	C	D
71	**72**	**73**	**74**	**75**					
C	C	A	B	D					

व्याख्यात्मक उत्तर

1. **गुथरी की समीपस्थता का सीखने का सिद्धांत (संधियों का सिद्धांत)** : वॉटसन की तरह, एडविन आर. गुथरी (1886-1959) ने पर्यावरण उद्दीपन से प्राप्त शक्तिपूर्ण आंदोलनों और ग्रंथीमय प्रतिक्रियाओं सहित विचारणीय व्यवहार के मनोविज्ञान की वकालत की। उनका संधियों का सिद्धांत पावलोव और थॉर्नडाइक की परंपरा के अनुकूल था। इसमें सीखने के लिए एकल सिद्धांत पर जोर दिया गया। अपने समीपस्थता का सीखने के सिद्धांत में, गुथरी ने 1930 और 1940 के दशक में इस बात को ध्यान में रखा कि थॉर्नडाइक का पुनर्बलन सिद्धांत सीखने के लिए आवश्यक नहीं है, यद्यपि ज़ो कुछ भी सीखा गया है कुशलतापूर्वक उपयोग करने के लिए महत्वपूर्ण है। गुथरी का कन्टीन्युअस कंडीशनिंग का सिद्धांत, समीपस्थता के सिद्धांत पर आधारित है। इसके अनुसार, सीखना संधि पर आधारित होता है या उत्तेजना और प्रतिक्रिया के बीच संबंध सामान्यतया तब घटित होता है जब समीपता होती है या एकसाथ उत्तेजना और प्रतिक्रिया हो। S और R के बीच इस तरह की संधि एकल परीक्षण में होती है और यह संधि तब तक जारी रहती है जब तक कि उधीप्तिकारक स्थितियों में परिवर्तन न हो या ऐसा घटित होने से कोई प्रतिक्रिया न रोके।

2. कंकाल की मांसपेशी कई मांसपेशियों के पुलिंदों से बनी होती है और प्रत्येक मांसपेशीय पुलिंदा सैकड़ों विशिष्ट मांसपेशीय तंतुओं से बना है। एक मांसपेशीय तंतु वास्तव में एक लम्बी एकल मांसल कोशिका है। मांसपेशीय तंतु के लिए रक्त की आपूर्ति एक व्यापक केशिका नेटवर्क द्वारा की जाती है जो तंतुओं के बीच दौड़ती है। मोटर तंत्रिकाओं के नियंत्रण में कंकाल की मांसपेशी होती है। प्रत्येक विशिष्ट मोटर तंत्रिका अपनी शाखा के अंत में अनेक मांसपेशीय तंतुओं पर जाकर समाप्त होती है। एक तंत्रिका तंतु मांसपेशीय तंतु को जोड़ती है जो पूर्ति (प्रेरित करता है) करता है, मोटर इकाई कहलाता है। एक मोटर तंत्रिका कहीं भी 10 से 2000 पेशीय तंतुओं की आपूर्ति करता है, जो प्रायः मांसपेशियों के क्षेत्र में व्यापक रूप से वितरित की जाती है। जहाँ सूक्ष्म और सटीक गतिविधियों की आवश्यकता है, एक तंत्रिका तंतु द्वारा अनेक पेशीय तंतुओं को सहायता प्रदान की जाती है, जो छोटा है, शायद इतना कम कि 10 प्रति तंत्रिका। इस तरह की मोटर इकाई आँख की मांसपेशियों के अंदर पाई जाती है, साथ ही होंठ एवं कानों की मांसपेशियों में। मोटर इकाइयों द्वारा वहाँ अत्यंत सूक्ष्म लेकिन ज्यादा शक्तिशाली गतिविधियाँ होती हैं जहाँ मांसपेशीय तंतुओं की सहायता एक तंत्रिका तंतु द्वारा की जाती है जो बड़ी हैं, प्रति तंत्रिका तंतु लगभग 2000 मांसपेशीय तंतुएँ। इस तरह की बड़ी मोटर इकाइयाँ जो पश्चपाद के गैस्ट्रोकैनिअस मांसपेशी और पीठ के साथ लांगिसिमस डोरसी में पाई जाती हैं।

3. $$\text{संवेग} = \text{द्रव्यमान} \times \text{वेग}$$

$$\text{संवेग का परिमाण} = \frac{420}{1000} \times 20 = 8.4\ \text{Ns}$$

संवेग का परिमाण 8.4 Ns है।

4. एलेनॉर गिब्सन ने धारणात्मक सीख को इस रूप में परिभाषित किया है, "अनुभव या अभ्यास से होने वाली उत्तेजना के परिणामस्वरूप वातावरण से जानकारी निकालने की क्षमता में वृद्धि।" धारणात्मक सीख को संज्ञानात्मक सीख का एक प्रकार माना जा सकता है। गिब्सन ने कई उदाहरण दिए हैं जो प्रदर्शित करते हैं कि सीखने की धारणा कैसी हो सकती है। वह उन व्यावहारिक भेदों को बनाने के लिए विभिन्न व्यवसायों में प्रशिक्षित लोगों की क्षमता का हवाला देते हैं जो अप्रशिक्षित लोग नहीं बना सकते हैं। कई व्यवसायों में कौशल या कलात्मकता इन सूक्ष्म भेदों को बनाने की क्षमता पर आधारित है। अनुभव इन धारणात्मक कौशल के लिए सबसे अच्छा शिक्षक है, सामान्यतः उन्हें पुस्तकों से नहीं सीखा जा सकता है। गिब्सन के उदाहरणों में से एक पक्षियों की बोलियों में विभेद है। एक प्रशिक्षित पक्षी विज्ञानी यह कर सकता है, लेकिन हमलोगों में से अधिकांश को अत्यंत कठिनाई होगी। अगर आप अत्यंत भाग्यशाली हैं कि आपको वहाँ रहने का अवसर मिलता है जहाँ पक्षियों की बहुलता है, आँखें बंद करने की कोशिश करते हैं और सुबह या शाम

पक्षियों की बोलियों को सुनते हैं। वे कर्णभेदी शोर-गुल करते हैं। आप कुछ लक्षणों को निकालने में सक्षम हो सकते हैं जिससे आपको पक्षियों की विशिष्ट प्रजातियों की पहचान करने में समर्थता प्रदान हो सकती है। लेकिन अधिकांश भाग के लिए, जब तक आपके पास आवश्यक प्रशिक्षण नहीं होता है, सीटी, तुरही और गूँज एक-साथ मिश्रित हो जाएँगे ताकि आप एक पक्षी की बोली को दूसरे पक्षी की बोली से अलग करने में सक्षम नहीं होंगे अथवा उन्हें पुनः सुनने के बाद उनकी बोलियों को पहचानने में सक्षम नहीं होंगे। ऐसा करने से पहले धारणात्मक सीख की आवश्यकता है। जैसा कि गिब्सन ने भी इशारा किया है, अंधे लोगों की उल्लेखनीय उपलब्धियां प्रायः धारणात्मक सीख का मामला है। ऐसा नहीं है कि दृष्टि वाले लोगों की तुलना में उनकी संवेदनशीलता गैर-संवेदनशील उत्तेजना के प्रति अधिक है। बजाय अंधे लोग आस-पास की सूचना ग्रहण करना सीखते हैं, नेत्र वाले लोग सामान्यतया ऐसा नहीं करते हैं। उदाहरण के लिए, अनेक अंधे लोग आश्चर्यजनक मामले के साथ बाधाओं से बचते दुनियाभर में घूमते हैं। अंधे लोग उनके पदचाप की ध्वनि को ग्रहण करना सीखते हैं और उनके रास्ते में आने वाली बाधाओं/रुकावटों से पीछे हट जाते हैं। कुछ अंधे लोग फर्शों की बनावट और आकार में अंतर का भान कर लेते हैं, और ऐसा संभव उनकी ध्वनि में विभिन्नता के कारण हो पाता है। यह स्पष्ट है कि वातावरण से निश्चित प्रकार की सूचनाएँ प्राप्त करने की सीख— धारणात्मक सीख से संभव हो जाती है जिसका व्यावहारिक और अनुकूलन संबंधी बहुत मूल्य है।

5. **हर्से एवं ब्लैंडचर्ड का पारिस्थितिकीय नेतृत्व का सिद्धांत** हर्से एवं ब्लैंडचर्ड के 'पारिस्थितिकीय नेतृत्व का सिद्धांत' को 'जीवन चक्र सिद्धांत' के रूप में भी जाना जाता है। यह मूल रूप से ओहियो स्टेट लीडरशिप स्टडीज से लिया गया है और अनुयायियों की विशेषताओं और विशेष रूप से परिपक्वता के स्तर के संबंध में नेतृत्व के व्यवहार पर केंद्रित है, चाहे कार्य अनुभव या फिर सामाजिक भावनात्मक चिंताओं के संदर्भ में हो। जब अधीनस्थ अनुभवहीन होते हैं, तो यह तर्क दिया जाता है कि नेतृत्व को निदेशात्मक (कार्य-उन्मुख) होना चाहिए, लेकिन जब वे अधिक अनुभवी हो जाते हैं तो नेतृत्व को भावनात्मक समर्थन (सामाजिक-भावनात्मक रूप से उन्मुख) के लिए अधिक चिंतित होना चाहिए। बाद में, जब टीम के सदस्य अधिक परिपक्व हो जाते हैं, तो नेतृत्व को कम निदेशात्मक और सामाजिक समर्थन देने के विषय में कम चिंतित होने का प्रयास करना चाहिए।

6. रूमेटिड ऑर्थराइटिस एक पुरानी सूजन की बीमारी है जो हृदयवाहिनी प्रणाली, फेफड़े, परिधीय तंत्रिकाओं, शिराओं और मांसपेशियों के साथ-साथ जोड़ों को भी प्रभावित कर सकती है। आमतौर पर, पीड़ित को सूजन और सामान्य गिरावट की स्थितियों का अनुभव होगा, जिसे बाउट्स ऑफ रिमिसन के द्वारा अलग किया जा सकता है, जिसके अनुसार लक्षण अत्यंत कमजोर पड़ जाते हैं। सूजन की गंभीर चरणों के दौरान व्यायाम करने की अनुशंसा नहीं की जाती है, क्योंकि ऐसा करने से और अधिक भयंकर सूजन और जोड़ों में क्षति हो सकती है।

अल्पगतिकता संबंधी रोग : एक स्थिर जीवन शैली से संबंधित रोग (अर्थात् अपर्याप्त गतिविधि और नियमित व्यायाम की कमी)—• गठिया; • पृष्ठ भाग की समस्याएँ; • हृदयवाहिनी रोग; • अवसाद; • मधुमेह; • उच्च रक्तचाप; • उच्च रक्त कोलेस्ट्रॉल; • मानसिक समस्या; • मोटापा; • ऑस्टियोपोरोसिस; • कुछ प्रकार के कैंसर; • स्ट्रॉक; • टाइप-2 मधुमेह।

8. **सांख्यिकीय नियंत्रण :** सहपरिवर्तन का विश्लेषण (ANCOVA) एक सांख्यिकीय तकनीक है, जो आश्रित परिवर्तन के साथ सहसंबद्ध होने वाले एक बाहरी परिवर्तन के प्रभाव के लिए नियंत्रित होता है। उदाहरण के लिए, आश्रित परिवर्तन पढ़ने की उपलब्धि पर पठन को सीखने की दो विधियों के अध्ययन के प्रयोग पर विचार करें। प्रयोग से पूर्व विषयों को पढ़ने की योग्यता परिवर्तन होगी जो निश्चित रूप से अध्ययन के आश्रित परिवर्तन से संबंधित होगा। आप आशा करेंगे कि जो लोग अच्छे पाठकों के साथ शुरू हो रहे हैं, वे पोस्ट परीक्षण को पढ़ने में अच्छे अंक अर्जित करेंगे, जबकि जो पढ़ने में कमजोर हैं, उन्हें कम अंक प्राप्त होंगे। बेतरतीब ढंग से आधे विषयों को विधि-A को निर्दिष्ट करने और आधे विषयों को विधि-B को निर्दिष्ट करने के बाद, आप दोनों समूहों के लिए पूर्व परीक्षण की व्यवस्था करेंगे। प्रयोग

के अंत में, ANCOVA सांख्यिकीय रूप से पूर्व परीक्षण पर समूहों के बीच किसी भी प्रारंभिक मतभेदों के लिए पठन के पोस्ट परीक्षण स्कोरों का औसत समायोजित करेगा। ANCOVA तकनीक प्रत्येक विषय के पोस्ट परीक्षण का स्कोर हटा देगी जो उसके पूर्व परीक्षण स्कोर के समान है। तब F के मान की सांख्यिकीय महत्व के लिए जाँच की जा सकती है। अंकों को समायोजित करने के लिए ANCOVA में प्रयुक्त परिवर्तन (इस मामले में, पढ़ने वाले पूर्व परीक्षण) को सहपरिवर्तन कहा जाता है। इस तकनीक का उपयोग करते हुए आप एक विषय के पोस्ट परीक्षण पर स्वतः विचार नहीं कर रहे हैं बल्कि आप पोस्ट परीक्षण स्कोर के बीच अंतर का विश्लेषण करते हैं और क्या आप पोस्ट परीक्षण स्कोर की अपेक्षा करेंगे, पूर्व परीक्षण पर दिए गए स्कोर तथा पूर्व परीक्षण ओर पोस्ट परीक्षण के बीच सहसंबंध की अपेक्षा करेगे। आश्रित परिवर्तन स्कोर के उस हिस्से को निकाल कर परिवर्तन जो व्यवस्थित रूप से पूर्व परीक्षण परिवर्तन के साथ जुड़ा हुआ है, प्रयोग की शुद्धता बढ़ती है। पोस्ट परीक्षण स्कोर में भिन्नता के हिस्से के साथ जो हटाए जाने के उपचार के कारण नहीं होता है, उपचार के कारण कोई भी अंतर अधिक स्पष्ट रूप से उजागर है। आश्रित परिवर्तन से संबंधित सहपरिवर्तन का उपयोग करके टाइप II त्रुटि की संभावना कम हो जाती है।

9. पेडोरूल : यह उपकरण काँच का बना एक आयताकार है, 7 इंच चौड़ा और 9 इंच ऊँचा, 7 इंच की सतह के साथ इंच के दसवें भाग में खड़ा। पेडोरूल का आविष्कार एचिलीस टेन्डन का लम्ब से विचलन की माप के लिए किया गया था। "ए टेक्स्ट बुक ऑफ फिजिकल एजुकेशन" में विलियम्स कहते हैं, पैरों के भीतर की तरफ सूजन और विपुलता के साथ एचिलीस टेन्डन अंदर की ओर झुका होता है। सामान्य पाँव में एचिलीस टेन्डन सीधी रेखा बनाता है, लेकिन एक कमजोर पाँव में नीचे का सिरा बाहर की ओर झुका/निकला हुआ प्रतीत होता है।

11. XXI (21वाँ) राष्ट्रमंडल खेलों का आयोजन गोल्ड कोस्ट, ऑस्ट्रेलिया में 4 से 15 अप्रैल, 2018 को होगा। यह पाँचवीं बार है जब राष्ट्रमंडल खेलों का आयोजन ऑस्ट्रेलिया में होने जा रहा है। इससे पहले सिडनी (1938), पर्थ (1962) , ब्रिसबेन (1982) और मेलबोर्न (2006) में हुआ था। 2022 राष्ट्रमंडल खेलों को बिना विरोध के 2015 में डरबन में आयोजित होना निश्चित किया गया जब ऐडमन्टन बोली लगाने से बाहर निकल गया था, क्योंकि अल्बर्टा तेल बाजार नीचे गिर गया था। लेकिन फेडरेशन ने डरबन के 13 मार्च, 2017 को मेजबानी करने का अधिकार निरस्त कर दिया क्योंकि दक्षिण अफ्रीका परिगणित वित्तीय दायित्वों को पूरा करने में असमर्थ था।

12. वर्ष 2004 से विश्व एंटी डोपिंग कोड द्वारा यह अनिवार्य कर दिया कि वाडा प्रत्येक वर्ष प्रतिबंधित तत्वों और पद्धतियों की वार्षिक सूची प्रकाशित करेगी। सूची जो पाँच अंतर्राष्ट्रीय मानकों में से एक है, प्रतियोगिता में और प्रतियोगिता के बाहर प्रतिबंधित तत्वों और पद्धतियों की पहचान करती है, खासतौर पर खेलों में सूची में तत्वों और पद्धतियों को विभिन्न श्रेणियों (जैसे–स्टेरॉयड, उत्तेजक पदार्थ, जीन डोपिंग) द्वारा वर्गीकृत किया जाता है। वाडा की भूमिका, इसकी सूची विशेषज्ञ के माध्यम से समूह और स्वास्थ्य, चिकित्सा और शोध समिति, परामर्श अवधि की सुविधा प्रदान करना है। यह सुविधा अगले वर्ष के आरंभ में इसके परिचय के लिए 1 अक्टूबर तक तैयारी और प्रकाशन से पूर्व होगी।

13. खोपड़ी : खोपड़ी दो भागों में वर्णित है, क्रेनियम जिसमें मस्तिष्क और चेहरे होते हैं। इसमें कई हड्डियाँ होती हैं, जो अलग-अलग विकसित होती हैं लेकिन परिपक्वता के रूप में एक साथ फ्यूज होते हैं। केवल गतिशील हड्डी मैन्डिबल या निचला जबड़ा है।

खोपड़ी के कार्य : खोपड़ी के अलग-अलग भाग विशिष्ट और अलग तरह के कार्य करते हैं।

- मस्तिष्क सहित नाजुक संरचनाओं जिसमें आँख और आंतरिक कान।
- नाजुक संरचनाओं की रक्षा करता है, जिसमें मस्तिष्क सहित आँख और आंतरिक कान भी शामिल हैं।
- नासिका मार्गों की स्पष्टता/स्वच्छता बरकरार रखना ताकि श्वसन क्रिया में बाधा उपस्थित न हो।
- खाना–मैन्डिबल और मैक्सिला के बीच दाँत अंतःस्थापित, और मैन्डिबल की गति, केवल गतिशील खोपड़ी की हड्डी चबाने की अनुमति देती है।

14. कैरोन और हॉसनब्लास के अनुसार, एक स्पोर्ट्स टीम एक विशेष प्रकार का समूह है। विशेष रूप से पारस्परिक संपर्क और कार्य परस्पर निर्भरता के पारिभाषित गुणों के अलावा, टीमों की चार प्रमुख विशेषताएँ हैं–

सबसे पहले, उनके पास पहचान के लिए सामूहिक भावना होती है–'मैं' की जगह 'हम'। यह सामूहिक चेतना तब उभरती है जब व्यक्तिगत टीम के सदस्य और गैर टीम के सदस्य यह मानने को तैयार हो जाते हैं कि अन्य समूहों से वह समूह भिन्न है ('हम लोग' बनाम 'वे लोग') उदाहरण के लिए, 1980 के दशक के उत्तरार्ध में सफल विम्बलडन फुटबॉल टीम के लीडर लोग ने खुद को 'पागल गिरोह' कहा और उनके प्रबंधक डेव बेस्सेट ने अधिक पुराने स्थापित फुटबॉल क्लबों के विरुद्ध अपनी टीम की तैयारी के दौरान ससंजक बल के रूप में खुद के पहचान का तरीका उपयोग में लाया। अक्सर, इस प्रकार के सामाजिक बंधन टीम के प्रदर्शन को बढ़ाने को उदत्त होते हैं। इस प्रकार, लिवरपुल के पूर्व खिलाड़ी एलन हेन्सन धमकी भरी रणनीति पर चकित थे और ''सभी के लिए एक भावना'' जिसे विम्बलडन के खिलाड़ियों ने इससे पहले कि वे 1988 एफ.ए. कप फाइनल में उसकी टीम को हराया, टनेल में प्रदर्शित किया।

दूसरा, स्पोर्ट्स टीम विशिष्ट भूमिकाओं के द्वारा चिह्नित होते हैं। उदाहरण के लिए, सॉसर और रग्बी टीमें रचनात्मक खिलाड़ियों के साथ-साथ मुश्किल से निपटने वाले 'इन्फोर्सस' होते हैं। स्पोर्ट्स टीमों की तीसरी विशेषता उनके समूह के भीतर संचार के तरीकों का उपयोग है। इस तरह के संप्रेषण में उपनाम और शॉर्ट-हैंड निर्देश शामिल हैं।

अंत में, टीम 'मानदंड' अथवा सामाजिक नियम विकसित करती है जो यह निर्धारित करती है कि समूह के सदस्यों को कुछ परिस्थितियों में क्या करना चाहिए और क्या नहीं करना चाहिए। उदाहरण के लिए व्यक्तिगत निष्पादक अपने टीम के सदस्यों के स्वभावगत रूटीनों को अनदेखी करना सीखते हैं क्योंकि वे महत्वपूर्ण प्रतियोगितात्मक स्पर्धाओं की तैयारी करते हैं।

15. **कक्षा में उपयोग किए जाने वाले ज्ञानात्मक तकनीकें** ***इनमें शामिल हैं :***

'व्यावहारिक शिक्षा' पर जोर देते हुए शिक्षण के लिए मोंटेसरी दृष्टिकोण। बच्चों में ज्ञानात्मक विकास को प्रोत्साहित करने के लिए 'प्रॉप्स' के साथ समस्याओं को हल करने के लिए कहा जाता है।

चित्रों

फिल्मों

विषय विशेषज्ञों द्वारा वार्तालापों

कक्षा प्रस्तुतियों

मौखिक कहानी कहने।

ज्ञानात्मक पाठ्यक्रम या दृष्टिकोण के उपयोग के कुछ लाभों में यह भी शामिल है कि पाठ्यक्रम ज्ञान के आधार पर बनाया जाता है जिसमें शिक्षार्थियों के ज्ञान या अवधारणाओं और नियमों पर जानकारी का विस्तार किया जाता है। यह उस तर्क को प्रदान कर सकता है जिस पर शिक्षार्थी सक्रिय शिक्षण रणनीतियों का निर्माण कर सकता है। इसका अर्थ यह हो सकता है कि इसे सीखने के व्यावहारिक या मानवीय तरीकों की तुलना में अधिक तेजी से सीखने की विधि के रूप में देखा जाता है।

16. रोग, जो एक व्यक्ति से दूसरे व्यक्ति में किसी माध्यम से प्रसारित होने में सक्षम होते हैं, को संक्रामक रोग कहा जाता है, जबकि वे जो संचारित नहीं किए जा सकते उन्हें गैर-संक्रामक रोग कहा जाता है। संक्रामक रोग हमेशा सूक्ष्मजीवों के कारण होते हैं। गैर-संक्रामक रोगों के अनेक कारण हैं।

गैर-संक्रामक रोग : सबसे सामान्य गैर-संक्रामक रोग हृदय रोग, कैंसर, मधुमेह, मानसिक विकार, मांसपेशीय-कंकाल विकार और पुरानी श्वसन रोग हैं।

18. कर्टोसिस को मापने के लिए सूत्र है :

$$K_U = \frac{Q}{(P_{90} - P_{10})}$$

जहाँ K_U कर्टोसिस के सूचकांक को प्रदर्शित करता है, जिसे चतुर्थक विचलन Q और प्रतिशत P_{90} और P_{10} के संदर्भ में मापा जाता है।

स्कीवनेस की सूची दी जाती है :

$$S_K = \frac{3(\text{मध्यमान} - \text{माध्यिका})}{\sigma}$$

एक आवृत्ति वितरण में स्कीवनेस की माप

प्रतिशतक के संदर्भ में स्कीवनेस की साधारण माप :

$$S_K = \frac{(P_{90} + P_{10})}{2} - P_{50}$$

प्रतिशतक के संदर्भ में स्कीवनेस की माप।

जहाँ S_K स्कीवनेस की सूची को प्रदर्शित करता है, जिसे प्रतिशतक P_{90}, P_{10} और P_{50} के संदर्भ में मापा जाता है।

19. हीथ कार्टर मानवमितीय कायप्ररूप

कायप्ररूप का मूल्यांकन करने के लिए हीथ कार्टर विधि फोटोस्कोपिक और मानवमितीय दोनों प्रक्रियाओं को जोड़ता है। व्यवहार में, हालांकि हीथ कार्टर विधि का उपयोग अपने मानवमितीय रूप में किया जाता है। मानवमितीय अधिक वस्तुपरक है और मानकीकृत कायप्ररूप फोटोग्राफ मुश्किल और महँगा है। प्रत्येक घटक को प्राप्त करने के लिए हीथ कार्टर मानवमितीय नवाचार में प्रयोग होने वाले कायप्ररूप घटक और आयाम इस प्रकार हैं :

- अन्तःआकृतिक (इन्डोमोरफी)–सापेक्ष मोटापा अथवा दुबलापन के रूप में वर्णित, की व्युत्पत्ति तीन त्वचा की परतों का योग है–त्रिशिस्क, सबस्कैपुलर और सुप्रास्पाइनेल। इसमें निम्नतम (सापेक्ष दुबलापन) से सर्वोच्च (सापेक्ष मोटापा) मूल्यों में एक निरंतरता है।
- मेसोमोर्फी–का अर्थ है सापेक्ष मांसपेशीय कंकाल का कद के लिए समायोजन। इसका वर्णन कद के सापेक्ष वसा मुक्त शरीर के रूप में किया गया है। मेसोमोर्फी बायइपिकॉन्डिलर और बायकॉन्डिलर परिसीमा से निकाली गई है, मुड़े बाँह की परिधि (विरामावस्था में बाँह की परिधि के विपरीत) को त्रिशिस्क त्वचा की सतह की मोटाई के लिए संशोधित किया गया है और काफ सरकमफेरेन्स को मेडिकल काफ स्किनफोल्ड की मोटाई के लिए संशोधित किया गया है। परिधि को सही करना परिधि से त्वचा की मोटाई को घटाने की बात है। ऊपरी और निचले छोरों के चार मापों को कद के लिए समायोजित किया जाता है।
- एक्टोमोर्फी–रचना की सापेक्ष रैखिकता। यह पारस्परिक भार सूचकांक (शरीर के वजन का घनमूल से विभाजित ऊँचाई)।

21. राष्ट्रमंडल खेलों का इतिहास

इंग्लैंड के एस्टले कूपर को खेल की अवधारणा का श्रेय दिया जाता है। क्योंकि वह ही थे जिन्होंने बहुत पहले सन् 1891 में ब्रिटिश राष्ट्रमंडल के देशों में खेल प्रतिस्पर्धा का प्रस्ताव रखा था। एक पत्रिका के लेख में कूपर ने खेल, सैन्य और साहित्यिक स्पर्धाओं के संयोजन के साथ एक उत्सव का सुझाव दिया जो संबंधों को करीब लाएगा और ब्रिटिश साम्राज्य की सद्भावना और समझ में वृद्धि करेगा। साम्राज्य के एथलीटों के बीच पहला अभिलिखित खेलों में शामिल थे ट्रैक और फील्ड एथलेटिक्स, मुक्केबाजी, कुश्ती और तैराकी। विजेता देश, कनाडा को एक चाँदी के कप के रूप में ट्रॉफी प्रदान की गई जिसका वजन 340 oz और ऊँचाई 2 फीट 6 इंच थी। इस समारोह का उद्घाटन 1911 ई. में अपने महामहिम राजा पंचम के राज्याभिषेक के साथ हुआ और इसे 'साम्राज्य का महोत्सव' के रूप में जाना जाता था। वर्ष 1928 में एम्सटर्डम ओलंपिक्स में साम्राज्य के एथलीटों के बीच मित्रता की शानदार भावना ने साम्राज्य की बैठकों के पुनरुत्थान के विचार को पुनर्जीवित किया, चूँकि 'साम्राज्य का उत्सव' के बाद से कोई और विकास नहीं हुआ। परिणाम यह निकला कि ग्यारह देशों से 400 एथलीटों ने खेल के प्रथम संस्करण में 6 खेलों और 59 स्पर्धाओं में भाग लिया। इसे ब्रिटिश साम्राज्य के खेलों के रूप में जाना जाता था और यह 1930 ई. में हैमिल्टन, कनाडा में आयोजित किया गया था। सिटी ऑफ हैमिल्टन ने उद्घाटन समारोह में भाग लेने वाले देशों की यात्रा लागत को कवर करने में 30,000 डॉलर की सहायता प्रदान की थी, जिसकी चर्चा राष्ट्रमंडल देशों के बीच तीस वर्ष से अधिक समय तक की गई। द्वितीय विश्व युद्ध के कारण 1942 और 1946 को छोड़कर प्रत्येक चार वर्षों में यह खेल आयोजित किया गया। हालांकि स्पर्धाओं में बहुत से अंतर देखे गए। यहाँ तक कि इसके नाम में भी परिवर्तन हुआ। वर्ष 1930 से 1950 तक इस खेल को ब्रिटिश अम्पायर गेम्स के रूप में जाना गया, वर्ष 1945 से 1966 तक द ब्रिटिश अम्पायर एंड कॉमनवेल्थ गेम्स, और 1970 से 1974 तक उन्होंने अपना टाइटिल ब्रिटिश कॉमनवेल्थ गेम्स रखा। यह 1978 का एडमोंटन में खेल था जिसमें नाम परिवर्तन के साथ कॉमनवेल्थ गेम्स (राष्ट्रमंडल खेल) हो गया।

खेल	वर्ष	मेजबान
ब्रिटिश अम्पायर गेम्स		
I	1930	हैमिल्टन, कनाडा
II	1934	लंदन, इंग्लैंड
III	1938	सिडनी, ऑस्ट्रेलिया
IV	1950	ऑकलैंड, न्यूजीलैंड
V	1954	बैंकूवर, कनाडा
VI	1958	कार्डिफ, वेल्स
VII	1962	पर्थ, ऑस्ट्रेलिया
VIII	1966	किंग्सटन, जमैका
ब्रिटिश कॉमनवेल्थ गेम्स		
IX	1970	इडनबर्ग, स्कॉटलैंड
X	1974	क्राइस्टचर्च, न्यूजीलैंड
कॉमनवेल्थ गेम्स		
XI	1978	एडमंटन, कनाडा
XII	1982	ब्रिस्बेन, ऑस्ट्रेलिया
XIII	1986	इडनबर्ग, स्कॉटलैंड
XIV	1990	ऑकलैंड, न्यूजीलैंड
XV	1994	विक्टोरिया, कनाडा
XVI	1998	कुआलालंपुर, मलेशिया
XVII	2002	मैनचेस्टर, इंग्लैंड
XVIII	2006	मेलबोर्न, ऑस्ट्रेलिया
XIX	2010	दिल्ली, भारत
XX	2014	ग्लासगो, स्कॉटलैंड
XXI	2018	गोल्ड कोस्ट, ऑस्ट्रेलिया

27. अनुसंधान प्रक्रिया सामान्यतः अनुसंधान समस्या की पहचान और संरूपण के साथ आरंभ होती है। जब एक बार समस्या की पहचान हो जाती है, तो उपयुक्त परिकल्पनाओं को विकसित किया जाता है। परिकल्पनाएँ समस्या का संभावित हल हैं और दो या दो से अधिक चरों के बीच के संबंध का अनुमानिक कथनों को प्रदर्शित करता है। परिकल्पना को कई प्रकार से वर्गीकृत किया जा सकता है, जैसे—दिशात्मक बनाम गैर-दिशात्मक, सहसंबंध बनाम कारणात्मक इत्यादि....। एडवर्ड्स ने मनोवैज्ञानिक अनुसंधान में चर का वर्गीकरण उत्तेजक चरों, जैविक चरों और व्यवहारवादी चरों के रूप में किया है। चरों का वर्गीकरण उत्तेजक चरों, जैविक चरों और व्यवहारवादी चरों के रूप में किया है। चरों का वर्गीकरण निरंतर चरों और असतत चरों के रूप में किया गया है। बाद वाले चरों के दो उप प्रकार हैं—वास्तविक असतत चर और कृत्रिम असतत चर। अनुसंधान में चरों को उचित रूप से संचालित करने की आवश्यकता है। रॉबिन्सन ने मनोवैज्ञानिक अध्ययनों को चार श्रेणियों में विभाजित किया है—प्रयोगशाला के प्रयोग, कार्यक्षेत्र में प्रयोग, घटनोत्तर कार्यक्षेत्र के अध्ययन और प्रयोग का घटनोत्तर विश्लेषण (थोड़ा संशोधित)। चौथी श्रेणी, अपने-आप में, कम सम्मान प्राप्त करता है लेकिन यह विज्ञान की उन्नति के लिए आवश्यक है।

28. रोजर शारीरिक दक्षता सूचकांक शक्ति पकड़ की शक्ति और पीठ तथा पाँव की मांसपेशियों को उठाने की क्षमता के लिए परीक्षण है। पीएफआई परीक्षण को दो मांसपेशीय-सहनशीलता परीक्षण (पुश-अप्स और पुल-अप्स) और फेफड़ों की क्षमता माप भी कहा जाता है। यह सन् 1925 में डॉ. फ्रेडरिक रैंड रोजर द्वारा विकसित किया गया था। प्रत्येक आयु-लिंग-वजन के वर्गीकरण के लिए औसत आयु वर्ग के सेट या मानदंड तैयार किए गए। इस प्रकार प्रत्येक व्यक्ति अपने वर्गीकरण के लिए 100 के समान गणितीय रूप से परिकलित अंकों के विरुद्ध प्रतिस्पर्धा करता है। लेकिन यह परीक्षण स्पष्ट रूप से एक महत्वपूर्ण प्रश्न का उत्तर नहीं दे सकती है : खराब फिटनेस का क्या कारण है? परीक्षण एक चिकित्सक के थर्मामीटर जैसा है—यह कुछ गलत इंगित करता है, लेकिन यह नहीं कि क्या गलत है। इस बात को ध्यान में रखते हुए, क्लार्क ने बुनियादी कारणों का निदान करने के लिए एक केस-स्टडी विधि तैयार की। यह व्यक्तिगत साक्षात्कार, स्वास्थ्य-आदत, सामाजिक-समायोजन और अन्य प्रश्नावली के माध्यम से किया जाता है।

30. **कार्पल हड्डियाँ :** कार्पस (जी कॉर्पस = कलाई) में आठ कार्पल हड्डियाँ होती हैं, जो दो पंक्तियों में व्यवस्थित होती हैं : प्रोक्जिमल और डिस्टल। प्रत्येक पंक्ति में चार हड्डियाँ होती हैं। कार्पल हड्डियों की प्रोक्जिमल पंक्ति में पार्श्व से मध्यवर्ती पक्ष तक कई निम्नलिखित हड्डियाँ पाई जाती हैं :

1. स्कैफॉइड, 2. ल्युनेट, 3. ट्रिक्यूट्रल, 4. पिसिफॉर्म

कार्पल हड्डियों की डिस्टल पंक्ति में पार्श्व से मध्यवर्ती पक्ष तक कई निम्नलिखित हड्डियाँ पाई जाती हैं :

1. ट्रेपजियम, 2. ट्रेपज्वायड, 3. कैपिटेट, 4. हेमेट।

31. **मानवतावाद :** मानवतावाद को अवैयक्तिकता के विरुद्ध विद्रोह के रूप में परिभाषित किया गया है और मानना है कि इंसान एक व्यक्ति है और इसे समूह के एक हिस्से के बजाय एक के रूप में माना जाना चाहिए।

36. फ्लोराइड को पहली बार सन् 1891 में मोयसन द्वारा पृथक किया गया, अब तक ज्ञात सभी तत्वों में यह सबसे ज्यादा प्रतिक्रियाशील है। यह व्यापक रूप से संयुक्त अवस्था में फ्लोराइड के रूप में पाया जाता है। शरीर में फ्लोराइड का लगभग 96% हड्डियों और दाँतों में पाया जाता है। फ्लोराइड को अक्सर "दो-धारी तलवार" कहा जाता है। यह हड्डियों के खनिजीकरण में मदद करता है। फ्लोराइड की अल्प मात्रा में उपस्थिति, पीने के पानी में कम-से-कम प्रति मिलियन एक हिस्सा, दंत क्षय को रोकता है और इनेमल (दंतवल्क) विन्यास में मदद करता है। हालाँकि फ्लोराइड जब एक से अधिक मिलीग्राम/लीटर सेवन किया जाता है, तो कई प्रकार की स्वास्थ्य समस्याएँ जैसे कि स्केलटल फ्लोरोसिस, डेन्टल फ्लोरोसिस, ओस्टियो फ्लोरोसिस और गट फ्लोरोसिस का कारण बन सकता है।

38. क्लासिकल टेस्ट सिद्धांत ने समानांतर परीक्षणों की धारणा पर बहुत अधिक निर्भर किया है—अर्थात् दो टेस्ट जिनका समान अर्थ, परिवर्तन और वितरण संबंधी लक्षण हैं और वे बाह्य परिवर्तनों के साथ समान रूप से सहसंबंधित हैं। इन मान्यताओं के अधीन, वास्तविक स्कोर और मापन त्रुटि को स्वतंत्र रूप में माना जा सकता है। यह अनुगमन करता है कि प्रेक्षित स्कोरों का परिवर्तन, वास्तविक स्कोरों के परिवर्तन के कुल योग और मापन त्रुटि के परिवर्तन के बराबर होता है।

$$\text{परिवर्तन } (X) = \text{परिवर्तन } (T + e) = \text{परिवर्तन } (T) + \text{परिवर्तन } (e)$$

विश्वसनीयता को प्रेक्षित स्कोर परिवर्तन और वास्तविक स्कोर परिवर्तन के अनुपात के रूप में भी परिभाषित किया जा सकता है, जो त्रुटि परिवर्तन और प्रेक्षित स्कोर परिवर्तन का अनुपात के 1 माइनस के समतुल्य है।

$$\text{विश्वसनीयता} = \text{परिवर्तन } (T)/\text{परिवर्तन } (X) = 1 - [\text{परिवर्तन } (e)/\text{परिवर्तन } (X)]$$

दूसरे शब्दों में, यदि कोई त्रुटि नहीं हो, विश्वसनीयता 1 होगी; यदि केवल एक त्रुटि हो और कोई वास्तविक स्कोर परिवर्तन न हो, तो विश्वसनीयता 0 होगी। प्रेक्षित परिवर्तन और वास्तविक स्कोर के बीच सहसंबंध विश्वसनीयता का वर्गमूल है।

40. **फ्रंट-लाइन प्रबंधन :**

- निम्न पदानुक्रम के प्रबंधक जो संचालन (गैर-प्रबंधकीय) के कार्य निरीक्षण और समन्वित करते हैं, फ्रंट लाइन प्रबंधक हैं। फ्रंट लाइन प्रबंधकों में अक्सर 'सुपरवाइजर', 'मैनेजर' या 'फोरमैन' जैसे शीर्षक होते हैं।
- प्रथम पंक्ति के प्रबंधक उन लोगों के समूह की देख-रेख करते हैं जो संगठन द्वारा सौंपे गए सामानों या सेवाओं का उत्पादन करते हैं। वे संगठन की सफलता के लिए बेहद महत्वपूर्ण हैं क्योंकि वे दैनिक संचालनों में शामिल हैं और संगठन के वास्तविक संचालन के सबसे करीब हैं और साथ ही संगठन के सुचारू कार्य के लिए भी जिम्मेदार हैं।
- फ्रंट-लाइन प्रबंधक प्रबंधन और संगठन के कर्मचारियों के बीच अंतरफलक पर कार्य करते हैं। वे कार्मिकों के समक्ष प्रबंधन का प्रतिनिधित्व करते हैं, और प्रबंधन के समक्ष कार्मिकों का प्रतिनिधित्व करते हैं। कामगार अपने पर्यवेक्षकों के माध्यम से संगठन को जानते हैं और धारणा बनाते हैं और वरीय प्रबंधन मुख्य रूप से पर्यवेक्षकों के माध्यम से कार्य बल का अनुमान लगाते हैं। फ्रंट-लाइन प्रबंधक अधीनस्थों के कार्य के निर्देशन के लिए जिम्मेदार हैं। उनके कार्य व्यापक रूप से अलग-अलग हो सकते हैं, यह संगठन की संरचना और फर्म के भीतर उनके स्तर पर निर्भर करता है। फ्रंट-लाइन प्रबंधकों की मुख्य विशेषताएँ हैं—नेतृत्व, प्रेरक, निर्णय निर्माता, समन्वयक, परामर्शदाता, संप्रेषक और प्रशिक्षक।

41. **समग्र प्रारूप :** समग्र या कल्याण प्रारूप पूरे व्यक्ति के संदर्भ में स्वास्थ्य को परिभाषित करता है, न कि शरीर के रोगग्रस्त भागों के संदर्भ में। समग्र प्रारूप व्यक्तियों और समुदायों के शारीरिक, मानसिक, भावनात्मक, सामाजिक,

आध्यात्मिक और पर्यावरण पहलुओं को समाहित करता है। यह इष्टतम स्वास्थ्य, रोग की रोकथाम और सकारात्मक मानसिक और भावनात्मक अवस्थाओं पर केंद्रित है। समग्र प्रारूप में आध्यात्मिक स्वास्थ्य की अवधारणा शामिल है, जिसे चिकित्सा प्रारूप में नहीं माना जाता है। चिकित्सा प्रारूप के विपरीत, जो यह मानता है कि अगर एक व्यक्ति बीमार नहीं है और किसी बीमारी से ग्रस्त नहीं है, वह यथासंभव स्वस्थ है, समग्र प्रारूप का प्रस्ताव है कि स्वास्थ्य इष्टतम या सकारात्मक कल्याण की अवस्था है। तंदुरुस्ती शारीरिक स्वास्थ्य से ज्यादा है; यह एक व्यक्ति के मानसिक, भावनात्मक और आध्यात्मिक पहलुओं और इन आयामों के बीच के रिश्तों को संबोधित करता है। तंदुरुस्ती निरंतर स्वास्थ्य की वैचारिक अवधारणा और तंदुरुस्ती की अवधारणा के बीच चित्रण करने में मदद करता है।

48. रिग्रेशन को-एफिशिएंट के बीच ज्यामितीय माध्य कोरिलेशन का को-एफशिएंट होता है।

को-एफिशिएंट ऑफ रिग्रेशन हैं–

$\frac{r\sigma_y}{\sigma_x}$ और $\frac{r\sigma_x}{\sigma_y}$.

उनके बीच G.M. $= \sqrt{\frac{r\sigma_y}{\sigma_x} \times \frac{r\sigma_x}{\sigma_y}} = \sqrt{r^2} = r$

= रिग्रेशन का को-एफिशिएंट

यदि एक रिग्रेशन को-एफिशिएंट इकाई से बड़ा हो, तो दूसरा निश्चित ही इकाई से छोटा होना चाहिए।

दो रिग्रेशन को-एफिशिएंट हैं–

$b_{yx} = \frac{r\sigma_y}{\sigma_x}$ और $b_{xy} = \frac{r\sigma_x}{\sigma_y}$.

माना, $b_{yx} > 1$,

तब, $\frac{1}{b_{yx}} < 1$ ...(*i*)

चूँकि $b_{yx} . b_{xy} = r^2 \leq 1$ $(\because -1 \leq r \leq 1)$

$\therefore$ $b_{xy} \leq \frac{1}{b_{yx}} < 1$

। (*i*) का उपयोग करते हुए

उसी प्रकार, यदि $b_{xy} > 1$, तो $b_{yx} > 1$.

50. पीटर ड्रकर के अनुसार, "प्रबंधन एक संगठन में गतिशील जीवन देने वाला तत्व होता है, इसके बिना उत्पादन के संसाधन केवल संसाधन मात्र रहते हैं, कभी उत्पादन नहीं होते।" 20वीं शताब्दी के आरंभ की सामाजिक कार्यकर्ता और प्रबंधन गुरु "avant la lettre" मैरी पार्कर फॉलेट ने प्रबंधन का वर्णन इस रूप में किया है : "लोगों के माध्यम से काम करने की कला है" वह सामाजिक समुदायों और शिक्षा क्षेत्र की विशेषज्ञा थीं, लेकिन उनका विश्लेषण प्रबंधन साहित्य में प्रभावशाली रहा, विशेष रूप से मानव संसाधन प्रबंधन स्कूल द्वारा। वह अनिवार्य रूप से एक साथ काम करने वाले लोगों की शक्ति में विश्वास रखती थीं, उनके अनुसार किसी को भी एक समुदाय बनाने की आवश्यकता है। उन्होंने संचालन परिवर्तन के बीच एक सहकारी तरीके से संचालन बनाम सहक्रिया विधि से संचालन को प्रतिष्ठित किया, और एक समुदाय को रचनात्मक प्रक्रिया के रूप में मान्यता प्रदान की जिससे तुरंत नियत रूप से मुद्दों को पुनः बनाकर प्रभावशाली बनाया जा सके।

51. कैलोइस को प्रतीत होता है कि मनुष्य में मनोरंजन और खेल में खेल के चार मुख्य चरण हैं। पहला चरण एगोन या प्रतिस्पर्धा है। एगोन के उदाहरण में फुटबॉल और शतरंज शामिल हैं। एगोन को गुणवत्ता/कौशल या कौशल का एक बहुत ही केंद्रित समूह पर लटकी प्रतिस्पर्धा के रूप में वर्णित किया जा सकता है। खेल के आरंभिक समय में समानता पर बल दिया गया है, क्योंकि यह आमतौर पर खिलाड़ियों के जीवन से वंचित है। दूसरा चरण एलिया अथवा अवसर है। रूले जैसे खेल जिसमें स्पष्ट नियम और निष्क्रिय खिलाड़ियों को शामिल किया गया है, एलिया का उदाहरण है। जहाँ अधिकांश खेल उन खिलाड़ियों को शामिल करते हैं जो निष्क्रिय रूप से परिणाम का इंतजार करते हैं। अक्सर एलिया में संपत्ति का आदान-प्रदान किया जा सकता है, लेकिन "माल का उत्पादन नहीं किया जाता" जो काम के बजाय खेल के क्षेत्र में मौके का खेल खेलते हैं। खेल का तीसरा चरण मिमिक्री है, जो नकल पर आधारित होता है, अथवा जिसे लेखक "स्वांग" कहते हैं। यहाँ उदाहरण में शामिल हैं–"काउबॉय और भारतीय" तथा थिएटर। मिमिक्री मुखौटा के विचार पर आधारित है, जो आमतौर पर एक

व्यक्ति नहीं होता है। चौथा चरण इलिन्क्स अथवा चक्कर की श्रेणी है। कैलोइस रोलर कॉस्टर, कार रेसिंग और सर्कस प्रतिस्पर्धाएँ इसका उदाहरण हैं। कहा जाता है कि इलिन्क्स अनुभूति की स्थिरता को नष्ट करती है।

52. अत्यधिक खिंचाव के कारण शरीर के विभिन्न प्रमुख जोड़ों में होने वाली सामान्य चोटें मोचली अथवा स्प्रैन कहलाती हैं। वे जोड़ के स्नायुबंधन की चोट हैं। जो हल्की चोट हो सकती है जिसमें आँसू निकल जाते हैं। यह चोट की गंभीरता पर निर्भर करता है कि मोचली का औषधि-प्रयोग से इलाज किया जाए, शारीरिक उपचार फिजियोथैरेपी अथवा व्यायाम चिकित्सा और यहाँ तक कि सर्जरी से भी किया जा सकता है। संयुक्त संधि जहाँ मोचली होती है टखने का जोड़ और कलाई का जोड़ हो सकते हैं।

ब्लिस्टर अथवा फफोला पड़ना : ब्लिस्टर फ्लुड पॉकेट की एक छोटी-सी सूजन है जिसे सामान्यतः त्वचा के ऊपरी परत पर देखा जाता है, विशेषकर पाँवों, हाथों और चेहरे में। ब्लिस्टर में द्रव के जैसा साफ पानी होता है, जिसे सीरम या प्लाज्मा कहा जाता है। उग्र मामलों में ब्लिस्टर में खून और मवाद भी हो जाता है। फफोले आमतौर पर सतही घर्षण के कारण होता है। फफोले होने के अन्य कारणों में शामिल हैं—अत्यंत उच्च तापक्रम, रसायन और कुछ निश्चित रोग।

कॉन्क्शन (अल्पकालिक अचेतना होना) : कॉन्कशन जिसका अर्थ 'बुरी तरह काँपना' होता है, मस्तिष्क की एक दर्दनाक चोट है, जो चोट की गंभीरता पर निर्भर करती है। यह हल्की चोट या गंभीर रूप से घातक भी हो सकता है। कॉन्क्शन को सौम्य घाव मस्तिष्क की चोट, हल्की मस्तिष्क की चोट, सिर पर मामूली आघात के रूप में भी संदर्भित किया जाता है।

डिसलोकेशन (विस्थापन) : विस्थापन को लूक्रसैटिन अथवा जोड़ विस्थापन के रूप में भी संदर्भित किया जाता है। यह वह स्थिति है, जहाँ जोड़ की हड्डियाँ अलग हो जाती हैं और जोड़ अपने सामान्य संरेखण को खो देता है। आमतौर पर जोड़ों पर चोट लगने के कारण विस्थापन होता है। विस्थापन पूर्ण या आंशिक हो सकता है। आंशिक विस्थापन को आंशिक स्थानभ्रंश के रूप में भी जाना जाता है। कंधे के जोड़ और घुटने के जोड़ में विस्थापन आम है। हेमेटोमा शरीर में एक असामान्य रक्त का संग्रह करता है, जो आमतौर पर एक टूटी हुई या टूटने वाली रक्त वाहिका का परिणाम है। हेमोटॉमस एक मामूली त्वचा की सूजन हो सकती है। या फिर रक्त थक्का का संग्रह जो मांसपेशियों, अंगों और यहाँ तक कि खोपड़ी के भीतर में गहरा होता है।

54. डायरेक्शन ऑफ कैजुआलिटी दर्शाता है कि क्या सामंजस्य निष्पादन की सफलता या प्रदर्शन की सफलता की ओर जाता है, एकजुटता को इंगित करता है। दूसरे शब्दों में, क्या एक टीम जो साथ-साथ काम करते हैं अक्सर क्षेत्र के अंदर-बाहर होते हैं, सफल होते हैं। शोधकर्ताओं ने इन सवालों के दो दृष्टिकोणों की जाँच की है :

- एकजुटता प्रदर्शन की ओर उन्मुख होता है, अर्थात् एकजुटता पूर्व के प्रदर्शन की माप करता है।
- प्रदर्शन एकजुटता की ओर उन्मुख होता है, अर्थात् प्रदर्शन पूर्व की एकजुटता की माप करता है।

यदि प्रतिस्पर्धा से पूर्व, कोई भी अकेला सदस्य सोचता है कि स्व-प्रतिबंधित टीम की एकजुटता पर प्रभाव डालता है, तो वह सामूहिक विफलता का दोषी नहीं होगा, फिर भी समूह की सफलता के लिए पूरी जिम्मेदारी लेता है।

एट्रिब्यूशन थ्योरी : एट्रिब्यूशन सिद्धांत उस प्रक्रिया से संबंधित है, जिसके द्वारा व्यक्तियों को अपने वातावरण के एक अपेक्षाकृत स्थिर हिस्से की वजह से उनके आस-पास की घटनाओं को समझाने का अवसर मिलता है। संक्षेप में, एट्रिब्यूशन सिद्धांत व्यवहार के कारण की व्याख्या करने का प्रयास करता है। एट्रिब्यूशन सिद्धांत के अनुसार, यह घटनाओं के कथित कारण हैं—उनके बीच की वास्तविक घटनाएँ नहीं—जो लोगों के व्यवहार को प्रभावित करते हैं।

55. **उचित अभ्यास की बहुलता :** अभ्यास जो उपयुक्त है (छात्रों के अनुभवों, रुचियों, योग्यताओं के लिए उपयुक्त), उद्देश्यपूर्ण (पाठ को सुरक्षित और चुनौतीपूर्ण दोनों तरह के वातावरण में काम पर रखा जाता है), प्रगतिशील (कौशलों और रणनीतियों को इस रूप में संगठित किया जाता है कि वे क्रमिक, महत्वपूर्ण अधिगम की ओर उन्मुख होते हैं) गतिशील (गतिविधियाँ अनुक्रमिक हैं, सफल अभ्यास की स्वीकृति के लिए अब तक अत्यंत कठिन चुनौतीपूर्ण), और सहभागिता (छात्र लगातार सक्रिय हैं और अधिगम सभी छात्रों के लिए न्यायसंगत है)।

56. जलजनित रोग

जल से उत्पन्न होने वाली बीमारियाँ संक्रामक रोग हैं जो दूषित पानी से फैलती हैं। यद्यपि ये बीमारियाँ या तो सीधे तौर पर या फिर मक्खियों के द्वारा फैलती हैं। इन बीमारियों के प्रसार के लिए मुख्य माध्यम पानी है, इसलिए उन्हें पानी से उत्पन्न बीमारियों के रूप में जाना जाता है। अधिकतर आंतों की बीमारियाँ संक्रामक हैं और मल अपशिष्ट के माध्यम से संचारित होती हैं। रोगजनक—जिसमें शामिल हैं वायरस, बैक्टीरिया, प्रोटोजोआ और परजीवीय कीड़े—बीमारी पैदा करने वाले कारक हैं जो संक्रमित व्यक्तियों के मल में पाए जाते हैं। खराब स्वास्थ्य-संबंधी स्थितियों वाले क्षेत्रों में ये बीमारियाँ अधिक संप्रभाव हैं। ये रोगजनक जल स्रोतों के माध्यम से फैलते हैं और उन व्यक्तियों के माध्यम से सीधे तौर पर मिल जाते हैं जो भोजन और पानी का काम करते हैं। चूँकि ये बीमारियाँ अत्यधिक संक्रामक हैं, इसलिए संक्रमित रोगी की देखभाल करने वाले लोगों को अत्यधिक सतर्कता और स्वच्छता बनाए रखना चाहिए। हेपेटाइटिस, हैज़ा, पेचिश और टाइफाइड अति सामान्य जलजनित रोग हैं जो उष्णकटिबंधीय क्षेत्रों में बड़ी आबादी को प्रभावित करते हैं।

कारणात्मक जीव और जलजनित रोग

कारण	**जलजनित रोग**
जीवाणु संबंधी संक्रमण	टाइफाइड (आंत्र ज्वर) पैराटाइफाइड बुखार, बेशिलरी पेचिश
वायरल संक्रमण	संक्रमित हेपेटाइटिस (पीलिया) पोलियोमाइलिटिस
प्रोटोजोल संक्रमण	अभिबिक पेचिश और जिआइडियसिस
टेलमेंथिक संक्रमण	राउण्डवर्म, थ्रेडवर्म
साइक्लॉप्स	गुनियावर्म, फिश टेपवर्म

61. जर्मनी में शारीरिक शिक्षा

जॉन बर्नाड बासडो (1723-1790) : फिलेन्थ्रोपिनम् नामक स्कूल की स्थापना की, जो आधुनिक यूरोप का पहला स्कूल था। इसमें एक कार्यक्रम प्रस्तुत किया गया, जहाँ शारीरिक शिक्षा पाठ्यक्रम का हिस्सा था।

ग्रेडरिक लुडविग जॉन (1778-1852) : उनका नाम 'टर्नवरिन' के साथ जुड़ा है, जो जिमनास्टों का एक संगठन है, जिसने जर्मन युवाओं को मजबूत और साहसी नागरिक बनने में मदद की है। टर्नवरिन आंदोलन के संस्थापक जिमनास्टिक्स के स्वीकृत 'पिता', ग्रेडरिक लुडविग जॉन, को पूरे विश्व में जिमनास्टिक के तेजी से प्रसार का श्रेय दिया जाता है। जिमनास्टिक प्रतिस्पर्धा को आउटडोर खेल के मैदान (टर्नप्लाट्ज) में देखा जा सकता है। जॉन ने बर्लिन के बाह्यांचल पर एक मैदान निर्मित किया, जिसे 'हसन हेइड' (खरगोश का मैदान) के रूप में जाना जाता है। एर्नस्ट ईसेलेन, जॉन की सहायक और 'डाय ड्यूच टर्नकुनस्ट' (1816, द जर्मन जिमनेस्टिक आर्ट) की सह-लेखिका ने खेल के मैदान में होने वाले विभिन्न व्यायामों को ध्यानपूर्वक देखा और उसकी व्याख्या की।

एडोल्फ स्पीज (1810-1858) : जर्मनी में स्कूल जिमनास्टिक के संस्थापक हैं। शारीरिक शिक्षा को स्कूली जीवन का हिस्सा बनाने में सहायता की, शारीरिक शिक्षा पर उनके विचार हैं : "सभी छात्रों के लिए शारीरिक शिक्षा अनिवार्य होनी चाहिए।"

पर हैनरिक लिंग (1776-1839) : उनका नाम स्वीडन में शारीरिक शिक्षा के उदय का प्रतीक है। स्वाभाविक जिमनास्टिक के प्रमुख विकासक पर हैनरिक लिंग थे। सन् 1813 में लिंग ने शिक्षक प्रशिक्षण केन्द्र, द रॉयल जिमनास्टिक सेंट्रल इंस्टीट्यूट की स्थापना स्टॉकहोम में की। लिंग ने एथलीट के लिए चिकित्सा लाभ का अवसर प्रदान करने के लिए जिमनास्टिक अभ्यास की एक प्रणाली डिजाइन किया और सिखाया। कैलेस्थिनेक्स को उसके लिए श्रेय दिया जाता है जिनमें निःशुल्क कैलीस्थैनिक्स शामिल हैं—अर्थात् हाथों के उपकरण जैसे कि ग्लब्स, डंडे और डंबल्स के उपयोग के बिना व्यायाम। यद्यपि लिंग ने प्रतिस्पर्धा को बढ़ावा नहीं दिया फिर भी निःशुल्क कैलीस्थैनिक्स प्रतिस्पर्धात्मक खेल में विकसित हुआ जिसे फर्श व्यायाम के रूप में अब जाना जाता है।

नील्स बख : इन्होंने "प्राथमिक जिमनास्टिक" की शुरुआत की। व्यायाम की शृंखला के द्वारा सही शरीर का निर्माण करने का प्रयास किया। यह गतिविधि विराम के बिना पूरा किया गया।

पिछले प्रश्न-पत्र (हल सहित)

UGC-NET जूनियर रिसर्च फैलोशिप तथा सहायक प्राध्यापक परीक्षा

शारीरिक शिक्षा, जुलाई-2016*

प्रश्न-पत्र-II

निर्देश : *इस प्रश्न-पत्र में* ***पचास (50)*** *बहु-विकल्पीय प्रश्न हैं। प्रत्येक प्रश्न के* ***दो (2)*** *अंक हैं।* ***सभी प्रश्न अनिवार्य हैं।***

1. ग्रीक में ''डिस्कोस'' शब्द का अर्थ है :

A. धकेलने की वस्तु B. खाने की वस्तु
C. खेलने की वस्तु D. फेंकने की वस्तु

2. निम्नलिखित में से किस स्वापक को अन्तर्राष्ट्रीय ओलम्पिक समिति द्वारा प्रतिबंधित नहीं किया गया है?

A. कोकेन B. मरिजुआना
C. मदिरा D. एफिड्रिन

3. कोहनी संधि द्वारा निम्नलिखित में से कौन-सी गतिविधि नहीं की जाती है?

A. आकुंचन B. विस्तारण
C. घूर्णन D. अधोवर्तन

4. निम्नलिखित में से कौन तनाव प्रक्रिया की अनुक्रिया नहीं है?

A. वंशानुगत दुश्चिन्ता
B. माँसपेशी में तनाव
C. परिस्थितिजन्य दुश्चिन्ता
D. ध्यान में परिवर्तन

5. प्रभावकारी शिक्षण कौशल अनेक कारकों से प्रभावित होता है, उनमें प्रमुख है :

A. उपकरण B. समूह का आकार
C. विशेष कार्यकलाप D. मौसम

6. निम्नलिखित में से कौन स्वास्थ्य के आयाम में शामिल नहीं है?

A. धार्मिक स्वास्थ्य B. अन्तर्वैयक्तिक स्वास्थ्य
C. पर्यावरणीय स्वास्थ्य D. भावात्मक स्वास्थ्य

7. निम्नलिखित में से कौन-सी खेल-कूद प्रशिक्षण की विशेषता नहीं है?

A. पूर्णता की प्रक्रिया
B. प्रशिक्षण सत्र के दौरान प्रदर्शन
C. नियंत्रित दैनिक दिनचर्या
D. मानव गुणों का उपयोग

8. प्रेक्षणों की वह संख्या जो एक-दूसरे से स्वतंत्र है तथा जिसे एक-दूसरे से और आगे निकाला नहीं जा सकता है, कहलाती है :

A. मानक त्रुटि
B. डिग्री ऑफ फ्रीडम
C. वितरण का संचयी अंक
D. नार्मेटिव स्कोर

9. इसके स्थान के लिए प्राप्तांक की तुलना की जाती है :

A. मानक से
B. अल्फा गुणांक से
C. मानदण्ड अभिदेशित मानक से
D. उपर्युक्त सभी से

10. पाठ योजना के आवश्यक भाग के रूप में औपचारिक कार्यकलापों का प्रमुख उद्देश्य है :

A. चयन को लचीला बनाना
B. गतिशीलता में वृद्धि करना
C. मनोरंजन उपलब्ध कराना
D. कौशल सुधार में वृद्धि

11. खेल सिद्धांत है :

(*a*) मनोगत्यात्मक सिद्धांत
(*b*) मनोविश्लेषणात्मक सिद्धांत

* *Exam held on 10 July, 2016*

(*c*) पुनःसमर्पण सिद्धांत

(*d*) प्रेरक सिद्धांत

कूट :

A. (*a*), (*d*) B. (*a*), (*c*)
C. (*b*), (*c*) D. (*b*), (*d*)

12. अल्पकालीन (1 मिनट या उससे कम) उच्च तीव्रता वाले व्यायाम के समय ऊर्जा की आपूर्ति किसके द्वारा कायम रहती है?

(*a*) वायवीय ग्लाइकोलाइसिस

(*b*) अवायवीय ग्लाइकोलाइसिस

(*c*) ए.टी.पी. का खराब हो जाना

(*d*) क्रेब चक्र

(*e*) सी.पी. का खराब होना

(*f*) इलेक्ट्रॉन परिवहन श्रृंखला

कूट :

A. (*a*), (*b*), (*d*) B. (*a*), (*d*), (*f*)
C. (*c*), (*e*), (*f*) D. (*b*), (*c*), (*e*)

13. शॉट पुट खिलाड़ियों के प्रशिक्षक (कोच) को निम्नलिखित में से तीन पहलुओं पर ध्यान केंद्रित करना चाहिए :

(*a*) इष्टतम त्वरण

(*b*) अधिक गति

(*c*) सदिशों (वेक्टरों) का समांतर चतुर्भुज

(*d*) अधिक इष्टतम कोण

(*e*) फेंकने की अधिक ऊँचाई

कूट :

A. (*b*), (*d*), (*e*) B. (*a*), (*c*), (*d*)
C. (*a*), (*c*), (*e*) D. (*b*), (*c*), (*d*)

14. व्यक्तित्व के व्यवहारगत पहलू के अनुमान में सही चरों के समन्वय की पहचान करें।

(*a*) संदेहात्मक (*b*) संज्ञानात्मक
(*c*) शरीरविज्ञान संबंधी (*d*) मनोवैज्ञानिक

कूट :

A. (*a*), (*b*), (*c*) B. (*a*), (*c*), (*d*)
C. (*a*), (*b*), (*d*) D. (*b*), (*c*), (*d*)

15. शारीरिक शिक्षा शिक्षण की प्रभावकारिता किस पर निर्भर है?

(*a*) कार्यकलाप में छात्र द्वारा शारीरिक व्यस्तता में व्यतीत किया गया समय

(*b*) सामान्य निरीक्षण

(*c*) शारीरिक कार्यकलाप के लिए आवन्टित समय

(*d*) सुनियोजित और सार्थक कार्य

कूट :

A. (*a*), (*b*), (*c*) B. (*a*), (*c*), (*d*)
C. (*b*), (*c*), (*d*) D. (*a*), (*b*), (*d*)

16. नीचे दिये गये कूट की सहायता से एड्स बीमारी के चिह्नों के सही संयोजन का चयन कीजिए :

(*a*) एक माह से अधिक समय तक दीर्घकालीन पुराना अतिसार

(*b*) एक माह से अधिक समय तक बुखार का जारी रहना

(*c*) भूख कम लगना

(*d*) लसिका ग्रंथि का फूलना

कूट :

A. (*a*), (*c*), (*d*) B. (*b*), (*c*), (*d*)
C. (*a*), (*b*), (*c*) D. (*a*), (*b*), (*d*)

17. नीचे दिये कूट की सहायता से प्लायोमेट्रिक्स विधियों के सही संयोजन की पहचान कीजिए :

(*a*) फ्राग जम्पिंग

(*b*) टक जम्प

(*c*) बन्नी हॉप्स

(*d*) वर्टिकल जम्प

(*e*) हर्डल हॉपिंग

कूट :

A. (*a*), (*b*), (*c*) B. (*c*), (*d*), (*e*)
C. (*d*), (*c*), (*b*) D. (*b*), (*c*), (*e*)

18. निम्नलिखित में से कौन-से वैज्ञानिक प्रबंधन के सिद्धान्त हैं?

(*a*) कार्मिक का वैज्ञानिक चयन

(*b*) औजारों एवं उपस्करों का मानकीकरण

(*c*) प्रबंधकों तथा कार्मिकों के बीच सहयोग

(*d*) विभिन्न उजरती दर योजना

(*e*) कार्य विज्ञान का विकास

सही कूट का चयन कीजिए।

कूट :

A. (*a*), (*d*), (*e*), (*b*) और (*c*)

B. (*e*), (*a*) और (*c*)

C. (*c*), (*b*), (*e*) और (*a*)

D. (*b*), (*d*) और (*a*)

19. नीचे दो अभिकथन दिए गए हैं जिनमें से एक को अभिकथन (A) और दूसरे को तर्क (R) कहा गया है।

अभिकथन (A) : उद्देश्य लक्ष्य से ज्यादा विशिष्ट होते हैं, वे विशिष्ट परिणामों के अल्प-कालिक कथन हैं जो लक्ष्य तक पहुँचने के लिए संचयी रूप से निर्मित होते हैं।

तर्क (R) : शारीरिक शिक्षा कार्यक्रम संचलन और खेल-कूद कौशल का शिक्षण करते हैं और छात्रों की शारीरिक सक्षमता और स्वास्थ्य को बढ़ावा देते हैं।

उपर्युक्त दो अभिकथनों के संदर्भ में निम्नलिखित में से कौन-सा सही है?

A. (A) और (R) दोनों सही हैं और (R), (A) का सही स्पष्टीकरण है।

B. (A) और (R) दोनों सही हैं, लेकिन (R), (A) का सही स्पष्टीकरण नहीं है।

C. (A) सही है और (R) गलत है।

D. (A) गलत है और (R) सही है।

20. नीचे दो अभिकथन दिए गए हैं जिनमें से एक को अभिकथन (A) और दूसरे को तर्क (R) कहा गया है।

अभिकथन (A) : कार्बोहाइड्रेट, वसा तथा प्रोटीन ऊर्जा के तीन समृद्ध स्रोत हैं जो ए.टी.पी. का निर्माण करते हैं तथा ए.टी.पी. माँसपेशियों में जमा होता है।

तर्क (R) : प्रोटीन एकमात्र पदार्थ है जिससे अधिकतम ऊर्जा (ए.टी.पी.) उत्पन्न होती है और इसलिए खिलाड़ियों को भारी मात्रा में प्रोटीन का सेवन करना चाहिए।

उपर्युक्त दो अभिकथनों के संदर्भ में निम्नलिखित में से कौन-सा सही है?

A. (A) और (R) दोनों सही हैं और (R), (A) का सही स्पष्टीकरण है।

B. (A) और (R) दोनों सही हैं, लेकिन (R), (A) का सही स्पष्टीकरण नहीं है।

C. (A) सही है और (R) गलत है।

D. (A) गलत है और (R) सही है।

21. नीचे दो अभिकथन दिए गए हैं जिनमें से एक को अभिकथन (A) और दूसरे को तर्क (R) कहा गया है।

अभिकथन (A) : प्रत्येक क्रिया की उसकी समान और विपरीत प्रतिक्रिया होती है।

तर्क (R) : बेंच प्रेस का प्रदर्शन करते समय एक वेटलिफ्टर उसे उठाने हेतु बारबेल पर बल आरोपित करता है तथा बारबेल इसके विपरीत वेटलिफ्टर के हाथों को नीचे धकेलते हैं।

उपर्युक्त दो अभिकथनों के संदर्भ में निम्नलिखित में से कौन-सा सही है?

A. (A) और (R) दोनों सही हैं और (R), (A) का सही स्पष्टीकरण है।

B. (A) और (R) दोनों सही हैं, लेकिन (R), (A) का सही स्पष्टीकरण नहीं है।

C. (A) सही है और (R) गलत है।

D. (A) गलत है और (R) सही है।

22. नीचे दो अभिकथन दिए गए हैं जिनमें से एक को अभिकथन (A) और दूसरे को तर्क (R) कहा गया है।

अभिकथन (A) : खेल-कूद और व्यायाम मनोविज्ञान सबसे बढ़कर एक विज्ञान है। इस कारण यह आवश्यक है कि आप मूल वैज्ञानिक प्रक्रिया को समझें और यह जानें कि किस प्रकार वैज्ञानिक ज्ञान का विकास होता है।

तर्क (R) : वैज्ञानिक और पेशेवर प्रक्रिया (ज्ञान) को एकीकृत करने की सक्रिय प्रक्रिया अनुप्रयुक्त खेलकूद और व्यायाम व्यवस्था में मनोवैज्ञानिक कौशल को उपयोग करना काफी लाभदायक होगा।

उपर्युक्त दो अभिकथनों के संदर्भ में निम्नलिखित में से कौन-सा सही है?

A. (A) और (R) दोनों सही हैं और (R), (A) का सही स्पष्टीकरण है।

B. (A) और (R) दोनों सही हैं, लेकिन (R), (A) का सही स्पष्टीकरण नहीं है।

C. (A) सही है और (R) गलत है।

D. (A) गलत है और (R) सही है।

23. नीचे दो अभिकथन दिए गए हैं जिनमें से एक को अभिकथन (A) और दूसरे को तर्क (R) कहा गया है।

अभिकथन (A) : पाठ्यक्रम के विकास के आरम्भिक चरणों में इसमें शामिल विशिष्ट विषय या क्षेत्र जिनकी योजना छात्रों के लिए पहले से बना ली गई थी वे कमोबेश निर्धारित प्रकृति के थे।

तर्क (R) : अब पाठ्यक्रम अनुभव से बनता है जिसमें शिक्षण संस्थानों में शिक्षक के पथप्रदर्शन के अन्तर्गत छात्र शामिल होते हैं।

उपर्युक्त दो अभिकथनों के संदर्भ में निम्नलिखित में से कौन-सा सही है?

A. (A) और (R) दोनों सही हैं और (R), (A) का सही स्पष्टीकरण है।

B. (A) और (R) दोनों सही हैं, लेकिन (R), (A) का सही स्पष्टीकरण नहीं है।

C. (A) सही है और (R) गलत है।

D. (A) गलत है और (R) सही है।

24. नीचे दो अभिकथन दिए गए हैं जिनमें से एक को अभिकथन (A) और दूसरे को तर्क (R) कहा गया है।

अभिकथन (A) : मनोरंजन कार्यक्रमों में भागीदारी पारिवारिक जीवन, रोजगार और सामुदायिक भागीदारी के बीच एक सेतु का कार्य करता है।

तर्क (R) : मनोरंजन कार्यक्रम स्वैच्छिक और सुखद गतिविधियाँ होती हैं जिनसे एकाकीपन और अलगाव का भाव कम होता है।

उपर्युक्त दो अभिकथनों के संदर्भ में निम्नलिखित में से कौन-सा सही है?

A. (A) और (R) दोनों सही हैं और (R), (A) का सही स्पष्टीकरण है।

B. (A) और (R) दोनों सही हैं, लेकिन (R), (A) का सही स्पष्टीकरण नहीं है।

C. (A) सही है और (R) गलत है।

D. (A) गलत है और (R) सही है।

25. नीचे दो अभिकथन दिए गए हैं जिनमें से एक को अभिकथन (A) और दूसरे को तर्क (R) कहा गया है।

अभिकथन (A) : सक्रिय लोच बाहरी सहायता से ज्यादा विस्तार के साथ संचलन करने की क्षमता है।

तर्क (R) : निष्क्रिय लोच हमेशा सक्रिय लोच से ज्यादा होती है।

उपर्युक्त दो अभिकथनों के संदर्भ में निम्नलिखित में से क्या सही है?

A. (A) और (R) दोनों सही हैं और (R), (A) का सही स्पष्टीकरण है।

B. (A) और (R) दोनों सही हैं, लेकिन (R), (A) का सही स्पष्टीकरण नहीं है।

C. (A) सही है और (R) गलत है।

D. (A) गलत है और (R) सही है।

26. नीचे दो अभिकथन दिए गए हैं जिनमें से एक को अभिकथन (A) और दूसरे को तर्क (R) कहा गया है।

अभिकथन (A) : अनुप्रयुक्त अनुसंधान तात्कालिक समस्याओं का समाधान करना चाहता है।

तर्क (R) : प्रयोग की स्थितियों पर सीमित नियंत्रण रहता है।

उपर्युक्त दो अभिकथनों के संदर्भ में निम्नलिखित में से क्या सही है?

A. (A) और (R) दोनों सही हैं और (R), (A) का सही स्पष्टीकरण है।

B. (A) और (R) दोनों सही हैं, लेकिन (R), (A) का सही स्पष्टीकरण नहीं है।

C. (A) सही और (R) गलत है।

D. (A) गलत है और (R) सही है।

27. नीचे दो अभिकथन दिए गए हैं जिनमें से एक को अभिकथन (A) और दूसरे को तर्क (R) कहा गया है।

अभिकथन (A) : प्रतिक्रिया प्रक्रिया आधारित साक्ष्य रुचि के अप्रेक्षित चरित्रों के मापन अंकों पर बल देता है।

तर्क (R) : मनोवृत्ति, व्यक्तित्व विशेषताएँ और अप्रेक्षित तथापि सैद्धान्तिक रूप से मौजूद विशेषताओं को प्रायः

विषय-वस्तु सम्बन्धित साक्ष्य से विधिमान्य किया जाता है।

उपर्युक्त दो अभिकथनों के संदर्भ में निम्नलिखित में से क्या सही है?

A. (A) और (R) दोनों सही हैं और (R), (A) का सही स्पष्टीकरण है।

B. (A) और (R) दोनों सही हैं, लेकिन (R), (A) का सही स्पष्टीकरण नहीं है।

C. (A) सही है और (R) गलत है।

D. (A) गलत है और (R) सही है।

28. नीचे दो अभिकथन दिए गए हैं जिनमें से एक को अभिकथन (A) और दूसरे को तर्क (R) कहा गया है।

अभिकथन (A) : निरीक्षण एक विशेषज्ञ तकनीकी सेवा है जो प्राथमिक रूप से अधिगम और छात्र विकास की स्थितियों के अध्ययन और उसमें सुधार पर केन्द्रित होता है।

तर्क (R) : निरीक्षण बेहतर शिक्षण-अधिगम स्थितियों के लिए एक नियोजित कार्यक्रम है।

उपर्युक्त दो कथनों के संदर्भ में निम्नलिखित कौन-सा कथन सही है?

A. (A) और (R) दोनों सही हैं और (R), (A) का सही स्पष्टीकरण है।

B. (A) और (R) दोनों सही हैं, लेकिन (R), (A) का सही स्पष्टीकरण नहीं है।

C. (A) सही है और (R) गलत है।

D. (A) गलत है और (R) सही है।

29. मनोसंचलन क्षेत्र के उद्देश्यों को निम्न से उच्च क्रम में व्यवस्थित कीजिए :

(*a*) बोधात्मक योग्यता

(*b*) आधारभूत मौलिक संचलन

(*c*) प्रतिवर्त गति

(*d*) शारीरिक योग्यता

कूट :

A. (*b*), (*a*), (*c*), (*d*) B. (*d*), (*c*), (*b*), (*a*)

C. (*a*), (*b*), (*d*), (*c*) D. (*c*), (*b*), (*a*), (*d*)

30. खिलाड़ी के चोट प्रबंधन हेतु निम्नलिखित को क्रमानुसार व्यवस्थित कीजिए :

(*a*) सम्पीड़न (*b*) स्थायित्व

(*c*) X-रे (*d*) बर्फ लगाना

(*e*) अस्पताल में भर्ती करना (*f*) विश्राम

(*g*) उत्थापन (*h*) चिकित्सा

कूट :

A. (*d*), (*a*), (*b*), (*c*), (*h*), (*e*), (*f*), (*g*)

B. (*a*), (*d*), (*c*), (*b*), (*g*), (*e*), (*f*), (*h*)

C. (*f*), (*d*), (*a*), (*g*), (*b*), (*c*), (*e*), (*h*)

D. (*b*), (*a*), (*d*), (*g*), (*c*), (*e*), (*h*), (*f*)

31. पहले बृहत् पेशी समूहों का व्यायाम किया जाता है, तत्पश्चात् लघु पेशीय समूहों का। निम्नलिखित पेशीय समूहों को अनुक्रम के अनुसार व्यवस्थित कीजिए :

(*a*) गर्दन (*b*) वक्ष

(*c*) स्कंध (*d*) पेट

(*e*) नितम्ब और निचली पीठ (*f*) पिंडलियाँ

कूट :

A. (*d*), (*e*), (*f*), (*b*), (*c*), (*a*)

B. (*e*), (*d*), (*b*), (*f*), (*a*), (*c*)

C. (*f*), (*e*), (*d*), (*c*), (*b*), (*a*)

D. (*d*), (*e*), (*b*), (*f*), (*a*), (*c*)

32. सम्बद्धता कारकों के केरोन के अवधारणात्मक मॉडल का सही क्रम बताएँ :

(*a*) नेतृत्व कारक

(*b*) टीम कारक

(*c*) व्यक्तिगत कारक

(*d*) वातावरण संबंधी कारक

कूट :

A. (*a*), (*b*), (*c*), (*d*) B. (*c*), (*d*), (*a*), (*b*)

C. (*d*), (*c*), (*b*), (*a*) D. (*b*), (*d*), (*c*), (*a*)

33. शारीरिक शिक्षा में डिप्लोमा/डिग्री के निम्नलिखित पाठ्यक्रमों को उनके आरम्भ होने के क्रम में कालक्रमानुसार व्यवस्थित करें :

(*a*) बी.पी.ई. (*b*) डी.पी.एड.

(*c*) बी.पी.ई.एस. (*d*) बी.पी.एड.

कूट :

A. (*c*), (*d*), (*b*), (*a*) B. (*d*), (*c*), (*a*), (*b*)

C. (*a*), (*b*), (*c*), (*d*) D. (*b*), (*a*), (*d*), (*c*)

34. भारत के विद्यालयों में निम्नलिखित बाल देख-रेख योजनाओं के आरम्भ होने के सही क्रम में व्यवस्थित करें :

(*a*) बालवाड़ी पोषण कार्यक्रम

(*b*) उन्नत पोषण कार्यक्रम

(*c*) मध्याह्न भोजन कार्यक्रम

(*d*) विशेष पोषण कार्यक्रम

कूट :

A. (*c*), (*d*), (*a*), (*b*) B. (*c*), (*b*), (*a*), (*d*)

C. (*b*), (*a*), (*d*), (*c*) D. (*a*), (*c*), (*b*), (*d*)

35. निम्नलिखित को कूट की सहायता से क्रमानुसार व्यवस्थित कीजिए :

(*a*) फीडबैक (*b*) प्रदर्शन

(*c*) प्रस्तावना (*d*) व्याख्या

(*e*) अभ्यास

कूट :

A. (*c*), (*b*), (*d*), (*e*), (*a*)

B. (*c*), (*d*), (*b*), (*e*), (*a*)

C. (*a*), (*b*), (*c*), (*d*), (*e*)

D. (*d*), (*b*), (*e*), (*a*), (*c*)

36. नीचे दिये गये कूट की सहायता से एक आवृत्ति सारणी के निर्माण हेतु सही क्रम की पहचान कीजिए :

(*a*) निर्माण किये जाने वाले वर्ग अंतराल की संख्या

(*b*) वितरण के परास का पता लगाना

(*c*) वर्ग अंतराल के विस्तार की गणना करना

(*d*) संगत वर्ग अंतराल के सामने प्रत्येक अंक के लिए टैली मार्क्स रखना

कूट :

A. (*b*), (*c*), (*a*), (*d*) B. (*a*), (*b*), (*c*), (*d*)

C. (*b*), (*a*), (*c*), (*d*) D. (*c*), (*a*), (*b*), (*d*)

37. सिल्वरमैन इत्यादि (2009) में यथा प्रदत्त सर्वेक्षण करने के चरणों को सही अनुक्रम में व्यवस्थित कीजिए :

(*a*) आवरण पत्र लिखना

(*b*) पायलट अध्ययन करना

(*c*) प्रतिदर्श को परिसीमित करना

(*d*) प्रश्नावली तैयार करना

(*e*) प्रश्नावली प्रेषित करना

(*f*) परिणाम का विश्लेषण करना और रिपोर्ट तैयार करना

(*g*) अनुवर्ती कार्य

(*h*) उद्देश्य निर्धारित करना

कूट :

A. (*h*), (*b*), (*c*), (*d*), (*a*), (*e*), (*g*), (*f*)

B. (*b*), (*c*), (*a*), (*h*), (*d*), (*e*), (*f*), (*g*)

C. (*c*), (*h*), (*d*), (*a*), (*e*), (*b*), (*f*), (*g*)

D. (*h*), (*c*), (*d*), (*b*), (*a*), (*e*), (*g*), (*f*)

38. नीचे दिये गये कूट की सहायता से सही क्रम का चयन कीजिए :

(*a*) चैम्पियन

(*b*) नौसिखिया

(*c*) सामान्य प्रदर्शन करने वाला

(*d*) कौशलपूर्ण प्रदर्शन करने वाला

कूट :

A. (*a*), (*d*), (*c*), (*b*) B. (*b*), (*c*), (*d*), (*a*)

C. (*c*), (*d*), (*a*), (*b*) D. (*b*), (*d*), (*c*), (*a*)

39. सूची-I से सूची-II के सामान्य वक्र के अनुपातिक विभाजन क्षेत्रों को सुमेलित करें :

सूची-I	सूची-II
(*a*) $\mu - \sigma$ से $\mu + \sigma$	(*i*) 68.28%
(*b*) $\mu - 2\sigma$ से $\mu + 2\sigma$	(*ii*) 99.73%
(*c*) $\mu - 3\sigma$ से $\mu + 3\sigma$	(*iii*) 95.44%
(*d*) $\mu - 4\sigma$ से $\mu + 4\sigma$	(*iv*) 68.26%
	(*v*) 99.97%
	(*vi*) 99.85%

कूट :

	(*a*)	(*b*)	(*c*)	(*d*)
A.	(*i*)	(*iii*)	(*vi*)	(*v*)
B.	(*i*)	(*ii*)	(*v*)	(*vi*)
C.	(*iv*)	(*ii*)	(*v*)	(*vi*)
D.	(*iv*)	(*iii*)	(*ii*)	(*v*)

40. सूची-I के पदों को सूची-II से सुमेलित करें और नीचे दिए गए कूटों से सही विकल्प का चयन करें :

सूची-I	सूची-II
(*a*) संचलन का रेंज	(*i*) संतुलन
(*b*) काया संचलन का प्रभावी समेकन	(*ii*) परिशुद्धता
(*c*) आधार के अन्दर गुरुत्व केन्द्र	(*iii*) शक्ति
(*d*) विशिष्ट गुरुत्व	(*iv*) समन्वय
	(*v*) सुनम्यता
	(*vi*) लीन बॉडी मास

कूट :

	(a)	(b)	(c)	(d)
A.	(ii)	(i)	(iii)	(vi)
B.	(v)	(iv)	(i)	(vi)
C.	(v)	(iv)	(ii)	(i)
D.	(iv)	(i)	(ii)	(vi)

41. सूची-I के पदों को सूची-II से सुमेलित करें और नीचे दिए गए कूटों से सही विकल्प का चयन करें :

सूची-I	सूची-II
(a) वैदिक काल	(i) 3250 ई.पू. से 2500 ई.पू.
(b) सिंधु घाटी की सभ्यता	(ii) 600 ई.पू. से 1000 ई.
(c) मध्य काल	(iii) 2500 ई.पू. से 600 ई.
(d) हिन्दू काल	(iv) 1000 ई. से 1757 ई.

कूट :

	(a)	(b)	(c)	(d)
A.	(ii)	(iii)	(i)	(iv)
B.	(iv)	(i)	(iii)	(ii)
C.	(iii)	(ii)	(iv)	(i)
D.	(i)	(iv)	(ii)	(iii)

42. सूची-I के पदों को सूची-II से सुमेलित करें और नीचे दिए गए कूटों से सही विकल्प का चयन करें :

सूची-I	सूची-II
(a) ए.सी.टी.एच.	(i) जल धारण
(b) एस.टी.एच.	(ii) अल्डोस्टेरन
(c) एफ.एस.एच.	(iii) चयापचय (मेटाबॉलिज्म)
(d) ए.डी.एच.	(iv) प्रोगेस्टेरन

कूट :

	(a)	(b)	(c)	(d)
A.	(ii)	(iii)	(iv)	(i)
B.	(iii)	(iv)	(i)	(ii)
C.	(iv)	(iii)	(ii)	(i)
D.	(i)	(iii)	(ii)	(iv)

43. सूची-I के पदों को सूची-II से सुमेलित करें और नीचे दिए गए कूटों से सही विकल्प का चयन करें :

सूची-I (संधियाँ)	सूची-II (उदाहरण)
(a) विसर्पण (ग्लाइडिंग)	(i) प्रगाण्डिका (ह्यूमॅरस) तथा अंतः प्रकोष्ठिका (अलना) के बीच
(b) कंडिज़ॉयड	(ii) बहिःप्रकोष्ठिका (रेडियस) तथा अंतः प्रकोष्ठिका (अलना) के बीच
(c) कीलक (पाइवट)	(iii) कार्पल अस्थियों के बीच
(d) हिंज	(iv) मेटाकार्पल तथा फैलेंजों के बीच

कूट :

	(a)	(b)	(c)	(d)
A.	(iv)	(iii)	(i)	(ii)
B.	(ii)	(iii)	(iv)	(i)
C.	(iii)	(iv)	(ii)	(i)
D.	(iii)	(iv)	(i)	(ii)

44. सूची-I के पदों को सूची-II से सुमेलित करें और नीचे दिए गए कूटों से सही विकल्प का चयन करें :

सूची-I	सूची-II
(a) आत्मनिर्भरता : व्यवहारपरक परिवर्तन का एकीकरण सिद्धान्त	(i) बन्डुरा, ए.
(b) लक्ष्य निर्धारण प्रशिक्षण का मूल्यांकन	(ii) मोरगां, डब्ल्यू. पी.
(c) खेल-कूद में मनोन्नत	(iii) आर्लिक, टी.
(d) व्यायाम और मानसिक स्वास्थ्य	(iv) बर्टन, डी.

कूट :

	(a)	(b)	(c)	(d)
A.	(i)	(iv)	(iii)	(ii)
B.	(ii)	(iii)	(iv)	(i)
C.	(iii)	(i)	(ii)	(iv)
D.	(iv)	(ii)	(i)	(iii)

45. सूची-I के पदों को सूची-II से सुमेलित करें और नीचे दिए गए कूटों से सही विकल्प का चयन करें :

सूची-I	सूची-II
(a) अनुदेश	(i) आवश्यक दृष्टव्य शिक्षण सहायता
(b) शिक्षण	(ii) अवधारणा विकास
(c) प्रदर्शन	(iii) सीमित और संकीर्ण
(d) व्याख्या	(iv) व्यापक और विस्तृत आधारित

कूट :

	(a)	(b)	(c)	(d)
A.	(iv)	(i)	(iii)	(ii)
B.	(ii)	(iii)	(iv)	(i)
C.	(i)	(ii)	(iii)	(iv)
D.	(iii)	(iv)	(ii)	(i)

46. सूची-I के पदों को सूची-II से सुमेलित करें और नीचे दिए गए कूटों से सही विकल्प का चयन करें :

सूची-I	सूची-II
(*a*) विटामिन और खनिज	(*i*) ग्लिसरॉल तथा वसायुक्त अम्ल वाले कार्बनिक यौगिक
(*b*) कार्बोहाइड्रेट	(*ii*) शरीर की संरचनात्मक सामग्री
(*c*) प्रोटीन	(*iii*) ऑक्सीजन, कार्बन और हाइड्रोजन का संयोजन
(*d*) लिपिड	(*iv*) उपापचयी विनियामक

कूट :

	(*a*)	(*b*)	(*c*)	(*d*)
A.	(*iv*)	(*iii*)	(*ii*)	(*i*)
B.	(*i*)	(*ii*)	(*iv*)	(*iii*)
C.	(*ii*)	(*iv*)	(*iii*)	(*i*)
D.	(*iii*)	(*i*)	(*ii*)	(*iv*)

47. सूची-I के पदों को सूची-II से सुमेलित करें और नीचे दिए गए कूटों से सही विकल्प का चयन करें :

सूची-I	सूची-II
(*a*) प्रतिस्पर्धा अवधि	(*i*) ज्यादा प्रशिक्षण मात्रा लेकिन मध्यम तीव्रता
(*b*) संक्रमण अवधि	(*ii*) निम्न प्रशिक्षण मात्रा लेकिन अधिकतम तीव्रता
(*c*) तैयारी अवधि चरण-II	(*iii*) निम्न प्रशिक्षण मात्रा और निम्न प्रशिक्षण तीव्रता
(*d*) तैयारी अवधि चरण-I	(*iv*) अत्यधिक प्रशिक्षण मात्रा और तीव्रता में यथेष्ट वृद्धि

कूट :

	(*a*)	(*b*)	(*c*)	(*d*)
A.	(*iii*)	(*i*)	(*iv*)	(*ii*)
B.	(*ii*)	(*iii*)	(*iv*)	(*i*)
C.	(*i*)	(*ii*)	(*iii*)	(*iv*)
D.	(*iv*)	(*iii*)	(*ii*)	(*i*)

48. सूची-I में दिये गये ग्राफ के विभिन्न चतुर्थांशों (क्वाड्रान्ट) का सूची-II में दिये गये उनके संगत x एवं y के मूल्यों से मिलान कीजिए :

सूची-I	सूची-II
(*a*) चतुर्थांश-I	(*i*) $-x+y$
(*b*) चतुर्थांश-II	(*ii*) $+x+y$
(*c*) चतुर्थांश-III	(*iii*) $+x-y$
(*d*) चतुर्थांश-IV	(*iv*) $-x-y$

कूट :

	(*a*)	(*b*)	(*c*)	(*d*)
A.	(*i*)	(*ii*)	(*iv*)	(*iii*)
B.	(*i*)	(*ii*)	(*iii*)	(*iv*)
C.	(*ii*)	(*iii*)	(*iv*)	(*i*)
D.	(*ii*)	(*i*)	(*iv*)	(*iii*)

49. सूची-I के पदों को सूची-II से सुमेलित करें और नीचे दिए गए कूटों से सही विकल्प का चयन करें :

सूची-I	सूची-II
(*a*) स्टेट ट्रेट एन्जाइटि इन्वेन्टरी	(*i*) एम.एल. कमलेश
(*b*) समूह ससंजन अनुमाप (ग्रुप कोहेसन स्केल)	(*ii*) चेलादुराई. पी.
(*c*) खेल उपलब्धि अभिप्रेरण परीक्षण	(*iii*) स्पीलबरगर, सी.डी.
(*d*) खेल प्रतियोगिता दुश्चिंता परीक्षण	(*iv*) कैरन, ए.वी.
	(*v*) मारटेन्स, आर.

कूट :

	(*a*)	(*b*)	(*c*)	(*d*)
A.	(*v*)	(*iii*)	(*i*)	(*ii*)
B.	(*iv*)	(*iii*)	(*v*)	(*i*)
C.	(*iii*)	(*iv*)	(*i*)	(*v*)
D.	(*ii*)	(*iii*)	(*v*)	(*i*)

50. सूची-I के पदों को सूची-II से सुमेलित करें और नीचे दिए गए कूटों से सही विकल्प का चयन करें :

सूची-I	सूची-II
(*a*) सामुदायिक मनोरंजन	(*i*) विद्यालय और महाविद्यालय
(*b*) संस्थागत मनोरंजन	(*ii*) ग्रामीण और शहरी
(*c*) चिकित्सीय मनोरंजन	(*iii*) मनोरंजन पार्क
(*d*) वाणिज्यिक मनोरंजन	(*iv*) चिकित्सालय

कूट :

	(*a*)	(*b*)	(*c*)	(*d*)
A.	(*i*)	(*iii*)	(*ii*)	(*iv*)
B.	(*ii*)	(*i*)	(*iv*)	(*iii*)
C.	(*iii*)	(*iv*)	(*ii*)	(*i*)
D.	(*iv*)	(*i*)	(*iii*)	(*ii*)

उत्तरमाला

1	2	3	4	5	6	7	8	9	10
D	C	C	A	C	A	B	B	A	B
11	12	13	14	15	16	17	18	19	20
C	D	A	D	B	D	D	B	B	C
21	22	23	24	25	26	27	28	29	30
A	A	B	A	D	B	C	A	D	C
31	32	33	34	35	36	37	38	39	40
A	C	D	A	A	C	D	B	D	B
41	42	43	44	45	46	47	48	49	50
*	A	C	A	D	A	B	D	C	B

व्याख्यात्मक उत्तरमाला

1. ग्रीक शब्द 'डिस्कोस' का अर्थ होता है 'फेंकने की वस्तु'। आरंभ में डिस्कस और शॉट पुट की प्रतिस्पर्धाएँ निर्धारित दूरी पर पत्थर फेंककर आयोजित होती थीं। समूह क्रीड़ा सहित फेंकने वाला प्रतिस्पर्धा खेल प्राचीन स्पार्टा में इतने महत्वपूर्ण थे कि पुरुषत्व के प्रथम वर्ष पुरुषों को 'बॉल प्लेयर्स' कहा जाता था।

2. खेल की दुनिया में डोपिंग की बढ़ती समस्या का सामना करने के लिए वर्ष 1999 में वर्ल्ड एंटी डोपिंग एजेंसी (WADA) की स्थापना की गई जो WADA द्वारा प्रतिबंधित स्वापक को निर्धारित करता है। प्रतिबंधित पदार्थ और तकनीक निम्नलिखित श्रेणियों में आते हैं : एण्ड्रोजन, रक्त डोपिंग, पेप्टाइड हार्मोन, स्टीमुलेन्ट्स, डायउरेटिक्स, नशीले पदार्थों और कैन्नेबिनॉयड्स। स्टीमुलेन्ट्स जिसे प्रतिबंधित किया गया है, में शामिल हैं—एमफीटामाइन्स, फेनकैम्फेमाइन, कोकेन, मीथामफेटामाइन्स और मीसोकार्ब। कैन्नेबिनॉयड्स सामग्री के कारण प्रतियोगिता में मरिजुआना और चरस उत्पादों पर भी प्रतिबंध लगाया गया जबकि WADA द्वारा शराब पर प्रतिबंध नहीं लगाया गया है।

4. तनाव अनुक्रिया : तनाव प्रक्रिया का तीसरा चरण व्यक्ति की शारीरिक और मनोवैज्ञानिक प्रतिक्रिया है जो किसी स्थिति की धारणा है। यदि मांग और उसकी अनुक्रिया की क्षमता के बीच असंतुलन की धारणा के कारण उसे डर का आभास होता है, बढ़ती हुई चिंता की अवस्था सृजित होती है, बढ़ती हुई चिंता लाती है (संज्ञानात्मक अवस्था की चिंता), शारीरिक अवस्था में क्रियात्मक सक्रियण में वृद्धि अथवा दोनों। अन्य प्रतिक्रियाएं जैसे एकाग्रता में परिवर्तन और मांसपेशियों के तनाव में वृद्धि के साथ चिंतित अवस्था में वृद्धि।

तनाव अनुक्रिया (शारीरिक एवं मानसिक) :

- कामोत्तेजना
- चिंतित अवस्था (संज्ञानात्मक और शारीरिक)
- मांसपेशियों में तनाव
- ध्यान में परिवर्तन

6. स्वास्थ्य और तंदुरुस्तीः

- स्वास्थ्य तंदुरुस्ती की वह अवस्था है जिसमें स्वास्थ्य के सभी अवयव संतुलन में रहते हैं।
- तंदुरुस्ती को छह प्रमुख श्रेणियों में बांटा गया हैं।
- वास्तव में आपको सभी छह अवयवों को ध्यान रखना चाहिए।

स्वास्थ्य के छह अवयव

- भौतिक
- सामाजिक
- पर्यावरणात्मक
- भावनात्मक
- आध्यात्मिक
- बौद्धिक/मानसिक

10. सामाजिक गतिशीलता को व्यक्तियों, परिवारों, पारिवारिक इकाइयों की गति अथवा अन्य श्रेणी के लोगों जो सामाजिक स्तरीकरण की एक खुली प्रणाली के अंदर या स्तरों अथवा परतों के बीच के रूप में परिभाषित किया जाता है। मुक्त स्तरीकरण प्रणाली वह है जिसमें समाज में प्राप्त दर्जा की विशेषताएं देने के लिए कम-से-कम कुछ मूल्य दिए जाते हैं। गति नीचे अथवा ऊपर की दिशा में हो सकती है। निरपेक्ष सामाजिक गतिशीलता लोगों की कुल संख्या को संदर्भित करता है जो अपने माता-पिता से विभिन्न स्तर के स्तरीकरण पर समाप्त होता है।

11. खेल अधिशेष ऊर्जा का परिणाम है क्योंकि युवा अपने माता-पिता की गतिविधियों के माध्यम से आत्मरक्षा के कार्य से मुक्त हैं। खेलने के लक्ष्यहीन विपुल गतिविधियों में ऊर्जा अपने आप को रिलीज करती है।

पुनःसमर्पण सिद्धांत : खेल को एक गतिविधि के रूप में नहीं देखा जाता है जो भविष्य में सहज वृत्ति कौशल विकसित करता है बल्कि यह वंशानुगत द्वारा वहन किए जाने वाले अंगों के आदिम और अनावश्यक सहज वृत्ति कौशल से छुटकारा दिलाने में सहायता करता है। प्रत्येक बच्चा खेलने के चरणों की शृंखलाओं से होकर गुजरता है। साथ ही रेस के विकास में सांस्कृतिक अवस्थाओं की पुनरावृत्ति करता है।

मनोविश्लेषणात्मक सिद्धांत : खेल न सिर्फ इच्छापूर्ति की प्रवृत्तियों को प्रदर्शित करता है बल्कि महारत भी हासिल करवाता है—चिंता बढ़ाने वाली स्थितियों की अपरिहार्यता के साथ पुनरावृत्ति के माध्यम से सामना कराने का यह एक प्रयास है।

चिंता से जूझने के लिए खेल सुरक्षात्मकता के साथ-साथ अनुकूलक भी है।

13. जब किसी नौसिखिया को शॉट पुट से परिचय करवाया जाता है, तो प्रशिक्षक को उस विद्यार्थी को सिखाना चाहिए कि शॉट को हाथ में लेकर संतुलित करे ताकि यह उस बिन्दु पर स्थिर रहे जहाँ हाथ की हथेली से अंगुलियाँ जुड़ी हुई हैं। कई नौसिखिये अपने अंगुलियों को शॉट के चारों ओर से इस प्रकार पकड़ते हैं जैसे सॉफ्ट बॉल को पकड़ा जाता है। थ्रोअर्स को उनकी अंगुलियों को एक साथ जोड़कर रखने का निर्देश दिया जाना चाहिए और अंगूठे को शॉट के बगल में कोमलता से विरामावस्था में रखना चाहिए जो अन्य चार अंगुलियों के विपरीत हो। फेंकने की स्थिति में प्रशिक्षक को तकनीकी विवरण पर नजर रखना चाहिए, जो निम्न है :

- रिंग के पीछे सिर झुका होता है और आँख एक स्पॉट पर केंद्रित होती है जो कि मोटे तौर पर रिंग के पीछे 15 फीट दूर होता है।
- बायां बाँह विरामावस्था में होती है और धीरे से नीचे की ओर रिंग के पीछे पहुँचती है।
- दायां पांव शॉट रिंग के बाहर पांव को संतुलित करता है। एड़ी को जमीन का स्पर्श नहीं करना चाहिए।
- अधिक तेज गति और अधिक इष्टतम कोण।
- थ्रोअर की पीठ थ्रोइंग क्षेत्र की ओर होना चाहिए।
- बायां पाँव विरामावस्था में होता है और थोड़ा लचीला इस अनुमान के साथ कि दाएं पैर से बाएं पैर पर वज़न स्थानांतरण होगा। एड़ी को जमीन से स्पर्श नहीं होना चाहिए।

15. शारीरिक गतिविधि के स्वास्थ्य लाभों को अच्छी तरह से प्रलेखित किया गया है। गतिहीन व्यवहार को कम करने और जनसंख्या स्वास्थ्य में योगदान की पहचान में स्कूल और शारीरिक शिक्षा महत्वपूर्ण भूमिका अदा कर सकती हैं। हालांकि प्रभावी शिक्षण अंततः विद्यार्थियों की उपलब्धि से आंका जा सकता है। शिक्षक और विद्यालय, प्रभावशीलता के अध्ययन का प्रमुख घटक छात्र की तल्लीनता है। इस प्रकार, शारीरिक शिक्षा में अनुमानित परिणाम से संबंधित शिक्षण और अधिगम प्रक्रियाओं का मूल्यांकन महत्वपूर्ण है। साथ ही इसमें शामिल है कि विद्यार्थीगण और शिक्षकवृंद क्या करते हैं और किस प्रकार पाठ प्रस्तुत किया गया।

शारीरिक शिक्षा के शिक्षण की प्रभावशीलता निर्भर करती है : शारीरिक रूप से गतिविधि में लीन विद्यार्थी द्वारा व्यतीत समय, शारीरिक गतिविधि के लिए आवंटित समय और अच्छी तरह से नियोजित तथा सार्थक कार्य।

16. एड्स के चिह्न

बुखार : एच.आई.वी. संक्रमण के चिह्नों में से पहला चिह्न 102°F/39°C तक हल्का बुखार हो सकता है। इस बिन्दु पर वायरस रक्त प्रवाह में शामिल हो जाती हैं और बड़ी संख्या में प्रतिकृति बनाना आरंभ कर देती हैं। आप एच.आई.वी. संक्रमण के प्रारंभिक दौर में अत्यधिक संक्रमित

हो जाते हैं क्योंकि इसका पता नहीं चल पाता है। अनियंत्रित वायरस अपनी लाखों प्रतियाँ बना रही होती हैं जब ये उन प्रतिरक्षा प्रणाली की कोशिकाओं को नष्ट करती हैं जो रोगों से लड़ती हैं।

लिम्फ नोड्स का सूजन : अक्सर लिम्फ नोड्स संदीप्त अथवा सूज जाती है जब शरीर एच.आई.वी. संक्रमण से लड़ने की कोशिश करती है। महत्वपूर्ण लिम्फ नोड्स कांख, ऊसन्धि और गर्दन के क्षेत्रों में अवस्थित होते हैं। अक्सर गर्दन में लिम्फ नोड्स शामिल हैं, संवेदनशील हो जाते हैं और उसे 'सूजन ग्रंथियां' भी कहा जा सकता है।

अतिसार, उल्टी और मितली : बहुत से लोग जो एच. आई.वी. संक्रमण के प्रारंभिक दौर में होते हैं, उनमें मितली, उल्टी, अतिसार और भूख कम लगना देखा जाता है। यह फंगल, बैक्टीरियल, वायरल और परजीवी संक्रमण के कारण हो सकता है, जो पहले से ही प्रतिरक्षा प्रणाली को खतरे में डालने के लिए विह्वल कर देता है। कुछ मामलों में, ये लक्षण एच.आई.वी. दवा के दुष्प्रभाव भी हो सकते हैं।

18. वैज्ञानिक प्रबंधन के सिद्धांत : अपने निरीक्षण और प्रयोगों के आधार पर, टेलर ने वैज्ञानिक प्रबंधन के सिद्धांतों को सूत्रबद्ध किया जिन्हें नीचे दर्शाया गया है :

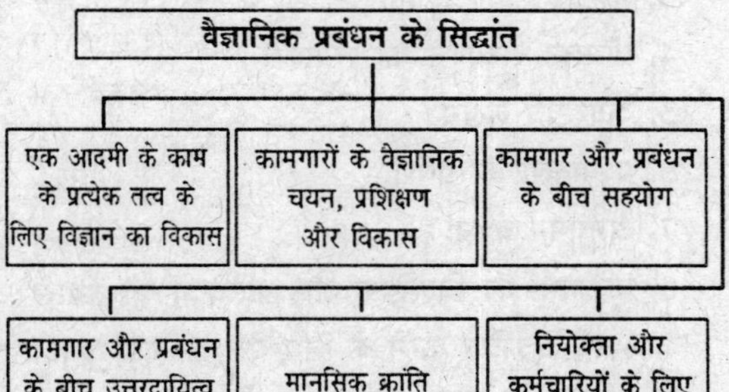

21. न्यूटन के तीसरे नियम से, प्रत्येक क्रिया के समान और विपरीत प्रतिक्रिया होती है। बेंच प्रेस एक अपर बॉडी शक्ति प्रशिक्षण व्यायाम है जिसमें अविरोधी स्थिति से ऊपर की ओर दबाव डाला जाता है।

25. लोच के प्रकार : लोच के विभिन्न प्रकार हैं जो नीचे वर्णित हैं :

(*a*) **निष्क्रिय लोच :** बाह्य सहायता से अधिक से अधिक दूरी के साथ गति करने की क्षमता, निष्क्रिय लोच कहलाती है। उदाहरण के लिए, एक साथी की मदद से तनन व्यायाम। निष्क्रिय लोच, सक्रिय लोच की तुलना में हमेशा अधिक होती है। वास्तव में निष्क्रिय लोच, सक्रिय लोच के लिए आधार है।

(*b*) **सक्रिय लोच :** बिना किसी बाहरी सहायता के लम्बी दूरी के लिए गति करने की क्षमता सक्रिय लोच कहलाती है। उदाहरण के लिए बिना साथी की मदद के तनन करना।

सक्रिय लोच को आगे दो भागों में विभाजित किया जा सकता है

(*i*) **स्थैतिक लोच :** सामान्यतः एक खिलाड़ी को स्थैतिक लोच की आवश्यकता तब होती है जब वह स्थैतिक स्थिति में रहता है। उदाहरण के लिए डुबकी/गोता लगाने में, विभिन्न खेलों में लेटने वाली और खड़ा रहने वाली स्थिति में।

(*ii*) **गत्यात्मक लोच :** अधिक दूरी हेतु गति करने के लिए उस व्यक्ति को गत्यात्मक लोच की आवश्यकता होती है जब वह व्यक्ति गति में हो।

एक खिलाड़ी और सामान्य व्यक्ति को दोनों प्रकार की लोच की आवश्यकता होती है। तनन व्यायाम के द्वारा लोच प्राप्त किया जा सकता है। तनन व्यायाम शुरू करने के पहले व्यक्ति को सौम्य तरीके से जॉगिंग अथवा धीमी गति से चलना चाहिए।

26. अनुप्रयुक्त अनुसंधान आधुनिक विश्व की व्यावहारिक समस्याओं को हल करने के लिए तैयार किया जाता है न कि ज्ञान के लिए ज्ञान प्राप्त करने के लिए। कोई भी कह सकता है कि अनुप्रयुक्त अनुसंधान का लक्ष्य मानव की स्थिति में सुधार लाना है। प्रयोगों की स्थितियों पर सीमित नियंत्रण है।

27. प्रतिक्रिया प्रक्रिया आधारित साक्ष्य रुचि के अप्रेक्षित चरित्रों के मापन अंकों पर बल देता है। मनोभाव, व्यक्तित्व विशेषताओं (एक व्यक्ति की विशिष्ट मनोवैज्ञानिक लक्षण की समग्रता) और अप्रेक्षित अभी तक सैद्धांतिक रूप से मौजूदा लक्षण हैं जो अक्सर निर्माण से संबंधित सबूत के साथ मान्य हैं।

29. मनोप्रेरणा क्षेत्र का वर्गीकरण (हैरो 1972)

अनैच्छिक गतिविधि

- खंडयुक्त अनैच्छिक क्रिया

- अंतर खंडयुक्त अनैच्छिक क्रिया
- सेगमेन्टल अनैच्छिक क्रिया
- इंटरसेगमेन्टल अनैच्छिक क्रिया
- सुप्रासेगमेन्टल अनैच्छिक क्रिया

आधारभूत-मौलिक संचलन

- गतिशील संचलन
- गतिहीन संचलन
- प्रहस्तनीय संचलन

अवधारणात्मक क्षमताएँ

- गतिसंवेदी भेदभाव
- दृष्टि संबंधी भेदभाव

श्रवण भेदभाव

- स्पर्श संबंधी भेदभाव
- समन्वित भेदभाव

शारीरिक क्षमताएँ

- सहनशीलता
- शक्ति
- लचीलापन
- चपलता

34. भारत में विद्यालयों में मध्याह्न भोजन का एक लम्बा इतिहास रहा है। वर्ष 1925 में, मद्रास नगर निगम में विकलांग बच्चों के लिए मध्याह्न भोजन कार्यक्रम की शुरुआत की गई। 1980 के दशक में मध्य में गुजरात, केरल और तमिलनाडु तथा केन्द्रशासित प्रदेश पुडुचेरी ने प्राथमिक स्तर पर पढ़ने वाले बच्चों के लिए अपने स्वयं के संसाधनों के माध्यम से सर्वव्यापी मध्याह्न भोजन कार्यक्रम चलाया। विशिष्ट लक्षित समूहों के पोषण की स्थिति में सुधार लाने हेतु 1970 में विशेष पोषण कार्यक्रम की शुरुआत की गई।

- लक्षित समूह हैं—
  —छह वर्ष से कम उम्र के बच्चे।
  —गर्भवती और स्तनपान कराने वाली माताएँ।
- कार्यक्रमों का संचालन निम्नलिखित स्थानों में किया जाता है :
  —शहरी गंदी बस्तियां
  —आदिवासी क्षेत्रों
  —पिछड़े ग्रामीण क्षेत्रों

भारत सरकार द्वारा शुरू की गई बालवाड़ी पोषण कार्यक्रम स्वास्थ्य देखभाल और शिक्षा कार्यक्रम है। इसका उद्देश्य ग्रामीण क्षेत्रों के 3-6 आयु समूह के बच्चों को बालवाड़ी में खाद्य अनुपूरक प्रदान करना है। इस कार्यक्रम की शुरुआत समाज कल्याण विभाग, भारत सरकार के अधीन 1970 में की गई। इस कार्यक्रम को लागू करने के लिए राष्ट्रीय स्तर के चार संगठनों जिनमें इंडियन काउंसिल ऑफ चाइल्ड वेलफेयर भी शामिल है, को अनुदान दिया जाता है। खाद्य अनुपूरक में 300 कैलोरी ऊर्जा और 10 ग्राम प्रोटीन प्रति बच्चा प्रदान किया जाता है।

37. प्रश्नावली प्रतिक्रियाएं सर्वेक्षण अनुसंधान के लिए स्वतंत्र और आश्रित चर प्रदान करते हैं। कॉक्स (1997) ने प्रश्नावली विकास की व्यापक प्रस्तुति दी। थॉमस, नेल्सन और सिल्वरमैन (2009) ने सर्वेक्षण अनुसंधान के संचालन के लिए आठ चरणों को सूचीबद्ध किया :

1. उद्देश्य का निर्धारण
2. नमूना परिसीमन
3. प्रश्नावली का सृजन
4. पॉयलट अध्ययन का संचालन
5. कवर-पत्र लेखन
6. प्रश्नावली का प्रेषण
7. अनुगमन करना
8. परिणामों का विश्लेषण और प्रतिवेदन की तैयारी।

जानकारी एकत्रित करने के लिए मेल की गई प्रश्नावली के उपयोग के लाभ और हानि दोनों हैं। सकारात्मक दृष्टिकोण से, प्रश्नावली पैसा और समय के संदर्भ में अपेक्षाकृत दक्ष हो सकता है। क्योंकि एक प्रश्नावली एक साथ सभी प्रावादी प्रत्यर्थियों को भेजा जा सकता है। डेटा संग्रह कुछ ही सप्ताह की अवधि में पूरा किया जा सकता है।

43. आपकी कलाई को आठ छोटी-छोटी हड्डियां ताकत और थोड़ा लचीलापन प्रदान करती हैं। वे कार्पल अस्थियां कहलाती हैं। अतः कभी-कभी कलाई को कार्पस के रूप में भी संदर्भित किया जाता है। आपकी कलाई की अधिकांश

गति कार्पल अस्थियों और बाजू की बहिःप्रकोष्ठिका अस्थि के बीच होती है, लेकिन कार्पल अस्थियों के बीच कुछ विसर्पण क्रिया होती है। प्रोक्सिमल फैलेन्जो और मेटाकार्पल्स के बीच डॉयलॉयड संधि के कारण अगल-बगल में गति संभव हो जाती है। साथ ही इसी के कारण समकोण पर मोड़ की सतह और एक्सटेंशन पर भी गति संभव हो पाती है।

कशेरूकी शरीर रचना में कीलक संधि को रोटरी संधि अथवा टॉरच्वाइड संधि भी कहा जाता है, जो एक स्वतंत्र रूप से चल संधि (डायथ्रोसिस) है। यह एकल धुरी के चारों ओर केवल रोटरी गति होने देती है। कीलक संधियां कोहनी की हड्डियों को घुमाने की गति प्रदान करता है। अर्थात् कोहनी के विपरीत बहिःप्रकोष्ठिका और अंतःप्रकोष्ठिका एक गति का उपयोग करते हैं, उदाहरण के लिए जार के ढक्कन को खोलना।

एक हड्डी के बेलनाकार अंत और दूसरी हड्डी के गर्ताकार सतह के बीच हिंज संधि का निर्माण होता है। हिंज संधि फ्लेक्सियॉन और एक्सटेंशन को एक ही सतह पर आने की अनुमति प्रदान करती है। यह प्रगाण्डिका और अंतः प्रकोष्ठिका के बीच मौजूद है।

46. विटामिन और आवश्यक खनिज कई उपापचयी प्रक्रिया में शामिल होते हैं। वे अन्य बातों के साथ इलेक्ट्रोलाइट और जल उपापचयी में एक महत्वपूर्ण भूमिका अदा करते हैं, और प्रतिरक्षा प्रणाली के साथ-साथ हड्डियों, मांसपेशियों और दांतों के परिवर्धन और क्रिया के लिए अपरिहार्य हैं।

कार्बोहाइड्रेट एक जैविक अणु है जिसमें कार्बन (C), हाइड्रोजन (H) और ऑक्सीजन (O) के कण विद्यमान होते हैं। सामान्यतया हाइड्रोजन-ऑक्सीजन परमाणु अनुपात 2 : 1 (जल में विद्यमान) के साथ कार्बोहाइड्रेट शरीर के लिए ऊर्जा का स्रोत (उदाहरणतः शर्करा और स्टार्च) प्रदान करता है। प्रोटीन शरीर की बुनियादी संरचनात्मक सामग्री है और कोशिका में इसके कई महत्वपूर्ण कार्य हैं। अत्यंत प्रचुर मात्रा में उपस्थित जैविक अणु हैं—कार्बन (C), हाइड्रोजन (H), ऑक्सीजन (O) और नाइट्रोजन (N)।

लिपिड : जीवविज्ञान में लिपिड प्राकृतिक रूप से व्याप्त अणुओं का एक समूह निर्माण करता है, जिसमें वसा, वैक्सेस, स्टीरॉल्स, वसा में घुलनशील विटामिन (जैसे—विटामिन A, D, E और K), मोनोग्लिसरॉइड, डिजीग्लिसरॉयड, ट्राइग्लिसरॉयड, फॉस्फोलिपिड और अन्य शामिल हैं।

48.

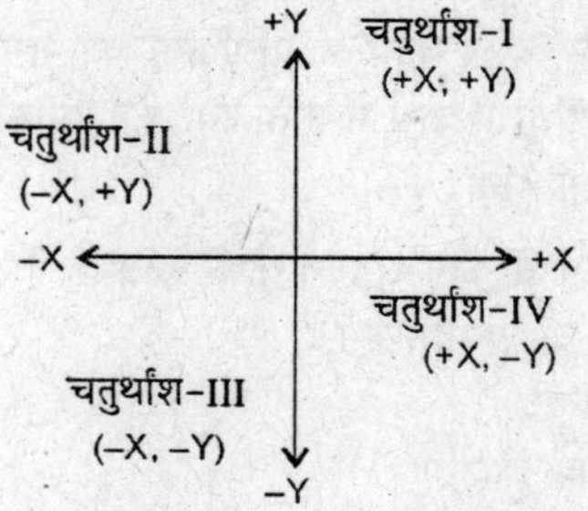

49. स्टेट-ट्रेट एन्जाइटि इन्वेन्टरी (STAI) आमतौर पर ट्रेट और स्टेट एन्जाइटि का प्रयुक्त मापक है (स्पीलबरगर, गोरसच, लुश्नी, वॉग और जैकोब, 1983)। इसका उपयोग एन्जाइटि का पता लगाने और अवसादग्रस्तता सिंड्रोम को पहचानने के लिए नैदानिक सैटिंग में किया जा सकता है। इसका उपयोग देखभालकर्ता की कठिनाई के संकेतक के रूप में भी किया जा सकता है। कैरन (2002) ने संसंजन प्रदर्शन संबंध खेल टीमों में सबसे मजबूत पाया और इस क्रम में (सबसे मजबूत से सबसे कमजोर) संबंध की शक्ति को रैंक प्रदान किया—खेल टीमें, सैन्य दस्ते, किसी उद्देश्य के लिए समूह, प्रायोगिक सेटिंग के समूह। डॉ. एम.एल. कमलेश द्वारा विकसित और मानकीकृत 'खेल उपलब्धि अभिप्रेरण परीक्षण' किया गया। खेल प्रतियोगिता दुश्चिंता परीक्षण को वैध और विश्वसनीय माप होने की सूचना दी गई। यह माप प्रतिस्पर्धी दुश्चिंता के प्रति पूर्वानुकूलता की है। यह मारटेन्स, आर. द्वारा दी गई। परीक्षण के साथ प्रदान की गई सांख्यिकीय डेटा इस निष्कर्ष का समर्थन नहीं करते।

प्रश्न–पत्र-III

निर्देश : *इस प्रश्नपत्र में* ***पचहत्तर (75)*** *बहु-विकल्पीय प्रश्न हैं। प्रत्येक प्रश्न के* ***दो (2)*** *अंक हैं। सभी प्रश्न अनिवार्य हैं।*

1. सकारात्मक और नकारात्मक स्थानान्तरण दोनों मुख्यतः किसका परिणाम है?

A. पहले और दूसरे कार्य में प्रतिक्रिया की समानता

B. पहले और दूसरे कार्य में प्रतिक्रिया की असमानता

C. पहले और दूसरे कार्य में प्रतिक्रिया का समन्वय

D. पहले और दूसरे कार्य में प्रतिक्रिया की समानता और असमानता दोनों

2. निम्नलिखित में से कौन संगठन के सिद्धांत के विरुद्ध है?

A. शक्तियों का प्रत्यायोजन

B. उचित संवाद

C. उचित विकेन्द्रीकरण

D. प्राधिकार की अतिव्याप्ति

3. किसी दिये गये समय में समाप्त हो चुके CO_2 के आयतन और खपत हुए O_2 के आयतन का अनुपात कहलाता है :

A. अंतःप्रेरणादायी लब्धि (इन्सपाइरेटरी क्वोशेन्ट)

B. श्वसन लब्धि (रेस्पिरेटरी क्वोशेन्ट)

C. महत्वपूर्ण क्षमता

D. कुल फुफ्फुस क्षमता

4. औसत बेग $\bar{V}$ किसके बराबर है?

A. $\dfrac{d}{t_2 - t_1}$ B. $\dfrac{V_f - V_i}{t_2 - t_1}$

C. $\dfrac{l}{t_2 - t_1}$ D. $\dfrac{S}{\Delta t}$

5. निम्नलिखित में से कौन-सी उपलब्धि प्रेरणा का चरण नहीं है?

A. स्वायत्त क्षमता चरण

B. सामाजिक तुलना चरण

C. एकीकृत चरण

D. विशिष्ट चरण

6. एक शारीरिक रूप से शिक्षित व्यक्ति :

A. प्रतिस्पर्धी खेलकूद में अच्छा होता है।

B. अनेक संचलन प्रकारों में दक्षता और कुछ संचलन प्रकारों में निपुणता दर्शाता है।

C. शारीरिक सक्षमता में बहुत अच्छा होता है।

D. बेहतर शारीरिक निपुणता, नेतृत्व गुण और नैतिक मूल्य होता है।

7. निम्नलिखित में से कौन किसी प्रकार की ऊर्जा उपलब्ध नहीं करा सकता है?

A. कार्बोहाइड्रेट B. वसा

C. विटामिन D. प्रोटीन

8. निम्नलिखित में से भार का पता लगाने का कौन-सा साधन कोच द्वारा खेलकूद वैज्ञानिक की सहायता लिए बिना स्वतंत्र रूप से लागू किया जा सकता है?

A. ब्लड यूरिया संकेंद्रण

B. ऑक्सीजन खपत

C. लैक्टिक एसिड संकेंद्रण

D. हृदय गति

9. परीक्षण की शक्ति है :

A. प्रकार I त्रुटि

B. सार्थकता का स्तर

C. प्रकार II त्रुटि

D. सापेक्ष स्थिति का अनुमाप

10. रेशनल इक्विवेलेंस किसके निर्धारण की पद्धति है?

A. विश्वसनीयता B. वैधता

C. वस्तुनिष्ठता D. (A) और (C)

11. निरीक्षण का प्राथमिक केन्द्रबिन्दु हमेशा होना चाहिए :

A. रिकार्डों का अनुरक्षण B. प्रतिस्पर्धा कार्यक्रम

C. अधिगम स्थिति D. उपकरण प्रबन्धन

12. मौलिक संचलन कौशल को वर्गीकृत किया जाता है :

(*a*) लोकोमोटर कौशल

(*b*) बेलिस्टिक कौशल

(*c*) नन-लोकोमोटर कौशल

(*d*) मेनीपुलेटिव कौशल

कूट :

A. (*b*), (*c*), (*d*) B. (*a*), (*b*), (*c*)

C. (*a*), (*c*), (*d*) D. (*a*), (*b*), (*d*)

13. पेशीय तन्तुओं के संकुचनशील तत्व मियोफाइब्रिल्स में किसके प्रोटीन तन्तु (फिलामेंट) निहित होते हैं?

(*a*) एल्ब्यूमिन (*b*) प्रोथ्रोम्बिन
(*c*) मायोसिन (*d*) ट्रोपोनिन
(*e*) ग्लोबुलिन (*f*) एक्टिन

कूट :
A. (*a*), (*c*), (*e*) B. (*c*), (*d*), (*f*)
C. (*b*), (*d*), (*f*) D. (*a*), (*b*), (*e*)

14. नीचे दी गई सूची से चिकित्सीय व्यायामों की पहचान करें :

(*a*) ट्रेम्पोलिन व्यायाम (*b*) सक्रिय सहायक व्यायाम
(*c*) प्रलंबित व्यायाम (*d*) निष्क्रिय व्यायाम
(*e*) प्लायोमेट्रिक व्यायाम

कूट :
A. (*a*), (*e*) B. (*c*), (*d*)
C. (*b*), (*d*) D. (*b*), (*e*)

15. मार्टन के अनुसार अपने व्यक्तित्व को समझने में विशेषताओं के सही समन्वय का पता लगाएं।

(*a*) मनोवैज्ञानिक केन्द्र (*b*) विशिष्ट अनुक्रिया
(*c*) अन्तर्वैयक्तिक उपागम (*d*) भूमिका संबंधित व्यवहार

कूट :
A. (*a*), (*b*), (*c*) B. (*b*), (*c*), (*d*)
C. (*a*), (*b*), (*d*) D. (*a*), (*c*), (*d*)

16. शारीरिक शिक्षा कक्षाओं में उचित छात्र व्यवहार का विकास और अनुरक्षण किसके द्वारा प्रभावित होता है?

(*a*) शिक्षक और छात्र के बीच पारस्परिक क्रिया।
(*b*) छात्रों के बीच पारस्परिक क्रिया।
(*c*) भौतिक वातावरण के साथ पारस्परिक क्रिया।
(*d*) प्रशासनिक नियंत्रण।

कूट :
A. (*a*), (*b*), (*c*) B. (*a*), (*b*), (*d*)
C. (*a*), (*c*), (*d*) D. (*b*), (*c*), (*d*)

17. बाह्य चर हैं :

(*a*) अनियंत्रित चर
(*b*) कार्यसाधित (मेनिपुलेटेड) चर
(*c*) गैर कार्यसाधित (नोन मेनिपुलेटेड) चर
(*d*) विकर्षक (डिस्ट्रैक्टिंग) चर

कूट :
A. (*a*), (*b*) और (*d*) B. (*a*), (*c*) और (*d*)
C. (*b*) और (*d*) D. (*a*) और (*c*)

18. नीचे दिये गये कूट की सहायता से व्यावसायिक स्वास्थ्य के सिद्धान्त संयोजन का चयन कीजिए :

(*a*) स्वास्थ्य संबंधी परामर्श
(*b*) सामान्य भरण पोषण
(*c*) अनुज्ञेय सीमा से अधिक गैसों का संकेंद्रण
(*d*) सुरक्षात्मक उपाय

कूट :
A. (*a*), (*b*), (*d*) B. (*b*), (*c*), (*d*)
C. (*a*), (*d*), (*c*) D. (*b*), (*a*), (*c*)

19. नीचे दिये गये कूट की सहायता से कबड्डी के खेल संबंधी सही संयोजन की पहचान कीजिए :

(*a*) पीछा करना (पर्स्युट) (*b*) धकेल किक (पुश किक)
(*c*) हिच किक (*d*) द कांट
(*e*) म्यूल किक

कूट :
A. (*b*), (*c*), (*d*) B. (*c*), (*d*), (*e*)
C. (*d*), (*a*), (*e*) D. (*a*), (*b*), (*c*)

20. प्रो. फिशर द्वारा बताये गये प्रयोगात्मक डिजाइन के तीन सिद्धान्त हैं :

(*a*) अपवर्जन का सिद्धान्त
(*b*) यादृच्छिकीकरण का सिद्धान्त
(*c*) स्थानीय नियंत्रण का सिद्धान्त
(*d*) प्रतिकृति का सिद्धान्त
(*e*) निगमन का सिद्धान्त

कूट :
A. (*a*), (*b*) और (*d*) B. (*a*), (*b*) और (*c*)
C. (*a*), (*c*) और (*e*) D. (*b*), (*c*) और (*d*)

21. इन्ट्रामुरल कार्यक्रम छात्रों में ये भावना पैदा करता है।

(*a*) जन भागीदारी
(*b*) स्वार्थपरता
(*c*) विद्वेष
(*d*) अधिकतम सहभागिता

सही कूट का चयन करें।

कूट :
A. (*a*) और (*b*) B. (*b*) और (*d*)
C. (*c*) और (*d*) D. (*a*) और (*d*)

22. नीचे दो अभिकथन दिए गए हैं जिनमें से एक को अभिकथन (A) तथा दूसरे को तर्क (R) कहा गया है।

अभिकथन (A) : ग्रीक आदर्श मस्तिष्क, शरीर और आत्मा की एकता पर बल देता है। इस सिद्धांत को प्रतिबिम्बित करने में ग्रीक शिक्षा में बौद्धिक और शारीरिक शिक्षा दोनों शामिल हैं।

तर्क (R) : शारीरिक कार्यकलाप में भागीदारी की भूमिका सैनिक सफलता के लिए शारीरिक रूप से समर्थ होना खेल-कूद पराक्रम प्राप्त करना था।

उपर्युक्त दो अभिकथनों के संदर्भ में निम्नलिखित में से क्या सही है?

A. (A) और (R) दोनों सही हैं और (R), (A) का सही स्पष्टीकरण है।

B. (A) और (R) दोनों सही हैं, लेकिन (R), (A) का सही स्पष्टीकरण नहीं है।

C. (A) सही है और (R) गलत है।

D. (A) गलत है और (R) सही है।

23. नीचे दो अभिकथन दिए गए हैं जिनमें से एक को अभिकथन (A) और दूसरे को तर्क (R) कहा गया है।

अभिकथन (A) : समाजीकरण एक मौलिक सामाजिक प्रक्रिया है जो प्रत्येक को प्रभावित करता है क्योंकि यह एक साधन है जिसके द्वारा मूल्य, धारणा और व्यवहार प्राप्त किया जाता है।

तर्क (R) : खेल-कूद को एक सामाजिक संस्थान के रूप में देखा जा सकता है और इसका परीक्षण शैक्षिक प्रणाली जैसे अन्य सामाजिक संस्थानों पर इसके प्रभाव के संबंध में इसका परीक्षण किया जा सकता है।

उपर्युक्त दो अभिकथनों के संदर्भ में निम्नलिखित में से क्या सही है?

A. (A) और (R) दोनों सही हैं और (R), (A) का सही स्पष्टीकरण है।

B. (A) और (R) दोनों सही हैं, लेकिन (R), (A) का सही स्पष्टीकरण नहीं है।

C. (A) सही है और (R) गलत है।

D. (A) गलत है और (R) सही है।

24. नीचे दो अभिकथन दिए गए हैं जिनमें से एक को अभिकथन (A) और दूसरे को तर्क (R) कहा गया है।

अभिकथन (A) : व्यायाम तथा स्वास्थ्य लाभ के ऑक्सीजन का उदग्रहण काफी हद तक खिलाड़ी के खेल के कार्य निष्पादन की संभावना को अभिनिर्धारित करता है।

तर्क (R) : व्यायाम के दौरान हृदय धड़कने की दर एवं ऑक्सीजन उदग्रहण क्षमता के बीच रेखीय संबंध है।

उपर्युक्त दो अभिकथनों के संदर्भ में निम्नलिखित में से क्या सही है?

A. (A) और (R) दोनों सही हैं और (R), (A) का सही स्पष्टीकरण है।

B. (A) और (R) दोनों सही हैं, लेकिन (R), (A) का सही स्पष्टीकरण नहीं है।

C. (A) सही है और (R) गलत है।

D. (A) गलत है और (R) सही है।

25. नीचे दो अभिकथन दिए गए हैं जिनमें से एक को अभिकथन (A) और दूसरे को तर्क (R) कहा गया है।

अभिकथन (A) : चूँकि खिलाड़ी सर्वाधिक स्वस्थ और दुरुस्त व्यक्ति होते हैं, उनके लिए स्वापकों का प्रयोग सीमित होना चाहिए—दुर्भाग्य से, यह सत्य नहीं है।

तर्क (R) : यदि सामान्य व्यक्ति कुछ स्वापकों का प्रयोग करते हैं, तो यह उसकी चिकित्सा होती है, परंतु जब खिलाड़ी ऐसे स्वापकों का उपयोग करते हैं, तो यह 'डोपिंग' कहलाता है।

उपर्युक्त दो अभिकथनों के संदर्भ में निम्नलिखित में से क्या सही है?

A. (A) और (R) दोनों सही हैं और (R), (A) का सही स्पष्टीकरण है।

B. (A) और (R) दोनों सही हैं, लेकिन (R), (A) का सही स्पष्टीकरण नहीं है।

C. (A) सही है और (R) गलत है।

D. (A) गलत है और (R) सही है।

26. नीचे दो अभिकथन दिए गए हैं जिनमें से एक को अभिकथन (A) और दूसरे को तर्क (R) कहा गया है।

अभिकथन (A) : निरंतर भार उठाने के फलस्वरूप संस्थिति का समाकलनात्मक पैटर्न प्रधानतः अविवेचित और अचेतन होता है।

तर्क (R) : संस्थितिजन्य नियंत्रण में स्थैतिक और फेजिक प्रतिवर्त शामिल होते हैं और ये केंद्रीय तंत्रिका प्रणाली में समेकित होते हैं।

उपर्युक्त दो अभिकथनों के संदर्भ में निम्नलिखित में से क्या सही है?

A. (A) और (R) दोनों सही हैं और (R), (A) का सही स्पष्टीकरण है।

B. (A) और (R) दोनों सही हैं, लेकिन (R), (A) का सही स्पष्टीकरण नहीं है।

C. (A) सही है और (R) गलत है।

D. (A) गलत है और (R) सही है।

27. नीचे दो अभिकथन दिए गए हैं जिनमें से एक को अभिकथन (A) और दूसरे को तर्क (R) कहा गया है।

अभिकथन (A) : समाज में चिकित्सीय हस्तकौशल को स्वीकृति मिल रही है। सामान्यतः हस्तकौशल सामान्य गति में वापस लाने तथा अशांत जैव यांत्रिकी के गौण दर्द को समाप्त करने की दिशा में काम करता है।

तर्क (R) : हस्तकौशल संबंधी व्यायाम हमेशा जोखिमपूर्ण होते हैं और इसके कई दुष्प्रभाव होते हैं जिनसे अनेक आंतरिक जटिलताएं पैदा हो सकती हैं।

उपर्युक्त दो अभिकथनों के संदर्भ में निम्नलिखित में से क्या सही है?

A. (A) और (R) दोनों सही हैं और (R), (A) का सही स्पष्टीकरण है।

B. (A) और (R) दोनों सही हैं, लेकिन (R), (A) का सही स्पष्टीकरण नहीं है।

C. (A) सही है और (R) गलत है।

D. (A) गलत है और (R) सही है।

28. नीचे दो अभिकथन दिए गए हैं जिनमें से एक को अभिकथन (A) और दूसरे को तर्क (R) कहा गया है।

अभिकथन (A) : प्रेरणा का एक वास्तविक विचार विकसित करने के लिए खेल प्रदर्शन और व्यवहार पर गैर-प्रेरक प्रभावों की पहचान करना और यह आकलन करना सीखना है कि क्या प्रेरक तत्त्व को आसानी से बदला जा सकता है।

तर्क (R) : व्यक्ति के लिए लक्ष्य यह होता है कि वह उपलब्धि प्रेरणा के प्रभाव को समझने के लिए एक स्वायत्त, एकीकृत स्तर पर पहुँचे।

उपर्युक्त दो अभिकथनों के संदर्भ में निम्नलिखित में से क्या सही है?

A. (A) और (R) दोनों सही हैं और (R), (A) का सही स्पष्टीकरण है।

B. (A) और (R) दोनों सही हैं, लेकिन (R), (A) का सही स्पष्टीकरण नहीं है।

C. (A) सही है और (R) गलत है।

D. (A) गलत है और (R) सही है।

29. नीचे दो अभिकथन दिए गए हैं जिनमें से एक को अभिकथन (A) और दूसरे को तर्क (R) कहा गया है।

अभिकथन (A) : लोगों को अपना तनाव और दुश्चिन्ता दूर करने में सहायता करने की सर्वाधिक प्रभावकारी विधि उन्हें मनोवैज्ञानिक उत्प्रेरण की बड़ी खुराक देकर उनका मनोत्थान करना है।

तर्क (R) : उत्प्रेरण से संबंधित भावना जैसे संज्ञानात्मक और दैहिक दुश्चिन्ता प्रदर्शन से संबंधित होते हैं। भावनाओं की इष्टतम रेसिपी सबसे अच्छे प्रदर्शन से संबंधित होती है।

उपर्युक्त दो अभिकथनों के संदर्भ में निम्नलिखित में से क्या सही है?

A. (A) और (R) दोनों सही हैं और (R), (A) का सही स्पष्टीकरण है।

B. (A) और (R) दोनों सही हैं, लेकिन (R), (A) का सही स्पष्टीकरण नहीं है।

C. (A) सही है और (R) गलत है।

D. (A) गलत है और (R) सही है।

30. नीचे दो अभिकथन दिए गए हैं जिनमें से एक को अभिकथन (A) और दूसरे को तर्क (R) कहा गया है।

अभिकथन (A) : अधिक से अधिक व्यक्ति हेल्थ और फिटनैस क्लबों के साथ-साथ सामुदायिक और वाणिज्यिक शारीरिक सक्षमता कार्यक्रमों में विभिन्न प्रकार के शारीरिक कार्यकलापों में शामिल होते जा रहे हैं।

तर्क (R) : शारीरिक कार्यकलाप कार्यक्रमों को तैयार करने, उनका नेतृत्व और मूल्यांकन करने के लिए सक्षम शारीरिक शिक्षा, व्यायाम विज्ञान और खेल-कूद पेशेवरों की जरूरत है।

उपर्युक्त दो अभिकथनों के संदर्भ में निम्नलिखित में से क्या सही है?

A. (A) और (R) दोनों सही हैं और (R), (A) का सही स्पष्टीकरण है।

B. (A) और (R) दोनों सही हैं, लेकिन (R), (A) का सही स्पष्टीकरण नहीं है।

C. (A) सही है और (R) गलत है।

D. (A) गलत है और (R) सही है।

31. नीचे दो अभिकथन दिए गए हैं जिनमें से एक को अभिकथन (A) और दूसरे को तर्क (R) कहा गया है :

अभिकथन (A) : बच्चों में संचलन विकास पाँच वर्ष की आयु से होता है।

तर्क (R) : ग्यारह वर्ष की आयु तक लड़कियों के पैरों की शक्ति लड़कों से ज्यादा होती है।

उपर्युक्त दो अभिकथनों के संदर्भ में निम्नलिखित में से क्या सही है?

A. (A) और (R) दोनों सही हैं और (R), (A) का सही स्पष्टीकरण है।

B. (A) और (R) दोनों सही हैं, लेकिन (R), (A) का सही स्पष्टीकरण नहीं है।

C. (A) सही है और (R) गलत है।

D. (A) गलत है और (R) सही है।

32. नीचे दो अभिकथन दिए गए हैं जिनमें से एक को अभिकथन (A) और दूसरे को तर्क (R) कहा गया है।

अभिकथन (A) : निष्क्रिय जीवन-शैली के कारण मोटापा विश्वव्यापी समस्या बन गया है।

तर्क (R) : बच्चे वैसा भोजन पसंद करते हैं जिनमें काफी उच्च कैलोरी होती है तथा बहुत कम शारीरिक गतिविधि अथवा कोई शारीरिक गतिविधि नहीं होने के कारण अतिरिक्त कैलोरी उनमें बची रहती है।

उपर्युक्त दो अभिकथनों के संदर्भ में निम्नलिखित में से क्या सही है?

A. (A) और (R) दोनों सही हैं और (R), (A) का सही स्पष्टीकरण है।

B. (A) और (R) दोनों सही हैं लेकिन (R), (A) का सही स्पष्टीकरण नहीं है।

C. (A) सही है और (R) गलत है।

D. (A) गलत है और (R) सही है।

33. नीचे दो अभिकथन दिए गए हैं जिनमें से एक को अभिकथन (A) और दूसरे को तर्क (R) कहा गया है।

अभिकथन (A) : कालचक्रबद्धता का उपयोग मुख्यतः उच्च प्रदर्शन प्रशिक्षण चरण में होता है तथा सम्पूर्ण वर्ष की कालचक्रबद्धता होती है जिसमें प्रदर्शन में तेजी से सुधार हेतु बहु कालचक्रबद्धता का उपयोग किया जाता है।

तर्क (R) : बच्चों के लिए बहु कालचक्रबद्धता का उपयोग किया जाता है क्योंकि वे उच्च विशिष्ट तथा गहन प्रशिक्षण कार्यक्रम को बर्दाश्त कर सकते हैं।

उपर्युक्त दो अभिकथनों के संदर्भ में निम्नलिखित में से क्या सही है?

A. (A) और (R) दोनों सही हैं और (R), (A) का सही स्पष्टीकरण है।

B. (A) और (R) दोनों सही हैं, लेकिन (R), (A) का सही स्पष्टीकरण नहीं है।

C. (A) सही है और (R) गलत है।

D. (A) गलत है और (R) सही है।

34. नीचे दो अभिकथन दिए गए हैं जिनमें से एक को अभिकथन (A) और दूसरे को तर्क (R) कहा गया है।

अभिकथन (A) : प्रत्यक्ष तैयारी के दौरान प्रशिक्षण का दोहरा लक्ष्य होना चाहिए अर्थात् चोटी का फॉर्म प्राप्त करना और एथलीट की कमियों को दूर करना।

तर्क (R) : प्रशिक्षण सम्भावित प्रतिस्पर्धा परिस्थितियों के संदर्भ में अत्यन्त व्यक्तिगत और विशिष्ट होना चाहिए।

उपर्युक्त दो अभिकथनों के संदर्भ में निम्नलिखित में से क्या सही है?

A. (A) और (R) दोनों सही हैं और (R), (A) का सही स्पष्टीकरण है।
B. (A) और (R) दोनों सही हैं, लेकिन (R), (A) का सही स्पष्टीकरण नहीं है।
C. (A) सही है और (R) गलत है।
D. (A) गलत है और (R) सही है।

35. नीचे दो अभिकथन दिए गए हैं जिनमें से एक को अभिकथन (A) और दूसरे को तर्क (R) कहा गया है।

अभिकथन (A) : जब जनसंख्या सम्मिश्रित होती है, तो स्तरीकृत प्रतिचयन प्राप्त किया जाता है।

तर्क (R) : क्योंकि प्रत्येक अवयव का आकलन कर हम संपूर्ण जनसंख्या का मापन जान सकते हैं।

उपर्युक्त दो अभिकथनों के संदर्भ में निम्नलिखित में से क्या सही है?

A. (A) और (R) दोनों सही हैं और (R), (A) का सही स्पष्टीकरण है।
B. (A) और (R) दोनों सही हैं, लेकिन (R), (A) का सही स्पष्टीकरण नहीं है।
C. (A) सही है और (R) गलत है।
D. (A) गलत है और (R) सही है।

36. नीचे दो अभिकथन दिए गए हैं जिनमें से एक को अभिकथन (A) और दूसरे को तर्क (R) कहा गया है।

अभिकथन (A) : शोधकर्ता के द्वारा स्वतंत्र चर में फेरबदल परतंत्र चर पर उनके प्रभाव को देखने के लिए किया जाता है।

तर्क (R) : क्योंकि इससे परिकल्पित बाह्य चरों का पूर्वाभास होता है।

उपर्युक्त दो अभिकथनों के संदर्भ में निम्नलिखित में से क्या सही है?

A. (A) और (R) दोनों सही हैं और (R), (A) का सही स्पष्टीकरण है।
B. (A) और (R) दोनों सही हैं, लेकिन (R), (A) का सही स्पष्टीकरण नहीं है।
C. (A) सही है और (R) गलत है।
D. (A) गलत है और (R) सही है।

37. नीचे दो अभिकथन दिए गए हैं जिनमें से एक को अभिकथन (A) और दूसरे को तर्क (R) कहा गया है।

अभिकथन (A) : अनुदेशी कार्यक्रम का निर्माणात्मक मूल्यांकन पूर्वनिर्णीत उद्देश्यों की तरह अनिवार्य नहीं है।

तर्क (R) : निर्माणात्मक मूल्यांकन का परिणाम अनुदेशी कार्यक्रम के मध्य में प्राप्त होता है।

उपर्युक्त दो अभिकथनों के संदर्भ में निम्नलिखित में से क्या सही है?

A. (A) और (R) दोनों सही हैं और (R), (A) का सही स्पष्टीकरण है।
B. (A) और (R) दोनों सही हैं, लेकिन (R), (A) का सही स्पष्टीकरण नहीं है।
C. (A) सही है और (R) गलत है।
D. (A) गलत है और (R) सही है।

38. नीचे दो अभिकथन दिए गए हैं जिनमें से एक को अभिकथन (A) और दूसरे को तर्क (R) कहा गया है।

अभिकथन (A) : मापन की मानक त्रुटि सब्जेक्ट के प्राप्तांक में कमी वृद्धि की मात्रा को दर्शाता है जो मापन में त्रुटि के परिणामस्वरूप आता है।

तर्क (R) : मापन की मानक त्रुटि प्रतिचयन के मानक त्रुटि के समान है।

उपर्युक्त दो अभिकथनों के संदर्भ में निम्नलिखित में से क्या सही है?

A. (A) और (R) दोनों सही हैं और (R), (A) का सही स्पष्टीकरण है।

B. (A) और (R) दोनों सही हैं, लेकिन (R), (A) का सही स्पष्टीकरण नहीं है।

C. (A) सही है और (R) गलत है।

D. (A) गलत है और (R) सही है।

39. नीचे दो अभिकथन दिए गए हैं जिनमें से एक को अभिकथन (A) और दूसरे को तर्क (R) कहा गया है।

अभिकथन (A) : शिक्षा के माध्यम से मूल सहज व्यवहार को सामाजिक रूप से स्वीकृत व्यवहार के रूप में आशोधित किया जा सकता है।

तर्क (R) : किशोर लड़के और लड़कियाँ सह-शिक्षा अधिगम कार्यक्रम में एक-दूसरे को आदर देना सीख सकते हैं।

उपर्युक्त दो अभिकथनों के संदर्भ में निम्नलिखित में से क्या सही है?

A. (A) और (R) दोनों सही हैं और (R), (A) का सही स्पष्टीकरण है।

B. (A) और (R) दोनों सही हैं, लेकिन (R), (A) का सही स्पष्टीकरण नहीं है।

C. (A) सही है और (R) गलत है।

D. (A) गलत है और (R) सही है।

40. नीचे दो अभिकथन दिए गए हैं जिनमें से एक को अभिकथन (A) और दूसरे को तर्क (R) कहा गया है।

अभिकथन (A) : प्रबन्धन प्रत्येक संगठन में गत्यात्मक जीवनदायिनी तत्व है।

तर्क (R) : यह प्रेरक बल है जो लोगों से कार्य कराता है।

उपर्युक्त दो अभिकथनों के संदर्भ में निम्नलिखित में से क्या सही है?

A. (A) और (R) दोनों सही हैं और (R), (A) का सही स्पष्टीकरण है।

B. (A) और (R) दोनों सही हैं, लेकिन (R), (A) का सही स्पष्टीकरण नहीं है।

C. (A) सही है और (R) गलत है।

D. (A) गलत है और (R) सही है।

41. संज्ञानात्मक क्षेत्र के उद्देश्यों को निम्न से उच्च के क्रम में व्यवस्थित कीजिए :

(*a*) समझ (*b*) ज्ञान

(*c*) विश्लेषण (*d*) अनुप्रयोग

कूट :

A. (*b*), (*a*), (*d*), (*c*) B. (*c*), (*b*), (*a*), (*d*)

C. (*a*), (*b*), (*c*), (*d*) D. (*b*), (*c*), (*a*), (*d*)

42. निम्नलिखित में से कौन पेशीय संकुचन की क्रिया होने का सही क्रम है?

(*a*) एसिटिल कोलीन निकलता है।

(*b*) तंत्रिका अंत:प्रेरणा सृजित होती है।

(*c*) एसिटोमाइसिन कम्प्लेक्स

(*d*) कैल्सियम ट्रोपोनिन को संतृप्त करता है।

(*e*) क्रिया क्षमता विकसित

कूट :

A. (*b*), (*a*), (*d*), (*c*), (*e*)

B. (*b*), (*e*), (*a*), (*d*), (*c*)

C. (*e*), (*b*), (*a*), (*d*), (*c*)

D. (*a*), (*b*), (*e*), (*c*), (*d*)

43. ऊँची कूद (हाई जम्पिंग) के दौरान शरीर के अंगों के संचलन नीचे दिये गये हैं। इन संचलनों को सही अनुक्रम में व्यवस्थित कीजिए।

(*a*) विस्तारण के बाद घुटने का आकुंचन

(*b*) धड़ का आकुंचन

(*c*) टखने में पादतल आकुंचन

(*d*) आकुंचन के बाद नितम्ब विस्तारण

(*e*) स्कंध अति आकुंचन

कूट :

A. (*c*), (*b*), (*a*), (*d*), (*e*)

B. (*a*), (*c*), (*b*), (*d*), (*e*)

C. (*b*), (*a*), (*c*), (*e*), (*d*)

D. (*c*), (*a*), (*d*), (*b*), (*e*)

44. वेनबर्ग द्वारा वर्णित लय के आवश्यक तत्वों के सही क्रम की पहचान करें :

(*a*) कार्यकलाप में पूर्ण संलग्नता

(*b*) लयबद्ध संचलन

(*c*) कार्य और जागरूकता का विलय

(*d*) कार्यकलाप से बाहर कोई लक्ष्य या पुरस्कार नहीं

कूट :

A. (*a*), (*b*), (*c*), (*d*)

B. (*a*), (*c*), (*d*), (*b*)

C. (*a*), (*d*), (*b*), (*c*)

D. (*b*), (*c*), (*d*), (*a*)

45. शारीरिक शिक्षा का एक प्रमुख लक्ष्य शारीरिक सक्षमता है। शारीरिक सक्षमता का चरण-दर-चरण उपागम है :

(*a*) शारीरिक कार्यकलाप और व्यायाम करना।

(*b*) सक्षमता और शारीरिक कार्यकलाप का स्वआकलन और स्वनियोजन करना।

(*c*) शारीरिक कार्यकलाप अभिगम।

(*d*) शारीरिक क्रियाकलाप में जीवन-पर्यन्त संलग्नता।

कूट :

A. (*a*), (*c*), (*d*), (*b*) B. (*c*), (*a*), (*b*), (*d*)
C. (*b*), (*c*), (*a*), (*d*) D. (*a*), (*b*), (*c*), (*d*)

46. नाश्ता, दोपहर का भोजन, अल्पाहार और रात्रि भोजन के लिए आहार नियोजन में किसी वयस्क के लिए कुल कैलोरी के प्रतिशत वितरण को सुबह से रात्रि के क्रम में व्यवस्थित करें।

(*a*) 10% (*b*) 30%
(*c*) 20% (*d*) 40%

कूट :

A. (*a*), (*d*), (*c*), (*b*) B. (*b*), (*c*), (*d*), (*a*)
C. (*c*), (*b*), (*a*), (*d*) D. (*d*), (*b*), (*a*), (*c*)

47. नीचे दिए गए कूटों से परिकल्पना की जाँच के सही क्रम का पता लगाएं :

(*a*) नमूने का चयन और नमूना आँकड़े से उचित मान की गणना करना।

(*b*) सम्भावना के बारे में एक औपचारिक वक्तव्य देना।

(*c*) संभाव्यता की गणना।

(*d*) सार्थकता के उचित स्तर का चयन।

(*e*) संभाव्यता की तुलना।

कूट :

A. (*b*), (*a*), (*d*), (*c*), (*e*)
B. (*c*), (*d*), (*b*), (*a*), (*e*)
C. (*b*), (*d*), (*a*), (*c*), (*e*)
D. (*a*), (*b*), (*c*), (*d*), (*e*)

48. मैक डुगल तथा वेंगर (1991) ने परीक्षण को अधिक प्रभावी बनाने के लिए निम्नलिखित एक अनुक्रम में निम्नलिखित प्रक्रियाओं को बताया था :

(*a*) विश्वसनीय एवं विधिमान्य परीक्षण का चयन करना।

(*b*) परीक्षण प्रशासन को दृढ़ता से नियंत्रित करना।

(*c*) खेल संबंधी चर शामिल करना।

(*d*) खेल विशिष्ट परीक्षण प्रोटोकोल तैयार करना।

(*e*) परीक्षण को आवधिक रूप से दुहराना।

(*f*) प्रशिक्षक तथा खिलाड़ी को प्रत्यक्ष रूप से परिणामों की व्याख्या करना।

(*g*) खिलाड़ी के आत्मसम्मान के अधिकार को बनाये रखना।

कूट :

A. (*c*), (*d*), (*a*), (*e*), (*f*), (*b*), (*g*)
B. (*a*), (*c*), (*b*), (*e*), (*d*), (*f*), (*g*)
C. (*c*), (*a*), (*d*), (*b*), (*g*), (*e*), (*f*)
D. (*g*), (*a*), (*c*), (*b*), (*e*), (*d*), (*f*)

49. किसी संगठन में उद्देश्यों का कार्यान्वयन चरणों में किया जाता है, ऐसा एक चरण जैसे कार्य योजना में शामिल है। नीचे दिये गये कूट से सही क्रम की पहचान कीजिए :

(*a*) उद्देश्यों के अनुरूप समुचित कार्यनीति का चयन करना।

(*b*) अधिकतम संसाधन उपयोग की प्राप्ति हेतु विशिष्ट कार्यकलाप नियत करना।

(*c*) उद्देश्यों की प्राप्ति हेतु संसाधन आवंटित करना।

(*d*) उद्देश्यों की प्राप्ति हेतु जिम्मेदारी नियत करना।

कूट :

A. (*a*), (*c*), (*d*), (*b*) B. (*a*), (*d*), (*c*), (*b*)
C. (*b*), (*a*), (*c*), (*d*) D. (*d*), (*c*), (*a*), (*b*)

50. सूची-I के पदों को सूची-II से सुमेलित करें और नीचे दिए गए कूटों से सही विकल्प का चयन करें :

सूची-I		सूची-II
(*a*) आदर्शवाद	(*i*)	वैयक्तिक अनुभव यह निर्धारित करता है कि क्या सत्य है।
(*b*) यथार्थवाद	(*ii*)	व्यक्ति अनुभव से सत्य सीखता है।
(*c*) परिणामवाद	(*iii*)	विज्ञान सत्य को प्रकट करता है।
(*d*) अस्तित्ववाद	(*iv*)	सत्य और मूल्य निरपेक्ष होते हैं तथा इनकी पूरी दुनिया में भागीदारी होती है।

कूट :

	(*a*)	(*b*)	(*c*)	(*d*)
A.	(*i*)	(*ii*)	(*iii*)	(*iv*)
B.	(*iv*)	(*iii*)	(*ii*)	(*i*)
C.	(*ii*)	(*i*)	(*iv*)	(*iii*)
D.	(*iii*)	(*iv*)	(*i*)	(*ii*)

51. सूची-I के पदों को सूची-II से सुमेलित करें और नीचे दिए गए कूटों से सही विकल्प का चयन करें :

सूची-I	सूची-II
(*a*) जॉन बर्नहेंड बेस्डो	(*i*) जर्मनी में आधुनिक व्यायाम (जिमनास्टिक्स) के संस्थापक
(*b*) फ्रेडरिक लुडविग जॉन	(*ii*) चिकित्सीय, शैक्षिक तथा सौंदर्य विषयक व्यायाम
(*c*) पर हेनरिक लिंग	(*iii*) टर्नवेरियन आंदोलन
(*d*) जोहान्न क्रिस्टोफ फ्रेडरिक गुथ्स मुथ्स	(*iv*) प्रकृतिवाद व्यायाम कार्यक्रम

कूट :

	(*a*)	(*b*)	(*c*)	(*d*)
A.	(*i*)	(*iii*)	(*ii*)	(*iv*)
B.	(*ii*)	(*iv*)	(*i*)	(*iii*)
C.	(*iii*)	(*i*)	(*iv*)	(*ii*)
D.	(*iv*)	(*iii*)	(*ii*)	(*i*)

52. सूची-I के पदों को सूची-II से सुमेलित करें और नीचे दिए गए कूटों से सही विकल्प का चयन करें :

सूची-I	सूची-II
(*a*) धरोहर	(*i*) पर्यनुकूलन
(*b*) सहनशक्ति	(*ii*) टी.सी.ए. चक्र
(*c*) पर्यावरण	(*iii*) कद
(*d*) ऊर्जा	(*iv*) VO_2 मैक्स

कूट :

	(*a*)	(*b*)	(*c*)	(*d*)
A.	(*iv*)	(*iii*)	(*i*)	(*ii*)
B.	(*iii*)	(*iv*)	(*ii*)	(*i*)
C.	(*ii*)	(*i*)	(*iv*)	(*iii*)
D.	(*iii*)	(*iv*)	(*i*)	(*ii*)

53. सूची-I के पदों को सूची-II से सुमेलित करें और नीचे दिए गए कूटों से सही विकल्प का चयन करें :

सूची-I (प्रतिबंधित स्वापकों का वर्गीकरण)	सूची-II (उदाहरण)
(*a*) साइकोमोटर स्टुमुलैंट	(*i*) मॉर्फीन
(*b*) सिम्पेथोमिमेटिक एमिन्स	(*ii*) स्टांजालॉल
(*c*) नार्कोटिक एनालजेसिक्स	(*iii*) एम्फेटेमाइन
(*d*) एनाबोलिक स्टेरॉयड	(*iv*) एफिड्रिन

कूट :

	(*a*)	(*b*)	(*c*)	(*d*)
A.	(*iv*)	(*iii*)	(*i*)	(*ii*)
B.	(*iii*)	(*iv*)	(*i*)	(*ii*)
C.	(*ii*)	(*iii*)	(*iv*)	(*i*)
D.	(*iii*)	(*i*)	(*ii*)	(*iv*)

54. सूची-I के पदों को सूची-II से सुमेलित करें और नीचे दिए गए कूटों से सही विकल्प का चयन करें :

सूची-I	सूची-II
(*a*) कायफोसिस	(*i*) मेरुदंड की पार्श्विक वक्रता
(*b*) लॉर्डोसिस	(*ii*) पाद ह्रासमान के तलवे की चाप
(*c*) स्कॉलिओसिस	(*iii*) मेरुदंड के वक्षीय क्षेत्र की पश्चगामी वक्रता
(*d*) सपाट पैर	(*iv*) लुम्बर मेरुदंड की वर्धित निम्न वक्रता

कूट :

	(*a*)	(*b*)	(*c*)	(*d*)
A.	(*iv*)	(*i*)	(*ii*)	(*iii*)
B.	(*iii*)	(*ii*)	(*iv*)	(*i*)
C.	(*iv*)	(*iii*)	(*i*)	(*ii*)
D.	(*iii*)	(*iv*)	(*i*)	(*ii*)

55. सूची-I के पदों को सूची-II से सुमेलित करें और नीचे दिए गए कूटों से सही विकल्प का चयन करें :

सूची-I (संचलन)	सूची-II (पेशी)
(*a*) आकुंचन	(*i*) प्रोनेटर टेरेस
(*b*) विस्तारण	(*ii*) ट्रेपेजियस
(*c*) अधोवर्तन	(*iii*) फ्लेक्सर कापिरिडियल्स
(*d*) अधोमुखी घूर्णन	(*iv*) ट्राइसेप्स ब्राशि

कूट :

	(*a*)	(*b*)	(*c*)	(*d*)
A.	(*iv*)	(*iii*)	(*ii*)	(*i*)
B.	(*iii*)	(*iv*)	(*i*)	(*ii*)
C.	(*iv*)	(*i*)	(*iii*)	(*ii*)
D.	(*iii*)	(*ii*)	(*i*)	(*iv*)

56. सूची-I के पदों को सूची-II से सुमेलित करें और नीचे दिए गए कूटों से सही विकल्प का चयन करें :

सूची-I	सूची-II
(*a*) क्रमिक विश्रांति	(*i*) जैकोबसन, ई.
(*b*) स्वजात विधि	(*ii*) एप्सटिन, एम.एल.

(*c*) व्यवहार पूर्वाभ्यास प्रशिक्षण (*iii*) शुल्ज़, जे.
(*d*) मानसिक प्रतिमावली (*iv*) स्यून, आर.एम.

कूट :

	(*a*)	(*b*)	(*c*)	(*d*)
A.	(*iii*)	(*iv*)	(*ii*)	(*i*)
B.	(*iv*)	(*ii*)	(*i*)	(*iii*)
C.	(*ii*)	(*i*)	(*iii*)	(*iv*)
D.	(*i*)	(*iii*)	(*iv*)	(*ii*)

57. सूची-I के पदों को सूची-II से सुमेलित करें और नीचे दिए गए कूटों से सही विकल्प का चयन करें :

सूची-I	**सूची-II**
(*a*) मानसिक प्रशिक्षण	(*i*) निडेफर, आर.एम.
(*b*) स्टेट-ट्रेट एन्जाइटि	(*ii*) स्पीलबर्गर, सी.डी.
(*c*) मानसिक कार्यनीति	(*iii*) वीनर, बी
(*d*) अभिप्रेरणा एवं भाव का गुणारोप सिद्धान्त	(*iv*) आर्लिक, टी.

कूट :

	(*a*)	(*b*)	(*c*)	(*d*)
A.	(*i*)	(*ii*)	(*iv*)	(*iii*)
B.	(*ii*)	(*iii*)	(*i*)	(*iv*)
C.	(*iii*)	(*iv*)	(*ii*)	(*i*)
D.	(*iv*)	(*i*)	(*iii*)	(*ii*)

58. सूची-I के पदों को सूची-II से सुमेलित करें और नीचे दिए गए कूटों से सही विकल्प का चयन करें :

सूची-I	**सूची-II**
(*a*) महत्वपूर्ण अनुदेश	(*i*) अधिगम किए जाने वाले सामग्री को क्रमिक चरणों की शृंखला में व्यवस्थित करने की प्रक्रिया।
(*b*) नियोजित अधिगम	(*ii*) पाठ के उद्देश्यों पर आधारित कार्यकलाप को सफलतापूर्वक अधिगम करने में व्यतीत समय।
(*c*) सक्रिय नियोजित अवधि	(*iii*) अधिगम का प्रकार जो यह दर्शाता है कि आदत विकसित करने के लिए क्या किया जाए।
(*d*) नियोजित अनुदेश	(*iv*) शिक्षण साधनों के साथ स्व-शिक्षण की अधिगामी उन्मुख प्रणाली।

कूट :

	(*a*)	(*b*)	(*c*)	(*d*)
A.	(*i*)	(*ii*)	(*iii*)	(*iv*)
B.	(*ii*)	(*i*)	(*iv*)	(*iii*)
C.	(*iv*)	(*iii*)	(*i*)	(*ii*)
D.	(*iii*)	(*iv*)	(*ii*)	(*i*)

59. सूची-I के पदों को सूची-II से सुमेलित करें और नीचे दिए गए कूटों से सही विकल्प का चयन करें :

सूची-I	**सूची-II**
(*a*) परावर्तक शिक्षण	(*i*) किसी व्यक्ति के व्यवहारगत सम्भावना में परिवर्तन के लिए अन्तर्वैयक्तिक प्रभाव
(*b*) अधिकारवादी शिक्षण	(*ii*) व्यवहारगत परिवर्तन लाने के लिए विचारों, मान्यताओं और धारणाओं को समझदारी से प्रभावित करना और समर्थन करना।
(*c*) लोकतांत्रिक शिक्षण	(*iii*) अहस्तक्षेप उपागम
(*d*) शिक्षा देना	(*iv*) ज्यादा परिपक्व और कम परिपक्व के बीच निकट सम्पर्क ताकि कम परिपक्व की शिक्षा को आगे बढ़ाया जा सके।

कूट :

	(*a*)	(*b*)	(*c*)	(*d*)
A.	(*iii*)	(*iv*)	(*i*)	(*ii*)
B.	(*i*)	(*ii*)	(*iii*)	(*iv*)
C.	(*ii*)	(*i*)	(*iv*)	(*iii*)
D.	(*iv*)	(*iii*)	(*ii*)	(*i*)

60. सूची-I के पदों को सूची-II से सुमेलित करें और नीचे दिए गए कूटों से सही विकल्प का चयन करें :

सूची-I	**सूची-II**
(*a*) परपोषी अभिकर्ता	(*i*) भौतिक खतरा
(*b*) कम्पन	(*ii*) जीव वैज्ञानिक खतरा
(*c*) अन्तःश्वसन	(*iii*) मनोवैज्ञानिक खतरा
(*d*) कार्य संतुष्टि का अभाव	(*iv*) रासायनिक खतरा

कूट :

	(*a*)	(*b*)	(*c*)	(*d*)
A.	(*iii*)	(*iv*)	(*i*)	(*ii*)
B.	(*iv*)	(*iii*)	(*ii*)	(*i*)
C.	(*ii*)	(*i*)	(*iv*)	(*iii*)
D.	(*i*)	(*ii*)	(*iii*)	(*iv*)

61. सूची-I के पदों को सूची-II से सुमेलित करें और नीचे दिए गए कूटों से सही विकल्प का चयन करें :

सूची-I	सूची-II
(*a*) आरम्भिक बाल्यावस्था	(*i*) अधिकतम कदम बारम्बारता की प्राप्ति
(*b*) अन्तिम बाल्यावस्था	(*ii*) द्वितीय शारीरिक कायांतरण
(*c*) मध्य बाल्यावस्था	(*iii*) रॉल मॉडल का दृढ़ अनुगमन
(*d*) यौवनारम्भ	(*iv*) प्रथम शारीरिक कायांतरण

कूट :

	(*a*)	(*b*)	(*c*)	(*d*)
A.	(*ii*)	(*i*)	(*iv*)	(*iii*)
B.	(*iv*)	(*iii*)	(*i*)	(*ii*)
C.	(*iii*)	(*ii*)	(*iv*)	(*i*)
D.	(*i*)	(*iv*)	(*iii*)	(*ii*)

62. सूची-I के पदों को सूची-II से सुमेलित करें और नीचे दिए गए कूटों से सही विकल्प का चयन करें :

सूची-I	सूची-II
(*a*) अधिकतम प्रतिरोध विधि	(*i*) प्रतिक्रिया क्षमता का विकास
(*b*) सेंसरी विधि	(*ii*) शक्ति सहनशीलता का विकास
(*c*) सर्किट प्रशिक्षण विधि	(*iii*) मांसपेशी में अत्यधिक विकास
(*d*) निरन्तर विधि	(*iv*) एरोबिक क्षमता का विकास

कूट :

	(*a*)	(*b*)	(*c*)	(*d*)
A.	(*iv*)	(*ii*)	(*i*)	(*iii*)
B.	(*ii*)	(*iv*)	(*iii*)	(*i*)
C.	(*iii*)	(*i*)	(*ii*)	(*iv*)
D.	(*i*)	(*iii*)	(*iv*)	(*ii*)

63. सूची-I के पदों को सूची-II से सुमेलित करें और नीचे दिए गए कूटों से सही विकल्प का चयन करें :

सूची-I	सूची-II
(*a*) चर का गुणक	(*i*) माध्य से मापे गये विच वर्गीत विचलनों के औसत का वर्गमूल
(*b*) मानक विचलन	(*ii*) माध्यिका के पास प्रकीर्णन का निरपेक्ष माप
(*c*) माध्य विचलन	(*iii*) प्रतिशत में माध्य से समंजित वितरण में अन्तर
(*d*) चतुर्थक विचलन	(*iv*) केंद्रीय प्रवृत्ति के मापन से अंकों के औसत विचलन का औसत
	(*v*) माध्य से अधिकतम अंतर के वर्गीत मूल्य का अन्डर रूट

कूट :

	(*a*)	(*b*)	(*c*)	(*d*)
A.	(*ii*)	(*i*)	(*iv*)	(*iii*)
B.	(*iv*)	(*iii*)	(*i*)	(*v*)
C.	(*iii*)	(*i*)	(*iv*)	(*ii*)
D.	(*iii*)	(*i*)	(*v*)	(*ii*)

64. सूची-I के पदों को सूची-II से सुमेलित करें और नीचे दिए गए कूटों से सही विकल्प का चयन करें :

सूची-I	सूची-II
(*a*) मेक्डोनाल्ड टेस्ट	(*i*) वॉलीबाल
(*b*) डायर टेस्ट	(*ii*) बास्केट बॉल
(*c*) स्मीथल-फ्रेंच फील्ड स्किल टेस्ट	(*iii*) फुटबॉल
(*d*) ब्रेडीज टेस्ट	(*iv*) हॉकी
	(*v*) टेनिस
	(*vi*) बैडमिंटन

कूट :

	(*a*)	(*b*)	(*c*)	(*d*)
A.	(*iii*)	(*v*)	(*iv*)	(*i*)
B.	(*iii*)	(*i*)	(*iv*)	(*ii*)
C.	(*v*)	(*i*)	(*vi*)	(*iii*)
D.	(*iii*)	(*vi*)	(*ii*)	(*i*)

65. सूची-I के पदों को सूची-II से सुमेलित करें और नीचे दिए गए कूटों से सही विकल्प का चयन करें :

सूची-I	सूची-II
(*a*) खेल का आर्थिक लाभ	(*i*) खेल के प्रदर्शन की प्रेरणा देने वाले व्यक्ति
(*b*) खेल का सामाजिक लाभ	(*ii*) लोगों के लिए रोजगार का अवसर
(*c*) खेल का राजनीतिक लाभ	(*iii*) अपराध में कमी
(*d*) खेल का भूमिका प्रतिरूप	(*iv*) मानवाधिकार का विषय

कूट :

	(a)	(b)	(c)	(d)
A.	(iii)	(iv)	(i)	(ii)
B.	(ii)	(iii)	(iv)	(i)
C.	(i)	(ii)	(iv)	(iii)
D.	(iv)	(iii)	(i)	(ii)

66. सूची-I के पदों को सूची-II से सुमेलित करें और नीचे दिए गए कूटों से सही विकल्प का चयन करें :

सूची-I	सूची-II
(a) व्यक्तिगत प्रबन्धन प्रक्रियाएँ	(i) निपटान प्रक्रियाएँ
(b) निदेशात्मक प्रबन्धन लेखाएं	(ii) लेखा परीक्षा और लेखाएं
(c) वित्तीय प्रबन्धन	(iii) पाठ्यक्रम का संशोधन
(d) सामग्री प्रबन्धन	(iv) संघर्ष समाधान

कूट :

	(a)	(b)	(c)	(d)
A.	(iv)	(iii)	(ii)	(i)
B.	(iii)	(ii)	(i)	(iv)
C.	(ii)	(i)	(iv)	(iii)
D.	(i)	(iv)	(iii)	(ii)

67. सूची-I के पदों को सूची-II से सुमेलित करें और नीचे दिए गए कूटों से सही विकल्प का चयन करें :

सूची-I	सूची-II
(a) मानक अंक	(i) 16.66 Z + 50
(b) हल स्केल	(ii) $\frac{X-m}{SD}$
(c) सिग्मा स्केल	(iii) 14.28 Z + 50
(d) टी स्केल	(iv) 15.5 Z + 50
	(v) 10 Z + 50

कूट :

	(a)	(b)	(c)	(d)
A.	(v)	(ii)	(iv)	(i)
B.	(ii)	(iii)	(i)	(v)
C.	(v)	(ii)	(iii)	(iv)
D.	(ii)	(iii)	(i)	(iv)

68. सूची-I के पदों को सूची-II से सुमेलित करें और नीचे दिए गए कूटों से सही विकल्प का चयन करें :

सूची-I	सूची-II
(a) हारवार्ड स्टेप परीक्षण	(i) संस्थिति
(b) जे.सी.आर. परीक्षण	(ii) सहनशीलता
(c) आई.ओ.डब्ल्यू.ए.	(iii) हृदय-श्वसन दक्षता
(d) कूपर	(iv) विस्फोटक शक्ति

कूट :

	(a)	(b)	(c)	(d)
A.	(ii)	(iv)	(i)	(iii)
B.	(iii)	(iv)	(ii)	(i)
C.	(iii)	(iv)	(i)	(ii)
D.	(ii)	(iii)	(i)	(iv)

69. सूची-I के पदों को सूची-II से सुमेलित करें और नीचे दिए गए कूटों से सही विकल्प का चयन करें :

सूची-I	सूची-II
(a) टहलना और शतरंज खेलना	(i) किशोरों के लिये मनोरंजन कार्यक्रम
(b) क्रिकेट, फुटबॉल जैसे खेलों का संगठित समूह	(ii) वृद्धजनों के लिए मनोरंजन कार्यक्रम
(c) स्लेज हॉकी, गोल्फ इत्यादि	(iii) बच्चों के लिए मनोरंजन कार्यक्रम
(d) सर्जनात्मक तथा कलात्मक गतिविधियाँ	(iv) शारीरिक रूप से विकलांग व्यक्तियों के लिए मनोरंजन कार्यक्रम

कूट :

	(a)	(b)	(c)	(d)
A.	(ii)	(i)	(iv)	(iii)
B.	(i)	(iii)	(ii)	(iv)
C.	(iii)	(ii)	(i)	(iv)
D.	(iv)	(iii)	(ii)	(i)

70. सूची-I के पदों को सूची-II से सुमेलित करें और नीचे दिए गए कूटों से सही विकल्प का चयन करें :

सूची-I	सूची-II
(a) ग्वॉइटर	(i) विटामिन B_{12} की कमी
(b) क्वासियोरकोर	(ii) थायमीन की कमी
(c) घातक रक्तल्पता	(iii) आयोडीन की कमी
(d) बेरीबेरी	(iv) प्रोटीन की कमी

कूट :

	(a)	(b)	(c)	(d)
A.	(ii)	(iii)	(i)	(iv)
B.	(iv)	(iii)	(ii)	(i)
C.	(iii)	(iv)	(i)	(ii)
D.	(iii)	(i)	(ii)	(iv)

निर्देश (प्र.सं. 71-75): *निम्नलिखित उद्धरण को पढ़ें और नीचे दिए गए प्रश्नों के उत्तर दें :*

खेल दर्शन खेलकूद की सच्चाई, अर्थ और कार्यों का क्रमबद्ध और चिन्तनशील अध्ययन है। खेल दार्शनिक खेलों से संबद्ध मूल्यों का अध्ययन करते हैं, मस्तिष्क और शरीर के बीच के संबंधों का परीक्षण करते हैं और नैतिक द्विविधाओं पर वाद-विवाद करते हैं। वे शारीरिक शिक्षा पेशेवरों के रूप में हमसे यह अपेक्षा करते हैं कि खेलकूद के बारे में हम अपनी धारणाओं और मान्यताओं पर आलोचनात्मक रूप से विचार करें और हमें चुनौती देते हैं कि हम अपने अन्तर्दृष्टि और ज्ञान का उपयोग दूसरों की भलाई के लिए करें। खेल दर्शन जैसे-जैसे ज्यादा संगठित और परिष्कृत बनता जा रहा है दार्शनिकों ने विभिन्न प्रकार की शारीरिक कार्यकलापों के मूल्यों या मस्तिष्क और शरीर के संबंधों पर ध्यान देना आरम्भ कर दिया है। नैतिक मूल्यों के समाधान के लिए वे तर्क और विश्लेषणात्मक कौशल के उपयोग को भी प्रोत्साहित करते हैं और सकारात्मक परिवर्तन को बढ़ावा देने के लिए अन्तर्दृष्टि और ज्ञान का उपयोग करते हैं।

दर्शन हमें भागीदारों के संचलन और संलग्नता के अर्थ को समझने में मदद करता है। ज्ञान, पेशेवरों को निर्णय लेने और संलग्न लोगों के लिए ज्यादा सकारात्मक अनुभव के लिए दिशानिर्देश विकसित करने में मदद करता है। खेल दर्शन हमें अपने धारणाओं परीक्षण, हमारे व्यक्तिगत मूल्यों के बीच संबंधों के अन्वेषण, सामाजिक मूल्यों पर आलोचनात्मक रूप से विचार करने और प्राप्त किए जाने वाले लक्ष्यों और उद्देश्यों को एकीकृत करने के लिए हमें एक क्रमबद्ध, तार्किक दृष्टिकोण उपलब्ध कराता है।

वर्तमान में शारीरिक शिक्षा जिस चुनौती का सामना कर रहा है वह है शारीरिक कार्यकलापों में असमानता को दूर करना। दर्शन हमें वंचित लोगों द्वारा अनुभव किए जा रहे शारीरिक कार्यकलाप के अवसरों में असमानता का समाधान करने के लिए हमें रास्ता दिखाता है। दर्शन, हमें क्या करते हैं, हमें क्या करना चाहिए और हम किस प्रकार सभी लोगों के लिए खेल-कूद अवसरों में समावेशी समान अवसर उपलब्ध कराने के लिए परिवर्तन कर सकते हैं, इसके बारे में आलोचनात्मक रूप से सोचने के लिए आमंत्रित करता है।

71. खेल दर्शन में किसकी जाँच के लिए एक क्रमबद्ध दृष्टिकोण अपनाया जाता है?

A. शारीरिक कार्यकलाप के मूल्य
B. शारीरिक कार्यकलाप के प्रकार
C. शारीरिक कार्यकलाप की संरचना
D. शारीरिक कार्यकलाप में भागीदारी का प्रभाव

72. खेल दर्शन किसका अध्ययन है?

(*a*) मस्तिष्क और शरीर के संबंध का
(*b*) प्रतिस्पर्धी खेलकूद में भागीदारी का महत्व
(*c*) खेलना, कार्य और खेलकूद
(*d*) संचलन का अर्थ और भागीदारों की संलग्नता

कूट :

A. (*b*), (*c*) B. (*c*), (*d*)
C. (*a*), (*b*) D. (*a*), (*d*)

73. खेल दार्शनिक नैतिक मुद्दों का पता लगाने के लिए तर्क और विश्लेषणात्मक कौशल का उपयोग करते हैं।

(*a*) वे खेलकूद में बच्चों के लिए जीतने की अपेक्षा आनन्द के तत्व पर ज्यादा बल देते हैं।
(*b*) नए कौशल के अधिगम के लिए कौशल विश्लेषण
(*c*) धारणाओं और मूल्यों के विकास के लिए शारीरिक कार्यकलाप में भागीदारी
(*d*) मानसिक कौशल अधिगम

कूट :

A. (*b*), (*d*) B. (*a*), (*d*)
C. (*a*), (*c*) D. (*b*), (*c*)

74. नीचे दो अभिकथन दिए गए हैं जिनमें से एक को अभिकथन (A) और दूसरे को तर्क (R) कहा गया है।

अभिकथन (A) : शारीरिक शिक्षा, व्यायाम विज्ञान और खेलकूद को शारीरिक कार्यकलापों में असमानता को दूर करने की जरूरत है।

तर्क (R) : खेल दर्शन सभी के लिए खेल-कूद में ज्यादा समावेशी, समान अवसर उपलब्ध कराने के लिए परिवर्तन लाने के लिए अन्तर्दृष्टि उपलब्ध कराता है।

उपर्युक्त दो अभिकथनों के संदर्भ में निम्नलिखित में से क्या सही है?

A. (A) और (R) दोनों सही हैं और (R), (A) का सही स्पष्टीकरण है।
B. (A) और (R) दोनों सही हैं, लेकिन (R), (A) का सही स्पष्टीकरण नहीं है।
C. (A) सही है और (R) गलत है।
D. (A) गलत है और (R) सही है।

75. नीचे दो अभिकथन दिए गए हैं जिनमें से एक को अभिकथन (A) और दूसरे को तर्क (R) कहा गया है।

अभिकथन (A) : शारीरिक कार्यकलाप और खेलकूद दर्शन हमें भागीदारों की सच्चाई, अर्थ और संलग्नता को समझने में मदद करता है।

तर्क (R) : खेल प्रदर्शन प्रत्येक व्यक्ति के उसके पूर्ण क्षमता तक शारीरिक और खेल-कौशल के विकास पर बल देता है।

उपर्युक्त दो अभिकथनों के संदर्भ में निम्नलिखित में से क्या सही है?

A. (A) और (R) दोनों सही हैं और (R), (A) का सही स्पष्टीकरण है।

B. (A) और (R) दोनों सही हैं, लेकिन (R), (A) का सही स्पष्टीकरण नहीं है।

C. (A) सही है और (R) गलत है।

D. (A) गलत है और (R) सही है।

उत्तरमाला

1	2	3	4	5	6	7	8	9	10
A	D	B	A	D	B	C	D	C	A
11	**12**	**13**	**14**	**15**	**16**	**17**	**18**	**19**	**20**
C	C	B	C	C	A	D	A	C	D
21	**22**	**23**	**24**	**25**	**26**	**27**	**28**	**29**	**30**
D	B	B	B	B	A	C	C	D	A
31	**32**	**33**	**34**	**35**	**36**	**37**	**38**	**39**	**40**
B	A	C	A	A	C	D	C	B	A
41	**42**	**43**	**44**	**45**	**46**	**47**	**48**	**49**	**50**
A	B	D	B	B	C	C	C	B	B
51	**52**	**53**	**54**	**55**	**56**	**57**	**58**	**59**	**60**
D	D	B	D	B	D	A	D	A	C
61	**62**	**63**	**64**	**65**	**66**	**67**	**68**	**69**	**70**
B	C	C	A	B	A	B	C	A	C
71	**72**	**73**	**74**	**75**					
A	D	C	A	C					

व्याख्यात्मक उत्तरमाला

1. प्रतिक्रिया की समानता काफी हद तक स्थानांतरण की दिशा निर्धारित करता है : चाहे यह सकारात्मक हो अथवा नकारात्मक। प्रतिक्रिया की समानता जितनी अधिक होगी स्थानांतरण उतना ही अधिक सकारात्मक होगा, प्रतिक्रिया की असमानता जितनी अधिक होगी स्थानांतरण उतना ही अधिक नकारात्मक होगा।

3. श्वसन लब्धि (R.Q.) आयतन का अनुपात है जो CO_2 के मुक्त आयतन को O_2 के उपयोग किए गए आयतन से भाग देने से ज्ञात किया जाता है।

$$\text{R.Q.} = \frac{\text{इकाई समय में मुक्त किया गया } CO_2 \text{ का आयतन}}{\text{इकाई समय में उपभोग किया गया } O_2 \text{ का आयतन}}$$

4. एक वस्तु की औसत चाल को इस रूप में परिभाषित किया जाता है कि बीते हुए समय द्वारा विभाजित यात्रा की दूरी। वेग एक सदिश मात्रा है, और औसत वेग को इस प्रकार परिभाषित किया जाता है–समय द्वारा विभाजित विस्थापन। विशेष मामले में, X दिशा में सीधी रेखा गति औसत वेग का रूप ले लेता है :

$$v_{\text{औसत}} = \overline{v} = \frac{x_2 - x_1}{t_2 - t_1} = \frac{\Delta x}{\Delta t}$$

परिभाषा में निहित वेग की इकाई मीटर/सेकंड होगी

अथवा सामान्यतः किसी भी समय की इकाई पर कोई भी दूरी।

6. एक शारीरिक रूप से शिक्षित व्यक्ति :
   1. अनेक संचलन प्रकारों में दक्षता और कुछ संचलन प्रकारों में निपुणता दर्शाता है।
   2. अधिगम और विकास की प्रेरक कौशल पर संचलन अवधारणा और सिद्धांत लागू करता है।
   3. एक शारीरिक रूप से सक्रिय जीवनशैली को दर्शाता है।
   4. शारीरिक उपयुक्तता के स्वास्थ्य बढ़ाने के स्तर को प्राप्त करता है और इसे बरकरार रखता है।
   5. शारीरिक गतिविधि की सेटिंग्स में व्यक्तिगत और सामाजिक व्यवहार की जिम्मेदारी को दर्शाता है।
   6. शारीरिक गतिविधि की सेटिंग्स में विभिन्न लोगों के बीच समझदारी और सम्मान को प्रदर्शित करता है।
   7. समझता है कि शारीरिक गतिविधि आनंद, चुनौती, आत्म-अभिव्यक्ति और सामाजिक बातचीत का अवसर प्रदान करता है।

7. आहार के सूखे वजन की 90% आपूर्ति और 100% ऊर्जा कार्बोहाइड्रेट, प्रोटीन और वसा द्वारा होती है। ये तीनों ऊर्जा (कैलोरी में मापन) प्रदान करते हैं लेकिन 1 ग्राम में ऊर्जा की मात्रा (1/28 औंस) अलग होती है :

- एक ग्राम में कार्बोहाइड्रेट अथवा प्रोटीन की 4 कैलोरी।
- एक ग्राम में वसा की 9 कैलोरी।

इस मामले में इन पोषकों में विभिन्नता होती है कि कितनी जल्दी से वे ऊर्जा की आपूर्ति करते हैं। कार्बोहाइड्रेट्स तेज होते हैं जबकि वसा धीमा होता है। आंत में कार्बोहाइड्रेट्स, प्रोटीन और वसा का पाचन होता है, जहाँ वे बुनियादी इकाइयों में टूट जाते हैं :

- कार्बोहाइड्रेट शर्करा में
- प्रोटीन एमिनो अम्ल में
- वसा फैटी एसिड और ग्लिसरॉल में।

शरीर इन बुनियादी इकाइयों का उपयोग उन पदार्थों के निर्माण में करता है जिनकी आवश्यकता संवृद्धि, रख-रखाव और गतिविधि के लिए होती है।

9. प्रकार II त्रुटि और शक्ति गणनाएं :

ध्यान रखें कि परिकल्पना परीक्षण में आप दो प्रकार की त्रुटियां कर सकते हैं :

- प्रकार I त्रुटि : जब यह सत्य हो, अशक्त/शून्य को नकारना।
- प्रकार II त्रुटि : जब यह असत्य हो, अशक्त/शून्य को नकारने में असफलता।

महत्वपूर्ण स्तर द्वारा प्रकार I त्रुटि की परिकल्पना परीक्षण में संभावना पूर्व निर्धारित है। प्रकार II त्रुटि की संभावना की गणना सामान्यतः नहीं की जा सकती है क्योंकि यह जनसंख्या माध्य पर निर्भर करती है जो अज्ञात होती है। μ, σ^2 और n के दिए गए मूल्यों की गणना की जा सकती है। परिकल्पना परीक्षण की शक्ति प्रकार II त्रुटि की संभावना माइनस से 1 अधिक और कुछ भी नहीं है। वास्तव में परीक्षण की शक्ति हम लोगों को सही निर्णय लेने की उस समय संभावना प्रदान करती है जब शून्य/अशक्त सही नहीं होता है (अर्थात् हम सही ढंग से इसे अस्वीकार करते हैं)।

10. **रेशनल इक्विवेलेंस की विश्वसनीयता :** रेशनल इक्विवेलेंस की विश्वसनीयता की स्थापना सह-संबंध द्वारा नहीं की गई है बल्कि यह आंतरिक स्थिरता का आकलन करती है। आकलन का निर्धारण यह पता लगाकर किया जाता है कि कैसे परीक्षण की सभी वस्तुएँ सभी अन्य वस्तुओं और सभी जाँच से संबंधित हैं।

11. निरीक्षण संस्थागत लक्ष्यों की उपलब्धि को बढ़ावा देने के उद्देश्य से प्रबंध कार्यों की एक प्रक्रिया के रूप में देखा जा सकता है। साथ ही कर्मचारियों की निजी और पेशेवर क्षमताओं को बढ़ाने के रूप में भी देखा जा सकता है। निरीक्षण संस्थागत मिशन की व्याख्या करता है और व्यक्तिगत और संगठनात्मक क्षमता को बढ़ावा देने हेतु मानव तथा वित्तीय संसाधनों पर केंद्रित है। निरीक्षण का प्राथमिक ध्यान हमेशा अधिगम स्थिति पर केंद्रित होता है। निरीक्षण संस्था की उपलब्धि और इकाई के उद्देश्यों को कर्मचारियों के व्यक्तिगत एवं पेशागत कल्याण पर पूर्णता प्राप्त करता है।

    विभाजन और संस्था के संदर्भ में स्टाफ सदस्यों को उनके व्यक्तिगत और पेशेवर उद्देश्यों में सहायता पहुँचाने के लिए एक प्रभावकारी निरीक्षण प्रदान किया जाता है।

12. मौलिक मोटर कौशल वह गति है जिसके पास विशिष्ट ध्यान देने योग्य पैटर्न है। उनमें शामिल हैं : लोकोमोटर कौशल, जैसे—दौड़ना, कूदना, फुदकना, गैलोपिंग, लुढ़कना,

छलांग लगाना और चकमा देना; प्रहस्तनीय कौशल, जैसे—फेंकना, लपकना, लात मारना, स्ट्राइकिंग और ट्रैपिंग तथा स्थिरता कौशल जैसे—संतुलन करना, मोड़ देना, घूमना और झुकना। प्रत्येक मौलिक मोटर कौशल दूसरों के सापेक्ष अलगाव के रूप में दर्शाया जाता है।

14. चिकित्सीय व्यायाम को विज्ञान के रूप में परिभाषित किया जाता है जिसका उपयोग अंतिम रूप में जितना संभव हो सामान्य शरीर की क्रिया (ADL) को बहाल करने के लिए होता है। इसे निम्नांकित के विकास, सुधार, मरम्मत या रख-रखाव माध्यम से प्राप्त किया जा सकता है :

- शक्ति
- सहनशीलता
- विश्राम
- गतिशीलता और लचीलापन
- समन्वय
- कौशल

चिकित्सीय रूप से, गति की क्रियाकलापों की सीमा को प्रबंधित किया जाता है। इसका कारण मौजूदा संधि और कोमल उत्तकों की गतिशीलता को बरकरार रखना है जो अवकुंचन निर्माण के प्रभावों को कम करेगा।

ROM व्यायाम के प्रकार

- निष्क्रिय : गति व्यायाम की निष्क्रिय सीमा—PROM
- सक्रिय : गति व्यायाम की सक्रिय सीमा—AROM
- सक्रिय-असिस्टेड : सक्रिय-सहायक सीमा का गति व्यायाम—AAROM
- हस्तचालित
- स्व-व्यायाम
- यांत्रिक (सीपीएम मशीन)
- सहायक उपकरण (चरखी, डंठल)

15. वे मुख्य सिद्धांत जो व्यक्तित्व की व्याख्या करते हैं और ये किस प्रकार खेल प्रदर्शन को प्रभावित करते हैं, निम्न हैं :

- मार्टन का योजनाबद्ध विचार
- अतींद्रिय सिद्धांत
- ट्रेट सिद्धांत
- स्थिति संबंधी दृष्टिकोण
- परस्पर क्रियात्मक दृष्टिकोण

मार्टन का योजनाबद्ध विचार : इस विचार के अनुसार व्यक्तित्व को तीन अलग-अलग स्तरों में देखा जाता है जो एक-दूसरे से संबंधित हैं, ये व्यक्तित्व संबंधी विचार हैं :

- मनोवैज्ञानिक कोर
- प्रतीकात्मक अनुक्रिया
- भूमिका से संबंधित व्यवहार

मनोवैज्ञानिक कोर किसी व्यक्ति के व्यक्तित्व का केन्द्रीय, आंतरिक और अविरोधी भाग है। इसमें व्यक्ति की स्व-अवधारणा, बुनियादी मूल्य, व्यवहार और इरादें शामिल हैं। वास्तव में यह व्यक्ति क्या पसंद करता है, का सूचक है।

प्रतीकात्मक अनुक्रिया वह तरीका है जिससे आप अपने चारों ओर की दुनिया का जवाब दे सकते हैं और अलग-अलग स्थितियों में आप पाएंगे कि आपका जवाब भी अलग-अलग होगा। उदाहरण के लिए यदि फुटबॉल में आपको फाउल मिलता है तो आप चिल्ला सकते हैं और कोलाहल मचा सकते हैं लेकिन तब जब आप नए लोगों से मिलते हैं तो आप शांत और सजालू हो सकते हैं क्योंकि आप उन लोगों को विह्वल नहीं करना चाहते हैं या गलत रास्ते पर नहीं जाना चाहते हैं इसलिए आप अपना तरीका बदल लेते हैं। ये अक्सर अपने मनोवैज्ञानिक कोर के अच्छे संकेतक हैं।

भूमिका से संबंधित व्यवहार अक्सर वह परिस्थिति होती है जिसे आप अपने इर्द-गिर्द पाते हैं। यह व्यक्तित्व का सबसे अस्थिर पहलू है। ज्यों ही आपका वातावरण बदलता है, आपका व्यक्तित्व भी बदल जाता है। उदाहरण के लिए आप अपने कॉलेज में फुटबॉल के कप्तान हो सकते हैं। फुटबॉल में नेतृत्व की भूमिका प्रदर्शन करने के अलावा आप पार्ट-टाइम नौकरी में दूसरों का अनुदेश भी पालन करते हैं। आप अपने को बदलते हैं क्योंकि वातावरण में परिवर्तन हो चुका है—फुटबॉल पिच से कार्य स्थल।

17. बाह्य चर वे अवांछनीय चर हैं जो उन चरों के बीच के संबंध को प्रभावित करते हैं जो एक प्रयोगकर्ता प्रयोग कर रहा है। सोचने का एक अन्य तरीका यह है कि ये चर प्रयोग के परिणाम को प्रभावित करते हैं। हालांकि वे चर नहीं हैं बल्कि वे वास्तव में इंटरेस्ट हैं। ये अनियंत्रित और गैर चालाकी से काम निकालने वाले चर हैं। ये चर अवांछनीय हैं क्योंकि वे प्रयोग में त्रुटि जोड़ते हैं।

19. कबड्डी एक संपर्क खेल है जिसका जन्म प्राचीन भारत में हुआ था। यह उपमहाद्वीप के अलग-अलग हिस्सों में अपने क्षेत्रीय नाम से जाना जाता है।

कबड्डी से संबंधित टर्म : द कांट, पर्स्युट, म्यूल किक

कांट : निरंतर या एक ही सांस में 'कबड्डी' शब्द का उच्चारण कांट कहलाता है।

म्यूल किक : म्यूल किक में खच्चर की तरह पीछे लात मारना शामिल है। इसका उपयोग विरोधियों को स्पर्श करने के लिए किया जाना चाहिए जो रेडर का पीछा करने की कोशिश करते हैं। म्यूल किक का प्रयोग अचानक किया जाना चाहिए।

पर्स्युट (पीछा करना) : यह रेडर के कोर्ट में जब वह लौट रहा है, पीछा करना होता है।

20. प्रोफेसर फिशर ने प्रयोगात्मक डिजाइन के तीन सिद्धांतों को प्रगणित किया है :

1. **प्रतिकृति का सिद्धांत :** प्रतिकृति के सिद्धांत के अनुसार, प्रयोग को एक बार से अधिक दोहराया जाना चाहिए। इस प्रकार, प्रत्येक उपचार एक के बजाय कई प्रयोगात्मक इकाई में लागू किया जाता है। ऐसा करने से प्रयोगों के सांख्यिकीय सटीकता में वृद्धि होती है।
2. **यादृच्छिकीकरण का सिद्धांत :** जब हम किसी प्रयोग का संचालन करते हैं तो यादृच्छिकीकरण का सिद्धांत संरक्षण प्रदान करता है। यह संरक्षण बाह्य कारकों के प्रभाव के विरुद्ध यादृच्छिकीकरण द्वारा किया जाता है। दूसरे शब्दों में, यह सिद्धांत संकेत देता है कि हम लोगों को प्रयोग के डिजाइन अथवा योजना इस तरह से बनानी चाहिए कि बाह्य कारकों द्वारा निर्मित बदलाव को सामान्य शीर्षक 'संयोग' के अधीन संयोजित किया जा सके।
3. **स्थानीय नियंत्रण का सिद्धांत :** प्रयोगात्मक डिजाइन का एक अन्य महत्वपूर्ण सिद्धांत स्थानीय नियंत्रण का सिद्धांत है। इसके अधीन बाह्य कारक, परिवर्तनशीलता का ज्ञात स्रोत, आवश्यक रूप में व्यापक रूप से एक सीमा से अधिक जानबूझकर भिन्न करने हेतु बनाया गया है और यह आवश्यकता इस रूप में पूरी की जाती है कि उत्पन्न परिवर्तनशीलता की माप की जा सकती है और इस प्रकार प्रयोगात्मक त्रुटि से अलग किया जाता है।

21. इन्ट्रामुरल एक मनोरंजक खेल है जिसका आयोजन एक भौगोलिक क्षेत्र के अधीन होता है। इस शब्द की उत्पत्ति लैटिन शब्द इन्ट्रा मुरस से हुई है जिसका अर्थ दीवार के भीतर है और इसका उपयोग खेल मैचों और प्रतियोगिताओं को इंगित करने के लिए होता है जो टीमों के मध्य (प्राचीन शहर की 'दीवारों के भीतर') रहता है।

28. व्यवसायी अभ्यास के लिए प्रेरणा के पाँच मौलिक दिशा-निर्देश :

1. प्रतिभागीगण आंतरिक प्रशिक्षण और स्थितियों दोनों द्वारा प्रेरित होते हैं।
2. भागीदारी के लिए उनके इरादों को समझना महत्वपूर्ण है।
3. प्रतिभागियों की आवश्यकताओं को पूरा करने के लिए आपको स्थितियों की रचना करनी चाहिए।
4. एक शिक्षक, प्रशिक्षक या व्यायाम लीडर के रूप में आप अभिप्रेरक वातावरण में एक महत्वपूर्ण भूमिका अदा करते हैं।
5. प्रतिभागियों के अवांछनीय इरादों को बदलने के लिए व्यवहार संशोधन का उपयोग।

29. उत्प्रेरण से संबंधित भावना जैसे संज्ञानात्मक और दैहिक दुश्चिन्ता प्रदर्शन से संबंधित होते हैं। उत्प्रेरण और चिंता ध्यान और एकाग्रता में परिवर्तन के द्वारा प्रदर्शन पर मांसपेशियों में तनाव वृद्धि के द्वारा प्रभाव डालते हैं। भावनाओं की इष्टतम रेसिपी सबसे अच्छे प्रदर्शन से संबंधित होती है, और जब निर्वाहक इष्टतम सीमा के बाहर होते हैं, परिणामस्वरूप खराब प्रदर्शन निकलता है।

32. निष्क्रिय जीवनशैली उस प्रकार की जीवन शैली है जिसमें अनियमित शारीरिक गतिविधि अथवा बिल्कुल नहीं शारीरिक गतिविधि होती है। एक व्यक्ति जो निष्क्रिय जीवन-शैली में जीवनयापन करता है, बोलचाल की भाषा में **काउच पोटेटो** के रूप में जाना जाता है। यह आमतौर पर विकसित और विकासशील देशों में पाया जाता है।

निष्क्रिय गतिविधियाँ जिनमें शामिल हैं—बैठना, पढ़ना, सामाजिकता, टेलीविजन देखना, वीडियो गेम खेलना और दिनभर कम्प्यूटर चलाना अथवा कोई मेहनत वाला शारीरिक व्यायाम। बच्चे भोजन पसंद करते हैं जिनमें कैलोरी की मात्रा अधिक होती है जो बहुत कम या शारीरिक गतिविधि की अनुपलब्धता के कारण अधिशेष रह जाता है।

41. वर्ष 1948 के शुरू में शिक्षाविशारदों के एक समूह ने शिक्षा के उद्देश्यों और लक्ष्यों को वर्गीकृत करने का बीड़ा उठाया। इसका उद्देश्य वर्गीकरण प्रणाली के तीन क्षेत्रों को विकसित करना था : संज्ञानात्मक, भावात्मक और मनोप्रेरणा संबंधी क्षेत्र। 1950 के दशक में संज्ञानात्मक क्षेत्र पर काम पूरा कर लिया गया और इसे आमतौर पर संज्ञानात्मक क्षेत्र के ब्लूम के वर्गीकरण के रूप में जाना जाता है। वर्गीकरण की महत्वपूर्ण अवधारणा यह है कि शिक्षाविशारद चाहते हैं कि विद्यार्थियों को कम से अधिक जटिल पदानुक्रम में व्यवस्थित होने की जानकारी होनी चाहिए। स्तरों को लगातार समझा जाना चाहिए ताकि अगले स्तर पर पहुँचने के पहले एक स्तर पर अवश्य पहुँचना चाहिए। ब्लूम आदि (1956) के वास्तविक स्तर को इस रूप में व्यवस्थित किया गया है : ज्ञान, समझ, अनुप्रयोग, विश्लेषण, संश्लेषण और मूल्यांकन।

42. पेशीय संकुचन में निम्नलिखित चरण शामिल हैं :

1. संकुचन के लिए घटनाओं के अनुक्रम की शुरुआत केंद्रीय तंत्रिका तंत्र में कहीं होती है, या तो मस्तिष्क से स्वैच्छिक गतिविधि के रूप में अथवा स्पाइनल कॉर्ड से अनैच्छिक गतिविधि के रूप में।
2. स्पाइनल कॉर्ड के वेन्ट्रल हॉर्न में एक मोटर न्यूरॉन सक्रिय हो जाता है, और स्पाइल कॉर्ड के वेन्ट्रल रूट में बाहर की ओर से एक सशक्त क्रिया होती है।
3. मांसपेशी तंतुओं की कई संख्याओं की आपूर्ति करने के लिए अक्षतंतु की शाखाएं होती हैं, जिन्हें मोटर इकाई कहा जाता है, और सशक्त क्रिया प्रत्येक मांसपेशी तंतु पर स्थित मोटर एण्ड प्लेट को अवगत कराती है।
4. मोटर एण्ड प्लेट पर सशक्त क्रियाओं के कारण पैकेटों की मुक्ति होती है अथवा मांसपेशी फाइबर की सतह पर एसिटाइलकोलीन की मात्रा का सिनेप्टिक क्लेफ्ट्स में बदलने की क्रिया होती है।
5. एसिटाइलकोलीन मोटर एण्ड प्लेट के अधीन इलेक्ट्रिकल रेस्टिंग की क्षमता को बदलने का कारण बनता है, और तब यह एक सशक्त क्रिया की शुरुआत करती है जो दोनों दिशाओं में मांसपेशी तंतु की सतह से होकर गुजरती है।
6. प्रत्येक अनुप्रस्थ नलिका के मांसपेशी तंतु की सतह पर प्रस्फुटन स्थल पर, सशक्त क्रियाएं मांसपेशी तंतु के अंदर फैलती हैं।
7. प्रत्येक बिन्दु पर जहाँ एक अनुप्रस्थ नलिका सारकोप्लाज्मिक रेटिकुलम के भाग को स्पर्श करती है यह सारकोप्लाज्मिक रेटिकुलम को Ca^{++} आयन मुक्त करने का कारण बनती है।
8. ट्रोपोनिन और ट्रोपोमायोसिन अपने पतली तंतुओं पर गति करता है जिसके परिणामस्वरूप कैल्शियम आयन का निर्माण होता है और यह मायोसिन अणु हेड्स को 'ग्रैब एण्ड स्वीवेल' के लिए अपने तरीके से पतले तंतु के साथ आगे बढ़ने को सक्षम बनाता है। यह मांसपेशियों के संकुचन की असली ताकत है।

घटनाओं के निम्नलिखित क्रम के द्वारा संकुचन बंद कर दिया जाता है :

9. न्यूरोमसकुलर जंक्शन पर एसिटाइलकोलिन, एसिटाइल-कोलिनस्टीरेज से टूट जाता है और यह सशक्त क्रिया की धारा को मांसपेशी तंतु की सतह के साथ समाप्त करता है।
10. सारकोप्लाज्मिक रेटिकुलम कैल्शियम आयनों को मुक्त करती है, और तुरंत सभी मुक्त हुए कैल्शियम आयनों को पुनः पृथक करना शुरू करती है।
11. कैल्शियम आयनों की अनुपस्थिति में, ट्रोपोनिन और ट्रोपोमायोसिन के विन्यास में परिवर्तन होता है तब मायोसिन अणु हेड्स की क्रियाओं को बाधित करता है और संकुचन को समाप्त करता है।
12. जीवित प्राणियों में, एक बाहरी तनन बल जैसे कि गुरुत्वाकर्षण या प्रतिरोधी मांसपेशियां, उनकी वास्तविक लंबाई की ओर पेशियों को वापस खींचती हैं।

48. मैकडुगल एंड वेंगर (1999) के अनुसार, वे कारक जो एक एथलीट के प्रदर्शन को प्रभावित करते हैं, आनुवंशिक विन्यास के अलावा, प्रशिक्षण और अनुकूल स्वास्थ्य की स्थिति हैं।

(*i*) खेल के लिए चर वस्तुएं शामिल करना।

(*ii*) विश्वसनीय और वैध परीक्षण का चयन करना।

(*iii*) खेल विशेष परीक्षा प्रोटोकॉल का विकास करना।

(*iv*) सख्ती से परीक्षण प्रशासन का नियंत्रण करना।

(*v*) आत्मसम्मान के लिए एथलीट के अधिकार को बरकरार रखना।

(*vi*) परीक्षण को समय-समय पर दोहराना।

(*vii*) प्रशिक्षक और खिलाड़ी दोनों को प्रत्यक्ष तौर पर परिणामों की व्याख्या करना।

67. (*a*) मानक $z = \frac{x - \mu}{\sigma}$

पद :

μ = मध्यमान ('म्यु' उच्चरित)

x = अंक

σ = मानक विचलन ('सिग्मा' उच्चरित)

(*b*) 0 से 100 अंकों में परिभाषित सापेक्ष स्थिति की सामान्य माप में हल स्केल (प्रवर्तक के नाम पर) Z अंकों को बदलने का एक अन्य तरीका है।

एक विशेष परीक्षण अंक के लिए हल अंकों की गणना के लिए हमलोग इस सूत्र का प्रयोग करते हैं :

हल अंक = 14.28Z + 50

जहाँ Z अपने सामान्य अर्थ में है।

(*c*) सिग्मा स्केल के निर्माण में वक्र का 100 बराबर भागों में इसके क्षैतिज कक्ष के साथ विभाजन, माध्य के नीचे 3 मानक विचलनों पर 0 के साथ आरंभ होता है और माध्य के ऊपर 3 मानक विचलनों पर 100 के साथ समाप्त/पूर्ण होता है।

एक विशेष परीक्षण अंक के लिए सिग्मा अंकों की गणना के लिए हमलोग इस सूत्र का प्रयोग करते हैं :

सिग्मा अंक = 16.66Z + 50

जहाँ, $Z = \frac{X - m}{S.D.}$

X = अनिर्मित अंक

M = माध्य

S.D. = मानक विचलन

(*d*) T अंक में, माध्य हमेशा 50 होता है और मानक विचलन हमेशा 10 होता है।

T अंक की गणना करने के लिए, हम लोग इस सूत्र का उपयोग करते हैं; T = 10(Z) + 50

70. (*a*) घेंघा का उपचार उसके कारण के अनुसार होता है। यदि थायरॉयड ग्रंथि T3 और T4 बहुत अधिक उत्पादन करता है, तो ग्रंथि को सिकुड़ने के लिए रोगी को रेडियोधर्मी आयोडीन दिया जाता है। सामान्यतः घेंघा आयोडीन की कमी के कारण होता है।

(*b*) क्वासियोरकोर कुपोषण का एक गंभीर रूप है। यह आहार में प्रोटीन की कमी के कारण होता है। प्रोटीन में यह चरम कमी पाचन तंत्र में परासरणी असंतुलन पैदा करता है जिसके फलस्वरूप आंत में सूजन, त्वचा शोथ (इडिमा) अथवा पानी का प्रतिधारण के रूप में पहचाना जाता है।

(*c*) विटामिन B_{12} की कमी रक्ताल्पता (एनीमिया) होने के कारणों में से एक है। विघातक एनीमिया वह स्थिति है जहाँ विटामिन B_{12} आपके शरीर में अवशोषित नहीं हो सकता है। ब्रिटेन में विटामिन B_{12} की कमी आम कारण है। विटामिन B_{12} की कमी का विटामिन B_{12} की नियमित सूईयों द्वारा आसानी से उपचार किया जा सकता है।

(*d*) बेरी-बेरी लक्षणों के एक समूह को प्रदर्शित करता है जो मुख्यतः थायमीन (विटामिन B_1) की कमी के कारण होता है। पारंपरिक रूप से बेरीबेरी को तीन अलग-अलग तत्वों में बाँटा गया है। यह विभाजन शरीर प्रणाली से संबंधित है जिसमें मुख्यतः शामिल हैं (परिधीय तंत्रिका तंत्र या कार्डियोवैसकुलर) अथवा व्यक्ति की उम्र।

UGC-NET जूनियर रिसर्च फैलोशिप तथा सहायक प्राध्यापक परीक्षा

शारीरिक शिक्षा, दिसम्बर-2015

प्रश्न-पत्र-II

निर्देश : *इस प्रश्न-पत्र में* ***पचास (50)*** *बहु-विकल्पीय प्रश्न हैं। प्रत्येक प्रश्न के* ***दो (2)*** *अंक हैं।* ***सभी*** *प्रश्न अनिवार्य हैं।*

1. निम्नलिखित में से किसने ओलम्पिक 'आदर्शवाक्य' दिया?

A. हेनरी डेडियन

B. क्यूबर्टिन

C. प्लेटो

D. जुआन एन्टोनिओ समरांच

2. कूपर के अनुसार (1968) 12 मिनट रन टेस्ट के मूल्य को निम्नलिखित में से किसके द्वारा Vo_2 मैक्स. में परिवर्तित किया जाता है?

A. Vo_2 मैक्स. = (22.351 × दूरी (कि.मी.) – 11.288)

B. Vo_2 मैक्स. = (22.531 × दूरी (कि.मी.) – 11.882)

C. Vo_2 मैक्स. = (11.882 × दूरी (मीटर) – 22.531)

D. Vo_2 मैक्स. = (11.288 × दूरी (मीटर) – 22.135)

3. अवलम्बी मांसपेशियाँ जिसमें कम स्पष्ट 'टेन्डन' होती हैं और अशुण्डाकार होती हैं को कहा जाता है :

A. लम्बी मांसपेशियाँ

B. पट्टा मांसपेशियाँ

C. अनुप्रस्थ परिच्छेदीय मांसपेशियाँ

D. पेनीफॉर्म मांसपेशियाँ

4. निम्नलिखित में से कौन-सी सीखने की प्रक्रिया हमें यह बताती है कि क्या किया जाए और सामान्यतया आदत डालने वाली होती है?

A. अन्तर्दृष्टि से सींखना

B. अव्यक्त रूप से सीखना

C. परीक्षण एवं त्रुटि द्वारा सीखना

D. यंत्रीय रूप से सीखना

5. किसी पेशेवर संस्था का आँका जाता है :

A. समाज के सुनाम से B. अनुभव

C. दक्षता D. अवस्थिति

6. सामान्य वक्ष मेरुदंड पहले से बारहवें कशेरुका का 'कायोफ्टिक' कोण होना चाहिए :

A. 20° से 45° के बीच

B. 10° से 20° के बीच

C. 15° से 30° के बीच

D. 5° से 15° के बीच

7. उच्च प्रतिस्पर्धी आवृत्ति की आवश्यकता निम्नलिखित में से किस अवधि में अत्यावश्यक होती है?

A. प्रारंभिक अवधि-I B. प्रारंभिक अवधि-II

C. संक्रमण काल D. प्रतिस्पर्धा काल

8. शोध में त्रिभुजन में शामिल होता है :

A. तीन अलग शोध उपकरणों का प्रयोग

B. अनेकानेक स्रोतों से आंकड़े एकत्रित करना

C. तीन अन्य शोधकर्ताओं के कार्य से परामर्श करना

D. एक ही परिप्रेक्ष्य के लेखकों के कार्य से परामर्श करना

9. खेल प्रशासन की सर्वोत्तम प्रणाली है :

A. निरंकुश B. लोकतांत्रिक

C. तानाशाही D. अहस्तक्षेप

10. प्रशिक्षण में खर्च की गई कैलोरी को निम्नलिखित में से किसके द्वारा मापा जाता है?

A. वजन (पाउंड में) × 10 ÷ 24 × MET

B. वजन (पाउंड में) × 20 ÷ 42 × MET

C. वजन (पाउंड में) ÷ 20 + 42 × MET

D. वजन (पाउंड में) + 20 – 24 × MET

11. शारीरिक शिक्षा में वृत्तिक नीति के अन्तर्गत सम्मिलित है :

(*a*) शारीरिक प्रवीणता (*b*) निष्पक्षता

(*c*) नैतिक मूल्य (*d*) संवेगात्मक स्थैर्य

कूट :

A. (*a*) एवं (*b*) B. (*c*) एवं (*d*)

C. (*b*) एवं (*c*) D. (*a*) एवं (*d*)

12. फाइन ट्यून्ड में एक्सरसाइज के दौरान वायुसंचार नियंत्रण निर्भर करता है :

(*a*) हायर ब्रेन सेंटर्स

(*b*) ह्यूमरल केमोरिसेप्टर्स

(*c*) पेशी से न्यूराल फीडबैक

(*d*) रिक समीकरण

कूट :

A. (*a*), (*b*) एवं (*c*) B. (*a*) एवं (*c*)

C. (*b*) एवं (*d*) D. (*b*) एवं (*c*)

13. निम्नलिखित में से कौन-से बल भुजाओं के 'ग्लूनोह्यूमेरल' बाह्य परिभ्रमण में योगदान करते हैं :

(*a*) इन्ट्रास्पाइनेटस में क्रिया

(*b*) टेरेस माइनर में क्रिया

(*c*) सब्सकैपुलरिस में क्रिया

(*d*) ग्लूनोह्यूमेरल स्नायु में विकसित निष्क्रिय बल

कूट :

A. (*a*), (*b*) और (*c*) B. (*a*), (*b*) और (*d*)

C. (*b*), (*c*) और (*d*) D. (*c*), (*d*) और (*a*)

14. सीखने के चरण हैं :

(*a*) सहचारी चरण (*b*) स्वायत्त चरण

(*c*) फीडबैक चरण (*d*) पुनर्बलन चरण

सही उत्तर चुनिए :

A. (*a*) और (*b*) B. (*a*) और (*c*)

C. (*b*) और (*d*) D. (*c*) और (*d*)

15. भावनात्मक परिपक्वता का विकास करने के लिए कौशल हैं :

(*a*) स्व-जागरूकता

(*b*) नियंत्रक आवेग

(*c*) नकारात्मक प्रभाव का प्रतिरोध

(*d*) तुष्टि का विलंबन

सही संयोजन की पहचान कीजिए :

A. (*b*) और (*c*) B. (*b*), (*c*) और (*d*)

C. (*a*) और (*d*) D. (*b*) और (*d*)

16. निम्नलिखित में से किसमें 'नियासिन' पाया जाता है?

(*a*) टमाटर

(*b*) अंडा

(*c*) अनाज

(*d*) मक्खन

(*e*) यीस्ट

कूट :

A. (*a*) और (*c*) B. (*b*) और (*d*)

C. (*c*) और (*e*) D. (*d*) और (*a*)

17. इष्टतम तत्परता की स्थिति को प्राप्त करने के लिए, मनोवैज्ञानिक तैयारी में निम्नलिखित शामिल होना चाहिए। नीचे दिए गए कूटों का प्रयोग करते हुए सही उत्तर दीजिए :

(*a*) कायिक उपचारात्मक उपायों का प्रयोग

(*b*) सक्रियण के स्तर को कम करने के लिए अधिक प्रशिक्षण भार देना

(*c*) मनोवैज्ञानिकों को सीधे तौर पर एथलीट से सम्पर्क करना चाहिए

(*d*) प्रतिद्वन्द्विता की महत्ता पर बल दिया जाना चाहिए

(*e*) मनोविनियामक तकनीकों का प्रयोग

कूट :

A. (*a*), (*c*), (*b*) B. (*a*), (*b*), (*e*)

C. (*e*), (*c*), (*d*) D. (*b*), (*d*), (*e*)

18. निम्नलिखित में से कौन-सा कथन बहु-संबंधों के बारे में गलत होगा?

(*a*) यह केवल -1.00 से 1.00 के बीच होता है।

(*b*) यह केवल 0 से 1.00 के बीच होता है।

(*c*) यह $-\infty$ से $+\infty$ के बीच होता है।

(*d*) यह केवल -1.00 से 0 के बीच होता है।

कूट :

A. केवल (*b*)

B. केवल (*a*), (*c*) और (*d*)

C. केवल (*c*) और (*d*)

D. केवल (*a*) और (*c*)

19. फ्रेंच शार्ट सर्व परीक्षण के लिए चाप के लक्ष्य आकार हैं :

(*a*) 22″	(*b*) 26″
(*c*) 30″	(*d*) 34″
(*e*) 38″	(*f*) 42″
(*g*) 46″	(*h*) 50″

सही उत्तर चुनें :

A. (*b*), (*d*), (*f*), (*h*)
B. (*a*), (*c*), (*e*), (*g*)
C. (*a*), (*c*), (*e*), (*h*)
D. (*a*), (*c*), (*e*), (*f*)

20. शारीरिक शिक्षा के लिए समय-सारिणी तैयार करते समय किन कारकों पर ध्यान देना चाहिए :

(*a*) संस्था के प्रमुख का पसंद
(*b*) माता-पिता की सुविधा
(*c*) सुविधाओं की उपलब्धता
(*d*) शारीरिक शिक्षा शिक्षक की उपलब्धता

कूट :

A. (*a*) और (*c*)
B. (*c*) और (*d*)
C. (*c*) और (*a*)
D. (*a*) और (*b*)

21. नीचे दो कथन दिए गए हैं। एक अभिकथन (A) है और दूसरा तर्क (R) है :

अभिकथन (A) : चयनात्मक ध्यान एक कौशल है जिसे सीखा जा सकता है?

तर्क (R) : निःसंदेह कुछ खिलाड़ी दूसरे खिलाड़ियों की अपेक्षा चयनात्मक ध्यान में अधिक अच्छे हैं। तथापि यह विश्वास करने का कोई कारण नहीं कि यह कौशल अर्जित किया जा सकता है।

उपरोक्त दोनों कथनों के संदर्भ में निम्नलिखित में से कौन-सा कथन **सही** है?

A. (A) और (R) दोनों सही हैं और (R), (A) की सही व्याख्या है।
B. (A) और (R) दोनों सही हैं किंतु (R), (A) की सही व्याख्या नहीं है।
C. (A) सही है, और (R) सही नहीं है।
D. (A) सही नहीं है, और (R) सही है।

22. नीचे दो कथन दिए गए हैं। एक अभिकथन (A) है और दूसरा तर्क (R) है :

अभिकथन (A) : महिलाओं के रक्त (100% Hb संतृप्ति) में O_2 की मात्रा लगभग 174 मि.ली./लीटर रक्त में होती है।

तर्क (R) : प्रशिक्षण से अन्ततः फेफड़ों की संरचना में इस प्रकार परिवर्तन किया जा सकता है जिससे ये और अधिक O_2 ले सकें।

उपरोक्त दोनों कथनों के संदर्भ में निम्नलिखित में से कौन-सा कथन सही है?

A. (A) और (R) दोनों सही हैं और (R), (A) की सही व्याख्या है।
B. (A) और (R) दोनों सही हैं किंतु (R), (A) की सही व्याख्या नहीं है।
C. (A) सही है, और (R) सही नहीं है।
D. (A) सही नहीं है, और (R) सही है।

23. नीचे दो कथन दिए गए हैं। एक अभिकथन (A) है और दूसरा तर्क (R) है :

अभिकथन (A) : लीडर जो अच्छे खेल के बाद खिलाड़ी की सराहना करते हैं या खराब प्रदर्शन के बाद असंतोष या गुस्सा व्यक्त करते हैं वे नेतृत्व के व्यवहारवादी शैली का पालन कर रहे हैं।

तर्क (R) : उनकी शैली का जोर खिलाड़ी की आवश्यकता और परिवेश के अनुसार प्रत्येक खिलाड़ी के साथ व्यवहार करना है।

उपरोक्त दोनों कथनों के संदर्भ में निम्नलिखित में से कौन-सा कथन सही है?

A. (A) और (R) दोनों सही हैं और (R), (A) की सही व्याख्या है।
B. (A) और (R) दोनों सही हैं किंतु (R), (A) की सही व्याख्या नहीं है।
C. (A) सही है, और (R) सही नहीं है।
D. (A) सही नहीं है, और (R) सही है।

24. नीचे दो कथन दिए गए हैं। एक अभिकथन (A) है और दूसरा तर्क (R) है :

अभिकथन (A) : भिन्न आयु के बच्चे और साथ ही समान आयु के बच्चे अपनी-अपनी मानसिक आयु में अंतर दर्शाते हैं।

तर्क (R) : बच्चे का शिक्षा-स्तर उसकी मानसिक आयु के अनुसार निर्धारित किया जाता है।

उपरोक्त दोनों कथनों के संदर्भ में निम्नलिखित में से कौन-सा कथन सही है?

A. (A) और (R) दोनों सही हैं और (R), (A) की सही व्याख्या है।

B. (A) और (R) दोनों सही हैं किंतु (R), (A) की सही व्याख्या नहीं है।

C. (A) सही है, और (R) सही नहीं है।

D. (A) सही नहीं है, और (R) सही है।

25. नीचे दो कथन दिए गए हैं। एक अभिकथन (A) है और दूसरा तर्क (R) है :

अभिकथन (A) : शॉक एक ऐसी दशा है जिसमें रक्त प्रवाह मात्रा समाप्त हो जाती है या उसमें अत्यधिक कमी हो जाती है।

तर्क (R) : जोरदार पलमोनरी एम्बोलस के कारण रक्त प्रवाह सामान्य की अपेक्षा कम गति से होता है।

उपरोक्त दोनों कथनों के संदर्भ में निम्नलिखित में से कौन-सा कथन सही है?

A. (A) और (R) दोनों सही हैं और (R), (A) की सही व्याख्या है।

B. (A) और (R) दोनों सही हैं किंतु (R), (A) की सही व्याख्या नहीं है।

C. (A) सही है, और (R) सही नहीं है।

D. (A) सही नहीं है, और (R) सही है।

26. नीचे दो कथन दिए गए हैं। एक अभिकथन (A) है और दूसरा तर्क (R) है :

अभिकथन (A) : कोमल तंतुओं पर मसाज से उत्पन्न यांत्रिक दबाव से (फ्लूइड) द्रव विस्थापित होती है जो अभ्यासकर्ता के हाथ से स्थैतिक बल के अधीन निम्नतर प्रतिरोध की दिशा में संचालित होता है।

तर्क (R) : स्ट्रोकिंग मसाज एडिमा को कम करता है; दबाव (कम्प्रेशन) नॉन-पिटिंग एडिमा को परिवर्तित कर देता है।

उपरोक्त दोनों कथनों के संदर्भ में निम्नलिखित में से कौन-सा कथन सही है?

A. (A) और (R) दोनों सही हैं और (R), (A) की सही व्याख्या है।

B. (A) और (R) दोनों सही हैं किंतु (R), (A) की सही व्याख्या नहीं है।

C. (A) सही है, और (R) सही नहीं है।

D. (A) सही नहीं है, और (R) सही है।

27. नीचे दो कथन दिए गए हैं। एक अभिकथन (A) है और दूसरा तर्क (R) है :

अभिकथन (A) : जब प्रतिस्पर्धा समाप्त होती है खिलाड़ी यह पता करने के लिए स्पर्धा के उपरांत प्रतिक्रिया करता है कि क्या प्रतिस्पर्धा के निर्धारित लक्ष्यों को प्राप्त कर लिया गया है?

तर्क (R) : जो एथलीट (खिलाड़ी) प्रतिस्पर्धा के निर्धारित लक्ष्यों को प्राप्त न कर पाया हो, उसे प्रतिस्पर्धा के तुरंत बाद उसका स्मरण कराने की आवश्यकता होती है।

उपरोक्त दोनों कथनों के संदर्भ में निम्नलिखित में से कौन-सा कथन सही है?

A. (A) और (R) दोनों सही हैं और (R), (A) की सही व्याख्या है।

B. (A) और (R) दोनों सही हैं किंतु (R), (A) की सही व्याख्या नहीं है।

C. (A) सही है, और (R) सही नहीं है।

D. (A) सही नहीं है, और (R) सही है।

28. नीचे दो कथन दिए गए हैं। एक अभिकथन (A) है और दूसरा तर्क (R) है :

अभिकथन (A) : शक्ति शून्य प्राक्कल्पना को अस्वीकृत करने की प्रसंभाव्यता है जब यह गलत हो।

तर्क (R) : जितनी अधिक शक्ति होगी अधिक अन्तर की सम्भावना उतनी ही कम होगी।

उपरोक्त दोनों कथनों के संदर्भ में निम्नलिखित में से कौन-सा कथन सही है?

A. (A) और (R) दोनों सही हैं और (R), (A) की सही व्याख्या है।

B. (A) और (R) दोनों सही हैं किंतु (R), (A) की सही व्याख्या नहीं है।

C. (A) सही है, और (R) सही नहीं है।

D. (A) सही नहीं है, और (R) सही है।

29. नीचे दो कथन दिए गए हैं। एक अभिकथन (A) है और दूसरा तर्क (R) है :

अभिकथन (A) : मूल्यांकन निर्णय की कला है परन्तु इसे पूर्व निर्धारित मानदण्डों पर वैज्ञानिक रूप से लागू नहीं किया जाता।

तर्क (R) : मूल्यांकन एक गतिक और कभी न समाप्त होने वाली प्रक्रिया है।

उपरोक्त दोनों कथनों के संदर्भ में निम्नलिखित में से कौन-सा कथन सही है?

A. (A) और (R) दोनों सही हैं और (R), (A) की सही व्याख्या है।

B. (A) और (R) दोनों सही हैं किंतु (R), (A) की सही व्याख्या नहीं है।

C. (A) सही है, और (R) सही नहीं है।

D. (A) सही नहीं है, और (R) सही है।

30. नीचे दो कथन दिए गए हैं। एक अभिकथन (A) है और दूसरा तर्क (R) है :

अभिकथन (A) : व्यायाम से पूर्व और इसके पश्चात कोमल तंतुओं के परिचालन से भौतिक एवं शारीरिक परिवर्तनों को बढ़ावा मिलता है जिससे कार्य-निष्पादन तथा विशेषकर स्वास्थ्य लाभ (रिकवरी) में सहायता प्राप्त होती है।

तर्क (R) : चिकित्सक (थेरेपिस्ट) स्ट्रेस का मानीटर्स करते हैं जो शरीर में निर्मित हो सकता है और वे गम्भीर चोट को लेकर चेतावनी देते हैं।

उपरोक्त दोनों कथनों के संदर्भ में निम्नलिखित में से कौन-सा कथन सही है?

A. (A) और (R) दोनों सही हैं और (R), (A) की सही व्याख्या है।

B. (A) और (R) दोनों सही हैं किंतु (R), (A) की सही व्याख्या नहीं है।

C. (A) सही है, और (R) सही नहीं है।

D. (A) सही नहीं है, और (R) सही है।

31. नीचे दो कथन दिए गए हैं। एक अभिकथन (A) है और दूसरा तर्क (R) है :

अभिकथन (A) : प्रबन्धन में काम की व्यवस्था करना, प्रशासन करना और पर्यवेक्षण करना शामिल है।

तर्क (R) : अच्छा नाधा काम आधा।

उपरोक्त दोनों कथनों के संदर्भ में निम्नलिखित में से कौन-सा कथन सही है?

A. (A) और (R) दोनों सही हैं और (R), (A) की सही व्याख्या है।

B. (A) और (R) दोनों सही हैं किंतु (R), (A) की सही व्याख्या नहीं है।

C. (A) सही है, और (R) सही नहीं है।

D. (A) सही नहीं है, और (R) सही है।

32. कौशल अभिगम में सूचना प्रसंस्करण मॉडल का सही क्रम चुनिए :

(*a*) निर्णय करना

(*b*) प्रभाव

(*c*) प्रतिपुष्टि

(*d*) निर्गम

कूट :

A. (*a*), (*b*), (*c*), (*d*) B. (*c*), (*d*), (*b*), (*a*)

C. (*b*), (*a*), (*d*), (*c*) D. (*d*), (*c*), (*a*), (*b*)

33. सिस्टेमिक सर्कुलेशन के सही क्रम का चयन करें :

(*a*) अवोर्टा के लिए थ्रू एओरटिक सेमिल्यूनर वैल्यू

(*b*) लैफ्ट बैन्ट्रीकिल

(*c*) आर्टिरियोल्स

(*d*) आर्टिरीज़

(*e*) केशिकाएँ

(*f*) वेन्यूल्स

(*g*) वीना कावा

(*h*) वेन्स

(*i*) राइट एट्रियम

कूट :

A. (*b*), (*i*), (*a*), (*c*), (*d*), (*e*), (*f*), (*h*), (*g*)

B. (*i*), (*b*), (*a*), (*c*), (*d*), (*e*), (*h*), (*f*), (*g*)

C. (*i*), (*a*), (*c*), (*d*), (*e*), (*h*), (*f*), (*g*), (*b*)

D. (*b*), (*a*), (*d*), (*c*), (*e*), (*f*), (*h*), (*g*), (*i*)

34. शोध पिरामिड का ऊपर से नीचे की ओर सही क्रम चुनिए :

(*a*) शोध प्रणाली विज्ञान

(*b*) शोध तकनीकी

(*c*) शोध प्रतिमान

(*d*) शोध प्रणाली

कूट :

A. (*a*), (*c*), (*b*), (*d*) B. (*b*), (*c*), (*d*), (*a*)

C. (*c*), (*a*), (*d*), (*b*) D. (*d*), (*b*), (*a*), (*c*)

35. तनाव में चार परस्पर संबंधित चरण होते हैं। उन्हें क्रमानुसार व्यवस्थित कीजिए :

(*a*) अनुभव किए गए मनोवैज्ञानिक और शारीरिक खतरे की मात्रा

(*b*) व्यवहार

(*c*) परिवेशीय मांग

(*d*) शारीरिक और मनोवैज्ञानिक अनुक्रिया

कूट :

A. (*c*), (*a*), (*d*), (*b*) B. (*a*), (*b*), (*c*), (*d*)

C. (*d*), (*c*), (*a*), (*b*) D. (*b*), (*d*), (*c*), (*a*)

36. निम्नलिखित खाद्य पदार्थों का ग्लाइसेमिक इंडेक्स के सही आरोही क्रम की पहचान कीजिए :

(*a*) सेब

(*b*) गाजर

(*c*) कॉर्नफ्लेक्स

(*d*) केला

(*e*) फ्रक्टोज

कूट :

A. (*e*), (*a*), (*b*), (*d*), (*c*)

B. (*a*), (*e*), (*b*), (*d*), (*c*)

C. (*e*), (*b*), (*d*), (*a*), (*c*)

D. (*b*), (*a*), (*d*), (*c*), (*e*)

37. नीचे प्रतिभा की पहचान और विकास के चरण दिए गए हैं।

नीचे दिए गए कूटों से सही क्रम का चयन करें :

(*a*) दो स्पर्धाओं में प्रतिभाशाली बच्चों की पहचान करना।

(*b*) एकल स्पर्धा हेतु प्रतिभाशाली बच्चों की पहचान करना।

(*c*) उन बच्चों की पहचान करना जो खेल समूह में प्रतिभाशाली हैं।

(*d*) खेलकूद के लिए उपयुक्त बच्चों का पता लगाना।

कूट :

A. (*a*), (*b*), (*c*), (*d*)

B. (*d*), (*c*), (*a*), (*b*)

C. (*c*), (*d*), (*b*), (*a*)

D. (*b*), (*d*), (*a*), (*c*)

38. वन-वे प्रसरण विश्लेषण (अनोवा) की गणना के चरणों का सही क्रम का पता लगाइए :

(*a*) सैम्पलों के बीच वर्गों का जोड़

(*b*) विभिन्न सैम्पलों की सभी मदों का जोड़

(*c*) वर्गों का कुल योग

(*d*) शोधन कारक

(*e*) सैम्पलों के अन्तर्गत वर्गों का जोड़

कूट :

A. (*c*), (*b*), (*a*), (*e*), (*d*)

B. (*a*), (*b*), (*e*), (*d*), (*c*)

C. (*b*), (*a*), (*d*), (*e*), (*c*)

D. (*b*), (*d*), (*c*), (*a*), (*e*)

39. आयोवा मुद्रा परीक्षण के निम्नलिखित घटकों का सही क्रम बताइए :

(*a*) बैठना

(*b*) चलना

(*c*) खड़ा होना

(*d*) पैर यांत्रिकता

(*e*) सीढ़ियों पर चढ़ना व उतरना

(*f*) झुकना

कूट :

A. (*d*), (*c*), (*b*), (*a*), (*f*), (*e*)

B. (*d*), (*c*), (*b*), (*a*), (*e*), (*f*)

C. (*d*), (*c*), (*b*), (*e*), (*a*), (*f*)

D. (*d*), (*b*), (*c*), (*a*), (*f*), (*e*)

40. खेल प्रबन्धन के निम्नलिखित प्रकारों को उनके सापेक्षिक गुण-दोष के अनुसार आरोही क्रम में व्यवस्थित कीजिए :

(*a*) संकलनवादी प्रबन्धन

(*b*) लोकतांत्रिक प्रबन्धन

(*c*) अहस्तक्षेप प्रबन्धन

(*d*) निरंकुश प्रबन्धन

कूट :

A. (*a*), (*b*), (*c*), (*d*) B. (*b*), (*c*), (*d*), (*a*)

C. (*c*), (*d*), (*a*), (*b*) D. (*d*), (*b*), (*c*), (*a*)

41. सूची-I को सूची-II से सुमेलित कीजिए तथा नीचे दिए गए कूट से सही उत्तर चुनिए :

सूची-I	सूची-II
I. सार्वभौम का स्वतंत्र अस्तित्व होता है	1. अरस्तूवाद
II. सार्वभौम सिर्फ अंश में विद्यमान रहता है	2. नॉर्मिनलिज्म
III. सार्वभौम मस्तिष्क में रहता है	3. अवधारणावाद
IV. सार्वभौम का न तो स्वतंत्र अस्तित्व होता है और न ही मस्तिष्क में रहता है।	4. यथार्थवाद

कूट :

	I	II	III	IV
A.	1	3	4	2
B.	4	1	3	2
C.	4	2	3	1
D.	2	3	4	1

42. सूची-I को सूची-II से सुमेलित कीजिए तथा नीचे दिए गए कूट से सही उत्तर चुनिए :

सूची-I	सूची-II
I. अधिवृक्क-मध्यांश	1. मेलाटोनिन
II. अधश्चेतक	2. एपाइनफ्रिन
III. अधिवृक्क वल्कुट	3. कॉरटिकॉट्रोफिन-रिलीजिंग हारमोन
IV. पीनियल	4. ग्लूकोकॉर्टिकॉयड्स

कूट :

	I	II	III	IV
A.	1	3	2	4
B.	3	1	4	2
C.	2	3	4	1
D.	4	1	2	3

43. सूची-I को सूची-II से सुमेलित कीजिए तथा नीचे दिए गए कूट से सही उत्तर चुनिए :

सूची-I	सूची-II
I. स्थान जिस पर लगाए गए दबाव से वस्तु की आकृति स्थायी रूप से विकृत हो सकती है	1. फॉयल
II. किसी द्रव्य के पराभव बिंदु पर दबाव	2. कॉफिशिएंट ऑफ लिफ्ट
III. एक इकाईरहित मात्रा जो किसी विशेष वस्तु की उत्थापन सृजन क्षमता को अभिव्यक्त करता है।	3. येल्ड पाइंट
IV. कोई भी वस्तु जो द्रव में गतिमान रहकर उत्थापन उत्पन्न कर सकता है।	4. येल्ड स्ट्रेन्थ

कूट :

	I	II	III	IV
A.	2	3	4	1
B.	4	3	1	2
C.	2	1	4	3
D.	4	1	2	3

44. सूची-I को सूची-II से सुमेलित कीजिए तथा नीचे दिए गए कूट से सही उत्तर चुनिए :

सूची-I	सूची-II
I. व्यक्तित्व	1. सोशल लर्निंग सिद्धांत
II. आक्रमण	2. रिकैपिचुलेशन सिद्धांत
III. प्रेरणा	3. ड्राइव सिद्धांत
IV. खेल	4. नीड एचीवमेंट सिद्धांत

कूट :

	I	II	III	IV
A.	1	3	4	2
B.	2	4	3	1
C.	3	2	1	4
D.	4	1	2	3

45. सूची-I को सूची-II से सुमेलित कीजिए तथा नीचे दिए गए कूट से सही उत्तर चुनिए :

सूची-I	सूची-II
I. निर्देश	1. संकल्पना विकास
II. शिक्षण	2. आवश्यक दृश्य शिक्षण साधन
III. प्रदर्शन	3. सीमित और संकीर्ण
IV. व्याख्या	4. समग्र और व्यापक आधारित

कूट :

	I	II	III	IV
A.	2	3	1	4
B.	4	2	3	1
C.	2	1	4	3
D.	3	4	2	1

46. सूची-I को सूची-II से सुमेलित कीजिए तथा नीचे दिए गए कूट से सही उत्तर चुनिए :

सूची-I (मांसपेशी)	सूची-II (मूल)
I. रेक्टस फोमोरिअस	1. ग्रेटर ट्रॉचान्टर ऑफ फेमूर की बाहरी सतह
II. लांग हेड ऑफ बाइसेप्स फेमोरिस	2. लीनिया अस्पेरा
III. शॉर्ट हेड ऑफ बाइसेप्स फेमोरिस	3. एन्टीरियर इन्फीरियर इलियक स्पाइन
IV. वास्टस लैटेरलिस	4. ट्यूबरसिटी ऑफ इस्चियम

कूट :

	I	II	III	IV
A.	1	3	2	4
B.	2	3	1	4
C.	3	4	2	1
D.	2	4	1	3

47. सूची-I को सूची-II से सुमेलित कीजिए तथा नीचे दिए गए कूट से सही उत्तर चुनिए :

सूची-I	सूची-II
I. दीर्घकालिक सहनशक्ति II	1. 35 सैकेंड - 2 मिनट
II. अल्पकालिक सहनशक्ति	2. 2 - 15 मिनट
III. दीर्घकालिक सहनशक्ति III	3. 90 - 360 मिनट
IV. मध्यकालिंक सहनशक्ति	4. 35 - 90 मिनट

कूट :

	I	II	III	IV
A.	2	1	3	4
B.	4	1	3	2
C.	3	2	4	1
D.	1	3	2	4

48. सूची-I को सूची-II से सुमेलित कीजिए तथा नीचे दिए गए कूट से सही उत्तर चुनिए :

सूची-I (प्रसामान्य संभाव्यता वक्र में माध्य कोटि से दूरी)	सूची-II (प्रसामान्य संभाव्यता वक्र में कुल क्षेत्र का प्रतिशत)
I. 1.06	1. 43.319
II. 1.966	2. 47.725
III. 2.06	3. 47.500
IV. 1.56	4. 43.913
	5. 34.134
	6. 37.275

कूट :

	I	II	III	IV
A.	5	3	2	1
B.	6	4	3	5
C.	1	4	3	5
D.	1	5	3	2

49. सूची-I को सूची-II से सुमेलित कीजिए तथा नीचे दिए गए कूट से सही उत्तर चुनिए :

सूची-I	सूची-II
I. एर्गोमीटर	1. शक्ति
II. डगलस बैग	2. शरीर संरचना
III. मैनोमीटर	3. कार्य
IV. स्किनफोल्ड कैलिपर	4. ऊर्जा लागत

कूट :

	I	II	III	IV
A.	4	3	1	2
B.	4	3	2	1
C.	3	4	2	1
D.	3	4	1	2

50. सूची-I को सूची-II से सुमेलित कीजिए तथा नीचे दिए गए कूट से सही उत्तर चुनिए :

सूची-I	सूची-II
I. प्रबन्धन का क्लासिकीय सिद्धान्त	1. हेनरी फेयोल
II. प्रशासनिक सिद्धान्त	2. एफ. डब्ल्यू. टेलर
III. मानव संसाधन सिद्धान्त	3. मैक्स वेबर
IV. वैज्ञानिक प्रबन्धन सिद्धान्त	4. एल्टन मायो

कूट :

	I	II	III	IV
A.	1	2	3	4
B.	3	1	4	2
C.	2	3	1	4
D.	4	2	3	1

उत्तरमाला

1	2	3	4	5	6	7	8	9	10
A	A	B	D	C	A	D	*	B	A
11	**12**	**13**	**14**	**15**	**16**	**17**	**18**	**19**	**20**
C	A	B	A	D	A	B	B	B	B
21	**22**	**23**	**24**	**25**	**26**	**27**	**28**	**29**	**30**
D	C	B	A	A	B	C	C	D	B
31	**32**	**33**	**34**	**35**	**36**	**37**	**38**	**39**	**40**
B	C	D	C	A	B	B	D	A	D
41	**42**	**43**	**44**	**45**	**46**	**47**	**48**	**49**	**50**
B	C	B	A	D	C	B	A	D	B

कुछ चुने हुए प्रश्नों के व्यारव्यात्मक उत्तर

1. ओलम्पिक मोटो : Citius, Altius, Fortius ये शब्द लैटिन भाषा से लिए गए हैं। इस शब्द का प्रतिपादन फादर हेनरी डीडान ने किया था।

3. मानवीय शरीर में 650 से अधिक व्यक्तिगत मांसपेशियाँ होती हैं जो मनुष्य के ढांचे से जुड़ी होती हैं। ये मांसपेशियाँ शरीर को गतिशीलता तथा हरकत के योग्य बनाने वाली शक्ति प्रदान करती हैं। ये मांसपेशियां शरीर के वजन का कुल 40 प्रतिशत होती हैं। हड्डियाँ अथवा और मांसपेशियों से जुड़ने वाली मांसपेशियों के सिरों को आरम्भ स्थल अथवा मेल के साथ जुड़ने का स्थान है जिससे मांसपेशियाँ हरकत करती हैं।

सामान्य तौर पर, मांसपेशियाँ हड्डी के साथ मजबूत रेशेदार पदार्थ के साथ जुड़े रहते हैं जिन्हें टेंडन (Tendon) कहा जाता है। यह (टेंडन) एक अथवा अधिक जोड़ों के बीच पुल अथवा जोड़ का काम करते हैं तथा मांसपेशियों के सिकुड़ने के परिणामस्वरूप इन जोड़ों में गतिशीलता होती है।

शरीर जब भी गतिशील होता है, वह मूलतः मांसपेशियों के समूह के कारण होता है। व्यक्तिगत मांसपेशी के कारण हरकत सम्भव नहीं। मांसपेशियों का यह समूह प्रत्येक हरकत को गति प्रदान करता है, यह शक्ति प्रदान करता है, चाहे वह सूई में धागा डालना हो, अथवा भारी वजन उठाना हो।

6. कशेरूक दण्ड (Vertebral column) मनुष्य की पृष्ठ सतह पर मध्य में सिर से लेकर कमर तक एक लंबी, मोटी एवं छड़ के समान अस्थि पाई जाती है, जिसे कशेरूक दण्ड (Vertebral Column) कहते हैं। मनुष्य का कशेरूक दण्ड 33 कशेरूकाओं से मिलकर बना होता है। कशेरूक दण्ड का विकास नोटोकार्ड (Notochord) से होता है। कशेरूक दण्ड की प्रथम कशेरूका एटलस कहलाती है, जिस पर सिर टिका होता है। सामान्य वक्ष मेरूदंड पहले से बारहवें कशेरूका का कायोपिटक कोण 20° से 45° के मध्य होता है।

9. खेल प्रशासन की सर्वोत्तम प्रणाली लोकतांत्रिक प्रणाली है। इस प्रणाली में समानता, साझी जिम्मेदारी, आजादी, सहयोग, व्यक्तिगत पहचान तथा योग्य नेतृत्व के सिद्धांतों पर आधारित होती है। शारीरिक शिक्षा तथा खेलों में समानता का सिद्धांत विभाग की योजनाओं का अच्छी तरह से विकास करने, प्रतियोगिताओं का प्रबंध करने तथा संसाधनों के उचित प्रयोग के लिए उचित ढंग से काम करता है, जब लोगों के साथ समानता का व्यवहार होता है तो उनमें उच्च स्तरीय आत्मविश्वास का विकास होता है और वो अधिक जिम्मेदारी का व्यवहार करते हैं। साझी जिम्मेदारी द्वारा प्रत्येक अपना काम अच्छे ढंग से करता है तथा दूसरों के ऊपर निर्भर नहीं करता। लोकतंत्र आजादी का समानार्थी है। इस प्रकार यह खेल की सर्वोत्तम प्रणाली है।

14. शिक्षा मनोविज्ञान सीखने का विज्ञान है। शिक्षा मनोविज्ञान में सीखने का अध्ययन बहुत महत्त्वपूर्ण है। शिक्षा मनोविज्ञान में सीखने का विशेष रूप से अध्ययन किया जाता है। सीखना एक मनोवैज्ञानिक प्रक्रिया है तथा किसी भी शिक्षा प्रणाली में सीखने का महत्त्वपूर्ण स्थान है। एक सुव्यवस्थित एवं कुशल शिक्षा प्रणाली में सीखना प्रभावशाली होना चाहिए। पिछले सौ वर्षों के प्रयोग एवं अनुसन्धान इस बात को सिद्ध करते हैं कि सीखना प्रक्रिया एक सरल प्रक्रिया नहीं है, बल्कि अधिगम प्रक्रिया एक जटिल प्रक्रिया है।

सीखना शब्द सीखना प्रक्रिया (Process) तथा उस प्रक्रिया के परिणाम (Product) दोनों के लिए प्रयोग किया जाता है। प्रक्रिया के रूप में सीखने वाले के अनुभवों, उसकी आन्तरिक एवं बाह्य क्रिया तथा उसकी अपनी परिस्थिति के प्रति उसकी प्रतिक्रियाओं का उल्लेख करता है। ये व्यवहार परिवर्तन स्थायी एवं अस्थायी दोनों प्रकार के हो सकते हैं।

सीखना का अर्थ है व्यवहार परिवर्तन। व्यवहार परिवर्तन अनुभव एवं प्रशिक्षण के द्वारा होता है। एक छोटा बच्चा जलते हुए दीपक की लौ पकड़ लेता है। लौ पकड़ने से उसका हाथ जल जाता है और उसे पीड़ा होती है भविष्य में वह कभी ऐसा नहीं करता। इसे ही अनुभव के द्वारा सीखना कहते हैं। एक व्यक्ति साइकिल चलाना नहीं जानता। शनैः शनै वह साइकिल पर चढ़ना सीखता है और साइकिल चलाने में निपुणता प्राप्त कर लेता है। इसे प्रशिक्षण द्वारा सीखना कहते हैं।

मुख्यतः सीखने के चरण में स्वायत्त चरण (Autonomous Stage) तथा सहचारी चरण (Associative stage) शामिल हैं।

16. विटामिन बी-3 को 'नियासिन' भी कहा जाता है। ये मुख्य रूप से मोटे अनाजों, टमाटर, आलू, मांस एवं मछली में पाया जाता है। यह स्वस्थ चमड़ी, पाचन प्रणाली एवं तंतु प्रणाली के लिए आवश्यक तत्व होता है। नियासिन की कमी से पेलाग्रा जैसी बीमारी हो जाती है।

20. शारीरिक शिक्षा कार्यक्रम के कुशल तथा सुव्यवस्थित आयोजन के लिए उपलब्ध समय में उचित क्रिया निर्धारण अति आवश्यक होता है। यह शिक्षक की कुशलता पर निर्भर करता है कि वह इस तथ्य का निर्धारण किस प्रकार करता है कि कौन-सी क्रिया किस समय तथा किसके द्वारा की जाएगी। कोई भी शैक्षिक संस्था क्रिया निर्धारण के बिना कार्य नहीं कर सकती। योजनाओं के व्यवस्थित प्रयोग तथा प्रणालियों को सरलतम बनाने के लिए कक्षा निर्धारण अति आवश्यक होता है।

समय सारणी एक ऐसा साधन होता है, जिसकी सहायता से विद्यालय केवल शिक्षण सफलता के उद्देश्य को प्राप्त करने के लिए कार्य करता है। विविध विद्यालयी क्रियाओं तथा उपलब्ध समय के मध्य पाए जाने वाले सम्बन्ध को प्रदर्शित करने वाला यह एक मापक उपकरण होता है। अर्थात् कौन-सी क्रियाओं को किस समय तथा कितने समय के लिए आयोजित किया जाना चाहिए। समय निर्धारण एक 'स्पार्क प्लग' की भाँति कार्य करता है, जिससे क्रियात्मक कार्यक्रम को गति प्राप्त होती है।

समय सारणी के निर्माण को प्रभावित करने वाले घटक–

- विद्यालय की पद स्थिति–नगर/ग्रामीण प्रातः या सायं पारी, छात्रावास, पाठशाला आदि।
- समयावधि–कार्यरत घंटे, एकल/द्विपारी।
- शासकीय दिशा निर्देश–विभिन्न विषयों को दिए जाने वाले प्रतिनिधित्व के बारे में मण्डल एवं बोर्ड के निर्देश।
- ऋतु/मौसम–ग्रीष्म/शरद काल की समयावधि।
- विषय वरीयता–विषयानुसार पाठन घंटों का वितरण।
- अध्यापकों संकाय की संख्या
- मूलभूत क्रीड़ा ढाँचा उपकरण।

22. रुधिर द्रव संयोजी ऊतक है। इसकी कोशिकाओं की संरचना तथा कार्य दोनों ही अन्य संयोजी ऊतकों की कोशिकाओं से बहुत भिन्न होती हैं। रुधिर का बाह्य कोशिकीय पदार्थ द्रव के रूप में होता है और इसमें तंतु नहीं होता। रुधिर प्रायः लाल, गाढ़ा, स्वाद में नमकीन तथा अपारदर्शी होता है। यह हृदय तथा रुधिर वाहिनियों में होकर संपूर्ण शरीर में लगातार परिक्रमा करता रहता है। मनुष्य में स्थित लाल रुधिर कोशिकाओं का व्यास 7-8 μm होता है और किनारों के पास उसकी मोटाई 2 μm होती है। यह वयस्क पुरुष तथा स्त्री में क्रमशः औसतन 5 मिलियन तथा 4.5 मिलियन होता है। महिलाओं

के रुधिर में ऑक्सीजन (O_2) की मात्रा 174 मि.ली./लीटर होती है। हीमोग्लोबिन संलयित प्रोटीन है। इसमें ग्लोबिन नामक प्रोटीन तथा एक Fe^{2+} पोरफाइरिन कॉम्पलेक्स हीम होता है। हीम के कारण ही रुधिर का रंग लाल होता है।

23. **नेतृत्व का व्यवहार या आचरण विषयक सिद्धांत** (Behavioural Theory of Leadership)–इस विचारधारा के प्रणेता रे ए. किलियन (Ray A. Killian) हैं। उनके अनुसार, "एक नेता मूल रूप से चाहे कुशल निर्णय लेने वाला हो, समस्याओं का समाधान करने वाला हो, अच्छा परामर्शदाता हो, सूचना प्रदान करने वाला हो या नियोजक हो, परन्तु उसे अपने अनुयायियों के समक्ष आदर्श आचरण प्रस्तुत करना चाहिए। आदर्श आचरण या अच्छे व्यवहार के अभाव में वह कभी-कभी सफल नेता नहीं बन सकता।"

उदाहरण के लिए, यदि एक व्यक्ति स्वयं शराबी है और अनुयायियों से यह अपेक्षा करे कि वे शराब न पीएँ तो उसकी यह आशा निराधार होगी। व्यवहार सम्बन्धी दृष्टिकोण में नेता के व्यक्तिगत गुणों तथा उसकी विशेषताओं के स्थान पर उसके आचरण के अध्ययन पर अधिक बल दिया जाता है। इस प्रकार किसी नेता की सफलता का मूल्यांकन उसके व्यवहार का विश्लेषण करके किया जा सकता है।

इस प्रकार स्पष्ट होता है कि नेतृत्व जो अच्छे खेल के बाद खिलाड़ी की सराहना करते हैं या खराब प्रदर्शन के बाद असंतोष या गुस्सा व्यक्त करते हैं वे नेतृत्व के व्यवहारवादी शैली का पालन करते हैं। अतः अभिकथन (A) और तर्क (R) दोनों सही हैं किन्तु (R), (A) की सही व्याख्या नहीं है।

26. **सहलाना (Stroking) :** इस हस्तकौशल विधि में मांसपेशी के ऊपरी तथा निचले भाग को सहलाया जाता है, जिससे रक्त का संचरण बढ़ जाता है। इसका उपयोग शरीर को गहरी गतिविधियों की तैयारी के लिए वार्मअप तथा तुष्टिकरण के लिए किया जाता है।

इस विधि को दो प्रकारों में बाँटा जा सकता है–

एफेज्युरेज हस्तकौशल विधि–इसमें शारीरिक अंग से दूर वाले भाग से हृदय की तरफ वाले भाग तक एक हाथ या दोनों हाथों का प्रयोग कर सहलाया जाता है, जिससे हृदय की तरफ तथा लिम्फेटिक में रक्त का संचरण बढ़ जाता है। मालिश किए जाने वाले अंग को उठाकर रखा जाता है। अँगुलियों, अँगूठे, हथेलियों आदि का प्रयोग भी मालिश के लिए किया जाता है।

मालिश के लिए दोनों हाथों को एक के बाद एक रिदम निरन्तरता बिना भंग किए प्रयोग किया जाता है। इसमें पेशीय तन्तुओं की दिशा लम्बवत् रूप से त्वचा की सतह पर सहलाती हुई होनी चाहिए। सहलाने की क्रिया को परिवर्तीय विभिन्न अंशों के दबाव डालते हुए चक्रीय गति में किया जा सकता है।

एफेज्युरेज हस्तकौशल विधि के लाभ–

- शिराओं की परतें मुलायम हो जाती हैं।
- रक्त के संचरण में आने वाली बाधाएँ खत्म होती हैं तथा यह स्प्रेन तथा डिसलोकेशन के उपचार की प्रारम्भिक अवस्था में प्रयोग किया जाता है।
- चमड़ियों में संचरण बढ़ने से इसका पोषण अच्छा होता है तथा चमड़ी मुलायम हो जाती है। इसकी प्रतिक्रियात्मक क्षमता बढ़ जाती है।
- लिम्फ पर दबाव पड़ने के कारण सूजन में कमी आती है क्योंकि मालिश से लिम्फ से निकलने वाला रक्त रुक जाता है, जिसे हम 'लिम्फ स्टेसिस' भी कहते हैं।
- दर्द में कमी आती है।
- मांसपेशी तथा हड्डी की मजबूती बढ़ती है तथा तन्त्रिका तन्त्र का कार्य अच्छा हो जाता है।

28. **उप-कल्पना का अर्थ**–उप-कल्पना को प्राक्कल्पना, पहले का विचार इत्यादि नामों से भी जाना जाता है। यह एक वैज्ञानिक मान्यता है कि उप-कल्पना के साथ ही इसका समापन होता है। वैज्ञानिक पद्धति के विभिन्न चरणों में उप-कल्पना से ही अध्ययन का प्रारम्भ होता है और उप-कल्पना का स्थान पहले आता है। अध्ययन विषय के चुनाव के बाद यह प्रत्येक अनुसंधानकर्ता के लिए आवश्यक हो जाता है कि किस विषय से सम्बन्धित तथ्यों के संकलन के लिए विविध उप-कल्पनाओं को तैयार करें, ताकि अध्ययन को सम्पूर्ण रूप से निर्देशन मिल सके। उप-कल्पना अपने आप में एक सिद्धान्त नहीं है वरन् एक सामान्यीकरण है, जिसकी सत्यता को स्वयं अध्ययनकर्ता

अध्ययन के क्षेत्र में जाकर परखता है। इसमें यह भी हो सकता है कि यह पूर्व विचार सिद्धान्त को धारण कर ले अथवा इसकी सत्यता को ही निरस्त कर दिया जाए।

शून्य परिकल्पना–अनुसंधानकर्ता दो समष्टियों में किसी गुण के माध्य की मापों के अन्तर की अनुसंधान परिकल्पनाओं की प्रामाणिकता मात्र उस न्यादर्शों के माध्य फलांकों के आधार हैं। क्योंकि अनुसंधानकर्ता के लिए सम्पूर्ण समष्टि का मापन करना सम्भव नहीं होता है। इन स्थितियों में सांख्यिकीविद् यह सुझाव देते हैं कि दोनों समष्टियों में से उस गुण का शून्य अन्तर है। शून्य अन्तर प्रतिचयन की त्रुटि एवं संयोग के कारण ही आया है, अतः इस तरह की परिकल्पना को शून्य कहते हैं।

29. Evaluation शब्द की उत्पत्ति लैटिन भाषा से हुई है, जिसका अर्थ मूल्यांकन है। मूल्यांकन का दूसरा अर्थ आकलन है।

किसी भी वस्तु का मूल्यांकन करने से हमें उसकी महत्ता की जानकारी होती है, जिससे उस वस्तु के द्वारा शैक्षणिक उद्देश्यों की पूर्ति हो सके अर्थात् किसी भी वस्तु का संचालन इस प्रक्रिया के द्वारा करते हैं, जब सही मापन का प्रयोग कर जो निर्णय हम लेते हैं, वही मूल्यांकन कहलाता है।

अवधारणा मूल्यांकन संगठन के पूर्ण ज्ञान का एक अंग है, जिससे छात्र नियोजन एवं शैक्षणिक कार्यक्रम को सरलता से संचालित करते हैं। किसी भी कार्यक्रम का मूल्यांकन करने पर हमें उस कार्यक्रम की वर्तमान स्थिति का पता लगता है अर्थात् हमें सकारात्मक व नकारात्मक बातों की मूल्यांकन के जरिए जानकारी होती है।

इस प्रकार स्पष्ट होता है कि मूल्यांकन एक गतिक और कभी न समाप्त होने वाली प्रक्रिया है। अतः अभिकथन (A) गलत है तथा तर्क (R) सही है।

31. मनुष्य, उद्देश्य तथा साधन शारीरिक शिक्षा के लिए अति महत्वपूर्ण होते हैं तथा खेल क्रियाएँ, जिनके उद्देश्यों को उस समय तक प्राप्त नहीं किया जा सकता जब तक इन सभी तत्वों का प्रबन्ध उचित तथा संघटित प्रकार से न किया जाए। कुशलता के साथ क्रियाओं का निष्पादन करने के लिए तथा बेहतर प्रदर्शन करने के लिए मनुष्य को अन्य व्यक्तियों के मार्गदर्शन की आवश्यकता होती है। इसलिए सभी प्रकार की मानवीय संस्थाओं में योजना तथा व्यवस्था की क्रियाओं का विशेष महत्व होता है। व्यवस्थित प्रयास के बिना शारीरिक शिक्षा के उद्देश्यों को प्राप्त करना कठिन हो सकता है।

इसी प्रकार, खेल तथा शारीरिक शिक्षा के कार्यक्रमों को कुशलता के साथ आयोजित करने के लिए आवश्यक उपकरणों तथा यंत्रों की व्यवस्था करना प्रबंधन का एक महत्वपूर्ण कार्य है।

प्रबन्धक के कार्य–प्रबन्धकों का कार्य होता है कार्य पूर्ण करना तथा यह सुनिश्चित करना कि सभी कर्मचारी निर्धारित लक्ष्यों एवं प्राचल के अनुरूप ही कार्य कर रहे हैं।

साधारण भाषा में प्रबन्धन का कार्य होता है–

- इस तथ्य की जानकारी रखना कि क्या करना है अर्थात् योजना निर्मित करना, लक्ष्य एवं उद्देश्यों को निर्धारित करना।
- प्रतिनिधान अर्थात् अधीनस्थ अधिकारियों में शक्ति तथा कार्यों का विवरण करना।
- संगठन, कार्य तथा प्रयासों को वितरित करना एवं कार्य एवं प्रयासों को समन्वित करना जिससे एक सुव्यवस्थित संगठन निर्मित हो सके।
- प्रेरित करना अर्थात् उदाहरण तथा पुरस्कारों की सहायता से सहकर्मियों को प्रोत्साहित करना।
- उत्प्रेरक की भूमिका अदा करना।
- व्यक्तियों को विकसित करना, कुशल कर्मचारियों का एक संगठन निर्मित करना जिससे वर्तमान कर्मचारियों को स्थानान्तरित किया जा सके।

33. मानव का हृदय वक्षीय गुहा में दोनों फेफड़ों के मध्य पाया जाता है। इसके चारों ओर एक झिल्ली पाई जाती है, जिसे पेरिकार्डियल मेम्ब्रेन (Pericardial Membrane) कहते हैं। इसमें पेरिकार्डियल द्रव भरा रहता है, जो हृदय को बाहरी आघातों से बचाता है। हृदय चार कोष्ठीय अंग है। ऊपर वाले दो कोष्ठ अलिंद (Auricle) तथा नीचे वाले दो कोष्ठ निलय (Ventricle) कहलाते हैं। दायां अलिंद महाशिरा (Venacava) से रुधिर प्राप्त करता है, तथा बायां अलिंद फुफ्फुसीय शिरा (Pulmonary Vein) से रक्त प्राप्त करता है। अलिंद से निलय में रुधिर छिद्र

द्वारा पहुँचता है, जिस पर कपाट (Valve) होते हैं। दायाँ अलिंद एवं दायाँ निलय के बीच त्रिवलनी कपाट (Tricuspid Valve) तथा बायां अलिंद एवं कपाट निलय के बीच द्विवलनी कपाट (Bicuspid Valve) होते हैं। कपाट (Valve) रुधिर को विपरीत दिशा में प्रवाहित होने से रोकते हैं। दायें निलय से रुधिर फुफ्फुसीय धमनी (Pulmonary Artery) द्वारा फेफड़ों तक जाता है, जबकि बायें निलय से महाधमनी (Aorota) द्वारा शरीर के विभिन्न अंगों तक रुधिर को लाया जाता है। महाधमनियों के उद्गम-स्थल पर अर्द्ध-चंद्राकार कपाट (Semilunar Valves) होते हैं, जो रुधिर को निलय से केवल महाधमनियों में ही जाने देते हैं। इन्हीं के कारण रुधिर महाधमनी से फिर निलय में प्रवेश नहीं कर पाता। हृदय को रक्त पहुँचाने का कार्य कोरोनरी धमनी (Coronary Artery) करती है।

35. प्रतिबल वह अवस्था है जो व्यक्ति पर इतना दबाव डालती है कि उसे समायोजन की आवश्यकता पड़ती है या उसे समायोजन करना पड़ता है। क्योंकि व्यक्ति का मानसिक स्वास्थ्य प्रतिबल की अनुपस्थिति में विकसित नहीं होता है। किसी व्यक्ति का मानसिक स्वास्थ्य उस अवस्था में तीव्र गति से विकसित होता है, जब वह इन प्रतिबल सम्बन्धी परिस्थितियों के प्रति संतोषजनक ढंग से प्रतिक्रिया करता है।

कॉलमैन (1976) के अनुसार, "कोई भी परिस्थिति जो व्यक्ति पर दबाव डालती है तथा जिसके कारण व्यक्ति को समायोजन करना पड़ता है वही प्रतिबल है।"

मनोवैज्ञानिक रूप से प्रतिबल जटिल ज्ञानात्मक दैहिक प्रक्रियाओं से पूर्ण दिखाई देती है। वास्तव में प्रतिबल चिन्ता, अन्तर्द्वन्द्व, संवेग, कुंठा तथा आन्दोलन का एक मिला-जुला रूप है।

प्रतिबल की मात्रा का एक महत्वपूर्ण कारक व्यक्ति में उत्तरदायित्व की भावना भी है। उदाहरणार्थ; एक खिलाड़ी प्रतिस्पर्धा के दौरान अपने उत्तरदायित्व का निर्वहन करते हुए टीम खिलाड़ियों को उचित सलाह तथा रणनीति समझाते हुए अन्तिम समय में हार को जीत में बदल सकता है। यह उसके उत्तरदायित्व का द्योतक है जिसका निर्वहन वह भली-भाँति कर सकता है।

तनाव (Stress) में चार परस्पर सम्बन्धित चरण होते हैं जिनका क्रमानुसार व्यवस्थित रूप हैं—

परिवेशीय मांग, अनुभव किए गए मनोवैज्ञानिक और शारीरिक खतरे की मात्रा, शारीरिक एवं मनोवैज्ञानिक अनुक्रिया तथा व्यवहार।

36. खेल प्रबन्धन के निम्न प्रकारों को उनके सापेक्षिक गुण-दोष के आधार पर सही आरोही क्रम इस प्रकार है—

1. **निरंकुश प्रबन्धन**—निरंकुश प्रबन्धन में नेता अपने अधीनस्थों की आवश्यकताओं को संतुष्ट करने के अवसर प्रदान करने के लिए तत्पर रहता है, यदि उसके अधीनस्थ उसकी आज्ञानुसार कार्य करते हैं। परंतु इस प्रकार के प्रबन्धन में संपूर्ण शक्ति का केन्द्र-बिन्दु प्रबंधक के पास ही होता है। इसलिए इस प्रकार के प्रबन्धन में प्रबल संभावना बनी रहती है कि इसमें अधीनस्थों का शोषण हो।

2. **लोकतांत्रिक प्रबन्धन**—लोकतन्त्रीय प्रबन्धन समानता, साझी जिम्मेदारी, आजादी, सहयोग, व्यक्तिगत पहचान तथा योग्य नेतृत्व के सिद्धान्तों पर आधारित होती है। शारीरिक शिक्षा तथा खेलों में समानता का सिद्धान्त विभाग की योजनाओं का अच्छी तरह से विकास करने, प्रतियोगिताओं का प्रबंध करने, तथा खेल मेलों का प्रबन्ध करने तथा संसाधनों के उचित प्रयोग के लिए उचित ढंग से काम करता है, जब लोगों के साथ समानता का व्यवहार होता है तो उनमें उच्च स्तरीय आत्म-विश्वास का विकास होता है और वो अधिक जिम्मेदारी का व्यवहार करते हैं। साझी जिम्मेदारी द्वारा प्रत्येक अपना काम अच्छे से करता है तथा दूसरों के ऊपर निर्भर नहीं करता। इस तरह लोकतन्त्रीय प्रबन्ध खेलों तथा शारीरिक शिक्षा के लिए प्रबंध की सबसे उत्तम विधि है।

3. **अहस्तक्षेप प्रबन्धन**—लैसिज-फैरी या आजाद प्रबन्ध में जो चाहिए उसकी उम्मीद नहीं की जा सकती तथा यह खेल तथा शारीरिक शिक्षा में अयोग्य सिद्ध होता है। यह दोनों ऐसे क्षेत्र हैं जिनमें विशाल नियम है। प्रत्येक यह सीखने तथा पढ़ने के लिए एक कदम आगे होकर तैयार रहता है। कुछ लोगों का विश्वास है कि युवाओं को विस्तृत अवसरों के लिए लैसिज-फैरी

प्रबन्धन की आवश्यकता है, यह कार्यकर्त्ता, अच्छी सिखलाई प्राप्त युवाओं के लिए अच्छा वातावरण प्रदान करती है, ताकि वे अपनी योग्यताओं का सही ढंग से इस्तेमाल कर सकें। उच्च अधिकारियों को ऐसे ही प्रबन्ध की आवश्यकता होती है जैसे स्कूलों तथा कॉलेजों के मुख्याध्यापक। कुछ वर्षों के लिए आरंभिक दौर में अधिक धन अधिक पदों के लिए मांगें होती हैं तथा नीतियों में बदलावों की मांग होती है। अच्छी संस्थाएं बदलाव के लिए लैसिज-फैरी की आज्ञा देती हैं, परन्तु इसको दैत्य भूमिका निभाने की आज्ञा नहीं देती।

4. **संग्रहित प्रबन्धन**–संग्रहित प्रबन्धन एक ऐसा ढंग है जहां पर सब प्रणालियों के संबंधित विषय और गुण इकट्ठे होते हैं। यह ढंग सबसे उत्तम ढंग है। प्रबन्धन की पहुंच खेलों में चुनाव के लिए गुणवत्ता स्वीकृति तथा समय के उचित प्रयोग पर आधारित तथा अधीन व्यक्तियों के विकास के लिए होनी चाहिए। प्रशासन की नीति होनी चाहिए कि "क्या अच्छा काम कर सकता है।"

42. वृक्क (Kidney)–मनुष्य एवं अन्य स्तनधारियों में मुख्य उत्सर्जी अंग एक जोड़ा वृक्क होता है, जो रुधिर-परिसंचरण से उत्सर्जी उत्पादों को हटाने, साथ ही साथ रुधिर में लाभदायक तत्वों को बनाए रखने के लिए भली-भाँति अनुकूलित होते हैं। इसका भार लगभग 140 ग्राम होता है। इसका बाहरी धरातल उत्तल (Convex) होता है तथा भीतरी धरातल अवतल (Concave)। यदि वृक्क को लम्बाई (Lengthwise) से काटने पर यह दो भागों में बँट जाती है–बाहरी भाग कॉर्टेक्स (Cortex), भीतरी भाग मेडुला (Medulla)। मेडुला शंकुरूप (Cone Shaped) रचनाओं से भरा होता है, जिन्हें पिरामिड (Pyramids) कहते हैं। प्रत्येक पिरामिड एक थैलीनुमा गुहा में दिष्ट (directed) होती है, जिसे वृक्क पेल्विस (Renal Pelvis) कहते हैं। वृक्का पेल्विस से मूत्र वाहिनी (Ureter) निकलती है। दोनों ओर की मूत्र वाहिनी मूत्राशय (Urinary Bladder) में खुलती है। प्रत्येक वृक्क में लगभग 1,30,000 सूक्ष्म नलिकाएँ (Tubules) होती हैं, जिन्हें नेफ्रॉन (Nephrons) कहते हैं। नेफ्रॉन वृक्क की कार्यात्मक इकाई (Functional Unit of Kidney) है। इनको उत्सर्जन इकाई (Excretory Units) भी कहते हैं। नेफ्रॉन ही रुधिर के रासायनिक संघटन का वास्तविक नियंत्रण करते हैं।

हाइपोथैलमस के कार्य–यह अन्तःस्रावी ग्रंथियों से स्रावित होने वाले हार्मोन्स का नियंत्रण करती है। पोस्टीरियर पिट्यूटरी ग्रंथि से स्रावित होने वाले हॉर्मोन्स इससे स्रावित होते हैं। यह भूख, प्यास, ताप नियंत्रण, प्यार, घृणा आदि के केन्द्र होते हैं तथा वसा एवं कार्बोहइड्रेट उपापचय पर भी नियंत्रण करते हैं। रक्त दाब, जल के उपापचय, पसीने, गुस्सा, खुशी आदि इसी के नियंत्रण में है।

49. शारीरिक गतिविधियों के मापक यन्त्र

- **सिनेमेटोग्राफी**–खिलाड़ी की कौशलयुक्त क्रिया का अध्ययन करता है।
- **डायनमोमीटर**–शरीर की बनावट मापक यन्त्र है।
- **कम्प्यूटिड टोमोग्राफी**–शरीर में किसी असामान्य विकृतियों का पता लगाना।
- **टैरोमीटर**–श्वसन दाब को मापता है।
- **लेवीलोमीटर**–सन्तुलन नापने का कार्य करता है।
- **होमोसाइटोमीटर**–रक्त में Ph मान मापक यन्त्र।
- **वेस्टीबुलर**–सन्तुलन बनाए रखने के लिए।
- **इलेक्ट्रो इन्सेफेसो ग्राफ (EFG)**–मस्तिष्क की विकृतियों का पता लगाना।
- **आता सालाइजर**–ग्लूकोज, यूरिया, कोलेस्ट्रॉल की मात्रा का शरीर में पता लगाना।

प्रश्न-पत्र-III

निर्देश : इस प्रश्न-पत्र में पचहत्तर (75) बहु-विकल्पीय प्रश्न हैं। प्रत्येक प्रश्न के दो (2) अंक हैं। सभी प्रश्न अनिवार्य हैं।

1. निम्नलिखित में से किसके कारण इन दिनों कॉर्पोरेट घराने खेल-कूद की ओर आकृष्ट हो रहे हैं?

A. टूर्नामेंटों की अधिक संख्या
B. मीडिया प्रचार
C. खेल-कूद उद्योगों का विकास
D. एथलीटों पर बहुत अधिक दांव

2. किस मानदंड में शिक्षक यह जान लेता है कि विद्यार्थी ने स्वीकार्य स्तर प्राप्त कर लिया है?

A. मानक संदर्भ
B. कसौटी संदर्भ
C. आत्मगत
D. A और B दोनों

3. यदि माध्य = 25.45, माध्यिका = 29.45 और $\sigma = 5$ तो आंकड़ों का वैषम्य क्या होगा?

A. –4.2 B. 4.2
C. 2.4 D. –2.4

4. निष्पादन (प्रदर्शन) की प्रतिपुष्टि विशेष रूप से निम्नलिखित में से किसके लिए महत्वपूर्ण है?

A. प्रतिस्पर्धी क्षमता बढ़ाने
B. व्यक्तिगत श्रेष्ठ लक्ष्य निर्धारण करने
C. घटिया प्रदर्शन को हतोत्साहित करने हेतु
D. तकनीक सुधारने हेतु

5. उस मनोवैज्ञानिक का नाम बताएँ जिसने प्रेरक की परिभाषा भौतिक ऊर्जा जैसे ध्वनि, प्रकाश इत्यादि के दृष्टि से की है :

A. थार्नडाइक B. कोहलर
C. स्किनर D. हल

6. विटामिन डी का कार्यात्मक रूप से सक्रिय रूप है :

A. कॉलेकैल्सिफेरोल
B. एर्गोकैल्सिफेरोल
C. डिहाइड्रोकॉल्सिफेरोल
D. 1, 2, 5 डायहाड्रोसीकॉलेकैल्सिफेरोल

7. अध्यापक शिक्षण का इंटर्नशिप कार्यक्रम उपलब्ध कराता है :

A. विषयवस्तु पाठ्यक्रम
B. प्रायोगिक पाठ्यक्रम
C. पूर्ण विद्यालय परिवेश
D. शोध पाठ्यक्रम

8. प्रतिद्वंद्वी कारक जो शोध समस्या की आन्तरिक वैधता के लिए खतरा है :

A. स्वतंत्र चर B. आन्तरिक खतरा
C. बहिरंग चर D. भौचक

9. बैरोरीसेप्टर्स उस सयम क्रियाशील/उद्दीप्त होते हैं जब :

A. रक्त-दबाव बहुत अधिक होता है।
B. पेशियों में रक्त प्रवाह कम होता है।
C. मस्तिष्क में रक्त प्रवाह कम होता है।
D. हृदय में रक्त प्रवाह कम होता है।

10. ओलम्पिक ध्वज के पाँच अलग-अलग रंगों के एक-दूसरे से जुड़े हुए 'रिंग' दर्शाते हैं :

A. विश्व की एकता B. मानवता का भाईचारा
C. अन्तर्राष्ट्रीय संबंध D. भूमंडलीकरण

11. पर्यवेक्षणीय कार्यक्रम की योजना बनाने के कदमों के सही संयोजन का पता लगाइए :

(*a*) शैक्षणिक उत्पाद का मूल्यांकन
(*b*) क्रिया कार्यक्रम का विकास
(*c*) गुणों से संबंधित
(*d*) पाठन परिस्थितियों का विश्लेषण और मूल्यांकन

कूट :

A. (*a*), (*c*), (*d*) B. (*a*), (*b*), (*d*)
C. (*a*), (*d*), (*c*) D. (*a*), (*b*), (*c*)

12. वैधता किसके द्वारा स्थापित होती है?

(*a*) विषयपरक श्रेणीबद्ध (*b*) सम्मिश्र अंक
(*c*) समानान्तर रूप (*d*) आनुभविक निर्णय

सही उत्तर का चयन करें :

A. (*a*), (*b*), (*c*) B. (*a*), (*b*), (*d*)
C. (*a*), (*c*), (*d*) D. (*b*), (*c*), (*d*)

13. टू-वे अनोवा में जिसमें A और B स्वतंत्र चर हैं यदि F अनुपात की गणना $MS_{A \times B} / MS_W$ के रूप में की जाती है जो कि महत्वपूर्ण है तो यह निष्कर्ष निकाला जा सकता है कि :

(*a*) A का मुख्य प्रभाव महत्वपूर्ण है।

(*b*) B का मुख्य प्रभाव महत्वपूर्ण है।

(*c*) पारस्परिक प्रभाव महत्वपूर्ण है।

कूट :

A. केवल (*c*) B. केवल (*a*) और (*b*)

C. केवल (*b*) और (*c*) D. (*a*), (*b*) और (*c*)

14. किसी कौशल को सिखाने में समरूपता में निम्नलिखित शामिल है। निम्नलिखित कूट का प्रयोग करते हुए सही उत्तर दीजिए :

(*a*) एक समान प्लान के अनुसार शिक्षण

(*b*) विभिन्न प्रशिक्षणार्थियों के लिए अलग-अलग मानदंड

(*c*) एक समान मानकों के अनुसार मूल्यांकन

(*d*) सभी के लिए एक समान प्रगति के उद्देश्य से शिक्षण

(*e*) व्यक्तिगत सुधार

(*f*) व्यक्तिगत मार्गदर्शन और सहायता

कूट :

A. (*b*), (*f*), (*a*) B. (*c*), (*d*), (*e*)

C. (*a*), (*e*), (*d*) D. (*d*), (*e*), (*f*)

15. अंकुरण से निम्नलिखित पोषक तत्वों में वृद्धि होती है :

(*a*) विटामिन बी (*b*) विटामिन सी

(*c*) प्रोटीन (*d*) कार्बोहाइड्रेट्स

कूट :

A. (*a*), (*b*), (*c*) और (*d*) सही हैं।

B. (*a*) और (*b*) सही हैं।

C. (*c*) और (*d*) सही हैं।

D. सिर्फ (*b*) सही है।

16. पाठ्यक्रम, शिक्षार्थी के लिए मूल्य-विकास का प्रभावी क्षेत्र (डोमेन) विकसित करने हेतु अनुभव प्रदान करता है :

(*a*) अनुभूति एवं विश्वास

(*b*) आत्मविश्वास एवं क्षमता

(*c*) अभिवृत्ति एवं मूल्य

(*d*) कौशल एवं वस्तुनिष्ठता

कूट :

A. (*a*) एवं (*b*) B. (*c*) एवं (*d*)

C. (*a*) एवं (*c*) D. (*b*) एवं (*c*)

17. व्यवस्थित रक्त संचरण का उद्देश्य होता है :

(*a*) शरीर के सभी हिस्सों में O_2 और पोषकों की आपूर्ति

(*b*) रक्त का शुद्धिकरण

(*c*) शरीर के सभी हिस्सों से CO_2 और अपशिष्टों को बाहर निकालना

(*d*) रक्त से यूरिन को अलग करना

कूट :

A. (*a*) एवं (*b*) B. (*a*) एवं (*c*)

C. (*b*) एवं (*d*) D. (*c*) एवं (*d*)

18. किसी वस्तु का अंतिम वेग किस पर निर्भर करता है?

(*a*) द्रव्यमान (*b*) आकृति

(*c*) गुरुत्व (*d*) परिमाण

कूट :

A. (*a*), (*b*) और (*c*) B. (*a*), (*b*) और (*d*)

C. (*b*), (*c*) और (*d*) D. (*c*), (*d*) और (*a*)

18. 'तत्परता का सिद्धान्त' निर्भर करता है :

(*a*) छात्र रुचि (*b*) छात्र योग्यता

(*c*) छात्र आवश्यकता (*d*) छात्र परिपक्वता

सही संयोजन पहचाहिनए :

A. (*a*) और (*b*) B. (*a*), (*b*) और (*c*)

C. (*a*), (*c*) और (*d*) D. (*a*), (*b*), (*c*) और (*d*)

20. उपलब्धि व्यवहार के गुणारोपण सिद्धान्त में दो स्थिर कारक हैं, वे हैं :

(*a*) योग्यता (*b*) प्रयास

(*c*) भाग्य (*d*) कार्य की कठिनाई

सही उत्तर चुनिए :

A. (*a*) और (*b*) B. (*b*) और (*d*)

C. (*d*) और (*a*) D. (*a*) और (*c*)

21. नीचे दो कथन दिए गए हैं। एक अभिकथन (A) है और दूसरा तर्क (R) है :

अभिकथन (A) : प्रारंभिक उपापचयी दर (बी.एम.आर.) 8 घंटे की नींद और 12 घंटे के उपवास के बाद अनिवार्य शरीर विज्ञानी प्रकार्य हेतु आवश्यक ऊर्जा है।

तर्क (R) : 150 एलबी व्यक्ति में प्रति घंटा 69 प्रारंभिक उपापचयी दर होती है।

उपरोक्त दोनों कथनों के संदर्भ में निम्नलिखित में से कौन-सा कथन सही है?

A. (A) और (R) दोनों सही हैं और (R), (A) की सही व्याख्या है।

B. (A) और (R) दोनों सही हैं किंतु (R), (A) की सही व्याख्या नहीं है।

C. (A) सही है, और (R) सही नहीं है।

D. (A) सही नहीं है, और (R) सही है।

22. नीचे दो कथन दिए गए हैं। एक अभिकथन (A) है और दूसरा तर्क (R) है :

अभिकथन (A) : स्कूल प्रशासन से स्कूल के बच्चों की स्वास्थ्यचर्या के लिए समुचित पहल करने की अपेक्षा की जाती है।

तर्क (R) : राष्ट्रीय शिक्षा नीति 1986 ने स्कूली शिक्षा के अधिगम प्रक्रिया में शारीरिक शिक्षा और खेलकूद को समेकित करने सिफारिश की थी।

उपरोक्त दोनों कथनों के संदर्भ में निम्नलिखित में से कौन-सा कथन सही है?

A. (A) और (R) दोनों सही हैं और (R), (A) की सही व्याख्या है।

B. (A) और (R) दोनों सही हैं किंतु (R), (A) की सही व्याख्या नहीं है।

C. (A) सही है, और (R) सही नहीं है।

D. (A) सही नहीं है, और (R) सही है।

23. नीचे दो कथन दिए गए हैं। एक अभिकथन (A) है और दूसरा तर्क (R) है :

अभिकथन (A) : प्रत्येक संगठन में प्रबंधन एक गतिमान जीवनदायिनी तत्व है।

तर्क (R) : यह सक्रिय बनाने की प्रक्रिया है जो लोगों के माध्यम से काम कराता है।

उपरोक्त दोनों कथनों के संदर्भ में निम्नलिखित में से कौन-सा कथन सही है?

A. (A) और (R) दोनों सही हैं और (R), (A) की सही व्याख्या है।

B. (A) और (R) दोनों सही हैं किंतु (R), (A) की सही व्याख्या नहीं है।

C. (A) सही है, और (R) सही नहीं है।

D. (A) सही नहीं है, और (R) सही है।

24. नीचे दो कथन दिए गए हैं। एक अभिकथन (A) है और दूसरा तर्क (R) है :

अभिकथन (A) : समन्वय क्रियाओं के विभिन्न प्रकारों को विशिष्ट पैटर्न में समेकित करने संबंधी निष्पादक की योग्यता है।

तर्क (R) : गति एवं गतिसंवेदन बोध का समन्वय में विशेष महत्व नहीं है।

उपरोक्त दोनों कथनों के संदर्भ में निम्नलिखित में से कौन-सा कथन सही है?

A. (A) और (R) दोनों सही हैं और (R), (A) की सही व्याख्या है।

B. (A) और (R) दोनों सही हैं किंतु (R), (A) की सही व्याख्या नहीं है।

C. (A) सही है, और (R) सही नहीं है।

D. (A) सही नहीं है, और (R) सही है।

25. नीचे दो कथन दिए गए हैं। एक अभिकथन (A) है और दूसरा तर्क (R) है :

अभिकथन (A) : मोटर स्वस्थता बिना अनुचित रूप से थके बड़ी मांसपेशियों के संदर्भ विशेष में निष्पादन हेतु तत्परता है।

तर्क (R) : मोटर स्वस्थता को निष्पादन से मापते हैं और यह निष्पादन केवल गति व स्फूर्ति के संयोजन पर आधारित है।

उपरोक्त दोनों कथनों के संदर्भ में निम्नलिखित में से कौन-सा कथन सही है?

A. (A) और (R) दोनों सही हैं और (R), (A) की सही व्याख्या है।

B. (A) और (R) दोनों सही हैं किंतु (R), (A) की सही व्याख्या नहीं है।

C. (A) सही है, और (R) सही नहीं है।

D. (A) सही नहीं है, और (R) सही है।

26. नीचे दो कथन दिए गए हैं। एक अभिकथन (A) है और दूसरा तर्क (R) है :

अभिकथन (A) : गैर-प्रतिक्रिया सभी प्रश्नों के सभी प्रतिदर्शित इकाइयों के लिए आंकड़े प्राप्त करने की योग्यता है।

तर्क (R) : सर्वेक्षणों में गैर-प्रतिक्रिया दो प्रकार की होती है, इकाई गैर-प्रतिक्रिया और मद गैर-प्रतिक्रिया।

उपरोक्त दोनों कथनों के संदर्भ में निम्नलिखित में से कौन-सा कथन सही है?

A. (A) और (R) दोनों सही हैं और (R), (A) की सही व्याख्या है।

B. (A) और (R) दोनों सही हैं किंतु (R), (A) की सही व्याख्या नहीं है।

C. (A) सही है, और (R) सही नहीं है।

D. (A) सही नहीं है, और (R) सही है।

27. नीचे दो कथन दिए गए हैं। एक अभिकथन (A) है और दूसरा तर्क (R) है :

अभिकथन (A) : परिवेश प्रभाव व्यक्तिगत व्यवहार के बारे में एक अच्छा प्रभाव पैदा करता है।

तर्क (R) : परिवेश प्रभाव आन्तरिक वैधता के लिए खतरा है।

उपरोक्त दोनों कथनों के संदर्भ में निम्नलिखित में से कौन-सा कथन सही है?

A. (A) और (R) दोनों सही हैं और (R), (A) की सही व्याख्या है।

B. (A) और (R) दोनों सही हैं किंतु (R), (A) की सही व्याख्या नहीं है।

C. (A) सही है, और (R) सही नहीं है।

D. (A) सही नहीं है, और (R) सही है।

28. नीचे दो कथन दिए गए हैं। एक अभिकथन (A) है और दूसरा तर्क (R) है :

अभिकथन (A) : किसी प्रकार की बल योग्यता की संभाव्यता का पूर्वानुमान करने के लिए मांसपेशी तंतु एकमात्र विश्वसनीय उपाय नहीं है।

तर्क (R) : मांसपेशीय बल मांसपेशी के प्रति-निध्यात्मक क्षेत्र का अनुपातिक होता है।

उपरोक्त दोनों कथनों के संदर्भ में निम्नलिखित में से कौन-सा कथन सही है?

A. (A) और (R) दोनों सही हैं और (R), (A) की सही व्याख्या है।

B. (A) और (R) दोनों सही हैं किंतु (R), (A) की सही व्याख्या नहीं है।

C. (A) सही है, और (R) सही नहीं है।

D. (A) सही नहीं है, और (R) सही है।

29. नीचे दो कथन दिए गए हैं। एक अभिकथन (A) है और दूसरा तर्क (R) है :

अभिकथन (A) : बेहतर समन्वय योग्यता वाले एथलीट्स किसी क्रिया को और अधिक अच्छे ढंग से सीख सकते हैं।

तर्क (R) : समन्वय योग्यताएँ क्रिया विशिष्ट होती हैं और इसीलिए इन्हें किसी क्रिया के बार-बार दोहराए जाने से सुधारा नहीं जा सकता।

उपरोक्त दोनों कथनों के संदर्भ में निम्नलिखित में से कौन-सा कथन सही है?

A. (A) और (R) दोनों सही हैं और (R), (A) की सही व्याख्या है।

B. (A) और (R) दोनों सही हैं किंतु (R), (A) की सही व्याख्या नहीं है।

C. (A) सही है, और (R) सही नहीं है।

D. (A) सही नहीं है, और (R) सही है।

30. नीचे दो कथन दिए गए हैं। एक अभिकथन (A) है और दूसरा तर्क (R) है :

अभिकथन (A) : तेल में प्रचुर मीडियम चेन ट्राइग्लेस-राइडर (एम.सी.टी.) को खाना पकाने के लिए प्राथमिकता देना चाहिए।

तर्क (R) : एम.सी.टी. से एल.डी.एल.-कॉलेस्ट्रॉल स्तर पर प्रभाव डाले बिना रक्त में एच.डी.एल.-कॉलेस्ट्रॉल स्तरों में कमी लाने में सहायता मिलती है।

उपरोक्त दोनों कथनों के संदर्भ में निम्नलिखित में से कौन-सा कथन सही है?

A. (A) और (R) दोनों सही हैं और (R), (A) की सही व्याख्या है।

B. (A) और (R) दोनों सही हैं किंतु (R), (A) की सही व्याख्या नहीं है।

C. (A) सही है, और (R) सही नहीं है।

D. (A) सही नहीं है, और (R) सही है।

31. नीचे दो कथन दिए गए हैं। एक अभिकथन (A) है और दूसरा तर्क (R) है :

अभिकथन (A) : खड़े होने की स्थिति से काउंटर मूवमेंट कूद में, निम्नतर चरण के दौरान अनियमित रूप से संकुचन करने वाले पेशियों में शरीर इलास्टिक ऊर्जा का भंडारण करता है।

तर्क (R) : काउंटर मूवमेंट कूद क्रिया-चरण के लिए शरीर को अनुकूल स्थिति में रखता है।

उपरोक्त दोनों कथनों के संदर्भ में निम्नलिखित में से कौन-सा कथन सही है?

A. (A) और (R) दोनों सही हैं और (R), (A) की सही व्याख्या है।

B. (A) और (R) दोनों सही हैं किंतु (R), (A) की सही व्याख्या नहीं है।

C. (A) सही है, और (R) सही नहीं है।

D. (A) सही नहीं है, और (R) सही है।

32. नीचे दो कथन दिए गए हैं। एक अभिकथन (A) है और दूसरा तर्क (R) है :

अभिकथन (A) : दो परिवर्तों के बीच एक सहसंबंध के अस्तित्व को सिर्फ परिवर्तनशीलता होने पर ही प्रदर्शित किया जा सकता है।

तर्क (R) : यदि परिवर्तों में से एक बिना किसी परिवर्तन के स्थिर है, तब सहसंबंध गुणांक को भी निरूपित नहीं किया जा सकता है।

उपरोक्त दोनों कथनों के संदर्भ में निम्नलिखित में से कौन-सा कथन सही है?

A. (A) और (R) दोनों सही हैं और (R), (A) की सही व्याख्या है।

B. (A) और (R) दोनों सही हैं किंतु (R), (A) की सही व्याख्या नहीं है।

C. (A) सही है, और (R) सही नहीं है।

D. (A) सही नहीं है, और (R) सही है।

33. नीचे दो कथन दिए गए हैं। एक अभिकथन (A) है और दूसरा तर्क (R) है :

अभिकथन (A) : लिफ्ट और ड्रैग का फ्लुइड बल वेग के स्क्वायर से बढ़ता है।

तर्क (R) : कुशल निष्पादक (परफॉर्मर) फ्लुइड बल उत्पन्न करने के लिए किसी गेंद पर घूर्णन (रोटेशन) का उचित अनुप्रयोग करते हैं।

उपरोक्त दोनों कथनों के संदर्भ में निम्नलिखित में से कौन-सा कथन सही है?

A. (A) और (R) दोनों सही हैं और (R), (A) की सही व्याख्या है।

B. (A) और (R) दोनों सही हैं किंतु (R), (A) की सही व्याख्या नहीं है।

C. (A) सही है, और (R) सही नहीं है।

D. (A) सही नहीं है, और (R) सही है।

34. नीचे दो कथन दिए गए हैं। एक अभिकथन (A) है और दूसरा तर्क (R) है :

अभिकथन (A) : चिंता की स्थिति एक तात्कालिक भावनात्मक अनुभव है जिसके लक्षण आशंका, भय और तनाव हैं तथा कभी-कभी इसके साथ मानसिक उत्तेजना भी होती है।

तर्क (R) : कतिपय परिवेशीय परिस्थितियों को तनावपूर्ण मानने और इन परिस्थितियों से अधिक चिन्ता के साथ निपटने की व्यक्तित्व स्वभाव के कारण अनुभव की जानेवाली दशा।

उपरोक्त दोनों कथनों के संदर्भ में निम्नलिखित में से कौन-सा कथन सही है?

A. (A) और (R) दोनों सही हैं और (R), (A) की सही व्याख्या है।

B. (A) और (R) दोनों सही हैं किंतु (R), (A) की सही व्याख्या नहीं है।

C. (A) सही है, और (R) सही नहीं है।

D. (A) सही नहीं है, और (R) सही है।

35. नीचे दो कथन दिए गए हैं। एक अभिकथन (A) है और दूसरा तर्क (R) है :

अभिकथन (A) : टीम सम्बद्धता एक गतिज प्रक्रिया है जो किसी समूह के एक रहने की

प्रवृत्ति और अपने लक्ष्य को प्राप्त करने के लिए एकजुट रहने में प्रदर्शित होता है।

तर्क (R) : टीम का प्रदर्शन टीम के अपेक्षित परिणाम को हासिल करने के लिए प्रत्येक खिलाड़ी के अपने लक्ष्य को पाने के प्रयास पर निर्भर करता है।

उपरोक्त दोनों कथनों के संदर्भ में निम्नलिखित में से कौन-सा कथन सही है?

A. (A) और (R) दोनों सही हैं और (R), (A) की सही व्याख्या है।

B. (A) और (R) दोनों सही हैं किंतु (R), (A) की सही व्याख्या नहीं है।

C. (A) सही है, और (R) सही नहीं है।

D. (A) सही नहीं है, और (R) सही है।

36. नीचे दो कथन दिए गए हैं। एक अभिकथन (A) है और दूसरा तर्क (R) है :

अभिकथन (A) : दी सेंटर्स फॉर एडवांस्ड स्टडी इन एजुकेशन जो अखिल भारतीय स्तर पर कार्य करता है और जिसका लक्ष्य अध्यापक शिक्षा का स्तर बढ़ाना है।

तर्क (R) : सेंटर ने बाह्य शोधार्थियों के सहयोग से अपना प्रोग्राम तैयार किया।

उपरोक्त दोनों कथनों के संदर्भ में निम्नलिखित में से कौन-सा कथन सही है?

A. (A) और (R) दोनों सही हैं और (R), (A) की सही व्याख्या है।

B. (A) और (R) दोनों सही हैं किंतु (R), (A) की सही व्याख्या नहीं है।

C. (A) सही है, और (R) सही नहीं है।

D. (A) सही नहीं है, और (R) सही है।

37. नीचे दो कथन दिए गए हैं। एक अभिकथन (A) है और दूसरा तर्क (R) है :

अभिकथन (A) : अध्यापक शिक्षा से संबंधित राष्ट्रीय नीति में अध्यापक शिक्षा की कार्य-दशाओं तथा गुणवत्ता में व्यापक सुधार की आवश्यकता है।

तर्क (R) : उक्त नीति में अध्यापकों के जीवनयापन और उनकी कार्य-दशाओं/सेवा-स्थितियों में सुधार का समर्थन किया गया है।

उपरोक्त दोनों कथनों के संदर्भ में निम्नलिखित में से कौन-सा कथन सही है?

A. (A) और (R) दोनों सही हैं और (R), (A) की सही व्याख्या है।

B. (A) और (R) दोनों सही हैं किंतु (R), (A) की सही व्याख्या नहीं है।

C. (A) सही है, और (R) सही नहीं है।

D. (A) सही नहीं है, और (R) सही है।

38. नीचे दो कथन दिए गए हैं। एक अभिकथन (A) है और दूसरा तर्क (R) है :

अभिकथन (A) : न्यूटन के तीसरे नियम का कोणीय तुल्यरूप कहता है कि प्रत्येक टॉर्क के लिए एक समतुल्य और विपरीत टॉर्क होता है।

तर्क (R) : किसी वस्तु का कोणीय त्वरण उसी दिशा में परिणामी टॉर्क का समानुपाती होता है और जड़त्व के घूर्ण का व्युत्क्रमानुपाती होता है।

उपरोक्त दोनों कथनों के संदर्भ में निम्नलिखित में से कौन-सा कथन सही है?

A. (A) और (R) दोनों सही हैं और (R), (A) की सही व्याख्या है।

B. (A) और (R) दोनों सही हैं किंतु (R), (A) की सही व्याख्या नहीं है।

C. (A) सही है, और (R) सही नहीं है।

D. (A) सही नहीं है, और (R) सही है।

39. नीचे दो कथन दिए गए हैं। एक अभिकथन (A) है और दूसरा तर्क (R) है :

अभिकथन (A) : किसी वस्तु का घूर्णन टॉर्क पर क्रिया कर रहे बलों द्वारा सृजित इसके संतुलन पर निर्भर करता है।

तर्क (R) : विशेष मांसपेशी समूह की सभी मांसपेशियां विशेष दिशा में संयुक्त टॉर्क उत्पन्न करने के लिए एक हो जाती है।

उपरोक्त दोनों कथनों के संदर्भ में निम्नलिखित में से कौन-सा कथन सही है?

A. (A) और (R) दोनों सही हैं और (R), (A) की सही व्याख्या है।

B. (A) और (R) दोनों सही हैं किंतु (R), (A) की सही व्याख्या नहीं है।

C. (A) सही है, और (R) सही नहीं है।

D. (A) सही नहीं है, और (R) सही है।

40. नीचे दो कथन दिए गए हैं। एक अभिकथन (A) है और दूसरा तर्क (R) है :

अभिकथन (A) : ECG में, QRS कॉम्प्लेक्स वेन्ट्रीक्यूलर डीपोलराइजेशन का प्रतिनिधित्व करता है और T वेव आटरियल डीपोलराइजेशन का प्रतिनिधित्व करता है।

तर्क (R) : यदि किसी व्यक्ति के एक्सरसाइज से ECG का ST सेग्मेंट 2 mm से अधिक हो जाता है तो उसे एक्सरसाइज करना बंद कर देना चाहिए।

उपरोक्त दोनों कथनों के संदर्भ में निम्नलिखित में से कौन-सा कथन सही है?

A. (A) और (R) दोनों सही हैं और (R), (A) की सही व्याख्या है।

B. (A) और (R) दोनों सही हैं किंतु (R), (A) की सही व्याख्या नहीं है।

C. (A) सही है, और (R) सही नहीं है।

D. (A) सही नहीं है, और (R) सही है।

41. नीचे दो कथन दिए गए हैं। एक अभिकथन (A) है और दूसरा तर्क (R) है :

अभिकथन (A) : प्रति ग्राम Hb 1.34 मि.ली. O_2 का परिवहन कर सकता है जबकि रक्त में पाए जाने वाले 70% CO_2 का परिवहन बाइकार्बोनेट के रूप में किया जाता है।

तर्क (R) : पेरिफेरल कीमोरिसेप्टर्स PCO_2 में वृद्धि और PO_2 या pH में ह्रास के प्रति संवेदनशील होते हैं।

उपरोक्त दोनों कथनों के संदर्भ में निम्नलिखित में से कौन-सा कथन सही है?

A. (A) और (R) दोनों सही हैं और (R), (A) की सही व्याख्या है।

B. (A) और (R) दोनों सही हैं किंतु (R), (A) की सही व्याख्या नहीं है।

C. (A) सही है, और (R) सही नहीं है।

D. (A) सही नहीं है, और (R) सही है।

42. नीचे दो कथन दिए गए हैं। एक अभिकथन (A) है और दूसरा तर्क (R) है :

अभिकथन (A) : सीखने की परीक्षण पद्धति सीखने की अवधि को कम करता है।

तर्क (R) : थार्नडाइक ने अधिगम के नियम स्थापित किए।

उपरोक्त दोनों कथनों के संदर्भ में निम्नलिखित में से कौन-सा कथन सही है?

A. (A) और (R) दोनों सही हैं और (R), (A) की सही व्याख्या है।

B. (A) और (R) दोनों सही हैं किंतु (R), (A) की सही व्याख्या नहीं है।

C. (A) सही है, और (R) सही नहीं है।

D. (A) सही नहीं है, और (R) सही है।

43. नीचे दो कथन दिए गए हैं। एक अभिकथन (A) है और दूसरा तर्क (R) है :

अभिकथन (A) : शारीरिक शिक्षा एक समग्र विधा है।

तर्क (R) : शारीरिक शिक्षा अन्य संबंधित क्षेत्रों से सिद्धांतों को लेता है।

उपरोक्त दोनों कथनों के संदर्भ में निम्नलिखित में से कौन-सा कथन सही है?

A. (A) और (R) दोनों सही हैं और (R), (A) की सही व्याख्या है।

B. (A) और (R) दोनों सही हैं किंतु (R), (A) की सही व्याख्या नहीं है।

C. (A) सही है, और (R) सही नहीं है।

D. (A) सही नहीं है, और (R) सही है।

44. प्रबंधन और पाठ्यक्रम के सही क्रम का चयन करें :

(*a*) संयोजन (*b*) योजना

(*c*) नियंत्रण (*d*) मार्गदर्शन

(*e*) प्रशासन

कूट :

A. (*a*), (*b*), (*d*), (*c*), (*e*)

B. (*b*), (*a*), (*e*), (*d*), (*c*)

C. (*e*), (*d*), (*b*), (*c*), (*a*)

D. (*a*), (*b*), (*d*), (*e*), (*c*)

45. संज्ञानात्मक प्रक्रिया का सही क्रम पता लगाइए :

(*a*) अनुभूति (*b*) चिन्तन

(*c*) अवबोधन (*d*) समस्या का समाधान करना

कूट :

A. (*a*), (*c*), (*b*), (*d*) B. (*b*), (*d*), (*a*), (*c*)

C. (*d*), (*a*), (*c*), (*b*) D. (*c*), (*b*), (*d*), (*a*)

46. निम्नलिखित में से मांसपेशीय संकुचन के सही क्रम को चुनें :

(*a*) मायोसिन-हैड एक्टिन के साथ एक क्रास-ब्रिज बनाता है।

(*b*) क्रास-ब्रिज डिटैच हो जाता है।

(*c*) सीए $^{++}$ ट्रोपोनिन को बांधती है।

(*d*) मायोसिन हैड मुड़ता है और ए.डी.पी. और फास्फेट छोड़ता है।

(*e*) ए.टी.पी. का ए.डी.पी. एवं फास्फेट में जल अपघटन होता है तथा मायोसिन ऊपर उठ जाता है।

कूट :

A. (*a*), (*b*), (*c*), (*d*), (*e*)

B. (*c*), (*a*), (*d*), (*b*), (*e*)

C. (*c*), (*d*), (*a*), (*e*), (*b*)

D. (*a*), (*c*), (*d*), (*b*), (*e*)

47. नीचे दिए गए कूटों का उपयोग करते हुए सही का चयन कीजिए :

(*a*) वेंट्रिकिल्स शिथिल हो जाते हैं।

(*b*) वेंट्रिक्यूलर दबाव कम हो जाता है।

(*c*) अट्रिया रैफिल्स

(*d*) सेमील्यूनर वॉल्व्स बंद हो जाते हैं।

कूट :

A. (*a*), (*b*), (*c*), (*d*) B. (*b*), (*c*), (*d*), (*a*)

C. (*c*), (*d*), (*a*), (*b*) D. (*d*), (*a*), (*b*), (*c*)

48. दौड़ में गेट साइकिल का सही क्रम है :

(*a*) डबल स्विंग (*b*) फुट डिसेंड

(*c*) टेक ऑफ (*d*) फारवर्ड स्विंग

(*e*) फुट स्ट्राइक (*f*) मिड सपोर्ट

कूट :

A. (*c*), (*d*), (*f*), (*a*), (*b*), (*e*)

B. (*e*), (*f*), (*c*), (*d*), (*a*), (*b*)

C. (*e*), (*b*), (*c*), (*a*), (*d*), (*f*)

D. (*c*), (*a*), (*b*), (*e*), (*f*), (*e*)

49. एक बेहतर पाठ योजना को कालक्रमानुसार लगाते हुए सही कूट का चयन करें :

(*a*) उद्देश्य (*b*) शिक्षक की गतिविधियाँ

(*c*) अधिगम अनुभव (*d*) शिक्षण सहायता

(*e*) मूल्यांकन

कूट :

A. (*b*), (*a*), (*d*), (*e*), (*c*)

B. (*a*), (*d*), (*b*), (*c*), (*e*)

C. (*c*), (*b*), (*a*), (*e*), (*d*)

D. (*a*), (*b*), (*c*), (*d*), (*e*)

50. नेतृत्व के सिद्धान्त को उनके प्रतिपादन के कालक्रमानुसार व्यवस्थित कीजिए :

(*a*) फील्डर का संयोग (कन्टीन्जेन्सी) मॉडल

(*b*) बहुआयामी मॉडल

(*c*) जीवन चक्र सिद्धांत

(*d*) तान्नेंबॉम और स्मिड्ट्स मॉडल

कूट :

A. (*a*), (*c*), (*b*), (*d*) B. (*d*), (*a*), (*c*), (*b*)

C. (*c*), (*d*), (*b*), (*a*) D. (*b*), (*d*), (*a*), (*c*)

51. शरीर विज्ञान की दृष्टि से शरीर तीन चरण प्रक्रिया के साथ अनुक्रिया करता है तनाव उत्पन्न करने वाले को सकारात्मक या नकारात्मक माना जाता है।

नीचे दिए गए **सही** क्रम को चुनिए :

(*a*) सचेतक, चिन्ता, प्रतिरोध

(*b*) सचेतक, प्रतिरोध, थकान

(*c*) सचेतक, चिन्ता, थकान

(*d*) चिन्ता, प्रतिरोध, थकान

कूट :

A. (*a*) B. (*b*)

C. (*c*) D. (*d*)

52. लम्बी कूद में हवाई दूरी का निर्धारण करने वाले निम्नलिखित कारकों को अधोक्रम में सजाइए :

(*a*) हवा का प्रतिरोध

(*b*) टेक ऑफ वेग

(*c*) टेक ऑफ ऊँचाई

(*d*) टेक ऑफ कोण

कूट :

A. (*d*), (*a*), (*b*), (*c*) B. (*d*), (*b*), (*c*), (*a*)

C. (*b*), (*a*), (*c*), (*d*) D. (*b*), (*d*), (*c*), (*a*)

53. तकनीक प्रशिक्षण में निम्नलिखित चरण होते हैं।

नीचे दी गई स्थितियों का **सही** क्रम बताएं :

(*a*) प्रदर्शन करके दिखाना

(*b*) लीड-अप खेल

(*c*) अभ्यास

(*d*) स्पष्टीकरण

कूट :

A. (*d*), (*c*), (*a*), (*b*) B. (*a*), (*c*), (*d*), (*b*)

C. (*a*), (*d*), (*c*), (*b*) D. (*d*), (*a*), (*b*), (*c*)

54. दो चरों में पाये जाने वाली सामान्य भिन्नता के प्रतिशत की दृष्टि से, निम्नलिखित सह-संबंधों को अवरोही क्रम में लिखें :

(*a*) 0.60 (*b*) –0.50

(*c*) –0.70 (*d*) 0.40

कूट :

A. (*a*), (*d*), (*c*), (*b*) B. (*a*), (*d*), (*b*), (*c*)

C. (*c*), (*a*), (*b*), (*d*) D. (*a*), (*c*), (*d*), (*b*)

55. निम्न में से किसी परीक्षण की योजना का **सही** क्रम बताएं :

(*a*) परीक्षण के तरीके पर विचार

(*b*) परीक्षण की विषयवस्तु का चयन

(*c*) परीक्षण की स्कोरिंग प्लान

(*d*) परीक्षण विनिर्देश की पहचान

(*e*) परीक्षण मदों को लिखना

(*f*) परीक्षण के उद्देश्य की पहचान

कूट :

A. (*f*), (*d*), (*b*), (*a*), (*e*), (*c*)

B. (*b*), (*d*), (*f*), (*e*), (*c*), (*a*)

C. (*a*), (*c*), (*e*), (*b*), (*d*), (*f*)

D. (*c*), (*e*), (*a*), (*d*), (*b*), (*f*)

56. स्काट मोटर योग्यता परीक्षण के निम्नलिखित मदों का सही क्रम बताइए :

(*a*) बास्केटबाल दूरी के लिए फेंकना

(*b*) वाल पास

(*c*) ब्राड जम्प

(*d*) बाधा दौड़

(*e*) डैश

कूट :

A. (*d*), (*c*), (*a*), (*b*), (*e*)

B. (*d*), (*c*), (*a*), (*e*), (*b*)

C. (*d*), (*a*), (*c*), (*e*), (*b*)

D. (*d*), (*a*), (*c*), (*b*), (*e*)

57. नार्थ कॉरोलिना स्वस्थता परीक्षण में मदों के सही क्रम का पता लगाएं :

(*a*) सिट्-अप्स

(*b*) पुल-अप्स

(*c*) स्टैन्डिंग ब्राड जम्प

(*d*) स्क्वेट थ्रस्ट

(*e*) साइड स्टैपिंग

कूट :

A. (*a*), (*b*), (*c*), (*d*), (*e*)

B. (*a*), (*e*), (*c*), (*b*), (*d*)

C. (*a*), (*e*), (*b*), (*c*), (*d*)

D. (*a*), (*e*), (*d*), (*c*), (*b*)

58. टेनिस (एकल महिला) में लंदन ओलम्पिक 2012 के पहले, दूसरे, तीसरे और चौथे स्थान के विजेताओं का सही क्रम पहचानिए :

(*a*) मारिया केरिलेन्को

(*b*) सेरेना विलियम्स

(*c*) विक्टोरिया अजारेन्का

(*d*) मारिया शेरापोवा

कूट :

A. (*b*), (*d*), (*a*), (*c*) B. (*b*), (*a*), (*c*), (*d*)

C. (*b*), (*d*), (*c*), (*a*) D. (*d*), (*b*), (*a*), (*c*)

59. सूची-I को सूची-II के साथ सुमेलित कीजिए तथा नीचे दिए गए कूट से सही उत्तर चुनिए :

सूची-I	**सूची-II**
I. बाह्यकोशिकी जल	1. 56.7%
II. अंतःकोशिकी जल	2. 19.2%
III. वसा	3. 15.1%
IV. प्रोटीन	4. 22.2%
	5. 43.3%

कूट :

	I	II	III	IV
A.	5	1	2	3
B.	1	5	4	2
C.	5	1	4	2
D.	1	5	4	3

60. सूची-I को सूची-II के साथ सुमेलित कीजिए तथा नीचे दिए गए कूट से सही उत्तर चुनिए :

सूची-I	सूची-II
I. समीक्षात्मक दर्शन	1. रसेल
II. तर्क बुद्धिवाद	2. लॉक
III. अनुभववाद	3. स्पिनोजा
IV. विश्लेषणात्मक दर्शन	4. काण्ट

कूट :

	I	II	III	IV
A.	4	3	2	1
B.	3	4	1	2
C.	4	1	3	2
D.	2	1	4	3

61. सूची-I को सूची-II के साथ सुमेलित कीजिए तथा नीचे दिए गए कूट से सही उत्तर चुनिए :

सूची-I	सूची-II
I. बीटा-2 एगॉनिस्ट्स	1. एरोबिक क्षमता बढ़ाते हैं।
II. यॉहिम्बी	2. टेस्टोस्टेरॉन स्तर बढ़ाते हैं।
III. बीटा-एलेनाइन	3. अस्थमा के लक्षणों को कम करता है।
IV. फॉलिक एसिड	4. वास्कोडिलेटर
	5. अनावश्यक एमिनो एसिड

कूट :

	I	II	III	IV
A.	1	2	4	5
B.	3	4	5	1
C.	2	1	3	4
D.	4	3	2	5

62. सूची-I को सूची-II के साथ सुमेलित कीजिए तथा नीचे दिए गए कूट से सही उत्तर चुनिए :

सूची-I	सूची-II
I. बोरॉन	1. सेल्युलर ए.टी.पी. को बढ़ाते हैं।
II. राइबोज	2. हृदयगति एवं रक्त दाब को बढ़ाते हैं।
III. एफीड्राइन एचसीएल	3. कॉर्टिसॉल स्तर को कम करते हैं।
IV. फॉस्फेटिडाइसेराइन	4. अतिरिक्त पेशीय ग्लाइकोजेन
	5. टेस्टोस्टेरॉन के स्तर को बढ़ाते हैं।

कूट :

	I	II	III	IV
A.	1	2	3	5
B.	5	1	2	3
C.	2	3	1	4
D.	3	5	2	4

63. सूची-I को सूची-II के साथ सुमेलित कीजिए तथा नीचे दिए गए कूट से सही उत्तर चुनिए :

सूची-I	सूची-II
I. समूह ध्रुवीकरण	1. समूह गतिकी जो समूह के निर्णय लेने की प्रक्रिया में हस्तक्षेप कर सकता है और विनाशकारी हो सकता है।
II. सामाजिक सरलीकरण	2. समूह में उत्तरदायित्व नहीं होने के कारण ढीला पड़ना
III. समूह सोच	3. समूह अन्तर्क्रिया किंतु मन बदले बिना, मूल विचारों को बनाए रखते और उन्हें सुदृढ़ करना।
IV. सामाजिक आवारागार्दी	4. कार्य निष्पादन को बढ़ाने के लिए या बाधित करने के लिए दूसरों की उपस्थिति।

कूट :

	I	II	III	IV
A.	1	2	3	4
B.	2	3	4	1
C.	3	4	1	2
D.	4	1	2	3

64. सूची-I को सूची-II के साथ सुमेलित कीजिए तथा नीचे दिए गए कूट से सही उत्तर चुनिए :

सूची-I	सूची-II
I. सरकारी एजेन्सी	1. सहयोगों के माध्यम से कार्यक्रमों को अंतिम रूप देने और सुविधा देने की लागत को व्यापक रूप से तय किया जाता है।

II.	स्वैच्छिक एजेन्सी	2.	स्थानीय व्यक्तियों और संस्था के लाभ के लिए प्रावधान, सामग्री और परामर्श सेवाएं।
III.	निजी एजेन्सी	3.	मन बहलाव के माध्यम से सक्रिय और निष्क्रिय मनोरंजन।
IV.	व्यावसायिक एजेन्सी	4.	श्रमिकों के परिवारों और उनके समुदायों एवं नियोक्ताओं के लिए खुला।

कूट :

	I	II	III	IV
A.	2	1	4	3
B.	1	2	3	4
C.	2	3	4	1
D.	4	2	1	3

65. सूची-I को सूची-II के साथ सुमेलित कीजिए तथा नीचे दिए गए कूट से सही उत्तर चुनिए :

	सूची-I		सूची-II
I.	शिक्षण कौशल	1.	पूर्व के शिक्षण को अपनाते हुए शिक्षण को प्रभावी और सरल बनाने की एक तकनीक।
II.	सुनियोजित अधिगम	2.	शिक्षण को सुसाध्य बनाने के लिए शारीरिक क्रिया शिक्षण की व्यवस्थित और समन्वित पद्धति।
III.	शिक्षण प्रारूप	3.	शिक्षण प्रक्रिया की एक पद्धति जिसमें वस्तुपरक, चयन और प्रबंधन को स्पष्ट करना शामिल है।
IV.	पाठ योजना	4.	शिक्षण रणनीति का निर्णय लेने के लिए शिक्षक को समर्थ बनाने हेतु पाठ्यक्रम के आधार पर अनुदेशात्मक सामग्री का चयन करने के लिए योजना की एक पद्धति।

कूट :

	I	II	III	IV
A.	4	3	2	1
B.	1	4	3	2
C.	2	1	4	3
D.	3	2	1	4

66. सूची-I को सूची-II के साथ सुमेलित कीजिए तथा नीचे दिए गए कूट से सही उत्तर चुनिए :

	सूची-I		सूची-II
I.	शारीरिक खतरा	1.	अन्तर्ग्रहण
II.	मानसिक-सामाजिक खतरा	2.	पशु उत्पाद
III.	रासायनिक खतरा	3.	पराबैंगनी विकिरण
IV.	जैविकीय खतरा	4.	थकावट

कूट :

	I	II	III	IV
A.	1	2	3	4
B.	2	3	4	1
C.	3	4	1	2
D.	4	1	2	3

67. सूची-I को सूची-II के साथ सुमेलित कीजिए तथा नीचे दिए गए कूट से सही उत्तर चुनिए :

	सूची-I		सूची-II
I.	समय के विरुद्ध अभ्यास	1.	संतुलन योग्यता
II.	दर्पण के समक्ष अभ्यास	2.	प्रतिक्रिया योग्यता
III.	उलटे पांव से अभ्यास	3.	अनुकूलन योग्यता
IV.	बंद आँखों से ड्रिब्लिंग	4.	युग्मन योग्यता
		5.	विभेदक योग्यता

कूट :

	I	II	III	IV
A.	3	4	1	2
B.	1	2	3	4
C.	4	5	3	2
D.	2	3	4	5

68. सूची-I को सूची-II के साथ सुमेलित कीजिए तथा नीचे दिए गए कूट से सही उत्तर चुनिए :

	सूची-I		सूची-II
I.	मधुमेह	1.	सीने में जलन
II.	एथेरॉसक्लेरोसिस	2.	प्रोटीन्यूरिया
III.	नेफ्रोटिक सिन्ड्रोम	3.	हाइपरकोलेस्ट्रोलेमिया
IV.	सिरोसिस	4.	ग्लाइकोसूरिया
		5.	एसाट्स

कूट :

	I	II	III	IV
A.	4	3	2	5
B.	4	5	1	2
C.	3	2	5	4
D.	2	3	4	1

69. सूची-I को सूची-II के साथ सुमेलित कीजिए तथा नीचे दिए गए कूट से सही उत्तर चुनिए :

सूची-I	सूची-II
I. अंकित वैधता	1. मानक चरों के साथ सहसंबंध पर आधारित
II. मद वैधता	2. अंकगणितीय अभिव्यक्ति
III. सांख्यकीय वैधता	3. का आशय परीक्षण की स्वीकार्यता से है।
IV. समवर्ती वैधता	4. किसी मद का विभेदक मूल्य।

कूट :

	I	II	III	IV
A.	3	4	1	2
B.	2	4	1	3
C.	3	1	4	2
D.	3	4	2	1

70. सूची-I को सूची-II के साथ सुमेलित कीजिए तथा नीचे दिए गए कूट से सही उत्तर चुनिए :

सूची-I	सूची-II
I. अंतरंग	1. निरीक्षण
II. वित्त	2. प्रतिस्पर्धा
III. पर्यवेक्षण	3. पुनर्विनियोजन
IV. अवसंरचना	4. तैयार करना

कूट :

	I	II	III	IV
A.	3	2	4	1
B.	2	3	1	4
C.	4	1	3	2
D.	1	4	2	3

निर्देश (प्र. सं. 71-75) : *निम्नलिखित अनुच्छेद को पढ़कर निम्नलिखित प्रश्नों के उत्तर दीजिए।*

एक खेलकूद मनोवैज्ञानिक ने मदों की नई खेल चिन्ता सूची तैयार की। सूची के लिए द क्रॉनबैच अल्फा का 0.80 होना पाया गया। यह सूची चिन्ता विकार वाले 50 खिलाड़ियों के एक समूह को उनकी मनश्चिकित्सा शुरू करने से पहले दी गई। इन खिलाड़ियों का माध्य सामान्य खिलाड़ियों के मान की समूह की तुलना में काफी अधिक था। 12 सप्ताह की मनश्चिकित्सा के पश्चात् खिलाड़ियों के उसी समूह का पुनः परीक्षण किया गया। परीक्षण-पश्चात् माध्य परीक्षण-पूर्व माध्य की तुलना में काफी कम था। नयी खेल चिन्ता सूची एक सुस्थापित खेल चिन्ता सूची से सहसम्बद्ध था और यह सहसम्बन्ध 0.20 था। सूची के मानक सामान्यीकृत 'टी-स्कोर्स' की दृष्टि से विकसित किए गए थे।

71. उपर्युक्त आंकड़ा दर्शाता है कि नई सूची :
A. संतोषप्रद समवर्ती वैधता थी।
B. असंतोषप्रद समवर्ती वैधता थी।
C. संतोषप्रद विश्वसनीयता का समानान्तर रूप था।
D. असंतोषप्रद विश्वसनीयता का समानान्तर रूप था।

72. नई चिन्ता सूची के लिए माध्यिका 'टी-स्कोर' क्या होगा?
A. माध्यिका टी-स्कोर संबंधी अपर्याप्त आंकड़े
B. 25
C. 80
D. 50

73. उपर्युक्त पैरा के संबंध में कौन-सा वक्तव्य सही है?
A. खिलाड़ियों की चिन्ता स्तर पर मनश्चिकित्सा का कोई महत्वपूर्ण प्रभाव नहीं है।
B. खिलाड़ियों की चिन्ता स्तर पर मनश्चिकित्सा का महत्वपूर्ण सकारात्मक प्रभाव पड़ता है।
C. खिलाड़ियों की चिन्ता स्तर पर मनश्चिकित्सा का महत्वपूर्ण नकारात्मक प्रभाव पड़ता है।
D. उपर्युक्त में से कोई भी सही नहीं।

74. उपर्युक्त आंकड़े यह दर्शाते हैं कि नयी सूची :
A. असंतोषप्रद बनावट वैधता है।
B. असंतोषप्रद परीक्षण-पुनः परीक्षण विश्वसनीयता है।
C. संतोषप्रद बनावट वैधता है।
D. संतोषप्रद परीक्षण-पुनः परीक्षण विश्वसनीयता है।

75. आप नई सूची की आंतरिक सततता विश्वसनीयता के बारे में क्या अनुमान निकाल सकते हैं?
A. असंतोषप्रद आंतरिक सततुता विश्वसनीयता।
B. आंतरिक सततुता के बारे में अनुमान लगाने के लिए अर्ध विभाजित विश्वसनीयता की गणना की आवश्यकता पहले होती है।
C. संतोषप्रद आंतरिक सततुता विश्वसनीयता।
D. आंतरिक सततुता के बारे में अनुमान लगाने के लिए उपर्युक्त पाठ में अपर्याप्त आंकड़े हैं।

उत्तरमाला

1	2	3	4	5	6	7	8	9	10
C	B	D	D	D	D	B	D	A	A
11	**12**	**13**	**14**	**15**	**16**	**17**	**18**	**19**	**20**
B	B	D	C	B	C	B	B	C	C
21	**22**	**23**	**24**	**25**	**26**	**27**	**28**	**29**	**30**
B	A	A	C	C	D	B	A	C	C
31	**32**	**33**	**34**	**35**	**36**	**37**	**38**	**39**	**40**
B	A	B	C	D	B	A	B	B	D
41	**42**	**43**	**44**	**45**	**46**	**47**	**48**	**49**	**50**
B	A	B	B	A	B	A	B	D	B
51	**52**	**53**	**54**	**55**	**56**	**57**	**58**	**59**	**60**
B	D	C	C	A	D	B	C	A	A
61	**62**	**63**	**64**	**65**	**66**	**67**	**68**	**69**	**70**
B	D	C	A	C	C	D	A	D	B
71	**72**	**73**	**74**	**75**					
B	D	B	C	C					

कुछ चुने हुए प्रश्नों के व्याख्यात्मक उत्तर

6. विटामिन 'डी' मुख्य रूप से पनीर, मक्खन, दूध, हरी सब्जियाँ, अण्डा, फिश, लीवर तेल और सूर्य की किरणों से प्राप्त होता है।

ये दाँतों की मजबूती एवं हड्डियों की बनावट के लिए बहुत ही आवश्यक है। इसे सनसाइन विटामिन के नाम से भी जाना जाता है। विटामिन 'डी' का कार्यात्मक रूप से सक्रिय 1, 2, 5 डायहाड्रोसीकॉले कैल्सिफेरोल होता है। इस विटामिन की कमी से बच्चों में रिकेट्स तथा बड़ों में ऑस्टोमलेसिया की बीमारी हो जाती है।

10. ओलम्पिक झण्डा 1913 ई. में कोबर्टिन द्वारा तैयार किया गया। इसमें पांच गोल चक्र सफेद सतह पर बने होते हैं, जो आपस में जुड़े होते हैं। ये पांच चक्र लाल, हरा, पीला, नीला व काले रंग के होते हैं। सफेद रंग शान्ति का, लाल रंग ऑस्ट्रेलिया, पीला रंग एशिया का, हरा रंग यूरोप, नीला रंग अमेरिका व काला रंग अफ्रीका का प्रतिनिधित्व करता है। इनका आपस में जुड़ा होना एकता का द्योतक है।

11. 'निरीक्षण' की अवधारणा लेटिन शब्द 'Super' अर्थात् 'समय' एवं 'Video' अर्थात् 'देखना' से लिया गया है। वेबस्टर कालजीएट शब्द कोश के अनुसार "एक निरीक्षक एक पर्यवेक्षक होता है जो दूसरों के कार्यों को उनकी गुणवत्ता के लिए उत्तरदायित्वपूर्ण ढंग से देखता है।" सामान्यतः इसे प्रथम पंक्ति का प्रबन्ध कहा जाता है एवं संगठन में वास्तविक कार्य करने वाले अत्यंत निकटवर्ती व्यक्ति जो व्यक्तिगत एवं समूह रूप में शामिल होते हैं। पर्यवेक्षण कार्यक्रम की योजना बनाने के सही चरण इस प्रकार हैं—शैक्षणिक उत्पाद का मूल्यांकन, क्रिया कार्यक्रम का विकास तथा पाठन परिस्थितियों का विश्लेषण एवं मूल्यांकन।

12. वैधता (Validity), परीक्षण का एक उत्तम एवं श्रेष्ठ गुण माना गया है। जब कोई मनोवैज्ञानिक या शैक्षिक परीक्षण ठीक उसी गुण (trait) या क्षमता (ability) को अच्छे ढंग से मापता है, जिसके लिए उसे बनाया गया है, तब परीक्षण के इस गुण को वैधता की संज्ञा दी जाती है। एनासटेसी (Anastasi & Urbina, 1997) ने वैधता

को कुछ इसी ढंग से परिभाषित करते हुए कहा है, "परीक्षण की वैधता से तात्पर्य इस बात से होता है कि परीक्षण क्या मापता है, और कितना अच्छी तरह से मापता है।" स्पष्ट है कि जब कोई परीक्षण उसका मापन अच्छी तरह कर पाता है जिसे उसे करना है, तो वह एक वैध परीक्षण (Valid test) कहलाता है। लिण्डिक्यूस्ट (Lindiquist, 1951), क्रौनबैक (Cronback, 1980) ने भी इस ढंग के विचार परीक्षण की वैधता के बारे में व्यक्त किए हैं। वैधता मुख्यतः विषयपरक श्रेणीबद्ध (subjective ratings), सम्मिश्र अंक (Composite scores) तथा आनुभविक निर्णय (Empirical Judgement) के द्वारा स्थापित की जाती है।

15. अंकुरित अनाज से विटामिन 'बी' तथा विटामिन 'सी' तत्वों में वृद्धि होती है।

17. **शरीर में रुधिर परिसंचरण (Blood Circulation in the Body)**—हृदय का दायाँ अलिंद सम्पूर्ण शरीर से अशुद्ध रुधिर अर्थात् CO_2 युक्त रुधिर महाशिराओं (Vena Cava) द्वारा प्राप्त करता है। दायाँ अलिंद इस अशुद्ध रुधिर को दायें निलय में पंप करता है और दायाँ निलय पुनः इस अशुद्ध रुधिर को फुफ्फुस महाधमनी (Pulmonary Aorta) द्वारा फेफड़ों में शुद्ध होने के लिए पंप करता है। फेफड़ों से फिर शुद्ध हुआ रुधिर फुफ्फुस शिराओं (Pulmonary Veins) द्वारा बायें अलिंद में पहुँचता है। बायाँ अलिंद इस रुधिर को बायें निलय में पहुँचाता है। अब बायाँ निलय इस शुद्ध रुधिर को शरीर की समस्त धमनियों में पंप करता है। इस प्रकार रुधिर हृदय से सम्पूर्ण शरीर में पंप किया जाता है और फिर वह सम्पूर्ण शरीर से लौटकर पुनः हृदय में पहुँचता है। यही क्रम बार-बार दुहराया जाता है।

19. **तत्परता का नियम (Law of readiness)**—तत्परता का नियम यह बताता है कि सीखनेवाले व्यक्ति किन-किन परिस्थितियों में संतुष्ट (satisfied) रहते हैं तथा किन-किन परिस्थितियों में उनमें खीझ (annoyance) उत्पन्न होती है। उन्होंने इस तरह की निम्नांकित तीन परिस्थितियों का वर्णन किया है—

(*i*) जब व्यक्ति किसी कार्य को करने के लिए तत्पर रहता है और उसे वह कार्य करने दिया जाता है, तो इससे उसमें संतोष (satisfaction) होता है।

(*ii*) जब व्यक्ति किसी कार्य को करने के लिए तत्पर रहता है और उसे वह कार्य नहीं करने दिया जाता है, तो इससे उसमें खीझ (annoyance) उत्पन्न होती है।

(*iii*) जब व्यक्ति किसी कार्य को करने के लिए तत्पर नहीं रहता है और उसे वह कार्य करने के लिए बाध्य किया जाता है, तो इससे भी उसमें खीझ होती है।

स्पष्ट है कि सीखनेवाले व्यक्ति में संतोष (satisfaction) या खीझ (Annoyance) होना व्यक्ति की तत्परता (readiness) पर निर्भर करता है।

यह नियम शैक्षिक दृष्टिकोण से काफी महत्वपूर्ण दीख पड़ता है। इसके शैक्षिक महत्व की व्याख्या इस प्रकार की जा सकती है—

(*i*) शिक्षकों को पहले बालकों की अभिरुचि एवं अभिक्षमता (aptitude) का मापन कर लेना चाहिए ताकि उनकी तत्परता का उन्हें सही-सही ज्ञान हो।

(*ii*) शिक्षकों को बालकों की तत्परता के अनुरूप शिक्षण देना चाहिए। उन्हें अपने अध्यापन कार्य में उन विषयों पर अधिक बल डालना चाहिए जिनकी ओर बालकों की तत्परता तथा रुझान अधिक हो।

(*iii*) ऐसी परिस्थिति में बालकों में आत्म-संतोष (self-satisfaction) अधिक होगा और वे विषय को ठीक ढंग से सीखकर लम्बे समय तक उसे धारण (retain) किए रहेंगे।

22. शारीरिक शिक्षा में विद्यार्थियों के लिए विद्यालय स्वास्थ्य कार्यक्रम का काफी महत्व है। विद्यालय स्वास्थ्य कार्यक्रम वे कार्यक्रम हैं जिसमें विद्यार्थियों और स्कूल कर्मियों के स्वास्थ्य का रखरखाव और सुधार के लिए योगदान तथा इनको स्वस्थ रखने के लिए शिक्षा दी जाती है। राष्ट्रीय शिक्षा नीति, 1986 के अनुसार खेल और शारीरिक शिक्षा शिक्षण प्रक्रिया के अभिन्न अंग हैं और प्रदर्शन के मूल्यांकन में सम्मिलित होते हैं। शारीरिक शिक्षा, खेलों और क्रीड़ाओं के लिए पूरे देश में ढांचागत सुविधाएँ जुटाई जाएंगी और बड़े-बड़े भवन बनाए जाएंगे। ढांचागत सुविधाओं में खेल के मैदान, प्रशिक्षण के उपकरण और शारीरिक शिक्षा के अध्यापक आदि शामिल हैं। शहरों में उपलब्ध खुले स्थानों को खेल के मैदानों के लिए सुरक्षित रखा जाएगा। और

यदि आवश्यकता पड़ी तो विधायिका से इसे सुरक्षित करा लिया जाएगा। खेल संस्थानों और छात्रावासों की स्थापना के प्रयास किए जाएं जहाँ साधारण शिक्षा के साथ-साथ खेल गतिविधियों और खेल सम्बन्धी अध्ययन पर विशेष ध्यान दिया जाता है। खेलों और क्रीड़ाओं में प्रतिभाशाली खिलाड़ियों को समुचित प्रोत्साहन दिया जाए। शरीर और मन के एकीकृत विकास को प्रोत्साहित करने वाली व्यवस्था, योग की ओर विशेष ध्यान दिया गया।

अतः स्पष्ट होता है कि अभिकथन (A) तथा तर्क (R) दोनों सही हैं और (R), (A) की सही व्याख्या है।

23. किसी संगठन में प्रबन्धन एक गतिमान जीवनदायिनी तत्व है। यह किसी भी सामूहिक क्रिया का एक अभिन्न अंग है। किसी भी संगठन में यदि लोग इकट्ठा होकर काम करते हैं तो प्रबंधन की आवश्यकता होती है। प्रबन्धन का कार्य एक ऐसे व्यक्ति द्वारा किया जाना चाहिए जो संगठित प्रयास का प्रबन्ध कर सके, चाहे वह कोई व्यापारिक उद्योग, शिक्षण संस्थान, धार्मिक संगठन, सैनिक संगठन या सामाजिक संस्था हो। संगठन के विभिन्न प्रकार में भी प्रबन्ध कौशल एक समान क्रिया है। हालांकि इसकी विशिष्टता संगठन के आकार के साथ बदल जाती है। आज के प्रतियोगी वातावरण में किसी प्रबन्धन का गुण और प्रदर्शन उस संगठन की सफलता निश्चित करता है, बल्कि यह उसकी सीमा निश्चित करता है। आज के समय में कोई भी संगठन किसी भी पूंजी और तकनीक पर अधिकार स्थापित कर सकता है लेकिन अच्छा प्रबन्धन निश्चित रूप से अपना अधिकार और अपने प्रतियोगी को टक्कर दे सकता है।

34. चिन्ता (Anxiety) एक व्यक्ति की मनोवैज्ञानिक एवं शरीर क्रियात्मक दशा या स्थिति होती है, जो सामान्यतः सभी व्यक्तियों में पाई जाती है। इसका चित्रण ज्ञानात्मक, भावात्मक तथा चरित्रगत या व्यवहारजन्य घटकों द्वारा किया जाता है। ये घटक अरुचिकर भावना का निर्माण करने में संयुक्त रूप से कार्य करते हैं, जो बेचैनी या व्याकुलता, डर या चिन्ता के साथ सहयोगी होते हैं। चिन्ता को परिभाषित करते हुए कॉलमैन (1981) ने लिखा है कि "भय तथा आशंका की सामान्यीकृत अनुभूति ही चिन्ता है।" यह प्रतिबल का एक विकृत या परेशान करने वाला रूप है। इस प्रकार चिन्ता एक दीर्घकालिक डर होती है जो सामान्य कार्यों को करने की हमारी योग्यता को सीमित करती है। चिन्ता प्रायः शरीर के विभिन्न अंगों की उत्तेजना का परिणाम होती है। इस असाधारण घटना के कारणों अर्थात् चिन्ता के उदाहरणों; जैसे—खिलाड़ियों के हाथों में पसीने, बार-बार मूत्र करने की अन्तः प्रेरणा, बढ़ी हुई श्वसन दर, बढ़ा हुआ पेशीय तनाव तथा बढ़ी हृदय धड़कन की दर आदि के रूप में देखा जाता है।

अतः अभिकथन (A) सही है और तर्क (R) सही नहीं है।

42. ई.एल. थॉर्नडाइक (E.L. Thorndike, 1874-1949) द्वारा प्रतिपादित सीखने के सिद्धांत को एक अति महत्वपूर्ण सिद्धांत माना गया है जिसमें हमें साहचर्यवाद (associationism), डार्विनवाद (Darwinism) तथा विज्ञान की विधियों (Methods of science) का अनोखा संगम दिखाई देता है। थॉर्नडाइक ने सीखने के सिद्धांत का प्रतिपादन 1898 में अपने पी-एच.डी. शोध प्रबन्ध (PhD thesis) जिसका शीर्षक 'एनिमल इंटेलिजेंस' (Animal Intelligence) था, में पशु व्यवहारों के अध्ययन के फलस्वरूप किया। हालाँकि उनके पहले भी पशु व्यवहार के सीखने की व्याख्या अलेक्जेण्डर बेन (Alexander Bain) तथा लायड मॉर्गन (Lolyd Morgan) द्वारा की गई थी।

थॉर्नडाइक (Thorndike) एक जाने-माने व्यवहारवादी (behaviourist) थे। अतः उन्होंने सीखने की व्याख्या व्यवहारवादी सिद्धांतों के अनुकूल की है। उन्होंने इसकी व्याख्या करते हुए कहा है कि जब कोई उद्दीपन (stimulus) व्यक्ति के सामने दिया जाता है तो उसके प्रति वह कई अनुक्रियाएँ करता है। इनमें सही अनुक्रिया का संबंध (connection) उस विशेष उद्दीपन के साथ हो जाता है। इस संबंध को सीखना कहा जाता है तथा इस विचारधारा को संबंधवाद (connectionism) कहा गया।

43. शारीरिक शिक्षा का अर्थ और अवधारणा को समझने हेतु शिक्षा के अर्थ और अवधारणा को समझना आवश्यक है, क्योंकि शारीरिक शिक्षा पूरी शिक्षा प्रक्रिया (Education Process) का अभिन्न अंग है।

शारीरिक शिक्षा का अर्थ बहुत व्यापक है, इसमें न केवल प्रतियोगी-खेल शामिल हैं, बल्कि लयात्मक क्रियाकलाप, मनोरंजक खेल, स्वास्थ्य एवं फिटनेस क्रियाकलाप, कैंपिंग, उपचारात्मक व्यायाम आदि शामिल हैं।

यह कुल शिक्षा प्रक्रिया का एक अभिन्न अंग है, जिसका लक्ष्य व्यक्ति की शारीरिक गतिविधियों के माध्यम से उसके शारीरिक, मानसिक, सामाजिक और भावनात्मक रूप का विकास है तथा एक खास योजना के तहत विशिष्ट परिणामों को प्राप्त करना है। शारीरिक शिक्षा से स्वास्थ्य-ज्ञान, ग्रुप अनुभव, प्रयास तथा प्राप्ति का आनन्द मिलता है।

45. जीन पियाजे (Jean Piaget) ने बालकों के संज्ञानात्मक विकास (cognitive development) की व्याख्या करने के लिए एक चार-अवस्था (four stage) सिद्धान्त का प्रतिपादन किया है। इस सिद्धान्त में पियाजे ने संज्ञानात्मक विकास की व्याख्या चार प्रमुख अवस्थाओं (stages) में बाँटकर की है। वे अवस्थाएँ निम्नांकित हैं–

1. **संवेदी पेशीय अवस्था (Sensory-motor state)**–यह अवस्था ज़न्म से दो साल तक की होती है। इस अवस्था में शिशुओं में अन्य क्रियाओं के अलावा शारीरिक रूप से चीजों को इधर-उधर करना, वस्तुओं की पहचान करने की कोशिश करना, किसी चीज को पकड़ना और प्रायः उसे मुँह में डालकर उसका अध्ययन करना आदि प्रमुख हैं।
2. **प्राक्संक्रियात्मक अवस्था (Preoperational stage)**–संज्ञानात्मक विकास (cognitive development) की यह अवस्था 2 साल से 7 साल की होती है। दूसरे शब्दों में, यह वह अवस्था होती है जो प्रारंभिक बाल्यावस्था (early childhood) की होती है।
3. **ठोस संक्रिया की अवस्था (Stage of concrete operation)**–यह अवस्था 7 साल से प्रारम्भ होकर 12 साल तक चलती है। इस अवस्था की विशेषता यह है कि बालक ठोस वस्तुओं (concrete objects) के आधार पर आसानी से मानसिक संक्रियाएँ (mental operations) करके समस्या का समाधान कर लेता है। परंतु यदि उन वस्तुओं को न देकर उसके बारे में शाब्दिक कथन (verbal statement) तैयार कर यदि समस्या उपस्थित की जाती है, तो वे ऐसी समस्याओं पर मानसिक संक्रियाएँ (mental operations) कर किसी निष्कर्ष पर पहुँचने में असमर्थ रहते हैं।
4. **औपचारिक संक्रिया की अवस्था (stage of formal operation)**–यह अवस्था 11 साल से प्रारंभ होकर वयस्कावस्था (adulthood) तक चलती है। इस अवस्था में किशोरों (adolescents) का चिंतन अधिक लचीला (flexible) तथा प्रभावी (effective) हो जाता है। उसके चिंतन में पूर्ण क्रमबद्धता (systematisation) आ जाती है। अब वे किसी समस्या का समाधान काल्पनिक रूप से (hypothetically) सोचकर एवं चिंतन करके करने में सक्षम हो जाते हैं। इस अवस्था में समस्या के समाधान के लिए समस्या के एकांशों (items) को ठोस रूप से (in a concrete form) उसके सामने उपस्थित होना अनिवार्य नहीं है। इस तरह किशोरों के चिंतन में वस्तुनिष्ठता (objectivity) तथा वास्तविकता (reality) की भूमिका अधिक बढ़ जाती है।

49. शिक्षण व्यवस्था के सभी पक्षों के व्यावहारिक रूप का आलेख ही पाठ योजना है। कक्षा शिक्षण की पूर्व अवस्था (Pre-active stage) में पाठ योजना तैयार की जाती है। आई. के. डेवीज (I.K. Davis) ने अपने प्रथम सोपान में पाठ योजना की रचना को बहुत अधिक महत्त्व दिया है।

एन.एल. बॉसिंग-पाठ योजना उन उद्देश्यों के कथनों और विशिष्ट तरीकों को प्रदान किया गया शीर्षक है जिनके द्वारा क्रियाओं के परिणामस्वरूप उन्हें प्राप्त किया जाता है।

एक बेहतर पाठ योजना का क्रमानुसार निम्नलिखित हैं–उद्देश्य, शिक्षक की गतिविधियाँ, अधिगम अनुभव, शिक्षण सहायता तथा मूल्यांकन।

55. परीक्षण (test) चाहे मनोवैज्ञानिक हो या शैक्षिक (educational) हो, उसके निर्माण (construction) में कुछ प्रमुख सोपान (steps) या अवस्थाएँ (stages) होते हैं जिनका संक्षिप्त वर्णन यहाँ अपेक्षित है। इन सोपानों का वर्णन निम्नांकित है–

1. **परीक्षण के बारे में एक योजना तैयार करना (Planning of the test)**–इस अवस्था में मनोवैज्ञानिक या शिक्षक कई बातों का निर्णय करते हैं। जैसे, वे यह निर्णय लेते हैं कि वे बुद्धि परीक्षण बनाएँगे या व्यक्तित्व परीक्षण (personality test) बनाएँगे या कोई और परीक्षण बनाएंगे। फिर उनमें वे किस ढंग के एकांशों (items) को रखेंगे अर्थात् वे बहुविकल्पी एकांश

(multiple-choice items) को रखेंगे या मिलान एकांशों (matching items) को रखेंगे या कोई अन्य तरह के एकांशों को सम्मिलित करेंगे। फिर उन्हें परीक्षण की संभावित लम्बाई एवं उसमें लगने वाले समय आदि के बारे में भी एक योजना बना लेनी पड़ती है।

2. **परीक्षण के लिए एकांशों या प्रश्नों को लिखना (Writing items or questions for the test)**–सोपान एक पर लिए गए निर्णय के अनुसार मनोवैज्ञानिक या शिक्षक इस अवस्था (stage) में परीक्षण के लिए एकांशों (items) या प्रश्नों को लिखते हैं।

3. **परीक्षण की जाँच (Try out of the test)**–परीक्षण निर्माणकर्ता इस अवस्था में लिखे गए एकांशों का प्रारंभिक क्रियान्वयन (preliminary administration) छात्रों या व्यक्तियों के समूह पर करके देख लेता है कि परीक्षण में सम्मिलित किए गए एकांश चुस्त-दुरुस्त हैं या नहीं। इसके लिए वह विशेष सांख्यिकीय विश्लेषण (statistical analysis) भी करता है जिसे तकनीकी रूप से (technically) एकांश विश्लेषण (item analysis) की संज्ञा दी जाती है।

60. बुद्धिवाद की धारणा यह है कि वास्तविक ज्ञान इन्द्रियों द्वारा नहीं, बुद्धि द्वारा ही प्राप्त किया जा सकता है। बुद्धिवाद कई अर्थों में प्रयुक्त होता है, किन्तु विशेषतः यह 17वीं और 18वीं शताब्दी के बुद्धिवादियों के मत को व्यक्त करता है। इस मत के प्रमुख प्रतिपादक देकार्त (Descartes), लाइबनित्ज (Leibnitz), और स्पिनोज़ा (Spinoza) हुए हैं। इन लोगों का कहना है कि ज्ञान का पूर्ण आदर्श गणित के निरूपण में प्रदर्शित होता है। गणित द्वारा जो बात सिद्ध की जाती है, उसमें शंका का कोई अवकाश नहीं रह जाता। यदि दार्शनिक चिन्तन में हम गणित की पद्धति को अपनाएँ तो हम निश्चित निष्कर्षों पर पहुँच सकते हैं।

अनुभववाद यह कहता है कि ज्ञान की उत्पत्ति केवल अनुभव से होती है। अनुभव संवेदन (Sensation) से होता है। जब तक इन्द्रियों द्वारा ज्ञान की आधारभूत सामग्री न मिल जाये तब तक बुद्धि कोई कार्य नहीं कर सकती। अनुभव द्वारा 'विशेष' का ज्ञान होता है। इन्हीं विशेष तथ्यों के आधार पर हम आगमन (Induction) द्वारा सामान्य नियमों का अनुसन्धान कर सकते हैं। ज्ञान की प्रक्रिया (Method) है, पर्यवेक्षण (Observation), प्रयोग (Experiment) और आगमन (Induction) द्वारा सामान्य प्रनियम का निर्धारण।

अनुभववादियों के विरुद्ध काण्ट का कहना है कि बिना बुद्धि के सहयोग के केवल अनुभव से ज्ञान की उत्पत्ति असम्भव है। बुद्धिवादियों के विरुद्ध उनका कहना है कि जन्मजात प्रत्ययों की चेतना भी अनुभव से पहले नहीं हो सकती। अनुभववादी और बुद्धिवादी दोनों रूढ़िवादी हैं। काण्ट का कहना है कि अतिभौतिक तत्त्वों के ज्ञान के पहले हमें अपने ज्ञान-शक्ति की परीक्षा कर लेनी चाहिए। हम क्या जान सकते हैं? हमारे ज्ञान की सीमा क्या है? ज्ञान की प्राप्ति कैसे हो सकती है? क्या एकान्तिक अनुभव से ज्ञान की प्राप्ति हो सकती है अथवा क्या एकान्तिक बुद्धि से ज्ञान का प्रादुर्भाव हो सकता है? इन सब प्रश्नों की काण्ट ने बहुत ही विचारपूर्वक समीक्षा की है। इसीलिए काण्ट का मत 'समीक्षावाद' (Criticalism) कहलाता है।

64. **शासकीय अभिकरण/एजेन्सियाँ**–इसके अन्तर्गत केन्द्र, राज्य तथा स्थानीय शासन सम्मिलित होते हैं। शासकीय अभिकरण अपने विभिन्न कार्यालयों तथा विभागों द्वारा समाज के सभी वर्गों के लिए मनोरंजन कार्यक्रम उपलब्ध कराते हैं। शासकीय अभिकरण विस्तार सेवाओं, राष्ट्रीय उद्यान सेवाओं, वन सेवाओं एवं मनोरंजन ब्यूरो, युवा तथा खेल कार्यक्रम इत्यादि के माध्यम से समाज को मनोरंजन उपलब्ध कराते हैं।

स्वयंसेवी अभिकरण–बहुत-सी स्वयंसेवी संस्थाओं के स्थायी कार्यक्रमों में सम्मिलित हैं, जिनमें शामिल हैं वाई एस सी ए तथा यूथ ऑर्गेनाइजेशन क्लब, कैम्प फायर इत्यादि। ये अभिकरण अलग-अलग आयु समूह बालकों, नौजवानों तथा वयस्क लोगों की सेवा करता है। इनकी सेवाएँ अपने सदस्यों तक ही सीमित नहीं रहतीं बल्कि कार्यक्रमों के आयोजन के लिए वित्तीय व्यवस्था सदस्यों से चन्दा उगाह कर तथा समुदाय के प्रत्येक व्यक्ति से धनराशि प्राप्त कर ली जाती है। ये अभिकरण, सांस्कृतिक, धार्मिक, शैक्षणिक, रचनात्मक कौशल को प्रोत्साहित करते हैं।

निजी अभिकरण–बहुत सारी एजेन्सियाँ ऐसी हैं, जो केवल अपने सदस्यों के लिए ही मनोरंजन कार्यक्रम बनाती हैं।

संगठन सामुदायिक मदद पर निर्भर नहीं रहते। इस समूह के बहुत महत्वपूर्ण संगठन हैं। उद्योग, धार्मिक स्थापनाएँ, खेल संगठन तथा अन्य क्लब, बहुत-से बड़े उद्योग तथा व्यापारिक घराने विशेषकर ऐसे उद्योग जहाँ कर्मचारी बहुत अधिक संख्या में लगाए जाते हैं।

व्यापारिक अभिकरण—व्यापारिक अभिकरणों द्वारा रोज की दिनचर्या में मनोरंजन, मन, बहलाव तथा प्रतिदिन की दिनचर्या से निजात पाने की विश्वव्यापी उत्कंठा का व्यापारीकरण कर दिया है और दूसरे अभिकरणों की भाँति ही इनसे जुड़े अभिकरणों का भी मूल उद्देश्य सेवा के बजाय लाभ अर्जित करना होता है। इन अभिकरणों के द्वारा दोनों ही प्रकार के मनोरंजन तैयार किए गए हैं।

70. इण्ट्राम्यूरल (Intramurals)—यह शब्द लैटिन शब्द इण्टरा मुरोस से बना है, जिसका अर्थ दीवारों के भीतर है। इसका इस्तेमाल खेल, मैच और प्रतियोगिताओं में होता है। एक प्राचीन शहर की दीवारों के भीतर टीमों (के रूप में एक Variety टीम है जो अन्य शहरों व कस्बों से टीमों के साथ प्रतिस्पर्द्धा करने के लिए विरोध) के बीच जगह को इंगित किया गया था।

इस प्रकार की प्रतियोगिता में प्रतिस्पर्धाओं का आयोजन एक विद्यालय के परिसर में ही नहीं होता, बल्कि किसी अन्य विद्यालय में होता है। इस तरह की प्रतियोगिताओं के अन्तर्गत कोई एक विद्यालय प्रतियोगिताओं का आयोजन करता है और अन्य विद्यालयों की टीमों को प्रतियोगिताओं में भाग लेने के लिए निमन्त्रण देता है। इसीलिए इसे अन्तर विद्यालय खेल प्रतियोगिता या बाह्य प्रतियोगिता (Intra-murals) कहते हैं।

पर्यवेक्षण (Supervision)—कार्यों की निपुणता, गति, प्रयास मितव्ययिता को सुनिश्चित करने के लिए तथा संगठित पूर्व निर्धारित उद्देश्यों की प्राप्ति के लिए पर्यवेक्षण अति आवश्यक तत्व है। पर्यवेक्षण को अंग्रेजी भाषा में 'Supervision' कहा जाता है। किसी भी संगठन की सफलता नेतृत्व की गुणवत्ता तथा सतर्कता एवं समुचित कदम पर निर्भर करता है।

निरीक्षण तथा पर्यवेक्षण में महत्वपूर्ण अन्तर है, निरीक्षण स्वभावतः एकाधिकारवादी है और प्रशासनिक एकात्मकता, हठधर्मिता तथा लालफीताशाही का द्योतक है, वहीं पर्यवेक्षण से तात्पर्य है निश्चित मार्गदर्शन के अन्तर्गत समझ-बूझकर कार्य करना। निरीक्षक कुछ तत्वों यथा अभिलेखों, कार्यक्रमों की औपचारिक जाँच-पड़ताल को अपने भीतर समेटे हुए है, जबकि पर्यवेक्षक तथा अन्य अकादमिक कर्मियों के मध्य प्रजातान्त्रिक वार्तालाप होता है। पर्यवेक्षण सिर्फ मनुष्य, सामग्रियों तथा नीति-नियमों, औपचारिक निरीक्षण तथा उच्चाधिकारियों के नीरस प्रतिवेदनों तक ही सीमित नहीं रहता है बल्कि यह एक सर्वांगीण सकारात्मक तथा रचनात्मक उपागम है।

वित्त (Finance)—वित्तीय प्रबन्धन, प्रबन्धन की कार्यकलापों का एक भाग है जो एक संस्था के योजना तथा नियंत्रण के साथ संबंध रखता है जो आर्थिक स्रोतों के साथ होती है। यह संस्था के लिए बढ़ते हुए धन कोष के विभिन्न स्रोतों को खोजता है। स्रोत उपयुक्त तथा अर्थपूर्ण होने चाहिए जो कि जरूरत तथा इच्छा के अनुकूल हों। इन धन कोष का सुचारू रूप से प्रयोग भी वित्तीय प्रबन्धन का एक भाग होता है।

पिछले प्रश्न-पत्र (हल सहित)

UGC-NET जूनियर रिसर्च फैलोशिप तथा सहायक प्राध्यापक परीक्षा

शारीरिक शिक्षा, जून-2015

प्रश्न-पत्र-II

निर्देश : *इस प्रश्न-पत्र में* ***पचास (50)*** *बहु-विकल्पीय प्रश्न हैं। प्रत्येक प्रश्न के* ***दो (2)*** *अंक हैं।* ***सभी प्रश्न अनिवार्य हैं।***

1. शारीरिक शिक्षा का दर्शनशास्त्र सम्बन्धित है:

A. यथार्थवादिता B. मानवतावाद
C. व्यावहारिकतावाद D. आदर्शवाद

2. बौद्धिक क्षमता कोर्टेक्स के किस भाग का कार्य क्षेत्र होता है?

A. टैमपोरेल भाग B. ऑक्सीपिटल भाग
C. फ्रन्टल भाग D. पेराइटल भाग

3. निम्नलिखित में से कौन-सा समूह चक्रिक विश्लेषण पद्धति के मुख्य तत्वों का सर्वाधिक सही सेट है?

A. क्रिया, प्रतिफल, अवस्था, आधिपत्य का प्रभाव
B. खिलाड़ी, अवस्था, क्रिया, अवधि
C. आधिपत्य, क्रिया, अवस्था, अवधि
D. खिलाड़ी, प्रतिफल, अवस्था, क्रिया

4. प्रभाव नियम को निम्नलिखित के रूप में भी जाना जाता है:

A. अभ्यास नियम B. संतुष्टि का नियम
C. आसन्नकाल नियम D. आवृत्ति नियम

5. निम्नलिखित में से शिक्षक का कौन-सा एक गुण छात्र द्वारा सबसे ज्यादा पसंद किया जाएगा?

A. आदर्शवादी दर्शन B. अनुकम्पा
C. अनुशासन D. मनोरंजक

6. प्रति किलो ग्राम शरीर के वजन पर 1.0 ग्राम की दर से प्रोटीन की आई.सी.एम.आर. की सिफ़ारिश में कुल प्रोटीन उपयोग (एन.पी.यू.) माना जाता है:

A. 80 B. 75
C. 70 D. 65

7. वह क्षमता जिसमें कम-से-कम समय में अधिक से अधिक बल प्रयोग होता है उसे कहते हैं:

A. माँसपेशीय बल B. माँसपेशीय सहनशीलता
C. माँसपेशीय शक्ति D. प्रतिक्रिययी शक्ति

8. विषयों के अन्तर्गत अभिकल्पों के लिए परिकलन प्रभाव आकार है:

A. प्रभाव आकार के प्रयोग के लिए सैद्धान्तिक और संरचनात्मक मॉडल प्रस्तुत करता है।
B. निरूपण प्रभावों का आकलन।
C. पूर्व परीक्षण और पश्च परीक्षण के बीच निरूपण प्रभाव के लिए।
D. दिए गए प्रयोग के अन्दर संभव निरूपण प्रभावों की जनसंख्या का आकलन।

9. खिलाड़ियों में कोई दी गई विशिष्टता किस हद तक है, उसके आकलन को परिमाणात्मक रूप में व्यक्त करने को कहते हैं:

A. परीक्षण B. मापन
C. मूल्यांकन D. सांख्यिकी

10. निम्नलिखित में से कौन-सा प्रबंधक का सिद्धांत नहीं है?

A. क्लासिकी सिद्धांत B. नव-क्लासिकी सिद्धांत
C. आधुनिक सिद्धांत D. नव-आधुनिक सिद्धांत

11. सामाजिक पहलू गुणों के विकास की व्याख्या करता है, जैसे:

(*a*) समायोजन (*b*) सहयोग
(*c*) स्वयं विकास (*d*) कुंठाग्रसित
(*e*) नेतृत्व

सही उत्तर का चयन कीजिए:

A. (*a*), (*b*), (*c*) B. (*b*), (*c*), (*d*)
C. (*c*), (*d*), (*e*) D. (*e*), (*a*), (*b*)

12. निम्नलिखित में से कौन-सा स्राव पिट्यूटरि ग्रंथि का नहीं है?

(*a*) ए.डी.एच. (*b*) थाइरोक्सिन

(*c*) ऑक्सीटोसिन (*d*) एपिनेफ्रीन

निम्नलिखित कूट से सही उत्तर चुनिए:

कूटः

A. (*a*) और (*d*) B. (*b*) और (*d*)

C. (*a*) और (*c*) D. (*b*) और (*a*)

13. दौड़ की बढ़ी हुई गति दर्शाती है:

(*a*) कूल्हे और घुटने के मुड़ाव में वृद्धि

(*b*) सहायता चरण में कमी

(*c*) कूल्हे और घुटने के फैलाव में वृद्धि

(*d*) आगे की ओर धड़ के झुकाव में कमी

(*e*) हवा में तैरने की अवधि में वृद्धि

(*f*) आगे की ओर धड़ के झुकाव में वृद्धि

नीचे दिए गए कूट से इनका सही क्रम चुनिए:

कूटः

A. (*a*), (*d*), (*e*) और (*f*)

B. (*b*), (*c*), (*e*) और (*f*)

C. (*b*), (*d*), (*e*) और (*f*)

D. (*a*), (*b*), (*e*) और (*f*)

14. खिलाड़ी का आक्रामक व्यवहार निम्नलिखित से प्रभावित होता है:

(*a*) दल के साथ संवेगात्मक तादात्म्य

(*b*) रणनीतिक योग्यता

(*c*) लक्ष्य प्रवणता

(*d*) कौशल स्तर

कूट से सही उत्तर का चयन कीजिए:

कूटः

A. (*a*) और (*c*) B. (*b*) और (*d*)

C. (*a*) और (*d*) D. (*b*) और (*c*)

15. निम्नलिखित में किस विषाणुजनित हेपेटाइटिस से टीकाकरण द्वारा बचा जा सकता है?

(*a*) हेपेटाइटिस ए (*b*) हेपेटाइटिस बी

(*c*) हेपेटाइटिस सी (*d*) हेपेटाइटिस ई

A. (*a*) और (*b*) B. (*a*), (*b*) और (*c*)

C. (*a*) और (*c*) D. (*b*), (*c*) और (*d*)

16. पाठ्यक्रम की विभिन्न अवधारणाएँ क्या हैं?

(*a*) अनुभव (*b*) शिक्षण

(*c*) विषय (*d*) उद्देश्य

कूटः

A. (*a*), (*c*) और (*d*) B. (*a*), (*b*) और (*d*)

C. (*b*), (*c*) और (*d*) D. (*a*), (*b*) और (*c*)

17. नीचे दिए गए कूट का प्रयोग करते हुए हॉकी खेल से सम्बन्ध माप का उचित समायोजन ज्ञात कीजिए:

(*a*) 120 × 80 गज (*b*) 100 × 60 गज

(*c*) 12 गज (*d*) 16 गज

(*e*) 7 गज

कूटः

A. (*a*), (*c*), (*e*) B. (*b*), (*d*), (*e*)

C. (*c*), (*d*), (*e*) D. (*a*), (*d*), (*e*)

18. द्विपथी ANOVA में, A तथा B के साथ स्वतंत्र चर के रूप में यदि F अनुपात $MS_{A \times B}/MS_W$ के बतौर महत्वपूर्ण रूप से परिकलित है; इसे इस रूप में निष्पादित किया जा सकता है कि:

(*a*) A का मुख्य प्रभाव महत्वपूर्ण है।

(*b*) B का मुख्य प्रभाव महत्वपूर्ण है।

(*c*) अन्योन्यक्रिया प्रभाव महत्वपूर्ण है।

कूटः

A. (*c*) B. (*a*) और (*c*)

C. (*a*) और (*b*) D. (*b*) और (*c*)

19. निम्नलिखित परीक्षण समन्वय मापन हैं:

(*a*) बॉल कैच (*b*) स्क्वैट जंप

(*c*) जंप रोप (*d*) जंपिंग जैक

कूटः

A. (*a*), (*b*) और (*c*) B. (*a*), (*c*) और (*d*)

C. (*b*), (*c*) और (*d*) D. (*b*), (*d*) और (*a*)

20. शारीरिक शिक्षा और खेलकूद प्रबंधक के प्रमुख क्षेत्र निम्नलिखित हैं:

(*a*) वित्तीय प्रबंधन (*b*) निष्पादन प्रबंधन

(*c*) वैयक्तिक प्रबंधन (*d*) अवसंरचना प्रबंधन

सही कूट का पता लगाएँ:

A. (*a*), (*b*) और (*c*) B. (*b*), (*c*) और (*d*)

C. (*a*), (*c*) और (*d*) D. (*a*), (*b*) और (*d*)

21. नीचे दो कथन दिए गए हैं, जिसमें से प्रथम को अभिकथन (A) और द्वितीय को तर्क (R) कहा गया है:

अभिकथन (A) : ओलम्पिक खेलों में भाग लेने वाले देश का सम्बन्धित खिलाड़ी ही भाग लेता है।

तर्क (R) : ओलम्पिक खेलों में भाग लेने वाले खिलाड़ी की आयु सीमा होती है।

निम्नलिखित में कौन-सा कथन उपरोक्त संदर्भ में सही है?

A. (A) और (R) दोनों सही हैं, और (A) की (R) सही व्याख्या है।

B. (A) और (R) दोनों सही हैं, परन्तु (A) की (R) सही व्याख्या नहीं है।

C. (A) सही है, परन्तु (R) गलत है।

D. (A) गलत है, परन्तु (R) सही है।

22. नीचे दो कथन दिए गए हैं, जिसमें से प्रथम को अभिकथन (A) और द्वितीय को तर्क (R) कहा गया है:

अभिकथन (A) : व्यावहारिक रूप से सभी सीरम एलबुमिन तथा फाइब्रिनोजन यकृत में निर्मित होते हैं। प्लाज्मा ऊतक इम्युनोग्लोबुलिन्स के मुख्य स्रोत हैं।

तर्क (R) : यकृत द्वारा प्लाज्मा प्रोटीन का संश्लेषण; रक्त में एमिनो अम्ल की सान्द्रता पर निर्भर करती है।

निम्नलिखित में कौन-सा कथन उपरोक्त संदर्भ में सही है?

A. (A) और (R) दोनों सही हैं, तथा (R), (A) की सही व्याख्या है।

B. (A) और (R) दोनों सही हैं, लेकिन (R), (A) की सही व्याख्या नहीं है।

C. (A) सही है, लेकिन (R) गलत है।

D. (A) गलत है, लेकिन (R) सही है।

23. नीचे दो कथन दिए जा रहे हैं; जिसमें से प्रथम को अभिकथन (A) और द्वितीय को तर्क (R) कहा गया है:

अभिकथन (A) : तंत्र और रोबोट काइनिमैटिक चेन के उदाहरण हैं।

तर्क (R) : काइनिमैटिक जोड़ियों से जुड़े अनम्य शरीरों को काइनिमैटिक चेन के रूप में जाना जाता है।

निम्नलिखित में कौन-सा कथन उपरोक्त संदर्भ में सही है?

A. (A) और (R) दोनों सही हैं, और (A) की (R) सही व्याख्या है।

B. (A) और (R) दोनों सही हैं, लेकिन (A) की (R) सही व्याख्या नहीं है।

C. (A) सही है, परन्तु (R) गलत है।

D. (A) गलत है, परन्तु (R) सही है।

24. नीचे दो कथन दिए जा रहे हैं; जिसमें से प्रथम को अभिकथन (A) और द्वितीय को तर्क (R) कहा गया है:

अभिकथन (A) : संसक्ति में वैयक्तिक कारक समूह सदस्यों की व्यक्तिगत विशेषताओं को बताते हैं।

तर्क (R) : समूह सदस्यों के बीच व्यक्तिगत अभिविन्यास, संतुष्टि और व्यक्तिगत भेदों के कारण काफी विभिन्नताएं आती हैं।

निम्नलिखित में कौन-सा कथन उपरोक्त संदर्भ में सही है?

A. (A) सही है, परन्तु (R), (A) का सही स्पष्टीकरण नहीं है।

B. (A) सही है और (R), (A) का सही स्पष्टीकरण है।

C. (A) गलत है, परन्तु (R) सही है।

D. (A) और (R) दोनों गलत हैं।

25. नीचे दो कथन दिए जा रहे हैं, जिसमें से प्रथम को अभिकथन (A) और द्वितीय को कारण (R) कहा गया है:

अभिकथन (A) : विवेकानंद ने कहा है "दुनिया में जितना ज्ञान प्राप्त हुआ है, मस्तिष्क से प्राप्त हुआ है, आपके मस्तिष्क में ब्रह्मांड का अनंत ज्ञान भरा है।

कारण (R) : शिक्षा मनुष्य में अंतर्निहित ज्ञान की सिद्धि है।

ऊपर वर्णित कथन के सन्दर्भ में, निम्नलिखित में कौन-सा कथन सही है?

कूटः

A. (A) और (R) दोनों सही हैं, तथा (R), (A) की सही व्याख्या है।

B. (A) और (R) दोनों सही हैं, लेकिन (R), (A) की सही व्याख्या नहीं है।

C. (A) सही है तथा (R) गलत है।
D. (A) गलत है तथा (R) सही है।

26. नीचे दो कथन दिए जा रहे हैं, जिसमें से प्रथम को अभिकथन (A) और द्वितीय को तर्क (R) कहा गया है:

अभिकथन (A) : प्रोटीन ऊर्जा कुपोषण (पी.ई.एम.) का पता लगाने का सबसे अधिक व्यावहारिक तरीका प्रारंभ में वृद्धि चार्ट को पूरा करना है।

तर्क (R) : भारतीय जनसंख्या के संदर्भ में 30% प्रोटीन ऊर्जा कुपोषित है।

निम्नलिखित में कौन-सा कथन उपरोक्त संदर्भ में सही है?

A. (A) और (R) दोनों सही हैं, और (A) की (R) सही व्याख्या है।
B. (A) और (R) दोनों सही हैं, परन्तु (A) की (R) सही व्याख्या नहीं है।
C. (A) सही है, परन्तु (R) गलत है।
D. (A) गलत है, परन्तु (R) सही है।

27. नीचे दो कथन दिए जा रहे हैं, जिसमें से प्रथम को अभिकथन (A) और द्वितीय को तर्क (R) कहा गया है:

अभिकथन (A) : प्रशिक्षण एवं प्रतिस्पर्धा माँग का सीधा सम्बन्ध भार की मात्रा के साथ होता है।

तर्क (R) : समान माँग सदैव समान भार की मात्रा को बढ़ावा देती है।

निम्नलिखित में कौन-सा कथन उपरोक्त संदर्भ में सही है?

A. (A) और (R) दोनों सही हैं, और (A) की (R) सही व्याख्या है।
B. (A) और (R) दोनों सही हैं, परन्तु (A) की (R) सही व्याख्या नहीं है।
C. (A) सही है, परन्तु (R) गलत है।
D. (A) गलत है, परन्तु (R) सही है।

28. नीचे दो कथन दिए जा रहे हैं, जिसमें से प्रथम को अभिकथन (A) और द्वितीय को तर्क (R) कहा गया है:

अभिकथन (A) : पानी के अन्दर माँसपेशी की तुलना में वसा और हड्डी का घनत्व ज्यादा होता है। अतः ज्यादा वसा/हड्डी वाले व्यक्ति का वजन पानी के अन्दर ज्यादा होगा या इसके विपरीत सत्य होगा।

तर्क (R) : हम व्यक्ति का वजन हवा और पानी में तौलकर शरीर के घनत्व को माप सकते हैं।

उपर्युक्त दो कथनों के संदर्भ में निम्नलिखित में से कौन-सा कथन में सही है?

A. (A) और (R) दोनों सही हैं, और (A) का (R) सही स्पष्टीकरण है।
B. (A) और (R) दोनों सही हैं, परन्तु (A) का (R) सही स्पष्टीकरण नहीं है।
C. (A) सही है, परन्तु (R) गलत है।
D. (A) गलत है, परन्तु (R) सही है।

29. नीचे दो कथन दिए जा रहे हैं, जिसमें से प्रथम को अभिकथन (A) और द्वितीय को तर्क (R) कहा गया है:

अभिकथन (A) : मूल्यांकन, निर्णय की वह कला है जो पूर्व निर्धारित वैज्ञानिक आधार पर की जाती है।

तर्क (R) : मूल्यांकन व्यक्ति की सदैव रहने वाली स्वयं संबंधी जिज्ञासा है।

निम्नलिखित में कौन-सा कथन उपरोक्त संदर्भ में सही है?

A. (A) और (R) दोनों सही हैं, और (A) की (R) सही व्याख्या है।
B. (A) और (R) दोनों सही हैं, परन्तु (A) की (R) सही व्याख्या नहीं है।
C. (A) सही है, परन्तु (R) गलत है।
D. (A) गलत है, परन्तु (R) सही है।

30. नीचे दो कथन दिए जा रहे हैं, जिसमें से प्रथम को अभिकथन (A) और द्वितीय को तर्क (R) कहा गया है:

अभिकथन (A) : सजातीय और आधार कक्षाएँ जो खेलकूद प्रबंधन के शिक्षण से संबंधित हैं, में संप्रेषण पाठ्यक्रमों : अन्तर्वैयक्तिक संबंधों; लेखाकरण, वित्त, अर्थशास्त्र, सांख्यिकी तथा खेलकूद के सामाजिक-मनोवैज्ञानिक पहलू शामिल हो सकते हैं।

तर्क (R) : 'प्रैक्टिकम' साधारण तौर पर ग्रहण किया गया प्रशिक्षुता-पूर्व, अंशकालिक कार्यक्षेत्र अनुभव है जब छात्र सजातीय अथवा विशेष कक्षाएं कर ही रहा हो।

उपरोक्त दो कथनों के संदर्भ में निम्नलिखित में कौन-सा कथन में सही है?

कूट :

A. (A) और (R) दोनों सही हैं, और (A) की (R) सही व्याख्या है।

B. (A) और (R) दोनों सही हैं, परन्तु (A) की (R) सही व्याख्या नहीं है।

C. (A) सही है, परन्तु (R) गलत है।

D. (A) गलत है, परन्तु (R) सही है।

31. एशियन खेलों को कालक्रमानुसार रखें:

(*a*) दोहा, कतर

(*b*) मनीला, फिलीपीन

(*c*) तेहरान, ईरान

(*d*) जकार्ता, इंडोनेशिया

कूटः

A. (*b*), (*d*), (*c*), (*a*) B. (*a*), (*c*), (*b*), (*d*)

C. (*d*), (*b*), (*c*), (*a*) D. (*b*), (*a*), (*d*), (*c*)

32. सहानुभूति सूचक और सहानुकम्पी वितरण, जो नीचे दिए गए हैं, का सही क्रम क्या है?

(*a*) कपाल (*b*) कटि

(*c*) वक्षीय (*d*) त्रिकास्थि

(*e*) ग्रीवा

कूटः

A. (*e*), (*a*), (*c*), (*d*), (*b*)

B. (*b*), (*d*), (*a*), (*c*), (*e*)

C. (*a*), (*c*), (*e*), (*b*), (*d*)

D. (*d*), (*e*), (*c*), (*a*), (*b*)

33. गत्यात्मक परिदृश्य विश्लेषण के विशिष्ट कदमों को क्रमिक रूप से व्यवस्थित करें:

(*a*) विशेषता पहचान

(*b*) गति मानक आकलन

(*c*) ट्रैकिंग

(*d*) चित्र की छंटाई और संवर्धन

(*e*) विशेषता साम्यता स्थापित करना

कूटः

A. (*c*), (*b*), (*d*), (*e*), (*a*)

B. (*a*), (*b*), (*d*), (*c*), (*e*)

C. (*d*), (*c*), (*a*), (*e*), (*b*)

D. (*b*), (*d*), (*c*), (*a*), (*e*)

34. प्रतिस्पर्धा प्रक्रिया के चार भिन्न चरणों को आनुक्रमिक रूप से व्यवस्थित कीजिए:

(*a*) व्यक्तिपरक प्रतिस्पर्धात्मक स्थिति

(*b*) वस्तुपरक प्रतिस्पर्धात्मक स्थिति

(*c*) परिणाम

(*d*) अनुक्रिया

कूटः

A. (*d*), (*c*), (*a*), (*b*) B. (*c*), (*d*), (*b*), (*a*)

C. (*a*), (*b*), (*c*), (*d*) D. (*b*), (*a*), (*d*), (*c*)

35. सहज क्रिया में तंतु आवेग सहज चाप से निम्नलिखित क्रम में गुजरता है:

(*a*) सेंसरी न्यूरौन (*b*) मोटर न्यूरौन

(*c*) रिसेप्टर (*d*) इफेक्टर

(*e*) इंटिग्रेटिंग केन्द्र

कूटः

A. (*c*), (*e*), (*a*), (*d*), (*b*)

B. (*c*), (*a*), (*e*), (*b*), (*d*)

C. (*d*), (*b*), (*a*), (*c*), (*e*)

D. (*e*), (*b*), (*c*), (*a*), (*d*)

36. खाद्य पदार्थों को उनमें उपस्थित कार्बोहाइड्रेट की मात्रा को अवरोही क्रम में व्यवस्थित करें:

A. चीनी, गुड़, चावल, आलू

B. चीनी, गुड़, आलू, चावल

C. गुड़, चीनी, चावल, आलू

D. गुड़, चीनी, आलू, चावल

37. नीचे दिए गए कूट का प्रयोग करते हुए तकनीक प्रशिक्षण के चरणों को सही अनुक्रम पद्धति के अनुरूप ज्ञात कीजिए:

(*a*) व्याख्या (*b*) प्रस्तावना

(*c*) अभ्यास (*d*) प्रदर्शन

(*e*) लीड-अप खेल

कूटः

A. (*a*), (*c*), (*d*), (*e*), (*b*)

B. (*b*), (*d*), (*a*), (*c*), (*e*)

C. (*c*), (*e*), (*d*), (*a*), (*b*)

D. (*d*), (*c*), (*b*), (*a*), (*e*)

38. परिकल्पना की परीक्षण पद्धति का क्रम ज्ञात करें:

(*a*) निर्णय नियम लिखना

(*b*) परिकल्पना लिखना

(*c*) उपयुक्त परीक्षण सांख्यिकी का चुनाव
(*d*) उपयुक्त परीक्षण सांख्यिकी गणना

कूटः

A. (*b*), (*a*), (*d*), (*c*) B. (*a*), (*c*), (*b*), (*d*)
C. (*b*), (*c*), (*a*), (*d*) D. (*a*), (*b*), (*d*), (*c*)

39. वैज्ञानिक शोध जिसमें सुनियोजित पद्धति का समावेश होता है, का उचित क्रम ज्ञात कीजिए:

(*a*) समस्या की पहचान
(*b*) जनसंख्या की परिभाषा
(*c*) उपकरण योजना का विकास
(*d*) अवधारणा की व्याख्या
(*e*) समस्या का स्पष्टीकरण

कूटः

A. (*a*), (*d*), (*b*), (*c*), (*e*)
B. (*a*), (*e*), (*d*), (*b*), (*c*)
C. (*b*), (*a*), (*d*), (*e*), (*c*)
D. (*b*), (*d*), (*e*), (*c*), (*a*)

40. कोटलर एट एल (et. al.) के द्वारा जैसा बताया गया है कि कोई उत्पाद चार पक्षों से मिलकर बना है। इसे सही कूट की मदद से व्यवस्थित क्रम में रखिए।

(*a*) परिष्कृत (बढ़ा हुआ) उत्पाद
(*b*) संभाव्य उत्पाद
(*c*) मुख्य उत्पाद
(*d*) प्रत्याशित उत्पाद

कूटः

A. (*c*), (*d*), (*a*), (*b*) B. (*b*), (*c*), (*d*), (*a*)
C. (*a*), (*b*), (*c*), (*d*) D. (*d*), (*a*), (*b*), (*c*)

41. सूची-I को सूची-II के साथ सुमेलित कीजिए तथा नीचे दिए गए कूट से सही उत्तर चुनिए:

सूची-I	सूची-II
(*a*) गट्स मथ	1. अमरीका
(*b*) डिओ लिवीस	2. ग्रेट ब्रिटेन
(*c*) आर्कीबाल्ड मेकलेरीन	3. डेनमार्क
(*d*) फ्रेंज नेचटगल	4. जर्मनी

कूटः

	(*a*)	(*b*)	(*c*)	(*d*)
A.	1	3	4	2
B.	4	1	2	3
C.	2	4	3	1
D.	3	4	1	2

42. सूची-I को सूची-II के साथ सुमेलित कीजिए तथा नीचे दिए गए कूट से सही उत्तर का चयन कीजिए।

सूची-I	सूची-II
(*a*) प्रत्यक्ष बल	1. व्यक्ति हाथों के बल जमीन पर गिरता है जिससे बाँह टूट जाती है।
(*b*) परोक्ष बल	2. यह जख्म व्यक्ति के फुटबॉल खेलने के दौरान या घिसटने के कारण हो सकता है।
(*c*) घुमावदार ताकत	3. व्यक्ति जिसे बिजली का झटका लगता है, अस्थि भंग से पीड़ित हो सकता है।
(*d*) मांसपेशी संकुचन	4. व्यक्ति को एक उड़ता हुआ पत्थर का टुकड़ा लगता है तथा प्रभावित स्थान पर हड्डी टूट जाती है।

कूटः

	(*a*)	(*b*)	(*c*)	(*d*)
A.	1	3	4	2
B.	2	4	3	1
C.	2	3	4	1
D.	4	1	2	3

43. सूची-I को सूची-II से सुमेलित करें और नीचे दिए गए कूटों से सही विकल्प का चयन कीजिए।

सूची-I	सूची-II
(*a*) डीप स्ट्रोक	1. मांसपेशी को इसके स्थायी जोड़ पर पकड़ा जाता है और आगे-पीछे हिलाया जाता है।
(*b*) एफ्लूएज	2. मांसपेशी की लम्बाई के साथ-साथ अंगूठे के पैड्स को घुमाकर किया जाता है।
(*c*) जौस्टलिंग	3. मांसपेशियों को दोनों हाथों के अंगूठों और अंगुलियों से पकड़ा जाता है और दबाया जाता है।
(*d*) नीडिंग	4. हाथों और अंगुलियों से किया जाता है।
(*e*) फेनिंग	5. मध्य बिन्दु से मांसपेशी के किनारे की ओर गतिमान होता है।

कूटः

	(a)	(b)	(c)	(d)	(e)
A.	1	3	2	5	4
B.	2	4	1	3	5
C.	3	5	4	1	2
D.	4	2	5	3	1

44. सूची-I को सूची-II से सुमेलित कीजिए और नीचे दिए गए कूटों की सहायता से सही विकल्प का चयन कीजिएः

सूची-I	सूची-II
(a) दुश्चिंता	1. संज्ञानात्मक मूल्यांकन सिद्धांत
(b) व्यक्तित्व	2. बहुपक्षीय मॉडल
(c) नेतृत्व	3. सांवृतिक सिद्धांत
(d) अभिप्रेरणा	4. इष्टतम कार्यकलाप के व्यक्तिगत क्षेत्र

कूटः

	(a)	(b)	(c)	(d)
A.	4	3	2	1
B.	3	4	1	2
C.	2	1	4	3
D.	1	2	3	4

45. सूची-I के पदों को सूची-II के साथ सुमेलित कीजिए तथा नीचे दिए गए (A), (B), (C), (D) में से उपर्युक्त जोड़े को सूचित कीजिए।

सूची-I (कॉमनवेल्थ खेल)	सूची-II (भारत द्वारा विजित कुल पदक)
(a) 2002	1. 50
(b) 2006	2. 64
(c) 2010	3. 69
(d) 2014	4. 111
	5. 101

कूटः

	(a)	(b)	(c)	(d)
A.	2	3	4	1
B.	1	3	4	2
C.	3	2	4	1
D.	3	1	5	2

46. सूची-I को सूची-II से सुमेलित कीजिए तथा नीचे दिए गए कूट से सही समायोजन चुनिएः

सूची-I	सूची-II
(a) लक्षण	1. दिए हुए समय में नए रोगियों की संख्या।
(b) घटना	2. एक जनसंख्या में रोगों अथवा स्वास्थ्य सम्बन्धी व्यवहार का अध्ययन।
(c) प्रचलन	3. दिए हुए समय सीमा में एक जनसंख्या के क्रियाशील रोगियों की संख्या।
(d) रोगविज्ञान	4. एक साथ घटने वाले लक्षणों का समूह या गुच्छा।

कूटः

	(a)	(b)	(c)	(d)
A.	1	3	4	2
B.	4	1	3	2
C.	3	4	2	1
D.	2	3	1	4

47. सूची-I को सूची-II के साथ सुमेलित कीजिए तथा नीचे दिए गए कूट से सही विकल्प चुनिएः

सूची-I	सूची-II
(a) संयोजन क्षमता	1. गतिबोध
(b) लय क्षमता	2. गति स्मृति
(c) अनुकूलन क्षमता	3. पूर्वानुमान
(d) विभेदन क्षमता	4. पुनरुत्पत्ति

कूटः

	(a)	(b)	(c)	(d)
A.	2	1	3	4
B.	3	2	4	1
C.	4	1	2	3
D.	1	4	3	2

48. सूची-I को सूची-II के साथ सुमेलित कीजिए तथा नीचे दिए गए कूट से सही उत्तर चुनिए।

सूची-I	सूची-II
(a) नृजातिवर्णन	1. आलोचना
(b) ऐतिहासिक	2. अन्तर्ज्ञान
(c) प्रयोगात्मक	3. तीव्र
(d) केस अध्ययन	4. व्याख्यात्मक
	5. नियंत्रण

कूटः

	(a)	(b)	(c)	(d)
A.	1	3	5	4
B.	2	5	1	3
C.	3	4	2	1
D.	4	1	5	3

49. सूची-I को सूची-II के साथ सुमेलित कीजिए तथा नीचे दिए गए कूट का प्रयोग करते हुए सही उत्तर चुनिए।

सूची-I	सूची-II
(*a*) रेकी-5 आइरन परीक्षण	1. बास्केटबॉल
(*b*) नोक्स परीक्षण	2. वर्टिकल कूद
(*c*) चेपमैन बॉल कंट्रोल परीक्षण	3. गोल्फ
(*d*) जॉनसन मोटर ऐजुकेबिलिटी परीक्षण	4. हॉकी

कूटः

	(*a*)	(*b*)	(*c*)	(*d*)
A.	1	4	2	3
B.	3	1	4	2
C.	2	3	1	4
D.	4	2	3	1

50. सूची-I को सूची-II के साथ सुमेलित कीजिए तथा नीचे दिए गए कूट से सही उत्तर चुनिए।

सूची-I	सूची-II
(*a*) योजना बनाना	1. जन और मुद्रा
(*b*) समन्वयन	2. निर्वहन करना
(*c*) अभिप्रेरण	3. जाँच करना
(*d*) नियंत्रण	4. निर्देशन

कूटः

	(*a*)	(*b*)	(*c*)	(*d*)
A.	3	2	1	4
B.	4	1	2	3
C.	2	3	4	1
D.	1	4	3	2

उत्तरमाला

1	2	3	4	5	6	7	8	9	10
C	C	B	B	B	D	A	C	B	D
11	**12**	**13**	**14**	**15**	**16**	**17**	**18**	**19**	**20**
D	B	D	A	A	B	B	A	B	D
21	**22**	**23**	**24**	**25**	**26**	**27**	**28**	**29**	**30**
C	B	A	B	A	C	C	D	C	B
31	**32**	**33**	**34**	**35**	**36**	**37**	**38**	**39**	**40**
A	D	C	D	B	A	B	C	B	A
41	**42**	**43**	**44**	**45**	**46**	**47**	**48**	**49**	**50**
B	D	B	A	D	B	D	D	B	B

कुछ चुने हुए प्रश्नों के व्याख्यात्मक उत्तर

1. शारीरिक शिक्षा का दर्शनशास्त्र व्यावहारिकतावाद से सम्बन्धित है। विलियम जेम्स, हिरैकलाइटिस, जॉन ड्यूई तथा फ्रान्सिस वेकन व्यावहारिकता के प्रवर्तक थे।

व्यावहारिकतावाद को आदर्शवाद तथा यथार्थवाद का अग्रज भी कहा जाता है। अनुभव तथा ज्ञान व्यावहारिकतावाद के मूल सिद्धांत हैं। व्यावहारिकतावादी तत्वज्ञान के अनुसार प्रत्येक व्यक्ति के अनुभव अलग-अलग होते हैं। व्यावहारिक्तावाद एक सिद्धांत एवं विधि है जो व्यावहारिक तथा निपुण परिपाटी से यथार्थिक वस्तुओं एवं संघटनाओं से निपटती है। किसी सिद्धांत की कसौटी उसकी सफलता ही है। जीगॅलर के अनुसार व्यावहारिकतावाद शिक्षा तथा शारीरिक शिक्षा का एक प्रायोगिक उपागम है जो बालक को चाहे घर पर हो तथा पाठशाला में यथार्थ अनुभव प्रदान करता है। व्यावहारिकतावादी शिक्षा विधियों के प्रयोग से विद्यार्थी, निडर तथा आत्मविश्वासी बनता है। अनुभव ही विद्यार्थियों में संबद्धता, निष्पादन तथा उपलब्धि की अनुभूति का सृजन करते हैं।

व्यावहारिकतावादी शिक्षा द्वारा विद्यार्थी में विनम्रता, आत्म-सम्मान, राष्ट्रीय गौरव तथा मानवतावाद जैसे गुणों का विकास होता है।

2. बौद्धिक क्षमता कोर्टेक्स (Cortex) फ्रन्टल भाग का कार्य क्षेत्र होता है। कोर्टेक्स जीवन में नितांत आवश्यक है। यदि यह शरीर से बिल्कुल निकाल दिया जाए, तो मनुष्य केवल एक या दो सप्ताह ही जीवित रह सकेगा। कोर्टेक्स के विकृत हो जाने पर उपापचयी प्रक्रमों में गड़बड़ी उत्पन्न हो जाती है। इस रोग को एडीसन रोग (Addison's Disease) कहते हैं। कोर्टेक्स से निकलने वाला हार्मोन एवं उसके कार्य निम्नलिखित हैं—

(*i*) **ग्लूकोकॉर्टिक्वाइड्स (Glucocoriticoids) :** ये कार्बोहाइड्रेट, प्रोटीन एवं वसा उपापचय को नियंत्रण करता है।

(*ii*) **मिनरलोकॉर्टिक्वाइड्स (Mineralocorticoids) :** इसका मुख्य कार्य वृक्क नलिकाओं द्वारा लवण के पुनः अवशोषण एवं शरीर में अन्य लवणों की मात्राओं का नियंत्रण करना है।

(*iii*) **लिंग हार्मोन (Sex Hormone) :** यह बाह्य लिंगों, बालों के आने का प्रतिमान एवं यौन आचरण को नियंत्रित करते हैं।

4. प्रभाव का नियम (Low of Effect) : थोर्नडाइक के अनुसार, खीझ की बजाय संतोष से सीखने में वृद्धि करता है। इस नियम को संतुष्टि के नियम (Low of Satisfaction) के नाम से भी जाना जाता है। प्रभाव से अभिप्राय किसी क्रियाकलाप के परिणामात्मक प्रभाव से है। जो क्रियाकलाप खुशी या संतोष की भावना के साथ किया जाए तो उसे अधिक जल्दी और अधिक आसानी से सीखा जा सकता है बजाय किसी अरुचिकर क्रियाकलाप के। सीखने की गति संतुष्टि पर निर्भर करती है। बच्चे रुचिपरक अनुभवों को पसंद करते हैं और अरुचिकर अनुभवों को नापसंद करते हैं।

9. मापन : खिलाड़ियों में कोई दी गई विशिष्टता किस हद तक है, उसके आकलन को परिमाणात्मक रूप में व्यक्त करके को मापन कहते हैं।

सांख्यिकी : सांख्यिकी का एक स्वतंत्र विज्ञान के रूप में विकास 19वीं सदी में हुआ और तब से इसका उपयोग अनेक शास्त्रों में होता आया है। सांख्यिकी के कई अर्थ हैं। एक अर्थ में सांख्यिकी का मतलब गणित की एक ऐसी शाखा से होता है जो सांख्यिकीय सिद्धांत (Statistical theory) के बारे में बतलाता है।

मूल्यांकन : किसी भी वस्तु का मूल्यांकन करने से हमें उसकी महत्ता की जानकारी होती है जिससे उस वस्तु के द्वारा शैक्षणिक उद्देश्यपूर्ण की पूर्ति हो सके अर्थात् किसी भी वस्तु का संचालन इस प्रक्रिया के द्वारा करते हैं, जब सही मापन का प्रयोग कर जो निर्णय हम लेते हैं, वही मूल्यांकन कहलाता है।

11. मनुष्य एक सामाजिक प्राणी है। वह अकेला जीवन व्यतीत नहीं कर सकता है। वह दूसरे लोगों के सम्बन्ध जोड़ता है क्योंकि प्रकृति ने उसे सामाजिक बनाया है, मानव का शिशु पूर्ण सामाजिक वयस्कता से विहीन पैदा होता है तथा दूसरों पर निर्भर करता है। तब विभिन्न संस्थाओं से वह समाजीकरण सीखता है और समाज के अन्य सदस्यों से विमुक्त होता है, वयस्क होकर स्वतंत्र जीवन जीने लगता है। जैसे-जैसे व्यक्ति आगे बढ़ता है सामाजिक संस्थाएँ उसे एक समान बनाती हैं तथा वह उसका सदस्य बनकर काम करने लगता है। एक बार ग्रुप का समाजीकरण हो जाता है तो वे समाज के नियमों अर्थात् कायदे, कानून व रीति-रिवाज के अनुसार चलने लगता है जिनसे समाज के मूल्य उपजते हैं। ये वही एडजेस्टमेंट हैं जो व्यक्ति अपने सांस्कृतिक माहौल में करता है। समाजीकरण के माध्यम से ही व्यक्ति में समायोजन, सहयोग एवं नेतृत्व जैसे गुणों का विकास होता है।

12. पीयूष ग्रंथि (Pituitary Gland) : यह कपाल की स्फेनाइड (Sphenoid) हड्डी में एक गड्ढे में स्थित होती है। इसको सेलाटर्सिका (Sellaturcica) कहते हैं। इसका भार लगभग 0.6 gm होता है। इसे मास्टर ग्रंथि (Master Gland) के रूप में जाना जाता है। पीयूष ग्रंथि से निकलने वाले हार्मोन एवं उनके कार्य निम्नलिखित हैं—

(*i*) **STH हार्मोन (Somatotropic Hormone) :** यह शरीर की वृद्धि, विशेषतया हड्डियों की वृद्धि का नियंत्रण करती है।

(*ii*) **TSH हार्मोन (Thyroid Stimulating Hormone):** यह थाइरॉइड ग्रंथि को हार्मोन स्रावित करने के लिए प्रेरित करता है।

(*iii*) **ACTH हार्मोन (Adrenocorticotropic Hormone) :** एड्रीनल कॉर्टेक्स के स्राव को नियंत्रित करता है।

(*iv*) **GTH हार्मोन (Gonadotropic Hormone) :** यह जनन अंगों के कार्यों का नियंत्रण करता है, यह दो प्रकार का होता है–FSH हार्मोन (Follicle Stimulating Hormone) तथा LH हार्मोन (Luteiniging Hormone).

(*v*) **LTH हार्मोन (Lactogenic Hormone) :** यह दुग्धजनक हार्मोन है। इसका मुख्य कार्य है शिशु के लिए स्तनों में दुग्ध स्राव उत्पन्न करना।

(*vi*) **ADH हार्मोन (Antidiuretic Hormone) :** इसके कारण छोटी-छोटी रक्त धमनियों का संकीर्णन होता है एवं रक्तदाब बढ़ जाता है। यह शरीर में जल संतुलन को बनाए रखने में भी सहायक होता है।

14. **आक्रामकता (Aggression) :** आक्रामकता मानव आचरण का एक हिस्सा है और प्रत्येक व्यक्ति के जीवन के लिए आवश्यक है ताकि वह संघर्ष कर अच्छी उपलब्धियाँ हासिल कर सके। श्रेष्ठता के संघर्ष, आधिपत्य और खेलों में उत्कृष्टता में स्पष्टतः आक्रामकता सम्मिलित रहती है। खेलों में आक्रामकता किसी न किसी रूप में अपरिहार्य है और इससे बचा नहीं जा सकता। जब आक्रामकता विद्वेष या शत्रुता में बदल जाती है, तब स्थिति खतरनाक हो जाती है और यह समाज विरोधी आचरण कहलाता है। आक्रामकता एक खिलाड़ी के प्रदर्शन में मददगार हो सकती है क्योंकि यह ऐसी स्थिति पैदा कर देती है जिससे खिलाड़ी कड़े प्रयासों से टीम को सफलता दिलाता है। खिलाड़ियों की आक्रामकता को कम करने और नियंत्रित करने में मदद की जानी चाहिए ताकि वह खेल को शांति और श्रेष्ठ तरीके से पूरा कर सके। खिलाड़ी के आक्रामक व्यवहार से दल के साथ संवेगात्मक तादात्म्य तथा लक्ष्य प्रवणता प्रभावित होती है।

15. **हेपेटाइटिस :** यह एक यकृत रोग है, जिसमें रक्त में पित्त वर्णक (Bile Pigment) अधिक मात्रा में चला जाता है। इसमें यकृत में पित्त वर्णक का निर्माण अधिक मात्रा में होने लगता है, परंतु यकृत की कोशिकाएँ इसका उत्सर्जन निम्न मात्रा में करती हैं। फलतः पित्त वर्णक यकृत की कोशिकाएँ इसका उत्सर्जन निम्न मात्रा में करती हैं। फलतः पित्त वर्णक यकृत-शिरा के माध्यम से रक्त में प्रवेश कर जाता है। खून में पित्त (Bile) बढ़ जाता है। हेपेटाइटिस तीन प्रकार के होते हैं–हेपेटाइटिस 'ए', 'बी' एवं 'सी'। हेपेटाइटिस 'ए' एवं 'बी' टीकाकरण द्वारा बचा जा सकता है।

16. पाठ्यक्रम को आंग्ल भाषा में करीकुलम (Curriculum) कहते हैं। शिक्षा के क्षेत्र में पाठ्यक्रम बालक के लिए एक दौड़ का मैदान ही है। शाब्दिक अर्थ के अनुसार पाठ्यक्रम वह मार्ग है जिस पर चलते हुए बालक शिक्षा के उद्देश्य को प्राप्त कर सकता है। इस प्रकार पाठ्यक्रम का अर्थ केवल उन सैद्धान्तिक विषयों से नहीं है, जो स्कूल में परम्परागत रूप से पढ़ाये जाते हैं अपितु इसमें अनुभवों की वह सम्पूर्णता भी सम्मिलित होती है, जिनको बालक स्कूल, कक्षा, पुस्तकालय, प्रयोगशाला, वर्कशाप तथा खेल के मैदान एवं शिक्षकों और छात्रों के अनगिनत अनौपचारिक संपर्कों से प्राप्त करता है। इस प्रकार स्कूल का संपूर्ण जीवन पाठ्यक्रम बन जाता है, जो छात्रों के सभी पक्षों को प्रभावित कर सकता है तथा उनके विकास में सहायता दे सकता है। अतः पाठ्यक्रम की विभिन्न अवधारणाएँ में अनुभव, शिक्षण तथा उद्देश्य शामिल है।

17. हॉकी का पहला संगठित क्लब 1861 ई. में स्थापित 'ब्लैकहीथ एबी एण्ड क्लब' (इंग्लैंड) है। हॉकी की सर्वोच्च संस्था 'फेडरेशन इंटरनेशनल दि हॉकी' (एफ.आई.एच.) है, जिसकी स्थापना 1884 ई. में की गई थी। हॉकी का पहला अंतर्राष्ट्रीय मैच 26 जून, 1895 को राइल में वेल्स एवं आयरलैण्ड के बीच खेला गया। ओलम्पिक में सर्वाधिक आठ बार हॉकी का खिताब भारत ने जीता है।

महत्वपूर्ण तथ्य–

क्रीड़ा क्षेत्र की लम्बाई	–	100 गज
क्रीड़ा क्षेत्र की चौड़ाई	–	60 गज
टीम खिलाड़ियों की संख्या	–	16
गेंद का वजन	–	156 ग्राम
स्टिक्स का वजन	–	18-30 औंस
पैनल्टी स्ट्रोक की स्थिति	–	7 गज
गोल पोस्ट का विस्तार	–	3.66 मी. × 2.14 मी.

21. आधुनिक ओलम्पिक खेल प्रतियोगिता का प्रारंभ 1896 ई. को फ्रांस के बैरोन पियरे डि कोबार्टिन के प्रयासों से

यूनान के एथेंस शहर में हुआ। इसका आयोजन भी प्रत्येक चार वर्ष के अंतराल पर किया जाता है। अंतर्राष्ट्रीय ओलम्पिक समिति की स्थापना 1894 ई. में सखोन नामक स्थान पर हुई थी। इसका मुख्यालय लोसाने (स्विट्जरलैण्ड) में है। अंतर्राष्ट्रीय ओलम्पिक समिति ओलम्पिक खेलों को संचालित करने वाली संस्था है। इस समिति की एक कार्यकारिणी होती है, जिसमें एक अध्यक्ष, तीन उपाध्यक्ष तथा सात अन्य सदस्य होते हैं। यह संस्था ओलम्पिक खेलों का स्थान, नियम, संचालन आदि निर्धारण करती है। ओलम्पिक खेलों में भाग लेने वाले देश का सम्बन्धित खिलाड़ी ही भाग लेता है। ओलम्पिक खेलों में भाग लेने वाले खिलाड़ियों की आयु सीमा नहीं होती है। इस प्रकार अभिकथन (A) सही है, परंतु कारण (R) गलत है।

25. स्वामी विवेकानन्द में भारतीयता तथा आध्यात्मिकता कूट-कूटकर भरी हुई थी। अतः उनके शिक्षा-दर्शन का आधार भी भारतीय वेदान्त तथा उपनिषद् ही रहे। इन्होंने कहा कि ''दुनिया में जितना ज्ञान प्राप्त हुआ है, मस्तिष्क से प्राप्त हुआ है, आपके मस्तिष्क में ब्रह्मांड का अनंत ज्ञान भरा है।'' वे कहते थे कि प्रत्येक प्राणी में आत्मा विराजमान है। इस आत्मा को पहचानना ही धर्म है। स्वामी जी का अटल विश्वास था कि सभी प्रकार का सामान्य तथा आध्यात्मिक ज्ञान मनुष्य के मन में है। अतः मनुष्य में अंतर्निहित ज्ञान की सिद्धि है। इस प्रकार स्पष्ट होता है कि अभिकथन (A) और कारण (R) दोनों सही हैं, तथा (R), (A) की सही व्याख्या है।

31. एशियाई खेल का प्रारंभ 4 मार्च, 1951 ई. को नई दिल्ली में हुआ। एशियाई खेल संघ ने चमकते सूरज को अपना प्रतीक चिह्न घोषित किया। एशियाई खेलों का कालक्रमानुसार इस प्रकार है–

वर्ष	आयोजन स्थल	देश
1951	नई दिल्ली	11
1954	मनीला	18
1958	टोकियो	20
1962	जकार्ता	16
1966	बैंकाक	18
1970	बैंकाक	18
1974	तेहरान	25
1978	बैंकाक	25
1982	नई दिल्ली	33
1986	सिओल	27
1990	बीजिंग	37
1994	हिरोशिमा	42
1998	बैंकाक	41
2002	बुसान	44
2006	दोहा	45
2010	गुआंगझू	45
2014	इंचियोन	45
2018	जकार्ता (प्रस्तावित)	—

36. कार्बोहाइड्रेट (Carbohydrates) : कार्बन, हाइड्रोजन और ऑक्सीजन के 1 : 2 : 1 के अनुपात से मिलकर बने कार्बनिक पदार्थ कार्बोहाइड्रेट कहलाते हैं। इनका आधारभूत सूत्र $(CH_2O)n$ होता है। ये प्रमुख ऊर्जा-स्रोत हैं। शरीर की ऊर्जा की आवश्यकता की 50-75% मात्रा की पूर्ति इन्हीं के द्वारा होती है। 1 ग्राम ग्लूकोज के पूर्ण ऑक्सीकरण से 4.2 की कैलोरी ऊर्जा प्राप्त होती है। कार्बोहाइड्रेट की मात्रा अवरोही क्रम में इस प्रकार है–चीनी, गुड़, चावल, आलू।

कार्बोहाइड्रेट तीन प्रकार के होते हैं–(*a*) मोनोसैकराइड्स, (*b*) डाइसैकराइड्स, (*c*) पौलीसैकराइड्स।

39. वैज्ञानिक शोध का महत्व व्यावहारिक विज्ञान; जैसे–मनोविज्ञान, समाजशास्त्र एवं शिक्षा में सर्वाधिक है। किसी समस्या या प्रश्न का समाधान करने का क्रमबद्ध एवं वस्तुनिष्ठ प्रयास ही वैज्ञानिक शोध कहलाता है। **करलिंगर** के अनुसार, ''स्वाभाविक घटनाओं का क्रमबद्ध, नियंत्रित, आनुभाविक एवं आलोचनात्मक अनुसंधान, जो घटनाओं के बीच कल्पित सम्बन्धों के सिद्धांतों एवं प्राक्कल्पनाओं द्वारा निर्देशित होता है, को वैज्ञानिक शोध कहा जाता है।'' उपरोक्त परिभाषा पर ध्यान देने के बाद स्पष्ट होता है कि वैज्ञानिक शोध के स्वरूप/प्रकृति का सबसे मूल तथ्य यह है कि इसमें एक नियंत्रित प्रेक्षण होता है और प्रेक्षण

के निष्कर्ष के आधार पर कोई नया सिद्धांत या नियम विकसित किया जाता है। वैज्ञानिक शोध जिसमें सुनियोजित समावेश होता है, का उचित क्रम इस प्रकार है–

- समस्या की पहचान
- समस्या का स्पष्टीकरण
- अवधारणा की व्याख्या
- जनसंख्या की परिभाषा
- उपकरण योजना का विकास।

45. राष्ट्रमंडल खेलों की शुरुआत 1930 ई. में हेमिल्टन (कनाडा) में हुई थी। अब तक ऑस्ट्रेलिया, कनाडा, इंग्लैंड, न्यूजीजैंड, स्कॉटलैंड एवं वेल्स ने सभी राष्ट्रमंडल खेलों में हिस्सा लिया है।

अब तक हुए राष्ट्रमंडल खेल

वर्ष	आयोजन स्थल	देश	प्रथम स्थान	भारत के पदक		
				स्वर्ण	रजत	कांस्य
1930	हेमिल्टन	कनाडा	इंग्लैंड	भाग नहीं लिया		
1934	लंदन	इंग्लैंड	इंग्लैंड	-	-	1
1938	सिडनी	ऑस्ट्रेलिया	ऑस्ट्रेलिया	कोई पदक नहीं		
1950	ऑकलैंड	न्यूजीलैंड	ऑस्ट्रेलिया	भाग नहीं लिया		
1954	बैंकूवर	कनाडा	इंग्लैंड	कोई पदक नहीं		
1958	कार्डिफ	ब्रिटेन	इंग्लैंड	2	1	-
1962	पर्थ	ऑस्ट्रेलिया	ऑस्ट्रेलिया	भाग नहीं लिया		
1966	किंग्सटन	जमैका	इंग्लैंड	3	4	5
1970	एडिनबरा	स्कॉटलैंड	ऑस्ट्रेलिया	5	3	-
1974	क्राइस्टचर्च	न्यूजीलैंड	ऑस्ट्रेलिया	4	8	3
1978	एडमन्टन	कनाडा	कनाडा	5	4	6
1982	ब्रिसबेन	ऑस्ट्रेलिया	ऑस्ट्रेलिया	5	5	3
1986	एडिनबरा	स्कॉटलैंड	इंग्लैंड	भाग नहीं लिया		
1990	ऑकलैंड	न्यूजीलैंड	ऑस्ट्रेलिया	13	8	7
1994	विक्टोरिया	कनाडा	ऑस्ट्रेलिया	6	11	10
1998	क्वालालाम्पुर	मलेशिया	ऑस्ट्रेलिया	7	10	8
2002	मैनचेस्टर	इंग्लैंड	ऑस्ट्रेलिया	30	21	18
2006	मेलबर्न	ऑस्ट्रेलिया	ऑस्ट्रेलिया	22	17	11
2010	नई दिल्ली	भारत	ऑस्ट्रेलिया	38	27	36
2014	ग्लासगो	स्कॉटलैंड	इंग्लैंड	15	29	30
2018	गोल्डकोस्ट	ऑस्ट्रेलिया	प्रस्तावित			

प्रश्न-पत्र-III

निर्देश : *इस प्रश्न-पत्र में* ***पचहत्तर (75)*** *बहु-विकल्पीय प्रश्न हैं। प्रत्येक प्रश्न के* ***दो (2)*** *अंक हैं।* ***सभी*** *प्रश्न अनिवार्य हैं।*

1. पेरी डी कॉबरटिन आई.ओ.सी. के अध्यक्ष रहे:
A. 1896-1925 B. 1894-1923
C. 1898-1927 D. 1895-1924

2. निम्नलिखित औषधि प्रकारों में से कौन-सी औषधि दर्द एवं चिंता निवारण में चिकित्सा हेतु उपयोग होती है?
A. बॉरबीट्यूरेट्ट्स B. ओपिऐट्स
C. कोकिन D. हैलोसिनोजिन्स

3. यदि बल की इकाई F है, वेग की इकाई V और अवधि की इकाई T है तो ऊर्जा की इकाई है:
A. FVT B. FV/T
C. FV/T^2 D. FV^2/T^2

4. बिल्कुल तुरंत सीखी गई चीजें सबसे ज्यादा स्मरण रहती हैं, निम्नलिखित से संबंधित है:
A. तीव्रता का नियम
B. प्रमुखता का नियम
C. प्रभाव नियम
D. आसन्नकाल नियम

5. निम्नलिखित में से कौन एक क्रीड़ा अध्ययन पाठ्यचर्या का स्वरूप है?
A. खुले दक्षता के अभ्यास की तुलना में बंद दक्षता के अभ्यास को अधिक महत्वपूर्ण माना गया है।
B. ज्ञानात्मक, सामाजिक तथा भावनात्मक दक्षता के विकास को शारीरिक दक्षता के विकास के ऊपर अधिक जोर दिया गया है।
C. दक्षता का चुनाव तथा उनका अध्यापन आयु अंतराल सामान्यीकरण की तुलना में व्यक्ति की तैयारी पर निर्भर है।
D. दक्षता अभ्यास, क्रमिकता, उत्तरोत्तरता तथा मनोरंजक स्थिति में संभव होती है।

6. दूध निम्नलिखित में से किस का संचार नहीं करता?
A. स्थानिक टाइफस B. क्यू ज्वर
C. टायफाइड ज्वर D. ब्रूसेलोसिस

7. जीव/अवयव की वह क्षमता जो पर्यावरणीय माँग को पूरा करती है, उसे कहते हैं:
A. क्षमता B. स्वास्थ्य
C. समस्तता D. सहनशीलता

8. प्रतिगमन रेखाएं एक-दूसरे को किस बिन्दु पर काटती हैं?
A. X और Y के औसत पर
B. केवल X की माध्यिका पर
C. केवल Y की माध्यिका पर
D. X और Y की माध्यिका पर

9. शरीर घनत्व को शरीर वसा % में परिवर्तन के लिए आम समीकरण है:
A. % वसा = (459/शरीर घनत्व) – 450
B. % वसा = (शरीर घनत्व/459) – 0.450
C. % वसा = (0.450/शरीर घनत्व) – 0.459
D. % वसा = (शरीर घनत्व/0.450) – 459

10. खेलकूद में प्रबंधन के प्रकारों का सही विपर्यय क्रम निम्नलिखित है:
A. अबंधता, लोकतंत्रात्मक, सत्तावादी, संकलनवादी
B. संकलनवादी, लोकतंत्रात्मक, अबंधता, सत्तावादी
C. सत्तावादी, अबंधता, लोकतंत्रात्मक, संकलनवादी
D. लोकतंत्रात्मक, सत्तावादी, संकलनवादी, अबंधता

11. 24 प्राप्तांक के 'टी' प्राप्तांक की गणना करिए यदि प्राप्तांक का माध्य 22.75 और मानक विचलन 1.25 हो।
A. 60 B. 40
C. 30 D. 20

12. शारीरिक शिक्षा के उद्देश्य हैं:
(*a*) शारीरिक अंगों का विकास
(*b*) स्वास्थ्य विकास
(*c*) सामाजिक विकास
(*d*) शैक्षणिक विकास
(*e*) संवेगात्मक विकास
सही संयोजन ज्ञात कीजिए:
A. (*a*), (*b*), (*c*), (*d*) B. (*c*), (*d*), (*e*), (*a*)
C. (*b*), (*c*), (*d*), (*e*) D. (*e*), (*a*), (*b*), (*c*)

13. संकुचन को प्रभावित न करने वाले निम्नलिखित कौन-से कारक हैं?

(*a*) उद्दीपक का बल (*b*) ए.टी.पी.

(*c*) मांसपेशीय तनाव (*d*) उद्दीपक अवधि

निम्नलिखित कूट से सही उत्तर का चुनाव कीजिए:

A. (*b*), (*d*) B. (*a*), (*d*)

C. (*c*), (*d*) D. (*a*), (*c*)

14. निम्नलिखित में से क्या मापयोग्य अदिश मात्रा नहीं हैं?

(*a*) ऊर्जा (*b*) आवेग

(*c*) द्रव्यमान (*d*) कार्य

(*e*) टॉर्क (*f*) संवेग

कूट:

A. (*a*), (*d*) और (*e*)

B. (*b*), (*e*) और (*f*)

C. (*c*), (*f*) और (*a*)

D. (*d*), (*a*) और (*b*)

15. प्रक्षेपी तकनीक द्वारा व्यक्तित्व के आकलन हेतु निम्नलिखित का उपयोग किया जाता है:

(*a*) शब्द-साहचर्य और वाक्य समापन

(*b*) जाँच सूची और निर्धारण तालिका

(*c*) कथानक संप्रत्यक्षण परीक्षण

(*d*) प्रेक्षण

कूट से सही उत्तर का चयन कीजिए:

कूट:

A. (*a*) और (*c*) B. (*b*) और (*d*)

C. (*a*) और (*b*) D. (*c*) और (*d*)

16. सही अग्न्याशयी रस क्रिया का पता लगाइए:

(*a*) कार्बोहाइड्रेट पर एमाइलोप्सिन का प्रभाव

(*b*) प्रोटीन पर इनवरटेज का प्रभाव

(*c*) वसा पर स्टेप्सिन का प्रभाव

(*d*) सुक्रोस पर टिप्सिन का प्रभाव

कूट:

A. (*a*) और (*b*) B. (*b*) और (*d*)

C. (*a*) और (*c*) D. (*a*) और (*d*)

17. यदि 'P' खिलाड़ी का खेल प्रदर्शन है, तो डिकैथलन में अंकगणन का सूत्र होगा:

(*a*) ट्रैक स्पर्धा हेतु $= A \times (B - P)^C$

(*b*) फील्ड स्पर्धा हेतु $= A \times (C - P)^B$

(*c*) ट्रैक स्पर्धा हेतु $= B \times (A - P)^B$

(*d*) फील्ड स्पर्धा हेतु $= A \times (P - B)^C$

नीचे दिए गए कूट की सहायता से सही विकल्प ज्ञात कीजिए:

A. (*a*), (*b*) B. (*b*), (*c*)

C. (*a*), (*d*) D. (*b*), (*d*)

18. निम्नलिखित में से कौन-सा कथन समापवर्त्य सहसंबंध के संबंध में गलत होगा?

(*a*) यह −1.00 से 1.00 तक होता है।

(*b*) यह केवल 0 से 1.00 तक होता है।

(*c*) यह −∞ से +∞ तक होता है।

(*d*) यह केवल −1.00 से 0 तक होता है।

कूट:

A. (*a*), (*b*), (*c*) B. (*b*), (*c*), (*d*)

C. (*a*), (*c*), (*b*) D. (*a*), (*b*), (*d*)

19. निम्नलिखित नियामक मापकों को उनके विस्तार विशिष्टताओं के अनुसार क्रमबद्ध करें:

(*a*) सी-स्केल (*b*) स्टेनाइन

(*c*) टी-स्केल (*d*) स्टैंडर्ड 'Z' स्केल

कूट:

A. (*a*), (*b*), (*d*), (*c*) B. (*b*), (*d*), (*c*), (*a*)

C. (*c*), (*a*), (*d*), (*b*) D. (*d*), (*b*), (*a*), (*c*)

20. 'मैक्स वेबर' द्वारा विकसित की गई अधिकारी तंत्र संरचना निम्नलिखित है:

(*a*) शीर्ष प्रबंधन (*b*) मध्य प्रबंधन

(*c*) वैज्ञानिक प्रबंधन (*d*) पर्यवेक्षी प्रबंधन

सही कूट का पता लगाएँ:

A. (*a*), (*b*) और (*c*) B. (*b*), (*c*) और (*d*)

C. (*a*), (*b*) और (*d*) D. (*a*), (*c*) और (*d*)

21. नीचे दो कथन दिए गए हैं, जिसमें से प्रथम को अभिकथन (A) और द्वितीय को तर्क (R) कहा गया है:

अभिकथन (A) : तंत्रिका-तंत्र तथा इसके कार्य के विषय में आधारभूत ज्ञान देने से शिक्षार्थी के यांत्रिक कौशल सीखने की क्षमता में वृद्धि होगी।

तर्क (R) : यांत्रिक कौशल सीखना अधिक प्रभावी होगा यदि व्यक्ति यह अनुभव करता है कि इसे सीखने की आवश्यकता है।

निम्नलिखित में से कौन-सा कथन उपरोक्त संदर्भ में सही है?

A. (A) और (R) दोनों सही हैं, परन्तु (A) की (R) सही व्याख्या है।

B. (A) और (R) दोनों सही हैं, परन्तु (A) की (R) सही व्याख्या नहीं है।

C. (A) सही है, परन्तु (R) गलत है।

D. (A) गलत है, परन्तु (R) सही है।

22. नीचे दो कथन दिए गए हैं, जिसमें से प्रथम को अभिकथन (A) और द्वितीय को तर्क (R) कहा गया है:

अभिकथन (A) : प्रकृति ने केवल बच्चों में अतिरिक्त ऊर्जा के परित्याग के लिए खेल का आविष्कार नहीं किया।

तर्क (R) : आधुनिक सभ्यता के कारण नीरसता तथा विरसता के निराकरण के लिए खेल एक विशेष महत्व रखता है।

निम्नलिखित में से कौन-सा कथन सही है?

A. (A) और (R) दोनों सही हैं और (A) की (R) सही व्याख्या है।

B. (A) और (R) दोनों सही हैं, परन्तु (A) की (R) सही व्याख्या नहीं है।

C. (A) सही है, परन्तु (R) गलत है।

D. (A) गलत है, परन्तु (R) सही है।

23. नीचे दो कथन दिए गए हैं, जिनमें से प्रथम को अभिकथन (A) और द्वितीय को तर्क (R) कहा गया है:

अभिकथन (A) : गतिबोध दूसरे भागों की अपेक्षा स्थान का स्वीकरण और शारीरिक गति की दर है।

तर्क (R) : संवेदना मस्तिष्क में व्याख्यायित हैं, लेकिन बाहरी भाग में घटित होते हुए प्रतीत होते हैं।

ऊपर वर्णित दो कथनों के सन्दर्भ में कौन-सा एक सही है?

A. (A) सही है, लेकिन (R), (A) की सही व्याख्या नहीं है।

B. (A) सही है तथा (R), (A) की सही व्याख्या है।

C. (A) सही है, लेकिन (R) गलत है।

D. (A) गलत है, लेकिन (R) सही है।

24. नीचे दो कथन दिए गए हैं, जिनमें से प्रथम को अभिकथन (A) और द्वितीय को तर्क (R) कहा गया है:

अभिकथन (A) : विशेष तनावपूर्ण स्थिति में मुख्य शारीरिक प्रतिक्रिया या तो सहानुभूतिशील या सहानुकम्पी या दोनों हो सहती है।

तर्क (R) : थेरोकोलम्बस व्यवस्था दर्द तथा अप्रीतिकर उत्तेजन द्वारा मजबूती से प्रेरित होती है।

ऊपर दिए गए दो कथनों के सन्दर्भ में कौन-सा एक कथन सही है?

A. (A) सही है, लेकिन (R), (A) की सही व्याख्या नहीं है।

B. (A) सही है तथा (R), (A) की सही व्याख्या है।

C. (A) सही है, लेकिन (R) गलत है।

D. (A) गलत है, लेकिन (R) सही है।

25. नीचे दो कथन दिए गए हैं, जिनमें से प्रथम को अभिकथन (A) और द्वितीय को तर्क (R) कहा गया है:

अभिकथन (A) : खिंचाव किसी वस्तु और इसके परिवेश के बीच परस्पर यांत्रिक क्रिया है।

तर्क (R) : प्रतिबल सतह के समानान्तर निर्दिष्ट एक तेज बल होता है।

निम्नलिखित में से कौन-सा कथन उपरोक्त संदर्भ में सही है?

A. (A) और (R) दोनों सही हैं, और (A) की (R) सही व्याख्या है।

B. (A) और (R) दोनों सही हैं, और (A) की (R) सही व्याख्या नहीं है।

C. (A) सही है, परन्तु (R) गलत है।

D. (A) गलत है, परन्तु (R) सही है।

26. नीचे दो कथन दिए गए हैं, जिनमें से प्रथम को अभिकथन (A) और द्वितीय को तर्क (R) कहा गया है:

अभिकथन (A) : किसी कण का संवेग इसको स्थिर अवस्था में लाने के लिए किसी एक समान बल के लिए अपेक्षित समय की माप है।

तर्क (R) : संवेग जो चाल की विशेषता बतलाता है, वस्तुओं के पृथक समूह में कभी परिवर्तित नहीं होता है अर्थात् किसी पद्धति का कुल संवेग स्थिर रहता है।

निम्नलिखित में कौन-सा कथन उपरोक्त संदर्भ में सही है?

A. (A) और (R) दोनों सही हैं, और (A) की (R) सही व्याख्या है।

B. (A) और (R) दोनों सही हैं, और (A) की (R) सही व्याख्या नहीं है।

C. (A) सही है, परन्तु (R) गलत है।

D. (A) गलत है, परन्तु (R) सही है।

27. नीचे दो कथन दिए गए हैं, जिनमें से प्रथम को अभिकथन (A) और द्वितीय को तर्क (R) कहा गया है:

अभिकथन (A) : खेलकूद में अभिप्रेरणा का केंद्रीय स्रोत वैयक्तिक प्रवृत्तियों की जाँच करना है जो उच्च अभिप्रेरणात्मक स्थिति से घनिष्ठता से जुड़े हैं।

तर्क (R) : अभिप्रेरित किए जाने वाले अधिक सामर्थ्यवान व्यक्ति तब तक अभिप्रेरणात्मक सामर्थ्य को प्रदर्शित नहीं करेंगे, जब तक कि परिवेश ऐसा किए जाने में सहायक न हो।

उपरोक्त के संदर्भ में निम्नलिखित में से कौन-सा कथन सही है?

A. (A) सही है, और (R) गलत हैं।

B. (A) सही है, और (R), (A) का सही स्पष्टीकरण नहीं है।

C. (A) और (R) दोनों गलत हैं।

D. (A) गलत है और (R) सही है।

28. नीचे दो कथन दिए गए हैं, जिनमें से प्रथम को अभिकथन (A) और दूसरे को तर्क (R) कहा गया है:

अभिकथन (A) : खेलकूद जिनके लिए सफलता हेतु दल के सदस्यों के बीच थोड़ी अन्योन्यक्रिया की आवश्यकता होती है, वे सहकार्यात्मक दलों के उदाहरण हैं।

तर्क (R) : सहकार्यात्मक दलों में अंतः समूह प्रतिद्वंद्विता और अंतर्दलीय प्रतिस्पर्धा होती है।

उपरोक्त के संदर्भ में निम्नलिखित में से कौन-सा कथन सही है?

A. (A) सही है, और (R), (A) का सही स्पष्टीकरण नहीं है।

B. (A) और (R) दोनों गलत हैं।

C. (A) सही है, और (R), (A) का सही स्पष्टीकरण है।

D. (A) गलत है, और (R) सही है।

29. निम्नलिखित में से किन वर्षों में भारत ने कॉमनवेल्थ गेम्स में भागीदारी नहीं की थी?

(*a*) 1934 (*b*) 1930

(*c*) 1950 (*d*) 1958

(*e*) 1962 (*f*) 1986

कूटः

A. (*a*), (*d*), (*e*)

B. (*a*), (*c*), (*e*)

C. (*b*), (*c*), (*e*), (*f*)

D. (*b*), (*d*), (*e*), (*f*)

30. नीचे दो कथन दिए गए हैं, जिनमें से प्रथम को अभिकथन (A) और द्वितीय को तर्क (R) कहा गया है:

अभिकथन (A) : 'हाथोर्न इफेक्ट' (ब्राउन, 1954) बेहतर परिणाम उत्पन्न करता है।

तर्क (R) : प्रतियोगी का निष्पादन परिवर्तित होता है, जब उस पर ध्यान दिया जाए।

उपरोक्त के संदर्भ में निम्नलिखित में से कौन-सा कथन सही है?

A. (A) और (R) दोनों सही हैं, और (A) की (R) सही व्याख्या है।

B. (A) और (R) दोनों सही हैं, और (A) की (R) सही व्याख्या नहीं है।

C. (A) सही है, परन्तु (R) गलत है।

D. (A) गलत है, परन्तु (R) सही है।

31. नीचे दो कथन दिए गए हैं, जिनमें से प्रथम को अभिकथन (A) और द्वितीय को तर्क (R) कहा गया है:

अभिकथन (A) : जीवन की गुणवत्ता, शारीरिक, मानसिक और सामाजिक रूप से सही होने का समग्र मापक है, जो कि प्रत्येक व्यक्ति द्वारा महसूस की जाती है।

तर्क (R) : जीवन की गुणवत्ता को परिभाषित करना कठिन है और यहाँ तक कि इसका मापन और भी कठिन है।

उपरोक्त के संदर्भ में निम्नलिखित में से कौन-सा कथन सही है?

A. (A) और (R) दोनों सही हैं, और (A) की (R) सही व्याख्या है।

B. (A) और (R) दोनों सही हैं, परन्तु (A) की (R) सही व्याख्या नहीं है।

C. (A) सही है और (R) गलत है।

D. (A) गलत है और (R) सही है।

32. नीचे दो कथन दिए गए हैं, जिनमें से प्रथम को अभिकथन (A) और द्वितीय को तर्क (R) कहा गया है:

अभिकथन (A) : टेम्पोरल लोब की क्षति मनोवैज्ञानिक अंधापन पैदा कर सकती है।

तर्क (R) : टेम्पोरल लोब बनाता एवं एकत्रित करता है, दृष्टिगत एवं शाब्दिक स्मृति।

उपरोक्त के संदर्भ में निम्नलिखित में से कौन-सा कथन सही है?

A. (A) और (R) दोनों सही हैं, परन्तु (A) की (R) सही व्याख्या है।

B. (A) और (R) दोनों सही हैं, परन्तु (A) की (R) सही व्याख्या नहीं है।

C. (A) सही है, परन्तु (R) गलत है।

D. (A) गलत है, परन्तु (R) सही है।

33. नीचे दो कथन दिए गए हैं, जिनमें से प्रथम को अभिकथन (A) और द्वितीय को तर्क (R) कहा गया है:

अभिकथन (A) : प्रशिक्षक को समान लक्ष्य, साधन तथा विधियाँ एक प्रशिक्षण सत्र हेतु नियोजित करनी चाहिए इस उद्देश्य के साथ कि सभी प्रशिक्षणार्थियों को एक ही कौशल समान रूप से सिखाया जा सके।

तर्क (R) : सभी व्यक्ति एक जैसे होते हैं, अतः समान प्रशिक्षण सभी के लिए प्रभावशाली होगा।

उपरोक्त के संदर्भ में निम्नलिखित में से कौन-सा कथन सही है?

A. (A) और (R) दोनों सही हैं, परन्तु (A) की (R) सही व्याख्या नहीं है।

B. (A) और (R) दोनों सही हैं, परन्तु (A) की (R) सही व्याख्या है।

C. (A) सही है, परन्तु (R) गलत है।

D. (A) गलत है, परन्तु (R) सही है।

34. नीचे दो कथन दिए गए हैं, जिनमें से प्रथम को अभिकथन (A) और द्वितीय को तर्क (R) कहा गया है:

अभिकथन (A) : रजोधर्म चक्र से दो-तीन दिन पूर्व उच्च तीव्रता वाले शक्ति प्रशिक्षण कार्य महिला खिलाड़ियों के नितम्ब तथा पीठ के निचले हिस्से पर उच्च भार डाल सकते हैं।

तर्क (R) : इस समय सैक्रो-इलियक संधि इस चक्र में अत्यन्त स्थायी होती है और इसलिए इस पर अधिक दबाव नहीं डाला जा सकता।

निम्नलिखित में से कौन-सा कथन उपरोक्त के संदर्भ में सही है?

A. (A) और (R) दोनों सही हैं, और (A) की (R) सही व्याख्या है।

B. (A) और (R) दोनों सही हैं, और (A) की (R) सही व्याख्या नहीं है।

C. (A) सही है, परन्तु (R) गलत है।

D. (A) गलत है, परन्तु (R) सही है।

35. नीचे दो कथन दिए गए हैं, जिनमें से प्रथम को अभिकथन (A) और द्वितीय को तर्क (R) कहा गया है:

अभिकथन (A) : प्रतिगमन विश्लेषण स्वतंत्र चर के मूल्यों से परतंत्र चर के मूल्यों का अनुमान प्रदान करता है।

तर्क (R) : प्रतिगमन विश्लेषण में प्रतिगमन गुणांक b_{xy} और b_{yx} सममित हैं।

निम्नलिखित में से कौन-सा कथन उपरोक्त के संदर्भ में सही है?

A. (A) और (R) दोनों सही हैं, और (A) की (R) सही व्याख्या नहीं है।

B. (A) और (R) दोनों सही हैं, और (A) की (R) सही व्याख्या है।

C. (A) सही है, परन्तु (R) गलत है।

D. (A) गलत है, परन्तु (R) सही है।

36. नीचे दो कथन दिए गए हैं, जिनमें से प्रथम को अभिकथन (A) और द्वितीय को तर्क (R) कहा गया है:

अभिकथन (A) : नियंत्रण एवं पता लगाने में प्रतिदर्शन अशुद्धियों की अपेक्षा गैर नमूना अशुद्धियाँ सामान्यतः ज्यादा कठिन होती हैं।

तर्क (R) : गैर अशुद्धियाँ वे अशुद्धियाँ हैं जो उपार्जन करते समय, अभिलेखन अथवा सांख्यिकीय आंकड़ों के सारणीयन के समय घटित होती हैं, जो प्रतिदर्शन अशुद्धि पर आरोपित नहीं की जा सकती।

निम्नलिखित में से कौन-सा कथन उपरोक्त के संदर्भ में सही है?

A. (A) और (R) दोनों सही हैं, परन्तु (A) की (R) सही व्याख्या नहीं है।

B. (A) और (R) दोनों सही हैं, परन्तु (A) की (R) सही व्याख्या है।

C. (A) सही है, परन्तु (R) गलत है।

D. (A) गलत है, परन्तु (R) सही है।

37. नीचे दो कथन दिए गए हैं, जिनमें से प्रथम को अभिकथन (A) और द्वितीय को तर्क (R) कहा गया है:

अभिकथन (A) : जल, विद्युत का बहुत अच्छा सुचालक है और इसका प्रतिरोध काफी कम होता है। एडिपोज ऊतक में जल की काफी कम मात्रा होती है और इस प्रकार इसमें उच्च स्तर की प्रतिबाधा होती है।

तर्क (R) : मांसपेशी में काफी ज्यादा जल की मात्रा पाई जाती है और इस प्रकार इसमें काफी निम्न स्तर की प्रतिबाधा पाई जाती है।

निम्नलिखित में से कौन-सा कथन उपरोक्त संदर्भ में सही है?

A. (A) और (R) दोनों सही हैं, और (A) की (R) सही व्याख्या है।

B. (A) और (R) दोनों सही हैं, और (A) की (R) सही व्याख्या नहीं है।

C. (A) सही है, परन्तु (R) गलत है।

D. (A) गलत है, परन्तु (R) सही है।

38. नीचे दो कथन दिए गए हैं, जिसमें से प्रथम को अभिकथन (A) और द्वितीय को तर्क (R) कहा गया है:

अभिकथन (A) : स्वास्थ्य वह अवस्था है जो व्यक्ति के कार्य करने की योग्यता के अंश (स्तर) को चित्रित करता है।

तर्क (R) : स्वास्थ्य एक वैयक्तिक विषय है जिसमें संभावनाओं के साथ सर्वाधिक प्रभावी ढंग से जीने की योग्यता अन्तर्निहित होती है।

उपरोक्त के संदर्भ में निम्नलिखित में कौन-सा कथन सही है?

A. (A) और (R) दोनों सही है, और (A) की (R) सही व्याख्या है।

B. (A) और (R) दोनों सही हैं, और (A) की (R) सही व्याख्या नहीं है।

C. (A) सही है, परन्तु (R) गलत है।

D. (A) गलत है, परन्तु (R) सही है।

39. नीचे दो कथन दिए गए हैं, जिसमें से प्रथम को अभिकथन (A) और द्वितीय को तर्क (R) कहा गया है:

अभिकथन (A) : कोई भी संगठन दक्षतापूर्वक तथा उत्तरोत्तर रूप से कार्य नहीं कर सकता, यदि कर्मचारियों हेतु वृत्ति तरक्की के अवसरों को अवरुद्ध कर दिया जाए। प्रगतिरोध से कुंठा, घृणा एवं मनोबल में गिरावट हो सकता है। तथापि, प्रोन्नति योग्य व्यक्तियों को दी जानी चाहिए।

तर्क (R) : कम मनोबल वाले लोग बेकार आदमी की तरह हैं; वे संगठन के लिए संपत्ति की अपेक्षा उत्तरदायित्व हैं। हर समय मनोबल उच्च रखे जाने हेतु सभी संभव उपाय किए जाने चाहिए।

उपरोक्त दो कथनों के संदर्भ में निम्नलिखित में से कौन-सा कथन सही है?

A. (A) और (R) दोनों सही हैं, और (A) की (R) सही व्याख्या है।

B. (A) और (R) दोनों सही हैं, और (A) की (R) सही व्याख्या नहीं है।

C. (A) सही है, परन्तु (R) गलत है।

D. (A) गलत है, परन्तु (R) सही है।

40. नीचे दो कथन दिए गए हैं, जिनमें से प्रथम को अभिकथन (A) और द्वितीय को तर्क (R) कहा गया है:

अभिकथन (A) : कार्यनीतिक प्रबंधन प्रक्रिया के अंतर्गत कार्यनीतिक विश्लेषण ऐसी प्रक्रिया है जिसके द्वारा खेलकूद से संबंधित उद्यम बाह्य परिवेश का सर्वेक्षण करते हैं ताकि संगठन के सामने अवसरों और खतरों—दोनों को प्रस्तुत करने वाले कारकों को समझा जा सके।

तर्क (R) : बाह्य परिवेश का विश्लेषण दो अंतःसंबद्ध परिप्रेक्ष्यों बृहत् परिवेश तथा सूक्ष्म परिवेश से किया जा सकता है। बृहत् परिवेश व्यापक बाह्य कारकों का विश्लेषण करता है जिसमें राजनीतिक, सामाजिक, प्रौद्योगिकीय तथा कानूनी आदि कारक शामिल हैं।

उपरोक्त दो कथनों के संदर्भ में, निम्नलिखित में से कौन-सा कथन सही है?

A. (A) और (R) दोनों सही हैं, और (A) की (R) सही व्याख्या है।
B. (A) और (R) दोनों सही हैं, परन्तु (A) की (R) सही व्याख्या नहीं है।
C. (A) सही है, परन्तु (R) गलत है।
D. (A) गलत है, परन्तु (R) सही है।

41. नीचे दो कथन दिए गए हैं, जिनमें से प्रथम को अभिकथन (A) और द्वितीय को तर्क (R) कहा गया है:

अभिकथन (A) : रवीन्द्रनाथ टैगोर शिक्षा के लिए सभी तरह की स्वतंत्रता में विश्वास करते थे, बौद्धिकता, निर्णय, हृदयंगम ज्ञान, क्रिया तथा कार्यशीलता।

तर्क (R) : इस स्वतंत्रता को प्राप्त करने के लिए विद्यार्थी को धैर्य, समरसता तथा संतुलन को कार्य व्यवहार में लाना होगा।

उपरोक्त दो कथनों के संदर्भ में, निम्नलिखित में से कौन-सा कथन सही है?

A. (A) और (R) दोनों सही हैं, और (A) की (R) सही व्याख्या है।
B. (A) और (R) दोनों सही हैं, और (A) की (R) सही व्याख्या नहीं है।
C. (A) सही है तथा (R) गलत है।
D. (A) गलत है तथा (R) सही है।

42. ग्रीष्मकालीन ओलम्पिक्स के आयोजन को कालक्रमानुसार रखें:

(*a*) बारसीलोना, स्पेन (*b*) रोम, इटली
(*c*) हैलसिंकी, फिनलैण्ड (*d*) सियोल, कोरिया

कूटः

A. (*a*), (*b*), (*d*), (*c*) B. (*c*), (*b*), (*d*), (*a*)
C. (*b*), (*d*), (*a*), (*c*) D. (*d*), (*b*), (*c*), (*a*)

43. नीचे दी गई स्थितियों का सही क्रम बताएँ:

(*a*) अग्रवर्ती पीयूष ग्रंथि का उद्दीपन
(*b*) तंत्रिका स्रावित करने वाली कोशिकाओं का उद्दीपन
(*c*) गोनैडोट्रॉपिक हार्मोन का मुक्त होना
(*d*) गोनैडोटॉपिक मुक्त करने वाले हार्मोन का स्राव

कूटः

A. (*d*), (*b*), (*a*), (*c*) B. (*b*), (*d*), (*a*), (*c*)
C. (*a*), (*c*), (*d*), (*b*) D. (*c*), (*a*), (*b*), (*d*)

44. लम्बी कूद में छलांग की दूरी को निर्धारित करने वाले कारकों को (सबसे अधिक महत्वपूर्ण से कम महत्वपूर्ण) के क्रम में व्यवस्थित कीजिए:

(*a*) टेक-ऑफ एंगल (*b*) टेक-ऑफ हॉइट
(*c*) टेक-ऑफ वेलोसिटी (*d*) वायु प्रतिरोध

कूटः

A. (*c*), (*b*), (*a*), (*d*) B. (*b*), (*c*), (*a*), (*d*)
C. (*a*), (*c*), (*b*), (*d*) D. (*c*), (*a*), (*b*), (*d*)

45. सैद्धांतिक मॉडलों पर आधारित व्यक्ति आकलन में समय बीतने के साथ बदलाव आया है। नीचे दिए गए कूटों का चयन करते हुए उन्हें अनुक्रमिक रूप से व्यवस्थित कीजिए:

(*a*) प्ररूप सिद्धांत (डब्ल्यू. शेल्डेन)
(*b*) सामाजिक अभिगम का सिद्धांत (बन्डूरा, मैक क्लेलैंड)
(*c*) 16 व्यक्तित्व कारक (जी.आल पॉट)
(*d*) बिग फाइव फैक्टर्स (गोल्डबर्ग)

कूटः

A. (*a*), (*c*), (*b*), (*d*) B. (*b*), (*d*), (*c*), (*a*)
C. (*c*), (*b*), (*a*), (*d*) D. (*b*), (*a*), (*d*), (*c*)

46. आमतौर पर खाए जाने वाले भारतीय खाद्य पदार्थों में विटामिन C की मात्रा को सही रूप से घटते क्रम में पहचान कीजिए:

A. संतरा, नींबू, आंवला, अमरूद
B. नींबू, आंवला, अमरूद, संतरा
C. आंवला, अमरूद, नींबू, संतरा
D. अमरूद, आंवला, नींबू, संतरा

47. नीचे दिए गए कूट का प्रयोग करते हुए दक्षता ग्रहण के III चरण में तकनीक प्रशिक्षण का सही संयोजन ज्ञात कीजिए:

(*a*) गति क्षमताओं का विकास
(*b*) प्रारम्भिक गति अवधारणा
(*c*) बदली हुई एवं कठिन परिस्थितियों में अभ्यास
(*d*) गति अवधारणा का शोधन

कूटः
A. (*b*), (*c*), (*d*) B. (*a*), (*c*), (*d*)
C. (*a*), (*b*), (*c*) D. (*c*), (*d*), (*a*)

48. नमूना पद्धति का सही क्रम बताएँ:

(*a*) नमूने के ढाँचे की पहचान
(*b*) नमूने के आकार की सुनिश्चितता
(*c*) नमूने की योजना को विशेषीकृत करना
(*d*) नमूना पद्धति को विशेषीकृत करना
(*e*) नमूना इकाई को विशेषीकृत करना

कूटः
A. (*a*), (*e*), (*d*), (*b*), (*c*)
B. (*b*), (*c*), (*e*), (*d*), (*a*)
C. (*c*), (*d*), (*a*), (*b*), (*e*)
D. (*d*), (*e*), (*c*), (*a*), (*b*)

49. सामान्य वक्ररेखा वितरण के अन्तर्गत क्षेत्रः

	औसत भुजमान से दूरी	संपूर्ण क्षेत्र का प्रतिशत
(*a*)	1.966	47.500%
(*b*)	± 16	68.72%
(*c*)	± 26	95.45%
(*d*)	2.56	49.379%
(*e*)	± 36	99.37%
(*f*)	1.56	43.319%

कूट के अनुसार सही संयोजन प्राप्त करें:

A. (*a*), (*b*), (*c*) और (*e*)
B. (*b*), (*c*), (*d*) और (*e*)
C. (*c*), (*d*), (*e*) और (*f*)
D. (*a*), (*c*), (*d*) और (*f*)

50. खेल की उद्यमिता में एक व्यवसाय योजना उद्यम के लिए महत्वपूर्ण औजार है जैसा कि यह उचित तरीकों को सुझाता है। इसे सही कूट की मदद से व्यवस्थित क्रम में रखिए।

(*a*) संचार (*b*) संश्लेषण
(*c*) विश्लेषण (*d*) क्रिया

कूटः
A. (*b*), (*c*), (*d*), (*a*) B. (*c*), (*b*), (*a*), (*d*)
C. (*d*), (*a*), (*b*), (*c*) D. (*a*), (*d*), (*c*), (*b*)

51. सूची-I को सूची-II के साथ सुमेलित कीजिए तथा नीचे दिए गए कूट से सही उत्तर दीजिए:

	सूची-I (ओलम्पिक खेल)	**सूची-II (मैराथन दूरी)**
(*a*)	1904	1. 26 मील तथा 385 गज
(*b*)	1912	2. 26 मील तथा 990 गज
(*c*)	1920	3. 24 मील तथा 1500 गज
(*d*)	1924	4. 24 मील तथा 1725 गज

कूटः

	(*a*)	(*b*)	(*c*)	(*d*)
A.	2	4	3	1
B.	3	4	2	1
C.	4	3	1	2
D.	3	2	4	1

52. सूची-I को सूची-II के साथ सुमेलित कीजिए तथा नीचे दिए गए कूट से सही उत्तर दीजिए:

	सूची-I	**सूची-II**
(*a*)	अतिरिक्त ऊर्जा सिद्धांत	1. ऐरीसटोटल
(*b*)	पूर्वाभासा सिद्धांत	2. स्कीलर तथा स्पेन्सर
(*c*)	मनोरंजनात्मक सिद्धांत	3. कार्ल ग्रूस
(*d*)	विरेचन सिद्धांत	4. केमज तथा जी.टी. डब्ल्यू. पेटरीक

कूटः

	(*a*)	(*b*)	(*c*)	(*d*)
A.	3	4	2	1
B.	2	3	1	4
C.	2	3	4	1
D.	3	2	1	4

53. सूची-I को सूची-II के साथ सुमेलित कीजिए तथा नीचे दिए गए कूट से सही उत्तर दीजिएः

	सूची-I	सूची-II
(*a*)	एक फॉस्फेटाइड जो तटस्थ वसा के ऑक्सीकरण में महत्वपूर्ण भूमिका निभाता है।	1. ए.सी.टी.एच.
(*b*)	एक हार्मोन जिसका उपयोग मधुमेह के उपचार में होता है।	2. कोकीन
(*c*)	आदत-आदी बनाने वाली दवा जिसका उपयोग प्रायः दमखम वाले खिलाड़ी करते हैं।	3. लैसिथिन
(*d*)	पिट्यूटरी हार्मोन जो रक्त में इन्डोजेनस कोर्टिका स्टिराइड की मात्रा बढ़ा देती है।	4. इनसुलिन

कूटः

	(*a*)	(*b*)	(*c*)	(*d*)
A.	1	3	2	4
B.	3	1	4	2
C.	2	3	1	4
D.	3	4	2	1

54. सूची-I को सूची-II के साथ सुमेलित कीजिए और कूट से सही उत्तर का चयन कीजिएः

	सूची-I	सूची-II
(*a*)	रक्त में कमजोर अम्ल लवण जो एक समान हाइड्रोजन की मात्रा बनाए रखते हैं	1. प्रतिक्रिया अवधि
(*b*)	मांसपेशी में तापमान बढ़ने का मुख्य कारण	2. मांसपेशी तनाव
(*c*)	मांसपेशी की अवस्था जो उसे स्थिर बनाती है	3. रासायनिक प्रतिरोधक
(*d*)	प्रतिक्रिया क्षण के बीच समय गुजर जाना	4. कार्य तीव्रता

कूटः

	(*a*)	(*b*)	(*c*)	(*d*)
A.	1	4	2	3
B.	4	3	1	2
C.	2	1	3	4
D.	3	2	1	4

55. सूची-I को सूची-II के साथ सुमेलित करें और नीचे दिए गए कूटों से सही उत्तर का चयन करेंः

	सूची-I	सूची-II
(*a*)	जिफाइड प्रक्रिया	1. द्विअक्षीय
(*b*)	रीढ़ जोड़	2. स्टेरनम
(*c*)	हिंज और पीइवॉट जोड़	3. सेडल
(*d*)	कॉंडिलॉयड ओर सेडल जोड़	4. ग्लाइडिंग
(*e*)	पहला कॉर्पोमेटाकार्पल जोड़	5. एकअक्षीय

कूटः

	(*a*)	(*b*)	(*c*)	(*d*)	(*e*)
A.	2	4	5	1	3
B.	3	5	1	4	2
C.	4	1	5	2	3
D.	5	3	2	1	4

56. सूची-I को सूची-II से सुमेलित कीजिए तथा नीचे दिए गए कूटों से सही उत्तर चुनिएः

	सूची-I (मांसपेशी)	सूची-II (निवेशन)
(*a*)	एड्डक्टर लॉंगस्	1. पी. एन्सेरिनस
(*b*)	सरटोरियस	2. फिमर का लेसर ट्रोचेंटर
(*c*)	इलिओपसोस	3. फिमर का ग्रेटर ट्राचेंटर
(*d*)	ग्लूटियस मेडियस	4. फिमर का लिनिया एसपेरा
		5. टिबिअल ट्यूबेरोसिटी

कूटः

	(*a*)	(*b*)	(*c*)	(*d*)
A.	4	1	2	3
B.	5	3	2	4
C.	1	4	3	2
D.	1	3	4	2

57 सूची-I को सूची-II के साथ सुमेलित कीजिए तथा नीचे दिए गए कूटों की सहायता से सही विकल्प का चयन कीजिएः

	सूची-I	सूची-II
(*a*)	काग्निटिव सोमैटिक एग्जिटी इन्वेंट्री	1. पार्टिंगटन एंड शांगी
(*b*)	टीम साइकोलॉजी क्वेशचनेयर	2. स्मिथ, शूज, स्माल एंड प्लेएक
(*c*)	स्केल ऑफ एथलेटिक प्रायोरिटीज	3. मार्टनस, विले एंड बर्टन
(*d*)	एथलेटिक कोपिंग स्किल इन्वेन्ट्री	4. चेल्लादुरई, इंग्लिस एंड डैनिलचक

कूटः

	(a)	(b)	(c)	(d)
A.	2	3	1	4
B.	3	1	4	2
C.	4	2	3	1
D.	1	4	2	3

58 सूची-I को सूची-II के साथ सुमेलित कीजिए तथा नीचे दिए गए कूटों की सहायता से सही विकल्प का चयन कीजिएः

सूची-I	सूची-II
(a) दुश्चिंता	1. जीव का सामान्य शरीरक्रियात्मक और मनोवैज्ञानिक उत्प्रेरण
(b) क्रोध	2. शारीरिक तथा मनोवैज्ञानिक अभियाचना और अनुक्रिया क्षमता के बीच बड़ा असंतुलन
(c) बलाघात	3. किसी व्यक्ति के प्रति नीचा दिखाने की अपमानिक अनुक्रिया से घटित होना
(d) भाव प्रबोधन	4. घबराहट, चिंता तथा आशंका के भावों के साथ संवेगात्मक दशा

कूटः

	(a)	(b)	(c)	(d)
A.	4	3	2	1
B.	1	2	3	4
C.	3	4	1	2
D.	2	1	4	3

59. सूची-I के पदों को सूची-II के साथ सुमेलित कीजिए तथा नीचे दिए गए (a), (b), (c), (d) में से उपर्युक्त जोड़े को सूचित कीजिएः

सूची-I	सूची-II
(a) नेशनल कॉउन्सिल फॉर टीचर एजुकेशन एक्ट	1. 1973
(b) नेशलन कॉउन्सिल ऑफ टीचर एजुकेशन	2. 1995
(c) नेशनल कॉउन्सिल फॉर टीचर एजुकेशन स्वायत्त इकाई के बतौर	3. 1986
(d) नेशनल पॉलिसी ऑन एजुकेशन	4. 1993

कूटः

	(a)	(b)	(c)	(d)
A.	2	4	3	1
B.	4	1	2	3
C.	3	2	4	1
D.	2	3	4	1

60. सूची-I के पदों को सूची-II के साथ सुमेलित कीजिए तथा नीचे दिए गए (a), (b), (c), (d) में से उपर्युक्त जोड़े को सूचित कीजिएः

सूची-I	सूची-II
(a) सेन्ट्रल एडवाइजरी बोर्ड ऑफ फिजिकल एजुकेशन एंड रेक्रिएशॅन	1. 1954
(b) नेशनल डिसप्लिन स्कीम	2. 1924
(c) फर्स्ट इंटर स्टेट एथलेटिक मीट	3. 1950
(d) इंडियन ओलम्पिक एसोसिएशन	4. 1927

कूटः

	(a)	(b)	(c)	(d)
A.	3	1	2	4
B.	1	2	3	4
C.	2	3	1	4
D.	4	1	3	2

61. सूची-I के पदों को सूची-II के साथ सुमेलित कीजिए तथा नीचे दिए गए (a), (b), (c), (d) में से उपर्युक्त जोड़े को सूचित कीजिएः

सूची-I (विटामिन)	सूची-II (कमी से होने वाली बीमारी)
(a) रेटिनॉल	1. वेरनिके-कोरसाकोफ सिंड्रोम
(b) थायमीन	2. एरिबोफ्लेविनॉस
(c) राइबोफ्लेमिन	3. हायपरकेरेटोसिस
(d) पैन्टोथेनिक अम्ल	4. पेरेस्थेशिया
	5. स्कर्वी

कूटः

	(a)	(b)	(c)	(d)
A.	1	3	2	5
B.	3	1	2	4
C.	4	2	3	1
D.	2	4	1	3

62. सूची-I के पदों को सूची-II के साथ सुमेलित कीजिए तथा नीचे दिए गए (a), (b), (c), (d) में से उपर्युक्त जोड़े को सूचित कीजिएः

सूची-I (विटामिन)	सूची-II (कमी से होने वाली बीमारी)
(a) बायोटिन	1. मेगालोब्लास्टिक एनीमिया

(*b*) फोलिक एसिड 2. ऑस्टियोमलेसिया
(*c*) कौलकैल्सिफेरॉल 3. रक्त डाइथिसिस
(*d*) फिलोक्वियुनोन 4. डरमेटिटिस

कूटः

	(*a*)	(*b*)	(*c*)	(*d*)
A.	4	1	2	3
B.	1	2	3	4
C.	3	4	2	1
D.	2	3	1	4

63. सूची-I को सूची-II के साथ सुमेलित कीजिए तथा नीचे दिए गए कूट से सही विकल्प का चयन कीजिएः

सूची-I	सूची-II
(*a*) गतिक्रिया का क्रियान्वयन	1. I चरण
(*b*) मानसिक निवारण अर्जित करना	2. IV चरण
(*c*) प्रतिस्पर्धी परिस्थिति का बोध एवं विश्लेषण	3. III चरण
(*d*) निष्कर्ष निकालना तथा उसे संस्मरण में सुरक्षित रखना	4. II चरण

कूटः

	(*a*)	(*b*)	(*c*)	(*d*)
A.	4	3	1	2
B.	3	2	1	4
C.	2	4	3	1
D.	1	2	3	4

64. सूची-I को सूची-II के साथ सुमेलित कीजिए तथा नीचे दिए गए कूट से सही उत्तर का चयन कीजिएः

सूची-I	सूची-II
(*a*) प्रतिक्रिया क्षमता	1. पोस्ट आइसोमेट्रिक विधि
(*b*) विस्फोटन शक्ति	2. प्लायोमेट्रिक व्यायाम
(*c*) गति सहनशीलता	3. सेन्सरी विधि
(*d*) लचीलापन	4. गहन अन्तराल विधि

कूटः

	(*a*)	(*b*)	(*c*)	(*d*)
A.	4	2	1	3
B.	2	1	3	4
C.	3	2	4	1
D.	1	3	2	4

60. सूची-I के पदों को सूची-II के साथ सुमेलित कीजिए तथा नीचे दिए गए (*a*), (*b*), (*c*), (*d*) में से उपर्युक्त जोड़े को सूचित कीजिएः

सूची-I	सूची-II
(*a*) कार्ल पियर्सन्स के वैषम्य का गुणांक	1. माध्य – बहुलक
(*b*) बाउले के वैषम्य का गुणांक	2. $\frac{P_{10} + P_{90} - 2 \text{ माध्यिका}}{P_{90} - P_{10}}$
(*c*) केली के वैषम्य का गुणांक	3. $\frac{Q_3 + Q_1 - 2 \text{ माध्यिका}}{Q_3 - Q_1}$
(*d*) कार्ल पियर्सन्स का निरपेक्ष वैषम्य	4. $\frac{\text{माध्य – बहुलक}}{\text{मानक विचलन}}$

कूटः

	(*a*)	(*b*)	(*c*)	(*d*)
A.	4	2	3	1
B.	1	2	4	3
C.	1	2	3	4
D.	4	3	2	1

66. सूची-I को सूची-II के साथ सुमेलित कीजिए तथा नीचे दिए गए कूट से सही उत्तर चुनिएः

सूची-I (मान्यता का प्रकार)	सूची-II (विवरण)
(*a*) भविष्य सूचक मान्यता	1. एक दिए हुए अध्ययन के पाठ्यक्रम के सभी महत्वपूर्ण क्षेत्रों को सम्मिलित करता है।
(*b*) अन्तर्विषयक मान्यता	2. सुनम्य सैद्धांतिकीय निर्मिति परिणाम
(*c*) निर्मित मान्यता	3. एक ही लक्षण का नये जाँच तथा स्थापित जाँच के बीच उच्च संबंध
(*d*) समवर्ती मान्यता	4. जाँच स्रोत के आधार पर कुछ अर्थगर्भित व्यवहार की भविष्यवाणी

कूटः

	(*a*)	(*b*)	(*c*)	(*d*)
A.	2	3	1	4
B.	4	1	2	3
C.	2	4	1	3
D.	4	3	2	1

67. सूची-I को सूची-II के साथ सुमेलित कीजिए तथा नीचे दिए गए कूट से सही उत्तर चुनिए:

सूची-I (स्किन फोल्ड आकलन)	**सूची-II (शारीरिक घनत्व सूत्र)**
(*a*) त्रि-स्थानीय फार्मूला (महिला) (ट्राइसेप, सुपराइ-लयेक और थाई)	1. 1.089733 – 0.0009245 (तीन स्कीन फोल्ड् का योग) + 0.0000025 (तीन स्कीन फोल्डों का योग)^2 – 0.0000979 (आयु)
(*b*) त्रि-स्थानीय फार्मूला (महिला) (ट्राइसेप, सुपराइ-लयेक और उदरीय)	2. 1.099421 – 0.0.0009929 (तीन स्कीन फोल्डों का योग) + 0.0000023 (तीन स्कीन फोल्डों का योग)^2 – 0.0001392 (आयु)
(*c*) त्रि-स्थानीय फार्मूला (पुरुष) (छाती, उदर, और जाँघ)	3. 1.10938 – 0.0008267 (तीन स्कीन फोल्डों का योग) + 0.0000016 (तीन स्कीन फोल्डों का योग)^2 – 0.0002574 (आयु)
(*d*) त्रि-स्थानीय फार्मूला (पुरुष) (छाती, ट्राइसेप और सबस्केपुलर)	4. 1.1125025 – 0.0013125 (तीन स्कीन फोल्डों का योग) + 0.0000055 (तीन स्कीन फोल्डों का योग)^2 – 0.000244 (आयु)

कूटः

	(*a*)	(*b*)	(*c*)	(*d*)
A.	1	2	4	3
B.	3	4	1	2
C.	4	3	2	1
D.	2	1	3	4

68. सूची-I को सूची-II के साथ सुमेलित कीजिए तथा नीचे दिए गए कूट से सही उत्तर का चयन करें:

सूची-I (व्यायाम क्षेत्र)	**सूची-II (40 वर्ष की आयु वाले पुरुष के लिए प्रति मिनट हृदय गति)**
(*a*) VO_2 Max	1. 108-126
(*b*) फेट बर्न	2. 144-162
(*c*) एनारोबिक	3. 162-180
(*d*) ऐरोबिक	4. 126-144
	5. 152-174

कूटः

	(*a*)	(*b*)	(*c*)	(*d*)
A.	5	3	4	1
B.	5	4	3	1
C.	2	3	1	5
D.	3	1	2	4

69. सूची-I को सूची-II के साथ सुमेलित कीजिए तथा नीचे दिए गए कूट से सही उत्तर चुनिए:

सूची-I	**सूची-II**
(*a*) स्वतः कार्यान्वयन आवश्यकताएँ	1. आश्रय
(*b*) सम्मान आवश्यकताएँ	2. कार्यसमूह
(*c*) सामाजिक आवश्यकताएँ	3. प्रतिष्ठा
(*d*) मनोवैज्ञानिक आवश्यकताएँ	4. इच्छा

कूटः

	(*a*)	(*b*)	(*c*)	(*d*)
A.	1	2	3	4
B.	2	1	4	3
C.	3	4	1	2
D.	4	3	2	1

70. सूची-I को सूची-II के साथ सुमेलित कीजिए तथा नीचे दिए गए कूट से सही उत्तर चुनिए:

सूची-I	**सूची-II**
(*a*) शारीरिक बाधाएँ	1. वरिष्ठ
(*b*) वैयक्तिक बाधाएँ	2. समझ
(*c*) भाषायी बाधाएँ	3. दूरी
(*d*) स्तरीय बाधाएँ	4. भिन्नता

कूटः

	(*a*)	(*b*)	(*c*)	(*d*)
A.	1	2	3	4
B.	3	4	2	1
C.	2	3	1	4
D.	4	1	2	3

निर्देश (प्रश्न सं. 71 से 75 तक) : *नीचे दी गई जानकारी को पढ़िए और निम्नलिखित पाँच प्रश्नों के उत्तर दीजिए:*

एक शोधकर्ता परिकल्पना का परीक्षण करना चाहता है कि दत्त औषधीय पदार्थ सीखने की गति पर प्रतिकूल प्रभाव डालेगा। एक 40 व्यक्तियों के समूह पर शोध किया गया। प्रत्येक व्यक्ति से यही आपेक्षित था कि वह दो त्रुटिरहित जाँच कार्य सीखें।

तब प्रत्येक व्यक्ति को निर्दिष्ट दवा की खुराक (1 एम.जी./शरीर का भार किलोग्राम में) दी गई और 30 मिनट के बाद, उस व्यक्ति से यह अपेक्षित था कि वह दो त्रुटिरहित जाँच कर समान शिक्षण कार्य सीखें। प्रत्येक कार्य को सीखने के लिए वांछित जाँच संख्या के पश्चात् एक सामान्य वितरण किया गया। कार्य के लिए सीखने हेतु वांछित जाँचों की मद संख्या समान एवं 'औषधि दशा' के लिए क्रमशः 24 और 20 थीं। इन दोनों अवस्थाओं में तुलनात्मक मानक माध्य अंतर की जाँच एक उपयुक्त सांख्यिकीय परीक्षण द्वारा की गई और यह अंतर 0.01 स्तर तक महत्वपूर्ण पाया गया।

71. आप शोधकर्ता के परिकल्पना के बारे में क्या निष्कर्ष निकाल सकते हैं?
A. परिकल्पना को अस्वीकार किया गया
B. परिकल्पना का सत्यापन किया गया
C. आँकड़े शोधकर्ता की परिकल्पना का मूल्यांकन करने के लिए अपर्याप्त है।
D. परिकल्पना की अंशतः जाँच की गई।

72. कौन-सा सांख्यिकीय परीक्षण उपयुक्त माध्य मूल्यांकन है?
A. स्वतंत्र समूहों के लिए एक रास्ता ANOVA है।
B. काई-स्कैयर परीक्षण
C. स्वतंत्र नमूने टी.-परीक्षण (T-test)
D. युग्म नमूने टी.-परीक्षण (T-test)

73. इस प्रयोग में आश्रित परिवर्तनीय है:
A. औषधि खुराक
B. कार्य सीखने के लिए अवसर आपेक्षित है
C. शरीर भार
D. औषधि देने एवं दूसरे कार्य को सीखने के बीच में अवधि अंतराल

74. यह किस प्रकार का अध्ययन है?
A. सिंगल-ब्लाइंड B. डबल-ब्लाइंड
C. त्रिपल-ब्लाइंड D. उपरोक्त में से कोई नहीं

75. उपरोक्त जानकारी सुझाव देती है कि:
(*a*) नॉन-पैरामैट्रिक मॉडल में आँकड़ों के विश्लेषण का अनुसरण होना चाहिए।
(*b*) पैरामैट्रिक मॉडल में आँकड़ों के विश्लेषण का अनुसरण होना चाहिए।
(*c*) दोनों परिस्थितियों में प्राप्तांक की एकरूपता में मतभेद प्रतीत होता है।
(*d*) दोनों परिस्थितियों में प्राप्तांकों में विषमजनन के लिए मतभेद प्रतीत होता है।

कूटः
A. केवल (*a*) और (*d*) B. केवल (*a*) और (*b*)
C. केवल (*b*) और (*c*) D. केवल (*b*) और (*d*)

उत्तरमाला

1	2	3	4	5	6	7	8	9	10
A	B	A	D	D	A	A	A	A	B
11	**12**	**13**	**14**	**15**	**16**	**17**	**18**	**19**	**20**
A	D	B	B	A	C	C	C	D	C
21	**22**	**23**	**24**	**25**	**26**	**27**	**28**	**29**	**30**
B	B	A	B	D	B	B	C	C	A
31	**32**	**33**	**34**	**35**	**36**	**37**	**38**	**39**	**40**
B	A	C	C	C	B	B	B	B	A
41	**42**	**43**	**44**	**45**	**46**	**47**	**48**	**49**	**50**
A	B	B	D	A	C	B	A	D	B
51	**52**	**53**	**54**	**55**	**56**	**57**	**58**	**59**	**60**
B	C	D	*	A	A	B	A	B	A
61	**62**	**63**	**64**	**65**	**66**	**67**	**68**	**69**	**70**
B	A	B	C	D	B	D	D	D	B
71	**72**	**73**	**74**	**75**					
A	D	B	D	C					

कुछ चुने हुए प्रश्नों के व्याख्यात्मक उत्तर

1. अन्तर्राष्ट्रीय ओलम्पिक समिति के अब तक के अध्यक्ष

अध्यक्ष	देश	कार्यकाल
डिमिट्रियास विकेलास	यूनान	1894-1896
बैरोन पिडरे डि कोबर्टिन	फ्रांस	1896-1925
काउंट हेनरी डी बैलेट लाटूर	बेल्जियम	1925-1942
सिगफिड एड्स्ट्रोम	स्वीडन	1946-1952
एवरी ब्रुंडेज	अमेरिका	1952-1972
लॉर्ड किनानिन	आयरलैंड	1972-1980
जुआन एंटोनियो समारांच	स्पेन	1980-2001
जैक्युस राग्ग	बेल्जियम	2001-2013
थॉमस बक	जर्मनी	2013-........

2. **ओपिऐट्स** (Opioids) औषधि दर्दनाशक दवाओं के रूप में उपयोग किया जाता है। यह अफीम के पौधे से निर्मित होते हैं। इसे Opiates, opioids and narcotics के नाम से भी जाना जाता है।

3. विस्थापन (S) = वेग (V) × समय (T)

$$S = VT$$

ऊर्जा (E) = बल (F) × विस्थापन (S)

$$E = F \times S$$

$$E = FVT.$$

5. शारीरिक शिक्षा के पाठ्यक्रम को निर्मित करना एक जटिल अथवा कठिन कार्य है। इसके लिए व्यक्ति को विभिन्न सामाजिक एवं शैक्षिक सिद्धांतों, उद्देश्यों, विद्यार्थियों के प्रकार, क्रिया के प्रकार, उपलब्ध संसाधन आदि तथ्यों पर ध्यान देना पड़ता है, जिससे ऐसा पाठ्यक्रम निर्मित किया जा सके, जो सभी विद्यार्थियों की आवश्यकताओं के अनुरूप हो तथा जिसके अध्ययन से उनके व्यक्तित्व का सर्वांगीण विकास हो सके। सारतत्व में पाठ्यक्रम पूर्ण रूप से शैक्षिक होना चाहिए। "शैक्षिक मूल्य विहीन खेल 'क्रीड़ा गतिविधियाँ' समाज स्वीकार्य नहीं कर पाएगा। शैक्षिक प्रांचलों के भीतर ही प्रतिभावान छात्रों की पहचान तथा उन्हें अपनी क्षमता को विकसित करने के अवसर दिए जाने का प्रावधान कार्यक्रम में होना चाहिए। अविधोचित क्रीड़ा कार्यक्रम समय की कसौटी पर कभी खरा नहीं उतर सकता। इस प्रकार एक क्रीड़ा अध्ययन पाठ्यचर्या का स्वरूप—दक्षता अभ्यास, क्रमिकता, उत्तरोत्तरता तथा मनोरंजक स्थिति में संभव होती है।

9. शारीरिक संरचना परीक्षण में मांसपेशियों और वसा के वितरण का उल्लेख किया जाता है। यह पेशी बल उत्पादन में योगदान नहीं होता है जबकि अतिरिक्त वसा प्रदर्शन में अवरोध उत्पन्न होता है। शरीर घनत्व को शरीर वसा प्रतिशत के लिए सामान्य समीकरण है—

शरीर में वसा प्रतिशत (BF%) = (वसा का वजन ÷ कुल शरीर का वजन) × 100

एक बार शरीर में वसा प्रतिशत निर्धारित हो जाता है तो शरीर का वसा प्रतिशत (% BF) को सिरी समीकरण (Siriequation) का उपयोग कर गणना की जाती है।

शरीर वसा का प्रतिशत = (495/शरीर का घनत्व) – 450.

11. Z-स्कोर $= \dfrac{x-u}{\sigma}$

$$= \frac{24-22.75}{1.25} = \frac{1.25}{1.25} = 1$$

T-स्कोर $T = (Z \times 10) + 50$

$$= (1 \times 10) + 50$$

T-स्कोर = 60.

12. COAPEA के अनुसार : अमेरिकी शारीरिक शिक्षा संघ के द्वारा वर्ष 1934 में शारीरिक शिक्षा के पाँच उद्देश्यों को बताया गया। जो निम्न हैं—

(*i*) मानसिक स्वास्थ्य एवं दक्षता।

(*ii*) जैविक विकास।

(*iii*) सामाजिक-नैतिक चरित्र।

(*iv*) भावनात्मक अभिव्यक्ति और नियंत्रण।

(*v*) प्रशंसा।

14. अदिश राशियाँ (Scalar quantity) : वैसी भौतिक राशियाँ, जिनमें केवल परिमाण (Magnitude) है, दिशा (Direction) नहीं होती, उन्हें अदिश कहा जाता है। जैसे–द्रव्यमान, घनत्व, तापमान, विद्युत धारा, समय, चाल, आयतन, कार्य आदि।

16. **अग्न्याशय (Pancreas) :** यह मानव शरीर की दूसरी सबसे बड़ी ग्रंथि है। यह एक साथ अन्तःस्रावी (Endocrine) और बहिःस्रावी (Exocrine) दोनों प्रकार की ग्रंथि है। इसमें अग्न्याशयी रस (Pancreas Juice) निकलता है जिसमें 9.8% जल तथा शेष भाग में लवण एवं एंजाइम होते हैं। यह क्षारीय द्रव होता है, जिसका pH मान 7.5 – 8.3 होता है। इसमें तीनों प्रकार के मुख्य भोज्य पदार्थ (यथा कार्बोहाइड्रेट, वसा एवं प्रोटीन) के पचाने के एंजाइम होते हैं, इसलिए इसे पूर्ण पाचक रस कहा जाता है। एंजाइम मूलतः प्रोटीन होते हैं।

20. **प्रबंधन का स्तर :** कई छोटे व्यापार वाणिज्यिक उद्यमों में मालिक ही प्रबंधन टीम का सदस्य होता है। लेकिन जैसे ही संगठन का आकार बड़ा होता है, वैसे ही परिष्कृत संगठनात्मक संरचना की आवश्यकता होने लगती है। सामान्य तौर पर प्रबंधन के इस स्तर को तीन भागों में वर्गीकृत किया जा सकता है : (*i*) शीर्ष प्रबंधन, (*ii*) मध्य प्रबंधन, (*iii*) पर्यवेक्षी प्रबंधन। प्रबंधन के इन तीन स्तरों पर कर्त्तव्यों एवं दायित्वों के निर्वाह के लिए प्रौद्योगिकी, संस्कृति तथा संगठन के प्रचलित आकार पर निर्भर करता है।

26. **संवेग-संरक्षण का नियम (Law of Conservation of Momentum) :** न्यूटन के द्वितीय नियम के साथ संयोजन से न्यूटन के तृतीय नियम का एक बहुत ही महत्वपूर्ण परिणाम है संवेग-संरक्षण का नियम। इस नियम के अनुसार "एक या एक से अधिक वस्तुओं के निकाय (System) पर कोई बाहरी बल नहीं रहा हो, तो उस निकाय का कुल संवेग नियत रहता है, अर्थात् संरक्षित रहता है।" इस कथन को ही संवेग संरक्षण का नियम कहते हैं। अर्थात् एक वस्तु में जितना संवेग परिवर्तन होता है, दूसरी में उतना ही संवेग परिवर्तन विपरीत दिशा में हो जाता है। अतः जब तक कोई वस्तु पृथ्वी की ओर गिरती है, तो उसका वेग बढ़ता जाता है, जिससे संवेग भी बढ़ता जाता है। वस्तु भी पृथ्वी को ऊपर की ओर खींचती है, जिससे पृथ्वी का भी ऊपर की ओर संवेग उसी दर से बढ़ता जाता है। इस प्रकार (पृथ्वी + वस्तु) का संवेग संरक्षित रहता है। चूँकि पृथ्वी का द्रव्यमान वस्तु की अपेक्षा बहुत अधिक होता है, अतः पृथ्वी में उत्पन्न वेग उपेक्षणीय होती है। रॉकेट के ऊपर जाने का सिद्धांत भी संवेग संरक्षण पर आधारित है। रॉकेट से गैसें अत्यधिक वेग से पीछे की ओर निकलती हैं, जो रॉकेट के ऊपर उठने के लिए आवश्यक संवेग प्रदान करती हैं। अर्थात् अभिकथन (A) तथा तर्क (R) दोनों सही हैं और (A) की (R) सही व्याख्या नहीं है।

29. **राष्ट्रमंडल खेल (Commonwealth games) :** ओलम्पिक खेलों के पश्चात् राष्ट्रमंडल अथवा राष्ट्रकुल खेल (पुराना नाम–ब्रिटिश एम्पायर खेल) समारोह विश्व का ऐसा दूसरा सबसे बड़ा खेलोत्सव है। इस खेल समारोह का आयोजन प्रायः दो ओलम्पिक खेलों के मध्य किया जाता है, जिसे ओलम्पिक वर्ष कहा जाता है। राष्ट्रमंडल खेलों की शुरुआत 1930 ई. में हेमिल्टन (कनाडा) में हुई थी। अब तक ऑस्ट्रेलिया, कनाडा, इंग्लैंड, न्यूजीलैंड, स्कॉटलैंड एवं वेल्स ने सभी राष्ट्रमंडल खेलों में हिस्सा लिया है। 1934 ई. में लंदन में होने वाले दूसरे राष्ट्रमंडल खेल ने पहली बार भाग लिया था। भारत ने वर्ष 1986, 1962, 1950 तथा 1930 के राष्ट्रमंडल खेलों में भाग नहीं लिया था।

35. प्रतिगमन विश्लेषण स्वतंत्र चर के मूल्यों से परतंत्र चर के मूल्यों का अनुमान प्रदान करता है। इस आकलन की प्रक्रिया को पूरा करने के लिए डिवाइस प्रतिगमन रेखा का इस्तेमाल किया जाता है। प्रतिगमन रेखा को Y प्रतिगमन समीकरण के रूप में जाना जाता है। इस रेखा में दिया गया X मूल्यों को प्रदर्शित करता है। अर्थात् X और Y चर के मध्य औसत संबंध का वर्णन आश्रित चर का अनुमान प्रदान करता है।

प्रतिगमन विश्लेषण में प्रतिगमन गुणांकों b_{xy} अर्थात् $b_{xy}b_{yx}$ सममित नहीं है। अतः इस प्रकार स्पष्ट होता है कि अभिकथन (A) सत्य है तथा तर्क (R) असत्य है।

37. जल विद्युत का एक बहुत अच्छा सुचालक है और इसका प्रतिरोध का स्तर बहुत ही कम होता है। वसा ऊतकों में जल की मात्रा (~20%) होती है और इस तरह के

प्रतिरोध या प्रतिबाधा के एक उच्च स्तर होता है। मांसपेशी में जल की मात्रा बहुत ही अधिक (~75%) होती है। इसलिए इसका प्रतिरोध या प्रतिबाधा का स्तर कम होता है।

41. रविन्द्रनाथ टैगोर का विश्वास था कि प्रकृति, मानव तथा अंतर्राष्ट्रीय सम्बन्धों में परस्पर मेल एवं प्रेम है। अतः सच्ची शिक्षा के द्वारा वर्तमान की सभी वस्तुओं में मेल और प्रेम की भावना विकसित होनी चाहिए। टैगोर के समय की क्रमबद्ध तथा निष्क्रिय शिक्षा का समाज की आवश्यकताओं से मेल नहीं था। अतः उन्होंने तत्कालीन शिक्षा का घोर विरोध किया और बताया कि सच्ची शिक्षा का उद्देश्य यह होना चाहिए कि वह बालक को जीवन तथा विश्व के स्वर के मिलन से पूर्णतया अवगत कराए तथा दोनों के मेल के मध्य संतुलन स्थापित करे। टैगोर ने इस आदर्श को अपने विश्व भारती में पूरा किया। टैगोर का विश्वास था कि शिक्षा प्राप्त करते समय बालक को स्वतंत्र वातावरण मिलना परम आवश्यक है। इसके लिए उसे हर प्रकार के बंधनों से अलग रखना चाहिए। रूसो की भांति टैगोर भी प्रकृति को बालक की शिक्षा का सर्वश्रेष्ठ साधन मानते थे। वे कहते थे कि बालक की शिक्षा प्राकृतिक होनी चाहिए। उसकी मात्रा तथा पाठन विधियों का प्राकृतिक होना बालक के लिए अत्यंत लाभप्रद होता है। इस प्रकार के शैक्षिक वातावरण से बालक और प्रकृति के मध्य वास्तविक संपर्क स्थापित होता है जिससे बालक को प्रसन्नता तथा आनन्द का अनुभव होते हुए प्रत्यक्ष ज्ञान प्राप्त होता है। टैगोर ने बालक की स्वतंत्रता तथा प्राकृतिक शिक्षा पर बल अवश्य दिया पर समाज-सुधारक होने के नाते उन्होंने शिक्षा को समाज की जीवनदायिनी धारा माना और समाज सेवा का साधन माना। और इस स्वतंत्रता को प्राप्त करने के लिए विद्यार्थी को धैर्य, समरसता तथा संतुलन को कार्य व्यवहार में लाना होगा। इस प्रकार अभिकथन (A) तथा तर्क (R) दोनों सही हैं, और (A) की (R) सही व्याख्या है।

42. ग्रीष्मकालीन ओलम्पिक खेल

आयोजन वर्ष	आयोजन स्थल	आयोजक देश
1896	एथेंस	यूनान
1900	पेरिस	फ्रांस
1904	सेंट लुईस	USA
1908	लंदन	इंग्लैंड
1912	स्टाकहोम	स्वीडन
1916	बर्लिन	जर्मनी (प्रथम विश्व युद्ध के कारण स्थगित)
1920	एंटवर्प	बेल्जियम
1924	पेरिस	फ्रांस
1928	एमस्टरडम	हॉलैंड
1932	लॉस एंजिल्स	USA
1936	बर्लिन	जर्मनी
1940	हेलसिंकी	फिनलैंड (द्वितीय विश्व युद्ध के कारण स्थगित)
1944	लंदन	इंग्लैंड (द्वितीय विश्व युद्ध के कारण स्थगित)
1948	लंदन	इंग्लैंड
1952	हेलसिंकी	फिनलैंड
1956	मेलबोर्न	ऑस्ट्रेलिया
1960	रोम	इटली
1964	टोकियो	जापान
1968	मैक्सिको सिटी	मैक्सिको
1972	म्यूनिख	जर्मनी
1976	मांट्रियल	कनाडा
1980	मास्को	USSR
1984	लॉस एंजिल्स	USA
1988	सिओल	द. कोरिया
1992	बार्सिलोना	स्पेन
1996	अटलांटा	USA
2000	सिडनी	ऑस्ट्रेलिया
2004	एथेंस	यूनान
2008	बीजिंग	चीन
2012	लंदन	इंग्लैंड
2016	रियो डि जेनेरो	ब्राजील (प्रस्तावित)

46. विटामिन-C : विटामिन-C का रासायनिक नाम एस्कॉर्बिक ऐसिड है। इसकी कमी से स्कर्वी नामक बीमारी हो जाती है। इसमें मसूड़े फूल जाते हैं और इनमें से खून का स्राव शुरू हो जाता है। भारतीय खाद्य पदार्थों में विटामिन C की मात्रा का सही रूप घटते क्रम में हैं–आंवला, अमरूद, संतरा, टमाटर।

48. निदर्शन/नमूना पद्धति (Sampling-Process) : सामाजिक शोध एवं सर्वेक्षण में निदर्शन एक विधि है, जोकि शोध एवं सर्वेक्षण को आधारशिला प्रदान करने का कार्य करती है। शोधकर्ता द्वारा शोध करने से पूर्व यह सुनिश्चित करना होता है कि तथ्यों का संकलन वह समूह के सभी सदस्यों से संपर्क स्थापित करके करेगा या कुछ सदस्यों को प्रतिनिधि के रूप में चुनकर तथ्यों का संकलन करेगा। यदि शोधकर्ता समूह के सदस्यों से संपर्क स्थापित कर अध्ययन करता है या वह संगणना विधि तथा अगर कुछ सदस्यों को प्रतिनिधि के रूप में चुनकर उनसे तथ्यों का संकलन कर अध्ययन करता है, तो वह निदर्शन विधि कहलाती है अर्थात् सामाजिक शोध एवं सर्वेक्षण में दो प्रकार के आँकड़े एकत्रित किए जा सकते हैं–संगणना विधि एवं निदर्शन विधि। भारत में संगणना विधि का प्रयोग जनगणना के दौरान किया जाता है, जो प्रायः दस वर्षों के बाद प्रयोग में लाई जाती है। निदर्शन पद्धति का सही क्रम निम्नलिखित है–

- नमूने के ढाँचे की पहचान।
- नमूना इकाई को विशेषीकृत करना।
- नमूना पद्धति को विशेषीकृत करना।
- नमूने के आकार की सुनिश्चितता।
- नमूने की योजना को विशेषीकृत करना।

49. सामान्य वक्ररेखा वितरण

औसत भुजमान से दूरी	संपूर्ण क्षेत्र का प्रतिशत
0.5 σ	19.146
0.0 σ	34.134
1.5 σ	43.319
1.96 σ	47.500
2.0 σ	47.725
2.5 σ	49.379
2.5758 σ	49.500
3.0 σ	49.865

51. ओलम्पिक खेल में मैराथन के मानकीकृत लंबाई–

ओलम्पिक खेल	मैराथन दूरी
1896	40,000 मीटर (लगभग)
1900	40,260 मीटर (25.02 मील)
1904	40,000 मीटर (24.85 मील)
1908	42,195 मीटर (26.22 मील)
1912	40,200 मीटर (24.98 मील)
1920	40,750 मीटर (25.32 मील)
1924	42,195 मीटर (26 मील तथा 385 गज)

52. खेल के विभिन्न सिद्धांत (Various Theories of Play)

1. **अतिरिक्त ऊर्जा सिद्धांत (Surplus Energy Theory):** इस सिद्धांत का विकास जर्मन दार्शनिक वॉन शेलर तथा अंग्रेज प्रकृति विज्ञानी हर्बर्ट स्पेन्सर ने किया था। इनके अनुसार खेल अविशेष या अतिरिक्त ऊर्जा की अभिव्यक्ति के समान है। इनके अनुसार इसका परिणाम निरुउद्देश्य अविशेष ऊर्जा का अव्यय करना है। उन्होंने दर्शाया कि बालक इसलिए खेलता है कि उसमें ऊर्जा का अधिक संचार हो रहा है। आगे चलकर उन्होंने इसे सरल करते हुए व्यक्त किया है कि खेल एकत्रित होकर गाते हुए पक्षियों की अभिव्यक्ति के समान है। इसके परिणामस्वरूप वह खेलों में निहित गतिविधियों में इस अविशेष ऊर्जा का उपयोग उद्देश्यहीन क्रीड़ा गतिविधियों में करता है।

2. **पूर्वाभाषा सिद्धांत (Anticipatory Theory) :** इस सिद्धांत की व्याख्या कार्ल ग्रूस द्वारा की गई थी। उसके अनुसार खेल गंभीर शारीरिक उद्यम की तैयारियों के पूर्व का व्यायाम है। उनका मत था कि खेल विकास की एक नैसर्गिक प्रक्रिया है जो कि बालक को वयस्क होने में सहायक होती है। ग्रूस के इस मत का समर्थन टी.पी. नन के द्वारा भी किया गया।

3. **मनोरंजनात्मक सिद्धांत (Recreational Theory):** इस सिद्धांत के प्रणेता लॉर्ड केम्स तथा जी.टी. डब्ल्यू. पैट्रिक का सशक्त मत तथा विश्वास है कि खेल का

आधार मनोरंजन है। वे मनोरंजन को हमारे द्वारा गंभीर कार्यों में व्यय की गई ऊर्जा को पुनः ऊर्जा अर्जित करने की प्रक्रिया मानते हैं। इसके आगे भी वे कहते हैं कि अधिशेष ऊर्जा को निकालने की प्रक्रिया के बजाय खेल गतिविधियाँ ऊर्जा को पुनः निर्मित करती हैं। गंभीर शारीरिक/मानसिक कार्य के फलस्वरूप पैदा हुई थकान को खेल दूर करता है।

4. **पुनर्कथन सिद्धांत (Recapitulatory Theory) :** इस सिद्धांत का प्रस्ताव तथा व्याख्या जी. स्टेनली हॉल द्वारा की गई थी। इनका मत कार्ल ग्रूस के पूर्वानुमान सिद्धांत के विपरीत है। इनके अनुसार बालक अपने भविष्य का पूर्वाभ्यास नहीं करता बल्कि अपने सामाजिक अतीत को दुहराता है। इस प्रकार खेल अतीत को दोहराने की क्रिया है न कि भविष्य के लिए पूर्वानुमान।

5. **विरेचन सिद्धांत (Cathartic Theory) :** इस सिद्धांत के उद्‌गम का पता अरस्तू के लेखों से पता चलता है। अभिव्यक्ति या विरेचन का अर्थ है मनोभावों को प्रकट करने की अभिव्यक्ति। इसका आशय है कि भावनाओं का प्रकटीकरण अथवा भावनाओं को निबद्ध करना। अरस्तू खेल गतिविधियों को मनोभावों की अभिव्यक्ति होने पर ज्यादा जोर देते हैं। यह सिद्धांत स्पष्ट करता है कि खेल व्यक्ति विशेष के व्यक्तित्व में मौजूद अवांछित तत्वों को साफ कर देता है।

6. **नैसर्गिक अभ्यास का सिद्धांत (Instinctive Practice Theory) :** इस सिद्धांत के प्रकाण्ड विद्वान प्रोफेसर मैकडगाल का विश्वास है कि जन्तु तथा मानव दोनों के व्यवहारों में नैसर्गिकता ही प्रमुख संचारक है। नैसर्गिकता के समय से पूर्व परिपक्वता के कारण खेलों का जन्म होता है। यह जुझारू, रचना, विघटन स्वयं को स्थापित करने में नैसर्गिकता की अभिव्यक्ति/प्रदर्शन/निष्पादन आदि है। इसमें प्रतिस्पर्धा तथा प्रतिद्वंद्विता के तत्व समाहित हैं। बचपन में नैसर्गिक ऊर्जा खेलों के द्वारा निकलती हुई परिलक्षित होती है। लेखक खेलों को एक घनिष्ठ प्रवृत्ति मानता है न कि स्वयंमेव नैसर्गिकता।

7. **सामाजिक संपर्क सिद्धांत (Social Contact Theory) :** समान विज्ञानी तथा सामाजिक मनोविज्ञानी खेलों को समाज में पहचान बनाने वाला माध्यम/साधन मानते हैं। खेल व्यक्ति विशेष को नजदीक लाता है तथा सामूहिक व्यवहार को मजबूती प्रदान करता है। साथ ही साथ यह विभिन्न सामाजिक समूहों को सामाजिक बन्धन में भी बाँधता है। यह सभी सांस्कृतिक सभ्यता तथा व्यक्ति विशेष के विकास के लिए अति आवश्यक है।

53. • **ACTH हार्मोन (Adrenocorticotropic Hormone) :** यह पीयूष ग्रंथि (Pituitary Gland) से निकलने वाला हार्मोन है। यह एड्रीनल कॉर्टेक्स के स्राव को नियंत्रित करता है।

• **कोकीन (Cocain) :** कोकीन के सेवन से केन्द्रीय नाड़ी संस्थान उत्तेजित होता है, इसके सेवन से 15-20 मिनट पश्चात् मस्तिष्क में इसका असर शुरू होता है। इसके सेवन से खिलाड़ी अपने आप को काफी ऊर्जावान तथा उच्चकोटि का समझने लगता है। इसके लगातार प्रयोग करने से हृदय की बीमारी होने की संभावना बनी रहती है।

• **इन्सुलिन (Insulin) :** इन्सुलिन का पर्याप्त स्राव नहीं होने के कारण मधुमेह (Diabetes) नामक बीमारी हो जाती है। इन्सुलिन दो प्रकार का कार्य करता है— (*a*) भोजन का कार्बोहाइड्रेट वाला भाग पचकर शर्करा में परिवर्तित हो जाता है, जो इन्सुलिन की प्रतिक्रिया से खंडित होकर तंतुओं में मिल जाता है। इसके अभाव में यह शर्करा रक्त में चली जाती है। (*b*) इन्सुलिन यकृत और पेशियों में ग्लाइकोजेन संचित करने में मदद करता है। इसका पर्याप्त मात्रा में स्राव नहीं होने पर यकृत में ग्लाइकोजेन का उपयोग होता है और ग्लाइकोजेन की मात्रा धीरे-धीरे समाप्त होने लगती है। ऐसी स्थिति में तंतुओं में प्रोटीन और संचित वसा शर्करा में परिवर्तित होने लगती है। इससे रक्त में शर्करा की मात्रा और बढ़ जाती है। यह शर्करा मूत्र के माध्यम से बाहर निकलने लगती है, जिसे मधुमेह की संज्ञा दी जाती है।

• **लैसिथिन (Lecithin) :** यह एक फॉस्फेटाइड जो तटस्थ वसा के ऑक्सीकरण में महत्वपूर्ण भूमिका निभाता है।

58. • **दुश्चिंता (Anxiety) :** चिन्ता एक व्यक्ति की मनोवैज्ञानिक एवं शरीर क्रियात्मक दशा या स्थिति होती है, जो सामान्यतः सभी व्यक्तियों में पाई जाती है। इसका चित्रण ज्ञानात्मक, भावनात्मक तथा चरित्रगत या व्यवहारजन्य घटकों द्वारा किया जाता है। ये घटक अरुचिकर भावना का निर्माण करने में संयुक्त रूप से कार्य करते हैं, जो बेचैनी या व्याकुलता, डर या चिन्ता के साथ सहयोगी होते हैं।

- **क्रोध (Anger) :** क्रोध मानव आचरण का एक हिस्सा है। क्रोध किसी व्यक्ति के प्रति नीचा दिखाने की अपमानित अनुक्रिया से घटित होता है।
- **बलाघात (Stress) :** बलाघात वह अवस्था है जो व्यक्ति पर इतना दबाव डालती है कि उसे समायोजन की आवश्यकता पड़ती है या उसे समायोजन करना पड़ता है। क्योंकि व्यक्ति का मानसिक स्वास्थ्य प्रतिबल की अनुपस्थिति में विकसित नहीं होता है। किसी व्यक्ति का मानसिक स्वास्थ्य उस अवस्था में तीव्र गति से विकसित होता है, जब वह इन प्रतिबल सम्बन्धी परिस्थितियों के प्रति संतोषजनक ढंग से प्रतिक्रिया करता है।
- **भाव प्रबोधन (Arousal) :** भाव प्रबोधन या उत्तेजन शब्द शारीरिक, बौद्धिक, ज्ञानात्मक प्रदर्शन की तैयारी के लिए घट-बढ़ रही डिग्री को प्रतिबिम्बित करता है। उत्तेजना और सक्रियता शारीरिक और अनुभूतिपरक है जो खिलाड़ियों के शारीरिक और मानसिक रूप से तैयार की डिग्री का संकेत देती है। सक्रियता और उत्तेजना के समुचित स्तर के साथ खिलाड़ी अच्छे की ओर प्रवृत्त होता है, अधिक स्पष्ट से विचार और आसन्न स्थितियों के संबंध में दूर तक केन्द्रित करता है। अति-उत्तेजित होना, अति-सक्रियता और अति उत्तेजन खिलाड़ी के प्रदर्शन को घटा सकता है।

60. • **नेशनल डिसप्लिन स्कीम :** 1954 में नेशनल डिसप्लिन स्कीम (NDS) शुरू की गई। इसमें ट्रेनिंग प्रशिक्षक तैयार करने हेतु कुछ केन्द्र खोले गए। इसके पाठ्यक्रम में ड्रिल, परेड, स्पोर्ट्स व गेम्स, संगीत, कैम्प, सांस्कृतिक गतिविधियाँ, देशभक्ति गीत को तंदरुस्त बनाना अनुशासन की शिक्षा देना था।

- **सेन्ट्रल एडवाइजरी बोर्ड ऑफ फिजिकल ऐजुकेशन एंड रेक्रिएशॅन :** इसकी स्थापना भारत सरकार के द्वारा 1950 में किया गया था। इसका प्रमुख कार्य सरकार को देश में शारीरिक शिक्षा के क्षेत्र में चल रहे प्रोग्रामों व गतिविधियों के तालमेल की सलाह देना था।
- **इंडियन ओलम्पिक एसोसिएशन :** भारत में इसकी स्थापना अंग्रेजों के द्वारा वर्ष 1927 में की गई थी। श्री दोराबजी टाटा इसके पहले अध्यक्ष थे। डॉ. डी.जी. नोरेम सचिव तथा जी.डी. सोंधी सहायक सचिव थे।
- **फर्स्ट इंटर स्टेट एथलेटिक मीट :** इसका आयोजन वर्ष 1924 में किया गया था।

61. • **थायमिन :** इसे विटामिन-B1 के नाम से जाना जाता है। यह समुद्री भोजन सी-फूड, दूध, मांस, मटर, अनाज एवं हरी सब्जियों से प्राप्त होता है। यह शारीरिक एवं मानसिक वृद्धि एवं विकास के लिए शरीर को अति आवश्यक माना जाता है। कार्बोहाइड्रेट्स को ऊर्जा में बदलने के लिए शरीर को इस विटामिन की जरूरत पड़ती है। इसकी कमी से शरीर बेरी-बेरी की बीमारी हो सकती है।

- **राइबोफ्लेबिन :** इसे विटामिन-B2 के नाम से जाना जाता है। यह खमीर, अंडा, मांस एवं मटर से मिलता है। यह शारीरिक वृद्धि एवं लाल कोशिकाओं की पैदावार के लिए आवश्यक होता है। यह भी कार्बोहाइड्रेट्स से ऊर्जा शुरू करवाने में सहायक होते हैं। इसकी कमी से शरीर पर लाल धब्बे पड़ने लगते हैं तथा जीभ (Tongue) में संक्रमण हो जाता है।
- **पेण्टाथेनिक एसिड :** इसे विटामिन-B5 के नाम से जाना जाता है। ये मुख्य रूप से जिगर, अंडों एवं दुग्ध उत्पादों में पाया जाता है।
- **रेटिनॉल :** इसे विटामिन-A के नाम से जाना जाता है। यह मुख्य रूप से दूध, मक्खन, अंडा, मछली के तेल, टमाटर, कद्दू एवं हरी पत्तेदार सब्जियों में पाया जाता है। यह विटामिन विशेष रूप से आँखों एवं चमड़ी की सेहत अच्छी रखने के लिए बहुत ही आवश्यक है। इस विटामिन की कमी से जीरो-फ्थैलमिया एवं रतौंधी जैसी बीमारियाँ होने की संभावना होती हैं।

62. विटामिन की कमी से होने वाला रोग एवं उसके स्रोत

विटामिन	रासायनिक नाम	कमी से होने वाला रोग	स्रोत
विटामिन-A	रेटिनॉल	रतौंधी, संक्रमणों का खतरा, जीरोप्थैलमिया	दूध, अंडा, पनीर, हरी साग-सब्जी, मछली, यकृत तेल
विटामिन-B_1	थायमिन	बेरी-बेरी	मूँगफली, तिल, सूखी मिर्च, बिना धुली दाल, यकृत, अंडा एवं सब्जियाँ
विटामिन-B_2	राइबोफ्लेविन	त्वचा का फटना, आँखों का लाल होना, जिह्वा का फटना	खमीर, कलेजी, मांस, हरी सब्जियाँ, दूध
विटामिन-B_3	पेन्टोथेनिक अम्ल	बाल सफेद होना, मंदबुद्धि होना	मांस, दूध, मूँगफली, गन्ना, टमाटर
विटामिन-B_5	निकोटिनैमाइड या नियासिन	पेलाग्रा (त्वचा दाद)	मांस, मूँगफली, आलू, पत्ती वाली सब्जियाँ, टमाटर
विटामिन-B_6	पाइरीडॉक्सिन	एनीमिया, त्वचा रोग	यकृत, मांस, अनाज
विटामिन-B_7	बायोटीन	लकवा, शरीर में दर्द, बालों का गिरना	मांस, अंडा, यकृत, दूध
विटामिन-B_{12}	सायनोकोबालमिन	एनीमिया, पांडुरोग	मांस, कलेजी, दूध
फॉलिक एसिड	टेराईल ग्लूटैमिक	एनीमिया, पेचिश रोग	दाल, यकृत, सब्जियाँ, अंडा, सेम
विटामिन-C	एस्कॉर्बिक ऐसिड	स्कर्वी, मसूड़े का फुलना	नींबू, संतरा, टमाटर, खट्टे पदार्थ, मिर्च, अंकुरित अनाज
विटामिन-D	कैल्सिफेरॉल	रिकेट्स (बच्चों में), ऑस्टियोमलेशिया (वयस्क में)	मछली, यकृत तेल, दूध, अंडे
विटामिन-E	टोकोफेरॉल	जनन शक्ति का कम होना	पत्ती वाली सब्जियाँ, दूध, मक्खन, अंकुरित गेहूँ, वनस्पति तेल
विटामिन-K	फिलोक्विनोन	रक्त का थक्का न बनना	टमाटर, हरी सब्जियाँ

68. • **ऐरोबिक :** इसका अर्थ है 'ऑक्सीजन के साथ'। इससे व्यक्ति का शरीर लम्बे समय तक निरन्तर प्रयास करता है। क्योंकि मानव शरीर में रक्त का प्रवाह बढ़ने से शरीर सख्त बनाता है। अवशिष्ट पदार्थ, जैसे कार्बन डाई-ऑक्साइड और जल रहता है। जो पसीने और श्वास द्वारा बाहर निकलता रहता है। इस व्यायाम में 40 वर्ष की आयु वाले पुरुष के लिए प्रति मिनट हृदय गति 126-144 होती है।

• **एनारोबिक :** इसका अर्थ है 'ऑक्सीजन के बिना' इस कार्य में ज्यादा जोर लगता है। व्यक्ति का शरीर तेजी से काम करता है, जिससे ऑक्सीजन की माँग बढ़ जाती है तथा मांसपेशियों में स्टोर ईंधन (fuel) पर रहना पड़ता है। ऑक्सीजन के बिना मांसपेशियों में लैक्टिक एसिड का निर्माण होता है, जो कि बेकार पदार्थ अपशिष्ट उत्पाद कहलाता है। इस व्यायाम में 40 वर्ष की आयु वाले पुरुष के लिए प्रति मिनट हृदय गति 144-162 होती है।

• **VO_2 max :** VO_2 max अभ्यास के दौरान जब व्यक्ति अपने अधिकतम दबाव के स्तर को प्राप्त कर लेता है, उस दौरान एक मिनट में फेफड़ों द्वारा ग्रहित की गई O_2 की मात्रा। सेकेण्ड विंड से तात्पर्य एक स्थिति से है जिसमें एक व्यक्ति व्यायाम या अभ्यास करने के पश्चात् कुछ समय तक बेचैनी करता है। इस प्रकार के व्यायाम में 40 वर्ष की आयु वाले पुरुष के लिए प्रति मिनट हृदय गति 162-180 होती है।

• **फेट वर्न :** इस प्रकार के व्यायाम में 40 वर्ष की आयु वाले पुरुष के लिए प्रति मिनट हृदय गति 108-126 होती है।

पिछले प्रश्न-पत्र (हल सहित)

UGC-NET जूनियर रिसर्च फैलोशिप तथा सहायक प्राध्यापक परीक्षा

शारीरिक शिक्षा, दिसम्बर-2014

प्रश्न-पत्र-II

निर्देश : *इस प्रश्न-पत्र में* ***पचास (50)*** *बहु-विकल्पीय प्रश्न हैं। प्रत्येक प्रश्न के* ***दो (2)*** *अंक हैं।* ***सभी*** *प्रश्न अनिवार्य हैं।*

1. अधिगम जो निविष्ट का प्रतिफल है, सूचना की उत्तम प्रक्रिया जो कि निविष्ट तथा फीडबैक के संदर्भ में है, कहलाती है :

A. अधिगम का मनोविश्लेषण सिद्धान्त

B. अधिगम का साइबरनेटिक सिद्धान्त

C. अधिगम का पुनःशक्तिकरण सिद्धान्त

D. अधिगम का ऑपरेन्ट अनुकूलन का सिद्धान्त

2. पाठ्यचर्या प्रारूप का प्रारम्भिक चरण है

A. पाठ्यचर्या समिति का गठन

B. लक्ष्यों को परिभाषित करना

C. उद्देश्यों को परिभाषित करना

D. शारीरिक शिक्षा के दर्शन को परिभाषित करना

3. चलने के गेट साइकल में स्टांस फेज और स्विंग फेज का अनुपात लगभग क्या होगा?

A. 60 : 40 B. 50 : 50

C. 40 : 60 D. 70 : 30

4. निम्नलिखित उत्तेजक पदार्थों में से कौन-से आई.ओ.सी. द्वारा मान्यता प्राप्त नहीं है?

A. विटामिन 'ई' B. ग्लूटेमीन

C. कैफीन D. बाइकार्बोनेट सॉल्ट

5. प्रक्षेपण के समय की गणना की जाती है :

A. $T = \dfrac{v^2 \sin 2\theta}{g}$ B. $T = \dfrac{v \sin 2\theta}{g}$

C. $T = \dfrac{v \sin \theta}{g}$ D. $T = \dfrac{2v \sin \theta}{g}$

6. दबाव के निजी स्रोत हैं :

I. घटना का महत्त्व

II. दुष्चिन्ता के विलक्षण गुण

III. आत्म-सम्मान

IV. अनिश्चितता

कूट से सही उत्तर का चयन कीजिए :

कूट :

A. I और II B. III और IV

C. II और III D. I और IV

7. शारीरिक शिक्षा अध्यापक के व्यवहार का वर्गीकरण किसके द्वारा विकसित किया गया?

A. अनुरूपता प्रशिक्षण B. कार्यशाला

C. पुनश्चर्या पाठ्यक्रम D. सूक्ष्म शिक्षण

8. विटामिन बी-1 को .... नाम से भी जाना जाता है।

A. कैल्सियम B. थायेमीन

C. फॉस्फोरस D. पोटैशियम

9. निम्नलिखित में से कौन-सा हेपैटाइटिस मंद घातक है?

A. हेपैटाइटिस-ए B. हेपैटाइटिस-बी

C. हेपैटाइटिस-सी D. हेपैटाइटिस-डी

10. शारीरिक शिक्षा के शिक्षक की प्रमुख भूमिका की पहचान किस रूप में की जाती है?

A. नेता B. योजनाकार

C. प्रबन्धक D. अभिप्रेरक

11. निम्नलिखित योग्यताओं में से कौन-सी अनुकूलित एवं समन्वित दोनों है?

A. लचकीलापन B. शक्ति

C. गति D. सहनशक्ति

12. समूह-I और समूह-II में से कौन-सा बेहतर है इस प्राक्कल्पना के परीक्षण के लिए निम्नलिखित सांख्यिकी तकनीक में से कौन-सी उपयुक्त होगी?

A. एक टेल टी (t) परीक्षण

B. दो टेल टी (t) परीक्षण

C. एफ-परीक्षण

D. उपरोक्त में से कोई नहीं

13. प्रबन्धन का सुव्यवस्थीकरण सिद्धान्त स्पष्ट रूप से समर्थन करता है :

A. विचार और क्रिया की स्वतन्त्रता

B. उत्तरदायित्व का विभाजन

C. अधिकारों का विभाजन

D. सही व्यक्ति सही जॉब के लिए

14. निम्नलिखित में से किस सूत्र से बुद्धि लब्धि की गणना की जाती है?

A. $\frac{M.A.}{100} \times C.A.$ B. $\frac{C.A.}{100} \times M.A.$

C. $\frac{M.A.}{C.A.} \times 100$ D. $\frac{C.A.}{M.A.} \times 100$

15. 5 वर्ष से कम आयु के बच्चों के शारीरिक लक्षणों में शामिल हैः

I. बच्चों को बार-बार विश्राम समय की आवश्यकता होती है।

II. आँख-हाथ का समन्वय पूरी तरह विकसित रहता है।

III. लिंग-भेद के चिह्न उभरे नहीं रहते।

IV. हाथ और अंगुलियों की मांसपेशियाँ पूर्णतया विकसित रहती हैं।

कूट से सही समुच्चय का चयन कीजिएः

कूट :

A. केवल I और II

B. केवल II, III और IV

C. केवल I, III और IV

D. उपरोक्त सभी

16. सही एगोनिस्ट—एन्टागोनिस्ट जोड़ों का पता लगाएँ।

I. ट्रैपीजियस — डेल्टॉयड

II. पैक्टोरल्स — लेटिसिमस डारसी

III. अडेक्टर मैगनस — ब्रेविस

IV. सेराटस ऐन्टीरियर — रोम्बायड

V. सोलिअस — गैस्ट्रोसेनेमियस

A. I, III और V B. III, IV और V

C. II, III और V D. I, II और IV

17. डोपिंग पदार्थ के रूप में निम्नलिखित में से कौन-से पदार्थ आई.ओ.सी. द्वारा प्रतिबंधित हैं?

I. मदिरा

II. ऐनेलजेसिक

III. ऐनाबॉलिक स्टीराइड

IV. एम्फेटेमीन

नीचे दिए गए कोड से इनका सही क्रम चुनिए :

कूट :

A. I, II एवं IV सही हैं।

B. II, III एवं IV सही हैं।

C. III एवं IV सही हैं।

D. I एवं III सही हैं।

18. नीचे दिए गए शब्दों की व्याख्या ABCD में मेलित हैं। जो गलत मेलित है उसे चुनिए :

	व्याख्या	**शब्द**
A.	प्रत्येक धड़कन में वेन्ट्रीकल द्वारा रक्त प्रवाह को कहते हैं	कॉर्डियक आउटपुट
B.	एक श्वास में वायु की मात्रा का अंदर व बाहर छोड़ना होता है	टाइडल वाल्यूम
C.	शरीर संहति व वसा संहति के अंतर को कहते हैं	पतला शरीर संहति
D.	विशेष जोड़ उत्तक जो हृदय का पेस मेकर होता है	एस.ए. नोड

19. खेल सिद्धान्त हैं

I. विरेचन सिद्धान्त

II. गुणारोपण सिद्धान्त

III. मनो-विश्लेषणात्मक सिद्धान्त

IV. इष्टतम व्यावहारिक सिद्धान्त के वैयक्तिक क्षेत्र

कूट से सही उत्तर का चयन कीजिए :

कूट :

A. I और III B. II और IV

C. II और III D. I और IV

20. निम्नलिखित में कौन-से कारक प्रशिक्षण सत्र की रचना को प्रभावित करते हैं?

I. मौसम की अवस्था　II. आहारीय स्तर

III. वातावरण　IV. प्रशिक्षु की आयु

कूट :

A. I और IV　B. I और II

C. II और III　D. II और IV

21. अन्तर-प्राचीर और बाह्य-प्राचीर प्रतियोगिताएँ विभिन्न उद्देश्यों की पूर्ति के लिए की जाती हैं :

I. एथलेटिक प्रतिभा के विकास के लिए

II. संस्था के सम्मान का विकास

III. एथलीट की शारीरिक सक्षमता का विकास

IV. अकादमिक उच्चता का विकास

V. शैक्षिक उद्देश्यों की प्राप्ति

कूट से सही उत्तर का चयन कीजिए :

कूट :

A. I और II　B. I और III

C. I और IV　D. I और V

22. एक गुणात्मक अनुसंधान प्रश्न होता है :

I. प्रायः मुक्तोत्तर प्रश्न होता है।

II. इसमें कुछ प्रक्रिया अथवा घटना, जिसके बारे में खोज की जानी है, सम्बन्धी प्रश्न पूछा जाता है।

III. प्रायः यह एकल-उत्तर प्रश्न होता है।

IV. यह प्रासंगिक प्रश्न होता है।

कूट :

A. I एवं III　B. II एवं IV

C. I और II　D. I एवं IV

23. मानक प्रशिक्षण के मानदण्ड में सम्मिलित होते हैं :

I. विश्वसनीयता　II. जटिलता

III. विचलनता　IV. मानक

उचित मिलान का चयन कीजिए :

A. I तथा II　B. II तथा III

C. III तथा IV　D. IV तथा I

24. नीचे दो कथन दिए गए हैं। एक को अभिकथन (A) और दूसरे को कारण (R) कहा गया है :

अभिकथन (A) : सक्षमता एक सम्पूर्ण धारणा है जो सम्पूर्ण व्यक्ति से सम्बद्ध होती है।

कारण (R) : शारीरिक क्रियाओं में नियमित भाग लेना शारीरिक विकास में सहायक होता है जिसका अर्थ है शारीरिक शक्ति, पुनःप्राप्ति तथा थकान को दूर रखने की क्षमता।

उपरोक्त दो कथनों के संदर्भ में कौन-सा एक सही है?

A. (A) सही है, परन्तु (R), (A) का सही स्पष्टीकरण नहीं है।

B. (A) सही है, तथा (R), (A) का सही स्पष्टीकरण है।

C. (A) सही है, परन्तु (R) गलत है।

D. (A) गलत है, परन्तु (A) सही है।

25. नीचे दो कथन दिए गए हैं। एक को अभिकथन (A) कहा गया है तथा दूसरे को कारण (R) कहा गया है :

अभिकथन (A) : माँसपेशियाँ दो जोड़ों के आर-पार होकर गुजरती हैं उन्हें द्विसन्धायी माँसपेशी कहते हैं।

कारण (R) : द्विसन्धीय माँसपेशी शारीरिक उत्तोलक के इस्तेमाल में दूसरे प्रकार का मानव माँसपेशीय समायोजन प्रदान करता है।

उपरोक्त दो कथनों के संदर्भ में निम्नलितखत में कौन-सा एक सही है?

A. (A) तथा (R) दोनों सही हैं, तथा (R), (A) की सही व्याख्या है।

B. (A) तथा (R) दोनों सही हैं, किन्तु (R), (A) की सही व्याख्या है।

C. (A) सही है, और (R) गलत है।

D. (A) गलत है, और (R) सही है।

26. नीचे दो कथन दिए गए हैं। एक को अभिकथन (A) कहा गया है तथा दूसरे को तर्क (R) कहा गया है :

अभिकथन (A) : फेफड़ों में ऑक्सीजन और कार्बन-डाइऑक्साइड की अदला-बदली कैपिलरी और फेफड़ों की एलवूली के बीच होती है।

तर्क (R) : ऐलवूली और कैपीलरी के बीच ऑक्सीजन और कार्बन-डाइऑक्साइड के दबाव अंतर के कारण ऑक्सीजन रक्त धमनियों में प्रवेश करती है व कार्बन डाइऑक्साइड बाहर निकलती है।

कूट से सही उत्तर का चयन कीजिए।

A. (A) और (R) दोनों सही हैं, और (A), (R) की सही व्याख्या है।

B. (A) और (R) दोनों सही हैं, परन्तु (A) की (R) सही व्याख्या नहीं है।

C. (A) सही है, परन्तु (R) गलत है।

D. (A) गलत है, परन्तु (R) सही है।

27. नीचे दो कथन दिए गए हैं। एक को अभिकथन (A) कहा गया है तथा दूसरे को तर्क (R) कहा गया है :

अभिकथन (A) : एक विजेता धावक जन्म से होता है उसका निर्माण नहीं होता।

तर्क (R) : एथलीट को ढालने में सही प्रशिक्षण, उचित शारीरिक क्षमता एवं कौशल, उपयुक्त वातावरण एवं सही मानसिक स्थिति का महत्वपूर्ण योगदान होता है।

कूट से सही उत्तर का चयन कीजिए।

A. (A) और (R) दोनों सही हैं, परन्तु (A), (R) की सही व्याख्या नहीं है।

B. (A) सही है, परन्तु (R) गलत है।

C. (A) और (R) दोनों सही हैं और (A) की (R) सही व्याख्या है।

D. (A) गलत है, परन्तु (R) सही है।

28. नीचे दो कथन दिए जा रहे हैं, जिसमें से प्रथम को अभिकथन (A) और द्वितीय को तर्क (R) कहा गया है:

अभिकथन (A) : प्रत्येक गतिविधि किसी न किसी आधारभूत अन्तःप्रेरण अथवा आवश्यकता की सन्तुष्टि का निकास प्रदान करती है।

तर्क (R) : मनोरंजन के रूप उतने ही भिन्न होते हैं जितने किसी एक व्यक्ति के पूर्ण जीवनकाल में उसकी दिलचस्पियाँ विविध होती हैं और वे इतनी भिन्न होती हैं जितने आपस में भिन्न लोग हैं।

निम्नलिखित में से कौन-सा कथन सही है?

A. (A) और (R) दोनों सही हैं, और (A) की (R) सही व्याख्या है।

B. (A) और (R) दोनों सही हैं, परन्तु (A) की (R) सही व्याख्या नहीं है।

C. (A) सही है, परन्तु (R) गलत है।

D. (A) गलत है, परन्तु (R) सही है।

29. नीचे दो कथन दिए जा रहे हैं, जिसमें से प्रथम को अभिकथन (A) और द्वितीय को तर्क (R) कहा गया है :

अभिकथन (A) : स्कूल जाने योग्य आयु के बच्चों ने संज्ञानात्मक योग्यता का विकास कर लिया है।

तर्क (R) : पाठ्यचर्या-बाह्य गतिविधियों का संज्ञानात्मक विकास पर प्रभाव पड़ता है।

निम्नलिखित में से कौन-सा कथन सही है?

A. (A) और (R) दोनों सही हैं, और (A) की (R) सही व्याख्या है।

B. (A) और (R) दोनों सही हैं, परन्तु (A) की (R) सही व्याख्या नहीं है।

C. (A) सही है, परन्तु (R) गलत है।

D. (A) गलत है, परन्तु (R) सही है।

30. नीचे दो कथन दिए जा रहे हैं, जिसमें से प्रथम को अभिकथन (A) और द्वितीय को तर्क (R) कहा गया है :

अभिकथन (A) : प्रतिस्पर्धा के दौरान प्रशिक्षण का लक्ष्य होता है कि उच्चतम खेल स्तर को प्राप्त किया और बनाए रखा जाए।

तर्क (R) : एक बार प्राप्त किया उच्चतम खेल स्तर लम्बे समय के दौरान तक कायम रह सकता है।

निम्नलिखित में से कौन-सा कथन सही है?

A. (A) और (R) दोनों सही हैं, और (A) की (R) सही व्याख्या है।

B. (A) और (R) दोनों सही हैं, परन्तु (A) की (R) सही व्याख्या नहीं है।

C. (A) सही है, परन्तु (R) गलत है।

D. (A) गलत है, परन्तु (R) सही है।

31. नीचे दो कथन दिए जा रहे हैं, जिसमें से प्रथम को अभिकथन (A) और द्वितीय को तर्क (R) कहा गया है :

अभिकथन (A) : अनुसंधानकर्ता आँकड़ों को इकट्ठा करने के लिए मुक्तोत्तर प्रश्न एवं बंदित प्रश्नावली दोनों का प्रयोग करते हैं।

तर्क (R) : मुक्तोत्तर प्रश्नावली प्रतियोगी के अपने शब्दों में गुणात्मक आँकड़े मुहैया करवाते हैं।

निम्नलिखित में से कौन-सा कथन सही है?

A. (A) और (R) दोनों सही हैं, और (A) की (R) सही व्याख्या है।

B. (A) और (R) दोनों सही हैं, परन्तु (A) की (R) सही व्याख्या नहीं है।

C. (A) सही है, परन्तु (R) गलत है।

D. (A) गलत है, परन्तु (R) सही है।

32. नीचे दो कथन दिए जा रहे हैं, जिसमें से प्रथम को अभिकथन (A) और द्वितीय को तर्क (R) कहा गया है :

अभिकथन (A) : एक मोटे व्यक्ति का बी.एम.आई. 30 से अधिक होता है।

तर्क (R) : बी.एम.आई. एक व्यक्ति के पोषण के स्तर का संकेत करता है।

कूट से सही उत्तर का चयन कीजिए।

A. (A) और (R) दोनों सही हैं, और (A) की (R) सही व्याख्या है।

B. (A) और (R) दोनों सही हैं, परन्तु (A) की (R) सही व्याख्या नहीं है।

C. (A) सही है, परन्तु (R) गलत है।

D. (A) गलत है, परन्तु (R) सही है।

33. नीचे दो कथन दिए जा रहे हैं, जिसमें से प्रथम को अभिकथन (A) और द्वितीय को तर्क (R) कहा गया है :

अभिकथन (A) : शिक्षा मानव में पहले से विद्यमान सम्पूर्णता को प्रकाशित करती है।

तर्क (R) : एक प्रभावी शिक्षक अपनी उच्चतर बुद्धि और ज्ञान को विद्यार्थियों पर आरोपित नहीं करता परन्तु सही वातावरण बनाने से विद्यार्थी में लुप्त श्रेष्ठता को बाहर निकालता है।

इन कथनों के संदर्भ में कूट से सही उत्तर का चयन कीजिए।

कूट :

A. (A) सही हैं, परन्तु (A) की (R) सही व्याख्या नहीं है।

B. (A) सही हैं, और (A) की (R) सही व्याख्या है।

C. (A) सही है, परन्तु (R) गलत है।

D. (A) गलत है, परन्तु (R) सही है।

34. समय के साथ-साथ शारीरिक शिक्षा का केन्द्र बिन्दु बदल गया है। नीचे दिए गए कूट का प्रयोग करते हुए सही क्रम में व्यवस्थित कीजिए :

I. स्वास्थ्य उन्मुखी

II. सक्षमता उन्मुखी

III. कौशल उन्मुखी

IV. शैक्षिक एवं अन्वेषण उन्मुखी

कूट :

A. I, II, III, IV   B. II, III, I, IV

C. III, IV, II, I   D. IV, III, II, I

35. श्वसन प्रक्रिया के दौरान सांस अंदर लेते समय की अवस्थाओं का सही क्रम चुनिए :

I. फेफड़ों का आयतन बढ़ना/दबाव का घटना

II. वायु का अन्दर तीव्र प्रवेश

III. इन्टर-कोस्टल माँसपेशी संकुचन

IV. डायफ्राम का नीचे खिसकना

V. स्टर्नम का आगे बढ़ना

कूट :

A. II, I, V, III, IV

B. I, II, IV, V, III

C. IV, I, II, III, V

D. IV, III, V, I, II

36. निम्नलिखित पदों को उचित क्रम दीजिए जिससे यह संकेत मिले कि एक समूह एक टीम किस प्रकार बन जाती है :

I. स्टॉर्मिंग

II. नॉर्मिंग

III. फॉर्मिंग

IV. परफॉर्मिंग

कूट :

A. III, I, II, IV   B. II, III, IV, I

C. I, II, III, IV   D. IV, I, II, III

37. बैलिस्टिक संचलन में नीचे दिए गए फेज के क्रम में कौन-सा क्रम सही है?

A. क्रिया, रिकवरी, तैयारी

B. तैयारी, क्रिया, रिकवरी

C. तैयारी, रिकवरी, क्रिया

D. रिकवरी, क्रिया, तैयारी

38. फीटल एल्कोहल सिन्ड्रोम निम्नलिखित में से किससे सम्बन्धित है?

A. ल्यूकेमिया

B. हेपैटाइटिस

C. फेनिलकेटोनूरिया

D. विकासात्मक अशक्तता

39. निम्नलिखित विचलन मापन को क्रमानुसार चुनिए :

I. मानक विचलन II. परास

III. चतुर्थक विचलन IV. औसत विचलन

कूट :

A. II, IV, III, I B. II, III, IV, I

C. IV, III, II, I D. IV, II, III, I

40. निम्नलिखित परीक्षणों को उनके शुरू होने के कालानुक्रम में व्यवस्थित कीजिए तथा नीचे दिए गए कोड से सही उत्तर चुनिए :

I. मिलर-वॉल-वोली परीक्षण

II. डायर परीक्षण

III. मेक-डोनाल्ड शोकर परीक्षण

IV. बेरो जनरल मोटर क्षमता परीक्षण

कूट :

A. I, II, III, IV B. II, I, III, IV

C. IV, III, II, I D. II, III, I, II

41. किसी आयोजन की आयोजना के निम्नलिखित चरणों को उचित क्रम दीजिए :

I. साधनों एवं उत्तरदायित्वों की सुपुर्दगी

II. कार्यों अथवा उत्तरदायित्वों के लिए समूहों का निर्माण

III. गतिविधियों और उत्तरदायित्वों के बीच तालमेल बैठाना

IV. विशिष्ट कार्यों और गतिविधियों की पहचान

कूट :

A. I, II, III, IV B. II, III, IV, I

C. I, III, II, IV D. IV, II, I, III

42. सूची-I को सूची-II के साथ सुमेलित कीजिए तथा नीचे दिए गए कूट से सही उत्तर चुनिए :

सूची-I	सूची-II
I. व्यक्तित्व का आत्मसिद्धि का सिद्धान्त	1. अलबर्ट बन्दूरा
II. व्यक्तित्व का आत्मबोध सिद्धान्त	2. जॉर्ज केली
III. व्यक्तित्व का आत्मरचना का सिद्धान्त	3. कर्ल रोजर्स
IV. व्यक्तित्व का आत्मक्षमता का सिद्धान्त	4. मैसलो

कूट :

	I	II	III	IV
A.	4	3	2	1
B.	1	2	3	4
C.	2	3	4	1
D.	3	4	1	2

43. सूची-I को सूची-II के साथ सुमेलित कीजिए तथा नीचे दिए गए कूट से सही उत्तर चुनिए :

सूची-I	सूची-II
I. वैक्स बॉथ	1. क्रायोथेरेपी
II. वर्लपूल बॉथ	2. ऊपरी थरमोथेरेपी
III. शॉर्ट वेव डायथरमी	3. इलेक्ट्रोथेरेपी
IV. बर्फ मालिश	4. हाइड्रोथेरेपी
V. टी.ई.एन.एस.	4. अन्तःभेदी थरमोथेरेपी

कूटः

	I	II	III	IV	V
A.	2	4	5	1	3
B.	5	1	3	4	2
C.	2	5	1	4	3
D.	4	1	5	3	2

44. सूची-I को सूची-II से सुमेलित कीजिए और कूट से सही उत्तर का चयन कीजिए :

सूची-I	सूची-II
I. लक्षण दुष्चिन्ता	1. बोधित, शारीरिक उत्प्रेरण में पल-पल पर आने वाले परिवर्तन
II. स्थिति दुष्चिन्ता	2. विभिन्न प्रतिक्रियाओं द्वारा चित्रित
III. दबाव	3. प्रकृति से अस्थायी
IV. दैहिक स्थिति दुष्चिन्ता	4. एक सापेक्षतया स्थायी मनोदशा

कूट :

	I	II	III	IV
A.	1	2	3	4
B.	2	3	4	1
C.	3	4	1	2
D.	4	3	2	1

45. सही युग्म बनाइए :

I.	दूध, पनीर, दही	1.	कार्बोहाइड्रेड
II.	मांस, पोल्टरी, मछली	2.	कैल्सियम और नट्स
III.	सब्जी समूह	3.	प्रोटीन
IV.	ब्रेड, चावल, खाद्यान्न	4.	विटामिन

कूट :

	I	II	III	IV
A.	2	4	3	1
B.	2	3	4	1
C.	1	3	2	4
D.	1	4	3	2

46. सूची-I को सूची-II से सुमेलित कीजिए और कूट से सही उत्तर का चयन कीजिए:

	सूची-I		सूची-II
I.	अस्थायी रूप से खेल स्तर में गिरावट	1.	I चरण
II.	विश्राम एवं रिकवरी	2.	II चरण
III.	उच्च खेल स्तर की प्राप्ति और इसे बनाए रखना	3.	IV चरण
IV.	प्रशिक्षण अवस्था का विकास	4.	III चरण

कूट :

	I	II	III	IV
A.	2	3	4	1
B.	3	1	4	2
C.	4	3	2	1
D.	1	4	3	2

47. सूची-I को सूची-II से सुमेलित कीजिए तथा नीचे दिए गए कूट से सही उत्तर चुनिए :

	सूची-I		सूची-II
I.	कैलिस्थेनिक्स सिखाना	1.	सम्पूर्ण-अंश-सम्पूर्ण विधि
II.	मार्चिंग सिखाना	2.	परियोजना विधि
III.	शाट पुट सिखाना	3.	आदेश विधि
IV.	नेतृत्व के गुण सिखाना	4.	सेटड्रिल विधि

कूट :

	I	II	III	IV
A.	1	2	3	4
B.	4	3	2	1
C.	4	3	1	2
D.	2	3	4	1

48. निम्नलिखित जोड़ों को सुमेलित कीजिए :

	टेस्ट		नेट के ऊपर रस्सी
I.	फ्रैन्च शॉर्ट सर्व टेस्ट	1.	4 फुट
II.	पेटरी वॉलीबाल सर्व टेस्ट	2.	3 फुट
III.	ब्रोअर-मिलर-टेनिस टेस्ट	3.	20 इंच
IV.	फ्रैन्च-क्लियर टेस्ट	4.	8 फुट

कूट :

	I	II	III	IV
A.	3	1	2	4
B.	3	4	1	2
C.	3	2	1	4
D.	2	1	3	2

49. सूची-I को सूची-II से सुमेलित कीजिए और कूट से सही उत्तर का चयन कीजिए :

	सूची-I		सूची-II
I.	एन.एस.एन.आई.एस. केन्द्र, बैंगलोर	1.	1987
II.	एन.एस.एन.आई.एस. केन्द्र, गाँधीनगर	2.	1983
III.	एन.एस.एन.आई.एस. केन्द्र, कलकत्ता	3.	1984
IV.	एल.एन.सी.पी.ई., त्रिवेंद्रम	4.	1975

कूट :

	I	II	III	IV
A.	1	3	2	4
B.	4	1	2	3
C.	2	4	1	3
D.	3	2	1	4

50. सूची-I को सूची-II से सुमेलित कीजिए और कूट से सही उत्तर का चयन कीजिए :

	सूची-I		सूची-II
I.	बाइसेप्स ब्रांची	1.	टबरोसिटी ऑफ टिबिया
II.	सेमी मेमब्रेनियसस	2.	मीडियल कोंडाइल ऑफ फीमर
III.	रेक्टस फेमोरिस	3.	अपर रेडियस और अल्ना
IV.	सेमी टेण्डिनोसस	4.	पोस्टिरियर कोंडाइल ऑफ टिबिया

कूट :

	I	II	III	IV
A.	3	1	2	4
B.	3	4	1	2
C.	3	2	1	4
D.	2	3	4	1

उत्तरमाला

1	2	3	4	5	6	7	8	9	10
B	D	A	C	D	C	A	B	C	A
11	**12**	**13**	**14**	**15**	**16**	**17**	**18**	**19**	**20**
C	A	A	C	C	D	C	A	A	A
21	**22**	**23**	**24**	**25**	**26**	**27**	**28**	**29**	**30**
D	C	D	A	A	A	A	A	D	C
31	**32**	**33**	**34**	**35**	**36**	**37**	**38**	**39**	**40**
A	B	B	B	D	A	B	D	A	B
41	**42**	**43**	**44**	**45**	**46**	**47**	**48**	**49**	**50**
D	A	A	D	B	C	C	C	B	*

व्याख्यात्मक उत्तर

2. पहले पाठ्यक्रम (curriculum) की अवधारणा को अलग-अलग ढंग से व्याख्यायित किया जाता था। कुछ लोग शिक्षण संस्थानों में दिए गए विषयों में उपलब्ध संगठित ज्ञान को एकत्रित करने की परंपरा को पाठ्यक्रम के नाम से पुकारते हैं। अन्य लोगों ने सोचने के ढंग तथा अपने विश्व के विषय में सोचने को पाठ्यक्रम कहा है।

इसके अतिरिक्त पाठ्यक्रम में निश्चित परिभाषाओं द्वारा निम्न बिन्दुओं पर अधिक बल दिया जाता है।

- पाठ्यक्रम को मार्गदर्शकों एवं पूर्व अनुभवों के रूप में समझा जा सकता है। जिनके द्वारा बच्चों एवं युवाओं को अपने-अपने को व्यक्त करने में सक्षम बनाया जाता है।
- पाठ्यक्रम नियोजन के लिए योजना उपलब्ध करवाता है।
- पाठ्यक्रम साध्यों की प्राप्ति के योग्य अथवा परिणामों के विषय में पढ़ाया जाता है।
- पाठ्यक्रम शैक्षणिक प्रतिफल की प्राप्ति के लिए विभिन्न व्यवस्थाएं उपलब्ध कराते हैं जैसे व्यावसायिक उद्देश्यों की प्राप्ति पर ध्यान दिया जाता है।

तत्पश्चात् बदलते परिवेश में पाठ्यक्रम का अर्थ एवं स्कूल के लिए पाठ्यक्रम को व्याख्यायित किया गया है जैसे "सभी अनुभव जो विद्यार्थी स्कूल के मार्गदर्शन में प्राप्त करते हैं।" एक विलोम परिभाषा सामान्यतः अत्यधिक विस्तृत समझी जाती थी जैसे—"एक बच्चे के लिए पाठ्यक्रम अपने जीवन के दिए गए दिवस के अंतर्गत वह सब कुछ है जो वह सोते एवं जागते हुए अपने अनुभवों से प्राप्त करता है।"

पाठ्यचर्या प्रारूप (curriculum design) के क्रमिक चरण निम्नलिखित हैं—

1. शारीरिक शिक्षा के दर्शन को परिभाषित करना।
2. लक्ष्यों को परिभाषित करना।
3. उद्देश्यों को परिभाषित करना।
4. पाठ्यचर्या समिति का गठन करना।

4. आई.ओ.सी. द्वारा मान्यता प्राप्त उत्तेजक पदार्थों में कैफीन शामिल नहीं है। विश्व का सबसे ज्यादा प्रसिद्ध उत्तेजक कैफीन है, जो कि चाय, कॉफी, कोल्ड ड्रिंक्स तथा अन्य उत्पाद; जैसे—कोल्ड मेडिसिन, Diet से सम्बन्धित दवाईयाँ आदि में प्रयोग होता है। इसकी मात्रा जितनी अधिक ली जाएगी उतना ही अधिक उत्तेजक प्रभाव पड़ेगा। एक कप कॉफी में 100-150 मिग्रा. कैफीन होती है। कॉफी लेने के 15-20 मिनट बाद इसका असर पड़ता है। अगर पेशाब में कैफीन की मात्रा 12 ग्राम/मिली. से अधिक पाई जाती है, तो उसे डोपिंग के अंतर्गत प्रतिबंधित किया जाता है। यह मात्रा लगभग 4 कप कॉफी पीने के पश्चात् आती है।

5. **प्रक्षेपण गति (Projectile Motion) :** जब कोई वस्तु क्षैतिज से कोई कोण बनाते हुए ऊर्ध्वाधर तल में प्रक्षेपित की जाती है, तो उसका पथ परवलय होता है। पिण्ड की यह गति प्रक्षेप्य गति कहलाती है।

उड्डयन काल (Time of Flight) : पिंड को फेंकने तथा वापस पृथ्वी पर गिरने की बीच के समय को उड्डयन काल कहा जाता है।

$$T = \frac{2v \sin\theta}{g}$$

जहाँ v प्रारंभिक वेग है, जिस पर किसी पिण्ड को क्षैतिज से θ कोण पर प्रक्षेपित किया जाता है।

6. दबाव (Stress) : "दबाव एक प्रकार की मनोवैज्ञानिक प्रतिबल अवस्था है जिसमें व्यक्ति यह अनुभव करता है कि उसे एक विशिष्ट भावना के अनुसार रहना या व्यवहार करना है या उसे तीव्र गति से हो रहे परिवर्तनों के साथ अनुकूलन करना होता है।"

व्यक्ति के अधिकांश दबाव आंतरिक या निजी होते हैं जो उसकी आत्म प्रतिष्ठा को बनाए रखने वाले होते हैं। ये दबाव कई बार रचनात्मक होते हैं। बहुधा ये उस समय होते हैं जब व्यक्ति अपनी शारीरिक या मनोवैज्ञानिक योग्यताओं या कौशलों या लोकप्रियता के कारण उच्च मानकों के साथ अनुरूपता स्थापित करना चाहता है। आंतरिक दबाव उस समय विध्वंसात्मक होते हैं जब व्यक्ति अपने लक्ष्यों या आदर्शों को प्राप्त करने में स्वयं को असफल या असम्भव समझता है। इस प्रकार दबाव के निजी स्रोत में दुष्चिन्ता के विलक्षण गुण एवं आत्मसम्मान शामिल हैं।

8. विटामिन शब्द का प्रयोग सी फंक द्वारा वर्ष 1911 में किया गया था। विलेयता के आधार पर विटामिनों को दो वर्गों में विभाजित किया गया है—विटामिन-A, विटामिन-D, विटामिन-E तथा विटामिन-K वसा में घुलनशील विटामिन है। विटामिन-B_1, B_2, B_3 अर्थात् (विटामिन-B समूह) विटामिन-C तथा विटामिन-B_{12} जल में घुलनशील विटामिन है। विटामिनों का संश्लेषण हमारे शरीर की कोशिकाओं द्वारा नहीं हो सकता है। अतः इसकी पूर्ति विटामिनयुक्त भोजन से होती है। परंतु विटामिन-D एवं विटामिन-K का संश्लेषण मानव शरीर में होता है। विभिन्न प्रकार के विटामिनों तथा उनके रासायनिक नामों की जानकारी निम्न सारणी में दी गई है—

विटामिन	रासायनिक नाम
विटामिन-A	रेटिनॉल
विटामिन-B_1	थायमिन
विटामिन-B_2	राइबोफ्लेविन
विटामिन-B_3	पैन्टोथेनिक अम्ल
विटामिन-B_5	निकोटिनैमाइड या नियासिन
विटामिन-B_6	पाइरीडॉक्सिन
विटामिन-B_7	बायोटीन
विटामिन-B_{12}	सायनोकोबालमिन
विटामिन-C	एस्कॉर्बिक एसिड
विटामिन-D	कैल्सिफेरॉल
विटामिन-E	टोकोफेरॉल
विटामिन-K	फिलोक्विनोन

9. वायरल हेपेटाइटिस—वायरल हेपेटाइटिस दो वायरसों के कारण होता है—हेपेटाइटिस-'ए' (HAV) तथा हेपेटाइटिस-'बी' (HBV)। एक तीसरे प्रकार का वायरस जो सभी देशों में पाया जाता है जो 'नान ए' व 'नान बी' (NANB) है इसे हेपेटाइटिस 'सी' कहा जाता है। इस प्रकार हेपेटाइटिस के तीन तरह के वायरस हैं—'ए', 'बी' व 'सी'।

हेपेटाइटिस-ए—यह तीव्र संक्रामक रोग है जो हेपेटाइटिस वायरस द्वारा फैलता है। आजकल इसका प्रकोप विश्वभर में देखा जा सकता है। यह वायरस यकृत पर हमला करता है जिससे रोगी को उच्च ज्वर हो जाता है। इसकी तीव्रता उम्र के साथ होती है तथा लक्षण ज्यादातर नौजवान व छोटे बच्चों में अधिक होते हैं। लक्षण चार हफ्तों से तीन महीने तक रहते हैं इस समय पूर्ण आराम व अस्पताल में रहना आवश्यक होता है।

हेपेटाइटिस-'बी'—यह अत्यधिक तीव्र संक्रामक रोग है जो जिगर की खराबी के कारण हेपेटाइटिस 'बी' वायरस से फैलता है। इसका प्रभाव पूरे विश्व में है। इस संक्रमण का अनुपात प्रत्येक देश में अलग-अलग है। इसका प्रभाव अविकसित देशों में अधिक पाया जाता है। यह डी.एन.ए. वायरस है तथा विषाक्तता का मुख्य स्रोत मनुष्य ही है। जो मनुष्य HBS Ag पॉजिटिव 6 माह से अधिक रहते हैं तथा बाद में हेपेटाइटिस 'बी' होता है वे क्रोनिक केरियर है जिन्हें क्रोनिक लीवर की बीमारी भी हो जाती है। इसमें रक्त ही विषाक्त होता है। लार, पेशाब या वीर्य प्रभावित नहीं होते है।

प्रेक्षण की अवधि कई माह तक रहती है या जब तक वायरस खून में मौजूद रहता है।

हेपेटाइटिस 'सी'–हेपेटाइटिस 'सी' धीरे-धीरे मौत की तरफ ले जाता है। सन् 1970 से अब तक खोजी गई 40 बीमारियों में से यह एक है। 1989 से पहले इसे 'नॉन ए, नॉन बी हेपेटाइटिस' कहते थे। जिन उपकरणों के साथ रक्त लगा हो उनसे यह बीमारी होने का, जोखिम बना रहता है।

10. शारीरिक शिक्षा में शिक्षक की महत्वपूर्ण भूमिका होती है। क्योंकि इसमें कोई संदेह नहीं है कि खेलकूद और शारीरिक क्रियाशीलता का आधुनिक जीवन शैली में महत्वपूर्ण योगदान है। यह मनोरंजक, स्वास्थ्य, सामाजिक संबंध और स्वनिर्माण में सहायक होती है। यही कारण है शारीरिक शिक्षा में शिक्षक की सर्वाधिक महत्वपूर्ण भूमिका 'नेता' की हो गई है। हालांकि नेता में असंख्य गुण होते हैं फिर भी लीडरशिप (Leadership) शब्द में महान सफल नेताओं के कई गुण छिपे हुए हैं।

Leadership शब्द के प्रत्येक अक्षर को इस प्रकार वर्णित किया जा सकता है–

L – वफादारी (Loyality)

E – जोश, दृढ़ता, आकर्षक व्यक्तित्व (Enthusiasm, Endurance, Engaging Personality)

A – स्फूर्ति, सामंजस्य, गतिविधियां, जोड़ने की क्षमता (Alertness, Adjustment, Ability to coordinate Activities)

D – अनुशासन, कर्तव्यपरायणता, निर्भरता, दूसरों की मदद करने की इच्छा (Discipline, Dutifulness, Dependability, Desire to help other)

E – चुस्ती, तत्परता (Energetic, Earnestness)

R – विश्वसनीयता, सही सोच और सही विवेक (Reliability, Right Thinking & Right Judgement)

S – वफादारी, दया, आत्म-नियंत्रण, त्याग, सुपर मोटर योग्यता (Sincerity, Sympathy, Self-Control, Sacrifice, Super Motor Capacity)

H – स्वास्थ्य, ईमानदारी, हास्य (Health, Honesty, Humour)

I – बुद्धिमत्ता, उद्योगी, निष्पक्षता, पढ़ाने में रुचि (Intelligence, Industriousness, Impartiality, Interest in Teaching)

P – सब्र, दृढ़ता, व्यक्तित्व, शारीरिक हुनर, लोक संपर्क (Patience, Perseverance, Personality, Physical Skill, Public relations)

अतः शारीरिक शिक्षा एक गतिशील विषय है जो शारीरिक शिक्षा के अध्यापकों को भी गतिशील होना चाहिए। उनमें इतनी योग्यता हो कि वे सैद्धांतिकरण कर सकें, विश्लेषण कर सकें, संगठन कर सकें, सामंजस्य, निरीक्षण तथा आवश्यकता पड़ने पर समझौता कर सकें। उपर्युक्त गुण होने पर शारीरिक शिक्षक में इतनी योग्यता आ जाएगी कि वे सिखलाने और प्रतियोगिता वाली स्थितियों में व्यक्तियों से निबट सकें, समाज में उनकी इज्जत और प्रतिष्ठा बना सकें तथा इस व्यवसाय की किस्मत को आकार दे सकें।

11. **गति (Speed) :** इसमें अनुकूलित एवं समन्वित दोनों योग्यताएं होती हैं। यह डायनॉमिक्स का वह पहलू है, जिसमें उन बलों का अध्ययन किया जाता है, जो वस्तुओं को गतिमान बनाते हैं, यह कोई बल खिंचाव (Push) या धक्का (Pull) हो सकता है।

प्रायः विभिन्न प्रकार के खेलों, जैसे–फुटबॉल, हॉकी, बॉस्केट बॉल, क्रिकेट इत्यादि में हम धावकों, खिलाड़ियों तथा जिमनास्टिक और उनसे सम्बन्धित उपकरण; जैसे–बॉल की गतिशील अवस्था को देखते हैं। हम प्रायः अपने जीवन में इन गति के स्वरूपों को विभिन्न वस्तुओं और वाहनों की गति को देखते हैं। जब कोई भी वस्तु अपने आस-पास की अन्य वस्तुओं की तुलना में स्थिति बदलती है, तो उसे गतिशील कहा जाता है तथा जब कोई भी वस्तु अपने आस-पास की वस्तुओं के सापेक्ष में अपनी स्थिति नहीं बदलती उसे 'स्थिर अवस्था' कहा जाता है।

14. **बुद्धिलब्धि (Intelligence Quotient) :** बुद्धि मापने के लिए सबसे पहला बुद्धि परीक्षण बिने (Binet) तथा साइमन (Simon) के द्वारा वर्ष 1905 में विकसित किया गया। इस परीक्षण में बुद्धि को मानसिक आयु के रूप में मापकर अभिव्यक्त किया गया लेकिन इससे मनोवैज्ञानिक को अधिक संतुष्टि नहीं मिली। 1916 में बिने-साइमन परीक्षण का संशोधन टरमैन ने स्टैनफोर्ड विश्वविद्यालय में किया।

इसी संशोधन से बुद्धिलब्धि (IQ) के संप्रत्यय का जन्म हुआ और बुद्धि को मापने में मानसिक आयु के स्थान पर बुद्धिलब्धि (IQ) का प्रयोग होने लगा।

बुद्धिलब्धि (IQ) मानसिक आयु (Mental Age) तथा तैथिक आयु (Chronological Age) का एक ऐसा अनुपात है जिसमें 100 से गुणा कर प्राप्त किया जाता है। यही कारण है कि इसे अनुपात बुद्धिलब्धि (Ratio IQ) भी कहा जाता है। इसे निम्न सूत्र द्वारा व्यक्त किया जाता है–

$$\text{बुद्धिलब्धि} = \frac{\text{मानसिक आयु}}{\text{तैथिक आयु}} \times 100$$

$$IQ = \frac{M.A.}{C.A.} \times 100$$

16. मानव शरीर की कुछ महत्वपूर्ण Muscles और उनके कार्य–

- Pectorlis major : हाथ को आगे और शरीर की ओर खींचती है।
- Serratus anterior : हाथ को उठाने में सहायता करती है, धक्का देने तथा shoulder blade आगे लाती है।
- Biceps bracehii : हाथ के आगे के हिस्सों को कोहनी पर झुकाती है।
- Rectus abdominis : Abdomen को compress करता है। रीढ़ की हड्डी को झुकाती है तथा सीने की cavity को compress करती है।
- External oblique : धड़ को घुमाकर abdomen को दबाना।
- Adductor longus : जंघे को घुमाती हैं, जंघों को Laterally घुमाती है, जंघों को शरीर की ओर खींचती है।
- Sartorius : जांघ एवं कूल्हों पर मोड़ती है, घुटने पर पैर के नीचे के हिस्से को मोड़ती है। जांघ को बाहर की ओर घुमाती है।
- Quadriceps Group : जांघ को कूल्हे पर मोड़ती है तथा घुटने पर पाँव को बढ़ाती है।
- Tibialis anterior : पाँव को घुटने की ओर मोड़ती है।
- Achilles tendon : Gastroenemius माँसपेशी को एड़ी से जोड़ती है।
- Gastrocnemius : पैर के नीचे के भाग को घुटने पर तथा घुटने से दूर की ओर मोड़ती है।
- Hamstring Group : जांघों को पीछे खींचती तथा घुटनों को मोड़ती है।
- Gluteus maximus जांघ को बढ़ाती है और Laterally घुमाती है।
- Latissimus dorsi : बाँह को घुमाती है, पीछे खींचती है तथा शरीर की ओर लाती है।
- Triceps branchii : कोहनी और हाथ के आगे के हिस्सों को सीधा करती है।
- Deltoid : हाथ को उठाती है।

17. डोपिंग–डोपिंग से तात्पर्य बाहरी रसायन पदार्थ या किसी हस्तकौशल विधि से है जिसे खिलाड़ी अपने प्रदर्शन में सुधार लाने के लिए गलत तरीके से अपने शरीर में आई.ओ.सी. के नियम को नजरअंदाज करते हुए प्रयोग करता है। आई.ओ.सी. द्वारा डोपिंग की दी गई परिभाषा इस प्रकार है–"एक प्रतियोगी खिलाड़ी द्वारा अपने प्रदर्शन में सुधार लाने के लिए बाहरी रसायन। शरीर शास्त्र विषयक पदार्थ की असामान्य मात्रा अपने शरीर में सामान्य रास्ते और गलत तरीके से लेना डोपिंग कहलाता है।"

विशेषज्ञों के अनुसार डोपिंग का पहला उदाहरण वर्ष 1960 में रोम ओलम्पिक के रोड साइकिलिंग में देखने में आया, जिसमें डेनमार्क का साइक्लिस्ट न्यूड एनमार्क जेनसन स्वर्ण प्राप्त करने के कुछ समय पश्चात मृत पाया गया। जाँच से यह पता चला कि इसने Ronical नामक उत्तेजक (Stimulant) अधिक मात्रा में सेवन कर रखा था।

डोपिंग के बढ़ते प्रभाव के कारण आई.ओ.सी ने वर्ष 1999 में WADA (World Anti Doping Agency) का गठन किया गया, जिसका मुख्यालय मॉण्ट्रियल (कनाडा) तथा स्विट्जरलैण्ड में है।

भारत में इस पर प्रतिबन्ध लगाने के लिए IASM (Indian Association of sport Medicine)–1970 द्वारा डोप कण्ट्रोल सेन्टर का गठन जवाहरलाल नेहरू स्टेडियम, नई दिल्ली में हुआ लेकिन वर्ष 2008 में WADA के अधीन NADA (National Anti Doping Agency) का गठन भी जवाहरलाल नेहरू स्टेडियम, नई दिल्ली में हुआ।

आई.ओ.सी. द्वारा प्रतिबंधित डोपिंग पदार्थ–

- बीटा एगोनिस्ट
- नार्कोटिक एनालजेसिक
- एनाबोलिक स्टेरॉयड
- एम्फेटेमीन
- कृत्रिम ऑक्सीजन वाहक
- ग्लूकोकोर्टिको स्टेरॉइड्स
- बीटा ब्लॉकर्स।

19. खेल के सिद्धान्त–निक निल्सन की एक परिभाषा के अनुसार, "कोई भी कार्य जो जीवन के प्रति लगाव एवं प्यार उत्पन्न करे, खेल कहलाता है।" मनोवैज्ञानिक दृष्टिकोण से खेल एक ऐसी आंतरिक इच्छा है जो हमारे व्यवहार को परिवर्तित कर ऐसी शारीरिक क्रियाओं की ओर ले जाती है, जिससे हमारी बुद्धि और विकास सम्भव होता है। वर्तमान वैज्ञानिक युग तथा शिक्षा जगत में खेलों के महत्व को स्वीकार किया जाने लगा है। इसके लिए निम्न सिद्धांत दिए जाते हैं–

1. **विरेचन सिद्धांत (Catharsis Theory) :** इस सिद्धांत के उद्‌गम का पता अरस्तू के लेखों से चलता है। अभिव्यक्ति या विरेचन का अर्थ है मनोभावों को प्रकट करने की अभिव्यक्ति। इसका आशय है भावनाओं का प्रकटीकरण अथवा भवनाओं को निबद्ध करना। यह सिद्धांत स्पष्ट करता है कि खेल व्यक्ति विशेष के व्यक्तित्व में मौजूद अवांछित तत्वों को साफ कर देता है।
2. **मनोविश्लेषणात्मक सिद्धांत (Psycho-analytic theory) :** इस सिद्धांत के पक्षधर महान मनोवैज्ञानिक चिकित्सक सिगमन्ड फ्रायड हैं। इन्होंने कामोत्तेजना अथवा कामोर्जा पर ज्यादा बल दिया जोकि सभी जीवों तथा उनके पशुबल व्यवहार की प्रमुख वाहक है। इनके अनुसार जन्तुओं में दबी हुई यह ऊर्जा बाहर आने अथवा स्खलित होने के लिए प्रयत्न करती है। जब यह ऊर्जा एक लम्बे समय तक निरंतर दबी रहती है और रोकी जाती है तो यह ऊर्जा प्राणी पर खेल गतिविधियों के माध्यम से बाहर निकलने के लिए दबाव डालती है।

मनोवैज्ञानिक विश्लेषकों के अनुसार बचपन के प्रारम्भ अथवा वृद्धि एवं विकास की किसी भी अवस्था में कामोत्तेजक ऊर्जा दबाने और रोकने के फलस्वरूप पैदा हुई उत्सुकताओं, तनावों, विवादों, हीन भावनाओं को बाहर निकालने के लिए खेल ही एक सशक्त माध्यम है।

खेल ही एक ऐसा दर्पण है जिसके द्वारा अन्तः मन की भावनाओं को बाहरी पर्दे पर परावर्तित किया जा सकता है। यह एक ऐसा माध्यम है जिससे बालक प्रसन्नतादायक अनुभवों को प्राप्त करता है और कष्टदायक अनुभवों से मुक्ति पा लेता है। वयस्कों एवं वृद्धों के लिए खेल एक तनाव कम करने का साधन है। अतः यह कहा जा सकता है कि कामोत्तेजक ऊर्जा बालक/व्यक्ति विशेष को खेल गतिविधियों में संलग्न करने के लिए दबाव डालता है ताकि उसके जीवित स्वरूप को संतुष्टी मिल सके।

इसके साथ ही साथ खेल के अन्य सिद्धांत भी है, जैसे–अविशेष ऊर्जा सिद्धांत (Surplus Energy theory), पूर्वानुमानित सिद्धांत (Anticipatory Theory), मनोरंजन सिद्धांत (Recreational theory), पुनर्कथन सिद्धांत (Recapitlatory theory), नैसर्गिक अभ्यास का सिद्धांत (Instinctive Practice theory) तथा सामाजिक संपर्क सिद्धांत (soical contact theory) आदि।

20. वातावरण एक खिलाड़ी के प्रदर्शन की गुणवत्ता में महत्वपूर्ण भूमिका निभाता है। ऐसी बहुत-सी बातें और व्यवस्थाएँ हैं जो एक खिलाड़ी वातावरण में प्रत्याशित परिवर्तनों के समक्ष अपने प्रदर्शन को बेहतर ढंग से कर पाने के लिए कर सकता है। सागर तल के स्तर पर प्रशिक्षित खिलाड़ी को ऊँचाई वाले क्षेत्रों में सफलतापूर्वक स्पर्धा करने के लिए बड़ी मात्रा में शारीरिक विज्ञान सम्बन्धी व्यवस्थाएं करने के लिए बाध्य होना पड़ता है। ठंडे क्षेत्रों में दिया गया प्रशिक्षण खिलाड़ी के लिए उष्ण और आर्द्र वातावरण में होने वाली प्रतियोगिता के लिए सहायक नहीं होता। उसी प्रकार ठंडे वातावरण में अकस्मात प्रदर्शन खिलाड़ी की प्रदर्शन क्षमता पर बहुत बुरा प्रभाव डालता है। यदि उन्हें पहले ठंडे वातावरण में अनुकूलन अवसर प्राप्त नहीं हुआ हो। वातावरण के विभिन्न घटकों में अत्यंत गर्म, ठंडे, आर्द्र वातावरण में होने वाली प्रतियोगिताएँ सम्मिलित हैं। इस प्रकार प्रशिक्षण सत्र की रचना को प्रभावित करने

वाला महत्वपूर्ण कारक मौसम की अवस्था है। इसके साथ ही साथ प्रशिक्षण सत्र की रचना को प्रभावित करने वाला दूसरा महत्वपूर्ण घटक आयु है।

21. **अन्तर प्राचीर (Intromurals) :** अन्तर प्राचीर (किसी संस्थान की चार दीवारी के अंदर) किसी एक संस्थान के खिलाड़ियों में आयोजित की जाने वाली प्रतियोगिता है। इन प्रतियोगिताओं का लाभ यह है कि एक ही संस्थान के लगभग सभी छात्रों को इस प्रतियोगिता में सम्मिलित कर शिक्षा के उद्देश्य 'बालक के सम्पूर्ण विकास' के लक्ष्य की प्राप्ति।

बाह्य प्राचीर (Extramurals) : बाह्य प्राचीर प्रतियोगिताएँ विभिन्न संस्थानों के खिलाड़ियों के मध्य आयोजित की जाती हैं। ऐसी प्रतियोगिताओं में संस्थान के चुने हुए खिलाड़ी अपने कौशल का खेल-कूद में प्रदर्शन कर अपने संस्थान के लिए सम्मान दिलाने का प्रयत्न करते हैं।

अन्तर प्राचीर तथा बाह्य प्राचीर प्रतियोगिताओं का महत्व—अन्तर प्राचीर तथा बाह्य प्राचीर कार्यक्रमों के मूल्यवान उद्देश्य सही मायने में व्यक्तिगत रूप से छात्र समूहों तथा संस्थान के लिए अत्यंत महत्वपूर्ण है। इनकी गतिविधियाँ मुख्यतः शारीरिक शिक्षा एवं सामान्य शिक्षा में प्रतिस्पर्द्धात्मक उद्देश्य की पूर्ति करती हैं।

इस प्रतियोगिता के प्रमुख उद्देश्य निम्नलिखित हैं—

1. एथलेटिक प्रतिभा के विकास के लिए।
2. शैक्षिक उद्देश्यों की प्राप्ति के लिए।
3. संस्थान में छात्रों को विभिन्न शारीरिक गतिविधियों के माध्यम से अपने कौशल के प्रदर्शन एवं विकास का अवसर प्रदान करना।
4. छात्रों को संस्थान में तनाव, हीन भावना एवं उत्तेजना को नियोजित करने के लिए तथा खेल प्रतियोगिताओं में भाग लेकर उपलब्धियों को अर्जित करने के अनुभव प्राप्त करने के लिए अवसर प्रदान करना। ये सभी मानसिक एवं भावनात्मक स्वास्थ्य के संचरण में लाभदायक होते हैं।
5. संस्थान के छात्रों में व्यावसायिकता के अवसर प्रदान करना।
6. प्रशिक्षणार्थियों में ऑफिसियेटिंग करने के अनुभव को प्राप्त करने का अवसर प्रदान करना।

23. मानक प्रशिक्षण (Standard Test) के स्पष्ट एवं पारदर्शी परिणामों के लिए इनकी वैज्ञानिक मानकों एवं मूल्यों द्वारा जाँच की जानी चाहिए। वस्तुनिष्ठता, विश्वसनीयता एवं प्रामाणिकता मानक प्रशिक्षण में शामिल मानदण्ड हैं।

वस्तुनिष्ठता—यह प्रक्रिया लक्ष्यों से परिपूर्ण होती है तथा इसमें विषयनिष्ठता होती है। अर्थात् यह घृणा, अविश्वास, पूर्ण निर्णय से स्वतंत्र होती है, इसलिए इसे अधिक महत्व दिया जाता है।

विश्वसनीयता—इस प्रक्रिया में एकरूपता होनी चाहिए। जिससे मूल्यांकन करने के दौरान सरलता से हम तुलना कर समझ सकें अर्थात् इस मूल्यांकन प्रक्रिया में विश्वसनीयता एवं समरूपता होनी चाहिए।

प्रामाणिकता—यह मूल्यांकन अंतिम होता है, अतः यह परिणाम पर आधारित होता है। कई बार अत्यंत उपयोगी निवेश किसी मूल्यांकन संसाधन की अपेक्षा अधिक प्राप्त होता है।

26. फेफड़े मानव में श्वसन क्रिया का प्रमुख अंग है। हवा रोधक थोरेसिक कोठरी में एक जोड़ी फेफड़े स्थित होते हैं, इनके आस-पास उभरी हुई मांसपेशीय तथा लचीली शीट होती है, जिसे डायफ्राम कहते हैं। फेफड़ों द्वारा श्वसन प्रक्रिया को पलमोनरी श्वसन कहते हैं। फेफड़ों में ऑक्सीजन और कार्बन-डाइऑक्साइड की अदला-बदली कैपीलरी और फेफड़ों की एलवूली के बीच होती है। एलवूली के बाहर एक आर्द्र, स्पॉट पीथीलियम कोशिकाओं की परत होती है तथा रक्त नलिकाओं के नेटवर्क से घिरी होती है। साधारण फेफड़ों के एलव्योली के इर्द-गिर्द लेसीथिन (Lipid) की परत होती है, यह उसके पृष्ठ तनाव को कम करती है, जिससे एलवियोली खुले रहते हैं। रक्त पल्मोनरी धमनी से फेफड़ों की ओर आता है। उसमें O_2 कम और CO_2 अधिक होती है। इसके विपरीत एलव्योली में O_2 अधिक और CO_2 कम होती है। अतः कैपिलरी कोशिकाओं द्वारा दो तरफ गैसों का बहाव होता है। O_2 खून में प्रवेश करती है तथा CO_2 बाहर चली जाती है, क्योंकि बाहरी परिवेश (हवा) के प्रति फेफड़ों का बहुत-सा क्षेत्र खुला होता है। अतः गैसों की अदला-बदली एलव्योली में हो जाती है। इस प्रकार अभिकथन (A) और कारण (R) दोनों सही हैं और A की R सही व्याख्या है।

27. गुणात्मक शोध (Qualitative Methods) : मूल्यांकन कर्ता निरीक्षात्मक फील्ड कार्य में पूरक निरीक्षणात्मक जैसे—नियमावलियों, ठेकों, पत्राचारों, स्मरणपत्रों, दिन-प्रतिदिन की दस्तावेजी सामग्रियों को शामिल कर विश्लेषण एवं कार्यक्रम को सृजित करते हैं। इस प्रकार के दस्तावेजों से निरीक्षण द्वारा साक्षात्कार के माध्यम से महत्वपूर्ण प्रक्रियाओं एवं सूचना को उपलब्ध कराया जाता है। इस प्रकार के अनुसंधान में प्रायः मुक्तोत्तर प्रश्न (Open-ended question) तथा वे प्रक्रियाएं अथवा घटनाएं जिनके बारे में खोज की जानी है, से सम्बन्धित प्रश्न पूछा जाता है।

29. संज्ञानात्मक-विकासात्मक सिद्धांतवादियों के अनुसार बच्चों में नैतिक विकास सतत् न होकर विभिन्न चरणों या अवस्थाओं (stages) में होता है। नैतिक विकास चरणों में होता है और उन चरणों के बीच स्पष्ट रूप से परिवर्तन भी होते हैं। इस संदर्भ में निम्नांकित दो मनोवैज्ञानिकों द्वारा प्रतिपादित सिद्धांत इस प्रकार हैं—

- **जीन पियाजे का सिद्धांत**—इस सिद्धांत के अनुसार बच्चों के नैतिक निर्णय के विकास में एक निश्चित क्रम एवं तार्किक पैटर्न होता है। यह विकास क्रमिक परिवर्तन जो बच्चों के बौद्धिक विकास से सम्बद्ध होते हैं।
- **लॉरेंस कोह्लबर्ग का सिद्धांत**—लॉरेंस कोह्लबर्ग ने 10-16 वर्ष के बच्चों से लिए साक्षात्कार से प्राप्त तथ्यों का विश्लेषण करके पियाजे के सिद्धांत को विस्तारित, परिवर्तित तथा परिष्कृत किया। इन बच्चों को कई नैतिक दुविधा से सामना कराया जिसमें इन बच्चों को नियमों तथा प्राधिकारों के प्रति अनुपालन तथा दूसरों के कल्याण एवं आवश्यकताओं, जो उन नियमों के लगभग प्रतिकूल होते थे, के बीच चुनना होता था।

इस प्रकार स्पष्ट है कि पाठ्यचर्या-बाह्य गतिविधियों का संज्ञानात्मक विकास पर प्रभाव पड़ता है। अतः अभिकथन (A) असत्य है जबकि कारण (R) सत्य है।

30. प्रशिक्षण का अर्थ होता है खिलाड़ियों की शारीरिक क्षमता में वृद्धि करना ताकि वह कम से कम समय में भी अच्छे से अच्छा प्रदर्शन कर सके। प्रशिक्षण द्वारा खिलाड़ियों के खेलने के स्तर को सुधारा जा सकता है। सही ढंग से दिए जाने वाले प्रशिक्षण से खिलाड़ियों में आत्मविश्वास की भावना उत्पन्न होती है। वर्तमान समय में खिलाड़ियों को प्रशिक्षण देने के लिए भी कई वैज्ञानिक तरीकों का प्रयोग किया जाता है। जिससे खिलाड़ी की स्वयं की कार्य करने की शक्ति को बढ़ाया जा सकता है। प्रत्येक खेल के लिए प्रशिक्षण भी अलग-अलग होते हैं। प्रशिक्षण चाहे जैसा भी हो उसका मुख्य उद्देश्य खिलाड़ियों के शरीर में ऊर्जा को बढ़ाना और उसे खत्म न होने देना है। लेकिन खेल में अच्छे से अच्छे प्रदर्शन के लिए हमेशा प्रशिक्षण की आवश्यकता होती है। इस प्रकार अभिकथन (A) सत्य है लेकिन तर्क (R) गलत है।

31. अनुसंधानकर्ता आँकड़ों को इकट्ठा करने के लिए मुक्तोत्तर प्रश्न (Open-ended) तथा बंदित प्रश्नावली (Closed-ended) दोनों का उपयोग करता है। मुक्तोत्तर प्रश्नों के सेट सावधानीपूर्वक चुने गए शब्दों से बनाए जाते हैं। साक्षात्कारकर्ता प्रत्येक साक्षात्कार देने वाले से क्रमिक रूप से समान प्रश्न पूछता है। इस प्रकार के साक्षात्कार उपयुक्त होते हैं। मूल्यांकन करने वाला व्यक्ति पूछे जाने वाले प्रश्नों की संख्या घटा सकता है। स्तरीकृत मुक्तोत्तर प्रश्न वाले साक्षात्कार से मूल्यांकन करने वाला व्यक्ति व्यवस्थित ढंग से विस्तृत आँकड़ों को संकलित करता है। इस प्रकार मुक्तोत्तर प्रश्नावली प्रतियोगी के अपने शब्दों में गुणात्मक आँकड़ें मुहैया करवाते हैं। इस प्रकार अभिकथन (A) और कारण (R) दोनों सही है और (A) की (R) सही व्याख्या है।

32. Body Mass Index (BMI) : शरीर मात्रा सूचकांक का उपयोग हाल ही में किया गया है जिससे एक व्यक्ति के मोटापे का स्तर निर्धारित किया जा सके। अनुपात-समीकरण से लम्बाई के वर्ग को वजन से विभाजित कर BMI प्राप्त किया जाता है। एक व्यक्ति की ही लम्बाई और वजन का उपयोग किया जाता है और इस हेतु कोई संकेत नहीं होता कि वास्तविक रूप से पतला और मोटा Mass निर्धारित किया जा सके। सामान्यतः एक मोटे व्यक्ति का BMI 30 से अधिक होता है। इस प्रकार अभिकथन (A) और कारण (R) दोनों सत्य हैं, परंतु (A) की (R) सही व्याख्या नहीं है।

34. शारीरिक शिक्षा एक गतिशील विषय है। इसमें भी समय के साथ बदलाव हुए। 19वीं सदी खेलों एवं फिटनेस और शारीरिक शिक्षा दोनों के विकास के लिए असाधारण रही है। मांसपेशी क्रियाकलाप तथा प्रतियोगिताएँ न केवल

स्वीकार्य बनी बल्कि उपयोगी भी बनीं। नैतिक विकास खेलों व फिटनेस के साथ सहबद्ध होने लगा। आदर्श व्यक्ति उसे माना जाने लगा जो फिट, कुशल और नैतिक हो। शारीरिक शिक्षा मूल शिक्षा का एक आवश्यक अंग नजर आने लगी। अधिक से अधिक लोग इनमें भागीदारी करने लगे व पहले से ज्यादा लोग इन्हें देखने लगे। आधुनिक जीवन की मांग के अनुरूप वयस्ककाल में ली जाने वाली भागीदारी एक महत्वपूर्ण मनोरंजन संतुलन मानी जाने लगी।

20वीं सदी के आरंभ में समकालीन शारीरिक शिक्षा पर प्रगतिशील शिक्षा आंदोलन का महान ऐतिहासिक प्रभाव है और शारीरिक शिक्षा को एक उपयोगी स्कूली विषय और बच्चों व युवकों की शिक्षा का अंगभूत हिस्सा माना गया। प्रगतिशील शिक्षा ने ही पहले पहल शारीरिक खेलों, क्रियाकलापों की व्यापक भूमिका को सामान्य व स्वस्थ विकास के रूप में समझा व स्थापित किया। इस सदी में शरीर के माध्यम से शिक्षा पाना सहायक दर्शन के रूप में व्यवहृत था और शारीरिक विकास के चौहरे लक्ष्यों—शारीरिक मानसिक, हरकत एवं कार्यशक्ति और सामाजिक विकास को शारीरिक शिक्षा से प्राप्त किया जाता था। शारीरिक गतिविधियों के माध्यम से शिक्षा पाना बीसवीं सदी का दर्शन था और शारीरिक विकास के चौतरफा लक्ष्य—शारीरिक, मानसिक, मोटर और सामाजिक विकास का शारीरिक शिक्षा पर प्रभुत्व था।

21वीं सदी में शारीरिक शिक्षा मात्र एक शारीरिक प्रशिक्षण या खेल क्रियाकलापों या सामूहिक ड्रिल अथवा अकेले शारीरिक फिटनेस ही नहीं है, यह आज एक बहु-आयामी अनुशासन बन गया है। नई शारीरिक शिक्षा का केन्द्रबिन्दु सक्षमता (Fitness), कौशल (Skill), स्वास्थ्य (Health) तथा शैक्षिक एवं अन्वेषण उन्मुखी (Academic and research oriented) है।

35. श्वसन एक ऐसी शारीरिक प्रक्रिया है जिसके द्वारा जीवित जीव-जन्तु आसपास के वातावरण से ऑक्सीजन लेते हैं तथा कार्बन डाइऑक्साइड छोड़ते हैं। कार्बोहाइड्रेट और वसा जैसे ईंधन तत्वों से निकलने वाली ऊर्जा को भी श्वसन कहते हैं। इस प्रक्रिया के उत्पाद CO_2 तथा जल हैं। इस प्रक्रिया को साँस लेने की शारीरिक क्रिया से अलग रखने के लिए कई बार कोशिकीय श्वसन भी कहते हैं।

फेफड़ों में हवा का प्रवेश व बाहर निकलना, हवा और रक्त के मध्य गैसों की अदला-बदली, रक्त में गैसों का आना-जाना तथा खून और ऊतकों के मध्य गैसों की अदला-बदली ही श्वसन होता है।

श्वसन की प्रक्रिया—श्वसन की प्रक्रिया दो प्रकार के होती हैं। अंदर साँस लेना इन्सीपिरेशन तथा साँस छोड़ना एक्सपीरेशन कहलाता है।

1. **साँस अंदर लेना**—फेरेनिक स्नायुकोश नलियों द्वारा डायाफ्राम उत्प्रेरित होने पर फेफड़ों के आयतन में परिवर्तन आता है जिससे नीचे की तरफ सिकुड़न आती है तथा बाहरी इंटरकोस्टल मांसपेशियाँ पसलियों को उठान देती हैं। चेस्ट केविटी फूलती है तथा पेरीटल प्लूरा उससे चिपकी रहती है। फेफड़ों के साथ सटी हुई प्यूलरा भी साथ चलती है क्योंकि उस पर इंटरप्लूरल दबाव पड़ता है। फेफड़े फूलते हैं। एक अन्य बल, जो फेफड़ों को फुलाता है वह है अंदर खींची गई हवा का गर्म होना। जैसे-जैसे अंदर की गई हवा गर्म होती है वह फेफड़ों को फूलने में सहायता करती हैं। यह प्रक्रिया क्रमिक रूप से चलती रहती है।
2. **साँस बाहर छोड़ना**—साँस अंदर लेने में पेशीय कार्य की जरूरत पड़ती है तथा ए.टी.पी. और कैलोरी भी जलती हैं। बाहर साँस छोड़ना एक निष्क्रिय क्रिया है। बाहरी अन्तर-कोस्टल पेशियों और डायाफ्राम के रिलैक्स (विश्राम) करने के कारण बाहर साँस छोड़ने की प्रक्रिया सम्पन्न होती है ये दोनों इलास्टिक रिकायल (वापस की स्थिति) के कारण मूल स्थिति में लौट आते हैं। जब ऐसा होता है तो बाहर की अपेक्षा फेफड़ों के अंदर हवा का दबाव अधिक होता है तथा हवा फेफड़ों से बाहर चली जाती है और गहरे उच्छवास के लिए आंतरिक इंटरकॉस्टल पेशियाँ सिकुड़ कर पसलियों को दबाती हैं।

38. हेपैटाइटिस—यह एक यकृत रोग है, जिसमें रक्त में पित्त वर्णक (Bile Pigment) अधिक मात्रा में चला आता है। इसमें यकृत में पित्त वर्णक का निर्माण अधिक मात्रा में होने लगता है, परंतु यकृत की कोशिकाएँ इसका उत्सर्जन निम्न मात्रा में करती हैं। फलतः पित्त वर्णक यकृत-शिरा के माध्यम से रक्त में प्रवेश कर जाता है। पेशाब भी पीला हो जाता है। खून में पित्त (Bile) बढ़ जाता है।

39. **विचलनशीलता**–साधारणतः विचलनशीलता के परिशुद्ध अध्ययन में एक केन्द्रीय प्रवृत्ति की माप से पदों के परिमाप के विचलन ज्ञात किए जाते हैं और फिर इन विचलनों का माध्य निकालकर उनको एकल अंक में प्रस्तुत किया जाता है जो श्रेणी की विचलनशीलता निर्धारित करता है।

विचलनशीलता का दो अर्थों में प्रयोग होता है। प्रथम, विचलनशीलता का अर्थ पदमाला के सीमान्त पद-मूल्यों के अन्तर या सीमा विस्तार से होता है। अर्थात् विचलनशीलता उन सीमाओं का अन्तर व्यक्त करता है, जिनके भीतर पदमाला के माध्य के लिए किए गए विभिन्न पदों के विचलनों का माध्य है। अर्थात् विचलनशीलता पदमाला के विभिन्न पदों के माध्य से औसत दूरी या विभिन्न पदों के माध्य से औसत दूरी या विभिन्न पदों के माध्य से दोनों ओर बिखराव स्पष्ट होता है।

विचलनशीलता के माप की क्रमिक विधियाँ तथा इनका प्रयोग इस प्रकार है–परास (Range), औसत विचलन (Mean Deviation), चतुर्थक विचलन (Quartile Deviation), मानक विचलन (Standard Deviation)।

परास का प्रयोग (Uses of Range)–

- प्रदत्त इतने अधिक रूप में बिखरे हों कि विचलन के अन्य मापों का प्रयोग संभव न हो, परास का प्रयोग किया जाता है।
- जबकि अंतिम अंकों के सम्बन्ध में जानकारी की आवश्यकता हो।
- जबकि अव्यवस्थित प्रदत्तों को व्यवस्थित रूप देने के लिए कुल फैलाव ज्ञात करना हो।
- जबकि विचलन मान शीघ्रता एवं सुगमता से ज्ञात करना हो।
- जबकि अधिक शुद्ध विचलन की आवश्यकता न हो।

2. औसत विचलन के प्रयोग (Uses of Mean Deviation)–

- जबकि साधारण शुद्धता के विचलन की आवश्यकता हो।
- जबकि समस्त विचलनों को उनके मान के अनुसार महत्व देना हो।
- जबकि प्राप्तांक इतने अधिक फैले हों कि मानक विचलन (S.D.) के मान दूषित होने की संभावना हो।
- जबकि वितरण विकृत हो।

3. चतुर्थक विचलन के प्रयोग (Uses of Quartile Deviation)–

- जबकि माध्यम ज्ञात किया गया हो।
- जबकि मध्य के 50 प्रतिशत प्राप्तांकों पर ध्यान केन्द्रित करना हो।
- जबकि वितरण में कुछ प्रदत्त बहुत बड़े या छोटे हों।
- जबकि प्राप्तांकों का विचलन सामान्य न हो एवं प्रतिदर्श छोटा हो।

4. मानक विचलन के प्रयोग (Uses of Standard Deviation)–

- जबकि अधिक शुद्ध मान एवं सांख्यिकी स्थिरता की आवश्यकता हो।
- जबकि प्राप्तांकों का वितरण लगभग सामान्यत हो।
- जबकि केन्द्रीय प्रवृत्ति के माप की गणना अनुपात के रूप में की गई हो।
- जबकि उच्च सांख्यिकी जैसे सह-सम्बन्ध (r), मानक त्रुटि (S.E.) विश्वसनीयता आदि का अध्ययन करना हो।
- जबकि मध्यमान से ऊपर तथा नीचे अधिक दूरी वाले विचलनों को विशेष महत्व देना हो।
- जबकि दो भिन्न-भिन्न इकाइयों वाले प्राप्तांकों के विलचन की तुलना करनी हो क्योंकि गुणांक विचलन (v) ज्ञात करने के लिए अनुपात एवं मानक विचलन दोनों ही ज्ञात होने चाहिएं।

42. आमतौर पर व्यक्तित्व (Personality) से अभिप्राय व्यक्ति की आदतों, उसके पहनावे के ढंग, प्रसिद्धि तथा अन्य गुण जो उसके बाहरी स्वरूप को प्रकट करते हैं, से समझा जाता है।

विभिन्न विद्वानों के द्वारा व्यक्तित्व को निम्नलिखित तरीकों से परिभाषित किया गया है, जो इस प्रकार हैं–

- **मन के अनुसार**–"व्यक्तित्व की परिभाषा उस अति विशेषतापूर्ण संगठन के रूप में की जा सकती है, जिसमें व्यक्तित्व की संरचना, व्यवहार का ढंग, रुचियाँ, अभिवृत्तियाँ, समताएँ, योग्यताएँ तथा अभिसमताएँ सम्मिलित हैं।"

- **नॉर्मन कैनन के अनुसार**–"व्यक्तित्व आपसी व्यवहार तंत्र की बहुमुखी संस्था है जो हम सब में मौजूद होती है जब हम जीव विज्ञान के शिशु से वयस्क उस माहौल में बनते हैं जब हम व्यक्ति और संस्कृति के उत्पाद के रूप में जाने जाते हैं।"
- **एच. जे. सिनेक के अनुसार**–"व्यक्ति के चरित्र, स्वभाव, समझदारी तथा शरीर जो उसके वातावरण से उसका विशिष्ट सामंजस्य स्थापित करता है इसका स्वरूप व्यक्तित्व कहलाता है।"

इस प्रकार हम देखते हैं कि विभिन्न मनोवैज्ञानिकों ने व्यक्तित्व की अलग-अलग एवं विरोधी परिभाषाएँ दी हैं। परंतु आलपोर्ट (Allport) ने सभी सिद्धांतों का समन्वय करके व्यक्तित्व की परिभाषा में लिखा है, "व्यक्तित्व का सम्बन्ध मनुष्य की उन शारीरिक तथा आंतरिक वृत्तियों से है, जिनके आधार पर व्यक्ति अपने वातावरण के साथ सामंजस्य (Relation) स्थापित करता है।"

व्यक्तित्व के सिद्धांत–

- व्यक्तित्व का आत्मसिद्धि का सिद्धांत–*मैसलो*
- व्यक्तित्व का आत्मबोध सिद्धांत–*कर्ल रोजर्स*
- व्यक्तित्व का आत्मरचना का सिद्धांत–*जॉर्ज केली*
- व्यक्तित्व का आत्मक्षमता का सिद्धांत–*अल्बर्ट बन्दूरा*

43. **फिजियोथैरेपी चिकित्सा**–फिजियोथैरेपी चिकित्सा क्रीड़ाजन्य चोटों की रोकथाम, उपचार तथा पुनर्स्थापन हेतु विभिन्न शारीरिक विधियों को लागू करना ही है। खिलाड़ी को चोटों से स्वास्थ्य लाभ कराना बहुत आवश्यक होता है। यदि खिलाड़ी की भरपाई अपर्याप्त रही तो खिलाड़ी चोटों की ओर ज्यादा उन्मुख होंगे और इस प्रकार उनका (परफोर्मेन्स) निष्पादन प्रभावित होगा। एथलीटों के शीघ्र स्वास्थ्य लाभ कराने में फिजियोथैरेपी चिकित्सा की अहम् भूमिका होती है। ये निम्नलिखित हैं–

1. **हाइड्रोथैरेपी**–हाइड्रोथैरेपी के अंतर्गत निम्नलिखित तकनीक का प्रयोग किया जाता है।

- **भँवर स्थान**–इस चिकित्सा विधि में जल विलय तकनीक को चिकित्सीय प्रभाव के लिए उपयोग में लाया जाता है। इसमें एक टब होता है, जिसमें गर्म या ठंडा पानी रहता है और मशीनी तकनीकों द्वारा पानी भँवर के रूप में घूमता है इस तकनीक में शरीर के भाग को पानी में डुबाया जाता है जिसमें गुरुत्वाकर्षण उदासीन होकर शरीर के भाग को बायोन्सी के कारण पानी में तैरने में सहायता करता है। इस चिकित्सा का उपयोग मांसपेशी खिंचाव, मांसपेशी गुम्बड़, मोच, टेनोसाइनोवाइटिस, टेण्डिनिटिस आदि चोटों में किया जाता है।
- **विलय स्नान**–इस विधि में गर्म पानी का प्रयोग किया जाता है। जिसमें चोट लगे अंगों में तत्परता लाने के लिए इसमें डुबाया जाता है और धीरे-धीरे चोट लगे अंगों को हिलाया जाता है। चोट की प्रकृति के अनुसार पानी को विभिन्न ताप पर गर्म किया जाता है।

2. **हाइड्रोकोलटूल पैक**–इस उपचार में खिलाड़ी को ठंडी एवं गर्म चिकित्सा दी जाती है। ठण्डी चिकित्सा के लिए एक बैगनुमा पैक (मुलायम सिन्थैटिक से निर्मित) में ठंडा पानी तथा गर्म चिकित्सा के लिए गर्म पानी या साइट्रोकोम (Cytochrome Crystal –40°C + 48°C) का उपयोग किया जाता है। जिसे कि तापीय संवेदना और ताप नियमन नियंत्रण में के कारण प्रयोग में लाया जाता है।

3. **इलैक्ट्रोथैरेपी**–यह विद्युत की सहायता से दी जाने वाली चिकित्सा है। इसके द्वारा शरीर के उपचार वाले भागों में उष्मा उत्पन्न की जाती है। नई तथा पुरानी चोटों में इनका प्रयोग किया जाता है और मांसपेशियों की गहराइयों तक इसका प्रभाव डाला जाता है। खेल में चोटों के इलाज के लिए इलैक्ट्रोथैरेपी के विभिन्न तरीकों को अपनाया जाता है; जैसे–डायथर्मी, इंफ्रारेड तरंग, पराबैंगनी किरणें, पराध्वनि चिकित्सा, विद्युत मांसपेशीय उत्तेजना, डायपल्स थैरेपी।

- **डायथर्मी**–यह एक प्रकार की विद्युत चिकित्सा विधि है। इसके अन्तर्गत विद्युत धारा प्रवाह के माध्यम से उष्मा उत्पन्न की जाती है। इसका उपयोग ऊतकों के गहराई तक घाव भरने के लिए किया जाता है। डायथर्मी को उसकी तरंगों के आधार पर तीन प्रकारों में रखा गया है–दीर्घ तरंग डायथर्मी, अल्प तरंग डायथर्मी तथा सूक्ष्म तरंग डायथर्मी।

44. चिन्ता (दुश्चिन्ता) एक व्यक्ति की मनोवैज्ञानिक एवं शरीर क्रियात्मक दशा या स्थिति होती है, जो सामान्यतः सभी व्यक्तियों में पाई जाती है। इसका चित्रण ज्ञानात्मक,

भावनात्मक तथा चरित्रगत या व्यवहारजन्य घटकों द्वारा किया जाता है। ये घटक अरुचिकर भावना का निर्माण करने में संयुक्त रूप से कार्य करते हैं, जो बेचैनी या व्याकुलता, डर या चिन्ता के साथ सहयोगी होते हैं। चिन्ता को विभिन्न विद्वानों के द्वारा परिभाषित किया गया है। जैसे–कॉलमैन के अनुसार–"भय तथा आशंका की सामान्यीकृत अनुभूति ही चिन्ता है।" यह प्रतिबल का एक विकृत या परेशान करने वाला रूप है।

लेविट्ट के अनुसार–"चिन्ता संकट की आशंका का एक व्यक्तिगत भाव होता है, जो शरीर क्रियात्मक उत्तेजन के बढ़े हुए स्तर के द्वारा साथ देता है।"

चिन्ता का वर्गीकरण–

1. **लक्षण दुश्चिन्ता**–इस प्रकार की चिन्ता व्यक्तित्व की एक सापेक्षतया स्थायी मनोदशा है। यह प्रत्येक व्यक्ति में भिन्न-भिन्न भाग में पाई जाती है। लक्षण सम्बन्धी चिन्ता एक व्यक्ति के व्यक्तित्व का पूर्ण भाग होती है।
2. **स्थिति दुश्चिन्ता**–दशा सम्बन्धी चिन्ता, विशिष्ट दशा के लिए एक भावात्मक प्रतिक्रिया या अनुक्रिया होती है। इसका परिणाम डर की भावना, तनाव या संकट की आशंकाओं के रूप में होता है। इस प्रकार की चिन्ता प्रकृति से अस्थायी होते हैं।
3. **दबाव**–व्यक्ति में विभिन्न दबाव जैसे, सामाजिक, आर्थिक, मनोवैज्ञानिक, राजनैतिक इत्यादि कारणों से चिन्ता दिखाई पड़ती है।
4. **दैहिक स्थिति दुश्चिन्ता**–बोधित शारीरिक उत्प्रेरण में पल-पल पर आने वाले परिवर्तन।

45. • **कार्बोहाइड्रेट (Carbohydrates) :** कार्बन, हाइड्रोजन और ऑक्सीजन के 1 : 2 : 1 के अनुपात से मिलकर बने कार्बनिक पदार्थ $(CH_2O)n$ होता है। ये प्रमुख ऊर्जा स्रोत हैं। शरीर की ऊर्जा की आवश्यकता की 50-70% मात्रा की पूर्त इन्हीं के द्वारा होती है। कार्बोहाइड्रेट के प्रमुख स्रोत हैं–गेहूं, चावल, मक्का, बाजरा, आलू, शकरकंद, केला इत्यादि।

• **प्रोटीन :** प्रोटीन शरीर में सारी जीवित कोशिकाओं का बुनियादी ढांचा है। ये बहुत जटिल सजीवी, यौगिक होते हैं। प्रोटीन की आधारभूत रचना एमीनों एसिड्स से होती है। ये एसिड्स, कार्बन, ऑक्सीजन हाइड्रोजन एवं नाइट्रोजन होते हैं। नाइट्रोजन की उपस्थित प्रोटीनों को कार्बोहाइड्रेट्स एवं वसा से अलग पदार्थ बनाती है। प्रोटीन हमारे शरीर की पेशियों, अंगों व ग्रंथियों का मुख्य हिस्सा होते हैं, क्योंकि इनमें आवश्यक एमीनो एसिड्स होते हैं। बच्चों एवं किशोरों की वृद्धि एवं विकास में प्रोटीन एक आवश्यक तत्व है। प्रोटीनों की आवश्यकता हार्मोन, एन्जाइम एवं हीमोग्लोबिन के उत्पादन के लिए भी होती है। प्रोटीन के स्रोत सभी किस्म के मांस एवं पशुओं से मिलने वाले पदार्थ अण्डा, दूध, पोल्ट्री इत्यादि है।

• **विटामिन :** विटामिन कार्बन के वह यौगिक हैं जो शरीर का काम सामान्य रूप से चलाए रखने के लिए बहुत आवश्यक है। इसकी खोज फंक महोदय ने की थी। हमारे शरीर को 13 विटामिनों की आवश्यकता होती है। विटामिन का प्रमुख स्रोत सब्जी समूह है।

• **कैल्सियम :** यह मजबूत हड्डियों एवं दाँतों के लिए जरूरी होता है। यह रक्त जमने एवं पेशियों के कसाव की प्रक्रिया में भी सहायक होता है। कैल्सियम दूध, दूध से तैयार उत्पादों एवं हरी सब्जियों इत्यादि में मिलता है। मानव शरीर की कैल्सियम की प्रतिदिन की आवश्यकता लगभग 800 मिग्रा. की होती है।

49.

संस्थान	स्थापना वर्ष
• वाई.एम.सी.ए. कॉलेज ऑफ फिजिकल एजुकेशन, मद्रास	1920
• लक्ष्मीबाई कॉलेज ऑफ फिजिकल एजुकेशन, ग्वालियर	1957
• नेताजी सुभाष नेशनल इंस्टीट्यूट ऑफ स्पोर्ट्स, पटियाला (NSNIS)	1973
• नेताजी सुभाष नेशनल इंस्टीट्यूट ऑफ स्पोर्ट्स, बैंगलोर (NSNIS)	1975
• नेताजी सुभाष नेशनल इंस्टीट्यूट ऑफ स्पोर्ट्स, गाँधीनगर (NSNIS)	1987
• नेताजी सुभाष नेशनल इंस्टीट्यूट ऑफ स्पोर्ट्स, कलकत्ता (NSNIS)	1983
• लक्ष्मीबाई नेशनल कॉलेज ऑफ फिजिकल एजुकेशन, त्रिवेन्द्रम (LNCPE)	2001

प्रश्न-पत्र-III

निर्देश : *इस प्रश्न-पत्र में* **पचहत्तर** *(75) बहु-विकल्पीय प्रश्न हैं। प्रत्येक प्रश्न के* **दो** *(2) अंक हैं।* **सभी** *प्रश्न अनिवार्य हैं।*

1. शिमटीय-फ्रैन्च फील्ड हॉकी स्किल टेस्ट में, अन्तिम रिग्रेसन समीकरण है

A. $x_0 = 0.38x_1 + 0.17x_2 + 0.48x_3 - 1.62$
B. $x_0 = 0.83x_1 + 0.71x_2 + 0.48x_3 - 1.26$
C. $x_0 = 0.17x_1 + 0.83x_2 + 1.62x_3 - 0.84$
D. $x_0 = 0.71x_1 + 0.38x_2 + 1.26x_3 - 0.48$

2. उत्तोलक में यदि बल भुजा 4 मीटर हो और अवरोध भुजा 6 मीटर है, तो 10 किलोग्राम भार उठाने के लिए कितने बल की आवश्यकता होगी?

A. 10 N B. 2.4 N
C. 6.67 N D. 15 N

3. अस्तित्व के सिद्धान्तों का अध्ययन सम्बन्धित है :

A. अधिविद्या B. ज्ञानविद्या
C. मूल्यमीमांसावाद D. नैतिकविद्या

4. ऊत्तक ऑक्सीडेशन के दौरान रक्त में प्रवाहित होने वाली कार्बन डाइऑक्साइड होती है :

A. कार्बोनिक अम्ल B. लैक्टिक अम्ल
C. ऑक्सी-हीमोग्लोबिन D. कार्बोक्सी-हीमोग्लोबिन

5. नेतृत्व एक व्यावहारिक प्रक्रिया है जो केंद्रित रहती है

A. सद्व्यवहार के विकास एवं इसे बनाए रखने पर।
B. वैयक्तिकों एवं समूहों को निर्धारित लक्ष्यों के लिए प्रभावित करने पर।
C. समूह के पारिस्थितिक लक्षणों पर।
D. लक्ष्य निर्धारित करने और उस कार्य को सम्पन्न करवाने पर।

6. अन्तरा-भित्तिकों का विद्यार्थियों के लिए मूल उद्देश्य होता है :

A. अधिगम, अनुभव को खेल-प्रतिस्पर्धा में प्रतिद्वंद्वी और दर्शक दोनों में भाग लेने द्वारा सिखलाना
B. विषयान्तर, मनोरंजन, आराम का प्रबंध करना
C. प्राचीर से बाहर प्रतियोगिता के लिए प्रथम सीढ़ी बनना
D. विद्यार्थियों में सामाजिक वार्तालाप को प्रोत्साहित करना

7. सत्य की प्रकृति मूलतः समस्या है :

A. नैतिकता के लिए B. मूल्य-मीमांसा के लिए
C. कानून के लिए D. ज्ञान-मीमांसा के लिए

8. अध्यापन की खोज विधि का सर्वश्रेष्ठ उदाहरण है :

A. खेल गतिविधियाँ
B. तोता रटन्त अधिगम
C. पाठ्य-पुस्तक मुक्त पाठ
D. स्वतन्त्र अध्ययन परियोजनाएँ

9. पाठ्यचर्या, पसन्दगी और नापसन्दगी, मूल्यों के निर्णय एवं समस्याओं के क्षेत्रों का मूल्यांकन करते हुए

A. इनकी पहचान विद्यार्थियों द्वारा होनी चाहिए, शिक्षकों द्वारा नहीं।
B. निर्धारित पाठ्यचर्या के क्षेत्रों तक ही सीमित रखा जाना चाहिए।
C. अनुपयुक्त है क्योंकि केवल वस्तुपरक मूल्यांकन ही उपयुक्त होते हैं।
D. 'व्यक्तिपरक मूल्यांकन' के अन्तर्गत आते हैं।

10. आवश्यक ऐमीनो अम्ल की सर्वोत्तम व्याख्या वह ऐमीनो अम्ल है :

A. प्राकृतिक रूप से पाए जाने वाले वे पदार्थ जो संक्रमण के विरुद्ध लड़ने का काम करते हैं।
B. जो प्रोटीन की संरचना हेतु आवश्यक है किन्तु अधिकांशतः जिनको शरीर उत्पन्न नहीं करता।
C. कार्बोहाइड्रेट, वसा एवं प्रोटीन के मेटाबोलिज्म में महत्वपूर्ण घटक होते हैं।
D. वृद्धि एवं विकास को बढ़ाने वाले उच्च ऊर्जा वाले पोषक तत्व

11. स्टार्टिंग ब्लॉक के फुट-रेस्ट की चौड़ाई बढ़ाई गई है :

A. 120 से 150 मि.मी. B. 120 से 140 मि.मी.
C. 120 से 160 मि.मी. D. 120 से 130 मि.मी.

12. यदि किसी डाटा का माध्य 26.40 है, मानक विचलन 2.34 है, तो स्कोर 23.46 का Z मूल्य होगा :

A. +1.26 B. –1.62
C. –1.26 D. +1.62

13. लोगों से कार्य करवाने की कला है :

A. प्रबन्धन की व्याख्या के लिए क्लासिकी उपागम
B. प्रबन्धन की व्याख्या के लिए व्यावहारिक उपागम
C. प्रबन्धन संकल्पना की व्याख्या के लिए आधुनिक अभिभाज्य उपागम
D. प्रबन्धन संकल्पना की व्याख्या के लिए नव-क्लासिकी उपागम

14. गोल्फर कोहनी से तात्पर्य है :

A. कोहनी के सामने वाले एपिकोंडाइल के सूजन की अवस्था
B. कोहनी के पिछले वाले एपिकोंडाइल के सूजन की अवस्था
C. कोहनी के अन्दरूनी एपिकोंडाइल के सूजन की अवस्था
D. कोहनी के बाहरी एपिकोंडाइल के सूजन की अवस्था

15. मानक प्रशिक्षण की विशेषताएँ हैं :

I. विश्वसनीयता II. वैधता
III. व्यक्तिनिष्ठता IV. सृजनात्मकता

उचित उत्तर का चयन कीजिए :

कूट :

A. I तथा II सही हैं। B. II तथा III सही हैं।
C. III तथा IV सही हैं। D. IV तथा I सही हैं।

16. विख्यात शारीरिक शिक्षाविदों ने शारीरिक शिक्षा के विभिन्न उद्देश्यों का वर्णन किया है :

I. शारीरिक विकास
II. तन्त्रपेशीय समन्वय का विकास
III. उत्तम मानव सम्बन्धों का विकास
IV. सामाजिक गुणों का विकास
V. उत्तम नागरिकता का विकास

नीचे दिए गए कूट की सहायता से शारीरिक शिक्षा के दूरवर्ती उद्देश्यों का सही समुच्चय चुनिए :

कूट :

A. I तथा IV B. II और III
C. IV और V D. III और V

17. महिला खिलाड़ी जो ऐनाबोलिक स्टेराइड इस्तेमाल करती है, उन्हें स्वास्थ्य अवरोध निम्न में से किससे संबंधित हो सकते हैं?

I. यकृत का सही कार्य न करना
II. माँसपेशी का छोटा होना
III. वक्ष कैंसर
IV. बांझपन
V. पुरुष यौन संबंधी विशेषताओं का विकास
VI. माइग्रेन के झटके

निम्न कूट से सही युग्म ज्ञात कीजिए।

A. II, III और VI सही हैं।
B. I, IV और V सही हैं।
C. II, IV और V सही हैं।
D. I, III और VI सही हैं।

18. निम्नलिखित में से कौन-सा समायोजन सही है?

I. आयतन = m^2
II. संहति घनत्व = $kg\ m^{-3}$
III. त्वरण = ms^{-2}
IV. लूमिनेन्स = cd/m^2
V. विशिष्ट आयतन = $m^3\ kg^{-1}$

A. I, III और V B. I, II, III और IV
C. II, III, IV और V D. I, IV और V

19. संवेगात्मक परिपक्वता के विकास के लिए संवेगात्मक कुशलताएँ हैं :

I. आत्म-बोध
II. आवेगों का नियन्त्रण
III. नकारात्मक प्रभावों को रोकना
IV. परितोषण को टालना

कूट से सही उचित उत्तर का चयन कीजिए :

कूट :

A. I और II B. III और IV
C. I और III D. II और IV

20. व्यावसायिक नैतिकता में सम्मिलित हैं :

I. सुखद पर्यावरण का सृजन
II. ड्रेस कोड का अनुकरण
III. समयबद्धता और नियमितता
IV. दूसरों को उत्तरदायित्वपूर्ण बनाना
V. विद्यार्थियों में वैयक्तिकता का भाव भरना

कूट से सही उत्तर का चयन कीजिए :

कूट :

A. केवल I, II और IV
B. केवल II, III और V

C. केवल I, II, III और IV

D. उपरोक्त सभी

21. वसा में घुलनशील विटामिन हैं :

I. विटामिन A II. विटामिन C

III. विटामिन D IV. विटामिन B

V. विटामिन K VI. विटामिन E

कूट से सही उत्तर का चयन कीजिए :

कूट :

A. I, II, III और IV B. II, IV, V और VI

C. III, IV, V और VI D. I, III, V और VI

22. उच्च-स्तरीय खिलाड़ियों के संदर्भ में कालचक्रबद्धता की विशेषताएँ होती हैं

I. अनुकूलन तथा युक्ति प्रशिक्षण का उच्चतर अनुपात

II. द्विचरणीय अथवा त्रिचरणीय कालचक्रबद्धता

III. लघु तैयारी काल तथा लम्बा प्रतिस्पर्धा काल

IV. प्रतिस्पर्धा की कम बारम्बारता

कूट :

A. I तथा IV B. II तथा III

C. II तथा IV D. I तथा III

23. अनुसंधान में अध्ययन के उद्देश्य को स्पष्ट रूप से अभिनिर्धारित करने की आवश्यकता होती है; प्रश्नों का उत्तर देना होगा, अभिरुचि का समाज, एकत्र को जाने वाली सूचना और निम्नलिखित के अनुसंधान के संबंध में निर्णय लेने की व्यवहार्यता :

I. अभिकल्प

II. प्रयोजन

III. कल्पना

IV. विधि

कूट :

A. I और II B. I और IV

C. II और III D. II और IV

24. अन्तर-प्राचीर प्रतियोगिता का सफल आयोजन कई कारकों पर निर्भर करता है :

I. उपलब्ध सुविधाएँ

II. उपलब्ध निर्णय

III. स्टेक होल्डर्स का सहयोग

IV. जल-पानी का प्रबन्ध

V. मेडिकल व्यवस्था

कूट से सही उत्तर का चयन कीजिए :

कूट :

A. II, III, IV B. III, IV, V

C. I, IV, V D. I, II, III

25. उपस्करों के चयन में कुछ विचारणीय प्रश्न होते हैं :

I. उपस्कर मानक गुणवत्ता वाले हों।

II. उपस्करों की मरम्मत हो सके।

III. उपस्करों पर व्यय कम हो।

IV. ये स्थानांतरणीय हों।

V. उच्चतम उपयोगिता वाले हों।

कूट से सही उत्तर का चयन कीजिए :

कूट :

A. I, II, III B. I, III V

C. III, IV, V D. II, III, IV

26. नीचे दो कथन दिए जा रहे हैं। जिसमें से प्रथम को अभिकथन (A) और द्वितीय को तर्क (R) कहा गया है :

अभिकथन (A) : दो अथवा इससे अधिक घटनाओं के घटित होने की तुलनात्मक संभावना से सम्बन्धित संभाव्यता की एक अवधारणा।

तर्क (R) : संभाव्यता सांख्यिकी के निष्कर्षों के प्रति विश्वास का वर्णन करती है।

निम्नलिखित में से कौन-सा कथन सही है?

कूट :

A. (A) और (R) दोनों सही हैं, और (A) की (R) सही व्याख्या है।

B. (A) और (R) दोनों सही हैं, परन्तु (A) की (R) सही व्याख्या नहीं है।

C. (A) सही है, परन्तु (R) गलत है।

D. (A) गलत है, परन्तु (R) सही है।

27. नीचे दो कथन दिए जा रहे हैं। जिसमें से प्रथम को अभिकथन (A) और द्वितीय को तर्क (R) कहा गया है :

अभिकथन (A) : चक्रीय स्पर्धा में कार्यगति अत्यन्त महत्वपूर्ण है।

तर्क (R) : कार्यगति की अप्रत्यक्षतया तकनीक को सुधारने और आक्रामक शक्ति द्वारा प्रायः सुधारा जा सकता है।

निम्नलिखित में से कौन-सा कथन सही है?

कूट :

A. (A) और (R) दोनों सही हैं, और (A) की (R) सही व्याख्या है।

B. (A) और (R) दोनों सही हैं, परन्तु (A) की (R) सही व्याख्या नहीं है।

C. (A) सही है, परन्तु (R) गलत है।

D. (A) गलत है, परन्तु (R) सही है।

28. नीचे दो कथन दिए जा रहे हैं। जिसमें से प्रथम को अभिकथन (A) और द्वितीय को तर्क (R) कहा गया है :

अभिकथन (A) : उच्च-स्तरीय खिलाड़ियों के लिए समूह प्रशिक्षण योजना इष्टतम विकास को सुनिश्चित करती है।

तर्क (R) : समूह प्रशिक्षण से प्रतिभा की पहचान में सहायता मिलती है।

निम्नलिखित में से कौन-सा कथन सही है?

कूट :

A. (A) और (R) दोनों सही हैं, और (A) की (R) सही व्याख्या है।

B. (A) और (R) दोनों सही हैं, परन्तु (A) की (R) सही व्याख्या नहीं है।

C. (A) सही है, परन्तु (R) गलत है।

D. (A) गलत है, परन्तु (R) सही है।

29. नीचे दो वक्तव्य दिए गए हैं। एक को अभिकथन (A) और दूसरे को कारण (R) कहा गया है :

अभिकथन (A) : शिक्षा मूल्यांकन में मापन के सिद्धान्त रॉ स्कोर, पर्सन्टाइल रैंकस्, मानक अंक इत्यादि होते हैं।

कारण (R) : मूल्यांकन उपयुक्तता, उचितता, अच्छाई, वैधता तथा विधिकता के विषय में सूचना प्रदान करता है।

कूट से सही उत्तर का चयन कीजिए।

कूट :

A. (A) तथा (R) दोनों सही है, और (R), (A) का सही स्पष्टीकरण है।

B. (A) तथा (R) दोनों सही है, और (R), (A) का सही स्पष्टीकरण नहीं है।

C. (A) सही है, परन्तु (R) गलत है।

D. (A) गलत है, परन्तु (A) सही है।

30. नीचे दो कथन दिए जा रहे हैं, प्रथम को अभिकथन (A) और दूसरे को तर्क (R) कहा गया है :

अभिकथन (A) : मानक एक मानक अंकों का सूह है जिससे प्राप्त अंकों की तुलना की जाती है।

तर्क (R) : आँकड़ों की विभिन्न सांख्यिकी तकनीकों के द्वारा व्याख्या की जाती है।

कूट से सही उत्तर का चयन कीजिए।

कूट :

A. (A) और (R) दोनों सही हैं, और (A) की (R) सही व्याख्या है।

B. (A) और (R) दोनों सही हैं, परन्तु (A) की (R) सही व्याख्या नहीं है।

C. (A) सही है, परन्तु (R) गलत है।

D. (A) गलत है, परन्तु (R) सही है।

31. नीचे दो कथन दिए जा रहे हैं। इनमें से प्रथम को अभिकथन (A) और द्वितीय को तर्क (R) कहा गया है :

अभिकथन (A) : अन्तः प्राचीर प्रतियोगिताओं का एक मुख्य उद्देश्य प्रतिभाशील खिलाड़ी की सम्पूर्ण संभावनाओं और सर्वश्रेष्ठता के विकास और प्रदर्शन के लिए अवसर प्रदान करना है।

तर्क (R) : तथाकथित जाने-माने एथलीट प्रायः अपनी पढ़ाई को नजरअंदाज करते हैं और आगे की कक्षा में जाने में असफल रहते हैं जिससे उनके माता-पिता और अध्यापक को बेचैनी होती है।

इन कथनों के संदर्भ में कूट में सही उत्तर का चयन कीजिए।

कूट :

A. (A) और (R) दोनों सही हैं, और (A) की (R) सही व्याख्या है।

B. (A) सही हैं, परन्तु (R) गलत है।

C. (A) गलत है, परन्तु (R) सही है।

D. (A) और (R) दोनों सही हैं।

32. नीचे दो कथन दिए जा रहे हैं। इनमें से प्रथम को अभिकथन (A) और द्वितीय को तर्क (R) कहा गया है :

अभिकथन (A) : कार्मिक प्रबन्धन वस्तुतः सम्पूर्ण प्रबन्धन-क्रिया की धुरी है क्योंकि न

तो सामग्री और न ही मशीन अपितु मानव ही प्रत्येक स्थिति में अन्तिम कारक है।

तर्क (R) : अदक्ष कार्मिकों के कारण कई बार श्रेष्ठतम संगठन और कार्यक्रमों को अपमान और संकट का सामना करना पड़ता है।

इन कथनों के संदर्भ में कूट से सही उत्तर का चयन कीजिए।

कूटः

A. (A) और (R) दोनों सही हैं, और (A) की (R) सही व्याख्या है।
B. (A) और (R) दोनों सही हैं, परन्तु (A) की (R) सही व्याख्या नहीं है।
C. (A) सही है, परन्तु (R) गलत है।
D. (A) गलत है, परन्तु (R) सही है।

33. नीचे दो कथन दिए जा रहे हैं। एक को अभिकथन (A) और दूसरे को कारण (R) कहा गया है :

अभिकथन (A) : शारीरिक शिक्षा शिक्षा है शारीरिक माध्यम से।

तर्क (R) : शारीरिक शिक्षा का उद्देश्य व्यक्ति के व्यक्तित्व का सर्वांगीण विकास है।

उपरोक्त दो कथनों के संदर्भ में कौन-सा एक सही है?

कूट :

A. (A) सही है, परन्तु (R), (A) का सही स्पष्टीकरण नहीं है।
B. (A) सही है तथा (R), (A) का सही स्पष्टीकरण है।
C. (A) सही है, परन्तु (R) गलत है।
D. (A) गलत है, परन्तु (A) सही है।

34. नीचे दो कथन दिए जा रहे हैं। प्रथम कथन को अभिकथन (A) और दूसरे को तर्क (R) कहा गया है :

अभिकथन (A) : VO_2 max. कार्डियोरेसपिरेटिरी दमखम एवं ऐरोबिक क्षमता का सही सूचक माना जाता है।

तर्क (R) : दमखम निष्पादन में ऑक्सीजन अवरोधक कारक है एवं ऑक्सीजन ग्रहण में आनुवंशिक कारक अवरोधक होते हैं।

कूट से सही उत्तर का चयन कीजिए।

कूट :

A. (A) और (R) दोनों सही हैं, परन्तु (A) की (R) सही व्याख्या नहीं है।
B. (A) और (R) दोनों सही हैं, और (A) की (R) सही व्याख्या है।
C. (A) सही है, परन्तु (R) गलत है।
D. (A) गलत है, परन्तु (R) सही है।

35. नीचे दो कथन दिए जा रहे हैं। प्रथम कथन को अभिकथन (A) और दूसरे को तर्क (R) कहा गया है :

अभिकथन (A) : ए.टी.पी.-पी.सी. एवं लैक्टिक अम्ल संस्थान द्वारा किसी तीव्र प्रबल लघु अवधि व्यायाम में ऊर्जा की आपूर्ति की जाती है।

तर्क (R) : क्रैब साइकिल एवं इलेक्ट्रॉन ट्रान्सपोर्ट प्रक्रिया द्वारा उचित मात्रा के ए.टी.पी. का निर्माण होता है।

कूट से सही उत्तर का चयन कीजिए।

कूट :

A. (A) सही है, परन्तु (R) गलत है।
B. (A) और (R) दोनों सही हैं, परन्तु (A) की (R) सही व्याख्या नहीं है।
C. (A) गलत है, परन्तु (R) सही है।
D. (A) और (R) दोनों सही हैं, और (A) की (R) सही व्याख्या है।

36. नीचे दो कथन दिए जा रहे हैं। एक को अभिकथन (A) और दूसरे को कारण (R) कहा गया है :

अभिकथन (A) : जब समतल गतिशीलता का अध्ययन करते हैं तो यह सरल होता है कि आरम्भ स्थिर समतल से किया जाए।

तर्क (R) : खण्ड में माँसपेशीय शक्ति नहीं होती है जो उस पर प्रभाव डाले।

उपरोक्त दो कथनों के संदर्भ में कौन-सा एक सही है?

कूट :

A. (A) और (R) दोनों सही हैं, परन्तु (A) की (R) सही व्याख्या नहीं है।
B. (A) और (R) दोनों सही हैं, और (A) की (R) सही व्याख्या है।
C. (A) सही है, परन्तु (R) गलत है।
D. (A) गलत है, परन्तु (R) सही है।

37. नीचे दो कथन दिए जा रहे हैं। एक को अभिकथन (A) और दूसरे को कारण (R) कहा गया है :

अभिकथन (A) : सामने से लेआउट (समरसाल्ट) का निष्पादन कठिन होता है।

तर्क (R) : सामने की (समरसाल्ट) की धुरी मध्य है अतएव इसके चारों ओर चक्रानुक्रम अस्थिर होता है।

उपरोक्त दो कथनों के संदर्भ में निम्नलिखित में कौन-सा एक सही है?

कूट :

A. (A) सही है, किन्तु (R) गलत है।

B. (A) गलत है, किन्तु (R) सही है।

C. (A) और (R) दोनों सही हैं, और (R), (A) की सही व्याख्या है।

D. (A) और (R) दोनों सही हैं, परन्तु (R), (A) की सही व्याख्या नहीं है।

38. नीचे दो कथन दिए जा रहे हैं। इनमें से प्रथम को अभिकथन (A) और द्वितीय को कारण (R) कहा गया है :

अभिकथन (A) : क्रीड़ा में भागीदार-केंद्रित अभिप्रेरणा से निजी प्रवृत्तियों का परीक्षण होता है जो उच्च अभिप्रेरित अवस्था के साथ निकटतम रूप से सम्बद्ध होते हैं।

तर्क (R) : वे व्यक्ति, जिनमें अभिप्रेरित होने की उच्च सम्भाव्यता रहती है, अभिप्रेरणात्मक योग्यता का तब तक प्रदर्शन नहीं करेंगे जब तक स्थिति अथवा वातावरण इसके अनुकूल न हो।

इन कथनों के संदर्भ में कौन-सा कथन सही है?

कूट :

A. (A) सही है, परन्तु (R) गलत है।

B. (A) सही हैं, और (A) की (R) सही व्याख्या नहीं है।

C. (A) और (R) दोनों गलत हैं।

D. (A) गलत है, और (R) सही है।

39. नीचे दो कथन दिए जा रहे हैं। प्रथम को अभिकथन (A) और द्वितीय को तर्क (R) कहा गया है :

अभिकथन (A) : आग्रहिता व्यवहार में वैध शारीरिक एवं शाब्दिक बल, जिसका प्रयोग अपने प्रयोजन की प्राप्ति के लिए किया जाता है, एक अग्रलक्षी आग्रहिता के रूप में स्वीकार्य है।

तर्क (R) : वांछित लक्ष्य की प्राप्ति इसका प्रयोजन है और इसमें अन्य व्यक्ति को हानि इसलिए होती है क्योंकि केवल यही प्रभावी ढंग है।

इन कथनों के संदर्भ में कूट से सही उत्तर का चयन कीजिए।

कूट :

A. (A) सही है, परन्तु (R) गलत है।

B. (A) गलत है, परन्तु (R) सही है।

C. (A) सही है, परन्तु (A) की (R) सही व्याख्या नहीं है।

D. (A) गलत है, और (R) सही है।

40. नीचे दो कथन दिए जा रहे हैं। जिसमें से प्रथम को अभिकथन (A) और द्वितीय को तर्क (R) कहा गया है :

अभिकथन (A) : सामुदायिक खेलों में शारीरिक शिक्षक को माता-पिता एवं सामुदायिक नेताओं को परामर्श देना चाहिए।

तर्क (R) : बच्चे अपनी संभावनाओं की सीमा के अनुसार अपनी शारीरिक कुशलताओं का विकास करते हैं।

इन कथनों के संदर्भ में निम्न में से कौन-सा कथन सही है?

कूट :

A. (A) और (R) दोनों सही हैं, और (A) की (R) सही व्याख्या है।

B. (A) और (R) दोनों सही हैं, परन्तु (A) की (R) सही व्याख्या नहीं है।

C. (A) सही है, परन्तु (R) गलत है।

D. (A) गलत है, परन्तु (R) सही है।

41. नीचे दो कथन दिए गए हैं। एक को अभिकथन (A) और द्वितीय को कारण (R) कहा गया है :

अभिकथन (A) : खेल एवं व्यायाम में व्यक्तित्व के अध्यन का प्रमुख मार्ग लक्षणीय अवस्था एवं अन्योन्यक्रिया उपागम है।

तर्क (R) : सामान्यतः किसी व्यक्ति के व्यक्तित्व से सम्बद्ध लक्षणों की जानकारी सदैव

पूर्वानुमान लगाने में सहायक नहीं होती, कि व्यक्ति एक विशेष परिस्थिति में किस प्रकार का व्यवहार करेगा।

उपरोक्त दो कथनों के संदर्भ में कौन-सा एक सही है?

कूट :

A. (A) और (R) दोनों सही हैं, परन्तु (R), (A) का सही स्पष्टीकरण नहीं है।

B. (A) और (R) दोनों सही हैं, और (R), (A) का सही स्पष्टीकरण है।

C. (A) सही है, परन्तु (R) गलत है।

D. (A) गलत है, परन्तु (R) सही है।

42. नीचे दो कथन दिए जा रहे हैं। जिसमें से प्रथम को अभिकथन (A) और द्वितीय को तर्क (R) कहा गया है :

अभिकथन (A) : मनोरंजन गतिविधियाँ मानसिक एवं भावात्मक अस्वास्थ्य को रोकने में मूल्यवान सिद्ध हो सकती हैं।

तर्क (R) : ऐसे लोग जो मानसिक रोगों से पीड़ित हैं वे खेल, संगीत के उद्दीपनों के प्रति शीघ्रता से प्रक्रिया व्यक्त करते हैं।

निम्नलिखित में से कौन-सा कथन सही है?

कूट :

A. (A) और (R) दोनों सही हैं, परन्तु (A) की (R) सही व्याख्या नहीं है।

B. (A) और (R) दोनों सही हैं, और (A) की (R) सही व्याख्या है।

C. (A) सही है, परन्तु (R) गलत है।

D. (A) गलत है, परन्तु (R) सही है।

43. नीचे दो कथन दिए गए हैं। एक को अभिकथन (A) और द्वितीय को तर्क (R) कहा गया है :

अभिकथन (A) : लोकतन्त्र और मनोरंजन भाव में समान हैं।

तर्क (R) : लोकतन्त्र का यह दृढ़ संकल्प है कि प्रत्येक व्यक्ति को अभिव्यक्ति, विकास और पूर्णता पाने के अवसर दिए जाएँगे। मनोरंजन व्यक्ति को सही तुष्टि, सृजनात्मक अभिव्यक्ति और लोकतन्त्रीय उद्देश्यों की प्राप्ति के लिए विकास के अवसर दिए जाएँगे।

इन दो कथनों के संदर्भ में सही कथन का चयन कीजिए।

कूट :

A. (A) और (R) दोनों सही हैं, परन्तु (A) की (R) सही व्याख्या नहीं है।

B. (A) और (R) दोनों सही हैं, और (A) की (R) सही व्याख्या है।

C. (A) सही है, परन्तु (R) गलत है।

D. (A) गलत है, परन्तु (R) सही है।

44. नीचे दो कथन दिए जा रहे हैं, जिसमें से प्रथम को अभिकथन (A) और द्वितीय को तर्क (R) कहा गया है :

अभिकथन (A) : एक्स-पोस्ट डिजाइन एक स्थिर समूह तुलना है परन्तु यह अध्ययन समूह के साथ प्रयोगकर्ता के नियंत्रण में नहीं होता।

तर्क (R) : प्रतियोगी उपचार लेते हैं और तत्पश्चात् उस उपचार के मूल्यांकन के लिए परीक्षण होता है।

निम्नलिखित में से कौन-सा कथन सही है?

कूट :

A. (A) और (R) दोनों सही हैं, परन्तु (A) की (R) सही व्याख्या नहीं है।

B. (A) और (R) दोनों सही हैं, और (A) की (R) सही व्याख्या है।

C. (A) सही है, परन्तु (R) गलत है।

D. (A) गलत है, परन्तु (R) सही है।

45. सूची-I को सूची-II के साथ सुमेलित कीजिए तथा नीचे दिए गए कूट से सही उत्तर चुनिए :

सूची-I	**सूची-II**
I. फेगोसाइटोसिस	1. प्लाज्मा प्रोटीन
II. एग्लूटिनोजन	2. थ्रोम्बोसाइटस
III. ऐल्बूमिन	3. ऐरिथ्रोसाइट
IV. थ्रोम्बोप्लास्टिन	4. ल्यूकोसाइट
V. हीमोग्लोबिन	5. ब्लड ग्रुप

कूट :

	I	II	III	IV	V
A.	3	4	5	1	2
B.	4	5	1	2	3
C.	4	1	2	3	5
D.	5	2	3	4	1

46. मॉसपेशी संकुचन प्रक्रिया को क्रमानुसार व्यवस्थित कीजिए :

I. एसिटाइल कोलीन का उद्घाटित होना

II. ऐक्शन पोटेन्शियल

III. डीपोलराइजेशन

IV. ऐक्टो-माइयोसिन कॉम्पलेक्स

V. तंत्रिका वेग उत्पन्न होना

कूट से सही उत्तर का चयन कीजिए :

कूट :

A. V, III, II, I, IV　　B. II, I, V, IV, III

C. V, II, III, IV, I　　D. II, III, V, I, IV

47. निम्नलिखित को स्वास्थ्य शिक्षा पाठयोजना के सही चरणों के अनुसार उचित क्रम दीजिए :

I. शिक्षात्मक उद्देश्यों के विकास और उनके मूल्यांकन के साधन जो सर्वसम हों।

II. कई ऐसी अध्यापन रणनीतियों की पहचान करना जिनसे अध्यापक आदर्श हो सकें और विद्यार्थियों की सहभागिता हो।

III. विषय के लिए विषय-विस्तार और क्रम के मानदण्ड स्थापित करना।

IV. पाठयोजना पर सामान्य ध्यान को केंद्रित करने का निर्धारण करना।

कूट :

A. I, IV, III, II　　B. II, I, III, IV

C. III, I, IV, II　　D. IV, III, I, II

48. निम्नलिखित में से डीडेक्शन शोध के चरणों की सही सूची का चुनाव कीजिए :

A. शाब्दिक परिकल्पना, सैद्धान्तिक विकास, परिकल्पना का आँकड़ों से परीक्षण, परिवेषण करना, सिद्धांत पुर्निविचार

B. सैद्धान्तिक विकास, शाब्दिक परिकल्पना, परिवेषण करना, परिकल्पना का आँकड़ों से परीक्षण, सिद्धांत पुर्निविचार

C. परिवेषण करना, सैद्धान्तिक विकास, परिकल्पना का आँकड़ों से परीक्षण, शाब्दिक परिकल्पना, परिकल्पना का आँकड़ों से परीक्षण

D. परिवेषण करना, शाब्दिक परिकल्पना, परिकल्पना का आँकड़ों से परीक्षण, सैद्धान्तिक विकास, सिद्धांत पुर्निविचार

49. सूची-I को सूची-II से सुमेलित कीजिए और सेल्मन (1980) के अन्तर-व्यक्ति तर्क के चरण के आधार पर कूट से सही उत्तर चुनिए :

सूची-I	**सूची-II**
I. चरण 1	1. बहु-भूमिकाएँ ग्रहण करना
II. चरण 2	2. सामाजिक सूचना की भूमिका ग्रहण करना
III. चरण 3	3. सामाजिक एवं परिवर्तनीय भूमिका ग्रहण करना
IV. चरण 4	4. आत्म-प्रदर्शन भूमिका लेना

कूटः

	I	II	III	IV
A.	2	4	3	1
B.	1	3	4	2
C.	1	3	2	4
D.	4	2	3	1

50. कूल्हे और घुटने के संचलन का निम्नलिखित में से कौन-सा क्रम दौड़ के स्टान्स फेज में सामान्यतः घटित होता है?

A. पहले दोनों बढ़ते हैं, फिर दोनों मुड़ते हैं और फिर दोनों बढ़ते हैं।

B. पहले दोनों मुड़ते हैं, फिर दोनों बढ़ते हैं और फिर दोनों मुड़ते हैं।

C. दोनों पहले मुड़ते हैं, फिर कूल्हा बढ़ता है, जब घुटना मुड़ता है तब दोनों बढ़ते हैं।

D. पहले दोनों बढ़ते हैं, फिर कूल्हा मुड़ता है, जब घुटना बढ़ता है तब दोनों मुड़ते हैं।

51. निम्न नेतृत्व सिद्धान्तों को कालाक्रमानुसार क्रम में रखें :

I. फील्डर का आपातकालीन प्ररूप

II. जीवन-चक्र सिद्धान्त (हरसे और ब्लानकाडी)

III. बहु-आयामी प्ररूप (चलादुराय और कैरेन)

IV. टैननबाम और श्मिट प्ररूप

कूट :

A. II, III, IV, I　　B. IV, I, II, III

C. I, II, III, IV　　D. III, IV, I, II

52. व्यक्ति की शारीरिक बनावट ज्ञात करने के लिए सही क्रम की व्यवस्था कीजिए :

I. वायु में शरीर का भार तोलना

II. पानी के नीचे भार का तोलना

III. लीन बोडी मास

IV. शरीर घनत्व
V. वसा का भार
VI. वसा का प्रतिशत

शरीर बनावट में जो तत्व प्रत्यक्ष रूप से सम्मिलित हैं, इस प्रकार है–

कूट :

A. II, I, III, IV, VI और V
B. I, II, IV, VI, V और III
C. III, V, IV, II, V और VI
D. VI, V, IV, III, I और II

53. सूची-I को सूची-II के साथ सुमेलित कीजिए तथा नीचे दिए गए कूट से सही उत्तर चुनिए :

सूची-I	सूची-II
I. ओलम्पिक उत्सव	1. सर्वोपरि ईश्वर ज्यूस के सम्मान में
II. पायथिया उत्सव	2. प्रकाश एवं सत्यता के ईश्वर अपोलो के सम्मान में
III. नीमिआ उत्सव	3. अर्गोलिस के ज्यूस के सम्मान में
IV. इस्थमी उत्सव	4. समुद्र के ईश्वर पोसीडिअन के सम्मान में

कूट :

	I	II	III	IV
A.	1	3	2	4
B.	1	2	3	4
C.	1	4	2	3
D.	1	2	4	3

54. सूची-I को सूची-II के साथ सुमेलित कीजिए तथा नीचे दिए गए कूट से सही उत्तर चुनिए :

सूची-I	सूची-II
I. समूहशीलता	1. विरक्ति
II. आत्मसमर्पण	2. अपमान
III. अधिग्रहण	3. अकेलेपन का अनुभव
IV. घृणा	4. स्वामित्वता का अहसास

कूट :

	I	II	III	IV
A.	1	2	3	4
B.	3	4	1	2
C.	3	2	4	1
D.	2	3	1	4

55. सूची-I को सूची-II के साथ सुमेलित कीजिए तथा नीचे दिए गए कूट से सही उत्तर चुनिए :

सूची-I	सूची-II
I. लेंगरंस आइलेट के α कोशिका	1. ल्यूटनाइजिंग हॉर्मोन
II. लेंगरंस आइलेट के β कोशिका	2. ग्लूकोकार्टिकोईडस
III. एन्टिरियर पीट्यूटरी द्वारा हॉर्मोन स्राव	3. ऑक्सीटोसीन
IV. एड्रिनल कार्टेक्स द्वारा हॉर्मोन स्राव	4. ग्लूकैगॉन
V. पोस्टिरियर पीट्यूटरी द्वारा हॉर्मोन स्राव	5. इन्सुलिन

कूट :

	I	II	III	IV	V
A.	5	4	2	1	3
B.	5	4	3	1	2
C.	4	5	1	2	3
D.	4	3	2	1	5

56. सूची-I को सूची-II के साथ सुमेलित कीजिए तथा नीचे दिए गए कूट से सही उत्तर चुनिए :

समूह-I	समूह-II
I. साइनेप्टिक क्लेफ्ट	1. ऐन्डोमाइसियम
II. मायोसिन	2. ट्रोपोनिन
III. सार्कोलेम्मा	3. ऐन्डोप्लाजमिक रेटिक्यूलम
IV. एक्टिन	4. क्रॉस ब्रीज
V. सार्कोप्लाजम	5. कोलीन ऐस्टरेज

कूट :

	I	II	III	IV	V
A.	5	4	1	2	3
B.	3	2	4	5	1
C.	3	4	5	2	1
D.	5	2	3	1	4

57. सूची-I को सूची-II के साथ सुमेलित कीजिए तथा नीचे दिए गए कूट से सही उत्तर चुनिए :

सूची-I	सूची-II
I. रेडियो अल्नर संधि	1. क्रुसिएट लिगामेंट
II. नितम्ब संधि	2. ग्लेनोह्यूमरल लिगामेंट
III. घुटने की संधि	3. एनूलर लिगामेंट
IV. कंधे की संधि	4. लिगामेंट टेरेस

कूट :

	I	II	III	IV
A.	3	4	1	2
B.	2	3	4	1
C.	3	2	4	1
D.	4	1	2	3

58. सूची-I को सूची-II के साथ सुमेलित कीजिए तथा नीचे दिए गए कूट से सही उत्तर चुनिए :

सूची-I	सूची-II
I. बाइसेप्स का लम्बा सिरा	1. कोराकोएड प्रोसेस ऑफ स्कैपुला
II. बाइसेप्स का छोटा सिरा	2. पोस्टिरियर ह्यूमरस
III. ट्राइसेप्स का लम्बा सिरा	3. इंफ्राग्लिनायड टुबरेकल ऑफ स्कैपुला
IV. ट्राइसेप्स का छोटा सिरा	4. सुपराग्लिनायड टुबरेकल

कूट :

	I	II	III	IV
A.	1	2	3	4
B.	4	1	3	2
C.	1	3	2	4
D.	1	4	2	3

59. सूची-I को सूची-II के साथ सुमेलित कीजिए तथा नीचे दिए गए कूट से सही उत्तर चुनिए :

सूची-I	सूची-II
I. सत्तावादी नेतृत्व शैली	1. इसके परिणामों का पुनः सशक्तिकरण
II. लोकतान्त्रिक नेतृत्व शैली	2. व्यक्ति और पर्यावरण के बीच सम्बन्धों पर आधारित
III. व्यावहारिक नेतृत्व शैली	3. उपलब्धि-अभिमुखी उपागम
IV. मानवीय नेतृत्व शैली	4. प्रत्यायोजन उपागम

कूट :

	I	II	III	IV
A.	3	4	1	2
B.	1	2	3	4
C.	2	3	4	1
D.	4	1	2	3

60. सूची-I को सूची-II के साथ सुमेलित कीजिए तथा नीचे दिए गए कूट से सही उत्तर चुनिए :

सूची-I	सूची-II
I. प्रशिक्षण का अन्तरण	1. अंतरण के सामान्यीकरण को प्रभावित करने वाली स्थिति।
II. अन्तरण का आशय	2. उस अधिगम का अन्तरण जो दो अंगों के बीच होता है।
III. द्विपक्षीय अन्तरण	3. एक अंग से होने वाला द्विपक्षीय अन्तरण दूसरे अंगों से होने वाले अन्तरण से ज्यादा मात्रा में है।
IV. अनियमित अन्तरण	4. एक कार्य के अभ्यास का दूसरे कार्य पर प्रभाव।

कूट :

	I	II	III	IV
A.	3	2	1	4
B.	4	1	2	3
C.	1	4	3	2
D.	2	3	4	1

61. सूची-I को सूची-II के साथ सुमेलित कीजिए तथा नीचे दिए गए कूट से सही उत्तर चुनिए :

सूची-I	सूची-II
I. विटामिन बी$_1$	1. वृद्धि
II. विटामिन सी	2. एंटीऑक्सीडेन्ट्स
III. विटामिन डी	3. तंत्रिका की कार्यप्रणाली
IV. विटामिन ई	4. कॉलेजन निर्माण

कूट :

	I	II	III	IV
A.	1	2	3	4
B.	2	3	4	1
C.	3	4	1	2
D.	4	1	2	3

62. सूची-I को सूची-II के साथ सुमेलित करें तथा नीचे दिए गए कूट से सही उत्तर चुनें :

सूची-I	सूची-II
I. व्यायाम	1. एडेनोसिन ट्राइफासफेट
II. जैविक ऊर्जा	2. सम्पूर्ण शरीर की ऊर्जा का स्रोत
III. भोजन	3. उत्तरजीविता का आधार

IV. स्वास्थ्य 4. स्वास्थ्य का आधार

कूट :

	I	II	III	IV
A.	1	2	3	4
B.	4	1	2	3
C.	3	4	1	2
D.	2	3	4	1

63. सूची-I को सूची-II के साथ सुमेलित कीजिए तथा नीचे दिए गए कूट से सही उत्तर चुनिए :

सूची-I	सूची-II
I. ईडियो-मोटर प्रशिक्षण	1. तकनीक प्रशिक्षण का III चरण
II. शून्य स्पर्धा	2. तकनीक प्रशिक्षण का II चरण
III. सामान्य अवस्था में अभ्यास	3. चोट के कारण प्रशिक्षण में अवरोध
IV. अभ्यास सम्बन्धी फीड-बैक	4. तकनीक प्रशिक्षण का I चरण

कूट :

	I	II	III	IV
A.	3	4	2	1
B.	1	2	3	4
C.	4	3	2	1
D.	1	3	2	4

64. सूची-I को सूची-II के साथ सुमेलित कीजिए तथा नीचे दिए गए कूट से सही उत्तर चुनिए :

सूची-I	सूची-II
I. प्रतिस्पर्धा की स्थिति का प्रत्यक्ष ज्ञान और विश्लेषण	1. चरण-III
II. व्यूह कौशल सम्बन्धी कार्य का मानसिक समाधान ढूँढ़ना	2. चरण-IV
III. व्यूह कौशल कार्य का निष्पादन	3. चरण-I
IV. व्यूह कौशल कार्य का यान्त्रिक समाधान ढूँढ़ना	4. चरण-II

कूट :

	I	II	III	IV
A.	4	3	2	1
B.	3	4	1	2
C.	1	2	3	4
D.	2	1	3	4

65. सूची-I की विधियों को सूची-II के आँकड़ा-स्रोतों से सुमेलित कीजिए तथा नीचे दिए गए कूट से सही उत्तर चुनिए :

सूची-I	सूची-II
I. सर्वेक्षण	1. कार्यक्रम में भाग लेने वालों के साथ लिखित प्रश्न-उत्तर
II. साक्षात्कार	2. प्रशिक्षित पर्यवेक्षक के लिखित नोट
III. प्रेक्षण	3. गहन साक्षात्कार और लम्बे समय तक का किसी विशेष केस, समूह, घटना और कार्यक्रम का प्रेक्षण
IV. मामला अध्ययन	4. प्रतियोगी-प्रश्नावली, सर्वेक्षण और जाँच-सूची

कूट :

	I	II	III	IV
A.	1	2	3	4
B.	2	3	4	1
C.	3	4	1	2
D.	4	1	2	3

66. सूची-I को सूची-II के साथ सुमेलित कीजिए तथा नीचे दिए गए कूट से सही उत्तर चुनिए :

सूची-I	सूची-II
I. परीक्षण परिकल्पना	1. फ्रांसिस बकन
II. निगमनिक विधि	2. वैज्ञानिक विधि
III. आगमिक विधि	3. क्रिस्टियन हग्गनेस
IV. हाइपोथेटिको निगमनिक विधि	4. अरस्तू

कूट :

	I	II	III	IV
A.	1	3	2	4
B.	2	4	1	3
C.	3	1	4	2
D.	4	2	3	1

67. सूची-I को सूची-II के साथ सुमेलित कीजिए तथा नीचे दिए गए कूट से सही उत्तर चुनिए :

सूची-I	सूची-II
I. मोटर एजूकेबीलिटी टेस्ट	1. 'टी' ड्रिल टेस्ट
II. मोटर एबिलिटी टेस्ट	2. कूपर का 12 मिनट रन/वॉक टेस्ट

III. एजीलिटी टेस्ट		3. आई.ओ. डब्ल्यू.ए. टेस्ट	
IV. कार्डियो-वेसकुलर एफिसियेन्सी टेस्ट		4. जे.सी.आर. टेस्ट	

कूट :

	I	II	III	IV
A.	3	4	1	2
B.	4	3	2	1
C.	2	1	3	3
D.	2	3	1	2

68. सूची-I को सूची-II के साथ सुमेलित कीजिए तथा नीचे दिए गए कूट से सही उत्तर चुनिए :

सूची-I	सूची-II
I. गोनियोमीटर	1. वाइटल केपेसिटी (जैविक क्षमता)
II. वर्नियर केलीपर	2. पेशीय क्षमता
III. वेट स्पाइरोमीटर	3. शरीर व्यास
IV. अर्गोमीटर	4. लचकीलापन

कूट :

	I	II	III	IV
A.	3	4	2	1
B.	4	3	1	2
C.	2	4	3	1
D.	2	3	4	1

69. सूची-I को सूची-II के साथ सुमेलित कीजिए तथा नीचे दिए गए कूट से सही उत्तर चुनिए :

सूची-I	सूची-II
I. पर्यवेक्षण की तकनीक	1. निष्पादन के निरन्तर मूल्यांकन देना
II. पर्यवेक्षण का सिद्धान्त	2. निरीक्षण
III. पर्यवेक्षण का कार्य	3. विद्यार्थी-अध्यापक के बीच विश्वास पैदा करना
IV. शिक्षण पाठ के पर्यवेक्षण की संदर्शिका	4. शैक्षिक संगठन और शैक्षिक प्रशासन के बीच कड़ी का कार्य करना।

कूट :

	I	II	III	IV
A.	1	2	3	4
B.	2	3	4	1
C.	3	4	1	2
D.	2	1	4	3

70. सूची-I को सूची-II के साथ सुमेलित कीजिए तथा नीचे दिए गए कूट से सही उत्तर चुनिए :

सूची-I	सूची-II
I. पौष्टिकता	1. परजीवी एजेंटों के सम्मुख एक्सपोजर
II. स्वास्थ्य विज्ञान	2. पूर्ण विश्राम में प्रयुक्त ऊर्जा की मात्रा
III. जैविक जोखिम	3. वह विज्ञान जिसका सम्बन्ध खाद्य से है और शरीर द्वारा इसका प्रयोग
IV. बी.एम.आर.	4. जीवन जीने की कला

कूट :

	I	II	III	IV
A.	4	2	3	1
B.	2	1	4	3
C.	3	4	1	2
D.	1	3	2	4

निर्देश (प्रश्न सं. 71 से 75 तक) : *निम्नलिखित गद्यांश को पढ़कर प्रश्नों का उत्तर दीजिए।*

मूल्यमीमांसा मूल्यों के सिद्धांत का वैज्ञानिक अध्ययन है। दबावों से मानव-जाति की उत्तरजीविता अपनी मूल्य प्रणाली के रूप में जैविक प्रकृति पर इतना निर्भर नहीं होता है, क्योंकि मूल्य दर्शन का निर्माण करते हैं और दर्शन लोगों के चिंतन के तरीके को ही प्रभावित नहीं करता है अपितु उनके कार्य के तरीके को भी प्रभावित करता है। व्यावहारिक रूप से कहें तो मूल्यों का संबंध अधिमान से होता है। अधिमान लोगों को कार्य करने के लिए अभिप्रेरित करता है और उनके व्यवहार की शुरूआत करता है।

मूल्यों को कई तरीकों से वर्गीकृत किया जा सकता है। इनमें से एक श्रेणी का संबंध अच्छे और बुरे, सही और गलत से होता है। इन्हें सामान्यतः नैतिक और नीतिपरक मूल्यों के रूप में जाना जाता है। कोई कार्य अच्छा है या बुरा यह नीतिपरक सिद्धांत पर आधारित होता है और नीतिपरक सिद्धांतों को ऐसे उच्च नीतिकपरक सिद्धांतों के आधार पर उचित ठहराया जाता है, जो मानवजाति की भलाई के लिए हों।

मूल्यों की अन्य श्रेणी विकल्पों के चयन से संबंधित होती है, जो अमूर्त और भौतिकवाद दोनों हो सकते हैं, जहाँ विकल्प जन्मजात बुरे या अच्छे होते हैं। ये मूल्य व्यक्तिपरक होते हैं अर्थात् अति वैयक्तिक होते हैं अर्थात अति वैयक्तिक होते हैं और भिन्न-भिन्न हो सकते हैं। यह तथ्य कि कोई व्यायाम करना

चाहता है या नहीं, यह भी एक मूल्य है और अंततः यह उस स्थिति में नीतिपरक मूल्य बन जाता है। जब इसका वैश्विक सिद्धांत द्वारा परीक्षण किया जाता है तो इसे युक्तियुक्त रूप से ऐसा दर्शाया जाता है कि इस चयन में जीवन और व्यक्तित्व की पवित्रता होती है। यह इसकी बाद की संभावना होती है कि इसमें ऐसे नैतिक तर्क और विवेक का प्रयोग किया जा सके, जिससे व्यवहार व्यक्ति के लिए नीतिपरक कार्य बनता है।

सामाजिक मूल्य की एक विशेषता यह है कि इसकी सतत व्याख्या की जानी चाहिए और इसे एक पीढ़ी से दूसरी पीढ़ी में प्रोन्नत किया जाना चाहिए। मूल्य आनुवंशिकता के माध्यम से जीन्स में नहीं जाते हैं लेकिन वे उस संस्कृति में अंतर्निहित होते हैं, जिसमें कोई व्यक्ति जन्म लेता है और प्रत्येक नई पीढ़ी के भाग के रूप में उन्हें अवश्य सीखा या अर्जित किया जाना चाहिए। कोई भी व्यक्ति नीतिपरक संहिता के साथ जन्म नहीं लेता है लेकिन उसे उस संहिता का विकास अवश्य करना चाहिए, जो पदक्रम के स्तर के माध्यम से प्रगति के प्रतिमान के बाद आता प्रतीत है। इस संहिता का अधिगम, शिक्षण के माध्यम से प्रत्यक्ष रूप से या साहचर्य या अनुकरण से अप्रत्यक्ष रूप से किया जाना चाहिए। इस बात का उल्लेख किया गया है कि क्रीड़ा और खेल-कूद युवाओं द्वारा मूल्यों के अर्जन के लिए सक्रिय, नाटकीय और छोटी-छोटी बातों को सीखने का वातावरण उपलब्ध करते हैं।

मूल्य प्रणाली का विकास एक आजीवन प्रक्रिया है और यह दार्शनिक रूप से तैयार होती है। यह छोटी आयु में शुरू होता है और जीवनपर्यन्त प्रत्येक नए अनुभव के साथ विकसित होता है, संशोधन हमेशा होता रहता है, अतः यह एक गतिशील प्रक्रिया है।

71. सही विकल्प का चयन कीजिए :
मूल्य निम्नलिखित में से किस पर आधारित होते हैं?

A. जैविक पहलू B. धार्मिक पहलू
C. व्यावहारिक पहलू D. दार्शनिक पहलू

72. नीचे दिए गए विकल्पों से मूल्यों के वर्गीकरण के दो तरीकों को चिह्नित कीजिए :

I. सामान्य और विशेष II. अच्छा और बुरा
III. अमूर्त और भौतिकवाद IV. वंशागत और अर्जित

कूट :

A. I और II B. III और IV
C. II और III D. I और IV

73. नीचे दो कथन दिए गए हैं, जिनमें से एक को अभिकथन (A) और दूसरा तर्क (R) है :

अभिकथन (A) : व्यक्तिपरक और अति वैयक्तिक मूल्य, विकल्पों में से चयन किया जाता है।

तर्क (R) : ये अच्छे या बुरे, सही और गलत हो सकते हैं।

इन दो कथनों के प्रसंग में निम्नलिखित में से कौन-सा सही है?

कूट :

A. (A) सही है, लेकिन (R), (A) की सही व्याख्या नहीं है।
B. (A) सही है और (R), (A) की सही व्याख्या है।
C. (A) और (R) दोनों सही नहीं हैं।
D. (A) गलत है, लेकिन (R) सही है।

74. नीचे दो कथन दिए गए हैं, जिनमें से एक को अभिकथन (A) और दूसरा तर्क (R) है :

अभिकथन (A) : सामाजिक मूल्य की सतत व्याख्या की जानी चाहिए और उसे एक पीढ़ी से दूसरी पीढ़ी में प्रोन्नत किया जाना चाहिए।

तर्क (R) : क्योंकि इसे प्रत्येक नई पीढ़ी के भाग के रूप में अर्जित किया जाना चाहिए।

उपर्युक्त दो कथनों के प्रसंग में निम्नलिखित में से कौन-सा सही है?

कूट :

A. (A) सही है और (R), (A) की सही व्याख्या है।
B. (A) सही है, लेकिन (R), (A) की सही व्याख्या नहीं है।
C. (A) सही है, लेकिन (R) गलत है।
D. (A) गलत है, लेकिन (R) सही है।

75. सूची-I को सूची-II के साथ सुमेलित कीजिए तथा नीचे दिए गए कूट से सही उत्तर चुनिए :

सूची-I	सूची-II
I. मूल्यों का अधिगम	1. नीतिपरक कार्य
II. मूल्य आशोधन	2. सतत प्रक्रिया
III. मूल्यों का विकास	3. स्वभाव से गतिशील
IV. नैतिक तर्क और मूल्यांकन	4. साहचर्य और अनुकरण

कूट :

	I	II	III	IV
A.	4	3	2	1
B.	2	1	3	4
C.	3	4	1	2
D.	1	2	4	3

उत्तरमाला

1	2	3	4	5	6	7	8	9	10
A	D	A	D	B	A	D	D	D	B
11	**12**	**13**	**14**	**15**	**16**	**17**	**18**	**19**	**20**
C	C	A	C	A	D	B	C	D	D
21	**22**	**23**	**24**	**25**	**26**	**27**	**28**	**29**	**30**
D	B	B	D	B	A	D	D	A	B
31	**32**	**33**	**34**	**35**	**36**	**37**	**38**	**39**	**40**
D	A	B	B	B	B	C	B	C	B
41	**42**	**43**	**44**	**45**	**46**	**47**	**48**	**49**	**50**
B	B	B	A	B	A	A	B	A	C
51	**52**	**53**	**54**	**55**	**56**	**57**	**58**	**59**	**60**
B	B	B	C	C	A	A	B	A	B
61	**62**	**63**	**64**	**65**	**66**	**67**	**68**	**69**	**70**
C	B	A	B	D	B	A	B	D	C
71	**72**	**73**	**74**	**75**					
D	C	B	A	A					

व्याख्यात्मक उत्तर

3. अस्तित्ववाद के सिद्धांतों के अनुसार, व्यक्ति पूर्ण रूप से स्वतंत्र है। यह अभिविद्या (Metaphysics) पर आधारित होती है। व्यक्ति अपने भाग्य का निर्धारण स्वयं कर सकता है एवं अपने जीवन की उन्नति या अवनति का स्वयं निर्धारण कर सकता है। अस्तित्ववादी 'कारण' पर जोर नहीं देते बल्कि मनःस्थिति पर जोर देते हैं। 'सार्त्र', 'नीत्शे', 'कीरक' तथा 'जैरलैण्ड' प्रमुख अस्तित्व समर्थक हैं। सार्त्र ईश्वरवादी अस्तित्ववादी थे जबकि नीत्शे अनिश्वरवादी अस्तित्ववादी समर्थक थे। नीत्शे ईश्वर में विश्वास नहीं करते थे।

'अस्तित्ववादी' इस बात से इंकार करते हैं कि मानव का निश्चित स्वभाव है। जैसा कि जॉन-पॉल सार्त्र ने कहा है, "हमारा अस्तित्व हमारे सार के हक में आता है। हम, एक प्रकार से अपने स्वभाव का सृजन स्वयं करते हैं तथा विभिन्न चुनावों द्वारा जो हम चुनते हैं और उसी प्रकार हम क्रियाएँ भी करते हैं।" सामान्यतः अस्तित्ववादी यह सोचते हैं कि यदि कोई भी बात है, जो मनुष्यों के बारे में तय है तो वह यह है कि हम स्वतंत्र है। जैसा कि 'दोस्तेविश्की' ने कहा 'मनुष्य ही आजादी है।'

5. लोगों में विश्वास और उत्साह बनाने की योग्यता ही नेतृत्व कहलाती है तथा यह उनमें एक इच्छा जागृत करती है कि वे चाहते हैं कि उनका नेतृत्व हो। एक सफल नेता में दूरदृष्टि, प्रेरक तत्व पहल करने की योग्यता, आत्मविश्वास तथा व्यक्तिगत ईमानदारी होनी चाहिए। दूसरे शब्दों में वांछित साझे उद्देश्य की प्राप्ति के लिए एक-दूसरे को सहयोग देने के लिए लोगों को प्रेरित करने के कार्य को नेतृत्व कहते हैं। नेतृत्व एक परिवर्तनशील प्रक्रिया है जो समूह के सदस्यों की जरूरतों को पूरा करती रहती है। लोगों के एक-दूसरे से वैचारिक टकराव से ही नेतृत्व उभरता है। सही नेतृत्व के बिना कोई समाज या संगठन विकास के पथ पर अग्रसर नहीं हो सकता। नेतृत्व के बिना कोई घर सम्प्रदाय, संस्थान, संस्था, व्यवसाय तथा कोई देश अपना कार्य नहीं कर सकता। अतः नेता ही अगुवाई करता है, मानने योग्य सुझाव देता है, सही मार्ग दिखाता है। दूसरे लोगों के लिए आदर्श होता है जिसका लोग अनुपालन तथा आदर करते हैं। स्पष्टतः यह कहा जा सकता है कि नेतृत्व एक व्यावहारिक प्रक्रिया है जिसका

केन्द्र बिन्दु वैयक्तिकों एवं समूह को निर्धारित लक्ष्यों के लिए प्रभावित करते हैं।

6. इण्ट्राम्यूरल (Intramurals) यह शब्द लैटिन शब्द इण्टरा मुरोस से बना है, जिसका अर्थ दीवारों के भीतर है। इसका इस्तेमाल खेल मैच और प्रतियोगिताओं में होता है।

इण्ट्राम्यूरल खेल कार्यक्रम के उद्देश्य–

- विभिन्न गतिविधियों के माध्यम से व्यक्तित्व के लिए अवसर प्रदान करते हैं।
- सामाजिक संपर्क और स्थायी दोस्ती के लिए विकास के लिए अवसर प्रदान करते हैं।
- अधिगम अनुभव को खेल-प्रतिस्पर्धा में प्रतिद्वंद्वी और दर्शक दोनों में भाग लेने द्वारा सिखलाना।
- भागीदारी के माध्यम से नेतृत्व और फैलोशिप के अवसर प्रदान करते हैं।
- व्यक्तियों के लिए मनोरंजन प्रदान करते हैं, उनके कौशल की क्षमता की परवाह किए बिना।
- प्रतिभागियों को विभिन्न किस्म के खेलों में एक मनोरंजक या प्रतिस्पर्द्धी माहौल में खेलने के लिए सक्षम बनाता है।
- सक्रिय रूप से साहस और गतिविधियों के आनन्द को बढ़ावा देने के लिए।
- प्रतिभागियों के साथ रचनात्मक चर्चा और प्रतिक्रिया के माध्यम से कार्यक्रम में सुधार के लिए।

7. दर्शन व्यक्ति को बुद्धिमान तथा तत्वज्ञानी बनाता है। वस्तुतः दर्शनशास्त्र आत्मा-परमात्मा, जीव, सृष्टि, जीवन मूल्यों, तर्क आदि गूढ़ विषयों का अति विस्तृत क्षेत्र है। दर्शनशास्त्र को मनुष्य की बुद्धि के प्रति प्रेम मानकर परिभाषित किया गया है। यह एक विकासोन्मुखी प्रक्रिया है, जो सिद्धांतों तथा मूल्यों को स्थापित करती है। यह जीवन के दर्शन को समझने का एक प्रयास है।

दर्शनशास्त्र के मुख्यतः तीन भाग हैं–1. नैतिकता, 2. मूल्य-मीमांसा तथा 3. ज्ञान-मीमांसा। सत्य की प्रकृति ज्ञान-मीमांसा का भाग है।

10. प्रोटीन (Protein) शब्द का प्रयोग सर्वप्रथम बर्जिलियस (1938 ई.) ने किया था। प्रोटीन छोटी-छोटी इकाइयों से बने होते हैं जिन्हें ऐमीनो अम्ल कहते हैं। सभी जीवों में मिलने वाली प्रोटीन 20 विभिन्न प्रकार के ऐमीनो अम्ल के संयोजन से बनी होती है।

12. **Z-प्राप्तांक**–Z-प्राप्तांक ऐसा मानक प्राप्तांक है जिसका माध्य (mean) शून्य होता है तथा मानक विचलन (standard deviation) एक होता है। इससे यह पता चलता है कि वितरण के माध्य से कोई भी प्राप्तांक कितना मानक विचलन ऊपर या नीचे है। इसका परिकलन प्राप्तांक में से माध्य घटाकर और फिर उसे मानक विचलन से भाग देकर ज्ञात किया जाता है। इसका सूत्र इस प्रकार है–

$$Z = \frac{X - \bar{X}}{S}$$

यहाँ, Z = Z-प्राप्तांक

X = प्राप्तांक

$\bar{X}$ = वितरण का माध्य

S = वितरण का मानक विचलन

प्रश्नानुसार,

डाटा का माध्य $\bar{X} = 26.40$

मानक विचलन $S = 2.34$

स्कोर अर्थात प्राप्तांक $X = 23.46$

$$Z = \frac{23.46 - 26.40}{2.34}$$

$$= \frac{-2.94}{2.34}$$

$$= -1.26.$$

14. **गोल्फर कोहनी (Golfer's Elbow) :** इसको एपीकॉण्डिलाइट्स भी कहते हैं। ये गहरी चोटें हैं, जिनसे स्पीकोण्डी के पास की मांसपेशी टेण्डन में सूजन, जलन तथा दर्द रहता है। यह चोट कोहनी के पास स्थित मांसपेशी व टेण्डन के बार-बार प्रयोग से होती है।

15. विश्वसनीयता (Reliability) तथा वैधता (Validity) मानक परीक्षण (Standardized test) के दो प्रमुख गुण हैं। ये दोनों एक-दूसरे से काफी सम्बन्धित हैं। यदि परीक्षण सजातीय है अर्थात् जिनके सभी एकांशों (Items) द्वारा एक ही गुण या क्षमता का मापन होता है तो वैसी परिस्थिति में परीक्षण की वैधता परीक्षण की विश्वसनीयता पर निर्भर करती है। ऐसे परीक्षण में जब विश्वसनीयता नहीं होती है अर्थात् वे अपने आप से ही सहसम्बन्धित नहीं होते हैं,

तो ऐसे परीक्षण की वैधता कम होती है, क्योंकि जो परीक्षण स्वयं अपने साथ ही सहसम्बन्धित नहीं हो पाते हैं, वे किसी बाह्य कसौटी के साथ सहसम्बन्धित कैसे हो पाएँगे।

16. विभिन्न शारीरिक शिक्षाविदों ने शारीरिक शिक्षा के उद्देश्यों का वर्णन निम्न प्रकार से किया है–

जे.आर. शर्मन–"शारीरिक शिक्षा का ध्येय है कि मनुष्य के अनुभव को इस सीमा तक प्रभावित किया जाए कि वह अपनी योग्यता एवं पात्रतानुसार समाज में उचित स्थान ग्रहण कर सके, अपनी आवश्यकताओं को बढ़ा सके तथा उन्नत कर सके और इन्हें पूरा करने में समर्थ हो।"

जे.एफ. विलियम–"शारीरिक शिक्षा का ध्येय व्यक्ति तथा समाज के लिए योग्य नेतृत्व, उपयुक्त साधन तथा पर्याप्त समय उपलब्ध कराना है, जिससे व्यक्ति तथा समाज ऐसी परिस्थितियों में भाग ले सके जो व्यक्ति तथा समाज के लिए शारीरिक दृष्टि से आनन्ददायक हो, मानसिक दृष्टि से प्रेरक तथा संतोषप्रद हो तथा सामाजिक दृष्टि से स्वस्थ हो।"

उपर्युक्त विद्वानों के विचारों से शारीरिक शिक्षा के निम्नलिखित उद्देश्य स्पष्ट होते हैं–

- मनुष्य के अनुभव को इस सीमा तक प्रभावित किया जाए कि वह अपनी योग्यता एवं पात्रतानुसार समाज में उचित स्थान ग्रहण कर सके।
- उत्तम नागरिकता का विकास।
- मनुष्य अपनी आवश्यकताओं की पूर्ति करने में समर्थ बन सके।
- मनुष्य स्वस्थ जीवन व्यतीत करे।
- उत्तम मानव सम्बन्धों का विकास।
- मनुष्य को मानसिक दृष्टि से प्रेरक तथा संतोषप्रद बनाना।
- मनुष्य को शारीरिक, मानसिक तथा संवेगात्मक दृष्टि से सक्षम बनाना।

17. खेल की दुनिया में डोपिंग के रूप में सबसे अधिक एनाबोलिक स्टेरॉयड का प्रयोग होता है, इसको (AAS) के नाम से भी जाना जाता हे। जिसका अर्थ एन्ड्रोजेनिक एनाबॉलिक स्टेरॉयड होता है। एनाबोलिक स्टेरॉयड को पुरुष के हार्मोन टेस्टोस्टेरोन जैसा समझा जाता है, जिसका उत्पादन पुरुष एण्ड्रोजेनिक अण्डकोष में होता है। एण्ड्रोजेनिक से तात्पर्य पौरुषत्व तथा एनाबोलिक से तात्पर्य उत्तकों का निर्माण से है। इसके सेवन से महिलाओं में पौरुषत्व के गुण आने लगते हैं, यकृत सही कार्य नहीं करता है, बांझपन तथा आवाज भारी होने लगती है।

18.

भौतिक राशि	SI मात्रक
आयतन	m^3
घनत्व	kg/m^3 या $kg\ m^{-3}$
चाल	m/s या ms^{-2}
त्वरण	m/s^2 या ms^{-2}
बल	$kg.m/s^2$ या $kg.ms^{-2} = N$
संवेग	kg.m/s या $kg.m.s^{-1}$
आवेग	N.S
कार्य या ऊर्जा	joule

24. अन्तर-प्राचीर प्रतियोगिता (Intranural competition) का सफल आयोजन निम्नलिखित कारकों पर निर्भर करता है–

- संस्थान का आवासीय, आंशिक आवासीय अथवा गैर आवासीय होना आदि।
- भौगोलिक तथा उपचारीय अवस्थाएं।
- उपलब्ध ढांचागत सुविधाएं (जैसे खेल के मैदान, स्तरीय ट्रैक, स्टेडियम, उपकरण नेतृत्व आदि)।
- अनुमानित वित्तीय उपलब्धता।
- समय की उपलब्धता।
- छात्र जिसमें गहरी रुचि रखते हों ऐसी गतिविधियों की पहचान।

25. शारीरिक शिक्षा एवं खेलों में उपकरण और सामग्री का काफी महत्व है। उपकरण (Equipment) को चार्ल्स ए बुचर ने निम्न तरीके से परिभाषित किया है। उपकरण धारणा का प्रयोग उन वस्तुओं के लिए किया जाता है जिन्हें मूल्यवान समझा जाता है परंतु जो कई वर्षों तक प्रयोग किए जाते हैं।

उपकरणों के चयन में कुछ विचारणीय प्रश्न निम्नलिखित होते हैं–

- उनकी अपनी गुणवत्ता।
- प्रबन्ध करना अथवा उपयोग करना।

- मौसम तथा वातावरण की स्थितियाँ जिनमें इनका प्रयोग किया जाता है।
- प्रशिक्षण एवं प्रतियोगिता का स्तर जिसके अंतर्गत इनकी अवधि एवं शक्ति को जांचा जाता है।
- उपकरणों पर व्यय कम हो।
- उपकरण उच्च उपयोगिता वाला हो।

29. 'Evaluation' शब्द की उत्पत्ति लैटिन भाषा से हुई है, जिसका अर्थ मूल्यांकन है। मूल्यांकन का दूसरा अर्थ आकलन है। किसी भी वस्तु का मूल्यांकन करने से हमें उसकी महत्ता की जानकारी होती है, जिससे उस वस्तु के द्वारा शैक्षणिक उद्देश्य की पूर्ति हो सके अर्थात् किसी भी वस्तु का संचालन इस प्रक्रिया के द्वारा करते हैं, जब सही मापन का प्रयोग कर जो निर्णय हम लेते हैं, वही मूल्यांकन कहते हैं।

शिक्षा मूल्यांकन में मापन के लिए रॉ स्कोर, पर्सेन्टाइल रैकस, मानक अंक होते हैं। इसके आधार पर ही मूल्यांकन उपयुक्तता, उचितता, अच्छाई, वैधता तथा विविधता के विषय में सूचना प्रदान करता है। अतः अभिकथन (A) तथा तर्क (R) दोनों सही हैं और (R), (A) का सही स्पष्टीकरण है।

33. शारीरिक शिक्षा शब्द दो अलग शब्दों से मिलकर बना है, 'शारीरिक एवं शिक्षा'। शारीरिक शब्द का साधारण अर्थ शरीर सम्बन्धी विभिन्न क्रियाओं से है। इसका किसी एक या सभी शारीरिक विशिष्टताओं से सम्बन्ध हो सकता है। यह शारीरिक बल, शारीरिक क्षमता, शारीरिक फिटनेस, शारीरिक बनावट और शारीरिक स्वास्थ्य आदि के रूप में भी जाना जाता है। 'शिक्षा' शब्द से अभिप्राय सुव्यवस्थित ढंग से निर्देश या प्रशिक्षण या जीवन की क्रमबद्ध ढंग से तैयारी या किसी कार्य विशेष के लिए दिए जाने वाले दिशा-निर्देश से है। इन दोनों शब्दों का संयुक्त अर्थ शारीरिक क्रियाशीलता या कार्यकलापों के कार्यक्रम के व्यवस्थित निर्देश या प्रशिक्षण से लिया जाना चाहिए, जो कि मानव शरीर के विकास और उसे बनाए रखने अथवा शारीरिक शक्तियों या शारीरिक स्फूर्ति के संचरण के लिए नितांत आवश्यक है। इस प्रकार स्पष्ट होता है कि शारीरिक शिक्षा का उद्देश्य व्यक्ति के व्यक्तित्व का सर्वांगीण विकास से है। अतः अभिकथन (A) सही है तथा तर्क (R) अभिकथन (A) का सही स्पष्टीकरण है।

34. VO_2 max. कार्डियोरेसपिरेटरी दमखम एवं ऐरोबिक क्षमता का सही सूचक माना जाता है। VO_2 max अभ्यास के दौरान जब व्यक्ति अपने अधिकतम दबाव के स्तर को प्राप्त कर लेता है, उस दौरान एक मिनट में फेफड़ों द्वारा ग्रहित की गई O_2 की मात्रा। सेकेण्ड विंड से तात्पर्य एक ऐसी स्थिति से है जिसमें एक व्यक्ति व्यायाम या अभ्यास करने के पश्चात् कुछ समय तक बेचैनी करता है। सिर दर्द, थकान, उल्टी आना आदि के क्षणिक कुछ समय पश्चात् स्थिति सामान्य हो जाती है इसे ही सेकेण्ड विंड कहते हैं। दमखम निष्पादन में ऑक्सीजन अवरोधक कारक हैं एवं ऑक्सीजन ग्रहण में आनुवंशिक कारक अवरोधक होते हैं। अतः अभिकथन (A) एवं तर्क (R) दोनों सही हैं और (A) की (R) सही व्याख्या है।

35. अनऐरोबिक सहनशक्ति परिवर्तन—ATP-CP तंत्र में एन्जाइम गतिविधि का स्तर बढ़ जाना। इस एन्जाइम को क्रिएटिनीन काइनेज कहते हैं। ATP-CP और PC अधिक जमा होता है। कई ग्लाइकोलिसिस एन्जाइम की गतिविधियों के स्तर में वृद्धि के कारण ग्लाइकोलिसिस क्षमता में वृद्धि हो जाती है। एन्जाइम की गतिविधि में वृद्धि के कारण ग्लाइकोजन विघटित होकर लैक्टिक अम्ल में तीव्रता से और अधिक मात्रा में परिवर्तित हो जाता है। जिससे लैक्टिक अम्ल शक्ति तंत्र से ज्यादा ATP शक्ति बनता है।

क्रेब्स साइकिल (Krebs Cycle) : इस प्रक्रिया का पता 1937 ई. में ब्रिटिश वैज्ञानिक हैन्स क्रेब्स ने लगाया था। इसकी सारी अभिक्रियाएँ यूकैरियोटिक जीवों में माइटोकॉण्ड्रिया में तथा प्राकैरियोटिक जीवों में कोशिका कला पर होती हैं। इसमें ग्लाइकोलिसिस से प्राप्त पाइरूविक अम्ल के दोनों अणुओं का ऑक्सीजन की उपस्थिति में पूर्ण ऑक्सीकरण होता है। क्रैब साइकिल एवं इलेक्ट्रॉन ट्रान्सपोर्ट प्रक्रिया द्वारा उचित मात्रा के ए.टी.पी. का निर्माण होता है। इस प्रकार अभिकथन (A) और तर्क (R) दोनों सही है परंतु (A) की (R) सही व्याख्या नहीं है।

36. प्लेन को हिन्दी में तल/समतल कहते हैं। तल वह सतह होती है जिसमें शरीर का अंग गति करता है तथा तल अक्ष के लम्बवत् होता है अर्थात् तल वह क्षेत्र होता है जिसको हमारे शरीर का अंग गति करते हुए घेरता है, और दूसरे शब्दों में यह भी कह सकते हैं कि शरीर की मौलिक गतिविधियाँ जिस क्षेत्र में होती हैं उसे तल कहते

हैं। अक्ष या धुरी एक ऐसी रेखा होती है, जिसके चारों तरफ गति होती है। जब हम समतल गतिशीलता का अध्ययन करते हैं तो यह आसान होता है कि आरम्भ स्थिर समतल से किया जाए। खण्ड में माँसपेशीय शक्ति नहीं होती है। अतः अभिकथन (A) तथा तर्क (R) दोनों सही हैं और (A) की (R) सही व्याख्या है।

41. खेल का स्वरूप अनिश्चित होता है। अतः व्यक्ति विशेष को हमेशा एक जैसा अवसर नहीं मिलता। अभ्यास काल के दौरान, स्पर्द्धा के समय तथा स्पर्द्धा के पश्चात ऐसे कई प्रेरक तत्व होते हैं जो न सिर्फ उसकी शारीरिक दक्षता, मानसिक तत्परता, आत्मविश्वास तथा अन्य दूसरे प्रतियोगी वर्ग के कठिन प्रतियोगियों के बीच स्वतः के खेल को स्थिरता या अस्थिरता प्रदान करता है और अन्य लोगों को अपने खेल के बारे में ज्ञान को प्रभावित होने से बचाता है। इस प्रकार कहा जा सकता है कि खेल और व्यायाम में व्यक्तित्व के अध्ययन का महत्वपूर्ण मार्ग लक्षणीय अवस्था एवं अन्योन्यक्रिया उपागम है। सामान्यतः खेल में किसी व्यक्ति के व्यक्तित्व के लक्षणों का पूर्वानुमान नहीं लगाया जा सकता ठीक उसी प्रकार किसी व्यक्ति के व्यक्तित्व से सम्बद्ध लक्षणों की जानकारी सदैव पूर्वानुमान लगाने में सहायक नहीं होती कि व्यक्ति एक विशेष परिस्थिति में किस प्रकार व्यवहार करेगा। अतः अभिकथन (A) और तर्क (R) दोनों सही हैं और (R), (A) का सही स्पष्टीकरण है।

43. विभिन्न व्यक्ति विशेष के लिए मनोरंजन अलग-अलग अर्थ रखता है। सामान्य व्यवहार में मनोरंजन का अर्थ विस्तृत समग्र भाव से लिया जाता है। यह गतिविधि किसी आयु विशेष समूह के लिए प्रतिबन्धित नहीं होती है। जीडी बटलर के अनुसार, ''मनोरंजन को इस प्रकार भी माना जा सकता है कि किसी भी प्रकार के खाली समय को अनुभवों या गतिविधि, जिसमें व्यक्ति विशेष अपनी रुचि के अनुसार स्वयं भी संतुष्टि और मनोरंजन करता है जोकि उसके पास सीधे ही आती है।''

जीवन संघर्ष से ही नहीं टूटता, बल्कि शरीर से भी टूट जाता है। टूटे हुए शरीर और मन के लिए मनोरंजन रामबाण साबित होता है। इसलिए सभी पीड़ाओं और परेशानियों से बचने के लिए मनुष्य मनोरंजन की शरण में जाता है। मनोरंजन समस्त पीड़ाओं और तनावों को दूर कर देता है। इसी प्रकार जो व्यक्ति मानसिक रोगों से पीड़ित है वे खेल, संगीत के उद्दीपनों के प्रति शीघ्रता से प्रतिक्रिया व्यक्त करते हैं। अतः अभिकथन (A) और तर्क (R) दोनों सही हैं और (A) की (R) सही व्याख्या है।

45.
- **प्लाज्मा प्रोटीन्स (Plasma Proteins) :** फाइब्रिनोजन, एल्ब्यूमिन, ग्लोब्यूलिन तथा प्रोथ्रॉमिन प्लाज्मा में पायी जाने वाली प्रोटीनें है। ये सभी यकृत में बनती है तथा प्लाज्मा के जल में कोलॉइड्स (Colloids) के रूप में पायी जाती है। प्लाज्मा प्रोटीन ऊतक कोशिकाओं के प्रोटीनों का मुख्य स्रोत है।
- **लाल रुधिराणु या एरिथ्रोसाइट्स (Red Blood Corpuscles or Erythrocytes) :** जंतुओं के विभिन्न वर्गों में लाल रुधिर कोशिकाओं की माप तथा आकृति अलग-अलग होती है। मछली, उभयचर, सरीसृप तथा पक्षियों में स्थित लाल रुधिर कोशिकाओं में केन्द्रक होता है। स्तनधारियों में स्थित लाल रुधिर कोशिकाओं में केन्द्रक नहीं होता है। परिपक्व स्तनधारी के लाल रुधिर कोशिकाओं में केन्द्रक (Nucleus), माइटोकॉण्ड्रिया (Mitochondria), अन्तः प्रद्रव्यजालिका झिल्ली (Endolplasmic reticulum) गॉल्जीकाय (Golgibody) तथा राइबोसोम (Ribosome) नहीं होती हैं। इस प्रकार कोशिका के लगभग सारे भाग में हीमोग्लोबिन भरा रहता है। हीमोग्लोबिन के कारण ही रक्त का रंग लाल होता है।
- **श्वेत रुधिराणु या ल्यूकोसाइट (White Blood Corpuscles or Leucocytes) :** श्वेत रुधिर कोशिकाओं में हीमोग्लोबिन नहीं होता, इसीलिए ये रंगहीन होती हैं। मनुष्य के रुधिर में इसकी संख्या 6000 से 9000 प्रति क्यूबिक मिमी. तक होती है परंतु रोगी अवस्था में इसकी संख्या अधिक हो जाती है। श्वेत रुधिराणुओं में न्यूट्रोफिल्स (Neutrophils) की संख्या सबसे अधिक होती है। इसका मुख्य कार्य, जीवाणुओं तथा अन्य बाह्य पदार्थों का भक्षण (Phagocytosis) करना और उन्हें नष्ट करना है, इसीलिए इन्हें माइक्रोफेजेज कहते हैं।
- **रुधिर पट्टिकाएँ (Blood Platelets or Thrombocytes) :** यह केवल मनुष्य तथा अन्य स्तनधारियों के रुधिर में ही पाया जाता है। इसमें केन्द्रक नहीं

होता, ये गोलाकार अथवा उभयोत्तल डिस्क की तरह की संरचनाएँ हैं। जब रुधिर वाहिका किसी स्थान पर कट जाती हैं तब रुधिर पट्टिकाएँ कटे हुए स्थान पर एकत्र हो जाती हैं और एक विशेष प्रकार का रसायन छोड़ती है जिसे पट्टिका कारक कहते हैं। ये रुधिर के स्कंदन में सहायता करते हैं।

45. मनुष्य के रुधिर वर्ग (Human Blood Groups) : कार्ल लैंडस्टीनर ने सन् 1900 ई. में पता लगाया कि सभी मनुष्यों का रुधिर समान न होकर भिन्न-भिन्न प्रकार का होता है। इस भिन्नता का कारण रुधिर की लाल रुधिर कोशिकाओं में एक विशेष प्रकार की प्रोटीन (ग्लाइकोप्रोटीन) की उपस्थिति है, जिसे एण्टीजन कहते हैं। मनुष्य के रुधिर वर्गों में सामान्यतः कोई भी रक्त-अभिश्लेषण (Agglutination) नहीं होता, इसका कारण यह है कि किसी भी रुधिर वर्ग में अनुरूप (Corresponding) एण्टीबॉडी एवं एण्टीजन्स उपस्थित नहीं होते अर्थात् एण्टीजन A के साथ एण्टीबॉडी a, एण्टीजन B के साथ एण्टीबॉडी b उपस्थित नहीं होते। यदि किसी रुधिर वर्ग (A, B, AB एंव O) के रक्त को किसी ऐसे रुधिर वर्ग के रक्त में मिश्रित कर दिया जाए जिसमें अनुरूप (Correspondign) एण्टीजन्स एवं एण्टीबॉडीज उपस्थित है, तब रक्त की लाल कोशिकाओं को अभिश्लेषण (Agglutination) हो जाएगा।

46. मानवीय शरीर में 650 से अधिक मांसपेशियाँ होती हैं जो मनुष्य के ढांचे से जुड़ी होती हैं। ये मांसपेशियाँ शरीर को गतिशीलता तथा हरकत के योग्य बनाने वाली शक्ति प्रदान करती हैं। ये शरीर के वजन का कुल 40 प्रतिशत होती हैं। हड्डियों अथवा माँसपेशियों से जुड़ने वाली माँसपेशियों के सिरों को आरम्भ स्थल अथवा मेल स्थान कहा जाता है। सामान्य तौर पर, माँसपेशियाँ हड्डी के साथ मजबूत रेशेदार पदार्थ के साथ जुड़े रहते हैं जिन्हें टैंडन (Tendon) कहा जाता है। यह टेंडन एक अथवा अधिक जोड़ों के बीच पुल अथवा जोड़ का काम करते हैं तथा माँसपेशियों के सिकुड़ने के परिणामस्वरूप इन जोड़ों में गतिशीलता होती है। माँसपेशियों का सिकुड़ना अथवा फैलना ही हड्डियों में गतिशीलता प्रदान करता है। मांसपेशी संकुचलन की क्रमिक प्रक्रिया है—तंत्रिका वेग उत्पन्न होना, डीपोलराइजेशन, ऐक्शन पोटेन्शियल, एसिटाइल कोलीन का उद्घाटित होना, ऐक्टो-माइयोसिन कॉम्पलेक्स।

47. पाठ योजना का शाब्दिक अर्थ होता है पाठ की तैयारी। कक्षा में प्रवेश करने से पहले अध्यापक उन सभी बातों को लिपिबद्ध कर लेता है, जिसे वह एक निश्चित समयावधि के अंदर पढ़ाना चाहता है। पाठ योजना की सहायता से शिक्षक को बालकों का पूर्व ज्ञान, पाठ का उद्देश्य आदि ज्ञात हो जाता है। अतः शालाओं में जितने भी ज्ञानात्मक और क्रियात्मक अभ्यास कराए जाते हैं, उनका एक निश्चित लक्ष्य होता है, जिन्हें पाठ की संज्ञा दी जाती है।

पाठयोजना शारीरिक शिक्षा कार्यक्रम में बहुत ही महत्वपूर्ण होती है। एक सुव्यवस्थित पाठ योजना का निर्माण करके ही प्रशिक्षक अपने कार्य में सफलता प्राप्त करता है। यदि प्रशिक्षण एक क्रमबद्ध या सही तरीके से दिया जाएगा तो सभी खिलड़ी उसमें रुचिपूर्वक भाग लेंगे। पाठ योजना खिलाड़ियों की रुचि एवं आवश्यकता को ध्यान में रखकर तैयार किया जाना चाहिए नहीं तो प्रशिक्षण लेने में रुचि लेंगे। पाठयोजना के सही चरण निम्नलिखित हैं—

- शिक्षात्मक उद्देश्यों के विकास और उनके मूल्यांकन के साधन जो सर्वसम हो।
- पाठयोजना पर सामान्य ध्यान को केन्द्रित करने का निर्धारण करना।
- विषय के लिए विषय-विस्तार और क्रम के मानदण्ड स्थापित करना।
- ऐसी अध्यापन रणनीतियों की पहचान करना जिनसे अध्यापक आदर्श हो सकें और विद्यार्थियों की सहभागिता हो।

48. निगमन विधि (Deductive Method) : इस विधि में सामान्य का विशिष्टीकरण किया जाता है। सामान्यतः उच्च शिक्षा में इस विधि का प्रयोग किया जाता है।

निगमन विधि के चरण इस प्रकार हैं—

सैद्धान्तिक विकास, शाब्दिक परिकल्पना, परिवेषण करना, परिकल्पना का आँकड़ों से परीक्षण, सिद्धांत पुनर्विचार।

52. शारीरिक बनावट (Body Composition) : शारीरिक बनावट पतले शारीरिक पिंड और इसके ऊपर जमा चर्बी का अनुपात है। मोटापे को शरीर की उस फालतू चर्बी के रूप में परिभाषित किया जाता है जो हृदय रोग होने की संभावनाओं को बढ़ाता है। पुरुषों में शारीरिक चर्बी 12 से 17 प्रतिशत और स्त्रियों में 18 से 22 प्रतिशत तक होनी चाहिए। शारीरिक चर्बी कुछ शारीरिक कार्यों के लिए

आवश्यक भी है। कई शरीरों में उत्पत्ति से जुड़े कारणों की वजह से चर्बी नहीं चढ़ती जबकि कईयों पर चर्बी बहुत जल्दी चढ़ जाती है।

व्यक्ति की शरीर बनावट का सही क्रम निम्न है–

1. वायु में शरीर का भार तोलना
2. पानी के नीचे भार का तोलना
3. शरीर घनत्व
4. वसा का प्रतिशत
5. वसा का भार
6. लीन बॉडी मास

53. **ओलम्पिक उत्सव (Olympic Festiveal) :** सभी खेलों में ओलम्पिक खेल सबसे अधिक महत्वपूर्ण हैं। यह उत्सव ओलम्पिया में प्रत्येक चार वर्ष की अवधि के बाद सम्पन्न होता था। प्राप्त प्रमाणों के अनुसार प्रथम ओलम्पिक ई. पू. 776 में मनाया गया था। यह उत्सव अगस्त माह में पाँच दिनों तक मनाया जाता था। यह उत्सव जीयस देवता को श्रद्धांजलि भेंट करने के लिए मनाया जाता है।

पीथियन उत्सव (Pythia Festival) : यह दूसरे स्तर का लोकप्रिय खेल उत्सव था। ओलम्पिक खेलों के बीच के तीसरे वर्ष में यह उत्सव डैल्फी के मैदान पर मनाया जाता था। यह उत्सव अपोलो देवता को श्रद्धांजलि देने के फलस्वरूप खेले जाते थे। रथ तथा घुड़दौड़ इस उत्सव की मुख्य प्रतियोगिताएँ थीं।

इस्थमियन उत्सव (Isthmi Festival) : यह उत्सव समुद्र देवता को श्रद्धांजलि अर्पण करने के लिए ओलम्पिक खेलों के बीच के दूसरे और चौथे वर्ष की अवधि में कोरिन्थ में मनाया जाता था।

निमियन उत्सव (Nemea festival) : ये खेल उत्सव प्रत्येक दो वर्ष के उपरान्त अर्गतीण में जीयस देवता के सम्मान में मनाया जाता था। इन उत्सवों में वहाँ का नागरिक ही भाग ले सकता था। इन खेलों की प्रतियोगिताओं के परिणामस्वरूप दिए जाने वाले पारितोषिक चाहे अधिक मूल्यवान थे, परंतु इनको प्राप्त करना एक महत्वपूर्ण सम्मान माना जाता था।

55. • **अग्न्याशय (Pancreas) :** यह मानव शरीर की दूसरी सबसे बड़ी ग्रंथि है। यह शरीर की एकमात्र ग्रंथि है, जो अन्तःस्रावी (Endocrine) तथा बहिस्रावी (Exocrine) दोनों प्रकार की है। यह छोटी आँत के U आकार वाले भाग में स्थित होती है। यह एसिनस नामक कोशिकाओं का बना होता है, जो अग्न्याशयी रस का स्रवण करती हैं, जिसमें कई एन्जाइम होते हैं, जो भोजन के पाचन में सहायता करते हैं। अग्न्याशय की कोशिकाओं के बीच-बीच में कुछ पीले रंग की कोशिकाएँ समूहों के रूप में व्यवस्थित रहती है, जिन्हें 'लैंगरहैंस के द्वीप' (Islets of Langerhans) कहते हैं। लैंगरहैंस के β-कोशिका से इन्सुलिन, α-कोशिका से ग्लूकेगॉन (Glucagon) एवं γ-कोशिका से सोमेटोस्टेटिन (Someatostatin) नामक हार्मोन निकलता है। इन्सुलिन रक्त में शर्करा की मात्रा को नियंत्रित करने में मदद करता है। इसके अल्प स्रवण से मधुमेह (Diabetes) नामक रोग हो जाता है।

- **LH हार्मोन (Luteinizing Hormone) :** यह एन्टिरियर पीयूष ग्रंथि (Pituitary Gland) द्वारा स्रावित होती है। यह नर में टेस्टोस्टीरोन हार्मोन एवं मादा में एस्ट्रोजन (Estrogen) हार्मोन स्रावित होता है।
- **LTH हार्मोन (Lactogenic Hormone) :** यह दुग्धजनक हार्मोन है। इसका मुख्य कार्य है, शिशु के लिए स्तनों में दुग्ध स्राव उत्पन्न करना।
- **ग्लूकोकॉर्टिक्वाइड्स (Glucocoriticoids) :** यह एड्रिनल कार्टेक्स द्वारा स्रावित हार्मोन है। यह कार्बोहाइड्रेट, प्रोटीन एवं वसा उपापचय को नियंत्रित करता है।

57. • **नितम्ब संधि (Hip joint) :** यह femur के head और Pelvis के acetabulum का जोड़ है। इसमें Femur का head और acetabulum, articular, capsule acetabular labrun, iliofernoral, pubofemoral, ischiofernoral ligaments, head ligament, transverse ligament इत्यादि शामिल हैं।

- **घुटने की संधि (Knee joint) :** Femural Condyies के articulations, tibia के condyles से patalle का Femur से articulation शामिल हैं।

Parts—Femoral condlyes, tibial condyles उनके patalla, menisci, posterior surface की articular capsule, politeal fascia, tibial और fibular collateral ligaments, anterior और posterior crueiate ligaments, transverse ligament, carnary ligaments, medical & lateral retinacaula.

- **रेडियो अल्नर संधि (Radio-ulnar joint) :** इसमें Radius का head, ulna का radial notch, annular ligament, joint capsule होते हैं।
- **कंधे की संधि (Shoulder Joint) :** Glenohumeral Ligament.

59. **सत्तावादी नेतृत्व शैली (Authoritarian Leadership Style) :** नेतृत्व की इस शैली के अंतर्गत नेता अपनी शक्ति का अधिकार सत्ता पूरी तरह से स्वयं में ही केन्द्रित रखता है। वह भरार्पण में विश्वास नहीं करता। निर्णयन-अधिकार के अंतर्गत वह स्वयं ही अनुयायियों को आदेश देता है। समस्त उत्तरदायित्व भी उसी का होता है। इसे नेता केन्द्रित शैली भी है। इस शैली के अंतर्गत उपलब्धि-अभिमुखी उपागम आता है। नेतृत्व के इस स्वरूप में अनुयायियों को लक्ष्यों तक की जानकारी नहीं होती, वे तो पूर्णतः अपने नेता पर आश्रित होते हैं।

लोकतांत्रिक नेतृत्व शैली (Democratic leadership Style) : इस शैली के अंतर्गत नेता समस्त नीतियों का निर्धारण सामूहिक विचार-विमर्श एवं निर्णयन द्वारा करता है। यहाँ अधिकार-सत्ता का उपयुक्त विकेन्द्रीयकरण किया जाता है। यह शैली प्रत्यायोजन उपागम पर आधारित होती है। परिणामतः नेता व अनुयायी के मध्य मैत्रीपूर्ण संबंध रहते हैं। इसे 'समूह-केन्द्रित' या लोकतन्त्रात्मक शैली भी कहते हैं।

व्यावहारिक नेतृत्व शैली (Behavioural Leadership Style) : इस विचारधारा के प्रणेता रे ए. किलियन हैं। इनके अनुसार, "एक नेता मूल रूप से चाहे कुशल निर्णय लेने वाला हो, समस्याओं का समाधान करने वाला हो, अच्छा परामर्शदाता हो, सूचना प्रदान करने वाला हो या नियोजक हो परंतु उसे अपने अनुयायियों के समक्ष आदर्श आचरण प्रस्तुत करना चाहिए। आदर्श आचरण या अच्छे व्यवहार के अभाव में वह कभी भी सफल नेता नहीं बन सकता है।

61. **विटामिन बी-1 :** इसे थायमिन भी कहा जाता है। यह समुद्री भोजन सी-फूड, दूध, माँस, मटर, अनाज एवं हरी सब्जियों से प्राप्त होता है। यह शारीरिक एवं मानसिक वृद्धि एवं विकास के लिए अति आवश्यक माना जाता है। इसकी कमी से बेरी-बेरी की बीमारी हो सकती है।

विटामिन-सी : ये मुख्य रूप से साइट्रस फलों में, जैसे—आँवला, नींबू, माल्टा, संतरे में पाए जाते हैं। इसके अतिरिक्त यह टमाटर, हरी पत्तेदार सब्जियों एवं आलुओं से प्राप्त होता है। ये भोजन तंतुओं, पेशियों और अन्य सहायक उत्तकों एवं मजबूत रक्त नलिकाओं के रख-रखाव के लिए बहुत आवश्यक होते हैं। ये कॉलेजन का निर्माण करता है। इस विटामिन की कमी से स्कर्वी नामक बीमारी हो जाती है।

विटामिन-डी : ये मुख्य रूप से पनीर, मक्खन, दूध, हरी सब्जियों, अण्डा, फिश लीवर तेल और सूर्य की किरणों से प्राप्त होते हैं। ये दाँतों की मजबूती एवं हड्डियों की बनावट के लिए बहुत आवश्यक होता है। इसकी कमी से बच्चों में रिकेट्स तथा बड़ों में ऑस्टोमलेसिया की बीमारी हो जाती है।

विटामिन-ई : ये मुख्य रूप से वनस्पति तेल, मक्खन, दूध, अण्डा, साबुत अनाज, हरी सब्जियाँ, फिश लीवर ऑयल, मेवे, बीज आदि में पाया जाता है। यह विटामिन एंटीऑक्सीडेन्ट्स का कार्य करती है। इस विटामिन की कमी से नंपुसकता जैसी प्रवृत्ति में वृद्धि हो सकती है।

62.
- **स्वास्थ्य (Health) :** स्वास्थ्य बहुत ही अहम विषय है और इसी तरह स्वास्थ्य शिक्षा का भी अपना महत्व है। स्वस्थ लोग ही एक स्वस्थ राष्ट्र का निर्माण करते हैं। स्वास्थ्य उत्तरजीविता का आधार है। स्वास्थ्य के संदर्भ में स्वामी विवेकानन्द ने कहा है कि "एक कमजोर आदमी, जिसका शरीर या मन कमजोर है, वह कभी भी मजबूत काया का मालिक नहीं बन सकता।"
- **भोजन (Food) :** भोजन संपूर्ण शरीर की ऊर्जा का स्रोत है क्योंकि भोजन हमें ताकत प्रदान करता है, जो हमें बढ़ने के लिए, शारीरिक क्रियाओं तथा आधारभूत शारीरिक क्रियाएँ जैसे साँस लेना, सोचना, तापमान नियंत्रित करना, रक्त चक्र तथा पाचन इत्यादि क्रियाओं के लिए आवश्यक है। भोजन हमेशा संतुलित एवं पोषक युक्त होना चाहिए।
- **व्यायाम (Exercise) :** व्यायाम स्वास्थ्य का आधार है। व्यक्ति के द्वारा व्यायाम के आधार पर ही पूर्ण रूप से अपना शारीरिक विकास किया जा सकता है। जिस समय उसके द्वारा नित दिन व्यायाम किया जाता है, उसी समय उसके द्वारा बिना किसी बाधा के अपने व्यक्तित्व का अत्यधिक विकास किया जा सकता है।

यह उसके समय उपस्थित होने वाली समस्त समस्याओं का निराकरण करने हेतु भी विशेष रूप से लाभदायक माना जाता है।

65. • **सर्वेक्षण :** सर्वेक्षण एक ऐसा अध्ययन या शोध है जिसमें शोधकर्ता एक पूरी जनसंख्या का अध्ययन किसी विशेष सामाजिक या मनोवैज्ञानिक विचलन के आधार पर करता है। सर्वेक्षण प्रणाली में प्रतियोगी प्रश्नावली, सर्वेक्षण और जाँच सूची, पैनल तकनीक एवं टेलीफोनिक सर्वेक्षण का उपयोग किया जाता है।

• **साक्षात्कार :** जब हम पूरी तरह से किसी धारणाओं या अनुभवों की समझना चाहते है तो साक्षात्कार का प्रयोग करते हैं। इसमें भाग लेने वालों के साथ लिखित प्रश्न-उत्तर होता है।

67. • **मोटर एबिलिटी टेस्ट (Motor Ability Test) :** मोटर एबिलिटी हमारी Intelligence qustent (IQ) के समानान्तर होता है। Motor Ability Test को मापने के लिए Lansen Test, Cozeen Athletic Ability Test और J.C.R. Test का प्रयोग किया जाता है।

• **मोटर एजूकेबीलिटी टेस्ट (Motor Educability Test) :** इसके माध्यम से सीखने की योग्यता अथवा Cognitive क्षमता का विकास कर नवीन निपुणताएँ सीखी जाती हैं। इसे Methery-Johnson, I.O.W.A. Test के माध्यम से मापा जाता है।

• **एजीलिटी टेस्ट (Agility Test) :** यह शरीर में प्रभावी एवं कुशल ढंग से दिशा परिवर्तन की योग्यता है। इस test के लिए T-Drill Test, Stork Stand Test, Quick Feet Test, Illinois Agilityren Test का प्रयोग किया जाता है।

• **कार्डियो-वेसकुलर एफिसियेन्सी टेस्ट (Cardio-vascular Efficiency Test) :** क

68. **शारीरिक गतिविधियों के मापक यंत्र**

• सिनेमेटोग्राफी – खिलाड़ी की कौशलयुक्त क्रिया का अध्ययन करता है।
• गोनियोमीटर – लचकीलापन।
• डायनमोमीटर – शरीर की बनावट मापक यंत्र है।
• वर्नियर कैलीपर – शरीर व्यास।
• अर्गोमीटर – पेशीय क्षमता।
• टैरोमीटर – श्वसन दाब को मापता है।
• वेट स्पाइरोमीटर – वाइटल केपेसिटी (जैविक क्षमता)
• होमोसाइटोमीटर – रक्त में Ph मान मापक यंत्र।

69. • **पर्यवेक्षण की तकनीक :** शारीरिक शिक्षा एवं खेलों में प्रयुक्त की जाने वाली तकनीकों में से कुछ निरीक्षण के तकनीक इस प्रकार हैं—

—दौरा।
—कार्यशला एवं कार्य सम्मेलन।
—शिक्षण प्रदर्शन।
—निरीक्षक रिपोर्ट एवं बुलेटिन।
—सुविधाओं एवं उपकरणों का निरीक्षण।
—राजकोषीय नियोजन।
—विद्यार्थी अध्यापकों का निरीक्षण।

• **पर्यवेक्षण के सिद्धांत :** पर्यवेक्षण के सिद्धांत के अंतर्गत दूसरों के कार्य का अधीक्षण करना होता है। इस सिद्धांत के अंतर्गत निष्पादन के निरन्तर मूल्यांकन देना होता है।

• **पर्यवेक्षण का कार्य :** पर्यवेक्षण का प्रमुख कार्य शैक्षिक संगठन और शैक्षिक प्रशासन के बीच कड़ी का कार्य करना है।

• **शिक्षण पाठ के पर्यवेक्षण की संदर्शिका :** इसके अंतर्गत विद्यार्थी और अध्यापक के मध्य विकास पैदा करना है।

70. • **पौष्टिकता (Nutrution) :** हमारे शरीर की कोशिकाओं को अच्छी तरह चालू हालत में रखने के लिए जरूरी है, कि उन्हें खुराक अर्थात् भोजन की सही मात्रा के माध्यम से ही रसायनों की सही मात्रा लगातार मिलती रहे। भोजन या आहार में ऐसे रसायनों को पौष्टिक तत्व कहते हैं। 'पोषण' वह विज्ञान है, जो भोजन और शरीर द्वारा इसके प्रयोग के बारे में प्रकाश डालता है।

• **स्वास्थ्य विज्ञान (Hygiene) :** स्वास्थ्य विज्ञान मुख्यतः जीवन जीने की कला है। शरीर ठीक ढंग से कार्य करता रहे इसके लिए उपयुक्त साफ-सफाई आवश्यक है। इस तरह की स्वच्छता को व्यक्तिगत स्वच्छता कहते हैं। इसका अर्थ है कि स्वास्थ्य तथा व्यक्ति को बनाए रखने के लिए बचावकारी दवा तथा शारीरिक ज्ञान की पढ़ाई तथा उपयोग।

पिछले प्रश्न-पत्र (हल सहित)

UGC-NET जूनियर रिसर्च फैलोशिप तथा सहायक प्राध्यापक परीक्षा

शारीरिक शिक्षा, जून-2014

प्रश्न-पत्र-II

नोटः *इस प्रश्न-पत्र में* ***पचास*** *(50) बहु-विकल्पीय प्रश्न हैं। प्रत्येक प्रश्न के* ***दो*** *(2) अंक हैं।* ***सभी*** *प्रश्न अनिवार्य हैं।*

1. एंडोमॉर्फ्स, मेसोमॉर्फ्स तथा एक्टोमॉर्फ्स के रूप में शरीर प्रकारों का विभाजन किसका योगदान है?

A. क्रेचमर B. शेल्डन
C. प्लेटो D. अरस्तू

2. मानव हृदय है :

A. इंजाइम बनाने का कारखाना
B. पंप करने वाला एक बड़ा अंग
C. प्रेरणा का स्रोत
D. एक ऊर्जा-भण्डार

3. श्रोणि संधि के इर्द-गिर्द मांसपेशियों के चार समूह होते हैं। इनमें से मध्यवर्ती मांसपेशी समूह निम्नलिखित में से किसके लिए कार्य करता है?

A. आकोचन
B. विस्तारण
C. अभिवर्तन
D. अपवर्तन

4. प्रतियोगिता केवल :

A. एक सीखी गई सामाजिक प्रक्रिया है।
B. चरित्र विकास की फलोत्पादक रणनीति है।
C. व्यक्ति के विकास के लिए विध्वंसकारी है।
D. मानव विकास के लिए अनिवार्य है।

5. भारत में सबसे पहले शारीरिक शिक्षा का स्नातकोत्तर कोर्स किस वर्ष में शुरू हुआ?

A. 1960 B. 1963
C. 1965 D. 1970

6. सही चीज सही समय पर सही व्यक्ति को सही तरीके से प्रस्तुत करना—कहलाता है :

A. खेलों के लिए प्रेरणा
B. खेलों में नेतृत्व
C. खेल प्रबंधन
D. खेलों में जनसंपर्क

7. निम्नलिखित में से कौन-सा घटक शरीर का गठन करता है?

A. प्रोटीन B. कार्बोहाइड्रेट्स
C. विटामिन D. मिनरल्स

8. निम्नलिखित में से कौन-सा आनुवांशिक धरोहर माना गया है?

A. सहनशीलता B. लचीलापन
C. गति D. बल

9. निम्नलिखित में से कौन-सा सहसंबंध गुणांक दो परिवर्तों के बीच सबसे कमजोर संबंध का प्रतिनिधित्व करता है?

A. –0.59 B. +0.10
C. –1.0 D. +0.76

10. निम्नलिखित में से कौन-सा एक उत्तम परीक्षण का मापदण्ड नहीं है?

A. विषयनिष्ठता B. व्यक्तिनिष्ठता
C. विश्वसनीयता D. अधिमान्यता/वैधता

11. प्रबंधन में पर्यवेक्षण का ध्येय होता है :

A. छात्र मार्गदर्शन
B. छात्रों की गतिविधियों का निरीक्षण
C. प्रगति का ठहराव
D. प्रतिपुष्टि देना

12. निम्नलिखित में से कौन-सा विद्यालय स्वास्थ्य कार्यक्रम से संबंधित नहीं है?

A. जीविका सम्बन्धी परामर्श

B. स्वास्थ्य रेकार्ड रखना

C. स्वच्छता

D. बीमारियों को ठीक करना

13. उस प्रेक्षण, जिसमें सहभागी इस बात से अनभिज्ञ होते हैं कि शोधकर्ता उनके व्यवहार का प्रेक्षण कर रहा है, को क्या कहते हैं?

A. सहभागी प्रेक्षण | B. गैर-सहभागी प्रेक्षण

C. अप्रच्छन्न प्रेक्षण | D. प्रच्छन्न प्रेक्षण

14. एक जिमनास्ट शरीर के घूर्णन की त्रिज्या में फेर-बदल करके लगातार कई बार क्षैतिजिक दण्ड पर जाइंट स्विंग करता है। इसके लिए वह :

A. केवल घूर्णन की त्रिज्या को घटाता है।

B. केवल घूर्णन की त्रिज्या को बढ़ाता है।

C. घूर्णन की त्रिज्या को एक बार बारी-बारी से घटाता और बढ़ाता है।

D. घूर्णन की त्रिज्या को लगातार बारी-बारी से घटाता और बढ़ाता है।

15. निम्नलिखित में से खेल प्रबंधन में कौन-सा नवप्रवर्तन कार्य नहीं है?

A. क्रमविकासशीलता | B. अनुप्राणित करना

C. खोजना | D. निदेशन

16. अधिगम किस प्रकार घटित होता है, इसका अध्ययन निम्नलिखित में से किसका प्रधान भाग है?

I. तंत्रिका मनोविज्ञान

II. खेल का शरीरक्रिया विज्ञान

III. शैक्षिक मनोविज्ञान

IV. क्रीड़ा का समाजशास्त्र

सही संयोजन बताइए :

A. I, II | B. II, III

C. III, IV | D. I, III

17. स्पोर्ट्स मेडिसिन में व्हर्लपूल चिकित्सा में निम्नलिखित में से किनका उपयोग किया जाता है?

I. मालिश | II. बर्फ की थैली

III. पानी में डुबाना | IV. इंफ्रा रेड

सही उत्तर चुनिए :

A. I तथा II | B. I तथा III

C. II तथा III | D. III तथा IV

18. उपलब्धि लक्ष्य सिद्धांत में तीन तत्त्व हैं, वे हैं :

I. उपलब्धि लक्ष्य

II. अनुमानित क्षमता

III. कार्य अभिमुखीकरण

IV. उपलब्धि व्यवहार

सही संयोजन बताइए :

A. II, I, III | B. III, IV, I

C. IV, III, II | D. I, II, IV

19. शारीरिक शिक्षा के शिक्षकों को समय-सारिणी की आवश्यकता होती है, इस कारण कि :

I. वह उनको प्रभावशील अध्यापन कार्यक्रम के आयोजन में मदद करता है।

II. वह उनको अपने अवकाश के समय का आयोजन करने में मदद करता है।

III. वह उनको समय और शक्ति का सदुपयोग करने में सुनिश्चित करता है।

IV. वह उनको उनके घरेलू कामों के आयोजन में मदद करता है।

सही संयोजन बताइए :

A. I, II | B. I, III

C. II, IV | D. II, III

20. प्रशिक्षण भार को ज्ञात करने के वस्तुनिष्ठ माध्यमों में सम्मिलित है :

I. ऑक्सीजन का उपयोग

II. सूखे होंठ

III. अनिद्रा

IV. लैक्टिक ऐसिड का जमाव

सही समायोजन ज्ञात करें :

A. I और II | B. II और III

C. III और IV | D. I और IV

21. विभिन्न तरीकों की शक्ति को मापने के लिए निम्नलिखित परीक्षणों का उपयोग किया जाता है :

I. सिट-अप्स

II. स्क्वैट जम्प

III. मेडिसिन बॉल फेंकना

IV. पुल-अप्स

इनमें से ताकत सहनशक्ति किनसे मापी जाती है?

A. I तथा II B. II तथा III
C. III तथा IV D. IV तथा I

22. सही कूट चुनिए :

परिसंचरण तंत्र के अंगों को अवरोही क्रम में व्यवस्थित कीजिए :

I. नाक II. कंठ
III. श्वासनली IV. फेफड़े

कूट :

A. I, II, IV, III B. IV, III, II, I
C. II, III, IV, I D. I, II, III, IV

23. निम्नलिखित में से किन कारणों से भारतीय ओलंपिक संघ (आई ओ ए) अंतर्राष्ट्रीय ओलंपिक समिति (आई ओ सी) द्वारा निलंबित किए जाने की प्रक्रिया से गुजर रहा है?

I. आपराधिक आरोप लगाए गए व्यक्ति आई ओ ए में कार्यालयीन पद पर आसीन नहीं हो सकते
II. पदाधिकारियों की आयु सीमा 70 वर्ष
III. पदाधिकारियों के लिए दो बार कार्यकाल के मानदण्ड से कतराना
IV. पदाधिकारी के रूप में 12 वर्ष तथा 70 वर्ष से अधिक आयु नहीं

सही संयोजन बताइए :

A. I तथा II B. III तथा IV
C. I तथा IV D. II तथा III

24. नीचे दो वक्तव्य दिए गए हैं। एक को अभिकथन (A) तथा दूसरे को कारण (R) कहा गया है।

अभिकथन (A) : कोई भी दो व्यक्ति एक समान नहीं होते।

कारण (R) : शारीरिक क्रियाकलापों को निर्धारित करने के पहले व्यक्तिगत अंतर पर यथोचित विचार कर लेना चाहिए।

सही उत्तर चुनिए :

कूट :

A. (A) तथा (R) दोनों सही हैं, परन्तु (R), (A) का सही स्पष्टीकरण नहीं है।
B. (A) तथा (R) दोनों सही हैं और (R), (A) का सही स्पष्टीकरण है।
C. (A) सही है, परन्तु (R) गलत है।
D. (A) गलत है, परन्तु (R) सही है।

25. नीचे दो वक्तव्य दिए गए हैं। एक को अभिकथन (A) तथा दूसरे को कारण (R) कहा गया है।

अभिकथन (A) : तंतुमय अस्थिसंधि में हलन चलन बिल्कुल नहीं होती।

कारण (R) : हिंज संधि, तंतुमय अस्थिसंधि का ठेठ उदाहरण है।

उपर्युक्त संदर्भ में निम्नलिखित में से कौन-सा विकल्प सही है?

कूट :

A. (A) तथा (R) दोनों सही हैं और (R), (A) का सही स्पष्टीकरण है।
B. (A) तथा (R) दोनों सही हैं, परन्तु (R), (A) का सही स्पष्टीकरण नहीं है।
C. (A) सही है, परन्तु (R) गलत है।
D. (A) गलत है, परन्तु (R) सही है।

26. नीचे दो वक्तव्य दिए गए हैं। एक को अभिकथन (A) तथा दूसरे को कारण (R) कहा गया है।

अभिकथन (A) : मानव जाति अद्वितीय है। वे शारीरिक, मानसिक तथा व्यवहारपरक अभिलक्षणों के संयोजन से सम्पन्न होते हैं जो उन्हें मानव के रूप में पहचान देते हैं तथा उन्हें वैयक्तित्व व्यक्तित्व प्रदान करते हैं।

कारण (R) : लोग समान भी होते हैं तथा भिन्न भी। उनकी भिन्न-भिन्न जैविक तथा आनुभविक पृष्ठभूमि होती है, तथापि उनमें कुछ ऐसे समान शारीरिक तथा मानसिक गुण होते हैं जो उन्हें जानवरों से अलग करते हैं।

उपर्युक्त दोनों वक्तव्यों के संदर्भ में निम्नलिखित में से कौन-सा विकल्प सही है?

कूट :

A. (A) तथा (R) दोनों सही हैं।
B. (A) तथा (R) दोनों गलत हैं।
C. (A) सही है, परन्तु (R) गलत है।
D. (A) गलत है, परन्तु (R) सही है।

27. नीचे दो कथन दिए गए हैं, एक को अभिकथन (A) तथा दूसरे को कारण (R) कहा गया है।

अभिकथन (A) : शैक्षणिक संस्थानों में शारीरिक शिक्षा की प्रकृति तथा उद्देश्य मुख्य रूप से उस संगठन के दर्शन तथा नेतृत्व पर आधारित होते हैं।

कारण (R) : विद्यालय के मार्गदर्शन में विद्यार्थी के द्वारा प्राप्त कुल अनुभवों को पाठ्यचर्या कहा जाता है।

दोनों कथनों के सन्दर्भ में निम्नलिखित में से कौन-सा कथन सत्य है?

कूट :

A. (A) तथा (R) दोनों सही हैं, किन्तु (R), (A) का सही स्पष्टीकरण नहीं है।
B. (A) तथा (R) दोनों सही हैं और (R), (A) का सही स्पष्टीकरण है।
C. (A) सही है, किन्तु (R) गलत है।
D. (A) गलत है, किन्तु (R) सही है।

28. नीचे दो वक्तव्य दिए गए हैं। एक को अभिकथन (A) तथा दूसरे को कारण (R) कहा गया है।

अभिकथन (A) : दाबक हम पर लगातार धावा बोलते रहते हैं। हमारी प्रतिक्रिया दबाव वृद्धि उत्तेजना के रूप में कोष-इन्द्री तरल के अन्तर्निर्भरित चक्र में होती है।

कारण (R) : इस प्रतिक्रिया हेतु आवश्यक अनुकूलन ऊर्जा कोष सीमित होता है, दाबकीय प्रभाव संचित होता है। सम्पूर्ण दाबक पैकेज को चिन्हित और व्यवस्थित करना चाहिए।

इन दो उपरोक्त वक्तव्यों के प्रसंग में, निम्नलिखित में से कौन-सा सही है?

कूट :

A. दोनों (A) और (R) सही हैं तथा (R), (A) की सही व्याख्या है।
B. दोनों (A) और (R) सही हैं, परन्तु (R), (A) की सही व्याख्या नहीं है।
C. (A) गलत है, परन्तु (R) सही है।
D. (A) सही है, परन्तु (R) गलत है।

29. नीचे दो कथन दिए गए हैं, एक को अभिकथन (A) तथा दूसरे को कारण (R) कहा गया है।

अभिकथन (A) : संधियों के ज्यादा उपयोग के कारण बास्केटबॉल के खिलाड़ियों में ऑस्टिओपोरोसिस बीमारी आती है।

कारण (R) : संधियों के ज्यादा उपयोग करने से साइनोविअल द्रव्य कम हो जाता है।

उपर्युक्त दो कथनों के संदर्भ में निम्नलिखित में कौन-सा सही उत्तर है?

कूट :

A. (A) तथा (R) दोनों सही हैं, परन्तु (R), (A) का सही स्पष्टीकरण नहीं है।
B. (A) तथा (R) दोनों सही हैं और (R), (A) का सही स्पष्टीकरण है।
C. (A) सही है, परन्तु (R) गलत है।
D. (R) सही है, परन्तु (A) गलत है।

30. नीचे दो वक्तव्य दिए गए हैं। एक को अभिकथन (A) तथा दूसरे को कारण (R) कहा गया है।

अभिकथन (A) : टी-टेस्ट का उपयोग मध्यमान के दो समूहों के बीच के अंतर की सार्थकता के परीक्षण के लिए किया जाता है।

कारण (R) : टी टेस्ट, एक एकल प्रतिदर्श—जिसकी पोपुलेशन की वैविध्यता ज्ञात नहीं है, की निराकरणीय प्राक्कल्पना का एक प्राचलिक आनुभाविक सांख्यिकीय परीक्षण है।

उपर्युक्त दो वक्तव्यों के संदर्भ में निम्नलिखित में से कौन-सा सही है?

कूट :

A. (A) तथा (R) दोनों सही हैं और (R), (A) का सही स्पष्टीकरण है।
B. (A) तथा (R) दोनों सही हैं, परन्तु (R), (A) का सही स्पष्टीकरण नहीं है।
C. (A) सही है, परन्तु (R) गलत है।
D. (A) गलत है, परन्तु (R) सही है।

31. नीचे दो वक्तव्य दिए गए हैं। एक को अभिकथन (A) तथा दूसरे को कारण (R) कहा गया है।

अभिकथन (A) : मूल्यांकन = उद्देश्यों की तुलना में मापन।

कारण (R) : मापन तथा मूल्यांकन शारीरिक शिक्षा में महत्वपूर्ण भूमिका निभाते हैं।

उपर्युक्त दो वक्तव्यों के संदर्भ में निम्नलिखित में से कौन-सा सही है?

कूट :

A. (A) तथा (R) दोनों सही हैं और (R), (A) का सही स्पष्टीकरण है।

B. (A) तथा (R) दोनों सही हैं, परन्तु (R), (A) का सही स्पष्टीकरण नहीं है।

C. (A) सही है, परन्तु (R) गलत है।

D. (A) गलत है, परन्तु (R) सही है।

32. नीचे दो वक्तव्य दिए गए हैं। एक को अभिकथन (A) तथा दूसरे को कारण (R) कहा गया है।

अभिकथन (A) : प्रशासन योजना बनाने का कार्य है।

कारण (R) : प्रशासन के द्वारा निर्मित विस्तरित योजनाओं को कार्यान्वित करना प्रबंधन का कार्य है।

निम्नलिखित में से सही उत्तर चुनिए :

कूट :

A. (A) तथा (R) दोनों सही हैं, परन्तु (R), (A) का सही स्पष्टीकरण नहीं है।

B. (A) सही है, परन्तु (R) गलत है।

C. (A) गलत है, परन्तु (R) सही है।

D. (A) और (R) दोनों सही हैं।

33. भारत में शारीरिक शिक्षा के लिए भारत सरकार द्वारा उठाए गए निम्नलिखित चरणों को काल क्रमानुसार व्यवस्थित कीजिए :

I. नेशनल फिजिकल एफिसिएंसी टेस्ट

II. अमृत कौर कोचिंग स्कीम

III. एल एन सी पी ई

IV. ऐडवाइजरी बोर्ड ऑन एजुकेशन

कूट :

A. I, II, IV, III   B. II, I, III, IV

C. IV, III, II, I   D. II, IV, III, I

34. किसी गेंद को पकड़ने (कैच करने) में निहित विभिन्न अवस्थाओं का सही कालानुक्रम क्या होगा?

A. आने वाली गेंद की लाइन में पोजीशन लेना, उड़ान का अनुमान लगाना, दोनों हथेलियों से कप का आकार बनाना तथा गेंद को प्राप्त करना।

B. उड़ान का अनुमान लगाना, आने वाली गेंद की लाइन में पोजीशन लेना, गेंद को प्राप्त करना तथा दोनों हथेलियों से कप का आकार बनाना।

C. दोनों हथेलियों से कप का आकार बनाना, बॉल को प्राप्त क़रना, उड़ान का अनुमान लगाना तथा गेंद की लाइन में पोजीशन लेना।

D. उड़ान का अनुमान लगाना, गेंद की लाइन में पोजीशन लेना, हथेलियों से कप का आकार बनाना तथा गेंद को प्राप्त करना।

35. कौशल प्रशिक्षण की प्रस्तुतिकरण पद्धति में निम्नलिखित स्तर आते हैं :

I. अभ्यास

II. स्पष्टीकरण

III. निदर्शन

IV. भूल सुधार

सही क्रम में लिखिए ;

A. II, III, IV, I   B. I, III, II, IV

C. IV, I, III, II   D. III, II, I, IV

36. निम्नलिखित टेस्ट बैट्रीज को उनके शुरू किए जाने के कालानुक्रम में व्यवस्थित कीजिए तथा नीचे दिए गए कूट से सही उत्तर चुनिए :

I. क्राउस-वेबर टेस्ट

II. AAHPER यूथ फिटनेस टेस्ट

III. बैरो जनरल मोटर एबिलिटी टेस्ट

IV. स्वास्थ्य संबंधी शारीरिक स्वस्थता टेस्ट

कूट :

A. III, IV, I तथा II

B. IV, I, II तथा III

C. I, III, II तथा IV

D. II, III, IV तथा I

37. 100 मीटर की स्प्रिन्ट में निहित संचलन की अवस्थाओं का सही क्रम (जिस क्रम में ये अवस्थाएँ आती हैं) चुनिए:

A. मंद गतिवर्धन, द्रुत गतिवर्धन, शून्य गतिवर्धन, ऋणात्मक गतिवर्धन

B. शून्य गतिवर्धन, मंद गतिवर्धन, द्रुत गतिवर्धन, ऋणात्मक गतिवर्धन

C. ऋणात्मक गतिवर्धन, शून्य गतिवर्धन, मंद गतिवर्धन, द्रुत गतिवर्धन

D. द्रुत गतिवर्धन, मंद गतिवर्धन, शून्य गतिवर्धन, ऋणात्मक गतिवर्धन

38. सूची-I को सूची-II के साथ सुमेलित कीजिए और नीचे दिए गए कूट से सही उत्तर का चयन कीजिए :

सूची-I	सूची-II
I. ज्ञानमीमांसा शास्त्र	1. इसका संबंध कला में सौंदर्य के साथ है।
II. तर्कशास्त्र	2. नैतिकता से संबंधित है।
III. नीतिशास्त्र	3. तर्कणा से संबंधित है।
IV. सौंदर्यशास्त्र	4. परम सत्य से संबंधित है।

कूटः

	I	II	III	IV
A.	4	3	2	1
B.	1	2	3	4
C.	4	3	1	2
D.	3	4	2	1

39. सूची-I को सूची-II के साथ सुमेलित कीजिए तथा नीचे दिए गए कूट से सही उत्तर का चयन कीजिए :

सूची-I	सूची-II
I. तंत्रिकाकोशिका	1. पाचन तंत्र
II. वायु कूपिका	2. मूत्र तंत्र
III. नेफ्रोन	3. श्वास तंत्र
IV. रसांकुर	4. तंत्रिका तंत्र

कूटः

	I	II	III	IV
A.	1	3	4	2
B.	4	3	2	1
C.	2	1	3	4
D.	1	2	3	4

40. निम्नलिखित में से कौन-सा युग्म सुमेलित **नहीं** है?

A. शरीर पिण्ड मापक है – अक्रियता का

B. उत्थापन तथा अवनमन संचलन हैं – स्कंध मेखला का

C. नितंब तथा घुटना दोनों की संधियों को आच्छादित करने वाली मांसपेशी – सारटोरियस

D. रिंगुस को पकड़कर हवा में जिमनास्ट का संचलन – प्रोजेक्टाइल

41. सूची-I को सूची-II के साथ सुमेलित कीजिए तथा नीचे दिए गए कूट से सही उत्तर का चयन कीजिए :

सूची-I	सूची-II
I. बीमारी से बचाव	1. सन्तुलित आहार
II. नाड़ी गति को कम करना	2. मदिरा
III. रक्तदाब बढ़ाना	3. धूम्रपान
IV. मनोगतित्व उत्प्रेरक	4. एम्फेटामाइन

कूटः

	I	II	III	IV
A.	2	3	4	1
B.	1	2	3	4
C.	3	4	1	2
D.	4	1	2	3

42. सूची-I को सूची-II के साथ सुमेलित कीजिए और नीचे दिए गए कूट से सही उत्तर का चयन कीजिए :

सूची-I	सूची-II
I. प्रतिक्रिया योग्यता	1. बफर क्षमता
II. चलन गति	2. पूर्वाभास
III. गतिविषयक योग्यता	3. चयापचय शक्ति
IV. गति सहनशीलता	4. आराम करने की योग्यता

कूट :

	I	II	III	IV
A.	3	4	2	1
B.	2	1	4	3
C.	2	3	4	1
D.	1	2	4	3

43. निम्नलिखित में से कौन-सा युग्म सुमेलित है?

A. शोधकर्ता द्वारा फेरबदल किया गया चर – स्वतंत्र चर

B. भग्नांश मात्रा की अनुमति देने वाला चर – विच्छिन्न चर

C. ऐसी इकाइयों से निर्मित चर जो एक-दूसरे से अलग तथा पृथक् हैं – आश्रित चर

D. एक अध्ययन में चर जिसका शोधकर्ता द्वारा मापन किया जाता है – सतत् चर

44. निम्नलिखित में से कौन-सा सही सुमेलित है?

A. नामिक मापन पैमाना — धर्म

B. क्रमिक मापन पैमाना — समय

C. अंतराल मापन पैमाना — क्लास रैंक

D. अनुपात मापन पैमाना — तापमान

45. सूची-I को सूची-II के साथ सुमेलित कीजिए तथा नीचे दिए गए कूट से सही उत्तर का चयन कीजिए :

सूची-I (प्राचीन संकल्पना)	**सूची-II (आधुनिक संकल्पना)**
I. निरीक्षण	1. व्युत्पत्तिक और सहकारी
II. शिक्षक केन्द्रित	2. विभिन्न कार्य
III. देखने जाना और सम्मेलन	3. भौतिक ध्येयों पर भार
IV. थोपा गया तथा अधिकारवादी	4. अभ्यास और विश्लेषण

कूट :

	I	II	III	IV
A.	4	3	2	1
B.	1	2	3	4
C.	4	1	2	3
D.	1	4	3	2

46. सूची-I को सूची-II के साथ सुमेलित कीजिए तथा नीचे दिए गए कूट से सही उत्तर का चयन कीजिए :

सूची-I	**सूची-II**
I. 1953	1. स्पोर्ट्स ऑथोरिटी ऑफ इंडिया
II. 1956	2. राजकुमारी अमृतकौर कोचिंग स्कीम
III. 1954	3. नेशनल प्लान ऑफ फिजिकल एजुकेशन तथा रेक्रिएशन प्रकाशित हुई
IV. 1984	4. नेशनल डिसिप्लिन स्कीम

कूट :

	I	II	III	IV
A.	2	3	4	1
B.	1	2	3	4
C.	4	3	2	1
D.	1	4	3	2

47. सूची-I को सूची-II के साथ सुमेलित कीजिए तथा नीचे दिए गए कूट की सहायता से सही उत्तर चुनिए :

सूची-I	**सूची-II**
I. क्रियाप्रसूत सिद्धांत	1. व्यक्तित्व
II. स्थिति विशिष्ट सिद्धांत	2. अभिप्रेरण
III. सामाजिक अधिगम सिद्धांत	3. अधिगम
IV. संज्ञानात्मक मूल्यांकन सिद्धांत	4. नेतृत्व

कूट :

	I	II	III	IV
A.	1	2	3	4
B.	2	3	4	1
C.	3	4	1	2
D.	4	1	2	3

48. सूची-I को सूची-II के साथ सुमेलित कीजिए और नीचे दिए गए कूट से सही उत्तर चुनिए :

सूची-I	**सूची-II**
I. दूध, पनीर, योर्गट	1. कार्बोहाइड्रेट्स
II. मांस, पोल्ट्री, मछली	2. कैल्सियम तथा गिरिदार फल
III. वनस्पति समूह	3. प्रोटीन
IV. ब्रेड, अनाज, चावल	4. विटामिन

कूट :

	I	II	III	IV
A.	2	4	3	1
B.	1	4	3	2
C.	2	1	4	3
D.	2	3	4	1

49. सूची-I को सूची-II के साथ सुमेलित कीजिए तथा नीचे दिए गए कूट से सही विकल्प चुनिए :

सूची-I (मापन उपकरण)	**सूची-II (मापित मात्रा)**
I. टेंसिओमीटर	1. किसी संधि के इर्द-गिर्द गति का परास
II. फ्लेक्सोमीटर	2. कार्य
III. स्पाइरोमीटर	3. ताकत
IV. एर्गोमीटर	4. जीवनी क्षमता

कूट :

	I	II	III	IV
A.	2	3	1	4
B.	4	2	3	1
C.	1	4	2	3
D.	3	1	4	2

50. सूची-I को सूची-II के साथ सुमेलित कीजिए और नीचे दिए गए कूट के प्रयोग से सही विकल्प चुनिए :

सूची-I	**सूची-II**
I. राजीव गांधी खेलरत्न अवार्ड	1. 1961
II. अर्जुन अवार्ड	2. 1985
III. ध्यानचंद लाइफटाइम एचीवमेंट अवार्ड	3. 1991
IV. द्रोणाचार्य अवार्ड	4. 2002

कूट :

	I	II	III	IV
A.	1	2	3	4
B.	3	1	4	2
C.	4	3	2	1
D.	2	1	3	4

उत्तरमाला

1	2	3	4	5	6	7	8	9	10
B	B	C	A	B	D	A	C	B	B
11	**12**	**13**	**14**	**15**	**16**	**17**	**18**	**19**	**20**
B	A	D	D	B	D	B	D	B	D
21	**22**	**23**	**24**	**25**	**26**	**27**	**28**	**29**	**30**
D	D	C	B	C	A	A	A	B	A
31	**32**	**33**	**34**	**35**	**36**	**37**	**38**	**39**	**40**
B	C	D	D	D	C	D	A	B	D
41	**42**	**43**	**44**	**45**	**46**	**47**	**48**	**49**	**50**
B	C	A	A	A	A	C	D	D	B

व्याख्यात्मक उत्तर

1. **शेल्डन (Sheldon)** के द्वारा 4,000 कॉलेज के छात्रों की नग्न तस्वीर का विश्लेषण कर बताया कि शारीरिक किस्म तीन प्रकार के होते हैं–

(i) **एण्डोमार्फी (Endomorphy) :** इस प्रकार के व्यक्ति मोटे एवं नाटे होते हैं और इनका शरीर गोलाकार दीखता है। स्पष्ट है कि शेल्डन का यह प्रकार क्रेश्मर के 'पिकनिक प्रकार' से मिलता-जुलता है। शेल्डन ने यह बताया कि इस तरह के शारीरिक गठन वाले व्यक्ति आरामपसंद, खुशमिजाज, सामाजिक तथा खाने-पीने की चीजों में अधिक अभिरुचि दिखानेवाले होते हैं। ऐसे स्वभाव को शेल्डन ने मिसरोटोनिया (Vescerotonia) कहा है।

(ii) **मेसोफार्मी (Mesomorphy) :** इस प्रकार के व्यक्ति के शरीर की हड्डियाँ एवं मांसपेशियाँ काफी विकसित होती हैं तथा शारीरिक गठन काफी सुडौल होता है। ऐसे व्यक्तियों का स्वभाव जोखिम तथा बहादुरी का कार्य करने की तीव्र प्रकृति, दृढ़ कथन, आक्रामकता आदि के गुण पाए जाते हैं। यह क्रेश्मर का एथलेटिक प्रकार से मिलता-जुलता है।

(iii) **एक्टोमार्फी (Ectomorphy) :** इस प्रकार के व्यक्ति का कद लम्बा होता है, परंतु ऐसे व्यक्ति दुबले-पतले होते हैं। इनके शरीर की मांसपेशियाँ अविकसित होती हैं और इनका पूरा गठन इकहरा (Slender) होता है। इस प्रकार के व्यक्ति की चित्त प्रकृति को सेरीब्रोटोनिया (Cerebrotonia) कहा जाता है। ऐसे व्यक्ति अकेले रहना, लोगों से कम मिलना-जुलना अधिक पसंद करते हैं। ऐसे लोग संकोचशील एवं लज्जालु प्रकृति के होते हैं।

2. मानव हृदय पम्पिंग स्टेशन का कार्य करता है, जो शरीर के विभिन्न भागों से आए हुए अशुद्ध रक्त ($CO_2 + H_2O$) को शुद्ध करके शरीर के विभिन्न भागों तक पुनः भेजता है। हृदय के चार भाग (Chamber) होते हैं। ऊपर के दो भागों को दाएँ व बाएँ आलिन्द (Aurical) कहते हैं और नीचे के दोनों भागों को दाएँ व बाएँ निलय (Ventrical) कहते हैं। हृदय के दाईं ओर अशुद्ध रक्त और बाईं ओर शुद्ध रक्त बहता है।

3. शरीर के अंगों की गति के लिए स्कैलेटल पेशियों को उनकी प्रक्रिया के अनुसार वर्गीकृत किया जा सकता है। वे जो जोड़ों को बंद करते हैं उन्हें फ्लैकसर्ज (Flexors) कहा जा सकता है। इसके विपरीत जो पेशियां जोड़ों को खुलने के लिए उकसाती हैं उन्हें एक्सटेंसरज (Extensors) कहा जाता है। इन पेशियों के कारण जोड़ फैलता है। उदाहरण के लिए बाजू की बाईसेप (bicyps) को फ्लैकसर (Flexors) तथा कंधे से कोहनी तक ट्राईसेप पेशियों को एकटेंसर कहा जाता है। श्रोणि संधि (Hip joints) के आस-पास मांसपेशियों को एडक्शन (Adduction) कहते हैं। एबडक्टर्स (Abductors) वे हैं जो अंगों को शरीर से दूर मोड़ सकती है।

4. शारीरिक शिक्षा के क्षेत्र में विभिन्न स्पर्द्धात्मक प्रतियोगिताएँ आयोजित की जाती हैं। लगभग सभी खेल प्रतिस्पर्द्धात्मक प्रकृति के होते हैं, जिनमें क्रियाकलाप होते हैं। खेल प्रतियोगिता के दौरान संगठन एवं प्रशासन सक्रिय होता है। इनमें नियम तथा नियमावली अलग-अलग पाई जाती है। खेलों में प्रतियोगिताओं में एक व्यक्ति की दूसरे व्यक्ति से, एक खिलाड़ी की अन्य खिलाड़ी से, एक टीम की अन्य टीम से एक खेलदल का दूसरे खेलदल से मुकाबला आयोजित किया जाता है। सभी खिलाड़ी प्रतियोगिता के माध्यम से अपनी आंतरिक प्रतिभा का प्रदर्शन करते हैं।

खेल एक सामाजिक प्रक्रिया है, जो निरन्तर चलती रहती है जिससे हमारे सभी विकास स्तरों पर प्रभाव पड़ता है। कुछ प्रतियोगिता से पूर्व खिलाड़ी को हमेशा तैयार रहना चाहिए। उसको किसी भी प्रतियोगिता में भाग लेने से पहले सामाजिक, आर्थिक, शारीरिक तथा मानसिक रूप से सुदृढ़ रहना चाहिए।

5. वर्ष 1957 में ग्वालियर में लक्ष्मीबाई शारीरिक शिक्षा संस्थान (वर्तमान में लक्ष्मीबाई राष्ट्रीय शारीरिक शिक्षा विश्वविद्यालय, LNUPE) की स्थापना से शारीरिक शिक्षा के प्रशिक्षण के क्षेत्र में क्रांतिकारी परिवर्तन आए। ऑल इण्डिया काउन्सिल ऑफ स्पोर्ट्स के परामर्श से वर्ष 1961 में पटियाला (पंजाब में) राष्ट्रीय खेल प्रशिक्षण संस्थान (NIS) की स्थापना से शारीरिक शिक्षक प्रशिक्षण कार्यक्रम को नए आयामों की प्राप्ति हुई। व्यावसायिक तैयारियों के लिए नवयुग के प्रवर्तन की घोषणा करने में लक्ष्मीबाई शारीरिक शिक्षा संस्थान में वर्ष 1957 में तीन वर्षीय अवधि वाले शारीरिक शिक्षा स्नातकोत्तर कोर्स, वर्ष 1963 में दो वर्षीय स्नातक स्तरीय शारीरिक शिक्षा कोर्स का आरम्भ किया गया।

6.
- **खेलों के लिए प्रेरणा**—अभिप्रेरणा व्यक्ति की आंतरिक प्रक्रियाओं का ऐसा संघटन है जो उसके व्यवहार को उत्तेजित करता है, जारी रखता है तथा दिशा निर्देशित करता है। अभिप्रेरणा को परिभाषित करते हुए *हो एण्ड मिक्स्ड* ने कहा है कि "प्रेरणा एक जटिल बल, प्रेरक (drivs), माँग (needs) तनाव या अन्य ढंग है, जो व्यक्तिगत लक्ष्य प्राप्त करने की दिशा में ऐच्छिक गतिविध को शुरू करती व बनाए रखती है।"
- **खेलों में नेतृत्व**—नेतृत्व वह आचरण है, जो व्यक्तियों के आचरण को उससे अधिक प्रभावित करता है, जितना उनका आचरण नेता के आचरण को प्रभावित करता है।" शारीरिक शिक्षा एवं खेल क्रियाओं के नेतृत्व में मुख्य रूप से, शिक्षक, प्रशिक्षक, खेल वैज्ञानिक, विद्यार्थी नेता तथा प्रशासक सम्मिलित होते हैं।
- **खेल प्रबन्धन**—शारीरिक शिक्षा का एक मुख्य उद्देश्य है व्यक्तियों को यह जानकारी प्रदान करना है कि वह किस प्रकार से स्वस्थ, प्रबल तथा कौशलपूर्ण रह सकते हैं। खेल-कूद व्यक्ति के प्रदर्शन तथा कुशलता के स्तर पर दबाव डालते हैं। दोनों ही क्रियाओं के लिए कार्यक्रम, साधनों, उपकरणों, सुविधाओं तथा कर्मचारियों का कुशलतम प्रबंधन आवश्यक होता है।
- **खेलों में जनसंपर्क**—सही चीज सही समय पर सही व्यक्ति को सही तरीके से प्रस्तुत करना ही जनसंपर्क कहलाता है।

7. • **कार्बोहाइड्रेट्स**—कार्बोहाइड्रेट्स सारी गतिविधियों में ऊर्जा का मुख्य स्रोत है। यह शरीर को तेजी से ऊर्जा या ताकत प्रदान करते हैं और शरीर में लम्बे समय के लिए इन्हें भंडारित नहीं किया जा सकता है। ये दो तरह के होते हैं—*(i)* **सरल कार्बोहाइड्रेट्स**—इसमें विटामिन व खनिज होते हैं। *(ii)* **जटिल कार्बोहाइड्रेट्स**—इसमें विटामिन, खनिज एवं रेशे होते हैं।

- **प्रोटीन**—प्रोटीन सारी जीवित कोशिकाओं का बुनियादी ढांचा है। ये बहुत जटिल सजीवी यौगिक होते हैं। प्रोटीनों की बुनियादी रचना अमीनो एसिड्स से होती है। शरीर के गठन के लिए यह अत्यंत आवश्यक है।
- **विटामिन**—विटामिन, कार्बन के वह यौगिक हैं जो कि शरीर का काम सामान्य रूप से चलाए रखने के लिए बेहद जरूरी होते हैं। यदि हमारी खुराक में किसी विटामिन की कमी रहती है तो अनेक बीमारियाँ हो जाती हैं। विटामिन A, B, C, D, E एवं K महत्वपूर्ण विटामिन हैं।
- **खनिज**—खनिज वह तत्व है जिनकी हमारे शरीर को थोड़ी मात्रा में आवश्यकता पड़ती है। यह शरीर के सही विकास व कार्यक्षमता के लिए बहुत आवश्यक है। लोहा, कैल्सियम, फास्फोरस, पोटाशियम, सोडियम, आयोडिन, फ्लोराइड व तांबा आदि महत्वपूर्ण खनिज हैं।

10. उत्तम परीक्षण (Good test) के निम्नलिखित मापदण्ड हैं—

(i) **वस्तुनिष्ठा (Objectivity) :** एक उत्तम परीक्षण को वस्तुनिष्ठ होना चाहिए ताकि उसके एकांशों के अर्थ सभी छात्रों द्वारा एक समान ढंग से लगाए जाएँ तथा उसके चारों उत्तरों का अंकन (Scoring) करते समय शिक्षक या परीक्षक की अपनी मनोवृत्ति पक्षपात, पूर्वाग्रह का कोई प्रभाव नहीं पड़ सके।

(ii) **विश्वसनीयता (Reliability) :** एक उत्तम परीक्षण को विश्वसनीय होना चाहिए। दूसरे शब्दों में, एक उत्तम परीक्षण के प्राप्तांकों में संगति का गुण होना चाहिए। यह संगति जितनी अधिक होगी, परीक्षण में विश्वसनीयता उतनी ही अधिक होगी।

(iii) **वैधता (Validity) :** परीक्षण को उत्तम कहलाने के लिए यह भी आवश्यक है कि उसमें वैधता का गुण हो। जब कोई परीक्षण ठीक उसी गुण या क्षमता को अच्छे ढंग से मापता है जिसके लिए उसे बनाया गया है, तब परीक्षण के इस गुण को वैधता का गुण कहा जाता है।

(iv) **मानकीकरण (Standardisation) :** किसी भी परीक्षण को उत्तम परीक्षण कहलाने के लिए यह आवश्यक है कि उसका एक मानक (Norms) हो। किसी प्रतिनिधिक-प्रतिदर्श (representative sample) द्वारा परीक्षण पर आए औसत प्राप्तांक (average score) को उस परीक्षण के मानक की संज्ञा दी जाती है। इनका प्रमुख उद्देश्य परीक्षण पर आए मूल प्राप्तांकों की व्याख्या करना होता है।

(v) **व्यावहारिकता (Practicality) :** परीक्षण को उत्तम कहलाने के लिए यह आवश्यक है कि वह व्यावहारिक दृष्टिकोण से भी सही हो।

(vi) **अंकन में सरलता (Simplicity in scoring) :** परीक्षण को उत्तम कहलाने के लिए यह भी आवश्यक है कि उनके उत्तरों को अंक देने की विधि सरल हो।

इस प्रकार स्पष्ट होता है कि एक उत्तम परीक्षण के लिए व्यक्तिनिष्ठता (Subjectivity) की आवश्यकता नहीं होती है।

11. कार्यों की निपुणता, गति, प्रयास मितव्ययिता को सुनिश्चित करने के लिए तथा संगठित पूर्व निर्धारित उद्देश्यों की प्राप्ति के लिए पर्यवेक्षण अति आवश्यक तत्व है। पर्यवेक्षण को अंग्रेजी भाषा में 'Supervision' कहा जाता है। किसी भी संगठन की सफलता नेतृत्व की गुणवत्ता तथा सर्तकता एवं समुचित कदम पर निर्भर करता है।

जोजफ (1863) का मानना था कि "शारीरिक शिक्षा का पारस्परिक दृष्टिकोण से अभिप्राय निरीक्षण से है।" क्योंकि सरकार द्वारा इन संस्थानों को काफी वित्तीय अनुदान प्रदान किया जाता है, इसलिए औपचारिक तथा एकाधिकारिक संकल्पना के आधार पर इन पर कड़ी नजर रखनी होती है। प्रारम्भ में निरीक्षक एक सरकारी व्यक्ति होता था जो व्यावहारिक तौर पर वहाँ के सामाजिक, राजनैतिक वातावरण को जाँचना, परखना तथा यह सुनिश्चित करना कि सरकारी नियमों का पालन किया जा रहा है कि नहीं।

इस प्रकार स्पष्टतः कहा जा सकता है कि प्रबंधन में पर्यवेक्षण का मुख्य उद्देश्य छात्रों की गतिविधियों का निरीक्षण करना होता है।

12. शारीरिक शिक्षा में विद्यार्थियों के लिए विद्यालय स्वास्थ्य कार्यक्रम का काफी महत्व है। विद्यालय स्वास्थ्य कार्यक्रम वह कार्यक्रम है जिसमें विद्यार्थियों और स्कूल कर्मियों के स्वास्थ्य का रखरखाव और सुधार के लिए योगदान तथा इनको स्वस्थ रखने के लिए स्वास्थ्य शिक्षा दी जाती है। स्वास्थ्य रक्षा/विज्ञान एक पौराणिक अवधारणा है। हाइजीन (Hygiene) शब्द यूनान की भाषा के 'Hygia' शब्द से लिया गया है, जिसका अर्थ 'स्वास्थ्य की देवी' है। स्वच्छता स्वास्थ्य के संरक्षण के लिए अत्यंत आवश्यक है। इसकी उन्नति संपूर्ण में हुई है। आज स्वास्थ्य विज्ञान का क्षेत्र व्यापक हो चुका है।

विद्यालय शिक्षा कार्यक्रम

(*i*) निर्धारित स्कूल स्वास्थ्य सेवा विशेषज्ञों को शारीरिक शिक्षा कार्यक्रम के उन पहलुओं की योजना, निर्देश और मूल्यांकन में शामिल होना चाहिए जो विशेष रूप से स्वास्थ्य और सुरक्षा से सम्बन्धित हैं।

(*ii*) छात्रों का स्वास्थ्य रिकॉर्ड रखना।

(*iii*) सभी प्रशिक्षकों द्वारा खेल में लगने वाली चोट से बचाव के लिए सभी प्रकार के बचाव साधन ध्यान में रखने चाहिए।

16. अधिगम (Learning) : अधिगम मानव में मनोवैज्ञानिक प्रक्रिया मानी जाती है। मनोविज्ञान के अंतर्गत सीखने की प्रक्रिया का विशेष रूप से ध्यान दिया जाता है। सीखना विभिन्न प्रकार की परिस्थितियों से सम्बन्धित है तथा यह विभिन्न प्रकार के परिवर्तनों से प्रभावित होने के कारण व्यक्ति में विभिन्न समस्याओं को उत्पन्न करने वाला माना जाता है। जैसे-जैसे व्यक्ति को किसी विषय का अनुभव होता रहता है, उसकी सीखने की प्रक्रिया में भी उसी के अनुरूप विकास होता जाता है। अधिगम के अध्ययन का प्रमुख भाग तंत्रिका मनोविज्ञान तथा शैक्षिक मनोविज्ञान है।

19. समय सारणी एक ऐसा साधन होता है, जिसकी सहायता से विद्यालय केवल शिक्षण सफलता के उद्देश्य को प्राप्त करने के लिए कार्य करता है। विविध विद्यालयी तथा उपलब्ध समय के मध्य पाए जाने वाले सम्बन्ध को प्रदर्शित करने वाला एक मापक उपकरण होता है। अर्थात् कौन-सी क्रियाओं को किस समय तथा किसने समय के लिए आयोजित किया जाना चाहिए। समय-निर्धारण एक 'स्पार्क प्लग' की भाँति कार्य करता है, जिससे क्रियात्मक कार्यक्रम को गति प्राप्त होती है। समय-सारणी का निर्माण कक्षा प्रबन्धन का सारतत्व माना जाता है। समय-सारणी की आवश्यकता निम्नलिखित कारणों से महत्वपूर्ण होती है, जो इस प्रकार हैं—

(*i*) समय-सारणी के निर्माण के समय तथा ऊर्जा का उचित प्रबन्धन सुनिश्चित होता है तथा कक्षाओं के संचालन का यह एक मितव्ययी साधन है।

(*ii*) प्रभावशील अध्ययन कार्यक्रम के आयोजन में सहायता करता है।

(*iii*) कार्यक्रम के विभिन्न संघटकों (शिक्षण, प्रतियोगिता तथा सामान्य भाग ग्रहण) तथा गतिविधियों के लिए समय आवंटन से सुविधा होती है।

(*iv*) समय और शक्ति का सदुपयोग करना सुनिश्चित करता है।

(*v*) क्रियाकलाप कार्यक्रमों को सुव्यवस्थित ढंग से चलाने में इसमें सुविधा होती है।

(*vi*) इससे शारीरिक शिक्षा अध्यापक को यह अलिखित आदेश मिलता है कि वह अपनी पाठयोजनाओं का सुयोग्य ढंग से निर्णय करे तथा कक्षा के लिए एक उपयुक्त मानसिक दृढ़ता रखे।

(*vii*) इससे विद्यार्थियों का अवबोधन व्यवस्थित होता है तथा पाठयोजना के विषय में उनके मन में अव्यवस्था निष्कासित हो जाती है।

20. प्रशिक्षण भार (Training Load) : प्रशिक्षण के माध्यम से खिलाड़ी पर जो अभ्यासरूपी भार सौंपा जाता है, उसे प्रशिक्षण भार कहा जाता है। प्रशिक्षण भार में विभिन्न शारीरिक क्रियाएँ शामिल होती हैं, जिनके कारण खिलाड़ी थकान की ओर अग्रसर होता है। खिलाड़ी को थकान देने का मुख्य उद्देश्य उसका शारीरिक तथा मानसिक अनुकूलन स्थापित करना है।

वास्तव में प्रशिक्षण भार एक वैज्ञानिक पहलू है, जो खिलाड़ियों के वैज्ञानिक कारकों, शारीरिक क्षमताओं

एवं मानसिक परिपक्वता के अनुसार दिया जाता है। प्रशिक्षण भार को निम्न समीकरण द्वारा समझा जा सकता है–

प्रशिक्षण भार (AU) = प्रशिक्षण की तीव्रता (RPE) × प्रशिक्षण की मात्रा (Min)

Training Load (AU) = Training Intensity (RPE) × Training volume (min)

इस प्रकार प्रशिक्षण भार को ज्ञात करने के वस्तुनिष्ठ माध्यमों में ऑक्सीजन का उपयोग तथा लैक्टिक ऐसिड का जमाव को शामिल किया जाता है।

21. **शक्ति/ताकत (Strength) :** "गतिरोध के सम्मुख बल लगाने की क्षमता शक्ति कहलाती है।" तेज दौड़ने वाले के लिए ब्लाक को चीरने के लिए जो ताकत चाहिए वह उससे भिन्न है जो एक वेट लिफ्टर को 200 किलोग्राम बारवेल उठाने के लिए चाहिए। शक्ति मापने में सिट-अप्स तथा पुल-अप्स परीक्षणों का उपयोग किया जाता है। इससे पता चलता है कि शक्ति कई प्रकार की होती हैं, जो इस प्रकार हैं–

- **अधिकतम ताकत**–एकल अधिकतम खिंचाव में जो बड़ी से बड़ी ताकत संभव है। इस ताकत को वजन ट्रेनिंग से बढ़ाया जा सकता है।
- **विस्फोटक ताकत**–तेज खिंचाव के साथ प्रतिरोध को हटाने की क्षमता। इस ताकत को अनुकूलित व्यायाम, मेडिसन बॉल व्यायामों, पाल्योमिरिक व्यायामों तथा वेट ट्रेनिंग से बढ़ाया जा सकता है।
- **सहनशक्ति की ताकत**–बल को कई गुणा बढ़ाकर प्रदर्शन करने की क्षमता। इस ताकत को सर्कट ट्रेनिंग, डंबबैल व्यायाम, वेट ट्रेनिंग तथा पहाड़ी पर दौड़ने से बढ़ाया जा सकता है।

22. मनुष्य का श्वसन तंत्र (Respiratory System) कई अंगों का बना होता है। इन अंगों में सबसे महत्वपूर्ण अंग फेफड़ा या फुफ्फुस होता है। यहाँ पर ही गैसों का विनिमय होता है इसलिए इसे फुफ्फुसीय श्वसन भी कहते हैं। श्वसन तंत्र के अंतर्गत वे सभी अंग आते हैं, जिनसे होकर वायु का आदान-प्रदान होता है। इन अंगों का अवरोही क्रम इस प्रकार है–नासामार्ग, कंठ और श्वासनली, फेफड़ा तथा डायफ्राम।

(*i*) **नासामार्ग (Nasal Passage) :** मनुष्य के मुख के ऊपर एक जोड़ी छिद्र पाए जाते हैं, जिन्हें नासाछिद्र कहते हैं। दोनों नासाछिद्रों के मध्य में एक पट पाया जाता है। दोनों नासाछिद्र पीछे की ओर एक गुहा में खुलते हैं, जिसे नासागुहा (Nasal cavity) कहते हैं।

(*ii*) **कंठ और श्वासनली (Larynx and Trachea) :** श्वसन मार्ग का वह भाग जो ग्रसनी को श्वासनली से जोड़ता है कंठ या स्वरयंत्र (Larynx) कहलाता है। स्वरयंत्र श्वासनली या ट्रेकिया (Trachea) से जुड़ा होता है। ट्रेकिया लगभग 12 सेमी. लम्बी नलिका होती है। ट्रेकिया के दोनों प्रमुख शाखाओं को प्राथमिक ब्रोंकियोल (Primary Bronchiole) कहते हैं। दायाँ ब्रोंकियोल तीन शाखाओं में बँट जाती है और दायीं ओर के फेफड़े में प्रवेश करती है। बायाँ ब्रोंकियोल दो शाखाओं में विभाजित होता है और बाएँ ओर की फेफड़े में प्रवेश करती है।

(*iii*) **फेफड़ा (Lungs) :** वय गुहा में एक जोड़ी शंक्वाकार फेफड़े होते हैं। फेफड़े श्वासनली और ग्रसनी से जुड़े होते हैं तथा रचनात्मक दृष्टि से स्पंजी होते हैं। प्रत्येक फेफड़ा एक झिल्ली द्वारा घिरा रहता है, जिसे प्लूरल मेम्ब्रेन (Pleural Membrance) कहते हैं, जिसके मध्य द्रव्य भरा होता है। यह मेम्ब्रेन फेफड़ों की रक्षा करती है।

(*iv*) **डायफ्राम (Diphragm) :** वक्षीय गुहा का निचला फर्श एक पतले पट्ट द्वारा बंद रहता है, जिसे डायफ्राम कहते हैं।

25. तंतुमय अस्थिसंधि (Fibrous joint) में किसी भी तरह की गति नहीं होती है। जबकि हिंज संधि (Hinge joint) यह एक ऐसे जोड़ होते हैं, जो एक सतह पर आगे अथवा पीछे जाने की इजाजत देते हैं, ठीक जिस प्रकार दरवाजे के साथ लगे कब्जे एक तरह ही घूमते हैं। घुटनों तथा अँगुलियों के जोड़ हिंज जोड़ हैं। इस प्रकार अभिकथन (A) सत्य है जबकि तर्क (R) असत्य है।

27. सामान्य बोलचाल की भाषा में हम कह सकते हैं कि किसी कार्य को योजनाबद्ध ढंग से करना ही संगठन है। "कार्य आरम्भ करने से पहले उसे भली प्रकार नियोजित कर

लिया जाए, इसी को संगठन कहते हैं।" संक्षिप्त ऑक्सफोर्ड शब्दकोश के अनुसार संगठन शब्द का अर्थ है 'किसी वस्तु का व्यवस्थित ढांचा बनाना अथवा किसी वस्तु का आकार निश्चित करना तथा उसको कार्य करने की स्थिति में लाना। संगठन में तीन तत्त्व निहित हैं—यह कार्य किसी निश्चित उद्देश्य की पूर्ति के लिए किया जाता है, इसमें सहयोग की भावना होती है तथा यह अनेक व्यक्तियों द्वारा किया जाता है। इस प्रकार स्पष्ट होता है कि शैक्षणिक संस्थानों में शारीरिक शिक्षा की प्रकृति तथा उद्देश्य मुख्य रूप से संगठन के दर्शन तथा नेतृत्व पर आधारित होते हैं। विद्यालय के मार्गदर्शन में विद्यार्थी के द्वारा प्राप्त कुल अनुभवों को पाठ्यचर्या कहते हैं। पाठ्यचर्या विभिन्न प्रकार के होते हैं, जैसे—विषय-केन्द्रित, अनुभव केन्द्रित, कार्य-केन्द्रित, बाल-केन्द्रित, शिल्पकला-केन्द्रित, सुसम्बद्ध इत्यादि होते हैं। इस प्रकार अभिकथन (A) तथा तर्क (R) दोनों सही हैं, किन्तु (R), (A) का सही स्पष्टीकरण नहीं है।

29. वह स्थान जहाँ अस्थियाँ आपस में इस तरह मिलती हैं कि वे गति एवं प्रचलन संभव बना सकें, तो वह स्थान संधि (joints) कहलाता है। संधि बनाने वाले प्रत्येक अस्थित के सिरे पर उपास्थि की एक पर्त होती है तथा दोनों अस्थियों के मध्य एक गुहा होती है, जिसे साइनोवियल गुहा (Sinovial cavity) कहते हैं, इसमें साइनोवियल द्रव (Sinovial fluid) भरा होता है। यह द्रव जोड़ को ल्युबरिकेण्ट प्रदान कर चलायमान रखता है। बास्केटबॉल के खिलाड़ियों के द्वारा संधि का उपयोग अधिक किया जाता है जिसके परिणामस्वरूप इनमें ऑस्टिओपोरोसिस नामक बीमारी हो जाती है। अतः अभिकथन (A) तथा तर्क (R) दोनों सही हैं और (R), (A) का सही स्पष्टीकरण है।

30. टी-परीक्षण (T-Test) के अनुसार समग्र-माध्य (Universe-Mean) और प्रतिदर्श-माध्य (Sample-Mean) के अंतर को प्रमाप विचलन से भाग दे दिया जाए तो 't' का मूल्य प्राप्त हो जाता है। इसे निम्न सूत्र के द्वारा किया जाता है—

$$T = \frac{\overline{x} - \mu}{s}\sqrt{n}$$

जहाँ, $\overline{x}$ = प्रतिदर्श-माध्य

μ = समग्र का माध्य

n = प्रतिदर्श में इकाइयों की संख्या

s = प्रमाप विचलन (समग्र का)

टी-परीक्षण की विशेषताएँ—

टी-परीक्षण की निम्नलिखित विशेषताएँ हैं—

- टी-परीक्षण से निर्मित होने वाला वक्र सममित (Symmetrical) और एक-शिखर (Mono-peak) वाला होता है।
- यह आमतौर से प्रसामान्य वक्र से मिलता-जुलता है।
- प्रतिदर्शों का आकार बढ़ने पर यह वितरण लगभग प्रसामान्य रूप ले लेता है।
- टी-वक्र का स्वरूप विभिन्न स्वातन्त्रयांशों के लिए अलग-अलग होता है जिन्हें t-table में से 5% या 1% सार्थकता स्तरों पर देखा जा सकता है।
- 'टी' का परिकलित मूल्य, इसके सारणी मूल्य से अधिक होने पर अन्तर सार्थक माना जाता है और परिकल्पना गलत सिद्ध हो जाती है लेकिन परिकल्पित मूल्य के कम होने पर अंतर अर्थहीन होता है अर्थात् यह अंतर निर्दशन-उच्चावचनों के कारण उत्पन्न हुआ मान लिया जाता है।

इस प्रकार स्पष्ट होता है कि अभिकथन (A) तथा कारण (R) दोनों सही हैं और (R), (A) का सही स्पष्टीकरण है।

31. किसी भी वस्तु का मूल्यांकन करने से हमें उसकी महत्ता की जानकारी होती है, जिससे उस वस्तु के द्वारा शैक्षणिक उद्देश्यपूर्ण की पूर्ति हो सके अर्थात् किसी भी वस्तु का संचालन इस प्रक्रिया के द्वारा करते हैं, जब सही मापन का प्रयोग कर जो निर्णय हम लेते हैं, वही मूल्यांकन कहलाता है। मापन एवं मूल्यांकन का शारीरिक शिक्षा में महत्वपूर्ण भूमिका है। क्योंकि औपचारिक अथवा अनौपचारिक तथा प्रत्यक्ष या अप्रत्यक्ष रूप से इसके प्रत्येक पक्ष का कुछ हद तक मूल्यांकन किया जाता है। इसके अंतर्गत शारीरिक शिक्षा, विभिन्न क्षेत्रों शिक्षक, छात्र, स्वास्थ्य, फिटनेस इत्यादि का मापन एवं मूल्यांकन किया जाता है। इस प्रकार अभिकथन (A) और तर्क (R) दोनों सत्य हैं लेकिन (R), (A) का सही स्पष्टीकरण नहीं है।

32. एडमिनिस्ट्रेशन (प्रशासन) शब्द लैटिन भाषा के एडमिनिस्ट्रेयर शब्द से लिया गया है। जिसका अर्थ है लोगों की देखभाल करना, सारे क्रियाकलापों का प्रबंध करना। इस विस्तृत परिभाषा के अनुसार, लगभग प्रत्येक मानव क्रियाकलाप में किसी-न-किसी प्रकार का प्रशासन होता ही है। इस संदर्भ में लूथर गुलिक का विचार है कि "प्रशासन का सम्बन्ध कार्यों को सम्पन्न कराने से है जिससे कि निर्धारित लक्ष्य पूरे हो सकें।" इस प्रकार स्पष्ट होता है कि प्रशासन का प्रमुख कार्य प्रबंध करना है। अतः अभिकथन (A) गलत है जबकि तर्क (R) सत्य है।

38. अंग्रेजी भाषा में तत्वज्ञान को 'फिलोसोफी' कहते हैं। फिलोसोफी दो शब्दों को जोड़कर बना है। पहला 'फिलिया' जिसका अर्थ है प्रेम तथा दूसरा 'सोफिया' जिसका अर्थ है विवेक। इसलिए तत्वज्ञान को हम 'विवेक प्रेम' की संज्ञा भी दे सकते हैं। जीवन के सभी पक्षों में तत्वज्ञान का समावेश है। तत्वज्ञान मनुष्य के विचार तथा व्यवहार की व्यवस्थित अध्ययन प्रणाली है। तत्वज्ञान एक ऐसा माध्यम है जिसमें व्यक्ति जीवन के मूल्यों, अर्थों, उद्देश्यों आदि को विकसित करना सीखता है।

तत्वज्ञान के छः संघटक हैं जिनका विवरण नीचे दिया जा रहा है–

(i) **नीतिशास्त्र**–नीतिशास्त्र दर्शन का परिकल्पना प्रधान विषय है। नीतिशास्त्र द्वारा मनुष्य नैतिकता, सदाचार, चरित्र आदि के सिद्धांतों को सीखता है। उसे अपने तथा समाज के प्रति अपने नैतिक दायित्वों का ज्ञान भी नीतिशास्त्र से ही मिलता है।

(ii) **तर्कशास्त्र**–तर्कशास्त्र आलोचना-प्रधान संघटक है। इसके द्वारा विचारों तथा संघटनाओं के सम्बन्ध को निर्धारित किया जाता है। तर्कशास्त्र के उपयोग से ही जीवनयापन की स्वस्थ विधियों का ज्ञान होता है। तर्कशास्त्र के अभाव में मनुष्य न तो अपने विचारों को अभिव्यक्त कर सकता है और न ही सत्य को उजागर कर सकता है।

(iii) **सौंदर्यशास्त्र**–सौंदर्य शास्त्र द्वारा सौंदर्य क्या है यह जाना जाता है। इसका सम्बन्ध कला में सौंदर्य के साथ है। सौन्दर्यशास्त्र व्यक्तिनिष्ठ संघटक है। सौंदर्य शास्त्र द्वारा प्रकृति की सुन्दरता की कसौटियों को निर्धारित किया जाता है।

(iv) **अध्यात्म शास्त्र**–अध्यात्म शास्त्र भी दर्शन का परिकल्पना प्रधान विषय है। अध्यात्म शास्त्र द्वारा ब्रह्माण्ड की वास्तविकता, प्रकृति तथा उसके कार्यों का बोध होता है। अध्यात्मक शास्त्र का मुख्य आधार जीवन, मृत्यु, देव, देवियाँ, भू-मण्डल, आत्मा, परमात्मा आदि हैं।

(v) **सूक्ति शास्त्र**–सूक्ति शास्त्र के अंतर्गत लक्ष्य तथा मूल्य आते हैं। फिर चाहे वह मूल्य व्यक्तिनिष्ठ हो अथवा वस्तुनिष्ठ, स्थिर हों अथवा सापेक्ष। सूक्ति शास्त्र द्वारा लक्ष्य तथा मूल्यों को शिक्षा, शारीरिक शिक्षा तथा क्रीड़ा में प्रयोग करने का प्रयास किया जाता है।

(vi) **ज्ञानमीमांसा**–ज्ञानमीमांसा के अंतर्गत ज्ञान के स्रोत, सिद्धांत, सीमाएँ, औचित्य तथा अधिकरण आते हैं। ज्ञानमीमांसा का मुख्य उद्देश्य परम सत्य तक पहुँचने के साधनों तथा विधियों-प्रविधियों का अध्ययन करना है।

39. • **तंत्रिका तंत्र (Nervous System) :** वह तंत्र, जो सोचने, समझने तथा किसी चीज को याद रखने के साथ ही शरीर के विभिन्न अंगों के कार्यों में सामंजस्य तथा संतुलन स्थापित करने का कार्य करता है, तंत्रिका तंत्र कहलाता है। तंत्रिका तंत्र संवेदी अंगों, तंत्रिकाओं, मस्तिष्क, मेरुरज्जु एवं तंत्रिका कोशिकाओं का बना होता है।

• **नेफ्रॉन (Nephrons) :** प्रत्येक नेफ्रॉन में एक छोटी प्यालीनुमा संरचना होती है, जिसे बोमेन संपुट (Bowman's Capsule) कहते हैं, जो कोर्टेक्स क्षेत्र में स्थित होता है। बोमेन संपुट से एक सूक्ष्म कुंडलित नलिका निकलती है, जो सीधी होकर वृक्क पेल्विस में प्रवेश करती है। फिर यह नलिका चौड़ी होकर एक पाश (Loop) बनाती हैं, जिसे हेनली लूप कहते हैं। इसके बाद यह नलिका कोर्टेक्स भाग में जाकर फिर से कुंडलित हो जाती है और तब यह एक बड़ी वाहनी में खुलती है, जिसे संग्राहक वाहिनी (Collecting Duct) कहते हैं। संग्राहक वाहिनी एक सीधी नली नहीं होती है, जिसमें कई नेफ्रॉन की नलिकाएँ खुलती हैं। सभी संग्राहक वाहिनियाँ वृक्क पेल्विस में खुलती हैं और वृक्क पेल्विस से मूत्रवाहिनी (Ureter) निकलता है जो मूत्राशय में खुलता है।

- **श्वसन तंत्र (Respiratory System) :** श्वसन एक ऐसी शारीरिक प्रक्रिया है जिसके द्वारा जीवित जीव जन्तु आसपास के वातावरण से ऑक्सीजन लेते हैं तथा कार्बन डाइऑक्साइड छोड़ते हैं। कार्बोहाइड्रेट और वसा जैसे ईंधन तत्वों से निकलने वाली ऊर्जा को भी श्वसन कहते हैं। एलवियोली (Alveoli) श्वसन तंत्र का एक अंग है। यह उच्च जीवन दर (मेटाबोलिक रेट) तथा ऑक्सीजन की जरूरतों को पूरा करने हेतु प्रत्येक मानवीय फेफड़े के पास गैस की अदला-बदली के लिए बहुत अधिक धरातलीय क्षेत्रफल (80 वर्ग मीटर) होता है। एक एलवियोलस में अधिकतर एलवियोलर कोशिकाएँ होती हैं जो इतनी पतली होती हैं ताकि गैसें उनमें से निकल सकें। प्रत्येक एलवियोलस रक्त की महीन नलियों के गुच्छों से घिरी होती है।
- **पाचन तंत्र (Digestive System) :** पाचन तंत्र का मुख्य कार्य भोजन को पचाना, उसे उपयोग हो सकने वाले प्रोटीन, कार्बोहाइड्रेट, लवण, वसा व अन्य पदार्थों में बदलना तथा उन्हें रक्तधारा (Blood Stream) में प्रवेश करवाना है ताकि शरीर उनका प्रयोग कर सके। रसांकुर (Villi) छोटी आंत (Small Intestine) में पाया जाता है। छोटी आंत का प्रारंभिक भाग अंग्रेजी के अक्षर 'U' की तरह मुड़ा रहता है जो ग्रहणी या पक्वाशय (Duodenum) कहलाता है। ग्रहणी की लम्बाई लगभग 25 सेमी. होती है शेष 30 सेमी. लम्बा भाग इलियम कहलाता है। इलियम की दीवार की भीतरी सतह पर अंगुलियों के समान रचनाएँ पायी जाती हैं, जिन्हें आंत्र रसांकुर (Intestinal Villi) कहते हैं। ये रसांकुर आंत की दीवार की अवशोषण सतह को बढ़ाते हैं।

41. • **संतुलित आहार**–वह भोजन, जिसमें सभी आवश्यक एवं पोषक तत्त्व उपस्थित हों, उसे हम संतुलित आहार कहते हैं। संतुलित आहार की मात्रा आयु के अनुसार लिंग, व्यवसाय क्रिया, जलवायु तथा शरीर की बनावट के अनुसार होनी चाहिए। संतुलित आहार हमें विभिन्न बीमारियों से बचाव करता है।

- **एम्फेटामाइन**–एम्फेटामाइन मनोगतित्व उत्प्रेरक का कार्य करती है। यह दवा रक्तचाप और दिल की धड़कन को बढ़ाती है, पेशियों में तनाव लाती है, श्वसन प्रक्रिया को प्रेरित करती है और ब्लड शुगर को बढ़ाती है।
- **धूम्रपान**–धूम्रपान से रक्तदाब बढ़ता है। धूम्रपान रक्त में ऑक्सीजन की क्षमता को घटाती है। सामान्य व्यक्ति के मुकाबले एक धूम्रपान करने वाले के खून में अधिक मोनोऑक्साइड होते हैं, अतः लाल रक्त कोशिकाओं को शरीर के उत्तकों के लिए आवश्यक ऑक्सीजन की पर्याप्त मात्रा में लेने से रोकते हैं।
- **मदिरा/शराब**–शराब पीने से केन्द्रीय स्नायुतंत्र पर प्रभाव पड़ता है। यह नाड़ी गति को कम करता है।

43. • **सतत् चर (Continuous variable) :** सतत् चर वैसे चर को कहा जाता है जिसके मापन इकाई में निरन्तरता (Continuity) होती है क्योंकि इसको किसी भी छोटी से छोटी इकाई में मापकर व्यक्त किया जा सकता है। जैसे, व्यक्ति की आयु, ऊँचाई, भार, बुद्धिलब्धि आदि सतत् चार के उदाहरण है। क्योंकि इन्हें सूक्ष्मतम इकाई में मापकर व्यक्त करना संभव होता है।

- **असतत् चर (Discrete Variable) :** असतत् चर को विच्छिन्न चर के नाम से भी जाना जाता है। असतत् चर वैसे चर को कहा जाता है जिसके मापन इकाई में एक स्पष्ट रिक्तता (Gap) होती है तथा जिसकी माप एक पूर्ण इकाई (Whole unit) के रूप में संभव है। इसका स्पष्ट मतलब यह हुआ कि ऐसे चरों का मापन खण्डशः इकाई (Fractional unit) में संभव नहीं है।
- **स्वतंत्र चर (Independent variable) :** इस प्रकार के चर में शोधकर्ता द्वारा फेरबदल किया जा सकता है।
- **आश्रित चर (Dependent Variable) :** यह स्वतंत्र चर पर निर्भर करता है। इस चर को प्रयोग में लाने के लिए स्वतंत्र चर का होना आवश्यक होता है।

46. • राजकुमारी अमृतकौर कोचिंग स्कीम – 1953

- स्पोर्ट्स ऑथोरिटी ऑफ इंडिया – 1984
- नेशनल प्लान ऑफ फिजिकल एजुकेशन तथा रेक्रिएशन प्रकाशित हुई – 1956
- नेशनल डिसिप्लिन स्कीम – 1954
- श्री हनुमान व्यायाम प्रसारक मंडल – 1914
- भारतीय खेल प्राधिकरण (SAI) – 1947

49.

मापन उपकरण	**मापित मात्रा**
टेंसिओमीटर	ताकत
प्लेक्सोमीटर	किसी संधि के इर्द-गिर्द गति का परास
स्पाइरोमीटर	जीवनी क्षमता
एर्गोमीटर	कार्य
आता सालाइजर	ग्लूकोज, यूरिया, कोलेस्ट्रॉल की मात्रा शरीर में पता लगाना
कम्प्यूटिड टोमोग्राफी	शरीर में किसी असामान्य विकृतियों का पता लगाना
सिनेमेटोग्राफी	खिलाड़ी की कौशलयुक्त क्रिया का अध्ययन करता है।

50. • **राजीव गाँधी खेल रत्न अवार्ड**—यह खेल रत्न अवार्ड भारत सरकार द्वारा वर्ष 1991-92 में शुरू किया गया। इसका उद्देश्य उच्च खेल प्रदर्शन को प्रोत्साहन देना तथा देश में खेल संस्कृति को बढ़ावा देना है। इसके अंतर्गत किसी खिलाड़ी के उत्कृष्ट प्रदर्शन के लिए उसे 7.5 लाख रुपये की पुरस्कार राशि दी जाती है।

• **द्रोणाचार्य अवार्ड**—1985 में शुरू किया गया द्रोणाचार्य पुरस्कार उन प्रतिष्ठित कोचों को सम्मानित करने के लिए दिया जाता है, जिन्होंने खिलाड़ियों या टीमों को सफलतापूर्वक प्रशिक्षित किया हो और उन्हें अंतर्राष्ट्रीय स्पर्धाओं में उत्कृष्ट उपलब्धियाँ प्राप्त करने योग्य बनाया हो। इसके अंतर्गत गुरु द्रोणाचार्य की एक छोटी प्रतिमा, एक प्रमाण-पत्र, एक आनुष्ठानिक पोशाक तथा 5 लाख रुपये का नगद पुरस्कार दिया जाता है।

• **अर्जुन अवार्ड**—अर्जुन पुरस्कार वर्ष 1961 में प्रारंभ किया गया। पात्रता के लिए खिलाड़ी ने पिछले चार वर्षों में न केवल अच्छा प्रदर्शन किया हो बल्कि जिस वर्ष के लिए पुरस्कार की सिफारिश की जा रही हो उस वर्ष नेतृत्व, गुण, खिलाड़ी भावना और अनुशासन का प्रदर्शन भी किया हो। इस पुरस्कार में 5 लाख रुपया प्रदान किया जाता है। यह अवार्ड प्रतिवर्ष 15 खिलाड़ियों को प्रदान किया जाता है।

• **ध्यानचंद लाइफटाइम एचीवमेंट अवार्ड**—खेल-कूद में आजीवन उपलब्धियों के लिए यह पुरस्कार 2002 में शुरू किया गया। यह पुरस्कार उन खिलाड़ियों को सम्मानित करने के लिए दिया जाता है जिन्होंने अपने प्रदर्शन में खेलों में योगदान दिया है और जो सक्रिय खेल कैरियर से निवृत्त होने के बाद भी खेलों को बढ़ावा देने में योगदान दे रहे हैं। इस पुरस्कार में 5 लाख रुपये नकद पुरस्कार प्रदान किया जाता है।

प्रश्न-पत्र–III

नोटः *इस प्रश्न-पत्र में* ***पचहत्तर*** *(75) बहु-विकल्पीय प्रश्न हैं। प्रत्येक प्रश्न के* ***दो*** *(2) अंक हैं।* ***सभी*** *प्रश्न अनिवार्य हैं।*

1. संशोधन की पुस्तकालय तकनीकी में आता है :
A. संख्याशास्त्रीय विश्लेषण, अवलोकन करना और खोजना
B. संख्याशास्त्रीय अवलोकन, संग्रह करना और अवलोकन करना।
C. संग्रह करना, खोजना और संख्याशास्त्रीय अवलोकन।
D. अवलोकन करना, खोजना और संग्रह करना।

2. निम्नलिखित में से उसकी पहचान करें जो कि मूलभूत खेल प्रबन्धन के ढाँचे में सम्मिलित नहीं है :
A. टूर्नामिन्ट B. लीग
C. टीमें D. क्लब

3. यदि एक व्यक्ति की ऊँचाई और उसका वजन क्रमशः 160 सेमी और 64 किलोग्राम हो, तब उसका पोन्डरल इन्डेक्स होगा :
A. 35.5 B. 45.5
C. 50 D. 40

4. जिसमें सम्पूर्ण संख्या आती हो उस चर को कहते हैं :
A. स्वतंत्र चर B. पृथक चर
C. आधारित चर D. निरन्तर चर

5. गतिक कौशल प्राप्त करना निम्नलिखित में से किस पर आधारित है?
A. समन्वयकारी योग्यता B. लोच
C. गति D. सहनशक्ति

6. कब्ज के होने का कारण :
A. बड़ी आँत का कम कार्य होना
B. कम पानी का सेवन
C. अधिक पानी का सेवन
D. ज्यादा भोजन करना

7. 1953 में भारत में सबसे पहले व्यवस्थित खेल कोचिंग का प्रोजेक्ट किसने प्रस्तुत किया था?
A. जवाहरलाल नेहरू
B. राजकुमारी अमृत कौर
C. डॉ. पी.एम. जोसेफ
D. सर दोराबजी टाटा

8. खेल में अग्रणी व्यक्तियों के चयन के लिए उद्योग तथा सेना पर आधारित कई उपागमों का उपयोग किया गया। खेल-विशिष्ट मॉडल को सर्वप्रथम चेल्लादुरै द्वारा विकसित किया गया। वह मॉडल कौन-सा मॉडल है?
A. ट्रेट अप्रोच
B. इंटरऐक्शनल अप्रोच
C. बिहेवियरल अप्रोच
D. मल्टीडायमेंशनल अप्रोच

9. अधिक ऊँचाई पर व्यक्ति ऊँचा कूद सकता है क्योंकि
A. वायु प्रतिरोध कम होता है तथा मांसपेशीय शक्ति अधिक होती है।
B. मांसपेशीय शक्ति अधिक होती है तथा शरीर का द्रव्यमान कम होता है।
C. वायु प्रतिरोध कम होता है तथा शरीर का वजन कम होता है।
D. शरीर का द्रव्यमान कम होता है तथा वायु प्रतिरोध कम होता है।

10. रस्सा-कसी में X तथा Y एक-दूसरे को खींच रहे हैं। पूरी शक्ति लगा देने के बावजूद भी Y को X द्वारा खींच लिया जाता है। Y द्वारा किया गया कार्य है :
A. धनात्मक कार्य
B. ऋणात्मक कार्य
C. शून्य कार्य
D. गुरुत्वाकर्षण के कारण कार्य

11. निम्नलिखित में से उसे पहचानें जो कि निर्णयन के क्लासिक मॉडल के चरणों में सम्मिलित नहीं है :
A. विचार उत्पत्ति B. समस्या उत्पत्ति
C. कार्यावली निर्धारण D. योजना बनाना

12. निम्नलिखित में से कौन-सी सही जोड़ी है?
A. कितने भली-भाँति निर्धारित है? — चयन
B. कितने प्रमाण में निर्धारित है? — मापन
C. कितने अच्छे रूप में निर्धारित है? — मूल्यांकन
D. स्वीकृति तथा अस्वीकृति का निर्धारण — परीक्षण

13. संशोधन प्रक्रिया की सीमाओं में आता है :

A. उम्र, लिंग और भाग लेने वालों का स्तर।

B. भाग लेने वालों की मनोवृत्ति तथा रस और प्राप्त साधनों की सूक्ष्मता।

C. उम्र, लिंग और भाग लेने वालों का रस।

D. मनोवृत्ति, भाग लेने वालों का खेलों में भाग लेने का स्तर और उनकी उम्र।

14. निम्नलिखित में से कौन-सा स्वास्थ्य से संबंधित 'फिटनेस' घटक है?

A. प्रतिक्रिया करने की योग्यता

B. फुर्ती

C. गति

D. पेशीय सहनशक्ति

15. सामान्यतः मोटर एजुकेबिलिटी की व्याख्या की जाती है :

A. विशिष्ट क्रीड़ा में प्राविण्य

B. उच्च स्तर मोटर फिटनेस

C. मूलभूत हलनचलन करने की योग्यता

D. विभिन्न मोटर कौशल शीघ्र और आराम से सीखने की योग्यता

16. निम्नलिखित में से किसे मनःशारीरिक बीमारी की श्रेणी में रखेंगे?

A. चेचक B. तपेदिक

C. दमा D. पीलिया

17. शारीरिक शिक्षा जैसे गतिशील विषय के शारीरिक शिक्षक को गतिशील बनाने के लिए निम्नलिखित में से किस योग्यता की आवश्यकता नहीं होती?

A. एकाधिकार स्थापित करने की योग्यता

B. विश्लेषण करने की योग्यता

C. संगठन करने की योग्यता

D. पर्यवेक्षण करने की योग्यता

18. लंदन में आयोजित आई.ओ.सी. की कार्यकारी परिषद् की बैठक में किस खेल को ओलंपिक की सूची से निकाल दिया गया था और जिसे हाल में आयोजित आईओ.सी. की आम सभा की बैठक में 2020 में आयोजित होने वाले ओलंपिक के लिए शामिल कर लिया गया है?

A. बेसबॉल B. सॉफ्टबॉल

C. गोल्फ D. कुश्ती

19. 400 मी. की एक दौड़ में द्वितीय दौड़ पथ के धावक ने 7.04 मी. की स्टैगर दूरी से दौड़ना आरंभ किया। दौड़ की समाप्ति पर उसका डिस्प्लेसमेंट क्या होगा?

A. 400 मी. B. 0 मी.

C. 7.04 मी. D. –7.04 मी.

20. सही उत्तर चुनिए:

मायो न्यूरल जंक्शन के भीतर प्रवेश की क्षमता बढ़ाने वाला न्यूरो-ट्रांसमीटर निम्नलिखित में से कौन-सा है?

A. एड्रीनलीन B. असिटिल कोलीन

C. टायलीन D. कैटेकोलामाइन

21. सही विकल्प चुनिए :

प्रकृतिवाद का जनक किसे माना जाता है?

A. प्लेटो B. जॉन डेवी

C. अरस्तू D. रूसो

22. शारीरिक क्रियाकलाप के जीववैज्ञानिक आधार में निहित है :

I. लिंग तथा आयु अभिलक्षण

II. वृद्धि तथा व्यायाम

III. चलन कौशल अधिग्रहण

IV. प्रशिक्षण का हस्तांतरण

सही संयोजन बताइए :

A. I तथा II B. II तथा III

C. III तथा IV D. IV तथा I

23. आइलेट ऑफ लैंगर हैंस कौन-से दो हार्मोन्स उत्पन्न करता है?

I. कोर्टीक्वायड्स II. ग्लूकेगॉन

III. गोनाडोट्रॉफिक IV. इंसुलिन

सही उत्तर चुनिए :

A. I तथा II B. II तथा IV

C. III तथा IV D. IV तथा I

24. संज्ञानात्मक योग्यता को विकसित करने के लिए किन संज्ञानात्मक कौशलों की आवश्यकता होती है?

I. अनुभूति तथा क्रिया के बीच अंतर को जानना

II. सामाजिक मनोभाव को पढ़ना तथा व्याख्या करना

III. जीवन-स्थितियों के प्रति सकारात्मक अभिवृत्ति

IV. संज्ञानात्मक दबाव को व्यवस्थित करने के लिए संवेगों का नियंत्रण

सही संयोजन बताइए :

A. I तथा IV B. II तथा III
C. II तथा IV D. III तथा I

25. सही कूट चुनिए :
श्वास वायु निम्नलिखित अंगों से किस क्रम में गुजरती है?

I. नाक II. फेफड़े
III. हृदय IV. कोशिकाएँ

कूट :

A.	IV	III	II	I
B.	II	III	IV	I
C.	I	II	III	IV
D.	I	IV	III	II

26. शारीरिक शिक्षा के व्यावसायिक व्यक्ति को उद्देश्य प्राप्त करने के लिए व्यक्तित्व के स्वयं-मूल्यांकन के घटक हैं :

I. शक्ति II. व्यक्तिगत संबंध
III. कमजोरी IV. व्यक्तिगत तनाव

निम्नलिखित कूट में से सही संयोजन बताएँ :

कूट :

A. I, III B. I, II
C. II, IV D. III, IV

27. एरगोजेनिक एड्स की श्रेणी नीचे दी है :

I. मिथाइलफेड्राइन II. टेस्टोस्टेरॉन
III. मायोग्लोबीन IV. ग्लाइकोलिसीस

नीचे दिए गए कूट से सही संयोजन ज्ञात करें :

कूट :

A. I, IV B. II, III
C. I, II D. II, IV

28. प्रथम चरण में तकनीक प्रशिक्षण के लिए विवक्षाओं में शामिल हैं :

I. कम गलती-सुधार
II. आसान परिस्थिति में अभ्यास
III. प्रतियोगिता की उच्च आवृत्ति
IV. काइनेस्थेटिक बोध पर दबाव

सही संयोजन चुनिए :

A. I तथा II B. II तथा III
C. III तथा IV D. I तथा IV

29. सही कूट चुनिए :
रक्त के प्रवाहित होने के क्रम में परिसंचरण तंत्र के निम्नलिखित अंगों को व्यवस्थित कीजिए :

I. हृदय II. महाधमनी
III. धमनी IV. कैपिलरी

कूट :

A.	IV	III	II	I
B.	I	II	III	IV
C.	II	III	IV	I
D.	III	II	I	IV

30. काई स्क्वेयर (χ^2) टेस्ट में निम्नलिखित चरण आते हैं :

I. अपेक्षित बारंबारता का गणन
II. अवलोकित बारंबारता का गणन
III. काई स्क्वेयर (χ^2) के मूल्य का गणन
IV. परिणामों का अर्थ निर्वचन

निम्नलिखित कूट में से सही क्रम चुनिए :

कूट :

A.	I	II	III	IV
B.	II	I	III	IV
C.	II	III	IV	I
D.	III	IV	II	I

31. एक प्रमाणिक टेस्ट की निम्नलिखित विशेषताएँ होती हैं:

I. वस्तुनिष्ठता II. विश्वसनीयता
III. वैधता

इन विशेषताओं का उपयुक्त क्रम होना चाहिए :

A. I, II और III B. I, III और II
C. III, I और II D. II, III और I

32. वैयक्तिक प्रबन्धन के निम्नलिखित सिद्धान्त अधिकतम लोगों में संतुष्टि लाते हैं :

I. उपयुक्त संगठनात्मक ढाँचा
II. अधिकारों का हस्तांतरण
III. समन्वय/टीमवर्क
IV. जीविका संवर्धन
V. व्यक्तिगत विभिन्नताएँ

सही संयोजन ज्ञात कीजिए :

A.	V	III	II	I
B.	I	II	III	IV
C.	III	V	IV	II
D.	II	I	V	III

33. एक व्यक्ति की शारीरिक बनावट के घटकों में सम्मिलित होते हैं :

I. लीन बॉडी मास II. शारीरिक घनता
III. फैट बॉडी मास IV. प्रतिशत बॉडी फैट

इनमें से वह घटक जो शारीरिक बनावट में सीधे तौर पर सम्मिलित हैं, वह हैं

A. I और II B. I और III
C. II और IV D. III और IV

34. नीचे दो वक्तव्य दिए गए हैं। एक को अभिकथन (A) तथा दूसरे को कारण (R) कहा गया है।

अभिकथन (A) : लिखने के लिए पेंसिल या कलम पकड़ने की अपेक्षा एक शिशु बेहतर ढंग से दौड़ तथा चल सकता है।

कारण (R) : शिशु को बड़ी मांसपेशियों पर नियंत्रण पहले होता है तथा सूक्ष्म मांसपेशियों पर उसके बाद।

निम्नलिखित में से कौन-सा वक्तव्य सही है?

कूट :

A. (A) तथा (R) दोनों सही हैं तथा (R), (A) का सही स्पष्टीकरण है।
B. (A) तथा (R) दोनों सही हैं, परन्तु (R), (A) का सही स्पष्टीकरण नहीं है।
C. (A) सही है, परन्तु (R) गलत है।
D. (A) गलत है, परन्तु (R) सही है।

35. नीचे दो वक्तव्य दिए गए हैं। एक को अभिकथन (A) तथा दूसरे को कारण (R) कहा गया है।

अभिकथन (A) : मोच तथा स्थानभ्रंश समान प्रकार की चोटें हैं जो अस्थिसंधियों में होती हैं जो अस्थिबंधों और मांसपेशीबंधों को भंग कर देती हैं।

कारण (R) : मोच एक ऐसी चोट है जो अस्थिबंध को क्षति पहुँचाती है।

उपर्युक्त संदर्भ में निम्नलिखित में से कौन-सा विकल्प सही है?

कूट :

A. (A) तथा (R) दोनों सही हैं तथा (R), (A) का सही स्पष्टीकरण है।
B. (A) तथा (R) दोनों सही हैं, परन्तु (R), (A) का सही स्पष्टीकरण नहीं है।
C. (A) सही है, परन्तु (R) गलत है।
D. (A) गलत है, परन्तु (R) सही है।

36. नीचे दो वक्तव्य दिए गए हैं। एक को अभिकथन (A) तथा दूसरे को कारण (R) कहा गया है।

अभिकथन (A) : क्षैतिजीय अक्ष के चौतरफा घूर्णन में गोताखोर टक पोजीशन लेता है।

कारण (R) : घूर्णन की त्रिज्या का कोणीय वेग के साथ सीधा संबंध होता है।

उपर्युक्त दोनों वक्तव्यों के संदर्भ में निम्नलिखित में से कौन-सा सही है?

कूट :

A. (A) तथा (R) दोनों सही हैं और (R), (A) का सही स्पष्टीकरण है।
B. (A) तथा (R) दोनों सही हैं, परन्तु (R), (A) का सही स्पष्टीकरण नहीं है।
C. (A) सही है, परन्तु (R) गलत है।
D. (A) गलत है, परन्तु (R) सही है।

37. नीचे दो वक्तव्य दिए गए हैं। एक को अभिकथन (A) तथा दूसरे को कारण (R) कहा गया है।

अभिकथन (A) : सोशल लोफिंग तब घटित होता है जब व्यक्तिगत-प्रदर्शन दल-प्रदर्शन में गुम हो जाता है तथा उत्तरदायित्व के विसरण के कारण प्रदर्शन में ह्रास होता है।

कारण (R) : खिलाड़ियों के व्यक्तिगत प्रदर्शन को मॉनीटर किए जाने की आवश्यकता है तथा दल-प्रदर्शन में उनके व्यक्तिगत प्रदर्शन के योगदान के लिए उन्हें जवाबदेह बनाने की आवश्यकता है।

उपर्युक्त दो वक्तव्यों के संदर्भ में निम्नलिखित में से कौन-सा सही है?

कूट :

A. (A) तथा (R) दोनों सही हैं, परन्तु (R), (A) का सही स्पष्टीकरण नहीं है।
B. (A) तथा (R) दोनों सही हैं और (R), (A) का सही स्पष्टीकरण है।
C. (A) सही है, परन्तु (R) गलत है।
D. (A) गलत है, परन्तु (R) सही है।

38. नीचे दो वक्तव्य दिए गए हैं। एक को अभिकथन (A) तथा दूसरे को कारण (R) कहा गया है।

अभिकथन (A) : शॉटपुट की पैरी ओ ब्रिएन तकनीक में आरंभिक खड़े होने की मुद्रा से पीछे खिसकना तकनीक की प्रमुख अवस्था है।

कारण (R) : पीछे खिसकना (ग्लाइडिंग) शरीर के संवेग को बढ़ाता है।

उपर्युक्त दोनों कथनों के संदर्भ में निम्नलिखित में से कौन-सा सही है?

कूट :

A. (A) तथा (R) दोनों सही हैं, परन्तु (R), (A) का सही स्पष्टीकरण नहीं है।

B. (A) तथा (R) दोनों सही हैं और (R), (A) का सही स्पष्टीकरण है।

C. (A) सही है, परन्तु (R) गलत है।

D. (A) गलत है, परन्तु (R) सही है।

39. नीचे दो कथन दिए गए हैं। एक को अभिकथन (A) तथा दूसरे को कारण (R) कहा गया है।

अभिकथन (A) : विद्यालय के निदेशन में आयोजित सीखने वाले की वातावरण के साथ संलग्नता को पाठ्यचर्या कहा जाता है।

कारण (R) : पाठ्यचर्या केवल सीखने की योजनाएँ प्रदान करता है।

उपर्युक्त दोनों कथनों के संदर्भ में निम्नलिखित में से कौन-सा सही है?

कूट :

A. (A) तथा (R) दोनों सही हैं और (R), (A) का सही स्पष्टीकरण है।

B. (A) तथा (R) दोनों सही हैं, परन्तु (R), (A) का सही स्पष्टीकरण नहीं है।

C. (A) सही है, परन्तु (R) गलत है।

D. (A) गलत है, परन्तु (R) सही है।

40. नीचे दो वक्तव्य दिए गए हैं। एक को अभिकथन (A) तथा दूसरे को कारण (R) कहा गया है।

अभिकथन (A) : एक शारीरिक शिक्षा व्यवसायी के पास ठोस शैक्षिक तथा व्यावसायिक योग्यता होनी चाहिए।

कारण (R) : शारीरिक शिक्षा के क्षेत्र में सफल व्यवसायी बनाने में व्यवहार कुशलता, उत्तम मानव-संबंध, गत्यात्मकता तथा सहयोग, सराहनीय खेल-प्रदर्शन जैसे व्यक्तिगत गुणों का योगदान होता है।

निम्नलिखित में से कौन-सा कथन सही है?

कूट :

A. (A) तथा (R) दोनों सही हैं तथा (R), (A) का सही स्पष्टीकरण नहीं है।

B. (A) सही है, परन्तु (R) गलत है।

C. (A) तथा (R) दोनों सही हैं।

D. (A) तथा (R) दोनों गलत हैं।

41. नीचे दो वक्तव्य दिए गए हैं। एक को अभिकथन (A) तथा दूसरे को कारण (R) कहा गया है।

अभिकथन (A) : मांसपेशियाँ रासायनिक ऊर्जा को यांत्रिक कार्य में रूपांतरित करने की मशीनें हैं।

कारण (R) : अस्थि मांसपेशियों को ऐच्छिक मांसपेशियाँ कहा जाता है।

उपर्युक्त संदर्भ में निम्नलिखित में से कौन-सा विकल्प सही है?

कूट :

A. (A) तथा (R) दोनों सही हैं तथा (R), (A) का सही स्पष्टीकरण है।

B. (A) तथा (R) दोनों सही हैं, परन्तु (R), (A) का सही स्पष्टीकरण नहीं है।

C. (A) सही है, परन्तु (R) गलत है।

D. (A) गलत है, परन्तु (R) सही है।

42. नीचे दो कथन दिए गए हैं। एक को अभिकथन (A) तथा दूसरे को कारण (R) कहा गया है।

अभिकथन (A) : शारीरिक कार्यकलाप तथा खेल का उद्देश्य है शैक्षिक लक्ष्यों की प्राप्ति करना तथा वांछित सामाजिक कार्यों का निष्पादन करना।

कारण (R) : चैम्पियन बनाने में शारीरिक शिक्षा तथा खेल का योगदान होता है।

निम्नलिखित में से कौन-सा वक्तव्य सही है?

कूट :

A. (A) तथा (R) दोनों सही हैं, परन्तु (R), (A) का सही स्पष्टीकरण नहीं है।

B. (A) तथा (R) दोनों सही हैं तथा (R), (A) का सही स्पष्टीकरण है।

C. (A) सही है, परन्तु (R) गलत है।

D. (A) गलत है, परन्तु (R) सही है।

43. नीचे दो वक्तव्य दिए गए हैं। एक को अभिकथन (A) तथा दूसरे को कारण (R) कहा गया है।

अभिकथन (A) : लेक्टिक एसिड अनरोबिक ग्लायकोलिसिस का बॉयप्रोडक्ट है।

कारण (R) : ऑक्सीजन की कमी।

उपर्युक्त दोनों कथनों के संदर्भ में निम्नलिखित में से कौन-सा सही है?

कूट :

A. (A) तथा (R) दोनों सही हैं और (R), (A) का सही स्पष्टीकरण है।

B. (A) तथा (R) दोनों सही हैं, परन्तु (R), (A) का सही स्पष्टीकरण नहीं है।

C. (A) सही है, परन्तु (R) गलत है।

D. (A) गलत है, परन्तु (R) सही है।

44. नीचे दो वक्तव्य दिए गए हैं। एक को अभिकथन (A) तथा दूसरे को कारण (R) कहा गया है।

अभिकथन (A) : फार्टलेक में खिलाड़ी—मैदान, प्रतिवेश तथा अपनी अनुभूतियों के अनुसार अपने क्रियाकलाप के दौरान अपनी गति को स्वयं बदल देता है।

कारण (R) : प्रभावोत्पादक होने के लिए इस विधि में अधिक आत्मानुशासन की आवश्यकता होती है। फार्टलेक में हृदय की गति 140-180 स्पंदन प्रति मिनट के बीच घटती-बढ़ती है।

सही उत्तर बताइए :

A. (A) तथा (R) दोनों सही हैं, परन्तु (R), (A) का सही स्पष्टीकरण नहीं है।

B. (A) तथा (R) दोनों सही हैं और (R), (A) का सही स्पष्टीकरण है।

C. (A) सही है, परन्तु (R) गलत है।

D. (A) गलत है, परन्तु (R) सही है।

45. नीचे दो कथन दिए गए हैं। एक को अभिकथन (A) तथा दूसरे को कारण (R) कहा गया है।

अभिकथन (A) : संशोधन अभ्यास के सुझावों में केवल भविष्य के संशोधन के क्षेत्र को दर्शाना चाहिए न कि उनके व्यावहारिक अनुपयोगों को।

कारण (R) : संशोधन अभ्यास के सुझाव भविष्य में उस अभ्यास के द्वारा प्राप्त ज्ञान का उपयोग दर्शाते हैं।

दो कथनों के संदर्भ में कौन-सा एक सही है?

कूट :

A. (A) तथा (R) दोनों सही हैं, परन्तु (R), (A) का सही स्पष्टीकरण नहीं है।

B. (A) तथा (R) दोनों सही हैं और (R), (A) का सही स्पष्टीकरण है।

C. (A) गलत है, परन्तु (R) सही है।

D. (A) सही है, परन्तु (R) गलत है।

46. नीचे दो कथन दिए गए हैं, एक को अभिकथन (A) तथा दूसरे को कारण (R) कहा गया है।

अभिकथन (A) : बेन्च प्रेस यह आइसोटोनिक व्यायाम का उदाहरण है।

कारण (R) : आइसोटोनिक मसल कोन्ट्रेक्शन में मसल टोन वही रहती है।

दोनों कथनों के संदर्भ में निम्नलिखित में से कौन-सा कथन सही है?

कूट :

A. (A) तथा (R) दोनों सही हैं, परन्तु (R), (A) का सही स्पष्टीकरण नहीं है।

B. (A) तथा (R) दोनों सही हैं और (R), (A) का सही स्पष्टीकरण है।

C. (A) सही है, परन्तु (R) गलत है।

D. (A) गलत है, परन्तु (R) सही है।

47. नीचे दो कथन दिए गए हैं। एक को अभिकथन (A) तथा दूसरे को कारण (R) कहा गया है।

अभिकथन (A) : बंद सिरे वाले प्रश्नों में भाग लेने वाले अपने प्रश्न स्वयं प्रतिबद्ध करते हैं।

कारण (R) : बंद सिरे वाले प्रश्न भाग लेने वालों को सीमित विकल्प देते हैं।

दो कथनों के संदर्भ में कौन-सा एक सही है?

कूट :

A. (A) तथा (R) दोनों सही हैं और (R), (A) का सही स्पष्टीकरण है।

B. (A) तथा (R) दोनों सही हैं, परन्तु (R), (A) का सही स्पष्टीकरण नहीं है।

C. (A) सही है, परन्तु (R) गलत है।

D. (A) गलत है, परन्तु (R) सही है।

48. नीचे दो वक्तव्य दिए गए हैं। एक को अभिकथन (A) तथा दूसरे को कारण (R) कहा गया है।

अभिकथन (A) : वैधता एवं विश्वसनीयता कोएफिसिएंट के उच्च मूल्य के बावजूद चयनकर्ता या प्रशिक्षकों द्वारा खेल कौशल टेस्ट का प्रयोग बहुत कम होता है।

कारण (R) : खेल कौशल टेस्ट अधिक समय लेने वाले, अतिरिक्त मानव साधन, उपयुक्त शोध कार्य की कमी और निष्पादन हेतु जटिल होते हैं।

उपरोक्त दो कथनों के संदर्भ में निम्नलिखित में से कौन-सा एक सही है?

कूट :

A. दोनों (A) और (R) सही हैं, परन्तु (R), (A) की सही व्याख्या नहीं है।

B. दोनों (A) और (R) सही हैं तथा (R), (A) की सही व्याख्या है।

C. (A) सही है, परन्तु (R) गलत है।

D. (A) गलत है, परन्तु (R) सही है।

49. नीचे दो वक्तव्य दिए गए हैं। एक को अभिकथन (A) तथा दूसरे को कारण (R) कहा गया है।

अभिकथन (A) : जैसे-जैसे खेलों की पहचान मल्टी-बिलियन डॉलर, जटिल वैश्विक सत्ता के रूप में हुई है, कानून ने खेल संगठनों के कार्यकलापों में और अधिक प्रभावशाली भूमिका निभाना प्रारम्भ कर दिया है।

कारण (R) : जब खेल प्रबन्धक फैसले करते हैं, अन्तर्विरोध खड़ा हो जाता है, जो लोग खेलों में कार्यरत एवं भाग ले रहे हैं, वह निपटारे के लिए कानूनी प्रक्रिया पर अधिक निर्भर हैं।

उपरोक्त दो कथनों के संदर्भ में निम्नलिखित में से कौन-सा एक सही है?

कूट :

A. दोनों (A) और (R) सही हैं, परन्तु (R), (A) की सही व्याख्या नहीं है।

B. दोनों (A) और (R) सही हैं तथा (R), (A) की सही व्याख्या है।

C. (A) गलत है, परन्तु (R) सही है।

D. (A) सही है, परन्तु (R) गलत है।

50. नीचे दो वक्तव्य दिए गए हैं। एक को अभिकथन (A) तथा दूसरे को कारण (R) कहा गया है।

अभिकथन (A) : मानव संसाधन संगठन की धरोहर होते हैं जो लक्ष्य प्राप्ति में सहायक होते हैं।

कारण (R) : वैयक्तिक प्रबन्धन, प्रबन्धक की एक महत्वपूर्ण जिम्मेदारी है।

निम्नलिखित व्याख्याओं में कौन-सी सही है?

कूट :

A. दोनों (A) और (R) सही हैं, परन्तु (R), (A) की सही व्याख्या नहीं है।

B. दोनों (A) और (R) सही हैं तथा (R), (A) की सही व्याख्या है।

C. (A) सही है, परन्तु (R) गलत है।

D. (A) गलत है, परन्तु (R) सही है।

51. आरंभ किए जाने के कालानुक्रम में निम्नलिखित को व्यवस्थित कीजिए :

I. आधुनिक ओलंपिक खेल

II. एशियाई खेल

III. राष्ट्रमंडल खेल

IV. ग्लैडिटोरियल कंबैट

कूट :

A.	IV	I	III	II
B.	I	II	III	IV
C.	IV	III	II	I
D.	IV	II	III	I

53. निम्नलिखित प्रबन्धन कौशलों को उनके सम्बन्धित महत्व के अनुसार उच्चतम से निम्नतम स्तर के क्रम में लिखिए:

I. धारणात्मक कौशल

II. मानवीय कौशल

III. तकनीकी कौशल

IV. निश्चयात्मक कौशल

कूट :

A.	II	I	III	IV
B.	III	II	IV	I
C.	I	II	III	IV
D.	IV	III	I	II

53. अधिगम वक्र के आधार पर निम्नलिखित को क्रमानुसार व्यवस्थित कीजिए :

I. अधिगम में ह्रासमान लाभ

II. अधिगम में आरंभिक अंतराल

III. अधिगम में वर्धमान लाभ

IV. अधिगम में प्लेटू

कूट :

A.	I	II	III	IV
B.	II	III	I	IV
C.	I	III	IV	II
D.	III	IV	II	I

54. प्रदर्शन में बढ़ोत्तरी करने के लिए निम्नलिखित प्रकार की प्रतियोगिताएँ खेली जाती हैं :

I. प्रधान प्रतियोगिता

II. क्षमता निर्माण प्रतियोगिता

III. छोटी प्रतियोगिता

IV. बड़ी प्रतियोगिता

इन प्रतियोगिताओं को उपयुक्त आरोही क्रम में व्यवस्थित कीजिए :

A.	I	IV	II	III
B.	IV	I	II	III
C.	II	III	IV	I
D.	III	I	II	IV

55. शारीरिक थकान के लक्षण नीचे दिए हैं। उनको नीचे दिए गए कूट के आधार से क्रमवार लिखिए :

I. क्रियाशील मांसपेशी की स्थानीय थकावट

II. मांसपेशी में दर्द

III. हाथ-पैर में पसीना

IV. संधि में जकड़न

कूट :

A.	I	II	III	IV
B.	III	II	I	IV
C.	I	II	IV	III
D.	II	III	I	IV

56. प्रतियोगिता की प्रक्रिया में चार अवस्थाएँ होती हैं। इन अवस्थाओं को क्रम में व्यवस्थित कीजिए।

I. व्यक्तिनिष्ठ प्रतियोगितात्मक स्थिति

II. वस्तुनिष्ठ प्रतियोगितात्मक स्थिति

III. अनुक्रिया

IV. नतीजा

कूट :

A.	II	I	III	IV
B.	III	IV	II	I
C.	IV	II	I	III
D.	I	III	IV	II

57. सूची-I को सूची-II के साथ सुमेलित कीजिए तथा नीचे दिए गए कूट से सही उत्तर का चयन कीजिए :

सूची-I	सूची-II
I. प्रकृति	1. पर्यावरण
II. पालन-पोषण	2. आनुवंशिकता
III. कसरत के सिद्धांत	3. मानसिक विन्यास
IV. तत्परता के सिद्धांत	4. उपयोग तथा अनुपयोग

कूट :

	I	II	III	IV
A.	1	2	3	4
B.	2	1	4	3
C.	2	3	1	4
D.	4	3	2	1

58. सूची-I को सूची-II के साथ सुमेलित कीजिए तथा नीचे दिए गए कूट से सही उत्तर का चयन कीजिए :

	सूची-I		**सूची-II**
I.	वैदिक काल	1.	सन् 1000–सन् 1757
II.	आरंभिक हिंदू काल	2.	ई.पू. 2500–ई.पू. 600
III.	उत्तर हिंदू काल	3.	ई.पू. 600–सन् 320
IV.	मध्य काल	4.	सन् 320–सन् 1000

कूट :

	I	II	III	IV
A.	2	3	4	1
B.	3	4	2	1
C.	4	3	2	1
D.	1	2	3	4

59. सूची-I को सूची-II के साथ सुमेलित कीजिए तथा नीचे दिए गए कूट से सही उत्तर का चयन कीजिए :

	सूची-I (बल में हेर-फेर की प्रकृति)		**सूची-II (परिणामी कार्यकलाप)**
I.	लगातार बल लगाना	1.	देना
II.	क्षणिक बल लगाना	2.	फेंकना
III.	कुछ समय तक बल लगाना और उसके बाद छोड़ देना	3.	धकेलना
IV.	बल प्राप्त करना	4.	किक मारना

कूट :

	I	II	III	IV
A.	3	4	2	1
B.	4	2	1	3
C.	2	1	3	4
D.	1	3	4	2

60. निम्नलिखित में से कौन-सा युग्म सुमेलित है?

A. लीडरशिप स्केल फॉर स्पोर्ट – वूड, बर्क तथा वेरोफ

B. टेस्ट ऑफ स्टेट-ट्रेट ऐंजाइटी – मार्टेंस

C. प्रोफाइल ऑफ मूड स्टेट्स – मैकनायर, लोर तथा ड्रॉपलमैन

D. टेस्ट ऑफ अटेंशनल एंड इंटरपर्सनल स्टाइल – कैरोन, ब्रॉवली, विडनेयर

61. सूची-I को सूची-II के साथ सुमेलित कीजिए तथा नीचे दिए गए कूट से सही उत्तर का चयन कीजिए :

	सूची-I		**सूची-II**
I.	प्री-स्कूल तथा किंडरगार्टेन स्तर	1.	आजीवन खेल गतिविधियाँ
II.	प्राथमिक अथवा आरंभिक विद्यालय स्तर (ग्रेड 1-5)	2.	विविध प्रकार की गतिविधियों के साथ शारीरिक क्षमता का विकास तथा देखरेख
III.	मध्य विद्यालय स्तर (ग्रेड 6-8)	3.	मुक्त क्रीड़ा द्वारा स्थूल मोटर पैटर्न
IV.	माध्यमिक तथा उच्चतर माध्यमिक विद्यालय स्तर (ग्रेड 9-12)	4.	प्रत्यक्ष ज्ञानात्मक मोटर गुणों का विकास

कूट :

	I	II	III	IV
A.	1	2	3	4
B.	3	4	2	1
C.	2	3	1	4
D.	4	3	2	1

62. सूची-I को सूची-II के साथ सुमेलित कीजिए तथा नीचे दिए गए कूट से सही उत्तर का चयन कीजिए :

	सूची-I (विटामिन की कमी)		**सूची-II (रोग)**
I.	विटामिन D	1.	रतौंधी
II.	विटामिन A	2.	सूखा रोग
III.	विटामिन B_2	3.	अनेमिया (रक्तक्षीणता)
IV.	विटामिन B_{12}	4.	खुजली

कूट :

	I	II	III	IV
A.	1	2	3	4
B.	2	1	4	3
C.	4	3	2	1
D.	3	4	1	2

63. सूची-I को सूची-II के साथ सुमेलित कीजिए तथा नीचे दिए गए कूट का उपयोग कर सही विकल्प चुनिए :

	सूची-I		**सूची-II**
I.	कंपीटीशन पीरियड	1.	सशक्त आधार निर्माण
II.	पीरियोडाइजेशन	2.	आराम तथा पुनर्स्थिति प्राप्ति

III.	ट्रांजिशनल पीरियड	3.	उच्च प्रदर्शन प्रशिक्षण अवस्था
IV.	प्रिपेरेटरी पीरियड	4.	उत्कृष्ट प्रदर्शन तथा इसे बनाए रखना

कूट :

	I	II	III	IV
A.	1	2	3	4
B.	2	3	4	1
C.	3	4	2	1
D.	4	3	2	1

64. निम्नलिखित में से कौन-सी जोड़ी सही है?

A. परिकल्पना जो सार्थक अन्तर न बताती हो – संशोधन परिकल्पना

B. परिकल्पना जो सार्थक अन्तर बताती हो – वैकल्पिक परिकल्पना

C. परिकल्पना जो दोनों के अंतर की दिशा बताती हो – शून्य परिकल्पना

D. परिकल्पना जो दोनों के अंतर की दिशा न बताती हो – दिशादर्शक परिकल्पना

65. सूची-I का मिलान सूची-II से कीजिए और नीचे दिए हुए कूट के माध्यम से सही उत्तर तलाशिए :

सूची-I		सूची-II	
I.	नियोजन	1.	व्यापक ओरिएन्टेशन
II.	संगठन	2.	लक्ष्य प्राप्ति
III.	चयन	3.	अधिकार हस्तांतरण
IV.	नियन्त्रण	4.	सूचना एकत्रीकरण

कूट :

	I	II	III	IV
A.	2	3	4	1
B.	1	2	3	4
C.	4	3	1	2
D.	3	1	2	4

66. सूची-I को सूची-II के साथ सुमेलित कीजिए तथा नीचे दिए गए कूट की सहायता से सही विकल्प चुनिए :

सूची-I		सूची-II	
I.	प्रतियोगिता-पूर्व मैसो चक्र	1.	त्रुटियों को शुद्ध करना
II.	आधारभूत मैसो चक्र	2.	अनेक प्रतियोगिताओं के बीच उपयोग किया जाता है
III.	श्रेष्ठता मैसो चक्र	3.	चयनित गतिक योग्यताओं का विकास
IV.	मध्यवर्ती मैसो चक्र	4.	प्रतियोगिताओं के लिए प्रत्यक्ष तैयारी

कूट :

	I	II	III	IV
A.	2	1	4	3
B.	4	3	1	2
C.	3	1	2	4
D.	1	4	3	2

67. सूची-I को सूची-II के साथ सुमेलित कीजिए तथा नीचे दिए गए कूट से सही उत्तर चुनिए :

सूची-I		सूची-II	
I.	मलेरिया	1.	पैरासाइटस (परजीवी)
II.	डेंगू	2.	पैन्क्रीयास (अग्न्याशय)
III.	चेचक	3.	बैक्टेरिया (जीवाणु)
IV.	मधुमेह	4.	वायरस (विषाणु)

कूट :

	I	II	III	IV
A.	1	3	4	2
B.	3	4	2	1
C.	2	1	4	3
D.	4	2	3	1

68. सूची-I को सूची-II के साथ सुमेलित कीजिए तथा नीचे दिए गए कूट से सही उत्तर चुनिए :

सूची-I		सूची-II	
I.	फीडलर का आकस्मिकता सिद्धांत	1.	संवेग
II.	व्यवहारवादी सिद्धांत	2.	क्रीड़ा
III.	विपर्यय सिद्धांत	3.	नेतृत्व
IV.	मनोविश्लेषणात्मक सिद्धांत	4.	व्यक्तित्व

कूट :

	I	II	III	IV
A.	3	4	1	2
B.	2	1	3	4
C.	4	3	2	1
D.	1	2	4	3

69. सूची-I को सूची-II के साथ सुमेलित कीजिए तथा नीचे दिए गए कूट से सही उत्तर चुनिए :

सूची-I (क्रियाकलाप के प्रकार)	सूची-II (उदाहरण)
I. बाह्य वस्तु को बल देना	1. लटकना
II. बाह्य वस्तु से बल लेना	2. जमीन पर उतरना
III. स्वयं अपने शरीर से बल लेना	3. किक मारना
IV. हवा में लटकते हुए संतुलन बनाए रखना	4. कैच करना

कूट :

	I	II	III	IV
A.	1	3	4	2
B.	2	1	3	4
C.	4	2	1	3
D.	3	4	2	1

70. सूची-I को सूची-II के साथ सुमेलित कीजिए तथा नीचे दिए गए कूट से सही उत्तर चुनिए :

सूची-I	सूची-II
I. ग्लूकोज	1. श्वसन पेशी
II. हीमोग्लोबिन	2. कार्डियक
III. डायाफ्राम	3. रक्तशर्करा
IV. हृदय	4. रेड ब्लड कार्पल्सेज (आर.बी.सी.)

कूट :

	I	II	III	IV
A.	3	4	1	2
B.	4	3	2	1
C.	1	2	3	4
D.	2	1	4	3

निर्देश (प्र. सं. 71 से 75 तक) : *नीचे दिए गए गद्यांश को पढ़िए तथा प्रश्नों के उत्तर दीजिए :*

खेल जगत में भी कुछ समय से निंदनीय कृत्य (स्कैंडल्स) सामने आए हैं। मादक द्रव्यों से जुड़े स्कैंडलों, डोपिंग के विवादों, यौन-आक्रान्ति के आरोपों तथा जातिपरक अपमान से खेल संगठनों को धक्का लगा था। ऐसी घटनाएँ जब घटती हैं तो स्थिति जटिल और मांगपूर्ण हो जाती है जिससे निपटने के लिए खेल प्रबंधकों द्वारा आचारशास्त्रीय (एथिकल) रीति से अनुक्रिया करने की आवश्यकता है।

कुछ आचारशास्त्रीय दुविधाओं का संबंध सही और गलत, अर्थात् दो विरोधी विकल्पों के बीच चयन करने से है। जब मुद्दा यह हो कि जो सही हो उसे करना चाहिए तो हमारा सरोकार नैतिक (मोरल) मुद्दे से होता है। नैतिक-तत्व (मोरल्स) तथा आचारशास्त्र (एथिक्स) इन दोनों शब्दों का लोगों द्वारा समानार्थक प्रयोग किया जाता है या एक-दूसरे के लिए इन शब्दों का अदल-बदलकर प्रयोग किया जाता है। तथापि नैतिक तत्व (मोरल्स) मौलिक तथा मूलभूत मूल्य हैं जो समाज में समुचित व्यवहार की माँग करते हैं। आचारशास्त्र (एथिक्स) हमारे निर्णयन के कार्य का मार्गदर्शन करने वाले मूल्यों का सुसंबद्ध अध्ययन है। सही तथा निष्पक्ष निर्णय लेने की प्रक्रिया को आचारशास्त्रीय तर्कणा कहते हैं। आचारशास्त्रीय तर्कणा हमारे मूल्यों तथा हमारी उन अपेक्षाओं पर निर्भर होती है जिनके अंतर्गत यह आशा करते हैं कि लोगों को किस प्रकार का व्यवहार करना चाहिए तथा जिसके अंतर्गत हम चाहते हैं कि हमारी यह दुनिया किस प्रकार से संचालित हो। आचारशास्त्रीय निर्णयन एक मनमानी प्रक्रिया नहीं है जिसमें खेल प्रबंधक केवल अपनी 'गट फीलिंग' के अनुसार प्रतिक्रिया करे। आचारशास्त्रीय विश्लेषण में तर्कणा की सुसंबद्ध प्रक्रिया निहित है। यह नियमित निर्णयन प्रक्रिया के समान है। आपको यह जान लेने की आवश्यकता है कि अनैतिक व्यवहार के कुछ नतीजे भी होते हैं। कुछ लोग केवल स्वहित मात्र से अभिप्रेरित किए जा सकते हैं। तथापि, यदि लोग यह समझ लें कि भ्रष्टाचार में कुछ खतरे भी हैं तो अनैतिक कार्यों में उनके लिप्त होने की कम सम्भावना होगी। लोगों को यह समझ लेने की आवश्यकता है कि यदि वे नियमों का उल्लंघन करते हुए पकड़े जाते हैं तो उनकी नौकरी, उनके ग्राहक तथा उनकी पात्रता—ये सब छीने जा सकते हैं। अनैतिक कृत्यों के नतीजों को स्पष्ट कर संगठनों द्वारा आचारशास्त्रीय कार्यों को बढ़ावा देने में सहायता की जा सकती है।

71. समाज से समुचित व्यवहार की मांग करने वाले मूल्य निम्नलिखित में से किसे संदर्भित करते हैं?

A. आचार-शास्त्र

B. नैतिक तत्त्व

C. दुविधा

D. स्कैंडल

72. जटिल तथा मांगपूर्ण स्थिति जिससे निपटने के लिए आचारशास्त्रीय रीति की आवश्यकता है:

A. नैतिक मुद्दा

B. आचारशास्त्रीय दुविधा
C. डोपिंग के विवाद
D. आचारशास्त्रीय निर्णय

73. सही तथा गलत दो विरोधी विकल्पों में से एक का चयन निम्नलिखित में से किसे संदर्भित करता है?

I. आचारशास्त्रीय तर्कणा
II. नैतिक मुद्दा
III. आचारशास्त्रीय निर्णय
IV. आचारशास्त्रीय दुविधा

सही संयोजन चुनिए :

A. I तथा II B. II तथा III
C. I तथा IV D. II तथा IV

74. अपने अनैतिक व्यवहार के लिए लोग निम्नलिखित में से क्या-क्या खो देंगे?

I. पात्रता
II. स्वहित
III. नौकरियाँ
IV. आचारशास्त्र

सही संयोजन चुनिए :

A. I तथा II B. III तथा IV
C. I तथा III D. II तथा IV

75. नीचे दो वक्तव्य दिए गए हैं। एक को अभिकथन (A) तथा दूसरे को कारण (R) कहा गया है।

अभिकथन (A) : आचारशास्त्र हमारे निर्णयन के कार्य का मार्गदर्शन करने वाले मूल्यों का सुसंबद्ध अध्ययन है।

कारण (R) : आचारशास्त्र उन मौलिक आधारभूत मूल्यों को इंगित करता है जो समाज में हमारी निर्णयन प्रक्रिया का मार्गदर्शन करते हैं।

उपर्युक्त दो वक्तव्यों के संदर्भ में निम्नलिखित में से कौन-सा ठीक है?

कूट :

A. (A) तथा (R) दोनों सही हैं, परन्तु (R), (A) का सही स्पष्टीकरण नहीं है।
B. (A) तथा (R) दोनों सही हैं और (R), (A) का सही स्पष्टीकरण है।
C. (A) गलत है, परन्तु (R) सही है।
D. (A) सही है, परन्तु (R) गलत है।

उत्तरमाला

1	2	3	4	5	6	7	8	9	10
D	C	D	B	A	A	B	D	C	B
11	**12**	**13**	**14**	**15**	**16**	**17**	**18**	**19**	**20**
B	B	B	D	D	C	A	D	D	B
21	**22**	**23**	**24**	**25**	**26**	**27**	**28**	**29**	**30**
D	A	B	B	C	A	C	A	B	B
31	**32**	**33**	**34**	**35**	**36**	**37**	**38**	**39**	**40**
*	B	B	A	D	C	B	D	A	C
41	**42**	**43**	**44**	**45**	**46**	**47**	**48**	**49**	**50**
B	A	A	B	C	B	D	B	B	B
51	**52**	**53**	**54**	**55**	**56**	**57**	**58**	**59**	**60**
A	C	B	C	B	A	B	A	A	C
61	**62**	**63**	**64**	**65**	**66**	**67**	**68**	**69**	**70**
B	B	D	B	C	B	A	A	D	A
71	**72**	**73**	**74**	**75**					
B	C	D	C	D					

व्याख्यात्मक उत्तर

5. मनोवैज्ञानिकों ने सीखने के कई ढंग खोजे हैं, जिनमें मोटर लर्निंग (Motor Learning) सबसे आसान है। आधुनिक जीवन में स्नायु गतिविधियों में उच्च स्तर की जरूरत पड़ती है। बोलते हुए, पढ़ते हुए, लिखते समय, डांस या तैरते समय इन सभी में उच्च स्तर की स्नायु-गतिविधि शामिल है। मोटर कुशलता (Motor Skill) विकास का स्तर बताती है कि लोग क्या पढ़ना और लिखना सीखते हैं, दौड़ते हैं व कूदते हैं तथा अपने शरीर का संयमित विकास करते हैं। प्रभावी मोटर कुशलता (Effective Motor Skill) सिखलाई की कुछ शर्तें हैं, जैसे—पेशिय शक्ति, बहुमुखी ऊर्जा, लचीलापन, एकाग्रचित्त, देखकर करने वाली गतिविधि तथा गतिविधि के चरणों की समझ। बहुत-सी मोटर गतिविधियाँ सोची गई मोटर समस्याओं से सीधी जुड़ी होती हैं। जैसे—समन्वय, संतुलन, ताकत, दिशा बोध आदि। इसके द्वारा ही सीखने का आधार निर्मित होता है। इस प्रकार स्पष्टतः कहा जा सकता है कि मोटर कौशल मुख्यतः समन्वयकारी योग्यता पर निर्भर है।

6. कब्ज होने का प्रमुख कारण बड़ी आंत (Large Intestine) का कम कार्य होना है। बड़ी आंत में छोटी आंत से अनपचा (Undigested) तथा अवशोषण न किए गए (Unabsorbed) पदार्थ भेजे जाते हैं। यह 1.5 मीटर लम्बी तथा 6 सेमी. व्यास वाली नली है। इसमें कोई पाचन क्रिया नहीं होती। बड़ी आंत के प्रमुख कार्य निम्नलिखित हैं—

- यह भोजन में से पानी को पुनः अवशोषण (Reabsorb) करती है। पाचन के दौरान भोजन में पानी मिश्रित हो जाता है। सामान्यतः भोजन का तीन चौथाई पानी अवशोषित कर लिया जाता है।
- विटामिनों को अवशोषित करना—जो बैक्टीरिया बड़ी आंत में रहते हैं, उनको अवशोषित करती है।
- यह पाचन पथ (Digestive Tract) से अपचे व अपचनीय (Undigested and indigestible) पदार्थ हटाती है। इनमें कोशिका दीवारों की सेलूलोज, अनेकों बैक्टीरिया, बाईल, म्यूकस, टूटी-फूटी कोशिकाएँ इत्यादि शामिल हैं। जब भोजन बड़ी आंत से गुजरता है तो मल (stool) बन जाता है। यह आंत के अंतिम हिस्सों के रेक्टम (Rectum) में स्टोर किया जाता है तथा एक अवधि के बाद Anus द्वारा बाहर कर दिया जाता है।

7. नेशनल स्टेडियम नयी दिल्ली और वल्लभ-भाई पटेल स्टेडियम मुम्बई में बनने के बाद तत्कालीन केन्द्रीय स्वास्थ्य मंत्री राजकुमारी अमृत कौर को एक विचार आया कि इन स्टेडियमों में दी जाने वाली सहूलियतों का इस प्रकार प्रयोग हो ताकि हमारे खेलों के स्तर में सुधार आ सके। 1952 में गर्मियों के दिनों में एक दिन वे तत्कालीन प्रधानमंत्री पंडित जवाहरलाल नेहरू से मिलीं और देश में स्पोर्ट्स कोचिंग के लिए एक पायलट प्रोजेक्ट रखा। उनके इस प्रोजेक्ट पर पं. नेहरू और भारत सरकार ने 75 हजार रुपये की राशि मंजूर कर दी। यह प्रोजेक्ट सितम्बर 1953 में शुरू हुआ। इस योजना का उद्देश्य खिलाड़ियों को तकनीकी सहायता और मार्गदर्शन उपलब्ध कराना था ताकि वे अपनी क्षमता का भरपूर प्रदर्शन करने में सक्षम बन सकें। इस योजना को केन्द्र का पूरा समर्थन प्राप्त था।

9. ऊंचाई के बढ़ने से खिलाड़ी पर कई व्यावहारिक प्रभाव होते हैं। इससे हवा का घनत्व कम हो जाता है जिसके कारण वायु/हवा द्वारा क्रियाओं के प्रति प्रतिरोध कम हो जाता है। सांस लेने में प्रयोग होने वाली हवा में ऑक्सीजन का दबाव कम हो जाता है जिससे शरीर में प्रवेश होने वाली ऑक्सीजन की मात्रा सीमित हो जाती है। इससे वातावरण/वायुमंडल का तापमान कम हो जाता है। गुरुत्वाकर्षण की शक्ति में भी कुछ कमी आती है। यदि खिलाड़ी ऊँचाई पर बने रहते हैं तो शारीरिक विज्ञान की व्यवस्थाओं जैसे कोशिकाओं में बाइकार्बोनेट स्तर की कमी, रक्त में हीमोग्लोबिन और लाल रक्त कणों की गिनती में वृद्धि और शरीर में विभिन्न द्रव्यों के स्तर के पुनर्स्थापन से सहनशक्ति के स्तर में निरंतर सुधार होता है।

10. खींचने का कौशल या गतिविधि धकेलने के विपरीत है। यह भी एक व्यावहारिक गतिविधि है, जिसका रोजाना घरेलू कार्यों में तथा खेलों में प्रयोग होता है। इस कौशल पर

आधारित एक खेल भी है—रस्सा खींच, जो भारतीय परिवेश में काफी लोकप्रिय है। खींचने की गतिविधि में हमारे शरीर की मुद्रा धकेलने की मुद्रा के विपरीत पीछे की ओर होती है तथा कोण 180° से अधिक होता है। उदाहरणस्वरूप रस्सा खींच में 'X' तथा 'Y' एक-दूसरे को खींच रहे हैं। पूरी शक्ति लगा देने के बावजूद भी Y को X द्वारा खींच लिया जाता है। यहाँ पर 'Y' द्वारा किया गया कार्य ऋणात्मक कार्य है।

11. निर्णयन किसी लक्ष्य की प्राप्ति के लिए उपलब्ध विकल्पों में से सचेतन पूर्ण चयन करने की प्रक्रिया है। निर्णयन के संदर्भ में तीन बातें महत्वपूर्ण हैं। प्रथम, निर्णय में चुनाव अन्तर्निहित हैं। यदि किसी लक्ष्य को प्राप्त करने के लिए एक ही कार्य मार्ग है तब निर्णय संभव नहीं है। द्वितीय, निर्णय में सचेतन रूप से मानसिक प्रक्रिया अन्तर्निहित है। इस प्रक्रिया में तार्किक पहलू महत्वपूर्ण है, लिहाजा भावनात्मक, विवेकहीनता और अवचेतन कारक भी इस प्रक्रिया को प्रभावित करते हैं। तृतीय, निर्णय सप्रयोजन होता है। अर्थात् निर्णय कुछ उद्देश्यों की प्राप्ति में सहायक है। निर्णयन के क्लासिक मॉडल के चरणों में शामिल हैं—

- उद्देश्यों का निर्धारण
- समस्या की व्याख्या करना
- समस्या का विश्लेषण
- वैकल्पिक समाधानों का विकास
- विकल्पों की छंटनी
- सर्वश्रेष्ठ विकल्प का चुनाव
- निर्णयों का क्रियान्वयन
- प्रतिपुष्टि तथा नियंत्रण
- योजना का निर्माण करना।

16. दमा (Asthma) को मनःशारीरिक बीमारी की श्रेणी में रखा जाता है। यह एक संक्रामक रोग है। मनुष्य के फेफड़ों में एस्पर्जिलस फ्यूमिगेटस (Aspergillus Fumigatus) नामक कवक के बीजाणु (Spore) पहुँचकर वहाँ जाल बनाकर फेफड़े के सूक्ष्म नलियों में सिकुड़न ला देते हैं। इसके उपचार में डेराफाइनील, टेड्राल, एड्रेनलिन, ब्रोमहेक्सिन, प्रेडनीस्लोन, डेल्टार्कोटिल आदि दवाओं का प्रयोग किया जाता है।

20. न्यूरॉन तंत्रिका तंत्र की एक रचनात्मक इकाई है जिसके द्वारा ऐच्छिक और अनैच्छिक दोनों प्रकार की क्रियाएँ की जाती हैं। इस तंत्र का मुख्य कार्य शरीर के विभिन्न भागों को तंत्रिकाओं (Nerves) द्वारा संदेश भेजने का काम किया जाता है।

मुख्यतः इस तंत्र द्वारा सूचना मस्तिष्क को जाती है। प्रत्येक कोशिका के जीव द्रव्य में उत्तेजना नामक गुण पाया जाता है। परन्तु वे कोशिकाएँ जो तंत्रिका तंत्र का निर्माण करती हैं, उनमें ये गुण अधिक सीमा में पाए जाते हैं। इसी प्रकार मायो न्यूरल जंक्शन के भीतर प्रवेश की क्षमता बढ़ाने वाला न्यूरो-ट्रांसमीटर एसिटाइल कोलीन (Acetyl Choline) है। यह प्रत्येक जीव में पाया जाने वाला एक कार्बनिक अणु है। यह परिधीय तंत्रिका तंत्र तथा केन्द्रीय तंत्रिका तंत्र दोनों पर कार्य करता है। यह हृदय की धड़कन दर को कम करती है।

23. अग्न्याशय (Pancreas) की कोशिकाओं के बीच-बीच में कुछ पीले रंग की कोशिकाएँ समूहों के रूप में व्यवस्थित रहती हैं, जिन्हें 'लैंगरहैंस की द्वीप' (Islets of Langerhans) कहते हैं। लैंगरहैंस के β-कोशिका से इन्सुलिन (Insulin), α-कोशिका से ग्लूकॉन (Glucagon) एवं γ-कोशिका से सोमेटोस्टेटिन (Someatostatin) नामक हार्मोन निकलता है। इन्सुलिन रक्त में शर्करा की मात्रा को नियंत्रित करने में मदद करता है। इसके अल्प स्रवण से मधुमेह (Diabetes) नामक रोग होता है।

25. श्वास वायु निम्नलिखित अंगों से क्रम में गुजरती है, जो इस प्रकार हैं—

- **नाक (Nose) :** नाक के कई कार्य होते हैं। अंदर जाने वाली हवा को यह गर्म करता है, साफ करता है तथा आर्द्र बनाता है। यह बू की पहचान करता है, तथा आवाज को मॉडिफाई करने का रेजोनोटिंग (तरंगें पैदा करने वाला) चैम्बर है। बाहर निकले हुए नाक को सहारा देने के लिए हड्डियों और कारटीलेज का एक ढांचा होता है। अंदर का अर्ध हिस्सा कारटीलेज से बना है।
- **फारेंक्स (गला) (pharynx) :** फारेंक्स या गला एक मांसपेशियों से बनी नलकी (फनल) है जो नथुने के अंदर से लारेंक्स तक 13 सेमी. (5 इंच) लम्बी है। फारेंक्स में से हवा आगे बढ़ती है।

- **लारेंक्स (Larynx) :** लारेंक्स या ध्वनि यंत्र एक कारटीलेज का बना हुआ चैम्बर है। इसका मुख्य कार्य भोजन और द्रव को रास्ते से दूर रखना है, परंतु आवाज निकालने का अतिरिक्त काम भी यह करता है।
- **ट्रैकिया (Trachea) :** ट्रैकिया या विंड पाइप एक सख्त ट्यूब है जो 12 सेमी. लम्बी है तथा अंदर सांस लेते समय सिकुड़न से बचाने के लिए इसमें सी-आकार के कार्टिलेज रिंग (छल्ले) होते हैं।
- **फेफड़े (Lungs) :** अन्य स्थल पर रहने वाले जानवरों की तरह मनुष्य भी नथुनों और फेफड़ों से साँस लेता है। हवा रोधक थोरेसिक कोठरी में एक जोड़ी फेफड़े स्थित हैं, इसके आस-पास कानवेक्स, मांसपेशीय तथा इलास्टिक शीट होती है जिसे डायाफ्रांम कहते हैं। फेफड़ों द्वारा श्वसन प्रक्रिया को पलमोनरी श्वसन कहते हैं।
- **कोशिकीय श्वसन (Cellular respiration) :** खाद्य पदार्थों के पाचन के फलस्वरूप प्राप्त ग्लूकोज का कोशिका में ऑक्सीजन द्वारा ऑक्सीकरण किया जाता है। इस क्रिया को कोशिकीय श्वसन कहते हैं। कोशिकीय श्वसन दो प्रकार के होते हैं–(*i*) अनॉक्सी श्वसन तथा (*ii*) ऑक्सी श्वसन।

29. शरीर में रुधिर परिसंचरण (Blood circulation in the Body) : हृदय का दायाँ आलिन्द संपूर्ण शरीर से अशुद्ध रुधिर अर्थात् CO_2 युक्त रुधिर महाशिराओं (Vena Cava) द्वारा प्राप्त करता है।

दायाँ आलिंद इस अशुद्ध रुधिर को दायें निलय में पंप करता है और दायाँ निलय पुनः इस अशुद्ध रुधिर को फुफ्फुस महाधमनी (Pulmonary Aorta) द्वारा फेफड़ों में शुद्ध होने के लिए पंप करता है। फेफड़ों से फिर शुद्ध हुआ रुधिर फुफ्फुस शिराओं (Pulmonary veins) द्वारा बायें आलिंद में पहुँचता है। बायाँ आलिंद इस रुधिर को बायें निलय में पहुँचाता है।

अब बायाँ निलय इस शुद्ध रुधिर को शरीर की समस्त धमनियों में पंप करता है। इस प्रकार रुधिर हृदय से संपूर्ण शरीर में पंप किया जाता है और फिर वह संपूर्ण शरीर में लौटकर पुनः हृदय में पहुँचता है। यही क्रम बार-बार दोहराया जाता है।

30. काई-वर्ग परीक्षण (Chi-Square Test) से इस बात की जानकारी होती है कि किसी संयोग अर्थात् दैव परिणाम या आधारभूत परिकल्पनाओं के गलत होने के कारण है। काई-वर्ग परीक्षण की मान्यता है कि अवलोकनों (Observation) की संख्या (N) यथासंभव बड़ी अर्थात् 50 से अधिक होनी चाहिए अन्यथा अवलोकित तथा प्रत्यशित आवृत्तियों के अंतरों ($fo - fe$) का बटन प्रसामान्य नहीं होगा। यह भी मान्यता है कि प्रत्येक अवलोकन का परिणाम पिछले परिणाम से स्वतंत्र है।

काई-वर्ग परीक्षण के निम्नलिखित चरण आते हैं–

(*i*) अवलोकित बारंबारता का गणन

(*ii*) अपेक्षित बारंबारता का गणन

(*iii*) काई-स्क्वेयर (χ^2) के मूल्य का गणन

(*iv*) परिणामों का अर्थ निर्वचन।

39. पहले पाठ्यचर्या की अवधारणा को अलग-अलग ढंग से व्याख्यायित किया जाता था। कुछ लोग शिक्षण संस्थानों में दिए गए विषयों में उपलब्ध संगठित ज्ञान को एकत्रित करने की परंपरा को पाठ्यचर्या के नाम से पुकारते हैं। अन्य लोगों ने सोचने के ढंग तथा अपने विश्व के विषय में सोचने को पाठ्यचर्या कहा है।

तत्पश्चात् बदलते परिवेश में पाठ्यचर्या का अर्थ एवं स्कूल के लिए पाठ्यक्रम को व्याख्यायित किया गया है जैसे–"सभी अनुभव जो विद्यार्थी स्कूल के मार्गदर्शन में प्राप्त करते हैं।" या "विद्यालय के निदेशन में आयोजित सीखने वाले की वातावरण के साथ संलग्नता को पाठ्यचर्या कहा जाता है।"

इसके अतिरिक्त पाठ्यचर्या में निश्चित परिभाषाओं द्वारा निम्न बिन्दुओं पर अधिक बल दिया जाता है–

- पाठ्यचर्या को मार्गदर्शकों एवं पूर्व-अनुभवों के रूप में समझा जा सकता है। जिनके द्वारा बच्चों एवं युवाओं को अपने-अपने को व्यक्त करने में सक्षम बनाया जाता है।
- पाठ्यचर्या नियोजन के लिए योजना उपलब्ध करवाता है।
- पाठ्यचर्या साध्यों की प्राप्ति के योग्य अथवा परिणामों के विषय में पढ़ाया जाता है।

- पाठ्यक्रम शैक्षणिक प्रतिफल की प्राप्ति के लिए विभिन्न व्यवस्थाएँ उपलब्ध करवाती है, जैसे—व्यावसायिक उद्देश्यों की प्राप्ति पर ध्यान दिया जाता है।
- पाठ्यचर्या सीखने की योजनाएँ प्रदान करता है।

इस प्रकार अभिकथन (A) तथा कारण (R) दोनों सही हैं और (R), (A) का सही स्पष्टीकरण है।

42. सुनियोजित शारीरिक शिक्षा के द्वारा विद्यार्थियों के व्यक्तित्व विकास के सभी पहलुओं में उल्लेखनीय योगदान दिया जा सकता है। वर्ष 1956 के 'शारीरिक शिक्षा एवं मनोरंजन की राष्ट्रीय योजना' के अंतर्गत यह स्पष्ट रूप से बताया गया है कि शारीरिक शिक्षा के व्यावहारिक प्रयोग से बालकों को सामाजिक, शारीरिक तथा संवेगात्मक स्तर पर स्वस्थ बनाना ही शारीरिक शिक्षा का लक्ष्य एवं उद्देश्य है।

इस प्रकार यह स्पष्ट होता है कि इसका मुख्य उद्देश्य शैक्षिक लक्ष्यों की प्राप्ति करना तथा वांछित सामाजिक कार्यों का निष्पादन करना है। शारीरिक शिक्षा का किसी को चैम्पियन बनाने में योगदान होता है लेकिन यह व्यक्ति विशेष के ऊपर भी निर्भर करता है कि वह किस प्रकार मेहनत एवं प्रशिक्षण कर रहा है। इस प्रकार स्पष्ट होता है कि अभिकथन (A) तथा कारण (R) दोनों सत्य हैं लेकिन (R), (A) का सही स्पष्टीकरण नहीं है।

43. अनऐरोबिक सहनशीलता का अर्थ होता है 'ऑक्सीजन के बिना'। इस कार्य में ज्यादा जोर लगता है। व्यक्ति का शरीर तेजी से काम करता है, जिससे ऑक्सीजन की मांग बढ़ जाती है तथा मांसपेशियों में स्टोर ईंधन (fuel) पर निर्भर रहना पड़ता है। ऑक्सीजन के बिना मांसपेशियों में लेक्टिक एसिड का निर्माण होता है, जो कि बेकार पदार्थ अपशिष्ट उत्पाद कहलाता है। अतः शरीर में ऑक्सीजन की निश्चित मांग पूरी नहीं करने पर गतिविधि रुक जाती है। अनऐरोबिक सहनशक्ति को विकसित करने हेतु सीमित रिकवरी के साथ अपेक्षाकृत उच्च तीव्रता वाले कार्य दोहराए ढंगों का उपयोग किया जा सकता है। इस प्रकार स्पष्ट होता है कि अभिकथन (A) तथा कारण (R) दोनों सही हैं और (R), (A) का सही स्पष्टीकरण है।

44. फॉर्टलेक शब्द की उत्पत्ति स्वीडन में हुई। फॉर्टलेक शब्द का अर्थ Speed Play (गति खेल) है। यह सहन-क्षमता को बढ़ाने के लिए प्रयोग की जाती है। इस विधि में पेस या गति पहले से ही नियोजित नहीं होती है, इसका निर्णय व्यक्तिगत होता है। इस विधि में खिलाड़ी अपनी गति में आस-पास की जगह, पहाड़ियाँ, नदियाँ, जंगल, कीचड़ वाली सड़कें, पक्की सड़कें और घास के मैदान आदि के अनुसार परिवर्तन कर लेता है।

फार्टलेक अंतराल प्रशिक्षण के अनुरूप है जिसमें छोटी तेज दौड़ के साथ धीरे दौड़ना या जॉगिंग रिकवरी अन्तराल बारी-बारी आता है। साधारण दौड़ने वाले के लिए फार्टलेक विधि का हल्का रूप लाभप्रद हो सकता है, विशेषकर रोड पर भागने वाले के लिए जो विविध दूरियों पर प्रशिक्षण लेता है तथा जिसने कोई विशेष गति प्रशिक्षण नहीं किया हो। आत्म-अनुशासन की फॉर्टलेक प्रशिक्षण विधि में महत्वपूर्ण भूमिका होती है। हृदय की धड़कन भी लगभग 140 से 180 के बीच रहती है। खिलाड़ी प्रशिक्षण की अवधि खिलाड़ी के अनुभव पर आश्रित रहती हैं, परंतु प्रशिक्षण की अवधि कम-से-कम 15 मिनट होनी आवश्यक है। इस विधि की सहायता से हृदय तथा फेफड़े की कार्यकुशलता में वृद्धि हो जाती है।

इस प्रकार स्पष्ट होता है कि अभिकथन (A) तथा कारण (R) दोनों सही हैं और (R), (A) का सही स्पष्टीकरण है।

46. मांसपेशियों का सिकुड़ना अथवा फैलना ही हड्डियों में गतिशीलता प्रदान करता है—जैसे काम करना, किसी वस्तु को उठाना अथवा भोजन को चबाना—यह सभी प्रक्रियाएँ आइसोटोनिक कन्ट्रक्शन कहलाती हैं। आइसा का अर्थ है समान तथा टॉनिक का अर्थ है टोन अथवा खिंचाव। आसोटोनिक कन्ट्रक्शन का अर्थ है एक ही मांसपेशी में तनाव एक जैसा रहता है परंतु उसकी लंबाई में परिवर्तन आ जाता है जिससे गतिशीलता उत्पन्न हो जाती है अथवा काम करने के लिए प्रेरित करती है।

मांसपेशियों का जो खिंचाव विरोधी शक्तियों को विपरीत बल देता है तो इसे आइसोमीट्रिक (Isometric) खिंचाव कहते हैं। आइसोमीट्रिक सिकुड़न प्रक्रिया में मांसपेशियों की लम्बाई पूर्ववत रहती है परंतु मांसपेशियों में तनाव बढ़ जाता है। आप अपनी बाजू को दीवार के साथ धकेलकर आइसोमीट्रिक सिकुड़न को महसूस कर सकते

हैं। इस अवस्था में बाजू की मांसपेशियों में बढ़े हुए तनाव को भी अनुभव कर सकते हैं। आइसोमीट्रिक सिकुड़न से मांसपेशियां सख्त हो जाती हैं, परंतु वे न तो कोई गति उत्पन्न करती हैं, न ही कोई कार्य करती हैं। बेन्च प्रेस आइसोटोनिक व्यायाम का उदाहरण है। इस प्रकार अभिकथन (A) तथा कारण (R) दोनों सही हैं और (R), (A) का सही स्पष्टीकरण है।

51. **आधुनिक ओलंपिक खेल :** आधुनिक ओलंपिक खेल प्रतियोगिता का प्रारंभ 1896 ई. को फ्रांस के बैरोन पियरे डि कोबार्टिन के प्रयासों से यूनान के एथेंस शहर में हुआ। इसका आयोजन भी प्रत्येक चार वर्ष के अंतराल पर किया जाता है।

राष्ट्रमंडल खेल : राष्ट्रमंडल खेलों की शुरुआत 1930 ई. में हेमिल्टन (कनाडा) में हुई थी।

एशियाई खेल : एशियाई खेल का प्रारंभ 4 मार्च, 1951 ई. को नई दिल्ली में हुआ।

53. सीखना (अधिगम) एक जटिल मानसिक क्रिया है। सीखने की प्रक्रिया की प्रगति जानने के लिए अधिकतम वक्र या सीखने के वक्र का उपयोग किया जाता है। किसी व्यक्ति ने किसी को किस प्रकार सिखाया है उसके प्रयास एवं मूल आदि का प्रभाव इसके माध्यम से स्पष्ट रूप से ग्राफ कागज पर अंकित हो जाता है। वक्रों को तीन रूपों में विभक्त किया जाता है।

सीखने के वक्र की विशेषताएँ:

एक सामान्य लर्निंग वक्र चित्र में दिखाया गया है। इसके विश्लेषण से पता चलता है कि इसका निचला आधा हिस्सा अवतल (concave) है। जब शुरू की सीखने की प्रक्रिया धीमी होती है तथा बाद में तेजी से बढ़ोत्तरी होती है तो कर्व अवतल आकार ग्रहण कर लेता है। वक्र तभी अवतल होता है जब सीखने की दर धीमी गति से बढ़ती है। जब गति तेज होती है तो वक्र की चाल सीधी होती है, जिसके बाद धीमी प्रगति होती है। किसी भी सिखलाई गई स्थिति में पूरे कोर्स में वक्र अवतल नहीं हो सकता, क्योंकि सीखने की दर में लगातार वृद्धि होते रहना संभव नहीं है। किसी बिन्दु पर यह धीमी होती है तथा फिर आगे नहीं बढ़ती। व्यक्ति कोई अन्य विषय पर कोशिश करे जिसमें कुशलता प्राप्त करते हुए यह कर्व विकसित होगा, परंतु वह भी एक सीमा-रेखा तक पहुँचकर रुक जाएगा। अधिगम वक्र के आधार पर व्यवस्थित क्रमानुसार इस प्रकार है—अधिगम में आरंभिक अंतराल, अधिगम में वर्धमान लाभ, अधिगम में ह्रासमान लाभ तथा अधिगम में प्लेटू।

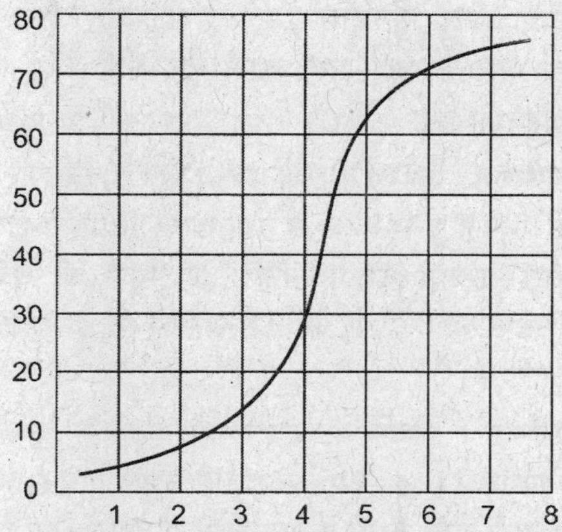

55. कठोर शारीरिक क्रिया अथवा कार्य करने के उपरान्त हम आलस्य का अनुभव करते हैं तो आमतौर पर उसे थकान (fatigue) कहते हैं। थकान वाक्य का सामान्य वर्णन आलस्य के अनुभव तथा पेशीय प्रदर्शन घटने के द्वारा किया जाता है। वास्तविकता में प्रत्येक के द्वारा थकान का अनुभव किया जाता है। यह सक्षमतापूर्वक पेशियों के कार्य करने की असमर्थता एक अस्थायी अवस्था है। इसके परिणामस्वरूप काम करने की क्षमता में गिरावट आकर बेचैनी का अनुभव होने लगता है। थकान के प्रमुख स्थान न्यूरोमस्क्युलर जंक्चर, पेशीय थकान (पेशीय तंतुओं में), केन्द्रीय नाड़ी तंत्र में थकान (सी.एन.एस.)। शारीरिक थकान के लक्षण का क्रम इस प्रकार हैं—हाथ-पैर में पसीना आना, मांसपेशियों में दर्द होना, क्रियाशील मांसपेशी की स्थानीय थकावट, संधि में जकड़न का होना आदि है।

58.
- सिन्धु घाटी सभ्यता का काल — ई.पू. 3250 से ई.पू. 2500 तक
- वैदिक काल — ई.पू. 2500 से ई.पू. 600 तक
- पूर्व हिन्दू काल — ई.पू. 600 से सन् 320 तक
- उत्तर हिन्दू काल — सन् 320 से सन् 1000 तक
- मध्यकाल — सन् 1000 से सन् 1757 तक
- ब्रिटिश काल — सन् 1947 से पहले तक।

59. फेंकना : फेंकना तथा प्रहार करना वस्तुओं को गतिशील बनाने की अन्य विधियों से इस बात से भिन्न है कि जब तक अधिकतम गति प्राप्त की जा चुकी होती है तथा वस्तु के शरीर द्वारा बिना किसी प्रकार का प्रेरण दिए, वस्तु गतिशील रहती है। अर्थात् कुछ समय तक बल लगाना और उसके बाद छोड़ देना, फेंकना कहलाता है।

धकेलना : यह एक व्यावहारिक कौशल है, जिसका जीवन में रोजाना घरेलू कार्यों में तथा खेलने में प्रयोग होता है। जैसे—दरवाजे को धकेलना, छोटी गाड़ी को धकेलना, सिलेंडर को धकेलना, घर के सामान को स्थानान्तरित करना आदि है।

खींचना : खींचने का कौशल या गतिविधि धकेलने के विपरीत है। यह भी एक व्यावहारिक गतिविधि है, जिसका रोजाना घरेलू कार्यों में तथा खेलों में प्रयोग होता है। इस कौशल पर आधारित एक खेल भी है—रस्सा खींच जो भारतीय परिवेश में काफी लोकप्रिय है।

किक मारना : इसमें क्षणिक बल का प्रयोग किया जाता है जैसे उदाहरण के लिए फुटबॉल खेल।

61. प्री-स्कूल तथा किंडरगार्टेन स्तर : गतिविधियों की स्वतंत्रता पर बल दिया जाना चाहिए तथा आधारभूत कौशलों सहित समग्रगति ढांचे (स्वतंत्र खेलना, लयबद्ध एवं क्रियात्मक गीतों द्वारा, गतिशील कहानियाँ, दौड़, चलना, रेंगना, चढ़ना, धकेलना, खींचना एवं खोदना), समग्र हाथ-आँख तालमेल तथा स्वयं के प्रति सजगता का विकास एवं क्रियाओं द्वारा अभिव्यक्ति सहित बल दिया जाना चाहिए। बालक के सार्वभौमिक व्यक्तित्व के साथ उसकी शारीरिक, मानसिक भावात्मक एवं सामाजिक आवश्यकताओं के अनुसार निर्धारण किया जाना चाहिए।

प्राथमिक अथवा आरंभिक विद्यालय स्तर (ग्रेड 1-5) : यह एक पूर्ण परिचित तथ्य है कि यदि संभावी परिणामी प्राप्त करते हैं तो सभी उच्च प्राथमिक अथवा प्राथमिक स्कूलों में प्रत्येक बच्चे के लिए प्रतिदिन, सप्ताह में सभी दिन शारीरिक शिक्षा के लिए एक घंटे का समय दिया जाना चाहिए। अर्थात् यह प्रत्यक्ष ज्ञानात्मक मोटर गुणों का विकास से सम्बन्ध है।

मध्य विद्यालय स्तर (ग्रेड 6-8) : यह विविध प्रकार की गतिविधियों के साथ शारीरिक क्षमता का विकास एवं देखरेख से सम्बन्धित है। इस स्तर पर निम्नलिखित बल दिया जाना चाहिए—

- शारीरिक स्वास्थ्य का विकास एवं उसे बरकरार रखना।
- विशिष्ट क्रियाओं की व्यापक विभिन्नता का विकास।
- विभिन्न क्रियाओं के सम्बन्ध में मूलभूत ज्ञान एवं प्रशंसा जिससे कक्षा से बाहर की क्रियाओं के लिए बुद्धिमत्तापूर्ण चयन करने में आधार का कार्य किया जाता है।
- स्वयं के विषय में सजगता एवं आत्मविश्वास में विकास करना।

माध्यमिक तथा उच्चतर माध्यमिक विद्यालय स्तर (ग्रेड 9-12) : जीवनपर्यन्त क्रियाएँ कुछ अधिक प्रबल होती हैं और कुछ कम उन पर भी बल दिया जाना चाहिए। एक सक्रिय जीवन के लिए ज्ञान, अंतर समक्ष एवं प्रेरणा का विकास भी महत्वपूर्ण है। आवश्यक सामूहिक गतिविधियों का समूह भी शामिल करने पर बल दिया जाना चाहिए। जो आत्मविश्वास, व्यक्तिगत प्रेरणा, आचरण एवं अपने एवं दूसरों के प्रति उत्तरदायित्व की भावना का विकास करता है।

62.

विटामिन	रासायनिक नाम	कमी से होने वाला रोग
विटामिन-A	रेटिनॉल	रतौंधी, संक्रमणों का खतरा, जीरोफ्थैलमिया
विटामिन-B_1	थायमिन	बेरी-बेरी
विटामिन-B_2	राइबोफ्लोविन	त्वचा का फटना, आँखों का लाल होना, जिह्वा का फटना
विटामिन-B_{12}	साएनोकाबालामिन	एनीमिया, पांडुरोग
विटामिन-C	एस्कॉर्बिक एसिड	स्कर्वी, मसूढ़े का फूलना
विटामिन-D	कैल्सिफेरॉल	रिकेट्स (बच्चों में) ऑस्टियोमलेशिया (वयस्क में)

64. **परिकल्पना (Hypothesis) :** एक निश्चित परिभाषा विभिन्न विद्वानों द्वारा दी गई निम्न है–

- **गुड तथा हैट** के अनुसार–"परिकल्पना इस बात का वर्णन करती है कि हम क्या देखना चाहते हैं। परिकल्पना भविष्य की ओर देखती है। यह एक तर्कपूर्ण वाक्य है जिसकी वैधता की परीक्षा की जा सकती है। यह सही भी सिद्ध हो सकती है और गलत भी।"
- **मोले** के अनुसार–"परिकल्पना एक अभिग्रह (धारणा) अथवा तर्कवाक्य है जिसकी स्थिरता की परीक्षा उसकी अनुरूपता, उपयोग, अनुभव, जन्म प्रमाण तथा पूर्व ज्ञान के आधार पर करनी है।"

परिकल्पना के प्रकार : परिकल्पनाओं को विभिन्न प्रकार से वर्गीकृत किया जा सकता है जिनमें मुख्य वर्ग अथवा प्रकार निम्नलिखित हैं–

- **सार्वभैमिक परिकल्पना :** इस वर्ग में वे परिकल्पनाएँ सम्मिलित की जाती हैं जिनका अध्ययन किए जाने वाला संबंध सभी चरों से सभी समय तथा सभी स्थानों पर रहता है।
- **अस्तित्वात्मक परिकल्पना :** ऐसी परिकल्पना जो कम से कम एक मामले में चरों के अस्तित्व को उचित घोषित कर सकें।
- **शून्य परिकल्पना :** इसमें यह मानकर चलते हैं कि दो चर जिनमें संबंध ज्ञात करने जा रहे हैं, उनमें कोई अन्तर नहीं है। 'Null' जर्मन भाषा का शब्द है। इसका अर्थ होता है शून्य। अतः इस परिकल्पना को शून्य परिकल्पना भी कहते हैं।
- **अनुसंधान परिकल्पना :** जब परिकल्पना का निर्माण अनुसंधानों द्वारा प्राप्त निष्कर्षों के आधार पर होता है तो उसे अनुसंधान परिकल्पना कहते हैं। इसी को व्यक्तियों ने वैज्ञानिक परिकल्पना, सामान्य परिकल्पना तथा निगमनात्मक परिकल्पना आदि के नाम भी दिए हैं।
- **सांख्यिकीय परिकल्पना :** शून्य परिकल्पना को सांख्यिकीय परिकल्पना भी कहते हैं।

65. **नियोजन (Planning) :** योजना बनाने से तात्पर्य उन सारी बातों की कल्पना करना है, जो किए जाने वाले हैं। यह निर्धारित करना है कि कार्य को किस ढंग से किया जाना है? किस प्रकार लोगों की आवश्यकता उस कार्य को पूरा करने के लिए होगी तथा उद्देश्य की प्राप्ति कैसे की जा सकती है? इत्यादि योजना के विषय होते हैं।

संगठन (Organisation) : संगठन से तात्पर्य उस ढांचे है जो मानवीय तथा भौतिक साधनों के द्वारा एक विशिष्ट उद्देश्य की प्राप्ति के लिए स्थापित किया जाता है। कार्य का विभाजन करना, विभाग को उपविभागों में बाँटना भी तथा अधिकार का हस्तांतरण भी संगठन की क्रिया के अंग हैं।

चयन (Staffing) : व्यापक ओरिएन्टेशन का संबंध चयन से है। अर्थात् संगठन की स्थापना के पश्चात् उसमें काम करने वाले कर्मचारियों की व्यवस्था करनी होती है। यह निर्धारित करना होता है कि संगठन में कितने वरिष्ठ और कितने कनिष्ठ पदाधिकारी चाहिए। उनमें कौन-सी योग्यताएँ पाई जानी अपेक्षित हैं; भर्ती के कौन-से नियम बनाए जाने चाहिए तथा कार्मिकों को कौन-कौन सी सुविधाएँ उपलब्ध कराई जाएँ इत्यादि।

नियंत्रण (Controlling) : किसी भी संगठन् में लक्ष्य प्राप्ति के लिए नियंत्रण महत्वपूर्ण होता है। नियंत्रण के अभाव में संगठन में अनुशासन का अभाव हो जाता है। परिणामस्वरूप लक्ष्य प्राप्ति में बाधा उत्पन्न हो जाती है।

67. **मधुमेह (Diabetes) :** यह अग्न्याशय से सम्बन्धित रोग है, जो इन्सुलिन का पर्याप्त स्राव नहीं होने के कारण होता है।

मलेरिया (Malaria) : यह रोग प्लाज्मोडियम (Plasmodium) नामक परजीवी प्रोटोजोआ से होता है। प्लाज्मोडियम, मादा एनोफिलीज मच्छर के शरीर में आश्रय लेता है जिसे यह अपने डंक द्वारा मनुष्य के शरीर में पहुँचाकर उसे रुग्ण कर देती है। इस रोग के कारण लाल रुधिराणु नष्ट हो जाते हैं तथा रक्त में कमी आ जाती है।

डेंगू (Dengue) : यह रोग विषाणु के कारण होता है। इस रोग को इडिस इजिप्टी, इडिस एल्बोपिक्टस और क्यूलेक्स फटिगन्सस नामक मच्छर संचारित करते हैं।

चेचक (Small Pox) : यह अत्यंत संक्रामक रोग है जिसका संक्रमण एक अतिसूक्ष्म विषाणु के कारण होता है। इस रोग से ग्रसित रोगी को सर्वप्रथम सिर, पीठ, कमर और बाद में सारे शरीर में जोरों का दर्द होता है एवं बाद में लाल-लाल दानें निकल जाते हैं जो बाद में फफोले का रूप धारण कर लेते हैं।

68. मनोविश्लेषणात्मक सिद्धान्त : यह सिद्धान्त खेल से सम्बन्धित है। खेल की प्रकृति बालकों में, वयस्कों में, यहाँ तक कि प्रौढ़ों में भी पाई जाती है। बच्चे क्यों खेलते हैं? वे खेलना चाहते हैं? आदि प्रश्नों का उत्तर पाने का प्रयत्न विभिन्न मनोवैज्ञानिकों द्वारा किया गया है।

- **व्यक्तित्व :** विभिन्न मनोवैज्ञानिकों ने व्यक्तित्व की अलग-अलग एवं विरोधी परिभाषाएँ दी हैं, परंतु आलपोर्ट (Allport) ने सभी सिद्धांतों का समन्वय करके व्यक्तित्व की परिभाषा में लिखा है, "व्यक्तित्व का सम्बन्ध मनुष्य की उन शारीरिक तथा आंतरिक वृत्तियों से है, जिनके आधार पर व्यक्ति अपने वातावरण के साथ सामंजस्य (Relation) स्थापित करता है।" व्यक्तित्व के विभिन्न सिद्धांत हैं—प्रकार सिद्धांत, लक्षण सिद्धांत, फ्रायड का सिद्धांत तथा व्यवहारवादी सिद्धांत।

- **नेतृत्व :** नेतृत्व से तात्पर्य किसी व्यक्ति विशेष के उस गुण से है जिसके द्वारा वह अन्य व्यक्तियों का मार्गदर्शन करता है तथा नेता के रूप में उनकी क्रियाओं का संचालन करता है। स्वभावतः एक नेता के नियंत्रण में अनेक अनुसरणकर्ता होते हैं जो उसी के निर्देशानुसार कार्य करते हैं। नेतृत्व वह क्षमता है जिसके द्वारा अनुयायियों के एक समूह से वांछित कार्य स्वेच्छापूर्वक एवं बिना दबाव के कराए जा सकते हैं। नेतृत्व के विभिन्न सिद्धांत हैं—अधिनायकीय नेतृत्व, स्वेच्छाचारी नेतृत्व, स्वच्छन्दतावादी नेतृत्व, लोकतांत्रिक नेतृत्व तथा फीडलर का आकस्मिकता सिद्धांत।

- **संवेग :** संवेग पद पर अंग्रेजी रूपांतर 'emotion' है जो लैटिन शब्द emovere से बना है और जिसका अर्थ उत्तेजित करना (excite) होता है। इस शाब्दिक अर्थ को ध्यान में रखते हुए तब यह कहा जा सकता है कि संवेग व्यक्ति की उत्तेजित अवस्था का दूसरा नाम है। इसी अर्थ में गेलडार्ड ने कहा कि "संवेग क्रियाओं का उत्तेजक है।" लेकिन संवेग में सिर्फ उत्तेजित अवस्था ही नहीं होती है बल्कि कुछ और भी क्रियाएँ होती हैं। विपर्यक सिद्धांत (Reversal theories) संवेग से सम्बन्धित है।

70. हृदय पेशी (Cardic or Heart Muscles) : इस पेशी से केवल हृदय की भित्ति बनती है। यह अनैच्छिक (Involuntary) होती है। इसकी कोशिकाएँ बेलनाकार तथा शाखित होती हैं। प्रत्येक कोशिका के मध्य में प्रायः एक या कभी-कभी दो केन्द्रक होते हैं। पेशी के आर-पार बंध बहुत हल्के होते हैं। सामान्य परिस्थितियों में यह जीवनपर्यन्त हृदय में लयबद्ध संकुचन और प्रसार कराती है और इसी से शरीर में रुधिर का परिवहन होता है।

डायफ्राम (Diphragm) : यह एक श्वसन पेशी है। यह वक्षीय गुहा का निचला फर्श एक पतले पट्ट द्वारा बंद रहता है, जिसे डायफ्राम कहते हैं।

रेड ब्लड कार्पल्सेज (आर.बी.सी.) : इसमें हीमोग्लोबिन होता है, जिसमें हीम (Haem) नामक रंजक (Dye) होता है, जिसके कारण रक्त का रंग लाल होता है। ग्लोबिन (Globin) लौह युक्त प्रोटीन है, जो ऑक्सीजन एवं कार्बन डाइऑक्साइड से संयोग करने की क्षमता रखता है।

पिछले प्रश्न-पत्र (हल सहित)

UGC-NET जूनियर रिसर्च फैलोशिप तथा सहायक प्राध्यापक परीक्षा

शारीरिक शिक्षा, दिसम्बर-2013

प्रश्न-पत्र-II

निर्देश : *इस प्रश्न-पत्र में* ***पचास (50)*** *बहु-विकल्पीय प्रश्न हैं। प्रत्येक प्रश्न के* ***दो (2)*** *अंक हैं।* ***सभी*** *प्रश्न अनिवार्य हैं।*

1. बीजिंग ओलंपिक्स में माइकल फेल्प्स ने किसके कीर्तिमान को तोड़ा?

A. मार्क स्पिज B. विल्सन चेरियन

C. ईयान थोर्पे D. रोलैण्ड मैथेस

2. निम्नलिखित में से कौन-सी जोड़ी सही है?

A. इम्पल्स उत्पाद है – बल तथा दूरी

B. सजाइटल एक्सिस का लम्ब – सजाइटल प्लेन

C. रैखिक गति का कारण – केन्द्रीय बल

D. बॉल को लात मारते समय धक्के की प्रकृति – संपूर्ण लचीला धक्का

3. सही उत्तर चुनिए :

हीमोग्लोबिन किसमें पाया जाता है?

A. रेड ब्लड कारपस्कल (आर.बी.सी.)

B. व्हाइट ब्लड कारपस्कल (डब्लू.बी.सी.)

C. प्लेटेलेट्स (बिम्बाणु)

D. बोन मैरो (अस्थिमज्जा)

4. क्रॉस बार पार करने के बाद पोल वाल्टर की ऊँची से नीचे की ओर की गति निम्नलिखित में से किसका उदाहरण है?

A. नियमित गति

B. नियमित रूप से त्वरित गति

C. अवमन्दन गति

D. अनियमित अवमन्दन गति

5. सही विकल्प चुनिए :

ऐसे कौशल को क्या कहते हैं जिसकी तैयारी के लिए समय मिलता है, स्थिति का पूर्वदर्शन होता है तथा संचालन पर पूर्ण नियंत्रण होता है?

A. बंद कौशल

B. स्व-गतिकृत कौशल

C. मिश्रित गतिकृत कौशल

D. बाह्य गतिकृत कौशल

6. भारत सरकार द्वारा नेशनल प्लान ऑफ फिजिकल एजुकेशन किस वर्ष प्रकाशित हुई?

A. 1956 B. 1957

C. 1958 D. 1959

7. न्यूटन के गति का तीसरा नियम निम्नलिखित में से मुख्य रूप से किसके विवरण के लिए उपयोग करते हैं?

A. रनिंग और जंपिंग B. थ्रोइंग और कैचिंग

C. किकिंग और हिटिंग D. बॉलिंग और बैटिंग

8. निम्नलिखित में से कौन-सा विटामिन सूरज की रोशनी से मिलता है?

A. विटामिन A B. विटामिन B

C. विटामिन C D. विटामिन D

9. ट्रेनिंग साइकल में संक्रमण समय का ध्येय होता है :

A. पुनर्लाभ B. चरमसीमा

C. पुनर्वासन D. परमपूर्ति

10. यदि हम तीन सिक्कों को उछालें तो तीन 'हेड' आने की संभावना कितनी होगी?

A. 1/8 B. 2/8

C. 3/8 D. 4/8

11. जब किसी परीक्षण (टेस्ट) की विश्वसनीयता तथा वैधता दोनों सिद्ध हो चुकी हों, तो उस परीक्षण को क्या कहते हैं?

A. वस्तुनिष्ठ परीक्षण

B. शिक्षक द्वारा निर्मित परीक्षण

C. मानकीकृत परीक्षण

D. व्यक्तिनिष्ठ परीक्षण

12. निम्नलिखित में से कौन-सा संगठन के सिद्धांतों के विरुद्ध है?

A. अधिकार की अतिव्याप्ति

B. समुचित संप्रेषण

C. समुचित विकेंद्रीकरण

D. शक्ति का प्रत्यायोजन

13. कार्यशील महिला को प्रतिदिन कितना प्रोटीन लेना चाहिए?

A. 27 ग्राम B. 46 ग्राम

C. 37 ग्राम D. 50 ग्राम

14. भारत में सर्वप्रथम किस संस्था ने स्वदेशी शारीरिक व्यायाम क्रियाओं को प्रचारित किया?

A. वाय. एम.सी.ए., मद्रास

B. एल.एन.आई.पी.ई., ग्वालियर

C. एच.वी.पी. मंडल, अमरावती

D. पंजाब गवर्नमेन्ट कॉलेज ऑफ फिजिकल एजुकेशन, पटियाला

15. निम्नलिखित में से कौन-सा एक शोध उपकरण नहीं है?

A. स्टॉप वाच B. वीडियो कैमरा

C. प्रश्नावली D. सर्वेक्षण

16. जिस क्षेत्र में खेल प्रबंधन को कार्य नहीं करना चाहिए उसे सामान्यतः क्या कहते हैं?

A. खेल-मूल्यांकन B. खेल-नवाचार

C. खेल-प्रबंधन का क्षेत्र D. खेल-नेतृत्व

17. अंतर्विद्यालय खेल के लाभ हैं :

I. कौशल में दक्षता का विकास

II. जीतने पर अत्यधिक जोर

III. व्यापक सहभागिता पर कम बल

IV. उच्च स्तरीय शारीरिक क्षमता का विकास

सही संयोजन बताएँ :

कूट :

A. I, II B. II, III

C. I, IV D. II, IV

18. निम्नलिखित में से कौन-से आहार-तत्व शरीर में गर्मी और ऊर्जा उत्पन्न **नहीं** करते?

I. कार्बोहाइड्रेट

II. विटामिन्स

III. जल

IV. वसा (लिपिड्स)

सही उत्तर चुनिए :

कूट :

A. II तथा III B. I तथा II

C. II तथा IV D. I तथा IV

19. निम्नलिखित शरीर रचनात्मक संरचना को उनकी अवस्थिति के अनुसार अवरोही क्रम में रखिए :

A. जिफोइड प्रोसेस, ग्लेनाइड केविटी, कोराकोइड प्रोसेस, एसिटाबुलम

B. ग्लेनाइड केविटी, जिफोइड प्रोसेस, एसिटाबुलम, कोराकोइड प्रोसेस

C. कोराकोइड प्रोसेस, ग्लेनाइड केविटी, जिफोइड प्रोसेस, एसिटाबुलम

D. एसिटाबुलम, जिफोइड प्रोसेस, ग्लेनाइड केविटी, कोराकोइड प्रोसेस

20. यह कहा जाता है कि 2020 में आयोजित होने वाले ग्रीष्म ओलंपिक खेल की बोली में इस्तांबुल निम्नलिखित कारणों से हार गया।

I. पड़ोस के देशों में भौगोलिक-राजनीतिक अनिश्चितता

II. पदाधिकारियों द्वारा कमजोर प्रस्तुतिकरण

III. कमतर आर्थिक संसाधन

IV. अपेक्षित स्तर की सुविधाएँ प्रदान करने की अपनी क्षमता के प्रति आश्वस्त नहीं होना

सही संयोजन चुनिए।

कूट :

A. II तथा IV B. I तथा III

C. II तथा III D. IV तथा I

21. शारीरिक शिक्षा की व्यावसायिक आचार-संहिता में सम्मिलित हैं :

I. व्यवसाय के प्रति समर्पण

II. शारीरिक कार्यक्षमता

III. सामाजिकता

IV. नैतिक मूल्य

सही संयोजन बताएँ :

कूट :

A. I, II B. II, III

C. I, IV D. II, IV

22. सूची-I को सूची-II के साथ सुमेलित कीजिए तथा नीचे दिए गए कूट से सही उत्तर चुनिए :

सूची-I	**सूची-II**
I. लार	1. मुँह
II. हाइड्रोक्लोरिक एसिड (HC*l*)	2. जठर
III. बाइल	3. यकृत
IV. इन्सुलिन	4. अग्न्याशय

कूट :

	I	**II**	**III**	**IV**
A.	4	3	1	2
B.	1	4	2	3
C.	1	2	3	4
D.	2	1	3	4

23. परमपूर्ति की प्रक्रिया में आता है :

I. थकान का इष्टतम स्तर

II. भार देना

III. आराम और पुनर्स्थिति की प्राप्ति

IV. ऊर्जा की क्षतिपूर्ति

उचित क्रम में लगाएँ :

कूट :

A.	II	I	III	IV
B.	I	II	III	IV
C.	III	IV	I	II
D.	IV	III	II	I

24. साक्षात्कार के समय प्रश्न पूछने के लिए अनुसरणीय मार्गदर्शक बिंदुओं का सही संयोजन नीचे दिए गए कूट में से चुनिए।

मार्गदर्शक बिंदुओं :

I. प्रश्न अस्पष्ट होने चाहिए।

II. प्रश्न निष्पक्ष होने चाहिए।

III. प्रश्न प्रासंगिक होने चाहिए।

IV. प्रश्न संक्षिप्त होने चाहिए।

कूट :

A. I, II तथा II B. II, III तथा IV

C. II, IV तथा I D. IV, I और II

25. परीक्षण, मापन तथा मूल्यांकन का उपयोग निम्नलिखित कार्यों के निष्पादन के लिए किया जाता है।

I. स्थिति निर्धारण हेतु II. तुलना करने हेतु

III. प्रशंसा करने हेतु IV. चेतावनी देने हेतु

नीचे दिए गए कूट से सही संयोजन चुनिए :

कूट :

A. I, III B. I, IV

C. II, III D. I, II

26. खेल प्रबंधन के मुख्य कार्य निम्नलिखित हैं। नीचे दिए गए कोड से इनका सही क्रम चुनिए।

I. नियंत्रण II. समन्वयन

III. नियोजन IV. संगठन

कूट :

A.	II	III	IV	I
B.	III	IV	II	I
C.	I	II	III	IV
D.	IV	I	II	III

27. सही कोड चुनिए :

अस्थि-मांसपेशियों को क्रमशः अवरोही क्रम में व्यवस्थित कीजिए।

I. उरोकर्णमूलिका पेशी II. समलंबिका पेशी

III. चतुःशिरस्क पेशी IV. गैस्ट्रोक्निमियस पेशी

कूट :

A.	I	II	III	IV
B.	II	I	III	IV
C.	III	IV	I	II
D.	IV	III	II	I

28. नेतृत्व-प्रक्रिया की संकल्पना के निर्माण में कैरेन ने दो मूलभूत प्रणालियों की पहचान की है। वे हैं :

I. प्रभाव प्रणाली II. सामाजिक प्रणाली

III. पुरस्कार प्रणाली IV. शक्ति प्रणाली

सही संयोजन बताइए :

कूट :

A. I तथा II B. I तथा III

C. II तथा IV D. III तथा IV

29. उन्नत स्तर के खिलाड़ी के प्रशिक्षण के निम्नलिखित घटक होते हैं :

I. वृद्धि और विकास

II. वातावरणीय घटक

III. पूर्व प्रशिक्षण की प्रकृति तथा मात्रा

IV. प्रतिभा

सही संयोजन बताएँ :

कूट :

A. I, II B. III, IV

C. II, IV D. I, III

30. ज्ञान प्राप्ति की कुछ अवस्थाएँ नीचे दी गई हैं। इन्हें क्रमबद्ध कीजिए तथा नीचे दिए गए कोड से सही क्रम चुनिए।

I. विश्लेषण II. सूचना

III. मूल्यांकन IV. अनुप्रयोग

कूट :

A.	I	II	III	IV
B.	II	III	IV	I
C.	IV	I	II	III
D.	II	I	IV	III

31. नीचे दो वक्तव्य दिए गए हैं। एक को अभिकथन (A) तथा दूसरे को कारण (R) कहा गया है।

अभिकथन (A) : शारीरिक शिक्षा केवल शारीरिक विकास तक सीमित नहीं है।

कारण (R) : प्रतियोगिता परक क्रीड़ा केवल प्रतियोगिता को जीतने पर बल देती है।

निम्नलिखित में से कौन-सा वक्तव्य सही है?

A. (A) तथा (R) दोनों सही हैं तथा (R), (A) का सही स्पष्टीकरण है।

B. (A) तथा (R) दोनों सही हैं, परन्तु (R), (A) का सही स्पष्टीकरण नहीं है।

C. (A) सही है, परन्तु (R) गलत है।

D. (A) गलत है, परन्तु (R) सही है।

32. नीचे दो वक्तव्य दिए गए हैं। एक को अभिकथन (A) तथा दूसरे को कारण (R) कहा गया है।

अभिकथन (A) : परिसंचरण तंत्र को परिवहन तंत्र भी कहा जाता है।

कारण (R) : हृदय प्रत्येक कोशिका को O_2 तथा पाचित आहार सामग्री भेजता है तथा कोशिकाओं से CO_2 तथा अवशिष्ट पदार्थ प्राप्त करता है।

उपर्युक्त संदर्भ में निम्नलिखित में से कौन-सा विकल्प सही है?

A. (A) तथा (R) दोनों सही हैं और (R), (A) का सही स्पष्टीकरण है।

B. (A) तथा (R) दोनों सही हैं, परन्तु (R), (A) का सही स्पष्टीकरण नहीं है।

C. (A) सही है, परन्तु (R) गलत है।

D. (A) गलत है, परन्तु (R) सही है।

33. नीचे दो कथन दिए गए हैं, एक को अभिकथन (A) तथा दूसरे को कारण (R) कहा गया है।

अभिकथन (A) : टाइप-III लिवर गति के रूप में लाभ प्रदान करता है।

कारण (R) : टाइप-III लिवर की प्रतिरोध भुजा लम्बी होती है।

उपर्युक्त दो कथनों के संदर्भ में निम्नलिखित में से कौन-सा सही उत्तर है?

A. (A) तथा (R) दोनों सही हैं और (R), (A) का सही स्पष्टीकरण है।

B. (A) तथा (R) दोनों सही हैं, परन्तु (R), (A) का सही स्पष्टीकरण नहीं है।

C. (A) सही है, परन्तु (R) गलत है।

D. (A) गलत है, परन्तु (R) सही है।

34. नीचे दो वक्तव्य दिए गए हैं, एक को अभिकथन (A) तथा दूसरे को कारण (R) कहा गया है।

अभिकथन (A) : व्यक्तित्व का मनोवैज्ञानिक क्रोड गहराई तक पैठा हुआ घटक है जिसके अंतर्गत व्यक्तित्व की विशिष्टिताएँ, मूल्य, अभिरुचियाँ, उद्देश्य तथा आत्म-अर्थ सम्मिलित हैं।

कारण (R) : व्यक्तित्व का मनोवैज्ञानिक क्रोड गत्यात्मक तथा बाह्य है और परिवेश के साथ सामंजस्य स्थापित करता है।

उपर्युक्त दोनों वक्तव्यों के संदर्भ में निम्नलिखित में से कौन-सा सही है?

A. दोनों सही हैं और (R), (A) का सही स्पष्टीकरण है।

B. दोनों सही हैं, परन्तु (R), (A) का सही स्पष्टीकरण नहीं है।

C. (A) सही है, परन्तु (R) गलत है।

D. (A) गलत है, परन्तु (R) सही है।

35. नीचे दो कथन दिए गए हैं, एक को अभिकथन (A) तथा दूसरे को कारण (R) कहा गया है।

अभिकथन (A) : प्राथमिक विद्यालय के स्तर पर पाठ्यचर्या के विकास को प्रत्यक्ष ज्ञानात्मक गति ग्रहिता तथा चलन शिक्षा पर केन्द्रित होना चाहिए।

कारण (R) : शिक्षा जीवनपर्यंत चलने वाली प्रक्रिया है तथा हम जीवनपर्यंत अपने अनुभवों से सीखते रहते हैं।

दोनों कथनों के संदर्भ में निम्नलिखित में से कौन-सा कथन सही है?

A. (A) तथा (R) दोनों सही हैं और (R), (A) का सही स्पष्टीकरण है।

B. (A) तथा (R) दोनों सही हैं, परन्तु (R), (A) का सही स्पष्टीकरण नहीं है।

C. (A) सही है, परन्तु (R) गलत है।

D. (A) गलत है, परन्तु (R) सही है।

36. नीचे दो वक्तव्य दिए गए हैं, एक को अभिकथन (A) तथा दूसरे को कारण (R) कहा गया है।

अभिकथन (A) : एक मानक परीक्षण के मानदण्ड एक खिलाड़ी के प्रदर्शन का मूल्यांकन करने का साधन उपलब्ध कराते हैं।

कारण (R) : एक मानक परीक्षण के मानदण्ड के मूल्यों को किसी के भी द्वारा बदला नहीं जा सकता।

उपर्युक्त दोनों वक्तव्यों के संदर्भ में निम्नलिखित में से कौन-सा सही है?

A. (A) तथा (R) दोनों सही हैं और (R), (A) का सही स्पष्टीकरण है।

B. (A) तथा (R) दोनों सही हैं, परन्तु (R), (A) का सही स्पष्टीकरण नहीं है।

C. (A) सही है, परन्तु (R) गलत है।

D. (A) गलत है, परन्तु (R) सही है।

37. नीचे दो कथन दिए गए हैं, एक को अभिकथन (A) तथा दूसरे को कारण (R) कहा गया है।

अभिकथन (A) : विद्यालय शिक्षा पाठ्यचर्या का प्राथमिक सहायता तथा सुरक्षा शिक्षा भाग होना चाहिए।

कारण (R) : जीवन में आने वाली आकस्मिक स्थितियों का सामना करने के लिए स्वास्थ्य तथा सुरक्षा कौशलों का ज्ञान होना चाहिए।

उपर्युक्त दो कथनों के संदर्भ में निम्नलिखित में से कौन-सा सही है?

A. (A) तथा (R) दोनों सही हैं और (R), (A) का सही स्पष्टीकरण है।

B. (A) तथा (R) दोनों सही हैं, परन्तु (R), (A) का सही स्पष्टीकरण नहीं है।

C. (R) सही है, परन्तु (A) गलत है।

D. (A) सही है, परन्तु (R) गलत है।

38. नीचे दो वक्तव्य दिए गए हैं, एक को अभिकथन (A) तथा दूसरे को कारण (R) कहा गया है।

अभिकथन (A) : स्वतंत्रता की मात्राएँ, किसी प्रतिदर्श में प्राप्तांकों की संख्याएँ होती हैं जो परिवर्तित होने के लिए स्वतंत्र होती हैं।

कारण (R) : सार्थकता के स्तर का परीक्षण करने के लिए 'टी वैल्यू' स्वतंत्रता की मात्रा पर आधारित होता है।

उपर्युक्त दोनों कथनों के संदर्भ में निम्नलिखित में से कौन-सा सही है?

A. (A) तथा (R) दोनों सही हैं, परन्तु (R), (A) का सही स्पष्टीकरण नहीं है।

B. (A) तथा (R) दोनों सही हैं और (R), (A) का सही स्पष्टीकरण है।

C. (A) सही है, परन्तु (R) गलत है।

D. (A) गलत है, परन्तु (R) सही है।

39. नीचे दो कथन दिए गए हैं, एक को अभिकथन (A) तथा दूसरे को कारण (R) कहा गया है।

अभिकथन (A) : हृदय तथा रक्त नलिकाओं की क्षमता को नापने के लिए रक्त दाब एक मार्गदर्शक होता है। सामान्य रक्त दाब 120 mm/80 mm होता है।

कारण (R) : अकुंचन के समय बायाँ निलय महाधमनी में रक्त धकेलता है उस समय रक्त दाब 120 mm होता है। प्रसरण के समय जब बायां निलय रक्त से भरा जाता है तब रक्त दाब 80 mm होता है।

उपर्युक्त दोनों कथनों के संदर्भ में निम्नलिखित में से कौन-सा उत्तर सही है?

A. (A) तथा (R) दोनों सही हैं, परन्तु (R), (A) का सही स्पष्टीकरण नहीं है।

B. (A) तथा (R) दोनों सही हैं और (R), (A) का सही स्पष्टीकरण है।

C. (A) सही है, परन्तु (R) गलत है।

D. (A) गलत है, परन्तु (R) सही है।

40. नीचे दो वक्तव्य दिए गए हैं। एक को अभिकथन (A) तथा दूसरे को कारण (R) कहा गया है।

अभिकथन (A) : WADA राष्ट्रीय तथा अंतर्राष्ट्रीय स्तरों पर डोपिंग कार्यक्रमों का समन्वयन करता है।

कारण (R) : WADA खेल-प्रदर्शन बढ़ाने वाले मादक पदार्थों के हानिकर प्रभाव से खिलाड़ियों की सुरक्षा करता है तथा खेल प्रतियोगिता में समान अवसर निर्माण के लिए प्रयासरत है।

उपर्युक्त दोनों कथनों के संदर्भ में निम्नलिखित में से कौन-सा सही उत्तर है?

A. (A) तथा (R) दोनों सही हैं और (R), (A) का सही स्पष्टीकरण है।
B. (A) तथा (R) दोनों सही हैं, परन्तु (R), (A) का सही स्पष्टीकरण नहीं है।
C. (A) सही है, परन्तु (R) गलत है।
D. (A) गलत है, परन्तु (R) सही है।

41. निम्नलिखित योजनाओं को उनके आरंभ किए जाने के कालक्रमानुसार व्यवस्थित कीजिए :

I. एन.एस.एस. II. एन.डी.एस.
III. एन.सी.सी. IV. एन.पी.एफ.पी.

कूट :

A.	III	IV	II	I
B.	I	II	III	IV
C.	II	III	IV	I
D.	IV	III	II	I

42. निम्नलिखित में से कौन-सा युग्म सुमेलित **नहीं** है?

A. निराकरणीय प्राक्कल्पना को अस्वीकृत करना जब H_0 सत्य हो। – प्रथम प्रकार की त्रुटि
B. निराकरणीय प्राक्कल्पना को स्वीकार करना जब H_0 असत्य हो। – द्वितीय प्रकार की त्रुटि
C. निराकरणीय प्राक्कल्पना को स्वीकार करना जब H_0 सत्य हो। – प्रथम प्रकार की त्रुटि
D. निराकरणीय प्राक्कल्पना को अस्वीकार करना जब H_0 असत्य हो। – प्रथम प्रकार की त्रुटि

43. सूची-I को सूची-II के साथ सुमेलित कीजिए तथा नीचे दिए गए कूट से सही उत्तर चुनिए :

सूची-I	सूची-II
I. गट्स मथ्स	1. स्वीडन
II. पर हेनरिक लिंग	2. डेनमार्क
III. फ्रांज नचगल	3. इंगलैंड
IV. आर्किबाल्ड मैलारेन	4. जर्मनी

कूट :

	I	II	III	IV
A.	1	2	3	4
B.	4	1	2	3
C.	2	3	4	1
D.	3	4	1	2

44. सूची-I को सूची-II के साथ सुमेलित कीजिए तथा नीचे दिए गए कूट से सही उत्तर चुनिए :

सूची-I	सूची-II
I. सर्वांगीण परिसंचरण	1. सभी भागों को O_2 और पोषक तत्वों की आपूर्ति
II. हृद्-परिसंचरण	2. हृद्-पेशी को O_2 और पोषक तत्वों की आपूर्ति
III. फुस्फुसी परिसंचरण	3. रुधिर शुद्धिकरण
IV. वृक्कीय परिसंचरण	4. रुधिर से मूत्र को अलग करना

कूट :

	I	II	III	IV
A.	4	3	2	1
B.	2	1	4	3
C.	3	4	1	2
D.	1	2	3	4

45. सूची-I को सूची-II के साथ सुमेलित कीजिए तथा नीचे दिए गए कूट से सही उत्तर चुनिए :

सूची-I	सूची-II
I. अंतर्दृष्टि सिद्धांत	1. अभिप्रेरणा
II. गुणरोपण सिद्धांत	2. आक्रमण
III. अंतर्नोद सिद्धांत	3. व्यक्तित्व
IV. मनोगतिक सिद्धांत	4. अधिगम

कूट :

	I	II	III	IV
A.	1	4	3	2
B.	2	3	4	1

C.	4	1	2	3
D.	3	2	1	4

46. सूची-I को सूची-II के साथ सुमेलित कीजिए तथा नीचे दिए गए कूट से सही उत्तर चुनिए :

सूची-I (**– के लिए कौशल परीक्षण**)	**सूची-II** (**प्रवर्तक**)
I. बास्केटबॉल	1. हाइड
II. धनुर्विद्या	2. ब्रैडी
III. वालीबॉल	3. कार्निश
IV. हैंडबॉल	4. जॉनसन

कूट :

	I	II	III	IV
A.	4	3	2	1
B.	3	2	1	4
C.	4	1	2	3
D.	1	4	3	2

47. सूची-I को सूची-II के साथ सुमेलित कीजिए तथा नीचे दिए गए कूट से सही उत्तर चुनिए :

सूची-I	**सूची-II**
I. भार प्रशिक्षण पद्धति	1. गति सहनशीलता
II. अन्तराल प्रशिक्षण पद्धति	2. बल
III. निरन्तर प्रशिक्षण पद्धति	3. शक्ति
IV. प्लायोमेट्रिक प्रशिक्षण	4. मूलभूत सहनशीलता

कूट :

	I	II	III	IV
A.	2	1	4	3
B.	3	2	1	4
C.	1	3	4	2
D.	4	1	2	3

48. सूची-I को सूची-II के साथ सुमेलित कीजिए तथा नीचे दिए गए कूट से सही उत्तर चुनिए :

सूची-I	**सूची-II**
I. शिक्षण जीविका वृत्ति का अवसर	1. हेल्थ क्लबूस
II. प्रशिक्षण जीविका वृत्ति का अवसर	2. अनुकूलित शारीरिक शिक्षा
III. फिटनेस तथा स्वास्थ्य से संबंधित जीविका-वृत्ति के अवसर	3. खेल-कूद प्रशासन
IV. खेल प्रबंधन जीविका-वृत्ति के अवसर	4. व्यावसायिक खेल क्लब

कूट :

	I	II	III	IV
A.	2	4	1	3
B.	2	1	4	3
C.	1	2	3	4
D.	4	3	2	1

49. सूची-I को सूची-II के साथ सुमेलित कीजिए तथा नीचे दिए गए कूट से सही उत्तर चुनिए :

सूची-I	**सूची-II**
I. लौह	1. सही थायरॉइड कार्य
II. सोडियम	2. मजबूत अस्थि का विकास
III. फॉस्फोरस	3. चेता तंत्र का कार्य
IV. आयोडीन	4. हीमोग्लोबिन का बनना

कूट :

	I	II	III	IV
A.	1	2	3	4
B.	2	1	4	3
C.	3	4	1	2
D.	4	3	2	1

50. सूची-I को सूची-II के साथ सुमेलित कीजिए तथा नीचे दिए गए कूट से सही उत्तर चुनिए :

सूची-I	**सूची-II**
I. अनुदेशात्मक कार्यक्रम का पर्यवेक्षण	1. भरती या स्टाफिंग
II. सुविधाओं और उपकरणों का पर्यवेक्षण	2. खिलाड़ियों का प्रदर्शन तथा सम्मान
III. कार्मिकों का पर्यवेक्षण	3. समय सारिणी, कक्षा शेड्यूलिंग
IV. अभिलेखों का पर्यवेक्षण	4. खेल के मैदान, व्यायामशाला, तरणताल आदि का वार्षिक रख-रखाव

कूट :

	I	II	III	IV
A.	1	2	3	4
B.	4	3	2	1
C.	2	3	4	1
D.	3	4	1	2

उत्तरमाला

1	2	3	4	5	6	7	8	9	10
A	C	A	B	B	A	A	D	A	A
11	**12**	**13**	**14**	**15**	**16**	**17**	**18**	**19**	**20**
C	A	B	C	D	B	C	A	C	A, D
21	**22**	**23**	**24**	**25**	**26**	**27**	**28**	**29**	**30**
C	C	A	B	D	B	AD	B	B	D
31	**32**	**33**	**34**	**35**	**36**	**37**	**38**	**39**	**40**
B	A	A	C	B	B	A	A	B	D
41	**42**	**43**	**44**	**45**	**46**	**47**	**48**	**49**	**50**
A	C, D	B	D	C	C	A	A	D	D

व्याख्यात्मक उत्तर

1. एक ही ओलम्पिक में सर्वाधिक स्वर्ण पदक जीतने वाले पुरुष खिलाड़ी यू.एस.ए. के तैराक माइकल फेल्प्स हैं। गोल्डेन शार्क के रूप में विख्यात फेल्प्स ने 2008 के बीजिंग ओलंपिक में तैराकी की विभिन्न स्पर्धाओं में मार्क स्पिटज का रिकॉर्ड तोड़कर आठ स्वर्ण पदक जीते। इसके अतिरिक्त फेल्प्स ने 2004 के एथेंस ओलम्पिक में 6 स्वर्ण एवं दो कांस्य तथा 2012 के लंदन ओलम्पिक में 4 स्वर्ण एवं दो कांस्य पदक सहित कुल 23 पदक जीते। जो किसी भी व्यक्ति द्वारा सर्वाधिक ओलम्पिक पदक जीतने का रिकॉर्ड है। इससे पूर्व 18 ओलम्पिक पदक जीतने का रिकॉर्ड लारसिया लेटीनीना (Larsia Latynena) का था।

3. हीमोग्लोबिन लाल रुधिराणु (Red Blood Corpuscles) में पाया जाता है। हीमोग्लोबिन संलयित प्रोटीन है। इसमें ग्लोबिन नामक प्रोटीन तथा एक Fe^{2+} पोरफाइरिन कॉम्पलेक्स हीम होता है। हीम के कारण ही रुधिर का रंग लाल होता है। 100 मि. लि. रुधिर में 15 ग्राम हीमोग्लोबिन होता है। फेफ़ड़ों में ऑक्सीजन के उच्च आंशिक दाब के प्रभाव में आने पर हीमोग्लोबिन से ऑक्सीहीमोग्लोबिन बन जाता है। ऑक्सीहीमोग्लोबिन ऑक्सीजन के चार अणु ले जाता है। ये चारों अणु हीमोग्लोबिन के चार Fe^{2+} आयनों से अस्थायी रूप से जुड़ जाते हैं। उतकों में ऑक्सीजन के कम दाब पर ऑक्सीहीमोग्लोबिन टूटकर ऑक्सीजन एवं डिऑक्सी-हीमोग्लोबिन बना देता है। इस प्रकार लाल रुधिर कोशिकाएँ ऑक्सीजन को फेफड़ों से उतक तक ले जाती है।

8.

विटामिन	स्रोत
विटामिन-A	दूध, अंडा, पनीर, हरी साग-सब्जी, मछली, यकृत तेल
विटामिन-C	नींबू, संतरा, टमाटर, खट्‌टे पदार्थ, मिर्च, अंकुरित अनाज।
विटामिन-D	सूर्य की रोशनी, मछली यकृत तेल, दूध, अंडे
विटामिन-E	पत्ती वाली सब्जियाँ, दूध, मक्खन, अंकुरित गेहूँ, वनस्पति तेल
विटामिन-K	टमाटर, हरी सब्जियाँ

13. प्रोटीन (Protein) : प्रोटीन शब्द का प्रयोग सर्वप्रथम जे. बर्जेलियस ने किया था। यह एक जटिल कार्बनिक यौगिक है, जो 20 अमीनो अम्लों से मिलकर बना होता है। मानव शरीर का लगभग 15% भाग प्रोटीन से ही निर्मित होता है। सभी प्रोटीन में नाइट्रोजन पाया जाता है। मनुष्य के शरीर में 20 प्रकार की प्रोटीनों की आवश्यकता होती है, जिनमें से 10 का संश्लेषण उसका शरीर स्वयं करता है तथा शेष 10 भोजन के द्वारा प्राप्त होते हैं। सोयाबीन और मूंगफली में प्रचुर मात्रा में प्रोटीन मिलता है। एक कार्यशील महिला को प्रतिदिन लगभग 46 ग्राम प्रोटीन की आवश्यकता होती है।

14. हनुमान व्यायाम प्रसारक मंडल अमरावती (महाराष्ट्र) की स्थापना वर्ष 1914 में की गई थी। इसी मंडल के द्वारा भारत में सर्वप्रथम स्वदेशी खेल क्रीड़ा तथा व्यायाम गतिविधियों को प्रचारित किया गया। जबकि विश्व में सर्वप्रथम शारीरिक शिक्षा अध्यापक का प्रशिक्षण 19वीं सदी में यूरोप में हुआ था।

15. अंग्रेजी में अनुसंधान को रिसर्च (Research) कहते हैं जो दो शब्दों Re तथा Search से मिलकर बना है। 'रि' (Re) का अंग्रेजी में अर्थ होता है बार-बार तथा सर्च (Search) का अर्थ होता है खोजना। अंग्रेजी का यह शब्द शोध की प्रक्रिया प्रस्तुत करता है कि शोधकर्ता किसी तथ्य को बार-बार देखता है जिससे उसके संबंध में सूचनाओं को एकत्रित करता है तथा उनके आधार पर उसके संबंध में निष्कर्ष निकालता है। वर्तमान में शोध के लिए अनेक शोध उपकरणों का उपयोग किया जाता है। जैसे—स्टॉप-वॉच, वीडियो कैमरा तथा प्रश्नावली इत्यादि। जबकि प्रश्न के अनुसार सर्वेक्षण एक शोध उपकरण नहीं है।

17. अंतर्विद्यालय खेल के लाभ निम्नलिखित हैं—

(*i*) कौशल में दक्षता का विकास।

(*ii*) उच्च स्तरीय शारीरिक क्षमता का विकास।

(*iii*) सक्रिय रूप से साहस और गतिविधियों के आनंद का विकास।

18. वे पदार्थ, जो जीवों में विभिन्न प्रकार के जैविक कार्यों के संचालन एवं संपादन के लिए आवश्यक हैं, पोषक पदार्थ (Nutrients) कहलाते हैं। उपयोगिता के आधार पर ये पोषक पदार्थ चार प्रकार के होते हैं—

1. **ऊर्जा उत्पादक :** वे पोषक पदार्थ, जो ऊर्जा उत्पन्न करते हैं। जैसे—वसा एवं कार्बोहाइड्रेट।
2. **उपापचयी नियंत्रण या ऊर्जा उत्पादक नहीं होते हैं :** वे पोषक पदार्थ, जो शरीर की विभिन्न उपापचयी क्रियाओं का नियंत्रण करते हैं। जैसे—विटामिन्स, लवण एवं जल। अतः ये आहार-तत्व शरीर में गर्मी और ऊर्जा उत्पन्न नहीं करते हैं।
3. **वृद्धि तथा निर्माण पदार्थ :** वे पोषक पदार्थ, जो शरीर की वृद्धि एवं शरीर की टूट-फूट की मरम्मत का कार्य करते हैं। जैसे—प्रोटीन।
4. **आनुवांशिक पदार्थ :** वे पदार्थ, जो आनुवांशिक गुणों को एक पीढ़ी से दूसरी पीढ़ी में ले जाते हैं। जैसे—न्यूक्लिक अम्ल।

21. व्यवसाय अपनाने वाले किसी भी व्यक्ति को कुछ नैतिक कर्तव्य भी निभाने पड़ते हैं। व्यावसायिक नैतिकता व्यावसायिक सफलता के लिए उतनी ही आवश्यक है जितना कि उस कौशल का ज्ञान जिसे आप नैतिकता के अभाव में विशेषज्ञ होने के उपरांत भी प्राप्त नहीं कर सकते हैं। जिस प्रकार अन्य सभी व्यवसायों में व्यावसायिक नैतिकता आवश्यक होती है उसी प्रकार शारीरिक शिक्षक, खेल प्रशिक्षक के लिए भी व्यावसायिक नैतिकता आवश्यक है।

एक शारीरिक शिक्षक पर अपने विद्यार्थियों के शारीरिक, मानसिक, सामाजिक तथा सर्वांगिक विकास के लिए पूरा प्रयत्न करने का उत्तरदायित्व रहता है अर्थात् शारीरिक शिक्षा के शिक्षक का व्यावसायिक आचार-संहिता में व्यवसाय के प्रति समर्पण तथा नैतिक मूल्य महत्वपूर्ण हैं।

इन व्यावसायिक कार्यों के अलावा शारीरिक शिक्षक का संपर्क अपने शिष्यों, मालिकों, नियोक्ता तथा जनता से होता है। इस कारण उसको इसके साथ भी अच्छे नैतिक व्यवहार का प्रदर्शन करना चाहिए।

22. **लार ग्रंथियाँ (Salivary Glands) :** मनुष्य में तीन जोड़ी लार ग्रंथियाँ पाई जाती हैं। पहली जोड़ी लार ग्रंथियाँ जिह्वा के दोनों ओर एक-एक की संख्या में स्थित होती है। दूसरी जोड़ी लार ग्रंथियाँ निचले जबड़े के मध्य में मैक्जिला अस्थि के दोनों ओर एक-एक की संख्या में उपस्थित होती हैं। तीसरी जोड़ी लार ग्रंथियाँ कर्णों के नीचे स्थित होती हैं।

यकृत (Liver) : यकृत मानव शरीर की सबसे बड़ी ग्रंथि है, जो उदरगुहा में डायफ्राम के पीछे स्थित होता है एवं आमाशय के कुछ भाग को ढके रहता है। इसका वजन 1.5-2 kg होता है। इसके चारों ओर पेरीटोनियम (Peritonium) नामक झिल्ली का आवरण पाया जाता है। यकृत के द्वारा पित्त रस (Bile) का स्रवण होता है, जो पित्ताशय में जमा रहता है। पित्त रस भोजन को अम्लीय से क्षारीय बनाता है।

अग्न्याशय (Pancreas) : यह मानव-शरीर की दूसरी सबसे बड़ी ग्रंथि है। यह शरीर की एकमात्र ग्रंथि है, जो अन्तःस्रावी (Endocrine) तथा बर्हिस्रावी (Exocrine) दोनों प्रकार की है। अग्न्याशय की कोशिकाओं के बीच-बीच में कुछ पीले रंग की कोशिकाएँ समूहों के रूप में व्यवस्थित रहती हैं, जिन्हें 'लैगरहैंस के द्वीप' (Islets of Langerhans) कहते हैं। लैंगरहैंस के β-कोशिका से इन्सुलिन, α-कोशिका से ग्लूकेगॉन एवं γ-कोशिका से सोमेटोस्टेटिन नामक हार्मोन निकलता है।

आमाशय (Stomach) : आमाशय की दीवार में अनेक ग्रंथियाँ पायी जाती है, जिन्हें जठर ग्रंथियाँ (Gastric Glands) कहते हैं। ये ग्रंथियाँ आमाशय में जठर रस (Gastric Juice) का स्रवण करती है। जठर रस पाचक रस होता है। इस रस में हाइड्रोक्लोरिक अम्ल (HCl) के अतिरिक्त रेनिन एवं पेप्सिन नामक एंजाइम होता है। HCl भोजन में सूक्ष्म हानिकारक जीवों को नष्ट कर देता है।

25. मापन, परीक्षण एवं मूल्यांकन किसी वस्तु को खोजने की क्रिया में प्रयोग होने वाली मुख्य पद्धतियाँ हैं, जिनके बिना शोधकार्य करना असम्भव होता है। इस तथ्य के कई प्रमाण प्राप्त हुए हैं। प्राचीन समय में मानव मूल्यांकन का प्रयोग विभिन्न प्रकार की क्रियाओं को करने के लिए किया जाता था।

वर्तमान समय में शारीरिक शिक्षा के अन्दर परख एवं मापन की आवश्यकता विशेषकर इस आधार पर अनुभव की गई कि इसके माध्यम से विषय से सम्बन्धित समस्याओं के समाधान में सहायता प्राप्त होती है एवं वैज्ञानिक आधारों पर ठोस प्रमाण प्राप्त करने में सहयोग मिलता है। शारीरिक शिक्षा का प्रत्यक्ष सम्बन्ध अंगों से होने के कारण किसी भी प्रतियोगिता में अच्छे कृतित्व के लिए विशेषज्ञों द्वारा समय-समय पर परख एवं मापन का प्रयोग किया जाता है। इस प्रकार स्पष्ट होता है कि परीक्षण, मापन तथा मूल्यांकन का उपयोग स्थिति निर्धारण हेतु तथा तुलना करने हेतु आदि में किया जाता है।

26. 'प्रबन्धन' शब्द का अर्थ आमतौर पर व्यापार, वाणिज्य और अन्य आर्थिक क्रियाओं से जुड़े लोगों के साथ जोड़ा जाता है। खेल न तो एक व्यापार है और न ही कोई उद्योग। यह शिक्षा का एक क्षेत्र है जहाँ व्यक्तिगत संबंधों को वाणिज्य लेन-देन से अधिक समाजीकरण प्रक्रिया को भली प्रकार से समझना है। यद्यपि प्रबंधन खेलों की भी एक आवश्यकता है।

खेल प्रबंधन दो मानवीय विस्तृत क्रियाएँ हैं। खेल कार्यक्रम के निर्धारित लक्ष्यों की प्राप्ति ध्यानपूर्वक योजना, संगठन, कर्मचारी नियुक्ति, निर्देशन और नियंत्रण के बिना नहीं की जा सकती। इस प्रकार खेल प्रबंधन के प्रमुख कार्यों का सही क्रम हैं—नियोजन, संगठन, समन्वयन एवं नियंत्रण।

28. नेतृत्व का तात्पर्य किसी व्यक्ति विशेष के उस गुण से है जिसके द्वारा वह अन्य व्यक्तियों का मार्गदर्शन करता है तथा नेता के रूप में उनकी क्रियाओं का संचालन करता है। स्वभावतः एक नेता के नियंत्रण में अनेक अनुसरणकर्ता होते हैं जो उसी के निर्देशानुसार कार्य करते हैं। नेतृत्व वह क्षमता है जिसके द्वारा अनुयायियों के एक समूह से वांछित कार्य स्वेच्छापूर्वक एवं बिना दबाव के कराए जा सकते हैं।

विभिन्न चिंतकों के अनुसार नेतृत्व के प्रकार—

- क्रिस एरगाइरिस ने तीन प्रकार के नेताओं में अंतर स्थापित किया है—
  1. निदेशक प्रकार के नेता।
  2. अनुज्ञात्मक या अनुमतिबोधक प्रकार के नेता।
  3. सहयोगी प्रकार के नेता।
- टेरी ने नेतृत्व के छः प्रकार बतलाए हैं—
  1. व्यक्तिगत नेतृत्व
  2. अव्यक्तिगत नेतृत्व
  3. आदेशात्मक नेतृत्व
  4. लोकतांत्रिक नेतृत्व
  5. पैत्रिकवादी नेतृत्व
  6. स्थानीय नेतृत्व
- कैरेन के द्वारा दो प्रणालियों की पहचान की गई—
  1. प्रभाव प्रणाली
  2. पुरस्कार प्रणाली।

29. प्रशिक्षण शब्द का प्रयोग पौराणिक काल से ही किया जा रहा है। प्रशिक्षण का अर्थ किसी कार्य की तैयारी की प्रक्रिया से है। अर्थात् कम-से-कम समय में वृद्धि अर्थात् खिलाड़ियों की शारीरिक क्षमता से है। जिससे खेलकूद में उनका अच्छा प्रदर्शन हो सके। प्रशिक्षण व्यक्ति को सुयोग्य बनाता है तथा व्यक्ति में आत्मविश्वास की वृद्धि भी करता है, इसलिए इसको खेल प्रशिक्षण कहते हैं।

खेल प्रशिक्षण से खिलाड़ियों के खेल स्तर को सुधारा जा सकता है। यह खिलाड़ी के विकास को प्रत्यक्ष रूप से प्रभावित करता है तथा आवश्यक सीमा तक सफलता के लिए तत्परता को बढ़ाता है। इस कठिन प्रक्रिया में खेल प्रशिक्षण, खेल प्रतियोगिताएँ एवं विशेष आहार आते हैं।

खिलाड़ियों को प्रशिक्षण देने हेतु कई वैज्ञानिक तरीकों का प्रयोग होता है, जिससे खिलाड़ी की स्वयं की कार्य करने की शक्ति बढ़ जाए। विभिन्न खेलों के लिए विभिन्न प्रकार की ट्रेनिंग बनाई गई है, ट्रेनिंग व्यक्ति के शरीर में ऊर्जा को बढ़ाता है। ट्रेनिंग को प्राथमिक स्तर से शुरू करना चाहिए। धीरे-धीरे बढ़ाना चाहिए। ट्रेनिंग के नियमों का पालन करके खिलाड़ी अपने लक्ष्य की प्राप्ति जल्द ही कर लेता है।

खेल प्रशिक्षण का मुख्य उद्देश्य खिलाड़ी के खेल व्यवहार में सकारात्मक परिवर्तन करना है। उसके उच्च स्तर के प्रदर्शन के लिए उसे अधिशिक्षा दी जाती है। इस प्रकार यह कहा जा सकता है कि खेल प्रशिक्षण का मुख्य उद्देश्य खिलाड़ी के खेल प्रदर्शन के स्तर को ऊँचा उठाना है। प्रत्येक खिलाड़ी का प्रारम्भिक प्रदर्शन उसकी शारीरिक क्षमता, रुचि, व्यवहार, प्रकृति इत्यादि पर निर्भर करता है।

उन्नत स्तर के खिलाड़ी के प्रशिक्षण पूर्व प्रशिक्षण की प्रकृति तथा मात्रा एवं प्रतिभा जैसे घटकों पर निर्भर करते हैं।

31. शारीरिक शिक्षा का अर्थ बहुत व्यापक है, इसमें न केवल प्रतियोगी खेल शामिल हैं, बल्कि लयात्मक क्रियाकलाप, मनोरंजक खेल, स्वास्थ्य एवं फिटनेस क्रियाकलाप, कैंपिंग, उपचारात्मक व्यायाम आदि शामिल हैं। यह कुल शिक्षा प्रक्रिया का एक अभिन्न अंग है, जिसका लक्ष्य व्यक्ति की शारीरिक गतिविधियों के माध्यम से उसके शारीरिक, मानसिक, सामाजिक और भावनात्मक रूप का विकास है। इस प्रकार शारीरिक शिक्षा केवल शारीरिक विकास तक ही सीमित नहीं है। प्रतियोगिता आधारित खेल प्रतियोगिता को जीतने पर बल देती है। स्पष्टतः यह कहा जा सकता है कि अभिकथन (A) तथा कारण (R) दोनों सत्य है लेकिन (R), (A) की सही व्याख्या नहीं है।

32. परिसंचरण तंत्र (Circulatory System) को परिवहन तंत्र भी कहा जाता है। रुधिर परिसंचरण तंत्र की खोज विलियम हार्वे ने की थी। इस तंत्र में मुख्य संवहनी पदार्थ रुधिर होता है। परिसंचरण तंत्र के मुख्य भाग हृदय एवं रुधिर वाहिकाएँ हैं। शरीर में रुधिर परिसंचरण हृदय का दायाँ आलिंद संपूर्ण शरीर से अशुद्ध रुधिर अर्थात् CO_2 युक्त रुधिर महाशिराओं (Vena Cava) द्वारा प्राप्त करता है। दायाँ आलिन्द इस अशुद्ध रुधिर को दायें निलय में पंप करता है और दायाँ निलय पुनः इस अशुद्ध रुधिर को फुफ्फुस महाधमनी (Pulmonary Aorta) द्वारा फेफड़ों में शुद्ध होने के लिए पंप करता है। फेफड़ों से फिर शुद्ध हुआ रुधिर फुफ्फुस शिराओं (Pulmonary Veins) द्वारा बायें आलिन्द में पहुँचता है। बायाँ आलिन्द इस रुधिर को बायें निलय में पहुँचाता है। अब बायाँ निलय इस शुद्ध रुधिर को शरीर की समस्त धमनियों में पंप करता है। इस प्रकार रुधिर हृदय से संपूर्ण शरीर में पंप किया जाता है और फिर वह संपूर्ण शरीर से लौटकर पुनः हृदय में पहुँचता है। यही क्रम बार-बार दोहराया जाता है।

34. व्यक्तित्व का अंग्रेजी अनुवाद (Personality) है जो लैटिन शब्द परसोना (Persona) से बना है जिसका अर्थ नकाब (Mask) से होता है जिसको नायक नाटक करते समय पहनते हैं।

व्यक्तित्व की परिभाषा विभिन्न विद्वानों ने दी है, जो इस प्रकार है—

अलपोर्ट के अनुसार—"व्यक्तित्व व्यक्ति के भीतर उन मनो-शारीरिक तंत्रों का गतिशील या गत्यात्मक संगठन है जो वातावरण में उसके अपूर्व समायोजन को निर्धारित करते हैं।"

आइजेन्क के अनुसार–"व्यक्तिगत व्यक्ति के चरित्र, चित्त-प्रकृति, ज्ञानशक्ति तथा शरीर गठन का करीब-करीब एक स्थायी एवं टिकाऊ संगठन है, जो वातावरण में उसके अपूर्व समायोजन का निर्धारण करता है।"

वाल्टर मिसकेल के अनुसार–"प्रायः व्यक्तित्व से तात्पर्य व्यवहार के उस विशिष्ट पैटर्न (जिसमें चिंतन एवं संवेग भी सम्मिलित हैं) से होता है जो प्रत्येक व्यक्ति की जिंदगी की परिस्थितियों के साथ होने वाले समायोजन का निर्धारण करता है।"

इन प्रमुख परिभाषाओं का विश्लेषण करने पर व्यक्तित्व का अर्थ बिल्कुल ही स्पष्ट हो जाता है कि व्यक्तित्व का मनोवैज्ञानिक क्रोड गहराई तक पैठा हुआ घटक है जिसके अंतर्गत व्यक्तित्व की विशिष्टताएँ, मूल्य, अभिरुचियाँ, उद्देश्य तथा आत्म-अर्थ सम्मिलित हैं। इस प्रकार अभिकथन (A) सही है तथा कारण (R) गलत है।

36. किसी भी परीक्षण को उत्तम एवं दुरुस्त परीक्षण कहलाने के लिए यह आवश्यक है कि उसका एक मानक (Norms) हो। किसी प्रतिनिधिक-प्रतिदर्श (representative sample) द्वारा परीक्षण पर आए औसत प्राप्तांक को उस परीक्षण के मानक (norms) की संज्ञा दी जाती है। मानक का मुख्य उद्देश्य परीक्षण पर आए मूल प्राप्तांकों (row score) की व्याख्या करना होता है। शारीरिक शिक्षा में मानक परीक्षण का अत्यंत महत्वपूर्ण स्थान है। इस परीक्षण का उपयोग कर खिलाड़ियों के प्रदर्शन का मूल्यांकन करने में सहायता मिलती है। मानक परीक्षण एक बार होने के बाद इसमें कोई बदलाव नहीं किया जा सकता है। इस प्रकार अभिकथन (A) तथा कारण (R) दोनों सही हैं, परंतु (R), (A) का सही स्पष्टीकरण नहीं है।

39. हृदय के संकुचन से धमनियों की दीवारों पर पड़ने वाला दाब रुधिर दाब (Blood pressure) कहलाता है। इस दाब को संकुचन दाब (Systolic Pressure) कहते हैं, जो निलयों के संकुचन के फलस्वरूप उत्पन्न होता है। यह संकुचन दाब उतना होता है, जितना कि 120 मिलीमीटर पारे के स्तंभ द्वारा उत्पन्न होता है। इसके ठीक उल्टा अनुशिथिलन दाब (Diastolic Pressure) होता है, जो निलय के अनुशिथिलन के फलस्वरूप उत्पन्न होता है, जब रुधिर आलिन्द से निलय में प्रवेश कर रहा होता है। यह दाब सामान्यतः 80 मिलीमीटर पारे के स्तंभ द्वारा उत्पन्न दाब के बराबर होता है।

अतः एक स्वस्थ मनुष्य में संकुचन और अनुशिथिलन दाब अर्थात् रुधिर दाब 120/80 होता है। रुधिर दाब मापने वाले यंत्र का नाम स्फिग्नोमैनोमीटर (Sphygnomanometer) है। इस प्रकार अभिकथन (A) तथा कारण (R) दोनों सही हैं और (R), (A) का सही स्पष्टीकरण है।

40. आईओसी ने डोपिंग पर विशेष ध्यान देने के लिए वर्ष 1989 में WADA (Word Anti Doping Agency) का गठन किया जिसका मुख्यालय मॉण्ट्रियल (Canada) तथा स्विट्जरलैंड में है। भारत में इस पर प्रतिबन्ध लगाने के लिए IASM (Indian Association of Sport Medicine)–1970 द्वारा डोप कंट्रोल सेंटर का गठन जवाहरलाल नेहरू स्टेडियम, नई दिल्ली में हुआ (1989-90) में। मगर वर्ष 2008 में WADA के अधीन NADA (National Anti Doping Agency) का गठन भी जवाहरलाल नेहरू स्टेडियम, नई दिल्ली में हुआ। इस प्रकार स्पष्ट होता है कि अभिकथन (A) गलत है परंतु कारण (R) असत्य है।

41. **राष्ट्रीय सेवा योजना (एनएसएस)** : यह एक केन्द्र प्रायोजित योजना है जिसका उद्देश्य स्कूलों और कॉलेजों के युवा छात्र के चरित्र एवं व्यक्तित्व का निर्माण करना है। राष्ट्रीय सेवा योजना शैक्षणिक विस्तार में एक महान प्रयोग है। यह योजना 1969 में गाँधीजी की जन्मशती पर 37 विश्वविद्यालयों में प्रारंभ की गई थी। इसका मुख्य उद्देश्य सामुदायिक सेवा के माध्यम से छात्रों के व्यक्तित्व का विकास करना था।

नेशनल कैडेट कोर (एनसीसी) : इसकी स्थापना 1948 ई. में की गई थी। इसका मुख्य उद्देश्य था–भारत की रक्षा के प्रति युवकों तथा युवतियों को जागरूक करना एवं उन्हें अंतिम रक्षा-पंक्ति के लिए तैयार रखना। इसका आदर्श वाक्य 'एकता और अनुशासन' है।

46. **बॉस्केटबॉल** : इस खेल का आविष्कार जेम्स स्मिथ ने सन् 1891 में अमेरिका में किया। इसके अंतर्राष्ट्रीय संघ की स्थापना सन् 1932 में फेडरेशन इंटरनेशनल डे

बॉस्केटबॉल एसोसिएशन (FIBA) के नाम से हुई। भारत में प्रथम बास्केटबॉल खेल सन् 1930 में खेला गया।

वॉलीबॉल : वॉलीबॉल का जन्म संयुक्त राज्य अमेरिका में हुआ। इस खेल को एक अमेरिकी विलियम जी. मॉर्गन ने 1895 ई. में शुरू किया। इंटरनेशनल वॉलीबॉल फेडरेशन (FIVB) का गठन 1947 ई. में पेरिस में हुआ था जिसे 1984 ई. में स्विट्ज़रलैंड के लुसाने ले जाया गया।

47. अंतराल प्रशिक्षण पद्धति : यह गति सहनशीलता से सम्बन्धित है। इस प्रशिक्षण पद्धति का प्रमुख उद्देश्य अनएरोबिक प्रदर्शन का विकास एवं गति करना तथा लगातार भागने के मुकाबले में संपूर्ण काम को कम शारीरिक तनाव से पूर्ण करना। अंतराल प्रशिक्षण पद्धति मुख्यतः तीन प्रकार की होती हैं जिनमें भागने वाले को दिए गए समय या दूरी में दौड़ना होता है।

पहली प्रकार में फार्टलेक निरन्तर दौड़ के दौरान तेज गति बरकरार रखनी होती है तथा निश्चित समय में दौड़ने वाली गति से तेज गति पर आना होता है जब समय या दूरी प्राप्त कर ली जाती है, तो धावक पुरानी ट्रेनिंग स्पीड पर आ जाता है, पूरी दौड़ में कम ज्यादा गतियाँ दोहराई जाती हैं।

निरंतर प्रशिक्षण विधि : निरंतर प्रशिक्षण विधि से मूलभूत सहनशीलता को बढ़ाया जा सकता है। इसमें व्यायाम लम्बी अवधि तक बिना रुके किया जाता है अर्थात् निरंतर किया जारी रहती है। इस तरह के व्यायाम में हृदय की धड़कन की दर (Rate) 140-160 प्रति मिनट होती है। कम-से-कम 30 मिनट तक व्यायाम किया जाना चाहिए।

भार प्रशिक्षण पद्धति : यह पद्धति बल से सम्बन्धित है। इन सभी खेलों व शारीरिक गतिविधियों में वजन उठाने का प्रशिक्षण मुख्य भूमिका निभाता है। यह ढंग धावकों को साधारण रूप से अनुकूलित करने तथा विशेष रूप से उनकी मांसल ताकत और धैर्य निर्माण में सहायक है।

प्लायोमेट्रिक प्रशिक्षण पद्धति : यह पद्धति शक्ति की वृद्धि से है। शक्ति का विकास वजन ट्रेनिंग, अनुकूलित व्यायामों से, मेडिसल बॉल व्यायामों से, वेट ट्रेनिंग से भी बढ़ाई जाती है।

49. सोडियम : यह सामान्यतः कोशिका-बाह्य द्रव में धनायन के रूप में होता है तथा कई कार्यों से संबद्ध है जैसे—पेशियों का संकुचन, तंत्रिका तंतु में तंत्रिका आवेग का संचरण और शरीर में धनात्मक विद्युत-अपघट्य संतुलन बनाए रखना।

लौह : यह लाल रुधिर कणिकाओं में हीमोग्लोबिन के बनने के लिए आवश्यक है। यह उत्तक-ऑक्सीकरण के लिए भी आवश्यक है।

आयोडीन : यह थॉयरायड ग्रंथि द्वारा स्रावित थॉयरॉक्सिन हार्मोन के संश्लेषण के लिए आवश्यक है।

फास्फोरस : कैल्शियम से संबद्ध होकर दाँतों तथा हड्डियों को दृढ़ता प्रदान करना है। यह शरीर के तरल पदार्थों के संरचनात्मक संतुलन बनाए रखने में भी सहायक है।

प्रश्न-पत्र-III

निर्देश : *इस प्रश्न-पत्र में* ***पचहत्तर (75)*** *बहु-विकल्पीय प्रश्न हैं। प्रत्येक प्रश्न के* ***दो (2)*** *अंक हैं।* ***सभी*** *प्रश्न अनिवार्य हैं।*

1. आई.ओ.सी. के नवनियुक्त प्रेसिडेन्ट थॉमस बच किस देश के हैं?

A. जर्मनी B. कुवैत

C. रूस D. बेल्जियम

2. हृदय के दायें निलय से रक्त को शुद्ध करने के लिए किस आर्टरी (धमनी) द्वारा फेफड़ों तक ले जाया जाता है?

A. हेपेटिक आर्टरी

B. रीनल आर्टरी

C. कोरोनरी आर्टरी

D. पल्मनरी आर्टरी

3. घुटना-विस्तारण अनेक मांसपेशियों द्वारा होता है जो हैं :

A. वास्टस इंटर्नस, रेक्टस फेमोरिस तथा बाइसेप्स फेमोरिस

B. बाइसेप्स फेमोरिस, रेक्टस ऐबडोमिनिस, सर्टोरिअस

C. वास्टस एक्स्टर्नस, रेक्टस फेमोरिस, वास्टस इंटर्नस

D. रेक्टस फेमोरिस, रेक्टस ऐबडोमिनिस, बाईसेप्स फेमोरिस

4. ऐसा आरोप लगाया गया है कि आर्थिक विचार तथा संचार माध्यमों की भूमिका को ध्यान में रखते हुए 2020 में ग्रीष्मकालीन ओलंपिक्स की मेजबानी के लिए .... को चुना गया।

A. मैड्रिड

B. टोक्यो

C. इस्तांबुल

D. बार्सिलोना

5. किसी व्यवसाय को मान्यता प्रदान करने के लिए निम्नलिखित में से किस मानदण्ड की आवश्यकता नहीं होती?

A. जनता को सेवा प्रदान करना

B. राष्ट्रीय तथा अंतर्राष्ट्रीय संगठनों के साथ सहयोग

C. वैज्ञानिक ज्ञान तथा तकनीकी कौशल के अनन्य क्षेत्र से संबंधित व्यवसाय

D. उच्च विशेषज्ञता तथा सामान्यतया औपचारिक तैयारी की आवश्यकता

6. निम्नलिखित में से कौन-सी एक पर्यवेक्षण की प्रविधि नहीं है?

A. दौरा करना B. एकत्रित होना

C. सम्मेलन D. कार्यशाला

7. वह शारीरिक व्यायाम जो मांसपेशियों के आकार को बढ़ाने हेतु की जाती हैं, स्वभावतः होती हैं

A. आइसोकाइनेटिक व्यायाम

B. ऐरोबिक व्यायाम

C. अनऐरोबिक व्यायाम

D. आइसोटानिक व्यायाम

8. संशोधन प्रस्ताव में आता है:

A. प्रस्तावना, साहित्य अवलोकन और सारांश

B. साहित्य अवलोकन, पद्धति और सुझाव

C. प्रस्तावना, साहित्य अवलोकन और पद्धति

D. पद्धति, सारांश और सुझाव

9. 1943 में हार्वर्ड स्टेप टेस्ट किसने बनाया?

A. ब्राउहा

B. मैक आरडले

C. रिटेन

D. कुरुक्ज

10. अब खेलों में कानूनी विवाद अधिकतर उत्पन्न हो रहे हैं। विवाद के निपटारे के लिए एक ठोस विधिक खेल प्रबंधन तंत्र की आवश्यकता है। निम्नलिखित में से कौन-सा कानूनी विवाद के अंतर्गत नहीं आता?

A. मौसम

B. पात्रता

C. स्वेच्छाचारी निर्णय

D. संवैधानिक अधिकार

11. स्थायित्व की मात्रा किस विकल्प के प्रत्यक्ष अनुपात में होती है?

A. सीजी की ऊँचाई, आधार का क्षेत्र तथा शरीर का वजन

B. आधार का क्षेत्र, शरीर का वजन तथा घर्षणी बल

C. शरीर का वजन, घर्षणी बल तथा सीजी की ऊँचाई

D. घर्षणी बल, सीजी की ऊँचाई तथा सीजी का वजन

12. संशोधन समस्या को अंतिम रूप देते समय निम्नलिखित बातों को ध्यान में रखना चाहिए:

A. संशोधन के लिए आधार सामग्री, संशोधनकर्ता का संशोधन विषय से संबंध तथा संशोधनकर्ता का स्वास्थ्य

B. संशोधनकर्ता का स्वास्थ्य, संशोधन विषय से संबंध तथा नैतिक विचार

C. संशोधन विषय से संबंध, नैतिक विचार और संशोधन के लिए आधार सामग्री

D. नैतिक विचार, संशोधन के लिए आधार सामग्री तथा संशोधनकर्ता का स्वास्थ्य

13. निम्नलिखित में से कौन-सा विटामिन पानी में घुलनशील है?

A. विटामिन A B. विटामिन B

C. विटामिन E D. विटामिन K

14. वितान कसरतें कुछ मोटर फिटनेस घटकों को भिन्न-भिन्न रूप से प्रभावित करती हैं। उदाहरणस्वरूप वेः

A. ताकत तथा लोच को बढ़ाती हैं।

B. लोच को बढ़ाती हैं परन्तु ताकत को कम करती हैं।

C. लोच तथा ताकत दोनों को कम करती हैं।

D. लोच तथा सहनशक्ति को बढ़ाती हैं।

15. जब किसी दलगत प्रदर्शन में व्यक्तिगत प्रदर्शन की पहचान गुम हो जाती है, तो उत्तरदायित्व के विसार के कारण प्रदर्शन में दिखाई देने वाला ह्रास क्या इंगित करता है?

A. दल सामंजस्य

B. सामाजिक लोफिंग

C. दल प्रक्रिया

D. समूह सफलता

16. दी सोसायटी फोर नेशनल इंस्टीट्यूट ऑफ फिजिकल एजुकेशन एंड स्पोर्ट्स (SNIPES) किस वर्ष में स्पोर्ट्स अथॉरिटी ऑफ इंडिया में सम्मिलित हुई?

A. 1982 B. 1984

C. 1985 D. 1987

17. 'उच्च रक्त शर्करा' स्तर किससे नियंत्रित होता है?

A. ग्लुकोज B. थायरोक्सिन

C. इन्सुलिन D. ॲड्रिनलीन

18. संशोधन प्रक्रिया होनी चाहिए–

A. नियंत्रित, आयोजित तथा पक्षपाती

B. आयोजित तथा नियोंत्रित

C. आयोजित, पक्षपाती तथा संशोधन आधारित

D. नियंत्रित तथा संशोधन आधारित

19. निम्नलिखित में से कौन-सा वॉलीबॉल टेस्ट नहीं है?

A. मिलर दीवार वॉली टेस्ट

B. ब्रैडी वॉलीबाल टेस्ट

C. रसेल लॉन्ज टेस्ट

D. फ्रेन्च कूपर वॉलीबाल टेस्ट

20. विभिन्न लेखकों द्वारा कई प्रकार के सोमेटोटाइप्स बताए गए हैं। इनमें से कुछ सोमेटोटाइप्स हैं–

I. पायनिक II. ऐस्थेनिक

III. फथिसिक हैबिटस IV. ऐथलेटिक

V. मीजोमार्फ

इनमें से क्रिशमर द्वारा प्रस्तावित सोमेटोटाइप है–

कूट :

A. I, II और III B. II, III और IV

C. III, IV और V D. IV, I और II

21. ANOVA के गणन के लिए विभिन्न प्रकार के वर्गों के जोड़ों का उपयोग करते हैं। वह इस प्रकार है :

I. मध्य वर्ग

II. वर्ग जोड़ों का कुल

III. ग्रुपों के अंदर वर्गों का जोड़

IV. ग्रुपों के बीच वर्गों का जोड़

निम्नलिखित कोड में से सही क्रम चुनिए :

कूट :

A. I, II, III और IV

B. II, III, IV और I

C. III, IV, I और II

D. IV, I, II और III

22. रणनीतिक योग्यताएँ जो किसी विशिष्ट क्रीड़ा कार्य को हल करने हेतु आवश्यक होती हैं उनमें सम्मिलित हैं–

I. रणनीतिक कौशल की विविधता

II. विशिष्ट बोधिक योग्यताएँ

III. सर्जनात्मक रणनीतिक कौशल

IV. विशिष्ट बौद्धिक योग्यताएँ

सही संयोजन बताएँ :

कूट :

A. I और II B. III और IV
C. II और III D. II और IV

23. धूम्रपान से होने वाली बीमारियाँ नीचे दी हैं। नीचे दिए गए कोड के अनुसार उनको क्रम में लिखिए :

I. धूम्रपानजन्य खाँसी
II. निद्राहीनता
III. उच्च रक्त दाब
IV. दिखने में बाधा

कूट :

A.	II	III	IV	I
B.	III	IV	II	I
C.	I	III	IV	II
D.	I	II	III	IV

24. निम्नलिखित में से कौन-से शारीरिक शिक्षा तथा खेलों के अव्यवसायिक केरीअर हैं?

I. विद्यालय में शारीरिक शिक्षा का शिक्षक
II. हेल्थ क्लब में फिजिकल इन्स्ट्रक्टर
III. जनसंचार में स्पोर्ट्स रिपोर्टर
IV. शैक्षणिक संस्था में खेल प्रशिक्षक

निम्नलिखित कोड में से सही संयोजन बताएँ :

कूट :

A. I, II B. II, III
C. III, IV D. I, IV

25. साधक रणनीतियों के अध्ययन के लिए अवधारणात्मक प्राधार कौन-से हैं?

I. समस्या-केंद्रित
II. कार्य-केंद्रित
III. संवेग-केंद्रित
IV. परिणाम-केंद्रित

सही संयोजन बताएँ :

कूट :

A. I तथा III B. I तथा II
C. II तथा IV D. III तथा IV

26. मानव शरीर में अस्थियों का वर्गीकरण निम्नलिखित में से किनके आधार पर किया जाता है?

I. आकार II. आकृति
III. संरचना IV. कार्य

सही संयोजन ज्ञात कीजिए :

कूट :

A. I और II B. II और III
C. III और IV D. IV और I

27. निम्नलिखित रंगों को ओलम्पिक ध्वज में दी गई रिंगों के अनुसार व्यवस्थित क्रम में रखिए:

I. नीला II. लाल
III. पीला IV. काला
V. हरा

कूट :

A.	I	II	III	IV	V
B.	I	IV	V	III	II
C.	I	III	IV	V	II
D.	I	IV	II	III	V

28. निम्नलिखित खेल प्रबंधन के प्रकारों को उनके सापेक्षिक गुणों के आधार पर आरोही क्रम में लिखिए:

I. संकलक प्रबंधन II. लोकात्मक प्रबंधन
III. कल्याणकारी प्रबंधन IV. सत्तावादी प्रबंधन

कूट :

A.	I	II	III	IV
B.	II	III	IV	I
C.	III	IV	I	II
D.	IV	II	III	I

29. शारीरिक व्यायाम के लाभ हैं :

I. ऊर्जा में बढ़ोत्तरी
II. अवसाद में बढ़ोत्तरी
III. हृदयघात की कम संभावना
IV. तनाव स्तर में बढ़ोत्तरी

सही संयोजन चुनिए :

कूट :

A. I, III B. I, II
C. I, IV D. II, IV

30. नीचे परफॉर्मेन्स सम्बन्धी क्षमता के घटक दिए हैं।

I. गति
II. स्फोटक बल
III. शारीरिक संरचना
IV. लचीलापन
V. हृदय धमनी सहनशीलता

निम्नलिखित में से स्वास्थ्य सम्बन्धी योग्यता के घटकों का संयोजन चुनिए :

कूट :

A. III IV V
B. V I II
C. II III IV
D. II V I

31. प्रशिक्षण भार परिमाणिक मात्रा पर आधारित है–

I. व्यायाम के प्रकार
II. प्रशिक्षण चक्र के प्रकार
III. भार की मात्रा
IV. प्रशिक्षण का समय

सही संयोजन बताएँ :

कूट :

A. I और II B. III और IV
C. I और III D. II और III

32. नीचे दिए गए कूट से सही विकल्प चुनें :
कार्डियो-वास्कुलर सहनशीलता के पर्यायवाची शब्द हैं–

I. कार्डियो-रेस्पिरेटरी सहनशीलता
II. कार्डियो-पल्मोनरी सहनशीलता
III. ऐरोबिक सहनशीलता
IV. गतीय सहनशीलता
V. शक्ति सहनशीलता

कूट :

A. II, III और IV B. I, II और III
C. II, V और III D. III, II और V

33. खेल प्रशिक्षण की क्रमबद्ध प्रक्रिया में निम्नलिखित सम्मिलित हैं–

I. मूल्यांकन
II. प्रति-पुष्टि
III. प्रशिक्षण निष्पादन
IV. लक्ष्य एवं उद्देश्य निर्धारण

सही अनुक्रम में लिखिए :

कूट :

A. II IV I III
B. IV III I II
C. I II IV III
D. III I II IV

34. ग्लाइकोजन के रूप में ग्लूकोज शरीर में किन स्थानों में संचित किया जाता है?

I. मांसपेशी II. अग्न्याशय
III. यकृत IV. जठर

सही उत्तर चुनिए :

कूट :

A. I तथा II B. II तथा III
C. I तथा III D. III तथा IV

35. नीचे दो कथन दिए जा रहे हैं, एक को अभिकथन (A) तथा दूसरे को कारण (R) कहा गया है।

अभिकथन (A) : संस्थाओं में इन्ट्राम्युरल कार्यक्रम शारीरिक शिक्षा कार्यक्रम का एक अभिन्न अंग होना चाहिए।

कारण (R) : संस्था में 'सबके लिए खेल' स्वास्थ्य, शारीरिक क्षमता और स्वस्थता निर्माण करने की पद्धति है।

दोनों कथनों के संदर्भ में निम्नलिखित में से कौन-सा एक सही है?

A. (A) और (R) दोनों सत्य हैं और (R), (A) का सही स्पष्टीकरण है।
B. (A) और (R) दोनों सत्य हैं, किन्तु (R), (A) का सही स्पष्टीकरण नहीं है।
C. (A) गलत है, किन्तु (R) सही है।
D. (A) सही है, किन्तु (R) गलत है।

36. नीचे दो वक्तव्य दिए गए हैं। एक को अभिकथन (A) तथा दूसरे को कारण (R) कहा गया है:

अभिकथन (A) : शारीरिक शिक्षा एक कला तथा एक विज्ञान दोनों है।

कारण (R) : व्यायामिक क्रियाकलापों में सौंदर्य-शास्त्रीय मूल्य होते हैं।

निम्नलिखित में से कौन-सा वक्तव्य सही है?

कूट :

A. (A) तथा (R) दोनों सही हैं परन्तु (R), (A) का सही स्पष्टीकरण नहीं है।
B. (A) तथा (R) दोनों सही हैं तथा (R), (A) का सही स्पष्टीकरण है।
C. (A) सही है, परन्तु (R) गलत है।
D. (A) गलत है, परन्तु (R) सही है।

37. नीचे दो वक्तव्य दिए गए हैं। एक को अभिकथन (A) तथा दूसरे को कारण (R) कहा गया है:

अभिकथन (A) : अर्गोजेनिक पदार्थ खेल-क्षमता में वृद्धि करते हैं।

कारण (R) : मादक-औषधि सेवन स्वास्थ्य के लिए हानिकारक है।

उपरोक्त के संदर्भ में निम्नलिखित में से कौन-सा विकल्प सही है?

कूट :

A. (A) तथा (R) दोनों सही हैं तथा (R), (A) का सही स्पष्टीकरण है।

B. (A) तथा (R) दोनों सही हैं, परन्तु (R), (A) का सही स्पष्टीकरण नहीं है।

C. (A) सही है, परन्तु (R) गलत है।

D. (A) गलत है, परन्तु (R) सही है।

38. नीचे दो वक्तव्य दिए गए हैं। एक को अभिकथन (A) तथा दूसरे को कारण (R) कहा गया है :

अभिकथन (A) : बाजू की शक्ति मापने हेतु हैंड ग्रिप डायनामोमीटर का उपयोग किया जाता है।

कारण (R) : डायनामोमीटर शक्ति नापता है।

उपरोक्त दो वक्तव्यों के संदर्भ में निम्नलिखित में से कौन-सा एक सही है?

कूट :

A. दोनों (A) और (R) सही हैं तथा (R), (A) की सही व्याख्या है।

B. दोनों (A) और (R) गलत हैं।

C. (A) सही है, किन्तु (R) गलत है।

D. (A) गलत है, किन्तु (R) सही है।

39. नीचे दो वक्तव्य दिए गए हैं। एक को अभिकथन (A) तथा दूसरे को कारण (R) कहा गया है :

अभिकथन (A) : स्थितिपरक दुश्चिंता एक तात्कालिक संवेगात्मक अनुभव है जो आशंका, भय तथा तनाव द्वारा अभिलक्षित होती है तथा कभी-कभी शारीरिक लक्षणों से युक्त होती है।

कारण (R) : ऐसी अवस्था का अनुभव व्यक्तित्व के विन्यास के कारण किया जाता है जिसके अंतर्गत किन्हीं वातावरणीय स्थितियों को कष्टकारी मान लिया जाता है तथा अत्यधिक दुश्चिंता की अवस्था में जाकर उन स्थितियों से अनुक्रिया की जाती है।

उपरोक्त दोनों वक्तव्यों के प्रसंग में निम्नलिखित में से कौन-सा सही है?

कूट :

A. (A) तथा (R) दोनों सही हैं, परन्तु (R), (A) का सही स्पष्टीकरण नहीं है।

B. (A) तथा (R) दोनों सही हैं तथा (R), (A) का सही स्पष्टीकरण है।

C. (A) सही है, परन्तु (R) गलत है।

D. (A) गलत है, परन्तु (R) सही है।

40. नीचे दो कथन दिए गए हैं। एक को अभिकथन (A) तथा दूसरे को कारण (R) कहा गया है:

अभिकथन (A) : व्यवसाय में कार्यकुशल बनने के लिए व्यवसायिक तैयारी आवश्यक है।

कारण (R) : शारीरिक शिक्षा शिक्षा का अभिन्न अंग है।

दोनों कथनों के संदर्भ में निम्नलिखित में से कौन-सा कथन सही है?

कूट :

A. (A) तथा (R) दोनों सही हैं, किन्तु (R), (A) का सही स्पष्टीकरण नहीं है।

B. (A) तथा (R) दोनों सही हैं और (R), (A) का सही स्पष्टीकरण है।

C. (A) सही है, किन्तु (R) गलत है।

D. (A) गलत है, किन्तु (R) सही है।

41. नीचे दो वक्तव्य दिए गए हैं। एक को अभिकथन (A) तथा दूसरे को कारण (R) कहा गया है:

अभिकथन (A) : प्राकृतिक अबाध अवपात के लिए गेंद की टिप्पा मारकर उछलने की ऊँचाई निपात की ऊँचाई से कम हो जाती है।

कारण (R) : प्राकृतिक अबाध अवपात जमीन के साथ गेंद का समाघात एक संपूर्ण लचकदार समाघात होता है।

उपर्युक्त दोनों वक्तव्यों के संदर्भ में निम्नलिखित में से कौन-सा सही है?

कूट :

A. (A) तथा (R) दोनों सही हैं, परन्तु (R), (A) का सही स्पष्टीकरण नहीं है।

B. (A) तथा (R) दोनों सही हैं तथा (R), (A) का सही स्पष्टीकरण है।

C. (A) गलत है, परन्तु (R) सही है।

D. (A) सही है, परन्तु (R) गलत है।

42. नीचे दो कथन दिए गए हैं। एक को अभिकथन (A) तथा दूसरे को कारण (R) कहा गया है:

अभिकथन (A) : संशोधन अभ्यास के तारणों का अर्थ निर्वचन करने के लिए साहित्य अवलोकन के ज्ञान का सहारा लेना चाहिए।

कारण (R) : साहित्य अवलोकन संशोधन अभ्यास के ज्ञान को आधार प्रदान करता है।

दोनों कथनों के संदर्भ में निम्नलिखित में से कौन-सा सही है?

कूट :

A. (A) तथा (R) दोनों सही हैं और (R), (A) का सही स्पष्टीकरण है।

B. (A) तथा (R) दोनों सही हैं, परन्तु (R), (A) का सही स्पष्टीकरण नहीं है।

C. (A) सही है, परन्तु (R) गलत है।

D. (A) गलत है, परन्तु (R) सही है।

43. नीचे दो कथन दिए गए हैं। एक को अभिकथन (A) तथा दूसरे को कारण (R) कहा गया है:

अभिकथन (A) : केन्द्रीय प्रवृत्ति का सबसे अधिक विश्वसनीय मापन बहुलक है।

कारण (R) : चलों के वितरण में जो चल बारंबार आता हो, उसे बहुलक कहते हैं।

दोनों कथनों के संदर्भ में निम्नलिखित में से कौन-सा सही है?

कूट :

A. (A) तथा (R) दोनों सही हैं, परन्तु (R), (A) का सही स्पष्टीकरण नहीं है।

B. (A) तथा (R) दोनों सही हैं और (R), (A) का सही स्पष्टीकरण है।

C. (A) सही है, परन्तु (R) गलत है।

D. (A) गलत है, परन्तु (R) सही है।

44. नीचे दो कथन दिए गए हैं। एक को अभिकथन (A) तथा दूसरे को कारण (R) कहा गया है:

अभिकथन (A) : वृद्धि की रफ्तार तथा प्रतिमान क्रमशः निरंतर की प्रक्रिया है और तालबद्ध क्रम से चलती है।

कारण (R) : वृद्धि की रफ्तार तथा प्रतिमान को आंतरिक तथा बाह्य घटकों से परिवर्तित किया जा सकता है।

निम्नलिखित में से कौन-सा कथन सही है?

कूट :

A. (A) तथा (R) दोनों सही हैं, परन्तु (R), (A) का सही स्पष्टीकरण नहीं है।

B. (A) तथा (R) दोनों सही हैं और (R), (A) का सही स्पष्टीकरण है।

C. (A) सही है, परन्तु (R) गलत है।

D. (A) गलत है, परन्तु (R) सही है।

45. नीचे दो वक्तव्य दिए गए हैं। एक को अभिकथन (A) तथा दूसरे को कारण (R) कहा गया है:

अभिकथन (A) : शारीरिक शिक्षा एक विषय तथा एक व्यवसाय दोनों हैं।

कारण (R) : शारीरिक शिक्षा के पास ज्ञान का एक अनन्य पिण्ड है तथा समुदाय की सेवा करने के लिए इसे उच्च विशेषज्ञतापूर्ण तथा औपचारिक तैयारी की आवश्यकता होती है।

निम्नलिखित में से कौन-सा कथन सही है?

कूट :

A. (A) तथा (R) दोनों सही हैं तथा (R), (A) का सही स्पष्टीकरण है।

B. (A) तथा (R) दोनों सही हैं, परन्तु (R), (A) का सही स्पष्टीकरण नहीं है।

C. (A) सही है, परन्तु (R) गलत है।

D. (A) गलत है, परन्तु (R) सही है।

46. नीचे दो कथन दिए गए हैं। एक को अभिकथन (A) तथा दूसरे को कारण (R) कहा गया है :

अभिकथन (A) : जब गति का विकास थम जाता है और लगातार गति प्रशिक्षण के बावजूद वृद्धि नहीं होती, हम उसे गति अवरोध कहते हैं।

कारण (R) : गति अवरोध CNS की स्वचालिता का परिणाम नहीं है जो गति प्रदर्शन को नियन्त्रित और संचालित करता है।

उपरोक्त दोनों कथनों के संदर्भ में, निम्नलिखित में से कौन-सा कथन सत्य है?

कूट :

A. दोनों (A) और (R) सही हैं, किन्तु (R), (A) की सही व्याख्या नहीं है।

B. दोनों (A) तथा (R) सही हैं, तथा (R), (A) की सही व्याख्या है।

C. (A) सही है, किन्तु (R) गलत है।

D. (A) गलत है, किन्तु (R) सही है।

47. नीचे दो कथन दिए गए हैं। एक को अभिकथन (A) तथा दूसरे को कारण (R) कहा गया है :

अभिकथन (A) : स्थूलता और उसके मापन के बारे में सभी भारतीय नागरिकों को जानकारी होनी चाहिए।

कारण (R) : स्थूलता, हृदय आघात के प्रमुख कारणों में से एक है।

उपर्युक्त दो कथनों के संदर्भ में निम्नलिखित में कौन-सा कथन सही है?

कूट :

A. (A) तथा (R) दोनों सही हैं तथा (R), (A) का सही स्पष्टीकरण है।

B. (A) तथा (R) दोनों सही हैं, परन्तु (R), (A) का सही स्पष्टीकरण नहीं है।

C. (A) सही है, परन्तु (R) गलत है।

D. (A) गलत है, परन्तु (R) सही है।

48. नीचे दो वक्तव्य दिए गए हैं। एक को अभिकथन (A) तथा दूसरे को कारण (R) कहा गया है :

अभिकथन (A) : स्क्वाट जंप के लिए व्यक्ति पहले नितंब, घुटने तथा टखने की संधियों को मोड़कर पहले नीचे झुकता है।

कारण (R) : सी.जी. के कम होने से स्थिरता की मात्रा बढ़ती है।

उपर्युक्त दो वक्तव्यों के संदर्भ में निम्नलिखित में से कौन-सा सही है?

कूट :

A. (A) तथा (R) दोनों सही हैं, परन्तु (R), (A) का सही स्पष्टीकरण नहीं है।

B. (A) तथा (R) दोनों सही हैं तथा (R), (A) का सही स्पष्टीकरण है।

C. (A) सही है, परन्तु (R) गलत है।

D. (A) गलत है, परन्तु (R) सही है।

49. नीचे दो कथन दिए गए हैं। एक को अभिकथन (A) तथा दूसरे को कारण (R) कहा गया है :

अभिकथन (A) : प्रभावशील आचरण संहिता रखने के लिए एक खेल संगठन को कई घटकों की आवश्यकता होती है।

कारण (R) : संहिता को कुछ इस प्रकार के दमनकारी सिद्धांतों पर आधारित नहीं होना चाहिए जिनका उपयोग संगठन के सदस्यों के सामने आने वाली नैतिकता पर दुविधाओं से निपटने के लिए किया जा सके।

कूट :

A. (A) तथा (R) दोनों सही हैं और (R), (A) का सही स्पष्टीकरण है।

B. (A) तथा (R) दोनों सही हैं, परन्तु (R), (A) का सही स्पष्टीकरण नहीं है।

C. (A) सही है, परन्तु (R) गलत है।

D. (A) गलत है, परन्तु (R) सही है।

50. दौड़-चक्र में कदम रखने के बाद निम्नलिखित अवस्थाएँ होती हैं :

I. पश्च आलंब

II. अग्र आलंब

III. उड़ान

IV. आत्मसात्करण

इन अवस्थाओं को उनके घटित होने के क्रम में व्यवस्थित कीजिए तथा नीचे दिए गए कोड से सही उत्तर चुनिए :

कूट :

A.	II	IV	I	III
B.	IV	I	III	II
C.	I	III	II	IV
D.	III	II	IV	I

51. व्यक्तित्व के निम्नलिखित सैद्धांतिक उपागमों को उनके प्रचारित-प्रसारित होने के कालानुक्रम में व्यवस्थित कीजिए :

I. ट्रेट थिअरी
II. साइकोडाइनेमिक थिअरी
III. कॉग्निटिव थिअरी
IV. सोशल लर्निंग थिअरी

कूट :

A.	I	II	III	IV
B.	II	I	IV	III
C.	III	IV	II	I
D.	IV	III	I	II

52. लम्बी अवधि की प्रशिक्षण प्रक्रिया में निम्नलिखित योजनाएँ सम्मिलित हैं—

I. मीजो-चक्र योजना
II. माइक्रो-चक्र योजना
III. अवधारणात्मक योजना
IV. मैक्रो-चक्र योजना

योजनाओं की क्रमबद्धता सुनिश्चित करें :

कूट :

A.	I	II	III	IV
B.	IV	III	II	I
C.	III	IV	I	II
D.	II	III	IV	I

53. विऑक्सीजनित रुधिर का क्रमित पथ-क्रम कौन-सा है?

I. दायाँ परिकोष्ठ (राइट ऑरिकल)
II. फेफड़े
III. दायाँ निलय (राइट वेंट्रिकल)
IV. बायाँ परिकोष्ठ (लेफ्ट ऑरिकल)

कूट :

A.	I	II	III	IV
B.	I	III	II	IV
C.	IV	II	I	III
D.	II	I	III	IV

54. नीचे दी गई मनोविज्ञान की विषयवस्तु को पहचान कर क्रम में लिखिए :

I. मनोविज्ञान मस्तिष्क का अभ्यास है।
II. मनोविज्ञान मानव व्यवहार का अभ्यास है।
III. मनोविज्ञान आत्मा का अभ्यास है।
IV. मनोविज्ञान सचेतन का अभ्यास है।

कूट :

A.	I	II	III	IV
B.	III	I	IV	II
C.	II	III	I	IV
D.	IV	I	II	III

55. सूची-I को सूची-II के साथ सुमेलित कीजिए तथा नीचे दिए गए कूट से सही उत्तर चुनिए :

सूची-I	सूची-II
I. सोशियल कॉन्ट्रेक्ट थ्योरी ऑफ प्ले	1. कार्ल ग्रूस
II. केथारसिस थ्योरी ऑफ प्ले	2. प्लेटो
III. सेल्फ एक्सप्रेशन थ्योरी ऑफ प्ले	3. अरिस्टोटल
IV. इन्स्टिंफ्ट थ्योरी ऑफ प्ले	4. बर्नार्ड एस. मसन

कूट :

	I	II	III	IV
A.	2	3	4	1
B.	3	2	1	4
C.	4	1	2	3
D.	1	2	3	4

56. सूची-I को सूची-II के साथ सुमेलित कीजिए तथा नीचे दिए गए कूट से सही उत्तर चुनिए :

सूची-I	सूची-II
I. फीमर	1. सबसे लंबी पेशी
II. सारटोरियस	2. प्रधान ग्रंथि
III. यकृत	3. सबसे लंबी अस्थि
IV. पीयूष ग्रंथि	4. सबसे बड़ी ग्रंथि

कूट :

	I	II	III	IV
A.	1	2	3	4
B.	2	3	4	1
C.	4	2	1	3
D.	3	1	4	2

57. निम्नलिखित में से कौन-सा जोड़ सही सुमेलित नहीं है?

A. एक और ज्यादा व्यक्तियों का गहराईपूर्वक अभ्यास — व्यक्ति अभ्यास
B. कारण और प्रभाव के संबंध का अभ्यास — सर्वे पद्धति

C. व्यवहार का अवलोकन करना – अवलोकन पद्धति

D. दो चलों के बीच कितना संबंध है यह निर्धारित करना – सहसंबंध पद्धति

58. निम्नलिखित में से कौन-सा युग्म सुमेलित है?

A. इंसेंटिव मोटिवेशन इंवेंटरी – मार्टेन्स, वेले तथा बर्टन

B. ग्रुप एनविरोंमेंट क्वेश्चनेयर – नीडीफर

C. स्केल ऑफ ऐथलेटिक प्रायरिटीज – चेल्लादुरै इंगलिस तथा डेनिलचुक

D. इलिनोसिस कंपिटीशन क्वेश्चनेयर – स्पिलबर्गर

59. सूची-I को सूची-II के साथ सुमेलित कीजिए तथा नीचे दिए गए कूट से सही उत्तर चुनिए :

सूची-I	सूची-II
I. टेस्ट	1. वर्गीकरण निर्धारण
II. मापन	2. मापन की तुलना उद्देश्यों के साथ करना
III. मूल्यांकन	3. कोई भी उपकरण/यन्त्र
IV. वर्गीकरण	4. उपकरण/यन्त्र द्वारा ली गई माप

कूट :

	I	II	III	IV
A.	1	2	3	4
B.	4	3	2	1
C.	3	4	2	1
D.	4	3	1	2

60. सूची-I तथा सूची-II में प्रशासन एवं प्रबंधन के अभिलक्षण दिए गए हैं, इन अभिलक्षणों को प्रकृति, विषयक्षेत्र, स्तर तथा कौशल के आधार पर सुमेलित कीजिए :

सूची-I (प्रशासन)	सूची-II (प्रबंधन)
I. चिंतन	1. तकनीकी
II. बोर्ड की योजनाएँ	2. मध्य स्तर
III. उच्च स्तरीय कार्य	3. कार्य करना
IV. वैचारिक	4. कार्यान्वित करना

कूट :

	I	II	III	IV
A.	4	3	2	1
B.	3	4	2	1
C.	1	2	3	4
D.	2	1	4	3

61. निम्नलिखित में से कौन-सा सही तौर पर सुमेलित नहीं है?

A. मार्टेन्स – खेल स्पर्धा दुश्चिन्ता परीक्षण

B. केनयॉन – शारीरिक क्रिया के प्रति मनोवृत्ति तालिका

C. पीटरसन – सामाजिक कार्यकुशलता स्केल

D. मैकार्डी लारसेन – नेतृत्व मापक स्केल

62. सूची-I को सूची-II के साथ सुमेलित कीजिए और नीचे दिए गए कोड के आधार से सही विकल्प चुनिए :

सूची-I	सूची-II
I. फैटी एसिड	1. फैट
II. अमीनो एसिड	2. प्रोटीन
III. ग्लुकोज	3. कार्बोहाइड्रेट्स
IV. मिनरल्स	4. साल्ट (लवण)

कूट :

	I	II	III	IV
A.	1	2	3	4
B.	3	2	1	4
C.	4	2	1	3
D.	2	1	3	4

63. सूची-I को सूची-II के साथ सुमेलित कीजिए तथा नीचे दिए गए कूट की सहायता से सही उत्तर चुनिए :

सूची-I	सूची-II
I. व्यवहारपरक विज्ञान	1. अंतर्बोधपरक विचार
II. बजट निर्माण	2. सामान्य शिक्षा पृष्ठभूमि
III. अन्य लोगों के साथ सामंजस्य की योग्यता	3. तकनीकी ज्ञान
IV. प्रातिभा	4. उत्तम मानव संबंध

कूट :

	I	II	III	IV
A.	2	3	4	1
B.	1	2	3	4
C.	2	4	3	1
D.	3	4	1	2

64. सूची-I को सूची-II के साथ सुमेलित कीजिए तथा नीचे दिए गए कूट से सही विकल्प चुनिए :

सूची-I	सूची-II
I. स्पीड प्ले	1. कार्डियो-रेस्पिरेटरी इंडोरेन्स
II. ऐरोबिक्स	2. शक्ति
III. मसल क्रॉस सेक्शन	3. रिएक्शन क्षमता
IV. सेंसरी विधि	4. फार्टलेक

कूट :

	I	II	III	IV
A.	3	4	2	1
B.	4	1	2	3
C.	1	2	3	4
D.	2	3	4	1

65. सूची-I को सूची-II के साथ सुमेलित कीजिए तथा नीचे दिए गए कूट से सही उत्तर चुनिए :

सूची-I	सूची-II
I. द्रव्यमान × वेग (mv)	1. अपकेंद्री बल
II. द्रव्यमान × त्वरण (mf)	2. वजन
III. द्रव्यमान × गुरुत्वाकर्षण के कारण त्वरण (mg)	3. बल
IV. द्रव्यमान × (कोणीय वेग)^2 × घूर्णन की त्रिज्या ($m\omega^2 r$)	4. संवेग

कूट :

	I	II	III	IV
A.	4	3	2	1
B.	3	2	1	4
C.	2	1	4	3
D.	1	4	3	2

66. सूची-I को सूची-II के साथ सुमेलित कीजिए तथा नीचे दिए गए कूट से सही उत्तर चुनिए :

सूची-I	सूची-II
I. कैरेन की सिचुएशनल थिअरी	1. व्यक्तित्व
II. फेनोमेनोलॉजिकल थिअरीज	2. संवेग
III. कैटेस्ट्रॉफी थिअरीज	3. आक्रमण
IV. सोशल लर्निंग थिअरीज	4. नेतृत्व

कूट :

	I	II	III	IV
A.	4	1	2	3
B.	2	3	1	4
C.	3	2	4	1
D.	1	4	3	2

67. सूची-I को सूची-II के साथ सुमेलित कीजिए तथा नीचे दिए गए कूट से सही उत्तर चुनिए :

सूची-I	सूची-II
I. डेल्टायड	1. स्कंध (कंधा)
II. गैस्ट्राक्निमियस	2. पिंडली
III. हैमस्ट्रिंग्स	3. उरु (जंघा) का पिछला भाग
IV. अंसपेशी	4. वक्ष

कूट :

	I	II	III	IV
A.	3	2	4	1
B.	2	1	3	4
C.	1	2	3	4
D.	4	3	2	1

68. सूची-I को सूची-II के साथ सुमेलित कीजिए तथा नीचे दिए गए कूट से सही उत्तर चुनिए :

सूची-I	सूची-II
I. संचार	1. किसी बड़े या छोटे कार्य के लिए उत्तरदायी होना
II. कार्योन्मुख	2. चुनौती भरी स्थिति का सामना करने की योग्यता
III. आत्मविश्वास	3. तुरंत निर्णय लेने का कौशल
IV. उत्तरदायित्व	4. प्रेषक से प्रापक तक सामग्री का संप्रेषण

कूट :

	I	II	III	IV
A.	1	2	3	4
B.	4	2	1	3
C.	4	1	3	2
D.	4	3	2	1

69. सूची-I को सूची-II से नीचे दिए गए कोड की सहायता से सुमेलित कीजिए :

सूची-I	सूची-II
I. व्यक्तिगत अवरोध	1. अंतर
II. शारीरिक अवरोध	2. पक्षपातपूर्ण
III. हैसितय संबंधी अवरोध	3. समझदारी
IV. भावनात्मक अवरोध	4. परस्पर संबंध

कूट :

	I	II	III	IV
A.	2	1	4	3
B.	1	2	3	4
C.	3	4	1	2
D.	4	3	2	1

70. सूची-I को सूची-II के साथ सुमेलित कीजिए और नीचे दिए गए कोड का प्रयोग करके सही विकल्प चुनिए :

सूची-I	**सूची-II**
I. आत्मनिवेदन	1. मनोरंजन
II. स्वतः अभिकथन	2. कोमल संवेग
III. हँसी	3. नम्रता
IV. पैतृक	4. उच्च भाव का बोध

कूट :

	I	II	III	IV
A.	1	2	3	4
B.	1	3	4	2
C.	4	2	1	3
D.	3	4	1	2

निर्देश (प्रश्न सं. 71 से 75 तक) : *निम्नलिखित गद्यांश को पढ़िए तथा इस गद्यांश की अपनी समझ के आधार पर इसके बाद दिए गए प्रश्नों के उत्तर दीजिए।*

शारीरिक शिक्षा विद्याशाखा में वृद्धि होने के साथ शारीरिक शिक्षा के अनेक वृत्तिक इस विद्याशाखा का प्रतिनिधित्व करने वाले पद 'शारीरिक शिक्षा' से असंतुष्ट होते जा रहे हैं। शिक्षक तैयार करने पर व्यावसायिक बल दिए जाने के शारीरिक शिक्षा के विचार में पिछले 50 वर्षों में बदलाव आया है। यद्यपि शिक्षक तैयार करने पर एक समय शारीरिक शिक्षा का प्रधान फोकस था, आज यह इस विद्याशाखा के अनेक कार्यक्रमों से केवल एक कार्यक्रम है। व्यायाम तथा खेल विज्ञान के अभ्युदय के साथ यह विषय अत्यधिक विविधतापूर्ण बन गया है जिसके कारण अनेक व्यावसायिक कार्यक्रम सामने आये हैं, जैसे हृद्-पुनर्वास, प्रौढ़ फिटनेस, खेल-प्रबन्धन, खेल औषधियाँ तथा खेल-संचार। अनेक वृत्तिक यह महसूस करने लगे हैं कि शारीरिक शिक्षा पद इस विषय-क्षेत्र की वर्तमान प्रकृति का सटीक वर्णन नहीं करता तथा इसके लिए एक नये पद की आवश्यकता है।

विद्यालयों में इस विषय का ज्ञान देने वाले लोगों को आज शारीरिक शिक्षक की संज्ञा से संदर्भित किया जाता है तथापि भिन्न स्थानों पर तथा भिन्न प्रतिवेश में काम करने वाले वृत्तिकों ने नया नाम अपना लिया है। जैसे : खेल औषधि विशेषज्ञ, अनुकूलित शारीरिक शिक्षक, व्यायाम शरीरक्रियाविज्ञानी, खेल समाजशास्त्री, फिटनेस प्रशिक्षक, खेल विशेषज्ञ, रिक्रिएशन लीडर इत्यादि। शारीरिक शिक्षा के स्थान पर अनेक पद सुझाए गए हैं। शारीरिक शिक्षा पद का एक अंब्रेला टर्म (व्यापक विषय-शब्द) के रूप में उपयोग करने के बजाय इस पद का उपयोग विद्यालयों में इस विषय को सभी स्तरों पर सिखाने वाले लोगों के लिए करना समीचीन होगा।

अमेरिकन एकेडमी ऑफ फिजिकल एजुकेशन ने इस विषय क्षेत्र के लिए काइनेसियोलॉजी को नए पद के रूप में अनुमोदित किया है। ऐसा विश्वास किया जाता है कि 'काइनेसियोलॉजी'— जिसे 'मानव संचालन का कला एवं विज्ञान' के रूप में परिभाषित किया गया है—इस अध्ययन क्षेत्र के वास्तविक फोकस को प्रतिबिम्बित करेगा। इस विषय क्षेत्र के लिए बहुधा 'खेल विज्ञान एवं विज्ञान' तथा 'खेल विज्ञान' जैसे नाम भी सुझाए जाते हैं।

इस विद्याशाखा के लिए किस नाम का चयन किया जाए इस मुद्दे को छोड़ भी दें, तब भी यह महत्वपूर्ण है कि सभी वृत्तिक इस विषय क्षेत्र में योगदान करने के अपने उत्तरदायित्व को महसूस करें। इस विषय की पहचान, इसके कार्य-अधिक्षेत्र तथा नेतृत्व को स्थापित करने के लिए वृत्तिकों को शारीरिक शिक्षा की मदद करनी चाहिए। यह विद्याशाखा बढ़ती जाएगी या नहीं तथा सभी आयु के व्यक्तियों के स्वास्थ्य एवं तंदुरुस्ती में संवर्धन करने की अपनी क्षमता को पूरा कर पाएगी या नहीं—यह वृत्तिकों की इस लक्ष्य को प्राप्त करने की प्रतिबद्धता पर अधिक निर्भर करेगा।

71. सही विकल्प चुनिए :
शारीरिक शिक्षा के अनेक कार्यक्रमों में प्राथमिक फोकस किस पर है?

A. शैक्षिक संस्थानों में उच्च प्रदर्शन वाले खेल
B. इंट्राम्यूरल तथा एक्स्ट्राम्यूरल कार्यक्रम
C. सभी के लिए तंदुरुस्ती
D. शिक्षक-शिक्षा

72. अमेरिकन एकेडमी ऑफ फिजिकल एजुकेशन ने 'फिजिकल एजुकेशन' पद को किस पद से बदलना स्वीकार किया?

A. एक्सरसाइज एंड स्पोर्ट साइंसेज
B. फिजिकल ऐक्टीविटी एंड स्पोर्ट साइंसेज
C. काइनेसिओलॉजी
D. स्पोर्ट एंड एक्सरसाइज साइंसेज

73. शारीरिक शिक्षा व्यवसाय के उत्थान के लिए वृत्तिकों द्वारा निम्नलिखित में से कौन-कौन सी सहायता प्रदान की जानी चाहिए?

I. उत्तम नेतृत्व प्रदान करना।

II. अधिक्षेत्र निर्णीत करना।
III. एकरूप शिक्षक प्रशिक्षण कार्यक्रम अपनाना।
IV. विषय-क्षेत्र के अंतर्गत आने वाले विषयों की पहचान करना।

सही संयोजन बताएँ :

कूट :

A.	II	III	I
B.	I	II	IV
C.	III	I	IV
D.	IV	III	II

74. सूची-I को सूची-II के साथ सुमेलित कीजिए तथा नीचे दिए गए कूट से सही उत्तर चुनिए :

सूची-I	**सूची-II**
I. अनुकूलित शारीरिक शिक्षा	1. वृद्धावस्था जनसंख्या
II. खेल समाजशास्त्री	2. उच्च प्रदर्शन वाला खेल
III. खेल विशेषज्ञ	3. विशेष जनसंख्या
IV. व्यायाम शरीर-क्रियाविज्ञानी	4. समूह गतिकी विकसित करना

कूट :

	I	II	III	IV
A.	1	2	3	4
B.	2	1	4	3
C.	3	4	2	1
D.	4	3	1	2

75. नीचे दो वक्तव्य दिए गए हैं। एक को अभिकथन (A) तथा दूसरे को कारण (R) कहा गया है।

अभिकथन (A): इस विषय-क्षेत्र की वर्तमान परिस्थिति को सुनिश्चित करने के लिए शारीरिक शिक्षा का एक उपयुक्त नामकरण करना होगा।

कारण (R) : शारीरिक शिक्षा व्यवसाय निरंतर विस्तारित एवं वैविध्यपूर्ण होता जा रहा है।

निम्नलिखित में से कौन-सा कथन सही है?

कूट :

A. (A) तथा (R) दोनों सही हैं तथा (R), (A) का सही स्पष्टीकरण है।
B. (A) तथा (R) दोनों सही हैं, परन्तु (R), (A) का सही स्पष्टीकरण नहीं है।
C. (A) सही है, परन्तु (R) गलत है।
D. (R) सही है, परन्तु (A) गलत है।

उत्तरमाला

1	2	3	4	5	6	7	8	9	10
A	D	C	B	B	B	ACD	C	A	A
11	**12**	**13**	**14**	**15**	**16**	**17**	**18**	**19**	**20**
B	C	B	B	B	D	C	B	A	D
21	**22**	**23**	**24**	**25**	**26**	**27**	**28**	**29**	**30**
*	D	D	B	A	A	C	D	A	A
31	**32**	**33**	**34**	**35**	**36**	**37**	**38**	**39**	**40**
C	B	B	C	A	B	B	D	C	A
41	**42**	**43**	**44**	**45**	**46**	**47**	**48**	**49**	**50**
D	A	D	A	A	C	A	A	C	A
51	**52**	**53**	**54**	**55**	**56**	**57**	**58**	**59**	**60**
*	C	B	B	A	D	B	C	C	B
61	**62**	**63**	**64**	**65**	**66**	**67**	**68**	**69**	**70**
D	A	A	B	A	A	C	D	A	D
71	**72**	**73**	**74**	**75**					
D	C	B	C	A					

व्याख्यात्मक उत्तर

1. अंतर्राष्ट्रीय ओलम्पिक समिति (आई.ओ.सी.) की स्थापना 1894 ई. में सखोन नामक स्थान पर हुई थी। इसका मुख्यालय लोसाने (स्विट्जरलैंड) में है। अंतर्राष्ट्रीय ओलम्पिक समिति ओलम्पिक खेलों को संचालित करने वाली संस्था है। इस समिति की एक कार्यकारिणी होती है, जिसमें एक अध्यक्ष एवं तीन उपाध्यक्ष तथा सात अन्य सदस्य होते हैं। यह संस्था ओलम्पिक खेलों का स्थान, नियम, संचालन आदि निर्धारण करती है।

अंतर्राष्ट्रीय ओलम्पिक समिति के अब तक के अध्यक्ष

अध्यक्ष	देश	कार्यकाल
डिमिट्रियास विकेलास	यूनान	1894-1896
बैरोन पियरे डि कोबर्टिन	फ्रांस	1896-1925
काउंट हेनरी डी बैलेट लाइर	बेल्जियम	1925-1942
सिगफिड एड्सट्रोम	स्वीडन	1946-1952
एवरी ब्रुडेज	अमेरिका	1952-1972
लॉर्ड किनानिन	आयरलैंड	1972-1980
जुआन एंटोनियो समारांच	स्पेन	1980-2001
जैक्युस एग्ग	बेल्जियम	2001-2013
थॉमस बक	जर्मनी	2013-....

2.
- शरीर से हृदय की ओर रक्त ले जाने वाली रक्तवाहिनी को शिरा (vein) कहते हैं।
- शिरा में अशुद्ध रक्त अर्थात् कार्बन डाइऑक्साइड युक्त रक्त होता है।
- पल्मोनरी शिरा फेफड़ों से बाँयें आलिंद में रक्त को पहुँचाता है। इसमें शुद्ध रक्त होता है।
- हृदय से शरीर की ओर रक्त ले जाने वाली रक्तवाहिनी को धमनी (Artery) कहते हैं।
- धमनी में शुद्ध रक्त अर्थात् ऑक्सीजन युक्त रक्त होता है। इसका अपवाद पल्मोनरी धमनी (Pulmonary artery) है।
- पल्मोनरी धमनी दाहिने निलय से फेफड़ों में रक्त पहुँचाता है। इसमें अशुद्ध रक्त होता है।

5. किसी व्यवसाय को मान्यता प्रदान करने के लिए निम्नलिखित मानदंड की आवश्यकता होती है–

1. लोगों की सेवा करना।
2. व्यवसाय में वैज्ञानिक ज्ञान व तकनीकी हुनर का होना।
3. अति विशिष्ट तथा सामान्य तौर पर औपचारिक तैयारी की जरूरत हो।
4. व्यवसाय के सदस्यों द्वारा व्यावहारिक प्रवेश के लिए मानकों का नियमन होना।
5. अभ्यास करने वालों को विस्तृत व्यावसायिक समूहों में संगठित करना ताकि वे व्यवहार और नैतिक मूल्यों का उच्च मानक बनाए रख सकें।

6. पर्यवेक्षण या निरीक्षण का अर्थ है 'दूसरों के कार्यों का अधीक्षण करना'। दूसरों के कार्यों का सत्ता के सहयोग से निर्देशन करना निरीक्षण कहलाता है। पर्यवेक्षण का अर्थ परिणामों का अवलोकन है। पर्यवेक्षण की प्रविधियों में दौरा करना, सम्मेलन तथा कार्यशाला आयोजित करना प्रमुख है।

13. विटामिन का आविष्कार फंक (Funk) ने सन् 1911 ई. में किया था। यह एक प्रकार का कार्बनिक यौगिक हैं। इनसे कोई कैलोरी नहीं प्राप्त होती, परंतु ये शरीर के उपापचय (Metabolism) में रासायनिक प्रतिक्रियाओं के नियमन के लिए अत्यंत आवश्यक है। इसे रक्षात्मक पदार्थ भी कहा जाता है। घुलनशीलता के आधार पर विटामिन दो प्रकार के होते हैं–

(*a*) जल में घुलनशील विटामिन–विटामिन-B एवं विटामिन-C;

(*b*) वसा या कार्बनिक घोलकों में घुलनशील विटामिन–विटामिन-A, विटामिन-D, विटामिन-E एवं विटामिन-K।

14. लचक (Stretching) मांसपेशियों, स्नायु और पेशी बंधनों (Tendon) का ऐसा गुण है जिसकी सहायता से शरीर के जोड़ सभी प्रकार की हरकत सुविधापूर्वक कर सकते हैं। ऐसे जोड़ों में जिनका विभिन्न प्रकार की गतियों द्वारा नियमित व्यायाम किया जाता है, बिना व्यायाम के जोड़ों की अपेक्षा अधिक लचीलापन दिखाई देता है। लचीलेपन/

लचक की क्षमता किसी जोड़ के विस्तार एवं झुकाव की क्षमता है और इससे सम्बन्धित शारीरिक क्रियाओं जैसे--झुकना, पहुँचना, मरोड़ना और मुड़ना आदि क्रियाओं की क्षमता का निर्धारण करती है। किसी जोड़ की लचक की मात्रा/क्षमता का निर्धारण सर्वप्रथम उस जोड़ के प्रकार और फिर स्नायु और उस जोड़ की माँसपेशियों द्वारा किया जाता है। किसी जोड़ की लचक का संबंध मात्र उस जोड़ से ही है। कोई व्यक्ति अपने कंधे के जोड़ की लचक का अच्छा प्रदर्शन करने में सक्षम हो सकता है और यह भी हो सकता है कि उसके घुटनों के जोड़ इतने लचकदार न हों। व्यायाम लोच को बढ़ाती है परंतु ताकत को कम करती है।

17. अग्न्याशय की कोशिकाओं के बीच-बीच में कुछ पीले रंग की कोशिकाएँ समूहों के रूप में व्यवस्थित रहती हैं, जिन्हें 'लैंगरहैंस के द्वीप' (Islets of Langerhans) कहते हैं। लैंगरहैंस की β-कोशिकाओं से इन्सुलिन, α-कोशिकाओं से ग्लूकेगॉन एवं γ-कोशिकाओं से सोमेटोस्टेटिन नामक हार्मोन स्रावित होता है। इन्सुलिन रक्त में शर्करा की मात्रा को नियंत्रित करने में मदद करता है। इसके अल्प स्रावण से मधुमेह (Diabetes) नामक रोग होता है।

23. तम्बाकू एक प्राकृतिक पौधा है। यह पूरे विश्व में पैदा होता है। तम्बाकू में निकोटिन होती है। यह कच्चा भी खाया जाता है, पाइप द्वारा भी पिया जाता है या चबाया जाता है। इसका सिगरेट, बीड़ी, हुक्का और अन्य विभिन्न तरीकों से सेवन किया जाता है। तम्बाकू का प्रयोग 16वीं शताब्दी में शुरू हुआ तब से लेकर अब तक पूरी दुनिया में सिगरेट के सेवन का प्रचलन जारी है। इसके बुरे नतीजे होते हैं, जैसे—फेफड़ों का कैंसर, श्वसन संक्रमण, पेट के नासूर। एक औसत सिगरेट में 1.5 मिलीग्राम निकोटिन होता है। रक्त में 130 से 200 नेनोमोल/लिटर पहुँचने पर निकोटिन का केन्द्रीकरण होने लगता है। धूम्रपान से होने वाले बीमारियों का क्रम इस प्रकार है--धूम्रपानजन्य खाँसी, निद्राहीनता, उच्च रक्त दाब तथा दिखने में बाधा।

26. **अस्थि (Bone) :** अस्थि एक ठोस, कठोर और मजबूत संयोजी ऊतक है, जो तंतुओं एवं मैट्रिक्स का बना होता है। इसके मैट्रिक्स में कैल्शियम तथा मैग्नीशियम के लवण पाए जाते हैं तथा इसमें अस्थि कोशिकाएँ एवं कोलेजन तंतु व्यवस्थित होते हैं। कैल्शियम एवं मैग्नीशियम के लवणों की उपस्थिति के कारण ही अस्थियाँ कठोर हो जाती हैं। प्रत्येक अस्थि के चारों ओर तंतुमय संयोजी ऊतक से निर्मित एक दोहरा आवरण पाया जाता है, जिसे परिअस्थिक (Periosteum) कहते हैं। इसी आवरण के कारण लिगामेण्ट्स, टेण्डन्स तथा दूसरी पेशियाँ जुड़ी होती हैं। अस्थियों का वर्गीकरण उनके आकार एवं ढाँचे के आधार पर किया जाता है।

27. **ओलम्पिक ध्वज (Olympic Flag) :** बैरोन पियरे डि कोबर्टिन के सुझाव पर 1913 ई. में ओलम्पिक ध्वज का सृजन हुआ। जून, 1914 में इसका विधिवत उद्घाटन पेरिस में हुआ तथा इस ध्वज को सर्वप्रथम 1920 ई. के एंटवर्प ओलम्पिक प्रतीक के रूप में पाँच रंगीन चक्र एक-दूसरे से मिले हुए दर्शाए गए हैं, जो विश्व के पाँच महाद्वीपों के प्रतिनिधित्व करने के साथ ही निष्पक्ष एवं मुक्त स्पर्धा का प्रतीक है। नीला चक्र—यूरोप, पीला चक्र--एशिया, काला चक्र—अफ्रीका, हरा चक्र—ऑस्ट्रेलिया एवं लाल चक्र—उत्तरी एवं दक्षिणी अमेरिका।

29. शारीरिक व्यायाम के लाभ—

- व्यायाम से ऊर्जा में वृद्धि होती है।
- व्यायाम करने से शरीर की भीतरी रासायनिक ग्रंथियाँ अपना कार्य ठीक ढंग से करने लगती हैं, जिनके कारण विकास में बहुत अधिक सहायता मिलती है तथा हृदयाघात की संभावना कम होती है।
- व्यायाम से हड्डियाँ दृढ़ एवं मजबूत होती हैं और शरीर अपना भार अच्छी प्रकार से सहन करने के योग्य बनाता है।
- पाचन तंत्र पर भी व्यायाम का प्रभाव पड़ता है, जिससे पाचनशक्ति बढ़ जाती है। इसी कारण भूख भी अधिक लगती है।
- मांसपेशियों में शक्ति आती है और प्रत्येक कार्य आसानी से कर सकती है।
- रक्त की गति तीव्र हो जाती है और शरीर के प्रत्येक भाग में रक्त धमनियों की सहायता से काफी मात्रा में रक्त पहुँच जाता है, जिसके कारण उसके विकास में सहायता मिलती है।
- मांसपेशियों के विकास में भी सहायक होता है।

30. शारीरिक स्वस्थता (फिटनेस) के घटक :

शारीरिक स्वस्थता (फिटनेस) के निम्नलिखित 10 घटक हैं। ये घटक इस प्रकार हैं—

1. **ताकत (Strength) :** उस सीमा तक जहाँ विरोध के बावजूद पेशियों को सिकुड़ने तथा संकुचित होने की क्रिया से ताकत अथवा बल पैदा कर सके।
2. **शक्ति (Power) :** शरीर द्वारा न्यूनतम समय में किसी क्रिया जैसे कूदना, फेंकना तथा दौड़ने आदि के लिए लगाए गए अधिकतम बल ही शक्ति कहलाती है।
3. **गति (Speed) :** अवयवों की द्रुत गति से क्रिया, चाहे यह धावक की टांग हो अथवा गोला फेंकने वाले खिलाड़ी की बाजू।
4. **संतुलन (Balance) :** शरीर की स्थिति को नियंत्रित करने की योग्यता, यह खड़ी अवस्था हो या क्रियात्मक अवस्था हो (जिमनास्टिक क्रियाएँ)।
5. **फुर्ती (Agility) :** शक्ति विस्फोट क्रियाओं की विपरीत दिशा में तेजी से सम्पन्न करने की योग्यता ही फुर्ती है (टेढ़ा-मेढ़ा दौड़ना या तीखी क्रियाएँ)।
6. **लचीलापन (Flexibility) :** अत्यधिक टिशुओं द्वारा बाधा डाले बिना गति की विस्तारित सीमा को हासिल करने की योग्यता।
7. **सीमित पेशी सहनशीलता (Local Muscle endurance) :** दीर्घीकृत कार्य को एकल पेशी योग्यता से सम्पन्न करना (नौका विहार या साइकिलिंग)।
8. **हृदय संवहनीय सहनशीलता (Cardiovascular endurance) :** हृदय की काम कर रही पेशियों के रक्त प्रवाहित करने की और इसे उपयोग में लाने की सक्षमता (लम्बी दूरी की दौड़ें)।
9. **शक्ति सहनशीलता (Strength endurance) :** समय-समय पर पेशियों को अत्यधिक संकुचित करने की योग्यता (जैसे—बास्केटबॉल के खेल में निरंतर विस्फोटक प्रतिघात मिलते रहना)।
10. **तालमेल (Co-ordination) :** उपरोक्त सूचीबद्ध घटकों को संघटित करने की योग्यता ताकि क्रियाओं को प्रभावशाली तरीके से हासिल किया जा सके।

31. प्रशिक्षण भार (Training Load) : प्रशिक्षण के माध्यम से खिलाड़ी पर जो अभ्यास रूपी भार सौंपा जाता है, उसे प्रशिक्षण भार कहा जाता है। प्रशिक्षण भार में विभिन्न शारीरिक क्रियाएँ शामिल होती हैं, जिनके कारण खिलाड़ी थकान की ओर अग्रसर होता है। खिलाड़ी को थकान देने का मुख्य उद्देश्य शारीरिक तथा मानसिक अनुकूलन स्थापित करना है। यह थकान प्रत्यक्ष रूप से शारीरिक क्रियाएँ अर्थात् अभ्यास-प्रक्रिया के माध्यम से दी जाती हैं। अभ्यास से प्राप्त थकान को झेलना और फिर इसमें अनुकूलन कर लेने से खिलाड़ी की प्रदर्शन क्षमता में स्थायीकरण एवं संवर्द्धन होता है। इस प्रकार स्पष्ट होता है कि प्रशिक्षण भार व्यायाम के प्रकार तथा भार की मात्रा की परिमाणिक मात्रा पर आधारित है।

33. प्रशिक्षण एक व्यक्ति को किसी गतिविधि या काम के लिए तैयार करने की प्रक्रिया को कहते हैं। खेलकूद में हम प्रायः खेलकूद प्रशिक्षण शब्द का प्रयोग करते हैं जिसका अर्थ है खिलाड़ियों को उच्च स्तर के प्रदर्शन के लिए तैयार करना परंतु आजकल खेलकूद प्रशिक्षण केवल एक शब्द ही नहीं है बल्कि अब यह एक महत्वपूर्ण विषय है जो प्रत्येक उस व्यक्ति को प्रभावित करता है जो शारीरिक व्यायाम की गतिविधियाँ या खेलकूद, स्वास्थ्य, स्फूर्ति अथवा विभिन्न स्तरों पर होने वाली प्रतिस्पर्द्धाओं में भाग लेने के लिए अपनाते हैं। हार्रे (Harre) के अनुसार, खेल प्रशिक्षण खेलकूद विकास की ऐसी प्रक्रिया है जो वैज्ञानिक सिद्धान्तों पर संचालित की जाती है जिनके माध्यम से मानसिक और शारीरिक दक्षता, क्षमता और प्रेरणा के योजनाबद्ध विकास से खिलाड़ियों को उत्कृष्ट और स्थापित कीर्तिमान तोड़ने वाले खेलकूद प्रदर्शन में सहायता मिलती है। इस प्रकार खेल प्रशिक्षण की क्रमबद्ध प्रक्रिया है—लक्ष्य एवं उद्देश्य निर्धारण, प्रशिक्षण निष्पादन, मूल्यांकन, प्रति-पुष्टि।

34. कार्बोहाइड्रेट उपापचय के अंतर्गत यकृत रक्त के ग्लूकोज (Glucose) वाले भाग को ग्लाइकोजिन (Glycogen) में परिवर्तित कर देता है और संचित पोषक तत्वों के रूप में यकृत कोशिका (Hepatic Cell) में संचित कर लेता है। ग्लूकोज की आवश्यकता होने पर यकृत संचित ग्लाइकोजिन को खंडित कर ग्लूकोज में परिवर्तित कर देता है। इस प्रकार यह रक्त में ग्लूकोज की मात्रा को नियमित बनाए रखता है। मांसपेशी में भी ग्लाइकोजेन के रूप में ग्लूकोज शरीर में संचित रहता है।

35. इण्ट्राम्यूरल (Intramurals) शब्द लैटिन शब्द इण्टरा मुरोस से बना है, जिसका अर्थ है दीवारों के भीतर। इसका इस्तेमाल खेल मैच और प्रतियोगिताओं में होता है। एक प्राचीन शहर की दीवारों के भीतर टीमों (के रूप में, एक Variety टीम है जो अन्य शहरों व कस्बों में टीमों के साथ प्रतिस्पर्धा करने के लिए विरोध) के बीच जगह को इंगित किया गया था। इस प्रकार की प्रतियोगिता में प्रतिस्पर्धाओं का आयोजन एक विद्यालय के परिसर में ही नहीं होता, बल्कि किसी अन्य विद्यालय में होता है। इस तरह की प्रतियोगिताओं के अंतर्गत कोई एक विद्यालय प्रतियोगिताओं का आयोजन करता है और अन्य विद्यालयों की टीमों को प्रतियोगिताओं में भाग लेने के लिए निमंत्रण देता है। इसलिए इसे अंतर विद्यालय खेल प्रतियोगिता या बाह्य प्रतियोगिता कहते हैं। यह संस्था सबके लिए खेल स्वास्थ्य, शारीरिक क्षमता और स्वस्थता निर्माण करने की पद्धति है। इस प्रकार स्पष्ट होता है कि अभिकथन (A) तथा कारण (R) दोनों सही हैं और (R), (A) का सही स्पष्टीकरण है।

36. शारीरिक शिक्षा कला व विज्ञान दोनों है। शारीरिक शिक्षा कला के दो मुख्य सिद्धांत हैं। 'फार्म' और 'संगठन' और शारीरिक शिक्षा इन दोनों सिद्धांतों को संतुष्ट करती है। शारीरिक शिक्षा में 'फार्म' अच्छे क्रियाकलाप का आवश्यक गुण है। अच्छी फार्म में होने पर शिक्षक भी उसे मजबूत, लचीला और क्रियाकलापों में चुस्त बनाने के बारे में उसका मूल्यांकन सक्षम होगा। शारीरिक शिक्षा दूसरे सिद्धांत 'संगठन' को भी तुष्ट करती है जो कि कल्पना एवं सृजनात्मकता का एक कार्य है। इस प्रकार शारीरिक शिक्षा एक कला है। दूसरी तरफ शारीरिक शिक्षा को विज्ञान भी कहा जा सकता है क्योंकि इसमें सिद्धांतों, नियमों, परिकल्पनाओं जिस पर इनका निर्माण हुआ है। ये विभिन्न स्रोतों से अपने सिद्धांतों की रचना करती है, जैसे—एनाटॉमी, फिजियोलॉजी मानसिक स्वच्छता, मनोविज्ञान, नृशास्त्र विज्ञान, जैव-रसायन शास्त्र, जैव भौतिक शास्त्र, जैवं यांत्रिकी आदि जो मानव और उसके क्रियाकलापों को समझने में काफी मददगार होती है। इन विज्ञानों ने ही शारीरिक शिक्षा के लिए एक वैज्ञानिक आधार प्रदान किया। इस प्रकार शारीरिक शिक्षा अपने सिद्धांत, कला और विज्ञान दोनों से ग्रहण करती है इसलिए यह ज्यादा उचित होगा कि इसे कला और विज्ञान दोनों के रूप में व्यवहृत किया जाए। यह एक कला है क्योंकि यह सौंदर्यात्मक, कल्पनात्मक एवं सृजनात्मक है। यह विज्ञान है क्योंकि यह व्यवस्थित एवं यथार्थ है। शारीरिक शिक्षा कला और विज्ञान का दुर्लभ संगम है। इसलिए इसे 'कलात्मक विज्ञान' कहा जा सकता है। स्पष्ट होता है कि अभिकथन (A) तथा कारण (R) दोनों सत्य हैं तथा (R), (A) का सही स्पष्टीकरण है।

37. एरगोजेनिक ऐड से तात्पर्य ऐसे साधन या क्रिया से है, जिसके द्वारा एक खिलाड़ी की मांसपेशी ताकत, गति, प्रतिक्रियात्मक समय, सहनशीलता आदि में सुधार होता है। दूसरे शब्दों में कहा जा सकता है कि विभिन्न प्रकार की प्रक्रियाएँ जिसके परिणामस्वरूप खिलाड़ी के प्रदर्शन में सुधार लाया जाए एरगोजेनिक ऐड कहलाते हैं।

वह रासायनिक तत्व जो व्यक्ति को मानसिक या शारीरिक उत्तेजना प्रदान करे उसे ड्रग्स या मादक पदार्थ कहते हैं। इसके सेवन से स्वास्थ्य पर हानिकारक प्रभाव पड़ता है। इस प्रकार अभिकथन (A) तथा कारण (R) दोनों सही हैं परंतु (R), (A) का सही स्पष्टीकरण नहीं है।

39. चिन्ता (anxiety) एक सामान्य लक्षण है जो लगभग सभी व्यक्तियों में पाया जाता है। कॉलमैन के अनुसार, ''भय तथा आशंका की सामान्यीकृत अनुभूति ही चिन्ता है।'' स्पाइलर बर्गर के अनुसार, चिन्ता दो तरह की होती है—(*i*) गुणों से सम्बन्धित चिन्ता एवं (*ii*) स्थिति से सम्बन्धित चिन्ता।

गुणों से सम्बन्धित चिन्ता व्यक्ति की एक अपेक्षाकृत स्थायी विशेषता है। यह प्रत्येक व्यक्ति में भिन्न-भिन्न मात्रा में पाई जाती है। व्यक्ति चाहे किसी भी स्थिति में क्यों न हो, इस प्रकार की चिन्ता कुछ-न-कुछ मात्रा में आवश्यक होती है। स्थिति से सम्बन्धित चिन्ता कुछ विशिष्ट परिस्थितियों से सम्बन्धित होती है। इसकी तीव्रता में समय तथा परिस्थितियों के अनुसार परिवर्तन होते रहते हैं। इस प्रकार कथन (A) सत्य है जबकि कारण (R) असत्य है।

43. किसी भी आवृत्ति वितरण के केन्द्रीय या मध्यबिन्दु को उस वितरण की केन्द्रीय प्रवृत्ति कहा जाता है, जिससे वितरण के एक समग्र केन्द्रीय झुकाव का पता चलता है। केन्द्रीय प्रवृत्ति की माप के रूप में निम्नांकित तीन सांख्यिकियों

का सर्वाधिक प्रयोग किया जाता है–(*a*) माध्य या अंकगणितीय माध्य, (*b*) माध्यिका, (*c*) बहुलक।

(*a*) **माध्य या अंकगणितीय माध्य** : माध्य या जिसे हम अंकगणितीय माध्य भी कहते हैं; से तात्पर्य प्राप्तांकों का अंकगणितीय औसत होता है। दूसरे शब्दों में प्राप्तांकों के योग को उसकी संख्या से भाग देने के बाद प्राप्त अंक को अंकगणितीय माध्य कहा जाता है।

(*b*) **माध्यिका** : माध्यिका से तात्पर्य वितरण के ऐसे बिंदु से होता है जिसके ऊपर 50% केसेज तथा जिसके नीचे 50% केसेज होते हैं। इसे भी अव्यवस्थित आँकड़े तथा व्यवस्थित आँकड़े से अलग-अलग ढंगों से ज्ञात किया जाता है।

(*c*) **बहुलक** : बहुलक वितरण का वह प्राप्तांक होता है जो वितरण में सबसे अधिक बार आता है। इसे अव्यवस्थित आँकड़ों से तो मात्र देखकर ही ज्ञात किया जा सकता है।

इस प्रकार स्पष्ट होता है कि अभिकथन (A) गलत है जबकि कारण (R) सही है।

47. स्थूलता शरीर की वह स्थिति है, जिसमें वसा की मात्रा अत्यधिक बढ़ जाती है। मोटापे की स्थिति में व्यक्ति के शरीर का भार उसकी ऊँचाई के अनुपात में अधिक होता है। स्थूलता या मोटापे को इस प्रकार से परिभाषित किया जा सकता है कि शरीर की वसा की कुल मात्रा का अत्यधिक आकार में फैल जाना। वर्तमान में स्थूलता आधुनिक समाज की एक बड़ी प्रमुख स्वास्थ्य समस्या है। स्थूलता एवं इसके मापन के बारे में सभी भारतीय नागरिकों को जानकारी होनी चाहिए। स्थूलता से निम्नलिखित समस्याएँ उत्पन्न होती हैं–

- स्थूल बालक यौवनता में विलम्ब का अनुभव करता है।
- स्थूलता गर्भावस्था में जटिलताएँ पैदा करती हैं। भारी शरीर वाली महिलाओं में प्रसव वेदना का समय सामान्य की अपेक्षा अधिक बढ़ जाता है।
- अधिक भारी शरीर अर्थात् मोटे लोगों के दुर्घटनाग्रस्त होने की ज्यादा सम्भावना होती है।
- स्थूल व्यक्तियों में जोड़ों का दर्द एवं अस्थि रोगों की समस्या का पाया जाना सामान्य बात है।
- स्थूल व्यक्तियों में शारीरिक अस्वस्थता का खतरा सामान्य लोगों की अपेक्षा अधिक होता है।

इस प्रकार स्पष्ट होता है कि अभिकथन (A) एवं कारण (R) दोनों सही हैं तथा (R), (A) का सही स्पष्टीकरण है।

53. जो रुधिर वाहिनियाँ हृदय से रुधिर को शरीर के विभिन्न अंगों तक ले जाती है, उन्हें धमनियाँ (Arteries) कहते हैं। इनमें सामान्यतः शुद्ध रुधिर या ऑक्सीजनित (Pure blood or Oxygenated blood) बहता है, सिवाय फुफ्फुसीय धमनी (Pulmonary Artery) के जिसमें अशुद्ध रक्त या विऑक्सीजनित रुधिर (Impure blood or Deoxygenated blood) प्रवाहित होता है। विऑक्सीजनित रुधिर का क्रमिक पथ-क्रम इस प्रकार है–दायाँ परिकोष्ठ (Right Auricle), दायाँ निलय (Right ventricle), फेफड़े (Lungs) तथा बायाँ परिकोष्ठ (Left Auricle)।

54. मनोविज्ञान शब्द अंग्रेजी रूपांतर 'Psychology' दो ग्रीक शब्दों के मिलने से बना है–'Psyche' तथा 'logos'। 'Psyche' का अर्थ आत्मा (Soul) तथा logos का अर्थ है अध्ययन या विवेचन। इस शाब्दिक अर्थ के अनुसार मनोविज्ञान का अर्थ हुआ आत्मा के संबंध में अध्ययन करने वाला एक विषय।

17वीं तथा 18वीं शताब्दी के दार्शनिकों ने, जिनमें लिबिनिज, हॉब्स, लॉक, कांट, ह्यूम आदि का नाम उल्लेखनीय है। Psyche शब्द का अर्थ मन बताया और कहा कि मनोविज्ञान की विषय-वस्तु मन है। परिणामस्वरूप मनोविज्ञान मन के अध्ययन का विज्ञान माना गया लेकिन एटकिन्सन, स्मिथ तथा हिलगार्ड जैसे आधुनिक चिंतकों ने मनोविज्ञान को परिभाषित करते हुए कहा कि "मनोविज्ञान व्यवहार तथा मानसिक प्रक्रियाओं का वैज्ञानिक अध्ययन है। इसी प्रकार मॉर्गन, किंग, विस्ज तथा स्कौपर के शब्दों में, "जब हम लोग मनोविज्ञान को व्यवहार के विज्ञान के रूप में परिभाषित करते हैं, तो हम लोग मन को अलग नहीं कर देते हैं, हम लोग इतना ही कहते हैं कि जो व्यक्ति करता है, अर्थात् उसका व्यवहार ही वह मार्ग है जिसके सहारे आंतरिक घटनाओं का अध्ययन किया जाता है। इस प्रकार मनोविज्ञान की विषय-वस्तु का क्रम-मनोविज्ञान आत्मा का अभ्यास है, मनोविज्ञान मस्तिष्क का अभ्यास है, मनोविज्ञान सचेतन अभ्यास है, मनोविज्ञान मानव व्यवहार का अभ्यास है।

56. यकृत (Liver) : यह मानव शरीर की सबसे बड़ी ग्रंथि है। इसका वजन लगभग 1.5-2 kg होता है। यकृत द्वारा ही पित्त स्रावित होता है। यह पित्त आँत में उपस्थित एंजाइमों की क्रिया को तीव्र कर देता है।

पीयूष ग्रंथि (Pituitary gland) : यह कपाल की स्फेनाइड (Sphenoid) हड्डी में एक गड्ढे में स्थित होती है। इसको सेल टर्सिका कहते हैं। इसका भार लगभग 0.6 gm होता है। इसे मास्टर ग्रंथि या प्रधान ग्रंथि के रूप में भी जाना जाता है।

फीमर (Femur) : यह मानव शरीर की सबसे बड़ी अस्थि है।

सरटोरियस (Sartorius) : यह मानव शरीर की सबसे लंबी पेशी (Longest muscle) है।

59. टेस्ट—छात्रों की शैक्षिक उपलब्धियों का मापन करने के लिए शिक्षकों एवं विशेषज्ञों द्वारा उपलब्धि परीक्षण का प्रयोग अक्सर किया जाता है। इस प्रकार के टेस्ट में कोई भी उपकरण या यंत्र का उपयोग किया जाता है।

मापन—शारीरिक शिक्षा में मापन का महत्वपूर्ण योगदान होता है। इसके माध्यम से ऊँचाई, उम्र, वजन, फेफड़े की क्षमता, शक्ति मापन किया जाता है। इसके लिए विभिन्न उपकरण या यंत्रों का प्रयोग किया जाता है। जैसे—शरीर की बनावट की माप के लिए डायनमोमीटर, श्वसन दाब को मापने के लिए टैरोमीटर तथा संतुलन नापने का कार्य वेस्टीबुलर का उपयोग किया जाता है।

मूल्यांकन—मापन की तुलना उद्देश्यों के साथ करनी होती है। मूल्यांकन शारीरिक शिक्षा एवं खेलों में मूल्यांकन का क्षेत्र अधिक प्रभावशाली है। इनमें अनेक कार्यक्रम होते हैं; जैसे—शिक्षण कक्षा कार्यक्रम, खेल कार्यक्रम, क्षेत्रीय कार्यक्रम एवं बाह्य क्षेत्रीय कार्यक्रम इत्यादि।

वर्गीकरण—वर्ष 1917 में रीयली ने वर्गीकरण मापन के परीक्षण को तैयार किया। रीयली के मापन को आधार मानकर मैकलॉय, रोजर्स, ब्रेस ने वर्ष 1927 में उम्र, लिंग, शक्ति के आधार पर समान समूह बनाने हेतु वर्गीकरण मापन परीक्षण को तैयार किया। इस मापन का उपयोग शारीरिक शिक्षा से सम्बन्धित विभिन्न कक्षाओं के सुचारू ढंग से संचालन के लिए किया गया तथा इस शिक्षण परीक्षण कार्यक्रम को विद्यार्थियों के अनुकूल तैयार करने की आवश्यकता महसूस होने लगी।

62. प्रोटीन (Protein) : यह एक जटिल कार्बनिक यौगिक है, जो 20 अमीनों अम्लों से मिलकर बने होते हैं। मानव शरीर का लगभग 15% भाग प्रोटीन से ही निर्मित होता है। सभी प्रोटीन में नाइट्रोजन पाया जाता है। ऊर्जा उत्पादन एवं शरीर की मरम्मत दोनों कार्यों के लिए प्रोटीन उत्तरदायी होता है।

वसा (Fats) : वसा गिल्सरॉल एवं वसीय अम्ल का एक एस्टर होती है। इसमें कार्बन, हाइड्रोजन एवं ऑक्सीजन विभिन्न मात्राओं में उपस्थित रहते हैं। वसा अम्ल दो प्रकार के होते हैं—संतृप्त तथा असंतृप्त। असंतृप्त वसा अम्ल मछली के तेल एवं वनस्पति तेलों में मिलते हैं।

कार्बोहाइड्रेट (Carbohydrates) : कार्बन हाइड्रोजन और ऑक्सीजन के 1 : 2 : 1 के अनुपात से मिलकर बने कार्बनिक पदार्थ कार्बोहाइड्रेट कहलाते हैं। शरीर की ऊर्जा की आवश्यकता की 50-75% मात्रा की पूर्ति इन्हीं पदार्थों द्वारा की जाती है। 1 ग्राम ग्लूकोज के पूर्ण ऑक्सीकरण से 4.2 kcal ऊर्जा प्राप्त होती है।

खनिज (Minerals) : मनुष्य खनिज भूमि से प्राप्त न करके भोजन के रूप में ग्रहण करता है। ये शरीर की उपापचयी क्रियाओं को नियंत्रित करते हैं। साल्ट (लवण) खनिज से सम्बन्धित है।

65.
- **अपकेन्द्रीय बल (Centrifugal force) :** अजड़त्वीय फ्रेम में न्यूटन के नियमों को लागू करने के लिए कुछ ऐसे बलों की कल्पना करनी होती है जिन्हें परिवेश में किसी पिण्ड से सम्बन्धित नहीं किया जा सकता। ये बल छद्म बल या जड़त्वीय बल कहलाते हैं। अपकेन्द्रीय बल एक ऐसा ही जड़त्वीय बल या छद्म बल है। इसकी दिशा अभिकेन्द्री बल के विपरीत दिशा में होती है। अपकेन्द्री बल = द्रव्यमान × (कोणीय वेग)^2 × घूर्णन की त्रिज्या (mw^2r)
- **संवेग (Momentum) :** किसी वस्तु के द्रव्यमान तथा वेग के गुणनफल को उस वस्तु का संवेग कहते हैं। संवेग = द्रव्यमान × वेग।
- **बल (Force) :** बल वह बाह्य कारक है जो किसी वस्तु की प्रारंभिक अवस्था में परिवर्तन करता है या परिवर्तन करने की चेष्टा करता है। बल एक सदिश राशि है। बल = द्रव्यमान × त्वरण।
- **वजन (Weight)** = द्रव्यमान × गुरुत्वाकर्षण के कारण त्वरण।

67. शरीर के कुछ भागों के अनुसार स्कैलेटल पेशियों का निम्नलिखित वर्गीकरण किया जा सकता है–

1. बाजू का ऊपरी भाग (Upper arm) बाजू के भागों को हिलाने वाली तीन अलग-अलग पेशियाँ हैं–
   (*a*) पैकटोरेलिस मेजर (Pectoralis Major)
   (*b*) लैटिसिमस डोरसी (Latissimus Dorsi)
   (*c*) डेल्टोइड (Deltoid)
2. बाजू का निचला भाग (Lower arm) इस भाग की मुख्य पेशियाँ जो निचले बाजू को घुमाती हैं :
   (*a*) डौले (Biceaps)
   (*b*) त्रिभुजाकार पेशियाँ (Triceaps)
   (*c*) ब्रेसीयालिस (Brachialis)
3. टाँग की जाँघ (Leg Thigh) इसकी चार मुख्य पेशियाँ हैं जो जाँघ को घुमाती हैं–
   (*a*) ग्लूटियस मैक्सिमस (Gluteus Maximus)
   (*b*) इलियोपोसेस (Ilioposas)
   (*c*) रैक्टस फीमोरिस (Rectus Femoris)
   (*d*) एडकटर लोंगस (Adductor Longus)
4. निचली टांग (Lower Leg)
   (*a*) चार भागों वाली पेशियाँ (Quadricaps femoris)
   (*b*) टांग की नाड़ी की पेशियां (Hamstring Muscles)
   (*c*) सैरटोरियस (Sartorius)
5. पाँव (foot) को चलाने वाली मुख्य पेशियाँ–
   (*a*) टिबिएलिस ऐनटीरियर (Tibialis anterior)
   (*b*) गैसटरोसिनेमियस (Gastrocnemius)
   (*c*) सोलियस (Soleus)
6. वे पेशियाँ जो सिर को घुमाती हैं–
   (*a*) सटरनोकलैड मैसटायड (Sternocled.Mastoid)
   (*b*) स्पलीनीयस कैपीटस (Splenius Capitus)
   (*c*) लोंगिसमिसम कैपिटिस (Longissimus Capitus)

68. • **संचार :** संचार को संवहन या सन्देशवाहन के नाम से भी पुकारा जा सकता है। अंग्रेजी शब्द 'कम्युनिकेशन' की उत्पत्ति लैटिन भाषा के कम्युनिस शब्द से हुई है जिसका अर्थ है सामान्य। प्रेषक अपने प्रापक के साथ सामान्य समझ स्थापित करना चाहता है। इस तरह, संचार वह प्रक्रिया है जिसमें दो या अधिक व्यक्तियों के बीच संदेश और समझ का आदान-प्रदान होता है।

• **उत्तरदायित्व :** किसी बड़े या छोटे कार्य के लिए उत्तरदायित्व होना।

70.

मूल प्रवृत्ति	संवेग
भोजन खोजना	भूख
भागना	भय
युद्ध प्रवृत्ति	क्रोध
उत्सुकता	आश्चर्य
विधायकता	रचनात्मक
संचय	स्वत्व
विकर्षण	घृणा
संवेग	दुःख
पुत्र कामना	वात्सल्य
आत्मनिवेदन	नम्रता
स्वतः अभिकथन	उच्च भाव का बोध
हँसी	मनोरंजन
दैन्य	आत्महीनता
पैतृक	कोमल संवेग
सामूहिक जीवन	एकाकीपन

71. शारीरिक शिक्षा के अनेक कार्यक्रमों में प्राथमिक फोकस शिक्षक-शिक्षा पर था। विगत 50 वर्षों में शारीरिक शिक्षा के विचार में बदलाव आया है।

72. अमेरिकन एकेडमी ऑफ फिजिकल एजुकेशन ने 'फिजिकल एजुकेशन' के लिए काइनेसियोलॉजी को नए पद के रूप में अनुमोदित किया है। काइनेसियोलॉजी को मानव संचालन के लिए कला एवं विज्ञान के रूप में परिभाषित किया गया है।

73. शारीरिक शिक्षा व्यवसाय के उत्थान के लिए वृत्तिकों द्वारा निम्नलिखित सहायता प्रदान की जानी चाहिए–

- उत्तम नेतृत्व प्रदान करना।
- कार्य अधिक्षेत्र निर्णीत करना।
- विषय-क्षेत्र के अंतर्गत आने वाले विषयों की पहचान करना।

पिछले प्रश्न-पत्र (हल सहित)

UGC-NET जूनियर रिसर्च फैलोशिप तथा सहायक प्राध्यापक परीक्षा

शारीरिक शिक्षा, जून-2013

प्रश्न-पत्र-II

निर्देश : *इस प्रश्न-पत्र में **पचास (50)** बहु-विकल्पीय प्रश्न हैं। प्रत्येक प्रश्न के **दो (2)** अंक हैं। **सभी** प्रश्न अनिवार्य हैं।*

1. नीचे दिए गए में से कौन-सी प्रबन्धन पद्धति नहीं है?

A. क्लासिकीय सिद्धान्त

B. नव-क्लासिकीय सिद्धान्त

C. व्यवस्थित विश्लेषणात्मक सिद्धान्त

D. आधुनिक सिद्धान्त

2. नीचे दिए गए में से कौन-सा संगठन का सिद्धान्त नहीं है?

A. विकेन्द्रीकरण B. प्रत्यायोजन

C. अतिव्यापन D. संप्रेषण

3. पारंपरिक रूप में प्रबंधन द्विध्रुवीय लोकतांत्रिक सत्तावादी परिधि में विभाजित किया गया है। ऐसा प्रबंधन जिसमें मैनेजर स्वयं नेतृत्व न लेकर समय के साथ अपने आप समस्या का हल पाते हैं, इसे कहते हैं :

A. सत्तावादी प्रबंधन B. लोकतांत्रिक प्रबंधन

C. सारग्रही प्रबंधन D. लेसेज फेअर प्रबंधन

4. हार्वर्ड स्टेप टेस्ट में पाँच मिनट के लिए एक विषय पूरा किया जाता है। यदि उसके कुल पल्स काउन्ट 250 थे, तो उसकी योग्यता इन्डेक्स होगी :

A. 60 B. 70

C. 75 D. 55

5. वैधता विभिन्न प्रकार की हो सकती है जैसे कि आभासी वैधता, समवर्ती वैधता और निर्मित वैधता। इनमें से तार्किक वैधता स्थापन किसमें शामिल है?

A. समवर्ती वैधता B. निर्मित वैधता

C. प्रागुक्तिक वैधता D. आभासी वैधता

6. सिअ-अप टेस्ट के प्रयोग से उदरीय-ताकत सहनशक्ति के लिए दो ग्रुपों का परीक्षण किया गया। सिट-अप में ग्रुपों की मीन वेल्यू क्रमशः 25 और 27.4 थी। मीन के बीच स्टेन्डर्ड एरर 1.2 था। परिकलित टी-वेल्यू थी :

A. 26.2 B. 1.2

C. 2.0 D. 2.4

7. किसी जटिल घटना के स्वरूप को स्पष्ट करने के लिए जिस अनुसन्धान में उपलब्ध जानकारी का गहन अध्ययन और मूल्यांकन शामिल होता है, उसे कहते हैं :

A. प्रायोगिक अनुसन्धान

B. विश्लेषणात्मक अनुसन्धान

C. विवरणात्मक अनुसन्धान

D. गुणात्मक अनुसन्धान

8. माँग (शारीरिक और मनोवैज्ञानिक) और अनुक्रिया सामर्थ्य में काफी असन्तुलन होना जहाँ पर माँग की पूर्ति में असफलता के महत्वपूर्ण परिणाम होते हैं, से अभिप्राय है :

A. तनाव B. विशेषक दुश्चिंता

C. दबाव D. स्थितिक दुश्चिंता

9. किसी भी व्यक्ति के व्यायाम को पूरा करने की अधिकतम क्षमता प्रतिशत मापन को उल्लिखित करते हैं :

A. निरपेक्ष परिमाण B. निरपेक्ष तीव्रता

C. सापेक्ष परिमाण D. सापेक्ष तीव्रता

10. भूमि घर्षण निर्भर करता है :

A. सम्पर्क के धरातल और धरातल के स्वरूप पर

B. पदार्थ के स्वरूप और धरातल

C. धरातल के स्वरूप और पदार्थ के स्वरूप पर

D. धरातल का स्वरूप और घर्षण गुणांक

11. मोशन के आकस्मिक विश्लेषण को कहते हैं :

A. काइनेटिक्स B. स्टेटिक्स

C. काइनेमेटिक्स D. डायनामिक्स

12. मात्रा और भार किसी द्रव के दो आयाम हैं—इनमें से

A. मात्रा में परिवर्तन होता है किन्तु भार अपरिवर्तित रहता है।

B. मात्रा निश्चित होती है किन्तु भार परिवर्तित होता है।

C. मात्रा और भार दोनों निश्चित होते हैं।

D. मात्रा और भार दोनों में परिवर्तन होता है।

13. दूध, मक्खन और घी से मिलता है :

A. विटामिन बी एवं सी

B. विटामिन ई एवं के

C. विटामिन ए एवं डी

D. विटामिन सी एवं ई

14. कैलोरी क्या मापने की इकाई है?

A. द्रव B. गर्मी

C. ठोस D. ठंडा

15. शरीर में इन्स्युलिन की कमी के कारण होता है :

A. रिकेट्स B. डायबिटीस

C. अस्थमा D. एलर्जी

16. कार्बोहाइड्रेट का श्वसन विनिमय अनुपात होता है :

A. 0.95 B. 1.00

C. 1.50 D. 1.45

17. अस्थि माँसपेशी की संकुचन इकाई है :

A. सार्कोमेयर B. एक्टिन और मायोसिन

C. जेड-लाइन D. मायोफाइब्रिल

18. व्यावसायिक तैयारी के लिए नीचे दी गई कौन-सी बात मुख्य रूप से आवश्यक नहीं है?

A. नेतृत्व

B. शैक्षणिक अभ्यास

C. व्यावसायिक अनुभव

D. व्यवसाय की प्रकृति एवं अपेक्षाएँ

19. शिक्षण व्यवसाय की सफलता के लिए क्या आवश्यक नहीं है?

A. संप्रेषण B. अनुदेश

C. समाज सेवा D. मानवीय संबंध

20. रैसीप्रोकल इनरवेशन का अर्थ है :

A. जब एगोनिस्ट माँसपेशी का संकुचन और एन्टागोनिस्ट माँसपेशी का शिथिल/विस्तार हो।

B. जब एगोनिस्ट माँसपेशी का संकुचन तथा एन्टागोनिस्ट माँसपेशी स्थिर हो।

C. जब एन्टागोनिस्ट माँसपेशी का शिथिल/विस्तार तथा एगोनिस्ट माँसपेशी स्थिर हो।

D. जब एगोनिस्ट तथा एन्टागोनिस्ट माँसपेशियाँ दोनों का संकुचन हो।

21. शारीरिक शिक्षा की आधुनिक संकल्पना है :

A. शारीरिक शिक्षा

B. अपंगों की शिक्षा

C. समाज की शिक्षा

D. शारीरिक क्रियाओं द्वारा शिक्षा

22. प्रबंधन का मुख्य कार्य आयोजन है। उसमें है :

A. उद्देश्य निर्धारण तथा संप्रेषण

B. निदर्शन तथा प्रेरणा देना

C. ध्येय निर्धारण तथा लक्ष्य कथन

D. भर्ती तथा व्यावसायिक विकास

23. परीक्षण और मापन से किसमें सहयोग प्राप्त होता है?

I. स्थिति का मूल्यांकन

II. अन्तरों का मूल्यांकन करना

III. निष्कर्ष निकालना

IV. लक्ष्य स्थापित करना

सही युग्म पसंद कीजिए :

A. I, II और IV B. I, II और III

C. II और III D. II, III और IV

24. अनुसन्धान समस्या का पता लगाने के लिए मार्ग निर्देश में निम्नलिखित में से क्या देखना चाहिए?

A. मूल कारण और केवल प्रभाव नहीं

B. प्रभाव और कारण नहीं

C. प्रभाव और कारण दोनों

D. न प्रभाव और न ही कारण

25. विवरणात्मक अनुसन्धान स्तर से संबंधित है। विवरणात्मक अनुसन्धान की विभिन्न पद्धतियाँ हैं :

A. साक्षात्कार, समीक्षा, सर्वेक्षण

B. समीक्षा, सर्वेक्षण, व्यक्ति अध्ययन

C. सर्वेक्षण, व्यक्ति अध्ययन, साक्षात्कार

D. व्यक्ति अध्ययन, साक्षात्कार, समीक्षा

26. प्रत्येक पृथक स्कोर और केन्द्रीय प्रवृत्ति के बीच परिवर्तनशीलता अन्तर की श्रेणी होती है। परिवर्तनशीलता के अनुमान हैं :

A. रेंज और मानक विचलन

B. औसत और मानक विचलन

C. औसत और रेंज

D. औसत और चतुर्थक विचलन

27. क्रीड़ा सिद्धान्त निम्नलिखित हैं :

I. विरेचन सिद्धान्त

II. गुणारोपण सिद्धान्त

III. इष्टतम कार्य सिद्धान्त का विशिष्ट क्षेत्र

IV. मनोविश्लेषणात्मक सिद्धान्त

सही संयोजन बताएँ :

A. I और II　　B. I और IV

C. II और III　　D. III और IV

28. जिमनास्टिक खेल में पामेल हार्स के उपकरण में दो पामेल्स के बीच की दूरी :

A. कम से कम ≤ 40 से.मी. और ज्यादा से ज्यादा ≥ 45 से.मी.

B. कम से कम ≤ 45 से.मी. और ज्यादा से ज्यादा ≥ 48 से.मी.

C. कम से कम ≤ 40 से.मी. और ज्यादा से ज्यादा ≥ 43 से.मी.

D. कम से कम ≤ 40 से.मी. और ज्यादा से ज्यादा ≥ 50 से.मी.

29. निम्नलिखित मसल्स को उनकी स्थिति के अनुसार नीचे दिए गए कोड के प्रयोग से आरोही क्रम में व्यवस्थित करें :

I. पास्टिरियर डेल्टोयड　　II. रेक्टस एबडोमीनिस

III. सोलियस　　IV. रेक्टस फेमोरिस

A. III, IV, II, I　　B. IV, II, I, III

C. II, I, III, IV　　D. I, III, IV, II

30. संगठन के सहज कार्यान्वयन में निम्नलिखित घटक होते हैं :

I. धन　　II. सामग्री

III. पद्धति　　IV. तोड़-जोड़ करना

V. मशीनरी

नीचे दिए हुए में से सही घटकों का संयोजन देखें जो प्रबंधन को संगठित बल देने वाला हो :

A. I, II, III, IV　　B. I, III, IV, V

C. I, II, III, V　　D. I, II, IV, V

31. अधिकतम शक्ति को बढ़ाने के लिए भार मानक ढाँचा होता है :

I. भार का अधिक होना

II. भार का मध्यम होना

III. विश्राम मध्यान्तर का अधिक होना

IV. विश्राम मध्यान्तर का कम होना

सही संयोजन चुनिए :

A. I और IV　　B. I और III

C. II और III　　D. II और IV

32. वायु धारकता निर्भर करती है :

I. एलवियोलर आकार

II. एलवियलर दीवार का कोशिका तन्त्र

III. शरीर की $MaxVO_2$ आवश्यकता

IV. इन्टर कोस्टल माँसपेशियों की ताकत

सही संयोजन चुनिए :

A. I, II और IV　　B. I, III और IV

C. I और III　　D. I और IV

33. धीरे-फड़कन माँसपेशिय तंतु चरितार्थ होता है :

I. अधिकतम अनुप्रस्थ क्षेत्र

II. अधिकतम क्रेब साइकल एन्जाइमेटिक क्षमता

III. धीमी तंत्रिका प्रसारण गति

IV. अधिक गलाईकोलिटिक क्षमता

सही संयोजन चुनिए :

A. I, II और IV　　B. II, III और IV

C. II और III　　D. II और IV

34. सूची-I को सूची-II के साथ सुमेलित कीजिए तथा नीचे दिए गए कूट से सही उत्तर चुनिए :

सूची-I	**सूची-II**
I. कर्मचारी प्रबंधन	1. निपटान कार्यविधि
II. अनुदेशात्मक प्रबंधन	2. लेखा परीक्षा और लेखा
III. वित्तीय प्रबंधन	3. पाठ्यक्रम की पुनरीक्षा
IV. सामग्री प्रबंधन	4. संघर्ष समाधान

कूट :

	I	II	III	IV
A.	4	3	2	1
B.	3	2	1	4
C.	2	1	4	3
D.	1	4	3	2

35. सूची-I को सूची-II के साथ सुमेलित कीजिए और सही विकल्प चुनिए :

सूची-I	सूची-II
I. हाइड्रोमीटरी	1. फाइबर टाइप
II. बायोप्सी	2. एज
III. बैरोमीटर	3. वाइटल कैपेसिटी
IV. स्केलट्ल एक्स-रे	4. वायुमण्डलीय दबाव
	5. बॉडी कम्पोजीशन

कूट :

	I	II	III	IV
A.	5	1	2	3
B.	5	1	4	2
C.	3	5	4	2
D.	4	1	5	2

36. सूची-I को सूची-II के साथ सुमेलित कीजिए तथा नीचे दिए गए कूट से सही उत्तर चुनिए :

सूची-I (परीक्षण/तकनीक)	सूची-II (लेखक)
I. प्रोग्रेसिव रिलैक्सेशन	1. निडेफर, आर.एन.
II. ऑटोजेनिक ट्रेनिंग	2. एडमंड जैकबसन
III. स्पोर्ट्स कम्पीटीशन एनक्साइटी टेस्ट	3. शुज एंड लूथ
IV. कन्सन्ट्रेशन एंड अटेन्शन	4. मार्टन एट.एल.

कूट :

	I	II	III	IV
A.	1	2	3	4
B.	2	4	1	3
C.	4	3	2	1
D.	2	3	4	1

37. सूची-I को सूची-II के साथ सुमेलित कीजिए तथा नीचे दिए गए कूट से सही विकल्प चुनिए :

सूची-I	सूची-II
I. समरूप एलीमेन्ट सिद्धान्त	1. अन्तरण साधारणीकरण को प्रभावित करने वाली दशा
II. द्विपक्षीय अन्तरण	2. एक या अन्य कार्य को सीखने का अभ्यास प्रभाव
III. अन्तरण का आशय	3. प्रशिक्षण के अन्तरण का प्रकार
IV. प्रशिक्षण का अन्तरण	4. अन्तरण का सिद्धान्त

कूट :

	I	II	III	IV
A.	4	3	1	2
B.	1	2	3	4
C.	3	4	2	1
D.	2	1	4	3

38. सूची-I को सूची-II के साथ सुमेलित कीजिए तथा प्रदत्त कूट के आधार पर सही उत्तर का चयन कीजिए :

सूची-I	सूची-II
I. हैंडबॉल (पुरुष) का वजन	1. 22.4 से.मी. से 22.9 से.मी. तक
II. फुटबॉल का वजन	2. 425 ग्राम से 475 ग्राम
III. क्रिकेट बॉल की परिधि	3. 22.4 से.मी. से 23.5 से.मी.
IV. हॉकी बॉल की परिधि	4. 410 ग्राम से 450 ग्राम तक

कूट :

	I	II	III	IV
A.	4	2	1	3
B.	2	4	1	3
C.	4	2	3	1
D.	2	4	3	1

39. सूची-I को सूची-II के साथ सुमेलित कीजिए तथा नीचे दिए गए कूट से सही विकल्प चुनिए :

सूची-I	सूची-II
I. एनटीरियर डेलटॉयड	1. कोहनी का विस्तार
II. बाइसेप्स फेमोरिस	2. प्लेनेटर संकुचन
III. गेस्ट्रोक्नेमियस	3. घुटने का संकुचन
IV. ट्राइसेप्स	4. कंधों का संकुचन

कूट :

	I	II	III	IV
A.	2	1	4	3
B.	1	4	3	2
C.	4	3	2	1
D.	3	2	1	4

40. सूची-I को सूची-II के साथ सुमेलित कीजिए तथा नीचे दिए गए कूट से सही उत्तर चुनिए :

सूची-I	सूची-II
I. शारीरिक जोखिम	1. असुरक्षा
II. रासायनिक जोखिम	2. आर्सेनिक
III. जीववैज्ञानिक जोखिम	3. गरम और ठंडा
IV. मनोवैज्ञानिक जोखिम	4. पैरासाइटिक एजेन्ट

कूट :

	I	II	III	IV
A.	2	4	1	3
B.	3	4	2	1
C.	4	1	3	2
D.	3	2	4	1

41. सूची-I को सूची-II के साथ सुमेलित कीजिए तथा नीचे दिए गए कूट से सही उत्तर चुनिए :

सूची-I	सूची-II
I. चपलता	1. लाल माँसपेशीय तंतु
II. गति	2. कोशिका तंत्र
III. सहनशीलता	3. सफेद माँसपेशीय तंतु
IV. मेक्स VO_2	4. तंत्रिका-माँसपेशीय समन्वय
	5. कोशिका उपापचयन

कूट :

	I	II	III	IV
A.	3	5	2	1
B.	4	3	1	2
C.	4	3	2	1
D.	3	4	1	2

42. सूची-I को सूची-II के साथ सुमेलित कीजिए तथा नीचे दिए गए कूट से सही उत्तर चुनिए :

सूची-I	सूची-II
I. कालक्रमिक आयु	1. यौवनारंभ से संबंधित हॉर्मोन्स का उत्सर्जन
II. शरीर रचना आयु	2. मनोवैज्ञानिक परीक्षण
III. शरीर व्रतीय आयु	3. अस्थि तंत्र की वृद्धि और विकास
IV. मानसिक आयु	4. वर्ष, महीनों और दिनों में दर्ज

कूट :

	I	II	III	IV
A.	3	1	2	4
B.	4	3	1	2
C.	1	4	2	3
D.	2	3	1	4

43. सूची-I को सूची-II के साथ सुमेलित कीजिए तथा नीचे दिए गए कूट से सही उत्तर चुनिए :

सूची-I	सूची-II
I. अति ऊर्जा सिद्धान्त	1. लॉर्ड केम्स
II. कैथरटिक सिद्धान्त	2. वैन स्किलर
III. पुनरावर्तन सिद्धान्त	3. स्टेनली हॉल
IV. मनोविनोद सिद्धान्त	4. एरिस्टोटल

कूट :

	I	II	III	IV
A.	2	4	3	1
B.	2	3	4	1
C.	2	3	1	4
D.	2	1	3	4

44. सूची-I को सूची-II के साथ सुमेलित कीजिए तथा नीचे दिए गए कूट से सही उत्तर चुनिए :

सूची-I	सूची-II
I. एरोबिक व्यायाम	1. ऑक्सीजन के अभाव में किया गया व्यायाम
II. एनेरोबिक व्यायाम	2. संकुचन और शिथिलन के दौरान माँसपेशियों की लम्बाई में परिवर्तन होता है।
III. आइसोटॉनिक व्यायाम	3. संकुचन और शिथिलन के दौरान माँसपेशियों की लम्बाई में परिवर्तन नहीं होता है।
IV. आइसोमेट्रिक व्यायाम	4. ऑक्सीजन की मौजूदगी में किया गया व्यायाम।

कूट :

	I	II	III	IV
A.	1	2	3	4
B.	4	1	2	3
C.	1	4	2	3
D.	4	3	2	1

45. नीचे दो कथन दिए गए हैं एक अभिकथन (A) और दूसरा तर्क (R) है।

अभिकथन (A) : मूल्यांकन विभिन्न परीक्षणों और मापन-विधियों के माध्यम से एकत्रित किए गए डाटा की व्याख्या करने की प्रक्रिया है।

तर्क (R) : यदि कार्यक्रम के स्थापित लक्ष्यों के समानुरूप डाटा की व्याख्या पर विचार नहीं किया जाता है तो यह अपूर्ण होगा।

दोनों कथनों के संदर्भ में निम्नलिखित में से कौन-सा कथन सही है?

A. दोनों (A) और (R) सत्य हैं और (R), (A) की सही व्याख्या है।

B. दोनों (A) और (R) सत्य हैं और (R), (A) की सही व्याख्या नहीं है।

C. (A) असत्य है लेकिन (R) सत्य है।

D. (A) सत्य है लेकिन (R) असत्य है।

46. नीचे दो कथन दिए गए हैं एक अभिकथन (A) और दूसरा तर्क (R) है।

अभिकथन (A) : आज विश्व में राजनीति, प्रतियोगी खेलों का एक अभिन्न भाग हो गई है।

तर्क (R) : प्रतियोगी खेल का प्रयोग, विचारधारा और आर्थिक पर्याप्तता में राष्ट्रीय सर्वश्रेष्ठता प्रदर्शन हेतु अन्तर्राष्ट्रीय स्तर पर किया जाता है।

उपर्युक्त कथनों के संदर्भ में निम्नलिखित में से कौन-सा सत्य है?

A. (A) और (R) दोनों सत्य हैं लेकिन (R), (A) की सही व्याख्या नहीं है।

B. (A) और (R) दोनों सत्य हैं और (R), (A) की सही व्याख्या है।

C. (A) सत्य है लेकिन (R) असत्य है।

D. (A) असत्य है लेकिन (R) सत्य है।

47. नीचे दो कथन दिए गए हैं एक अभिकथन (A) और दूसरा तर्क (R) है।

अभिकथन (A) : जितना अधिक भार उतना ही कम पुनरावर्तन और संपादन की ताल होगी।

तर्क (R) : दोनों ही पुनरावर्तन की संख्या एवं ताल अथवा गति का संपादन भार का कार्य है।

दोनों कथनों के संदर्भ में निम्नलिखित में से कौन-सा कथन सही है?

A. दोनों (A) और (R) सही हैं परंतु (R), (A) की सही व्याख्या नहीं है।

B. दोनों (A) और (R) सही हैं और (R), (A) की सही व्याख्या है।

C. (A) गलत है परन्तु (R) सही है।

D. (A) सही है लेकिन (R) गलत है।

48. नीचे दो कथन दिए गए हैं एक अभिकथन (A) और दूसरा तर्क (R) है।

अभिकथन (A) : अच्छी अंगभंगिमा से व्यक्ति शिथिल, आरामदायक तथा सुगमता से क्षमता के साथ प्रतिदिन के कार्यों को कर सकता है।

तर्क (R) : स्कूल जाने वाले विद्यार्थियों में खराब अंगभंगिमा के कारणों में अव्यवस्थित पोशाक, बैठने, पढ़ने तथा लिखने की गलत आदतें तथा भारी स्कूल बैग का ले जाना है।

दोनों कथनों के संदर्भ में निम्नलिखित में से कौन-सा कथन सही है?

A. दोनों (A) और (R) सही हैं परंतु (R), (A) की सही व्याख्या नहीं है।

B. दोनों (A) और (R) सही हैं और (R), (A) की सही व्याख्या है।

C. (A) सही है परन्तु (R) गलत है।

D. (A) गलत है लेकिन (R) सही है।

49. नीचे दो कथन दिए गए हैं एक अभिकथन (A) और दूसरा तर्क (R) है।

अभिकथन (A) : अच्छे पाठ देने का आधार शिक्षा में सहायक साधनों, आधुनिक उपकरणों तथा अनुदेशात्मक प्रौद्योगिकी पर होता है।

तर्क (R) : पाठ आयोजन में उद्देश्यों को परिभाषित करना, विषयवस्तु का चयन तथा अनुक्रम में रखना तथा सीखने की पद्धति एवं प्रक्रिया आती है।

दोनों कथनों के संदर्भ में निम्नलिखित में से कौन-सा कथन सही है?

A. दोनों (A) और (R) सही हैं परंतु (R), (A) की सही व्याख्या नहीं है।

B. दोनों (A) और (R) सही हैं और (R), (A) की सही व्याख्या है।

C. (A) सही है परन्तु (R) गलत है।

D. (A) गलत है लेकिन (R) सही है।

50. नीचे दो कथन दिए गए हैं एक अभिकथन (A) और दूसरा तर्क (R) है।

अभिकथन (A) : शारीरिक शिक्षा का उद्देश्य व्यक्ति के व्यक्तित्व का सर्वतोमुखी विकास करना है।

तर्क (R) : तर्क मनुष्य को जीवन जीने और सोच विचार की विश्वस्त और बुद्धिमत्तापूर्ण पद्धति प्रदान करने की खोज करता है।

दोनों कथनों के संदर्भ में निम्नलिखित में से कौन-सा कथन सही है?

A. (A) और (R) दोनों सत्य हैं लेकिन (R), (A) की सही व्याख्या नहीं है।

B. (A) और (R) दोनों सत्य हैं और (R), (A) की सही व्याख्या है।

C. (A) सत्य है लेकिन (R) असत्य है।

D. (A) असत्य है लेकिन (R) सत्य है।

उत्तरमाला

1	2	3	4	5	6	7	8	9	10
C	C	D	A	D	C	B	C	B	C
11	**12**	**13**	**14**	**15**	**16**	**17**	**18**	**19**	**20**
A	B	C	B	B	B	A	A	C	A
21	**22**	**23**	**24**	**25**	**26**	**27**	**28**	**29**	**30**
D	C	B	A	C	A	B	A	A	C
31	**32**	**33**	**34**	**35**	**36**	**37**	**38**	**39**	**40**
B	D	C	A	B	D	A	B	C	D
41	**42**	**43**	**44**	**45**	**46**	**47**	**48**	**49**	**50**
B	B	A	B	A	B	B	A	A	A

व्याख्यात्मक उत्तर

3. लेजिस फेअर प्रबंधन : एक ऐसा प्रबंधन जिसमें सरकार का हस्तक्षेप नहीं होता तथा सारे निर्णय प्रबन्धक के हाथ में होते हैं। अधिकृत प्रबन्धन के बिल्कुल उल्टा है। Laissez Faire या Let Alone भाव अकेला छोड़ने का ढंग अराजकता का प्रभाव देती है, यहाँ पर हर कार्यकर्ता को अपनी इच्छानुसार बिना किसी रोक-टोक के काम करने की स्वतंत्रता होती है। अधीन व्यक्ति अपने लक्ष्य खुद निर्धारित करते हैं तथा उन्हें पूर्ण करने के लिए योजनाओं का विकास करते हैं। प्रबन्धक उन्हें कोई निर्देश नहीं देता। वह एक नकारात्मक निरीक्षक की तरह काम करता है तथा शक्ति का अभ्यास नहीं करता। यहाँ पर पूर्ण प्रतिनिधि शक्ति होती है। वह तभी सलाह देता है, जब उसकी जरूरत होती है। समूह के सदस्यों पर बहुत कम नियंत्रण होता है। स्वतंत्र ढंग अनुकूलित होना चाहिए। यहाँ पर सांस्थीय लक्ष्य अच्छे ढंग से वार्तालाप है तथा अधीन व्यक्तियों के द्वारा स्वीकारित होते हैं। इस तरह अधीन अधिकारी अच्छे ढंग से सिखलाई प्राप्त तथा अपने काम के प्रति उच्च ज्ञान रखने वाले तथा जिम्मेदारी निभाने वाले होते हैं। वे उच्च स्तरीय प्रेरित, सच्चे तथा अपने कर्तव्य के प्रति जागरूक होते हैं। जब यह सारी स्थितियाँ मिलती हैं तो यह विधि और भी अच्छे परिणाम देती है।

लेसिज फेअर प्रबन्धन के गुण–

- यह ढंग उन लोगों के लिए उच्च प्रेरक का काम करता है तो आत्म निर्भर होकर काम करना चाहता है।
- समूह के सदस्यों के बीच सुझावों, रचनाओं तथा खोजों को उत्साहित करती है।
- लोग स्वभाव से लचीले बन जाते हैं तथा बदलाव को जल्दी धारण कर देते हैं।
- खुला तथा सीधा वार्तालाप आत्म-अभिव्यक्ति के लिए मौके प्रदान करता है।

- कुछ समूह सदस्यों के लिए यह जिन्दगी के गुणों का विकास करती है।

8. **दबाव (Stress) :** दबाव एक प्रकार की मनोवैज्ञानिक प्रतिबल अवस्था है जिसमें व्यक्ति यह अनुभव करता है कि उसे एक विशिष्ट भावना के अनुसार रहना या व्यवहार करना है या उसे तीव्र गति से हो रहे परिवर्तनों के साथ अनुकूलन करना होता है।

व्यक्ति के अधिकांश दबाव आंतरिक होते हैं जो उसकी आत्म प्रतिष्ठा को बनाए रखने वाले होते हैं। ये दबाव कई बार रचनात्मक होते हैं। बहुधा ये उस समय होते हैं जब व्यक्ति अपनी शारीरिक या मनोवैज्ञानिक योग्यताओं या कौशलों या लोकप्रियता के कारण उच्च मानकों के साथ अनुरूपता स्थापित करना चाहता है। आंतरिक दबाव उस समय विध्वंसात्मक होते हैं जब व्यक्ति अपने लक्ष्यों या आदर्शों को प्राप्त करने में असफल या असम्भव समझता है।

13. विटामिन की कमी से होने वाला रोग एवं उसके स्रोत

विटामिन	**रासायनिक नाम**	**कमी से होने वाला रोग**	**स्रोत**
विटामिन-A	रेटिनॉल	रतौंधी, संक्रमणों का खतरा, जीरोप्थैलमिया	दूध, अंडा, मक्खन, घी, हरी साग-सब्जी, मछली यकृत तेल।
विटामिन B_1	थायमिन	बेरी-बेरी	मूँगफली, तिल, सूखी मिर्चें, बिना धुली दाल, यकृत, अंडा एवं सब्जियाँ।
विटामिन B_2	राइबोफ्लेविन	त्वचा का फटना, आँखों का लाल होना, जिह्वा का फटना	खमीर, कलेजी, मांस, हरी-सब्जियाँ, दूध।
विटामिन B_3	पैन्टोथेनिक अम्ल	बाल सफेद होना, मंदबुद्धि होना	मांस, दूध, मूँगफली, गन्ना, टमाटर।
विटामिन B_5	निकोटिनैमाइड या नियासिन	पेलाग्रा (त्वचा दाद)	मांस, मूंगफली, आलू, पत्ती वाली सब्जियाँ, टमाटर।
विटामिन B_{12}	सायनोकोबालामिन	एनीमिया, पांडुरोग	मांस, कलेजी, दूध
विटामिन C	एस्कॉर्बिक ऐसिड	स्कर्वी, मसूड़े का फूलना	नींबू, संतरा, टमाटर, खट्टे पदार्थ, मिर्च, अंकुरित अनाज।
विटामिन-D	कैल्सिफेरौल	रिकेट्स (बच्चों में) ऑस्टियोमलेशिया (वयस्क में)	मछली यकृत तेल, दूध, अंडे।
विटामिन-E	टोकोफेरॉल	जनन शक्ति का कम होना	पत्ती वाली सब्जियाँ, दूध, मक्खन, अंकुरित गेहूँ, वनस्पति तेल
विटामिन-K	फिलोक्विनोन	रक्त का थक्का न बनना	टमाटर, हरी सब्जियाँ।

15. **मधुमेह (Diabetes) :** यह अग्न्याशय से सम्बन्धित रोग है, जो इन्सुलिन का पर्याप्त स्राव नहीं होने के कारण होता है। इन्सुलिन दो प्रकार का कार्य करता है—
    (*a*) भोजन का कार्बोहाइड्रेट वाला भाग पचकर शर्करा में परिवर्तित हो जाता है, जो इन्सुलिन की प्रतिक्रिया से खंडित होकर तंतुओं में मिल जाता है इसके अभाव में यह शर्करा रक्त में चली आती है।
    (*b*) इन्सुलिन यकृत और पेशियों में ग्लाइकोजेन संचित करने में मदद करता है। इसका पर्याप्त मात्रा में स्राव नहीं होने पर यकृत में ग्लाइकोजेन का उपयोग होता है और ग्लाइकोजेन की मात्रा धीरे-धीरे समाप्त होने लगती है। ऐसी स्थिति में तंतुओं में प्रोटीन और संचित वसा शर्करा में परिवर्तित होने लगते हैं। इसमें रक्त में शर्करा की मात्रा और बढ़ जाती है। यह

शर्करा मूत्र के माध्यम से बाहर निकलने लगती है जिसे मधुमेह की संज्ञा दी जाती है।

21. वर्तमान युग में शिक्षा का आधार केवल पुस्तकों तक ही सीमित है। जिसमें बच्चों का मानसिक, बौद्धिक तथा नैतिक विकास तो होता है परंतु उसका शारीरिक विकास नहीं हो पाता। शारीरिक शिक्षा केवल शारीरिक विकास के लिए ही नहीं अपितु व्यक्ति के सामाजिक, मानसिक, बौद्धिक, नैतिक, संवेगात्मक तथा आध्यात्मिक विकास के लिए भी उपयोगी है। इस प्रकार स्पष्ट होता है कि शारीरिक शिक्षा की आधुनिक संकल्पना शारीरिक क्रियाओं द्वारा शिक्षा प्रदान करना है। इसके साथ ही साथ शारीरिक शिक्षा के प्रमुख उद्देश्य निम्नलिखित हैं–

- शारीरिक शिक्षा द्वारा सुडौल व्यक्तित्व का विकास करना।
- रोगों से मुक्ति प्राप्त करना।
- कार्यकुशलता का विकास करना।
- शरीर का पूर्ण रूप से विकास करना।
- मनुष्य में संयम, साहस, सहयोग, नम्रता, शील, नेतृत्व, शक्ति, अनुशासन, सहृदयता, सहयोग आदि नागरिकता के गुणों का विकास करना।
- सामाजिक, आर्थिक एवं राजनैतिक क्षमता का विकास करना।
- दैनिक जीवन की गतिविधियों को नियमित एवं निश्चित स्वरूप प्रदान करना।
- नियमित रूप से व्यायाम और खेल को बढ़ावा देना ताकि बालक की मानसिक चिन्ता और दबाव को दूर किया जा सके।

22. सामाजिक शोध में समस्या का चयन एवं उसकी पहचान सामाजिक अनुसंधान के सफल संचालन के लिए महत्वपूर्ण मानी जाती है। शोध समस्या की स्पष्ट रूप से पहचान कर उसका उल्लेख करना शोधकर्ता के लिए एक कठिन कार्य होता है। सामान्यतः शोध समस्या एक ऐसी समस्या है जिसके द्वारा दो-या-दो से अधिक चरों के बीच एक प्रश्नात्मक सम्बन्ध की अभिव्यक्ति होती है। **करलिंगर महोदय** ने शोध समस्या को इस प्रकार से परिभाषित किया है कि "समस्या एक ऐसा प्रश्नात्मक वाक्य या कथन होता है, जो कहता है कि दो या दो से अधिक चरों के बीच कैसा सम्बन्ध है।" **ए आइन्सटीन** तथा **इन इनफील्ड** के अनुसार, "समस्या का प्रतिपादन प्रायः इसके समाधान से अधिक आवश्यक है।"

शोधकर्ता को समस्या का चयन करने के पहले उसके औचित्य एवं उपयोगिता के सम्बन्ध में विचार आवश्यक कर लेना चाहिए। शोध करना न तो शोधकर्ता के लिए उपयोगी सिद्ध हो सकता है और न ही विषय की समृद्धि के लिए जिसमें केवल शोध किया जा रहा है। इस प्रकार अनुसंधान समस्या का पता लगाने के लिए मूल कारण और केवल प्रभाव नहीं देखना चाहिए।

27. खेल के विभिन्न सिद्धांत–

- **अविशेष या अधिशेष ऊर्जा का सिद्धांत :** इस सिद्धांत का विकास जर्मन दार्शनिक वॉन शेलर तथा अंग्रेज प्रकृति विज्ञानी हर्बर्ट स्पेन्सर ने किया था। वे कहते हैं कि खेल अविशेष ऊर्जा की अभिव्यक्ति के समान है। उनके अनुसार इसका परिणाम निरूउद्देश्य अविशेष ऊर्जा का अव्यय करना है।
- **पूर्वानुमानित सिद्धांत (व्यायाम पूर्व) :** इस सिद्धांत की व्याख्या **कार्ल ग्रूस** द्वारा की गई थी। उसके अनुसार खेल गंभीर शारीरिक उद्यम की तैयारियों के पूर्व का व्यायाम है। उसका मत था कि खेल विकास की एक नैसर्गिक प्रक्रिया है जो कि बालक को वयस्क होने में सहायक होती है।
- **मनोरंजन सिद्धांत :** इस सिद्धांत के प्रणेता लॉर्ड केम्स तथा जी.टी. डब्ल्यू. पैट्रिक का सशक्त मत तथा विश्वास है कि खेल का आधार मनोरंजन है। वे मनोरंजन को हमारे द्वारा गंभीर कार्यों में व्यय की गई ऊर्जा को पुनः ऊर्जा अर्जित करने की प्रक्रिया मानते हैं।
- **पुनर्कथन सिद्धांत :** इस सिद्धांत का प्रस्ताव तथा व्याख्या **जी. स्टेनली** हॉल द्वारा की गई थी। इसका मत कार्ल ग्रूस के पूर्वानुमान सिद्धांत के बिल्कुल विपरीत है। ये कहते हैं कि बालक अपने भविष्य का पूर्वाभ्यास नहीं करता बल्कि अपने सामाजिक अतीत को दोहराता है। इस प्रकार खेल अतीत को दोहराने की क्रिया है न कि भविष्य के लिए पूर्वानुमान।
- **मनोभावों की अभिव्यक्ति का सिद्धांत :** इस सिद्धांत के उद्गम पता अरस्तू के लेखों से चलता है। अभिव्यक्ति का अर्थ है मनोभावों को प्रकट करने की अभिव्यक्ति

इसका आशय है कि भावनाओं का प्रकटीकरण अथवा भावनाओं की अभिव्यक्ति होने पर ज्यादा जोर देते हैं।

- **नैसर्गिक अभ्यास का सिद्धांत :** इस सिद्धांत के प्रकाण्ड विद्वान प्रोफेसर **मैकडूगल** का विश्वास है कि जन्तु तथा मानव दोनों के व्यवहारों में नैसर्गिकता ही प्रमुख संचारक है। नैसर्गिकता के समय से पूर्व परिपक्वता के कारण खेलों का जन्म होता है।
- **सामाजिक संपर्क सिद्धांत :** समाज विज्ञानी तथा सामाजिक मनोविज्ञानी खेलों को समाज पहचान बनाने वाला माध्यम/साधन मानते हैं। खेल व्यक्ति विशेष को नजदीक लाता है तथा सामूहिक व्यवहार को मजबूती प्रदान करता है।
- **मनोवैज्ञानिक विशेष का सिद्धांत :** इस सिद्धांत के पक्षधर हैं महान मनोवैज्ञानिक चिकित्सक सिगमण्ड फ्रायड, उन्होंने कामोत्तेजना अथवा कामोर्जा पर ज्यादा बल दिया है जो कि सभी जीवों तथा उनके जानवरी व्यवहार की प्रमुख वाहक है।

32. वायु धारकता (Vital Capacity) : एलव्योलर आकार तथा इंटर कोस्टल मांसपेशियों की ताकत पर निर्भर करती है। एलव्योलर सरफेस टेंशन सारी हवा जो फेफड़ों में घुसती है हवा की अदला-बदली के लिए Alveolai को उपलब्ध नहीं होती। मृत हवा वह हवा है जो रक्त के साथ गैसों की वाहन क्षेत्र में अदला-बदली नहीं कर सकती। इस स्थान को एनाटॉमिक मृत स्थान कहते हैं। फिजियोलॉजिक (कुल) मृत स्थान एनाटॉमिक मृत स्थानों तथा किसी पैथोलॉजिक मृत स्थान का योग है। निरोगी व्यक्तियों में एनाटॉमिक तथा फिजियोलॉजिक मृत क्षेत्र एक से होते हैं। एलव्योलर वेण्टिलेशन दर सही सापेक्ष रूप से उत्तकों को ऑक्सीजन देने की शरीर की योग्यता का नाम देते हैं।

41. सहनशक्ति (Endurance) : सहनशक्ति प्रशिक्षण का लक्ष्य किसी भी स्पर्धा की मांग को पूरा करने के लिए ऊर्जा उत्पादन व्यवस्था के विकास से है। सहनशक्ति को लगातार और अंतराल के बाद दौड़ने द्वारा भी विकसित किया जा सकता है।

गति (Speed) : गति अवयवों की क्रियाओं की फुर्ती है, चाहे वह एक धावक की टांग हो या फिर गोला फेंकने वाले की बाजू हो। गति प्रत्येक खेल का एक आंतरिक हिस्सा है और इस प्रकार अभिव्यक्त किया जा सकता है : अधिकतम गति, विस्फोटक शक्ति तथा गति सहनशक्ति।

स्फूर्ति (Agility) : मानसिक स्फूर्ति की परिभाषा— अपनी गतिविधियों में समन्वय बिठाना तथा उन्हें बदलती हुई स्थितियों में लगाना ही स्फूर्ति कहलाता है। यह विभिन्न प्रकार के तालमेल के कारण होता है जो स्थिति के अनुसार गतिविधियों के ठीक मेल-मिलाप के लिए व्यक्ति को करना पड़ता है। अर्थात् इसमें तंत्रिका-मांसपेशीय का समन्वय होता है।

मेक्स VO_2 : मेक्स VO_2 केशिका तंत्र से सम्बन्धित है। इस प्रकार के अभ्यास के दौरान जब व्यक्ति अपने अधिकतम दबाव के स्तर को प्राप्त कर लेता है, उस दौरान एक मिनट में फेफड़ों द्वारा ग्रहित की गई O_2 की मात्रा। सेकेण्ड विंड से तात्पर्य एक ऐसी स्थिति से है जिसमें एक व्यक्ति व्यायाम या अभ्यास करने के पश्चात् कुछ समय तक बेचैनी करता है। सिर दर्द, थकान, उल्टी आना आदि के क्षणिक कुछ समय पश्चात् स्थिति सामान्य हो जाती है, इसे ही सेकेण्ड विंड कहते हैं।

प्रश्न-पत्र-III

निर्देश : *इस प्रश्न-पत्र में* ***पचहत्तर (75)*** *बहु-विकल्पीय प्रश्न हैं। प्रत्येक प्रश्न के* ***दो (2)*** *अंक हैं।* ***सभी*** *प्रश्न अनिवार्य हैं।*

1. ओलम्पिक मोटो साइटियस, आल्टियस, फॉरटियस किसने दिया था?

A. बैरन पिअरे डी कुबर्टिन
B. जुआन एन्टोनियो समारांच
C. आइ.ओ.सी.
D. फादर हैनरी डिडोन

2. शारीरिक शिक्षा का दूरस्थ उद्देश्य है :

A. अच्छे मानव संबंधों का विकास
B. तंत्रिका माँसपेशी समन्वय का विकास
C. शारीरिक क्षमता का विकास
D. खेल कौशल्यों का विकास

3. प्राथमिक उपचार का आकस्मिक स्थिति में सबसे महत्वपूर्ण कार्य होता है :

A. दुर्घटनाग्रस्त व्यक्ति को डॉक्टर के पास ले जाना।
B. दुर्घटनाग्रस्त व्यक्ति का उपचार करना।
C. जो भी उपलब्ध हो उसकी मदद से जीवन बचाना।
D. दुर्घटनाग्रस्त व्यक्ति को अस्पताल ले जाने के लिए परिवहन की व्यवस्था करना।

4. किस संक्रामक रोग को 'हानसन रोग' कहा जाता है?

A. कुष्ठ रोग　　B. एड्स
C. एच.आई.वी.　　D. चेचक

5. शारीरिक शिक्षा के शिक्षकों के लिए व्यावसायिक तैयारी को कौन-सी संस्था शासित करती है?

A. यू.जी.सी.
B. ए.आई.सी.टी.ई.
C. एन.सी.टी.ई.
D. एन.ए.ए.सी.

6. किसी वस्तु की न्यूनतम शक्ति को मापने के लिए तैयार किए गए परीक्षण :

A. लार्जन मैथेनी टेस्ट
B. टट्ल पल्स रेशियो
C. वेलिंगटन-हार्वर्ड टेस्ट
D. क्रॉस-वेबर टेस्ट

7. हृदय-श्वसन क्षमता सबसे उत्तम किससे मापी जाती है?

A. इंडियाना मोटर फिटनेस टेस्ट
B. हार्वर्ड स्टेप टेस्ट
C. जॉन मैथेनी टेस्ट
D. जे.सी.आर. टेस्ट

8. परीक्षण का प्रयोजन किसके माध्यम से मापा जाता है?

A. विश्वसनीयता　　B. वैधता
C. वस्तुपरकता　　D. स्प्लिट हॉफ पद्धति

9. उत्तेजित होने पर 110 माइक्रो सेकंड में चरम तनाव पर पहुँचने वाला माँसपेशीय तंतु है :

A. FT_b　　B. FT_A
C. FT_c　　D. ST

10. संरचना और गमन के बीच गुणात्मक और मात्रात्मक अन्तरापृष्ठ का अध्ययन किसके अन्तर्गत किया जाता है?

A. किनिसियॉलाजी　　B. बॉयो मैकेनिक
C. काइनोथ्रोपोमीटरी　　D. A और B दोनों

11. α संभाव्यता से अभिप्राय है :

A. परिवर्तनशीलता
B. महत्व का स्तर
C. टाइप-II त्रुटि का परिमाण
D. मानक त्रुटि

12. काइनिसियोलॉजी का मूल अर्थ है :

A. काइनिसियोलॉजी गति विज्ञान है।
B. काइनिसियोलॉजी जीवित प्राणियों का गति विज्ञान है।
C. काइनिसियोलॉजी मनुष्य का गति विज्ञान है।
D. काइनिसियोलॉजी खेलों में भागीदारी के दौरान मनुष्यों का गति विज्ञान है।

13. हवाई गति में तीन अभिविन्यास हो सकते हैं– ऊर्ध्वाधर, अनुप्रस्थ और झुकाव। इनमें से ऊर्ध्वाधर अभिविन्यास में कौन-सा शामिल है?

A. अधिक से अधिक ऊंचा 'उठाना' और कम से कम 'घसीटना'
B. कम से कम 'उठना' अधिक से अधिक 'घसीटना'
C. केवल 'उठाना' और 'घसीटना' नहीं।
D. केवल 'घसीटना' और 'उठाना' नहीं।

14. किनेसियोलॉजी और खेल बॉयोमैकेनिक्स एक-दूसरे से निम्नलिखित रूप से संबंधित है :

A. किनेसियोलॉजी खेल बॉयोमैकेनिक्स का विशिष्ट भाग है।

B. खेल बॉयोमैकेनिक्स किनेसियोलॉजी का विशिष्ट भाग है।

C. किनेसियोलॉजी और खेल बायोमैकेनिक्स पूरी तरह भिन्न है।

D. किनेसियोलॉजी और खेल बॉयोमैकेनिक्स एक ही है।

15. विश्वसनीयता को मापने की विभिन्न पद्धतियाँ हैं इनमें से स्प्लिट-हॉफ पद्धति से किसका माप किया जाता है?

A. बाह्य संगति

B. आन्तरिक संगति

C. बाह्य और आन्तरिक संगति

D. न तो आन्तरिक और न ही बाह्य संगति

16. प्रेक्षित और प्रत्याशित परिणामों के बीच विसंगति के महत्व का सांख्यिकीय परीक्षण किसके द्वारा उपलब्ध होता है?

A. एनोवा B. एनकोवा

C. मैनकोवा D. काई स्क्वेयर टेस्ट

17. प्रेक्षण प्राथमिक स्रोत से आंकड़े एकत्र करने की पद्धति है। इस पद्धति की एक मुख्य विशेषता है :

A. प्रेक्षण में पूर्वग्रह नहीं है।

B. प्रेक्षित आँकड़ों का निर्वचन प्रत्येक व्यक्ति में अलग-अलग नहीं होता।

C. प्रेक्षित व्यक्ति अपना व्यवहार बदल सकते हैं।

D. इसमें अपूर्ण प्रेक्षण की संभावना नहीं होती।

18. अनुसन्धान रिपोर्ट में प्रारम्भिक मामलों में शामिल है :

A. मुख पृष्ठ, आभार, परिशिष्ट

B. सन्दर्भ, मुख पृष्ठ, आभार

C. मुख पृष्ठ, आभार, विषय-सूची

D. विषय-सूची, सन्दर्भ, मुख पृष्ठ

19. निम्नलिखित किन्हीं दो के मध्य के अंतर को अधिकतम हृदय गतिमात्रा के बचे रहने को व्यक्त करता है :

A. HR_{max} और $HR_{exercise}$

B. HR_{max} और $0.6HR_{exercise}$

C. HR_{max} और $HÙ_{rest}$

D. HR_{max} और $0.7HR_{rest}$

20. एक भारोत्तोलक का वजन 50 किलो है। वह 140 किलो का भार क्लीन और जर्क तकनीक द्वारा उठाता है। इस भारोत्तोलक की सापेक्ष शक्ति की गणना करें :

A. 2.5 B. 2.6

C. 2.7 D. 2.8

21. किसी प्रेरक कार्य को करने के लिए किसी व्यक्ति की क्षमता से अभिप्राय है :

A. प्रेरक शैक्षणीयता B. प्रेरक निष्पादन

C. प्रेरक योग्यता D. प्रेरक दक्षता

22. व्यवसाय के कुछ मानदंड होने चाहिए, कुछ मानदंड इस प्रकार हैं :

I. सदस्यों की योग्यताएँ

II. संप्रेषण के तरीके

III. सदस्यों का स्वास्थ्य तथा व्यक्तित्व

IV. व्यवसाय के निर्वचन के तरीके

इनमें से व्यावसायिक संगठन द्वारा दिए जाते हैं :

A. I, II B. II, III

C. II, IV D. IV, I

23. पाठ्यक्रम आधारित होना चाहिए :

I. मार्गदर्शीय अनुभव

II. स्थापन के अवसर

III. सीखने की योजनाएँ

IV. उद्देश्य प्राप्ति के तरीके

V. ज्ञान, कौशल और समझ

सही संयोजन बनाइए :

कूटः

A. I, II, V, IV B. II, III, IV, V

C. I, III, IV, V D. I, III, IV, II

24. नीचे शारीरिक क्षमता के घटक दिए हैं। उनमें से स्वास्थ्य संबंधित घटकों का सही संयोजन बनाएँ :

I. हृदय धमनी क्षमता

II. शारीरिक संरचना

III. गति

IV. माँसपेशिय, शक्ति एवं क्षमता

V. लचीलापन

कूट :

A. I, II, III, IV B. II, I, IV, III

C. III, IV, I, II D. I, II, IV, V

25. डाटा के विश्लेषण और निर्वचन में अपनाए जाने वाले मूल कदम हैं :

I. परिणाम निकालना

II. डाटा का सांख्यिकीय विश्लेषण

III. परिकल्पना का परीक्षण

IV. परिणामों पर चर्चा

निम्नलिखित में से इन्हें उचित क्रम में लगाएँ :

A. II, I, IV, III B. I, IV, III, II

C. IV, III, II, I D. III, II, I, IV

26. संवेगात्मक परिपक्वता विकसित करने के लिए संवेगात्मक दक्षता होती है :

I. आत्म जागरूकता

II. आवेगों पर नियन्त्रण रखना

III. नकारात्मक प्रभावों को रोकना

IV. पारितोषण में देर करना

सही संयोजन बताएँ :

A. II और III B. III और I

C. II और IV D. I और IV

27. खेल के प्रति व्यक्तियों की अभिरुचि में परिवर्तन को किस सैद्धान्तिक उपागम से स्पष्ट किया जा सकता है?

I. संज्ञानात्मक विसंगति सिद्धान्त

II. सामाजिक अधिगम सिद्धान्त

III. स्व प्रत्यक्षण सिद्धान्त

IV. क्रिया प्रसूत अनुकूलन सिद्धान्त

सही संयोजन बताएँ :

A. II और I B. III और IV

C. II और IV D. I और III

28. दुःश्चिंता कम करने की तकनीक हैं :

I. जैव फीडबैक II. सकारात्मक प्रबलीकरण

III. ऑटोजेनिक ट्रेनिंग IV. लक्ष्य निर्धारण

सही संयोजन बताएँ :

A. IV और II B. I और IV

C. II और III D. I और III

29. बताएँ कि एक ग्रुप टीम कैसे बनता है?

I. मानक द्वारा

II. संगठन द्वारा

III. धावा बोलना

IV. प्रदर्शन द्वारा

इन अवस्थाओं को सही अनुक्रम में रखें :

कूट :

A. II, III, I, IV B. I, II, IV, III

C. IV, I, III, II D. III, IV, II, I

30. अनुसन्धान प्रक्रिया में बहुत चरण होते हैं, जिनमें से कुछ हैं :

I. समस्या का चयन

II. संगत साहितय की समीक्षा

III. आँकड़े संग्रहण

IV. आँकड़ों का विश्लेषण

उपर्युक्त का सही अनुक्रम बताएँ :

A. I, II, III, IV B. II, III, IV, I

C. III, IV, I, II D. II, I, III, IV

31. क्रिकेट की बॉल को पकड़ने के लिए निम्नलिखित क्रियाएँ अपेक्षित होती हैं :

I. बॉल आने की लाइन में स्वयं को सही स्थान पर रखना

II. ऊँचाई को देखना

III. गिविंग

IV. बॉल को प्राप्त करना

उपयुक्त चरणों का नीचे दिए गए कूट से सही अनुक्रम बताएँ :

कूट :

A. II, I, IV, III B. I, IV, II, III

C. II, I, III, IV D. III, II, IV, I

32. चलते समय पैर की क्रिया के विश्लेषण से निम्नलिखित को जाना जा सकता है :

I. डोला-चरण II. नीचे की ओर छूना

III. सक्रिय तनन IV. समावेशन

निम्नलिखित चरणों का दिए गए कूट के प्रयोग से सही अनुक्रम बताइये :

कूट :

A. IV, III, I, II B. II, IV, III, I

C. III, I, II, IV D. I, II, IV, III

33. सैरटोरियस का कार्य है :

A. हिप और घुटने का संकुचन

B. हिप का संकुचन और घुटने का विस्तार

C. हिप का विस्तार और घुटने का संकुचन

D. हिप का विस्तार और घुटने का विस्तार

34. ए.ए.एच.पी.ई.आर. यूथ फिटनेस टेस्ट में अपनाए जाने वाले विषयों का अनुक्रम किस प्रकार होना चाहिए?

I. 50 यार्ड II. पुल-अप्स
III. शटल रन IV. वेन्ट नी सिट् अप्स
V. स्टैन्डिग ब्रॉड VI. 600 यार्ड जम्प

सही अनुक्रम चुनिए :

A. I, IV, V, III, II, VI
B. II, I, IV, III, V, VI
C. II, III, IV, I, V, VI
D. II, IV, III, V, I, VI

35. क्रिया विभव में होने वाले सही घटनाक्रम निम्न दिए गए कोड में से निर्धारित कीजिए :

I. पुनः ध्रुवीकरण
II. घटी हुई Na^+ पारगम्यता
III. बढ़ी हुई Na^+ पारगम्यता
IV. अप ध्रुवीकरण

कोड :

A. I, II, III, IV B. III, II, I, IV
C. IV, III, II, I D. III, IV, II, I

36. जॉनसन बास्केट बॉल थ्रो के परिशुद्धता परीक्षण के लिए आयताकार लक्ष्य के माप कौन-से हैं?

I. 15" × 10" II. 20" × 10"
III. 35" × 25" IV. 40" × 25"
IV. 40" × 60"

सही संयोजन बताएँ :

A. I, II, III B. II, IV, V
C. III, IV, V D. I, II, III, IV

37. सूची-I को सूची-II के साथ सुमेलित कीजिए और नीचे दिए गए कूट के प्रयोग से सही विकल्प चुनिए :

सूची-I	**सूची-II**
(*a*) पराभौतिक	1. सत्य
(*b*) ज्ञानशास्त्र	2. वास्तविकता
(*c*) मूल्य-मीमांसा	3. आचार
(*d*) नीतिशास्त्र	4. मूल्य

कूट :

	(*a*)	(*b*)	(*c*)	(*d*)
A.	1	2	3	4
B.	2	3	4	1
C.	4	3	2	1
D.	2	1	4	3

38. सूची-I को सूची-II के साथ सुमेलित कीजिए और नीचे दिए गए कूट के प्रयोग से सही विकल्प चुनिए :

सूची-I	**सूची-II**
(*a*) संरचना आयु	1. वर्ष, माह, दिन
(*b*) शरीर क्रियात्मक आयु	2. अस्थि संरचना की क्षमता
(*c*) कालानुक्रमिक आयु	3. यौवनारम्भ/हार्मोन्स का उत्सर्जन
(*d*) मानसिक आयु	4. समस्या-समाधान

कूट :

	(*a*)	(*b*)	(*c*)	(*d*)
A.	1	2	3	4
B.	2	1	3	4
C.	3	1	2	4
D.	2	3	1	4

39. सूची-I को सूची-II के साथ सुमेलित कीजिए और नीचे दिए गए कूट के प्रयोग से सही विकल्प चुनिए :

सूची-I	**सूची-II**
(*a*) गट्स मुथ	1. इंग्लैंड
(*b*) पर हेनरिक लिंग	2. स्वीडन
(*c*) नील्स बुख	3. डेनमार्क
(*d*) आर्कीबॉल्ड मैकलेरेन	4. जर्मनी

कूट :

	(*a*)	(*b*)	(*c*)	(*d*)
A.	4	2	3	1
B.	2	1	3	4
C.	2	4	1	3
D.	1	2	3	4

40. सूची-I को सूची-II के साथ सुमेलित कीजिए और नीचे दिए गए कूट के प्रयोग से सही विकल्प चुनिए :

सूची-I	**सूची-II**
(*a*) द्वन्द्व	1. घृणा
(*b*) विकर्षण	2. व्यथा
(*c*) अपील	3. लालसा
(*d*) सेक्स	4. क्रोध

कूट :

	(*a*)	(*b*)	(*c*)	(*d*)
A.	3	2	1	4
B.	4	1	2	3
C.	4	3	2	1
D.	2	4	1	3

41. सूची-I को सूची-II के साथ सुमेलित कीजिए और नीचे दिए गए कूट के प्रयोग से सही विकल्प चुनिए :

	सूची-I		सूची-II
(*a*)	वैदिक काल	1.	1000 AD-1757 AD
(*b*)	प्रारम्भिक हिन्दू काल	2.	2500 BC-600 BC
(*c*)	मध्यकाल	3.	600 BC-320 AD
(*d*)	परवर्ती हिन्दू काल	4.	320 AD-1000 AD

कूट :

	(*a*)	(*b*)	(*c*)	(*d*)
A.	3	2	4	1
B.	2	3	1	4
C.	1	2	3	4
D.	4	3	2	1

42. फ्रायड के अनुसार सूची-I को सूची-II के साथ सुमेलित कर नीचे दिए गए कूट से सही उत्तर चुनिए :

	सूची-I		सूची-II
(*a*)	नारसीसिज्म	1.	प्राकृतिक लिंग उत्तेजन
(*b*)	ऑटो इरोटिसिज्म	2.	अपने ही शरीर पर निर्धारण
(*c*)	इडिपस	3.	बालिका का पिता से लगाव
(*d*)	इलेक्ट्रा	4.	बालक का माता से लगाव

कूट :

	(*a*)	(*b*)	(*c*)	(*d*)
A.	3	4	2	1
B.	2	3	4	1
C.	4	2	1	3
D.	2	1	4	3

43. सूची-I को सूची-II के साथ सुमेलित कीजिए तथा नीचे दिए गए कूट से सही उत्तर चुनिए :

	सूची-I		सूची-II
(*a*)	आयरन	1.	इन्स्युलिन उत्पादन
(*b*)	जिंक	2.	तंत्रिका तंत्र की कार्यप्रणाली
(*c*)	सोडियम	3.	हिमोग्लोबिन का निर्माण
(*d*)	आयोडिन	4.	थायरॉइड का सुचारूपूर्ण कार्य

कूट :

	(*a*)	(*b*)	(*c*)	(*d*)
A.	3	1	2	4
B.	1	2	3	4
C.	4	3	2	1
D.	2	4	3	1

44. सूची-I को सूची-II के साथ सुमेलित कीजिए तथा नीचे दिए गए कूट से सही उत्तर चुनिए :

	सूची-I		सूची-II
(*a*)	हायपौक्सिया	1.	शारीरिक क्रियाओं का अभाव
(*b*)	हायपोकाइनेटिक	2.	अत्यधिक कूदना
(*c*)	इनसोमनिया	3.	ऑक्सीजन का अभाव
(*d*)	एचिलिस टेन्डोनीटिस	4.	अत्यधिक कार्य

कूट :	(*a*)	(*b*)	(*c*)	(*d*)
A.	2	3	1	4
B.	3	1	4	2
C.	4	3	2	1
D.	3	2	1	4

45. सूची-I को सूची-II के साथ सुमेलित कीजिए तथा नीचे दिए गए कूट से सही उत्तर चुनिए :

	सूची-I		सूची-II
(*a*)	संभाव्यता	1.	मीन के चारों ओर ग्रुप के स्कोर की परिवर्तिता का अनुमान
(*b*)	मानक त्रुटि	2.	प्रत्येक स्कोर और मीन के बीच अन्तर की डिग्री
(*c*)	मानक विचलन	3.	सांख्य के प्रतिचयन वितरण की परिवर्तिता
(*d*)	परिवर्तनशीलता	4.	इसका अवसर कि कोई घटना होगी

कूट :	(*a*)	(*b*)	(*c*)	(*d*)
A.	1	4	3	2
B.	4	3	2	1
C.	3	2	1	4
D.	2	1	4	3

46. सूची-I को सूची-II के साथ सुमेलित कीजिए और नीचे दिए गए कूट का प्रयोग करके सही विकल्प चुनिए :

	सूची-I		सूची-II
(*a*)	बास स्टिक टेस्ट	1.	नम्यता
(*b*)	बर्पी टेस्ट	2.	संज्ञानात्मक अभिक्षमता
(*c*)	मैक्लॉय टेस्ट	3.	स्फूर्ति
(*d*)	ब्रिज अप टेस्ट	4.	सन्तुलन
		5.	शक्ति

कूट :	(*a*)	(*b*)	(*c*)	(*d*)
A.	4	3	5	1
B.	3	4	2	5
C.	4	3	5	2
D.	3	5	2	2

47. सूची-I को सूची-II के साथ सुमेलित कीजिए और नीचे दिए गए कूट के प्रयोग से सही उत्तर चुनिए :

सूची-I	सूची-II
(*a*) एम्फेटेमाइन	1. हृदय गति
(*b*) बीटा ब्लोकर्स	2. चौकन्नापन
(*c*) इरीथ्रोपोइटिन	3. पेशाब उत्पन्न होना
(*d*) एल्कलाइन क्षार	4. हीमोग्लोबिन
	5. pH स्तर

कूट :	(*a*)	(*b*)	(*c*)	(*d*)
A.	2	1	4	5
B.	2	3	4	5
C.	1	4	5	3
D.	2	1	5	3

48. सूची-I को सूची-II के साथ सुमेलित कीजिए और नीचे दिए गए कूट के प्रयोग से सही उत्तर चुनिए :

सूची-I	सूची-II
(*a*) अनाएरोबिक प्रशिक्षण	1. विस्फोटक बल
(*b*) एरोबिक प्रशिक्षण	2. हीमोग्लोबिन गणना
(*c*) ऊँचे स्थान पर प्रशिक्षण	3. वेन्ट्रीकुलर आकार
(*d*) प्लायोमेट्रिक प्रशिक्षण	4. हृदय माँसपेशीय मोटाई

कूट :	(*a*)	(*b*)	(*c*)	(*d*)
A.	4	3	2	1
B.	1	4	1	2
C.	2	1	4	3
D.	3	4	2	1

49. सूची-I को सूची-II के साथ सुमेलित कीजिए और नीचे दिए गए कूट के प्रयोग से सही विकल्प चुनिए :

सूची-I	सूची-II
(*a*) स्विमिंग पूल में 1 और 8 लेन में लगाई गई लेन-रोप का रंग	1. नीला
(*b*) स्विमिंग पूल में लेन 2, 3, 6 और 7 में लगाई गई लेन-रोप का रंग	2. लाल
(*c*) स्विमिंग पूल में लेन 4 और 5 में लगाई गई लेन-रोप का रंग	3. हरा
(*d*) पूल के प्रत्येक किनारे से 5.0 मीटर की दूरी तक फैले हुए फ्लोट का रंग	4. पीला

कूट :	(*a*)	(*b*)	(*c*)	(*d*)
A.	4	3	1	2
B.	4	3	2	1
C.	3	1	4	2
D.	3	2	4	1

50. सूची-I को सूची-II के साथ सुमेलित कीजिए और नीचे दिए गए कूट के प्रयोग से सही विकल्प चुनिए :

सूची-I	सूची-II
(*a*) प्रबंधन का क्लासिकल सिद्धान्त	1. हेनरी फेयोल
(*b*) प्रशासनिक सिद्धान्त	2. एफ.डब्ल्यू. टेलर
(*c*) मानव संसाधन सिद्धान्त	3. मैक्स वेबर
(*d*) वैज्ञानिक प्रबंधन सिद्धान्त	4. एल्टन मायो

कूट :	(*a*)	(*b*)	(*c*)	(*d*)
A.	1	2	3	4
B.	3	1	4	2
C.	2	3	1	4
D.	4	2	3	1

51. सूची-I को सूची-II के साथ सुमेलित कीजिए और नीचे दिए गए कूट के प्रयोग से सही विकल्प चुनिए :

सूची-I	सूची-II
(*a*) क्लासिकी अनुबंधन	1. पुरस्कार प्राप्त कार्य के प्रति सही प्रतिक्रिया शामिल है।
(*b*) क्रिया प्रसूत अनुकूलन	2. पूरी परिस्थिति को देखकर प्रभावी प्रतिक्रिया देने का रास्ता खोजना
(*c*) प्रयत्न-त्रुटि अधिगम	3. बार-बार उद्दीपन अनुक्रिया
(*d*) समस्या-समाधान	4. लक्ष्य प्राप्त करने की विभिन्न पद्धतियों का परीक्षण जब तक कि सही लक्ष्य प्राप्त न हो जाए।

कूट :	(*a*)	(*b*)	(*c*)	(*d*)
A.	1	2	3	4
B.	3	1	4	2
C.	2	4	1	3
D.	4	3	2	1

52. सूची-I (जर्नल का नाम) को सूची-II (सम्बन्ध) के साथ सुमेलित कीजिए और नीचे दिए गए कूट के प्रयोग से सही विकल्प चुनिए :

सूची-I	सूची-II
(*a*) इंटरनेशनल जर्नल ऑफ स्पोर्ट साइकोलॉजी (आई.जे.एस.पी.)	1. ए.ए.एच.पी.ई. आर.डी.

(*b*) जर्नल ऑफ एप्लाइड स्पोर्ट साइकोलॉजी (जे.ए.एस.पी.) — 2. ए.सी.एस.एम.

(*c*) मेडिसीन एंड साइंस इन स्पोर्ट्स एंड एक्सरसाइज (एम.एस.एस.ई.) — 3. ए.ए.ए.एस.पी.

(*d*) रिसर्च क्वार्टरली फॉर एक्सरसाइज एंड स्पोर्ट (आर.क्यू.ई.एस.) — 4. आई.एस.एस.पी.

कूट :	(*a*)	(*b*)	(*c*)	(*d*)
A.	1	2	3	4
B.	2	1	4	3
C.	4	3	2	1
D.	3	4	1	2

53. नीचे दो कथन दिए गए हैं, एक अभिकथन (A) और दूसरा तर्क (R) है।

अभिकथन (A) : शारीरिक शिक्षा कला और विज्ञान है।

तर्क (R) : व्यायामिक क्रिया-कलापों का सौन्दर्यपरक और सृजनात्मक मूल्य होता है।

दोनों कथनों के संदर्भ में निम्नलिखित में से कौन-सा कथन सत्य है?

A. (A) और (R) दोनों सत्य हैं और (R), (A) की सही व्याख्या है।

B. (A) और (R) दोनों सत्य हैं किन्तु (R), (A) की सही व्याख्या नहीं है।

C. (A) सत्य है, किन्तु (R) असत्य है।

D. (A) असत्य है, किन्तु (R) सत्य है।

54. नीचे दो कथन दिए गए हैं, एक अभिकथन (A) और दूसरा तर्क (R) है।

अभिकथन (A) : शारीरिक शिक्षा केवल व्यक्ति के शारीरिक विकास तक ही सीमित नहीं है।

तर्क (R) : प्रतियोगी खेलों में केवल प्रतियोगिता जीतने पर ही अधिकतम दबाव डाला जाता है।

दोनों कथनों के संदर्भ में निम्नलिखित में से कौन-सा कथन सत्य है?

A. (A) और (R) दोनों सही हैं और (R), (A) की सही व्याख्या है।

B. (A) और (R) दोनों सही हैं किन्तु (R), (A) की सही व्याख्या नहीं है।

C. (A) सत्य है, लेकिन (R) असत्य है।

D. (A) असत्य है, लेकिन (R) सत्य है।

55. नीचे दो कथन दिए गए हैं, एक अभिकथन (A) और दूसरा तर्क (R) है।

अभिकथन (A) : व्यक्ति की संवृद्धि और विकास पर्यावरणी कारकों, आनुवंशिक कारकों, पौषणिक कारकों और विशिष्ट शारीरिक शिक्षा कार्यक्रमों से प्रभावित होते हैं।

तर्क (R) : शारीरिक शिक्षा और खेलों का व्यक्ति के स्वास्थ्य में योगदान होता है।

दोनों कथनों के संदर्भ में निम्नलिखित में से कौन-सा कथन सत्य है?

A. (A) और (R) दोनों सत्य हैं लेकिन (R), (A) की सही व्याख्या नहीं है।

B. (A) और (R) दोनों सत्य हैं, किन्तु (R), (A) की सही व्याख्या है।

C. (A) सत्य है, लेकिन (R) असत्य है।

D. (A) असत्य है, लेकिन (R) सत्य है।

56. नीचे दो कथन दिए गए हैं, एक अभिकथन (A) और दूसरा तर्क (R) है :

अभिकथन (A) : वित्तीय प्रबंधन संगठन के आयोजन तथा वित्तीय स्रोतों के नियंत्रण से संबंध रखता है।

तर्क (R) : किसी भी संगठन की कार्यदक्षता, साख तथा सफलता का मुख्य निर्धारक वित्तीय प्रबंधन होता है।

दोनों कथनों के संदर्भ में निम्नलिखित में से कौन-सा कथन सही है?

A. दोनों (A) और (R) सही हैं, परन्तु (R), (A) की सही व्याख्या नहीं है।

B. (A) सही है, परन्तु (R) गलत है।

C. दोनों (A) और (R) सही हैं और (R), (A) की सही व्याख्या है।

D. (A) गलत है, परन्तु (R) सही है।

57. नीचे दो कथन दिए गए हैं, एक अभिकथन (A) और दूसरा तर्क (R) है।

अभिकथन (A) : संतुलित आहार आयु, लिंग तथा व्यक्ति के द्वारा किए गए काम पर आधारित है।

तर्क (R) : संतुलित आहार में कार्बोहाइड्रेट, प्रोटीन, फैट, विटामिन, मिनरल्स तथा पानी का समावेश होता है।

इन दो कथनों के संदर्भ में निम्नलिखित में से कौन-सा कथन सही है?

A. दोनों (A) तथा (R) सही हैं तथा (R), (A) की सही व्याख्या है।

B. (A) तथा (R) दोनों सही हैं।

C. (A) सही है, परन्तु (R) गलत है।

D. (A) गलत है, परन्तु (R) सही है।

58. नीचे दो कथन दिए गए हैं, एक अभिकथन (A) और दूसरे तर्क (R) है।

अभिकथन (A) : स्कूल के बच्चों के स्वास्थ्य की देख-रेख की व्यवस्था के लिए उचित पहल किए जाने की आशा स्कूल प्रशासन से की जाती है।

तर्क (R) : राष्ट्रीय शिक्षा नीति (1986) ने स्कूल शिक्षा की सीखने की प्रक्रिया में शारीरिक शिक्षा और खेलों को समाकलित करने की सिफारिश की।

दोनों कथनों के संदर्भ में निम्नलिखित में से कौन-सा कथन सत्य है?

A. (A) और (R) दोनों सत्य हैं, किन्तु (R), (A) की सही व्याख्या नहीं है।

B. (A) और (R) दोनों सत्य हैं, किन्तु (R), (A) की सही व्याख्या है।

C. (A) सत्य है, किन्तु (R) असत्य है।

D. (A) असत्य है, किन्तु (R) सत्य है।

59. नीचे दो वक्तव्य दिए गए हैं, एक अभिकथन (A) और दूसरा तर्क (R) है।

अभिकथन (A) : शारीरिक शिक्षा के व्यवसाय को ऊँची योग्यता प्राप्त कर्तव्यनिष्ठ शिक्षकों की पास विषयों तथा कौशलों का गहन अध्ययन, निर्देशन की क्षमता तथा व्यवसाय के लिए प्रेम आवश्यक है।

तर्क (R) : शिक्षा व्यवसाय से इनाम तथा सम्मान वित्तीय स्थिरता तथा उच्च सेवा निवृत्ति देयक प्राप्त होता है।

उपर्युक्त दो कथनों के संदर्भ में निम्नलिखित में से कौन-सा कथन सही है?

A. दोनों (A) और (R) दोनों सही हैं और (R), (A) की सही व्याख्या है।

B. दोनों (A) और (R) सही हैं, लेकिन (R), (A) की सही व्याख्या नहीं है।

C. (A) सही है, लेकिन (R) गलत है।

D. (A) गलत है, लेकिन (R) सही है।

60. नीचे दो वक्तव्य दिए गए हैं, एक अभिकथन (A) और दूसरा तर्क (R) है।

अभिकथन (A) : समय-सारिणी का अर्थ है दिन के कार्यों का आयोजन, सप्ताह के कार्यों का आयोजन, मासिक कार्यों का आयोजन, वार्षिक आयोजन इत्यादि को एक निश्चित समयानुसार नमनीयता के आधार पर जरूरी परिवर्तन करना।

तर्क (R) : अच्छी तरह से तैयार की गई स्कूल की समय-सारिणी से स्कूल के उद्देश्य प्राप्त करने में सहायता मिलती है।

उपर्युक्त दोनों कथनों के संदर्भ में निम्नलिखित में से कौन-सा कथन सही है?

A. दोनों (A) और (R) सही हैं, लेकिन (R), (A) की सही व्याख्या नहीं है।

B. दोनों (A) और (R) सही हैं और (R), (A) की सही व्याख्या है।

C. (A) सही है, लेकिन (R) गलत है।

D. (A) गलत है, लेकिन (R) सही है।

61. नीचे दो कथन दिए हैं, एक अभिकथन (A) और दूसरा तर्क (R) कहा गया है :

अभिकथन (A) : श्रेणी I लीवर में फोर्स आर्म और रेसिसटेन्स आर्म के बीच का संबंध बदल सकता है।

तर्क (R) : श्रेणी I लीवर में फलक्रम फोर्स और रेसिसटेन्स आर्म के बीच किसी बिन्दु पर रहता है।

उपर्युक्त दो कथनों के संदर्भ में निम्नलिखित में से कौन-सा कथन सही है?

A. दोनों (A) और (R) असत्य हैं।

B. (A) सत्य है और (R) असत्य है।

C. दोनों (A) और (R) सत्य हैं, परन्तु (R), (A) की सही व्याख्या नहीं है।

D. दोनों (A) और (R) सत्य हैं और (R), (A) की सही व्याख्या है।

62. नीचे दो कथन दिए गए हैं, एक अभिकथन (A) और दूसरा तर्क (R) कहा गया है :

अभिकथन (A) : स्थायीत्व का स्तर आधार क्षेत्र पर निर्भर करता है।

तर्क (R) : गुरुत्वाकर्षण के घटते हुए केन्द्र से स्थायीत्व का स्तर बढ़ जाता है।

उपर्युक्त दो कथनों के संदर्भ में निम्नलिखित में से कौन-सा कथन सत्य है?

A. दोनों (A) और (R) सत्य हैं लेकिन (R), (A) की सही व्याख्या नहीं है।
B. दोनों (A) और (R) सत्य हैं और (R), (A) की सही व्याख्या है।
C. (A) सत्य है, लेकिन (R) असत्य है।
D. (A) असत्य है, लेकिन (R) सत्य है।

63. नीचे दो वक्तव्य दिए गए हैं। एक अभिकथन (A) और दूसरा तर्क (R) कहा गया है:

अभिकथन (A) : जिस अनुपात में शरीर का भार बढ़ता है उसी अनुपात में शक्ति कम होती है।

तर्क (R) : सापेक्ष शक्ति खिलाड़ी की विस्फोटक शक्ति तथा उसके शरीर भार का अनुपात दर्शाता है।

इन दो वक्तव्यों के प्रसंग में, निम्नलिखित में से कौन-सा सही है?

A. (A) तथा (R) दोनों सही हैं तथा (R), (A) की सही व्याख्या है।
B. (A) तथा (R) दोनों सही हैं, परन्तु (R), (A) की सही व्याख्या नहीं है।
C. (A) गलत है, परन्तु (R) सही है।
D. (A) सही है, परन्तु (R) गलत है।

64. नीचे दो कथन दिए हैं एक को अभिकथन (A) और दूसरा तर्क (R) कहा गया है:

अभिकथन (A) : जैसे ही खिलाड़ी अपना प्रशिक्षण लेना बन्द कर देता है उसकी मांसपेशियो की सामर्थ्य और शक्ति दोनों ही कम हो जाती हैं।

तर्क (R) : जब वे निष्क्रिय होते हैं तब अस्थि मांसपेशियों के आकार काफी घट जाते हैं जिसे अपक्षय कहते हैं।

उपर्युक्त कथनों के सन्दर्भ में निम्नलिखित में से कौन-सा सही है?

A. (A) और (R) दोनों सही हैं, और (R), (A) की सही व्याख्या है।
B. (A) और (R) दोनों सही हैं, किन्तु (R), (A) की सही व्याख्या नहीं है।
C. (A) गलत है, किन्तु (R) सही है।
D. (A) सही है, किन्तु (R) गलत है।

65. नीचे दो कथन दिए जा रहे हैं, जिनमें से प्रथम को अभिकथन (A) और दूसरे को तर्क (R) कहा गया है :

अभिकथन (A) : एक हृदय चक्र में डाइस्टोलिक फेस सिस्टोलिक फेस से बड़ा होता है।

तर्क (R) : एक व्यक्ति जिसकी हृदय गति 74 धड़कन प्रति मिनट है, उसके डाइस्टोलिक फेस का समय .44 से. और सिस्टोलिक फेस का समय .37 से. होगा।

निम्न कथनों में से कौन-सा कथन सही है?

A. दोनों (A) और (R) असत्य हैं, और (R), (A) की सही व्याख्या है।
B. (A) सत्य है लेकिन (R) असत्य है।
C. दोनों (A) और (R) असत्य हैं।
D. (A) सत्य है, परन्तु (R), (A) की सही व्याख्या नहीं है।

66. नीचे दो कथन दिए जा रहे हैं, जिनमें से प्रथम को अभिकथन (A) और दूसरे को तर्क (R) कहा गया है :

अभिकथन (A) : ऑक्सीजन का श्वसन झिल्ली के पार दबाव अनुपात 100 से 105 mmHg के बीच होता है।

तर्क (R) : श्वसन झिल्ली के पार जितना दबाव अनुपात ज्यादा होता है उतना ही ज्यादा जल्दी ऑक्सीजन उसके पार जाती है।

निम्न कथनों में से कौन-सा कथन सही है?

A. दोनों (A) और (R) सत्य हैं।
B. (A) सत्य है, परन्तु (R) असत्य है।
C. (A) असत्य है, परन्तु (R) सत्य है।
D. (A) सत्य है, परन्तु (R), (A) की सही व्याख्या नहीं है।

67. नीचे दो कथन दिए हैं एक को अभिकथन (A) और दूसरा तर्क (R) कहा गया है:

अभिकथन (A) : मानकीकृत परीक्षण वैज्ञानिक रूप से निर्मित परीक्षण है जिसकी सार्वभौमिक प्रयोज्यता होती है।

तर्क (R) : मानकीकृत परीक्षण की वैज्ञानिक प्रामाणिकता को भलीभांति स्थापित किया जाना है।

निम्न कथनों में से कौन-सा कथन सही है?

A. (A) और (R) दोनों सत्य हैं और (R), (A) की सही व्याख्या है।

B. (A) सत्य है, और (R), (A) की सही व्याख्या नहीं है।

C. (A) सत्य है, लेकिन (R) सत्य नहीं है।

D. (A) सत्य नहीं है, किन्तु (R) सत्य है।

68. नीचे दो कथन दिए हैं, एक को अभिकथन (A) और दूसरे को तर्क (R) कहा गया हैः

अभिकथन (A) : परीक्षण और मापन निर्धारित उद्देश्यों की प्राप्ति में सहायक साधन हैं।

तर्क (R) : परीक्षण और मापन अपने आप में अन्त नहीं हैं।

निम्न कथनों में से कौन-सा कथन सही है?

A. (A) और (R) दोनों सही हैं, और (R), (A) की सही व्याख्या है।

B. (A) और (R) दोनों सही नहीं हैं।

C. (A) सही है, किन्तु (R), (A) की सही व्याख्या नहीं है।

D. (A) सही है, किन्तु (R) गलत है।

69. नीचे दो कथन दिए गए हैं, एक को अभिकथन (A) और दूसरे को तर्क (R) कहा गया हैः

अभिकथन (A) : बढ़े हुए भाव प्रबोधन से खिलाड़ी के ध्यान में कमी आती है।

तर्क (R) : खिलाड़ी जो उस खेल में भाग लेते हैं जहाँ बड़े पैमाने पर अवधान जागरूकता अपेक्षित होती है वहाँ सर्वश्रेष्ठ प्रदर्शन के लिए निम्न भाव प्रबोधन स्तर आवश्यक है।

उपर्युक्त दो कथनों के सन्दर्भ में निम्न में से कौन-सा सही है?

A. (A) और (R) दोनों सही हैं, और (R), (A) की सही व्याख्या है।

B. (A) और (R) दोनों सही हैं, लेकिन (R), (A) की सही व्याख्या नहीं है।

C. (A) सही है, किन्तु (R) गलत है।

D. (A) गलत है, किन्तु (R) सही है।

70. नीचे दो कथन दिए गए हैं, एक को अभिकथन (A) और दूसरे को तर्क (R) कहा गया हैः

अभिकथन (A) : चयनित अवधान कौशल है जिसे सीखा जा सकता है।

तर्क (R) : निःसन्देह कुछ खिलाड़ी चयनित अवधान की दृष्टि से अन्य की अपेक्षा अधिक बेहतर होते हैं। इसमें कोई सन्देह नहीं कि इस कौशल को अर्जित किया जा सकता है।

उपर्युक्त दो कथनों के सन्दर्भ में निम्न में से कौन-सा सही है?

A. (A) और (R) दोनों सही हैं, और (R), (A) की सही व्याख्या है।

B. (A) और (R) दोनों सही हैं, लेकिन (R), (A) की सही व्याख्या नहीं है।

C. (R) सही है, लेकिन (A) गलत है।

D. (R) गलत है, लेकिन (A) सही है।

निर्देश (प्रश्न सं. 71 से 75 तक) : *निम्नलिखित अनुच्छेद को पढ़कर प्रश्नों के उत्तर दीजिए।*

यदि हम कम्पनियों के जीतने और नुकसान होने के बारे में विचार करें तो हम एक कम्पनी से दूसरी कम्पनी में इतना अन्तर देखेंगे जितना एक बाजार से दूसरे बाजार में या एक देश से दूसरे देश में।

देश और उद्योग में कई दुष्कर पर्यावरण होने पर भी कई उत्कृष्ट कम्पनियाँ हैं। अतः एक कम्पनी से दूसरी कम्पनी में विजेता और हारने वालों की व्याख्या करना महत्वपूर्ण है। अपने पर्यावरण के कारण ही कम्पनियाँ जीतती या हारती हैं। वे किसी विशेष श्रमिक बाजार से आती हैं और उन देशों में विशेष प्रतिभाएँ विद्यमान होती हैं।

विश्व के चारों ओर, विभिन्न प्रकार की संस्कृतियाँ, प्रौद्योगिकी और संस्थान विभिन्न प्रकार के तर्क दे रहे हैं। स्थापित फर्मों के उद्यमी यहाँ तक कि प्रवर्तक भी इन विभिन्न तर्कों में एक-दूसरे को पूरी तरह से बाहर करने के लिए प्रत्यनशील हैं।

यदि हम बड़े संगठनों जैसे कि जी.ई., सिमेन्स या टाटा ग्रुप की ओर ध्यान दें तो उन्होंने माप और कार्यक्षेत्र के माध्यम से जीतने का प्रयास किया है जैसे कि प्रभावशाली कार्यकुशलता अथवा देश के उन भागों में जहाँ प्रतिभा नहीं है वहाँ प्रतिभाशाली व्यक्तियों को भेजना आदि। यह मानना था कि विश्व के कम विकसित भाग अपेक्षाकृत अधिक विकसित अर्थव्यवस्था तक पहुँचने का प्रयास करेंगे। यह बिल्कुल भी सत्य नहीं है।

एक महत्वपूर्ण प्रश्न यह है कि जो कि पूछा जाना चाहिए कि क्या हम 'नेतृत्व' की पहचान कर सकते हैं? इससे अभिप्राय उन लोगों की पहचान करने से कदापि नहीं है जो पहले से ही सफल रह चुके हैं। नेता वह नहीं होते जो यह समझते हैं कि वह समाधान जानते हैं बल्कि नेता वह होते हैं जो यह जानते हों कि व्यवस्था कैसे बनायी जाती है और जो समाधान खोज निकालते हैं दुर्भाग्य से हमें जब पहली बार नौकरी मिलती है या हमारी पदोन्नति होती है तो हमें यह पदोन्नति हमारे ज्ञान या हमारी कार्य-योग्यता की वजह से मिलती है लेकिन किसी संगठन की संवृद्धि और सफलता के मार्ग की ओर अग्रसर होने की दृष्टि से यह ज्ञान सीमित है। एच.आर. प्रबन्धकों को अपने कार्यकर्ताओं में ऐसे व्यक्तियों को खोजना आवश्यक है जो उनके स्तर के समकक्ष हैं। एक योग्य प्रबन्धक यह समझता है कि उसका कार्य एक ऐसा परिवेश बनाना है जिसमें व्यक्ति समृद्ध हो सके, जोखिम उठा सके, नए कार्य आरम्भ कर सके, विश्वस्त रह सके और सुधार ला सके।

71. विजेता और खोने वालों में सबसे अधिक अन्तर निम्न में से किसमें होता है?

A. बाजार से बाजार B. देश से देश
C. कम्पनी से कम्पनी D. संस्कृति से संस्कृति

72. मानव संसाधन में बड़े नेता कौन नहीं होते?

A. जो समाधान जानते हैं।
B. जो समाधान खोजते हैं।
C. जो व्यवस्था निर्मित करते हैं।
D. स्तरीय होते हैं।

73. प्रवर्तक किन विभिन्न तर्कों में एक-दूसरे को प्रतियोगिता से बाहर कर देते हैं?

A. संस्कृति B. प्रौद्योगिकी
C. संस्थान D. उपर्युक्त सभी

74. बड़े संगठन किस माध्यम से जीतना चाहते हैं?

I. स्तर II. प्रतिभा
III. कार्यक्षेत्र IV. अर्थव्यवस्था

सही संयोजन बताएँ :

A. I और II B. I और III
C. I और IV D. III और IV

75. कम्पनियों के सन्दर्भ में जीतना या हारना किस कारण से होता है?

I. प्रतिभा II. प्रौद्योगिकी
III. बाजार IV. पर्यावरण

सही संयोजन बताएँ :

A. I और II
B. II और III
C. III और IV
D. I और IV

उत्तरमाला

1	2	3	4	5	6	7	8	9	10
D	A	C	A	C	D	B	B	D	C
11	12	13	14	15	16	17	18	19	20
B	A	D	B	B	D	C	C	C	D
21	22	23	24	25	26	27	28	29	30
C	C	C	D	A	C	D	D	B	A
31	32	33	34	35	36	37	38	39	40
A	B	A	D	C	B	D	D	A	B
41	42	43	44	45	46	47	48	49	50
B	D	A	B	B	A	A	A	C	B
51	52	53	54	55	56	57	58	59	60
B	C	B	B	A	C	B	B	B	A
61	62	63	64	65	66	67	68	69	70
D	A	A	A	B	C	A	A	B	D
71	72	73	74	75					
C	A	D	B	D					

व्याख्यात्मक उत्तर

1. Citius, Altius, Fortius ये शब्द लैटिन भाषा से लिए गए हैं। इस शब्द का प्रतिपादन फादर हेनरी डीडान ने किया था।

2. सुनियोजित शारीरिक शिक्षा द्वारा विद्यार्थियों के व्यक्तित्व विकास के सभी पहलुओं में उल्लेखनीय योगदान दिया जा सकता है। वर्ष 1956 के 'शारीरिक शिक्षा एवं मनोरंजन की राष्ट्रीय योजना' के अंतर्गत यह स्पष्ट रूप से बताया गया है कि शारीरिक शिक्षा के व्यावहारिक प्रयोग से बालकों को सामाजिक, शारीरिक तथा संवेगात्मक स्तर पर स्वस्थ बनाना ही शारीरिक शिक्षा का लक्ष्य एवं उद्देश्य है। शारीरिक शिक्षा का दूरस्थ उद्देश्यों में अच्छे मानव संबंधों का विकास करना है। शारीरिक शिक्षा के उद्देश्य निम्नलिखित हैं–

- **बौद्धिक या संज्ञानात्मक विकास**–विविध प्रकार के खेलों में भाग लेने से इस उद्देश्य की पूर्ति होती है।
- **सामाजिक विकास**–मनुष्य एक सामाजिक प्राणी है और वह समाज में ही बेहतर ढंग से जीवनयापन करता है। शारीरिक शिक्षा, व्यक्ति को ऐसा अवसर प्रदान करती है जिससे वह अन्य व्यक्ति और व्यक्तियों के समूह से मेल-जोल बढ़ा सके।
- **भावुकता का विकास**–शारीरिक शिक्षा व्यक्ति में संवेगात्मक स्थिरता पैदा करती है। इसका तात्पर्य यह है कि व्यक्ति किसी भी प्रकार की परिस्थिति का सामना करने में सक्षम हो।
- **स्नायु मांसपेशीय विकास**–शारीरिक शिक्षा का मुख्य उद्देश्य स्नायु मांसपेशियों का विकास है। खेल इत्यादि शारीरिक क्रियाकलापों से स्नायविक मांसपेशियों का विकास होता है। स्नायु मांसपेशीय विकास को मनोप्रेरक विकास या समन्वय विकास भी कहते हैं।
- **स्वास्थ्य सम्बन्धी ज्ञान का विकास**–स्वास्थ्य, शिक्षा, शारीरिक शिक्षा कार्यक्रम का ही अभिन्न अंग है। विद्यालय स्तर पर स्वास्थ्य शिक्षा के अंतर्गत केवल स्वास्थ्य सिद्धांत और महत्वपूर्ण नियमावली भी शामिल नहीं है अपितु स्वस्थ जीवन और सामुदायिक स्वास्थ्य सम्बन्धी जानकारियां भी इसमें सम्मिलित हैं।

3. चोटिल या घायल व्यक्ति को घटना स्थल से चिकित्सालय तक पहुँचाने से पूर्व जो भी क्रिया की जाती है, वह प्राथमिक उपचार के अंतर्गत आती है। घायल व्यक्ति को घटना स्थल पर तुरंत जो चिकित्सीय सहायता दी जाती है, उसे प्राथमिक उपचार कहते हैं।

प्राथमिक उपचार का आकस्मिक तथा आपातकालीन स्थिति में सर्वाधिक महत्वपूर्ण कार्य जो भी उपलब्ध हो उसकी मदद से जीवन बचाना है। प्रथमोपचार शब्दावली को शासकीय रूप से 1879 में पहली बार St. John Ambulance Association द्वारा अपनाया गया। 1894 ई. के बाद प्रथमोपचार शब्द का प्रयोग हुआ।

प्रथमोपचार का उद्देश्य–

- प्रथमोपचार का उद्देश्य होता है–बीमार या घायल व्यक्ति की स्थिति को बिगड़ने न देना।
- घायल व्यक्ति को मृत्यु से बचाना।
- घायल व्यक्ति को चिकित्सकीय सुविधा उपलब्ध कराना।
- बीमार या घायल व्यक्ति की दशा ठीक करने के लिए प्रयास करना।

6. **क्रॉस वैबर टेस्ट**–यह टेस्ट मांसपेशीय क्षमता से सम्बन्धित है। इस टेस्ट को डॉक्टर क्रॉस तथा डॉक्टर वेबर ने विकसित किया था। इस टेस्ट का उद्देश्य बड़ी मांसपेशियों के समूहों की लोच तथा शक्ति की जाँच करना अथवा मापना है।

12. **काइनिसियोलॉजी (Kinesiology) :** काइनिसियोलॉजी शब्द ग्रीक भाषा के शब्द कायनेसिस से लिया गया है। जिसका अर्थ है गति तथा लोगोस शब्द का अर्थ है ज्ञान अथवा अध्ययन। काइनिसियोलॉजी की मूलतः व्याख्या ''गति के अध्ययन'' से की जाती है। काइनिसियोलॉजी विषय एक संगठित तथा विधिवत ज्ञान का ढाँचा है एवं इसीलिए इसे विज्ञान कहा गया है क्योंकि मानवीय निष्पादन से जुड़ी गतियों के सम्बन्ध में इसमें विवेचना की जाती है। संक्षिप्त में इसे मानव गति विज्ञान का अध्ययन कहा जाता है। वर्तमान युग में गति विज्ञान (काइनिसियोलॉजी) का सम्बन्ध तथा उसके चार प्रमुख क्षेत्रों एनाटमी (Anatomy), फिजियालॉजी (Physiology), भौतिक शास्त्र (Physics) तथा गणित (Mathematics) है।

14. मानव शरीर जो कि एक जटिल रचना है। इस पर यांत्रिक तथा जीववैज्ञानिक दोनों नियम तथा सिद्धांत लागू हैं। यह

किस प्रकार प्रभावी ढंग से कार्य करता है यह यांत्रिक तथा जैववैज्ञानिक कार्यक्रमों दोनों पर निर्भर करता है। खेल बायोमैकेनिक्स किनेसियोलॉजी का विशिष्ट भाग है। किनेसियोलॉजी यांत्रिक पक्ष पर अधिक जोर देती है। लेकिन आवश्यकता के कारण इसमें जीववैज्ञानिक कार्यक्रम भी जोड़े जाते हैं क्योंकि यह इनकी गतिविधियों से सीधा सम्बन्ध रखती है। इस प्रकार किनेसियोलॉजी शरीर की जीव विज्ञानी, यांत्रिकी, रचना तथा गति से सम्बन्ध रखता है। इसमें कोई शक नहीं है कि बहुत-सी खेल गतिविधियों में शरीर तथा उसके अंग सम्मिलित होते हैं लेकिन ऐसे खेल निष्पादन हैं जिनमें गेंद, बैट, रैकेट, लोहे के गोले, डिस्कस, भाला, हैमर, वोलवाल्ट आदि उपकरणों का भी उपयोग शरीर की गति के साथ होता है। इस प्रकार किनेसियोलॉजी उपकरणों के उपयोग के कारणों के प्रभावित करने से भी सम्बन्ध रखता है। साथ ही साथ यह बल, घर्षण, गति, लीवर, लचकता, प्रोजेक्शन तथा छोड़ने के कोण आदि से भी सम्बन्ध रखता है। संक्षिप्त में किनेसियोलॉजी में उपकरणों तथा वस्तुओं का उपयोग कर मानव निष्पादन का अध्ययन भी किनेसियोलॉजी में किया जाता है। इस प्रकार हम किनेसियोलॉजी में निष्पादन के विश्लेषक तथा निष्पादन में सुधार के लिए सिद्धांतों को ठीक ढंग से कैसे लगाया जाए इसका अध्ययन करते हैं।

16. **काई-वर्ग परीक्षण (Chi-Square Test) :** काई-वर्ग परीक्षण से इस बात की जानकारी होती है कि किसी समग्र विशेष में अवलोकित एवं प्रत्याशित मूल्य का अंतर मात्र किसी संयोग अर्थात् दैव परिणाम या आधारभूत परिकल्पनाओं के गलत होने के कारण है। काई-वर्ग परीक्षण की मान्यता है कि अवलोकनों (Observation) की संख्या (N) यथासंभव बड़ी अर्थात् 50 से अधिक होनी चाहिए अन्यथा अवलोकित तथा अप्रत्याशित आवृत्तियों के अन्तरों (f_0-f_e) का बंटन प्रसामान्य नहीं होगा। यह भी मान्यता है कि प्रत्येक अवलोकन का परिणाम पिछले परिणाम से स्वतंत्र है।

18. अनुसन्धान शब्द का प्रयोग किसी संशोधन या वस्तु की खोज के लिए नहीं बल्कि यह उस प्रक्रिया का द्योतक है, जिसमें अनेक प्रकार के तथ्यों का एकत्रीकरण किया जाता है और उनके आधार पर व्यापक निष्कर्ष निकालना सम्मिलित है। इस प्रकार कहा जा सकता है कि यह एक कम विकसित क्षेत्र में किसी समस्या का सर्वांगीण विश्लेषण है। सामाजिक शोध में समस्या का चयन एवं उसकी पहचान सामाजिक अनुसंधान के सफल संचालन के लिए महत्वपूर्ण मानी जाती है। शोध समस्या की स्पष्ट रूप से पहचान कर उसका अभिलेख करना शोधकर्ता के लिए एक कठिन कार्य होता है। सामान्यतः शोध समस्या एक ऐसी समस्या है इसके द्वारा दो या दो से अधिक चरों के बीच प्रश्नात्मक सम्बन्ध की अभिव्यक्ति होती है। अनुसंधान रिपोर्ट में प्रारम्भिक मामलों में शामिल है—मुख पृष्ठ, आभार, विषय-सूची।

21. किसी प्रेरक कार्य को करने के लिए किसी व्यक्ति की क्षमता से अभिप्राय प्रेरक योग्यता (Motor Fitness) है। प्रेरक योग्यता के निम्नलिखित घटक हैं—

(i) **मांसपेशियों की क्षमता (Muscular Strength) :** खेलकूद की सभी गतिविधियों में सफलता के लिए बुनियादी घटक है, मांसपेशियों की क्षमता। इसका अर्थ है किसी मांसपेशी अथवा मांसपेशी समूह द्वारा किसी प्रतिरोध के विरुद्ध क्षमता शक्ति से निष्पादित शक्ति या तनाव। इसे किसी एक विशेष क्षण में एक बार में अधिकतम वजन उठाने की क्षमता से नापा जा सकता है।

(ii) **शक्ति/क्षमता (Power) :** क्षमता/शक्ति का अर्थ है शरीर द्वारा मांसपेशियों के संकुचन से कम से कम समय में अधिकाधिक ताकत के निस्तारण की योग्यता। ताकत का तात्पर्य है विस्फोट गति, अर्थात् कम से कम समय में अधिकतम गति से अधिकाधिक शक्ति का निकलना। ऐसा समझा जाता है कि ताकत मुख्य रूप से गति और क्षमता पर निर्भर करती है।

(iii) **मांसपेशियों की सहन क्षमता (Muscular Endurance) :** मांसपेशियों की सहन क्षमता/शक्ति का अर्थ है किसी पेशी या इसके समूह की किसी प्रतिरोध के विरुद्ध निरंतर संकुचन या लम्बे अंतराल तक बिना किसी असुविधा के संकुचन की क्रिया को बनाए रखने और तीव्रता से पूर्वस्थिति में आने की योग्यता क्षमता है।

(iv) **गति (Speed) :** एक ही प्रकार की गतिविधि को निरंतर दोहराने की तीव्रता को गति कहते हैं। किसी व्यक्ति की कम परिमाण की दूरियों जैसे—50 और 100 मीटर आदि तीव्रता से पूरी करने की क्षमता।

योग्यता को भी गति कहा जा सकता है। अधिक गति वाले खिलाड़ियों/व्यक्तियों में प्रतिक्रिया समय भी प्रायः उच्च श्रेणी का होता है।

(v) फुर्ती (Agility) : फुर्ती किसी व्यक्ति की पूरी या लगभग पूरी गति पर चलते हुए दिशा परिवर्तन की क्षमता को कहा जाता है। विशेष रूप से किसी व्यक्ति की तत्काल दिशा परिवर्तन, या शरीर की अवस्था को परिवर्तित करने एवं पुनः शारीरिक नियंत्रण हासिल करने के पश्चात किसी नई गतिविधि को जारी रखने की क्षमता/योग्यता को गति कहते हैं।

23. पाठ्यक्रम का अर्थ केवल उन सैद्धान्तिक विषयों से नहीं है, जो स्कूल में परंपरागत रूप से पढ़ाये जाते हैं अपितु इसमें अनुभवों की वह संपूर्णता भी सम्मिलित होती है, जिनको बालक स्कूल, कक्षा, पुस्तकालय, प्रयोगशाला, वर्कशॉप तथा खेल के मैदान एवं शिक्षकों और छात्रों के अनगिनत अनौपचारिक संपर्कों से प्राप्त करता है। इस प्रकार स्कूल का संपूर्ण जीवन पाठ्यक्रम बन जाता है, जो छात्रों के सभी पक्षों को प्रभावित कर सकता है तथा उनके विकास में सहायता दे सकता है। पाठ्यक्रम को निम्नलिखित विद्वानों के द्वारा परिभाषित किया गया है—

कनिंघम—"कलाकार (शिक्षक) के हाथ में यह पाठ्यक्रम एक साधन है जिससे वह पदार्थ (शिक्षार्थी) को अपने आदर्श के अनुसार अपने स्टूडियो (स्कूल) में ढाल सके।"

मुनरो—"पाठ्यक्रम में वे सब क्रियाएँ सम्मिलित हैं जिनका हम शिक्षा के उद्देश्यों को प्राप्त करने के लिए स्कूल में उपयोग करते हैं।"

फोबिल—पाठ्यक्रम को मानव जाति के संपूर्ण ज्ञान तथा अनुभवों का सार समझना चाहिए।

इसी प्रकार पाठ्यक्रम निम्नलिखित तत्वों पर आधारित होता है—मार्गदर्शीय अनुभव, सीखने की योजनाएँ, उद्देश्य प्राप्ति के तरीके, ज्ञान कौशल्य और समझ।

26. संवेगों की अवस्था में व्यक्ति एक निश्चित दिशा में अथवा कुछ खास किस्म के व्यवहार करने के लिए बाध्य हो जाता है; जैसे—क्रोध की अवस्था में व्यक्ति आक्रामक व्यवहार करने के लिए प्रेरित होता है तथा प्रेम का अनुभव होने पर मिलन-आलिंगन आदि की प्रबल इच्छा से अभिभूत हो जाता है। लेकिन सभी व्यक्तियों में संवेगशीलता एक-सी नहीं होती है। कोई कम संवेगशील होता है तथा कोई अधिक। इसके अतिरिक्त बार-बार भय दुश्चिंता का अनुभव करने पर व्यक्ति का पूर्ण व्यक्तित्व प्रभावित हो जाता है और वह अनावश्यक भय तथा आशंकाओं का शिकार बनकर मानसिक रूप से अस्वस्थ हो जाता है। इस प्रकार संवेग के फलस्वरूप प्राणी की संपूर्ण शारीरिक तथा मानसिक क्रियाएँ प्रभावित हो जाती हैं। ये प्रभाव अनुभव, बाह्य व्यवहार तथा आन्तरिक शारीरिक क्रियाओं में दृष्टिगत होते हैं। संवेग की अवस्था में व्यक्ति के चेहरे, उसकी आवाज, चाल-ढाल तथा व्यवहार में विशेष प्रकार के उतार-चढ़ाव दृष्टिगत होते हैं। संवेगात्मक परिपक्वता विकसित करने के लिए आवेगों पर नियंत्रण रखना तथा पारितोषण में देर करना जैसे संवेगात्मक दक्षता की आवश्यकता होती है।

28. दु:श्चिंता के प्रबंधन के लिए अधिकतर व्यक्ति ऐसा सोचते हैं कि शराब व नशीली दवाओं का सेवन चिंता की भावनाओं को मंद या कम कर सकता है लेकिन वास्तव में ये पदार्थ चिंता की भावनाओं को और अधिक गहरा कर देते हैं। दवाइयाँ चिन्ता की भावनाओं को कम कर सकती हैं, किंतु यह अंतिम उपाय होना चाहिए। चिंता के उपचार के लिए जैव फीडबैक तथा ऑटोजेनिक ट्रेनिंग जैसी तकनीक अपनानी चाहिए। हालाँकि चिंता के प्रबंधन के लिए दूसरे तरीकों का भी प्रयोग किया जा सकता है; जैसे—स्वयं ही यह स्मरण करना कि आप किसी प्रकार के खतरे में नहीं है। यह सर्वविदित है कि चिन्ता, शरीर क्रियात्मक उत्तेजना के साथ-साथ रहती है। प्रशिक्षक व शारीरिक शिक्षा के अध्यापक शरीर क्रियात्मक उत्तेजन के इष्टतम स्तर को पाने के निरंतर प्रयास करते रहते हैं तथा वह उत्तेजन खिलाड़ियों के सर्वोत्तम प्रदर्शन को संभव बना देता है। एक उत्तेजन स्तर अर्थात् अत्यधिक कम या ज्यादा खेल प्रदर्शन पर नकारात्मक प्रभाव डाल सकता है। खिलाड़ी में कम स्तर के उत्तेजन के परिणामस्वरूप यह कम अभिप्रेरित होता है, उसमें सर्तकता की कमी होती है तथा उसकी गतियाँ धीमी व अनुचित होती हैं।

31. कोई वस्तु विराम की अवस्था में है, तो वह विराम की अवस्था में ही रहेगी और यदि वह एक समान गति से किसी सीधी रेखा में चल रही हो, तो वैसे ही चलती रहेगी, जब तक कि उस पर कोई बाहरी बल लगाकर उसकी अवस्था में परिवर्तन न किया जाए। अर्थात् सभी वस्तुएं अपनी प्रारंभिक अवस्था को बनाए रखना चाहती है। इस

प्रकार यदि कोई व्यक्ति गेंद को एकाएक दृढ़ हाथों से रोकने का प्रयास करेगा, तो गेंद का तीव्र आघात वह सहन नहीं पाएगा। यही कारण है कि क्रिकेट की बॉल पकड़ने के लिए निम्नलिखित क्रियाओं का अनुकरण लिया जाता है—ऊँचाई को देखना, बॉल आने की लाइन में स्वयं की सही स्थान पर रखना, बॉल को प्राप्त करना तथा गिविंग।

37. **ज्ञान शास्त्र :** ज्ञान शास्त्र के अंतर्गत ज्ञान के स्रोत, सिद्धान्त, सीमाएँ, औचित्य तथा अधिकरण आते हैं। ज्ञान शास्त्र का मुख्य उद्देश्य सत्य तक पहुँचने के साधनों तथा विधियों-प्रविधियों का अध्ययन है।

नीतिशास्त्र : नीतिशास्त्र दर्शन का परिकल्पना प्रधान विषय है। नीतिशास्त्र द्वारा मनुष्य नैतिकता, सदाचार, चरित्र आदि के सिद्धान्तों को सीखता है। उसे अपने तथा समाज के प्रति अपने नैतिक दायित्वों का ज्ञान भी नीतिशास्त्र से ही मिलता है।

वास्तविकता : व्यवहारवाद को ही प्रयोगवाद, व्यवहारवाद, प्रयोजनवाद या वास्तविकतावाद आदि अनेक नाम द्वारा भी जाना जाता है। वास्तविकतावाद पराभौतिकवाद से सम्बन्धित है। वास्तविकता शब्द की उत्पत्ति ग्रीक भाषा के 'प्रग्या' से हुई, जिसका अर्थ किया गया काम है। प्रयोजनवाद को प्रयोगवाद भी कहा जाता है, क्योंकि यह प्रयोग को ही एकमात्र स्थायित्व की कसौटी मानता है। अतः प्रयोजनवाद वह विचारधारा है जो उन्हीं वस्तुओं, विचारों, सिद्धांतों तथा नियमों को सही मानती है जो किसी देशकाल या परिस्थिति में व्यावहारिक एवं महत्वपूर्ण हों।

41. **प्राचीन काल का विभाजन**

1. **सिंधु घाटी की सभ्यता का काल (3250 ई.पू. - 2500 ई.पू.) :** पूर्व वैदिक काल के दौरान किसी शारीरिक कला का कोई रिकॉर्ड नहीं है लेकिन हड़प्पा और मोहनजोदड़ो से प्राप्त युद्ध शस्त्रों, औजारों व उपकरणों, मुहरों व मूर्तियों के सावधानीपूर्वक अध्ययन से इस तरह का अनुमान लगाया जा सकता है। इस काल के दौरान शारीरिक अभ्यास रोजमर्रा के कार्यों, खेलों व क्रीड़ाओं और मनोरंजन से किया जाता था।

2. **वैदिक काल (2500 ई.पू. - 600 ई.पू.) :** वैदिक काल में सूर्य नमस्कार धार्मिक कर्तव्य के रूप में अधिक किया जाता था बजाय आज के शारीरिक व्यायाम या प्रशिक्षण के रूप में। आज यह एक लोकप्रिय स्वास्थ्य कसरत के रूप में विकसित हो चुकी है। प्राणायाम का प्रचलन भी इस युग की एक महत्वपूर्ण देन है। इस क़ाल के दौरान सैनिक प्रशिक्षण भी काफी लोकप्रिय था।

3. **पूर्व हिंदू काल (600 ई.पू. - 320 ईस्वी सन्) :** रामायण में भी शारीरिक प्रशिक्षण और मन बहलाव के अनेक संदर्भ हैं। इस काल के दौरान नागरिकों के जीवन में नाटकों व उत्सवों की विशेष भूमिका थी। शिकार करना काफी लोकप्रिय था जिसे एक राजसी खेल माना जाता था। खेल के उद्देश्य से बड़े कुत्तों को घरों में पाला जाता था। शतरंज के खेल की खोज वास्तव में कुछ हिंदुओं ने की थी और इस देश को ही इस खेल का जन्मदाता माना जाता है जहाँ से यह पूरे प्राचीन विश्व में फैल गया।

4. **उत्तर हिंदू काल (320 ईसवी सन् - 1000 ईसवी सन्) :** इस काल के दौरान तक्षशिला व नालंदा जैसे महान् विश्वविद्यालय विकसित हुए। यह शारीरिक, बौद्धिक और सौंदर्यात्मक प्रशिक्षण पाने के केन्द्र के रूप में उभरे। कुश्ती, तीरंदाजी और पर्वतारोहण को विशेष जगह दी गई। नालंदा विश्वविद्यालय में तैराकी, साँस लेने वाली कसरत और योगा छात्र के दैनिक जीवन का अनिवार्य अंग थी।

5. **मध्यकाल (1000 ईस्वी - 1757 ईस्वी) :** 12वीं सदी में हमारी शारीरिक शिक्षा व्यवस्था को गुरुकुलों में हमारे प्राचीन शिक्षकों द्वारा जिमनेजियम के माध्यम से विकसित किया जिसे राजाओं का संरक्षण प्राप्त था। सन् 1200-1525 के बीच राजाओं ने सैनिक प्रशिक्षण की ओर ज्यादा ध्यान दिया जिसके परिणामस्वरूप, आत्मरक्षा के लिए प्रयुक्त होने वाले विभिन्न प्रकार के शस्त्रों का प्रचलन व्यवहार में आ गया। जाने-माने धार्मिक धर्म गुरु श्री समर्थ रामदास स्वामी ने शारीरिक शिक्षा के महत्व को महसूस किया। उन्होंने देशभर में भ्रमण किया और भगवान हनुमान के मंदिर के साथ जिमनेजियम बनाने के लिए लोगों को प्रेरित किया। इन्हें 'भारतीय जिमनेजियम आंदोलन का पितामह' कहा जा सकता है।

43. **आयरन (Iron) :** रक्त में लाल कणों (RBCs) का बहुत बड़ा हिस्सा होता है तथा शरीर की सभी कोशिकाओं को उचित ढंग से काम करने योग्य रखता है। लोहे की कमी से एनेमिया (Anemia) नामक बीमारी हो जाती है। यह

काम करने की क्षमता में कमी, सीखने में समस्याएँ, कम वृद्धि तथा विकास तथा बीमारियों में बढ़ोत्तरी की ओर ले जाती है, विशेष तौर पर प्रजनन के समय पर। आयरन के विशेष साधन हैं—मीट, मछली, पोलटरी, लीवर तथा दूसरे मीट तत्व।

आयोडीन (Iodine) : संपूर्ण वृद्धि तथा विकास के लिए महत्वपूर्ण होता है। भोजन में इसकी कमी के कारण थायराईड ग्रंथी में सूजन आ जाती है तथा दिमागी परेशानी होती है।

सोडियम : सोडियम की आवश्यकता आमतौर पर थायराइड ग्रंथि को सही हालत में रखने के लिए पड़ती है। यह नमक व मीट से व इनमें तैयार पदार्थों से प्राप्त किया जा सकता है। मानव शरीर को प्रतिदिन 500 मिलीग्राम सोडियम की आवश्यकता पड़ती है।

50. एफ. डब्ल्यू.टेलर : एफ.डब्ल्यू. टेलर को वैज्ञानिक प्रबंध का जन्मदाता कहा जाता है। इनका प्रबंध विज्ञान के क्षेत्र में महत्वपूर्ण योगदान रहा है। इन्होंने प्रबंध विज्ञान के क्षेत्र में वैज्ञानिक दृष्टिकोण का प्रयोग करके एक नई दिशा प्रदान की। इनके द्वारा प्रतिपादित वैज्ञानिक प्रबंध के सिद्धांतों को न केवल औद्योगिक प्रबंध, वरन् अन्य कई क्षेत्रों में व्यापक मान्यता प्राप्त हुई है। इनके द्वारा प्रतिपादित वैज्ञानिक प्रबंध के सिद्धांतों का प्रभाव न केवल समस्त अमेरिका बल्कि अन्य विकसित तथा विकासशील देशों में भी फैला।

एल्टन मायो : मायो के द्वारा मानव संसाधन सिद्धांत को प्रतिपादित किया गया। इन्होंने कारखाने में कुछ महत्वपूर्ण योगदान दिया था तथा उनके आधार पर प्रबंध जगत को कुछ महत्वपूर्ण निष्कर्ष प्रस्तुत करके इस क्षेत्र में अपूर्व योगदान दिया है। उनका कहना था कि कार्य एक सामूहिक क्रिया है तथा कार्यस्थल एक सामाजिक संगठन। उनका मानना था कि मनुष्य भावनाओं एवं मनोस्थितियों का आर्थिक सम्बन्धों पर महत्वपूर्ण प्रभाव पड़ता है तथा यह प्रभाव संगठन की कार्यवाहियों को भी प्रभावित करते हैं। मानवीय संबंधों द्वारा संगठन में औपचारिकता का वातावरण उत्पन्न हो जाता है तथा इसका प्रभाव श्रमिकों की कार्यकुशलता पर पड़ता है। श्रमिकों की कार्यकुशलता में वृद्धि लाने के लिए कार्य की दशाएँ तो संतोषप्रद होनी ही चाहिए किंतु इससे भी अधिक महत्वपूर्ण तथ्य है नियोजकों का श्रमिकों के प्रति मानवीय व्यवहार।

हेनरी फेयोल : हेनरी फेयोल को 'आधुनिक प्रबंध विचारधारा' का जन्मदाता माना जाता है। उन्होंने प्रबंध के क्षेत्र में जिन सामान्य सिद्धांतों का संपादन किया वे आज भी समस्त राष्ट्रों एवं संगठनों में उपयोगी सिद्ध हो रहे हैं। उन्होंने उच्च प्रबंध एवं प्रशासन के क्षेत्र में आधारभूत दर्शन एवं दृष्टिकोण को जन्म दिया। फेयोल ही पहले व्यक्ति थे जिन्होंने प्रबंध की सार्वभौमिकता को बतलाया तथा सभी प्रकार के औद्योगिक, वाणिज्यिक, राजनैतिक, धार्मिक, सामाजिक या शैक्षणिक उपक्रमों के संचालन में प्रबंध की महत्वपूर्ण भूमिका को स्पष्ट किया। इसीलिए उन्हें 'सर्वयुक्तिवादी' के रूप में जाता है।

53. शारीरिक शिक्षा कला है या विज्ञान इसका निर्धारण करने से पूर्व इसके उन सिद्धांतों का परीक्षण कर लेना आवश्यक है जिस पर शारीरिक शिक्षा खड़ी है।

शारीरिक शिक्षा एक कला के रूप में : कुछ सुन्दर ढंग से किए जाने वाले काम को कला के रूप में वर्णित किया जाता है। जो लोग सुन्दर ढंग से काम करते हैं वे कलाकार कहलाते हैं। कला उन क्रियाओं पर लागू होती है जो रुचि और कल्पना के सिद्धांतों पर की जाती है और ऐसे सौंदर्यात्मक गुणों को जो सुंदरता और संतुलन को अभिव्यक्त करते हों। एक आदर्श, गोताखोर, एक निपुण जिमनास्ट, एक सुंदर पेंटिंग, एक इंद्रधनुषी रंग या एक सुरीला गीत हमारी भावनाओं को उद्दीप्त करता है। यह भावनाएं हम विभिन्न इंद्रियों के माध्यम से ग्रहण करते हैं जैसे—कान, आँख, नाक आदि।

शारीरिक शिक्षा एक विज्ञान के रूप में : शारीरिक शिक्षा को एक विज्ञान कहा जा सकता है यदि इसे सिद्धांतों, नियमों, परिकल्पनाओं जिस पर इनका निर्माण हुआ है, का निर्धारण व प्रमाणीकरण हो जाए। शारीरिक शिक्षा विभिन्न स्रोतों से अपने सिद्धांतों की रचना करती है, जैसे—एनाटॉमी, फिजियोलॉजी, मानसिक स्वच्छता, मनोविज्ञान, नृशास्त्र विज्ञान, जैव-रसायन शास्त्र, जैव भौतिक शास्त्र, जैव यांत्रिकी आदि जो मानव और उसके क्रियाकलापों को समझने में काफी मदद देती है। इन विज्ञानों ने ही शारीरिक शिक्षा के लिए एक वैज्ञानिक आधार खड़ा किया है।

इस प्रकार शारीरिक शिक्षा अपने सिद्धांत, कला और विज्ञान दोनों से ग्रहण करती है इसलिए यह ज्यादा उचित होगा कि इसे कला और विज्ञान दोनों के रूप में व्यवहृत किया

जाए। यह एक कला है क्योंकि यह सौंदर्यात्मक, कल्पनात्मक एवं सृजनात्मक है। यह विज्ञान है क्योंकि यह व्यवस्थित एवं यथार्थ है। शारीरिक शिक्षा, कला और विज्ञान का दुर्लभ संगम है इसलिए इसे 'कलात्मक विज्ञान' कहा जा सकता है।

54. शारीरिक शिक्षा का अर्थ बहुत व्यापक है, इसमें न केवल प्रतियोगी-खेल शामिल है, बल्कि लयात्मक क्रियाकलाप, मनोरंजक खेल, स्वास्थ्य एवं फिटनेस क्रियाकलाप, कैंपिंग, उपचारात्मक व्यायाम आदि शामिल हैं। यह कुल शिक्षा प्रक्रिया का एक अभिन्न अंग है, जिसका लक्ष्य व्यक्ति की शारीरिक गतिविधियों के माध्यम से उसके शारीरिक, मानसिक, सामाजिक और भावनात्मक रूप का विकास है तथा एक खास योजना के तहत विशिष्ट परिणामों को प्राप्त करना है। शारीरिक शिक्षा से स्वास्थ्य-ज्ञान, ग्रुप अनुभव, प्रयास तथा प्राप्ति का आनन्द मिलता है। प्रतियोगी खेलों में केवल प्रतियोगिता जीतने पर बल दिया जाता है। इस प्रकार स्पष्ट होता है कि अभिकथन (A) और कारण (R) दोनों सही हैं किंतु (R), (A) की सही व्याख्या नहीं है।

56. वित्तीय प्रबंधन संगठन के आयोजन तथा वित्तीय स्रोतों के नियंत्रण से संबंध रखता है। सामान्यतः वित्त प्रबंधन से अभिप्राय संसाधन उत्पादन, संसाधन संग्रह, उद्देश्यों की तुलना में उत्तर संसाधन प्रवंटन, संसाधन संचालन, संसाधन उपयोग, लेखा-कर्म तथा दायित्व जैसी प्रक्रियाओं से है। यह एक ऐसी प्रणाली है जिसे अपनाकर संगठन का कोई भी अभिकरण सापेक्षतः उच्चतम प्रबंधन पूर्व निर्धारित उद्देश्यों को प्राप्त करने के लिए वित्तीय संसाधनों को बुद्धिमत्तापूर्ण ढंग से संचालन तथा उपयोग करता है। दूसरे शब्दों में, इससे लोगों में संगठन—उसके आदर्शों, उद्देश्यों तथा उपलब्धियों के प्रति एक दायित्व तथा निष्ठा की भावना उत्पन्न होती है। तृतीय, वित्त प्रबंधन को शारीरिक शिक्षा के कार्यक्रमों की सफलता की एक स्वर्णिम कुंजी कहा जा सकता है। चतुर्थ, इससे कार्यक्रमों तथा उन उद्देश्यों को प्राप्त करने के लिए प्रबंटित धन की उपयोग-प्रक्रिया के बीच एक समन्वय एवं तालमेल स्थापित होता है। पांचवें, वित्त प्रबंधन से यह सुनिश्चित होता है कि स्थियात्मक विश्लेषण अन्वेषण तथा गहन अध्ययन को सामने रखकर न कि व्यक्तिगत हितों अथवा व्यक्तिनिष्ठ विश्लेषण के आधार पर विभिन्न योजनाओं, कार्यक्रमों तथा परियोजनाओं के लिए धन प्रवंटित किया जाता है। इस प्रकार अभिकथन (A) और कारण (R) दोनों सत्य हैं, लेकिन (R), (A) की सही व्याख्या है।

57. संतुलित आहार : वह भोजन, जिसमें सभी आवश्यक एवं पोषक तत्व उपस्थित हों, उसे हम संतुलित आहार कहते हैं। संतुलित आहार की मात्रा आयु के अनुसार लिंग, व्यवसाय क्रिया, जलवायु तथा शरीर की बनावट के अनुसार होनी चाहिए। वह आहार, जो शरीर को उचित मात्रा में पूर्ति करता है उसे हम संतुलित आहार कहते हैं। संतुलित भोजन में अनेक पोष्टिक तत्व पाए जाते हैं; जिन्हें मुख्य रूप से छह वर्गों में बाँटा जा सकता है, ये पौष्टिक तत्व हैं—कार्बोहाइड्रेट्स, प्रोटीन, चर्बी, विटामिन, खनिज एवं जल। इन पौष्टिक तत्वों में कार्बोहाइड्रेट्स, प्रोटीन एवं वसा हमें ऊर्जा देते हैं। भोजन द्वारा मिलने वाली ऊर्जा की गुणवत्ता को ऊष्मा इकाइयों अर्थात् कैलोरी के रूप में जाना जाता है। भोजन द्वारा मिलने वाली ऊर्जा को कैलोरी में व्यक्त किया है। इस प्रकार अभिकथन (A) तथा कारण (R) दोनों सही हैं।

58. शिक्षा नीति किसी भी राष्ट्र के निर्माण में महत्वपूर्ण योगदान देती है। भारत में प्रत्येक शासन काल में शासकों ने अपने आदर्शों तथा दर्शन के संदर्भ में शिक्षा नीति का निर्माण किया। यही कारण था कि भारत सरकार ने 1986 में नई शिक्षा नीति, राष्ट्र विकास के व्यापक एवं महत्वपूर्ण संकल्प की पूर्ति के लिए प्रकाशित की। इस नई शिक्षा नीति के माध्यम से स्कूल के बच्चों के स्वास्थ्य की देखरेख की व्यवस्था के लिए उचित पहल किए जाने की आशा स्कूल प्रशासन से की जाती है। इसके साथ ही साथ स्कूल शिक्षा में शारीरिक शिक्षा और खेलों को समाकलित करने की सिफारिश की। इसके अतिरिक्त इस नई शिक्षा नीति में नारी समानता के लिए शिक्षा, अनुसूचित जातियों एवं जनजातियों के लिए शिक्षा, अन्य पिछड़े वर्गों की शिक्षा तथा प्रौढ़ शिक्षा पर भी बल दिया गया। इस प्रकार स्पष्ट होता है कि अभिकथन (A) तथा तर्क (R) दोनों सत्य हैं किंतु (R), (A) का सही स्पष्टीकरण है।

60. शारीरिक शिक्षा के कार्यक्रम के कुशल तथा सुव्यवस्थित आयोजन के लिए उपलब्ध में उचित क्रिया निर्धारण अति आवश्यक होता है। यह शिक्षक की कुशलता पर निर्भर करता है कि कौन-सी क्रिया किस समय तथा किसके द्वारा

की जाएगी। कोई भी शैक्षिक संस्था क्रिया निर्धारण के बिना कार्य नहीं कर सकती। समय-सारणी एक ऐसा साधन होता है, जिसकी सहायता से विद्यालय केवल शिक्षण सफलता के उद्देश्य को प्राप्त करने के लिए कार्य करता है। विविध विद्यालयी क्रियाओं तथा उपलब्ध समय के मध्य पाए जाने वाले सम्बन्ध को प्रदर्शित करने वाला एक मापक उपकरण होता है। अर्थात् कौन-सी क्रियाओं को किस समय तथा कितने समय के लिए आयोजित किया जाना चाहिए। समय निर्धारण एक 'स्पार्क प्लग' की भाँति कार्य करता है जिससे क्रियात्मक कार्यक्रम को गति प्राप्त होती है। सामान्य रूप से सारणी उन विषय कक्षाओं की सूची प्रदर्शित करती है जिनका आयोजन शिक्षण संस्था में उपलब्ध समय में किया जाता है। शारीरिक शिक्षा कक्षाओं को विभिन्न समय विभागों में, वर्ष के समय, मौसम, परिस्थितियों, स्थितियों, विषय, प्राथमिकता, उपलब्ध शिक्षकों की संख्या, सुविधाओं आदि को निर्धारित करना निर्धारण प्रक्रिया का भाग होता है। निर्धारण द्विस्तरीय प्रक्रिया होती है। पहले मैक्रो स्तर पर जहाँ अन्तः संस्थागत विचार विमर्श के पश्चात् शारीरिक शिक्षा कार्यक्रम के लिए दीर्घ समय के लिए कैलेण्डर निर्मित किया जाता है। इस प्रकार अभिकथन (A) तथा तर्क (R) सही हैं लेकिन (R), (A) की सही व्याख्या नहीं है।

61. उत्तोलक एक सख्त छड़ है जो एक बिन्दु या केन्द्र के इर्द-गिर्द घूमता है। इससे कम बल लगाकर अधिक गति प्राप्त की जा सकती है। यह यांत्रिक यंत्र होता है, जिसमें धुरी बल और कार्य होता है। उत्तोलक को तीन भागों में बाँटा जाता है—

प्रथम श्रेणी लीवर : प्रथम प्रकार के उत्तोलक में आलम्ब, बल तथा प्रतिरोध के मध्य में होता है। बल, भुजा और भार भुजा के बराबर होती है। इसके परिणामस्वरूप उत्तोलक की दोनों भुजाएँ विपरीत दिशाओं में चलती हैं। यह उत्तोलक की दोनों भुजाएँ विपरीत दिशाओं में चलती हैं। यह उत्तोलक संतुलन बनाने में सहायक होता है; जैसे—कैंची, तराजू, हैण्डपम्प इत्यादि। मानव शरीर में यह लीवर पाया जाता है; जैसे—खोपड़ी का प्रथम एटलस कशेरूका से संधि। इसमें सिर आगे-पीछे, दाएँ-बाएँ घूमता रहता है गर्दन मांसपेशियों द्वारा शक्ति प्राप्त होती हैं। और एटलस कशेरूका धुरी का कार्य करता है इसी कारण सिर सीधा रहता है। इस प्रकार श्रेणी-I लीवर में फोर्स आर्म और रेसिसटेन्स आर्म के बीच का संबंध बदल सकता है। क्योंकि श्रेणी-I लीवर में फलक्रम फोर्स और रेसिसटेन्स आर्म के बीच किसी बिन्दु पर रहता है। स्पष्टतः अभिकथन (A) और तर्क (R) दोनों सत्य हैं और (R), (A) की सही व्याख्या है।

65. हृदय का कार्य शरीर के विभिन्न भागों को रुधिर पम्प करना है। हृदय के कार्य करने की दो अवस्थाएँ हैं। प्रथम अवस्था को प्रकुंचन या संकुचन (Systole) कहते हैं, जिसमें निलय सिकुड़ते हैं और रुधिर को महाधमनियों में पंप करते हैं। द्वितीय अवस्था को अनुशिथिलन (Diastole) कहते हैं, जिसमें निलय फैलते हैं और आलिन्द से रक्त प्राप्त करते हैं। हृदय के संकुचन एवं शिथिलन को सम्मिलित रूप से हृदय की धड़कन कहते हैं। इन दोनों में डाइस्टोलिक फेस सिस्टोलिक फेस से बड़ा होता है। एक सामान्य या स्वस्थ मनुष्य का हृदय, विश्राम की अवस्था में, औसतन 1 मिनट में 72 बार धड़कता है। पर कड़ी मेहनत या व्यायाम के फलस्वरूप यह धड़कन बढ़कर 1 मिनट में 180 बार तक हो सकती है। हृदय एक धड़कन में लगभग 70 मिमी. रुधिर पंप करता है। रुधिर के इस आयतन को स्ट्रोक आयतन कहते हैं। इस प्रकार अभिकथन (A) सत्य है तथा तर्क (R) असत्य है।

66. हृदय के संकुचन से धमनियों की दीवारों पर पड़ने वाला दाब रुधिर दाब कहलाता है। इस दाब को संकुचन दाब (Systolic Pressure) कहते हैं, जो निलयों के संकुचन के फलस्वरूप उत्पन्न होता है। यह संकुचन दाब उतना होता है, जितना कि 120 मिलीमीटर पारे के स्तंभ द्वारा उत्पन्न होता है। इसके ठीक उल्टा अनुशिथिलन दाब (Diastolic Pressure) होता है, जो निलय के अनुशिथिलन के फलस्वरूप उत्पन्न होता है, जब रुधिर आलिंद से निलय में प्रवेश कर रहा होता है। यह दाब सामान्यतः 80 मिलीमीटर पारे के स्तंभ द्वारा उत्पन्न दाब के बराबर होता है। अतः एक स्वस्थ मनुष्य में संकुचन और अनुशिथिलन दाब अर्थात् रुधिर दाब 120/80 होता है। रुधिर दाब (Blood Pressure) मापने वाले यंत्र का नाम स्फिग्मो-मैनोमीटर (Sphygmomanometer) है। इस प्रकार अभिकथन (A) असत्य है, परन्तु तर्क (R) सत्य है।

पिछले प्रश्न-पत्र (हल सहित)

UGC-NET जूनियर रिसर्च फैलोशिप तथा सहायक प्राध्यापक परीक्षा

शारीरिक शिक्षा, दिसम्बर-2012

प्रश्न-पत्र-II

निर्देश : *इस प्रश्न-पत्र में **पचास (50)** बहु-विकल्पीय प्रश्न हैं। प्रत्येक प्रश्न के **दो (2)** अंक हैं। **सभी** प्रश्न अनिवार्य हैं।*

1. भारत ने ओलम्पिक खेलों में सर्वप्रथम किस वर्ष भाग लिया?

A. 1896 B. 1900
C. 1904 D. 1924

2. मानव शरीर की अस्थियाँ किस आधार पर वर्गीकृत की जाती हैं?

A. रचना एवं कार्य B. स्थान एवं सम्बद्धता
C. परिमाण एवं आकार D. संधि एवं गतिविधि

3. सही उत्तर बताइए :

A. कार्यमान हेतु घर्षण ऋणात्मक बल है।
B. कार्यमान हेतु घर्षण धनात्मक बल है।
C. कार्यमान हेतु घर्षण ऋणात्मक एवं धनात्मक बल होता है।
D. कार्यमान पर घर्षण का कोई प्रभाव नहीं होता है।

4. अधिगम के अन्तर्दृष्टि सिद्धान्त का प्रतिपादन किसने किया?

A. थार्नडाइक B. पावलोव
C. कोहलर D. कैटल

5. भारतवर्ष में शारीरिक शिक्षा का प्रथम शिक्षक प्रशिक्षण महाविद्यालय कहाँ प्रारम्भ हुआ?

A. लखनऊ B. काँदीवली
C. चेन्नई D. अमरावती

6. क्रीड़ा प्रशिक्षण का ध्येय होता है :

A. शारीरिक समर्थता की उन्नति
B. तकनीकी कौशल की उन्नति
C. रणनीतिक कार्यनिपुणता की उन्नति
D. क्रीड़ामान की उन्नति

7. शोध का एक आवश्यक साधन है :

A. प्रश्नावली
B. पुस्तकालय तकनीक
C. परिकल्पना निर्माण
D. सर्वेक्षण

8. परीक्षण, मापन एवं मूल्यांकन का परस्पर सम्बन्ध निम्नलिखित ढंग से है :

A. मापन एवं मूल्यांकन परीक्षण का हिस्सा हैं।
B. मूल्यांकन एवं परीक्षण मापन का हिस्सा हैं।
C. परीक्षण एवं मापन मूल्यांकन का हिस्सा हैं।
D. मूल्यांकन परीक्षण एवं मापन दोनों का हिस्सा हैं।

9. भारतीय विश्वविद्यालय संघ (ए.आई.यू.) का मूलभूत कार्य है :

A. विश्वविद्यालयों हेतु खेल उपकरण खरीदना
B. अन्तर्विश्वविद्यालय प्रतियोगिताओं का नियोजन
C. खेल सुविधाओं के विकास हेतु धनराशि प्रदान करना
D. विश्वविद्यालयों में शारीरिक शिक्षा निदेशकों की नियुक्ति करना

10. शारीरिक शिक्षा के सामाजिक आधार की विवेचना करता है :

I. शारीरिक गठन
II. गतीय अधिगम
III. प्रतिस्पर्धा एवं सहयोग
IV. समाजीकरण प्रक्रिया

सही संयोजन ज्ञात कीजिए :

A. I और IV B. II और IV
C. I और III D. III और IV

11. छोटी आंत में पचे हुए खाद्य पदार्थ किससे अवशोषित होते हैं?

I. डियोडेनम   II. विलस
III. इलियम   IV. विली

सही संयोजन ज्ञात कीजिए :

A. I और III   B. II और IV
C. IV और III   D. II और I

12. कोणीय द्रुतिगति आधारित होती है :

I. सीधा घूमने की त्रिज्या पर
II. उल्टा घूमने की त्रिज्या पर
III. प्रत्यक्ष रेखीय द्रुतिगति
IV. अप्रत्यक्ष रेखीय द्रुतिगति

सही संयोजन ज्ञात कीजिए :

A. I और III   B. III और II
C. II और IV   D. IV और I

13. उत्प्रेरणा में सम्मिलित होता है :

I. निर्देशन   II. तीव्रता
III. निरन्तरता   IV. उपरोक्त सभी

सही संयोजन ज्ञात कीजिए :

A. I और II   B. II और III
C. I और III   D. केवल IV

14. सूक्ष्म पौष्टिक आहार में होता है :

I. कार्बोहाइड्रेट   II. खनिज
III. विटामिन्स   IV. वसा

सही संयोजन ज्ञात कीजिए :

A. I और II   B. II और III
C. III और IV   D. IV और I

15. इन्टरवल प्रशिक्षण भार आधारित होता है :

I. भार की मात्रा   II. हृदयगति दर
III. भार की तीव्रता   IV. लैक्टिक एसिड संकेन्द्रण

सही संयोजन ज्ञात कीजिए :

A. I और II   B. I और III
C. II और III   D. II और IV

16. शोध समस्या में निम्नलिखित विशेषताएँ अवश्य होनी चाहिए :

I. नवीनता   II. मूल्यता
III. सम्भवता   IV. सरलता

सही संयोजन ज्ञात कीजिए :

A. I, II, III   B. II, III, IV
C. I, III, IV   D. I, II, IV

17. एक आदर्श परीक्षण का मापदंड होता है :

I. विश्वसनीयता   II. जटिलता
III. विविधता   IV. मानदंड

सही संयोजन ज्ञात कीजिए :

A. I और II   B. II और III
C. III और IV   D. IV और I

18. अन्तः प्रतिष्ठानित प्रतिस्पर्धा का मुख्य ध्येय होता है :

I. विद्यार्थियों को जनसहभागिता का अवसर प्रदान करना
II. अन्तर्विद्यालयी स्पर्धा में भाग लेना
III. अन्तःविद्यालयी स्पर्धा का अनुभव प्रदान करना
IV. उच्चस्तरीय प्रतियोगिता हेतु खेल प्रदर्शन बढ़ाना

सही संयोजन ज्ञात कीजिए :

A. I और II   B. III और IV
C. I और III   D. II और IV

19. नीचे दो कथन दिए गए हैं। एक को अभिकथन (A) और दूसरे को तर्क (R) कहा गया है:

अभिकथन (A) : प्रकृतिवाद के अनुसार शारीरिक शिक्षा का ध्येय आत्म अभिव्यक्ति होता है।

तर्क (R) : प्रकृतिवाद प्रकृति के अतिरिक्त अन्य किसी पर विश्वास नहीं करता है।

उपरोक्त कथनों को ध्यान में रखते हुए सही उत्तर का चयन कीजिए :

A. (A) और (R) दोनों सही हैं और (A) का (R) सही स्पष्टीकरण है।
B. (A) और (R) दोनों सही हैं, परन्तु (A) का (R) सही स्पष्टीकरण नहीं है।
C. (A) सही है, परन्तु (R) गलत है।
D. (A) गलत है, परन्तु (R) सही है।

20. **अभिकथन (A) :** आन्तरिक श्वसन का अर्थ है कोशिका में बाह्य द्रव्य के माध्यम से गैसेज का विनिमय होना।

तर्क (R) : फेफड़े का रक्त संचालन का अर्थ है समग्र रक्त संचार।

उपरोक्त कथनों को ध्यान में रखते हुए सही उत्तर का चयन कीजिए :

A. (A) और (R) दोनों सही हैं एवं (A) का (R) सही स्पष्टीकरण है।
B. (A) और (R) दोनों सही हैं, परन्तु (A) का (R) सही स्पष्टीकरण नहीं है।
C. (A) सही है, परन्तु (R) गलत है।
D. (A) गलत है, परन्तु (R) सही है।

21. **अभिकथन (A) :** शरीर के गुरुत्व मध्य को नीचे लाने से स्थिरता बढ़ जाती है।

तर्क (R) : संतुलन का गुरुत्व मध्य की ऊँचाई से अपरोक्ष सम्बन्ध होता है।

उपरोक्त कथनों को ध्यान में रखते हुए सही उत्तर का चयन कीजिए :

A. (A) सही है, परन्तु (R) गलत है।
B. (A) गलत है, परन्तु (R) सही है।
C. दोनों (A) और (R) गलत हैं।
D. दोनों (A) और (R) सही हैं।

22. **अभिकथन (A) :** क्षतिकारक आक्रामकता दूसरों को शारीरिक क्षति पहुँचाने हेतु उकसाती है।

तर्क (R) : आक्रामकता का इरादा दूसरे व्यक्ति को मानसिक और/अथवा शारीरिक क्षति पहुँचाना होता है।

उपरोक्त कथनों को ध्यान में रखते हुए सही उत्तर का चयन कीजिए :

A. (A) सही है, परन्तु (R) गलत है।
B. (A) और (R) दोनों सही हैं तथा (A) का (R) कारक है।
C. (A) और (R) दोनों सही हैं, परन्तु (A) का (R) सही स्पष्टीकरण नहीं है।
D. (R) सही है और (A) गलत है।

23. **अभिकथन (A) :** भारतवर्ष में आजादी से पूर्व एक भी शारीरिक शिक्षा प्रशिक्षण महाविद्यालय नहीं था।

तर्क (R) : वाई.एम.सी.ए. ने 1920 में चेन्नई में शारीरिक शिक्षा प्रशिक्षण विद्यालय प्रारम्भ किया।

उपरोक्त कथनों को ध्यान में रखते हुए सही उत्तर का चयन कीजिए :

A. दोनों (A) और (R) सही हैं और (A) का (R) सही स्पष्टीकरण है।
B. दोनों (A) और (R) सही हैं, परन्तु (A) का (R) सही स्पष्टीकरण नहीं है।
C. (A) सही है, परन्तु (R) गलत है।
D. (R) सही है, परन्तु (A) गलत है।

24. **अभिकथन (A) :** चेचक ग्रस्त व्यक्ति को अलग रखना चाहिए।

तर्क (R) : अलग रखना संक्रमण की रोकथाम का उपाय है।

उपरोक्त कथनों को ध्यान में रखते हुए सही उत्तर का चयन कीजिए :

A. दोनों (A) और (R) सही हैं और (A) का (R) सही स्पष्टीकरण है।
B. दोनों (A) और (R) सही हैं, परन्तु (A) का (R) सही स्पष्टीकरण नहीं है।
C. (A) सही है, परन्तु (R) गलत है।
D. (A) गलत है, परन्तु (R) सही है।

25. **अभिकथन (A) :** लम्बी दूरी की दौड़ का कौशल बढ़ाने हेतु प्रशिक्षण की लगातार पद्धति प्रभावी होती है।

तर्क (R) : लगातार प्रशिक्षण पद्धति मूलभूत सहनशीलता बढ़ाती है।

उपरोक्त कथनों को ध्यान में रखते हुए सही उत्तर का चयन कीजिए :

A. दोनों (A) और (R) सही हैं और (A) का (R) सही स्पष्टीकरण है।
B. दोनों (A) और (R) सही हैं, परन्तु (A) का (R) सही स्पष्टीकरण नहीं है।
C. (A) सही है, परन्तु (R) गलत है।
D. (A) गलत है, परन्तु (R) सही है।

26. **अभिकथन (A) :** 't' टेस्ट का उपयोग दो माध्य के बीच यथार्थ अन्तर मापन हेतु होता है।

तर्क (R) : 't' टेस्ट सिद्धान्त मूलक संख्याशास्त्र का एक तन्त्र है।

उपरोक्त कथनों को ध्यान में रखते हुए सही उत्तर का चयन कीजिए :

A. दोनों (A) और (R) सही हैं, परन्तु (A) का (R) सही स्पष्टीकरण नहीं है।
B. दोनों (A) और (R) गलत हैं।

C. दोनों (A) और (R) सही हैं और (A) का (R) सही स्पष्टीकरण है।

D. (A) सही है, और (R) गलत है।

27. **अभिकथन (A) :** चर्बीहीन शारीरिक गठन का अर्थ है बिना शारीरिक वसा के शरीर भार की मात्रा।

तर्क (R) : शारीरिक बनावट में वे सभी घटक सम्मिलित हैं जिनसे मानव शरीर की रचना होती है।

उपरोक्त कथनों को ध्यान में रखते हुए सही उत्तर का चयन कीजिए :

A. दोनों (A) और (R) सही हैं, परन्तु (A) का (R) सही स्पष्टीकरण नहीं है।

B. दोनों (A) और (R) सही हैं, और (A) का (R) सही स्पष्टीकरण है।

C. (A) सही है, परन्तु (R) गलत है।

D. (A) गलत है, परन्तु (R) सही है।

28. **अभिकथन (A) :** प्रबन्धन में नियोजन, प्रशासन तथा पर्यवेक्षण के कार्य सम्मिलित हैं।

तर्क (R) : अच्छी शुरुआत यानी आधा काम समाप्त।

उपरोक्त कथनों को ध्यान में रखते हुए सही उत्तर का चयन कीजिए :

A. दोनों (A) और (R) सही हैं, और (A) का (R) सही स्पष्टीकरण है।

B. दोनों (A) और (R) सही हैं, परन्तु (A) का (R) सही स्पष्टीकरण नहीं है।

C. (A) सही है, परन्तु (R) गलत है।

D. (A) गलत है, परन्तु (R) सही है।

29. निम्नलिखित घटनाओं को कालक्रमबद्धतापूर्वक व्यवस्थित कीजिए :

I. एल.सी.पी.ई. की स्थापना

II. वाई.एम.सी.ए. शारीरिक शिक्षा महाविद्यालय, चेन्नई की शुरुआत

III. विश्वविद्यालयों में शारीरिक शिक्षा के शैक्षणिक विभागों की शुरुआत

IV. शारीरिक शिक्षा में एम.फिल. कोर्स की शुरुआत

कूट :

A. I, II, IV, III B. III, IV, I, II

C. II, I, III, IV D. IV, III, II, I

30. निम्नलिखित शारीरिक अवयवों को अवरोही क्रम में व्यवस्थित कीजिए :

I. कोशिका II. ऊतक

III. अंग IV. संस्थान

कूट :

A. I, II, III, IV B. IV, III, II, I

C. III, IV, I, II D. II, I, IV, III

31. कूदते समय सम्पूर्ण टेक-ऑफ के निम्नलिखित चरण होते हैं :

I. धक्का सहन II. सक्रिय खिंचाव

III. टेक ऑफ IV. भूमि स्पर्श

कूट :

A. I, II, III, IV B. IV, I, II, III

C. III, IV, I, II D. II, III, IV, I

32. कौशल अधिगमन हेतु निम्नलिखित को सही क्रम में व्यवस्थित कीजिए :

I. सम्बद्ध अवस्था II. प्रस्तुतिकरण अवस्था

III. स्वचलन अवस्था IV. संज्ञानात्मक अवस्था

कूट :

A. I, III, IV, II B. II, IV, I, III

C. III, I, II, IV D. IV, II, III, I

33. मोच की प्राथमिक चिकित्सा व्यवस्था में निम्नलिखित क्रम अपनाया जाता है :

I. बाँधना II. बर्फ लगाना

III. आराम देना IV. ऊपर उठाना

कूट :

A. II, III, IV, I B. III, II, I, IV

C. I, III, II, IV D. IV, I, II, III

34. निम्नलिखित को सही क्रम में व्यवस्थित करें :

I. प्रारम्भिक चरण II. सांक्रान्तिक चरण

III. स्पर्धा चरण IV. स्पर्धापूर्व चरण

कूट :

A. I, II, III, IV B. I, III, IV, II

C. I, IV, III, II D. II, I, IV, III

35. शोध कार्य में परिणाम पाने हेतु निम्नलिखित को क्रमबद्ध कीजिए :

I. आँकड़ों का विश्लेषण

II. निष्कर्ष निकालना

III. परिकल्पना का परीक्षण
IV. आँकड़े एकत्र करना

कूट :

A. II, III, I, IV B. I, IV, III, II
C. IV, I, II, III D. III, II, IV, I

36. निम्नलिखित मूल्यांकन परीक्षणों को कालबद्ध क्रम में व्यवस्थित कीजिए :

I. शारीरिक सामर्थ्य
II. गतीय सामर्थ्य
III. स्वास्थ्य सम्बन्धी सामर्थ्य
IV. गतीय शिक्षणीय सामर्थ्य

कूट :

A. I, III, IV, II B. II, IV, III, I
C. III, I, II, IV D. I, II, III, IV

37. एक खेल कार्यक्रम के व्यवस्थापन चरणों का सही क्रम बताइए :

I. बजट निर्माण II. निर्देशन
III. नियोजन IV. कर्मचारियों की नियुक्ति

कूट :

A. II, III, I, IV B. III, I, IV, II
C. I, II, III, IV D. IV, I, II, III

38. सूची-I को सूची-II से नीचे दिए गए कूट की सहायता से सुमेलित कीजिए :

सूची-I	सूची-II
(*a*) शैक्षणिक जिमनास्टिक्स	1. प्राचीन ओलम्पिक
(*b*) टरनर अभियान	2. रोम
(*c*) ग्लैडिटोरियल कम्बैट	3. जर्मनी
(*d*) स्टेड रेस	4. स्वीडन

कूट :

	(*a*)	(*b*)	(*c*)	(*d*)
A.	4	3	2	1
B.	3	4	1	2
C.	1	2	4	3
D.	2	1	3	4

38. सूची-I को सूची-II से नीचे दिए गए कूट की सहायता से सुमेलित कीजिए :

सूची-I	सूची-II
(*a*) आओरटा	1. हृदय में फेफड़ों से शुद्ध रक्त लाती है।
(*b*) पल्मोनरी वेन	2. हृदय की माँसपेशियों को शुद्ध रक्त पहुँचाती है।
(*c*) वेना-कावा	3. ऑक्सीजन रहित रक्त फेफड़ों में ले जाती है।
(*d*) कोरोनरी आरटरी	4. हृदय से दूर जाने वाली प्रथम धमनी
	5. ऑक्सीजन रहित रक्त हृदय की ओर लाती है।

कूट :

	(*a*)	(*b*)	(*c*)	(*d*)
A.	1	2	3	4
B.	3	4	2	5
C.	4	1	5	2
D.	4	5	1	3

40. सूची-I को सूची-II से नीचे दिए गए कूट की सहायता से सुमेलित कीजिए :

सूची-I	सूची-II
(*a*) गुरुत्व बल	1. स्थायित्व
(*b*) घर्षण बल	2. प्रतिक्षिप्तता
(*c*) उद्धरण बल	3. निर्बाध गिरना
(*d*) लचक बल	4. तैरना

कूट :

	(*a*)	(*b*)	(*c*)	(*d*)
A.	3	1	4	2
B.	1	4	2	3
C.	2	3	1	4
D.	4	2	3	1

41. सूची-I को सूची-II से नीचे दिए गए कूट की सहायता से सुमेलित कीजिए :

सूची-I	सूची-II
(*a*) प्रेरणा सिद्धान्त	1. मनोविश्लेषण सिद्धान्त
(*b*) खेल सिद्धान्त	2. आरोपण सिद्धान्त
(*c*) अधिगम सिद्धान्त	3. सामाजिक अधिगम सिद्धान्त
(*d*) व्यक्तित्व सिद्धान्त	4. सक्रिय सिद्धान्त

कूट :

	(*a*)	(*b*)	(*c*)	(*d*)
A.	4	3	2	1
B.	1	4	3	2
C.	3	2	1	4
D.	2	1	4	3

42. सूची-I को सूची-II से नीचे दिए गए कूट की सहायता से सुमेलित कीजिए :

सूची-I	सूची-II
(*a*) बी.एम.आई.	1. वसाहीनता
(*b*) शारीरिक संरचना	2. प्रदर्शन सम्बन्धी समर्थता
(*c*) विस्फोटक बल	3. स्वास्थ्य सम्बन्धी समर्थता
(*d*) पोन्डोरल इंडेक्स	4. स्थूलता

कूट :

	(*a*)	(*b*)	(*c*)	(*d*)
A.	1	4	3	2
B.	4	3	2	1
C.	3	2	1	4
D.	2	1	4	3

43. सूची-I को सूची-II से नीचे दिए गए कूट की सहायता से सुमेलित कीजिए :

सूची-I	सूची-II
(*a*) पेनाल्टी कॉर्नर	1. वालीबॉल
(*b*) पेनाल्टी स्पॉट	2. ट्रैक एंड फील्ड
(*c*) लिबेरो	3. हॉकी
(*d*) स्टॉप बोर्ड	4. फुटबॉल

कूट :

	(*a*)	(*b*)	(*c*)	(*d*)
A.	2	3	4	1
B.	1	2	3	4
C.	4	1	3	2
D.	3	4	1	2

44. सूची-I को सूची-II से नीचे दिए गए कूट की सहायता से सुमेलित कीजिए :

सूची-I	सूची-II
(*a*) एफ टेस्ट	1. को-एफिशिएन्ट ऑफ कोरिलेशन
(*b*) केन्द्रीय प्रवृत्ति का मापन	2. मानक विचलन
(*c*) सहसम्बन्ध परीक्षण	3. अनोवा
(*d*) परस्पर विभिन्नता का मापन	4. माध्यिका

कूट :

	(*a*)	(*b*)	(*c*)	(*d*)
A.	1	3	2	4
B.	3	4	1	2
C.	4	2	3	1
D.	2	1	4	3

45. सूची-I को सूची-II से नीचे दिए गए कूट की सहायता से सुमेलित कीजिए :

सूची-I	सूची-II
(*a*) मिलर वॉली टेस्ट	1. टीम कोहेजन
(*b*) पे.स.र.	2. बैडमिन्टन
(*c*) स्केट	3. कार्डियो रेस्परेटरी सहनशीलता
(*d*) ग्रुप एनवायरनमेन्ट प्रश्नावली	4. उद्वेग

कूट :

	(*a*)	(*b*)	(*c*)	(*d*)
A.	2	3	4	1
B.	3	4	1	2
C.	4	1	2	3
D.	1	2	3	4

46. सूची-I को सूची-II से नीचे दिए गए कूट की सहायता से सुमेलित कीजिए :

सूची-I	सूची-II
(*a*) तीन सेकेंड नियम	1. फुटबॉल
(*b*) थ्रो-इन	2. हॉकी
(*c*) स्ट्रेट पुश	3. बास्केटबॉल
(*d*) सर्विस	4. बैडमिन्टन
	5. बेसबॉल

कूट :

	(*a*)	(*b*)	(*c*)	(*d*)
A.	1	2	3	5
B.	2	1	4	3
C.	3	1	2	4
D.	1	2	5	4

निर्देश (प्रश्न सं. 46 से 50 तक) : *निम्नलिखित अनुच्छेद को पढ़िए और दिए गए प्रश्नों के उत्तर दीजिए :*

शिक्षकों तथा प्रशिक्षकों में संताप (बर्न आउट) का प्रचलन लगातार बढ़ता जा रहा है। संताप को शारीरिक, आवेगात्मक तथा अभिवृत्तिपरक निःशेषता के रूप में परिभाषित किया जा सकता है। शिक्षकों के संतापग्रस्त होने के अनेक कारण हैं। प्रशासनिक समर्थन का अभाव, पाठ्यचर्या-निर्माण की प्रक्रिया में भाग लेने के अवसर का अभाव, जन-आलोचना तथा समुदाय द्वारा समर्थन का अभाव संताप में योगदान करने वाले कारक हैं। अपर्याप्त वेतन, अनुशासन संबंधी समस्याएँ, निरंतर बढ़ते हुए कार्य को पूरा करने के लिए अत्यंत कम समय, कक्षाओं में शिक्षार्थियों

की बड़ी संख्या तथा शिक्षण कार्य का भारी बोझ इस समस्या की उत्पत्ति में योगदान करते हैं। चुनौतियों का अभाव, अपर्याप्त निरीक्षणात्मक प्रतिपुष्टि तथा व्यक्तिगत एवं व्यावसायिक विकास के अवसरों की कमी संताप उत्पन्न करते हैं।

अंतहीन प्रतीत होने वाली प्रतिस्पर्धात्मक परीक्षाओं की अवधि, प्रशासनिक तथा सामुदायिक दबाव तथा समय का दबाव प्रशिक्षण के क्षेत्र में संताप उत्पन्न करते हैं। शिक्षक-प्रशिक्षक की भूमिका के बीच संघर्ष भी संताप को जन्म देता है। शिक्षक होने तथा प्रशिक्षक होने की अपेक्षाओं के बीच मौजूद विषमता के कारण भूमिका यह संघर्ष घटित होता है। यह अनेक समकालिक, किंचित् वैविध्यपूर्ण, अपेक्षाओं में परिणत होता है। जो शिक्षक-प्रशिक्षक इन अपेक्षाओं को पूरा करने में अक्षम होता है वह संघर्ष की भूमिका का अनुभव करता है।

व्यक्तिगत समस्याओं तथा व्यावसायिक समस्याओं की पारस्परिक क्रिया, शिक्षण तथा प्रशिक्षण दोनों क्षेत्रों में संताप को तीव्र बनाती है। अपने परिवार के अंदर संघर्ष, धन की कमी, या संभवतः संबंधियों के साथ समस्या जैसी व्यक्तिगत समस्याएँ व्यक्ति के लिए अतिरिक्त तनाव का कारण बन सकती हैं। व्यावसायिक समस्याओं के साथ जुड़कर ये तनाव संताप के आक्रमण को विकट बना देते हैं।

संताप के नतीजे अनेक होते हैं तथा बहुधा अति प्रचंड होते हैं और शिक्षकों तथा विद्यार्थियों दोनों को प्रभावित करते हैं। संताप का सर्वाधिक संकटपूर्ण प्रभाव शिक्षण कार्य पर पड़ता है। संतापग्रस्त शिक्षक शिक्षणपरक अपेक्षाओं का सामना हाशिये पर रहकर करते हैं।

47. शिक्षक-संताप का निम्नलिखित में से कौन-सा प्रचलित कारण है?

A. वित्तीय समर्थन का अभाव
B. प्रशासनिक समर्थन का अभाव
C. राजनीतिक समर्थन का अभाव
D. पारिवारिक समर्थन का अभाव

48. प्रशिक्षक संताप का निम्नलिखित में से कौन-सा सर्वाधिक महत्वपूर्ण कारण है?

A. प्रशासनिक तथा सामुदायिक दबाव
B. अभिभावकों के दबाव
C. प्रतिभागियों के दबाव
D. उच्चाधिकारियों के दबाव

49. शिक्षक-प्रशिक्षक की भूमिका के संघर्ष में कौन-सा कारक संताप उत्पन्न करता है?

A. प्रतिभागियों की अपेक्षाएँ
B. विद्यार्थियों की अपेक्षाएँ
C. अभिभावकों की अपेक्षाएँ
D. एक शिक्षक तथा प्रशिक्षक होने से अपेक्षाएँ

50. शिक्षण तथा प्रशिक्षण दोनों क्षेत्रों में संताप उत्पन्न करने वाला सर्वाधिक प्रबल कारक कौन-सा है?

A. राजनीतिक समस्याएँ
B. सामाजिक समस्याएँ
C. व्यक्तिगत समस्याएँ
D. प्रशासनिक समस्याएँ

उत्तरमाला

1	2	3	4	5	6	7	8	9	10
B	C	C	C	C	D	A	C	B	D
11	**12**	**13**	**14**	**15**	**16**	**17**	**18**	**19**	**20**
B	B	D	B	D	C	D	C	A	C
21	**22**	**23**	**24**	**25**	**26**	**27**	**28**	**29**	**30**
D	B	D	A	A	C	A	B	C	B
31	**32**	**33**	**34**	**35**	**36**	**37**	**38**	**39**	**40**
B	B	B	C	C	D	B	A	C	A
41	**42**	**43**	**44**	**45**	**46**	**47**	**48**	**49**	**50**
*	B	D	B	A	C	B	A	D	C

व्याख्यात्मक उत्तर

1. दूसरे ग्रीष्मकालीन ओलम्पिक खेल 20 मई, 1900 से 28 अक्टूबर, 1900 तक फ्रांस की राजधानी पेरिस में आयोजित किए गए। इस ओलम्पिक की खास विशेषता यह थी कि इसमें महिला खिलाड़ियों को शामिल होने का अवसर दिया गया। इसी ओलम्पिक में भारत की ओर से ओलम्पिक खेलों में भाग लेने वाला प्रथम खिलाड़ी एक आंग्ल इंडियन नॉर्मन प्रिजार्ड है, जिसने एथलेटिक्स स्पर्धा में दो रजत पदक प्राप्त किया। इसी प्रकार भारत ने सर्वप्रथम 1920 के ओलम्पिक में अपने खिलाड़ियों का दल भेजा। इस दल में दो पहलवान, दो एथलीट एवं एक प्रबंधक थे। इन चार खिलाड़ियों में फदीपा डरेपा छागुले (Phadeppa Dareppa Chaugule) ने मैराथन दौड़ में 19वां स्थान प्राप्त किया। इस प्रकार वह भारत के प्रथम मैराथन धावक हुए।

2. अस्थियों का वर्गीकरण उनके परिणाम एवं आकार के आधार पर किया जाता है। इसीलिए अस्थियों के चार प्रकार होते हैं–

(i) लम्बी अस्थियाँ (Long Bones)
(ii) छोटी अस्थियाँ (Short Bones)
(iii) चौड़ी अस्थियाँ (Flat Bones)
(iv) बेतरतीब अस्थियाँ (Irregular Bones)
(v) तिलाकर (Sesamoid)

***(i)* लम्बी अस्थियाँ**–प्रत्येक लम्बी हड्डी एक स्तम्भ (Shaft) तथा सिरों पर दो नौब (Knob) की बनी हुई हैं। लम्बी हड्डी का सारा क्षेत्र तंतु जाल से ढका रहता है परंतु जिस स्थान पर हड्डी दूसरी हड्डी को जोड़ती है वहां वह तंतुओं से रहित रहता है। जहाँ लम्बी हड्डी का सिरा दूसरी हड्डी को जोड़ता है वहां इसकी सतह को पतली कर्टिलेज ढक लेती हैं। ऊपर तथा निचले बाजू (ह्यूमरस, अलना), जांघ तथा टांग, हाथों तथा पांवों की अंगुलियां इसी के अंतर्गत आती हैं।

***(ii)* छोटी अस्थियाँ**–ये अस्थियाँ तिकोने आकार की हैं। यह केन्द्रीय लचकदार हड्डियाँ हैं जो संश्लिष्ट हड्डियों की पतली सतह से ढकी होती है। कलाई तथा एड़ियों की हड्डियां इसी के अंतर्गत आती हैं।

***(iii)* चौड़ी अस्थियाँ**–ये हड्डियाँ पतली तथा चौड़ी होती हैं। यह संश्लिष्ट दो बाह्य हड्डियों की परतों से जुड़ी केन्द्रीय लचकदार हड्डियों से निर्मित होती हैं।

***(iv)* बेतरतीब हड्डियाँ**–ये हड्डियाँ दूसरी हड्डियों की अपेक्षा पेचीदा होती हैं। ये छोटी तथा चौड़ी हड्डियों की तरह होती हैं परंतु एक जैसी होती हैं। रीढ़ की हड्डियाँ तथा खोपड़ी की कुछ हड्डियाँ बेतरतीब होती हैं।

***(v)* तिलाकर (सीसामायड) हड्डियाँ**–ये बीजों की तरह हड्डियाँ होती हैं। ये टेंडन यथा घुटने की चपनी, पिसीफार्म आदि में विकसित होती हैं।

4. अंतर्दृष्टि सिद्धांत (Insight Theory) का प्रतिपादन गेस्टाल्ट मनोवैज्ञानिकों द्वारा विशेषकर कोहलर (Kohler) तथा कोफ्का (Koffka) द्वारा किया गया। जैसा कि नाम से ही स्पष्ट है, इस सिद्धांत के अनुसार व्यक्ति किसी प्रक्रिया को सूझ या अंतर्दृष्टि (Insight) द्वारा सीखता है। जब भी व्यक्ति किसी विषय या पाठ को सीखता है तो वह सीखने से सम्बन्धित हर पहलू को समझने की कोशिश करता है। इस कोशिश में वह परिस्थिति के विभिन्न पहलुओं को नए ढंग से प्रत्यक्षण कर संगठित करने का प्रयत्न करता है ताकि समस्या का समाधान आसानी से हो सके। जब परिस्थिति के भिन्न-भिन्न पहलुओं को नए ढंग से प्रत्यक्षण कर उसके आपसी संबंधों को समझा जाता है, तो उसमें अचानक सूझ उत्पन्न होती है जिसे अहा अनुभव (Aha experience) भी मनोवैज्ञानिकों ने कहा है। अतः सूझ अचानक होती है और इसके अभ्यास की जरूरत नहीं होती है। फर्नाल्ड तथा फर्नाल्ड के शब्दों में सूझ से कोहलर का तात्पर्य इस बात से था कि समस्या का समाधान उद्दीपन-अनुक्रिया संबंधों के धीरे-धीरे बनने से नहीं होता है बल्कि उद्दीपनों के बीच के संबंधों को अचानक समझने से होता है।

6. **खेल प्रशिक्षण के उद्देश्य :** प्रतियोगी खेलों में खेल प्रशिक्षण के लक्ष्यों को ध्यान में रखते हुए, लक्ष्य तक पहुँचने के लिए प्रशिक्षण के निम्नलिखित उद्देश्य हैं–

***(i)* व्यक्तित्व का विकास :** खेल प्रशिक्षण का एक मुख्य उद्देश्य खिलाड़ी के व्यक्तित्व का चतुर्मुखी विकास

है क्योंकि खेल प्रतिस्पर्धाओं में उच्चतम संभव प्रदर्शन प्राप्त करने में एक अच्छे व्यक्तित्व का बहुत महत्व है।

(ii) **शारीरिक तन्दुरुस्ती स्वस्थता का विकास :** खेल प्रशिक्षण का अगला महत्वपूर्ण उद्देश्य खिलाड़ी की शारीरिक स्वस्थता के स्तर का विकास है। शारीरिक स्वस्थता मुख्यतः शक्ति, गति, सहनशक्ति, लचक और अन्य समन्वयकारी योग्यताओं से होती है। ये योग्यताएं उच्च स्तर के खेल-प्रदर्शन के लिए पूर्वपेक्षित होती हैं।

(iii) **निपुणता/तकनीक का विकास :** खेल प्रशिक्षण का एक अन्य अनिवार्य उद्देश्य विशेष प्रकार के खेल या गतिविधि, जिसमें खिलाड़ी अपना प्रदर्शन करना चाहता है, के लिए प्रवीणता और तकनीक विकास है। अच्छा हुनर या अच्छी तकनीक खिलाड़ी के लिए अपनी शारीरिक योग्यताओं और ताकत/कौशल का संयमित और सर्वश्रेष्ठ प्रयोग करने में सहायक होते हैं।

(iv) **कौशल का विकास :** राष्ट्रीय और अंतर्राष्ट्रीय स्तर पर कठिन प्रतिस्पर्धा होने के कारण कौशल/निपुणता/हुनर का महत्व धीरे-धीरे बढ़ रहा है। इसलिए प्रत्येक प्रशिक्षण कार्यक्रम विशेषकर उच्च स्तर के प्रशिक्षण में अन्य घटकों के साथ-साथ कौशल प्रशिक्षण को सम्मिलित करना महत्वपूर्ण हो गया है। क्योंकि खिलाड़ी को वह सभी कौशल और योग्यताएँ हासिल करना चाहिए जो उसे खेलों या विशेष गतिविधि को जीतने में सहायक हो।

(v) **मानसिक विकास :** मानसिक विकास खेल प्रशिक्षण का एक महत्वपूर्ण और अभिन्न अंग है। आजकल, उच्च स्तर की प्रतिस्पर्धा के समय में खिलाड़ियों की मानसिक क्षमताओं पर बहुत दबाव रहता है। वे बाहरी और भीतरी दोनों प्रकार से अत्यंत तनाव और दबाव में रहते हैं। अच्छा प्रदर्शन करने के लिए आवश्यक है कि खिलाड़ी खेल प्रशिक्षण और प्रतिस्पर्धा की अवधि में अपने बारे में सोचने और करने की स्थिति में हो।

7. शोध के द्वारा उन मौलिक प्रश्नों के उत्तर देने का प्रयास किया जाता है जिनका उत्तर अभी तक उपलब्ध नहीं हो सका। यह उत्तर मानवीय प्रयासों पर आधारित होता है। वास्तव में शोध एक प्रक्रिया है जिसमें प्रदत्तों के विश्लेषण के आधार पर किसी समस्या का विश्वसनीय समाधान ज्ञात किया जाता है। अनुसंधान एक व्यवस्थित तथा सुनिश्चित प्रक्रिया है जिसके द्वारा मानवीय ज्ञान में वृद्धि की जाती है और मानव जीवन को सुगम तथा भावी बनाया जाता है। शोध से मानवीय तनावों को कम भी किया जाता है। वैज्ञानिक समस्याओं के समाधान की एक प्रभावशाली विधि है। शोध का एक आवश्यक साधन प्रश्नावली (Questionnaire) है।

8. मापन, परीक्षण एवं मूल्यांकन किसी वस्तु को खोजने की क्रिया में प्रयोग होने वाली मुख्य पद्धतियाँ हैं, जिनके बिना शोधकार्य करना असंभव होता है। इस तथ्य के कई प्रमाण प्राप्त हुए हैं कि प्राचीन समय में मानव मूल्यांकन का प्रयोग विभिन्न प्रकार की क्रियाओं को करने के लिए करता था। परीक्षण एवं मापन का प्रयोग पहले मनुष्य ने सम्भवतः अपने-अपने ज्ञान के विकास के लिए किया होगा, धीरे-धीरे यह आवश्यक आवश्यकताओं की श्रेणी में आ गया। वर्तमान समय में इसकी उपयोगिता का महत्व इस आधार पर आंका जा सकता है कि इसका प्रयोग लगभग प्रत्येक क्षेत्र में किसी-न-किसी रूप में किया जा रहा है।

9. भारतीय विश्वविद्यालय संघ (एआईयू) भारतीय विश्वविद्यालयों के लिए एक केन्द्र के रूप में कार्य करता है। ये शेडलर आयोग, 1917 की अनुशंसा पर इसकी स्थापना की गई थी।

उद्देश्य–

- विश्वविद्यालयों के बीच आपसी परामर्श एवं सूचना का आदान-प्रदान करना।
- विश्वविद्यालयों और सरकार के मध्य एक संपर्क के रूप में अच्छी तरह से राज्य सरकार के रूप में कार्य करने के लिए अन्य विश्वविद्यालय बोर्डों के साथ समन्वय स्थापित करने के लिए।
- भारत के विश्वविद्यालय के प्रतिनिधि के रूप में कार्य करने के लिए।
- शिक्षण और अनुसंधान के स्टाफ के सदस्यों को आदान-प्रदान करना।
- विभिन्न पुस्तकों और पत्रिकाओं के लिए प्रकाशन की सुविधा उपलब्ध कराना।

कार्य–

- भारतीय विश्वविद्यालय संघ राज्य एवं केन्द्र सरकार के कृत्यों के माध्यम से स्थापित विश्वविद्यालयों को मान्यता प्रदान करती है।
- यह उच्च शिक्षा के क्षेत्र में उपयुक्त सुधारों के लिए शिक्षा, पाठ्यक्रम, प्रवेश परीक्षा प्रणाली एवं शोध कार्यों को बढ़ावा देना।
- यह उचित संपर्क, सहयोग और समन्वय स्थापित करता है।
- यह अन्तर्विश्वविद्यालय प्रतियोगिताओं का नियोजन करता है।
- यह विश्वविद्यालय की समस्याओं पर चर्चा के लिए मंच प्रदान करता है तथा समाधान की तलाश करता है।

10. शारीरिक शिक्षा में सामाजिकता के सिद्धान्तों का बहुत अधिक महत्व है, क्योंकि समाज मनुष्य के लिए अति आवश्यक है। अरस्तू ने कहा है कि व्यक्ति स्वभाव से ही सामाजिक प्राणी है और ये सामाजिकता के भाव इसके अंदर जन्म से ही विकसित होते हैं। अचानक इन भावों का जन्म नहीं होता। शारीरिक शिक्षा इसी सामाजिकता की भावना को जागृत करने में कई प्रकार की क्रियाएँ व्यक्ति को प्रदान करती है। शारीरिक शिक्षा में सामाजिक सिद्धांतों का विकास निरन्तर हो रहा है। इसका प्रभाव शारीरिक शिक्षा पर प्रत्यक्ष रूप से देखा जा सकता है। वर्तमान में शारीरिक शिक्षा के सिद्धांतों का उपयोग अत्यधिक किया जा रहा है। सामाजिक सिद्धांत के द्वारा यह प्रतिपादित किया गया कि मानव एक सामाजिक प्राणी है। उसे हमेशा समाज की आवश्यकता पड़ती है। समाज में आकर ही वह अपने व्यक्तित्व का सर्वांगीण विकास कर पाता है। उसके व्यक्तित्व निर्धारण में समाज द्वारा बहुत अधिक प्रभाव डाला जाता है। समाज में होने वाले परिवर्तनों का भी प्रभाव उसके ऊपर विशेष रूप से देखा जा सकता है।

11. छोटी आँत (Small Intestine) : इसका प्रारंभिक भाग जो अंग्रेजी के अक्षर 'U' की तरह मुड़ा रहता है ग्रहणी या पक्वाशय (Duodenum) कहलाता है। ग्रहणी की लम्बाई लगभग 25 सेमी. होती है। शेष 30 सेमी. लम्बा भाग इलियम कहलाता है। इलियम की दीवार की भीतरी सतह पर अंगुलियों के समान रचनाएँ पाई जाती हैं, जिन्हें आंत्र रसांकुर (Intestinal Villi) कहते हैं। ये रसांकुर आंत की दीवार के अवशोषण सतह को बढ़ाते हैं। ग्रहणी तथा आमाशय के मोड़ के मध्य अग्न्याशय (Pancreas) पाया जाता है। पित्त वाहिनी (Bile Duct) तथा अग्न्याशय वाहिनी (Pancreatic Duct) मिलकर एक सामान्य वाहिनी (Common Duct) का निर्माण करती हैं। यह सामान्य वाहिनी ग्रहणी में खुलती है। छोटी आँत पीछे की ओर बड़ी आँत में खुलती है। छोटी आँत भोजन के पाचन में सहायता करती है तथा पचे हुए भोजन का अवशोषण करती है।

12. कोणीय वेग (Angular Velocity) : वृत्ताकार मार्ग पर गतिशील कण को वृत्त केन्द्र से मिलाने वाली रेखा एक सेकेण्ड में जितने कोण से घूम जाती है, उसे उस कण का कोणीय वेग कहते हैं और इसे प्रायः ग्रीक वर्णमाला के अक्षर (ω) ओमेगा से सूचित किया जाता है। यह प्रत्यक्ष रेखीय वेग (Linear velocity directly) तथा उल्टा घूमने की त्रिज्या (Radius of rotation inversely) पर आधारित होती है।

चित्र में, रेखा OX, t सेकेण्ड में θ रेडियन से घूम जाती है, तो कोणीय वेग $\omega = \theta/t$ = rad/sec

यदि कण 1 सेकेण्ड में n चक्कर लगाता है, तो–

$\omega = 2\pi n$ (क्योंकि 1 चक्कर में रेखा OX, 2π रेडियन से घूम जाती है।)

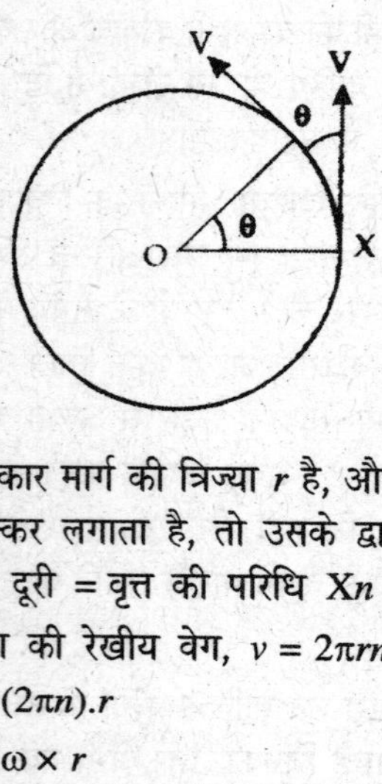

यदि वृत्ताकार मार्ग की त्रिज्या r है, और कण 1 सेकेण्ड में n चक्कर लगाता है, तो उसके द्वारा 1 सेकेण्ड में चली गई दूरी = वृत्त की परिधि $Xn = 2\pi n$.

अतः कण की रेखीय वेग, $v = 2\pi rn$

$\Rightarrow v = (2\pi n).r$

$\because v = \omega \times r$ $(\because \omega = 2\pi n)$

जैसे–रेखीय वेग = कोणीय वेग × त्रिज्या

13. अभिप्रेरणा शब्द अभिप्रेरक से बना है, जिनका तात्पर्य है कोई भी विचार, आवश्यकता, संवेग या शारीरिक स्थिति जो व्यक्ति को कोई कार्य करने को प्रेरित करे। अभिप्रेरक व्यक्ति का आंतरिक कारक है जो उसके व्यवहार को संघटित करता है। चूँकि अभिप्रेरक व्यक्ति की आंतरिक स्थिति है अतः उसे प्रेरित करने के लिए व्यक्ति की आवश्यकताओं, संवेगों आदि का अध्ययन करना चाहिए अतः अभिप्रेरणा एक ऐसी प्रक्रिया है, जिसकी सहायता से व्यक्ति को कोई न कोई कार्य करके अपनी आवश्यकताओं की पूर्ति करता है। अभिप्रेरणा में निर्देशन (Direction), तीव्रता (Intensity) तथा निरन्तरता (Persistence) शामिल होते हैं।

15. अंतराल प्रशिक्षण भार (Interval training load) : जर्मनी के फ्रीबर्ग विश्वविद्यालय के प्रोफेसर बोल्देमार ग्रशलर ने और उनके एथलीट शारीरिक शिक्षा वैज्ञानिक तथा अन्यों के साथ इस पर कार्य किया। बोल्देमर ग्रशलर ने कार्डियोवैस्क्युलर अनुकूलन की उपयोगिता को समझा तथा उसके प्रशिक्षण में इसको महत्व दिया। उन्होंने ऐसे तंत्र को उपलब्ध कराया जो दिल के स्टोक आयतन को बढ़ाए जिसमें पैरों के खून व ऑक्सीजन की पूर्ति करने की क्षमता बढ़ी। इसे फोर्टलेक प्रशिक्षण कहते हैं।

अंतराल प्रशिक्षण के उद्देश्य—

- अनएरोबिक प्रदर्शन का विकास एवं गति।
- लगातार भागने के मुकाबले में संपूर्ण काम को कम शारीरिक तनाव से पूर्ण करना।

कुल तीन प्रकार के अंतराल प्रशिक्षण हैं जिनमें भागने वाले को दिए गए समय या दूरी में दौड़ना होता है। पहली प्रकार में फोर्टलेक निरन्तर दौड़ के दौरान तेज गति बरकरार रखनी होती है तथा निश्चित समय में दौड़ने वाला कम गति से तेज गति पर आ जाता है। जब वह समय या दूरी प्राप्त कर ली जाती है, तो धावक पुरानी ट्रेनिंग स्पीड पर आ जाता है, पूरी दौड़ में कम-ज्यादा गतियाँ दुहराई जाती हैं। यह प्रशिक्षण विधि प्रयास एवं पुनः शक्ति प्राप्ति (Effort and Recovery) के सिद्धांत पर आधारित है।

18. अंतः विद्यालय खेल प्रतियोगिताएँ : अंतः विद्यालय खेल कार्यक्रम स्कूल/पाठशाला के बाद और स्कूल के बाहर (शाम, सप्ताहान्त और छुट्टियों के दौरान) खेला जाता है अर्थात् यह प्रतियोगिताएँ विद्यालय में आयोजित की जाती हैं। बाहर Extramural का मतलब एक संगठित इकाई की दीवारों के बाहर के खेलों से है चाहे वह शहर, स्कूल अथवा अस्पताल हो।

अंतःखेल विद्यालय प्रतियोगिता के उद्देश्य :

अंतः खेल विद्यालय प्रतियोगिता के उद्देश्य निम्नलिखित हैं—

- इस खेल प्रतियोगिता के माध्यम से छात्र सम्बन्धित खेलों में चातुर्यनियोजित और तकनीकी रूप से कुशल होते हैं।
- जब कोई भी विद्यालय अन्तःविद्यालय प्रतियोगिताओं का आयोजन करता है तो उसे विभिन्न प्रकार की तैयारियाँ करनी पड़ती है, जो अंतर प्रतियोगिताओं के लिए आवश्यक होती हैं।
- विद्यार्थियों को जनसहभागिता का अवसर प्रदान करना।
- इस प्रतियोगिता के माध्यम से साहस के लक्षण विकसित होते हैं।
- अंतः विद्यालयी स्पर्धा का अनुभव प्रदान करना।
- विद्यालय में इस प्रकार की प्रतियोगिताओं को आयोजित करके खेल वातावरण का निर्माण किया जा सकता है।

19. प्रकृतिवाद सबसे प्राचीन एवं भौतिकवादी सिद्धान्त है, जिसकी चर्चा का केन्द्रीय विषय संसार के भौतिक तत्व हैं। भौतिक अस्तित्व से परे की वस्तुएँ एवं तत्व सब कपोल कल्पनाएँ हैं। दैहिक रूप में न प्रकट होने वाले को कोई अस्तित्व नहीं कहा जा सकता। सत्य, प्रकृति के भौतिक अस्तित्व में ही निहित है। प्रकृतिवादी केवल भौतिक संसार को ही सत्य मानता है, क्योंकि प्रकृति जीवन-मूल्यों का स्रोत है और वह स्वयं व्यक्ति के निर्माण की शिक्षा का निर्धारण करती है और उसमें आंगिक विकास की पृष्ठभूमि पर आधारित तथ्यों पर बल देती है। इस प्रकार प्रकृतिवाद के अनुसार शारीरिक शिक्षा का ध्येय आत्म अभिव्यक्ति होता है। प्रकृतिवाद प्रकृति के अलावा अन्य किसी पर विश्वास नहीं करता है। इस प्रकार स्पष्ट होता है कि अभिकथन (A) तथा कारण (R) दोनों सही हैं और (A) का (R) सही स्पष्टीकरण है।

20. श्वसन कार्यकी : श्वसन एक ऐसी शारीरिक प्रक्रिया है जिसके द्वारा जीवित जीव-जंतु आसपास के वातावरण से ऑक्सीजन लेते हैं तथा कार्बन डाइ-ऑक्साइड छोड़ते हैं।

कार्बोहाइड्रेट और वसा जैसे ईंधन तत्वों से निकलने वाली ऊर्जा को श्वसन कहते हैं। इस प्रक्रिया के उत्पाद CO_2 तथा जल हैं। इस प्रक्रिया को साँस लेने की शारीरिक क्रिया से अलग रखने के लिए कई बार कोशिकीय श्वसन भी कहते हैं। श्वसन मुख्यतः दो प्रकार से होते हैं—*आंतरिक श्वसन* इसमें रक्त और कोशिकाओं के मध्य गैसों की अदला-बदली होती है तथा *बाह्य श्वसन* रक्त और फेफड़ों के मध्य गैसों की अदला-बदली। इस प्रकार अभिकथन (A) सत्य है परंतु तर्क (R) गलत है।

22. खेलों में खिलाड़ी के व्यवहार को कई शब्दावलियों के माध्यम से व्यक्त किया जाता है; जैसे—शारीरिक, दावेदारी, सक्षम, हिम्मतवाला, दिलेर, खतरनाक, हिंसक आदि शब्दों का इस्तेमाल एक-दूसरे के लिए करते हैं। आक्रामक व्यवहार को खिलाड़ी एवं दर्शक दोनों के लिए प्रयोग किया जाता है, किंतु दोनों में काफी अंतर है। आक्रामकता से तात्पर्य है कि ऐसा व्यवहार जो संपत्ति को नुकसान पहुँचाए तथा दूसरे व्यक्ति को घायल करे। इसे दूसरी तरह भी समझा जा सकता है जैसे स्वयं या अन्यों को परवाह किए बिना खतरे में डाल देना। खेल में खिलाड़ी आक्रामक होकर खेलते हैं तथा कई बार ऐसे व्यवहार से अनेकों दुष्परिणाम निकलते हैं; जैसे—मनोवैज्ञानिक डर, विरोधी टीम के खिलाड़ी को चोट लगने पर मैदान से बाहर ले जाना, चोट से खिलाड़ी का खेल में जीवन भर के लिए अनुपयुक्त हो जाना आदि। इस प्रकार क्षतिकारक आक्रामकता दूसरों को शारीरिक क्षति पहुँचाने हेतु प्रेरित करता है। आक्रामकता का इरादा दूसरे व्यक्ति को मानसिक अथवा शारीरिक क्षति पहुँचाना होता है। स्पष्टतः अभिकथन (A) और तर्क (R) दोनों सही हैं तथा (R), (A) का कारक है।

23. भारतीयों की मांग को देखते हुए अंग्रेजों ने 1880 ई. में पाठशालाओं में व्यायाम शिक्षकों की नियुक्ति की, परंतु इतना होने पर शारीरिक शिक्षा की उन्नति नहीं हुई, क्योंकि शिक्षकों की नियुक्ति जनता की मांग पूरी करने का केवल एक बहाना मात्र था। 40 वर्ष पश्चात वर्ष 1925 में शारीरिक शिक्षा का एक अलग विभाग खोला गया। वर्ष 1936 में अनेक प्रांतों में कांग्रेस की सरकार आने के बाद, इस विषय के प्रचार के लिए व्यवस्था करने की योजना बनाकर समितियाँ कायम की गईं। सर्वप्रथम हैरी क्रो वक ने वर्ष 1920 में वाईएमसीए शारीरिक शिक्षा महाविद्यालय की स्थापना मद्रास में की। भारत में शारीरिक शिक्षा देने वाली यह प्रथम संस्था थी। धीरे-धीरे इस क्षेत्र में और प्रगति हुई और 'जर्नल ऑफ फिजिकल ऐजुकेशन' नामक 'मासिक जर्नल' प्रकाशित किया गया। इस प्रकार स्पष्ट होता है कि भारतवर्ष में आजादी से पूर्व एक भी शारीरिक शिक्षा प्रशिक्षण महाविद्यालय नहीं था। यह कथन (A) असत्य है जबकि तर्क (R) सत्य है।

24. **चेचक (Small Pox) :** यह एक अत्यंत संक्रामक रोग है इसलिए चेचक ग्रस्त व्यक्ति को अलग रखना चाहिए। संक्रमण अतिसूक्ष्म विषाणु के कारण होता है। इस रोग से ग्रसित रोगी को सर्वप्रथम सिर, पीठ, कमर और बाद में सारे शरीर में जोरों का दर्द होता है एवं बाद में लाल-लाल दाने निकल जाते हैं, जो बाद में फफोले का रूप धारण कर लेते हैं। रोगी को तब तक अलग रखना चाहिए जब तक कि फोड़ों के सुरण्ड साफ न हो जाएँ। घर या आसपास के लोगों को चेचक का टीका ले लेना चाहिए। इस प्रकार अभिकथन (A) और तर्क (R) सही हैं और (A) का (R) सही स्पष्टीकरण है।

25. **लगातार प्रशिक्षण पद्धति (Continuous Training Method) :** जर्मनी के डॉक्टर व कोच डॉ. अर्नेस्ट वेनआकेन ने यह पद्धति निकाली। इनका काम 1920 में प्रारंभ हुआ परंतु उसे लोगों का समर्थन बाद में मिला। यह 1960 के बाद काफी मशहूर हुई। जैसे नाम से पता चलता है कि यह प्रशिक्षण बिना अंतराल के लगातार चलता है। यह उच्च तीव्रता, मध्यम तथा निम्न ट्रेनिंग जिसमें समय बढ़ाया जाता है, घटती-बढ़ती है अर्थात् लम्बा, धीमा या एल.एस.डी. प्रशिक्षण है। लम्बी दूरी में चाल थोड़ी रफ्तार से कम रहती है हालांकि यह प्रतिस्पर्धा दूरी तथा ट्रेनिंग रन की दूरी पर निर्भर करती है। एथलीट को असुविधाजनक या तनावपूर्ण किए बिना काम के बढ़े स्तर पर एथलीट की धैर्य प्रशिक्षण के लिए यह प्रभावी है। एक फायदा इसका यह भी है कि प्रतिस्पर्धा दौड़ने वाला प्रतिस्पर्धा के पास एक निश्चित चाल से पहुँचता है। शारीरिक रचना विज्ञान के अनुसार भी लगातार एक-सी ही गति से दौड़ना बहुत दक्ष तरीका हो सकता है जिससे दौड़ने वाला अपना समय पूरी तरह नियंत्रित कर सकता है। अतः इस प्रकार की ट्रेनिंग से वास्तविक प्रतिस्पर्धा के लिए खुद को तैयार करने में बहुत सहायता मिलती है। यह सुझाव दिया गया

कि कम गति के अंतरालों जैसे—एल.एस.डी. को अवधि के बाद शुरू किया जाए, जैसे हफ्ते में दो बार जिससे एथलीट को थकान, तीव्रता व लगातार प्रशिक्षण से आराम मिलेगा। इस प्रकार की दौड़ से सहनशीलता में वृद्धि होती है। अतः अभिकथन (A) और तर्क (R) दोनों सही हैं और (A) का (R) सही स्पष्टीकरण है।

26. **टी-परीक्षण (T-test) :** इस परीक्षण की संकल्पना का श्रेय विलियम सीली गोस्सेट (William Sealy Gosset) को दिया जाता है। इस परीक्षण के अनुसार समग्र-माध्य और प्रतिदर्श-माध्य के अंतर को प्रमाप विचलन से भाग दे दिया जाए तो 't' का मूल्य प्राप्त हो जाता है। ध्यान रहे, प्रमाप विचलन की गणना करते समय बेस्सेल संशोधन का किया जाना आवश्यक है। 't' टेस्ट मूलक संख्याशास्त्र का एक तंत्र है।

सूत्रानुसार, $t = \dfrac{\overline{X} - \mu}{s}\sqrt{n}$

जहाँ $\overline{X}$ = प्रतिदर्श-माध्य

μ = समग्र का माध्य

n = प्रतिदर्श में इकाइयों की संख्या

s = प्रमाप विचलन

इस प्रकार स्पष्ट होता है कि अभिकथन (A) और तर्क (R) सही हैं और (A) का (R) सही स्पष्टीकरण है।

28. प्रबन्धन किसी भी सामूहिक क्रिया का एक अभिन्न अंग है। किसी भी संगठन में यदि लोग इकट्ठा होकर काम करते हैं तो प्रबंधन की आवश्यकता होती है। प्रबंधन का कार्य एक ऐसे व्यक्ति द्वारा किया जाना चाहिए जो संगठित प्रयास का प्रबंध कर सके, चाहे वह कोई व्यापारिक उद्योग, शिक्षण संस्थान, धार्मिक संगठन, सैनिक संगठन या सामाजिक संस्था हो। संगठन के विभिन्न प्रकार में भी प्रबन्ध कौशल एक समान क्रिया है हालाँकि इसकी विशिष्टता संगठन के आकार के साथ बदल जाती है। आज के प्रतियोगी वातावरण में, किसी प्रबंधन का गुण और प्रदर्शन उस संगठन की सफलता निश्चित करता है। अतः यह कहा जा सकता है कि प्रबन्धन योजना, संगठन, कर्मचारियों की नियुक्ति, निर्देशन और नियंत्रण की प्रक्रिया के साथ संगठन के उद्देश्यों को मानवीय और वस्तु सामग्री के संयुक्त उपयोग द्वारा प्राप्त करना है। यह एक बल है जो मानवीय और साथ ही अमानवीय तत्वों को संगठन के लक्ष्यों को पूरा करने के लिए जोड़ता है। यह कहावत है कि किसी कार्य की अच्छी शुरुआत आधा काम को पूरा कर देता है। इस प्रकार अभिकथन (A) तथा तर्क (R) दोनों सत्य हैं लेकिन (A), (R) का सही स्पष्टीकरण नहीं है।

33. प्राथमिक चिकित्सा बीमारी या चोट के लिए प्रारंभिक देखभाल का प्रावधान है। इसे आमतौर पर विशेषज्ञ द्वारा किया जाता है, लेकिन निश्चित चिकित्सा उपचार एक बीमार या घायल व्यक्ति को प्रशिक्षित कर्मियों से पहुँचाया जा सकता है। जैसे कि खेल के मैदान में यदि किसी खिलाड़ी को चोट लगती है, तो हमारा कर्तव्य है कि उसके बहते हुए खून को रोकना चाहिए। प्राथमिक उपचार का ज्ञान सभी विद्यार्थियों को होना चाहिए। इसमें विद्यार्थी को स्वयं अपनी सहायता तथा दूसरों की सहायता करने में निपुण होना चाहिए। मोच की प्राथमिक चिकित्सा व्यवस्था में निम्नलिखित क्रम को अपनाया जा सकता हैं—आराम देना, वर्फ लगाना, बाँधना तथा ऊपर उठाना।

40.
- **गुरुत्व बल (Force of Gravity) :** न्यूटन के गुरुत्वाकर्षण के नियम में गुरुत्वाकर्षण वह आकर्षण बल है, जो किन्हीं दो वस्तुओं के बीच कार्य करता है। यदि इन वस्तुओं में एक वस्तु पृथ्वी हो, तो गुरुत्वाकर्षण को गुरुत्व कहते हैं। अतः गुरुत्व वह आकर्षण बल है जिससे पृथ्वी किसी वस्तु को अपने केन्द्र की ओर खींचती है। अतः गुरुत्व गुरुत्वाकर्षण का एक उदाहरण है। गुरुत्व बल के कारण ही पृथ्वी की सतह से मुक्त रूप से फेंकी गई वस्तु वापस पृथ्वी की सतह पर आकर गिरती है।
- **घर्षण बल (Frictional force) :** संपर्क में रखी दो वस्तुओं के मध्य एक प्रकार का बल कार्य करता है, जो गति करने में वस्तु का विरोध करता है। यह बल ही घर्षण बल कहलाता है। इसकी दिशा सदैव वस्तु की गति की दिशा के विपरीत होती है। घर्षण बल तीन प्रकार के होते हैं—स्थैतिक घर्षण बल (Static Force of Friction), सर्पी घर्षण बल (Sliding Force of Friction), तथा लोटनिक घर्षण बल (Rolling Force of Friction)।

- **लचक बल (Elastic force) :** प्रत्यास्थता पदार्थ का वह गुण है जिसके कारण वस्तु, उस पर लगाए गए बल से उत्पन्न किसी भी प्रकार के परिवर्तन का विरोध करती है तथा जैसे ही बल हटा लिया जाता है, वह अपनी पूर्व अवस्था में वापस आ जाती है।
- **उद्धरण बल (Buoyant force) :** द्रव का वह गुण जिसके कारण वह वस्तुओं पर ऊपर की ओर एक बल लगाता है, उसे उत्क्षेप या उद्धरण बल कहते हैं। यह बल वस्तुओं द्वारा हटाये गए द्रव के गुरुत्व-केन्द्र पर कार्य करता है जिसे उद्धरण केन्द्र (Centre of buoyancy) कहते हैं। इसका अध्ययन सर्वप्रथम आर्कमिडीज ने किया था।

43. हॉकी : पेनाल्टी स्ट्रोक, स्कूप, साइड लाइन, रेफरी, ट्राई ब्रेकर, पेनाल्टी, अंडरकटिंग, बुली, रालऑन, पुश इन इत्यादि।

वॉलीबॉल : ब्लाकिंग, रोटेशन, लिबेरो, नेट फाल्ट, सर्विस, हुक, सर्व, स्पाइक (स्मैश), एरियल, डिगपास, बूस्टर, फ्लोटर इत्यादि।

फुटबॉल : स्ट्राइकर, सेन्टर, पेनाल्टी स्पॉट, फ्री-किक, हैट-ट्रिक, स्वीपर, बैक, थ्रो इन, हैडबॉल फाउल्ट इत्यादि।

44. एफ-परीक्षण (F-Test) : इसका प्रयोग साधारणतः तब किया जाता है जब दो या दो प्रसारणों अर्थात् विचरण मापकों के अंतर की सार्थकता की जाँच करनी हो। इसका सूत्र है :

$$S_1^2 = \frac{\Sigma\left(x_1 - \overline{x}_2\right)^2}{n_1 - 1} \quad \text{तथा} \quad S_2^2 = \frac{\Sigma\left(x_2 - \overline{x}^2\right)^2}{n_2 - 1}$$

जहाँ S_1 और S_2 क्रमशः दोनों प्रतिदर्शों के प्रसरण हैं। प्रसरण अनुपात (Variance ratio) निकाल लिया जाता है। सूत्र

$$F = \frac{\text{वृहत्तर प्रसारण अनुमान}}{\text{लघु प्रसारण अनुमान}}$$

यदि $S_1^2 > S_2^2$ तो $F = \dfrac{S_1^2}{S_2^2}$

यदि $S_2^2 > S_1^2$ तो $F = \dfrac{S_2^2}{S_1^2}$

एफ-परीक्षण की मान्यता यह है कि प्रसरण अनुपात सदैव 1 से अधिक (>1) होना चाहिए।

- **सह-सम्बन्ध (Co-relation) :** बॉडिंग्टन के अनुसार, "जब दो या दो से अधिक समूहों, वर्गों तथा समंकमालाओं के बीच एक निश्चित सम्बन्ध होता है तो उसे सह-सम्बन्ध कहते हैं।" सामान्य भाषा में कहा जा सकता है कि जब दो या दो से अधिक राशियाँ सहानुभूति में (परस्पर) परिवर्तित होती हैं, जिससे एक में परिवर्तन के कारण दूसरे में भी परिवर्तन होता है तो वे सह-सम्बन्ध के रूप में होती है।
- **मानक विचलन (Standard Deviation) :** परिवर्तनशीलता की सबसे प्रमुख एवं स्थिर माप मानक विचतन है। किसी वितरण में माध्य से प्राप्तांकों के विचलनों के वर्गों के माध्य के वर्गमूल को ही मानक विचलन कहा जाता है। इसलिए मानक विचलन को मूल-माध्य-वर्ग विचलन भी कहा जाता है। इसलिए मानक विचलन को मूल-माध्य-वर्ग विचलन भी कहा जाता है। इसका संकेत S है। परंतु, जब किसी जीवसंख्या से मानक विचलन ज्ञात है तो उसके लिए संकेत σ हो जिसे सिग्मा पढ़ा जाता है। मानक विचलन अव्यवस्थित आँकड़ों (Ungrouped data) तथा व्यवस्थित आँकड़ों (Grouped data), दोनों से ही ज्ञात किए जाते हैं।
- **केन्द्रीय प्रवृत्ति की माप (Measures of Central Tendency) :** किसी भी आवृत्ति के केन्द्रीय या मध्यबिन्दु को उस वितरण की केन्द्रीय प्रवृत्ति कहा जाता है, जिससे वितरण का एक समग्र केन्द्रीय झुकाव का पता चलता है। शिक्षा में मूलतः केन्द्रीय प्रवृत्ति की माप के रूप में निम्नांकित तीन सांख्यिकीयों का सर्वाधिक प्रयोग होता है—माध्य या अंकगणितीय माध्य (Mean or Arithmetic mean), माध्यिका (Median) तथा बहुलक (Mode)।

प्रश्न–पत्र-III

निर्देश : *इस प्रश्न-पत्र में* ***पचहत्तर (75)*** *बहु-विकल्पीय प्रश्न हैं। प्रत्येक प्रश्न के* ***दो (2)*** *अंक हैं।* ***सभी*** *प्रश्न अनिवार्य हैं।*

1. सही विकल्प चुनिए:
आकुंच तथा विस्तार किसके इर्द-गिर्द होते हैं?
A. मध्य-पार्श्विक अक्ष B. सम्मुख पक्ष अक्ष
C. ऊर्ध्व अक्ष D. सैजिटल अक्ष

2. सही विकल्प चुनिए:
अपाकुंचन (प्रोट्रैक्शन) और आकुंचन (रिट्रैक्शन) कहाँ होते हैं?
A. नितम्ब के जोड़ में
B. कँधे के जोड़ में
C. कुहनी के जोड़ में
D. घुटने के जोड़ में

3. सही विकल्प चुनिए:
शारीरिक शिक्षा का केंद्रीय विषय क्या है?
A. गति
B. शारीरिक क्षमता (स्वस्थता)
C. मानव
D. गतिशील मानव

4. सर्वाधिक उपयुक्त विकल्प चुनिए:
A. सोकर एक गेम है।
B. सोकर एक गेम भी है और सपोर्ट भी।
C. सोकर एक स्पोर्ट है।
D. सोकर एक प्ले है।

5. सही विकल्प चुनिए:
कठिन व्यायाम के दौरान थकावट उत्पन्न होने का कारण है :
A. O_2 डेब्ट
B. O_2 की क्षीणता
C. लैक्टिक एसिड का निर्माण
D. CO_2 स्तर का बढ़ना

6. निम्नलिखित में से कौन-सा जलचिकित्सा का हिस्सा नहीं है?
A. वैक्स बाथ B. क्रायो चिकित्सा
C. व्हर्लपूल बाथ D. कंट्रास्ट बाथ

7. सही विकल्प चुनिए:
समूह संसक्ति का निर्धारण किसके द्वारा किया जाता है?
A. प्रशिक्षण तथा प्रतियोगिता के दौरान प्रेक्षण
B. प्रदर्शन जाँच
C. सोसियोग्राम
D. ज्ञान आधारित जाँच

8. सही विकल्प चुनिए:
व्यक्तित्व का मनोवैज्ञानिक सारभाग व्यक्तित्व का सर्वाधिक बुनियादी स्तर है, यह है:
A. पर्यावरण से समायोजन
B. आंतरिक तथा स्थिर
C. भूमिका से संबंधित व्यवहार
D. बाह्य तथा गत्यात्मक

9. सही विकल्प चुनिए:
नेशनल फिटनेस कॉर्पूस कब आरम्भ किया गया था?
A. 1965 B. 1966
C. 1967 D. 1968

10. निम्नलिखित में से किस स्थान पर भारतीय खेल प्राधिकरण का केन्द्र नहीं है?
A. कोलकाता B. बंगलौर
C. पटियाला D. चण्डीगढ़

11. निम्नलिखित में से किसका संबंध विद्यालय स्वास्थ्य कार्यक्रम से नहीं है?
A. स्वास्थ्य के रिकॉर्ड्स रखना
B. स्वास्थ्य शिक्षा
C. रोगों का नियंत्रण
D. स्वास्थ्य निरीक्षण

12. निम्नलिखित में से किस वर्ष ओलंपिक गेम्स में ठोस स्वर्ण मेडल दिए गए थे?
A. 1904 B. 1908
C. 1912 D. 1920

13. सूर्य का प्रकाश किसका स्रोत है?
A. विटामिन A B. विटामिन B
C. विटामिन C D. विटामिन D

14. दार्शनिक शोध को यह भी कहा जाता है:
- A. तर्कमूलक शोध
- B. प्रात्यक्षिक शोध
- C. संकल्पनात्मक शोध
- D. व्यवहारपरक शोध

15. सैंपल छोटा होगा या बड़ा, यह किस पर निर्भर करता है?
- A. भौगोलिक क्षेत्र
- B. जनांकिकीय उच्चावचन
- C. जनसंख्या के अभिलक्षण और विशेषक
- D. एक समयावधि में जन्म तथा मृत्यु का संतुलन

16. जब 'जेड' मान 2.58 के बराबर या इससे अधिक हो तो यह निश्चित निष्कर्ष निकाला जा सकता है कि माध्यों (मीन्स) के बीच .... स्तर पर सार्थक अंतर है :
- A. 0.02 स्तर
- B. 0.01 स्तर
- C. 0.001 स्तर
- D. 0.05 स्तर

17. क्रॉस-वेबर टेस्ट से क्या मापा जाता है?
- A. न्यूनतम मांसपेशीय शक्ति
- B. संपूर्ण मांसपेशीय शक्ति
- C. अधिकतम मांसपेशीय शक्ति
- D. सापेक्षिक मांसपेशीय शक्ति

18. चयापचयी अनुकूलन है :
- A. बढ़े हुए कार्यभार के साथ चयापचय दर का समायोजन
- B. चयापचय दर का निलंबन
- C. चयापचयी आवेग
- D. चयापचयी दर का अनुकूलन

19. निम्नलिखित में से कौन ओलम्पिक गेम्स का शीर्ष निकाय है?
- A. ओ.सी.ए.
- B. आई.ओ.सी.
- C. आई.सी.सी.
- D. एफ.आई.एफ.ए.

20. खेल प्रबंधन में प्रथम चरण क्या होता है?
- A. बजट निर्माण
- B. समन्वयन
- C. नियोजन
- D. निदेशन

21. टीम प्रतियोगिता योजना के ब्लू-प्रिन्ट को क्या कहते हैं?
- A. युक्ति
- B. कौशल
- C. तकनीक
- D. रणनीति

22. काइनेमेटिक पैरामीटर्स में कौन-से शामिल हैं?

I. इनर्शिया II. वेलोसिटी
III. डिस्टेंस IV. एक्सेलेरेशन

सही संयोजन चुनिए :
- A. I, II, III
- B. I, III, IV
- C. I, II, IV
- D. II, III, IV

23. प्रदर्शन से संबद्ध फिटनेस में कौन-से शामिल हैं?

I. पाँव की विस्फोटक शक्ति
II. हृदवाहिका सहनशक्ति
III. प्रतिक्रिया करने की योग्यता
IV. लोच

सही संयोजन चुनिए :
- A. I, II
- B. II, III
- C. I, III
- D. II, IV

24. एक प्रथम श्रेणी का उत्तोलक किन रूपों में यांत्रिक लाभ उपलब्ध कराता है?

I. गति II. शक्ति
III. संतुलन IV. तालमेल

सही संयोजन चुनिए :
- A. I, II, III
- B. II, III, IV
- C. III, IV, I
- D. IV, I, II

25. जीवन के जैविक आधार में शामिल हैं :

I. गामक फिटनेस II. शारीरिक व्यायाम
III. बुद्धि IV. आहार

सही संयोजन चुनिए :
- A. I, II
- B. II, III
- C. I, III
- D. II, IV

26. समूह संसक्ति का विकास किन पर आधारित होता है?

I. टीम उपादान II. वैयक्तिक उपादान
III. नेतृत्व उपादान IV. पर्यावरणीय उपादान

सही संयोजन चुनिए :
- A. I, III, IV
- B. I, II, III
- C. II, III, IV
- D. IV, I, II

27. दबाव के व्यक्तिगत स्रोत हैं :

I. घटना का महत्व II. आनुवंशिक दुश्चिन्ता
III. स्वाभिमान IV. अनिश्चिय

सही संयोजन चुनिए :
- A. I, II
- B. II, III
- C. III, IV
- D. IV, I

28. शारीरिक शिक्षा में व्यावसायिक आचारशास्त्र में क्या शामिल हैं?

I. नैतिक मूल्य II. निर्णय

III. शारीरिक फिटनेस IV. निष्ठा

सही संयोजन चुनिए :

A. I, II B. II, III

C. I, IV D. II, IV

29. वक्र सामान्य होगा यदि :

I. $\bar{X} > M < Z$

II. $(Q_3 - M) = (M - Q_1)$

III. यूनी-मोड

IV. Q.D. = 0.6745 σ

सही संयोजन चुनिए :

A. I, II, IV B. I, II, III

C. I, III, IV D. II, III, IV

30. मूल्यांकन द्वारा मापे जाते हैं :

I. प्रयासों की कार्यकुशलता

II. टार्गेट-प्राप्ति का स्तर

III. गोल से दूरी

IV. कर्त्ता का स्तर

सही संयोजन चुनिए :

A. I, II B. II, III

C. II, III, IV D. I, II, III, IV

31. भार का प्रगमन होता है :

I. रेखीय II. चरणबद्ध

III. उद्दीपनबद्ध IV. वृत्तीय (सर्कुलरली)

सही संयोजन चुनिए :

A. I, III B. II, IV

C. I, II D. II, III

32. इंट्राम्युरल कार्यक्रम छात्रों में इसकी भावना का निर्माण करता है?

I. बड़े पैमाने पर सहभागिता

II. स्वार्थसेविता

III. वैर

IV. अधिकतम संलिप्तता

सही संयोजन चुनिए :

A. I, II B. II, IV

C. III, IV D. I, IV

33. नीचे दो वक्तव्य दिए गए हैं; एक को अभिकथन (A) और दूसरे को तर्क (R) कहा गया है।

अभिकथन (A) : धावक बाह्य स्रोत से बल प्राप्त किए बिना दौड़ते हैं।

तर्क (R) : बल, गति का निमित्त कारण है।

उपरोक्त दो वक्तव्यों के संदर्भ में निम्नलिखित में से कौन-सा सही उत्तर है?

A. (A) सही है, परन्तु (R) गलत है।

B. (A) और (R) दोनों सही हैं।

C. (A) गलत है, परन्तु (R) सही है।

D. (A) और (R) दोनों गलत हैं।

34. नीचे दो वक्तव्य दिए गए हैं; एक को अभिकथन (A) और दूसरे को तर्क (R) कहा गया है।

अभिकथन (A) : शारीरिक शिक्षा मानसिक विकास पर भी जोर देती है।

तर्क (R) : प्रकृतवाद प्रकृति को एकमात्र वास्तविकता मानता है।

उपरोक्त दो वक्तव्यों के संदर्भ में निम्नलिखित में से कौन-सा सही उत्तर है?

कूट :

A. (A) सही है, परन्तु (R) गलत है।

B. (A) और (R) दोनों सही हैं।

C. (A) गलत है, परन्तु (R) सही है।

D. (A) और (R) दोनों गलत हैं।

35. नीचे दो वक्तव्य दिए गए हैं; एक को अभिकथन (A) और दूसरे को तर्क (R) कहा गया है।

अभिकथन (A) : मुख द्वारा सेवित इंसुलिन अप्रभावी रहता है।

तर्क (R) : इंसुलिन एलिमेंटरी कैनाल में ही नष्ट हो जाता है तथा इसके अणु का आकार आंत्र की अवशोषण करने की क्षमता से बड़ा होता है।

उपरोक्त दो वक्तव्यों के संदर्भ में निम्नलिखित में से कौन-सा सही उत्तर है?

कूट :

A. (A) सही है, परन्तु (R) गलत है।

B. (A) गलत है, परन्तु (R) सही है।

C. (A) और (R) दोनों सही हैं।

D. (A) और (R) दोनों गलत हैं।

36. नीचे दो वक्तव्य दिए गए हैं; एक को अभिकथन (A) और दूसरे को तर्क (R) कहा गया है।

अभिकथन (A) : मांसपेशी द्वारा उत्पन्न की गई गति की शक्ति इस पर निर्भर करती है कि यह संधि से कितने नजदीक संलग्न है।

तर्क (R) : संधि से दूरी पर संलग्न मांसपेशी नजदीक से संलग्न मांसपेशी के अपेक्षा अधिक सशक्त गति उत्पन्न करेगी।

उपरोक्त दो वक्तव्यों के संदर्भ में निम्नलिखित में से कौन-सा सही उत्तर है?

कूट :

A. (A) गलत है, परन्तु (R) सही है।

B. (A) सही है, परन्तु (R) गलत है।

C. (A) और (R) दोनों गलत हैं।

D. (A) और (R) दोनों सही हैं।

37. नीचे दो वक्तव्य दिए गए हैं; एक को अभिकथन (A) और दूसरे को तर्क (R) कहा गया है।

अभिकथन (A) : नेतृत्व की स्वेच्छाचारी शैली सामान्यतः कार्योन्मुख और कठोर संरचनापूर्ण होती हैं।

तर्क (R) : नेतृत्वशैली खेल में तत्काल ही प्रभावशील निर्णय लेने के लिए उत्तरदायी होती है।

उपरोक्त दो वक्तव्यों के संदर्भ में निम्नलिखित में से कौन-सा सही उत्तर है?

कूट :

A. (A) और (R) दोनों सही हैं तथा (R), (A) की सही व्याख्या है।

B. (A) और (R) दोनों सही हैं तथा (R), (A) की सही व्याख्या नहीं है।

C. (A) सही है, परंतु (R) गलत है।

D. (A) गलत है, परंतु (R) सही है।

38. नीचे दो वक्तव्य दिए गए हैं; एक को अभिकथन (A) और दूसरें को तर्क (R) कहा गया है।

अभिकथन (A) : शारीरिक शिक्षा, शिक्षा का अविभाज्य हिस्सा है।

तर्क (R) : शिक्षा तथा शारीरिक शिक्षा दोनों का लक्ष्य सम्पूर्ण व्यक्तित्व विकास है।

उपरोक्त दो वक्तव्यों के संदर्भ में निम्नलिखित में से कौन-सा सही उत्तर है?

कूट :

A. (A) सही है, परन्तु (R) गलत है।

B. (A) गलत है, परन्तु (R) सही है।

C. (A) और (R) दोनों गलत हैं।

D. (A) और (R) दोनों सही हैं।

39. नीचे दो वक्तव्य दिए गए हैं; एक को अभिकथन (A) और दूसरे को तर्क (R) कहा गया है।

अभिकथन (A) : स्वास्थ्य एवं सुरक्षा संबंधित कौशलों में विद्यालय में प्राथमिक चिकित्सा (फर्स्ट एड) एवं सुरक्षा शिक्षा के माध्यम से पढ़ाया जा सकता है।

तर्क (R) : विद्यालय जाने की उम्र प्राथमिक चिकित्सा एवं सुरक्षा सीखने की सही उम्र है।

उपरोक्त दो वक्तव्यों के संदर्भ में निम्नलिखित में से कौन-सा सही उत्तर है?

कूट :

A. (A) और (R) दोनों सही हैं और (R), (A) की सही व्याख्या है।

B. (A) और (R) दोनों सही हैं, परंतु (R), (A) की सही व्याख्या नहीं है।

C. (A) सही है, परंतु (R) गलत है।

D. (A) गलत है, परंतु (R) सही है।

40. नीचे दो वक्तव्य दिए गए हैं; एक को अभिकथन (A) और दूसरे को तर्क (R) कहा गया है।

अभिकथन (A) : अस्थि-संधियों के अत्यधिक उपयोग के कारण बास्केटबॉल के खिलाड़ियों में अस्थिमृदुता का रोग होता है।

तर्क (R) : जोड़ों के अधिक प्रयोग से जोड़ों में साइनोवियलफ्लुइड कम हो जाता है।

उपरोक्त दो वक्तव्यों के संदर्भ में निम्नलिखित में से कौन-सा सही उत्तर है?

कूट :

A. (A) और (R) दोनों सही हैं, परंतु (R), (A) की सही व्याख्या नहीं है।

B. (A) और (R) दोनों सही हैं और (R), (A) की सही व्याख्या है।

C. (A) सही है, परंतु (R) गलत है।
D. (A) गलत है, परंतु (R) सही है।

41. नीचे दो वक्तव्य दिए गए हैं; एक को अभिकथन (A) और दूसरे को तर्क (R) कहा गया है।

अभिकथन (A) : निराकरणीय प्राक्कल्पना को, उसके सही होने पर भी, बहिष्कृत कर देना टाइप-I त्रुटि है।

तर्क (R) : डेटा के गलत निर्वचन से टाइप-I त्रुटि उत्पन्न होती है।

उपरोक्त दो वक्तव्यों के संदर्भ में निम्नलिखित में से कौन-सा सही उत्तर है?

कोड :

A. (A) सही है, परन्तु (R) गलत है।
B. (A) और (R) दोनों सही हैं।
C. (A) गलत है, परन्तु (R) सही है।
D. (A) और (R) दोनों गलत हैं।

42. नीचे दो वक्तव्य दिए गए हैं; एक को अभिकथन (A) और दूसरे को तर्क (R) कहा गया है।

अभिकथन (A) : स्फूर्ति, मोटर फिटनेस का अनिवार्य घटक है।

तर्क (R) : न्यूरोमस्कुलर तालमेल स्फूर्ति को निर्धारित करता है।

उपरोक्त दो वक्तव्यों के संदर्भ में निम्नलिखित में से कौन-सा सही उत्तर है?

कोड :

A. (A) सही है, परन्तु (R) गलत है।
B. (A) गलत है, परन्तु (R) सही है।
C. (A) और (R) दोनों सही हैं।
D. (A) और (R) दोनों गलत हैं।

43. नीचे दो वक्तव्य दिए गए हैं; एक को अभिकथन (A) और दूसरे को तर्क (R) कहा गया है।

अभिकथन (A) : मांसपेशीय शक्ति, मांसपेशी की संकुचन गति का मापन है।

तर्क (R) : मांसपेशी में तंतु प्रकार के अनुपात से मांसपेशीय शक्ति का निर्धारण होता है।

उपरोक्त दो वक्तव्यों के संदर्भ में निम्नलिखित में से कौन-सा सही उत्तर है?

कोड :

A. (A) सही है, परन्तु (R) गलत है।
B. (A) गलत है, परन्तु (R) सही है।
C. (A) और (R) दोनों सही हैं।
D. (A) और (R) दोनों गलत हैं।

44. नीचे दो वक्तव्य दिए गए हैं; एक को अभिकथन (A) और दूसरे को तर्क (R) कहा गया है।

अभिकथन (A) : युक्तियाँ (टैक्टिक्स) गति का मितव्ययी उपयोग है।

तर्क (R) : इसका संबंध प्रतिद्वंद्वी को उसके लाइन ऑफ एक्शन को नियंत्रित करने से रोकने के लिए अपने लाइन ऑफ एक्शन का नियंत्रण करने से है।

उपरोक्त दो वक्तव्यों के संदर्भ में निम्नलिखित में से कौन-सा सही उत्तर है?

कोड :

A. (A) सही है, परन्तु (R) गलत है।
B. (A) गलत है, परन्तु (R) सही है।
C. (A) और (R) दोनों सही हैं।
D. (A) और (R) दोनों गलत हैं।

45. नीचे दो वक्तव्य दिए गए हैं; एक को अभिकथन (A) और दूसरे को तर्क (R) कहा गया है।

अभिकथन (A) : प्रतिभा-संकेतक आनुवंशिक तथा पर्यावरणजन्य होते हैं।

तर्क (R) : वे प्रदर्शन के पूर्वानुमान का आधार हैं।

उपरोक्त दो वक्तव्यों के संदर्भ में निम्नलिखित में से कौन-सा सही उत्तर है?

कोड :

A. (A) और (R) दोनों सही हैं।
B. (A) और (R) दोनों गलत हैं।
C. (A) सही है, और (R) गलत है।
D. (A) गलत है, और (R) सही है।

46. अभिकथन (A) तथा तर्क (R) को पढ़कर नीचे दिए गए कोड से सही उत्तर चुनिए :

अभिकथन (A) : प्रबंधन प्रत्येक संगठन में गत्यात्मक जीवनदायक तत्व है।

तर्क (R) : यह सक्रियताकारक बल है, जो लोगों से काम कराता है।

कूट :

A. (A) सही है, परंतु (R) गलत है।

B. (A) गलत है, परंतु (R) सही है।

C. (A) तथा (R) दोनों गलत हैं।

D. (A) तथा (R) दोनों सही हैं तथा (R), (A) की सही व्याख्या है।

47. एक गेंद को किक मारने की निम्नलिखित यांत्रिक अवस्थाओं को प्रगमन के क्रम में व्यवस्थित कीजिए :

I. किकिंग II. स्टांस

III. बैक लिफ्ट IV. फॉलो थ्रो

कूट :

A. II, III, I, IV B. III, I, IV, II

C. I, IV, II, III D. IV, II, III, I

48. गेम्स तथा स्पोर्ट्स के ऐतिहासिक विकास की प्रक्रिया में हुई निम्नलिखित आयोजनों को उनके प्रथम आयोजन के क्रम में व्यवस्थित कीजिए :

I. ग्लैडिएटोरियल कंबैट

II. ओलंपिक गेम्स

III. एफ आई एफ ए वर्ल्ड चैम्पियनशिप

IV. आई पी एल

कूट :

A. I, II, III, IV B. II, I, III, IV

C. III, IV, II, I D. IV, III, I, II

49. मांसपेशीय व्यायाम हेतु ऊर्जा के निम्नलिखित स्रोतों को उनकी उपलब्धता के क्रम में व्यवस्थित कीजिए :

I. ट्राइग्लेसराइड II. ग्लाइकोजेन

III. ए टी पी IV. फॉस्फोक्रिएटाइन

कूट :

A. I, III, IV, II B. II, I, III, IV

C. IV, II, I, III D. III, IV, II, I

50. निम्नलिखित प्रक्रियाओं को, जिनके द्वारा एक समूह एक टीम बनता है, सही क्रम में व्यवस्थित कीजिए :

I. स्टॉर्मिंग II. नॉर्मिंग

III. फॉर्मिंग IV. परफॉर्मिंग

कूट :

A. I, IV, III, II B. III, I, II, IV

C. II, III, IV, I D. IV, II, I, III

51. शारीरिक शिक्षा के निम्नलिखित पाठ्यक्रमों को, भारत में उन्हें प्रारंभ किए जाने के कालक्रम के अनुसार व्यवस्थित कीजिए :

I. पीएच.डी. II. बी.पी.ई.

III. बी.पी.ईडी. IV. एम.फिल.

कूट :

A. II, III, I, IV B. I, II, III, IV

C. III, IV, II, I D. II, IV, III, I

52. निम्नलिखित कार्यक्रमों तथा संस्थानों को कालक्रमानुसार व्यवस्थित कीजिए :

I. नेशनल फिटनेस कॉर्पूस

II. नेशनल प्लान ऑफ फिजिकल एजुकेशन एण्ड रिक्रिएशन

III. लक्ष्मीबाई कॉलेज ऑफ फिजिकल एजुकेशन

IV. ऑल इंडिया कौंसिल ऑफ स्पोर्ट्स

कूट :

A. I, II, III, IV B. II, III, I, IV

C. IV, II, III, I D. III, I, II, IV

53. शरीर संघटन को निर्धारित करने के सही क्रम को पहचानिए :

I. शरीर का वजन लेना

II. पानी के अंदर वजन लेना

III. शरीर घनत्व

IV. वसा प्रतिशत

V. त्वचा की मोटाई मापन

कूट :

A. IV, V, III, I, II B. II, III, I, V, IV

C. V, III, II, I, IV D. I, II, III, V, IV

54. नॉक्स बास्केटबाल टेस्ट की गेंदों का सही क्रम क्या होगा?

I. पेनी कप टेस्ट II. वाल बाउंस टेस्ट

III. ड्रिबल शूट टेस्ट IV. स्पीड ड्रिबल टेस्ट

कूट :

A. IV, II, III, I B. II, III, I, IV

C. III, I, IV, II D. I, IV, II, III

55. हेप्टाथोन इवेंट्स को सही क्रम में व्यवस्थित कीजिए :

I. 800 मीटर II. जेव्लिन थ्रो

III. लांग जम्प IV. 200 मीटर

V. शॉट पुट VI. हाई जम्प

VII. 100 मीटर

कूट :
A. II, III, IV, I, V, VI, VII
B. VII, IV, VI, III, II, V, I
C. VII, V, VI, III, IV, II, I
D. VII, VI, V, IV, III, II, I

56. नीचे दिए गए कोड का उपयोग कर ग्रैंड स्लाम टेनिस टूर्नामेंट्स को उनके खेले जाने के क्रम में व्यवस्थित कीजिए :

I. विम्बल्डन II. ऑस्ट्रेलियन ओपन
III. यू.एस. ओपन IV. फ्रेंच ओपन

कूट :
A. I, II, III, IV B. II, IV, I, III
C. IV, III, II, I D. IV, I, II, III

57. सूची-I को सूची-II के साथ सुमेलित कीजिए और नीचे दिए गए कूट का उपयोग कर सही उत्तर चुनिए :

सूची-I	सूची-II
(*a*) वास्तस इंटर्नस	1. घुटना आंकुचन
(*b*) बिसेप्स फेमोरिस	2. नितम्ब विस्तरण
(*c*) मिडल डेल्टाइड	3. घुटना विस्तरण
(*d*) ग्लूटेयस मैक्सीमस	4. कंधा अपगमन

कूट :

	(*a*)	(*b*)	(*c*)	(*d*)
A.	3	1	4	2
B.	1	4	2	3
C.	4	2	3	1
D.	2	3	1	4

58. सूची-I को सूची-II के साथ सुमेलित कीजिए और नीचे दिए गए कूट से सही विकल्प चुनिए :

सूची-I	सूची-II
(*a*) मूल्यमीमांसा	1. सांस्कृतिक विरासत
(*b*) प्रतिस्पर्धा	2. सामाजिक परस्परक्रिया से जोड़ने वाला कारक
(*c*) खेल	3. दर्शनशास्त्र का अंग
(*d*) सहयोग	4. सामाजिक परस्परक्रिया से तोड़ने वाला कारक

कूट :

	(*a*)	(*b*)	(*c*)	(*d*)
A.	3	4	1	2
B.	4	3	2	1
C.	1	2	3	4
D.	2	1	4	3

59. सूची-I को सूची-II के साथ सुमेलित कीजिए और नीचे दिए गए कूट के प्रयोग से सही विकल्प चुनिए :

सूची-I	सूची-II
(*a*) बिम्बाणु	1. इंसुलीन
(*b*) कम हेमोग्लोबिन	2. एच.डी.एल.
(*c*) डायबिटीज	3. रक्ताल्पता
(*d*) कोलेस्ट्रोल	4. थ्रॉम्बोसाइट्स

कूट :

	(*a*)	(*b*)	(*c*)	(*d*)
A.	4	2	1	3
B.	4	3	1	2
C.	1	2	3	4
D.	2	3	4	1

60. सूची-I को सूची-II के साथ सुमेलित कीजिए और नीचे दिए गए कूट के प्रयोग से सही उत्तर चुनिए :

सूची-I	सूची-II
(*a*) थायराइड	1. ग्लैंड
(*b*) साइटोप्लाज्म	2. मस्तिष्क
(*c*) बॉल तथा सॉकेट ज्वायंट	3. सेल
(*d*) मेडुला (मज्जा)	4. कंधा

कूट :

	(*a*)	(*b*)	(*c*)	(*d*)
A.	1	2	3	4
B.	1	3	4	2
C.	4	3	1	2
D.	2	3	4	1

61. सूची-I को सूची-II के साथ सुमेलित कीजिए और नीचे दिए गए कूट का उपयोग कर सही विकल्प चुनिए :

सूची-I	सूची-II
(*a*) नीड एचिवमेंट थियरी	1. उपलब्धि लक्ष्य
(*b*) एट्रिब्युशन थियरी	2. वैयक्तिक एवं स्थितिपरक तत्व
(*c*) कंपीटेंस मोटिवेशन थियरी	3. सफलता तथा असफलता
(*d*) एचिवमेंट गोल थियरी	4. उपलब्धि व्यवहार

कूट :

	(*a*)	(*b*)	(*c*)	(*d*)
A.	1	2	3	4
B.	4	1	2	3
C.	3	4	1	2
D.	2	3	4	1

62. सूची-I को सूची-II के साथ सुमेलित कीजिए और नीचे दिए गए कूट से सही विकल्प चुनिए :

सूची-I	सूची-II
(*a*) व्यावसायिक आचारशास्त्र	1. विद्यालय के प्रकार
(*b*) समय-सारणी बनाना	2. व्यावसायिक आवश्यकता
(*c*) पाठ्यचर्या नियोजन	3. व्यक्तिगत अंतर
(*d*) आयु अभिलक्षण	4. कार्यकलापों का चयन
	5. औपचारिक कार्यकलाप

कूट :

	(*a*)	(*b*)	(*c*)	(*d*)
A.	1	2	4	3
B.	2	1	3	4
C.	3	4	1	2
D.	4	3	2	1

63. सूची-I को सूची-II के साथ सुमेलित कीजिए और नीचे दिए गए कूट का उपयोग कर सही विकल्प चुनिए :

सूची-I	सूची-II
(*a*) दूध, पनीर, योगर्ट	1. कार्बोहाइड्रेट
(*b*) माँस, मुर्गी, मछली	2. मिनरल
(*c*) सब्जियाँ	3. प्रोटीन
(*d*) ब्रेड, अनाज, चावल	4. विटामिन

कूट :

	(*a*)	(*b*)	(*c*)	(*d*)
A.	2	4	3	1
B.	1	4	3	2
C.	2	1	4	3
D.	2	3	4	1

64. सूची-I को सूची-II के साथ सुमेलित कीजिए और नीचे दिए गए कूट का उपयोग कर सही विकल्प चुनिए :

सूची-I	सूची-II
(*a*) मलेरिया	1. पैरासाइट्स
(*b*) डेंगू	2. पैंक्रियाज
(*c*) खसरा	3. बैक्टीरिया
(*d*) मधुमेह	4. वायरस

कूट :

	(*a*)	(*b*)	(*c*)	(*d*)
A.	1	3	4	2
B.	3	4	1	2
C.	2	1	4	3
D.	4	2	3	1

65. सूची-I को सूची-II के साथ सुमेलित कीजिए और नीचे दिए गए कूट का उपयोग कर सही विकल्प चुनिए :

सूची-I	सूची-II
(*a*) मानक विचलन	1. $A + \frac{\Sigma fdx}{N} \times i$
(*b*) माध्यिका	2. $\frac{\overline{x}_1 - \overline{x}_2}{SE_D}$
(*c*) टी-अनुपात	3. $L_1 + \frac{L_2 - L_1}{f}(m - c)$
(*d*) माध्य	4. $\sqrt{\frac{\Sigma fdx^2}{N} - \left(\frac{\Sigma fdx}{N}\right)^2}$

कूट :

	(*a*)	(*b*)	(*c*)	(*d*)
A.	4	3	2	1
B.	2	3	4	1
C.	3	2	1	4
D.	1	2	4	3

66. सूची-I को सूची-II के साथ सुमेलित कीजिए और नीचे दिए गए कूट का उपयोग कर सही विकल्प चुनिए :

सूची-I	सूची-II
(*a*) विविक्त चर	1. रूम टेम्परेचर, सैंपल साइज
(*b*) गुणपरक चर	2. ऊँचाई, वजन
(*c*) निरंतर चर	3. आयु, आई क्यू स्कोर
(*d*) नियंत्रित चर	4. सिट-अप्स, गोल स्कोर्ड

कूट :

	(*a*)	(*b*)	(*c*)	(*d*)
A.	4	2	3	1
B.	4	3	2	1
C.	3	4	1	2
D.	2	1	4	3

67. सूची-I को सूची-II के साथ सुमेलित कीजिए और नीचे दिए गए कूट से सही विकल्प चुनिए :

सूची-I	सूची-II
(*a*) क्रॉस-वैबर टेस्ट	1. सहनशक्ति
(*b*) हार्वर्ड स्टेप टेस्ट	2. लोच
(*c*) कूपर टेस्ट	3. न्यूनतम माँसपेशीय शक्ति
(*d*) स्कॉट एंड फ्रेन्च टेस्ट	4. हृद्-श्वसन कार्यकुशलता

कूट :

	(a)	(b)	(c)	(d)
A.	3	4	1	2
B.	3	2	4	1
C.	2	3	1	4
D.	1	4	2	3

68. सूची-I को सूची-II के साथ सुमेलित कीजिए और नीचे दिए गए कूट का उपयोग कर सही विकल्प चुनिए :

सूची-I (गमक उपादान)	सूची-II (प्रशिक्षण विधि)
(a) लोच	1. फार्टलेक
(b) सहनशक्ति	2. नियंत्रण और नियमन
(c) स्फूर्ति	3. प्लायोमैट्रिक्स
(d) शक्ति	4. पोस्ट आइसोमीट्रिक इनपुट

कूट :

	(a)	(b)	(c)	(d)
A.	3	4	1	2
B.	2	1	3	4
C.	4	1	2	3
D.	1	2	3	4

69. सूची-I को सूची-II के साथ सुमेलित कीजिए और नीचे दिए गए कूट का उपयोग कर सही विकल्प चुनिए :

सूची-I	सूची-II
(a) तैयारी काल I	1. लक्ष्यों की प्राप्ति
(b) तैयारी काल II	2. पुनः प्राप्ति
(c) प्रतियोगिता काल	3. तकनीक का विकास
(d) संक्रमण काल	4. तकनीकल एवं स्थितिपरक आधार का निरूपण

कूट :

	(a)	(b)	(c)	(d)
A.	4	3	1	2
B.	3	1	2	4
C.	1	2	4	3
D.	2	4	3	1

70. सूची-I को सूची-II के साथ सुमेलित कीजिए और नीचे दिए गए कूट का उपयोग कर सही विकल्प चुनिए :

सूची-I	सूची-II
(a) एफ आई एन ए	1. फुटबाल
(b) एफ आई डी ई	2. एथलेटिक्स
(c) ए ए एफ आई	3. तैराकी
(d) एफ आई एफ ए	4. शतरंज

कूट :

	(a)	(b)	(c)	(d)
A.	3	4	2	1
B.	1	2	3	4
C.	4	3	2	1
D.	1	4	2	3

निर्देश (प्रश्न सं. 71 से 75 तक) : *निम्नलिखित गद्यांश को पढ़िए तथा इसकी अपनी समझ के आधार पर इसके बाद दिए गए प्रश्नों के उत्तर दीजिए :*

सामान्य रूप से शिक्षकों तथा विशेष रूप से शारीरिक शिक्षकों के समक्ष अनेक समस्याएँ तथा चुनौतियाँ हैं। संगत प्रश्न यह है कि शिक्षा में शारीरिक शिक्षा का स्थान और कार्य क्या हैं? क्या हम शिक्षा के पाठ्यक्रम के एक भाग के रूप में शारीरिक शिक्षा को शामिल करने की तर्कसंगतता सिद्ध कर सकते हैं? क्या हम इसे सभी छात्रों के लिए आवश्यक बनाने की संगतता को सिद्ध कर सकते हैं? जवाबदेही के इस समय में, हमें अनिवार्यतः यह प्रदर्शित करना होगा कि शैक्षिक प्रक्रिया में शारीरिक शिक्षा का एक निश्चित सकारात्मक मूल्य है, तथा हमें यह भी स्पष्ट करना होगा कि शारीरिक शिक्षा पाठ्यचर्या का अत्यावश्यक भाग क्यों है?

इसके साथ ही, संदिग्ध कार्यप्रणाली के कारण कुप्रबंधित खेल एवं शारीरिक शिक्षा कार्यक्रमों की ओर अधिक ध्यानाकर्षण हो रहा है। इन कार्यक्रमों द्वारा किए गए वादों के पूरे नहीं होने या पूरे किए जाने योग्य नहीं होने के कारण इनकी अत्यंत कटु और व्यापक आलोचना की जा रही है। यह तर्क दिया जाता है कि "खेल अपना आकर्षण तेजी से खो देते हैं जब उन्हें शिक्षा, चरित्र-निर्माण या समाज-सुधार में लगाया जाता है।"

शिक्षा तथा शारीरिक शिक्षा में अनेक पाठ्चर्यापरक समस्याएँ होती हैं। पाठ्यचर्या को अधिक संगत बनाने की आवश्यकता के अतिरिक्त, यदि हम कुछ चिरकालिक मुद्दों का समाधान करना चाहते हैं, तो हमें अपने समाज के लिए कुछ शैक्षिक प्राथमिकताएँ स्थापित करनी होंगी। हमें यथार्थ तथा शिक्षा के पार्थक्य को समाप्त करना होगा। हम अनम्य पाठ्यक्रम की योजना बनाना नहीं चाहते। हमें परिवर्तन तथा नवाचार के प्रति खुला दृष्टिकोण अपनाना चाहिए। छात्रों को विकल्पों को चुनने का प्रावधान होना चाहिए जिससे वे अपनी प्रच्छन्न प्रतिभा का इष्टतम उद्घाटित

कर सकें। इस कारण से छात्रों को कार्यक्रम नियोजन एवं मूल्यांकन में सम्मिलित करना चाहिए, क्योंकि कार्यक्रमों के अभिकल्पन का उद्देश्य छात्रों को लाभान्वित करना है, शिक्षकों को नहीं।

हमारे समक्ष अधिक और बेहतर नेतृत्व विकसित करने की चुनौती भी है। सभी प्रकार के सम्प्रेषण में सशक्त कौशलों से सम्पन्न शैक्षिक शारीरिक शिक्षकों की आवश्यकता है। जनसामान्य को शारीरिक शिक्षा की महत्ता या शारीरिक शिक्षा की आवश्यकता समझाने में शारीरिक शिक्षक अधिक सफल नहीं रहे हैं। नए शारीरिक शिक्षक को अति कौशल सम्पन्न तथा किसी भी कक्षा में कौशलों को सिखाने के साथ उन्हें प्रदर्शित करने की क्षमता भी होनी चाहिए। इसके साथ ही उसे उदार कलाओं और विज्ञानों में सामान्य शिक्षित होना चाहिए ताकि वह हर शैक्षिक विषय के लोगों के साथ सार्थक संवाद करने में सक्षम हो। हमें अपनी सामयिक शिक्षण विधियों एवं तथ्यों और शिक्षण के बारे में अपनी मान्यता एवं शोध द्वारा अर्जित कौशलों के बीच की खाई को पाटने की दिशा में काम करना होगा। हम शोधकार्य में संलग्न शारीरिक शिक्षकों तथा व्यावसायिक शारीरिक शिक्षकों के बीच एक खाई पैदा करने में सहायक बने हैं। हमें इस दिशा में कार्य करना चाहिए जिससे यह सुनिश्चित किया जा सके कि शारीरिक शिक्षा में संचालित शोधकार्य का उपयोग कर शारीरिक शिक्षा व्यवसाय को समुन्नत बनाया जाए।

आधुनिक समाज में परिवर्तन को अपनाने के लिए तत्पर रहना एक आवश्यक योग्यता या दृष्टिकोण है। परिवर्तन अवश्यंभावी है। जो लोग अपने अस्तित्व को कायम रखना चाहते हैं वे परिवर्तन को स्वीकारेंगे और उससे अनुकूलनशीलता सीखेंगे। शिक्षा के समक्ष परिवर्तन के लिए तत्पर होना या अनुकूलनशीलता का भाव विकसित करने का कठिन कार्य है : इसे लोगों को केवल 'क्या है' के लिए ही नहीं, बल्कि 'क्या होगा' के लिए भी तैयार करना है, यद्यपि जो 'घटित होगा' वह अज्ञात है। आज के शारीरिक शिक्षकों के समक्ष सबसे बड़ा प्रश्न शारीरिक शिक्षा का भविष्य है। आपके मार्गदर्शन तथा नेतृत्व में शारीरिक शिक्षा किस दिशा की ओर अग्रसर होगी?

71. छात्रों को नियोजन एवं मूल्यांकन में सम्मिलित करना चाहिए क्योंकि :

A. कार्यक्रमों को शिक्षकों को लाभान्वित करने के लिए अभिकल्पित किया जाता है।

B. कार्यक्रमों को छात्रों को लाभान्वित करने के लिए अभिकल्पित किया जाता है।

C. कार्यक्रमों को संस्थान को लाभान्वित करने के लिए अभिकल्पित किया जाता है।

D. कार्यक्रमों को प्रशासन को लाभान्वित करने के लिए अभिकल्पित किया जाता है।

72. समसामयिक शारीरिक शिक्षक के समक्ष कौन-सी समस्याएँ और चुनौतियाँ हैं?

I. शिक्षा में शारीरिक शिक्षा का स्थान

II. सभी बच्चों के लिए शारीरिक शिक्षा की आवश्यकता की तर्कसंगतता

III. शैक्षिक पाठ्यचर्या में शारीरिक शिक्षा का स्थान

IV. शारीरिक शिक्षा कार्यक्रम का प्रभावशील कार्यान्वयन

सही का चयन कीजिए :

A. I, II, III　　B. II, III, IV

C. III, IV, I　　D. IV, I, II

73. शारीरिक शिक्षा कार्यक्रमों के कुप्रबंधन के कारण शारीरिक शिक्षा के सिद्ध नहीं किए जाने योग्य लाभ :

I. चरित्र विकास

II. सामाजिक विकास

III. शिक्षा की सेवा

IV. शारीरिक सक्षमता विकास

सही का चयन कीजिए :

A. I, II, IV　　B. II, III, IV

C. III, IV, I　　D. II, I, III

74. शारीरिक शिक्षा के वर्तमान नेतृत्व को कैसा होना चाहिए?

A. स्वस्थ

B. कौशलयुक्त

C. सम्प्रेषणीयता में कुशल होने के साथ शैक्षिक रूप में सक्षम

D. नैतिक एवं आचारवान

75. शिक्षा तथा सामाजिक शिक्षा को परिवर्तन को अपनाने के लिए तत्पर रहना अनिवार्य है क्योंकि :

I. परिवर्तन अवश्यंभावी है।

II. तत्परता वर्तमान के लिए तैयार करती है।

III. तत्परता भविष्य के लिए तैयार करती है।

IV. तत्परता से आत्मविश्वास विकसित होता है।

सही का चयन कीजिए :

A. III, I, II　　B. I, III, IV

C. IV, II, I　　D. III, IV, II

उत्तरमाला

1	2	3	4	5	6	7	8	9	10
A	B	D	B	C	A	C	B	A	D
11	**12**	**13**	**14**	**15**	**16**	**17**	**18**	**19**	**20**
C	C	D	C	C	B	A	A	B	C
21	**22**	**23**	**24**	**25**	**26**	**27**	**28**	**29**	**30**
D	D	C	A	D	A	B	C	D	D
31	**32**	**33**	**34**	**35**	**36**	**37**	**38**	**39**	**40**
C	D	C	*	A	A	B	D	A	B
41	**42**	**43**	**44**	**45**	**46**	**47**	**48**	**49**	**50**
A	C	C	B	A	D	A	B	D	B
51	**52**	**53**	**54**	**55**	**56**	**57**	**58**	**59**	**60**
A	C	D	A	D	B	A	A	B	B
61	**62**	**63**	**64**	**65**	**66**	**67**	**68**	**69**	**70**
D	B	D	A	A	B	A	C	A	A
71	**72**	**73**	**74**	**75**					
B	A	D	C	A					

व्याख्यात्मक उत्तर

3. शारीरिक शिक्षा का अर्थ बहुत व्यापक है, इसमें न केवल प्रतियोगी खेल शामिल है, बल्कि लयात्मक क्रियाकलाप, मनोरंजक खेल, स्वास्थ्य एवं फिटनेस क्रियाकलाप, कैपिंग, उपचारात्मक व्यायाम आदि शामिल है। यह कुल शिक्षा प्रक्रिया का एक अभिन्न अंग है, जिसका लक्ष्य व्यक्ति का शारीरिक, मानसिक, सामाजिक और भावनात्मक रूप का विकास है तथा एक खास योजना के तहत विशिष्ट परिणामों को प्राप्त करता है। इस प्रकार स्पष्ट होता है कि शारीरिक शिक्षा का केन्द्रीय विषय 'गतिशील मानव' है। इसे विभिन्न विद्वानों के द्वारा दी गई परिभाषा से और अधिक समझा जा सकता है—

डी आबरिट यूफर के अनुसार, "शारीरिक शिक्षा उन अनुभवों का सामूहिक प्रभाव है जो शारीरिक क्रियाओं द्वारा व्यक्ति को प्राप्त होती है।"

जे बी नैश के अनुसार, "शारीरिक शिक्षा, शिक्षा के बड़े क्षेत्र का वह अंग है, जो बड़ी मांसपेशियों से होने वाले कार्य तथा उनसे सम्बन्धित प्रतिक्रियाओं से सम्बन्ध रखता है।"

निक्सन एवं कजन्स के अनुसार, "शारीरिक शिक्षा, शिक्षा की संपूर्ण प्रक्रिया का वह पहलू है, जिसका सम्बन्ध पेशीय क्रियाओं एवं उससे सम्बन्धित प्रतिक्रियाओं तथा व्यक्ति में इन प्रतिक्रियाओं के फलस्वरूप होने वाले सकारात्मक परिवर्तनों से है।"

4. सोकर (Soccer) एक गेम और स्पोर्ट भी है। इसे फुटबॉल के नाम से जाना जाता है। फुटबॉल का जन्म इंग्लैंड में हुआ। 1857 ई. में इंग्लैंड में विश्व का पहला फुटबॉल क्लब 'शेफील्ड फुटबॉल क्लब' का गठन हुआ। भारत में फुटबॉल अंग्रेजों के द्वारा लाया गया और भारत का पहला फुटबॉल क्लब 'डलहौजी क्लब' था।

विश्व की सबसे बड़ी फुटबॉल संस्था 'इंटरनेशनल फुटबॉल एसोसिएशन (फीफा)' है जिसका मुख्यालय पेरिस (फ्रांस) में है। फीफा द्वारा आयोजित विश्वकप फुटबॉल की सबसे बड़ी प्रतियोगिता है, पहला विश्वकप 1930 ई. में उरुग्वे में आयोजित किया गया था। इसे प्रति चार वर्ष बाद आयोजित किया जाता है।

5. लम्बे समय तक कार्यजन्य श्रम के कारण बेचैनी अथवा क्षमता के घटने का परिणाम थकान होता है। शारीरिक थकान का अर्थ है कि हमारा शरीर तनाव को झेलने के योग्य नहीं रहा। थकान निरंतर कार्य करने की अक्षमता है जोकि किसी एक अथवा कई कारकों के एक साथ मिल जाने से पैदा होती है। लैक्टिक एसिड का इकट्ठा होना थकान का कारण नहीं है किंतु यह हाइड्रोजन आयन (H^+) है जो कि लैक्टिक एसिड के कारण इकट्ठा हो जाता है और थकान पैदा कर देता है। हाइड्रोजन आयनों की सान्द्रता बढ़ जाने से रक्त अम्लीय हो जाता है जिसके परिणामस्वरूप इन्जाइम काम करना बंद कर देते हैं। इन्जाइम के ठीक ढंग से काम न करने के कारण एन्जाइम पैदा नहीं हो पाते जिनकी पेशीय कार्य के लिए आवश्यकता होती है।

6. **कायिक चिकित्सा :** इसका सम्बन्ध मनुष्य के द्वारा व्यायामों के आधार पर प्राप्त किया जाने वाला स्वास्थ्य माना जाता है। व्यक्ति के द्वारा व्यायाम के आधार पर विशेष रूप से अपने शरीर को स्वस्थ किया जा सकता है। जिस समय उसके द्वारा अनेक प्रकार के व्यायामों की ओर अग्रसित हुआ जाता है, उसी समय उसके द्वारा शारीरिक रूप से सुदृढ़ता को व्याप्त भी किया जाता है। कायिक चिकित्सा की विभिन्न विधियाँ निम्नलिखित हैं—हाइड्रोथैरेपी, थर्मोथैरेपी, अल्ट्रासाउण्ड थैरेपी, डायथर्मी इत्यादि हैं। हाइड्रोथैरेपी (जल चिकित्सा) यह भी उपचारी व्यायाम की प्रमुख विधि है। इसमें मुख्यतः जल के द्वारा चिकित्सा की जाती है। जल ठण्डा भी हो सकता है और गर्म भी। जल चिकित्सा के निम्न प्रकार हैं—व्हर्लपूल बाथ, क्रायो चिकित्सा कंट्रास्ट बाथ इत्यादि। जबकि वैक्स बाथ हाइड्रोथैरेपी चिकित्सा के भाग नहीं हैं।

7. दल सामंजस्य/संलाग को विशेष रूप से एक समूह का एक लक्ष्य की दिशा में कार्य करते हुए एकता से परिपूर्ण होना या उसके सदस्यों की भावनात्मक आवश्यकताओं को पूरा करने की प्रवृत्ति के रूप में परिभाषित किया जा सकता है। दल सामंजस्य की भावना से किसी भी चुनौती को सरलता से निपटा जा सकता है। वर्तमान तीव्र प्रतिस्पर्द्धा के दौर में सफलता प्राप्त करने के लिए दल भावना का होना अत्यधिक आवश्यक है। दल सामंजस्य का निर्माण सोसियोग्राम के द्वारा किया जाता है।

9. 1965 में नेशनल फिटनेस कॉर्प्स का गठन किया गया। यह ट्रेनिंग प्रांत फिजिकल एजुकेशन पर्सोनल तथा नेशनल डिसिप्लीन स्कीम को मिलाकर बनाया गया। डायरेक्टोरेट ऑफ नेशनल फिटनेस कॉर्प्स (N.F.C.) ने Physical Activities Programme for Teacher नामक हैंड बुक तैयार की।

10. भारत सरकार ने भारतीय खेल प्राधिकरण की स्थापना वर्ष 1984 में देशभर के खेल को बढ़ावा देने हेतु की। वर्तमान में, इसके सात क्षेत्रीय केन्द्र बंगलुरु, भोपाल, गाँधीनगर, कोलकाता, सोनीपत, दिल्ली, मुम्बई, इम्फाल में हैं तथा दो उप-केन्द्रों में गुवाहाटी और औरंगाबाद है। नेताजी सुभाष राष्ट्रीय खेल के संस्थान (पटियाला), लक्ष्मीबाई राष्ट्रीय शारीरिक शिक्षा के कॉलेज, तिरूवनन्तपुरम् के इसके उद्देश्यों में खेल सुविधाओं का कुशल प्रयोग तथा खेल क्रियाओं के स्तर को विकसित करना एवं उनका कुशल प्रबन्धन सम्मिलित है।

11. शारीरिक शिक्षा में विद्यार्थियों के लिए विद्यालय स्वास्थ्य कार्यक्रम का काफी महत्व है। विद्यालय स्वास्थ्य कार्यक्रम वह कार्यक्रम है जिसमें विद्यार्थियों और स्कूल कर्मियों के स्वास्थ्य का रखरखाव और सुधार के लिए योगदान तथा इनको स्वस्थ रखने के लिए स्वास्थ्य शिक्षा दी जाती है। विद्यालय स्वास्थ्य कार्यक्रम में स्वास्थ्य के रिकॉर्ड्स रखना, स्वास्थ्य शिक्षा तथा स्वास्थ्य निरीक्षण आदि शामिल हैं जबकि रोगों का नियंत्रण इसमें शामिल नहीं है।

12. पाँचवे ओलम्पिक खेल का आयोजन वर्ष 1912 में स्टॉकहोम (स्वीडन) में किया गया था। आधुनिक पेण्टाथ्लॉन जिसमें स्वीमिंग, साइकिलिंग, तलवारबाजी, स्काई, ड्राइविंग और क्रॉस कंट्री खेल आते हैं, इसको शामिल किया गया। जिम थोरपे ने डिकेथ्लॉन तथा पेण्टाथ्लॉन में स्वर्ण पदक जीता लेकिन वर्ष 1913 में नियम के उल्लंघन में दोनों पदक वापस ले लिए गए। इनकी उपलब्धियों को देखते हुए इन्हें वर्ष 1950 में अमेरिका द्वारा 'महान अमेरिकन एथलेटिक्स' की पदवी से नवाजा गया। इसी ओलम्पिक गेम्स में ठोस स्वर्ण मेडल दिए गए थे। ओलम्पिक में भाग लेने वाला जापान प्रथम एशियाई देश बना। पहली बार सिर्फ दौड़ों के लिए टाइम मशीनों का प्रयोग किया गया। इस ओलम्पिक की महत्वपूर्ण बात यह है कि इसमें पहली बार ओलम्पिक के छल्लों को शामिल किया गया।

13. विटामिन, कार्बन के वह यौगिक हैं जो शरीर का काम सामान्य रूप से चलाए रखने के लिए बहुत आवश्यक हैं। इसकी खोज फंक महोदय ने की थी। हमारे शरीर में महत्वपूर्ण विटामिन निम्नलिखित हैं—

विटामिन-A : मुख्य रूप से दूध, मक्खन, अण्डा, मछली के तेल, टमाटर, कद्दू एवं हरी पत्तेदार सब्जियों में पाया जाता है।

विटामिन-E : ये मुख्य रूप से वनस्पति तेल, मक्खन, दूध, अण्डा, साबुत अनाज, हरी सब्जियाँ, फिश लीवर ऑयल, मेवे, बीज आदि में पाया जाता है।

विटामिन-K : ये मुख्य रूप से फूलगोभी, पालक एवं हरी सब्जियाँ, अनाजों, सोयाबीन आदि में मिलते हैं।

विटामिन-D : ये मुख्य रूप से पनीर, मक्खन, दूध, हरी सब्जियाँ, अण्डा, मछली लीवर तेल और सूर्य की किरणों से प्राप्त होते हैं।

विटामिन-C : ये मुख्य रूप से साइट्रस फलों में, जैसे— आँवला, नींबू, माल्टा, संतरे में पाए जाते हैं।

17. **क्रॉस वेबर टेस्ट :** यह टेस्ट मांसपेशिय क्षमता से सम्बन्धित है। इस टेस्ट को डॉक्टर क्रॉस तथा डॉक्टर वेबर ने विकसित किया था। इस टेस्ट का उद्देश्य न्यूनतम मांसपेशिय के समूहों की लोच तथा शक्ति की जाँच करना अथवा मापना था।

19. आधुनिक ओलम्पिक खेल प्रतियोगिता का प्रारंभ 1896 ई. को फ्रांस के बैरोन पियरे डि कोबार्टिन के प्रयासों से यूनान के एथेंस शहर में हुआ। इसका आयोजन प्रत्येक चार वर्ष के अंतराल पर किया जाता है। ओलम्पिक खेल का शीर्ष संस्था अंतर्राष्ट्रीय ओलम्पिक समिति (आई.ओ. सी.) है जिनकी स्थापना सखोन नामक स्थान पर हुई थी। इसका मुख्यालय लोसाने (स्विट्ज़रलैंड) में है। इस समिति की एक कार्यकारिणी होती है, जिसमें एक अध्यक्ष, तीन उपाध्यक्ष तथा सात अन्य सदस्य होते हैं। यह संस्था ओलम्पिक खेलों का स्थान, नियम, संचालन आदि निर्धारण करती है।

22. **शुद्ध गति विज्ञान (किनामेटिक्स) :** यह डायनामिक्स का एक अन्य पहलू है, जहाँ मानव जाति का अध्ययन किया जाता है। खेल जैव यांत्रिकी में विभिन्न प्रकार की गति का मूल्यांकन किनामेटिक्स के उपयोग से होता है, जिसमें दूरी, समय, त्वरण, वेग कोण आदि का मूल्यांकन गति के दौरान किया जाता है। खेल, प्रशिक्षण अथवा प्रशिक्षक के दौरान टेक ऑफ का समय, शरीर का वेग, गुरुत्व केन्द्र इत्यादि का विश्लेषण किया जाता है।

24. **उत्तोलक (Lever) :** उत्तोलक एक सख्त छड़ है, जो एक बिन्दु या केन्द्र के इर्द-गिर्द घूमता है। इसमें कम बल लगाकर अधिक गति प्राप्त की जा सकती है। यह एक यांत्रिक यंत्र होता है, जिसमें धुरी बल और कार्य होता है। मानव शरीर में भी उत्तोलक होता है। लम्बी हड्डियाँ छड़ (Rd) का कार्य करती है। उत्तोलक को तीन भागों में विभाजित किया जाता है—

1. **प्रथम श्रेणी लीवर :** प्रथम प्रकार के उत्तोलक में आलम्ब बल तथा प्रतिरोध के मध्य में होता है। बल भुजा और भार भुजा के बराबर होती है। इसके परिणामस्वरूप उत्तोलक की दोनों भुजाएँ विपरीत दिशाओं में चलती हैं। यह उत्तोलक संतुलन बनाने में सहायक होता है; जैसे—कैंची, तराजू, हैण्डपम्प इत्यादि। मानव शरीर में यह लीवर पाया जाता है; जैसे—खोपड़ी का प्रथम एटलस कशेरूका से सन्धि। इसमें सिर आगे पीछे दाएँ-बाएँ घूमता रहता है गर्दन की मांसपेशियों द्वारा शक्ति प्राप्त होती है और एटलस कशेरुका धुरी का कार्य करता है। इसी कारण सिर सीधा रहता है।
2. **द्वितीय श्रेणी लीवर :** इस प्रकार के उत्तोलक में भार, धुरी और शक्ति के बीच में होता है। भार, भुजा, बल, भुजा से छोटी होती है, इसमें शक्ति प्राप्त करने के लिए बल को छोड़ दिया जाता है; जैसे—सरौता, एक पहिया ठेला वुड़ा गाड़ी। मानव शरीर में द्वितीय श्रेणी लीवर नगण्य होता है। कुछ विद्वानों का मत है कि पैरों की अंगुलियों पर खड़ा होने पर यह लीवर दिखाई देता है।
3. **तृतीय श्रेणी लीवर :** इस प्रकार के उत्तोलक में बल आलम्ब तथा भार के मध्य होता है। इसमें भार भुजा, बल भुजा से बड़ी होती है। इसमें हरकत काफी तेज गति से संभव होती है; जैसे—चिमटा, क्रेन इत्यादि। मानव शरीर में यह लीवर पाया जाता है। शरीर की लम्बी-लम्बी हड्डियाँ लीवर का कार्य करती हैं। मांसपेशियाँ शक्ति प्रदान करती हैं और जोड़ धुरी का कार्य करते हैं; जैसे—टेनिस, क्रिकेट इत्यादि खेलते समय बांहों की स्थिति।

25. जीवन के जैविक आधार में शारीरिक व्यायाम एवं आहार शामिल हैं–

आहार : किसी भी व्यक्ति के जीवन के लिए आहार एक महत्वपूर्ण तत्व है। हमारे शरीर की कोशिकाओं को अच्छी तरह चालू हालत में रखने के लिए जरूरी है कि उन्हें खुराक अर्थात् भोजन की सही मात्रा के माध्यम से ही रसायनों की सही मात्रा लगातार मिलती रहे। भोजन या आहार में ऐसे रसायनों को पौष्टिक तत्व कहते हैं। 'पोषण' वह विज्ञान है, जो भोजन और शरीर द्वारा इसके प्रयोग के बारे में प्रकाश डालता है। सभी जीव प्राणियों की तरह मनुष्य को भी जीवित रहने के लिए भोजन की आवश्यकता पड़ती है। भोजन हमें हमारी तरफ से किए जाने वाले हर काम के लिए ऊर्जा मुहैया कराता है। भोजन हमें वह सामग्री भी प्रदान करता है, जिससे हमारा शरीर अपने ऊतकों का निर्माण एवं क्षतिग्रस्त ऊतकों की मरम्मत करता है और अंगों एवं तंत्रों को नियंत्रित करता है।

शारीरिक व्यायाम : मानव शरीर के लिए व्यायाम प्रत्येक दशा में लाभदायक सिद्ध होता है। विकासशील विद्यार्थियों, युवकों और बच्चों के लिए इसका महत्व और भी अधिक हो जाता है। जिस प्रकार एक मनुष्य के लिए भोजन, वायु, जल और अन्य वस्तुओं की आवश्यकता है, ठीक उसी प्रकार ही व्यायाम भी मनुष्य के लिए बहुत आवश्यक है।

व्यायाम से लाभ–

- व्यायाम करने से शरीर की भीतरी रासायनिक ग्रंथियाँ अपना कार्य ठीक ढंग से करने लगती हैं, जिनके कारण विकास में बहुत अधिक सहायता मिलती है।
- व्यायाम से हड्डियाँ दृढ़ एवं मजबूत होती हैं और शरीर अपना भार अच्छी तरह से सहन करने के योग्य बनाता है।
- उत्सर्जन संस्थान भी व्यायाम के द्वारा अपने कार्य को नियंत्रित रूप से करते हैं।
- पाचन तंत्र पर भी व्यायाम का प्रभाव पड़ता है, जिससे पाचनशक्ति बढ़ जाती है। इसी कारण भूख भी अधिक लगने लगती है।
- मांसपेशियों में शक्ति आती है और प्रत्येक कार्य को आसानी से कर सकती हैं।
- मांसपेशियों को विकास का एक साधन समझते हुए आज के युग में इसे वैज्ञानिक और प्रयोगात्मक कार्यों के लिए प्रयोग में लाया जाता है।
- रक्त की गति तीव्र हो जाती है और शरीर के प्रत्येक भाग में रक्त धमनियों की सहायता से काफी मात्रा में रक्त पहुँच जाता है, जिसके कारण उसके विकास में सहायता मिलती है।

26. **दल-सामंजस्य/सलांग** को विशेष रूप से एक समूह का एक लक्ष्य की दिशा में कार्य करते हुए एकता से परिपूर्ण होना या उसके सदस्यों की भावनात्मक आवश्यकताओं को पूरा करने की प्रवृत्ति के रूप में परिभाषित किया जा सकता है। दल सामंजस्य की भावना से किसी भी चुनौती को सरलता से निपटाया जा सकता है। वर्तमान तीव्र प्रतिस्पर्धा के दौर में सफलता प्राप्त करने के लिए दल भावना का होना अत्यधिक आवश्यक है। अनेक शोधकर्ताओं ने इस अवधारणा को समूह एकता के तौर पर परिभाषित किया जिसके अनेक कारण हो सकते हैं; जैसे–कार्य प्रतिबद्धता, पारस्परिक आकर्षण आदि। कार्य प्रतिबद्धता और पारस्परिक आकर्षण के अलावा समूह गौरव को भी सामंजस्य की परिभाषा में शामिल किया जा सकता है। सामाजिक वैज्ञानिकों ने अलग-अलग तरीकों से समूह सामंजस्य की व्याख्या की है। दल-सामंजस्य या संलाग आमतौर पर अपने लक्ष्यों और उद्देश्यों की प्राप्ति हेतु एकजुट रहने के लिए एक समूह की प्रवृत्ति में परिलक्षित होता है। दल संलाग की भावना लम्बे समय तक एक साथ, टीम के रूप में रहने पर एकजुटता प्रदर्शित करने से सम्बद्ध है। दल संलाग का विकास टीम उपादान, नेतृत्व उपादान तथा पर्यावरणीय उपादान से होता है।

27. **प्रतिबल** (Stress) वह अवस्था है जो व्यक्ति पर इतना दबाव डालती है कि उसे समायोजन की आवश्यकता पड़ती है या उसे समायोजन करना पड़ता है। क्योंकि व्यक्ति का मानसिक स्वास्थ्य प्रतिबल की अनुपस्थिति में विकसित नहीं होता है। किसी व्यक्ति का मानसिक स्वास्थ्य उस अवस्था में तीव्र गति से विकसित होता है, जब वह इन प्रतिबल सम्बन्धी परिस्थितियों के प्रति संतोषजनक ढंग से प्रतिक्रिया करता है। प्रतिबल दो प्रकार के होते हैं–

दबाव : दबाव एक प्रकार की मनोवैज्ञानिक प्रतिबल अवस्था है जिसमें व्यक्ति यह अनुभव करता है कि उसे एक विशिष्ट

भावना के अनुसार रहना या व्यवहार करना है उसे तीव्र गति से हो रहे परिवर्तनों के साथ अनुकूलन करना होता है।" व्यक्ति के अधिकांश दबाव आंतरिक होते हैं जो उसकी आत्मप्रतिष्ठा को बनाए रखने वाले होते हैं। ये दबाव कई बार रचनात्मक होते हैं। बहुधा ये उस समय होते हैं जब व्यक्ति अपनी शारीरिक या मनोवैज्ञानिक योग्यताओं या कौशलों या लोकप्रियता के कारण उच्च मानकों के साथ अनुरूपता स्थापित करना चाहता है। आंतरिक दबाव उस समय विध्वंसात्मक होते हैं जब व्यक्ति अपने लक्ष्यों या आदर्शों को प्राप्त करने में असफल या असंभव समझता है। इस प्रकार दबाव के दो व्यक्तिगत स्रोत हैं—आनुवंशिक दुश्चिन्ता तथा स्वाभिमान।

तनाव : सभी खिलाड़ी विजयी होना चाहते हैं, सर्वश्रेष्ठ प्रदर्शन करना चाहते हैं किंतु सदैव सफलता तो प्राप्त नहीं होती है। परिणामस्वरूप असफलता खिलाड़ी को तनाव की ओर ले जाती है। इससे मांसपेशियों में तनाव की ओर ले जाती है। इससे मांसपेशियों में तनाव आता है और खिलाड़ी गतियों को उचित ढंग से नहीं कर पाता, जिसके कारण उसका भविष्यगत प्रदर्शन प्रभावित होता है।

32. **अंतःविद्यालय खेल प्रतियोगिताएँ (Intramural Programme creates) :** अंतः विद्यालय खेल कार्यक्रम स्कूल/पाठशाला के बाद और स्कूल के बाहर (शाम, सप्ताहान्त और छुट्टियों के दौरान) खेला जाता है। अर्थात् यह प्रतियोगिताएँ विद्यालय में आयोजित की जाती हैं। बाहर Extramural का मतलब एक संगठित इकाई की दीवारों के बाहर के खेलों से है चाहे वह शहर, स्कूल अथवा अस्पताल हो। शैक्षिक संदर्भ में, एक्सट्राम्यूरल से मतलब बाहर अध्ययन करने से है, लेकिन एक विश्वविद्यालय या अन्य संस्था के संरक्षण में ही होता है। यह एक संतुलित पाठ्यक्रम, स्वस्थ जीवन शैली, एक वर्धित स्कूल का अनुभव और व्यक्तिगत, सामाजिक और विकसित समुदाय के लिए महत्वपूर्ण है। यह गतिविधियों, स्वस्थता एवं सुरक्षा को महत्वपूर्ण स्थान देता है। यह शैक्षणिक उपलब्धि में सुधार तथा युवा जीवन में और पूरे स्कूल समुदायों में सकारात्मक बदलाव लाता है। इस प्रकार इंट्राम्युरल कार्यक्रम छात्रों में बड़े पैमाने पर सहभागिता तथा अधिकतम संलिप्तता की भावना का विकास होता है।

33. बल गति विज्ञान डायनोमिक्स का वह पहलू है, जिसमें उन बलों का अध्ययन किया जाता है, जो वस्तुओं को गतिमान बनाते हैं, बल खिंचाव (Push) या धकेलन (Pull) हो सकता है। काइनेटिक्स में बलों का वर्णन है जो गति पैदा करते हैं तथा इसमें न्यूटन के गति के तीनों सिद्धांत शामिल हैं। इसका महत्वपूर्ण पैरामीटर बल, समय विशेषता जो मुख्यतः धरातलीय प्रतिक्रिया तल है, इसमें किसी क्रिया को करते समय कितना बल लगा इसका मापन करना है; जैसे—वेटलिफ्टिंग के समय कितना बल लगा इत्यादि। फोर्स प्लेटफार्म तथा विभिन्न प्रकार के फोर्स ट्राउसबर से शरीर के विभिन्न भागों से कितना बल लगा इसका मापन किया जाता है? धावक बाह्य स्रोत से बल प्राप्त किए बिना नहीं दौड़ सकता है। स्पष्ट होता है कि अभिकथन (A) गलत है परंतु तर्क (R) सही है।

37. **स्वेच्छाचारी नेतृत्व (Autocratic Leadership) :** स्वेच्छाचारी नेतृत्व अधिनायकवादी नेतृत्व से इस अर्थ में भिन्न है कि यह अपने अधीनस्थों की आवश्यकताओं को संतुष्ट करने के अवसर प्रदान करने के लिए तत्पर रहता है। यदि उसके अधीनस्थ उसकी आज्ञानुसार कार्य करते हैं। परंतु इस प्रकार का नेता संपूर्ण अधिकार अपने हाथ में रखता है तथा समस्त शक्ति और निर्णय लेने का अधिकार उसी में केन्द्रित होता है। ऐसा नेता निर्णयन प्रक्रिया में अपने अधीनस्थ की भागीदारी की अनुमति नहीं देता है और इस बात को भी सहन नहीं करता है कि उसके अनुयायी उसकी आज्ञा का उल्लंघन करें। इस प्रकार के नेतृत्व के अंतर्गत अनुयायी पूर्णतया अपने नेता पर ही निर्भर करते हैं तथा लक्ष्यों और अंतिम उद्देश्य से अनभिज्ञ होते हैं। नेता ही ऐसे निर्णय लेता है जो वह अपने अधीनस्थों के हित में सर्वोत्तम समझता है। दूसरे शब्दों में, वह अपनी इच्छाओं को निर्णय के रूप में अपने अधीनस्थों पर थोप देता है। ऐसे नेतृत्व से भी अपेक्षित परिणाम तो प्राप्त हो जाते हैं परंतु इसमें सबसे अधिक गंभीर दोष यह है कि जब तक नेतृत्व अच्छा होगा तब तक तो अनुयायियों के हितों की सुरक्षा होगी और यदि नेता कमजोर और अकुशल होगा तो उसके अनुयायी भी हीन और अकुशल बने रहेंगे। नेतृत्व शैली खेल में तत्काल ही प्रभावशील निर्णय लेने के लिए उत्तरदायी होते हैं। इस प्रकार अभिकथन (A) तथा तर्क (R) दोनों सत्य हैं लेकिन (R), (A) की सही व्याख्या नहीं है।

38. शारीरिक शिक्षा संपूर्ण शिक्षा का अभिन्न अंग है। उद्यम क्षेत्र में इसका उद्देश्य शारीरिक, मानसिक और सामाजिक रूप से परिपूर्ण नागरिकों का शारीरिक क्रियाओं द्वारा विकास करना है। अंतः शारीरिक शिक्षा मनुष्य के व्यक्तित्व के चहुँमुखी विकास और समाज का उपयोगी सदस्य बनने हेतु महत्वपूर्ण योगदान देती है। इन्हीं वास्तविकताओं को ध्यान में रखते हुए 'शारीरिक शिक्षा' यह मानकर चलती है कि बालक संसार में एक ऐसे रूप में जन्म लेता है, जिसकी क्रियाएँ सुनिश्चित नहीं होतीं, परंतु उनमें अत्यधिक कार्य क्षमता, उत्सुकता, समीकरण शक्ति, प्रेरणा से प्रभावित होने तथा समाजीकरण की शक्ति निहित होती है। इन्हीं शक्तियों को निश्चित दिशा देने का कार्य शारीरिक शिक्षा करती है, जिससे कि मानव से एकीकरण कर सके। इस प्रकार स्पष्ट होता है कि अभिकथन (A) तथा तर्क (R) दोनों सही हैं।

40. अस्थि-संधियों के अत्यधिक उपयोग के कारण बॉस्केटबॉल के खिलाड़ियों में अस्थिमृदुता (Osteophorosis) का रोग होता है। साइनोवियल क्षेत्र (जिसमें तरल पदार्थ होता है, जो जोड़ को ल्युबरिकेण्ट प्रदान कर चलायमान रखता है) की चोट होती है। इसमें जोड़ के साइनोवियल क्षेत्र में सूजन रहती है जिससे लगातार दर्द बना रहता है। इसका मुख्य कारण जोड़ के सम्बन्धित अंग का किसी वस्तु से जोर से टकरा जाना, उसका अत्यधिक प्रयोग होना आदि होता है। इसमें कार्टिलेजस भी टुकड़ों में टूट जाते हैं, जो जोड़ की क्रिया में व्यवधान पैदा करते हैं, जिससे चोट लगे क्षेत्र में सूजन, जलन तथा दर्द रहता है।

42. **स्फूर्ति (Agility) :** अपनी गतिविधियों में समन्वय बिठाना तथा उन्हें बदलती हुई स्थितियों में लगाना ही स्फूर्ति कहलाता है। यह विभिन्न प्रकार के तालमेल के कारण होता है जो स्थिति के अनुसार गतिविधियों के ठीक मेल-मिलाप के लिए व्यक्ति को करना पड़ता है। न्यूरोमस्कुलर तालमेल स्फूर्ति को निर्धारित करता है।

स्फूर्ति दो प्रकार की होती है–

सामान्य स्फूर्ति–इसका अर्थ उस मानसिक स्फूर्ति से है जिसमें खिलाड़ी फंक्शनल व स्रोतपूर्ण ढंग से सभी स्पोर्ट्स गतिविधियों का प्रदर्शन कर सकता है।

विशिष्ट स्फूर्ति–विशिष्ट परिस्थितियों में यह व्यक्त की जाने वाली स्फूर्ति है। उदाहरणार्थ जिमनास्ट को कुश्ती करने वाले वेटलिफ्टर व बॉक्सर की अपेक्षा अलग प्रकार की स्फूर्ति चाहिए। इस प्रकार अभिकथन (A) तथा तर्क (R) दोनों सत्य हैं।

52. निम्नलिखित कार्यक्रमों तथा संस्थानों का सही कालक्रमानुसार इस प्रकार है–

ऑल इंडिया कौंसिल ऑफ स्पोर्ट्स : 1954 में सरकार व नेशनल फेडरेशन के बीच तालमेल स्थापित करने के लिए तथा इन फेडरेशन को वित्तीय सहायता देने के लिए ऑल इंडिया कौंसिल ऑफ स्पोर्ट्स स्थापित की गई। इसके तहत ही राज्य कौंसिल तथा जिला कौंसिल की स्थापना की गई।

नेशनल प्लान ऑफ फिजिकल एजुकेशन एण्ड रिक्रिएशन : 1956 में सेंट्रल एडवाइजरी बोर्ड ऑफ फिजिकल एजुकेशन ने नेशनल प्लान ऑफ फिजिकल एजुकेशन एंड रिक्रेएशन तैयार की जिसमें देशीय खेलों को प्रोत्साहित करने पर बल दिया गया।

लक्ष्मीबाई कॉलेज ऑफ फिजिकल एजुकेशन : इसकी स्थापना 17 अगस्त, 1957 को ग्वालियर में एक महाविद्यालय के तौर पर की गई थी। शारीरिक शिक्षा तथा खेल के लिए किए गए प्रयासों को देखते हुए वर्ष 1995 में इस संस्थान को विश्वविद्यालय के समकक्ष घोषित किया गया तथा 14 जनवरी, 2009 से इसे विश्वविद्यालय बना दिया गया।

नेशनल फिटनेस कॉर्प्स : 1965 में नेशनल फिटनेस कॉर्प्स का गठन हुआ। यह ट्रेनिंग प्रान्त फिजिकल एजुकेशन पर्सोनल तथा नेशनल डिसिप्लीन स्कीम को मिलाकर बनाया गया था।

54. नॉक्स बॉस्केटबॉल टेस्ट 1955 में वॉयड मैककेरेन और मैगलो के द्वारा प्रारंभ किया गया। इस टेस्ट में मुख्यतः चार प्रकार के गेंदों का उपयोग किया जाता है जिसका क्रम इस प्रकार है–स्पीड ड्रिबल टेस्ट, वॉल बाउंस टेस्ट, ड्रिबल शूट टेस्ट तथा पेनी कप टेस्ट।

59. **बिम्बाणु :** रक्त बिम्बाणु (Blood Platelets) को थ्रॉम्बोसाइट (Thrombocytes) भी कहा जाता है। यह केवल मनुष्य एवं अन्य स्तनधारियों के रक्त में पाया जाता

है। इसमें केन्द्रक नहीं होता है। इसका निर्माण अस्थिमज्जा (Bone Marrow) में होता है। इसका जीवनकाल 3 से 5 दिन का होता है। इसकी मृत्यु प्लीहा (Spleen) में होती है।

हीमोग्लोबिन : लाल रक्त कण (RBCs) में हीमोग्लोबिन पाया जाता है। इसमें हीम (Haem) नामक रंजक (Dye) होता है, जिसके कारण रक्त का रंग लाल होता है। ग्लोबिन (Globin) लौह युक्त प्रोटीन है, जो ऑक्सीजन एवं कार्बन डाइऑक्साइड से संयोग करने की क्षमता रखता है। हीमोग्लोबिन की मात्रा कम होने पर रक्तक्षीणता (Anaemia) रोग हो जाता है।

डायबिटीज : यह अग्न्याशय से सम्बन्धित रोग है, जो इंसुलिन का पर्याप्त स्राव नहीं होने के कारण होता है। इन्सुलिन दो प्रकार का कार्य करता है–

(*i*) भोजन का कार्बोहाइड्रेट वाला भाग पचकर शर्करा में परिवर्तित हो जाता है, जो इन्सुलिन की प्रतिक्रिया से खंडित होकर तंतुओं में मिल जाता है। इसके अभाव में यह शर्करा रक्त में चली आती है।

(*ii*) इन्सुलिन यकृत और पेशियों में ग्लाइकोजेन संचित करने में मदद करता है। इसका पर्याप्त मात्रा में स्राव नहीं होने पर यकृत में ग्लाइकोजेन का उपयोग होता है और ग्लाइकोजेन की मात्रा धीरे-धीरे समाप्त होने लगती है। ऐसी स्थिति में तंतुओं में प्रोटीन और संचित वसा शर्करा में परिवर्तित होने लगते हैं। इससे रक्त में शर्करा की मात्रा और बढ़ जाती है। यह शर्करा मूत्र के माध्यम से बाहर निकलने लगती है, जिसे मधुमेह की संज्ञा दी जाती है।

एचडीएल : एचडीएल उच्च घनत्व वाला लिपो-प्रोटीन है। यह मानव शरीर के लिए अच्छा माना जाता है।

60. बॉल तथा सॉकेट जोड़ : यह जोड़ ऐसे हैं जो अंगों के संचालन के लिए सबसे अधिक स्वतंत्रता प्रदान करते हैं। बॉल तथा सॉकेट जोड़ लम्बी हड्डी के अंतिम किनारे पर गेंदाकार बने होते हैं जो दूसरी हड्डी के खोल से जुड़े रहते हैं। कंधों तथा नितम्बों के जोड़ बॉल तथा सॉकेट जोड़ कहलाते हैं। शरीर के बाजू अधिक स्वतंत्रता से घूम सकते हैं, टाँगों की अपेक्षा, क्योंकि इन अंगों के जोड़ ही इस तरह से निर्मित हैं। बाजू इसलिए अधिक घूम सकते हैं क्योंकि कंधों की चपनियाँ छाती की दीवारों के साथ ढीले-ढाले ढंग से जुड़ी होती हैं।

थाइरॉक्सिन : थाइरॉइड ग्रंथि मनुष्य के गले में श्वास नलीय ट्रेकिया के दोनों ओर लैरिंक्स के नीचे स्थित रहती है। इससे निकलने वाला हार्मोन थाइरॉक्सिन (Thyroxine) है, जिसमें आयोडीन अधिक मात्रा में रहता है। थाइरॉक्सिन की कमी से होने वाला रोग निम्नलिखित है–

(*i*) **जड़वामनता (Cretinism) :** यह रोग बच्चों में होता है, इसमें बच्चों का मानसिक एवं शारीरिक विकास अवरुद्ध हो जाता है।

(*ii*) **मिक्सिडीमा (Myxodema) :** यौवनावस्था में होने वाले इस रोग में उपापचय भलीभाँति नहीं हो पाता है।

(*iii*) **हाइपोथाइरॉयडिज्म (Hypothyroidism) :** लम्बे समय तक इस हार्मोन की कमी के कारण यह रोग होता है। इस रोग के कारण सामान्य जनन-कार्य संभव नहीं हो पाता। कभी-कभी इस रोग के कारण मनुष्य गूँगा एवं बहरा हो जाता है।

(*iv*) **सामान्य घेंघा (Simple Goitre) :** भोजन में आयोडीन की कमी से यह रोग उत्पन्न हो जाता है। इस रोग में थाइरॉयड ग्रंथि के आकार में बहुत वृद्धि हो जाती है।

जीव द्रव्य (Cytoplasm) : यह कोशिका में केन्द्रक एवं कोशिका झिल्ली के बीच रहता है।

मेडुला : यह मस्तिष्क में पाया जाता है।

63. प्रोटीन : प्रोटीन कार्बन, हाइड्रोजन, ऑक्सीजन, नाइट्रोजन व कभी-कभी सल्फर नामक तत्वों से बनी होती है। प्रोटीन के अणु काफी बड़ी होते हैं, इसलिए वे प्रत्यक्ष रूप से हमारे रक्त में नहीं मिल पाते हैं। प्रोटीन हमारे पाचन क्रिया संस्थान द्वारा अमिनो एसिड्स में बदल दिए जाते हैं। प्रोटीन के प्रमुख स्रोत माँस, मुर्गी, मछली तथा सोयाबीन हैं।

कार्बोहाइड्रेट्स : कार्बोहाइड्रेट्स ऊर्जा के सबसे महत्वपूर्ण स्रोत होते हैं। उनमें कार्बन, हाइड्रोजन व ऑक्सीजन के तत्व होते हैं। सभी कार्बोहाइड्रेट्स में हाइड्रोजन के परमाणुओं और ऑक्सीजन के परमाणुओं का अनुपात 2 : 1 होता है। ग्लूकोज, फ्रक्टोस, सुक्रोज, स्टार्च, डैक्ट्रिन्स, ग्लाइकोजन व सेल्यु इत्यादि कार्बोहाइड्रेट्स के उदाहरण हैं। कार्बोहाइड्रेट्स के प्रमुख स्रोत ब्रेड, अनाज तथा चावल हैं।

खनिज : खनिज हमारे शरीर के लिए आवश्यक पौष्टिक तत्वों में से एक है। खनिज वह तत्व है, जिनकी हमारे शरीर को थोड़ी मात्रा में आवश्यकता पड़ती है। ये शरीर के सही विकास एवं कार्यक्षमता में वृद्धि के दृष्टिकोण से महत्वपूर्ण है। इसकी कमी से हमारे शरीर में बीमारियाँ उत्पन्न हो सकती हैं। कुछ महत्वपूर्ण खनिज, कैल्सियम, लोहा, पोटेशियम, फॉस्फोरस, सोडियम, आयोडीन, फ्लोराइड हैं। इसके प्रमुख स्रोत दूध, पनीर एवं योगर्ट हैं।

विटामिन : विटामिन कार्बन के वह यौगिक है जो शरीर का काम सामान्य रूप से चलाए रखने के लिए बहुत आवश्यक है। इनकी खोज फंक महोदय ने की थी। इनकी आवश्यकता बहुत जरूरी है। यदि हमारी खुराक में किसी विटामिन की कमी रहती है, तो हमें कुछ ऐसी बीमारियाँ हो सकती हैं जिससे हमारे स्वास्थ्य की समस्या हो सकती है। हमारे शरीर को 13 विटामिनों की आवश्यकता होती है। सब्जियाँ विटामिन के प्रमुख स्रोत हैं।

64. मलेरिया : यह रोग प्लाज्मोडियम (Plasmodium) नामक परजीवी प्रोटोजोआ से होता है। प्लाज्मोडियम, मादा एनोफिलिज मच्छर के शरीर में आश्रय लेता है जिसे यह अपने डंक द्वारा मनुष्य के शरीर में पहुँचाकर उसे रुग्ण कर देती है। इस रोग में जाड़े के साथ बुखार आता है। लाल रुधिराणु नष्ट हो जाते हैं तथा रक्त में कमी आ जाती है।

खसरा : इस रोग का कारक मोर्बेली विषाणु (Morbeli Virus) है। इस रोग में संपूर्ण शरीर प्रभावित होता है। यह वायु वाहित रोग है। इस रोग के विषाणु नाक से स्राव द्वारा फैलते हैं। इस रोग के आरंभ में नाक व आँख से पानी बहता है, शरीर में दर्द रहता है तथा ज्वर आदि लक्षण प्रकट होते हैं। 3-4 दिन बाद शरीर पर लाल दाने हो जाते हैं।

डेंगू : यह रोग विषाणु के कारण होता है। इस रोग को इडिस इजिप्टी, इडिस एल्बोपिक्टस और क्यूलेक्स फटिगन्सस नामक मच्छर संचारित करते हैं। इस रोग में अचानक तेज ज्वर आ जाता है। चेहरे पर पित्तियाँ निकल आती हैं तथा सिर, आँखें, पेशियों और जोड़ों में बहुत जोरों का दर्द होता है। यह महामारी के रूप में अचानक फैलता है।

70. फुटबॉल : फुटबॉल का जन्म इंग्लैंड में हुआ। 1857 ई. में इंग्लैंड में विश्व का पहला फुटबॉल क्लब 'शेफील्ड फुटबॉल क्लब' का गठन हुआ। भारत में फुटबॉल अंग्रेजों के द्वारा लाया गया और भारत का पहला फुटबॉल क्लब 'डलहौजी क्लब' था। विश्व की सबसे बड़ी फुटबॉल संस्था 'इंटरनेशनल फुटबॉल एसोसिएशन' (फीफा) है जिसका मुख्यालय पेरिस (फ्रांस) में है।

शतरंज : सामान्यतः ऐसा माना जाता है कि भारत में यह खेल ईसा बाद 7वीं सदी में शुरू हुआ। द फेडरेशन इंटरनेशनल डे एचेस (FIDE) इस खेल को नियंत्रित करती है तथा हर दो साल में एक बार विश्व चैम्पियनशिप तय करने के लिए प्रतियोगिता कराती है।

एथलेटिक्स : पहला ओलम्पिक जो ई.पू. 8वीं सदी में हुआ था, उसमें यह एक मात्र खेल था। एथलेटिक्स इंग्लैंड में ईसा बाद 12वीं सदी में प्रारंभ हुई। अंतर्राष्ट्रीय एथलेक्टिस एमैच्योर फेडरेशन (IAAF) की स्थापना 16 देशों ने मिलकर 1912 ई. में की थी। यह संघ प्रति चार वर्ष पर विश्व चैम्पियनशिप कराती है। IAAF का मुख्यालय मोनैको में है।

तैराकी : द फेडरेशन इंटरनेशनल डी नेशन एमैच्योर (FINA) तैराकी एवं अन्य सभी गैर-पेशेवर जल क्रीड़ाओं को संचालित करती है।

पिछले प्रश्न-पत्र (हल सहित)

UGC-NET जूनियर रिसर्च फैलोशिप तथा सहायक प्राध्यापक परीक्षा

शारीरिक शिक्षा, जून-2012

प्रश्न-पत्र-II

निर्देश : *इस प्रश्न-पत्र में **पचास (50)** बहु-विकल्पीय प्रश्न हैं। प्रत्येक प्रश्न के **दो (2)** अंक हैं। **सभी** प्रश्न अनिवार्य हैं।*

1. एन.आई.एस. की स्थापना किस वर्ष में हुई थी?

A. 1957 B. 1960
C. 1962 D. 1964

2. शारीरिक शिक्षा के जैविक आधार में सन्निहित हैं :

I. गति अधिगम II. लैंगिक विशेषताएँ
III. शारीरिक गठन IV. व्यक्तित्व-लक्षण

सही संयोजन ज्ञात करें :

A. I तथा II B. II तथा III
C. III तथा IV D. IV तथा I

3. नीचे दो वक्तव्य दिए गए हैं। एक को अभिकथन (A) तथा दूसरे को तर्क (R) कहा गया है।

अभिकथन (A) : शारीरिक शिक्षा एक ऐच्छिक विषय है।

तर्क (R) : शारीरिक शिक्षा विषय में अन्य सहबद्ध विषयों से सिद्धांत लिए जाते हैं।

इन दो वक्तव्यों के प्रसंग में, निम्नलिखित में से कौन-सा सही है?

A. (A) और (R) दोनों सही हैं तथा (R), (A) की सही व्याख्या है।
B. (A) और (R) दोनों सही हैं, परंतु (R), (A) की सही व्याख्या नहीं है।
C. (A) सही है, परन्तु (R) गलत है।
D. (A) गलत है, परन्तु (R) सही है।

4. कौशल सीखने में सूचना संसाधन मॉडल चार घटकों से निर्मित होता है। इन घटकों को क्रमवार व्यवस्थित कीजिए :

I. निर्णयन II. निवेश
III. प्रतिपुष्टि IV. निर्गत

कूट :

A.	I	II	III	IV
B.	III	IV	II	I
C.	II	I	IV	III
D.	IV	III	I	II

5. सूची-I को सूची-II के साथ सुमेलित कीजिए तथा नीचे दिए गए कूट से सही उत्तर चुनिए:

सूची-I	सूची-II
(*a*) 1936	1. लंदन
(*b*) 1948	2. बर्लिन
(*c*) 1980	3. सीओल
(*d*) 1988	4. मॉस्को
	5. लॉस एंजेलेस

कूट:

	(*a*)	(*b*)	(*c*)	(*d*)
A.	1	2	5	4
B.	2	4	1	5
C.	4	3	2	1
D.	2	1	4	3

6. निम्नलिखित में से कौन-सा अंग मानव शरीर में अंतःस्रावी के साथ बहिर्स्रावी कार्य भी करता है?

A. यकृत B. गुर्दा
C. अग्न्याशय D. पित्ताशय

7. समग्र रक्त-संचार का उद्देश्य है :

I. शरीर के प्रत्येक भाग में O_2 तथा पोषक तत्वों की आपूर्ति
II. रक्त-शोधन
III. शरीर के प्रत्येक भाग से CO_2 तथा दूषित पदार्थों का निष्कासन
IV. शरीर से मूत्र-निष्कासन

सही संयोजन ज्ञात करें :

A. I तथा II B. I तथा III
C. II तथा IV D. III तथा IV

8. नीचे दो वक्तव्य दिए गए हैं। एक को अभिकथन (A) तथा दूसरे को तर्क (R) कहा गया है।

अभिकथन (A) : कंकालीय मांसपेशियों को ऐच्छिक मांसपेशियाँ कहा जाता है।

तर्क (R) : मांसपेशियाँ मशीनें हैं जो रासायनिक ऊर्जा को यांत्रिक कार्य में परिवर्तित करती हैं।

उपरोक्त दो वक्तव्यों के प्रसंग में, निम्नलिखित में से कौन-सा सही है?

A. (A) और (R) दोनों सही हैं तथा (R), (A) की सही व्याख्या है।
B. (A) और (R) दोनों सही हैं, परंतु (R), (A) की सही व्याख्या नहीं है।
C. (A) सही है, परन्तु (R) गलत है।
D. (A) गलत है, परन्तु (R) सही है।

9. वृहदान्त्र (कोलन) के भागों को क्रमवार व्यवस्थित कीजिए :

I. ऊर्ध्वगामी कोलन II. अवग्रहान्त्र
III. अधोगामी कोलन IV. अनुप्रस्थ कोलन

कूट :

A.	I	IV	III	II
B.	II	III	IV	I
C.	III	II	I	IV
D.	IV	I	II	III

10. सूची-I को सूची-II के साथ सुमेलित कीजिए तथा नीचे दिए गए कूट से सही उत्तर चुनिएः

सूची-I	सूची-II
(*a*) सोलियस	1. छाती
(*b*) सरटोरियस	2. ऊर्ध्वपीठ
(*c*) ट्रैपजियस	3. निचला पैर
(*d*) पेक्टोरालिस	4. जाँघ के पार

कूटः

	(*a*)	(*b*)	(*c*)	(*d*)
A.	2	3	1	4
B.	3	4	2	1
C.	4	2	3	1
D.	1	3	4	2

11. सही उत्तर चुनिए :

अग्र धरातल (फ्रंटल प्लेन) शरीर को विभाजित करता है

A. अग्र एवं पश्च अर्ध में
B. वाम एवं दक्षिण अर्ध में
C. ऊर्ध्व एवं अधो अर्ध में
D. आंतरिक एवं बाह्य अर्ध में

12. बलगति विज्ञान किसका अध्ययन करता है?

I. वेग II. आवेग
III. गतिवर्धन IV. बल

सही संयोजन ज्ञात करें :

कूट :

A. I तथा II B. II तथा III
C. II तथा IV D. III तथा IV

13. नीचे दो वक्तव्य दिए गए हैं। एक को अभिकथन (A) तथा दूसरे को तर्क (R) कहा गया है।

अभिकथन (A) : मानव शरीर के अधिकतर उत्तोलक अंग-विक्षेप की श्रृंखला के रूप में यांत्रिक लाभ प्रदान करते हैं।

तर्क (R) : कंकालिक उत्तोलक मानव-शरीर का एक मशीनी रूप है।

A. (A) और (R) दोनों सही हैं और (R), (A) की सही व्याख्या है।
B. (A) और (R) दोनों सही हैं, परंतु (R), (A) की सही व्याख्या नहीं है।
C. (A) सही है, परन्तु (R) गलत है।
D. (A) गलत है, परन्तु (R) सही है।

14. उकड़ू बैठ-कूद की संपूर्ण गति-संरचना में निम्नलिखित अवस्थाएँ सन्निहित हैं :

I. नीचे जाना
II. टेक ऑफ
III. ऊपर जाना
IV. जमीन पर आना

इन अवस्थाओं का सही क्रम है :

कूट :

A.	IV	I	III	II
B.	II	IV	I	III
C.	III	II	IV	I
D.	I	III	II	IV

15. सूची-I को सूची-II के साथ सुमेलित कीजिए तथा नीचे दिए गए कूट से सही उत्तर चुनिए:

सूची-I	सूची-II
(*a*) कब्जेदार जोड़	1. कलाई
(*b*) धुराग्रीय जोड़	2. नितंब
(*c*) बॉल तथा सॉकेट जोड़	3. कुहनी
(*d*) सरकने वाला जोड़	4. गला

कूट :

	(*a*)	(*b*)	(*c*)	(*d*)
A.	1	3	4	2
B.	2	1	3	4
C.	3	4	2	1
D.	4	2	1	3

16. निम्नलिखित में से कौन-सा नियम अधिगम का गौण नियम है?

A. तत्परता नियम B. आसन्नकाल नियम
C. अभ्यास नियम D. प्रभाव नियम

17. व्यक्तित्व के महत्वपूर्ण सिद्धांत हैं :

I. मैस्लो का आवश्यकता सिद्धांत
II. सोशल लर्निंग थियरी
III. ट्रेट थियरी
IV. एट्रिब्यूशन थियरी

कूट :

A. II तथा III B. I तथा II
C. III तथा IV D. I तथा IV

18. नीचे दो वक्तव्य दिए गए हैं। एक को अभिकथन (A) तथा दूसरे को तर्क (R) कहा गया है।

अभिकथन (A) : सहयोग की कमी के कारण टीम का कार्य निष्पादन घट जाता है।

तर्क (R) : समूह संसक्ति का अर्थ है, किसी समान लक्ष्य को हासिल करने के लिए समूह के सदस्यों में एकजुटता।

निम्नलिखित में से सही उत्तर चुनिए :

A. (A) सही है, परन्तु (R) गलत है।
B. (A) गलत है, परन्तु (R) सही है।
C. (A) और (R) दोनों सही हैं और (R), (A) की सही व्याख्या है।
D. (A) और (R) दोनों सही हैं, परंतु (R), (A) की सही व्याख्या नहीं है।

19. संज्ञानात्मक प्रक्रिया में शामिल हैं :

I. संवेदन II. चिंतन
III. प्रत्यक्षण IV. समस्या समाधान

सही क्रम को पहचानिए :

कूट :

A.	I	III	II	IV
B.	II	IV	I	III
C.	IV	I	III	II
D.	III	II	IV	I

20. सूची-I को सूची-II के साथ सुमेलित कीजिए तथा नीचे दिए गए कूट से सही उत्तर चुनिए:

सूची-I	सूची-II
(*a*) इंवर्टेड यू हाइपोथेसिस	1. उपलब्धि
(*b*) आक्रामकता	2. स्वेच्छाचारी शैली
(*c*) नेतृत्व	3. चिंता
(*d*) अभिप्रेरण	4. इंस्ट्रूमेंटल

कूट :

	(*a*)	(*b*)	(*c*)	(*d*)
A.	1	2	3	4
B.	4	3	1	2
C.	2	1	4	3
D.	3	4	2	1

21. अधिकतम ताकत का विकास किस आयु-वर्ग से प्रारम्भ होना चाहिए?

A. 8-10 वर्ष B. 11-13 वर्ष
C. 14-15 वर्ष D. 16-18 वर्ष

22. नीचे दो वक्तव्य दिए गए हैं। एक को अभिकथन (A) तथा दूसरे को तर्क (R) कहा गया है।

अभिकथन (A) : शारीरिक शिक्षा के शिक्षक को उच्च कौशलयुक्त होना चाहिए।

तर्क (R) : शारीरिक शिक्षा के शिक्षक से यह अपेक्षा की जाती है कि वह सिखाए जा रहे कौशल को सही प्रकार से प्रदर्शित करें।

निम्नलिखित में से सही उत्तर चुनिए :

A. (A) और (R) दोनों सही हैं तथा (R), (A) की सही व्याख्या है।
B. (A) और (R) दोनों सही हैं, परंतु (R), (A) की सही व्याख्या नहीं है।
C. (A) सही है, परन्तु (R) गलत है।
D. (A) गलत है, परन्तु (R) सही है।

23. शारीरिक शिक्षा कक्षा के लिए समय-सारिणी बनाते समय किन बातों पर ध्यान देना चाहिए?

I. संस्था के प्रधान की प्राथमिकता

II. अभिभावकों की सुविधा

III. सुविधाओं की उपलब्धता

IV. शारीरिक शिक्षा के शिक्षकों की उपलब्धता

कूट :

A. II तथा III B. III तथा IV

C. IV तथा I D. I तथा II

24. निम्नलिखित आहार-तत्व शरीर में ताप तथा ऊर्जा नहीं उत्पन्न करते :

I. प्रोटीन II. विटामिन

III. वसा IV. खनिज पदार्थ

नीचे दिए गए कूट से सही उत्तर चुनिए :

कूट :

A. I तथा III B. II तथा III

C. III तथा IV D. II तथा IV

25. नीचे दो वक्तव्य दिए गए हैं। एक को अभिकथन (A) तथा दूसरे को तर्क (R) कहा गया है।

अभिकथन (A) : मोटापाग्रस्त व्यक्ति का बी.एम.आई. 30 से अधिक होता है।

तर्क (R) : बी.एम.आई. व्यक्ति की पौषणिक दशा को इंगित करता है।

निम्नलिखित में से सही उत्तर चुनिए :

A. (A) और (R) दोनों सही हैं और (R), (A) की सही व्याख्या नहीं है।

B. (A) और (R) दोनों सही हैं, परन्तु (R), (A) की सही व्याख्या है।

C. (A) सही है, परन्तु (R) गलत है।

D. (A) गलत है, परन्तु (R) सही है।

26. स्वास्थ्य से संबंधित स्वस्थता में यह शामिल नहीं है :

A. लोच B. गति

C. सहनशक्ति D. शरीर की संरचना

27. सूची-I को सूची-II के साथ सुमेलित कीजिए तथा नीचे दिए गए कूट से सही उत्तर चुनिए:

सूची-I (विटामिन)	**सूची-II (रोग)**
(*a*) विटामिन ए	1. पायरिया
(*b*) विटामिन बी	2. रिकेट्स
(*c*) विटामिन सी	3. बेरी-बेरी
(*d*) विटामिन डी	4. रात्रि-अंधत्व

कूट :

	(*a*)	(*b*)	(*c*)	(*d*)
A.	2	4	3	1
B.	1	2	4	3
C.	4	3	1	2
D.	3	1	2	4

28. थकान पूरी तरह दूर न होना किसमें अति आवश्यक है?

A. अनवरत प्रशिक्षण पद्धति

B. अंतराल प्रशिक्षण

C. फार्टलेक

D. क्रॉस कंट्री

29. प्रतियोगिता के वर्गीकरण हेतु मानदण्ड :

I. प्रतियोगिता का स्तर

II. प्रतियोगी की आयु

III. प्रतियोगिता आयोजन की रीति

IV. प्रशिक्षण पद्धति पक्ष

उपरोक्त मानदण्ड को सही क्रम में व्यवस्थित कीजिए :

कूट :

A. I, II तथा III B. II, III तथा IV

C. III, IV तथा I D. IV, I तथा II

30. नीचे दो वक्तव्य दिए गए हैं। एक को अभिकथन (A) तथा दूसरे को तर्क (R) कहा गया है।

अभिकथन (A) : प्रतिभा को पहचानने के लिए किसी खेल का चयन प्रथम चरण है।

तर्क (R) : प्रतिभा-पहचान के तीन चरण हैं।

निम्नलिखित में से सही उत्तर चुनिए :

A. (A) और (R) दोनों सही हैं और (R), (A) की सही व्याख्या है।

B. (A) और (R) दोनों सही हैं, परन्तु (R), (A) की सही व्याख्या नहीं है।

C. (A) सही है, परन्तु (R) गलत है।

D. (A) गलत है, परन्तु (R) सही है।

31. दीर्घावधि खेल प्रशिक्षण प्रक्रिया में निम्नलिखित चरण होते हैं :

I. बुनियादी प्रशिक्षण

II. उच्च प्रदर्शन हेतु प्रशिक्षण

III. प्रदर्शन-स्तर को कायम रखने हेतु प्रशिक्षण

IV. उन्नत प्रशिक्षण

इन्हें उचित क्रम में व्यवस्थित कीजिए :

A.	I	IV	II	III
B.	I	II	III	IV
C.	I	III	IV	II
D.	I	II	IV	III

32. सूची-I को सूची-II के साथ सुमेलित कीजिए तथा नीचे दिए गए कूट से सही उत्तर चुनिए:

सूची-I	सूची-II
(*a*) उच्च प्रदर्शन	1. रणनीतिक कार्यवाही
(*b*) प्रतियोगिता का आयोजन	2. प्रतिभा पहचान
(*c*) बच्चों की स्क्रीनिंग	3. प्रशिक्षण की अवस्था
(*d*) प्रतियोगिता कार्य का गतीय समाधान	4. प्रतियोगिता प्रणाली

कूट :

	(*a*)	(*b*)	(*c*)	(*d*)
A.	1	3	4	2
B.	3	4	2	1
C.	4	2	1	3
D.	2	1	3	4

33. बंद प्रश्नावली में पूछे गए प्रश्नों के लिए किस प्रकार का उत्तर अपेक्षित होता है?

A. विवरणात्मक उत्तर B. मुक्त उत्तर

C. संक्षिप्त उत्तर D. जाँच उत्तर

34. शोध में परिकल्पना का क्या अर्थ है?

I. बौद्धिक अनुमान II. प्रतिभापूर्ण अनुमान

III. बुद्धिमत्तापूर्ण अनुमान IV. नकारात्मक अनुमान

निम्नलिखित में से सही उत्तर चुनिए :

A.	I	II	III
B.	II	III	IV
C.	I	III	IV
D.	I	II	IV

35. नीचे दो वक्तव्य दिए गए हैं। एक को अभिकथन (A) तथा दूसरे को तर्क (R) कहा गया है।

अभिकथन (A) : बाह्य आलोचना डेटा की शुद्धता एवं प्रामाणिकता स्थापित करती है।

तर्क (R) : शोधकर्ताओं को सही डेटा प्राप्त करना चाहिए।

निम्नलिखित में से सही उत्तर चुनिए :

A. (R) सही है, परन्तु (A) गलत है।

B. (A) तथा (R) दोनों सही हैं।

C. (A) सही है, परन्तु (R) गलत है।

D. (A) तथा (R) दोनों गलत हैं।

36. उपयुक्त सांख्यिकीय प्रक्रिया के लिए सही चरणों की पहचान कीजिए :

I. दो डेटा-समूहों का मध्य-मूल्य

II. माध्य अंतर

III. यथार्थता परीक्षण

IV. टी-वैल्यू

निम्नलिखित में से सही उत्तर चुनिए :

कूट :

A.	II	III	IV	I
B.	I	II	IV	III
C.	III	IV	I	II
D.	IV	I	II	III

37. सूची-I को सूची-II के साथ सुमेलित कीजिए तथा नीचे दिए गए कूट से सही उत्तर चुनिए:

सूची-I	सूची-II
(*a*) मानक विचलन	1. $Q_3 - Q_1$
(*b*) माध्य	2. $\frac{\Sigma X^2}{N}$
(*c*) टी वैल्यू	3. $Am + \frac{\Sigma fd}{N} Xi$
(*d*) चतुर्थांश विचलन	4. $\frac{X_1 - X_2}{\text{मानक त्रुटि}}$

कूट :

	(*a*)	(*b*)	(*c*)	(*d*)
A.	1	2	3	4
B.	4	1	2	3
C.	2	3	4	1
D.	3	4	1	2

38. कूपर के 12 मिनट रन एंड वॉक टेस्ट द्वारा किसे मापा जाता है?

A. फुर्ती

B. ताकत

C. गति

D. हृदय एवं श्वास तंत्र की सहनशक्ति

39. प्रदर्शन संबंधी सामर्थ्य में शामिल हैं :

I. शक्ति II. मूल सहनशक्ति
III. लोच IV. फुर्ती

सही संयोजन ज्ञात करें :

कूट :

A. I तथा II B. III तथा IV
C. II तथा III D. I तथा IV

40. नीचे दो वक्तव्य दिए गए हैं। एक को अभिकथन (A) तथा दूसरे को तर्क (R) कहा गया है।

अभिकथन (A) : जॉनसन का बास्केटबॉल टेस्ट एक मानकीकृत परीक्षण हैं।

तर्क (R) : जॉनसन बास्केटबॉल टेस्ट बास्केटबॉल खेलने की योग्यता का मूल्यांकन करता है।

निम्नलिखित में से सही उत्तर चुनिए :

A. (A) और (R) दोनों सही हैं और (R), (A) की सही व्याख्या है।
B. (A) और (R) दोनों सही हैं, परन्तु (R), (A) की सही व्याख्या नहीं है।
C. (A) सही है, परन्तु (R) गलत है।
D. (A) गलत है, परन्तु (R) सही है।

41. किसी मानकीकृत परीक्षण को तैयार करने में चार चरण निहित हैं :

I. आरंभिक रूप तैयार करना
II. अंतिम रूप तैयार करना
III. इसकी प्रमाणता (Validity) का परीक्षण करना
IV. इसकी विश्वसनीयता का परीक्षण करना

इनका सही क्रम ज्ञात कीजिए :

A.	I	II	IV	III
B.	I	III	II	IV
C.	III	IV	I	II
D.	II	I	III	IV

42. सूची-I को सूची-II के साथ सुमेलित कीजिए तथा नीचे दिए गए कूट से सही उत्तर चुनिए:

सूची-I	सूची-II
(*a*) स्थूलता	1. मेसोमार्फी
(*b*) रैखिकता	2. इंडोमार्फी
(*c*) मांसपेशीयता	3. गोनियोमीटर
(*d*) नमनीयता	4. एक्टोमार्फी

कूट :

	(*a*)	(*b*)	(*c*)	(*d*)
A.	2	4	1	3
B.	4	1	3	2
C.	1	3	2	4
D.	3	2	4	1

43. शारीरिक शिक्षा की पाठ योजना में किस पर बल देना अत्यावश्यक है?

A. अध्येता का शारीरिक गठन
B. शिक्षक की दक्षता
C. अध्यापन का समय
D. अध्येता की आयु

44. नीचे दो वक्तव्य दिए गए हैं। एक को अभिकथन (A) तथा दूसरे को तर्क (R) कहा गया है।

अभिकथन (A) : शारीरिक शिक्षा के शिक्षक को शिक्षण-कार्य के साथ-साथ व्यावहारिक कौशल (Skills) में भी दक्ष होना चाहिए।

तर्क (R) : शारीरिक शिक्षा व्यवसाय सामाजिक-आर्थिक हैसियत प्रदान करता है।

दो कथनों के सन्दर्भ में, निम्न में से कौन-सा एक सही है?

A. (A) और (R) दोनों सही हैं और (R), (A) की सही व्याख्या है।
B. (A) और (R) दोनों सही हैं, परन्तु (R), (A) की सही व्याख्या नहीं है।
C. (A) सही है, परन्तु (R) गलत है।
D. (A) गलत है, परन्तु (R) सही है।

45. सूची-I को सूची-II के साथ सुमेलित कीजिए तथा नीचे दिए गए कूट से सही उत्तर चुनिए:

सूची-I	सूची-II
(*a*) अन्तरविद्यालय	1. निरीक्षण
(*b*) वित्त	2. प्रतियोगिता
(*c*) पर्यवेक्षण	3. विनियोजन
(*d*) आधारिक संरचना	4. अभिन्यास

कूट :

	(*a*)	(*b*)	(*c*)	(*d*)
A.	2	3	1	4
B.	3	2	4	1
C.	4	1	3	2
D.	1	4	2	3

विविध विद्यालयी क्रियाओं तथा उपलब्ध समय के मध्य पाए जाने वाले सम्बन्ध को प्रदर्शित करने वाला मापक उपकरण होता है। अर्थात् कौन-सी क्रियाओं को किस समय तथा कितने समय के लिए आयोजित किया जाना चाहिए। समय निर्धारण एक 'स्पार्क प्लग' की भांति कार्य करता है, जिससे क्रियात्मक कार्यक्रम को गति प्राप्त होती है। समय-सारणी निर्माण करते समय निम्नलिखित बातों पर ध्यान देना चाहिए–

- शारीरिक शिक्षा के शिक्षकों की उपलब्धता।
- सुविधाओं की उपलब्धता।
- शिक्षण स्थलों की संख्या तथा उनकी समयावधि।
- किस समय में कितने विद्यार्थियों को शिक्षण कार्यक्रम में सम्मिलित करना है।

24. विटामिन एवं खनिज पदार्थ ऐसे आहार तत्व हैं जिससे शरीर में ताप तथा ऊर्जा उत्पन्न नहीं होते हैं।

विटामिन : विटामिन, कार्बन के वह यौगिक हैं जो शरीर का काम सामान्य रूप से चलाए रखने के लिए बेहद जरूरी होते हैं। इनकी आवश्यकता बहुत थोड़ी-थोड़ी मात्रा में पड़ती है। वैसे यदि हमारी खुराक में किसी विटामिन की कमी रहती है तो हमें कुछ ऐसी बीमारियाँ लग जाती हैं जिन्हें 'अभावों से उपजी बीमारियाँ' कहा जाता है। विटामिन आमतौर पर आहार या भोजन से प्राप्त किए जाते हैं। विटामिन 'डी' तथा विटामिन 'के' वे विटामिन हैं जो शरीर खुद पैदा कर सकता है। शरीर को 13 विटामिनों की आवश्यकता होती है।

खनिज : खनिज वह तत्व है जिनकी हमारे शरीर को थोड़ी मात्रा में आवश्यकता पड़ती है। वैसे यह शरीर के सही विकास व कार्यक्षमता के लिए बहुत आवश्यक है। हमारे अंदर इनकी कमी 'अभावोन्मुखी बीमारियों' (Deficiency diseases) लग जाने का कारण बनती हैं। कुछ महत्वपूर्ण खनिज हैं–लोहा, कैल्शियम, फास्फोरस, पोटेशियम, सोडियम, आयोडीन, फ्लोराइड, तांबा तथा क्लोराइड इत्यादि।

27. विटामिन की कमी से होने वाला रोग

विटामिन	**रासायनिक नाम**	**कमी से होने वाला रोग**
विटामिन-A	रेटिनॉल	रतौंधी, संक्रमणों का खतरा, जीरोप्थैलमिया
विटामिन-B_1	थायमिन	बेरी-बेरी
विटामिन-B_2	राइबोफ्लेविन	त्वचा का फटना, आँखों का लाल होना, जिह्वा का फटना
विटामिन-B_3	निकोटिनैमाइड या नियॉसिन	बाल सफेद होना, मंदबुद्धि होना
विटामिन-B_5	पैन्टोथेनिल अम्ल	पेलाग्रा (त्वचा दाद) या 4-D-सिंड्रोम
विटामिन-B_6	पाइरीडॉक्सिन	एनीमिया, त्वचा रोग
विटामिन-B_7	बायोटीन	लकवा, शरीर में दर्द, बालों का गिरना
विटामिन-B_{11}	फॉलिक अम्ल	एनीमिया, पेचिश रोग
विटामिन-B_{12}	साएनोकाबालामिन	एनीमिया, पांडुरोग
विटामिन-C	एस्कॉर्बिक एसिड	स्कर्वी, मसूढ़े का फूलना
विटामिन-D	कैल्सिफेरॉल	रिकेट्स (बच्चों में), ऑस्टियोमलेशिया (वयस्क में)
विटामिन-E	टोकोफेरॉल	जनन शक्ति का कम होना
विटामिन-K	फिलोक्विनोन	रक्त का थक्का न बनना

28. अन्तराल प्रशिक्षण (Interval training) : जर्मनी के फ्रीबर्ग विश्वविद्यालय के प्रोफेसर बोल्देमार ग्रशलर और उनके एथलीट शारीरिक शिक्षा वैज्ञानिक तथा अन्यों के साथ इस पर कार्य किया। बोल्देमार ग्रशलर ने कार्डियो-वैस्क्युलर अनुकूलन की उपयोगिता को समझा तथा उसके प्रशिक्षण में इसको महत्व दिया। उन्होंने ऐसे तंत्र को उपलब्ध कराया जो दिल के स्टोक आयतन को बढ़ाए जिससे पैरों के खून व ऑक्सीजन की पूर्ति करने की क्षमता बढ़ी। इसे फोर्टलेक प्रशिक्षण कहते हैं। अंतराल प्रशिक्षण के उद्देश्य निम्नलिखित हैं–(*i*) अनएरोबिक प्रदर्शन का विकास एवं गति। (*ii*) लगातार भागने के मुकाबले में संपूर्ण काम को कम शारीरिक तनाव से पूर्ण करना। कुल तीन प्रकार के अंतराल प्रशिक्षण हैं जिनमें भागने वाले को दिए गए समय या दूरी में दौड़ना होता है। पहली प्रकार में फार्टलेक निरन्तर दौड़ के दौरान तेज गति बरकरार रखनी होती है तथा निश्चित समय में दौड़ने वाला कम गति से तेज गति पर आ जाता है जब वह समय या

दूरी प्राप्त कर ली जाती है, तो धावक पुरानी ट्रेनिंग स्पीड पर आ जाता है, पूरी दौड़ में कम-ज्यादा गतियाँ दुहराई जाती हैं।

अंतराल प्रशिक्षण के लाभ—

- थोड़े समय में अधिक कार्य किया जा सकता है।
- खिलाड़ी की उन्नति को आसानी से मापते हैं।
- श्वसन क्रिया व रक्त संचार के लिए लाभदायक है।
- खिलाड़ी को अपने कार्य के विषय में सही से निर्णय मिलता है।
- थोड़े समय में अच्छे परिणाम प्राप्त होते हैं।
- खिलाड़ी के धैर्य को बढ़ाया जा सकता है।
- अंतराल प्रशिक्षण से शरीर में ऊर्जा उत्पन्न करने वाले दो तंत्र हैं, एरोबिक तथा अनएरोबिक तंत्र।

34. **शोध अभिकल्प/प्रारूप :** जब किसी अनुसंधान की एक ऐसी तार्किक एवं क्रमबद्ध योजना जो तथ्यों के संकलन, विश्लेषण एवं मूल्यांकन का मार्ग प्रशस्त करती है तो उसे शोध प्रारूप कहते हैं। शोध प्रारूप का प्रयोग शोध व्यूह तथा शोध-संरचना के अर्थों में भी किया जाता है। शोध व्यूह का दायरा अध्ययन में की जाने वाली विधियों तक सीमित है। शोध संरचना अनुसंधान के विश्लेषण की प्रणाली की ओर इशारा करती है। शोध प्रारूप की अवधारणा इन दोनों से ही अधिक व्यापक है इनमें दोनों के अर्थ सन्निहित हैं। शोध अभिकल्प को परिभाषित करते हुए कलिंगर ने लिखा है कि "शोध अभिकल्प अन्वेषण की योजना, संरचना एवं एक रणनीति है जिसकी रचना इस प्रकार की जाती है कि शोधों में प्रश्नों के उत्तर प्राप्त हो सकें तथा विविधताओं को नियंत्रित किया जा सके। यह अभिकल्प या योजना शोध की संपूर्ण रूपरेखा या कार्यक्रम है जिसके अंतर्गत प्रत्येक वस्तु की रूपरेखा सम्मिलित होती है, जो शोधकर्ता अभिकल्पनाओं के निर्माण तथा उनके परिचालनात्मक अभिप्रायों से लेकर आँकड़ों के अंतिम विश्लेषण तक करता है।" इस शोध परिकल्पना के अर्थ में बौद्धिक अनुमान, प्रतिभापूर्ण अनुमान तथा बुद्धिमत्तापूर्ण अनुमान शामिल हैं।

42.

- **एण्डोमार्फी (Enomorphy) :** इस प्रकार के व्यक्ति मोटे एवं नाटे होते हैं और इनका शरीर गोलाकार दिखता है। स्पष्ट है कि शेल्डन का यह 'प्रकार' क्रेश्मर के 'पिकनिक प्रकार' से मिलता-जुलता है। शेल्डन ने यह बताया कि इस तरह के शारीरिक गठन वाले व्यक्ति आरामपसंद, खुशमिजाज, सामाजिक तथा खाने-पीने की चीजों में अधिक अभिरुचि दिखानेवाले होते हैं। ऐसे स्वभाव को शेल्डन भिसरोटोनिया (Viscerotonia) कहा है।
- **मेसोफार्मी (Mesomorphy) :** इस प्रकार के व्यक्ति के शरीर की हड्डियाँ एवं मांसपेशियाँ काफी विकसित होती हैं तथा शारीरिक गठन काफी सुडौल होता है। ऐसे व्यक्ति के स्वभाव को सोमैटोटोनिया कहा गया है जिसमें जोखिम तथा बहादुरी का कार्य करने की तीव्र प्रवृत्ति, दृढ़कथन, आक्रामकता आदि के गुण पाए जाते हैं। ऐसे लोग अन्य लोगों को आदेश देने में अधिक आनन्द उठाते हैं।
- **एक्टोमार्फी (Ectomorphy) :** इस प्रकार के व्यक्ति का कद लम्बा होता है, परंतु ऐसे व्यक्ति दुबले-पतले होते हैं। इनके शरीर की मांसपेशियाँ अविकसित होती हैं और इनका पूरा गठन इकहरा होता है। इस प्रकार के व्यक्ति की चित्तप्रकृति (Temperament) को सेरीब्रोटोनिया (Cerebrotonia) कहा जाता है।

43. पाठयोजना का शाब्दिक अर्थ होता है पाठ की तैयारी। कक्षा में प्रवेश करने से पहले अध्यापक उन सभी बातों को लिपिबद्ध कर लेता है, जिसे वह एक निश्चित समयावधि के अंदर पढ़ाना चाहता है। पाठ-योजना की सहायता से शिक्षक को बालकों का पूर्व ज्ञान, पाठ का उद्देश्य आदि ज्ञात हो जाता है। अतः शालाओं में जितने भी ज्ञानात्मक और क्रियात्मक अभ्यास कराए जाते हैं, उनका एक निश्चित लक्ष्य होता है, जिन्हें पाठ की संज्ञा दी जाती है।

पाठयोजना एक शारीरिक शिक्षा कार्यक्रम में बहुत ही महत्वपूर्ण होती है। एक सुव्यवस्थित पाठयोजना का निर्माण करके ही प्रशिक्षक अपने कार्य में सफलता प्राप्त करता है। यदि प्रशिक्षण एक क्रमबद्ध या सही तरीके से दिया जाएगा तो सभी खिलाड़ी उसमें रुचिपूर्वक भाग लेंगे। पाठयोजना खिलाड़ियों की रुचि एवं आवश्यकता को ध्यान में रखकर तैयार किया जाना चाहिए नहीं तो प्रशिक्षण लेने में अभिरुचि नहीं लेंगे। शारीरिक शिक्षा की पाठ-योजना में अध्येता की आयु (Age of Learner) पर बल देना आवश्यक होता है।

प्रश्न-पत्र-III

निर्देश : *इस प्रश्न-पत्र में* ***पचहत्तर (75)*** *बहु-विकल्पीय प्रश्न हैं। प्रत्येक प्रश्न के* ***दो (2)*** *अंक हैं।* ***सभी*** *प्रश्न अनिवार्य हैं।*

1. सही विकल्प चुनिए :
संकुचन और विस्तार होते हैं
A. मध्य पार्श्व अक्ष B. सम्मुख पाश्चय अक्ष
C. ऊर्ध्व अक्ष D. सममितार्धी अक्ष

2. सही विकल्प चुनिए :
शारीरिक शिक्षा की आधुनिक विचारधारा की शुरुआत हुई थी
A. 1920 के पश्चात
B. 1957 के पश्चात
C. उन्नीसवीं शताब्दी के आखिरी दशक में
D. 1960 के पश्चात

3. सही विकल्प चुनिए :
कार्डिओवेस्कूलर प्रणाली को कार्य क्षमता प्रदर्शन के लिए प्रशिक्षित किया जा सकता है।
A. बेलिस्टिक विधि B. यांत्रिक विधि
C. एरोबिक व्यायाम D. एनारोबिक व्यायाम

4. सही विकल्प चुनिए :
ऐसा व्यवहार जिसमें प्रतिद्वन्द्वी को मनोवैज्ञानिक तथा शारीरिक नुकसान पहुँचाकर जीतना है :
A. क्षतिकारक आक्रामकता
B. हठधर्मी व्यवहार
C. आक्रामकता का साधन के रूप में उपयोग
D. हिंसक व्यवहार

5. सही विकल्प चुनिए :
कार्बोहाइड्रेट भारीकरण खिलाड़ी इस प्रक्रिया को अपना कर सकते हैं :
A. रक्त से शक्ति लेकर
B. शक्ति का माँसपेशी से संचय करके
C. शक्ति का क्षय कठिन शारीरिक श्रम करके
D. प्रति सामयिक इकाई शक्ति उत्पन्न करना

6. सही विकल्प चुनिए :
बास्केटबॉल खिलाड़ियों को लगने वाली सामान्य चोट :
A. सिर की चोट
B. टखने की इन्टेरियो की लेटरल लिगामेन्ट चोट
C. कन्धे की चोट
D. नितम्ब की लेटरल कोलेटरल लिगामेन्ट चोट

7. सही विकल्प चुनिए :
सोमेटोटाइप रूपरेखा (4, 4, 1) निर्धारित करती है :
A. एन्डोमार्क मिसोमोर्फ B. एन्डोमोर्फिक मिसोमोर्फ
C. संतुलित मिसोमोर्फ D. मिसोमार्फिक एन्डोमोर्फ

8. किस प्रकार का शोध व्यवस्थित ज्ञान को उत्पन्न और विकसित करने के लिए अभिकल्पित किया जाता है?
A. क्रियात्मक शोध B. प्रासंगिक शोध
C. मूलभूत शोध D. अनुप्रयुक्त शोध

9. एक उद्देशित न्यायदर्श एक असंभावित न्यायदर्श होता है क्योंकि यह चयन किया जाता है :
A. किसी चयन प्रक्रिया को अपनाये बिना
B. पासा फेंक कर
C. यादृच्छिक विधि अपनाये बिना
D. अन्तिम समय में

10. परीक्षण के समय उल्टी आने के अहसास का कारण :
A. लेक्टिक एसिड का संग्रह होना
B. एड्रेनेलिन
C. अधिक ऑक्सीजन ग्रहण
D. कार्बन डाइऑक्साइड

11. शरीर का गठनात्मक तत्व है :
A. विटामिन B. कार्बोहाइड्रेट्स
C. प्रोटीन D. मिनरल

12. ओलम्पिक खेलों में व्यक्तिगत रूप से दिए गए स्वर्ण पदक में शुद्ध स्वर्ण की कितनी मात्रा होती है?
A. चाँदी जड़ित 8 ग्राम शुद्ध सोना
B. चाँदी जड़ित 7 ग्राम शुद्ध सोना
C. चाँदी जड़ित 6 ग्राम शुद्ध सोना
D. चाँदी जड़ित 10 ग्राम शुद्ध सोना

13. वाई.एम.सी.ए. कॉलेज ऑफ फिजिकल एजुकेशन मद्रास (चेन्नई) के प्रथम आचार्य का नाम :
A. पी.एम. जोसफ B. एच.सी. बक
C. जी.डी. सोंधी D. ए.के. सिंह

14. ऑल इंडिया काउन्सिल ऑफ स्पोर्ट्स कब बनी थी?
A. 1954 B. 1953
C. 1952 D. 1951

15. भारत की ओर से अंतर्राष्ट्रीय ओलम्पिक कमेटी के प्रथम सदस्य कौन थे?
A. जी.डी. सोंधी B. राजा भालिन्दर सिंह
C. सर दोराबजी टाटा D. पी.एम. जोसफ

16. हार्वर्ड स्टेप परीक्षण मापन करता है :
A. घुटने की माँसपेशीय दक्षता
B. हृदय श्वसन दक्षता
C. हृदय फुफ्फुस सूचकांक
D. श्वसन फुफ्फुस सूचकांक

17. रीढ़ की हड्डी में ऊपर से नीचे के क्रम में होने वाले आसन विकार है :
A. लोर्डोसिस → काइफोसिस → स्पोन्डोलाइसिस
B. काइफोसिस → लोर्डोसिस → स्पोन्डोलाइसिस
C. स्पोन्डोलाइसिस → काइफोसिस → लोर्डोसिस
D. इनमें से कोई नहीं

18. समूह में की गई मुक्त हस्त कसरतों को कहा जाता है:
A. सर्किट ट्रेनिंग B. केलिस्थेनिक्स
C. ड्रिल तथा मार्चिंग D. भार प्रशिक्षण

19. नीचे दिए गए संगठन के सिद्धान्तों के विरुद्ध कौन-सा सिद्धान्त है?
A. सत्ता की अतिव्याप्ति
B. उपयुक्त विकेन्द्रीकरण
C. सत्ता का प्रत्यायोजन
D. उपयुक्त संवादविधि

20. सही तथ्यों को सही रूप से सही समय पर सही व्यक्तियों तक पहुँचाने को कहा जाता है :
A. खेल प्रबंधन
B. खेलों में जन संपर्क
C. खेलों के लिए प्रेरणा
D. खेलों में नेतृत्व

21. किस खेल में सर्वप्रथम दबाव शिक्षण विधि का इस्तेमाल किया गया था?
A. हॉकी B. फुटबॉल
C. वॉलीबॉल D. बास्केटबॉल

22. भार प्रशिक्षण जर्मन जिमनास्टिक प्रशिक्षक द्वारा किस वर्ष में शुरू किया गया था?
A. 1810 B. 1812
C. 1820 D. 1816

23. दर्शनशास्त्र के पारम्परिक सोच में है :
I. प्राकृतिक वाद
II. प्रगति वाद
III. व्यावहारिक वाद
IV. वास्तविक वाद
सही संयोजन चुनिए।
A. I, II, III B. II, III, IV
C. III, IV, I D. IV, I, II

24. रेखीय वेग निर्भर करता है :
I. प्रत्यक्ष कोणीय वेग
II. घुम्मन अर्धव्यास के प्रतिलोमत
III. कोणीय वेग और घुम्मन अर्धव्यास दोनों के प्रत्यक्ष
IV. कोणीय वेग और घुम्मन अर्धव्यास दोनों के प्रतिलोमत
सही संयोजन चुनिए।
A. I, II B. I, III
C. II, IV D. III, IV

25. संसक्ति के साथ कौन-से घटक संबंधित हैं?
I. टीम संतुष्टि
II. व्यक्तिगत प्रदर्शन
III. प्रतियोगिता में टीम का क्रमांक
IV. सामाजिक समर्थन
सही संयोजन चुनिए।
A. I, IV
B. II, III
C. IV, III
D. I, II

26. राजनैतिक कारणों से ओलम्पिक खेलों का बॉयकाट किया गया :
I. मॉनट्रियल ओलम्पिक
II. बर्लिन ओलम्पिक
III. मास्को ओलम्पिक
IV. रोम ओलम्पिक
सही संयोजन चुनिए।
A. I, II B. III, IV
C. I, III D. II, IV

27. वेगात्मक बल के अलावा शरीर की वायुवहित गति प्रभावित होती है :

I. उसका भार II. घुमाव
III. लचीलापन IV. वायु अवरोध

सही संयोजन चुनिए।

A. I, II, III B. II, III, IV
C. III, IV, I D. IV, I, II

28. माध्यका की गणना की जा सकती है :

I. $L_1 + \frac{i}{f}\left(\frac{N}{2} - C\right)$

II. $L_1 + \frac{L_2 - L_1}{f}(m - C)$

III. $L_1 + \frac{\frac{N}{2} - C}{f}(L_2 - L_1)$

IV. $L_1 + \frac{\frac{N}{2} - C}{f} \times i$

सही संयोजन चुनिए।

A. I, II, IV B. II, III, IV
C. I, III, IV D. I, II, III

29. लक्ष्मीबाई कॉलेज ऑफ फिजिकल एजुकेशन, ग्वालियर में तीन वर्ष का बेचलर कोर्स तथा दो वर्ष का मास्टर कोर्स कब चालू किए गए?

I. 1957 II. 1960
III. 1962 IV. 1963

सही संयोजन चुनिए।

A. I, IV B. I, II
C. II, III D. III, IV

30. गामक शिक्षणीयता निर्भर करती है :

I. तंत्रिका माँसपेशीय समन्वय
II. प्रयासों में निरंतरता
III. कर्ता की आयु
IV. कर्ता का लिंग

सही संयोजन चुनिए।

A. I, IV B. II, III
C. I, II, III, IV D. I, IV, II

31. बाह्य संस्थान प्रतियोगिता किनके लिए ज्यादा जरूरी है?

I. विजेता II. प्रारंभिक खिलाड़ी
III. सामान्य प्रदर्शक IV. कुशल प्रदर्शक

सही संयोजन चुनिए।

A. I, IV B. II, III
C. III, IV D. II, IV

32. आंतरिक भार की परख की जाती है :

I. भार परिमाण
II. पल्स रेट
III. भार तीव्रता
IV. लेक्टिक एसिड का संकेन्द्रण

सही संयोजन चुनिए।

A. I, IV B. II, IV
C. III, IV D. II, III

33. सूची-I को सूची-II के साथ सुमेलित कीजिए तथा नीचे दिए गए कूट का प्रयोग करते हुए सही उत्तर को चुनिए:

सूची-I	**सूची-II**
(*a*) लुडविग जॉन	1. शैक्षिक जिमनास्टिक
(*b*) जॉन डेवी	2. आधुनिक ओलम्पिक खेल
(*c*) पी.एच. लिंग	3. टुर्णवराइन आंदोलन
(*d*) कॉबरटिन	4. व्यवहारवाद

कूट :

	(*a*)	(*b*)	(*c*)	(*d*)
A.	1	3	4	2
B.	2	1	3	4
C.	4	2	1	3
D.	3	4	1	2

34. सूची-I को सूची-II के साथ सुमेलित कीजिए तथा नीचे दिए गए कूट का प्रयोग करते हुए सही उत्तर को चुनिए:

सूची-I	**सूची-II**
(*a*) उत्तेजक प्रतिक्रियाएँ	1. एनाबोलिक स्टिरोइड
(*b*) सतर्कता को बढ़ाने वाले द्रव्य	2. नारकोटिक एनलजेसिक
(*c*) मनोवैज्ञानिक उत्तेजना	3. उत्तेजना
(*d*) टेस्टोस्टेरान हारमोन	4. बीटा ब्लोकर

कूट :

	(*a*)	(*b*)	(*c*)	(*d*)
A.	1	3	4	2
B.	3	4	2	1
C.	4	1	3	2
D.	4	2	3	1

35. सूची-I को सूची-II के साथ सुमेलित कीजिए तथा नीचे दिए गए कूट का प्रयोग करते हुए सही उत्तर को चुनिएः

सूची-I	सूची-II
(*a*) माँसपेशी में ऑक्सीजन का संग्रहण	1. ऑक्सीजन डेट
(*b*) पूर्ण तेज दौड़ में शक्ति का स्रोत	2. एनाएरोबिक मेटाबोलिस्म
(*c*) व्यायाम के तत्काल पश्चात की आराम की अवधि	3. मायोग्लोबिन
(*d*) पूर्ति अवधि के दौरान अतिरिक्त ऑक्सीजन का उपयोग	4. पूर्ति अवधि

कूट :

	(*a*)	(*b*)	(*c*)	(*d*)
A.	1	2	3	4
B.	2	4	3	1
C.	1	4	2	3
D.	3	2	4	1

36. सूची-I को सूची-II के साथ सुमेलित कीजिए तथा नीचे दिए गए कूट का प्रयोग करते हुए सही उत्तर को चुनिएः

सूची-I	सूची-II
(*a*) नेतृत्व	1. पी.ओ.एम.एस.
(*b*) व्यक्तित्व	2. एस.सी.ए.टी.
(*c*) समूह संसक्ति	3. एल.एस.एस.
(*d*) उद्वेग	4. जी.ई.क्यू.

कूट :

	(*a*)	(*b*)	(*c*)	(*d*)
A.	1	3	2	4
B.	3	1	4	2
C.	4	2	3	1
D.	2	4	1	3

37. सूची-I को सूची-II के साथ सुमेलित कीजिए तथा नीचे दिए गए कूट का प्रयोग करते हुए सही उत्तर को चुनिएः

सूची-I	सूची-II
(*a*) एक नॉन पेरामेट्रिक तकनीक जो प्राप्त नतीजों की तुलना संभावित नतीजों से करती है।	1. जेड परीक्षण
(*b*) एक सांख्यिकीय परीक्षण जो कि न्याय दर्श माध्य और जनसंख्या माध्य के बीच सार्थकीय अंतर को निर्धारित करता है।	2. सहसम्बन्ध
(*c*) एक सांख्यिकी विधि जो चरों के बीच के संबंधों को स्थापित करती है।	3. एफ-अनुपात
(*d*) एक परीक्षण जो दो से अधिक समूहों के माध्यों के अंतर की सार्थकता का माप करता है।	4. काई-वर्ग परीक्षण

कूट :

	(*a*)	(*b*)	(*c*)	(*d*)
A.	4	1	2	3
B.	4	1	3	2
C.	1	3	4	2
D.	3	1	2	4

38. सूची-I को सूची-II के साथ सुमेलित कीजिए तथा नीचे दिए गए कूट का प्रयोग करते हुए सही उत्तर को चुनिएः

सूची-I	सूची-II
(*a*) घर्षण बल	1. शरीर भार
(*b*) उर्ध्वजलात्मक बल	2. किनारी बनाना
(*c*) गुरुत्वाकर्षण बल	3. स्थिरता
(*d*) केन्द्राभिमुख बल	4. प्लवमान

कूट :

	(*a*)	(*b*)	(*c*)	(*d*)
A.	2	3	4	1
B.	3	4	1	2
C.	4	1	2	3
D.	1	2	3	4

39. सूची-I को सूची-II के साथ सुमेलित कीजिए तथा नीचे दिए गए कूट का प्रयोग करते हुए सही उत्तर को चुनिएः

सूची-I	सूची-II
(*a*) एनाबोलिक स्टेरोइड्स	1. न्यूरोमस्क्युलर सेल्युलर प्रक्रिया का धीमा होना
(*b*) एम्फेटेमाइनस	2. स्तर को सामान्य लाना
(*c*) अल्कोहल	3. न्यूरोमस्क्युलर प्रक्रिया का प्रारम्भ करना
(*d*) अल्केलाइन साल्टस	4. महिलाओं में पुरुषों के गौण लक्षण विकसित होना

कूट :

	(*a*)	(*b*)	(*c*)	(*d*)
A.	4	3	1	2
B.	3	4	2	1
C.	1	2	3	4
D.	2	1	4	3

40. सूची-I को सूची-II के साथ सुमेलित कीजिए तथा नीचे दिए गए कूट का प्रयोग करते हुए सही उत्तर को चुनिए:

सूची-I	**सूची-II**
(*a*) हॉकी	1. रणजी ट्रॉफी
(*b*) फुटबॉल	2. आगाखान कप
(*c*) टेनिस	3. सुब्रतो कप
(*d*) क्रिकेट	4. डेविस कप

कूट :

	(*a*)	(*b*)	(*c*)	(*d*)
A.	2	3	4	1
B.	4	3	2	1
C.	3	1	2	4
D.	1	2	3	4

41. सूची-I को सूची-II के साथ सुमेलित कीजिए तथा नीचे दिए गए कूट का प्रयोग करते हुए सही उत्तर को चुनिए:

सूची-I	**सूची-II**
(*a*) सीखना	1. प्रयत्न की दिशा एवं तीव्रता
(*b*) प्रेरणा के घटक	2. मनोवैज्ञानिक मूल
(*c*) व्यक्तित्व	3. प्रभाव का नियम
(*d*) थोर्नडाइक	4. प्रयत्न और भूल

कूट :

	(*a*)	(*b*)	(*c*)	(*d*)
A.	1	2	3	4
B.	4	1	2	3
C.	2	3	4	1
D.	3	4	1	2

42. सूची-I को सूची-II के साथ सुमेलित कीजिए तथा नीचे दिए गए कूट का प्रयोग करते हुए सही उत्तर को चुनिए:

सूची-I	**सूची-II**
(*a*) विश्वसनीयता	1. प्रमाण
(*b*) वस्तुलक्षिता	2. अधिकारिता
(*c*) वैधता	3. निष्कर्ष में स्थिरता
(*d*) मानक	4. विभिन्न परीक्षकों के निष्कर्षों में स्थिरता

कूट :

	(*a*)	(*b*)	(*c*)	(*d*)
A.	3	4	2	1
B.	3	4	1	2
C.	4	3	2	1
D.	2	3	4	1

43. सूची-I को सूची-II के साथ सुमेलित कीजिए तथा नीचे दिए गए कूट का प्रयोग करते हुए सही उत्तर को चुनिए:

सूची-I	**सूची-II**
(*a*) बास्केटबॉल	1. सडन डेथ
(*b*) कबड्डी	2. लिबेरो
(*c*) वॉलीबॉल	3. डेड बॉल
(*d*) कुश्ती	4. लोना

कूट :

	(*a*)	(*b*)	(*c*)	(*d*)
A.	3	4	2	1
B.	3	4	1	2
C.	2	4	1	3
D.	1	4	3	2

44. सूची-I को सूची-II के साथ सुमेलित कीजिए तथा नीचे दिए गए कूट का प्रयोग करते हुए सही उत्तर को चुनिए:

सूची-I	**सूची-II**
(*a*) नौकरशाही सिद्धान्त	1. हेनरी फेयोल
(*b*) वैज्ञानिक प्रबंधन सिद्धान्त	2. एल्टन मेयो
(*c*) प्रशासनिक सिद्धान्त	3. एफ.डब्ल्यू. टेलर
(*d*) मानव संबंध आंदोलन सिद्धान्त	4. मैक्स वेबर

कूट :

	(*a*)	(*b*)	(*c*)	(*d*)
A.	4	3	1	2
B.	1	2	3	4
C.	2	4	1	3
D.	4	2	3	1

45. सूची-I को सूची-II के साथ सुमेलित कीजिए तथा नीचे दिए गए कूट का प्रयोग करते हुए सही उत्तर को चुनिए:

सूची-I	**सूची-II**
(*a*) वाटर जम्प	1. बास्केटबॉल
(*b*) डाइगोनल एक्सेस	2. हॉकी
(*c*) 23 मीटर	3. स्टीपल चेस
(*d*) 08 सेकंड	4. 800 मीटर

कूट :

	(*a*)	(*b*)	(*c*)	(*d*)
A.	3	4	2	1
B.	4	3	1	2
C.	2	1	3	4
D.	3	4	1	2

46. सूची-I को सूची-II के साथ सुमेलित कीजिए तथा नीचे दिए गए कूट का प्रयोग करते हुए सही उत्तर को चुनिए:

सूची-I	सूची-II
(*a*) सर्किट प्रशिक्षण	1. विन्टर बॉटम
(*b*) फार्टलेक प्रशिक्षण	2. डॉ. रेन्डल एवं ग्रेशलर
(*c*) अन्तराल प्रशिक्षण	3. गोस्टा हॉल्मर
(*d*) दबाव प्रशिक्षण	4. मोर्गन एवं एडम्डसन

कूट :

	(*a*)	(*b*)	(*c*)	(*d*)
A.	3	4	1	2
B.	4	3	2	1
C.	2	1	4	3
D.	1	2	3	4

47. सूची-I को सूची-II के साथ सुमेलित कीजिए तथा नीचे दिए गए कूट का प्रयोग करते हुए सही उत्तर को चुनिए:

सूची-I	सूची-II
(*a*) फॉसबरी फ्लोप	1. रिले दौड़
(*b*) ग्लाइड तकनीक	2. लम्बी कूद
(*c*) हिच किक	3. शॉट पट
(*d*) स्नेच बेटन पास	4. ऊँची कूद

कूट :

	(*a*)	(*b*)	(*c*)	(*d*)
A.	4	3	2	1
B.	4	2	1	3
C.	3	2	4	1
D.	3	2	1	4

48. सीखने की गानक अवस्थाओं का सही क्रम चुनिए :

I. परिशोधित समन्वय की अवस्था

II. अपरिशोधित समन्वय की अवस्था

III. स्वचालित अवस्था

कूट :

A. I, II, III   B. II, III, I

C. II, I, III   D. III, II, I

49. 100 मीटर दौड़ के यांत्रिक अवस्थाओं के बढ़ते हुए क्रम को व्यवस्थित कीजिए।

I. विलम्बन   II. तीव्र वेगात्मक अवस्था

III. उच्च गति अवस्था   IV. मन्द वेगात्मक अवस्था

कूट :

A. I, II, III, IV   B. IV, II, III, I

C. III, IV, I, II   D. II, I, IV, III

50. खेलों में व्यक्तित्व के अध्ययन के लिए अपनाए गए उपागमों को सही क्रम दीजिए :

I. ट्रेट उपागम

II. स्थिति उपागम

III. मनोगत्यात्मक उपागम

IV. पारस्परिक क्रिया उपागम

कूट :

A. I, III, IV, II   B. IV, II, I, III

C. II, IV, III, I   D. III, I, II, IV

51. आँकड़ों के विश्लेषण करने के निम्न सांख्यिकीय मापकों को सही क्रम में स्थापित करें :

I. एफ रेशियो

II. शैफी पोस्ट हॉक टेस्ट

III. मीन

IV. आर.एस.एस., सी.एफ., टी.एस.एस., एस. एस.बी., एस.एस. डब्ल्यू.

कूट :

A. III, II, IV, I   B. III, II, I, IV

C. III, IV, I, II   D. IV, III, I, II

52. संक्रामक रोगों की रोकथाम करने के उपायों का सही क्रम दीजिए :

I. विसंक्रमण   II. नोटिफिकेशन

III. निदान   IV. अलग रखना

V. उपचार   VI. टीकाकरण

VII. परीक्षण

कूट :

A. I, II, III, IV, V, VI, VII

B. II, IV, I, III, VII, VI, V

C. IV, III, II, I, VI, VII, V

D. III, I, II, IV, V, VI, VII

53. नीचे दी गई संस्थाएँ भारत में किस क्रम में प्रारम्भ हुई?

I. वाई.एम.सी.ए. कॉलेज ऑफ फिजिकल एजुकेशन, मद्रास (चेन्नई)

II. स्पोर्ट्स अथॉरिटी ऑफ इंडिया, नई दिल्ली

III. नेशनल इंस्टीट्यूट ऑफ स्पोर्ट्स, पटियाला

IV. एच.वी.पी. मंडल, अमरावती

कूट :

A. I, II, III, IV   B. II, III, I, IV

C. III, IV, II, I   D. IV, I, III, II

54. नीचे दिए खेलों का समारंभ किस क्रम में प्रारंभ हुआ?

I. आधुनिक ओलम्पिक खेल

II. एशियन गेम्स

III. कॉमनवेल्थ गेम्स

IV. सैफ (एस.ए.एफ.) गेम्स

कूट :

A. I, II, III, IV B. IV, II, III, I

C. IV, III, II, I D. I, III, II, IV

55. डेकेथलौन के प्रथम दिवस के दिन होने वाले इवेन्ट्स का सही क्रम बताइए :

I. 400 मीटर II. गोला फेंक

III. लम्बी कूद IV. ऊँची कूद

V. 100 मीटर

कूट :

A. V, III, II, IV, I B. I, IV, III, II, V

C. V, IV, III, II, I D. II, III, IV, V, I

56. चिकित्सा प्रक्रियाओं के क्रम को लिखिए :

I. क्राइयो थेरेपी II. इलेक्ट्रो थेरेपी

III. मालिश थेरेपी IV. व्यायाम थेरेपी

कूट :

A. I, III, IV, II B. I, II, III, IV

C. II, III, I, IV D. I, III, II, IV

57. नीचे दो कथन दिए जा रहे हैं, जिनमें से प्रथम को अभिकथन (A) और दूसरे को तर्क (R) कहा गया है :

अभिकथन (A) : खेलकूद में भाग लेने से समाजीकरण होता है।

तर्क (R) : खेलकूद सामाजिक आदतों का विकास करते हैं।

निम्न कथनों में से कौन-सा कथन सही है?

A. (A) सत्य है, परन्तु (R) असत्य है।

B. (A) असत्य है, परन्तु (R) सत्य है।

C. दोनों (A) और (R) असत्य हैं।

D. दोनों (A) और (R) सत्य हैं।

58. नीचे दो कथन दिए जा रहे हैं, जिनमें से प्रथम को अभिकथन (A) और दूसरे को तर्क (R) कहा गया है :

अभिकथन (A) : सुदृढ़ शरीर के साथ उपयुक्त कार्यक्षमता ही स्वास्थ्य की आधुनिक विचारधारा है।

तर्क (R) : स्वास्थ्य एक संपूर्ण कल्याणकारी अवस्था है।

निम्न कथनों में से कौन-सा कथन सही है?

A. (A) सत्य है, परन्तु (R) असत्य है।

B. दोनों (A) और (R) सत्य हैं।

C. (A) असत्य है, परन्तु (R) सत्य है।

D. दोनों (A) और (R) असत्य हैं।

59. नीचे दो कथन दिए जा रहे हैं, जिनमें से प्रथम को अभिकथन (A) और दूसरे को तर्क (R) कहा गया है :

अभिकथन (A) : जब शून्य परिकल्पना को स्वीकारते हैं तब II प्रकार की त्रुटि होती है जबकि वह असत्य है।

तर्क (R) : यह त्रुटि आँकड़ों की गलत व्याख्या के कारण है।

निम्न कथनों में से कौन-सा कथन सही है?

A. (A) सत्य है, परन्तु (R) असत्य है।

B. दोनों (A) और (R) सत्य हैं।

C. (A) असत्य है, परन्तु (R) सत्य है।

D. दोनों (A) और (R) असत्य हैं।

60. नीचे दो कथन दिए जा रहे हैं, जिनमें से प्रथम को अभिकथन (A) और दूसरे को तर्क (R) कहा गया है :

अभिकथन (A) : टीम खेल में संसक्ति तथा प्रदर्शन के बीच सकारात्मक संबंध होता है।

तर्क (R) : कार्य संसक्ति तथा सामाजिक संसक्ति मापन के संबंध का मूल्यांकन टीम की संसक्ति तथा प्रदर्शन से मूल्यांकित होता है।

निम्न कथनों में से कौन-सा कथन सही है?

A. (A) सत्य है और (R) असत्य है।

B. (A) असत्य है और (R) सत्य है।

C. दोनों (A) और (R) सत्य हैं एवं (R) में (A) की सही व्याख्या है।

D. दोनों (A) और (R) सत्य हैं परन्तु (R) में (A) की सही व्याख्या नहीं है।

61. नीचे दो कथन दिए जा रहे हैं, जिनमें से प्रथम को अभिकथन (A) और दूसरे को तर्क (R) कहा गया है :

अभिकथन (A) : सामान्य खड़े होने की स्थिति में शरीर के भार को भूमि के क्रियात्मक बल द्वारा संतुलित किया जाता है।

तर्क (R) : संतुलन की मूल स्थिति को बनाए रखने के लिए समस्त बलों का प्रतिफल शरीर पर शून्य होना चाहिए।

निम्न कथनों में से कौन-सा कथन सही है?

A. (A) सत्य है, परन्तु (R) असत्य है।

B. दोनों (A) और (R) सत्य हैं।

C. (A) असत्य है, परन्तु (R) सत्य है।

D. दोनों (A) और (R) असत्य हैं।

62. नीचे दो कथन दिए जा रहे हैं, जिनमें से प्रथम को अभिकथन (A) और दूसरे को तर्क (R) कहा गया है :

अभिकथन (A) : विद्यालय स्वास्थ्य कार्यक्रम का मुख्य जोर बच्चों को स्वास्थ्य एवं स्वच्छता के विषय में शिक्षित करना है।

तर्क (R) : बच्चों को रोगों से मुक्त रखना।

निम्न कथनों में से कौन-सा कथन सही है?

A. दोनों (A) और (R) सत्य हैं परन्तु (R) में (A) की सही व्याख्या है।

B. दोनों (A) और (R) सत्य हैं परन्तु (R) में (A) की सही व्याख्या नहीं है।

C. (A) असत्य है, परन्तु (R) सत्य है।

D. (A) सत्य है, परन्तु (R) असत्य है।

63. नीचे दो कथन दिए जा रहे हैं, जिनमें से प्रथम को अभिकथन (A) और दूसरे को तर्क (R) कहा गया है :

अभिकथन (A) : मनोरंजन मानव की मूलभूत आवश्यकता है।

तर्क (R) : मनोरंजन की अदम्य इच्छा सार्वभौमिक है।

निम्न कथनों में से कौन-सा कथन सही है?

A. दोनों (A) और (R) सत्य हैं, परन्तु (R) में (A) की सही व्याख्या नहीं है।

B. दोनों (A) और (R) सत्य हैं तथा (R) में (A) की सही व्याख्या दी है।

C. (A) असत्य है, परन्तु (R) सत्य है।

D. (A) सत्य है, परन्तु (R) असत्य है।

64. नीचे दो कथन दिए जा रहे हैं, जिनमें से प्रथम को अभिकथन (A) और दूसरे को तर्क (R) कहा गया है :

अभिकथन (A) : मैदानों को चरित्र निर्माण की प्रयोगशालाएँ कहा जाता है।

तर्क (R) : मैदानों पर चरित्र निर्माण के गुण विकसित होते हैं।

निम्न कथनों में से कौन-सा कथन सही है?

A. (A) सत्य है, परन्तु (R) असत्य है।

B. दोनों (A) और (R) सत्य हैं तथा (R) में (A) की सही व्याख्या दी है।

C. (A) असत्य है, परन्तु (R) सत्य है।

D. दोनों (A) और (R) असत्य हैं।

65. नीचे दो कथन दिए जा रहे हैं, जिनमें से प्रथम को अभिकथन (A) और दूसरे को तर्क (R) कहा गया है :

अभिकथन (A) : मापदंड संदर्भित परीक्षण निकट अभिमुख चिंतन को प्रोत्साहित करता है।

तर्क (R) : यह क्या प्राप्त किया जा सकता है, के अनुपात को स्थापित करता है।

निम्न कथनों में से कौन-सा कथन सही है?

A. (A) असत्य है, परन्तु (R) सत्य है।

B. दोनों (A) और (R) सत्य हैं।

C. (A) सत्य है, परन्तु (R) असत्य है।

D. दोनों (A) और (R) असत्य हैं।

66. नीचे दो कथन दिए जा रहे हैं, जिनमें से प्रथम को अभिकथन (A) और दूसरे को तर्क (R) कहा गया है :

अभिकथन (A) : मानक एक प्रमाणित प्राप्तांक है जिससे एक पाए गए प्राप्तांक की तुलना की जाती है।

तर्क (R) : मानक को तार्किक प्रयोग द्वारा विकसित किया जाता है।

निम्न कथनों में से कौन-सा कथन सही है?

A. दोनों (A) और (R) सत्य हैं।

B. (A) सत्य है, परन्तु (R) असत्य है।

C. (A) असत्य है, परन्तु (R) सत्य है।

D. (A) सत्य है और (R) में (A) की सही व्याख्या दी है।

67. नीचे दो कथन दिए जा रहे हैं, जिनमें से प्रथम को अभिकथन (A) और दूसरे को तर्क (R) कहा गया है :

अभिकथन (A) : त्वचा में लसीकावाहिकाएँ शिराओं का स्थान लेती हैं।

तर्क (R) : आँतों के साथ लसीकावाहिकाएँ धमनियों का स्थान लेती हैं।

निम्न कथनों में से कौन-सा कथन सही है?

A. (A) और (R) दोनों सत्य हैं।

B. (A) और (R) दोनों असत्य हैं।

C. (A) असत्य है, किन्तु (R) सत्य है।

D. (A) सत्य है, किन्तु (R) असत्य है।

68. नीचे दो कथन दिए जा रहे हैं, जिनमें से प्रथम को अभिकथन (A) और दूसरे को तर्क (R) कहा गया है :

अभिकथन (A) : एक कैरम खिलाड़ी को प्रतियोगिता के दौरान चोट नहीं लगती है।

तर्क (R) : एक खिलाड़ी को चोट से बचने के लिए ऊष्मीकरण की आवश्यकता होती है।

निम्न कथनों में से कौन-सा कथन सही है?

A. दोनों (A) और (R) सत्य हैं एवं (R) में (A) की सही व्याख्या दी है।

B. दोनों (A) और (R) सत्य हैं, परन्तु (R) में (A) की सही व्याख्या नहीं है।

C. (A) सत्य है, परन्तु (R) असत्य है।

D. (A) असत्य है, परन्तु (R) सत्य है।

69. नीचे दो कथन दिए जा रहे हैं, जिनमें से प्रथम को अभिकथन (A) और दूसरे को तर्क (R) कहा गया है :

अभिकथन (A) : प्रतियोगिता खेल प्रदर्शन के वृद्धिकरण के लिए अपरिहार्य है।

तर्क (R) : ये व्यक्ति को प्रतिद्वन्द्वियों के विरुद्ध अपनी शारीरिक व मानसिक क्षमता को सिद्ध करने का अवसर प्रदान करते हैं।

निम्न कथनों में से कौन-सा कथन सही है?

A. दोनों (A) और (R) सत्य हैं एवं (R) में (A) की सही व्याख्या दी है।

B. (A) सत्य है, परन्तु (R) असत्य है।

C. दोनों (A) और (R) असत्य हैं।

D. (A) असत्य है, परन्तु (R) सत्य है।

70. नीचे दो कथन दिए जा रहे हैं, जिनमें से प्रथम को अभिकथन (A) और दूसरे को तर्क (R) कहा गया है :

अभिकथन (A) : पर्यवेक्षण वह विशेषज्ञ तकनीकी सेवा है जिसका मुख्यतः केन्द्र विद्यार्थियों की सीखने की स्थितियों को सुधारता है।

तर्क (R) : यह अच्छे प्रकार से सीखने का नियोजित कार्यक्रम है।

निम्न कथनों में से कौन-सा कथन सही है?

A. (A) सत्य है, परन्तु (R) असत्य है।

B. (A) असत्य है, परन्तु (R) सत्य है।

C. दोनों (A) और (R) सत्य हैं तथा (A) की (R) में सही व्याख्या की गई है।

D. (A) और (R) दोनों गलत हैं।

निर्देश (प्रश्न सं. 71 से 75 तक) : *निम्नलिखित गद्यांश को पढ़िए तथा इसके बाद में दिए गए प्रश्नों के उत्तर इसकी अपनी समझ के आधार पर दीजिए :*

भविष्य में यह दुनिया कैसी होगी? इक्कीसवीं शताब्दी में शारीरिक शिक्षा एवं खेल का स्वरूप कैसा होगा? यह मानते हुए कि परिवर्तन अनवरत होता है, कुछ ऐसी प्रवृत्तियों और विकासों की पहचान की जा सकती है जो शारीरिक शिक्षा एवं क्रीड़ा को बेहतर ढंग से समझने में सहायक हो सकते हैं। तंदुरुस्ती (वेलनेस) आंदोलन, स्वस्थता (फिटनेस) आंदोलन, शैक्षिक सुधार आंदोलन एवं शिक्षा की परिवर्तनशील प्रकृति, वासयोग्य ब्रह्मांड के विस्तारशील सीमांत तथा प्रौद्योगिकीय प्रगतियाँ इन प्रगतियों और विकासों में शामिल हैं।

इस दशक में प्रौद्योगिकी के क्षेत्र में तीव्र प्रगतियाँ हुई हैं। इनमें से अनेक की शारीरिक शिक्षा एवं खेल के संदर्भ में विवक्षा है। कम्प्यूटर प्रौद्योगिकी के साथ मिलकर निरंतर रूप से परिष्कृत हो रही शोध तकनीकों ने शारीरिक शिक्षा के ज्ञानाधार को बढ़ाने में हमें सक्षम बनाया है। कम्प्यूटर प्रौद्योगिकी ने प्रदर्शन के जैवयांत्रिक विश्लेषण को सुसाध्य बनाया है। विशिष्ट खेल प्रदर्शनों के कम्प्यूटर उत्पादित रेखीय प्रस्तुतीकरण गामक कौशलों के विकास को बढ़ाएँगे। कम्प्यूटर ने भी, अधिगम के दौरान मस्तिष्क के क्रियाकलापों को बेहतर ढंग से समझने में तथा तत्पश्चात् अधिक प्रभावी अनुदेशात्मक रणनीतियों के अभिकल्पन में, शोधकर्ताओं को सक्षम बनाया है; संभवतः भविष्य के शारीरिक शिक्षक अधिगम के प्रतिफल का विश्वसनीयता के साथ पूर्वकथन कर सकते हैं।

संचार के क्षेत्र में हुए विकासों ने शारीरिक शिक्षा एवं खेल के भविष्य के प्रति आश्वस्त किया है। केबल टेलीविजन का विकास तेजी से हो रहा है। केबल टेलीविजन पर विशेष अभिरुचि कार्यक्रम अधिकाधिक प्रसारित किए जा रहे हैं। वीडियो टेप उपकरण का प्रयोग करना अधिक आसान हो गया है तथा शारीरिक

शिक्षकों के लिए यह हर परिवेश में मूल्यवान अनुदेशात्मक उपकरण उपलब्ध कराता है। वीडियो कैसेट रिकार्ड्स में चमत्कारिक विकास हो रहे हैं, बहुत से लोग व्यायाम से संबंधित वीडियो टेप्स खरीद रहे हैं जिससे अपने घरों में अकेले और अपने सुविधानुकूल समय पर व्यायाम कर सकें। भविष्य में विभिन्न खेलों के अनुदेशात्मक टेप लोगों को उनके घरों में उनकी अपनी गति से इन कौशलों को सीखने में सहायता करेंगे।

शारीरिक शिक्षा एवं खेल को जैवप्रौद्योगिकी के क्षेत्र में हो रहे विकास भी प्रभावित करेंगे। आज मांसपेशियों में तंतु-प्रकार अनुपात की पहचान से शोधकर्ताओं को यह पता लगाने में सहायता मिलती है कि खेल के जिन आयोजनों में विस्फोटक शक्ति या सहनशक्ति की आवश्यकता होती है उनमें क्या एक व्यक्ति अतिशय शक्य हो सकता है या नहीं। संभवतः निकट भविष्य में आनुवंशिक अभियांत्रिकी का उपयोग व्यक्ति के जीन्स का प्रोग्राम करने में किया जाएगा जिससे वह व्यक्ति किसी विशेष खेल की गतिविधि में सफल हो सके।

प्रौद्योगिकीय प्रगतियों द्वारा खेल-उपकरणों में सुधार हुआ है जिससे कुशल तथा अकुशल दोनों प्रकार के व्यक्तियों द्वारा अपना प्रदर्शन बेहतर बनाया जा सकता है। ग्रेफाइट निर्मित टेनिस रैकेट्स ने धातु निर्मित टेनिस रैकेट्स को विस्थापित किया है जिन्होंने काष्ठ निर्मित रैकेट्स को वर्षों पहले विस्थापित किया था। फाइबर ग्लास पोल्स का प्रयोग करने वाले पोल-वोल्ट के खिलाड़ी उन ऊँचाइयों को फाँद चुके हैं, काष्ठ पोल्स का इस्तेमाल करने वाले पहले के खिलाड़ी जिसका केवल स्वप्न देख सकते थे। धावक जूतों के निर्माण में प्रयुक्त प्रौद्योगिकी ने इन्हें अधिक आरामदेह बना दिया है तथा हर स्तर की क्षमता वाले धावकों के कम चोटिल होने को सुनिश्चित किया है। घास वाले खेल मैदान कृत्रिम खेल मैदानों द्वारा, अंडर ट्रैक्स ऑल वेदर ट्रैक्स तथा खुले स्टेडियम गुंबदाकार अरेना द्वारा विस्थापित किए जा रहे हैं। प्रौद्योगिकी द्वारा शारीरिक शिक्षा एवं खेल को प्रभावित किए जाने के अनेक उदाहरण हैं और शारीरिक शिक्षा एवं खेल पर प्रौद्योगिकी का प्रभाव भविष्य में भी जारी रहेगा।

71. शारीरिक शिक्षा एवं खेल का भविष्य किस पर निर्भर होगा?

A. आधारिक संरचना विकास पर
B. वासयोग्य ब्रह्मांड के विस्तारशील सीमांत पर
C. धन उपलब्ध कराने पर
D. युवाओं की वर्धनशील सहभागिता पर

72. कम्प्यूटर प्रौद्योगिकी सुसाध्य बनाता है :

I. जैवयांत्रिकी विश्लेषण
II. वंशानुगत अभियांत्रिकी
III. शारीरिक खेल प्रदर्शन का रेखीय प्रस्तुतीकरण
IV. परिष्कृत शोध तकनीकी

सही संयोजन चुनिए :

कूटः

A. I तथा II
B. I तथा III
C. III तथा IV
D. II तथा IV

73. वंशानुगत अभियांत्रिकी का किसमें उपयोग किया जाएगा?

A. खिलाड़ियों की प्रगति में बाधा डालने में
B. शल्य चिकित्सा की तकनीकें विकसित करने में
C. सफल होने के लिए जीन्स का पता लगाने में
D. युवा खिलाड़ियों की प्रगति को तीव्र करने में

74. सूची-I को सूची-II के साथ सुमेलित कीजिए तथा नीचे दिए गए कूट का प्रयोग कीजिए:

	सूची-I		**सूची-II**
(*a*)	परिष्कृत खेल उपकरण	1.	कृत्रिम खेल मैदान
(*b*)	मांसपेशीय तंतु प्रकार	2.	कम्प्यूटर
(*c*)	मस्तिष्क की गतिविधि को समझना	3.	मैराथन धावक की शक्यता का निर्धारण
(*d*)	ऑल वेदर ट्रैक्स	4.	अकुशल व्यक्ति के प्रदर्शन को सुसाध्य बनाना

कूट :

	(*a*)	(*b*)	(*c*)	(*d*)
A.	1	2	3	4
B.	2	3	1	4
C.	3	4	2	1
D.	4	3	2	1

75. तंदुरुस्ती आंदोलन किस दिशा में किए गए प्रयासों को अवलंब प्रदान करता है?

A. स्वास्थ्य संवर्धन एवं रोग निवारण
B. स्वस्थता विकास
C. कौशल विकास
D. समग्र व्यक्तित्व विकास

उत्तरमाला

1	2	3	4	5	6	7	8	9	10
A	C	C	C	B	B	A	C	C	A
11	**12**	**13**	**14**	**15**	**16**	**17**	**18**	**19**	**20**
C	C	B	A	C	B	X	B	A	D
21	**22**	**23**	**24**	**25**	**26**	**27**	**28**	**29**	**30**
B	B	C	B	A	C	D	D	A	C
31	**32**	**33**	**34**	**35**	**36**	**37**	**38**	**39**	**40**
A	B	D	D	D	B	A	B	A	A
41	**42**	**43**	**44**	**45**	**46**	**47**	**48**	**49**	**50**
D	A	A	A	A	B	A	C	B	D
51	**52**	**53**	**54**	**55**	**56**	**57**	**58**	**59**	**60**
C	B	D	D	A	B	D	C	B	C
61	**62**	**63**	**64**	**65**	**66**	**67**	**68**	**69**	**70**
B	A	B	B	B	B	D	B	A	C
71	**72**	**73**	**74**	**75**					
B	B	C	D	A					

व्याख्यात्मक उत्तर

2. 19वीं सदी खेलों एवं फिटनेस और शारीरिक शिक्षा दोनों के विकास के लिए असाधारण रही है। मांसपेशी क्रियाकलाप तथा प्रतियोगिताएं न केवल स्वीकार्य बनीं बल्कि उपयोगी भी बनीं। नैतिक विकास खेलों व फिटनेस के साथ सहबद्ध होने लगा। 'आदर्श व्यक्ति' उसे माना जाने लगा जो फिट, कुशल और नैतिक हो। शारीरिक शिक्षा मूल शिक्षा का एक आवश्यक अंग नजर आने लगी। अधिक से अधिक लोग इनमें भागीदारी करने लगे व पहले से ज्यादा लोग इन्हें देखने लगे। आधुनिक जीवन की मांग के अनुरूप वयस्क काल में ली जाने वाली भागीदारी एक महत्वपूर्ण मनोरंजन संतुलन मानी जाने लगी। 20वीं सदी के आरम्भ में समकालीन शारीरिक शिक्षा पर प्रगतिशील शिक्षा आंदोलन का महान ऐतिहासिक प्रभाव है और शारीरिक शिक्षा को एक उपयोगी स्कूली विषय और बच्चों व युवकों की शिक्षा का अंगभूत हिस्सा माना गया। प्रगतिशील शिक्षा ने ही पहले पहल शारीरिक खेलों, क्रियाकलापों की व्यापक भूमिका को सामान्य व स्वस्थ विकास के रूप में समझा व स्थापित किया। एक अन्य मुख्य प्रभाव था खेलों की वृद्धि और इन्हें स्कूली व विश्वविद्यालयों के पाठ्यक्रम में जगह मिलना। खेलों में भागीदारी को आंशिक रूप से मजबूत शैक्षणिक उपयोगिता के रूप में परिभाषित किया गया।

3. **ऐरोबिक (ऑक्सीजन के साथ) व्यायाम :** इसका मुख्य लक्षण है कि बड़ी मांसपेशियों का समूह में लम्बे समय के लिए मध्य खिंचाव होता है, जिसके दौरान अधिकतम कार्डियो-रेसपीरेटरी समायोजन (Maximum Cardio-respiratory Adjustment) जरूरी है। जैसे तैरना, बाइसाइकिल चलाना तथा लम्बी दौड़। क्योंकि ऐरोबिक सहनशक्ति का अर्थ है कि दिल वैस्कुलर सिस्टम और फेफड़े की काम करने वाले उत्तकों को ऑक्सीजन तथा पोषक तत्व उपलब्ध करवाने की क्षमता तथा मेटावॉलिज्म के अपशिष्ट पदार्थों (Waste Products) बाहर निकलना। यह स्पष्ट है कि ऐरोबिक सहनशक्ति प्रशिक्षण का मुख्य उद्देश्य तीनों तंत्रों की क्षमता और कार्य-शक्ति को सुधारना व बढ़ाना है ताकि कोशिकाओं को ज्यादा मात्रा में ऑक्सीजन दी जा सके।

4. आज खेलों में उग्रता या आक्रामकता का बड़ा योगदान है। स्पोर्ट्स में उग्रता उत्साहपूर्वक तालियाँ बजाकर अनुमोदित की जाती है। रिचर्डसन ने उग्रता की परिभाषा में कहा कि "किसी भी प्रकार का व्यवहार; जो इस उद्देश्य से किया जाए, कि दूसरे के जीवन को नुकसान पहुँचे या चोट पहुँचे और वह उससे बचने हेतु प्रेरित हो।" आक्रामकता मुख्यतः प्रतिद्वन्द्वी खिलाड़ी को मनोवैज्ञानिक तथा शारीरिक नुकसान पहुँचाया जाता है। खेल में खिलाड़ी आक्रामक होकर खेलते हैं तथा कई बार ऐसे व्यवहार से अनेकों दुष्परिणाम निकलते हैं; जैसे—मनोवैज्ञानिक डर, विरोधी टीम के खिलाड़ी को चोट लगने पर मैदान से बाहर ले जाना, चोट से खिलाड़ी का खेल में जीवन भर के लिए अनुपयुक्त हो जाना आदि। खिलाड़ी कुछ तरीकों (Actions) को जायज मानते हैं, जब तक कि वो सीमाओं में किए जाएँ या खिलाड़ी नियम के तहत किसी भी तरीके को जायज मानते हैं। फिर भी खिलाड़ी आक्रामक होकर खेलते हैं तथा खिलाड़ियों को चोट भी लगती है। ऐसी आक्रामकता को रोकने के लिए नियमों को सख्ती से लागू किया जाता है तथा आक्रामक खेल को नियंत्रित करने का प्रयत्न किया जाता है।

5. **कार्बोहाइड्रेट्स**—हमारे शरीर की सारी गतिविधियों में ऊर्जा का मुख्य स्रोत कार्बोहाइड्रेट्स है। यह शरीर को तीव्र गति से ऊर्जा प्रदान करते हैं, परंतु शरीर में लम्बे समय के लिए इन्हें संचित नहीं किया जा सकता। जिन खेल गतिविधियों में अधिक सहनशक्ति की आवश्यकता हो, वहाँ खुराक में कार्बोहाइड्रेट्स की मात्रा बढ़ा दी जाती है। कार्बोहाइड्रेट्स दो प्रकार के होते हैं—

सरल कार्बोहाइड्रेट्स—इस प्रकार के कार्बोहाइड्रेट्स में विटामिन व खनिज होते हैं। चीनी व मीठी वस्तुओं में सरल कार्बोहाइड्रेट्स पाए जाते हैं, जो तुरंत ऊर्जा प्रदान करते हैं। इसे 'क्विक एनर्जी फूड' भी कहा जाता है।

जटिल कार्बोहाइड्रेट्स—विटामिन, खनिज एवं रेशे का बड़ा अच्छा स्रोत है—स्टार्च जटिल कार्बोहाइड्रेट्स है। इनमें चीनी के कई किस्म के अणु-रासायनिक तौर पर मिले होते हैं। इनमें ताकत तो सामान्य चीनी से भी ज्यादा होती है, पर यह एकदम से नहीं मिलती बल्कि धीरे-धीरे प्राप्त होती है।

6. शेल्डन (Sheldon) ने 1940 में शरीर गठन (Physique) के ही आधार पर एक दूसरा सिद्धांत बनाया जिसे सोमैटोटाइप सिद्धांत (Somatotype theory) कहा गया। एन्डोमार्क मिसोमोर्फ सोमैटोटाइप रूपरेखा (4, 4, 1) को निर्धारित करती है। एण्डोमार्फी (Endomorphy) प्रकार के व्यक्ति मोटे एवं नाटे होते हैं और इनका शरीर गोलाकार दीखता है। स्पष्ट है कि शेल्डन का यह 'प्रकार' क्रेश्मर के 'पिकनिक प्रकार' (Pyknic type) से मिलता-जुलता है। शेल्डन ने यह बताया कि इस तरह के शारीरिक गठन वाले व्यक्ति आरामपसंद, खुशमिजाज, सामाजिक तथा खाने-पीने की चीजों में अधिक अभिरुचि दिखानेवाले होते हैं। ऐसे स्वभाव को शेल्डन ने 'विसरोटोनिया' (Viscerotonia) कहा है।

8. शोध प्रारूप कई प्रकार के होते हैं। प्रकारों से शोध प्रारूप की मूलभूत प्रवृत्ति में कल्पित परिवर्तन हो जाते हैं। इसके प्रमुख प्रकारों में व्यावहारिक शोध, मूलभूत शोध, मूल्यांकन परक शोध, प्रयोगात्मक शोध एवं सामाजिक शोध प्रमुख हैं—

व्यावहारिक शोध : यह एक ऐसी शोध विधि है जिसका उद्देश्य तात्कालिक अथवा दूरगामी महत्व की व्यावहारिक समस्याओं का समाधान निकालना रहता है। इस प्रकार के शोध में तथ्यों का संकलन नीति-निर्माताओं की आवश्यकता एवं उपयोगिता की दृष्टि से किया जाता है। यह ऐसे वैज्ञानिक सिद्धांतों की खोज पर बल देती है जिनके द्वारा व्यावहारिक महत्व की समस्याओं का तात्कालिक समाधान खोजा जा सके।

मूलभूत शोध : विश्व के कई हिस्सों में मूलभूत शोध की प्रवृत्ति रही है। इस शोध का बुनियादी उद्देश्य व्यावहारिक शोध का आधार तैयार करना है। किसी त्वरित समस्या के समाधान की अपेक्षा किसी विषय के मूलभूत नियमों अथवा वैज्ञानिक सिद्धांतों के विकसित किए जाने के उद्देश्य से किए गए अनुसंधान को मूलभूत शोध कहते हैं।

मूल्यांकनपरक शोध : किसी विशेष समूह के जीवन सुधार के लिए बनाए गए कार्यक्रमों तथा नीतियों की सफलता एवं प्रभावशीलता को आँकने के उद्देश्य से किया गया अनुसंधान मूल्यांकनपरक शोध कहलाता है।

प्रयोगात्मक शोध : यह शोध का वह रूप है, जिसमें शोधकर्ता एक अथवा अधिक स्वतंत्र चरों को परिचालित अथवा नियंत्रित कर आश्रित परिवर्त्यों (चरों) या परिवर्त्य पर उनके प्रभावों की जाँच करता है, प्रयोगात्मक शोध कहलाता है।

सामाजिक शोध : समाजशास्त्रियों द्वारा सामाजिक सम्बन्ध, सामाजिक समूह, सामाजिक समस्याओं, सामाजिक अन्तर्क्रियाओं जैसे विषयों पर किए गए शोध को सामाजिक शोध कहते हैं। इसका मुख्य उद्देश्य मनुष्यों के सामाजिक जीवन को परिचालित करने वाले मूलभूत सिद्धांतों की खोज तथा विद्यमान प्राक्कल्पनाओं एवं ज्ञान परिष्करण करना है।

11. प्रोटीन : प्रोटीन शरीर का गठनात्मक तत्व है। प्रोटीन शरीर में सारी जीवित कोशिकाओं का बुनियादी ढाँचा है। ये बहुत जटिल सजीवी यौगिक होते हैं। प्रोटीन की आधारभूत रचना अमीनो एसिड्स से होती है। ये एसिड्स, कार्बन, ऑक्सीजन, हाइड्रोजन एवं नाइट्रोजन होते हैं। नाइट्रोजन की उपस्थित प्रोटीनों को कार्बोहाइड्रेट्स एवं वसा अलग पदार्थ बनाती है।

प्रोटीन हमारे शरीर की पेशियों, अंगों व ग्रंथियों का मुख्य हिस्सा होते हैं, क्योंकि इनमें आवश्यक एमीनो एसिड्स होते हैं। पेशियों और नसों की कोशिका भी प्रोटीन के जरिए बरकरार रहती है। बच्चों एवं किशोरों की वृद्धि एवं विकास में प्रोटीन एक आवश्यक तत्व है। इनका महत्वपूर्ण योगदान होता है। प्रोटीनों की आवश्यकता हार्मोन, एंजाइम एवं हीमोग्लोबिन की तैयारी के लिए होती है। भूख की हालत में प्रोटीन ताकत के स्रोत के रूप में काम करते हैं यद्यपि ये कोई अन्यथा ऊर्जा के स्रोत नहीं है।

12. ओलम्पिक पदक (Olympic Medals) : ओलम्पिक खेलों में विजेताओं को तीन प्रकार के पदक दिए जाते हैं—स्वर्ण, रजत एवं कांस्य। स्वर्ण पदक 60 मिमी. वृत्त में एवं 3 मिमी. मोटा होता है। यह 92.5% रजत परतयुक्त 6 ग्राम सोने का होता है। रजत पदक 60 मिमी. वृत्त में एवं 3 मिमी. मोटाई वाला होता है। यह 92.5% रजत का बना होता है। कांस्य पूरी तरह कांस्य से बना होता है। स्वर्ण, रजत एवं कांस्य पदक क्रमशः प्रथम, द्वितीय एवं तृतीय स्थान पर आने वाले खिलाड़ियों को मिलता है।

13. वाई.एम.सी.ए. प्रथम विश्वयुद्ध के बाद शारीरिक शिक्षा में प्रशिक्षित शिक्षकों की काफी जरूरत थी। इस जरूरत को पूरा करने के लिए एच.सी. बक के प्रधानाचार्यत्व में वाई.एम.सी.ए. मद्रास नामक महाविद्यालय, मद्रास में स्थापित किया गया। एच.सी. बक वर्ष 1920 से 1943 तक प्रधानाचार्य के रूप में कार्यरत रहे।

14. ऑल इण्डिया काउन्सिल ऑफ स्पोट्र्स (ACS) : केन्द्र सरकार ने वर्ष 1954 में खेलों व स्पोर्ट्स की उन्नति के लिए काउंसिल का संगठन करने हेतु इस परिषद् की स्थापना की। इस परिषद् में 25 सदस्य हैं। वर्ष 1957 में इस कमेटी ने अपनी प्रथम रिपोर्ट पटियाला कमेटी रिपोर्ट अर्थात् सरकार को प्रस्तुत की। इस परिषद् में 15 सदस्य सरकार द्वारा नियुक्त किए जाते हैं। प्रत्येक का कार्यकाल दो वर्ष का होता है। यह परिषद् खेल संघों, खेलों के बारे में उचित सलाह एवं दिशा-निर्देश देती है।

15. अंतर्राष्ट्रीय ओलम्पिक समिति की स्थापना 1894 ई. में सखोन नामक स्थान पर हुई थी। इसका मुख्यालय लोसाने (स्विट्जरलैंड) में है। अंतर्राष्ट्रीय ओलम्पिक समिति ओलम्पिक खेलों को संचालित करने वाली संस्था है। इस समिति की एक कार्यकारिणी होती है, जिसमें एक अध्यक्ष, तीन उपाध्यक्ष तथा सात अन्य सदस्य होते हैं। यह संस्था ओलम्पिक खेलों का स्थान, नियम, संचालन आदि का निर्धारण करती है। इस समिति के प्रथम अध्यक्ष डिमिट्रियास विकेलास थे तथा भारत की ओर से अंतर्राष्ट्रीय ओलम्पिक समिति के प्रथम सदस्य सर दोराबजी टाटा थे।

20. खेलों में नेतृत्व : नेतृत्व वह आचरण है, जो व्यक्तियों के आचरण को उससे अधिक प्रभावित करता है, जितना उनका आचरण नेता के आचरण को प्रभावित करता है। शारीरिक शिक्षा ही अपवाद नहीं है, जिसमें उच्च नेतृत्व की आवश्यकता पड़ती है, क्योंकि नेतृत्व व्यवसाय का दर्पण है तथा यह व्यवसाय की प्रकृति और आकांक्षाओं को दर्शाता है। इसका अर्थ यह है कि एक व्यवसाय तब तक प्रगति नहीं कर सकता जब तक इसे उच्च कोटि का महत्वाकांक्षी नेतृत्व न मिले। क्रीड़ा शिक्षा का भविष्य इस पर निर्भर करता है कि इसे किस प्रकार तथा किस कोटि का नेतृत्व मिला है। अतः इसका यही अर्थ निकलता

है कि शारीरिक शिक्षाविदों की नैतिक जिम्मेदारी है कि वे व्यावसायिक नैतिकता बनाए रखें अर्थात् अपने आकार/मूल्य व कीमत को बढ़ाएँ, आस-पास की परिस्थितियों को सुधारें, इस व्यवसाय को आकर्षक बनाने के लिए सतत् प्रयत्नशील रहे, जिससे कि यह इतना योग्य बन सके कि लोग इसे अपना सकें। इस प्रकार कहा जा सकता है कि सही तथ्यों को सही रूप से सही समय पर सही व्यक्तियों तक पहुँचाने को नेतृत्व कहा जाता है।

22. **भार प्रशिक्षण (Weight training) :** भार प्रशिक्षण जर्मन जिमनास्टिक प्रशिक्षक द्वारा वर्ष 1812 में शुरू किया गया था। प्रशिक्षण के माध्यम से खिलाड़ी पर जो अभ्यासरूपी भार सौंपा जाता है। उसे प्रशिक्षण भार कहा जाता है। प्रशिक्षण भार में विभिन्न शारीरिक क्रियाएँ शामिल होती हैं, जिनके कारण खिलाड़ी थकान की ओर अग्रसर होता है। खिलाड़ी को थकान देने का मुख्य उद्देश्य उसका शारीरिक तथा मानसिक अनुकूलन स्थापित करना है। यह थकान प्रत्यक्ष रूप से शारीरिक क्रियाएँ अर्थात् अभ्यास-प्रक्रिया के माध्यम से दी जाती है। अभ्यास से प्राप्त थकान को झेलना और फिर इसमें अनुकूलन कर लेने से खिलाड़ी की प्रदर्शन क्षमता में स्थायीकरण एवं संवर्द्धन होता है। वास्तव में प्रशिक्षण भार एक वैज्ञानिक पहलू है, जो खिलाड़ियों के वैज्ञानिक कारकों, शारीरिक क्षमताओं एवं मानसिक परिपक्वता के अनुसार दिया जाता है।

23. दर्शनशास्त्र के पारम्परिक सोच का सही संयोजन इस प्रकार है—व्यावहारिक वाद, वास्तविक वाद तथा प्रकृति वाद।

- **व्यवहारवाद :** व्यवहारवाद को ही प्रयोगवाद, प्रयोजनवाद या वास्तविकतावाद आदि अनेक नाम द्वारा भी जाना जाता है। इसकी उत्पत्ति ग्रीक भाषा के शब्द 'प्रेग्या' से हुई, जिसका अर्थ 'किया गया काम' है। प्रयोजनवाद को प्रयोगवाद भी कहा जाता है, क्योंकि यह प्रयोग को ही एकमात्र स्थायित्व की कसौटी मानता है। अतः प्रयोजनवाद वह विचारधारा है जो उन्हीं वस्तुओं, विचारों, सिद्धांतों तथा नियमों को सही मानती है जो किसी देशकाल या परिस्थिति में व्यावहारिक एवं महत्वपूर्ण हों। प्रसिद्ध प्रयोजनवादी दार्शनिक विलियम जेम्स के अनुसार, प्रयोजनवाद मस्तिष्क का स्वभाव तथा दृष्टिकोण है। यह सत्य तथा विचारों की प्रकृति का भी सिद्धांत है।" अनुभव तथा ज्ञान व्यावहारिकतावाद के मूल सिद्धांत हैं। व्यावहारिकतावादी तत्वज्ञान के अनुसार प्रत्येक व्यक्ति के अनुभव पृथक्-पृथक् होते हैं।
- **प्रकृतिवाद :** प्रकृतिवाद सबसे प्राचीन एवं भौतिकवादी सिद्धांत है, जिसकी चर्चा का केन्द्रीय विषय संसार के भौतिक तत्व हैं। भौतिक अस्तित्व से परे की वस्तुएँ एवं तत्व सब कपोल कल्पनाएँ हैं। दैहिक रूप में न प्रकट होने वाले का कोई अस्तित्व नहीं कहा जा सकता। सत्य, प्रकृति के भौतिक अस्तित्व में ही निहित है। प्रकृतिवादी केवल भौतिक संसार को ही सत्य मानता है, क्योंकि प्रकृति जीवन मूल्यों का स्रोत है और वह स्वयं प्रत्येक व्यक्ति के निर्माण की शिक्षा का निर्धारण करती है और उसके आंगिक विकास की पृष्ठभूमि पर आधारित तथ्यों पर बल देती है। प्रकृति ही प्रथम शिक्षक है जो हमें बताती है कि खेल-क्रीड़ा एक मूल प्रवृत्ति होने के अतिरिक्त बौद्धिक दृष्टिकोण, आत्म-शिक्षण तथा आत्म-अध्यापन की विद्या है।

  रूसो जैसे प्रकृतिवादियों ने शारीरिक लाभ के साथ-साथ प्रकृति की नैतिकता का भी साधन स्वीकार किया है। उनके अनुसार खेल-क्रीड़ाओं से व्यक्ति न केवल बल, गति, संतुलन आदि कौशल सीखता है, बल्कि नैतिकता भी प्राप्त करता है। उसे अपने संवेगों को नियंत्रित करने तथा उन्हें वांछनीय धाराओं में प्रवाह करने का अवसर प्राप्त होता है। इसलिए शारीरिक शिक्षा सर्वव्यापी तथा सामान्य होनी चाहिए जिससे प्रत्येक व्यक्ति का सर्वांगीण विकास हो।

25. खेल, क्रीड़ा के क्षेत्र में दल सामंजस्य (Team Cohesion) का काफी महत्वपूर्ण है। क्योंकि उत्कृष्ट खेल का प्रदर्शन तभी संभव है जब समूह/टीम के सदस्यों में दल सामंजस्य की भावना होगी। सामाजिक वैज्ञानिकों ने अलग-अलग तरीकों से समूह सामंजस्य की व्याख्या की है। दल सामंजस्य आमतौर पर अपने लक्ष्यों और उद्देश्यों की प्राप्ति हेतु एकजुट रहने के लिए एक समूह की प्रवृत्ति में परिलक्षित होता है। दल सामंजस्य की भावना लम्बे समय तक एक साथ, टीम के रूप में रहने पर एकजुटता प्रदर्शित करने से सम्बद्ध है। सामंजस्य के दो आयाम होते हैं—

1. पहला कार्य आयाम है, जो एक लक्ष्य को प्राप्त करने के लिए एक टीम क्षमता को दर्शाता है।

2. दूसरा सामाजिक आयाम, जो यह दर्शाता है कि एक टीम के रूप में किस टीम के सदस्य एक-दूसरे को पसन्द करते हैं।

28. माध्यिका : क्राक्सटन काउडन और क्लीव के अनुसार, ''मध्यांक वह मूल्य है जो शृंखला को इस प्रकार विभाजित करता है कि आधा या आधे से अधिक पदों के मूल्य मध्यांक के समान या कम और आधा या आधे से अधिक मूल्य मध्यांक पद के सामान या अधिक होते हैं।'' आरोही अथवा अवरोही क्रम में आँकड़ों को अनुविन्यसित (Arrange) किया जाए तो उस श्रेणी के मध्य-पद का मान मध्यांक या माध्यिका कहलाता है।

माध्यिका ज्ञात करने के लिए निम्नलिखित सूत्र (Formula) का उपयोग किया जाता है–

1. $$M = L_1 + \frac{\frac{N}{2} - C}{f} \times i$$

2. $$M = L_1 + \frac{i}{f}\left(\frac{N}{2} - C\right)$$

3. $$M = L_1 + \frac{L_2 - L_1}{f}(M - C)$$

जहाँ, N = कुल आवृत्ति

L_1 = माध्यिका वर्ग की निचली सीमा

C = मध्यमा वर्ग से पूर्व की संचयी आवृत्ति

f = मध्यिका वर्ग की आवृत्ति

i = मध्यिका वर्ग का वर्ग विस्तार।

29. लक्ष्मीबाई राष्ट्रीय शारीरिक शिक्षा संस्थान : इसकी स्थापना 17 अगस्त, 1957 को ग्वालियर में एक महाविद्यालय के तौर पर की गई थी। शारीरिक शिक्षा तथा खेल के लिए किए गए प्रयासों को देखते हुए वर्ष 1995 में इस संस्थान को विश्वविद्यालय के समकक्ष घोषित किया गया तथा 14 जनवरी, 2009 से इसे विश्वविद्यालय बना दिया गया। इस संस्थान के द्वारा तीन वर्ष का बेचलर कोर्स वर्ष 1957 में तथा मास्टर कोर्स वर्ष 1963 में आरंभ किया गया।

31. अन्तःखेल विद्यालय प्रतियोगिताओं की आवश्यकता

अन्तःखेल (Intramural) खेल प्रतियोगिता शारीरिक शिक्षा के क्षेत्र में अधिक महत्व रखती है, क्योंकि अन्तः विद्यालय खेल प्रतियोगिता के बिना शारीरिक शिक्षा का कार्यक्रम अधूरा रह जाता है। शारीरिक शिक्षा के क्षेत्र में अन्तः विद्यालय खेल प्रतियोगिता निम्नलिखित बिन्दुओं के कारण महत्वपूर्ण है–

- स्कूलों को अपने खेलों की क्षमता दिखाने के लिए अवसर प्रदान करना–अन्तः विद्यालय खेल प्रतियोगिताएँ स्कूलों को अपनी क्षमता दिखाने हेतु पर्याप्त अवसर देती हैं। यदि स्कूल के छात्र अन्तः विद्यालय खेल प्रतियोगिता में बेहतर खेल प्रदर्शन करते हैं तो इससे उनकी संस्था की छवि में वृद्धि होती है।
- यह प्रतियोगिता खेल के प्रदर्शन को बढ़ाती है।
- शारीरिक शिक्षा को अधिक प्रभावी बनाने के लिए कार्यक्रम को बनाना एवं लागू करना–अन्तः खेल विद्यालय प्रतियोगिता से खेल के आधार का विस्तार होता है। इसलिए इसके कार्यक्रम को निर्माण एवं लागू करना आवश्यक हैं जिससे शारीरिक शिक्षा को अधिक मजबूती प्राप्त हो सके।
- खेल तकनीकी में उचित ज्ञान प्रदान करना–जो टीम के पास खेल की उन्नत तकनीक में कमी होती है तो वे अन्तः विद्यालय खेल प्रतियोगिता में भाग लेने पर उचित ज्ञान की प्राप्ति कर सकते हैं।
- खेलों में भाग लेने के अवसर में सुधार–कई विद्यालय इस प्रतियोगिता में भाग लेने के लिए प्रेरित होते हैं तथा यह स्कूल छात्रों को विभिन्न प्रतियोगिता में भाग लेने के लिए अवसर देता है।

32. आंतरिक भार (Internal Load) : इसे नाड़ी की गति (Pulse rate) से मापते हैं। खिलाड़ी के बाह्य भार (External Load) के मनोवैज्ञानिक तथा शरीर क्रिया विज्ञान में की गई प्रतिक्रिया का भाग ही आंतरिक भार कहलाता है। इसके साथ ही साथ आंतरिक भार के परख के लिए लेक्टिक एसिड के संकेन्द्रण का भी प्रयोग किया जाता है।

37. • सह-सम्बन्ध (Co-relation) : वॉडिंग्टन के अनुसार, ''जब दो या दो से अधिक समूहों, वर्गों तथा समंकमालाओं के बीच एक निश्चित सम्बन्ध होता है तो उसे सह-सम्बन्ध

कहते हैं।'' प्रो. डब्ल्यू. आई किंग के अनुसार, ''दो चरों के बीच कार्यकरण सम्बन्ध को ही सह-सम्बन्ध कहा जाता है।'' सामान्य भाषा में कहा जा सकता है कि जब दो या दो से अधिक राशियाँ सहानुभूति में (परस्पर) परिवर्तित होती हैं, जिससे एक में परिवर्तन के कारण दूसरे में भी परिवर्तन होता है तो वे सह-सम्बन्ध के रूप में होती हैं।

- **जेड-परीक्षण (Z-test) :** प्रो. रोनेल्ड फिशर ने छोटे प्रतिदर्शों में सह-सम्बन्ध गुणांक की सार्थकता की जाँच हेतु एक विशेष विधि का प्रयोग किया है। अर्थात् यह कहा जा सकता है कि एक सांख्यकीय परीक्षण जो कि न्यायदर्श माध्य और जनसंख्या माध्य के बीच सार्थकीय अंतर को निर्धारित करता है।
- **एफ-परीक्षण (F-test) :** इसका प्रयोग साधारणतः तब किया जाता जब दो या दो से अधिक प्रसारणों अर्थात् विचरण मापकों के अंतर की सार्थकता की जाँच करनी हो।
- **काई-वर्ग परीक्षण (Chi-square Test) :** काई-वर्ग, जो वास्तविक (observed) एवं प्रत्याशित (Expected) आवृत्तियों के अंतर का एक माप है, का उद्देश्य वास्तव में दो गुणों की स्वतंत्रता की जाँच (test of independence) करना है। इसका सर्वप्रथम प्रयोग प्रो. हेलमर्ट द्वारा किया गया था। लेकिन विस्तृत विश्लेषण करने का श्रेय प्रो. कार्ल पियर्सन को है। काई-वर्ग टेस्ट से इस बात की जानकारी होती है कि किसी समग्र (Universe) विशेष में अवलोकित एवं प्रत्याशित मूल्य का अंतर क्या हमारी आधारभूत परिकल्पनाओं के गलत होने के कारण है, अथवा यह मात्र किसी संयोग अर्थात् दैव का परिणाम है।

38. • **अपकेन्द्रीय बल (Centrifugal force) :** अजड़त्वीय फ्रेम में न्यूटन के नियमों को लागू करने के लिए कुछ ऐसे बलों की कल्पना करनी होती है जिन्हें परिवेश में किसी पिण्ड से सम्बन्धित नहीं किया जा सकता। ये बल छद्म बल या जड़त्वीय बल कहलाते हैं। अपकेन्द्रीय बल एक ऐसा ही जड़त्वीय बल या छद्म बल है। इसकी दिशा अभिकेन्द्रीय बल के विपरीत दिशा में होती है। कपड़ा सुखाने की मशीन, दूध से मक्खन निकालने की मशीन आदि अपकेन्द्रीय बल के सिद्धांत पर कार्य करती है।

- **उत्प्लावन बल (Buoyant force) :** द्रव का वह गुण जिसके कारण वह वस्तुओं पर ऊपर की ओर एक बल लगाता है, उसे उत्क्षेप या उत्प्लावन बल कहते हैं। यह बल वस्तुओं द्वारा हटाए गए द्रव के गुरुत्व-केन्द्र पर कार्य करता है जिसे उत्प्लावन केन्द्र (Centre of buoyancy) कहते हैं। यह प्लवमान से सम्बन्धित है।
- **गुरुत्व (Gravity) :** न्यूटन के गुरुत्वाकर्षण के नियम में गुरुत्वाकर्षण वह आकर्षण बल है, जो किन्हीं दो वस्तुओं के बीच कार्य करता है। यदि इन वस्तुओं में एक वस्तु पृथ्वी हो, तो गुरुत्वाकर्षण को गुरुत्व कहते हैं। अतः गुरुत्व वह आकर्षण बल है जिससे पृथ्वी किसी वस्तु को अपने केन्द्र की ओर खींचती है। अतः गुरुत्व गुरुत्वाकर्षण का एक उदाहरण है। शरीर का भार गुरुत्व पर ही आधारित होता है।
- **घर्षण बल (Frictional Force) :** संपर्क में रखी दो वस्तुओं के मध्य एक प्रकार का बल कार्य करता है, जो गति करने में वस्तु का विरोध करता है, यह बल ही घर्षण बल कहलाता है। इसकी दिशा सदैव वस्तु की गति की दिशा के विपरीत होती है। घर्षण बल स्थिरता से सम्बन्धित है।

39. • **एनाबोलिक स्टेरॉयड :** खेल के दुनिया में सबसे अधिक डोपिंग के रूप में एनाबोलिक स्टेरॉयड का प्रयोग होता है, इसको 'AAS' के नाम से भी जाना जाता है। अर्थात् एन्ड्रोजेनिक एनाबॉलिक स्टेरॉयड। एनाबोलिक स्टेरॉयड को पुरुष के हार्मोन टेस्टोस्टेरोन जैसा समझा जाता है, जिसका उत्पादन पुरुष एण्ड्रोजेनिक अण्डकोष में होता है। एण्ड्रोजेनिक से तात्पर्य पौरुषत्व तथा एनाबोलिक से तात्पर्य उत्तकों का निर्माण है। इसके सेवन से खिलाड़ी में वसा की मात्रा कम हो जाती है, खिलाड़ी की मांसपेशियों में ताकत बढ़ जाती है, सहनशीलता बढ़ जाती है और मानसिक रूप से वह अपने को मजबूत समझने लगता है। महिलाओं द्वारा इसका सेवन करने पर पौरुषत्व के गुण आने लगते हैं।

- **एमफीटामाइन :** ये लम्बे समयावधि के खेलों में मुख्यतः प्रयोग होते हैं जिससे थकान बहुत देर के बाद आती है। भूख को मारता है। इसलिए भार से सम्बन्धित खेलों के खिलाड़ी इसका प्रयोग करते हैं; जैसे—बॉक्सिंग,

कुश्ती इत्यादि। इसके सेवन से न्यूरोमस्क्युलर प्रक्रिया का प्रारंभ होता है।

- **अल्कोहल :** अल्कोहल से न्यूरोमस्क्युलर सेल्युलर प्रक्रिया धीमी हो जाती है अर्थात् केन्द्रीय नाड़ी तंत्र प्रभावित होता है, जिससे मस्तिष्क और शरीर की कार्य की क्षमता धीमी पड़ जाती है और यदि अल्कोहल को अन्य किसी ड्रग के साथ ले लिया जाए तो यह काफी घातक होता है। पहले इसे एकाग्रता वाले खेलों के लिए ही प्रतिबन्धित किया गया था, परंतु अब यह पूर्णतः प्रतिबंधित है।
- **अल्केलाइन साल्टस :** स्तर को सामान्य लाने में उपयोग किया जाता है।

40. विभिन्न खेल तथा उनसे सम्बद्ध प्रमुख कप एवं ट्रॉफियाँ

खेल	सम्बद्ध कप एवं ट्रॉफियाँ
हॉकी	बेटन कप, रंगास्वामी कप, आगा खाँ कप, बेगम रसूल ट्रॉफी (महिला), महाराजा रणजीत सिंह, गोल्ड कप, लेडी रतन टाटा ट्रॉफी (महिला), ध्यानचन्द ट्रॉफी, नेहरू ट्रॉफी, सिंधिया गोल्ड कप, मुरूगप्पा गोल्ड कप, वेलिंग्टन कप, इंदिरा गाँधी गोल्ड कप आदि।
फुटबॉल	डी.सी.एम. ट्रॉफी, डूरंड कप, वी.सी. रॉय ट्रॉफी, संतोष ट्रॉफी, आई.एफ.ए. शील्ड, सुब्रतो मुखर्जी कप, मर्डेका कप आदि।
टेनिस	डेविस कप, विम्बलडन ट्रॉफी, फ्रेंच ओपन, फेडरेशन कप, अमरीकन ओपन, ऑस्ट्रेलिया ओपन, ग्रांड स्लेम कप आदि।
क्रिकेट	रणजी ट्रॉफी (राष्ट्रीय चैम्पियनशिप), ईरानी ट्रॉफी, दिलीप ट्रॉफी, सी.के. नायडू ट्रॉफी, रानी झाँसी ट्रॉफी, देवधर ट्रॉफी, जी.डी. बिड़ला ट्रॉफी, रोहिन्टन बारिया ट्रॉफी इत्यादि।

43. खेलों से सम्बन्धित शब्दावली

खेल	शब्दावली
वॉलीबॉल	ब्लाकिंग, रोटेशन, नेट फाल्ट, फोर आर्म पास, सर्विस, हुक, सर्व, सेट अप, रेफ्री, स्पाइक (स्मैश), एरियल, स्विच, डिगपास, बूस्टर, लिबेरो, लव फ्लोटर आदि।
कबड्डी	वक लाइन, मार्च लाइन, लोना, रेडर, बैटिंग ब्लॉक, टच लाइन आदि।
बास्केटबॉल	रिंग गार्ड, प्वाइंट, डेड बॉल, लीड पास, गोल, सेन्टर लाइन, फ्री थ्रो लाइन, बैक बोर्ड, फ्रंट फोर्ट, टिप ऑफ, पिक, पिनोट की होल आदि।
कुश्ती	हीव, हाफ नेल्सन, क्रैडल, डबल नेल्सन, टाइमकीपर, डागफल, सडन डैथ, मैट, ब्रिज, कॉशन, एक्टिव, अटैक, रीबाउट, होल्ड, हेडलॉक आदि।

44. मैक्स वेबर : मैक्स वेबर के द्वारा नौकरशाही सिद्धांत दिया गया। वेबर ने नौकरशाही तथा उससे सम्बन्धित अन्य संरचनाओं जैसे—सत्ता, औचित्यपूर्णता या वैधानिकता, वर्ग आदि का अध्ययन किया है। उसकी विश्लेषणात्मक विषय परिधि व्यापक है इसलिए वह समाज, विशेषतः पश्चिमी समाज (मूलतः एशिया का राजतंत्र) के प्रमुख तत्वों का विश्लेषण प्रस्तुत करता है। उसके अनुसार समाज के संगठन के मूल में शक्ति और प्रभुत्व है। मूल्य सहभागिता के कारण ये सत्ता नेतृत्व और औचित्यपूर्ण बन जाते हैं। वेबर ने इस बात पर बल दिया कि किसी संगठन (राज्य) के उद्देश्यों या लक्ष्यों की प्राप्ति के लिए नौकरशाही अनिवार्य है किंतु वेबर ने किसी आनुभविक नौकरशाही का विश्लेषण न करके उसका केवल एक 'आदर्श प्रकार' के रूप में अध्ययन किया है। कानूनी सत्ता का विशुद्ध प्रकार नौकरशाही के प्रशासनिक कर्मचारी वर्ग को नियुक्त करता है।

एल्टन मेयो : हॉथोर्न प्रयोगों के फलस्वरूप संगठन की यांत्रिक विचारधारा की लोकप्रियता कम हो गई और संगठन संबंधी नवीन मानव संबंध विचारधारा का उदय हुआ। ये प्रयोग संयुक्त राज्य अमेरिका के शिकागो नगर के समीप हॉथोर्न नगर स्थित वेस्टर्न इलेक्ट्रिक कंपनी में एल्टन मेयो के नेतृत्व में किए गए थे। एक प्रयोग में टेलीफोन के स्विच बनाने वाले श्रमिकों के एक समूह की क्रियाओं का अध्ययन किया गया। इन श्रमिकों ने दैनिक मजदूरी पर कार्य न करके प्रति स्विच निर्माण की दर निर्धारित कर ली थी। प्रबंधकों की मान्यता थी कि इससे श्रमिक अधिक पैसा कमाने के लिए प्रेरित होंगे और ज्यादा उत्पादन

होगा। किंतु प्रबंधकों की आशा के विपरीत श्रमिक केवल उतना ही कार्य करते थे जितने से उन्हें पर्याप्त आय जाती थी और अतिरिक्त आय के लिए अधिक काम करने से इन्कार कर देते थे। इस प्रकार निष्कर्ष निकाला गया कि संगठन एक सामाजिक प्रणाली है; उत्पादकता काम करने वालों की सेवा की दशाओं पर निर्भर रहती है।

एफ.डब्ल्यू. टेलर : फ्रेडरिक विन्सलो टेलर को वैज्ञानिक प्रबंध का जन्मदाता कहा जाता है। इनका प्रबंध विज्ञान के क्षेत्र में महत्वपूर्ण योगदान रहा है। इन्होंने प्रबंध विज्ञान के क्षेत्र में वैज्ञानिक दृष्टिकोण का प्रयोग करके एक नई दिशा प्रदान की। इनके द्वारा प्रतिपादित वैज्ञानिक प्रबंध के सिद्धांतों को न केवल औद्योगिक प्रबंध, वरन् अन्य कई क्षेत्रों में व्यापक मान्यता प्राप्त हुई है। इनके द्वारा प्रतिपादित वैज्ञानिक प्रबंध के सिद्धांतों का प्रभाव न केवल समस्त अमेरिका बल्कि अन्य विकसित तथा विकासशील देशों में भी फैला।

हेनरी फेयोल : हेनरी फेयोल को 'आधुनिक प्रबंध विचारधारा' का जन्मदाता माना जाता है। उन्होंने प्रबंध के क्षेत्र में जिन सामान्य सिद्धांतों का सम्पादन किया है वे आज भी समस्त राष्ट्रों व संगठनों में उपयोगी सिद्ध हो रहे हैं। उन्होंने उच्च प्रबंध एवं प्रशासन के क्षेत्र में आधारभूत दर्शन एवं दृष्टिकोण को जन्म दिया। फेयोल ही पहले व्यक्ति थे जिन्होंने प्रबंध की सार्वभौमिकता को बतलाया तथा सभी प्रकार के औद्योगिक, वाणिज्यिक, राजनैतिक, धार्मिक, सामाजिक तथा शैक्षणिक उपक्रमों के संचालन में प्रबंध की महत्वपूर्ण भूमिका को स्पष्ट किया। इसीलिए उन्हें 'सर्वयुक्तिवादी' के रूप में जाना जाता है।

46. • **सर्किट प्रशिक्षण विधि :** इसका प्रतिपादन लीड्स (Leads) विश्वविद्यालय के मॉर्गन और एडमसन के द्वारा वर्ष 1957 में किया गया था। इसमें विभिन्न व्यायामों को वैज्ञानिक दृष्टि से शामिल किया गया है। इस प्रशिक्षण द्वारा ताकत, शक्ति, मांसपेशियों की सहनशक्ति, गति, न्यूरोमस्क्युलर समन्वय, लचक तथा कार्डोवैस्क्युलर धैर्य का विकास होता है। यह एक औपचारिक ढंग की ट्रेनिंग है, जिसमें एथलीट चुने हुए व्यायाम एक क्रम (या सर्किट) में करते हैं। ये सर्किट जिमनेजियम, व्यायाम कक्षा या बाहर कोर्ट या मैदान में खड़े होकर किए जा सकते हैं।

• **फॉर्टलेक प्रशिक्षण विधि :** फार्टलेक शब्द की उत्पत्ति स्वीडन में हुई। फॉर्टलेक शब्द का अर्थ Speed Play (गति खेल) से है। इसका प्रतिपादन गोस्टा हौल्मर के द्वारा किया गया। यह सहन-क्षमता को बढ़ाने के लिए प्रयोग की जाती है। इस विधि में पेस या गति पहले से ही नियोजित नहीं होती है, इसका निर्णय व्यक्तिगत होता है। इस विधि में खिलाड़ी अपनी गति में आस-पास की जगह, पहाड़ियाँ, नदियाँ, जंगल, कीचड़ वाली सड़कें, पक्की सड़कें और घास के मैदान आदि के अनुसार परिवर्तन कर लेता है। फॉर्टलेक अंतराल प्रशिक्षण के अनुरूप है जिसमें छोटी तेज दौड़ के साथ धीरे दौड़ना या जॉगिंग रिकवरी बारी-बारी आता है। साधारण दौड़ने वाले के लिए फॉर्टलेक विधि का हल्का रूप लाभप्रद हो सकता है, विशेषकर रोड पर भागने वाले के लिए जो विविध दूरियों पर प्रशिक्षण लेता है तथा जिसने कोई विशेष गति प्रशिक्षण नहीं किया हो।

• **अंतराल प्रशिक्षण :** जर्मनी के फ्रीबर्ग विश्वविद्यालय के प्रोफेसर बोल्देमार ग्रेशलर और उनके एथलीट शारीरिक शिक्षा वैज्ञानिक तथा अन्यों के साथ इस पर कार्य किया। बोल्देमार ग्रेशलर ने कार्डियोवैस्क्युलर अनुकूलन की उपयोगिता को समझा तथा उसने प्रशिक्षण में इसको महत्व दिया। उन्होंने ऐसे तंत्र को उपलब्ध कराया जो दिल के स्टोक आयतन को बढ़ाए जिससे पैरों के खून व ऑक्सीजन की पूर्ति करने की क्षमता बढ़ी।

52. वे रोग जो एक व्यक्ति से दूसरे व्यक्ति तक फैलते हैं, उन्हें संक्रामक रोग कहते हैं। जैसे सर्दी एक संचारी रोग है जो एक व्यक्ति से दूसरे व्यक्ति में फैलता है। कुछ लोग Contagious या Cufections शब्दों का प्रयोग संक्रामक रोग के बदले करते हैं। जब रोगाणु किसी व्यक्ति के शरीर में प्रवेश करते हैं वह व्यक्ति बीमार हो जाता है और उस व्यक्ति की बीमारी से कुछ लक्षणों का पता चलता है; जैसे—सर्दी में नाक का बहना, खाँसी, गले में खराश इत्यादि। यह रोगाणु बड़े ही सूक्ष्म जीव होते हैं जिन्हें सूक्ष्मदर्शी से देखते हैं। जब रोग एक व्यक्ति से दूसरे व्यक्ति तक प्रत्यक्ष या परोक्ष रूप से; जैसे—हवा, धूल, मिट्टी, पानी, भोजन के द्वारा फैलते हैं, वे संक्रामक रोग कहलाते हैं। उदाहरणतया एड्स, चेचक, हेपेटाइटिस-बी, टायफायड, टिटनेस, वायरल फीवर इत्यादि। संक्रामक रोगों की रोकथाम

करने के उपायों का सही क्रम इस प्रकार है—नोटिफिकेशन, अलग रखना, विसंक्रमण, निदान, परीक्षण, टीकाकरण तथा उपचार।

53. • **श्री हनुमान व्यायाम प्रसारक मंडल, अमरावती :** इसके द्वारा भारत में शारीरिक शिक्षा प्रशिक्षण हेतु सर्वप्रथम प्रयास किया गया। इसकी स्थापना वर्ष 1914 में दो वैद्य भाइयों पंडित अनन्त वैद्य तथा पंडित अम्बादास वैद्य के द्वारा किया गया था।

• **वाई.एम.सी.ए. कॉलेज ऑफ फिजिकल एजुकेशन, मद्रास (चेन्नई) :** शारीरिक शिक्षा के क्षेत्र में आधुनिक काल का प्रारंभ करने का श्रेय वाई.एम.सी.ए. को दिया जाता है। इसकी स्थापना एच.सी. बक द्वारा वर्ष 1920 में की गई थी।

• **नेशनल इंस्टीट्यूट ऑफ स्पोर्ट्स, पटियाला :** इसकी स्थापना वर्ष 1961 में की गई। यह भारत तथा एशिया में खेल प्रशिक्षक तैयार करने में मानक संस्थान के रूप में प्रतिष्ठित है। यहाँ पर आंतरिक-बाह्य खेलों के लिए प्रशिक्षण की विश्वस्तरीय प्रशिक्षण व्यवस्था उपलब्ध है।

• **स्पोर्ट्स एथोरिटी ऑफ इंडिया, नई दिल्ली :** भारत सरकार ने भारतीय खेल प्राधिकरण की स्थापना वर्ष 1984 में देशभर में खेल को बढ़ावा देने हेतु की गई। वर्तमान में इसके सात क्षेत्रीय केन्द्र बंगलुरू, भोपाल, गाँधीनगर, कोलकाता, सोनीपत, दिल्ली, मुम्बई, इम्फाल में हैं तथा दो उप-केन्द्रों में गुवाहाटी और औरंगाबाद हैं।

54. • **आधुनिक ओलम्पिक खेल** प्रतियोगिता का प्रारंभ 1896 ई. को फ्रांस के बैरोन पियरे डि कोबार्टिन के प्रयासों से यूनान के एथेंस शहर में हुआ। इसका आयोजन भी प्रत्येक चार वर्ष के अंतराल पर किया जाता है।

• **राष्ट्रमंडल खेलों की शुरुआत** 1930 ई. में हेमिल्टन (कनाडा) में हुई थी। अब तक ऑस्ट्रेलिया, कनाडा, इंग्लैंड, स्कॉटलैंड एवं वेल्स ने सभी राष्ट्रमंडल खेलों में हिस्सा लिया है। 1934 ई. में लंदन में होने वाले दूसरे राष्ट्रमंडल खेल में भारत ने पहली बार भाग लिया था।

• **एशियाई खेल** का प्रारंभ 4 मार्च, 1951 ई. को नई दिल्ली में हुआ। एशियाई खेल संघ ने चमकते सूरज को अपना प्रतीक चिह्न घोषित किया।

• **दक्षिण एशियाई खेल (SAF)** का प्रारंभ 1983 में किया गया। पहले दक्षिण एशियाई खेल का आयोजन काठमांडू (नेपाल) में किया गया। इस खेल का आयोजक प्रत्येक 2 वर्ष के अंतराल पर होता है।

57. यह निर्विवाद है कि खेलों में शारीरिक शिक्षा की अन्य गतिविधियों में समाजीकरण को विकसित करने की काफी सम्भावनाएँ हैं। इसके कारण खेलों में भाग लेने से समाजीकरण या खेल समाजशास्त्र का अध्ययन महत्वपूर्ण हो गया है। खेल-कूद तथा शारीरिक शिक्षा की अन्य गतिविधियाँ अधिकांश रूप से सामूहिक गतिविधियाँ होती हैं। इस प्रकार की गतिविधियों में भाग लेने से व्यक्तियों को आपसी संपर्क स्थापित करने में सहायता मिलती है। इन आपसी संपर्कों से वे अपने दोस्तों से बहुत कुछ सीखते हैं तथा उनको विभिन्न प्रकार से प्रभावित करते हैं। इस प्रकार उनका व्यक्तिगत एवं सामाजिक समूह के रूप में समाजीकरण हो जाता है। इस प्रकार अभिकथन (A) तथा तर्क (R) सत्य हैं।

62. शारीरिक शिक्षा में विद्यार्थियों के लिए विद्यालय स्वास्थ्य कार्यक्रम का काफी महत्व है। विद्यालय स्वास्थ्य कार्यक्रम वह कार्यक्रम है जिसमें विद्यार्थियों और स्कूलकर्मियों के स्वास्थ्य का रखरखाव और सुधार के लिए योगदान तथा इनको स्वस्थ रखने के लिए स्वास्थ्य शिक्षा की जाती है।

विद्यालय स्वास्थ्य शिक्षा के लक्ष्य—

• विद्यालय स्वास्थ्य शिक्षा बच्चों के सकारात्मक स्वास्थ्य को बढ़ावा देती है।
• रोग की रोकथाम करती है।
• शीघ्र निदान, उपचार तथा दोषों को दूर करती है।
• यह विद्यार्थियों में स्वास्थ्य चेतना का जागरण करती है।

स्वास्थ्य रक्षा/विज्ञान यह एक पौराणिक अवधारणा है। हाइजीन (Hygiene) शब्द यूनान की भाषा के 'Hygia' शब्द से लिया गया है, जिसका अर्थ 'स्वास्थ्य की देवी' है। स्वच्छता स्वास्थ्य के संरक्षण के लिए अत्यंत आवश्यक है। इसकी उन्नति संपूर्ण विश्व में हुई है। इस प्रकार स्पष्ट होता है कि अभिकथन (A) तथा तर्क (R) दोनों सही हैं तथा (R) में (A) का सही स्पष्टीकरण है।

63. विभिन्न व्यक्ति विशेष के लिए मनोरंजन अलग-अलग अर्थ रखता है। सामान्य व्यवहार में मनोरंजन का अर्थ विस्तृत समग्र भाव से लिया जाता है। यह गतिविधि किसी आयु विशेष समूह के लिए प्रतिबन्धित नहीं होती है। डॉ. जॉन एच. फिनले ने मनोरंजन शब्द को खेल में शामिल करते हुए इंगित किया है कि खेल प्रत्येक अभिव्यक्ति में और बहुत-सी गतिविधियों में (संगीत, नाटक आदि) विशेष रूप से रचनात्मक गतिविधियों के द्वारा जीवन को परिपूर्ण बनाता है। मनोरंजन का अर्थ है, खोई हुई ऊर्जा को पुनः प्राप्त कर आनन्द का अनुभव प्राप्त करना। संतुष्टि तथा तरोताजा रहना स्वयं में एक मनोरंजन से परिपूर्ण जीवन है। इस प्रकार मनोरंजन मानव की मूलभूत आवश्यकता है क्योंकि मनोरंजन की अदम्य इच्छा सार्वभौमिक है।

67. **लसीका परिसंचरण तंत्र (Lymph Circulatory System):** लसीका भी एक प्रकार का संवहन तरल है, जो ऊतकों के बीच में एकत्र हो जाता है तथा इनमें लसीका कोशिकाओं में आ जाता है। लसीका हल्के पीले रंग का तरल है, जिसमें लसीकाणु या लिम्फोसाइट्स नामक प्रतिरक्षी कोशिकाएँ होती हैं। लसीका का प्रवाह केवल एक ही दिशा ऊतकों से हृदय की ओर होता है।

लसीका परिसंचरण तंत्र की संरचना—लसीका परिसंचरण तंत्र में निम्नलिखित रचनाएँ पाई जाती हैं—

(i) **लसीका कोशिकाएँ (Lymph Capillaries) :** ऊतकों के चारों ओर जल के रूप में पायी जाती हैं। कार्टिलेज एवं मस्तिष्क को छोड़कर ये सारे शरीर में पायी जाती हैं। ये लसीका को एकत्रित करती हैं।

(ii) **लसीका वाहिनियाँ (Lymph Vessels) :** ये बहुत-सी लसीका कोशिकाओं के मिलने से बनती हैं।

(iii) **लसीका गाँठें (Lymph Nodes) :** लसीका वाहिनियाँ कुछ स्थानों पर चौड़ी होकर थैली जैसी रचनाएँ बनाती हैं, जिन्हें लसीका गाँठें (Lymph Nodes) कहते हैं। वास्तव में ये लसीका वाहिकाओं के फूले भाग हैं। इन गाँठों में श्वेत रुधिर कणिकाओं तथा कुछ एण्टीबॉडीज का निर्माण होता है। काँख, गर्दन तथा पेडू (Groin) में लसीका गाँठों की संख्या अधिक होती हैं। जब शरीर में संक्रमण होता है, तो रोगाणुओं को मारने के लिए इन स्थानों की लसीका गाँठों में बहुत अधिक लसीका व WBC एकत्रित हो जाते हैं, जिसके कारण इन स्थानों पर गिल्टियाँ बन जाती हैं। इस प्रकार स्पष्ट होता है कि अभिकथन (A) सत्य है, जबकि तर्क (R) असत्य है।